D1598078

WITHDRAWAL

"DICCIONARIO Y GRAMATICA DE LA LENGUA ESPAÑOLA"

ÍNDICE DE ILUSTRACIONES

Gramática Moderna del Español,
a continuación de la pág. 720.

Texto de la Gramática a cargo del
Dr. J. Alcina Franch, *profesor de la*
Universidad de Barcelona

Redacción y realización:
A. Merino, *Licenciado en Filología*
(Lengua Española), Universidad de Barcelona
J. P. Palacio
P. Parra

Dirección editorial:
J. Barnat
Ilustración:
J. Pastor
V. Ripoll
Producción:
M. Sagalés
M. Álvarez
A. Llord

© 1979 (texto e ilustraciones)
EDICIONES NAUTA. S. A. - Barcelona

Edita: EDICIONES NAUTA. S. A.
Loreto. 16 - Barcelona (29)
Imprime: «Duplex. S. A.». Ciudad de la Asunción. 26. D
Barcelona (30)

ISBN: 84-278-0568-3
Depósito legal: B-38335-1979
Impreso en España - Printed in Spain
91012

Prefacio

La función primordial de un diccionario de la lengua es servir de orientación al hablante en el amplio caudal del léxico, para lo cual debe definir con claridad los vocablos y precisar sus diversos sentidos. Si además quiere ser una obra útil para el uso actual, no debe reducirse a un mero tesoro de la lengua ni limitarse a los términos de la lengua escrita, pues muchas voces coloquiales, que carecen de tradición culta, constituyen sin embargo el fundamento de la comunicación lingüística.

Puede considerarse ideal un diccionario que recoja la totalidad de los elementos de la lengua, tanto escrita como hablada; que refleje el léxico presente y el latente; que esté abierto a cualquier arcaísmo o neologismo; que dé el mismo tratamiento a la lengua culta y a la lengua coloquial o familiar. En ese "diccionario integral" tendrán cabida, por tanto, todas las palabras: viejas y nuevas, muertas y vivas, incluso las recién nacidas. Pero un "diccionario integral" interesa sólo al estudioso, porque normalmente no necesitamos tan gran caudal de palabras, sino un número reducido de términos usuales en el habla y la escritura, un repertorio ajustado a lo que nuestra memoria puede retener, ampliado con otros elementos que, sin ser de uso habitual, son piezas necesarias de la lengua.

De cualquier modo, un diccionario debe presentar el lenguaje vivo y actual. No puede estancarse en un inventario cerrado ni quedar al margen de las corrientes renovadoras. Ha de recoger todo lo generado en las últimas etapas, prestando especial atención a los elementos que, nacidos en la lengua coloquial, han pasado ya a integrarse en la norma del idioma.

Muchos diccionarios prescinden de una parte importante de nuestro léxico, al no recoger palabras que, siendo comunes, han ido impregnándose de un doble sentido, alusivo, por ejemplo, a cuestiones sexuales. Estimamos que un diccionario de uso no debe ignorar estos términos, porque están en la estructura básica del idioma, son fundamentales en la lengua coloquial y su fuerza es tal que, a veces, su sustitución eufemística no conduce sino a nuevos equívocos o a términos progresivamente malsonantes.

Siguiendo estos criterios, la obra que presentamos —que fundamentalmente es el resultado de una labor de síntesis y selección— ofrece una panorámica actualizada de la lengua usual, principal de las características que deben estar presentes en una obra de consulta rápida, que quiere ser lo más completa posible en cuanto a la base léxica del castellano.

En consecuencia, se han dosificado cuidadosamente los arcaísmos y tecnicismos, y se han descartado los términos exclusivos de las jergas profesionales o propios de la terminología científica (salvo aquellos que son comunes en el coloquio o se usan frecuentemente en los medios de comunicación). Las definiciones se han compendiado, rechazando así la ampulosidad descriptiva, para conseguir un acercamiento al objeto por medio de las palabras justas, que den en poco espacio una noción suficiente de la realidad descrita. Por otra parte, como las definiciones sólo pueden ser aproximadas, casuísticas, pues no son sino el resultado de diversos tanteos onomasiológicos, debiera ser tarea obligada de los diccionarios mejorar la eficacia del nivel descriptivo con la enumeración de sinónimos y términos afines, elementos que constituyen el campo asociativo del vocablo. Y debiera ser este campo el encargado de definir la palabra en relación con los conceptos que le son colindantes en el casillero ideal del idioma. Por ello, hemos querido que este aspecto analógico quedara aunque sólo fuera insinuado, y para que la delimitación de los valores semánticos sea aún más completa, se ha creído oportuno recurrir a otro complemento: las equivalencias en otras lenguas.

Con todo ello queremos contribuir, aunque sólo sea modestamente, a cambiar la imagen tradicional de los diccionarios de la lengua, que no deben ser pautas del buen decir o del lenguaje elegante, sino instrumentos de guía en la etapa concreta por la que en un momento determinado atraviesa el lenguaje en su inacabable camino. Y si un diccionario no puede ser nunca absolutamente actual, pues cuando se está imprimiendo empieza ya a quedar anticuado, de este modo llevará siempre en sí las explicaciones del pasado y la exacta descripción del presente, razones de ser de las futuras innovaciones.

LOS EDITORES

Advertencias

1. Las voces aparecen en letra **negrita**. Los artículos se disponen según el orden alfabético tradicional (considerando *ch* y *ll* como signos independientes).
    Dentro de cada artículo, si se repite la entrada, suele sustituirse por el signo —.

    > **aberración** (al. *Verirrung,* fr. *aberration,* ingl. *aberration,* it. *aberrazione).* f. Extravío, anomalía. ‖ Yerro, error. ‖ — *cromática.* ÓPT. Imperfección de las lentes que es causa de cromatismo.

2. En las voces básicas se facilita, tras la entrada en negritas, la traducción de la acepción más común en alemán, francés, inglés e italiano. Al final, entre corchetes, se citan algunos de los principales sinónimos y antónimos.

    > **abandono** (al. *Verlassenheit,* fr. *abandon,* ingl. *abandonment,* it. *abbandono).* m. Acción o efecto de abandonar o abandonarse. [*Sinón.:* renuncia, incuria, indolencia. *Antón.:* diligencia, cuidado]

3. Las distintas acepciones de una voz están separadas por el signo ‖ .

    > **achacoso, sa.** adj. Que padece achaques, enfermizo; levemente enfermo. ‖ Extremado en la acusación. ‖ Dícese de las cosas que tienen defecto.

4. En ocasiones se indica la pertenencia de un término a una materia o ciencia, en especial cuando no se desprende claramente del texto.

    > **alhucema.** f. BOT. Espliego.

5. Algunas veces se usa el signo ↗ para remitir al lector a la palabra que le sigue inmediatamente, que puede ser consultada como sinónimo o como voz que amplía los conceptos tratados.

    > **anticoncepcional.** adj. ↗ anticonceptivo.

6. No se han incluido: a) las voces y acepciones anticuadas o de poco uso; b) los adverbios terminados en -*mente* cuyo sentido se deduce con facilidad del adjetivo correspondiente; c) los sustantivos y adjetivos de fácil formación y poco uso; d) los participios activos y pasivos que no tienen entidad propia; e) los diminutivos y aumentativos de formación regular.

7. Se incluyen, por el contrario, muchas voces recientemente admitidas por la Real Academia Española, así como otras palabras no admitidas aún pero que son de uso generalizado, entre las que se cuentan neologismos y vulgarismos españoles y americanos y una amplia selección de americanismos.

8. Se han incluido también algunas palabras que, aun perteneciendo al léxico común, no suelen aparecer en los diccionarios por ser consideradas equívocas o malsonantes. Creemos que un diccionario también debe servir de guía en este campo, por lo que no se debe prescindir de una parte de nuestro léxico que, por lo demás, caracteriza al lenguaje familiar.

Abreviaturas

abl. .... *ablativo*
acus. .... *acusativo*
adj. .... *adjetivo*
.... *adjetiva*
ADM. .... *Administración*
adv. .... *adverbio*
.... *adverbial*
adv. afirm. ... *adverbio de afirmación*
adv. c. .... *adverbio de cantidad*
adv. l. .... *adverbio de lugar*
adv. m. .... *adverbio de modo*
adv. neg. ..... *adverbio de negación*
adv. t. .... *adverbio de tiempo*
AER. .... *Aeronáutica*
AGR. .... *Agricultura*
AGRIM. ...... *Agrimensura*
al. .... *alemán*
ALBAÑ. ...... *Albañilería*
amb. .... *ambiguo*
.... *ambigua*
amer. .... *americano*
.... *americana*
Amer. .... *americanismo*
ANAT. .... *Anatomía*
antón. .... *antónimo*
Antón. .... *antónimos*
antonom. .... *antonomasia*
ANTROP. .... *Antropología*
apl. .... *aplicado*
.... *aplicada*
apl. a pers.,
  ú.t.c.s. ..... *aplicado a persona,*
.... *úsase también como*
.... *sustantivo*
ár. .... *árabe*
ARQ. .... *Arquitectura*
ARQUEOL. ... *Arqueología*
art. .... *artículo*
ART. .... *Artillería*
ASTR. .... *Astronomía*
ASTROL. ..... *Astrología*
aum. .... *aumentativo*
AUTOM. ..... *Automovilismo*
B. ART. ...... *Bellas Artes*
BIOL. .... *Biología*
BLAS. .... *Blasón, Heráldica*

BOT. .... *Botánica*
CARP. .... *Carpintería*
cat. .... *catalán*
CINEM. ...... *Cinematografía*
CIR. .... *Cirugía*
colect. .... *colectivo*
com. .... *común de dos*
COM. .... *Comercio*
comp. .... *comparativo*
.... *comparativa*
conj. .... *conjunción*
conj. advers. . *conjunción adversativa*
conj. comp. .. *conjunción comparativa*
conj. cond. ... *conjunción condicional*
conj. copulat. *conjunción copulativa*
conj. distrib. . *conjunción distributiva*
conj. disyunt. *conjunción disyuntiva*
conj. ilat. ..... *conjunción ilativa*
conjunt. ...... *conjuntivo, conjuntiva*
contracc. .... *contracción*
corrup. .... *corrupción*
CRISTAL. .... *Cristalografía*
CRONOL. .... *Cronología*
dat. .... *dativo*
defect. .... *verbo defectivo*
DEP. .... *Deporte*
DER. .... *Derecho*
deriv. .... *derivado*
.... *derivada*
despect. ...... *despectivo*
.... *despectiva*
DIAL. .... *Dialéctica*
dim. .... *diminutivo*
ECON. .... *Economía*
ej. .... *ejemplo*
ELECTR. ..... *Electricidad*
ESC. .... *Escultura*
ESGR. .... *Esgrima*
esp. .... *español*
ESTAD. .... *Estadística*
ESTÁT. .... *Estática*
ETNOGR. .... *Etnografía*
ETNOL. ...... *Etnología*
exclam. ...... *exclamación*
.... *exclamativo*
.... *exclamativa*

expr. .... *expresión*
expr. elíp. ..... *expresión elíptica*
f. .... *sustantivo femenino*
fam. .... *familiar*
FARM. .... *Farmacia*
fest. .... *festivo*
                  festiva
fig. .... *figurado*
                  figurada
FIL. .... *Filosofía*
FILOL. .... *Filología*
FÍS. .... *Física*
FISIOL. .... *Fisiología*
FORT. .... *Fortificación*
FOTOGR. .... *Fotografía*
fr. .... *francés*
fr., frs. .... *frase*
                  frases
fr. proverb. .. *frase proverbial*
FREN. .... *Frenología*
fut. .... *futuro*
gall. .... *gallego*
gén. .... *género*
genit. .... *genitivo*
GEOGR. ...... *Geografía*
GEOL. .... *Geología*
GEOM. .... *Geometría*
germ. .... *gerundio*
GNOM. .... *Gnomónica*
gr. .... *griego*
gram. .... *gramatical*
                  gramático
GRAM. .... *Gramática*
hebr. .... *hebreo*
                  hebraico
HIDR. .... *Hidráulica*
HIST. NAT. .. *Historia Natural*
homón. ...... *homónimo*
id. .... *ídem*
IMP. .... *Imprenta*
imper. .... *imperativo*
impers. .... *verbo impersonal*
indet. .... *indeterminado*
indic. .... *indicativo*
infinit. .... *infinitivo*
ING. .... *Ingeniería*
ingl. .... *inglés*
interj. .... *interjección*
                  interjectivo
intr. .... *verbo intransitivo*
irreg. .... *irregular*
it. .... *italiano*

JURISP. .... *Jurisprudencia*
lat. .... *latín*
                  latino
                  latina
LING. .... *Lingüística*
lit. .... *literario*
                  literalmente
LIT. .... *Literatura*
LITURG. ..... *Liturgia*
loc. .... *locución*
LÓG. .... *Lógica*
m. .... *sustantivo masculino*
m. adv. .... *modo adverbial*
ms. advs. .... *modos adverbiales*
m. conjunt. .. *modo conjuntivo*
m. conjunt.
  advers. .... *modo conjuntivo*
                  adversativo
m. conjunt.
  condic. .... *modo conjuntivo*
                  condicional
MAR. .... *Marina*
MAT. .... *Matemáticas*
MEC. .... *Mecánica*
MED. .... *Medicina*
METAL. ...... *Metalurgia*
METEOR. .... *Meteorología*
MIL. .... *Milicia*
MINER. ...... *Minería*
MINERAL. ... *Mineralogía*
MIT. .... *Mitología*
mod. .... *moderno*
                  moderna
MONT. .... *Montería*
MÚS. .... *Música*
n. .... *neutro*
neg. .... *negación*
negat. .... *negativo*
                  negativa
Neol. .... *neologismo*
nominat. ..... *nominativo*
núm. .... *número*
n.p. .... *nombre propio*
OFTAL. ...... *Oftalmología*
ÓPT. .... *Óptica*
orig. .... *origen*
                  originario
                  originaria
p. .... *participio*
p. a. .... *participio activo*
part. .... *partícula*
part. comp. .. *partícula comparativa*

part. conjunt. *partícula conjuntiva*
part. insep. ...*partícula inseparable*
PAT. ....*Patología*
PEDAG. ......*Pedagogía*
p. ej. ....*por ejemplo*
pers. ....*persona*
          personal
p. f. ....*participio de futuro*
p. f. p. ....*participio de futuro pasivo*
PINT. ....*Pintura*
pl. ....*plural*
poét. ....*poético*
          poética
POLÍT. ......*Política*
por excel. ....*por excelencia*
por ext. ......*por extensión*
port. ....*portugués*
p. p. ....*participio pasivo*
pref. ....*prefijo*
prep. ....*preposición*
prep. insep. ..*preposición inseparable*
pres. ....*presente*
pret. ....*pretérito*
princ. ....*principal*
          principalmente
pron. ....*pronombre*
pron. dem. ...*pronombre demostrativo*
pron. pers. ...*pronombre personal*
pron. poses. .*pronombre posesivo*
pron. relat. ...*pronombre relativo*
PROS. ....*Prosodia*
PSICO. ......*Psicología*
p. us. ....*poco usado o usada*
QUÍM. ....*Química*
r. ....*verbo reflexivo*
rec. ....*verbo recíproco*
reg. ....*regular*
REL. ....*Religión*
RET. ....*Retórica*
s. ....*sustantivo*
sent. ....*sentido*
separat. ......*separativo*
          separativa
SIDER. ....*Siderurgia*

sing. ....*singular*
sinón. ....*sinónimo*
Sinón. ....*sinónimos*
SOCIOL. ......*Sociología*
subj. ....*subjuntivo*
suf. ....*sufijo*
sup. ....*superlativo*
t. ....*tiempo*
TAUROM. ....*Tauromaquia*
TEAT. ....*Teatro*
TÉCN. ....*Técnica*
          Tecnología
TEOL. ....*Teología*
TERAP. ....*Terapéutica*
t. f. ....*terminación femenina*
TOP. ....*Topografía*
tr. ....*verbo transitivo*
TRIG. ....*Trigonometría*
TV ....*Televisión*
ú. ....*úsase*
Ú.c.s.m. ......*úsase como sustantivo*
          masculino
Ú.m. ....*úsase más*
Ú.m.c.n. .....*úsase más con negación*
Ú.m.c.r. ......*úsase más como reflexivo*
Ú.m.c.s. ......*úsase más como sustantivo*
Ú.m. en pl. ..*úsase más en plural*
Ú.t.c. adj. ....*úsase también como*
          adjetivo
Ú.t.c.intr. ....*úsase también como*
          intransitivo
Ú.t.c.r. ......*úsase también como*
          reflexivo
Ú.t.c.s. ....*úsase también como*
          sustantivo
Ú.t.c.tr. ......*úsase también como*
          transitivo
Ú.t. en pl. ....*úsase también en plural*
Ú.t. en sing. ..*úsase también en singular*
VET. ....*Veterinaria*
vocat. ....*vocativo*
vulg. ....*vulgar*
ZOOL. ....*Zoología*

A

a. f. primera letra del abecedario español.

a. prep. Denota el complemento de la acción del verbo. ∥ Indica la dirección que lleva o el término a que se encamina alguna persona o cosa. ∥ Determina el lugar o tiempo en que sucede una cosa. ∥ Indica la situación de personas o cosas. ∥ Designa intervalo de lugar o tiempo. ∥ Denota el modo de la acción. ∥ Precede a la designación del precio de las cosas. ∥ Indica distribución. ∥ Expresa comparación o contraposición. ∥ Da principio a muchos modos y frases adverbiales. ∥ Se usa como prefijo.

a-. part. insep. que denota privación o negación.

ab. prep. lat. que sólo se emplea en algunas frases latinas, como *ab initio*. ∥ Partícula inseparable.

ababillarse. r. *Amer*. Enfermar de la babilla un animal.

ababol. m. Amapola.

abacá. m. BOT. Planta tropical musácea, de cuyas hojas se obtiene un filamento textil. ∥ Tejido hecho con este filamento.

abacería. f. Tienda donde se expende aceite, vinagre, legumbres secas, bacalao, etcétera.

abacero, ra. s. Persona que tiene abacería.

abacial. adj. Perteneciente o relativo al abad, a la abadesa o a la abadía.

ábaco. m. Cuadro de madera con varios alambres paralelos y en cada uno de ellos diez bolas movibles, usado para enseñar los rudimentos de la aritmética. ∥ Por ext., todo instrumento que sirve para efectuar manualmente cálculos aritméticos mediante marcadores deslizables. ∥ Nomograma. ∥ ARQ. Parte superior, en forma de tablero, que corona el capitel. ∥ MINER.

Artesa utilizada para lavar los minerales.

abad (al¡ *Abt*, fr. *abbé*, ingl. *abbot*, it. *abate*). m. Título que llevan los superiores de los monasterios en la mayor parte de las órdenes monacales, y también los de algunas colegiatas.

abadejo. m. ZOOL. Bacalao.

abadengo, ga. adj. Perteneciente o relativo a la dignidad o jurisdicción de un abad.

abadesa. f. En ciertas comunidades religiosas, superiora.

abadía (al. *Abtei*, fr. *abbaye*, ingl. *abbey*, it. *abbazia*). f. Iglesia o monasterio regido por un abad o una abadesa.

abajeño, ña. adj. *Amer*. Dícese del que procede de las costas o tierras bajas. Ú.t.c.s.

abajo (al. *unten*, fr. *dessous, en bas*, ingl. *down, below*, it. *abasso*). adv. l. Hacia lugar o parte inferior. ∥ En lugar o parte inferior. [*Sinón*.: bajo, debajo. *Antón*.: arriba, encima]

abalanzar. tr. Impulsar, inclinar hacia adelante, incitar. ∥ r. Lanzarse, arrojarse en dirección a algo o a alguien. ∥ r. fig. Decidirse a resolver sin considerar dificultades. [*Sinón*.: equilibrar; impulsar; arremeter]

abalear. tr. Separar el trigo, cebada, etc., después de aventados los granzones y la paja gruesa. ∥ *Amer*. Balear o disparar contra alguien o algo; herir o matar a balazos.

abaleo. m. Acción de abalear los cereales. ∥ Escoba con que se abalea. ∥ *Amer*. Acción y efecto de abalear, disparar con bala.

abalizar. tr. MAR. Señalar con balizas algún paraje.

abalorio. m. Conjunto de cuentecillas de vidrio, agujereadas, con las cuales, ensartándolas, se hacen adornos y labores. [*Sinón*.: quincalla]

aballar. tr. PINT. Rebajar o esfumar las líneas y colores de una pintura.

abanderado. (al. *Fähnrich*, fr. *porte-drapeau*, ingl. *standard bearer*, it. *portabandiera*). m. Oficial que lleva la bandera. ∥ El que lleva bandera en procesiones, desfiles, etc. [*Sinón*.: portaestandarte]

abanderar. tr. Matricular bajo la bandera de un Estado a un buque extranjero. Ú.t.c.r.

abanderizar. tr. Dividir en banderías. Ú.t.c.r. ∥ *Amer*. Afiliarse a un partido político.

abandonado, da. adj. Descuidado, desidioso. ∥ Sucio, desaseado. [*Antón*.: diligente]

abandonar (al. *verlassen*, fr. *abandoner*, ingl. *to leave*, it. *abbandonare*). tr. Dejar, desamparar a una persona o cosa. ∥ Desistir de alguna cosa. ∥ r. fig. Dejarse dominar por pasiones o vicios. ∥ Confiarse o entregarse uno a una persona o cosa. ∥ Rendirse ante las adversidades. [*Antón*.: retener]

abandono (al. *Verlassenheit*, fr. *abandon*, ingl. *abandonment*, it. *abbandono*). m. Acción o efecto de abandonar o abandonarse. [*Sinón*.: renuncia, incuria, indolencia. *Antón*.: diligencia, cuidado]

abanicar. tr. Hacer aire con el abanico.

abanico (al. *Fächer*, fr. *éventail*, ingl. *fan*, it. *ventaglio*). m. Utensilio para hacer o hacerse aire. ∥ MAR. Especie de cabria hecha con elementos de a bordo.

abaniqueo. m. Acción de abanicar o abanicarse. ∥ fam. Exagerado manoteo con que algunas personas acompañan sus palabras.

abano. m. Abanico.

abanto. m. ZOOL. Ave rapaz diurna, falconiforme, con la cabeza y el cuello cubiertos de plumas y el color blanquecino. || adj. Dícese del hombre aturdido y torpe. || TAUROM. Dícese del toro que al empezar la lidia parece aturdido.

abarajar. tr. *Amer.* Recoger o recibir en el aire una cosa, parar en el aire un golpe. Ú.t. en sentido figurado, refiriéndose a palabras o intenciones.

abaratamiento. m. Acción y efecto de abaratar. [*Sinón.*: rebaja, desvalorización. *Antón.*: encarecimiento]

abaratar (al. *verbiligen*, fr. *diminuer le prix*, ingl. *to cheapen*, it. *calare*). tr. Disminuir o bajar el precio de una cosa. [*Sinón.*: rebajar, depreciar. *Antón.*: encarecer]

abarca. f. Calzado de cuero o de caucho que cubre sólo la planta del pie y se sujeta con cuerdas o correas. || En algunas partes, zueco.

abarcar (al. *umfassen*, fr. *embrasser*, ingl. *to embrace*, it. *abbracciare*). tr. Ceñir con los brazos. || fig. Rodear, comprender. || fig. Tomar uno a su cargo muchas cosas a un tiempo. || *Amer.* Empollar la gallina los huevos. || *Amer.* Acaparar. [*Sinón.*: englobar, comprender. *Antón.*: excluir]

abarque. *Amer.* Conjunto de pollos nacidos de una nidada.

abarquillado, da. adj. De figura de barquillo.

abarquillamiento. m. Acción y efecto de abarquillar o abarquillarse.

abarquillar. tr. Encorvar un cuerpo delgado y ancho, sin que llegue a formar un rollo. Ú.t.c.r.

abarraganarse. r. Amancebarse.

abarrajar. tr. Abarrar, atropellar. || r. *Amer.* Entregarse a la mala vida.

abarrancar. tr. Hacer barrancos. || Meter en un barranco. Ú.t.c.r. || intr. Varar, encallar. Ú.t.c.r. || r. fig. Meterse en negocio o lance comprometido. [*Sinón.*: embarrancar]

abarrar. tr. Arrojar violentamente alguna cosa. || Varear o sacudir.

abarrotar. tr. Apretar o fortalecer con barrotes. || MAR. Asegurar la estiba con barrotes. || MAR. Cargar un buque aprovechando todo el espacio disponible. || Por ext., atestar de géneros u otras cosas una tienda, un almacén, etc. || Llenar un espacio de personas o cosas. Ú.t.c.r. || *Amer.* Monopolizar, acaparar. || r. *Amer.* Abaratarse un género por su abundancia. [*Sinón.*: colmar, atestar. *Antón.*: vaciar]

abarrote. m. MAR. Fardo pequeño que sirve para llenar los huecos de la estiba. || pl. *Amer.* Comestibles y artículos menudos de primera necesidad.

abarrotero, ra. s. *Amer.* Persona que tiene tienda de abarrotes.

abastecedor, ra (al. *proviantlieferant*, fr. *pourvoyeur*, ingl. *purreyor* it. *provveditore*). adj. Que abastece. Ú.t.c.s. [*Sinón.*: proveedor]

abastecer (al. *versorgen*, fr. *approvisioner*, ingl. *to purvey*, it. *aprovvigionare*). tr. Proveer de bastimentos o de otras cosas necesarias. Ú.t.c.r. [*Sinón.*: surtir, suministrar, aprovisionar]

abastecimiento. m. Acción y efecto de abastecer o abastecerse. [*Sinón.*: suministro]

abastero. m. *Amer.* El que compra reses vivas para sacrificarlas y vender la carne al por mayor.

abastionar. tr. FORT. Fortificar con bastiones o baluartes. [*Sinón.*: abaluartar]

abasto. m. Provisión de víveres. Ú. t. en pl. || Abundancia. || *dar abasto a una cosa.* Proveer a todas las demandas o exigencias. Ú. m. con neg.

abatanar. tr. Batir el paño en el batán para desengrasarlo y enfurtirlo. || fig. Batir o golpear; maltratar.

abatatamiento. m. *Amer.* Acción y efecto de abatatar o abatatarse.

abatatar. tr. *Amer.* Turbarse, apocarse. Ú.m.c.r.

abate (al. *Abbé*, fr. *abbé*, ingl. *abbe*, it. *abate*). m. Eclesiástico de órdenes menores que solía vestir traje clerical a la romana. || Presbítero extranjero, especialmente francés o italiano.

abatí. m. *Amer.* Maíz. || Bebida alcohólica destilada del maíz.

abatido, da. adj. Abyecto, despreciable. || Que ha caído de su estimación y precio regular. || Decaído, postrado. [*Sinón.*: desalentado. *Antón.*: animado]

abatimiento (al. *Niedergeschlagenheit*, fr. *abattement*, ingl. *depression*, it. *abattimento*). m. Acción y efecto de abatir. || GEOM. Resultado de abatir un plano y las líneas que lo contienen, haciéndolo girar alrededor de un eje común a otro plano, llamado de proyección, hasta lograr que ambos lleguen a coincidir. || MAR. Ángulo que forma la línea de la quilla con el verdadero rumbo de la nave. [*Sinón.*: desconsuelo. *Antón.*: animación]

abatir (al. *niederwerfen*, fr. *abattre*, ingl. *to pull down*, it. *abbatere*). tr. Derribar, echar por tierra. Ú.t.c.r. || Inclinar, poner tendido lo que estaba vertical. || fig. Hacer perder el ánimo, las fuerzas, el vigor. Ú.m.c.r. || intr. MAR. Desviarse un buque de su rumbo.

|| r. Descender el ave de rapiña. [*Sinón.*: tumbar, desalentar. *Antón.*: levantar]

abazón. m. ZOOL. Cada uno de los dos buches que varias especies de mamíferos tienen en la boca, en los que depositan los alimentos antes de masticarlos.

abdicación. f. Acción y efecto de abdicar. || Documento en que consta la abdicación.

abdicar (al. *entsagen*, fr. *abdiquer*, ingl. *to abdicate*, it. *abdicare*). tr. Ceder o renunciar una dignidad, en especial la autoridad soberana. || Dejar, abandonar creencias, opiniones, etc. [*Sinón.*: dimitir, resignar]

abdomen (al. *Unterleib*, fr. *abdomen*, ingl. *abdomen*, it. *addome*). m. ANAT. En los vertebrados, vientre; cavidad, conjunto de vísceras contenidas en ella y región exterior correspondiente. || ZOOL. Región posterior del cuerpo de la mayoría de los animales invertebrados.

abdominal. adj. Perteneciente o relativo al abdomen.

abducción. f. FISIOL. Movimiento por el que un miembro se aleja del plano medio del cuerpo.

abductor. adj. Dícese del músculo capaz de ejecutar una abducción. Ú.t.c.s.

abecé. m. Abecedario. || fig. Rudimentos o principios de una ciencia o facultad.

abecedario (al. *Alphabet*, fr. *abécédaire*, ingl. *alphabet*, it. *abbecedario*). m. Serie de letras de un idioma o técnica de escritura, según el orden adoptado por cada uno de ellos. || Cartel o librito con las letras, que sirve para enseñar a leer. || Abecé. [*Sinón.*: alfabeto; catón]

abedul (al. *Birke*, fr. *bouleau*, ingl. *birch*, it. *betulla*). m. BOT. Árbol betuláceo, de corteza plateada y ramas flexibles y colgantes. || Madera de este árbol.

abeja (al. *Biene*, fr. *abeille*, ingl. *bee*, it. *ape*). f. ZOOL. Insecto himenóptero que vive en sociedad, en un nido o panal construido con la cera que segrega. Se alimenta del néctar de las flores, con el que elabora la miel. || fig. Persona laboriosa. || n.p.f. ASTR. Mosca, constelación. || — *obrera.* Cada una de las que carecen de la facultad de procrear y producen la cera y la miel. || — *reina.* Abeja fecunda.

abejaruco. m. ZOOL. Ave coraciforme de plumaje brillantemente coloreado y pico puntiagudo, ahusado y un poco curvo.

abejón. m. ZOOL. Zángano, macho de la abeja. || ZOOL. Abejorro.

abejorro. m. ZOOL. Insecto himenóptero, velludo, que vive en enjambres poco numerosos y zumba mucho al volar. || Insecto coleóptero cuyo vuelo se caracteriza por un monótono zumbido; roe las hojas de las plantas. || fig. Persona de conversación pesada y molesta.

abemolar. tr. MÚS. Poner bemoles. || Suavizar, dulcificar la voz.

aberración (al. *Verirrung*, fr. *aberration*, ingl. *aberration*, it. *aberrazione*). f. Extravío, anomalía. || Yerro, error. || ÓPT. Imperfección de un sistema óptico que le impide establecer una exacta correspondencia entre un objeto y su imagen. || — *cromática*. ÓPT. Imperfección de las lentes que es causa de cromatismo.

aberrar. intr. Errar, equivocarse.

abertura (al. *Offnung*, fr. *ouverture*, ingl. *opening*, it. *apertura*). f. Acción de abrir o abrirse. || Hendidura o grieta. [*Sinón.:* apertura, ranura, rendija]

abetal. m. Lugar poblado de abetos.

abeto (al. *Tanne*, fr. *sapin*, ingl. *fir-tree*, it. *abete*). m. BOT. Conífera siempre verde, de tronco recto y muy elevado, ramas horizontales y copa cónica. Su madera es blanca y no muy resistente. || Madera de cualquiera de las especies de este árbol.

abey. m. BOT. Árbol leguminoso de las Antillas, cuya madera, fuerte y compacta, se usa en carpintería.

abicharse. r. *Amer.* Agusanarse.

abierto, ta (al. *geöffnet*, fr. *ouvert*, ingl. *open*, it. *aperto*). adj. Desembarazado, llano, raso. || fig. Ingenuo, franco. || Comprensivo, tolerante. || MAR. Dícese de la embarcación que carece de cubierta.

abigarrado, da. adj. De varios colores mal combinados. || Heterogéneo, sin concierto. [*Sinón.:* mezclado, confuso. *Antón.:* homogéneo]

abigeato. m. DER. Hurto de ganado o bestias.

abigeo. m. DER. El que hurta cabezas de ganado o bestias.

ab initio. loc. adv. lat. Desde el principio. || Desde tiempo inmemorial o muy remoto.

abiogénesis. f. Producción hipotética de seres vivos partiendo de materia inerte; generación espontánea.

abisal adj. Abismal. || Dícese especialmente de las grandes profundidades marinas y de cuanto se halla en ellas.

abisinio, nia. adj. Natural de Abisinia. Ú.t.c.s. || Perteneciente a este país de África. || m. Lengua abisinia.

abismal. adj. Perteneciente o relativo al abismo.

abismar. tr. Hundir en el abismo. Ú.t.c.r. || fig. Confundir, abatir. Ú.t.c.r. || r. fig. Entregarse por completo a la contemplación, al dolor, etc. [*Sinón.:* hundir, sumir]

abismo (al. *Abgrund*, fr. *abîme*, ingl. *abyss*, it. *abisso*.). m. Profundidad grande, imponente y peligrosa. || Infierno. || Cosa insondable. [*Sinón.:* sima, precipicio.]

abjuración. f. Acción y efecto de abjurar. [*Sinón.:* apostasia, desdecimiento]

abjurar (al. *abschwören*, fr. *abjurer*, ingl. *to forswear*, it. *abjurare*). tr. Desdecirse con juramento; renunciar solemnemente. [*Sinón.:* apostatar, retractarse]

ablación f. CIR. Separación o extirpación de cualquier parte del cuerpo. || GEOL. Fusión parcial de un glaciar.

ablandamiento. m. Acción y efecto de ablandar.

ablandar (al. *erweichen*, fr. *amollir*, ingl. *to soften*, it. *ammolllire*). tr. Poner blanda una cosa. Ú.t.c.r. || fig. Mitigar la fiereza o el enojo de alguno. Ú.t.c.r. || r. Acobardarse. [*Sinón.:* reblandecer, aplacar. *Antón.:* endurecer]

ablativo (al. *Ablativ*, fr. *ablatif*, ingl. *ablative*, it. *ablativo*). m. GRAM. Caso de la declinación que expresa relaciones de procedencia, situación, modo, tiempo, instrumento, materia, etc.

ablución (al. *Waschung*, fr. *ablution*, ingl. *ablution*, it. *abluzione*). f. Lavatorio, acción de lavarse. || Acción de purificarse por medio del agua, según ritos de algunas religiones. || pl. En la misa, vino y agua con que se purifica el cáliz y se hace el lavatorio. [*Sinón.:* bautismo, lavamanos]

abnegación. f. Sacrificio que uno hace de su voluntad o de sus intereses en servicio de Dios o del prójimo. [*Sinón.:* altruismo. *Antón.:* egoismo]

abnegar. tr. Renunciar uno voluntariamente a sus deseos, pasiones o intereses. Ú.m.c.r.

abocado, da. adj. Dícese del vino ni seco ni dulce, pero agradable por su suavidad. Ú.t.c.s.

abocar. tr. Asir con la boca. || Abrir paso. || Acercar, aproximar. Ú.t.c.r. ||

Verter el contenido de un recipiente en otro cuando para ello se aproximan las bocas de ambos. || Juntarse una o más personas con otra u otras para tratar un negocio. || intr. MAR. Comenzar a entrar en un canal, puerto, etc.

abocardar. tr. Ensanchar la boca de un tubo o de un agujero.

abocetar. tr. Ejecutar bocetos. || Bosquejar.

abochornar. tr. Causar bochorno el excesivo calor. Ú.t.c.r. || fig. Sonrojar. Ú.t.c.r.

abofetear (al. *ohrfeigen*, fr. *souffleter*, ingl. *to slap*, it. *schiaffeggiare*). tr. Dar de bofetadas.

abogacía. f. Profesión y ejercicio del abogado.

abogaderas. f. pl. AMER. Uso de argumentos insidiosos y falaces.

abogadil. adj. despect. Perteneciente a los abogados.

abogado (al. *Rechtsanwalt*, fr. *avocat*, ingl. *barrister*, it. *avvocato*). s. Persona legalmente autorizada para defender en juicio los derechos e intereses de los litigantes y para asesorar sobre las cuestiones legales que se le consulten. || fig. Intercesor, mediador. || — *del diablo*. fig. y fam. Promotor de la fe. Por ext., contradictor de buenas causas. || — *de pobres*, o *de los pobres*. El que los defiende de oficio. Por ext., el que siempre sale en defensa del que considera débil. [*Sinón.:* letrado, jurista.]

abogar. intr. Defender en juicio, por escrito o verbalmente. || fig. Interceder, hablar en favor de alguien.

abolengo. m. Ascendencia de abuelos o antepasados. || DER. Patrimonio que viene de los abuelos. || fig. Raza, estirpe, comúnmente noble.

abolición. f. Acción y efecto de abolir.

abolicionismo (al. *Abolitionismus*, fr. *abolitionisme*, ingl. *abolitionism*, it. *abolizionismo*). m. Doctrina de los abolicionistas.

abolicionista. adj. Partidario de la abolición de una ley o costumbre. Se aplicó especialmente a los partidarios de la abolición de la esclavitud. Ú.t.c.s.

abolir (al. *abschaffen*, fr. *abolir*, ingl. *to abolish*, it. *abolire*). tr. Derogar, dejar sin vigor un precepto o costumbre.

abolladura. f. Acción y efecto de abollar.

abollar (al. *verbeulen*, fr. *bossuer*, ingl. *to dent*, it. *acciaccare*). tr. Producir en una cosa una depresión con un golpe.

abombado, da. adj. *Amer.* Aturdido, atontado. ‖ *Amer.* Tonto, falso o escaso de entendimiento o razón. Ú.t.c.s.

abombar. tr. Dar figura convexa. ‖ fig. y fam. Asordar, aturdir. ‖ r. Tomar una cosa la forma convexa. ‖ *Amer.* Empezar a corromperse una cosa. ‖ *Amer.* Achisparse.

abominable. adj. Que merece ser abominado.

abominación. f. Acción y efecto de abominar. ‖ Cosa abominable.

abominar. tr. Condenar y maldecir a personas o cosas por malas o perjudiciales. ‖ Tener odio. [*Sinón.*: execrar, detestar, odiar.]

abonado, da. adj. Que es de fiar por su caudal o crédito. ‖ Dispuesto a hacer o decir algo. ‖ s. Persona inscrita para recibir algún servicio periódicamente o determinado número de veces. ‖ Persona que ha suscrito o adquirido un abono para un servicio o espectáculo. ‖ m. AGR. Acción y efecto de abonar tierras laborables.

abonador, ra adj. Que abona. ‖ s. Persona que abona al fiador, y que en su defecto se obliga a responder por él.

abonanzar. intr. Calmarse la tormenta o serenarse el tiempo. [*Sinón.*: despejar. *Antón.*: amar]

abonar (al. *gutschreiben, düngen;* fr. *créditer, engraisser;* ingl. *to credit, to manure;* it. *acreditare, concimare*). tr. Acreditar o calificar de bueno. ‖ Salir fiador de alguien. ‖ Echar en la tierra materias que aumenten su fertilidad. ‖ Inscribir a una persona, mediante pago, para que pueda concurrir a alguna diversión o recibir algún servicio. Ú.m.c.r. ‖ COM. Asentar en las cuentas corrientes las partidas que corresponden al haber. ‖ COM. Hacer efectiva al acreedor la cantidad debida. [*Sinón.*: avalar; respaldar; fertilizar; apuntar; pagar]

abonero, ra. s. *Amer.* Comerciante callejero y ambulante que vende por abonos, o pagos a plazos.

abono (al. *Gutschrift, Dünger;* fr. *écriture de crédit, engrais;* ingl. *credit entry, manure;* it. *accreditamento, concime*). m. Acción de abonar. ‖ Fianza, seguridad, garantía. ‖ Derecho que adquiere el que se abona. ‖ Lote de entradas o billetes que se compran conjuntamente, y que permiten el uso de algún servicio o la asistencia a una serie de espectáculos. ‖ Documento en que consta el derecho de quien se abona a alguna cosa. ‖ AGR. Sustancia con que se abona la tierra.

abordaje (al. *Enterung,* fr. *abordage,* ingl. *boarding,* it. *abbordaggio*). m. MAR. Acción de abordar. ‖ *al abordaje.* m. adv. Pasando la gente del buque abordador al abordado, con armas a propósito para embestir al enemigo.

abordar (al. *entern,* fr. *aborder,* ingl. *to board,* it. *abbordare*). tr. MAR. Llegar una embarcación a otra, tocar o chocar con ella, para cualquier fin o fortuitamente. Ú.t.c. intr. ‖ Atracar una nave. ‖ fig. Acercarse a alguno para proponerle o tratar con él algún asunto. ‖ Emprender un asunto o negocio. ‖ Empezar a tratar una cuestión.

aborigen (al. *Eingeboren,* fr. *aborigène,* ingl. *aboriginal,* it. *aborigeno*). adj. Originario del suelo en que vive. ‖ Dícese del primitivo morador de un país. Ú.m.c.s. y en pl. [*Sinón.*: indígena, nativo]

aborrajar. tr. *Amer.* Rebozar una vianda para freírla después. ‖ r. AGR. Secarse antes de tiempo las mieses y no llegar a granar por completo.

aborrascarse. r. Ponerse el tiempo borrascoso. [*Sinón.*: encapotarse, nublarse]

aborrecer (al. *verabscheunen,* fr. *haïr,* ingl. *to abhor,* it. *aborrire*). tr. Sentir aversión por una persona o cosa. ‖ Dejar o abandonar las aves el nido, los huevos o las crías. [*Sinón.*: odiar, detestar. *Antón.*: apreciar]

aborrecimiento. m. Acción y efecto de aborrecer. [*Sinón.*: aversión, animosidad. *Antón.*: aprecio]

aborregarse. r. Cubrirse el cielo de nubes blanquecinas a modo de vellones de lana. ‖ *Amer.* Acobardarse.

abortar (al. *eine, fehlgeburt haven;* fr. *avorter;* ingl. *to abort;* it. *abortire*). intr. Parir antes del tiempo en que el feto puede vivir. ‖ fig. Malograrse alguna empresa. ‖ tr. Producir una cosa sumamente imperfecta, monstruosa o abominable. [*Sinón.*: malparir]

abortivo, va. adj. Nacido antes de tiempo. ‖ Que hace abortar. Ú.t.c.s.m.

aborto (al. *Fehlgeburt,* fr. *avortement,* ingl. *miscarriage,* it. *aborto*). m. Acción de abortar. Interrupción espontánea o intencionada de la gestación en el tiempo en que el feto no puede vivir fuera del claustro materno. ‖ Cosa abortada.

abotagarse. r. Hincharse el cuerpo de un animal o de una persona. [*Sinón.*: inflarse. *Antón.*: deshincharse]

abotargarse. r. Abotagarse.

abotonar (al. *zuknöpfen,* fr. *boutonner,* ingl. *to button,* t. *abbottonare*). tr.

Ajustar una prenda de vestir, metiendo el botón por el ojal. Ú.t.c.r. ‖ fig. *Amer.* Adular. [*Sinón.*: abrochar]

abovedado, da. adj. Corvo, combado.

abovedar. tr. Cubrir con bóveda. ‖ Dar figura de bóveda.

abra. f. Bahía no muy extensa. ‖ Abertura ancha entre dos montañas. ‖ Grieta producida en el terreno por concusiones sísmicas. ‖ *Amer.* Sitio despejado en un bosque. ‖ *Amer.* Trocha, camino abierto en la maleza. ‖ MAR. Distancia entre los palos de la arboladura. [*Sinón.*: ensenada, hendidura]

abracadabra. m. Palabra cabalística que se escribía en once renglones, con una letra menos en cada uno de ellos, de modo que formase un triángulo. Se le atribuía la propiedad de curar ciertas enfermedades.

abracar. tr. *Amer.* Abarcar.

abrasar (al. *verbrennen,* fr. *brûler,* ingl. *to burn,* it. *bruciare*). tr. Reducir a brasa, quemar. Ú.t.c.r. ‖ Secar el excesivo calor o frío una planta o sus hojas. Ú.t.c.r. ‖ Calentar demasiado. Ú.t.c.intr. ‖ Producir una sensación de dolor ardiente, de sequedad, acritud o picor, como la producen la sed y algunas sustancias picantes. ‖ r. Sentir uno demasiado calor o ardor.

abrasión (al. *Abkratzen,* fr. *abrasión,* ingl. *abrasion,* it. *abrasione*). f. Acción y efecto de raer o desgastar por fricción. ‖ GEOL. Proceso de profundo desgaste o de destrucción, producido en la superficie terrestre al arrancarle porciones de materia los agentes externos. ‖ MED. Leve ulceración de la piel o las mucosas.

abrasivo, va (al. *Abreibend,* fr. *abrasif,* ingl. *abrasive,* it. *abrasivo*). adj. Perteneciente o relativo a la abrasión. Ú.t.c.s.m., aplicado a los productos que sirven para desgastar o pulir, por fricción, sustancias duras como metales, vidrios, etc.

abrazadera. f. Pieza de metal u otra materia que sirve para asegurar una cosa, ciñéndola.

abrazar (al. *umarmen,* fr. *embrasser,* ingl. *to embrace,* it. *abracciare*). tr. Ceñir con los brazos. Ú.t.c.r. ‖ fig. Comprender, contener, incluir. ‖ fig. Seguir, admitir una doctrina o idea. [*Sinón.*: estrechar, enlazar, abarcar]

abrazo (al. *Umarmung,* fr. *embrassement,* ingl. *embrace,* it. *abbraccio*). m. Acción y efecto de abrazar.

abreboca. m. *Amer.* Aperitivo.

abrecartas. m. Plegadera de punta afilada para abrir cartas.

ábrego. m. Viento sur.

abrelatas. m. Instrumento de metal que sirve para abrir las latas de conserva.

abrevadero. m. Lugar donde se abreva al ganado. [*Sinón.*: pilón, aguadero]

abrevar (al. *tränken*, tr. *abreuver*, ingl. *to water cattle*, it. *abbreverare*). tr. Dar de beber al ganado.

abreviación. f. Acción y efecto de abreviar.

abreviado, da. adj. Resumido, compendiado. [*Sinón.*: reducido, sintetizado]

abreviar (al. *abkürzen*, fr. *abréger*, ingl. *to abridge*, it. *abbreviare*). tr. Acortar, reducir a menos tiempo o espacio. || Acelerar, apresurar. || r. *Amer.* Darse prisa. [*Sinón.*: resumir, sintetizar. *Antón.*: alargar]

abreviatura (al. *Abkürzung*, fr. *abréviation*, ingl. *abbreviation*, it. *abbreviazione*). f. Representación de las palabras en la escritura con sólo algunas de sus letras. || Palabra representada en la escritura de este modo. [*Sinón.*: cifra, sigla]

abridor, ra. adj. Que abre. || m. Cada uno de los dos aretes que se ponen a las niñas en los lóbulos de las orejas para horadarlos. || Abrelatas. || Instrumentos para quitar las chapas metálicas de las botellas.

abrigadero. m. Abrigo.

abrigado. m. Abrigo.

abrigador, ra. adj. Que abriga. || *Amer.* Encubridor de un delito o falta. Ú.t.c.s.

abrigar (al. *schützen*, *zudecken*; fr. *protéger*, *abriter*; ingl. *to protect*, *to cover*; it. *proteggere*, *riparare*). tr. Defender, resguardar del frío. Ú.t.c.r. || fig. Auxiliar, amparar. || fig. Tratándose de ideas, afectos, etc., tenerlos. [*Sinón.*: arropar, proteger, tapar]

abrigo (al. *Schutz*, *Mantel*; fr. *abri*, *pardessus*; ingl. *cover*, *overcoat*; it. *riparo*, *soprabito*). m. Defensa contra el frío. || Prenda de vestir que se pone sobre las demás y sirve para abrigar. || *Mar.* Lugar de la costa donde pueden refugiarse las naves sorprendidas por el temporal. [*Sinón.*: cobijo, gabán, refugio. *Antón.*: desamparo]

abril (al. *April*, fr. *avril*, ingl. *april*, it. *aprile*). m. Cuarto mes del año: consta de 30 días. || pl. fig. Años de la primera juventud.

abrileño, ña. adj. Propio de abril.

abrillantador. m. Artífice que abrillanta piedras preciosas. || Instrumento con que se abrillanta. [*Sinón.*: bruñidor.]

abrillantar tr. Labrar en facetas, como las de los brillantes, las piedras preciosas y ciertas piezas de acero. || Iluminar o dar brillantez. [*Sinón.*: lustrar, bruñir]

abrir (al. *offnen*, fr. *ouvrir*, ingl. *to open*, it. *aprire*). tr. Descubrir lo que está cerrado u oculto. Ú.t.c.r. || Separar del marco la hoja o las hojas de la puerta, o quitar o separar cualquier otra cosa con que esté cerrada una abertura. Ú.t.c. intr. y c.r. || Tratándose de los cajones de una mesa u otro mueble, tirar de ellos hacia fuera. || Dejar en descubierto una cosa, haciendo que las que la ocultan se aparten o separen. || Tratándose de partes del cuerpo del animal o de instrumentos compuestos de piezas, separar las unas de las otras de modo que entre ellas quede un espacio. || Cortar por las dobleces los pliegos de un libro para separar las hojas. || Extender lo que estaba encogido o plegado. || Tratándose de cuerpos o establecimientos, dar principio a sus tareas, ejercicios o negocios. || fig. Tratándose de gente que camina en hilera o columna, ir a la cabeza o delante. || *Taurom.* Hacer que un toro se separe de la barrera para poder lidiarlo. || *Mar.* Desatracar una embarcación menor. || r. Relajarse, laxarse. || Hablando del vehículo o del conductor que toma una curva, hacerlo por el lado de menor curvatura. || Declarar, confiar una persona a otra su secreto. || *Amer.* Desviarse el caballo de la línea que seguía en la carrera. || *Amer.* Apartarse, hacerse a un lado. || *Amer.* Irse de un lugar, huir, salir precipitadamente. || *Amer.* Desistir de algo, separarse de una compañía.

abrochar. tr. Cerrar, ajustar con broches. Ú.t.c.r. || Abotonar.

abrogación. f. Acción y efecto de abrogar.

abrogar (al. *abschaffen*, fr. *abroger*, ingl. *to abrogate*, it. *abrogare*). tr. *Der.* Abolir, revocar. [*Sinón.*: derogar]

abrojo. m. *Bot.* Planta cigofílea, de hojas compuestas y fruto con púas. Es perjudicial a los sembrados. || Fruto de esta planta. || Cardo estrellado. || pl. *Mar.* Peñas agudas que suelen encontrarse en el mar a flor de agua.

abromado, da. adj. *Mar.* Oscurecido con vapores o nieblas.

abroquelar. tr. *Mar.* Maniobrar con las velas para disponerlas en forma tal que reciban el viento por la proa.

abrumador, ra. adj. Que abruma.

abrumar (al. *bedrücken*, fr. *accabler*, ingl. *to overwhelm*, it. *opprimere*). tr. Agobiar con algún grave peso. || fig. Causar gran molestia. [*Sinón.*: apesadumbrar, incomodar, fastidiar]

abrupto, ta. adj. Escarpado, que tiene gran pendiente; dícese también del terreno quebrado, de difícil acceso. || Áspero, violento, rudo. [*Sinón.*: fragoso, quebrado. *Antón.*: suave]

absceso (al. *Geschwür*, fr. *abcès*, ingl. *abcess*, it. *ascesso*). m. *Med.* Acumulación de pus en los tejidos orgánicos, que suele formar tumor.

abscisa (al. *Abszisse*, fr. *abscisse*, ingl. *abscissa*, it. *ascissa*). f. *Mat.* Coordenada horizontal en un plano cartesiano rectangular. Es la distancia entre un punto y el eje vertical, medida sobre una paralela al eje horizontal.

abscisión. f. Separación de una parte pequeña de un cuerpo utilizando un instrumento cortante.

absenta. f. Ajenjo, licor.

absentismo. m. Costumbre de residir un propietario fuera de la localidad en que radican sus bienes. || Falta de asistencia al trabajo u obligaciones.

ábside (al. *Apsis*, fr. *abside*, ingl. *apse*, it. *abside*). amb. *Arq.* Parte del templo abovedada y comúnmente semicircular que sobresale en la fachada posterior.

absolución (al. *Absolution*, *Freisprechung*; fr. *absolution*, *acquittement*; ingl. *absolution*, *acquital;* it. *assoluzione*). f. Acción de absolver. [*Sinón.*: perdón. *Antón.*: condena]

absolutidad. f. Calidad de absoluto.

absolutismo (al. *Absolutismus*, fr. *absolutisme*, ingl. *absolutism*, it. *assolutismo*). m. Sistema de gobierno que se ejerce sin ninguna limitación ni sometimiento a otro poder político, constitucional o parlamentario.

absolutista. adj. Partidario del absolutismo. Ú.t.c.s. || Perteneciente o relativo a este sistema de gobierno.

absolutividad. f. Absolutidad.

absoluto, ta. adj. Que excluye toda relación. || Independiente, ilimitado, sin restricción. || fig. y fam. De genio dominante. || *en absoluto.* m. adv. De una manera general, resuelta y terminante; no, de ningún modo.

absolutorio, ria. adj. Dícese del fallo, sentencia, actitud, etc., que absuelve.

absolver (al. *lossprechen, freisprechen*, fr. *absoudre, acquitter*, ingl. *to absolve, to acquit*, it. *assolvere*). tr. Liberar de algún cargo u obligación. || Perdonar a un penitente sus pecados o levantarle las censuras en que hubiera incurrido. || DER. Dar por libre al reo. [*Sinón.*: indultar, perdonar. *Antón.*: condenar]

absorbente. adj. Que absorbe. || Dominante, que trata de imponer su voluntad a los demás. || m. Sustancia que tiene un elevado poder de absorción.

absorber (al. *aufsaugen*, fr. *absorber*, ingl. *to absorb*, it. *assorbire*). tr. Atraer un cuerpo, de modo que se difundan en su interior, moléculas de un líquido o gas con el que está en contacto. || fig. Consumir enteramente. || fig. Asumir, incorporar. Dícese principalmente de entidades políticas, comerciales, etc. || fig. Atraer a sí, cautivar.

absorción (al. *Aufsaugung*, fr. *absorption*, ingl. *absorption*, it. *assorbimento*). f. Acción de absorber.

absorto, ta. adj. Admirado, pasmado.

abstemio, mia (al. *abstinenzler*, fr. *abstème*, ingl. *teetotaler*, it. *astemio*). adj. Que no bebe vino ni otros licores alcohólicos.

abstención. f. Acción y efecto de abstenerse.

abstencionismo. m. Doctrina o práctica de los abstencionistas.

abstencionista. adj. Partidario de la abstención, especialmente en política. Ú.t.c.s.

abstenerse (al. *sich enthalten*, fr. *s'abstenir*, ingl. *to abstain*, it. *astenersi*). Privarse de algo.

absterger. tr. MED. Limpiar y purificar de materias viscosas pútridas las superficies orgánicas.

abstinencia (al. *Abstinenz*, fr. *abstinence*, ingl. *abstinence*, it. *astinenza*). f. Acción de abstenerse. || Virtud del que se priva total o parcialmente de satisfacer sus apetitos. || Privación de comer carne, en cumplimiento del precepto de la Iglesia o de voto especial.

abstracción. f. Acción y efecto de abstraer o abstraerse.

abstracto, ta (al. *abstrakt*, fr. *abstrait*, ingl. *abstract*, it. *astratto*). adj. Que significa alguna cualidad con exclusión del sujeto. || B. ART. Dícese del arte y de los artistas que no pretenden representar seres o cosas concretos y atienden sólo a elementos de forma,

color, estructura, proporción, etc.

abstraer. tr. Considerar aisladamente las cualidades de un objeto, o el mismo objeto en su pura esencia o noción. || r. Aislarse del mundo sensible por entregarse a la consideración de lo que se tiene en el pensamiento.

abstraído, da. adj. Ensimismado. || Apartado momentáneamente del trato con los demás.

abstruso, sa. adj. Difícil de comprender.

absurdo, da (al. *absurd*, fr. *absurde*, ingl. *absurd*, it. *assurdo*). adj. Contrario a la razón. || m. Dicho o hecho repugnante a la razón, contrario al buen sentido; disparatado. [*Sinón.*: incoherente; sinrazón. *Antón.*: razonable]

abubilla (al. *Wiedehopf*, fr. *huppe*, ingl. *hoope*, it. *bubbola*). f. ZOOL. Pájaro insectívoro, del tamaño de la tórtola, con pico largo y un penacho de plumas eréctiles en la cabeza.

abuchear. tr. Silbar, pitar o gritar airadamente en muestra de descontento.

abucheo. m. Acción de abuchear.

abuelo, la (al. *Grossvater, Grossmutter*; fr. *grand-père, grand-mère*; ingl. *grandfather, grandmother*; it. *nonno, nonna*). s. Respecto de una persona, padre o madre de su padre o de su madre. || fig. Hombre o mujer ancianos.

abulense. adj. Avilés, de Ávila. Ú.t.c.s.

abulia (al. *Willenlosigkeit*, fr. *aboulie*, ingl. *aboulia*, it. *abulia*). f. Falta de voluntad y disminución notable de la energía. [*Sinón.*: pasividad. *Antón.*: actividad]

abúlico, ca. adj. Que adolece de abulia. || Propio de la abulia.

abultado, da. adj. Grueso, de mucho bulto.

abultar. tr. Aumentar el bulto de algo. || Hacer de bulto o relieve. || Aumentar la cantidad, intensidad, etc. || Ponderar, encarecer. || intr. Tener o hacer bulto.

abundamiento. m. Abundancia. || *a mayor abundamiento.* loc. adv. Además, con mayor razón o seguridad.

abundancia (al. *Fülle*, fr. *abondance*, ingl. *plenty*, it. *abbondanza*). f. Copia, gran cantidad. [*Sinón.*: profusión. *Antón.*: escasez]

abundante (al. *reichlich*, fr. *abondant*, ingl. *abundant*, it. *abbondante*). adj. Que abunda. || Copioso, en gran cantidad. [*Antón.*: escaso]

abundar (al. *reichlich vorhanden*

sein, fr. *abonder*, ingl. *to be in plenty*, it. *abbondare*). Haber gran cantidad de una cosa. || Estar adherido a una idea u opinión. [*Sinón.*: rebosar. *Antón.*: escasear]

aburguesamiento. m. Acción y efecto de aburguesarse.

aburguesarse. r. Adquirir cualidades de burgués.

aburrido, da. adj. Que causa aburrimiento o cansa. || s. Persona poco animada. [*Antón.*: divertido]

aburrimiento. m. Fastidio, tedio.

aburrir (al. *langweilen*, fr. *ennuyer*, ingl. *to bore*, it. *annoiare*). tr. Molestar, fastidiar. || Abandonar algunos animales los huevos o las crías. || r. Fastidiarse, cansarse de alguna cosa. || Sufrir un estado de ánimo producido por falta de estímulos o distracciones. [*Antón.*: divertirse]

abusador, ra. adj. *Amer.* Abusón.

abusar (al. *missbrauchen*, fr. *abuser*, ingl. *to misuse*, it. *abusare*). intr. Usar mal o indebidamente de alguna cosa o de alguien. || Hacer objeto de trato deshonesto a una persona de menor experiencia, fuerza o poder.

abusivo, va. adj. Que se introduce o practica por abuso. || Que implica abuso. || Que abusa.

abuso. m. Acción y efecto de abusar. || *– de confianza.* Infidelidad que consiste en burlar o perjudicar uno a otro que le ha dado crédito. || *– de superioridad.* DER. Circunstancia agravante determinada por aprovechar en la comisión del delito la notable desproporción de fuerza o número entre delincuente y víctima. || *– del derecho.* DER. Ejercicio de un derecho con ánimo de hacer daño a otro. || *– deshonesto.* Acto de tipo sexual, sin ser coito, en el que concurra la circunstancia de uso de la fuerza, intimidación, engaño, etc. [*Sinón.*: atropello]

abusón, na. adj. Persona propensa al abuso en provecho propio. Ú.t.c.s.

abyección. f. Bajeza, envilecimiento. || Humillación.

abyecto, ta. adj. Bajo, vil, humillado.

acá. adv. l. Indica lugar próximo al que habla aunque menos determinado que el que se denota con el adverbio *aquí.* || adv. t. Precedido de ciertas preposiciones y adverbios significativos de tiempo anterior, denota el presente.

acabado, da. adj. Perfecto, completo, consumado. || Malparado, destruido. || m. Postrer retoque de una obra o labor.

acabar (al. *beenden;* fr. *achever, finir;* ingl. *to complete, to finish;* it. *conchiudere, finire*). tr. Dar fin a una cosa, terminarla. Ú.t.c.r. || Apurar, consumir. Ú.t.c.r. || Poner esmero en la conclusión de una obra. || Matar. || intr. Rematar, terminar, finalizar. || Morir. Ú.t.c.r. || Extinguirse, aniquilarse. Ú.t.c.r. || Seguido de la prep. *con,* destruir, aniquilar. || Seguido de la prep. *de* y un infinitivo, haber ocurrido poco antes lo que este verbo significa. || *Amer.* Hablar mal de alguien.

acabe. *Amer.* m. Acción y efecto de acabar, fin, acabamiento. || Fiesta que los trabajadores de las haciendas de café celebraban al final de la recolección del grano.

acabóse. m. En una frase denota haber llegado una cosa a su último extremo.

acacia (al. *Akazie,* fr. *acacia,* ingl. *acacia,* it. *acacia*). f. BOT. Árbol o arbusto leguminoso de madera bastante dura y flores olorosas que penden de racimos. || *— blanca o falsa.* BOT. Árbol americano parecido a la acacia que se planta en los paseos de Europa.

academia (al. *Akademie,* fr. *académie,* ingl. *academy,* it. *accademia*). f. Escuela filosófica fundada por Platón en los jardines de Academo. || Sociedad científica, literaria o artística establecida con autoridad pública. || Junta o reunión de los académicos. || Casa donde los académicos tienen sus juntas. || Establecimiento en donde se instruye a los que han de dedicarse a una carrera o profesión.

academicismo. (al. *Akademische Haltung,* fr. *académisme,* ingl. *academicism,* it. *accademicismo*). m. Calidad de académico, que se atiene con rigor a las normas clásicas.

académico, ca. adj. Dícese del filósofo que sigue la escuela de Platón. Ú.t.c.s. || Perteneciente o relativo a la escuela filosófica de Platón. || Perteneciente o relativo a las academias. || Dícese de las obras de arte en que se observan con rigor las normas clásicas, y también de su autor. || s. Individuo de una academia. [*Sinón.*: clásico, purista]

acaecer (al. *sich ereignen,* fr. *survenir,* ingl. *to happen,* it. *accadere*). intr. Suceder o efectuarse un hecho. || Hallarse presente, concurrir a algún paraje.

acaja. f. BOT. Especie de ciruelo americano de fruto agradable y astringente.

acajú. m. *Amer.* Caoba.

acalabrotar. tr. MAR. Formar un cabo de tres cordones, compuesto cada uno de otros tres.

acalefo. adj. ZOOL. Dícese del animal marítimo celentéreo de vida pelágica, que en estado adulto tiene forma de medusa. || m. pl. Clase de estos animales.

acaloramiento. m. Ardor, arrebato de calor. || fig. Acceso de pasión violenta.

acalorar. tr. Dar o causar calor. Ú.t.c.r. || Encender, fatigar con el trabajo o ejercicio. Ú.t.c.r. || Fomentar, promover; avivar, enardecer. || r. Enardecerse, hacerse viva una disputa o conversación.

acalote. m. *Amer.* Parte de las aguas que se limpia de hierbas flotantes de los ríos y lagunas para dar paso a las embarcaciones remeras. || *Amer.* ZOOL. Ave de ribera ciconiforme, parecida al chorlito.

acallar (al. *zum schweigen bingen,* fr. *faire taire,* ingl. *to silence,* it. *far tacere*). tr. Hacer callar. || fig. Aplacar, aquietar, sosegar.

acamar. tr. Tenderse los vegetales por efecto de la lluvia, el viento, etc. Ú.t.c.r.

acampamento. m. Campamento.

acampanado, da. adj. De figura de campana.

acampanar. tr. Dar a una cosa figura de campana. Ú.t.c.r.

acampar (al. *lagern,* fr. *camper,* ingl. *to camp,* it. *accampare*). intr. Detenerse en despoblado, alojándose o no en tiendas o barracas. Ú.t.c.r. y c.tr.

acanalado, da. adj. Dícese de lo que pasa por canal o paraje estrecho. || De figura larga y abarquillada. || De figura de estría, o con estrías.

acanaladura. f. ARQ. Canal o estría.

acanalar. tr. Practicar una o varias canales o estrías en alguna cosa. || Dar a una cosa forma de canal o teja.

acanelado, da. adj. Que tiene color o sabor a canela.

acanogar. tr. *Amer.* Acanalar o ahuecar.

acantáceo, a. adj. BOT. Dícese de plantas dicotiledóneas, arbustos y hierbas, que tienen tallo y ramos nudosos, hojas opuestas, flores de cinco pétalos y por fruto una caja membranosa con varias semillas. Ú.t.c.s. || f. pl. Familia de estas plantas.

acantilado, da (al. *klippe,* fr. *falaise,* ingl. *cliff,* it. *dirupo*). adj. Dícese del fondo del mar cuando forma cantiles, y de la costa cortada verticalmente. Ú.t.c.s.m. || m. Escarpa casi vertical de un terreno. [*Sinón.*: escarpadura, abismo]

acantio. m. Cardo borriquero.

acanto. m. BOT. Planta acantácea, perenne, con hojas largas, rizadas y espinosas. || ARQ. Adorno que imita las hojas de esta planta.

acantocéfalo. adj. ZOOL. Clase de gusanos no segmentados de cuerpo cilíndrico o comprimido; en estado adulto son todos parásitos de los vertebrados. Ú.m.c.s.

acantonamiento. m. MIL. Acción y efecto de acantonar fuerzas militares. || Lugar en donde hay tropas acantonadas.

acantonar (al. *einquartieren,* fr. *cantonner,* ingl. *to quarter trops,* it. *accantonare*). tr. MIL. Distribuir y alojar tropas en diversos lugares. Ú.t.c.r.

acantopterigio. adj. ZOOL. Aplícase a los peces teleósteos, casi todos marinos, cuyas aletas, por lo menos las impares, tienen radios espinosos inarticulados; como el atún, el besugo, etc. Ú.t.c.s. || m. pl. Suborden de estos animales.

acaparador, ra. adj. Que acapara. Ú.t.c.s.

acaparamiento. m. Acción y efecto de acaparar.

acaparar (al. *aufkaufen,* fr. *accaparer,* ingl. *to buy up,* it. *accaparrare*). tr. Adquirir y retener cosas del comercio en cantidad suficiente para dar la ley al mercado. || Adquirir y retener cosas del comercio en cantidad superior a la normal, previendo su escasez o encarecimiento. || fig. Apropiarse u obtener en todo o en gran parte un género de cosas.

acápite. m. *Amer.* Párrafo.

acaracolado, da. adj. De figura de caracol.

acaramelar. tr. Bañar de azúcar en punto de caramelo. || r. fig. y fam. Mostrarse uno extraordinariamente galante, dulce y melifluo. || fig. y fam. Comportarse los enamorados con visibles muestras de su mutuo cariño.

acariciar (al. *liebkosen,* fr. *caresser,* ingl. *to fondle,* it. *carezzare*). tr. Hacer caricias. || Tratar a alguno con amor y ternura. || fig. Tocar suavemente una cosa a otra. || fig. Complacerse en pensar en alguna cosa con deseo o esperanza de conseguirla o llevarla a cabo. [*Sinón.*: arrullar, rozar]

acariñar. tr. *Amer.* Acariciar.

acarnerado, da. adj. Dícese del

caballo o yegua que tiene la parte delantera de la cabeza arqueada, a modo del carnero.

ácaro. m. ZOOL. Arácnido de respiración traqueal o cutánea, con cefalotórax tan unido al abdomen que no se percibe la separación entre ambos. Esta denominación comprende animales de tamaño pequeño, muchos de los cuales son parásitos de otros animales o plantas. ‖ pl. Orden de estos animales.

acarrarse. r. Protegerse del sol en estío el ganado lanar, uniéndose para procurarse sombra.

acarreador, ra. adj. Que acarrea. Ú.t.c.s. ‖ m. Encargado de conducir la mies desde el rastrojo a la era.

acarreamiento. m. Acarreo.

acarrear (al. *transportieren*, fr. *charrier*, ingl. *to carry*, it. *transportare*). tr. Transportar en carro. ‖ Por ext., transportar por cualquier otro medio. ‖ fig. Ocasionar, producir, traer consigo desgracias. [*Sinón.:* portear]

acarreo. m. Acción de acarrear. ‖ Precio que se cobra por acarrear.

acartonarse. r. Ponerse como cartón. [*Sinón.:* apergaminarse, momificarse]

acaserarse. r. *Amer.* Hacerse parroquiano de una tienda.

acaso (al. *vielleicht*, fr. *peut-être*, ingl. *perhaps*, it. *forse*). m. Casualidad, suceso imprevisto. ‖ adv. m. Por casualidad. ‖ adv. de duda. Quizá, tal vez.

acatamiento. m. Acción y efecto de acatar.

acatar (al. *verehren*, fr. *respecter*, ingl. *to respect*, it. *rispettare*). tr. Tributar homenaje de sumisión y respeto.

acatarrar. tr. Resfriar, constipar. ‖ r. Contraer catarro.

acaudalado, da. adj. Que posee mucho caudal. [*Sinón.:* rico. *Antón.:* pobre]

acaudillar (al. *anführen*, fr. *commander —des troupes—*, ingl. *to command —troops—*, it. *comandare —truppe—*). tr. Mandar, como jefe, gente de guerra. ‖ Guiar, conducir. ‖ r. Elegir caudillo.

acceder (al. *beipflichten*, fr. *acquiescer*, ingl. *to agree*, it. *consentire*). intr. Consentir en lo que otro solicita o quiere. ‖ Ceder uno en su opinión, conviniendo con la de otro o asociándose a un acuerdo. ‖ Tener acceso, paso o entrada a un lugar. ‖ Tener acceso a una situación, condición o grado superiores, llegar a alcanzarlos.

accesible (al. *zugänglich*, fr. *accesible*, ingl. *accessible*, it. *accessibile*). adj. Que tiene acceso. ‖ fig. De fácil acceso o trato.

accesión. f. Acción y efecto de acceder. ‖ Cosa o cosas accesorias. ‖ Cópula carnal. ‖ DER. Derecho por el que el propietario de una cosa hace suyo lo que a ésta se incorpora por obra de la naturaleza o por mano del hombre. ‖ MED. Ataque de una fiebre intermitente.

accésit (al. *Nebenpreis*, fr. *accéssit*, ingl. *accessit*, it. *accessit*). m. En certámenes científicos, literarios o artísticos, recompensa inmediatamente inferior al premio. Plural invariable.

acceso (al. *Zugang*, fr. *accés*, ingl. *access*, it. *accesso*). m. Acción de llegar o acercarse. ‖ Acción de cópula carnal. ‖ Entrada o paso. ‖ Arrebato o exaltación. ‖ fig. Entrada al trato o comunicación con alguno. ‖ MED. Ataque de epilepsia, histerismo, etc.

accesorio, ria (al. *zugehöring*, fr. *accessoire*, ingl. *accesory*, it. *accesoio*). adj. Que depende de lo principal o se le une por accidente. Ú.t.c.s. ‖ Secundario, no principal. ‖ m. Utensilio auxiliar para determinado trabajo o para el funcionamiento de una máquina. U. m. en pl.

accidentado, da. adj. Turbado, agitado. ‖ Dícese del terreno escabroso, abrupto. ‖ Dícese de quien ha sido víctima de un accidente. Ú.m.c.s.

accidental (al. *zufällig*, fr. *accidentel*, ingl. *accidental*, it. *accidentale*). adj. No esencial. ‖ Casual, contingente. [*Sinón.:* fortuito, eventual]

accidentar. tr. Producir accidente. ‖ r. Sufrir accidente.

accidente (al. *Zufall, Unfall*; fr. *accident*; ingl. *hap-hazard, casuality*; it. *accidente*). m. Calidad o estado que aparece en alguna cosa, sin que sea de su esencia. ‖ Lo que altera el curso regular de las cosas. ‖ Suceso eventual o acción de que resulta daño para las personas o cosas. ‖ Indisposición que repentinamente priva de sentido o de conocimiento. ‖ Hablando del terreno, lo que altera su uniformidad. ‖ GRAM. Modificación estructural que sufren el sustantivo, el adjetivo, etc., para expresar su género y número, y el verbo para denotar voces, modos, tiempos, números y personas.

acción (al. *Tat, Aktie*; fr. *action*; ingl. *action, share*; it. *azione*). f. Operación de un ser, considerada como producida por éste y no por causa exterior. ‖ Efecto de hacer. ‖ Movimientos, posturas, gestos que denotan una intención, en especial los de orador o actor para reforzar la expresión de lo que dice. ‖ COM. Cada una de las partes en que se considera dividido el capital de una empresa. ‖ COM. Título que acredita y representa el valor de cada una de esas partes. ‖ FIS. Fuerza con que los cuerpos y agentes físicos obran unos sobre otros. ‖ FIS. Magnitud que se define como producto de la energía por el tiempo. ‖ DER. Derecho que se tiene a pedir una cosa en juicio. ‖ DER. Modo legal de ejercitar ese derecho. ‖ MIL. Combate entre fuerzas poco numerosas. ‖ En las obras narrativas, dramáticas y cinematográficas, sucesión de acaecimientos que constituyen su argumento. ‖ CINEM. En la filmación de películas, voz con que se advierte que comienza una toma.

accionar (al. *gestikulieren*, fr. *gesticuler*, ingl. *to gesticulate*, it. *gesticolare*). tr. Poner en funcionamiento un mecanismo o parte de él; dar movimiento. ‖ intr. Hacer movimientos y gestos para dar a entender alguna cosa o para hacer más expresiva la palabra. [*Sinón.:* conectar; gesticular]

accionista (al. *Aktionär*, fr. *actionnaire*, ingl. *shareholder*, it. *azionista*). COM. Dueño de acciones de una compañía comercial o industrial. [*Sinón.:* socio, capitalista]

acebeda. f. Sitio poblado de acebos. [*Sinón.:* acebal, acebedo]

acebo (al. *Stechpalme*, fr. *houx*, ingl. *hollytree*, it. *agrifoglio*). m. BOT. Árbol ilicíneo, cuya madera se emplea en ebanistería y tornería; de su corteza se hace liga.

acebuchal. adj. Perteneciente al acebuche. ‖ m. Lugar poblado de acebuches.

acebuche. m. Olivo silvestre. ‖ Madera de este árbol.

acecido. m. fam. Acezo. ‖ AMER. Asma.

acecinar. tr. Salar las carnes y ponerlas al humo y al aire para que, enjutas, se conserven. Ú.t.c.r. ‖ r. fig. Quedarse uno muy enjuto de carnes. [*Sinón.:* ahumar, curar]

acechadera. f. Lugar desde el cual se puede acechar.

acechanza. f. Acecho, espionaje, persecución cautelosa.

acechar (al. *belauern*, fr. *guetter*, ingl. *to wailay*, it. *spiare*). tr. Observar, aguardar oculto con algún propósito. [*Sinón.:* atisbar, apostarse]

acecho (al. *spähen*, fr. *guet*, ingl. *waylaying*, it. *agguato*). m. Acción de acechar. || Lugar desde el cual se acecha. || *al, de, o en, acecho*. m. adv. Observando a escondidas y con cuidado.

acedar. tr. Agriar alguna cosa. Ú.t.c.r. || Alterar con acidez el estómago o los humores. || r. Tratándose de las plantas, ponerse amarillas o enfermizas, a causa de la humedad o la acidez del medio.

acedera. f. Bot. Nombre de varias plantas herbáceas perennes, poligonáceas, de sabor ácido. Algunas especies se cultivan por su hojas comestibles.

acedía. f. Calidad de acedo. || Acidez del estógamo. || fig. Desabrimiento, aspereza de trato. || Amarillez que toman las plantas cuando se acedan. || Zool. Platija.

acedo, da. adj. Ácido. || Que se ha acedado. || m. El agrio o zumo agrio.

acefalía. f. Calidad de acéfalo.

acefalismo. m. Acefalia.

acéfalo, la (al. *kopflos*, fr. *acéphale*, ingl. *headless*, it. *acefalo*). adj. Falto de cabeza. || Dícese de la sociedad, secta, etc., que no tiene jefe. || Zool. Lamelibranquio.

aceitada. f. Cantidad de aceite derramada. || Torta o bollo amasado en aceite.

aceitar (al. *einölen*, fr. *huiler*, ingl. *to oil*, it. *inoliare*). tr. Untar con aceite.

aceite (al. *Öl*, fr. *huile*, ingl. *oil*, it. *olio*). m. Líquido graso que se saca de la aceituna, de otros frutos o semillas, como nueces, linaza, etc., de algunos animales, como la ballena y el bacalao, y aun de sustancias minerales, como las pizarras bituminosas. || Cualquier cuerpo graso, líquido a la temperatura de los climas templados o cálidos. [*Sinón.*: óleo]

aceitera (al. *Ölkrug*, fr. *burette à huile*, ingl. *oil-cruet*, it. *oliera*). f. La que vende aceite. || Alcuza. || Técn. Recipiente apropiado para engrasar mecanismos con aceite lubricante. || pl. Vinagreras.

aceitoso, sa. adj. Que tiene aceite. || Que tiene jugo o crasitud semejante al aceite. [*Sinón.*: graso]

aceituna (al. *Olive*, fr. *olive*, ingl. *olive*, it. *oliva*). f. Fruto del olivo. || *cambiar el agua de las aceitunas*. fig. y fam. Orinar. [*Sinón.*: oliva]

aceitunado, da. adj. De color de aceituna verde.

aceitunero, ra. s. Persona que coge, acarrea o vende aceitunas. || m. Lugar

donde se guarda la aceituna, desde la recolección hasta la molienda.

aceitunillo. m. Bot. Árbol de las Antillas, estirináceo, de fruto venenoso y madera muy dura.

aceituno. m. Olivo. || *— silvestre*. Aceitunillo.

aceleración (al. *Beschleunigung*, fr. *accéleration*, ingl. *acceleration*, it. *accelerazione*). f. Acción y efecto de acelerar o acelerarse. || Mec. Incremento de velocidad en la unidad de tiempo.

acelerador, ra (al. *Gashebel*, fr. *accélérateur*, ingl. *accelerator*, it. *acceleratore*). adj. Que acelera. || m. Mec. Mecanismo que regula la entrada de la mezcla explosiva en la cámara de combustión y permite acelerar más o menos el régimen de revoluciones del motor de explosión. || Cualquier mecanismo destinado a acelerar el funcionamiento de otro. || *— de partículas*. Máquina con que se imprime gran velocidad o se aumenta la energía cinética de partículas cargadas eléctricamente.

acelerar (al. *beschleunigen*, fr. *accélérer*, ingl. *to speed up*, it. *accelerare*). tr. Hacer más rápido un movimiento; dar mayor velocidad. || Accionar el mecanismo acelerador de un vehículo automóvil.

acelga (al. *Mangold*, fr. *bette*, ingl. *sicilian beet*, it. *bieta*). f. Bot. Planta hortense, salsolácea, de hojas grandes y tallo grueso y acanalado por el envés. Es comestible.

acémila (al. *Maultier*, fr. *bête de somme*, ingl. *beast of burden*, it. *bestia de soma*). f. Mula o macho de carga. || fig. Asno, persona ruda.

acendrado, da. adj. Puro y sin mancha ni defecto.

acendrar. tr. Depurar en la cendra los metales por la acción del fuego. || fig. Depurar, dejar una cosa sin mancha ni defecto.

acento (al. *Betonung*, fr. *accent*, ingl. *accent*, it. *accento*). m. En el lenguaje gramatical, el mayor realce con que se pronuncia determinada sílaba de una palabra. || Particulares inflexiones de voz con que se distingue cada nación o provincia en el modo de hablar. || Elemento constitutivo del verso, que exige que éste lleve acentuadas determinadas sílabas. || Modulación de la voz; sonido, tono. || En poesía, lenguaje, voz, canto.

acentor. m. Zool. Nombre de varias especies de aves prunélidas. El acentor común se encuentra en toda Europa.

acentuación. f. Acción y efecto de acentuar.

acentual. adj. Gram. Concerniente al acento.

acentuar (al. *betonen*, fr. *accentuer*, ingl. *to accent*, it. *accentare*). tr. Dar acento prosódico a las palabras. || Ponerles acento ortográfico. || fig. Realzar, resaltar, abultar.

aceña. f. Molino harinero de agua situado dentro del cauce de un río. || Azud.

acepción (al. *Bedeutung*, fr. *acception*, ingl. *acception*, it. *accezione*). f. Significado en que se toma una palabra o frase. [*Sinón.*: sentido]

acepilladora. f. Técn. Máquina herramienta empleada en la elaboración de superficies lisas de madera o de metal, con arranque de viruta.

acepilladura. f. Acción y efecto de acepillar. || Viruta que se saca de la materia que se acepilla.

acepillar. tr. Alisar con cepillo la madera o los metales. || Limpiar, quitar el polvo con cepillo.

aceptable. adj. Digno de ser aceptado. || Regular.

aceptación (al. *Annahme*, fr. *acceptation*, ingl. *acceptation*, it. *accettatione*). f. Acción y efecto de aceptar. || Aprobación, aplauso.

aceptar (al. *annehmen*, fr. *accepter*, ingl. *to accept*, it. *accettare*). tr. Recibir uno lo que se le da u ofrece. || Aprobar, dar por bueno. || Com. Obligarse por escrito a pagar letras o libranzas. [*Sinón.*: tomar. *Antón.*: rechazar]

acequia (al. *Wassergraben*, fr. *rigole*, ingl. *sluice*, it. *canale irriguo*). f. Zanja por donde se conducen las aguas.

acera (al. *Bürgersteig*, fr. *trottoir*, ingl. *sidewalk*, it. *marciapiede*). f. Orilla de la calle o de otra vía pública, con pavimento adecuado para el tránsito de peatones. || Fila de casas que hay a cada lado de la calle o plaza. || *ser uno de la acera de enfrente, o de la otra acera*. fig. y fam. Ser homosexual.

aceración. f. Acción y efecto de acerar.

acerado, da. adj. De acero. || Parecido a él. || fig. Fuerte o resistente. || Bot. Dícese de las hojas cilíndricas acuminadas y punzantes.

acerar (al. *verstählen*, fr. *aciérer*, ingl. *to steel*, it. *acciare*). tr. Dar al hierro las propiedades del acero.

acerbidad. f. Calidad de acerbo.

acerbo, ba. adj. Áspero al gusto. || fig. Cruel, riguroso.

acerca (al. *in bezug auf*, fr. *quant à*, ingl. *with regard to*, it. *in riguardo a*). adv. l. y t. ant. Cerca. ‖ *acerca de*. m. adv. Sobre la cosa de que se trata, o en orden de ella.

acercamiento. m. Acción y efecto de acercar o acercarse.

acercar (al. *nähern*, fr. *rapprocher*, ingl. *to approach*, it. *avvicinare*). tr. Poner cerca o a menor distancia. Ú.t.c.r. [*Sinón.*: aproximar. *Antón.*: alejar]

acería. f. Fábrica de acero. [*Sinón.*: acerería]

acerico. m. Almohada pequeña para la cama. ‖ Almohadilla que se utiliza para clavar en ella alfileres o agujas.

acerino, na. adj. poét. Acerado.

acero (al. *Stahl*, fr. *acier*, ingl. *steel*, it. *acciaio*). m. Hierro combinado con pequeñas cantidades de carbono y dotado de elasticidad, dureza y otras cualidades que le dan gran resistencia mecánica. ‖ Arma blanca, especialmente la espada.

acerola. f. Fruto del acerolo.

acerolo. m. Bot. Árbol rosáceo de ramas cortas y frágiles, hojas pubescentes y flores blancas. Su fruto es redondo, encarnado o amarillo, carnoso y agridulce.

acérrimo, ma. adj. Muy fuerte, vigoroso y tenaz.

acertado, da. adj. Que tiene o incluye acierto. [*Sinón.*: preciso. *Antón.*: desacertado]

acertar (al. *treffen, erraten*; fr. *frapper au but, deviner*; ingl. *to hit the mark, to guess*; it. *imbroccare*). tr. Dar en el punto previsto. ‖ Encontrar, hallar. Ú.t.c.intr. ‖ Hallar el medio apropiado para el logro de una cosa. ‖ Dar con lo cierto en lo dudoso o ignorado. ‖ intr. Con un infinitivo y la prep. *a*, suceder impensadamente o por casualidad. [*Sinón.*: adivinar, atinar]

acertijo. m. Especie de enigma para entretenerse en acertarlo. ‖ Cosa o afirmación muy problemática. [*Sinón.*: jeroglífico, adivinanza]

acervo. m. Montón de cosas menudas, como trigo, legumbres. ‖ Haber que pertenece en común a varias personas que sean socios, coherederos, acreedores, etcétera.

acescencia. f. Disposición a acedarse o agriarse.

acetábulo. m. Cavidad de un hueso en la que encaja otro.

acetato. m. Quím. Sal derivada del ácido acético.

acético, ca. adj. Quím. Perteneciente o relativo al vinagre.

acetileno (al. *Azetylen*, fr. *acétylène*, ingl. *acetylene*, it. *acetilene*). m: Quím. Gas incoloro, muy inflamable, tóxico. Se obtiene por acción del agua sobre el carburo cálcico. Se emplea en la soldadura oxiacetilénica.

acetona (al. *Azeton*, fr. *acétone*, ingl. *acetone*, it. *acetone*). f. Quím. Líquido incoloro de olor característico, inflamable y volátil, soluble en agua, éter y alcohol. Se emplea como disolvente de grasas, resinas y otros compuestos orgánicos.

acetoso, sa. adj. Perteneciente o relativo al vinagre. ‖ f. Acedera.

acetre. m. Caldero pequeño con que se saca el agua de las tinajas o pozos. ‖ Liturg. Caldero pequeño en que se lleva el agua bendita que usa la Iglesia.

aciago, ga (al. *unheilvoll*, fr. *malheureux*, ingl. *unhappy*, it. *infausto*). adj. Infausto, de mal agüero. [*Sinón.*: funesto, desdichado. *Antón.*: afortunado]

acial. m. Instrumento con que, oprimiendo el labio o una oreja de las bestias, se las tiene sujetas para herrarlas, esquilarlas o curarlas.

acíbar. m. Áloe, planta y su jugo. ‖ fig. Amargura, disgusto.

acibarar. tr. Echar acíbar en alguna cosa. ‖ fig. Turbar el ánimo con algún pesar.

acicalado, da. adj. Extremadamente pulcro. ‖ m. Acción de acicalar.

acicalamiento. m. Acción y efecto de acicalar o acicalarse. [*Sinón.*: acicaladura.]

acicalar (al. *schniegeln*, fr. *parer*, ingl. *to dress*, it. *pulire*). tr. Limpiar, bruñir, principalmente las armas blancas. ‖ fig. Adornar, pulir a una persona con afeites, peinándola, etc. Ú.m.c.r.

acicate. m. Espuela provista de una punta de hierro con que se pica al caballo. ‖ fig. Incentivo.

acicular. adj. De figura de aguja. [*Sinón.*: aciculado]

acidez (al. *Saüre*, fr. *acidité*, ingk *acidity*, it. *acidità*). f. Calidad de ácido. ‖ Quím. Cantidad de ácido libre en los aceites, resinas, etc.

acidia. f. Pereza, flojedad.

ácido (al. *Säure*, fr. *acide*, ingl. *acid*, it. *acido*). adj. Que tiene sabor de agraz o de vinagre, o parecido a él. ‖ fig. Áspero, desabrido. ‖ m. Quím. Cualquiera de los compuestos que al disolverse en agua ceden iones de hidrógeno. Forman sales al reaccionar con las bases y enrojecen la tintura de tornasol. ‖ — *acético*. Quím. Líquido incoloro, de olor picante y cáustico, que se produce por oxidación del alcohol en presencia del hongo del vinagre. ‖ — *carbónico*. Líquido resultante de la combinación del anhídrido carbónico con el agua. ‖ — *cianhídrico*. Líquido incoloro, muy volátil, de olor a almendras amargas y muy venenoso. ‖ — *clorhídrico*. Gas incoloro, algo más pesado que el aire, muy corrosivo y compuesto de cloro e hidrógeno. Ataca a la mayor parte de los metales. ‖ — *nítrico*. Líquido fumante, muy corrosivo, incoloro, poco más pesado que el agua, compuesto de nitrógeno, oxígeno e hidrógeno, que se extrae de los nitros. ‖ — *sulfhídrico*. Gas inflamable que resulta de la combinación del azufre con el hidrógeno. Despide un fuerte olor a huevos podridos. ‖ — *sulfúrico*. Líquido de consistencia oleosa, incoloro e inodoro, y compuesto de azufre, hidrógeno y oxígeno. Es muy cáustico y tiene muchos usos en la industria.

acidular. tr. Poner acídulo un líquido. Ú.t.c.r.

acídulo, la. adj. Ligeramente ácido.

acierto. m. Acción y efecto de acertar. ‖ Coincidencia, casualidad. ‖ fig. Habilidad o destreza. [*Sinón.*: tino, puntería, suerte. *Antón.*: desacierto]

ácimo. adj. Ázimo (↗pan ázimo).

acimut. m. Astr. Ángulo que con el meridiano forma el círculo vertical que pasa por un punto de la esfera celeste o del globo terráqueo.

acimutal. adj. Astr. Perteneciente o relativo al acimut.

ación. f. Correa de la que pende el estribo en la silla de montar.

aclamación. f. Acción y efecto de aclamar.

aclamar (al. *beifall spenden*, fr. *acclamer*, ingl. *to acclaim*, it. *acclamare*). tr. Dar voces la multitud en honor y aplauso de una persona. ‖ Conferir por voz común algún cargo u honor. [*Sinón.*: ovacionar, vitorear, proclamar]

aclaración (al. *Erläuterung*, fr. *éclaircissement*, ingl. *explanation*, it. *chiarimento*). f. Acción y efecto de aclarar o aclararse.

aclarar (al. *erläutern*, fr. *éclaircir*, ingl. *to make clear*, it. *chiarire*). tr. Disipar, quitar lo que ofusca la transparencia o calidad de alguna cosa. Ú.t.c.r. ‖ Aumentar la extensión o el número de los intervalos o espacios que hay en alguna cosa. Ú.t.c.r. ‖ Volver a lavar la ropa con agua sola después de jabonada. ‖ Hacer la voz más perceptible. ‖ Aguzar los sentidos y facultades. ‖ Hacer ilustre, esclarecer. Ú.t.c.r. ‖ Desfruncir el ceño y poner menos adusto el semblante. ‖ Poner en claro, declarar, manifestar, explicar. ‖ MINER. Lavar por segunda vez los minerales. ‖ MAR. Desliar, desenredar. ‖ intr. Disiparse las nubes o la niebla. ‖ Amanecer, clarear. ‖ r. Abrirse o declarar a uno lo que se tenía en secreto. ‖ Purificarse un líquido posándose las partículas sólidas que lleva en suspensión.

aclaratorio, ria. adj. Que aclara.

aclimatación. f. Acción y efecto de aclimatar o aclimatarse. [*Sinón.*: adaptación]

aclimatar (al. *akklimatisieren*, fr. *acclimater*, ingl. *to acclimatize*, it. *acclimatare*). tr. Hacer que se acostumbre un ser orgánico a clima diferente del que le era habitual. Ú.t.c.r. ‖ fig. Hacer que una cosa prevalezca y medre en parte distinta de aquella en que tuvo su origen. Ú.t.c.r. [*Sinón.*: habituar, adaptarse]

acmé. f. MED. Período de mayor intensidad de una enfermedad.

acné o **acne.** f. PAT. Erupción pustulosa en la piel de la cara y parte superior del tórax.

acobardar (al. *einschüchtern*, fr. *intimider*, ingl. *to intimidate*, it. *impaurire*). Amedrentar, causar miedo. Ú.t.c.r. y c.intr. [*Sinón.*: atemorizar, amilanar.]

acodado, da. adj. Doblado en forma de codo.

acodar (al. *aufstützen*, fr. *s'accouder*, ingl. *to lean the elbow upon*, it. *appogiarsi*). tr. Apoyar uno el codo sobre alguna parte. Ú.t.c.r. ‖ AGR. Enterrar el extremo de una rama, sin separarla del tronco, dejando fuera la extremidad para que eche raíces y forme nueva planta.

acodiciar. tr. Encender en deseo o codicia de alguna cosa. Ú.t.c.r.

acodo. m. Vástago acodado. ‖ AGR. Acción de acodar. ‖ ARQ. Resalto de una dovela prolongada por debajo de ella. ‖ ARQ. Moldura resaltada que forma el cerco de un vano.

acogedor, ra. adj. Que acoge. Ú.t.c.s.

acoger (al. *aufnehmen*, fr. *accueillir*, ingl. *to take up*, it. *accogliere*). tr. Admitir uno en su casa o compañía a otra persona. ‖ Dar refugio una cosa a

uno. ‖ Admitir, aceptar, aprobar. ‖ Recibir con un sentimiento o manifestación especial la aparición de personas o hechos. ‖ Proteger, amparar. ‖ r. Refugiarse, tomar amparo. ‖ fig. Valerse de pretextos para esquivar alguna cosa.

acogida. f. Afluencia de aguas. ‖ Recibimiento u hospitalidad que ofrece una persona o un lugar. ‖ Retirada, acción de retirarse. ‖ Lugar donde puede uno acogerse. ‖ fig. Protección o amparo. ‖ fig. Aceptación o aprobación.

acogido, da. s. Persona a quien se mantiene en un establecimiento benéfico.

acogimiento. m. Acogida, recibimiento; refugio y aceptación.

acogollar. tr. Cubrir las plantas delicadas para protegerlas de lluvias o heladas. ‖ intr. Echar cogollos las plantas. Ú.t.c.r.

acogotar. tr. Matar con herida o golpe asestado en el cogote. ‖ fam. Derribar a una persona sujetándola por el cogote. ‖ Acoquinar, dominar, vencer.

acojonamiento. m. fam. Acción y efecto de acojonar o acojonarse.

acojonar. tr. fam. Atemorizar, espantar, hacer perder el ánimo. Ú.t.c.r.

acolar. tr. BLAS. Unir, juntar, combinar.

acolchar. tr. Poner algodón, lana, estopa o cerda entre dos telas, y después bastearlas.

acólito (al. *Altardiener*, fr. *acolyte*, ingl. *altar attendant*, it. *accolito*). m. Ministro de la Iglesia cuyo oficio es ayudar al sacerdote durante la misa. ‖ fig. El que sigue o acompaña constantemente a otro. [*Sinón.*: monaguillo]

acollar. tr. AGR. Cobijar con tierra el pie de los árboles, el tronco de las vides, etc.

acollarado, da. adj. Aplícase a los animales que tienen el cuello de color distinto que el resto del cuerpo.

acometer (al. *angreifen*, fr. *attaquer*, ingl. *to attack*, it. *assalire*). tr. Embestir con ímpetu y valor. ‖ Emprender, intentar. ‖ Venir, entrar, dar repentinamente sueño, deseo, una enfermedad, etc. ‖ Tentar. ‖ TÉCN. Desembocar una cañería o una galería en otra. [*Sinón.*: arremeter]

acometida. f. Acometimiento. ‖ Lugar por donde la línea de conducción de un fluido enlaza con la principal. [*Sinón.*: enlace, embocadura]

acometimiento. m. Acción y efecto de acometer.

acometividad. f. Agresividad, propensión a acometer o reñir.

acomodación. f. Acción y efecto de acomodar. ‖ MED. Modificación que realiza el ojo para que la visión no se perturbe cuando varía la distancia o la luz del objeto que se mira.

acomodadizo, za. adj. Que se aviene a todo con facilidad.

acomodado, da (al. *Wohlhabend*, fr. *aisé*, ingl. *well-off*, it. *agiato*). adj. Conveniente, oportuno. ‖ Que está cómodo o a gusto; amigo de la comodidad. ‖ Rico, abundante en medios. ‖ Moderado en el precio.

acomodador, ra (al. *Platzanweiser*, fr. *placeur*, ingl. *usher*, it. *fattorino*). s. En los teatros, cines, y otros espectáculos, persona que indica a los concurrentes los asientos que deben, o pueden, ocupar.

acomodamiento. m. Ajuste, transacción, convenio sobre algo. ‖ Comodidad o conveniencia.

acomodar. tr. Colocar una cosa de modo que se ajuste o adapte a otra. ‖ Disponer, preparar o arreglar de modo conveniente. ‖ Colocar o poner en un lugar conveniente o cómodo. ‖ Proveer. ‖ fig. Amoldar, armonizar o ajustar a una norma; concertar, conciliar. Ú.t.c.r. ‖ fig. Colocar en un estado o cargo. Ú.t.c.r. ‖ r. Avenirse, conformarse.

acomodaticio, cia. adj. Acomodadizo.

acomodo. m. Colocación, ocupación o conveniencia. ‖ Alojamiento, sitio donde se vive. ‖ Casamiento, boda conveniente. ‖ Arreglo, ornato.

acompañamiento. m. Acción y efecto de acompañar. ‖ Gente que acompaña a alguien. ‖ En las representaciones teatrales, conjunto de comparsas. ‖ MÚS. Sostén armónico de una melodía principal por uno o más instrumentos o voces. [*Sinón.*: escolta, séquito]

acompañante. adj. Que acompaña. Ú.t.c.s.

acompañar (al. *begleiten*, fr. *accompagner*, ingl. *to attend*, it. *accompagnare*). tr. Estar o ir en compañía de otro u otros. ‖ Juntar o agregar una cosa a otra. ‖ Existir una cosa junta o simultáneamente con otra. Ú.t.c.r. ‖ Existir o hallarse algo en una persona, especialmente hablando de su fortuna, cualidades o pasiones. ‖ Participar en los sentimientos de otro. ‖ BLAS.

Adornar con otras la figura principal de un escudo. ‖ Mús. Ejecutar el acompañamiento. Ú.t.c.r.

acompasado, da. adj. Hecho o puesto a compás. ‖ fig. Que por hábito habla pausadamente en un mismo tono o anda con mucho reposo. [*Sinón.*: rítmico, mesurado]

acompasar. tr. Compasar.

acomplejamiento. m. Acción y efecto de acomplejar o acomplejarse.

acomplejar. tr. Causar a una persona un complejo psíquico o inhibición, turbarla. Ú.m. en p.p. ‖ r. Padecer o experimentar un complejo psíquico, turbación o inhibición. Ú.m. en p.p.

aconchabarse. r. fam. Conchabarse.

aconchar. tr. Arrimar mucho a cualquier parte una persona o cosa para protegerla de algún riesgo. Ú.m.c.r. ‖ Mar. Impeler el viento o la corriente a una embarcación hacia una costa o paraje peligroso. Ú.t.c.r. ‖ r. Mar. Acostarse completamente sobre una banda el buque varado. ‖ Taurom. Arrimarse el toro a la barrera para defenderse de los toreros. ‖ rec. Mar. Abordarse sin violencia dos embarcaciones.

acondicionado, da. adj. De buena condición o genio. ‖ Dícese de las cosas de buena calidad o que están en las condiciones debidas. ‖ ↗ aire acondicionado.

acondicionador, ra. adj. Que acondiciona. ‖ m. Aparato para acondicionar o climatizar un espacio limitado. Dícese también *acondicionador de aire*.

acondicionamiento (al. *Konditionierung*, fr. *conditionnement*, ingl. *conditioning*, it. *stagionatura*). m. Acción y efecto de acondicionar.

acondicionar (al. *zubereiten*, fr. *conditionner*, ingl. *to arrange*, it. *condizionare*). tr. Dar cierta condición o calidad. ‖ Con los adverbios *bien, mal* u otros semejantes, disponer o preparar alguna cosa de manera adecuada a determinado fin, o al contrario. ‖ Climatizar. ‖ r. Adquirir cierta condición o calidad. [*Sinón.*: adaptar, adecuar]

acongojar (al. *bedrücken*, fr. *angoisser*, ingl. *to afflict*, it. *angosciare*). tr. Oprimir, afligir, fatigar. Ú.t.c.r.

acónito. m. Bot. Planta ranunculácea de flores generalmente azules y raíz fusiforme, es medicinal. Todas sus variedades son venenosas.

aconsejable. adj. Que se puede aconsejar.

aconsejado, da. adj. Prudente, cuerdo.

aconsejar (al. *raten*, fr. *conseiller*, ingl. *to advise*, it. *consigliare*). tr. Dar consejo. ‖ Inspirar una cosa algo a uno. ‖ r. Tomar consejo o pedirlo a otro. [*Sinón.*: advertir, exhortar. *Antón.*: desaconsejar]

aconsonantar. intr. Ser una palabra consonante de otra. ‖ tr. Emplear en la rima una palabra como consonante de otra. ‖ Utilizar la rima consonante.

acontecer (al. *sich ereignen*, fr. *survenir*, ingl. *to happen*, it. *accadere*). intr. Suceder.

acontecimiento (al. *Ereignis*, fr. *événement*, ingl. *event*, it. *evento*). m. Suceso, hecho notable.

acopiamiento. m. Acopio.

acopiar. tr. Juntar, reunir.

acopio. m. Acción y efecto de acopiar. [*Sinón.*: acaparamiento, provisión.]

acopladura. f. Acción y efecto de acoplar dos o más piezas. [*Sinón.*: Unión, ensambladura.]

acoplamiento. m. Acción y efecto de acoplar o acoplarse.

acoplar (al. *aneinanderkoppeln*, fr. *accoupler*, ingl. *to couple*, it. *innestare*). tr. En varios oficios, unir entre sí dos piezas para que ajusten exactamente. ‖ Ajustar una pieza al sitio donde deba colocarse. ‖ Unir o parear dos animales para yunta o tronco. ‖ Procurar la unión sexual de los animales. Ú.t.c.r. ‖ Encontrar acomodo u ocupación para una persona, emplearla en algún trabajo. ‖ Fís. Agrupar dos aparatos o sistemas, de forma que su funcionamiento combinado produzca el resultado conveniente.

acoquinamiento. m. Acción y efecto de acoquinar o acoquinarse.

acoquinar. tr. fam. Amilanar, acobardar, acojonar. Ú.t.c.r.

acorazado, da (al. *Panzerschiff*, fr. *cuirassé*, ingl. *battleship*, it. *corazzata*). adj. Dícese de lo que lleva coraza. ‖ m. Buque de guerra blindado, de grandes dimensiones.

acorazar. tr. Revestir algo con planchas de hierro o acero. [*Sinón.*: blindar.]

acorazonado, da. adj. De figura de corazón.

acorcharse. r. Tomar una cosa una consistencia semejante a la del corcho. ‖ fig. Embotarse la sensibilidad de alguna parte del cuerpo.

acordado, da. adj. Hecho con acuerdo y madurez.

acordar (al. *beschliessen*, fr. *résoudre*, ingl. *to resolve*, it. *risolvere*). tr. Determinar o resolver de común acuerdo, o por mayoría de votos. ‖ Determinar o resolver una sola persona. ‖ Conciliar, componer. ‖ Traer a la memoria de otro, o de uno mismo, alguna cosa; recordar. Ú.t.c.r. ‖ Mús. Disponer o templar los instrumentos músicos o las voces para que no disuenen. ‖ Pint. Disponer armónicamente los tonos de un dibujo o pintura. ‖ intr. Concordar, convenir una cosa con otra. ‖ r. Ponerse de acuerdo.

acorde (al. *akkord*, fr. *accord*, ingl. *chord*, it. *accordo*). adj. Conforme, con armonía, en consonancia. En música se dice de los instrumentos y de las voces; en pintura, de la entonación y del colorido. ‖ m. Mús. Sonoridad producida por la unión simultánea de varias notas distintas.

acordeón (al. *Akkordeon*, fr. *accordeon*, ingl. *accordion*, it. *fisarmónica*). m. Instrumento músical de viento, compuesto de lengüetas de metal, un pequeño teclado de válvulas y un fuelle que se mueve para producir los sonidos.

acordeonista. s. Persona que toca el acordeón.

acordonado, da. adj. Dispuesto en forma de cordón. ‖ *Amer.* Enjuto, delgado.

acordonar. tr. Ceñir o sujetar con cordón. ‖ Formar el cordoncillo en el canto de las monedas. ‖ fig. Rodear los agentes de la autoridad un lugar para incomunicarlo.

acornear. tr. Dar cornadas.

ácoro. m. Bot. Planta aroidea, de hojas puntiagudas, flores de color verde claro y rizomas blanquecinos de olor suave.

acorralamiento. m. Acción y efecto de acorralar o acorralarse.

acorralar. tr. Encerrar los ganados en el corral. Ú.t.c.r. ‖ fig. Encerrar a uno impidiéndole que pueda escapar. ‖ fig. Intimidar, acobardar.

acorrer. tr. Acudir corriendo. ‖ Socorrer. ‖ tr. Refugiarse, acogerse.

acortamiento. Acción y efecto de acortar o acortarse. ‖ Astr. Diferencia entre la distancia real de un planeta al Sol o a la Tierra y la misma distancia proyectada sobre el plano de la eclíptica.

acortar (al. *verkürzen*, fr. *accourcir*, ingl. *to shorten*, it. *accociare*). tr. Disminuir la longitud, duración o cantidad de alguna cosa. Ú.t.c. intr. y c.r. ‖

Hacer más corto el camino. Ú.t.c. absoluto. ‖ r. fig. Quedarse corto en pedir, hablar o responder. ‖ En equitación, encogerse el caballo. [Antón.: alargar]

acosar (al. *hetzen, verfolgen*, fr. *accuer*, ingl. *to harass*, it. *incalzare*). tr. Perseguir, sin dar tregua ni reposo, a un animal o persona. ‖ fig. Importunar a alguno con molestias o trabajos.

acoso. m. Acción y efecto de acosar. [Sinón.: acosamiento, persecución, hostigamiento]

acostado, da. adj. BLAS. Dícese de la pieza puesta al lado de otra pieza, y a la pieza alargada que se halla colocada horizontalmente en vez de en la forma vertical que le es propia.

acostar (al. *hinlegen*, fr. *coucher*, ingl. *to put in bed*, it. *coricare*). tr. Echar o tender a alguno para que duerma o descanse. Ú.m.c.r. ‖ Arrimar o acercar. Ú.t.c.r. ‖ MAR. Arrimar el costado de una embarcación a alguna parte; llegar a la costa. Ú.t.c.r. ‖ intr. Inclinarse o ladearse hacia un lado o costado. Ú.t.c.r. ‖ En la balanza, pararse en posición que el fiel no coincida con el punto o señal de equilibrio.

acostumbrado, da. adj. Habitual, usual, corriente.

acostumbrar (al. *gewöhnen*, fr. *habituer*, ingl. *to accustom*, it. *abituare*). tr. Hacer adquirir costumbre. ‖ intr. Tener costumbre. ‖ r. Adquirir costumbre. [Sinón.: habituar, familiarizar. Antón.: desacostumbrar]

acotación. f. Acotamiento. ‖ Señal o apuntamiento que se pone en la margen de algún escrito o impreso. ‖ En una obra teatral, nota que explica todo lo relativo a la acción o movimiento de las personas en la escena. ‖ Cota que en un plano topográfico indica la altura de un punto.

acotado. f. Terreno cercado, reservado para semillero de árboles.

acotamiento. m. Acción y efecto de acotar.

acotar. tr. Amojonar un terreno con cotos. ‖ Reservar, prohibir. ‖ Elegir, tomar por suyo. ‖ Poner cotas, anotaciones en un escrito o impreso. ‖ Poner notas o acotaciones en un plano topográfico. ‖ r. Ponerse a salvo, metiéndose dentro de los cotos de otra jurisdicción.

acotiledóneo, a. adj. BOT. Dícese de las plantas cuyo embrión carece de cotiledones. Ú.t.c.s.f.

acracia. f. Doctrina de los ácratas.

ácrata. adj. Partidario de la supresión de toda autoridad. Ú.t.c.s.

acre. m. Medida inglesa de superficie equivalente a 4.086,85 metros cuadrados. ‖ adj. Áspero y picante al gusto y al olfato. ‖ fig. Genio o palabras ásperos y desabridos. ‖ PAT. Dícese del calor febril al que acompaña una sensación como de picor.

acrecentamiento. m. Acción y efecto de acrecentar. [Sinón.: auge, incremento. Antón.: disminución]

acrecentar (al. *vermehren*, fr. *accroître*, ingl. *to increase*, it. *accrescere*). tr. Aumentar. Ú.t.c.r. ‖ Mejorar, enriquecer, enaltecer.

acrecer. tr. Aumentar. Ú.t.c. intr. ‖ intr. DER. Percibir un partícipe el aumento que le corresponde cuando otro partícipe pierde su cuota o renuncia a ella.

acreditado, da. adj. Reputado, que es digno de crédito. ‖ Dícese del agente diplomático que goza de autorización para ejercer su cargo.

acreditar (al. *beglaubigen*, fr. *accréditer*, ingl. *to accredit*, it. *accreditare*). tr. Hacer digna de crédito alguna cosa, probar su certeza o realidad. Ú.t.c.r. ‖ Afamar, dar crédito o reputación. Ú.t.c.r. ‖ Dar seguridad de que una persona o cosa es lo que representa o parece. ‖ Dar testimonio de que una persona lleva facultades para desempeñar una comisión o encargo. ‖ COM. Abonar, anotar en el haber. ‖ r. Lograr fama o reputación.

acreditativo, va. adj. Que acredita.

acreedor, ra (al. *gläubiger*, fr. *créancier*, ingl. *creditor*, it. *creditore*). adj. Que tiene derecho a pedir el cumplimiento de una obligación. Ú.m.c.s. ‖ Que tiene derecho a que se le satisfaga una deuda. Ú.m.c.s. ‖ Que tiene mérito para obtener algo. [Sinón.: merecedor. Antón.: deudor]

acreencia. f. Amer. Crédito, deuda que uno tiene a su favor.

acrescente. adj. BOT. Dícese del cáliz o de la corola que sigue creciendo después de fecundada la flor.

acribar. tr. Cribar. ‖ fig. Acribillar. Ú.t.c.r.

acribillar (al. *durchlöchern*, fr. *cribler*, ingl. *to pierce with holes*, it. *crivellare*). tr. Abrir muchos agujeros en una cosa. Hacer muchas heridas o picaduras. ‖ fig. y fam. Molestar mucho y con frecuencia.

acrílico, ca. adj. QUÍM. Dícese de cierto ácido etilénico. ‖ Aplícase a las materias, y especialmente a las fibras artificiales que se obtienen de los ésteres de este ácido. Ú.t.c.s.

acriminar. tr. Acusar a uno de algún crimen o delito. ‖ Imputar culpa o falta grave. ‖ Presentar como más grave; exagerar o abultar un delito o culpa.

acrimonia. f. Calidad de acre.

acriollarse r. Amer. Adoptar un extranjero los usos y costumbres propios del país.

acrisolar. tr. Depurar los metales en el crisol. ‖ fig. Purificar. ‖ fig. Aclarar una cosa por medio de pruebas.

acristianar. tr. fam. Hacer cristiano. ‖ fam. Bautizar.

acritud. f. Acrimonia.

acrobacia. f. Acrobatismo. ‖ Cada uno de los ejercicios que realiza el acróbata. ‖ Cualquiera de las evoluciones espectaculares que efectúa un aviador en el aire.

acróbata (al. *Akrobat*, fr. *acrobate*, ingl. *acrobat*, it. *acrobata*). com. Persona que baila o hace habilidades sobre cuerdas o alambres, o ejecuta otros ejercicios gimnásticos. [Sinón.: volatinero, saltimbanqui]

acrobático, ca. adj. Concerniente al acróbata o a la acrobacia.

acrobatismo. m. Profesión y ejercicio del acróbata.

acrofobia. f. Horror a las alturas. [Sinón.: vértigo]

acrolito. m. Estatua de madera o de bronce, con la cabeza y extremidades de mármol o piedra.

acromático, ca. adj. ÓPT. Dícese del sistema óptico que puede transmitir la luz blanca sin descomponerla en sus colores constituyentes.

acromatismo. m. ÓPT. Calidad de acromático.

acromatizar. tr. Corregir el cromatismo al fabricar prismas o lentes.

acromegalia. f. PAT. Enfermedad crónica debida a lesión de la glándula pituitaria, y que se caracteriza especialmente por un gran desarrollo de las extremidades.

acromion. m. ANAT. Apófisis del omóplato, con que se articula la extremidad externa de la clavícula.

acrónimo. m. Sigla constituida por las iniciales, con las cuales se forma un nombre.

ácrono, na. adj. Intemporal, sin tiempo, fuera del tiempo.

acrópolis (al. *Akropolis*, fr. *acropole*, ingl. *acropolis*, it. *acropoli*). f. En las ciudades griegas, el sitio más alto y fortificado.

acróstico, ca. adj. Aplícase a la composición poética en que las letras iniciales o finales de los versos forman un vocablo o una frase.

acroterio. m. ARQ. Pretil o murete que se hace sobre los cornisamentos para ocultar la altura del tejado.

acta. f. Relación escrita de lo sucedido, tratado o acordado en una junta. ‖ Certificación en que consta el resultado de la elección de una persona para ciertos cargos. ‖ Hechos de la vida de un mártir referidos en la historia coetánea y debidamente autorizada. ‖ — *notarial.* Relación fehaciente que extiende el notario, de uno o más hechos que presencia o autoriza. ‖ *levantar acta.* Extenderla.

actinia. f. ZOOL. Anémona de mar.

actinio. m. QUÍM. Elemento radiactivo que se halla en algún compuesto de uranio.

actinismo. m. Acción química de las radiaciones luminosas.

actinógrafo. m. Actinómetro registrador.

actinometría. f. FÍS. Parte de la física que estudia la intensidad y la acción química de las radiaciones luminosas.

actinómetro. m. ÓPT. Instrumento para medir la intensidad de las radiaciones, en especial de las solares.

actinomorfa. adj. BOT. Dícese de la flor que queda dividida en dos partes simétricas por cualquier plano que pase por su eje y por la línea media de cada sépalo o pétalo.

actinota. f. GEOL. Anfíbol de color verde claro, que suele presentarse en masas de textura fibrosa.

actitud (al. *Haltung,* fr. *attitude,* ingl. *attitude,* it. *atteggiamento*). f. Postura del cuerpo humano, especialmente cuando expresa algo con eficacia. ‖ Postura de un animal cuando llama la atención. ‖ fig. Disposición de ánimo de algún modo manifestada.

activar. tr. Avivar, acelerar, excitar, poner en funcionamiento. ‖ FÍS. Hacer radiactiva una sustancia, generalmente bombardeándola con partículas materiales o con fotones.

actividad (al. *Tätigkeit,* fr. *activité,* ingl. *activity,* it. *attività*). f. Facultad de obrar. ‖ Diligencia, eficacia. ‖ Conjunto de operaciones o tareas propias de una persona o entidad. Ú.m. en pl. ‖ *en actividad.* loc. adv. En acción, en activo.

activista (al. *Aktivist,* fr. *activista,* ingl. *activist,* it. *attivista*). com. Persona que en un grupo o partido interviene activamente en la propaganda o practica la acción directa.

activo, va (al. *tätig,* fr. *actif,* ingl. *active,* it. *attivo*). Que obra o tiene virtud de obrar. ‖ Diligente y eficaz. ‖ Que obra prontamente, o produce su efecto sin dilación. ‖ Dícese de los funcionarios mientras prestan servicio. ‖ GRAM. Dícese del verbo transitivo. ‖ m. COM. Importe total de los valores, efectos, créditos y derechos que una persona tiene a su favor.

acto (al. *Tat,* fr. *acte,* ingl. *act,* it. *atto*). m. Hecho o acción. ‖ Hecho público o solemne. ‖ Cada una de las partes principales en que se dividen las obras escénicas. ‖ Disposición legal. ‖ En la vida religiosa, concentración del ánimo en un sentimiento o disposición; formulación o expresión de ellos. ‖ pl. Actas de un concilio. ‖ — *de conciliación.* Comparecencia de las partes desavenidas ante el juez para ver si pueden avenirse y evitar el litigio. ‖ — *seguido.* loc. adv. Inmediatamente después. ‖ *en el acto.* m. adv. En seguida.

actor (al. *Schauspieler,* fr. *acteur,* ingl. *actor,* it. *attore*). m. El que representa en el teatro, el cine o la televisión. ‖ Personaje de una acción o de una obra literaria. ‖ DER. Demandante o acusador.

actriz (al. *Schauspieler,* fr. *actrice,* ingl. *actress,* it. *attrice*). f. Mujer que representa en el teatro, el cine o la televisión.

actuación. f. Acción y efecto de actuar. ‖ pl. DER. Autos o diligencias de un procedimiento judicial.

actual. adj. Presente, en el mismo momento. ‖ Que existe, sucede o se usa en el tiempo de que se habla.

actualidad (al. *Aktualität,* fr. *actualité,* ingl. *actuality,* it. *attualità*). f. Tiempo presente. ‖ Cosa o suceso que atrae la atención pública en un momento dado.

actualizar. tr. Poner en acto. ‖ Hacer actual una cosa. ‖ Poner al día.

actuar (al. *handeln,* fr. *agir,* ingl. *to act,* it. *agire*). tr. Poner en acción. Ú.t.c.r. ‖ Hablando de algo que se ingiere, digiere, absorber o asimilar. ‖ Entender, penetrar o asimilarse la verdad; enterarse de algo. Ú.t.c.r. ‖ intr. Ejercer una persona o cosa actos propios de su naturaleza u oficio. ‖ Representar una obra teatral, cinematográfica o televisión. ‖ Practicar los ejercicios de una oposición. ‖ DER. Formar autos, proceder judicialmente.

acuarela (al. *Aquarell,* fr. *aquarelle,* ingl. *water colour,* it. *acquarello*). f. Pintura con colores transparentes diluidos en agua.

Acuario. n.p.m. ASTR. Undécimo signo del Zodiaco, que el Sol recorre aparentemente a mediados del invierno. ‖ Constelación zodiacal entre Capricornio y Piscis.

acuario (al. *Aquarium,* fr. *aquarium,* ingl. *aquarium,* it. *acquario*). m. Depósito de agua donde se tienen vivos animales o vegetales acuáticos. ‖ Edificio destinado a la exhibición de animales acuáticos vivos.

acuartelado, da. adj. BLAS. Dícese del escudo dividido en cuarteles.

acuartelamiento. m. Acción o efecto de acuartelar o acuartelarse. ‖ Lugar donde se acuartela.

acuartelar (al. *einquartieren,* fr. *caserner,* ingl. *to quarter,* it. *acquartierare*). tr. Poner la tropa en cuarteles. Ú.t.c.r. ‖ Obligar a la tropa a permanecer en el cuartel en previsión de alguna emergencia. ‖ Dividir un terreno en cuarteles. ‖ BLAS. Dividir un escudo en cuarteles. ‖ MAR. Presentar más al viento la superficie de una vela de cuchillo.

acuático, ca. adj. Que vive en el agua. ‖ Perteneciente o relativo al agua.

acucia. f. Diligencia, prisa. ‖ Deseo vehemente.

acuciamiento. m. Acción de acuciar.

acuciar (al. *anspornen,* fr. *stimuler,* ingl. *to stimulate,* it. *incitare*). tr. Estimular, dar prisa. ‖ Desear con vehemencia. [*Sinón.:* espolear. *Antón.:* aplacar]

acuclillarse. r. Ponerse en cuclillas.

acuchillado, da. adj. fig. Dícese del que, a fuerza de trabajos y escarmientos, ha adquirido el hábito de conducirse con prudencia. ‖ fig. Aplícase al vestido o parte de él con aberturas parecidas a cuchilladas, bajo las que se ve otra tela distinta.

acuchillar (al. *ersechen,* fr. *sabrer,* ingl. *to sabre,* it. *accoltellare*). tr. Herir, cortar o matar con cuchillo o con otras armas blancas. ‖ Hablando del aire, henderlo o cortarlo. ‖ Alisar con una cuchilla u otra herramienta la superficie del entarimado o de los muebles de madera. ‖ Hacer aberturas semejantes a cuchilladas en alguna parte del vestido. ‖ Aclarar las plantas en los semilleros.

acudir (al. *herbeieilen,* fr. *accourir,* ingl. *to run to,* it. *accorrere*). intr. Ir uno al sitio adonde es llamado o le conviene. || Ir o asistir con frecuencia a alguna parte. || Venir, presentarse o sobrevenir algo. || Ir en socorro de alguno. || Atender. || Recurrir a alguno. || Valerse de una persona o cosa para algún fin. || Dar o producir la tierra o las plantas. || Corresponder, pagar u obsequiar. || Replicar; objetar. || Obedecer el caballo.

acueducto (al. *Aquädukt*, fr. *aqueduc*, ingl. *aqueduct*, it. *acquedotto*). m. Conducto artificial para conducir agua.

ácueo, ea. adj. De agua. || De naturaleza parecida a la del agua.

acuerdo (al. *Beschluss*, fr. *accord*, ingl. *accord*, it. *accordo*). m. Resolución que se toma en los tribunales, comunidades o juntas. || Resolución premeditada de una sola persona. || Reflexión o madurez en la determinación de alguna cosa. || Conocimiento o sentido de alguna cosa. || Parecer, dictamen, consejo. || Recuerdo o memoria de las cosas. || *Amer.* Consejo de ministros. || PINT. Armonía del colorido de un cuadro. || *de acuerdo.* m. adv. De conformidad, unánimemente. || Refiriéndose a dos o más personas o cosas, mostrar conformidad o alcanzarla. || Locución con que se manifiesta asentimiento o conformidad.

acuidad. f. Agudeza de los sentidos. [*Sinón.*: sutileza]

acuífero, ra. adj. Que contiene agua.

acular. tr. Hacer que un animal quede arrimado por detrás a alguna parte. Ú.t.c.r. || fam. Arrinconar, estrechar a uno. Ú.t.c.r. || r. MAR. Acercarse la nave a un bajo, o tocar en él con el codaste en un movimiento de retroceso.

acullá. adv. l. En parte opuesta o alejada del que habla.

acumulación (al. *Anhäufung*, fr. *accumulation*, ingl. *gathering*, it. *accumulazione*). f. Acción y efecto de acumular.

acumulador, ra (al. *Akkumulator*, fr. *accumulateur*, ingl. *storage-battery*, it. *accumulatore*). adj. Que acumula. Ú.t.c.s. || m. FIS. Pila reversible que almacena energía durante la carga y la restituye parcialmente durante la descarga.

acumular (al. *anhäufen*, fr. *accumuler*, ingl. *to put together*, it. *accumulare*). tr. Juntar y amontonar. || Imputar algún delito o culpa. || DER. Unir unos autos a otros para que sobre

todos se pronuncie una sola sentencia.

acumulativo, va. adj. Perteneciente o relativo a la acumulación; que procede por acumulación.

acunar. tr. Mecer al niño en la cuna.

acuñación. f. Acción y efecto de acuñar.

acuñar (al. *münzen*, fr. *frapper (monnaie)*, ingl. *to coin*, it. *coniare*). tr. Imprimir y sellar una pieza de metal por medio de cuño o troquel. || Tratándose de la moneda, fabricarla. || Meter cuñas. || fig. Dar forma a expresiones o conceptos, especialmente cuando logra difusión y permanencia.

acuosidad. f. Calidad de acuoso.

acuoso, sa. adj. Abundante en agua. || Parecido a ella. || De mucho jugo. || Referente o relativo al agua. [*Sinón.*: húmedo, mojado]

acupuntura. f. MED. Operación que consiste en clavar una o más agujas en el cuerpo humano con el fin de curar ciertas enfermedades. Se emplea desde muy antiguo por los chinos y japoneses.

acurrucarse. r. Encogerse para resguardarse del frío o con otro objeto.

acusación (al. *Anklage*, fr. *accusation*, ingl. *accusation*, it. *accusazione*). f. Acción de acusar o acusarse. || Escrito o discurso en que se acusa.

acusado, da. adj. Dícese de aquello cuya condición destaca de lo normal y se hace manifiestamente perceptible. || s. Persona a quien se acusa.

acusador, ra. adj. Que acusa. Apl. a pers., ú.t.c.s.

acusar (al. *anklagen*, fr. *accuser*, ingl. *to accuse*, it. *accusare*). tr. Imputar a alguien un delito, culpa o cosa vituperable. || Denunciar, delatar. Ú.t.c.r. || Notar, tachar, reconvenir, censurar. || Avisar, notificar el recibo de cartas. || Reflejar los efectos de algo. || DER. Exponer en juicio definitivamente los cargos contra el acusado, y las pruebas de los mismos. || r. Confesar, declarar uno sus culpas.

acusativo (al. *Akkusativ*, fr. *accusatif*, ingl. *accusative*, it. *accusativo*). m. GRAM. Caso de la declinación que indica el complemento directo.

acusatorio, ria. adj. DER. Perteneciente o relativo a la acusación.

acuse. m. Acción y efecto de acusar recibo de escritos.

acusetas. m. *Amer.* Acusete.

acusete. m. Acusón, soplón.

acusón, na. adj. fam. Que tiene el vicio de acusar. Ú.t.c.s. [*Sinón.*: soplón, chivato]

acústica (al. *Akustik*, fr. *acoustique*, ingl. *acostics*, it. *acustica*). f. FIS. Parte de la física que trata del sonido y de lo que a él se refiere. || Cualidad de un local de propagarse bien el sonido.

acústico, ca. adj. Perteneciente o relativo al órgano del oído. || Perteneciente o relativo a la acústica.

acutángulo. adj. GEOM. Dícese del triángulo cuyos tres ángulos son agudos.

achacar. tr. Atribuir, imputar.

achacoso, sa. adj. Que padece achaques, enfermizo; levemente enfermo. || Extremado en la acusación. || Dícese de las cosas que tienen defecto.

achaflanar. tr. Dar forma de chaflán a una esquina o borde.

achampañado, da. adj. Dícese de la bebida hecha al estilo del vino de Champaña.

achantar. tr. Acoquinar, apabullar, achicar a alguien. || r. fam. Aguantarse, esconderse; conformarse. || Callarse resignadamente o por cobardía. || *Amer.* Callarse, contenerse, reprimirse; detenerse en un lugar.

achaparrado, da. adj. fig. Dícese de las cosas bajas o extendidas. || Aplícase a las personas bajas y gruesas; rechoncho.

achaparrarse. r. Adquirir las personas, animales o plantas una configuración baja y gruesa en su desarrollo.

achaque (al. *Gebrechen*, fr. *infirmité*, ingl. *sickliness*, it. *acciacco*). m. Indisposición habitual. || fig. Vicio o defecto común o frecuente. || fam. Menstruo de la mujer. || Embarazo de la mujer.

achatamiento. m. Acción y efecto de achatar o achatarse.

achatar. tr. Poner chata una cosa. Ú.t.c.r.

achicador, ra. adj. Que achica. Ú.t.c.s. || m. MAR. Especie de cucharón de madera que sirve para achicar el agua en los botes.

achicar. tr. Disminuir el tamaño de alguna cosa. Ú.t.c.r. || Extraer el agua de un dique, mina, embarcación, etc. || fig. Humillar, acobardar. Ú.t.c.r. || r. fig. Hacerse de menos.

achicoria. f. BOT. Planta compuesta, de hojas ásperas y comestibles. De la raíz se extrae un sucedáneo del café. Tiene propiedades medicinales.

achicharrar (al. *einsbraten*, fr. *rissoler*, ingl. *to hoverheat*, it. *arrostire*). tr. Freír, asar o tostar un manjar hasta que adquiera sabor a quemado. Ú.t.c.r. || Molestar con exceso. || *Amer.* Estrujar, aplastar. || r. fig. Experimentar un calor excesivo, quemarse, por la acción de un agente exterior.

achichinque. m. Operario que en las minas se encarga de achicar el agua. ‖ *Amer.* El que de ordinario acompaña a un superior y sigue sus órdenes ciegamente.

achiguarse. r. *Amer.* Combarse una cosa; echar panza una persona.

achinado, da. adj. Semejante a los chinos en el color o en las facciones. Ú.t.c.s. ‖ *Amer.* Amestizado; aplebeyado.

achiote. Bot. Bija.

achique. m. Acción y efecto de achicar.

achiquitar. tr. fam. *Amer.* Achicar, empequeñecer. Ú.t.c.r.

¡achís! Voz onomatopéyica que se emplea para imitar el estornudo y, a veces, para designarlo.

achispar. tr. Poner casi ebria a una persona. Ú.t.c.r.

acholar. tr. fam. *Amer.* Correr, avergonzar. Ú.t.c.r.

achubascarse. r. Cubrirse el cielo de nubarrones que traen lluvia con viento.

achuchar. tr. fam. Aplastar, estrujar con fuerza. ‖ fam. Empujar a una persona; agredirla violentamente acorralándola.

achuchón. m. fam. Acción y efecto de achuchar.

achulado, da. adj. fam. Que tiene aire o modales de chulo.

achularse. r. Adquirir modales de chulo. [*Sinón.*: achulaparse]

achura. f. *Amer.* Intestino o menudo de la res.

ad. prep. lat. que en composición denota proximidad o encarecimiento. Empléase aislada en locuciones latinas usadas en nuestro idioma.

adagio (al. *Spruch*, fr. *adage*, ingl. *proverb*, it. *adagio*). m. Sentencia breve, casi siempre moral. ‖ Mús. Composición musical, o parte de ella, que se ejecuta con movimiento lento.

adalid (al. *Anführer*, fr. *chief*, ingl. *chieftain*, it. *condottiero*). m. Caudillo de gente de guerra. ‖ fig. Guía y cabeza, o muy señalado individuo, de un partido, corporación o escuela.

adamado, da. adj. Dícese del hombre de facciones y modales delicados como los de una mujer. ‖ Fino, elegante. Apl. a pers. ‖ Dícese de la mujer vulgar que aparenta ser una dama.

adamamiento. m. Afeminación de un varón.

adamantino, na. adj. Diamantino. Ú.m. en poesía.

adamascado, da. adj. Parecido al damasco.

adamascar. tr. Fabricar telas con labores parecidas a las del damasco.

adán. m. fig. y fam. Hombre desaliñado, sucio, haraposo. ‖ fig. y fam. Hombre apático y descuidado.

adaptable. adj. Capaz de ser adaptado.

adaptación (al. *Anpassung*, fr. *adaptation*, ingl. *adaptation*, it. *adattamento*). f. Acción y efecto de adaptar o adaptarse. ‖ Zool. Proceso por el que un animal se acomoda al medio ambiente y a los cambios de éste.

adaptar (al. *anpassen*, fr. *adapter*, ingl. *to adapt*, it. *adattare*). tr. Acomodar, ajustar una cosa a otra. Ú.t.c.r. ‖ Hacer que un objeto o un mecanismo desempeñen funciones distintas de aquellas para las que fueron construidos. ‖ Modificar una obra científica, literaria, musical, etc., para que pueda difundirse entre público distinto de aquel al cual iba destinada o por otro procedimiento diferente del original. ‖ Unir una cosa a otra de modo que forme con ella el conjunto debido. ‖ r. Dicho de personas, acomodarse, avenirse a circunstancias, condiciones, etc.

adaraja. f. Arq. Cada uno de los dentellones que se forman en la interrupción lateral de un muro para su trabazón al proseguirlo. Ú.m. en pl.

adarga. f. Escudo de cuero, ovalado o de figura de corazón. ‖ Blas. Tratado de blasón y nobiliaria.

adarve. m. Camino detrás del parapeto y en lo alto de una fortificación. [*Sinón.*: trinchera, defensa]

ad calendas graecas. expr. adv. lat. usada para designar un plazo que no ha de cumplirse.

adecentar. tr. Poner decente. Ú.m.-c.r.

adecuación. f. Acción de adecuar o adecuarse.

adecuado, da. adj. Apropiado, acomodado.

adecuar. tr. Proporcionar, acomodar una cosa a otra. Ú.t.c.r.

adefesio. m. fam. Despropósito, extravagancia. Ú.m. en pl. ‖ fam. Persona de exterior ridículo y extravagante.

adehala. f. Lo que se da o se fija de gracia o se fija como obligatorio sobre el precio de una cosa. ‖ Lo que se agrega como emolumentos al pago de algún empleo o comisión.

adelantado, da. adj. Precoz, dicho del fruto. ‖ Aventajado, superior. ‖ *por*

adelantado. m. adv. Anticipadamente.

adelantamiento. m. Acción y efecto de adelantar o adelantarse. ‖ fig. Medro, mejora.

adelantar (al. *worwärts bringen*, fr. *avancer*, ingl. *to advance*, it. *anticipare*). tr. Mover, llevar hacia adelante. Ú.t.c.r. ‖ Acelerar, apresurar. ‖ Anticipar. ‖ Ganar la delantera a alguno o a algo. Ú.t.c.r. ‖ Hacer que el reloj señale un tiempo que no ha llegado todavía. ‖ fig. Aumentar, mejorar. ‖ Exceder a alguno, aventajarle. Ú.t.c.r. ‖ intr. Andar el reloj con más velocidad que la debida o señalar un tiempo que no ha llegado todavía. Ú.t.c.r. ‖ Progresar en estudios, robustez, posición social, etc.

adelante (al. *worwärts*, fr. *au-delà*, ingl. *farther*, it. *avanti*). adv. l. Más allá. ‖ Hacia la parte opuesta a otra. ‖ Denota tiempo futuro. ‖ *¡adelante!* Voz que se usa para permitir que alguien entre en alguna parte o siga andando, hablando, etc.

adelanto. m. Adelantamiento, acción de adelantar. ‖ Anticipo, cantidad que se adelanta. ‖ Avance, progreso, medro.

adelfa. fig. Bot. Arbusto aponiáceo venenoso, de hojas persistentes semejantes a las del laurel y flores blancas, rojizas, rosáceas o amarillas. Florece en verano y abunda en el lecho de ríos y torrentes. ‖ Flor de esta planta.

adelgazamiento. m. Acción y efecto de adelgazar o adelgazarse.

adelgazar (al. *dünner*, *werden*; fr. *maigrir*; ingl. *to grow thin*, it. *amagrire*). tr. Poner delgada a una persona o cosa. Ú.t.c.r. ‖ Discurrir con sutileza. ‖ intr. Ponerse delgado, enflaquecer. [*Antón.*: engordar]

ademán (al. *Gebärde*, fr. *geste*, ingl. *gesture*, it. *gesto*). m. Movimiento o actitud con que se manifiesta un afecto del ánimo. ‖ pl. Modales. [*Sinón.*: gesto, mueca]

además (al. *ausserdem*, fr. *outre*, ingl. *moreover*, it. *oltre*). adv. c. A más de esto o aquello.

adentellar. tr. Hincar los dientes. ‖ Arq. Dejar en una pared dientes o adarajas.

adentrarse. r. Penetrar en lo interior de una cosa. ‖ Pasar por dentro.

adentro (al. *hinein*, fr. *dedans*, ingl. *inside*, it. *entro*). adv. l. A o en lo interior. ‖ m. pl. Lo interior del ánimo.

adepto, ta (al. *Anhänger*, fr. *adepte*, ingl. *adept*, it. *adepto*). adj. Afiliado a una secta o asociación. Ú.t.c.s. ‖ Partidario de alguna persona o idea. Ú.t.c.s.

[*Sinón.*: asociado, adicto. *Antón.*: enemigo, adversario]

aderezar. tr. Componer, adornar, hermosear. Ú.t.c.r. || Guisar o sazonar los alimentos. || Disponer o preparar. Ú.t.c.r. || Remendar o componer alguna cosa. || Guiar, dirigir, encaminar. Ú.t.c.r. || fig. Acompañar una acción con algo que le añade gracia o adorno.

aderezo. m. Acción y efecto de aderezar o aderezarse. || Aquello con que se aderéza alguna persona o cosa. || Prevención, disposición de lo necesario para alguna cosa. || Juego de joyas con que se adornan las mujeres. || Arreos para ornato y manejo del caballo. || Guarnición de ciertas armas blancas, y boca y contera de su vaina.

adeudar (al. *schulding sein*, fr. *débiter*, ingl. *to owe*, it. *dovere*). tr. Deber, tener deudas. || Haber de pagar impuesto o contribución. || COM. Cargar, anotar en el debe. || r. Endeudarse. || intr. Contraer deudo, emparentar.

adeudo. m. Deuda. || COM. Acción y efecto de adeudar.

adherencia (al. *Aneinanderwachsen*, fr. *adhérence*, ingl. *adherence*, it. *aderenza*). f. Acción y efecto de adherir o pegarse una cosa a otra. || fig. Enlace, conexión, parentesco. || Parte añadida. || MED. Unión anormal de partes del cuerpo que naturalmente deben estar separadas.

adherente. adj. Anexo unido o pegado a una cosa. || Requisito necesario para alguna cosa. Ú.m. en pl.

adherir (al. *ankleben*, fr. *adhérer*, ingl. *to adhere*, it. *aderire*). tr. Pegar una cosa a otra. || Pegarse una cosa con otra. Ú.m.c.r. || fig. Convenir en un dictamen o partido y abrazarlo. Ú.m.c.r. || r. DER. Utilizar, quien no lo había interpuesto, el recurso entablado por la parte contraria.

adhesión (al. *Anhänglichkeit*, fr. *adhésion*, ingl. *adhesion*, it. *adesione*). f. Adherencia. || fig. Acción y efecto de adherir o adherirse.

adhesividad. f. Calidad de adhesivo.

adhesivo, va. adj. Capaz de adherirse. Ú.t.c.s.

ad hoc. expr. adv. lat. que se aplica a lo que se dice o hace sólo para un fin determinado.

adiabático, ca. adj. FÍS. Dícese del recinto entre cuyo interior y el exterior no es posible el intercambio térmico. || FÍS. Dícese de la transformación termodinámica que un sistema experimenta sin que haya intercambio de calor con otros sistemas.

adiar. tr. Señalar o fijar día. [*Sinón.*: emplazar, citar, convocar]

adición (al. *Addition*, fr. *addition*, ingl. *adition*, it. *addizione*). f. Acción y efecto de añadir o agregar. || Añadidura en alguna obra o escrito. || Referencia o nota que se pone en las cuentas. || MAT. Operación de sumar.

adicional. adj. Dícese de aquello con que se adiciona alguna cosa.

adicionar. tr. Hacer o poner adiciones. [*Sinón.*: aumentar, añadir, incrementar, sumar. *Antón.*: restar, disminuir]

adicto, ta. adj. Dedicado, muy inclinado, apegado. Ú.t.c.s. || Unido o agregado a otro u otros para entender en algún asunto o desempeñar algún cargo. Ú.t.c.s. [*Sinón.*: adepto, afecto, amigo. *Antón.*: enemigo, opuesto]

adiestramiento. m. Acción y efecto de adiestrar o adiestrarse.

adiestrar (al. *schulen*, fr. *dresser*, ingl. *to train*, it. *addestrare*). tr. Hacer diestro. Ú.t.c.r. || Enseñar, instruir; guiar, encaminar. [*Sinón.*: aleccionar, entrenar.]

adinerado, da. adj. Dícese de la persona que posee mucho dinero. [*Sinón.*: rico. *Antón.*: pobre]

adintelado, da. adj. Con dintel o en forma de dintel. || ARQ. Dícese del arco que degenera en línea recta.

adiós. interj. que se emplea para despedirse. || Denota no ser ya posible evitar un daño. || Ú.t. para expresar decepción. || m. Despedida de personas que se separan unas de otras.

adiposidad. f. Calidad de adiposo.

adiposis. f. MED. Obesidad.

adiposo, sa. adj. Grasiento, cargado de grasa o gordura. || Dícese especialmente del tejido formado por células que contienen grasa.

adipsia. f. MED. Falta de sed por un largo plazo.

aditamento. m. Añadidura.

adivinación. f. Acción y efecto de adivinar. [*Sinón.*: auspicio, predicción]

adivinanza. f. Acertijo. [*Sinón.*: charada, rompecabezas]

adivinar (al. *erraten*, fr. *deviner*, ingl. *to guess*, it. *indovinare*). tr. Predecir lo futuro, o descubrir las cosas ocultas, por medio de agüeros o sortilegios. || Tratándose de un enigma, acertar lo que quiere decir.

adivinatorio, ria. adj. Que incluye adivinación o se refiere a ella.

a divinis. expr. lat. que se aplica a la pena eclesiástica de suspensión de los oficios divinos.

adivino, na (al. *Wahrsager*, fr. *devin*, ingl. *soothsayer*, it. *indovino*). s. Persona que adivina.

adjetivación. f. Acción de adjetivar o adjetivarse.

adjetivar. tr. Concordar una cosa con otra, como en la gramática el adjetivo con el sustantivo. || GRAM. Aplicar adjetivos; dar al nombre valor de adjetivo. Ú.t.c.r. || Poner apodos. || Calificar.

adjetivo, va (al. *Adjektiv*, fr. *adjectif*, ingl. *adjective*, it. *aggetivo*). adj. Que hace relación a una cualidad o accidente. || m. GRAM. Parte de la oración cuya función es referirse al sustantivo para calificarlo o determinarlo.

adjudicación (al. *Zuerkennung*, fr. *atribution*, ingl. *adjudgment*, it. *aggiudicazione*). f. Acción y efecto de adjudicar o adjudicarse.

adjudicar (al. *zusprechen*, fr. *adjuger*, ingl. *to adjudge*, it. *aggiudicare*). tr. Declarar que una cosa corresponde a una persona o conferírsela en satisfacción de un derecho. || r. Apropiarse de algo. || fig. En algunas competiciones, conquistar, ganar, obtener.

adjudicatario, ria. s. Persona a quien se adjudica alguna cosa.

adjuntar. tr. Enviar o acompañar adjunto algo, especialmente en cartas.

adjunto, ta. adj. Que va o está unido con otra cosa. || Dícese de la persona que acompaña a otra para entender con ella en algún trabajo, cargo o negocio. Ú.t.c.s. || GRAM. Dícese del nombre adjetivo. || m. Aditamento, añadidura. || *profesor adjunto.* El que ayuda al catedrático y colabora con él en las cuestiones propias de su disciplina académica.

adjutor, ra. adj. Que ayuda a otro. Ú.t.c.s.

ad líbitum. expr. adv. lat. A gusto, a voluntad.

adminículo. m. Lo que sirve de ayuda para una cosa o intento. || Cada uno de los objetos que se llevan para servirse de ellos en caso de necesidad. Ú.m. en pl.

administración (al. *Verwaltung*, fr. *administration*, ingl. *management*, it. *administrazione*). f. Acción de administrar. || Empleo de administrador y lugar u oficina donde éste y sus dependientes ejercen su empleo. || El Estado, la Administración pública.

administrado, da. adj. Dícese de cada una de las personas sometidas a la jurisdicción de una autoridad administrativa. Ú.m.c.s.

ADEREZAR-ADMINISTRADO

administrador, ra (al. *Verwalter*, fr. *administrateur*, ingl. *manager*, it. *amministratore*). adj. Que administra. || s. Persona que administra bienes ajenos.

administrar (al. *verwalten*, fr. *administrer*, ingl. *to manage*, it. *amministrare*). tr. Gobernar, ejercer la autoridad o el mando sobre un territorio y sobre las personas que lo habitan. || Dirigir una institución. || Ordenar, disponer, organizar. || Desempeñar o ejercer un cargo, oficio o dignidad. || Suministrar, proporcionar o distribuir alguna cosa. || Tratándose de sacramentos, conferirlos o darlos. || Tratándose de medicamentos, aplicarlos, darlos o hacerlos tomar. Ú.t.c.r. || Graduar o dosificar el uso de alguna cosa. Ú.t.c.r.

administrativo, va. adj. Perteneciente o relativo a la administración. || s. Empleado que trabaja en la sección administrativa de una empresa.

admirable. adj. Digno de admiración. [*Sinón.*: notable, pasmoso. *Antón.*: despreciable]

admiración (al. *Bewunderung*, fr. *admiration*, ingl. *admiration*, it. *ammirazione*). f. Acción de admirar o admirarse. || Cosa admirable. || Signo ortográfico (¡!) usado para expresar admiración, queja o lástima, para llamar la atención hacia algo o denotar énfasis.

admirador, ra. adj. Que admira. Ú.t.c.s.

admirar (al. *bewundern*, fr. *admirer*, ingl. *to admire*, it. *ammirare*). tr. Ver o contemplar una cosa con sorpresa, placer o entusiasmo. Ú.t.c.r. || Tener en singular estimación a una persona o cosa, juzgándolas sobresalientes y extraordinarias.

admirativo, va. adj. Capaz de causar admiración. || Admirado o maravillado. || Que implica o denota admiración.

admisibilidad. f. Calidad de admisible.

admisible. adj. Que puede admitirse. [*Sinón.*: plausible, aceptable. *Antón.*: inadmisible]

admisión. f. Acción y efecto de admitir.

admitancia. f. Fís. Relación entre la intensidad y la tensión de una corriente eléctrica.

admitir (al. *zulassen*, fr. *admettre*, ingl. *to admit*, it. *ammetere*). tr. Recibir o dar entrada; aceptar, reconocer. || Permitir o sufrir. [*Sinón.*: acoger, tolerar. *Antón.*: rechazar, oponerse]

admonición. f. Amonestación; reconvención.

admonitor. m. Monitor. || Religioso que en algunas comunidades tiene a su cargo amonestar o exhortar a la observancia de la regla.

adobado. m. Carne, y especialmente la de cerdo, puesta en adobo. || Acción de adobar algunas cosas, como cueros, etc.

adobar. tr. Componer, aderezar. || Poner en adobo las carnes u otras cosas para sazonarlas y conservarlas. || Curtir las pieles y componerlas para varios usos.

adobe. m. ALBAÑ. Masa de barro, mezclada a veces con paja, moldeada en forma de ladrillo y secada al aire, que se emplea en la construcción.

adobera. f. Molde para hacer adobes. || *Amer.* Molde para hacer quesos en forma de adobe. || *Amer.* Queso en forma de adobe.

adobo. m. Acción y efecto de adobar. || Caldo compuesto de vinagre, sal, orégano, ajos y pimentón, que sirve para sazonar y conservar las carnes y otros alimentos. || Mezcla de varios ingredientes para curtir las pieles y para dar cuerpo y lustre a las telas. || Afeite. || *Amer.* Carne adobada.

adocenado, da. adj. Vulgar y de escaso mérito. [*Sinón.*: ordinario]

adoctrinar. tr. Doctrinar.

adolecer. intr. Enfermar o padecer una enfermedad habitual. || fig. Tratándose de afectos, pasiones, o vicios, tenerlos. || r. Condolerse. || fig. Tener algún defecto una cosa. [*Sinón.*: sufrir]

adolescencia (al. *Jugend*, fr. *adolescence*, ingl. *adolescence*, it. *adolescenza*). f. Edad que sucede a la niñez, desde la pubertad hasta la edad adulta.

adolescente (al. *Jüngling*, fr. *adolescent*, ingl. *adolescent*, it. *adolescente*). adj. Que está en la adolescencia. Ú.t.c.s. [*Sinón.*: joven, mozo]

adonde (al. *wohin*, fr. *où*, ingl. *where*, it. *ove*). adv. l. A qué parte, o a la parte que. || Donde.

adondequiera. adv. l. A cualquiera parte. || Dondequiera.

adonis. m. fig. Hombre o muchacho hermoso.

adopción (al. *Adoption*, fr. *adoption*, ingl. *adoption*, it. *adozione*). f. Acción de adoptar.

adoptar (al. *adoptieren*, fr. *adopter*, ingl. *to adopt*, it. *adottare*). tr. Recibir como hijo legalmente al que no lo es naturalmente. || Recibir, haciéndolos propios, pareceres, doctrinas, modas,

etc., que han sido creados por otras personas o comunidades. || Respecto de alguna resolución, actitud o acuerdo, tomarlos o asumirlos, después de previa deliberación o examen. || Adquirir, recibir una configuración determinada.

adoptivo, va. adj. Dícese de la persona adoptada. || Aplícase a la persona que adopta. || Dícese de la persona o cosa que uno elige, para tenerla por lo que realmente no es con respecto a él.

adoquín (al. *Pflastersein*, fr. *pavé*, ingl. *paving-stone*, it. *mattonella*). m. Piedra labrada en forma de prisma rectangular, para empedrado de calles. || fig. y fam. Persona torpe e ignorante.

adoquinado. adj. Empedrado con adoquines. Ú.t.c.s. || m. Acción de adoquinar.

adoquinar. tr. Empedrar con adoquines.

adoración (al. *Anbetung*, fr. *adoration*, ingl. *worship*, it. *adorazione*). f. Acción de adorar. || Epifanía.

adorar (al. *anbeten*, fr. *adorer*, ingl. *to worship*, it. *adorare*). tr. Reverenciar con sumo honor o respeto. || Reverenciar y honrar a Dios con el culto que le es debido. || fig. Amar con extremo. || fig. Gustar de algo extremadamente. || intr. Orar, hacer oración.

adoratriz. f. Profesa de una orden religiosa, de votos simples, fundada para reformar las costumbres de las mujeres extraviadas.

adormecer (al. *einschläfern*, fr. *assoupir*, ingl. *to lull*, it. *addormentare*). tr. Causar sueño. Ú.t.c.r. || fig. Calmar, sosegar. || r. Empezar a dormirse. [*Sinón.*: aletargar, acallar. *Antón.*: avivar]

adormecimiento. m. Acción y efecto de adormecer o adormecerse.

adormidera. f. BOT. Planta papaverácea, de flores grandes y terminales y fruto capsular. Es originaria de Oriente y se cultiva para la obtención del opio.

adormilarse. r. Adormitarse.

adormitarse. r. Dormirse a medias.

adornar (al. *schmücken*, fr. *orner*, ingl. *to adorn*, it. *ornare*). tr. Engalanar con adornos. Ú.t.c.r. || Servir de adorno una cosa a otra. || Concurrir en una persona ciertas prendas o circunstancias favorables. Ú.t.c.r. [*Sinón.*: ornar]

adorno (al. *Schmuck*, fr. *ornement*, ingl. *ornament*, it. *ornamento*). m. Lo que se pone para hermosear personas o cosas. [*Sinón.*: ornato, gala]

adosar. tr. Poner una cosa, por su espalda o envés, contigua o arrimada a otra. ‖ BLAS. Colocar espalda con espalda.

ad pédem litterae. expr. adv. lat. Al pie de la letra.

adquirir (al. *anschaffen;* fr. *acquérir;* ingl. *to acquire, to get;* it. *acquistare*). tr. Ganar, conseguir algo con el propio trabajo o industria. ‖ Comprar. ‖ Coger u obtener.

adquisición. f. Acción de adquirir. ‖ La cosa adquirida. ‖ Persona cuyos servicios o ayuda se consideran valiosos.

adral. m. Tabla o armazón de varas verticales que se pone en los costados del carro para que no se caiga lo que va en él. Ú.m. en pl.

adrede (al. *absichtlich,* fr. *à dessein,* ingl. *purposely,* it. *apposta*). adv. m. Aposta, a propósito, con deliberada intención.

adrenalina. f. FISIOL. Hormona segregada por la glándula adrenal de las cápsulas suprarrenales de los vertebrados.

adscribir. tr. Inscribir, asignar a una persona o cosa, atribuir. ‖ Agregar a una persona al servicio de un cuerpo o destino. Ú.t.c.r.

adscripción. f. Acción y efecto de adscribir.

adsorbente. adj. Que adsorbe. ‖ m. Fís. Sustancia, generalmente sólida, con una gran capacidad de adsorción.

adsorber. tr. Fís. Atraer un cuerpo y retener en su superficie moléculas o iones de otro cuerpo en estado líquido o gaseoso.

adsorción. f. Fís. Concentración sobre la superficie de una sustancia, de gases, vapores, líquidos o cuerpos disueltos, materiales dispersos o coloides.

aduana (al. *Zoll,* fr. *douane,* ingl. *custom house,* it. *dogana*). f. Oficina pública establecida para registrar, en el tráfico internacional, los géneros y mercaderías que se exportan o importan y cobrar los derechos.

aduanero, ra (al. *den Zoll, betreffend, Zollbeamter;* fr. *douanier;* ingl. *custom, custom-house offices;* it. *doganale, doganiere*). adj. Perteneciente o relativo a la aduana. ‖ m. Empleado en la aduana.

aduar. m. Pequeña población de beduinos, formada por tiendas o cabañas. ‖ Conjunto de tiendas o barracas que los gitanos levantan en el campo. ‖ Ranchería de indios americanos.

adúcar. m. Seda, más basta, que rodea exteriormente el capullo del gusano de seda.

aducción. f. FISIOL. Movimiento por el cual un miembro u otro órgano se acerca al eje de simetría del cuerpo.

aducir (al. *beibringen,* fr. *alléguer,* ingl. *to adduce,* it. *addure*). tr. Tratándose de pruebas, razones, etc., presentarlas o alegarlas.

adueñarse (al. *sich bemächtigen,* fr. *s'emparer,* ingl. *to take hold of,* it. *impadronirsi*). r. Hacerse dueño de una cosa o apoderarse de ella. ‖ Hacerse dominante algo en una persona o en un conjunto de personas.

adulación. f. Acción y efecto de adular. [Sinón.: alabanza, lisonja, pelotilla, coba]

adulador, ra. adj. Que adula. Ú.t.c.s. [Sinón.: lisonjeador, cobista]

adular (al. *schmeicheln,* fr. *flatter,* ingl. *to flatter,* it. *adulare*). tr. Hacer o decir intencionadamente lo que se cree puede agradar a otro. ‖ Deleitar.

adulatorio, ria. adj. Perteneciente o relativo a la adulación.

adulteración. f. Acción y efecto de adulterar o adulterarse.

adulterar (al. *ehebruch begehen,* fr. *commette adultère,* ingl. *to commit adultery,* it. *adulterare*). intr. Cometer adulterio. ‖ tr. fig. Viciar, falsificar alguna cosa. Ú.t.c.r.

adulterino, na. adj. Procedente de adulterio. Ú.t.c.s. ‖ Perteneciente o relativo al adulterio. ‖ fig. Falso, falsificado.

adulterio (al. *Ehebruch,* fr. *adultère,* ingl. *adultery,* it. *adulterio*). m. Ayuntamiento carnal voluntario entre persona casada y otra de distinto sexo que no sea su cónyuge.

adúltero, ra (al. *ehebrecher,* fr. *adultère,* ingl. *adulterer,* it. *adultero*). adj. Que comete adulterio. Ú.t.c.s. ‖ Perteneciente al adulterio o al que lo comete.

adultez. f. Condición de adulto; edad adulta.

adulto, ta (al. *erwachsen,* fr. *adulte,* ingl. *grown up,* it. *adulto*). adj. Llegado a su mayor crecimiento o desarrollo. ‖ fig. Llegado a un alto grado de perfección.

adumbración. f. PINT. Zona menos iluminada de una figura.

adustez. f. Calidad de adusto.

adusto, ta (al. *mürrisch,* fr. *raide,* ingl. *stern,* it. *adusto*). adj. Quemado, tostado, ardiente. ‖ fig. Austero, rígido, melancólico.

advenedizo, za (al. *hergelaufen,* fr. *parvenu,* ingl. *parvenu,* it. *arrivista*). adj. Extranjero, forastero. ‖ No natural. ‖ despect. Dícese de la persona que va sin empleo u oficio a establecerse en alguna parte. Ú.t.c.s. ‖ Dícese de la persona de humilde linaje que pretende figurar entre otras de más alta condición social. Ú.t.c.s. [Sinón.: intruso]

advenimiento. m. Venida o llegada, especialmente si es esperada y solemne. ‖ Ascenso de un sumo pontífice o de un soberano al trono.

advenir. intr. Venir o llegar.

adventicio, cia. adj. Extraño o que sobreviene en contraposición de lo natural y propio. ‖ HIST. NAT. Dícese del órgano de los animales o vegetales que se desarrolla ocasionalmente.

adventismo. m. Doctrina de los adventistas.

adventista. adj. Dícese de una secta americana que espera un próximo advenimiento de Cristo. ‖ s. Partidario de esta secta.

adverar. tr. Certificar, dar por cierta una cosa o por auténtico un documento.

adverbial. adj. GRAM. Perteneciente al adverbio, o que participa de su índole o naturaleza.

adverbio (al. *Adverb,* fr. *adverbe,* ingl. *adverb,* it. *avverbio*). m. GRAM. Parte invariable de la oración cuya función consiste en modificar la significación del verbo, de un adjetivo o de otro adverbio. Hay adverbios de lugar, de tiempo, de modo, de cantidad, de orden, de afirmación, de negación y de duda.

adversario, ria (al. *Gegner,* fr. *adversaire,* ingl. *contestant,* it. *avversario*). s. Persona contraria o enemiga. ‖ colect. m. Conjunto de personas contrarias o enemigas. [Sinón.: antagonista, contendiente. Antón.: amigo]

adversativo, va. adj. GRAM. Que implica o denota oposición o contrariedad de concepto o sentido. [Sinón.: disyuntivo]

adversidad (al. *Widerwärtigkeit,* fr. *adversité,* ingl. *adversity,* it. *avversità*). f. Calidad de adverso. ‖ Suerte adversa, infortunio. ‖ Situación desgraciada.

adverso, sa. adj. Contrario, enemigo, desfavorable. ‖ Opuesto materialmente a otra cosa, o colocado enfrente de ella.

advertencia. f. Acción y efecto de advertir. ‖ Escrito, por lo común breve, con que en una obra o en una publicación se advierte algo al lector. ‖ Escrito breve en que se advierte algo al público.

advertido, da. adj. Capaz, experto, avisado.

advertir (al. *warnen*, fr. *avertir*, ingl. *to warn*, it. *avvertire*). tr. Fijar en algo la atención, reparar, observar. Ú.t.c. intr. ‖ Llamar la atención de uno. ‖ Aconsejar, amonestar, enseñar, prevenir. ‖ intr. Atender, aplicar el entendimiento. ‖ Caer en la cuenta.

adviento. m. Tiempo santo que celebra la Iglesia desde el domingo primero de los cuatro que preceden a la Navidad hasta la vigilia de esta fiesta.

advocación. f. Título que se da a un templo, capilla o altar por estar dedicado a Nuestro Señor, a la Virgen, a un santo, etcétera. También se llama así el que tienen algunas imágenes para distinguirse unas de otras.

adyacente. adj. Situado en la inmediación o proximidad de otra cosa. [*Sinón.*: contiguo]

adyuvante. adj. Que ayuda.

aéreo, a (al. *luft-*; fr. *aérien*; ingl. *aerial, air*; it. *aéreo*). adj. De aire. ‖ Perteneciente o relativo al aire. ‖ fig. Sutil, vaporoso, fantástico. ‖ BIOL. Dícese de los animales o plantas que viven en contacto directo con la atmósfera.

aerífero, ra. adj. Que lleva o conduce aire.

aeriforme. adj. QUÍM. Parecido al aire.

aero-. Elemento compositivo que entra en la formación de algunas voces españolas, con el significado de "aire".

aerobio. adj. BIOL. Aplícase al ser vivo que necesita del aire para subsistir.

aeroclub. m. Sociedad para la práctica de la aviación deportiva.

aerodinámica. f. FÍS. Parte de la mecánica que estudia los fenómenos producidos por el movimiento relativo del aire y de un cuerpo, fijo o móvil, situado en su seno.

aerodinámico, ca (al. *aerodynamisch*, fr. *aérodynamique*, ingl. *aerodynamics*, it. *aerodinamico*). adj. Perteneciente o relativo a la aerodinámica. ‖ Que tiene forma adecuada para disminuir la resistencia del aire.

aerodino. m. Máquina volante más pesada que el aire; como el avión, helicóptero, planeador, etc.

aeródromo (al. *Flugplatz*, fr. *aérodrome*, ingl. *air field*, it. *aerodromo*). m. Sitio destinado a la salida y llegada de aviones.

aeroespacial. adj. Perteneciente o relativo a la aeronáutica y a la astronáutica, o al espacio atmosférico y al extraterrestre.

aerofagia. f. MED. Deglución espasmódica del aire, que se observa en algunas neurosis, y es causa de flatulencia.

aerofaro. m. Luz potente que en los aeropuertos orienta de noche a los aviones.

aerofobia. f. Temor al aire, síntoma de algunas enfermedades nerviosas.

aerofotografía. f. Fotografía del suelo tomada desde un vehículo aéreo.

aerógrafo. m. Pulverizador de pinturas o colores líquidos mediante aire a presión.

aerolínea. f. Organización o compañía de transporte aéreo.

aerolito. m. Fragmento de un bólido que cae sobre la Tierra.

aerología. f. Ciencia que estudia la atmósfera libre, es decir, la situada por encima de los tres mil metros.

aerómetro. m. Instrumento para medir la densidad del aire.

aeromodelismo (al. *Flugmodell bau*, fr. *aéromodelisme*, ingl. *aeromodellism*, it. *aeromodellismo*). m. Técnica y deporte de construir y hacer volar aeromodelos.

aeromodelo. m. Modelo de aeroplano construido a escala reducida.

aeronauta (al. *Lustschiffer*, fr. *aéronaute*, ingl. *aeronaut*, it. *aeronauta*). com. Piloto o tripulante de una aeronave.

aeronáutica. f. Ciencia o arte de la navegación aérea. ‖ Conjunto de medios destinados al transporte aéreo.

aeronáutico, ca. adj. Perteneciente o relativo a la aeronáutica.

aeronaval. adj. Que se refiere conjuntamente a la aviación y a la marina. Se aplica especialmente a operaciones o efectivos militares en que participan fuerzas aéreas y navales.

aeronave (al. *Luftschiff*, fr. *aéronef*, ingl. *airship*, it. *aeronave*). f. Vehículo capaz de navegar por el aire.

aeronavegación. f. Navegación aérea.

aeroplano. m. Vehículo aéreo más pesado que el aire.

aeropuerto (al. *Flughafen*, fr. *aéroport*, ingl. *airport*, it. *aeroporto*). m. Aeródromo con instalaciones y servicios para el tráfico regular de aviones.

aeroscopio. m. FÍS. Instrumento empleado en observaciones atmosféricas para determinar la composición del aire.

aerosol. m. FÍS. Dispersión coloidal en un medio gaseoso de un líquido o un sólido, en partículas de escala casi molecular.

aerospacial. adj. Aeroespacial.

aerostación. f. Navegación aérea por medio de aeróstatos.

aerostática (al. *Aerostatik*, fr. *aérostatique*, ingl. *aerostatics*, it. *aerostatica*). f. Parte de la mecánica que estudia el equilibrio de los gases.

aerostático, ca. adj. Perteneciente o relativo a la aerostática.

aeróstato. m. Globo aerostático o dirigible.

aerotaxi. m. Taxi aéreo.

aerotecnia. f. Ciencia que trata de las aplicaciones del aire a la industria.

aerotécnica. f. Parte de la ingeniería que trata del estudio y construcción de máquinas voladoras.

aerovía. f. Ruta establecida para el vuelo de los aviones comerciales.

aeta. adj. Indígena de las montañas de Filipinas de pequeña estatura y piel oscura. Ú.t.c.s.

afabilidad (al. *Leutseligkeit*, fr. *affabilité*, ingl. *affability*, it. *affabilità*). f. Calidad de afable. [*Sinón.*: amabilidad. *Antón.*: adustez]

afable. adj. Agradable, suave en la conversación y en el trato. [*Sinón.*: amable, cordial]

afamado, da. adj. Famoso.

afamar. tr. Hacer famoso, dar fama. Ú.t.c.r.

afán (al. *Eifer*, fr. *sollicitude*, ingl. *anxiety*, it. *affano*). m. Trabajo excesivo, solícito y congojoso. ‖ Anhelo vehemente. ‖ Trabajo corporal. [*Sinón.*: ansia, apetencia. *Antón.*: desgana]

afanado, da. adj. Lleno de afán.

afanador, ra. adj. Que afana o se afana. Ú.t.c.s. ‖ s. *Amer.* Persona que en los establecimientos públicos de beneficencia o de castigo se emplea en las faenas más penosas.

afanar. intr. Entregarse al trabajo con solicitud angustiosa. Ú.t.c.r. ‖ Hacer diligencias con anhelo vehemente para conseguir algo. Ú.m.c.r. ‖ Trabajar corporalmente. ‖ tr. Traer apurado a uno. ‖ vulg. Hurtar, robar.

afaníptero. adj. ZOOL. Dícese de unos insectos de cuerpo comprimido, sin alas, con miembros robustos y que son hematófagos, como las pulgas. Ú.t.c.s. ‖ m. pl. Orden de estos insectos.

afanoso, sa. adj. Muy penoso o trabajoso. ‖ Que se afana. [*Sinón.*: esforzado]

afarolado, da. adj. TAUROM. Dícese del lance o suerte en que el diestro se pasa el engaño por encima de la cabeza.

afasia. f. PAT. Pérdida del habla causada por una lesión cerebral.

afásico, ca. adj. Que padece afasia; propio de ella.

afear. tr. Hacer o poner fea a una persona o cosa. Ú.t.c.r. || fig. Tachar, vituperar. [Sinón.: reprochar]

afección. f. Impresión que hace una cosa en otra, causando en ella alteración o mudanza. || Afición o inclinación. || PAT. Alteración morbosa.

afectación. f. Acción de afectar. || Falta de naturalidad, extravagancia en la manera de ser, de hablar, de accionar, etc.

afectado, da. adj. Que adolece de afectación. || Aparente, fingido. || Aquejado, molestado.

afectar (al. vorgeben, fr. affecter, ingl. to feign, it. affetare). tr. Poner demasiado estudio o cuidado en las palabras, movimientos, adornos, etc. || Fingir. || Anexar. || Impresionar una cosa a una persona causando en ella alguna sensación. Ú.t.c.r. || Atañer, tocar. || Apetecer y procurar alguna cosa con ansia y ahínco. || Menoscabar; influir desfavorablemente. || Producir alteración o mudanza en alguna cosa. || Tratándose de enfermedades o plagas, producir daño en algún órgano o a algún grupo de seres vivientes, o poderlo producir. || DER. Imponer gravamen u obligación sobre algo.

afectividad. f. Calidad de afectivo. || FREN. Desarrollo de la propensión de querer. || PSICO. Conjunto de los fenómenos afectivos.

afectivo, va. adj. Perteneciente o relativo al afecto o a la sensibilidad.

afecto, ta (al. Zuneigung, fr. attachement, ingl. affection, it. affetto). adj. Inclinado a alguna persona o cosa. || Dícese de las posesiones o rentas sujetas a alguna carga u obligación. || Dícese de las personas destinadas a prestar sus servicios en una determinada dependencia. || m. Cualquiera de las pasiones del ánimo, como ira, odio, etc. Tómase más particularmente como amor o cariño. [Sinón.: apego, inclinación. Antón.: rencor]

afectuosidad. f. Calidad de afectuoso.

afectuoso, sa. adj. Amoroso, cariñoso. [Sinón.: afable, amable]

afeitado. m. Acción y efecto de afeitar, raer la barba.

afeitar (al. rasieren, fr. raser, ingl. to shave, it. radere). tr. Adornar, hermosear. Ú.t.c.r. || Raer con navaja o máquina a propósito, la barba o el bigote, y por extensión, el pelo de cualquier parte del cuerpo. Ú.t.c.r. || Esquilar a una caballería las crines y la punta de la cola. || Recortar e igualar las ramas y hojas de una planta de jardín. || TAUROM. Recortar los pitones del toro de lidia para hacer menos peligrosos sus cuernos.

afeite. m. Aderezo, compostura; cosmético.

afelio. m. ASTR. Punto de la órbita de un planeta en que éste dista más del Sol.

afelpado, da. adj. Hecho o tejido en forma de felpa. || fig. Parecido a la felpa por tener vello o pelusilla.

afelpar. tr. Recubrir o forrar con felpa.

afeminación. f. Acción y efecto de afeminar o afeminarse.

afeminado, da. adj. Dícese del que en su persona, acciones o adornos parece a las mujeres. Ú.t.c.s. || Que parece de mujer. || fig. y fam. Maricón.

afeminar. tr. Hacer perder a uno la energía varonil, o inclinarle a que en sus modales se asemeje a las mujeres. Ú.m.c.r.

aferente. adj. Que trae. || ANAT. y FISIOL. Dícese de la formación anatómica que transmite sangre, linfa, otras sustancias o un impulso energético desde una parte del organismo a otra. || Dícese de los estímulos y las sustancias así transmitidas.

aféresis. f. GRAM. Metaplasmo que consiste en suprimir una o más letras al principio de un vocablo.

aferramiento. m. Acción y efecto de aferrar o aferrarse.

aferrar (al. packen, fr. saisir, ingl. to seize, it. afferrare). tr. Agarrar o asir fuertemente. Ú.t.c. intr. || MAR. Recoger una vela. || Atrapar con bichero, garfio, etc. || Agarrar el ancla en el fondo. || r. Asirse, agarrarse fuertemente una cosa con otra. || fig. Insistir con tenacidad en algún dictamen u opinión. Ú.t.c. intr.

afgano, na (al. afghanisch, Afghane; fr. afghan; ingl. afghan; it. afgano). adj. Natural del Afganistán. Ú.t.c.s. || Perteneciente a este país.

afianzamiento. m. Acción y efecto de afianzar o afianzarse.

afianzar (al. vebürgen, fr. garantir, ingl. to guarantee, it. garantire). tr. Dar fianza por alguien para seguridad

del cumplimiento de una obligación. || Afirmar o asegurar con puntales, clavos, etc.; apoyar, sostener. Ú.t.c.r. || Asir, agarrar. Ú.t.c.r.

afición (al. Vorliebe, fr. affection, ingl. fondness, it. affezione). f. Inclinación, amor a una persona o cosa. || Ahinco, eficacia. || fam. Con el artículo la, conjunto de aficionados. [Sinón.: propensión]

aficionado, da. adj. Que cultiva un arte sin tenerlo por oficio. Ú.t.c.s. || Que siente entusiasmo por un espectáculo y asiste frecuentemente a él. || Relativo a los deportes, dícese del que los practica sin remuneración, a diferencia del profesional. Ú.t.c.s.

aficionar. tr. Inclinar, inducir a otro que guste de una persona o cosa. || r. Prendarse de alguna persona o cosa.

afijo, ja. GRAM. Dícese del pronombre personal cuando va pospuesto y unido al verbo, y también de las partículas y preposiciones que se emplean en la formación de palabras. Ú.m. c.s.m.

afiladera. adj. Dícese de la piedra de amolar o afilar. Ú.t.c.s.

afilado, da. adj. Adelgazado por el corte; aguzado. || fig. y fam. Aplícase a la lengua mordaz. || m. Acción y efecto de afilar.

afilador, ra (al. schleifer, fr. rémouleur, ingl. knife grinder, it. arrotino). adj. Que afila. || m. El que tiene por oficio afilar instrumentos cortantes. || Afilón, correa para afilar las navajas de afeitar.

afiladura. f. Acción y efecto de afilar.

afilalápices. m. Instrumento para sacar punta a los lápices.

afilar (al. schärfen, fr. aiguiser, ingl. to whet, it. affilare). tr. Sacar filo o hacer más delgado o agudo el de una arma o instrumento. || Aguzar, sacar punta. || fig. Afinar la voz, o hacer más sutil algo inmaterial. || fam. Amer. Enamorar, requebrar. || fam. Amer. Tener cópula carnal. || r. fig. Adelgazarse la cara, la nariz o los dedos.

afiliación. f. Acción y efecto de afiliar o afiliarse.

afiliado, da. adj. Asociado, admitido en alguna sociedad.

afiliar (al. eingliedern, fr. affilier, ingl. to affiliate, it. affiliare). tr. Juntar, asociar una persona a otras que forman corporación. Ú.m.c.r.

afiligranado, da. adj. De filigrana o parecido a ella. || fig. Dícese de personas y cosas pequeñas y delicadas.

afiligranar. tr. Hacer filigrana. || fig. Pulir, hermosear primorosamente.

afilón. m. Correa impregnada de grasa que sirve para afilar o suavizar el filo de la navaja y otros instrumentos cortantes. || Chaira para avivar el filo.

afín (al. *verwandt*, fr. *semblable*, ingl. *similar*, it. *affine*). adj. Próximo, contiguo. || Que tiene afinidad con otras cosas. || s. Pariente por afinidad.

afinación. Acción y efecto de afinar o afinarse.

afinador, ra. adj. Que afina. || m. El que tiene por oficio afinar instrumentos musicales. || Llave de hierro con que se templan algunos instrumentos de cuerda.

afinar (al. *stimmen*, fr. *accorder*, ingl. *to tune*, it. *accordare*). tr. Perfeccionar, dar el último punto a una cosa. Ú.t.c.r. || Hacer fina o cortés a una persona. Ú.m.c.r. || Purificar los metales. || Poner a tono los instrumentos musicales y acordarlos bien unos con otros. || intr. Cantar o tocar entonando con perfección los sonidos.

afincar. intr. Fincar, adquirir fincas. Ú.t.c.r. || Arraigar, fijar, establecer, asegurar, apoyar. Ú.t.c.r.

afinidad (al. *Werwandtschaft*, fr. *affinité*, ingl. *affinity*, it. *affinità*). f. Semejanza de una cosa con otra. || Atracción o adecuación de caracteres, opiniones, gustos, etc., que existe entre dos o más personas. || Parentesco existente entre un cónyuge y los deudos del otro. || Impedimento dirimente derivado del parentesco. || QUÍM. Fuerza que une los átomos para formar las moléculas.

afino. m. Afinación de los metales.

afirmación. f. Acción y efecto de afirmar o afirmarse.

afirmar (al. *behaupten*, fr. *affirmer*, ingl. *to assert*, it. *asserire*). tr. Poner firme, dar firmeza. Ú.t.c.r. || Asegurar o dar por cierta una cosa. || r. Estribar o asegurarse en algo para estar firme. || Ratificarse uno en lo que ha dicho o declarado. [*Sinón.*: consolidar, aseverar. *Antón.*: negar]

afirmativo, va. adj. Que denota la acción de afirmar. || f. Proposición u opinión afirmativa.

aflautado, da. adj. De sonido semejante al de la flauta.

aflautar. tr. Adelgazar la voz o el sonido. Ú.t.c.r.

aflechado, da. adj. Que tiene figura o forma de flecha.

aflicción (al. *Betrübnis*, fr. *affliction*, ingl. *affliction*, it. *afflizione*). f. Efecto de afligir o afligirse; pesar. [*Sinón.*: tristeza, pesadumbre.

aflictivo, va. adj. Dícese de lo que causa aflicción.

afligir (al. *betrüben*, fr. *affliger*, ingl. *to afflict*, it. *affligere*). tr. Causar molestia o sufrimiento físico. || Causar tristeza o angustia moral. || r. Sentir sufrimiento físico o pesadumbre moral. [*Sinón.*: apesarar, desolar. *Antón.*: consolar]

aflojamiento. m. Acción de aflojar o aflojarse. [*Sinón.*: flaccidez, laxitud, relajamiento]

aflojar (al. *lockern*, fr. *lâcher*, ingl. *to slack*, it. *rilassare*). tr. Disminuir la presión o la tirantez. Ú.t.c.r. || fig. y fam. Entregar uno dinero u otra cosa, frecuentemente contra su voluntad. || fig. y fam. Propinar un golpe; lanzar o disparar un proyectil. || intr. fig. Perder fuerza una cosa. || Flaquear uno en el esfuerzo. [*Sinón.*: relajar. *Antón.*: ceñir, apretar]

afloramiento. m. Efecto de aflorar. || GEOL. Mineral aflorado, que asoma a la superficie del terreno.

aflorar (al. *zu tage treten*, fr. *affleurer*, ingl. *to outcrop*, it. *afforare*). intr. GEOL. Asomar a la superficie del terreno un filón, capa o masa mineral cualquiera. || tr. Cerner la harina o acribar los cereales para obtener la flor o parte selecta de los mismos.

afluencia. f. Acción de afluir. || Abundancia o copia. [*Sinón.*: aglomeración]

afluente. adj. Que afluye. || Abundante en palabras. || m. Arroyo o río que desemboca en otro principal.

afluir. (al. *herbeiströmen*, fr. *affluer*, ingl. *to flow -into-*, it. *affluire*). intr. Acudir en abundancia a un lugar o sitio. || Verter un río o arroyo sus aguas en las de otro, o en un lago o mar. [*Sinón.*: confluir, desembocar]

aflujo. m. Irrupción de un líquido. || FISIOL. Llegada de una cantidad mayor a la normal de líquido a un tejido orgánico.

afofarse. r. Ponerse fofo.

afollar. tr. Soplar con los fuelles. || fig. Plegar en forma de muelle. || r. ALBAÑ. Ahuecarse las paredes.

afonía (al. *Stimmlosigkeit*, fr. *aphonie*, ingl. *aphony*, it. *afonia*). f. Falta de voz. [*Sinón.*: ronquera]

afónico, ca. adj. Falto de voz o de sonido. [*Sinón.*: ronco]

aforar. tr. Dar o tomar a foro alguna heredad. || Dar, otorgar fueros. || Reconocer y valuar los géneros o mercaderías, para el pago de derechos. || Medir la cantidad de agua que lleva una corriente en una unidad de tiempo. || Determinar la cantidad y valor de los géneros que haya en un lugar. || Calcular la capacidad de un receptáculo. || intr. En teatro, cubrir las partes del escenario teatral que deben ocultarse al público. Ú.t.c.tr.

aforismo. m. Sentencia breve y doctrinal que se propone como regla en una ciencia o arte.

aforo. m. Acción y efecto de aforar géneros, corrientes de agua o la capacidad de un receptáculo. || Capacidad total de las localidades de una sala de espectáculos.

a fortiori. expr. adv. lat. Con mayor razón.

afortunado, da. adj. Que tiene fortuna o buena suerte. || Que es resultado de la buena suerte. || Feliz, que produce felicidad o resulta de ella.

afrancesado, da. adj. Que imita con afectación a los franceses. Partidario de los franceses. Aplícase especialmente a los españoles que en la guerra de la Independencia siguieron el partido de Napoleón. Ú.t.c.s.

afrecharse. r. *Amer.* Enfermar un animal por haber comido demasiado afrecho.

afrecho. m. Salvado.

afrenta (al. *Schande*, fr. *affront*, ingl. *affrant*, it. *affronto*). f. Vergüenza y deshonor que resulta de un dicho o hecho. || Dicho o hecho afrentoso. || Deshonra que se sigue de la imposición de penas por ciertos delitos.

afrentar. tr. Causar afrenta. || Sobrepujar, humillar. || r. Avergonzarse, sonrojarse.

afrentoso, sa. adj. Que causa afrenta.

africado, da. Adj. Dícese del sonido consonante que resulta de la articulación mixta de oclusión y fricación. En castellano lo son la *ch* y en ciertas condiciones la *y*. Ú.t.c.s.f. || f. Letra, signo o símbolo que representa este sonido o fonema.

africanismo. m. Influencia ejercida en el mundo por las razas africanas y sus costumbres, arte, etc. || Estudio de la problemática africana.

africanista. com. Persona que se dedica al estudio de lo concerniente al África.

africano, na (al. *afrikanisch*, *afrikaner*, fr. *africain*, ingl. *african*, it. *africano*). adj. Natural de África. Ú.t.c.s. ||

Perteneciente a esta parte del mundo.

afrikaans. m. Lengua, variedad del holandés, hablada en la República Sudafricana.

afrodisíaco, ca o **afrodisiaco, ca.** adj. Que excita o estimula el apetito sexual. ‖ Dícese de la sustancia o medicamento que tiene esta propiedad. Ú.t.c.s.

afrontado, da. adj. BLAS. Dícese de las figuras de animales que están una frente a otra en el blasón.

afrontar. tr. Poner una cosa frente a otra. Ú.t.c. intr. ‖ Poner cara a cara. ‖ Hacer frente al enemigo. ‖ Hacer cara a un peligro, problema o situación comprometida.

afrontilar. tr. *Amer.* Atar por los cuernos al poste una res vacuna a fin de domarla o sacrificarla.

afta. f. MED. Úlcera pequeña que se forma en la membrana mucosa de la boca, en la del tubo digestivo o en la genital.

aftoso, sa. adj. Que padece aftas.

afuera (al. *draussen,* fr. *dehors,* ingl. *outside,* it. *fuori*). adv. l. Fuera del sitio en que uno está. ‖ En lugar público o en la parte exterior. ‖ f. pl. Alrededores de una población; terreno despejado alrededor de una plaza fuerte.

afuereño, ña. adj. *Amer.* Forastero, que es o viene de afuera. Ú.t.c.s.

afuste. m. Armazón en que se montaban las piezas de artillería.

agachada. f. Acción de agacharse. ‖ fig. Ardid, astucia. ‖ fig. *Amer.* Ocurrencia ingeniosa.

agachadiza. f. ZOOL. Ave zancuda semejante a la chocha; vuela muy bajo y vive en lugares pantanosos.

agachar (al. *sich ducken,* fr. *-s'-abaisser,* ingl. *to stoop,* it. *chinare*). tr. Inclinar o bajar alguna parte del cuerpo, especialmente la cabeza. Ú.t.c.intr. ‖ r. Encogerse, doblando el cuerpo hacia abajo. ‖ fig. y fam. Dejar pasar algún contratiempo sin defenderse ni excusarse.

agalla (al. *Gallnus, Kiemen;* fr. *galle, branchies;* ingl. *gallnut, gills;* it. *galla, branchie*). f. BOT. Excrecencia redonda que se forma en el roble y otros árboles por la picadura de ciertos insectos al depositar sus huevos. ‖ ZOOL. Cada una de las branquias de los peces, que les sirven de órganos respiratorios. Ú.m. en pl. ‖ ZOOL. Cada uno de los costados de la cabeza de las aves, que corresponden a las sienes. Ú.m. en pl. ‖ ZOOL. Cada uno de los costados de la cabeza de las aves, que

corresponden a las sienes. Ú.m. en pl. ‖ Amígdala. Ú.m. en pl. ‖ pl. Angina. ‖ fig. y fam. Ánimo esforzado. Ú.m. con el verbo *tener.*

agallado, da. adj. *Amer.* Dícese de la persona garbosa.

agamí. m. ZOOL. Ave zancuda, del tamaño de una gallina y plumaje gris azulado. Oriunda de América Meridional, donde vive en domesticidad y hace las veces de guardián de las demás aves de corral.

agamia. f. Reproducción asexual.

ágape. m. Convite de caridad que tenían entre sí los primeros cristianos. ‖ Por ext., banquete.

agar-agar. m. Sustancia gelatinosa extraída de ciertas algas que se usa en microbiología para cultivos de bacterias y, en medicina, como laxante.

agarbillar. tr. AGR. Hacer o formar garbas o gavillas de mies.

agaricáceo, a. adj. BOT. Dícese de una variedad del hongo del tipo de seta, del que se conocen numerosas especies, que viven como saprofitas en el suelo y rara vez en el tronco de los árboles; algunas son comestibles y otras venenosas. ‖ f. pl. Familia de estos hongos.

agarrada. f. fam. Altercado, riña.

agarradera. f. Agarradero, asa. ‖ pl. fig. y fam. Favor o influencia con que uno cuenta para conseguir sus fines.

agarradero. m. Asa, mango o parte de un objeto, propia para asirlo o asirse de él. ‖ fig. y fam. Amparo, recurso. ‖ MAR. Lugar donde puede anclarse.

agarrado, da. adj. fig. y fam. Miserable, mezquino. ‖ Dícese del baile en que la pareja va estrechamente enlazada. Ú.t.c.m.

agarrar. tr. Asir fuertemente con la mano o de cualquier modo hacer presa. ‖ Por ext., coger, asir. ‖ Contraer una enfermedad. ‖ fig. Oprimir a una persona un apuro o daño, o vencerle el sueño. ‖ fig. y fam. Conseguir lo que se deseaba. ‖ Arraigar un plantón.

agarro. m. Acción de agarrar.

agarrón. m. Acción de agarrar y tirar con fuerza.

agarrotamiento. m. Acción y efecto de agarrotarse las piezas mecánicas.

agarrotar. tr. Apretar fuertemente los fardos con cuerdas, que se retuercen por medio de un palo. ‖ Ajustar o apretar una cosa fuertemente. ‖ Estrangular en el patíbulo o garrote. ‖ Oprimir moral o materialmente. ‖ r. Ponerse rígidos los miembros del cuerpo humano. ‖ MEC. Quedar inmovilizado un mecanismo por producirse

una unión rígida entre dos de sus piezas.

agasajar (al. *bewirten,* fr. *régaler,* ingl. *to entertain,* it. *festeggiare*). tr. Tratar con atención expresiva y cariñosa. ‖ Halagar o favorecer a uno con muestras de afecto o regalos. ‖ Hospedar, aposentar.

agasajo. m. Acción de agasajar. ‖ Regalo o muestra de afecto o consideración con que se agasaja.

ágata. f. MINERAL. Cuarzo lapídeo, duro, traslúcido y con franjas o capas de color. Sus variedades se conocen con nombres especiales.

agauchado, da. adj. *Amer.* Que imita o se parece en su porte o maneras al gaucho. Ú.t.c.s.

agauchar. tr. *Amer.* Hacer que una persona tome el aspecto, los modales y las costumbres propias del gaucho. Ú.m.c.r.

agave. amb. BOT. Pita.

agavillador, ra. s. Persona que agavilla. ‖ f. Máquina agrícola, generalmente acoplada a una segadora, que forma las gavillas.

agavillar (al. *garben machen,* fr. *engerber,* ingl. *to sheaf,* it. *ammasare i covoni*). tr. Hacer o formar gavillas.

agazapar. r. fam. Agacharse, encogiendo el cuerpo contra el suelo.

agencia (al. *Agentur,* fr. *agence,* ingl. *agency,* it. *agenzia*). f. Diligencia, solicitud. ‖ Oficio o encargo del agente. ‖ Oficina o despacho del agente. ‖ Empresa destinada a gestionar asuntos ajenos o a prestar determinados servicios. ‖ Sucursal o delegación subordinada de una empresa.

agenciar. tr. Hacer las diligencias conducentes al logro de una cosa. ‖ Procurar o conseguir algo con diligencia y maña. Ú.t.c.r.

agenciero, era. adj. AMER. Dueño de una agencia o casa de préstamos. Ú.t.c.s.m.

agenda. f. Libro o cuaderno en que se anotan, para no olvidarlas, las cosas que se han de hacer. ‖ Relación de los temas que han de tratarse en una junta.

agenesia. f. MED. Imposibilidad de engendrar. ‖ ANAT. Desarrollo defectuoso.

agente (al. *Agent,* fr. *agent,* ingl. *agent,* it. *agente*). adj. Que obra o tiene virtud de obrar. ‖ GRAM. Tradicionalmente, llámase así a la persona, animal o cosa que realiza la acción del verbo. ‖ m. Persona o cosa que produce un efecto. ‖ Persona que obra con poder de otro. ‖ Persona que tiene a su cargo una agencia para gestionar asuntos ajenos o prestar determinados servicios.

agigantado, da. adj. De estatura mucho mayor de lo regular. ||Dícese de las cosas muy sobresalientes o que exceden del orden regular.

agigantar. tr. fig. Dar a una cosa proporciones gigantescas. Ú.t.c.r.

ágil. adj. Ligero, pronto, expedito. || Dícese de la persona que se mueve o utiliza sus miembros con facilidad y soltura. || m. Entre los trapecistas, el que realiza las piruetas.

agilidad (al. *beweglichkeit*, fr. *agilité*, ingl. *nimbleness*, it. *agilità*). f. Calidad de ágil. [*Sinón.*: ligereza. *Antón.*: pesadez]

agilización. f. Acción y efecto de agilizar.

agilizar. tr. Hacer ágil, dar facilidad para ejecutar alguna cosa. Ú.t.c.r. [*Sinón.*: agilitar]

agio. m. Beneficio que se obtiene del cambio de la moneda o de descontar letras, pagarés, etc. || Especulación sobre el alza y la baja de los fondos públicos. || Agiotaje.

agiotaje. m. Agio. || Especulación abusiva hecha sobre seguro con perjuicio de terceros.

agitación. f. Acción y efecto de agitar o agitarse.

agitador, ra (al. *agitator*, fr. *agitateur*, ingl. *agitator*, it. *agitatore*). adj. Que agita. || s. Provocador, que incita a la revuelta social o política. || m. QUÍM. Varilla de vidrio que se usa para revolver líquidos.

agitar (al. *erregen*, fr. *agiter*, ingl. *to stir*, it. *agitare*). tr. Mover con frecuencia y violentamente. Ú.t.c.r. || fig. Inquietar, conturbar el ánimo. Ú.t.c.r. || fig. Provocar la inquietud política y social. [*Sinón.*: sacudir, perturbar. *Antón.*: calmar]

aglomeración. f. Acción y efecto de aglomerar o aglomerarse.

aglomerado. m. Prisma hecho en molde con carbón de piedra y alquitrán, que se usa como combustible. || Material de construcción que se fabrica por presión y endurecimiento de la mezcla de un aglutinante (cemento, cal, etc.) con arenas, piedras trituradas, escorias u otras materias inertes.

aglomerante. adj. Dícese del material capaz de unir fragmentos de una o varias sustancias y dar cohesión al conjunto por efectos de tipo físico; como el betún y la cola. Ú.t.c.s.m.

aglomerar (al. *anhäufen*, fr. *agglo-*

mérer, ingl. *to agglomerate*, it. *agglomerare*). tr. Amontonar, juntar. Ú.t.c.r. || Unir fragmentos de una o varias sustancias con un aglomerante.

aglutinación. f. Acción y efecto de aglutinar o aglutinarse.

aglutinante. adj. Que aglutina Ú.t.c.s.m. || ↗ lengua aglutinante.

aglutinar (al. *zusammenfügen*, fr. *aglutiner*, ingl. *to glue together*, it. *agglutinare*). tr. Unir, pegar una cosa con otra. Ú.t.c.r. || r. Reunirse y ligarse entre sí fragmentos, glóbulos o corpúsculos, por medio de diversas sustancias, de modo que resulte un cuerpo compacto.

agnado, da. Dícese del pariente por consanguinidad respecto de otro, cuando ambos descienden de un tronco común de varón en varón. Ú.t.c.s.

agnosticismo (al. *Agnostizismus*, fr. *agnosticisme*, ingl. *agnosticism*, it. *agnosticismo*). m. Doctrina filosófica que declara inaccesible al entendimiento humano toda noción de lo absoluto.

agnóstico, ca. adj. Perteneciente o relativo al agnosticismo. || Que profesa esta doctrina. Ú.t.c.s.

agnus. m. Agnusdéi.

agnusdéi. m. Cordero místico. || Lámina gruesa de cera con la imagen impresa del Cordero o de algún santo. || Relicario. || Invocación de la liturgia católica que se dice en la misa.

agobiar (al. *erschöpfen*, fr. *accabler*, ingl. *to overburden*, it. *opprimere*). tr. Inclinar o encorvar la parte superior del cuerpo hacia la tierra. Ú.m.c.r. || Hacer un peso que se doble o incline el cuerpo sobre el que descansa. || fig. Rebajar, humillar. || fig. Rendir, deprimir, abatir. || fig. Causar molestia o fatiga.

agobio. m. Acción y efecto de agobiar o agobiarse. || Angustia.

agolpamiento. m. Acción y efecto de agolpar o agolparse.

agolpar. tr. Juntar algo de golpe en un lugar. || r. Juntarse de golpe muchas personas o animales en un lugar. || fig. Venir juntas y de golpe ciertas cosas. [*Sinón.*: hacinar]

agonía (al. *Agonie*, fr. *agonie*, ingl. *agony*, it. *agonia*). f. Angustia y congoja del moribundo. || fig. Pena, aflicción extremada. || fig. Ansia, deseo vehemente.

agónico, ca. adj. Que se halla en la agonía de la muerte. || Propio de la agonía del moribundo.

agonizante. Que agoniza. [*Sinón.*: moribundo]

agonizar (al. *im sterben liegen*, fr. *agoniser*, ingl. *to be in agony*, it. *agonizzare*). intr. Luchar entre la vida y la muerte, estar el enfermo en la agonía. || Extinguirse o terminarse una cosa. || fig. Sufrir angustiosamente.

ágora. f. Plaza pública en las antiguas ciudades griegas. || Asamblea que se celebraba en esta plaza.

agorar. tr. Predecir supersticiosamente el futuro. || fig. Presentir y anunciar desdichas con poco fundamento.

agorero, ra. adj. Que adivina por agüeros. Ú.t.c.s. || Que cree en agüeros. Ú.t.c.s. || Que predice sin fundamento males y desdichas. Ú.t.c.s.

agostadero. m. Sitio donde agosta el ganado. || Tiempo en que agosta. || Acción de agostar la tierra.

agostamiento. m. Acción y efecto de agostar o agostarse.

agostar (al. *verdorren*, fr. *flétrir*, ingl. *to parch*, it. *appassire*). tr. Secar el excesivo calor las plantas. || Arar o cavar la tierra en el mes de agosto para limpiarla de malas hierbas. || Cavar la tierra para plantar viña en ella. || intr. Pastar el ganado en rastrojeras o en dehesas.

agosteno, ña. adj. Propio del mes de agosto. [*Sinón.*: agostizo]

agosto (al. *August*, fr. *août*, ingl. *august*, it. *agosto*). m. Octavo mes del año; consta de treinta y un días. || Temporada en que se hace la recolección de granos. || Cosecha. || *hacer* uno *su agosto*. fig. y fam. Hacer negocio aprovechando ocasión oportuna para ello.

agotador, ra. adj. Que agota.

agotamiento. m. Acción y efecto de agotar o agotarse. [*Sinón.*: cansancio]

agotar (al. *erschöpfen*, fr. *épuiser*, ingl. *to drain off*, it. *esaurire*). tr. Extraer todo el líquido que hay en un recipiente cualquiera. Ú.t.c.r. || fig. Gastar del todo, consumir. || fig. Cansar extremadamente. Ú.t.c.r. [*Sinón.*: apurar, acabar, extenuar. *Antón.*: llenar]

agracejina. f. Fruto del agracejo.

agracejo. m. dim. de agraz. || Uva que se queda muy pequeña y no llega a madurar. || BOT. Arbusto espinoso, de flores amarillas y racimos de bayas rojas acídulas.

agraceño, ña. adj. Agrio como el agraz.

agraciado, da. adj. Que tiene gracia o es gracioso. || Bien parecido.

agraciar. tr. Dar o aumentar gracia y buen parecer a una persona o cosa. || Llenar el alma de la gracia divina.

‖ Hacer o conceder gracia o merced.

agradable (al. *angenehm*, fr. *agréable*, ingl. *pleasant*, it. *gradevole*). adj. Que agrada. ‖ Que tiene complacencia o gusto.

agradar (al. *gefallen*, fr. *plaire*, ingl. *to please*, it. *piacere*). intr. Complacer, contentar, gustar. Ú.t.c.r.

agradecer (al. *danken*, fr. *remercier*, ingl. *to thank*, it. *gradire*). tr. Sentir gratitud. ‖ Mostrar de palabra gratitud o dar gracias. ‖ Corresponder una cosa al trabajo empleado en conservarla o mejorarla.

agradecido, da. adj. Que agradece. Ú.t.c.s.

agradecimiento. m. Acción y efecto de agradecer. [*Sinón.*: gratitud]

agrado. m. Afabilidad, modo agradable de tratar a las personas. ‖ Complacencia, voluntad o placer. [*Sinón.*: gusto, encanto, satisfacción]

ágrafo, fa. adj. Que es incapaz de escribir o no sabe.

agramar. tr. Mojar el cáñamo o el lino para separar la fibra del tallo. ‖ fig. Tundir, golpear.

agramilar. tr. ALBAÑ. Cortar y raspar los ladrillos para igualarlos en grueso y ancho. ‖ Figurar con pintura hiladas de ladrillos en una pared.

agrandamiento. m. Acción y efecto de agrandar.

agrandar (al. *vergrössen*, fr. *agrandir*, ingl. *to enlarge*, it. *aggrandire*). tr. Hacer más grande alguna cosa. Ú.t.c.r. [*Antón.*: disminuir]

agranujado, da. adj. De figura de grano. ‖ Que tiene modales de granuja.

agrario, ria (al. *landwirtschaftlich*, fr. *agraire*, ingl. *agrarian*, it. *agrario*). adj. Perteneciente o relativo al campo.

agrarismo. m. Conjunto de intereses referentes a la explotación agraria.

agravación. f. Agravamiento.

agravamiento. m. Acción y efecto de agravar o agravarse.

agravante. adj. Que agrava. Ú.t.c.s.

agravar (al. *verschärfen*, fr. *aggraver*, ingl. *to aggravate*, it. *aggravare*). tr. Aumentar el peso de una cosa, hacer que sea más pesada. ‖ Oprimir con gravámenes o tributos. ‖ Hacer una cosa más grave o molesta. Ú.t.c.r. ‖ Ponderar una cosa por interés u otro fin para que parezca más grave. [*Sinón.*: recargar, gravar, empeorar. *Antón.*: mejorar]

agravatorio, ria. adj. Que agrava.

agraviamiento. m. Acción y efecto de agraviar o agraviarse.

agraviar (al. *beleidigen*, fr. *offenser*, ingl. *to do wrong*, it. *offendere*). tr. Hacer agravio. ‖ Rendir, agravar, apesadumbrar. ‖ Gravar con tributos. ‖ Presentar como muy grave una cosa. ‖ Hacer más grave un delito o pena. ‖ r. Agravarse una enfermedad. ‖ Resentirse por algún agravio. [*Sinón.*: injuriar. *Antón.*: desagraviar]

agravio (al. *Beleidigung*, fr. *offense*, ingl. *offence*, it. *offesa*). m. Ofensa que se hace a uno en su honra o fama. ‖ Hecho o dicho con que se hace esta ofensa. ‖ Ofensa o perjuicio que se hace a uno en sus derechos e intereses. ‖ Humillación, menosprecio. [*Sinón.*: afrenta, insulto]

agraz. m. Uva sin madurar. ‖ Zumo que se saca de la uva no madura. ‖ fig. y fam. Amargura, disgusto.

agredir (al. *angreifen*, fr. *attaquer*, ingl. *to attack*, it. *aggredire*). tr. Cometer agresión.

agregación. f. Acción y efecto de agregar o agregarse.

agregado. m. Conjunto de cosas homogéneas que se consideran formando un cuerpo. ‖ Agregación, añadidura o anejo. ‖ Empleado adscrito a un servicio del cual no es titular. ‖ Funcionario, adscrito a una misión diplomática, encargado de asuntos de su especialidad.

agreaduría. f. Cargo y oficina del agregado, empleado adscrito a un servicio y funcionario diplomático.

agregar (al. *hinzufügen*, fr. *ajouter*, ingl. *to add*, it. *aggiungere*). tr. Unir o juntar unas personas o cosas con otras. Ú.t.c.r. ‖ Añadir algo a lo ya dicho o escrito. ‖ Destinar a alguna persona a un cuerpo u oficina, o asociarla a otro empleado. ‖ Anexar. [*Sinón.*: adicionar, añadir, incorporar. *Antón.*: restar, separar]

agresión. f. Acción y efecto de acometer a alguno para matarlo, herirlo o hacerle daño. ‖ Acto contrario al derecho de otro. ‖ Ataque armado de una nación contra otra, con violación del derecho.

agresividad. f. Acometividad.

agresivo, va. adj. Dícese de la persona o animal que obra o tiende a obrar con agresividad. ‖ Propenso a faltar al respeto o a ofender a los demás. ‖ Que implica provocación o ataque.

agresor, ra (al. *angreifer*, fr. *agresseur*, ingl. *aggressor*, it. *aggressore*). adj. Que comete agresión. Ú.t.c.s. ‖ Se dice de la persona que viola o quebranta el derecho de otra. Ú.t.c.s.

‖ DER. Aplícase a la persona que da motivo a una querella o riña, injuriando o provocando a otra. Ú.t.c.s.

agreste. adj. Campesino o perteneciente al campo. ‖ Áspero, inculto, lleno de maleza. ‖ fig. Rudo, tosco, salvaje, falto de urbanidad.

agriar. tr. Poner agria alguna cosa. Ú.m.c.r. ‖ fig. Exasperar los ánimos. Ú.t.c.r.

agrícola (al. *landwirtschaftlich*, fr. *agricole*, ingl. *agricultural*, it. *agricolo*). adj. Concerniente o relativo a la agricultura.

agricultor, ra (al. *Landwirt*, fr. *agriculteur*, ingl. *farmer*, it. *agricoltore*). s. Persona que labra o cultiva la tierra.

agricultura (al. *Landwirtschaft*, fr. *agriculture*, ingl. *agriculture*, it. *agricoltura*). f. Labranza o cultivo de la tierra. ‖ Arte de cultivar la tierra.

agridulce adj. Que tiene mezcla de agrio y de dulce. Ú.t.c.s.

agrietar (al. *risse machen*, fr. *crevasser*, ingl. *to crack*, it. *screpolare*). tr. Abrir grietas. Ú.m.c.r. [*Sinón.*: hendir, resquebrajar]

agrimensor, ra s. Persona perita en agrimensura.

agrimensura. f. Arte de medir tierras y de reproducir sus contornos en planos.

agrio, gria (al. *sauer*, fr. *aigre*, ingl. *sour*, it. *agro*). adj. De sabor ácido. Ú.t.c.s. ‖ Acre, áspero, desabrido. ‖ PINT. Colorido falto de armonía o de la necesaria entonación. Ú.t.c.s. ‖ m. Zumo ácido. ‖ pl. Conjunto de frutas agrias o agridulces, como el limón, la naranja y otras semejantes.

agro. m. El campo agrícola y las zonas rurales.

agrología. f. Parte de la agronomía que se ocupa del estudio del suelo en sus relaciones con la vegetación.

agronomía. f. Conjunto de conocimientos aplicables al cultivo de la tierra.

agrónomo, ma (al. *Landwirt*, fr. *agronome*, ingl. *agronomist*, it. *agronomo*). s. Persona que profesa la agronomía. Ú.t.c.adj.

agropecuario, ria. adj. Que tiene relación con la agricultura y la ganadería.

agrumar. tr. Hacer que se formen grumos. Ú.t.c.r.

agrupación. f. Acción y efecto de agrupar o agruparse. ‖ Conjunto de personas agrupadas. ‖ Conjunto de personas u organismos que se asocian con algún fin. ‖ MIL. Unidad homogénea de importancia semejante a la del regimiento.

agrupar (al. *gruppieren*, fr. *grouper*, ingl. *to group*, it. *aggruppare*). tr. Reunir en grupo. Ú.t.c.r. || Constituir una agrupación. Ú.t.c.r.

agua (al. *Wasser*, fr. *eau*, ingl. *water*, it. *acqua*). f. Cuerpo formado por la combinación de un volumen de oxigeno y dos de hidrógeno, líquido, inodoro, insípido, en pequeña cantidad incoloro y verdoso en grandes masas, que refracta la luz, disuelve muchas sustancias, se solidifica por el frío, se evapora por el calor y, más o menos puro, forma la lluvia, las fuentes, los ríos y los mares. || Cualquiera de los líquidos que se obtienen por infusión, disolución o emulsión de flores, plantas o frutos, y se usan en medicina o perfumería. || Lluvia. Ú.t. en pl. || ARQ. Vertiente de un tejado. || MAR. Rotura, grieta o agujero por donde entra en la embarcación el agua en que flota. || MAR. Marea. || Lágrimas. || pl. Visos u ondulaciones que tienen algunas telas, plumas, piedras, maderas, etc. || Visos o destellos de las piedras preciosas. || Orina. || Manantial de aguas mineromedicinales. || Las del mar, más o menos inmediatas a determinada costa. || MAR. Corrientes del mar. || MAR. Estela o camino que ha seguido un buque. || — *fuerte*. Ácido nítrico diluido en corta cantidad de agua. Se llama así por la actividad con que disuelve algunos metales; se usa para el grabado al agua-fuerte. || — *mineral*. La que lleva en disolución sustancias minerales, como sales, óxido de hierro, etc. || — *mineromedicinal*. La mineral usada para la curación de alguna dolencia. || — *nieve*. La que cae mezclada con nieve. || — *pesada*. QUÍM. Aquella en que el hidrógeno se ha sustituido por el hidrógeno pesado o deuterio. Se emplea en los reactores nucleares para moderar la velocidad de los neutrones. || — *regia*. Combinación del ácido nítrico con el clorhídrico, en la proporción 3/1; disuelve el oro. || — *jurisdiccionales*. Las que bañan las costas de un Estado y están sujetas a su jurisdicción hasta cierto límite. || — *mayores*. Excremento humano. || — *menores*. Orina del hombre. || *ahogarse* uno *en un vaso de agua*. fig. y fam. Apurarse y afligirse por liviana causa. || *como agua de mayo*. loc. fam. con que se pondera lo bien recibida o lo muy deseada que es una persona o cosa. || *con el agua al cuello*. fig. y fam. Estar en gran aprieto o peligro. || *hacer agua* un buque. MAR. Recibirla por alguna grieta. || *hacerse* una cosa *agua de cerrajas*. fig. Desvanecerse o frustrarse lo que se pretendía o esperaba. || *hacérsele* a uno *agua la boca*. fam. Recordar con deleite el buen sabor de algún manjar, y también, fig. y fam., deleitarse con la esperanza de conseguir alguna cosa agradable. || *irse al agua*. fig. Frustrarse un negocio, proyecto, etc. || *llevar* uno *el agua a su molino*. fig. Dirigir algún asunto en su interés o provecho exclusivo. || *romper aguas*. Romperse la bolsa que envuelve el feto y derramarse el líquido amniótico. || *tan claro como el agua*. Frase que se utiliza para denotar las situaciones o cosas muy manifiestas y patentes.

aguacatal. m. Terreno poblado de aguacates.

aguacate. m. BOT. Árbol americano lauráceo, de flores dioicas y fruto parecido a una pera grande. || Fruto de este árbol, comestible.

aguacero. m. Lluvia repentina, intensa y de poca duración. [*Sinón.*: chaparrón]

aguacha. f. Agua encharcada y corrompida.

aguachirle. f. Especie de aguapié de ínfima calidad. || Cualquier licor sin fuerza ni sustancia.

aguada. f. Tinta que se da a una pared para quitarle la blancura del enlucido de yeso. || Sitio en que hay agua potable, y a propósito para surtirse de ella. || Acción y efecto de aprovisionarse de agua un buque, una tropa, etc. || MAR. Provisión de agua potable. || Avenida de aguas que inunda total o parcialmente las labores de una mina. || PINT. Color diluido en agua, sola o con ciertos ingredientes, como goma, miel, etc., y también el diseño o pintura realizado con esta preparación.

aguadija. f. Humor claro y suelto que se forma en los granos o llagas.

aguado, da. adj. Abstemio. || *Amer.* Débil, desfallecido, flojo. || *Amer.* Dícese de las cosas blandas y sin consistencia.

aguador, ra. s. Persona que tiene por oficio llevar o vender agua. || m. Cada uno de los palos o travesaños horizontales que unen los dos aros de que se compone la rueda vertical de la noria.

aguafiestas. com. Persona que turba una diversión o regocijo.

aguafuerte (al. *Ätzung*, fr. *eauforte*, ingl. *etching*, it. *acquaforte*). amb. Lámina obtenida por el grabado al agua fuerte. || Estampa obtenida con esta lámina.

aguaje. m. Grandes crecientes del mar. || Agua que entra en los puertos durante las mareas. || Corrientes marinas, periódicas en algunos lugares.

aguamanil. m. Jarro con pico para echar agua en la palangana donde se lavan las manos. || Palangana o pila destinada a lavarse las manos. || Palanganero.

aguamanos. m. Agua que sirve para lavar las manos. || Aguamanil.

aguamarina. f. Variedad de berilo, transparente y de color verde azulado, utilizada como piedra preciosa.

aguamiel. f. Agua mezclada con miel. || *Amer.* La preparada con caña de azúcar. || *Amer.* Jugo de maguey que, fermentado, produce el pulque.

aguanieve. f. Agua nieve.

aguantar (al. *aushalten*, fr. *supporter*, ingl. *to sustain*, it. *sopportare*). tr. Reprimir o contener. || Resistir pesos, impulsos o trabajos. || Admitir o tolerar a disgusto algo molesto o desagradable. || MAR. Tesar los cabos. || intr. Reprimirse, contenerse, callar. Ú.t.c.r. || Adelantar en el trabajo.

aguante. m. Sufrimiento, paciencia. || Fortaleza o vigor para resistir pesos, impulsos, trabajos, etc.

aguapié. m. Vino muy bajo que se hace echando agua en el orujo pisado en el lagar.

aguar. tr. Mezclar agua con vino u otro líquido. || fig. Turbar, interrumpir, frustrar, tratándose de cosas halagüeñas o alegres. Ú.t.c.r. || Atenuar lo grave o molesto con la mezcla de algo agradable. || Echar al agua. Ú.t.c.r. || r. Llenarse de agua algún sitio o terreno.

aguardar (al. *erwarten*, fr. *attendre*, ingl. *to await*, it. *aspettare*). tr. Estar esperando a que suceda algo. Ú.t.c.r. || Creer o tener esperanza de que llegará o sucederá algo. || Esperar a que venga o llegue alguien o algo. || Haber de ocurrir a una persona o estarle reservado algo para lo futuro. || r. Detenerse, retardarse.

aguardentoso, sa. adj. Que contiene aguardiente o está mezclado con él. || Que es o parece de aguardiente. || Aplícase a la voz áspera.

aguardiente (al. *Branntwein*, fr. *eau-de-vie*, ingl. *brandy*, it. *acquavite*). m. Bebida espiritosa que por destilación se saca del vino y de otras sustancias.

aguarrás (al. *Terpentin*, fr. *essence de térébenthine*, ingl. *oil spirits of turpentine*, it. *spirito di trementina*). m.

Esencia de trementina. Se emplea principalmente en barnices y medicina.

aguatero, ra. s. *Amer.* Aguador.

aguaturma. f. Bot. Planta compuesta, herbácea, de flores redondas y amarillas y rizoma tuberculoso y comestible.

aguazal. m. Sitio bajo donde se detiene el agua llovediza.

aguazo. m. Pint. Pintura hecha a la aguada sobre lienzo blanco.

agudeza. f. Sutileza o delgadez en el corte o punta de armas, instrumentos u otras cosas. || fig. Viveza y penetración del dolor. || fig. Perspicacia de la vista, oído u olfato. || fig. Ligereza, velocidad.

agudizar. tr. Hacer una cosa aguda. || r. Tomar carácter agudo una enfermedad.

agudo, da (al. *scharf,* fr. *aigu,* ingl. *sharp,* it. *acuto*). adj. Delgado, sutil. || Sutil, perspicaz, ingenioso; vivo, gracioso, oportuno. || fig. Dolor vivo y penetrante. || Med. Se dice de la enfermedad grave y de no larga duración. || fig. Hablando del oído, vista y olfato, perspicaz y pronto en sus sensaciones. || Mús. Se aplica al sonido alto, por contraposición al grave. Ú.t.c.s.. || Gram. Dícese de la palabra cuyo acento prosódico carga en la última sílaba.

agüero. m. Presagio que algunos pueblos gentiles sacaban del canto o del vuelo de las aves, fenómenos metereológicos, etc. || Pronóstico formado supersticiosamente.

aguerrido, da. adj. Ejercitado en la guerra.

aguerrir. tr. defect. Acostumbrar a los soldados bisoños a los peligros de la guerra. Ú.t.c.r.

aguijada. f. Vara larga con una punta de hierro con que los boyeros pican a la yunta.

aguijar. tr. Picar con la aguijada u otra cosa a las bestias para que anden aprisa. || Avivarlos con la voz o de otro modo. || fig. Estimular, incitar. || intr. Acelerar el paso.

aguijón (al. *Stachel,* fr. *aiguillon,* ingl. *string,* it. *pungiglione*). m. Punta o extremo puntiagudo de la aguijada. || Zool. Púa que en el abdomen tienen algunos insectos y arácnidos, con la cual pican. || fig. Estímulo, excitación. || Bot. Púa que nace del tejido epidérmico de algunas plantas.

aguijonazo. m. Punzada de aguijón. || fig. Estímulo vivo; burla o reproche hiriente.

aguijonear. tr. Aguijar. || Picar con el aguijón. || Inquietar, atormentar.

águila (al. *Adler,* fr. *aigle,* ingl. *eagle,* it. *aquila*). f. Zool. Ave rapaz diurna, de vista muy perspicaz, fuerte musculatura y vuelo rapidísimo. || n.p.f. Astr. Constelación septentrional de la Vía Láctea. || m. Zool. Pez, especie de raya. || fig. Persona de mucha viveza y perspicacia. || — *real.* Zool. La que tiene cola redondeada, es de color leonado y alcanza mayor tamaño que las comunes.

aguileño, ña. adj. Dícese del rostro largo y delgado y de la persona que lo tiene así. || Dícese de la nariz larga y algo corva. || Perteneciente al águila.

aguilucho. m. Pollo del águila.

aguinaldo. m. Regalo que se da en Navidad o Epifanía. || Villancico de Navidad.

agüita. f. dim. de agua. *Amer.* Infusión de hierbas y hojas medicinales, que se bebe después de las comidas.

aguja (al. *Nadel,* fr. *aiguille,* ingl. *needle,* it. *ago*). f. Barrita puntiaguda de metal, hueso o madera, con un ojo por donde se pasa el hilo, cuerda, etc., con que se cose, borda o teje. || Cualquier barrita generalmente de metal, de tamaño y formas diversas, con un extremo terminado en punta, que tiene varios usos; como la aguja del reloj, la del grabador, del gramófono, de media, imantada, etc. || Cada uno de los dos rieles movibles que en los ferrocarriles y tranvías sirven para que los carruajes vayan por una de dos o más vías que concurren en un punto. || Bot. Planta anual geraniácea, de hojas recortadas menudamente y fruto en forma de aguja. || Pieza de madera para apuntalar un puente. || Obelisco y también chapitel alto y estrecho. || Zool. Pez teleósteo de hocico alargado en forma de aguja. || Púa o vástago de un árbol. || Prominencia cónica y aguda que algunas montañas presentan en sus cimas. || pl. Costillas que corresponden al cuarto delantero del animal. || Tubito metálico de reducido diámetro con un extremo cortado a bisel y dispuesto el otro para enchufar la jeringuilla con que se inyectan en el organismo ciertas sustancias. || *buscar una aguja en un pajar.* fig. y fam. Empeñarse en conseguir una cosa imposible o difícil.

agujerear. tr. Practicar uno o más agujeros a una cosa. Ú.t.c.r. [*Sinón.:* perforar]

agujero (al. *Loch,* fr. *trou,* ingl. *hole,* it. *buco*). m. Abertura más o menos redondeada que traspasa alguna cosa, como tela, pared, etc. || Oquedad más o

menos redonda que hay en la superficie de un objeto o en su interior.

agujeta. f. Vapores del vino y de otras bebidas. || pl. Dolores que se sienten en el cuerpo después de un ejercicio extraordinario o violento.

aguosidad. f. Humor que se cría en el cuerpo, y se parece al agua en liquidez y claridad.

agusanamiento. m. Acción y efecto de agusanarse.

agusanarse. r. Criar gusanos una cosa.

agustino, na (al. *augustinermönch,* fr. *augustin,* ingl. *augustinian,* it. *agostiniano*). adj. Dícese del religioso o la religiosa pertenecientes a la Orden de San Agustín. Ú.t.c.s.

agutí. m. Zool. Animal parecido al cobaya o conejillo de Indias.

aguzanieves. f. Zool. Lavandera.

aguzar (al. *anspitzen,* fr. *aguiser,* ingl. *to sharpen,* it. *aguzzare*). tr. Hacer o sacar punta a un arma u otra cosa, o adelgazar la que ya tienen. || Sacar filo. || fig. Aguijar, estimular. || fig. Hablando del entendimiento o de un sentido, despabilar, afinar, forzar.

¡ah! interj. con que por lo general se denota sorpresa, admiración o pena.

ahechar. tr. Limpiar con harnero o criba el trigo u otras semillas.

ahecho. m. Acción de ahechar.

aherrojar. tr. Poner a alguno cadena o grilletes. || fig. Oprimir, subyugar.

aherrumbrar. tr. Dar a una cosa color o sabor de hierro. Ú.t.c.r. || Cubrirse de herrumbre.

ahí (al. *da,* fr. *là,* ingl. *there,* it. *là*). adv. l. En ese lugar o a ese lugar. || En esto, o en eso. || Precedido de las preposiciones *de* o *por,* esto o eso.

ahijado, da (al. *Patenkind,* fr. *filleul,* ingl. *godchild,* it. *figlioccio*). s. Cualquier persona, respecto de sus padrinos.

ahijar (al. *adoptieren,* fr. *adopter,* ingl. *to adopt,* it. *adottare*). tr. Prohijar o adoptar al hijo ajeno. || Acoger la oveja u otro animal al hijo ajeno para criarlo. || Poner a cada cordero u otro animal con su propia madre o con otra para que lo críe. || intr. Procrear hijos. || Agr. Echar la planta retoños o hijuelos.

ahilado, da. adj. Dícese del viento suave y continuo. || Dícese de la voz delgada y tenue.

ahilar. intr. Ir uno tras otro formando hilera. || r. Padecer desfallecimiento por falta de alimento. || Hacer hebra la levadura, el vino y otras cosas por haberse maleado. ‖ Adelgazarse por causa de alguna enfermedad. ‖ Criarse débiles las plantas por falta de luz. ‖ Criarse altos, derechos y limpios de ramas los árboles por estar muy juntos.

ahínco (al. *Nachdruck*, fr. *empressement*, ingl. *eagerness*, it. *impegno*). m. Eficacia o empeño grande.

ahitar. tr. Señalar los lindes de un terreno con hitos o mojones. ‖ Causar ahíto. Ú.t.c.intr. ‖ r. Comer hasta hartarse.

ahíto, ta. adj. Dícese del que ha comido con exceso. ‖ fig. Fastidiado o cansado de una persona o cosa. ‖ m. Indigestión o embarazo de estómago. [*Sinón.*: harto]

ahogadero, ra. adj. Que ahoga o sofoca. ‖ m. Sitio donde hay mucha gente apretada y oprimida una con otra. ‖ Cuerda o correa de la cabezada, que ciñe el pescuezo de la caballería. ‖ Caldera con agua caliente que sirve para ahogar en el capullo la ninfa del gusano de seda.

ahogadizo, za. adj. Que se puede ahogar fácilmente. ‖ Se dice de las frutas que por su aspereza no se pueden tragar con facilidad. ‖ fig. Dícese de la madera que, por ser muy pesada, se hunde en el agua.

ahogado, da. adj. Se dice del sitio estrecho que no tiene ventilación. ‖ s. Persona que muere por falta de respiración, especialmente en el agua. ‖ m. *Amer.* Mezcla de varios condimentos fritos para aderezar diversas salsas.

ahogar (al. *ersticken, ertränken*; fr. *étouffer, noyer*; ingl. *to choke, to drown*; it. *soffocare, affogare*). tr. Quitar la vida a uno impidiéndole la respiración. Ú.t.c.r. ‖ En las plantas, dañar su lozanía el exceso de agua, el apiñamiento o la acción de otras plantas nocivas. Ú.t.c.r. ‖ Apagar el fuego con materias que se le sobreponen. ‖ fig. Extinguir, apagar. Ú.t.c.r. ‖ fig. Oprimir, acongojar, fatigar. Ú.t.c. intr. y c.r. ‖ Sumergir una cosa en el agua. ‖ En el ajedrez, hacer que el rey contrario no pueda moverse sin quedar en jaque. ‖ r. Sentir sofocación o ahogo.

ahogo. m. fig. Aprieto, congoja o aflicción grande.

ahondar (al. *vertiefen*, fr. *creuser*, ingl. *to deepen*, it. *approfondire*). tr. Hacer más profunda una cavidad o agujero. ‖ Cavar profundizando, excavar. ‖ Introducir una cosa dentro de otra. Ú.t.c.intr. y c.r. ‖ fig. Escudriñar lo más recóndito de un asunto. Ú.t.c. intr.

ahora (al. *jetzt*, fr. *maintenant*, ingl. *now*, it. *adesso*). adv. t. En este momento, en el tiempo actual o presente. ‖ **ahora bien.** loc. conjunt. Esto supuesto o sentado. ‖ **por ahora.** m. adv. En el tiempo actual; con reservas respecto a lo que pueda ocurrir.

ahorcado, da. s. Persona ajusticiada en la horca.

ahorcar (al. *erhängen*, fr. *pendre*, ingl. *to hang*. it. *impiccare*). tr. Quitar a uno la vida echándole un lazo al cuello y colgándolo de él en la horca u otra parte. Ú.t.c.r.

ahorita. adv. t. fam. *Amer.* Ahora mismo, al momento; muy recientemente.

ahormar. tr. Ajustar una cosa a su horma o molde. Ú.t.c.r. ‖ fig. Amoldar, poner en razón a alguno.

ahornagarse. r. Abochornarse o abrasarse la tierra y sus frutos por el excesivo calor.

ahornar. tr. Enhornar. ‖ r. Quemarse el pan por fuera, quedándose sin cocer por dentro.

ahorquillado, da. adj. Que tiene forma de horquilla.

ahorquillar. tr. Afianzar con horquillas las ramas de los árboles. ‖ Dar a una cosa la figura de horquilla. Ú.m.c.r.

ahorrador, ra. adj. Que ahorra. Ú.t.c.s.

ahorrar (al. *sparen*, fr. *épargner*, ingl. *to save*, it. *risparmiare*). tr. Reservar alguna parte del gasto ordinario. Ú.t.c.r. ‖ Guardar dinero como previsión para necesidades futuras. ‖ Evitar un gasto o consumo mayor. ‖ fig. Evitar o excusar algún trabajo, riesgo, dificultad u otra cosa. Ú.t.c.r.

ahorrativo, va. adj. Inclinado a ahorrar.

ahorro (al. *Ersparnis*, fr. *épargne*, ingl. *saving*, it. *risparmio*). m. Acción de ahorrar. ‖ Lo que se ahorra.

ahuchar. tr. Llamar al halcón al grito repetido de ¡hucho! ‖ Azuzar, oxear. ‖ Guardar en hucha. ‖ fig. Guardar en lugar seguro el dinero o cosas que se han ahorrado.

ahuecamiento. m. Acción de ahuecarse. ‖ fig. Engreimiento, envanecimiento.

ahuecar (al. *aushöhlen*, fr. *creuser*, ingl. *to make hollow*, it. *scavare*). tr. Poner hueca o cóncava alguna cosa. ‖ Hacer menos compacta alguna cosa que estaba apretada. Ú.t.c.r. ‖ fig. Dicho de la voz, hablar por afectación o adrede en tono más grave que el

natural. ‖ intr. fam. Ausentarse de un lugar o reunión. ‖ r. fig. y fam. Hincharse, engreírse.

ahuesado, da. adj. Parecido al hueso, en color o dureza.

ahumada. f. Señal que para dar algún aviso se hacía en las atalayas o lugares altos, quemando algo.

ahumado, da. adj. Aplícase a los cuerpos transparentes que tienen color oscuro. ‖ m. Acción y efecto de ahumar.

ahumar (al. *räuchern*, fr. *enfumer*, ingl. *to smoke*, it. *affumicare*). tr. Poner al humo algo. ‖ Llenar de humo. Ú.m.c.r. ‖ Echar humo lo que se quema. ‖ r. Tomar los guisos sabor a humo. ‖ Ennegrecerse una cosa con el humo.

ahusar. tr. Dar forma de huso. Ú.t.c.r. ‖ r. Irse adelgazando alguna cosa en figura de huso.

ahuyentar (al. *vertreiben*, fr. *chasser*, ingl. *to drive away*, it. *fugare*). tr. Hacer huir a alguno. ‖ fig. Desechar una pasión u otra cosa que molesta o aflige. ‖ r. Alejarse huyendo.

aimará. adj. Dícese de la raza de indios que habitan en la región del lago Titicaca, entre Perú y Bolivia. Ú.t.c.s. ‖ Propio o perteneciente a esta raza. ‖ m. Lengua aimará.

aindiado, da. adj. *Amer.* Que tiene el color y las facciones propias de los indios.

airado, da. adj. Encolerizado. ‖ fig. Depravado.

airar. tr. Irritar, enojar. Ú.t.c.r. ‖ Agitar, alterar violentamente.

aire (al. *Luft*, fr. *air*, ingl. *air*, it. *aria*). m. Gas incoloro, inodoro e insípido que forma la atmósfera. ‖ La misma atmósfera y los vientos y corrientes producidos en ella por fuerzas naturales. ‖ fig. Parecido, semejanza. ‖ fig. Vanidad, engreimiento. ‖ fig. Gracia o perfección en el modo de hacer las cosas. ‖ Mús. Grado de presteza o lentitud con que se ejecuta una obra musical. ‖ Mús. Canción, tonada de una composición. ‖ — *acondicionado.* El que una instalación de aparatos especiales suministra en determinadas condiciones térmicas en el interior de un edificio. ‖ *al aire libre.* m. adv. Fuera de toda habitación o resguardo. ‖ *sustentarse* uno *del aire.* fig. y fam. Comer poco. ‖ *tomar el aire.* fig. y fam. Pasearse.

airear. tr. Poner al aire o ventilar alguna cosa. ‖ fig. Dar publicidad o actualidad a una cosa. ‖ r. Ponerse al aire para refrescarse o respirar mejor. ‖ Resfriarse con la frescura del aire.

airón. adj. Aplícase al pozo de mucha profundidad. ‖ m. ZOOL. Garza real. ‖ Penacho de plumas que tienen en la cabeza algunas aves. ‖ fig. Adorno de plumas o de cosa que las imite.

airoso, sa. adj. Se aplica al tiempo o sitio en que hace mucho aire. ‖ fig. Garboso o gallardo. ‖ fig. Dícese del que lleva a cabo una empresa con lucimiento. Ú. con los verbos *quedar* y *salir.*

aislacionismo (al. *Isolationismus,* fr. *isolationisme,* ingl. *isolationism,* it. *isolazionismo*). m. Política de un país que se aísla de sus vecinos. ‖ Tendencia opuesta al intervencionismo en los asuntos internacionales.

aislado, da. adj. Solo, suelto, individual. ‖ Apartado, retirado.

aislador, ra (al. *isolator,* fr. *isolateur,* ingl. *insulator,* it. *isolatore*). adj. Que aísla o separa. ‖ FÍS. Dícese de los cuerpos que interceptan el paso de la corriente eléctrica, el calor, las vibraciones, etc. Ú.t.c.s.m. ‖ m. Pieza de material aislante que sirve para soportar o sujetar un conductor eléctrico.

aislamiento. m. Acción y efecto de aislar o aislarse. ‖ Incomunicación.

aislante (al. *isolierend,* fr. *isolant,* ingl. *insulating,* it. *isolante*). m. Aislador.

aislar (al. *isolieren,* fr. *isoler,* ingl. *to isolate,* it. *isolare*). tr. Cercar de agua por todas partes un lugar. ‖ Impedir al calor o la electricidad el acceso a algo. ‖ Dejar una cosa sola y separada de otras. Ú.t.c.r. ‖ fig. Retirar a una persona del trato y comunicación con la gente. Ú.m.c.r. [*Sinón.*: incomunicar. *Antón.*: unir, comunicar]

¡ajá! interj. fam. que se emplea para denotar complacencia y aprobación.

ajado, da. adj. Marchito, mustio, lacio.

ajar. m. Campo sembrado de ajos.

ajar. tr. Maltratar, deslucir. Ú.t.c.r. ‖ fig. Humillar a uno de palabra. ‖ r. Deslucirse una cosa o una persona por vejez o por enfermedad.

ajedrea. f. BOT. Planta labiada con muchas ramas y hojas estrechas. Es muy olorosa y se cultiva en jardines.

ajedrecista. com. Persona diestra en el ajedrez, o aficionada a él.

ajedrez (al. *Schachspiel,* fr. *jeu d'échecs,* ingl. *chess,* it. *scacchi*). m. Juego entre dos personas, cada una de las cuales dispone de 16 piezas movibles que se colocan sobre un tablero dividido en 64 escaques. Gana el juego el que

apoderándose de algunas piezas del contrario e impidiendo el movimiento de otras, logra abrirse paso hasta el rey por ellas defendido y le da jaque mate. ‖ Conjunto de piezas que sirven para este juego.

ajedrezado, da. adj. Que forma cuadros de colores como los escaques del tablero de ajedrez.

ajenjo (al. *Absinth,* fr. *absinthe,* ingl. *wormwood,* it. *assenzio*). m. BOT. Planta perenne compuesta. Es medicinal, amarga y algo aromática. ‖ Bebida aderezada con esencia de ajenjo y otras hierbas. ‖ fig. Pesadumbre, amargura.

ajeno, na. adj. Perteneciente a otro; extraño. ‖ Impropio, no correspondiente.

ajetrear. tr. Fatigar con algún trabajo haciendo a uno ir y venir de una parte a otra. Ú.t.c.r.

ajetreo. m. Acción de ajetrearse.

ají. m. Pimiento, la planta y su fruto. ‖ Ajiaco, salsa de ají.

ajiaceite. m. Salsa de ajos machacados y aceite. [*Sinón.*: ajoaceite, alioli]

ajiaco. m. *Amer.* Salsa cuyo principal ingrediente es el ají. ‖ *Amer.* Guiso de caldo con carne, patatas picadas, cebolla y ají picante.

ajimez. m. ARQ. Ventana arqueada dividida en el centro por una columna.

ajo (al. *Knoblauch,* fr. *ail,* ingl. *garlic,* it. *aglio*). m. BOT. Planta liliácea. Su bulbo, blanco, redondo y de olor penetrante se usa como condimento. ‖ Cada uno de los bulbos secundarios en que está dividido el bulbo, o cabeza de ajos. ‖ fig. y fam. Asunto generalmente reservado que se está tratando entre varias personas.

ajoarriero. m. Guiso de Aragón y Vascongadas que se hace de bacalao, aderezado con ajos, aceite, huevos, pimientos y especias.

ajonjear. tr. *Amer.* Mimar, halagar. Acariciar, seducir.

ajonjolí. m. BOT. Planta herbácea anual, de fruto elipsoidal, con cuatro cápsulas y numerosas semillas amarillentas. Es comestible y se llama también alegría y sésamo.

ajorca. f. Especie de argolla de oro, plata u otro metal que llevaban las mujeres como adorno.

ajuar (al. *Hausrat,* fr. *mobilier,* ingl. *house-hold furniture,* it. *mobilio*). m. Conjunto de muebles y ropas de uso común en la casa. ‖ Muebles, alhajas y ropas que aporta la mujer al matrimonio.

ajuntar. tr. popular. Juntar. ‖ r.

popular. Amancebarse. ‖ En lenguaje infantil, amistar.

ajustado, da. adj. Justo, recto.

ajustador, ra. adj. Que ajusta. Ú.t.c.s. ‖ m. Operario que trabaja las piezas de metal ya concluidas amoldándolas al sitio en que han de quedar colocadas.

ajustar (al. *anpassen,* fr. *ajuster,* ingl. *to fit,* it. *aggiustare*). tr. Hacer y poner alguna cosa de modo que venga justo con otra. Ú.t.c.r. ‖ Concertar algo, como el matrimonio, la paz, etc. ‖ Arreglar, moderar. Ú.t.c.r. ‖ intr. Venir justo, casar justamente. ‖ r. Acomodarse, conformar uno su opinión, su voluntad o su gusto con el de otro. ‖ rec. Ponerse de acuerdo unas personas con otras. [*Sinón.*: acoplar, encajar; convenir; acordar]

ajuste. m. Acción y efecto de ajustar o ajustarse. ‖ Tarea del operario ajustador. ‖ *— de cuentas.* fig. Venganza que alguien toma para saldar un daño o agravio anterior.

ajusticiar (al. *hinrichten,* fr. *exécuter,* ingl. *to put to death by law,* it. *giustiziare*). tr. Ejecutar la pena de muerte.

al. Contracción de la prep. *a* y el art. *el.*

ala (al. *Flügel,* fr. *aile,* ingl. *wing,* it. *ala*). f. Parte del cuerpo de algunos animales de que se sirven para volar. Son dos, simétricamente colocadas a ambos lados y movibles. ‖ Alero del tejado. ‖ Parte inferior del sombrero, que rodea la copa sobresaliendo de ella. ‖ Parte membranosa que limita por cada lado las membranas de la nariz. ‖ Cada una de las partes que a ambos lados del avión presentan al aire una superficie plana y sirven para sustentar al aparato en vuelo. ‖ ARQ. Parte de un edificio a ambos lados del cuerpo principal. ‖ *ahuecar el ala.* fig. Marcharse. ‖ *dar alas.* fig. Estimular, animar a uno. ‖ *del ala.* fr. fam. que unida a cantidades pondera el valor o el esfuerzo del gasto.

Alá. n.p.m. Nombre que dan a Dios los mahometanos.

alabanza. f. Acción de alabar o alabarse. ‖ Expresión con que se alaba.

alabar (al. *loben,* fr. *louer,* ingl. *to praise,* it. *lodare*). tr. Elogiar, celebrar con palabras. Ú.t.c.r. ‖ r. Jactarse.

alabarda. f. Arma formada por una asta de madera y una moharra con cuchilla transversal, aguda por un lado y en figura de media luna por el otro. [*Sinón.*: pica]

alabardero. m. MIL. Soldado armado de alabarda.

alabastrina. f. Lámina delgada de alabastro yesoso que por ser translúcida suele emplearse en las claraboyas de los templos en lugar de vidriera.

alabastrino, na. adj. De alabastro. || Parecido a él.

alabastro (al. *Alabaster*, fr. *albatre*, ingl. *alabaster*, it. *alabastro*). m. GEOL. Mármol translúcido, generalmente con visos de colores.

álabe. m. Rama de árbol combada hacia la tierra. || Estera colocada a los lados del carro para que no se caiga lo que va en él. || MEC. Cada una de las paletas curvas de la rueda hidráulica que reciben el impulso del agua.

alabear. tr. Dar a una superficie forma curva. ||r. Torcerse o combarse una puerta, ventana, etc.

alabeo. m. Vicio que toma la madera al alabearse. || Por ext., comba de la cara de cualquier otra superficie.

alacena. f. Hueco hecho en la pared, con puertas y anaqueles para guardar algo.

alacrán (al. *Skorpion*, fr. *scorpion*, ingl. *scorpio*, it. *scorpione*). m. ZOOL. Arácnido pulmonado de abdomen en forma de cola terminada por un gancho perforado con el cual inocula el veneno. |Sinón.: escorpión|

alacridad. f. Presteza de ánimo para obrar.

aladar. m. Porción de cabellos que hay a cada lado de la cabeza y cae sobre cada una de las sienes. Ú.m. en pl.

aladierna. f. BOT. Arbusto ramnáceo, empleado en medicina y tintorería, cuyo fruto es una baya pequeña negra y jugosa.

alado, da. adj. Que tiene alas. || fig. Ligero, veloz.

aladrero. m. Carpintero que labra las maderas empleadas para la entibación de las minas. || Carpintero que construye y repara utensilios de labranza.

álaga. f. Especie de trigo, de grano largo y amarillento. || Grano de esta planta.

alagartarse. r. *Amer.* Apartar la bestia los cuatro remos, de forma tal que disminuya la altura.

alajú. m. Pasta de almendras, nueces y, a veces, piñones, pan rallado y tostado, especia fina y miel bien cocida.

alalia. f. PAT. Afonía.

alamar. m. Presilla y botón, u ojal sobrepuesto, que se cose, por lo común, a la orilla del vestido o capa. || Cairel.

alambicado, da. adj. fig. Dado con escasez y muy espaciadamente. || fig. Sutil, agudo, perspicaz.

alambicar. tr. Destilar en alambique. || fig. Examinar atentamente alguna palabra, escrito o acción, hasta apurar su verdadero sentido, mérito o utilidad. || fig. Tratándose de lenguaje, estilo, conceptos, etc., sutilizarlos excesivamente.

alambique (al. *Destillierapparat*, fr. *alambic*, ingl. *distiller*, it. *lambico*). m. Aparato que se emplea para destilar líquidos. || pop. *Amer.* Prostituta.

alambrada. f. MIL. Red de alambre de espino empleado en campaña para impedir el avance de las tropas enemigas.

alambrar. tr. Cercar con alambre.

alambre (al. *Draht*, fr. *fil métalique*, ingl. *wire*, it. *filo metallico*). m. Hilo metálico.

alambrera. f. Red de alambre que se pone sobre las ventanas y otras partes.

alámbrico, ca. adj. Perteneciente o relativo al alambre.

alameda. f. Sitio poblado de álamos. || Paseo con álamos. || Por ext., paseo con árboles de cualquier clase.

álamo (al. *Pappel*, fr. *peuplier*, ingl. *poplar*, it. *pioppo*). m. BOT. Árbol salicíneo, de hojas triangulares, flores dispuestas en amentos, frutos en cápsula y madera blanca. || Madera de cualquiera de las especies de este árbol.

alano, na. adj. Dícese del individuo de un pueblo bárbaro que, en unión con otros, invadió España a principios del siglo V. Ú.t.c.s. || Perteneciente a este pueblo.

alar. adj. Relativo al ala o a la axila. || m. Alero del tejado.

alarde. m. MIL. Formación militar en que se revistaba a los soldados y sus armas. || Revista, inspección que hace un jefe. || Ostentación, exhibición que se hace de algo.

alardear (al. *prahlen*, fr. *vanter*, ingl. *to boast*, it. *vantarsi*). intr. Hacer alarde.

alargadera. f. Pieza que sirve para alargar alguna cosa. || QUÍM. Tubo de vidrio, que se adapta al cuello de las retortas para algunas operaciones de destilación.

alargamiento. m. Acción y efecto de alargar o alargarse.

alargar (al. *verlängern*, fr. *allonger*, ingl. *to lengthen*, it. *allungare*). tr. Dar más longitud a una cosa. Ú.t.c.r. || Hablando de límites, llevarlos más allá. || Estirar, desencoger. || Aplicar con

interés el sentido de la vista o del oído. || Prolongar una cosa, hacer que dure más tiempo. || Refiriéndose al tiempo, retardar, dilatar. Ú.t.c.r. || Alcanzar algo y darlo a otro que está apartado. || Dar cuerda o ir soltando una cuerda o cabo poco a poco hasta que llegue a la medida necesaria. || fig. Aumentar la cantidad o número señalado. || r. Hablando del tiempo, hacerse de mayor duración.

alarido. m. Ant. grito de guerra de los moros al entrar en batalla. || Grito lastimero en que se prorrumpe por algún dolor o pena.

alarife. m. Arquitecto o maestro de obras. || s. *Amer.* Persona astuta.

alarma (al. *Alarm*, fr. *alarme*, ingl. *alarm*, it. *allarme*). f. Aviso o señal que se da en un ejército o plaza para que se apreste de inmediato a la defensa o al combate. || Rebato. || fig. Inquietud o sobresalto causado por algún riesgo o mal que repentinamente amenaza. || Instrumento que sirve para dar la alarma.

alarmar. tr. Dar alarma o incitar a tomar las armas. || fig. Asustar, sobresaltar, inquietar. Ú.t.c.r.

alarmista. adj. Se aplica a la persona que hace cundir noticias alarmantes. Ú.t.c.s.

alátere. com. fig. Persona que acompaña constante o frecuentemente a otra.

alavés, sa. adj. Natural de Álava. Ú.t.c.s. || Perteneciente a esta provincia.

alazán, na. adj. Dícese del color más o menos rojo, o muy parecido al de la canela. ||Dícese especialmente del caballo o yegua que tiene el pelo alazán. Ú.t.c.s.

alazo. m. Golpe que dan las aves con el ala.

alba (al. *Morgendämmerung*, fr. *aube*, ingl. *dawn*, it. *alba*). f. Amanecer. || Primera luz del día antes de salir el sol. || Vestidura de lienzo blanco que los sacerdotes se ponen para celebrar los oficios divinos.

albacea. com. DER. Persona encargada por el testador o el juez de cumplir la última voluntad y custodiar los bienes del finado.

albaceteño, ña. adj. Natural de Albacete. Ú.t.c.s. || Perteneciente a esta ciudad o a su provincia.

albacora. f. BOT. Breva, fruto de la higuera. || ZOOL. Pez escómbrido, caracterizado por sus aletas pectorales largas y estrechas.

albahaca (al. *Basilienkraut*, fr. *basilio*, ingl. *basil*, it. *basilico*). f. BOT. Planta labiada, de hojas oblongas y muy verdes, y flores blancas. Tiene fuerte olor aromático.

albahío. adj. Dícese del color blanco amarillento de las reses vacunas.

albanés, sa. adj. Natural de Albania. Ú.t.c.s. || Perteneciente a este país. || m. Lengua albanesa.

albañal o **albañar.** m. Canal o conducto que da salida a las aguas inmundas.

albañil (al. *Maurer*, fr. *maçon*, ingl. *bricklayer*, it. *muratore*). m. Maestro u oficial de albañilería.

albañilería. f. Arte de construir edificios u obras empleando ladrillos, piedras u otros materiales semejantes.

albar. adj. Blanco, apl. sólo a algunas cosas. || AGR. Terreno de secano, y especialmente tierra blanquecina en altos y lomas.

albarán. m. Papel que se pone en las puertas, balcones, o ventanas, como señal de que la casa se alquila. || COM. Relación duplicada de mercancías para indicar conformidad o reparos en su recepción.

albarda. f. Pieza principal del aparejo de las caballerías de carga, que se compone de dos almohadas unidas sobre el lomo del animal.

albardado, da. adj. fig. Dícese del animal que tiene el pelo del lomo de diferente color que el del resto del cuerpo.

albardilla. f. Silla para domar potros. || Lana muy tupida que las reses lanares crían a veces en el lomo. || Almohadilla que sirve de agarrador o apoyo. || Barro que se pega al dental del arado. || Lonja de tocino que se pone por encima de las aves para asarlas.

albardín. m. BOT. Planta gramínea propia de las zonas esteparias españolas, muy parecida al esparto.

albaricoque (al. *Aprikose*, fr. *abricot*, ingl. *apricot*, it. *albicocca*). m. Fruto de albaricoquero. Es una drupa de color entre amarillo y encarnado, aterciopelada y de sabor agradable. || Albaricoquero.

albaricoquero. m. BOT. Árbol rosáceo, originario de Armenia, de flores blancas, cuyo fruto es el albaricoque.

albarizo, za. adj. Aplicado al terreno, blanquecino.

albatros (al. *Albatros*, fr. *albatros*, ingl. *albatross*, it. *albatro*). m. ZOOL. Ave palmípeda, de color blanco, muy voraz, que llega a tener 4 metros de envergadura. Vuela en bandadas y habita en el océano Pacífico.

albayalde. m. QUÍM. Carbonato de plomo. Es sólido, de color blanco y se emplea en pintura.

albazo. m. *Amer.* Alborada, música al amanecer.

albedo. m. Potencia reflectora de un cuerpo iluminado; dícese especialmente de los astros.

albedrío (al. *Willkür*, fr. *libre arbitre*, ingl. *free-will*, it. *arbitrio*). m. Potestad de obrar por reflexión y elección. Dícese más ordinariamente *libre albedrío.* || Apetito, antojo o capricho.

alberca. f. Depósito artificial de agua con muros de obra. [*Sinón.*: balsa]

albérchigo. m. Fruto del alberchiguero. || Alberchiguero. || En algunas partes, albaricoque.

alberchiguero. m. BOT. Árbol, variedad de melocotonero, cuyo fruto es el albérchigo. || En algunas partes, albaricoquero.

albergar (al. *beherbergen*, fr. *loger*, ingl. *to lodge*, it. *albergare*). tr. Dar albergue u hospedaje. || intr. Tomar albergue. Ú.t.c.r. [*Sinón.*: alojar, acoger]

albergue (al. *Herberge*, fr. *auberge*, ingl. *lodging*, it. *albergo*). m. Edificio o lugar en que una persona halla hospedaje o resguardo. || Sitio en que se recogen los animales, especialmente las fieras. [*Sinón.*: hotel, hostería, parador, refugio]

albero, ra. adj. Albar. || m. Terreno albarizo. || Paño para secar y limpiar los platos.

albigense. adj. Natural de Albi. Ú.t.c.s. || Perteneciente a esta ciudad francesa. || Dícese de los adeptos a una herejía que se extendió por el Languedoc en los siglos XII y XIII, y cuyo centro principal era la ciudad de Albi. Ú.m.c.s.m. y en pl.

albina. f. Laguna que forman las aguas del mar en las tierras bajas inmediatas a él. || Sal que queda en estas lagunas.

albinismo. m. Calidad de albino. || PAT. Enfermedad que padecen los albinos.

albino, na (al. *albino*, fr. *albin*, ingl. *albino*, it. *albino*). adj. ZOOL. Falto, total o parcialmente, y por anomalía congénita, del pigmento que da a ciertas partes del organismo del hombre y de los animales los colores propios de cada especie, variedad o raza, y, por tanto, con la piel, el iris, el pelo, etc., más o menos blancos. Ú.t.c.s. || BOT. Se aplica a la planta que en vez de su color propio lo tiene blanquecino. || Perteneciente o relativo a los seres albinos.

albo, ba. adj. poét. Blanco.

albohol. m. BOT. Correhuela. || BOT. Planta anual de las franqueniáceas. Toda ella está cubierta de polvo salado y sirve para hacer barrilla.

albóndiga (al. *Fleischklösschen*, fr. *boulette*, ingl. *meadball*, it. *polpetta*). f. Bola de carne o pescado picado y trabado con ralladuras de pan, huevos batidos y especias.

albondiguilla. f. Albóndiga.

albor. m. Albura, blancura. || Luz del alba. Ú.m. en pl. || fig. Principio de una cosa. || fig. Infancia o juventud. Ú.m. en pl.

alborada. f. Tiempo en que amanece o raya el día. || Música tocada al amanecer con cualquier fin. || Composición poética o musical destinada a cantar la mañana.

alborear. intr. Amanecer o rayar el día.

albornoz (al. *Bademantel*, fr. *bournous*, ingl. *burnosse*, it. *burnus*). m. Tela hecha con estambre muy torcido y fuerte. || Especie de capa o capote con capucha. || Bata de rizo utilizada para cubrirse después del baño.

alborotador, ra. adj. Que alborota. Ú.t.c.s.

alborotar (al. *beunruhigen*, fr. *troubler*, ingl. *to disturb*, it. *mettere in subbuglio*). tr. Inquietar, alterar, perturbar. Ú.t.c.r. || Amotinar, sublevar. Ú.t.c.r. || Causar alegría o alboroto. || r. Tratándose del mar, encresparse.

alboroto (al. *Lärm*, fr. *tumulte*, ingl. *tomult*, it. *tumulto*). m. Vocerío o ruido causado por uno a varias personas. || Desorden, tumulto. || Asonada, motín. || Sobresalto, zozobra. || pl. *Amer.* Rosetas de maíz tostado con miel. [*Sinón.*: barahúnda, altercado, disturbio]

alborozar. tr. Causar extraordinario regocijo, placer o alegría. Ú.t.c.r.

alborozo (al. *Jubel*, fr. *gaîté*, ingl. *merriment*, it. *gioia*). m. Extraordinario regocijo, placer o alegría.

albricias. f. pl. Regalo que se da por alguna buena nueva a la persona que trae la primera noticia de aquélla, o el que se da o pide con motivo de un fausto suceso. || ¡albricias! Expresión de júbilo.

albufera. f. GEOGR. Laguna formada del agua del mar, en playas bajas.

álbum. m. Libro en blanco, cuyas hojas se llenan con breves composiciones literarias, sentencias, piezas de música, firmas, fotos, etc.

albumen. m. BOT. Tejido que rodea el embrión de algunas plantas y le sirve de alimento cuando la semilla germina.

albúmina. f. QUÍM. Cualquiera de las numerosas sustancias albuminoideas que forman principalmente la clara del huevo. Se hallan también en el plasma sanguíneo y linfático, músculos, leche y semillas de muchas plantas. Son ricas en azufre.

albuminoide. m. QUÍM. Nombre dado a varias proteínas nitrogenadas, de composición muy compleja, las más de ellas amorfas y coloidales, constituyentes esenciales de la materia viva.

albuminoideo, a. adj. Perteneciente o relativo a los albuminoides.

albuminuria. f. PAT. Anormalidad que se presenta en algunas enfermedades y consiste en la existencia de albúmina en la orina.

albura. f. Blancura perfecta. || Clara de huevo. || BOT. Capa blanquecina que se encuentra debajo de la corteza de los troncos en los vegetales dicotiledóneos.

alca. f. ZOOL. Ave palmípeda caracterizada por un pico muy comprimido lateralmente. Muy común en regiones árticas.

alcabala. f. fig. Cualquier tributo o impuesto.

alcacer. m. BOT. Cebada verde y en hierba. || Cebadal.

alcachofa (al. *Artischocke*, fr. *artichaut*, ingl. *artichoke*, it. *carciofo*). f. BOT. Planta hortense compuesta. Sus hojas, algo espinosas, tienen unas cabezuelas que son comestibles. || Cabezuela de esta planta, del cardo y de otras análogas. || Pieza agujereada por donde sale el agua de la regadera.

alcachofal. m. Sitio plantado de alcachofas. || Terreno inculto donde abundan los alcauciles, o alcachofas silvestres. [*Sinón.*: alcachofar]

alcadafe. m. Lebrillo que los taberneros ponen debajo del grifo de las botas.

alcahuete, ta. s. Persona que procura, encubre o facilita un amor ilícito. || Por ext., lo que sirve para encubrir lo que se quiere ocultar. || fig. y fam. Persona chismosa, enredadora. Soplón, delator.

alcaide. m. El que tenía a su cargo la guarda y defensa de una fortaleza. || El que en las cárceles custodiaba los presos.

alcaldada. f. Acción imprudente y desconsiderada que ejecuta un alcalde o cualquier otra autoridad abusando del poder que ejerce.

alcalde (al. *Bürgemeister*, fr. *maire*, ingl. *mayor*, it. *síndaco*). Presidente del ayuntamiento de cada pueblo o distrito municipal.

alcaldesa. f. Mujer del alcalde. || Mujer que ejerce el cargo de alcalde.

alcaldía (al. *Bürgermeisteramt*, fr. *mairie*, ingl. *mayoralty*, it. *podestería*). f. Oficio o cargo de alcalde. || Territorio o distrito de su jurisdicción. || Oficina donde se despachan los negocios en que entiende el alcalde.

álcali (al. *Alkali*, fr. *alcali*, ingl. *alkali*, it. *alcalí*). m. QUÍM. Nombre dado a los hidróxidos metálicos muy solubles en el agua, que pueden actuar como bases enérgicas.

alcalinidad. f. Calidad de alcalino.

alcalino. adj. De álcali, o que tiene álcali.

alcaloide. m. QUÍM. Cualquiera de los productos nitrogenados que, por sus propiedades básicas, son considerados como álcalis orgánicos y se encuentran en ciertas células vegetales.

alcance. m. Seguimiento, persecución. || Distancia a que llega el brazo de una persona. || Distancia que alcanza el tiro de las armas arrojadizas o de fuego. || Correo extraordinario que se envía para alcanzar al ordinario. || fig. Capacidad o talento. Ú.m. en pl. || fig. Tratándose de obras del espíritu humano, trascendencia. || *dar alcance* a uno. Alcanzarle.

alcancía. f. Vasija cerrada, con una hendidura estrecha por donde se echan monedas para guardarlas. [*Sinón.*: hucha, cepillo]

alcanfor (al. *Kampfer*, fr. *camphre*, ingl. *camphor*, it. *confora*). m. Sustancia sólida, cristalina, blanca, volátil, de sabor urente y olor característico. Se obtiene del árbol de su nombre, y se utiliza en la industria y en medicina. || Alcanforero.

alcanforero. m. BOT. Árbol lauráceo, de madera muy compacta, hojas persistentes, flores pequeñas y blancas, y por frutos bayas negras del tamaño de guisantes. De sus ramas y raíces se extrae alcanfor por destilación.

alcantarilla (al. *Abwässerkanal*, fr. *ponceau*, ingl. *sewer*, it. *fogna*). f. Puentecillo en un camino, hecho para que por debajo de él pasen las aguas o una vía de comunicación poco importante. || Acueducto subterráneo construido para recoger las aguas llovedizas e inmundas y darles paso.

alcantarillado. m. Conjunto, sistema o red de alcantarillas.

alcanzar (al. *erreichen*, fr. *atteindre*, ingl. *to reach*, it. *raggiungere*). tr. Llegar a juntarse con una persona o cosa que va delante. || Llegar a tocar o coger. || Coger alguna cosa alargando la mano para tomarla. || Tratándose de la vista, oído u olfato, llegar a percibir con ellos. || fig. Conseguir, lograr. || fig. Tener poder, virtud o fuerza para alguna cosa. || fig. Saber, entender, comprender. || intr. Llegar hasta cierto punto o término. || En las armas arrojadizas y de fuego, llegar el tiro a cierta distancia. || Ser suficiente o bastante una cosa para algún fin. || r. Llegar a tocarse o juntarse.

alcaparra (al. *Kaperstande*, fr. *câprier*, ingl. *caper*, it. *cappero*). f. BOT. Planta caparidácea, de tallos espinosos, flores axilares blancas y por fruto el alcaparrón. || Botón de la flor de esta planta; se usa como condimento y como entremés.

alcaparrón. m. Fruto de la alcaparra; es una baya carnosa parecida a un higo pequeño.

alcaraván. m. ZOOL. Ave de la familia de los burínidos, de cabeza redondeada y grandes ojos amarillos; nidifica en espacios abiertos arenosos y pedregosos.

alcaravea. f. BOT. Planta umbelífera semejante al comino, de flores blancas y semillas estriadas por una parte y planas por otra, que, por ser aromáticas, sirven para condimento. || Semilla de esta planta.

alcarraza. f. Vasija de arcilla porosa y poco cocida que deja rezumar cierta porción de agua, cuya evaporación enfría la cantidad del mismo líquido que queda dentro.

alcarria. f. Terreno alto y, por lo general, raso y de poca hierba.

alcatifa. f. Tapete o alfombra fina. || ALBAÑ. Relleno que, para allanar, echan los albañiles en el suelo antes de enlosarlo o enladrillarlo.

alcatraz. m. ZOOL. Pelícano americano de plumaje pardo amarillento en el dorso y blanco en el pecho.

alcaucí o **alcaucil.** m. BOT. Alcachofa silvestre. || En algunas partes, alcachofa, planta hortense y cabezuela.

alcaudón. m. ZOOL. Pájaro carnívoro lánido, de plumaje ceniciento y alas y cola negras, manchadas de blanco. Fue utilizado como ave de cetrería.

alcayata. f. Escarpia.

alcayota. f. *Amer.* Cidra cayota.

alcazaba. f. Recinto fortificado situado dentro del perímetro de una población amurallada.

alcázar. m. Fortaleza, recinto fortificado. || MAR. Espacio que media desde el palo mayor hasta la popa o la toldilla, en la cubierta superior de los buques.

alce (al. *Elch,* fr. *élan,* ingl. *elk,* it. *alce*). m. ZOOL. Cuadrúpedo rumiante de la familia de los cérvidos, parecido al ciervo y tan corpulento como el caballo; tiene el cuello corto, la cabeza grande y las astas en forma de pala. || *Amer.* Acción de alzar o recoger la caña de azúcar después de cortada.

alcedón o **alción.** m. Martín pescador.

alción. m. ZOOL. Antozoo colonial cuyos pólipos están unidos entre sí por un tejido de consistencia carnosa. || n.p.m. ASTR. Estrella principal de las Pléyades.

alcista. adj. Perteneciente o relativo al alza de los valores en la bolsa. || com. Persona que juega al alza de estos valores.

alcoba. f. Aposento destinado para dormir.

alcohol (al. *Alkohol,* fr. *alcool,* ingl. *alcohol,* it. *alcool*). m. QUÍM. Cada uno de los cuerpos compuestos de carbono, hidrógeno y oxígeno que derivan de los hidrocarburos al ser sustituidos en éstos uno o varios átomos de hidrógeno por otros tantos hidroxilos. || — *etílico.* Alcohol monovalente. Es un líquido incoloro, de olor característico y que arde fácilmente. Puede obtenerse por síntesis química o por fermentación de sustancias azucaradas. || — *metílico.* Compuesto derivado del metano. Se obtiene por destilación de la madera.

alcoholado, da. adj. Se aplica al animal que tiene el pelo de alrededor de los ojos más oscuro que lo demás. || m. Compuesto orgánico cargado de principios medicamentosos y preparado por solución, maceración o digestión.

alcoholar. tr. Lavar los ojos con alcohol para limpiarlos o curarlos. || MAR. Embrear lo calafateado. || QUÍM. Obtener alcohol de una sustancia por destilación o fermentación.

alcoholero, ra. adj. Dícese de lo relativo a la producción y comercio del alcohol.

alcoholicidad. f. Grado alcohólico de los licores.

alcohólico, ca. adj. Que contiene alcohol. || Referente al alcohol o producido por él. || Alcoholizado. Ú.t.c.s.

alcoholificación. f. Fermentación alcohólica.

alcoholímetro. m. Aparato que sirve para apreciar la graduación alcohólica de un líquido o un gas.

alcoholismo (al. *Trunksucht,* fr. *alcoolisme,* ingl. *alcoholism,* it. *alcoolismo*). m. Abuso de las bebidas alcohólicas. || Enfermedad generalmente crónica ocasionada por tal abuso.

alcoholización. f. Acción y efecto de alcoholizar o alcoholizarse.

alcoholizado, da. adj. Dícese del que padece alcoholismo.

alcoholizar. tr. Echar alcohol en un líquido. || r. Intoxicarse con bebidas alcohólicas.

alcor. m. Colina o collado. || GEOL. Paraje situado en la parte alta de una cuesta, desde el que se divisa amplio panorama.

Alcorán. n.p.m. Libro en que se contienen las revelaciones que Mahoma supuso recibidas de Dios y que es base de la religión musulmana. También llamado Corán.

alcornocal. m. Sitio poblado de alcornoques.

alcornoque (al. *Korkeiche,* fr. *chêne liège,* ingl. *cork-tree,* it. *sughero —albero—*). m. BOT. Árbol cupulífero de madera durísima, corteza revestida de una capa muy gruesa y fofa de corcho, flores poco vistosas y bellotas por frutos. || fig. Persona ignorante y zafia. Ú.t.c.adj.

alcorque. m. Hoyo que se hace al pie de las plantas para detener el agua en los riegos.

alcorza. f. Pasta blanca de azúcar y almidón con la cual se suelen cubrir varios géneros de dulces.

alcotán. m. Ave rapaz diurna semejante al alcón.

alcotana. f. Herramienta de albañil con dos bocas, una en forma de azuela y otra en forma de hacha y que tiene en medio un anillo en que se asegura el mango.

alcudia. f. Collado, cerro.

alcurnia. f. Ascendencia, linaje.

alcuza. f. Vasija de forma cónica que contiene el aceite para el uso ordinario.

aldaba (al. *Türklopfer,* fr. *heurtoir,* ingl. *knocker,* it. *battente*). f. Pieza de hierro o bronce que se pone a las puertas para llamar golpeando con ella. || Pieza de hierro, fija en la pared, para

atar de ella una caballería. || Barreta de metal o travesaño de madera con que se aseguran, después de cerrados, los postigos o puertas [*Sinón.*: llamador, balda]

aldabada. f. Golpe que se da en la puerta con la aldaba.

aldabazo. m. Golpe recio dado con la aldaba.

aldabear. intr. Dar aldabadas.

aldabeo. m. Acción de aldabear.

aldabilla. f. Pieza de hierro de figura de gancho que, con una hembrilla, sirve para cerrar puertas, cofrecillos, etc.

aldabón. m. aum. de aldaba. || Aldaba, llamador. || Asa grande de cofre.

aldabonazo. m. Golpe dado con la aldaba o el aldabón.

aldea (al. *Dorf,* fr. *hameau,* ingl. *hamlet,* it. *villaggio*). f. Pueblo de reducido vecindario y, por lo común, sin jurisdicción propia.

aldeano, na. adj. Natural de una aldea. Ú.t.c.s. || Perteneciente o relativo a la aldea. || fig. Inculto, rústico.

aldehído. m. QUÍM. Cuerpo resultante de la deshidrogenación de un alcohol primario.

alderredor. adv. l. Alrededor.

aldorta. f. ZOOL. Ave zancuda, de unos dos decímetros de altura, que tiene en la cabeza un penacho formado por tres plumas blancas y eréctiles.

aleación (al. *Metallegierung,* fr. *alliage,* ingl. *alloy,* it. *lega*). f. Acción y efecto de alear metales fundiéndolos. || METAL. Producto homogéneo, de propiedades metálicas, compuesto de dos o más elementos, uno de los cuales, al menos, debe ser un metal.

alear. intr. Mover las alas. || fig. Mover los brazos a modo de alas. || fig. Cobrar aliento o fuerzas el convaleciente o el que se repone de algún trabajo.

alear (al. *legieren,* fr. *allier,* ingl. *to alloy,* it. *legare*). tr. METAL. Mezclar, fundiéndolos, un metal con otros elementos (metálicos o no) para darle determinadas propiedades.

aleatorio, ria. adj. Perteneciente o relativo al juego de azar. || Dependiente de algún suceso fortuito.

aleccionador, ra. adj. Que alecciona. [*Sinón.*: ejemplar]

aleccionar (al. *unterrichten,* fr. *enseigner,* ingl. *to teach,* it. *insegnare*). tr. Instruir, amaestrar, enseñar. Ú.t.c.r.

aledaño, ña. adj. Confinante, lindante. || Se dice de la tierra, el campo, etc., que linda con un pueblo o con otro campo, y que se considera parte accesoria de ellos. Ú.t.c.s.m. y más en pl.

alefriz. m. MAR. Ranura que se abre a lo largo de la quilla, roda y codaste de un buque para que en ella encajen los tablones.

alegación. f. Acción de alegar. || Alegato.

alegador, ra. adj. *Amer.* Discutidor, amigo de disputas.

alegamar. tr. Echar légamo en las tierras para beneficiarlas.

alegar (al. *zitieren, beibringen;* fr. *alléguer;* ingl. *to adduce;* it. *allegare*). tr. Citar, traer uno a favor de su propósito, como prueba, disculpa o defensa, algún hecho, dicho o ejemplo. || *Amer.* Disputar, altercar.

alegato. m. DER. Escrito en el cual expone el abogado las razones que sirven de fundamento al derecho de su cliente e impugna las del adversario. || Por ext., razonamiento o exposición de motivos aun fuera de lo judicial.

alegoría (al. *Allegorie,* fr. *allégorie,* ingl. *allegory,* it. *allegoria*). f. Ficción por la que una cosa representa o significa otra diferente. || Obra o composición literaria o artística de sentido alegórico. [*Sinón.:* símbolo, imagen]

alegórico, ca (al. *allegorisch,* fr. *allégorique,* ingl. *allegorical,* it. *allegorico*). adj. Perteneciente o relativo a la alegoría.

alegra. f. MAR. Barrena para taladrar los maderos que han de emplearse como tubos de bomba.

alegrar (al. *erfreuen,* fr. *égayer,* it. *to make glad,* it. *rallegrare*). tr. Causar alegría. || fig. Avivar, dar más apacible vista a lo inanimado. || fig. Tratándose del fuego o la luz, avivarlos. || MAR. Aflojar un cabo para disminuir su trabajo, y también aliviar una embarcación para que no trabaje mucho a causa del mar. || r. Recibir o sentir alegría. || fig. y fam. Ponerse uno alegre por exceso de bebida.

alegre (al. *fröhlich,* fr. *gai,* ingl. *glad,* it. *allegro*). adj. Lleno de alegría. || Que ocasiona alegría. || fig. Aplicado a colores, vivo, como el rojo. || fig. y fam. Excitado alegremente por la bebida. || fig. y fam. Algo o alguien libre o deshonesto.

alegreto. adv. m. MÚS. Con movimiento menos vivo que el alegro.

alegría (al. *Freude,* fr. *joie,* ingl. *joy,* it. *allegría*)(f. Grato y vivo movimiento del ánimo. || Cante popular andaluz de tonada viva; baile de la misma

tonada. || BOT. Ajonjolí, plata y su simiente.

alegro. adv. m. MÚS. Con movimiento moderadamente vivo. || m. Composición o parte de ella que se ha de ejecutar con este movimiento.

alegrón. m. fam. Alegría viva y repentina.

alejamiento. m. Acción y efecto de alejar o alejarse.

alejandrino, na. adj. Natural de Alejandría. Ú.t.c.s. || Perteneciente a esta ciudad de Egipto. || Perteneciente a Alejandro Magno.

alejandrino. adj. LIT. Dícese del verso castellano de catorce sílabas, dividido en dos hemistiquios. Ú.t.c.s.

alejar (al. *entfernen,* fr. *éloigner,* ingl. *to remove,* it. *allontanare*). tr. Poner lejos o más lejos. Ú.t.c.r. [*Sinón.:* apartar, rechazar. *Antón.:* acercar]

alelado, da. adj. Dícese de la persona lela o tonta.

alelamiento. m. Efecto de alelarse.

alelar. tr. Poner lelo. Ú.m.c.r.

alelí. m. Alhelí.

alelo. m. Gen alelomorfo.

alelomorfo, fa. adj. BIOL. Que se presenta bajo diversas formas. || BIOL. Dícese de los genes que tienen la misma función, pero distintos efectos, y que ocupan el mismo lugar en dos cromosomas homólogos. Ú.t.c.s.

aleluya. f. Voz que usa la Iglesia como expresión de júbilo, especialmente en tiempo de Pascua. Ú.t.c.s.amb. || Interj. que se emplea para demostrar alegría. || m. Tiempo de Pascua. || Cada una de las hojas que, contenidas en un pliego, explican un asunto, generalmente en versos pareados. || pl. fig. y fam. Versos prosaicos y de puro sonsonete.

alella. m. Vino blanco de fina calidad, que se cría y elabora en la localidad catalana de este nombre.

alema. f. Porción de agua de regadío que se reparte por turno.

alemán, na. adj. Natural de Alemania. Ú.t.c.s. || Perteneciente a este país de Europa. || m. Idioma alemán.

alentar (al. *ermutigen,* fr. *encourager,* ingl. *to encourage,* it. *incoraggiare*). intr. Respirar. || tr. Animar, infundir aliento, dar vigor. Ú.t.c.r. || *Amer.* Dar a luz. || r. Mejorar, convalecer o restablecerse de una enfermedad.

aleonado, da. adj. Leonado, de color rubio oscuro.

alepín. m. Tela muy fina de lana.

alerce. m. BOT. Árbol conífero que

adquiere considerable altura, y cuyo fruto es una piña menor que la del pino. || Madera de este árbol, que es aromática.

alérgeno. m. MED. Sustancia capaz de producir en el organismo un estado de alergia.

alergia (al. *Allergie,* fr. *allergie,* ingl. *allergy,* it. *allergia*). f. FISIOL. Conjunto de fenómenos de carácter respiratorio, nervioso o eruptivo, producidos por la absorción de ciertas sustancias que dan al organismo una sensibilidad especial ante una nueva acción de tales sustancias aun en cantidades mínimas. || Por ext., sensibilidad extremada y contraria respecto a ciertos temas, personas o cosas.

alérgico, ca. adj. Perteneciente o relativo a la alergia.

alergista. com. Médico especializado en afecciones alérgicas.

alero (al. *Vordach,* fr. *avant-toit,* ingl. *eaves,* it. *grondaia*). m. Parte inferior del tejado que sobresale de la pared y sirve para desviar de ellas las aguas llovedizas.

alerón (al. *Landeklappe,* fr. *aileron,* ingl. *aileron,* it. *alettone*). m. MAR. Cada una de las extremidades laterales del puente de un buque. || AER. Cada uno de los planos móviles situados en la extremidad y detrás de las alas del avión, que permiten inclinar o enderezar lateralmente el aparato.

alerta. adv. m. Con vigilancia y atención. Ú. con los verbos *estar, andar, vivir,* etc. || Voz que se emplea para excitar la vigilancia. Ú.t.c.s.f. || adj. Atento, despierto, vigilante.

alertar (al. *aufmerksam machen,* fr. *alerter,* ingl. *to warn,* it. *mettere in guardia*). tr. Poner alerta.

alerto, ta. adj. Vigilante, atento.

aleta (al. *Flosse,* fr. *nageoire,* ingl. *fin,* it. *pinna*). f. ZOOL. Cada una de las membranas externas, a manera de alas, que tienen los peces, sirenios y cetáceos y con las cuales se ayudan para nadar.

aletada. f. Movimiento de las alas.

aletargar. tr. Causar letargo. || r. Padecerlo. [*Sinón.:* adormecer, amodorrar]

aletear (al. *mit den Flügeln schlagen,* fr. *battre les ailes,* ingl. *to flap wing,* it. *aleggiare*). intr. Mover las aves frecuentemente fas alas sin echar a volar. || Mover los peces las aletas cuando se les saca del agua. || fig. Mover los brazos. || fig. Cobrar aliento.

alevín. m. Cría de peces que se utiliza para repoblar ríos, lagos y estanques. ‖ fig. Joven principiante que se inicia en una disciplina, deporte o profesión.

alevosamente. adv. m. Con alevosía.

alevosía (al. *Treulosigkeit*, fr. *traîtrise*, ingl. *treacherousnes*, it. *tradimento*). f. Cautela para asegurar la comisión de un delito. ‖ Traición, perfidia.

alevoso, sa. adj. Dícese del que comete alevosía. Ú.t.c.s. ‖ Que implica alevosía o se hace con ella.

alexia. f. PAT. Pérdida de la capacidad de leer, a pesar de conservar la visión. Se denomina también *ceguera verbal.*

alexifármaco, ca. adj. FARM. Aplícase al medicamento preservativo o correctivo de la acción del veneno.

aleya. f. Versículo del Corán.

alfa. f. Primera letra del alfabeto griego *(A, α);* corresponde a nuestra *a.*

alfabético, ca. adj. Perteneciente o relativo al alfabeto.

alfabetización. f. Acción y efecto de alfabetizar.

alfabetizar. tr. Ordenar alfabéticamente. ‖ Enseñar a leer y a escribir a los analfabetos.

alfabeto (al. *Alphabet*, fr. *alphabet*, ingl. *alphabet*, it. *alfabeto*). m. Vocablo derivado de *alfa* y *beta*, las dos primeras letras griegas y que significa abecedario es decir, serie de letras de un idioma. ‖ Conjunto de los símbolos empleados en un sistema de comunicación. ‖ En informática, sistema de signos convencionales, como perforaciones en tarjetas, u otros, que sirve para sustituir al conjunto de las letras y de los números.

alfaida. f. La crecida del río por el flujo de la pleamar.

alfalfa (al. *Luzerne*, fr. *luzerne*, ingl. *luzerne*, it. *erba medica*). f. AGR. Mielga común que se cultiva para forraje. ‖ BOT. Arbusto siempre verde, papilionáceo, con las flores amarillas. Originario de Italia, se cultiva como planta ornamental y para forraje.

alfalfal o alfalfar. m. AGR. Terreno sembrado de alfalfa.

alfalfar. tr. *Amer.* Sembrar un terreno de alfalfa.

alfanje. m. Especie de sable corvo, con filo solamente por un lado, y por los dos en la punta. ‖ Pez espada.

alfaque. m. Banco de arena, localizado generalmente en la desembocadura de los ríos. Ú.m. en pl.

alfar. m. Obrador de alfarero. ‖ Arcilla.

alfarería (al. *Töpferwerkstatt*, fr. *poterie*, ingl. *pottery*, it. *stoviglieria*). f. Arte de fabricar vasijas de barro. ‖ Obrador donde se fabrican. ‖ Lugar donde se venden.

alfarero (al. *Töpfer*, fr. *potier*, ingl. *potter*, it. *vasaio*). m. Fabricante de vasijas u otros objetos de barro.

alfarje. m. La piedra baja del molino de aceite. ‖ Techo o pavimento con maderas labradas y entrelazadas artísticamente.

alfarjía. f. Madero de sierra, sin largo determinado, que se emplea principalmente para cercos de puertas y ventanas.

alféizar (al. *Anschlag*, fr. *ébrasement*, ingl. *splay of a window*, it. *strombatura*). m. ARQ. Vuelta o derrame que hace la pared en el corte de una puerta o ventana, hacia adentro y afuera.

alfeñique. m. Pasta de azúcar cocida y estirada en barras muy delgadas y retorcidas. ‖ fig. y fam. Persona muy delicada de cuerpo y complexión.

alférez (al. *Unterleutnant*, fr. *souslieutenant*, ingl. *second lieutenant*, it. *sottotenente*). m. Oficial del ejército cuyo empleo, comúnmente provisional, sigue en categoría al de teniente y desempeña las mismas funciones que éste. ‖ *— de fragata.* Grado de la marina de guerra que equivale al de segundo teniente del ejército. ‖ *— de navío.* Grado de la marina de guerra que equivale al de teniente del ejército.

alfil (al. *Läufer*, fr. *fou —des échecs—*, ingl. *bishop —inchess—*, it. *afiere*). m. Pieza del juego de ajedrez que camina diagonalmente por las casillas de su color, y puede recorrer de una vez todas las que halla libres.

alfiler (al. *Stecknadel*, fr. *épingle*, ingl. *pin*, it. *spillo*). m. Clavillo metálico muy fino, que sirve generalmente para sujetar alguna parte de los vestidos, los tocados y otros adornos de la persona. ‖ Joya semejante al alfiler común, o de figura de broche, que se usa para sujetar exteriormente alguna prenda del traje, o por adorno. ‖ m. pl. Cantidad de dinero señalada a una mujer para costear su adorno. ‖ *— de gancho. Amer.* Imperdible.

alfilerazo. m. Punzada de alfiler. ‖ fig. Pulla.

alfiletero. m. Especie de cañuto que sirve para tener en él alfileres y agujas. ‖ Acerico, almohadilla.

alfombra (al. *Teppich*, fr. *tapis*, ingl. *carpet*, it. *tappeto*). f. Tejido de lana u otras materias y varios dibujos y colores, con que se cubre el piso de las habitaciones y escaleras. ‖ fig. Conjunto de cosas que cubren el suelo.

alfombrado, da. adj. Que tiene alfombras. ‖ m. Conjunto de alfombras de una casa o habitación. ‖ Acción de alfombrar.

alfombrar. tr. Cubrir el suelo con alfombras.

alfóncigo. BOT. Árbol de la familia de las terebintáceas, de hojas compuestas, flores en maceta y fruto dulce y comestible con el que se elaboran confituras. ‖ Fruto de este árbol.

alfonsí. adj. Alfonsino.

alfonsino, na. adj. Perteneciente o relativo a alguno de los reyes españoles llamados Alfonso, o partidario suyo. Ú.t.c.s.

alforfón. BOT. Planta poligonácea, de fruto negruzco y triangular del cual se obtiene pan. ‖ Semilla de esta planta.

alforja. (al. *Quersack*, fr. *besace*, ingl. *sadlebag*, it. *bisaccia*). f. Especie de talega abierta por el centro y cerrada por sus extremos, los cuales forman dos bolsas, partiendo el peso para mayor comodidad. Ú.m. en pl. ‖ Provisión de comestibles para el camino.

alforza. f. Pliegue o doblez que se hace en ciertas prendas como adorno o para acortarlas y poderlas alargar cuando sea necesario. ‖ fig. Costurón, cicatriz, grieta.

alga (al. *Alge*, fr. *algue*, ingl. *seaweed*, it. *alga*). f. BOT. Cualquiera de las plantas celulares acuáticas provistas de clorofila, con tallos de figura de cintas, filamentos o ramificaciones, sostenidos por una base común. ‖ pl. Clase de estas plantas.

algaida. f. Bosque o sitio lleno de matorrales espesos.

algalia. f. Sustancia untuosa de olor fuerte y sabor acre, que se extrae de la bolsa que tiene el gato de algalia cerca del ano. Se emplea en perfumería. ‖ CIR. Instrumento que se usa para las operaciones de vejiga, para la dilatación de la uretra y para dar curso y salida a la orina.

algar. m. Mancha grande de algas en el fondo del mar.

algara. f. Tropa de a caballo que salía a correr y robar en tierra enemiga. ‖ Correría de esta tropa.

algarabía. f. Lengua árabe. ‖ fig. y fam. Lengua o escritura ininteligible. ‖ Manera de hablar atropelladamente. ‖ Gritería confusa de varias personas que hablan a un tiempo.

35   ALEVOSAMENTE-ALGARABÍA

algarada. f. Algara. ‖ Vocerío grande causado por una algara o por un tropel de gente. ‖ Motín, tumulto.

algarroba (al. *Johannisbrot*, fr. *caroube*, ingl. *carob*, it. *carruba*). f. Bot. Planta leguminosa, de flores blancas. ‖ Semilla de esta planta, de color oscuro; seca, se da a comer a las caballerías. ‖ Fruto del algarrobo, es una vaina grande y carnosa, rica en sustancias azucaradas. Se emplea como alimento del ganado y en licorería.

algarrobal. m. Sitio sembrado de algarrobas. ‖ Sitio poblado de algarrobos.

algarrobillo. m. *Amer.* Algarroba, fruto del algarrobo.

algarrobo (al. *Echter Johannisbrotbaum*, fr. *caroubier*, ingl. *carob-tree*, it. *carrubo*). m. Bot. Árbol papilonáceo de la familia de las leguminosas, que crece en la región mediterránea. Su fruto es la algarroba.

algazara. f. Vocerío de las tropas al acometer al enemigo. ‖ Ruido de muchas personas juntas o de una sola, griterío. ‖ Algara. [*Sinón.*: alboroto, gresca]

álgebra (al. *Algebra*, fr. *algèbre*, ingl. *algebra*, it. *algebra*). f. Parte de las matemáticas que trata de la cantidad considerada en general, sirviéndose para representarla de letras u otros signos especiales.

algebraico, ca (al. *algebraisch*, fr. *algébrique*, ingl. *algebraic*, it. *algebrico*). adj. Perteneciente o relativo al álgebra. [*Sinón.*: algébrico]

algebrista. com. Persona que estudia, profesa o sabe el álgebra.

-algia. Elemento que entra pospuesto en la formación de algunas voces con el significado de *dolor*.

algidez. f. Med. Frialdad glacial.

álgido, da (al. *eisig*, fr. *algide*, ingl. *algid*, it. *algido*). adj. Muy frío. ‖ Med. Acompañado de sensación de frío glacial. ‖ fig. Dícese del momento o período crítico o culminante de algunos procesos orgánicos, físicos, políticos, sociales, etc.

algo (al. *etwas*, fr. *quelque chose*, ingl. *something*, it. *qualcosa*). pron. indet. con que se designa una cosa que no se quiere o no se puede nombrar. ‖ También denota cantidad indeterminada. ‖ adv. c. Un poco, no completamente del todo. ‖ *algo es algo.* Más vale algo que nada. ‖ *por algo.* loc. fam. Por algún motivo.

algodón (al. *Baumwolle*, fr. *coton*, ingl. *cotton*, it. *cotone*). m. Bot. Planta malvácea de flores amarillas con manchas encarnadas, cuyo fruto es una cápsula que contiene de quince a veinte semillas envueltas en una borra muy larga y blanca que sale al abrirse la cápsula. ‖ Esta borra. ‖ Hilado o tejido hecho de borra de algodón. ‖ *entre algodones.* fig. Con regalo, con delicadeza.

algodonal. m. Terreno poblado de plantas de algodón. ‖ Algodón, planta.

algodonero, ra. adj. Perteneciente o relativo al algodón. ‖ s. Persona que trata en algodón. ‖ m. Algodón, planta.

algodonoso, sa. adj. Parecido por su suavidad al algodón.

algonquino. m. Indígena americano de un pueblo que habitó en Canadá y norte de Estados Unidos. ‖ Lengua hablada por este pueblo.

algoritmia. f. Mat. Ciencia del cálculo aritmético y algebraico; teoría de los números.

algoritmo (al. *Algorithmus*, fr. *algorithme*, ingl. *algorithm*, it. *algoritmo*). m. Mat. Algoritmia. ‖ Método y notación de las distintas formas de cálculo.

alguacil (al. *Gerichtsdiener*, fr. *alguazil*, ingl. *constable*, it. *ufficiale giudiziario*). m. Oficial inferior de justicia que ejecuta las órdenes del tribunal a quien sirve. ‖ *Amer.* Libélula.

alguacilía. f. Empleo de alguacil.

alguacilillo. m. Taurom. Cada uno de los dos alguaciles que en las plazas de toros preceden a la cuadrilla durante el paseíllo. Reciben del presidente la llave del toril y son los encargados de entregar los trofeos conquistados.

alguerés. adj. Natural de Alguer. Ú.t.c.s. ‖ Perteneciente o relativo a esta ciudad de Cerdeña. ‖ m. Dialecto del catalán que se habla en Alguer.

alguien (al. *jemand*, fr. *quelqu'un*, ingl. *somebody*, it. *qualcuno*). pron. indet. con que se significa vagamente una persona cualquiera que no se nombra ni determina. ‖ m. fam. Persona de alguna importancia.

algún. adj. Apócope de alguno. No se emplea sino antepuesto a nombres masculinos.

alguno, na (al. *jemand*, fr. *quelqu'un*, ingl. *someone*, it. *qualcuno*). adj. que se aplica indeterminadamente a una persona o cosa. ‖ Ni poco ni mucho; bastante. ‖ pron. indet. Alguien.

alhaja (al. *Juwel*, fr. *bijou*, ingl. *jewel*, it. *gioiello*). f. Joya, pieza de oro o plata que sirve para adorno personal. ‖ Adorno o mueble precioso. ‖ fig. Cualquier cosa de mucho valor o estima. ‖ fig. y fam. Persona o animal de excelentes cualidades.

alharaca. f. Extraordinaria demostración con que, por ligero motivo, se manifiesta la vehemencia de algún afecto, como ira, alegría, etc. Ú.m. en pl.

alhelí. Bot. Planta crucífera que se cultiva para adorno y cuyas flores, según sus variedades, son sencillas o dobles, de varios colores y con grato olor.

alheña. f. Bot. Arbusto oleáceo, de flores pequeñas y olorosas, y cuyas hojas reducidas a polvo sirven para teñir. ‖ Este mismo polvo. ‖ Flor de este arbusto. ‖ Roya o tizón.

alhóndiga. f. Casa pública destinada a la compra y venta del trigo y también para el depósito y comercio de otros granos, comestibles o mercaderías.

alhondigaje. m. *Amer.* Almacenaje.

alhorre. m. Excremento de los niños recién nacidos. ‖ Med. Erupción en la piel del cráneo, el rostro, las nalgas o los muslos de los recién nacidos.

alhucema. f. Bot. Espliego.

alhucemilla. f. Bot. Planta labiada de tallo leñoso, hojas vellosas, flores azules y semilla menuda. Es comestible.

alhuceña. f. Bot. Planta crucífera de hojas largas, hendidas y vellosas, flores blancas y fruto comestible.

aliáceo, ea. adj. Perteneciente al ajo, o que tiene su olor y sabor.

aliado, da. adj. Dícese de la persona o país unido o coligado con otro u otros. Ú.t.c.s.

aliadófilo, la. adj. Dícese del que durante las guerras europeas de 1914 y 1939 fue partidario de las naciones aliadas en contra de Alemania.

aliaga. f. Aulaga.

alianza. f. Acción de aliarse dos o más naciones, gobiernos o personas. ‖ Pacto o convención. ‖ Anillo de esponsales. [*Sinón.*: coalición, acuerdo; casamiento]

aliar. tr. Aunar; poner de acuerdo y reunir para un fin común. ‖ rec. Unirse o coligarse, mediante tratado, los Estados unos con otros. Ú.t.c.r. ‖ Unirse o coligarse con otro. Ú.t.c.r. [*Sinón.*: pactar, asociarse]

aliaria. f. Planta crucífera, de flores blancas en espiga terminal que despide un olor parecido al del ajo y cuyas semillas se usan para condimento.

alias. adv. lat. De otro modo, por otro nombre. || m. Apodo.

alible. adj. Que puede alimentar o nutrir.

álica. f. Puches de varias legumbres y especialmente de espelta.

alicaído, da. adj. Caído de alas. || fig. y fam. Débil, falto de fuerzas. || fig. y fam. Triste y desanimado.

alicántara. f. Alicante, víbora.

alicante. m. ZOOL. Especie de víbora de siete a ocho centímetros de largo. Muy venenosa. Se cría en el mediodía de Europa.

alicantina. f. fam. Treta, astucia con que se procura engañar.

alicantino, na. adj. Natural de Alicante. Ú.t.c.s. || Perteneciente a esta ciudad o a su provincia.

alicanto. m. BOT. Arbusto originario de América del Sur, muy cultivado en los jardines de Chile por su olorosa flor.

alicatado, da. m. Obra de azulejos, generalmente de estilo árabe.

alicatar. tr. Azulejar. || ALBAÑ. Cortar o raer los azulejos para darles la forma conveniente.

alicate (al. *Zange*, fr. *pinces*, ingl. *pliers*, it. *pinzette*). m. Tenacillas de acero que sirven para coger y sujetar objetos menudos o para torcer alambres, etc. Ú.t. en pl. || fig. *Amer.* Cómplice.

aliciente. m. Atractivo o incentivo.

alicortar. tr. Cortar las alas. || Herir a las aves en las alas dejándolas impedidas para volar.

alicrejo. m. *Amer.* Caballo flaco y viejo. || Trasto.

alícuota. adj. Apl. a la parte que mide a su todo, exactamente. || Proporcional.

alidada. f. Regla fija o móvil que lleva perpendicularmente y en cada extremo una pínula, y que en instrumentos de topografía sirve para dirigir visuales.

alienación. f. Acción y efecto de alienar. || MED. Término genérico de los trastornos mentales.

alienado, da (al. *geisteskrank*, fr. *aliéné*, ingl. *mad*, it. *alienato*). adj. Loco, demente. Ú.t.c.s. [*Sinón.*: enajenado, orate]

alienar. tr. Enajenar. Ú.t.c.r.

alienígena. adj. Extranjero. Ú.t.c.s.

alienígeno, na. adj. Extraño, no natural.

alienismo. m. Ciencia y profesión del alienista.

alienista (al. *irrenarzt*, fr. *aliéniste*, ingl. *alienist*, it. *alienista*). adj. Dícese del médico especialmente dedicado al estudio y curación de las enfermedades mentales. Ú.t.c.s.

aliento (al. *Atem*, fr. *haleine*, ingl. *breath*, it. *alito*). m. Acción de alentar. || Respiración, aire que se respira. || fig. Vigor del ánimo, valor, esfuerzo. Ú.t. en pl. || fig. Soplo, álito.

aligación. f. Ligazón, trabazón o unión de una cosa con otra.

aligator o **aligátor.** m. ZOOL. Caimán.

aligeramiento. m. Acción y efecto de aligerar o aligerarse.

aligerar (al. *erleichtern*, fr. *soulager*, ingl. *to lighten*, it. *alleggerire*). tr. Hacer ligero o menos pesado. Ú.t.c.r. || Abreviar, acelerar. || fig. Aliviar.

alígero, ra. adj. poét. Alado. || fig. y poét. Rápido, veloz, muy ligero.

aligustre. m. BOT. Alheña.

alijar. m. Terreno inculto. || Dehesa. || Cortijo, tierra y casa de labor. || Serranía. || tr. Aligerar la carga de una embarcación o desembarcarla toda. || Transbordar o echar en tierra género de contrabando. || Separar la borra de la simiente del algodón.

alijo (al. *Lichtung*, fr. *allégement*, ingl. *lightening*, it. *alleggiamento*). m. Acción de alijar. || Conjunto de géneros de contrabando.

alimaña. f. Animal, y especialmente el perjudicial a la caza menor o a la ganadería.

alimentación (al. *Ernährung*, fr. *alimentation*, ingl. *feeding*, it. *alimentazione*). f. Acción y efecto de alimentar o alimentarse. || Conjunto de lo que se toma o se proporciona como alimento.

alimentar (al. *enähren*, fr. *alimenter*, ingl. *to feed*, it. *alimentare*). tr. Dar alimento, sustentar. Ú.t.c.r. || TÉCN. Suministrar a una máquina la materia que necesita para seguir funcionando. || fig. Hablando de virtudes, vicios y afectos del alma, sostenerlos, fomentarlos.

alimentario, ria. adj. Propio de la alimentación, referente a ella.

alimenticio, cia. adj. Que alimenta o tiene la propiedad de alimentar. || Referente a los alimentos o a la alimentación.

alimento (al. *Nahrung*, fr. *aliment*, ingl. *food*, it. *alimento*). m. Cualquier sustancia que sirve para nutrir por medio de la absorción y de la asimilación. || fig. Lo que sirve para mantener la existencia de algunas cosas que, como el fuego, necesitan de pábulo o pasto. || fig. Tratándose de cosas incor-

póreas, como virtudes, vicios, etc., sostén, fomento.

alimentoso, sa. adj. Que nutre mucho.

alimón (al). m. adv. TAUROM. Se dice de la suerte del toreo que realizan dos lidiadores, asiendo cada uno el capote de un extremo y haciendo pasar el toro entre ellos. || Por ext., se aplica a algunas actividades hechas en colaboración.

alimonarse. r. Enfermar ciertos árboles, tomando sus hojas color amarillento.

alindar. tr. Poner o señalar los lindes de una heredad. || Poner lindo. Ú.t.c.r.

alineación. tr. Acción y efecto de alinear o alinearse. || f. Conjunto de elementos colocados en línea recta. || Formación deportiva.

alinear (al. *ausrichten*, fr. *aligner*, ingl. *to align*, it. *allineare*). tr. Poner en línea recta. Ú.t.c.r. || DEP. Incluir al jugador en un equipo para jugar un determinado partido.

aliñado, da. adj. Aseado, dispuesto; aderezado.

aliñar. tr. Aderezar, componer, adornar; condimentar; preparar; mezclar bebidas.

aliño. m. Acción y efecto de aliñar o aliñarse. || Aquello con que se aliña alguna persona o cosa. || Disposición y aparato para hacer alguna cosa. || Aseo, buen orden en la limpieza de cosas y lugares, y en el atuendo de las personas. || Condimento con que se sazona la comida.

alioli. m. Ajiaceite.

¡alirón! interj. de júbilo o de ánimo en manifestaciones deportivas. Ú.t.c.s.m.

alisar (al. *glätten*, fr. *polir*, ingl. *to make smooth*, it. *lisciare*). tr. Poner lisa alguna cosa. Ú.t.c.r. [*Sinón.*: pulir, tersar. *Antón.*: arrugar]

alisios. adj. pl. METEOR. Dícese de los vientos fijos que soplan de la zona tórrida, con inclinación al Nordeste o Sudeste, según el hemisferio en que reinan. Ú.t.c.s.

aliso. m. BOT. Árbol betuláceo que crece en terrenos húmedos y cuya madera, muy dura, se emplea en la construcción de instrumentos musicales y otros objetos. || Madera de este árbol.

alistamiento (al. *Aushebung*, fr. *enrôlement*, ingl. *enlistement*, it. *arruolamento*). m. Acción de alistar o alistarse, inscribir a uno en lista. || Conjunto de mozos a quienes cada año obliga el servicio militar.

alistar (al. *enschreiben*, fr. *enrôler*, ingl. *to enlist*, it. *arruolare*). tr. Sentar o escribir en lista a alguno. Ú.t.c.r. || r. Sentar plaza en la milicia.

aliteración. f. RET. Repetición de fonemas o grupos de fonemas, con valor expresivo, aunque no necesariamente onomatopéyico. || Defecto de estilo en que el hablante o el escritor incurren involuntariamente, repitiendo con proximidad un mismo sonido o grupo de sonidos.

aliviadero. m. Vertedero de aguas sobrantes embalsadas o canalizadas.

aliviar (al. *erleichtern*, fr. *soulager*, ingl. *to relieve*, it. *alleviare*). tr. Aligerar, hacer menos pesado. || Quitar a una persona o cosa parte del peso que sobre ella carga. Ú.t.c.r. || fig. Mitigar la enfermedad o dar mejoría al enfermo. Ú.t.c.r. || fig. Disminuir las fatigas del cuerpo o las aflicciones del ánimo. Ú.t.c.r. || fig. Tratándose de alguna obra o movimiento, aligerarlo, apresurarlo. [Sinón.: descargar, curar. Antón.: apesadumbrar, enfermar]

alivio. m. Acción y efecto de aliviar o aliviarse.

alizarina. f. Material colorante que se extrae de la raíz de rubia.

aljaba. f. Caja portátil para llevar flechas.

aljama. f. Junta de moros o judíos. || Sinagoga, templo judío. || Morería o judería. || Mezquita.

aljamía. f. Nombre que daban los moros a la lengua castellana. Hoy se aplica a los escritos de los moriscos en romance con caracteres arábigos.

aljez. m. Mineral de yeso.

aljibe. m. Cisterna. || MAR. Embarcación o buque acondicionados para el transporte de agua dulce. || MAR. Cada una de las cajas metálicas en que se tiene el agua a bordo.

aljófar. m. Perla de figura irregular y, comúnmente, pequeña. || Conjunto de perlas de esta clase.

aljofarar. tr. Cubrir o adornar con aljófar alguna cosa.

aljuba. f. Vestidura morisca, especie de gabán con mangas cortas y estrechas, que usaron también los cristianos españoles.

alma (al. *Seele*, fr. *âme*, ingl. *soul*, it. *anima*). f. Sustancia espiritual e inmortal, capaz de entender, querer y sentir, que informa al cuerpo humano y con él constituye la esencia del hombre. || Por ext., principio sensitivo que da vida e instinto a los animales, y vegetativo que nutre y acrecienta las plantas. || Vida humana. || Persona, individuo, habitante. || fig. Sustancia o parte principal de cualquier cosa. || fig. Viveza, espíritu, energía. || fig. Lo que da espíritu, aliento y fuerza a alguna cosa, o la persona que la impulsa e inspira. || Lo que se mete en el hueco de algunas piezas de poca consistencia para darles fuerza y solidez. || fig. Hueco o parte vana de algunas cosas. || Ánima del purgatorio. || ARQ. Madero que, asentado y fijo verticalmente, sirve para sostener los otros maderos o los tablones de los andamios. || — *de cántaro*. Persona sumamente ingenua, pasmada o insensible. || *caérsele* a uno *el alma a los pies*. fig. y fam. Abatirse, desanimarse. || *como alma que lleva el diablo*. fam. Con extraordinaria ligereza o velocidad y gran agitación. || *en el alma*. loc. fig. Entrañablemente. || *no tener* uno *alma*. fig. No tener compasión ni caridad. || *partir* una cosa *el alma*. fig. Causar gran aflicción o lástima.

almacén (al. *Lager*, fr. *magasin*, ingl. *storehouse*, it. *magazzino*). m. Casa o edificio donde se guardan géneros, como grano, comestibles, etc. || Local donde los géneros en él existentes se venden al por mayor. || Establecimiento comercial donde se venden géneros variados al por menor. Ú.t. en pl. || *Amer.* Tienda de comestibles y objetos de uso doméstico.

almacenaje. m. Acción y efecto de almacenar. || Derecho que se paga por guardar las cosas en un almacén o depósito.

almacenamiento. m. Acción y efecto de almacenar.

almacenar (al. *lagern*, fr. *emmagasiner*, ingl. *to store*, it. *immagazzinare*). tr. Poner o guardar en almacén. || Reunir o guardar muchas cosas.

almacenista. com. Dueño de un almacén. || Persona que despacha los géneros que en él se venden. [Sinón.: almacenero]

almáciga. f. Resina clara, translúcida, amarillenta y algo aromática, en forma de lágrimas, que se extrae de una variedad del lentisco. || Lugar en donde se siembran las semillas de las plantas para transplantarlas después a otro sitio.

almácigo. m. Lentisco.

almádana o **almádena**. f. Mazo de hierro con mango largo, para romper piedras.

almadía. f. Especie de canoa usada en la India. || Armadía.

almadiero. m. El que conduce o dirige la almadía.

almadraba. f. Pesca de atunes. || Lugar donde se hace esta pesca. || Red o cerco de redes con que se pescan atunes. || pl. Tiempo de pesca del atún.

almadrabero, ra. adj. Perteneciente o relativo a la almadraba. || m. El que se ocupa en el ejercicio de la almadraba.

almadreña. f. Zueco de madera.

almagral. m. Terreno en que abunda el almagre.

almagrar. tr. Teñir de almagre. || fig. Notar, señalar con alguna marca, infamar.

almagre. m. Óxido rojo de hierro, que suele emplearse en la pintura. || fig. Marca o señal.

almagrero, ra. adj. Dícese del terreno en que abunda el almagre.

almaizal o **almaizar**. m. Toca de gasa usada por los moros. || LIT. Humeral, paño usado en el traslado de la custodia y el copón.

almajara. f. Terreno abonado con estiércol reciente para que germinen prontamente las semillas.

almanaque (al. *Kalender*, fr. *almanach*, ingl. *almanac*, it. *almanacco*). m. Registro o catálogo que comprende todos los días del año distribuidos por meses con datos astronómicos y otros relativos a los actos religiosos y civiles, principalmente santos y festividades.

almarada. f. Puñal agudo de tres aristas y sin corte. || Aguja grande para coser alpargatas.

almarcha. f. Población situada en vega o tierra baja.

almarga. f. Marguera.

almarjal. m. Marjal, terreno pantanoso. || Terreno poblado de almarjos.

almarjo. m. Barrilla.

almástiga. f. Almáciga, resina.

almatriche. m. AGR. Reguera.

almazara. f. Molino de aceite.

almazarrón. m. Almagre, óxido.

almea. f. Mujer que entre los orientales improvisa versos y canta y danza en público. || Azúmbar, planta alismácea.

almeja (al. *Miesmuschel*, fr. *clovisse*, ingl. *clam*, it. *arsella*). f. ZOOL. Molusco bivalvo marino, de concha aplanada y de distinto color según la especie. Su carne es comestible y muy apreciada.

almena (al. *Zinne*, fr. *créneau*, ingl. *embatlement*, it. *merlo*). f. Cada uno de los prismas que coronan los muros de las antiguas fortalezas.

almenaje. m. Conjunto de almenas.

almenar. tr. Guarnecer o coronar de almenas un edificio.

almenara. f. Fuego que se hace en las atalayas o torres para dar aviso de alguna cosa.

almendra (al. *Mandel*, fr. *amande*, ingl. *almond*, it. *mandorla*). f. Bot. Fruto del almendro; es una drupa oblonga. ‖ Este fruto, separado de las capas externa y media del pericarpio. ‖ Semilla de este fruto. ‖ Semilla carnosa de cualquier fruto drupáceo. ‖ Nombre dado a varias cosas de figura de almendra.

almendrada. f. Bebida compuesta de leche de almendras y azúcar.

almendrado, da. adj. Dícese de lo que tiene figura de almendra. ‖ m. Pasta hecha con almendras, harina y miel o azúcar.

almendral. m. Sitio poblado de almendros. ‖ Almendro.

almendrilla. f. Lima rematada en figura de almendra, que usan los cerrajeros. ‖ Piedra machacada en pequeños fragmentos que se emplea en la reparación de carreteras.

almendro (al. *Mandelbaum*, fr. *amandier*, ingl. *almond-tree*, it. *mandorlo*). m. Bot. Árbol amigdaláceo de madera dura, flores blancas o rosadas, y cuyo fruto es la almendra.

almendruco. m. Fruto del almendro, con su primera cubierta verde todavía y la simiente carnosa interior a medio cuajarse.

almenilla. f. Adorno de figura de almena, en cenefas, guarniciones, etc.

almeriense. adj. Natural de Almería. Ú.t.c.s. ‖ Perteneciente a esta ciudad o a su provincia.

almiar. m. Pajar al descubierto, con un palo largo en el centro alrededor del cual se va apretando la mies, la paja o el heno.

almiarar. tr. Amontonar la paja para hacer el almiar.

almíbar (al. *Sirup*, fr. *sirop*, ingl. *sirup*, it. *sciroppo*). m. Azúcar disuelto en agua y cocido al fuego hasta que toma consistencia de jarabe. ‖ Dulce de almíbar.

almibarado, da. adj. fig. y fam. Meloso, excesivamente halagüeño y dulce. Aplícase al lenguaje de esta clase y a la persona que lo emplea.

almibarar. tr. Bañar o cubrir con almíbar. ‖ fig. Suavizar con arte y dulzura las palabras.

almidón (al. *Stärke*, fr. *amidon*, ingl. *starch*, it. *amido*). m. Fécula blanca que, en forma de granillos, se encuentra principalmente en las semillas y raíces de varias plantas.

almidonado, da. adj. fig. y fam. Dícese de la persona que se atavía con excesiva pulcritud. ‖ m. Acción y efecto de almidonar.

almidonar. tr. Mojar la ropa blanca en almidón desleído en agua.

almimbar. m. Púlpito de las mezquitas.

alminar. m. Torre de las mezquitas, desde cuya altura convoca el almuédano a los mahometanos en las horas de oración.

almiranta. f. Mujer del almirante. ‖ Nave a cuyo bordo iba el segundo jefe de una armada, escuadra o flota.

almirantazgo (al. *Admiralität*, fr. *amirauté*, ingl. *admiralty*, it. *ammiragliato*). m. Alto tribunal o consejo de la armada. ‖ Juzgado particular del almirante. ‖ Empleo o grado de almirante en todas sus categorías. ‖ Término comprendido en la jurisdicción del almirante. ‖ Dignidad de almirante.

almirante (al. *Admiral*, fr. *amiral*, ingl. *admiral*, fr. *ammiraglio*). m. El que desempeña en la armada cargo que equivale al de teniente general en los ejércitos de tierra.

almirez. m. Mortero de metal que sirve para machacar o moler en él alguna cosa.

almizclar. tr. Aderezar o aromatizar con almizcle.

almizcle. m. Sustancia odorífera, untuosa al tacto, de sabor amargo y color pardo rojizo. Se saca del almizclero y se emplea en medicina y perfumería. ‖ *Amer.* Sustancia fétida grasa que algunos mamíferos y aves segregan de glándulas generalmente situadas cerca del ano o cloaca.

almizcleño, ña. adj. Que huele a almizcle. ‖ f. Bot. Planta perennne de la familia de las liliáceas. Sus flores, de color azul claro, despiden olor de almizcle.

almizclero. adj. Almizcleño. ‖ Zool. Rumiante sin cuernos parecido al cabrito. Tiene en el vientre una especie de bolsa ovalada en que segrega almizcle.

almocafre. m. Agr. Instrumento que sirve para escarbar y limpiar la tierra, y para trasplantar.

almocrí. m. Lector del Corán en las mezquitas.

almodrote. m. Salsa compuesta de aceite, ajos, queso y otras cosas. ‖ fig. y fam. mezcla confusa de varias cosas.

almogávar. m. Soldado de una tropa escogida, muy diestra en la guerra, que hacía correrías en tierra enemiga.

almohada (al. *Kopfissen*, fr. *oreiller*, ingl. *pillow*, it. *guanciale*). f. Colchoncillo que sirve para reclinar sobre él la cabeza en la cama o para sentarse. ‖ *consultar con la almohada*. fr. fig. y fam. Meditar algún negocio con tiempo suficiente. [*Sinón.*: cojín, cabezal]

almohade. adj. Apl. a cada uno de los miembros de una secta musulmana que sucedió a los almorávides en el dominio del norte de África y sur de España. Ú.t.c.s.m. y más en pl. ‖ Perteneciente a los almohades.

almohadilla. f. dim. de almohada. ‖ Cojincillo sobre el que cosen las mujeres. ‖ Cojincillo que se coloca sobre los asientos duros, como los de las plazas de toros, campos de fútbol, etc.

almohadillado. m. Mar. Macizo de madera que se pone entre el casco y la coraza de los buques con objeto de disminuir las vibraciones producidas por el choque de los proyectiles.

almohadón. m. aum. de almohada. ‖ Colchoncillo que sirve para sentarse, recostarse o apoyar los pies en él.

almohaza. f. Instrumento que se compone de una chapa de hierro con cuatro o cinco serrezuelas de dientes menudos y romos; sirve para limpiar las caballerías.

almohazar. tr. Estregar a las caballerías con la almohaza.

almona. f. Sitio donde se pescan los sábalos.

almoneda. f. Venta pública de bienes muebles con licitación y puja; también la venta de géneros que se anuncian a bajo precio.

almorávide. adj. Apl. a cada uno de los individuos de una tribu del Atlas que fundó un vasto imperio en el occidente de África a mediados del siglo XI, y que dominó la España árabe en la primera mitad del siglo XII. Ú.t.c.s.m. y más en pl. ‖ Perteneciente a los almorávides.

almorrana. f. Med. Pequeño tumor sanguíneo que se forma en la parte exterior del ano o en la extremidad del intestino recto. Ú.m. en pl. [*Sinón.*: hemorroide]

almorta. f. Bot. Planta leguminosa de flores de color morado y blancas y fruto en legumbre con cuatro simientes de forma de muela. || Semilla de esta planta.

almorzada. f. Porción de cualquier cosa suelta que cabe en el hueco de las dos manos.

almorzar (al. *zu mittag essen*, fr. *déjeuner*, ingl. *to take lunch*, it. *refezionare*). intr. Tomar el almuerzo. || tr. Tomar en el almuerzo algún manjar.

almud. m. Medida de áridos que varía de capacidad según el lugar.

almudada. f. Espacio de tierra en que cabe un almud de sembradura.

almuecín. m. Almuédano.

almuédano. m. Musulmán que desde el alminar convoca en voz alta al pueblo para que acuda a la oración.

almuerzo (al. *Mittagessen*; fr. *déjeuner*; ingl. *lunch, luncheon*; it. *refezione*). m. Comida que se toma por la mañana. || Comida del mediodía o primeras horas de la tarde. || Acción de almorzar.

almunia. f. Huerto.

alnado, da. s. Hijastro, hijastra.

alocado, da. adj. Que tiene cosas de loco o parece loco. || Dícese de acciones que revelan poca cordura. || Aturdido.

alocar. tr. Causar locura. Ú.t.c.r. || Causar perturbación en los sentidos, aturdir. Ú.t.c.r.

alocroísmo. m. Cambio o variedad de color que se da principalmente en determinados minerales, debido a la presencia de impurezas.

alocución. f. Discurso breve dirigido por un superior a sus inferiores, seguidores o súbditos.

alodial. adj. DER. Aplícase a heredades, patrimonios, etc., libres de toda carga y derecho señorial.

alodio. m. Heredad, patrimonio o cosa alodial.

áloe o **aloe.** m. BOT. Planta liliácea, de cuyas hojas, largas y carnosas, se extrae un jugo resinoso y muy amargo que se emplea en medicina. || Jugo de esta planta.

alófono. m. LING. Cada una de las variedades que se dan en la pronunciación de un mismo fonema.

alógeno, na. adj. Que pertenece a otro país o raza.

aloja. f. Bebida compuesta de agua, miel y especias. || *Amer.* Chicha, bebida.

alojamiento (al. *Wohnung*, fr. *logement*, ingl. *lodging*, it. *allogio*). m. Acción y efecto de alojar o alojarse. || Casa o lugar donde uno está alojado.

alojar (al. *beherbergen*, fr. *loger*,

ingl. *to lodge*, it. *alloggiare*). tr. Hospedar o aposentar. Ú.t.c. intr. y c.r. || Colocar una cosa dentro de otra y especialmente en cavidad adecuada. Ú.t.c.r.

alón. m. Ala entera de cualquier ave, quitadas las plumas.

alondra (al. *Lerche*, fr. *alouette*, ingl. *lark*, it. *allodola*). f. ZOOL. Pájaro insectívoro, de color pardusco con collar negro, que anida en los campos de cereales.

alópata. adj. MED. Que profesa la alopatía. || Que se cura por este método o es partidario de él.

alopatía. f. MED. Terapéutica cuyos medicamentos producen en el estado sano fenómenos diferentes de los que caracterizan las enfermedades en que se emplean.

alopático, ca. adj. MED. Perteneciente o relativo a la alopatía o a los alópatas.

alopecia. f. Caída o pérdida del pelo, y especialmente la originada por enfermedades cutáneas.

aloque. adj. De color rojo claro. || Aplícase al vino tinto o a la mezcla de tinto y blanco. Ú.t.c.s.

alotropía. f. QUÍM. Diferencia que en sus propiedades físicas y químicas puede presentar un mismo cuerpo.

alotrópico, ca. adj. Perteneciente o relativo a la alotropía.

alpaca. f. ZOOL. Mamífero rumiante propio de la América Meridional, donde se emplea como bestia de carga. || fig. Pelo de ese animal, que es más largo, brillante y flexible que el del ganado lanar. || fig. Tejido hecho con este pelo. || fig. Tela gruesa de algodón abrillantado. || Metal blanco; aleación de cobre, cinc y níquel, semejante por su color a la plata.

alpargata (al. *Spargatte*, fr. *spadrille*, ingl. *alpargata*, it. *alpargata*). f. Calzado de cáñamo, en forma de sandalia, que se asegura con cintas a la garganta del pie. || Calzado de tela, con suela de cáñamo o de caucho, y que se asegura por simple ajuste o con cintas.

alpargatería. f. Taller donde se hacen alpargatas. || Tienda donde se venden.

alpargatero, ra. s. Persona que hace o vende alpargatas.

alpechín. m. Líquido oscuro y fétido que sale de las aceitunas apiladas antes de la molienda, y también cuando, al extraer el aceite, se las exprime con auxilio del agua hirviendo.

alpende. m. ARQ. Cubierta vola-

diza de cualquier edificio, y especialmente la sostenida por postes o columnas. || Cobertizo para custodiar las herramientas en las obras.

alpinismo (al. *Alpinismus*, fr. *alpinisme*, ingl. *mountaineering*, it. *alpinismo*). m. Deporte que consiste en la ascensión a las altas montañas. [*Sinón.*: montañismo, escalada]

alpinista. com. Persona aficionada al alpinismo.

alpino, na. adj. Perteneciente a los Alpes y, por ext., a todas las montañas altas. || Perteneciente o relativo al alpinismo.

alpiste (al. *Kanarienfutter*, fr. *alpiste*, ingl. *canary seed*, it. *scagliola*). m. BOT. Planta graminea que se utiliza para forraje. Produce una mazorca oval con espiguillas de tres flores y semillas menudas, que se dan como alimento a los pájaros. || En sent. fig. y fam., cualquier bebida alcohólica.

alquería. f. Casa de campo para labranza, lejos de poblado. || Conjunto de esas casas. [*Sinón.*: almunia, granja]

alquibla. f. Punto del horizonte o lugar de la mezquita hacia donde los musulmanes dirigen la vista cuando están en oración.

alquilar (al. *vermieten*, fr. *louer*, ingl. *to rent*, it. *affittare*). tr. Dar a otro una cosa para que use de ella por el tiempo que se determine y mediante pago de la cantidad convenida. || Tomar de otro una cosa para este fin y con tal condición. || r. Ponerse uno a servir a otro, por cierto estipendio. [*Sinón.*: arrendar]

alquiler (al. *Miete*, fr. *loyer*, ingl. *rental*, it. *affitto*). m. Acción de alquilar. || Precio en que se alquila alguna cosa. [*Sinón.*: arriendo]

alquimia. f. Química de los antiguos, que pretendía hallar la piedra filosofal y la panacea universal.

alquimista. m. El que profesaba el arte de la alquimia. Ú.t.c.adj.

alquitara. f. Alambique.

alquitrán (al. *Teer*, fr. *goudron*, ingl. *tar*, it. *catrame*). m. Sustancia untuosa, de color oscuro, olor fuerte y sabor amargo, que por destilación se obtiene de la hulla y de la madera del pino y otras coníferas. Se emplea para calafatear los buques y en medicina. [*Sinón.*: betún, pez]

alquitranar. tr. Dar de alquitrán a alguna cosa.

alrededor (al. *ringsherum, umgegend*; fr. *autour, environs*; ingl. *around*, *environs;* it. *intorno, dintorni).* adv. l. con que se denota la situación de personas o cosas que circundan a otras, o la dirección en que se mueven para circundarlas. ‖ adv. c. fam. Cerca, sobre poco más o menos. ‖ m. Contorno. Ú.m. en pl.

alta. f. En los hospitales, orden que se comunica al enfermo que se da por sano, para que deje la enfermería. ‖ Documento acreditativo de la entrada de un militar en servicio activo. ‖ Ingreso en un cuerpo, profesión, carrera, etc. ‖ *darse de alta.* Ingresar en el número de los que ejercen una profesión u oficio reglamentados.

altaico, ca. adj. Perteneciente o relativo a la región de los montes Altai. ‖ Dícese de una raza que se supone oriunda de esta región y de su lengua.

altanería (al. *Hochmut,* fr. *hauteur,* ingl. *haughtiness,* it. *alterigia*). f. Altura, región del aire a cierta elevación sobre la tierra. ‖ Vuelo alto de algunas aves. ‖ fig. Soberbia, altivez.

altanero, ra. adj. Aplícase al halcón y aves de rapiña de alto vuelo. ‖ fig. Altivo, soberbio.

altar (al. *Altar,* fr. *autel,* ingl. *altar,* it. *altare*). m. Monumento dispuesto para inmolar la víctima y ofrecer el sacrificio. ‖ En el culto católico, ara o piedra consagrada sobre la cual extiende el sacerdote los corporales para celebrar la misa. ‖ Por ext., lugar levantado en forma de mesa rectangular donde se coloca el ara.

altavoz (al. *Lautsprecher,* fr. *haut-parleur,* ingl. *loudspeaker,* it. *alto-parlante*). m. Aparato que reproduce acústicamente los sonidos transmitidos por medio de la electricidad.

alteración (al. *Veränderung,* fr. *altération,* ingl. *alteration,* it. *alterazione*). f. Acción de alterar o alterarse. ‖ Sobresalto, inquietud; alboroto. ‖ Altercado, disputa.

alterar (al. *verändern,* fr. *altérer,* ingl. *to alter,* it. *alterare*). tr. Cambiar la esencia o forma de una cosa. Ú.t.c.r. ‖ Perturbar, trastornar, inquietar. Ú.t.c.r. ‖ Estropear, dañar, descomponer. Ú.t.c.r.

alterativo, va. adj. Que tiene la virtud de alterar.

altercado. m. Acción de altercar. [*Sinón.:* altercación, disputa]

altercar. intr. Disputar, porfiar.

álter ego. expr. lat. Persona en quien se tiene absoluta confianza, o que puede hacer las veces de uno mismo. Ú.t.c.s.

alternación. f. Acción de alternar.

alternador (al. *Wechselstromerzeuger,* fr. *alternateur,* ingl. *alternator,* it. *alternatore*). m. TÉCN. Aparato destinado a producir corriente alterna.

alternancia. f. Acción y efecto de alternar. ‖ BIOL. Fenómeno que se observa en la reproducción de algunos animales y plantas, en la que alternan la generación sexual y la asexual.

alternar (al. *abwechsel,* fr. *alterner,* ingl. *to alternate,* it. *alternare*). tr. Variar las acciones diciendo o haciendo ya unas cosas, ya otras, ya repitiéndolas sucesivamente. ‖ Distribuir alguna cosa entre personas o cosas que se turnan sucesivamente. ‖ MAT. Cambiar los lugares que ocupan respectivamente los términos medios o los extremos de una proporción. ‖ intr. Hacer o decir una cosa, desempeñar un cargo varias personas por turno. ‖ Sucederse unas cosas a otras repetidamente. ‖ Tener trato unas personas con otras. ‖ En ciertas salas de fiestas y otros locales, conversar con los clientes y hacerles compañía las mujeres contratadas para ello, a fin de estimularlos a hacer gasto.

alternativa. f. Acción o derecho de ejecutar alguna cosa o gozar de ella alternando con otra. ‖ Servicio en que turnan dos o más personas. ‖ Opción entre dos cosas. ‖ Efecto de alternar. ‖ TAUROM. Ceremonia por la cual un matador de toros eleva a un matador de novillos a su misma categoría.

alternativo, va. adj. Que se dice, hace o sucede con alternación.

alterne. m. Acción de alternar en las salas de fiesta y otros locales. ‖ *de alterne.* Dícese de la mujer que practica el alterne.

alterno, na. adj. Alternativo. ‖ Dicho de días, meses, años, etc., uno sí y otro no. ‖ BOT. Dícese de las hojas y otros órganos de las plantas que, por su situación en el tallo o en la rama, corresponden al espacio que media entre una y otra del lado opuesto. ‖ Fís. Dícese de la corriente eléctrica que cambia de polaridad.

alteza (al. *Hoheit,* fr. *altesse,* ingl. *highne,* it. *altezza*). f. Altura, elevación. ‖ fig. Sublimidad, excelencia. ‖ Tratamiento que se da en España a los hijos de los reyes, a los infantes de España y a algunas otras personas.

altibajo. m. pl. fam. Desigualdades o altos y bajos de un terreno. ‖ fig. y fam. Alternativa de sucesos prósperos y adversos.

altillano. m. Altiplanicie.

altillo. m. Cerrillo o sitio algo elevado. ‖ Habitación situada en la parte más alta de la casa, y por lo general aislada. ‖ Construcción en alto, generalmente de madera, que se hace en el interior de un taller, tienda o almacén para aprovechar todo el espacio de la planta baja.

altimetría. f. TOP. Parte de la topografía que enseña a medir alturas.

altímetro (al. *Höhenmesser,* fr. *altimètre,* ingl. *altimeter,* it. *altimetro*). m. Instrumento que indica la diferencia de altitud entre el punto en que está situado y un punto de referencia. Se emplea principalmente en la navegación aérea.

altiplanicie. f. GEOGR. Meseta de mucha altitud y gran extensión.

altiplano. m. GEOGR. Altiplanicie.

altísimo, ma. adj. sup. de alto. ‖ *el Altísimo.* Dios.

altisonancia. f. Calidad de altisonante.

altisonante. adj. Altísono. Dícese del lenguaje o estilo afectadamente elevado y sonoro.

altísono, na. adj. Altamente sonoro, de alto sonido.

altitud (al. *Höhe,* fr. *altitude,* ingl. *altitude,* it. *altitudine*). f. Altura. ‖ GEOGR. Altura de un punto de la tierra con relación al nivel del mar.

altivez. f. Orgullo, soberbia.

altivo, va (al. *stolz,* fr. *hautain,* ingl. *haughty,* it. *altero*). adj. Orgulloso, soberbio. ‖ Erguido, elevado, hablando de cosas.

alto. m. Detención, parada o suspensión de una actividad cualquiera. ‖ MIL. Voz de mando para que deje de marchar la tropa. ‖ MIL. Voz con que el centinela manda detenerse a cualquier tropa, gente o persona. ‖ Voz con la cual se ordena a alguien que se detenga. ‖ Voz que se usa para que otro suspenda la conversación, discurso o cosa que esté haciendo.

alto, ta (al. *hoch, gross;* fr. *haut, grand;* ingl. *high, tall;* it. *alto*). adj. Levantado, elevado sobre la tierra. ‖ Más elevado con relación a otro término inferior. ‖ Dícese del río o arroyo muy crecido, y del mar alborotado. ‖ Con referencia a tiempos históricos, remoto, antiguo. ‖ Dícese de las personas de gran dignidad y representación. Ú.t.c.s. ‖ Aplicado a las cosas, noble, elevado, santo, excelente. ‖ Dicho de los cargos y dignidades, de superior categoría. ‖ Arduo, difícil de alcanzar. ‖ Profundo, sólido. ‖ Dicho del delito u ofensa, gravísimo. || Dicho del precio de las cosas, caro. || Fuerte, que se oye a gran distancia. || Avanzado. || m. Altura, dimensión de un cuerpo perpendicular a su base. || Sitio elevado en el campo. || *Amer.* Montón, gran cantidad de cosas. || adv. l. En lugar o parte superior. || adv. m. En voz fuerte o que suene bastante. || *por alto.* m. adv. Por encima. || *por todo lo alto.* loc. fig. y fam. De manera excelente; con rumbo y esplendidez. [*Antón.*: bajo]

altoparlante. m. *Amer.* Altavoz.

altorrelieve. m. Alto relieve.

altozano. m. GEOGR. Monte de poca altura en terreno llano. || *Amer.* Atrio.

altramuz. m. BOT. Planta leguminosa de flores blancas y fruto de grano menudo y achatado. || Fruto de esta planta.

altruismo (al. *Uneigennützigkeit*, fr. *altruisme*, ingl. *unselfishness*, it. *altruismo*). m. Esmero y complacencia en el bien ajeno, aun a costa del propio, y por motivos puramente humanos. [*Sinón.*: filantropía, generosidad]

altruista. adj. Que profesa el altruismo. Ú.t.c.s.

altura (al. *Höhe*, fr. *hauteur*, ingl. *height*, it. *altezza*). f. Elevación de cualquier cuerpo sobre la superficie de la tierra. || Dimensión de los cuerpos perpendicular a su base. || Región del aire, considerada a cierta elevación sobre la tierra. || Cumbres de los montes o parajes altos de los campos. || fig. Mérito, valor. || Altitud. || pl. Cielo, en sentido espiritual. || *a estas alturas.* fig. Cuando han llegado las cosas a este punto.

alubia. f. Judía.

alucinación. f. Acción de alucinar o alucinarse. || Impresión subjetiva que no va precedida de impresión de los sentidos.

alucinar (al. *bezanbern*, fr. *fasciner*, ingl. *to allure*, it. *affascinare*). tr. Seducir o engañar haciendo que se toma una cosa por otra. Ú.t.c.r. || intr. Confundirse, ofuscarse, desvariar.

alucinógeno, na. adj. Que produce alucinación. Dícese en especial de la marihuana y otras drogas. Ú.t.c.s.m.

alud (al. *Lawine*, fr. *avalanche*, ingl. *avalanche*, it. *valanga*). m. Gran masa de nieve que se derrumba de los montes con violencia y estrépito. [*Antón.*: avalancha, desprendimiento]

aluda. f. ZOOL. Hormiga con alas.

aludido, da. p.p. de aludir. Ú.t.c.s. || *darse por aludido.* Recoger una alusión

que se ha producido o que parece haberse producido, para reaccionar en función de su contenido.

aludir (al. *anspielen*, fr. *faire allusion*, ingl. *to hint at*, it. *alludere*). intr. Referirse a una persona o cosa, sin nombrarla o sin expresar que se habla de ella. || Referirse a persona determinada. || Mencionar a personas o cosas.

alumbrado, da. adj. Dícese de ciertos herejes de tendencia mística que surgieron en España a mediados del siglo XVI. Ú.m.c.s. y en pl. || Que tiene mezcla de alumbre o participa de él. || m. Conjunto de luces que alumbran un pueblo o lugar.

alumbramiento. m. Acción y efecto de alumbrar, llenar de luz. || fig. Parto de la mujer. || MED. Expulsión de la placenta y membranas después del parto.

alumbrar (al. *beleuchten*, fr. *éclairer*, ingl. *to light*, it. *illuminare*). tr. llenar de luz y claridad. Ú.t.c. intr. || Poner luz o luces en algún lugar. || Acompañar con luz a otro. || Disipar la oscuridad y el error, enseñar, ilustrar. || intr. Parir la mujer. || r. fam. Embriagarse.

alumbre. m. QUÍM. Sulfato doble de aluminio y potasio o sodio. El más común es el potásico, sal blanca y astringente empleada en medicina y, como mordiente, en tintorería.

alúmina. f. QUÍM. Óxido de aluminio.

aluminio (al. *Aluminium*, fr. *aluminium*, ingl. *aluminium*, it. *alluminio*). m. QUÍM. Metal de color y brillo similares a los de la plata, ligero y dúctil, muy maleable, buen conductor del calor y de la electricidad y resistente a la oxidación. Sus numerosas aleaciones tienen muchas aplicaciones industriales.

aluminita. f. Roca de que se extrae el alumbre.

aluminotermia. f. TÉCN. Proceso para obtener metales a partir de sus óxidos, basado en el gran poder reductor del aluminio pulverizado.

alumnado. m. Conjunto de alumnos de un centro docente.

alumno, na (al. *Schüller*, fr. *élève*, ingl. *pupil*, it. *allievo*). s. Cualquier discípulo respecto de su maestro, de la materia que aprende o de la escuela donde estudia.

alunizaje. m. Acción y efecto de alunizar.

alunizar. intr. Posarse una astronave en la superficie de la Luna.

alusión (al. *Anspielung*, fr. *allusion*, ingl. *allusion*, it. *allusione*). f. Acción de aludir.

alusivo, va. adj. Que alude o implica alusión. [*Sinón.*: referente]

aluvial. adj. GEOL. De aluvión. Dícese de los terrenos que quedan al descubierto después de las avenidas y de los que se forman lentamente por los desvíos o las variaciones en el curso de los ríos.

aluvión (al. *Anschwemmung*, fr. *alluvion*, ingl. *alluvion*, it. *alluvione*). m. Avenida fuerte de agua, inundación. || fig. Cantidad de personas o cosas agolpadas.

aluzar. tr. *Amer.* Alumbrar, llenar de luz y claridad.

álveo. m. HIDR. Madre del río o arroyo.

alveolar. adj. ZOOL. Perteneciente, relativo o semejante a los alvéolos. || En fonética, dícese del sonido que se pronuncia acercando o aplicando la lengua a los alvéolos de los incisivos superiores. || Dícese de la letra que representa este sonido. Ú.t.c.s.f.

alveolo o **alvéolo.** m. Celdilla del panal de miel. || ZOOL. Cada una de las cavidades en que están engastados los dientes en las mandíbulas de los vertebrados. || ZOOL. Cada una de las fositas hemisféricas en que terminan los bronquiolos.

alvino, na. ANAT. Relativo o perteneciente al bajo vientre.

alza (al. *Steigerung*, fr. *hausse*, ingl. *rise*, it. *rialzo*). ECON. Aumento de precio que toma alguna cosa. || MIL. Regla graduada del cañón de las armas de fuego, que sirve para precisar la puntería. || MIL. Aparato destinado a este fin en las piezas de artillería. || IMP. Pedazo de papel que se pega sobre el tímpano de la prensa o debajo de los caracteres para igualar la presión. || *en alza.* loc. Aumentar la estimación de una cosa o persona.

alzacuello. m. Prenda suelta del traje eclesiástico, especie de corbatín.

alzada. f. Altura del caballo, desde el talón de la mano hasta lo más alto de la cruz. || DER. Recurso de apelación en lo gubernativo.

alzado, da. adj. Se aplica a la persona que quiebra con malicia para defraudar a sus acreedores. || COM. Se dice del precio fijado en determinada cantidad, a diferencia del que resulta de evaluación circunstanciada. || m. Rebelde, sublevado. || ARQ. Diseño que representa la fachada de un edificio. ||

Diseño de un edificio, máquina, etc., en su proyección geométrica y vertical sin atender a la perspectiva. ‖ Imp. Ordenación de los pliegos impresos para formar los ejemplares de una obra.

alzamiento. m. Acción y efecto de alzar o alzarse. ‖ Levantamiento o rebelión.

alzapaño. m. Pieza clavada en la pared, que sirve para tener recogida la cortina. ‖ Cordón o tira de tela que, con el alzapaño, abraza y tiene recogida la cortina.

alzaprima. f. Palanca. ‖ Mús. Puente de los instrumentos de arco.

alzar (al. *erhöen,* fr. *lever,* ingl. *to raise,* it. *alzare*). tr. Levantar, mover hacia arriba; construir, edificar. ‖ Liturg. En la misa, elevar la hostia y el cáliz después de la consagración. Ú.t.c. intr. ‖ Agr. Retirar del campo la cosecha. ‖ Imp. Ordenar los pliegos impresos para su encuadernación. ‖ fig. Rebelar, sublevar. Ú.t.c.r. ‖ r. Sobresalir en una superficie. ‖ Quebrar maliciosamente. ‖ *Amer.* Fugarse y hacerse montaraz el animal doméstico. ‖ Der. Recurrir, apelar. ‖ *alzarse* uno *con* alguna cosa. Apoderarse de ella con usurpación o injusticia.

allá (al. *ort, da;* fr. *là;* ingl. *there;* it. *là*). adv. l. Indica lugar menos circunscrito o determinado que *allí.* ‖ adv. t. que denota época más o menos remota. ‖ *el más allá.* La vida de ultratumba.

allanamiento. m. Acción y efecto de allanar o allanarse. ‖ Acto de conformarse con una demanda o decisión.

allanar (al. *ebnen,* fr. *aplanir,* ingl. *to level,* it. *appianare*). tr. Poner llana o igual la superficie de un terreno o de cualquier otra cosa. Ú.t.c.intr. y c.r. ‖ fig. Vencer o superar alguna dificultad. ‖ fig. Entrar a la fuerza en casa ajena y recorrerla contra la voluntad de su dueño. ‖ fig. Conformarse, avenirse a alguna cosa.

allegado, da. adj. Cercano, próximo. ‖ Pariente. Ú.m.c.s. ‖ Parcial, partidario. Ú.t.c.s. ‖ *Amer.* Persona que vive en casa ajena a costa o al amparo de su dueño. Ú.t.c.s.

allende (al. *jenseis,* fr. *au delà,* ingl. *beyond,* it. *al di là*). adv. l. De la parte de allá. ‖ adv. c. Además. ‖ prep. Más allá de, de la parte de allá de.

allí (al. *da, dort;* fr. *là;* ingl. *there;* it. *lì*). adv. l. En aquel lugar. ‖ A aquel lugar. ‖ adv. t. Entonces, en tal ocasión.

allozo. m. Bot. Almendro silvestre.

ama (al. *Hausfrau,* fr. *maîtresse,* ingl. *housewife,* it. *padrona*). f. Cabeza o señora de la casa o familia. ‖ Dueña de alguna cosa. ‖ La que tiene uno o más criados, respecto de ellos. ‖ Criada superior que suele haber en casa del que vive solo. ‖ Criada principal. ‖ — *de cría.* Mujer que cría una criatura ajena. ‖ — *de llaves.* Criada encargada de las llaves y economía de la casa. ‖ — *seca.* Mujer a quien se confía en la casa el cuidado de los niños.

amabilidad. f. Calidad de amable.

amable (al. *liebenswürdig,* fr. *aimable,* ingl. *kind,* it. *amabile*). adj. Digno de ser amado. ‖ Afable, complaciente, afectuoso.

amado, da. s. Persona querida.

amador, ra. adj. Que ama, amante. Ú.t.c.s.

amadrinar. tr. Unir dos caballerías con la correa llamada madrina. ‖ fig. Apadrinar. Ú.t.c.r. ‖ Mar. Unir dos cosas para que ambas ofrezcan mayor resistencia o para reforzar una de ellas.

amaestrado, da. adj. Dispuesto con arte y astucia. ‖ Dícese de la fiera a la que se ha enseñado a realizar ejercicios circenses.

amaestrar (al. *unterrichten,* fr. *dresser,* ingl. *to train,* it. *ammaestrare*). tr. Enseñar o adiestrar. Ú.t.c.r.

amagar. tr. Dejar ver la intención o disposición de ejecutar próximamente una cosa. Ú.t.c.r. ‖ intr. Estar próximo a sobrevenir. ‖ Hablando de ciertas enfermedades, empezar a manifestarse algunos síntomas, aunque no pasen adelante. ‖ r. fam. Ocultarse, esconderse.

amago. m. Acción de amagar. ‖ Señal o indicio de alguna cosa.

amainar. tr. Mar. Recoger las velas de una embarcación para que no corra tanto. ‖ Miner. Retirar de los pozos los recipientes que se emplean en ellos. ‖ intr. Perder el viento su fuerza. ‖ fig. Aflojar o ceder en algo. Ú.t.c.tr.

amaine. m. Acción y efecto de amainar.

amalecita. adj. Dícese del individuo de un pueblo bíblico de Arabia, descendiente de Amalec, nieto de Esaú. Ú.m.c.s.pl. ‖ Perteneciente a este pueblo.

amalgama. f. Quím. Combinación del mercurio con otro u otros metales. ‖ fig. Unión o mezcla de cosas de naturaleza contraria o distinta.

amalgamar (al. *amalgamieren,* fr. *amalgamer,* ingl. *to amalgamate,* it. *amalgamare*). tr. Quím. Combinar el mercurio con otro u otros metales. Ú.t.c.r. ‖ fig. Unir o mezclar cosas de naturaleza distinta. Ú.t.c.r.

amamantar. tr. Dar de mamar.

amancay. m. *Amer.* Nombre de diversas especies de azucena o narciso silvestre.

amancebamiento (al. *Kebsehe,* fr. *concubinage,* ingl. *concubinage,* it. *concubinato*). m. Trato ilícito y habitual de hombre y mujer.

amancebarse. r. Unirse en amancebamiento.

amancillar. tr. Manchar, deslustrar la fama o linaje. ‖ Deslucir, ajar.

amanecer (al. *Tag werden,* fr. *faire jour,* ingl. *to dawn,* it. *albeggiare*). intr. Empezar a aparecer la luz del día. ‖ Por ext., estar en un paraje o condición determinados al apuntar el día. ‖ fig. Empezar a manifestarse alguna cosa. [*Sinón.:* alborear, aclarar]

amanecer. m. Tiempo durante el cual amanece. [*Sinón.:* alborada, aurora]

amanerado, da. adj. Que adolece de amaneramiento. [*Sinón.:* afectado]

amaneramiento. m. Acción y efecto de amanerarse. ‖ Falta de variedad en el estilo.

amanerarse (al. *maniert werden,* fr. *se maniérer,* ingl. *to become mannered,* it. *ammanierarse*). r. Dar cierta monotonía y afectación a las obras, lenguaje, ademanes, etc.

amansar (al. *zähmen,* fr. *apprivoiser,* ingl. *to tame,* it. *ammansare*). tr. Hacer manso a un animal, domesticarlo. Ú.t.c.r. ‖ fig. Sosegar, apaciguar. ‖ fig. Domar el carácter violento de alguien.

amante (al. *geliebter,* fr. *amant,* ingl. *lover,* it. *amante*). adj. Que ama. Ú.t.c.s. ‖ Por ext., dícese de las cosas en que se manifiesta el amor, o se refieren a él. ‖ s. Querido, que tiene relaciones ilícitas. ‖ m. pl. Hombre y mujer que se aman.

amanuense (al. *Abschreiber,* fr. *copiste,* ingl. *amanuensis,* it. *amanuense*). com. Persona que escribe a mano y al dictado. ‖ Escribiente.

amañar. tr. Componer mañosamente una cosa. Dícese por lo general en mal sentido. ‖ r. Darse maña.

amaño. m. Disposición para hacer algo con maña. ‖ fig. Traza o artificio para conseguir algo, especialmente si no es justo. Ú.m. en pl. ‖ pl. Herramientas a propósito para alguna maniobra.

amapola (al. *Klatschmohn,* fr. *co-*

quelicot, ingl. *poppy*, it. *papavero*). Bot. f. Planta papaverácea, con flores por lo común rojas y semilla negruzca. Es sudorífera y algo calmante. [*Sinón.*: ababol]

amapuches. m. pl. *Amer.* Remilgos.

amar (al. *lieben*, fr. *aimer*, ingl. *to love*, it. *amare*). tr. Tener amor a personas, animales o cosas. ‖ Desear. [*Sinón.*: adorar, estimar, querer. *Antón.*: odiar, aborrecer]

amaraje. m. Acción de amarar.

amarantáceo, a. adj. Bot. Dícese de matas y arbolitos dicotiledóneos de hojas opuestas o alternas, flores diminutas y por fruto cápsulas con semillas de albumen harinoso, como el amaranto. Ú.t.c.s.f. ‖ f. pl. Familia de estas plantas.

amaranto. m. Bot. Planta amarantácea, de flores terminales en espiga densa, y de variado colorido. Se cultiva como planta ornamental.

amarar. intr. Posarse en el agua una aeronave o astronave.

amargado, da. adj. Dícese de la persona que guarda algún resentimiento por frustraciones, disgustos, etc. Ú.t.c.s.

amargar (al. *bitter sein*, fr. *être amer*, ingl. *to be bitter*, it. *amareggiare*). intr. Tener una cosa sabor o gusto parecido al de la hiel, el ajenjo, etc. Ú.t.c.r. ‖ tr. Comunicar sabor o gusto desagradable a una cosa. ‖fig. Causar aflicción o disgusto. Ú.t.c.r. ‖ Experimentar una persona resentimiento por frustraciones, fracasos, disgustos, etc. Ú.m.c.r.

amargo, ga (al. *bitter*, fr. *amer*, ingl. *bitter*, it. *amaro*). adj. Que amarga. ‖ fig. Que causa aflicción o disgusto. ‖ Áspero y de genio desabrido. ‖ m. Amargor. ‖ *Amer.* Cimarrón, mate sin azúcar.

amargor. m. Sabor o gusto amargo. fig. Aflicción, disgusto.

amargura (al. *Bitterkeit*, fr. *amertume*, ingl. *bitterness*, it. *amarezza*). f. Amargor. ‖fig. Aflicción, disgusto. [*Sinón.*: pesar, desconsuelo]

amaricado, da. adj. fam. Afeminado.

amariconado, da. adj. Afeminado.

amarilidáceo, a. adj. Bot. Dícese de las plantas angiospermas, monocotiledóneas, de hojas lineales, flores hermafroditas y fruto comúnmente en cápsula, con semillas de albumen carnoso, como el narciso. Ú.t.c.s.f. ‖ f. pl. Familia de estas plantas.

amarillear. intr. Mostrar una cosa la amarillez que en sí tiene. ‖ Palidecer.

amarillento, ta. adj. Que tira a amarillo.

amarilleo. m. Acción y efecto de amarillear.

amarillo, lla (al. *Gelb*, fr. *jaune*, ingl. *yellow*, it. *giallo*). adj. De color semejante al del oro, el limón, etc. Ú.t.c.s.m. Es el tercer color del espectro solar.

amarizaje. m. Amaraje.

amarizar. intr. Amarar.

amaro. m. Bot. Planta labiada, de flores en verticilo, blancas con viso morado y de olor nauseabundo, que se usa como tópico en las úlceras.

amarra (al. *Ankertau*, fr. *amarre*, ingl. *belaying*, it. *cabo*). f. Correa que va desde la muserola al petral y que sirve para que los caballos no levanten la cabeza. ‖ Mar. Cabo con que se asegura la embarcación en el puerto.

amarradero. m. Poste, pilar o argolla donde se amarra una cosa. ‖ Mar. Sitio donde se amarran los barcos.

amarradura. f. Acción y efecto de amarrar. ‖ Mar. Vuelta, circunvolución.

amarrar (al. *festbinden*, fr. *attacher*, ingl. *to tie*, it. *attracare*). tr. Atar y asegurar por medio de cuerdas, maromas, cadenas, etc. ‖ Por ext., atar, sujetar. ‖ Mar. Sujetar el buque en el puerto o cualquier fondeadero.

amarre. m. Amarradura.

amarrete, ta. adj. Mezquino, avaro.

amartelado, da. adj. Que implica o demuestra amartelamiento.

amartelamiento. m. Exceso de galantería o rendimiento amoroso.

amartelar. tr. Atormentar a uno, especialmente con celos. Ú.t.c.r. ‖ Enamorar. ‖ r. Enamorarse de una persona o cosa.

amartillar. tr. Martillar. ‖ Poner· en el disparador la llave de un arma de fuego.

amasado, da. p.p. de amasar. ‖ m. Acción y efecto de amasar.

amasandería. f. *Amer.* Panadería pequeña.

amasar (al. *kneten*, fr. *pétrir*, ingl. *to knead*, it. *impastare*). tr. Formar o hacer masa, mezclando harina, yeso, o cosa semejante con agua u otro líquido. ‖ Por ext., fig. Juntar, unir, combinar.

amasia. f. Querida, concubina.

amasijo. m. Porción de harina amasada. ‖ Acción de amasar y disponer las cosas para ello. ‖ Porción de masa hecha con tierra, yeso, etc., y agua u otro líquido. ‖ fig. y fam. Mezcla de ideas diferentes que causan confusión.

amastia. f. Zool. Ausencia de mamas.

amateur (voz francesa). adj. Aficionado; que practica un deporte, o cualquier otra actividad, sin ser profesional. Ú.t.c.s.

amatista. f. Cuarzo transparente, teñido por el óxido de manganeso. Es piedra preciosa.

amatividad. f. Instinto del amor sexual.

amativo, va. adj. Propenso a amar.

amatorio, ria. adj. Relativo al amor. ‖ Que induce a amar.

amaurosis. f. Med. Privación total de la vista ocasionada por lesión en la retina, en el nervio óptico o en el encéfalo. [*Sinón.*: ceguera]

amazacotado, da. adj. Pesado, grosero, compuesto a manera de mazacote. ‖ fig. Dicho de obras literarias o artísticas, pesado, confuso, falto de orden.

amazona (al. *Amazone*, fr. *amazone*, ingl. *amazon*, it. *amazzone*). f. Mujer de alguna antigua raza de guerreras. ‖ Mujer de ánimo varonil; que monta a caballo.

amazónico, ca. adj. Mit. Perteneciente o relativo a las amazonas. ‖ Geogr. Perteneciente o relativo al río Amazonas o a los territorios situados a sus orillas.

ambages. m. pl. fig. Rodeos de palabras o circunloquios por afectación o porque no se quiera explicar claramente una cosa.

ámbar (al. *Bernstein*, fr. *ambre*, ingl. *amber*, it. *ambra*). m. Resina fósil, de color amarillo más o menos oscuro, translúcida, que arde fácilmente con buen olor y que se emplea en cuentas de collares, boquillas de fumar, etc.

ambarino, na. adj. Perteneciente al ámbar.

ambición (al. *Ehrgeizig*, fr. *ambition*, ingl. *ambition*, it. *ambizione*). f. Pasión por conseguir poder, honras, dignidades o fama.

ambicionar (al. *anstreben*, fr. *ambitioner*, ingl. *to covet*, it. *ambire*). tr. Desear ardientemente una cosa.

ambicioso, sa (al. *ehrgeizig*, fr. *ambitieux*, ingl. *ambitious*, it. *ambizioso*). Que tiene ambición.

ambidextro, tra. adj. Que utiliza indistintamente la mano derecha o la izquierda. [*Sinón.*: ambidiestro]

ambientar. tr. Sugerir, mediante pormenores verosímiles, los rasgos históricos, locales y sociales del medio en que ocurre la acción de una obra literaria. ‖ Proporcionar a un lugar un ambiente adecuado, mediante decoración, objetos, etc. ‖ Adaptar o acostumbrar a una persona a un medio desconocido, o guiarla u orientarla en él. Ú.m.c.r.

ambiente (al. *Umwelt,* fr. *ambiance,* ingl. *environment,* it. *ambiente*). adj. Aplícase a cualquier fluido que rodea un cuerpo. ‖ m. Aire tranquilo que rodea los cuerpos. ‖ Condiciones o circunstancias que rodean a las personas, animales o cosas. ‖ Sociol. Grupo, estrato o sector social. ‖ *Amer.* Habitación, aposento.

ambigú. m. Bufé.

ambigüedad. f. Calidad de ambiguo. [*Antón.:* precisión]

ambiguo, gua (al. *mehrdeutig,* fr. *ambigu,* ingl. *ambiguous,* it. *ambiguo*). adj. Que puede entenderse de varios modos y dar, por consiguiente, motivo a dudas, incertidumbre o confusión. ‖ Dícese de quien con sus palabras o comportamiento vela o no define claramente sus actitudes u opiniones. ‖ Incierto, dudoso.

ámbito. m. Contorno o perímetro de un espacio o lugar. ‖ Espacio comprendido dentro de límites determinados.

ambivalencia. f. Estado de ánimo en que coexisten dos emociones o sentimientos opuestos, como el amor y el odio. ‖ Condición de lo que se presta a dos interpretaciones opuestas.

ambivalente. adj. Perteneciente o relativo a la ambivalencia.

ambladura. f. Acción y efecto de amblar.

amblar. intr. Andar moviendo a un tiempo el pie y la mano de un mismo lado, como la jirafa.

ambón. m. Cada uno de los púlpitos que están a ambos lados del altar mayor.

ambos, bas. adj. pl. El uno y el otro, los dos.

ambrosía o **ambrosia.** f. Mit. Manjar o alimento de los dioses. ‖ fig. Cosa deleitosa al espíritu. ‖ Cualquier manjar o bebida de gusto suave o delicado. ‖ Bot. Planta compuesta, de hojas recortadas, flores amarillas en ramilletes y frutos oblongos con una sola semilla.

ambulación. f. Acción de ambular.

ambulacral. adj. Zool. Perteneciente o relativo a los ambulacros.

ambulacro. m. Zool. Cada uno de los apéndices tubuliformes y eréctiles de los equinodermos, dispuestos en series radiales.

ambulancia (al. *Ambulanz,* fr. *ambulance,* ingl. *ambulance,* it. *ambulanza*). f. Mil. Hospital militar de campaña. ‖ Furgoneta dispuesta especialmente para el transporte y práctica de primeros auxilios a enfermos o accidentados.

ambulante. adj. Que va de un sitio a otro sin tener asiento fijo. Ú.t.c.s. ‖ Perteneciente o relativo a la ambulancia.

ambulatorio, ria. adj. Que sirve para la locomoción o marcha. ‖ Med. Dícese de las diferentes formas de enfermedad o tratamiento que no obligan a estar en cama. ‖ m. Dispensario.

ameba. f. Zool. Protozoo rizópodo, cuyo cuerpo carece de cutícula y emite seudópodos. ‖ f. pl. Orden de estos animales.

amedrentar. tr. Infundir miedo, atemorizar. Ú.t.c.r.

amelga. f. Agr. Faja de terreno que se señala en una haza para esparcir la simiente con igualdad.

amelo. m. Bot. Planta compuesta de flores grandes y azules, y en su centro amarillas. Suele cultivarse en los jardines.

amén. Voz que se dice al fin de las oraciones de la Iglesia. Ú. para manifestar vivo deseo de que tenga efecto lo que se dice. Ú.t.c.s.m. ‖ adv. m. Excepto, a excepción. ‖ adv. c. A más, además.

amenaza. f. Acción de amenazar. ‖ Dicho o hecho con que se amenaza.

amenazar (al. *bedrohen,* fr. *menacer,* ingl. *to threaten,* it. *minacciare*). tr. Dar a entender con actos o palabras que se quiere causar un mal a otro. ‖ fig. Dar indicios de estar inminente alguna cosa mala o desagradable: anunciarla, presagiarla. Ú.t.c. intr.

amenguar. tr. Disminuir, menoscabar. Ú.t.c. intr.

amenidad. f. Calidad de ameno.

amenizar. tr. Hacer ameno un sitio. ‖ fig. Hacer amena una cosa.

ameno, na. adj. Grato, deleitable. ‖ fig. Aplícase a las personas o cosas que tienen el don de recrear o deleitar apaciblemente. [*Sinón.:* divertido, ingenioso, placentero. *Antón.:* aburrido, desagradable]

amenorrea. f. Fisiol. Supresión del flujo menstrual.

amentáceo, a. adj. Bot. Aplícase a las plantas que tienen las flores en amento.

amento. m. Bot. Espiga articulada por su base y compuesta de flores de un mismo sexo, como la del avellano.

amerar. tr. Merar. ‖ Hablando de la tierra o de alguna construcción, introducirse poco a poco el agua en ella o recalarse la humedad.

americana. f. Chaqueta de hombre.

americanismo. m. Calidad o condición de americano. ‖ Carácter genuinamente americano. ‖ Amor o apego a las cosas características o típicas de América. ‖ Dedicación al estudio de las cosas de América. ‖ Ling. Vocablo, giro, rasgo fonético, gramatical o semántico que pertenece a una lengua indígena de América o proviene de ella. ‖ Ling. Vocablo, giro, rasgo fonético, gramatical o semántico peculiar o procedente del español hablado en algún país de América.

americanista. adj. Relativo a las cosas de América. ‖ com. Persona que cultiva y estudia las lenguas y culturas de América, y, en general, sus peculiaridades de todo orden, antiguas o modernas.

americanizar. tr. Dar carácter americano. ‖ r. Tomar este carácter.

americano, na (al. *amerikanisch, amerikaner;* fr. *américain;* ingl. *american;* it. *americano*). adj. Natural de América. Ú.t.c.s. ‖ Perteneciente a esta parte del mundo. ‖ fig. Indiano, que vuelve rico de América. Ú.t.c.s.

americio. m. Quím. Elemento radiactivo artificial que se obtiene bombardeando el plutonio con neutrones. Es un metal de color blanco argentino.

amerindio, dia. adj. Dícese de los indios americanos y de lo perteneciente o relativo a ellos.

ameritar. tr. *Amer.* Dar mérito. Ú.t.c.r. ‖ *Amer.* Merecer.

ametrallador, ra. adj. Que ametralla. ‖ f. Mil. Arma de fuego automática, portátil o fija, que efectúa sucesiva y rápidamente una serie de disparos.

ametrallar. tr. Disparar metralla contra el enemigo. ‖ Disparar con ametralladora.

ametropía. f. Oftal. Defecto de refracción en el ojo que impide que las imágenes se formen debidamente en la retina.

amianto (al. *Asbest,* fr. *amiante,* ingl. *amianthus,* it. *amianto*). m. Mineral que se presenta en fibras blancas y flexibles de aspecto sedoso. Se hacen con él tejidos incombustibles.

amiba. f. Zool. Ameba.

amida. f. QUÍM. Compuesto orgánico que se obtiene sustituyendo átomos de hidrógeno del amoníaco por radicales electronegativos.

amigabilidad. f. Disposición natural para contraer amistades.

amigable. adj. Afable y que convida a la amistad.

amigar. tr. Amistar. Ú.t.c.r. || r. Amancebarse.

amígdala. f. ZOOL. Órgano formado por la reunión de numerosos nódulos linfáticos. || Amígdala palatina. || — *faríngea.* La situada en la porción nasal de la faringe. || — *lingual.* La situada en la base de la lengua. || — *palatina.* Cada una de las dos que se encuentran entre los pilares del velo del paladar.

amigdaláceo, a. adj. BOT. Se dice de los árboles o arbustos rosáceos, lisos o espinosos, de hojas alternas, flores precoces solitarias o en corimbo y fruto drupáceo con hueso que encierra una almendra por semilla; como el ciruelo, el cerezo, etc. Ú.t.c.s.f. || f. pl. Familia de estas plantas.

amigdalitis. f. MED. Inflamación de las amígdalas, anginas.

amigdaloide. adj. De forma de almendra. || GEOL. Se dice de las rocas volcánicas que contienen cuerpos o concreciones en forma de almendras.

amigo, ga (al. *freund,* fr. *ami,* ingl. *friend,* it. *amico*). adj. Que tiene amistad. Ú.t.c.s. || fig. Que gusta mucho de una cosa. || Ú. como tratamiento afectuoso aunque no haya verdadera amistad. || s. Persona amancebada.

amiláceo, a. adj. Que contiene almidón.

amilanamiento. m. Acción y efecto de amilanar o amilanarse.

amilanar. tr. fig. Atemorizar a uno hasta aturdirle y dejarle sin acción. || fig. Hacer decaer el ánimo. || r. Decaer el ánimo, abatirse. [*Sinón.:* amedrentar; desanimarse, apocarse. *Antón.:* alentar; animarse]

amiloide. adj. Semejante al almidón.

amillarar. tr. Regular los ingresos y haciendas de los vecinos de un pueblo, para repartir entre ellos las contribuciones.

amina. f. QUÍM. Compuesto orgánico derivado del amoníaco mediante la sustitución de átomos de hidrógeno por radicales electropositivos o por radicales alcohólicos.

aminoácido (al. *Aminosäure,* fr. *aminoacide,* ingl. *aminoacid,* it. *ammi-*

noacido). m. QUÍM. Nombre genérico de los cuerpos que reúnen las funciones de ácido y amina, y forman parte esencial de los tejidos orgánicos.

aminorar. tr. Minorar.

amistad (al. *Freundschaft,* fr. *amitié,* ingl. *friendship,* it. *amicizia*). f. Afecto personal, puro y desinteresado, que nace por el trato y se fortalece con él. || Amancebamiento. || pl. Personas con las que se tiene amistad.

amistoso, sa. adj. Perteneciente o relativo a la amistad.

amito. m. Lienzo fino que el sacerdote se pone sobre la espalda y los hombros, debajo del alba, cuando celebra ciertos oficios divinos.

amitosis. m. BIOL. División directa de las células, sin cariocinesis, propia de los metazoos.

amnesia. f. MED. Pérdida o debilidad notable de la memoria por lesiones en la corteza cerebral.

amnícola. adj. Que crece en las orillas de los ríos.

amnios. m. ZOOL. Membrana interna que envuelve al feto.

amniótico, ca. adj. ZOOL. Perteneciente o relativo al amnios.

amnistía (al. *Amnestie,* fr. *amnistie,* ingl. *amnesty,* it. *amnistia*). f. Perdón de los delitos, de carácter general, concedido mediante ley; supone la condonación de la acción penal.

amnistiar. tr. Conceder amnistía.

amo (al. *Hausherr,* fr. *maître,* ingl. *master,* it. *padrone*). m. Cabeza o señor de la casa o familia. || Dueño o poseedor de una cosa. || El que tiene uno o más criados, respecto de ellos. [*Sinón.:* dueño, propietario]

amodorrado, da. adj. Soñoliento, que tiene modorra.

amodorrar. tr. Causar modorra. || r. Caer en modorra.

amohinamiento. m. Acción y efecto de amohinar o amohinarse.

amohinar. tr. Causar mohína. Ú.t. c.r.

amojamamiento. m. Delgadez y sequedad de carnes.

amojamar. tr. Hacer mojama. || r. Acecinarse.

amojonamiento. m. Acción y efecto de amojonar. || Conjunto de mojones.

amojonar. tr. Señalar con mojones los linderos de una finca o término.

amolador. m. El que tiene por oficio amolar.

amoladura. f. Acción de amolar. || pl. Partículas desprendidas de la piedra al tiempo de amolar.

amolar. tr. Sacar corte o punta a un arma o instrumento en la muela. || fig. y fam. Fastidiar, molestar con pertinacia. [*Sinón.:* afilar; incomodar]

amoldamiento. m. Acción de amoldar o amoldarse.

amoldar (al. *an passen,* fr. *mouler,* ingl. *mould,* it. *modellare*). tr. Ajustar una cosa al molde. Ú.t.c.r. || fig. Por ext., acomodar a la forma conveniente. || Adecuar la conducta de alguno a una pauta determinada. Ú.m.c.r.

amollar. intr. Ceder, aflojar, desistir. || tr. MAR. Aflojar la escota u otro cabo.

amonarse. r. fam. Emborracharse.

amonedar. tr. Reducir a moneda un metal.

amonestación. f. Acción y efecto de amonestar. [*Sinón.:* reprimenda, regaño; admonición]

amonestar (al. *ermahnen,* fr. *admonester,* ingl. *to admonish,* it. *ammonire*). tr. Hacer presente una cosa para que se considere, procure o evite. || Advertir, prevenir. || Publicar en la Iglesia al tiempo de la misa mayor los nombres y otras circunstancias de las personas que quieren contraer matrimonio.

amoniacal. adj. Perteneciente o relativo al amoníaco.

amoniaco o amoníaco (al. *Ammoniak,* fr. *ammoniaque,* ingl. *ammonia,* it. *ammoniacca*). m. QUÍM. Gas incoloro de olor penetrante, compuesto de nitrógeno e hidrógeno, que unido al agua sirve de base para la formación de algunas sales. || FARM. Goma resinosa compuesta de grumos de sabor algo amargo y nauseativo y olor desagradable. Se usa como medicamento expectorante.

amónico, ca. adj. Perteneciente o relativo al amonio.

amonio. m. QUÍM. Radical compuesto de un átomo de nitrógeno y cuatro de hidrógeno, que en las reacciones químicas actúa como metal, por lo que puede combinarse con los ácidos para formar sales.

amontillado. adj. Dícese de una clase de jerez fino que se asemeja al vino de Montilla. Ú.m.c.s.n.

amontonamiento. m. Acción y efecto de amontonar o amontonarse.

amontonar (al. *anhäufen,* fr. *accumuler,* ingl. *to heap up,* it. *ammucchiare*). tr. Poner unas cosas sobre otras sin orden ni concierto. Ú.t.c.r. || fig. Juntar y mezclar varias especies sin orden. || r. fig. y fam. Amancebarse.

amor (al. *Liebe*, fr. *amour*, ingl. *love*, it. *amore*). m. Afecto por el cual busca el ánimo el bien verdadero o imaginado y apetece gozarlo. || Pasión que atrae un sexo hacia el otro. || Blandura, suavidad. || Esmero con que se trabaja una obra, deleitándose en ella. || pl. Relaciones amorosas. || Objeto de cariño especial para alguno. || — *homosexual*. Amor entre personas del mismo sexo. || — *lesbiano*. Amor homosexual entre mujeres. || — *propio*. Inmoderada estimación de sí mismo; afán de mejorar la propia actuación. || *con mil amores*. expr. fam. Con mucho gusto. || *hacer el amor*. Enamorar, galantear; realizar el acto sexual. || *por amor al arte*. loc. adv. fam. Gratuitamente. [*Sinón.*: cariño, querer. *Antón.*: odio, repulsión]

amoral (al. *unmoralisch*, fr. *amoral*, ingl. *amoral*, it. *amorale*). adj. Desprovisto de sentido moral.

amoralidad. f. Calidad de amoral.

amoratado, da. adj. Que tira a morado.

amoratarse. r. Ponerse morado.

amorcillo. m. dim. de amor. || En las artes plásticas, figura de niño desnudo con que se representa a Cupido, dios mitológico del amor.

amordazamiento. m. Acción y efecto de amordazar.

amordazar. tr. Poner mordaza. || fig. Impedir hablar o expresarse libremente mediante coacción.

amorfia. f. Calidad de amorfo. || Deformidad orgánica.

amorfo, fa. adj. Sin forma regular o bien determinada. || QUÍM. Se aplica a los cuerpos que no tienen forma cristalina.

amorío. m. fam. Enamoramiento. || Relación amorosa que se considera superficial y pasajera. Ú.m. en pl.

amormado, da. adj. Aplícase a la bestia que padece muermo.

amoroso, sa (al. *liebevoll*, fr. *amoureux*, ingl. *loving*, it. *amoroso*). adj. Que siente amor. || Que denota amor. [*Sinón.*: cariñoso, afectuoso]

amorrar. intr. fam. Bajar o inclinar la cabeza. Ú.t.c.r. || MAR. Hundir la proa. || r. Aplicar los labios o morros directamente para beber.

amortajamiento. m. Acción de amortajar.

amortajar. tr. Poner la mortaja al difunto.

amortecer. tr. Amortiguar. Ú.t.c. intr. || r. Desmayarse, quedar como muerto.

amortiguador, ra (al. *dämpfer*, fr. *amortisseur*, ingl. *buffer*, it. *smorzatore*). adj. Que amortigua. || m. TÉCN. Mecanismo destinado a disminuir el efecto de cualquier choque o sacudida.

amortiguamiento. m. Acción y efecto de amortiguar o amortiguarse. || FIS. Disminución progresiva de la intensidad de un fenómeno periódico.

amortiguar. tr. Dejar como muerto. Ú.t.c.r. || fig. Hacer menos viva, eficaz o violenta una cosa. Ú.t.c.r. || fig. Hablando de los colores, templarlos, amenguar su viveza. [*Sinón.*: aminorar, atenuar, paliar. *Antón.*: realzar, excitar]

amortizable. adj. Que se puede amortizar.

amortización. f. Acción y efecto de amortizar.

amortizar (al. *amortisieren*, fr. *amortir*, ingl. *to redeem*, it. *amortizzare*). tr. Pasar los bienes a manos muertas. || Redimir o extinguir el capital de un censo, préstamo u otra deuda. || ECON. Recuperar o compensar los fondos invertidos en alguna empresa. || Suprimir empleos o plazas en un cuerpo u oficina.

amoscamiento. m. Acción de amoscarse.

amoscar. r. fam. Enfadarse.

amotinado, da. adj. Dícese de la persona que toma parte en un motín. Ú.t.c.s.

amotinamiento. m. Acción y efecto de amotinar o amotinarse.

amotinar (al. *aufwiegeln*, fr. *révolter*, ingl. *to revolt*, it. *ammutinare*). tr. Alzar en motín a cualquier multitud. Ú.t.c.r.

amover. tr. Remover, destituir a uno de su cargo.

amovible. adj. Que puede ser quitado del lugar que ocupa, o del puesto o cargo que tiene. || Se dice también del cargo o beneficio del que puede ser separado el que lo ocupa.

amparar (al. *schützen*, fr. *protéger*, ingl. *to shelter*, it. *proteggere*). tr. Favorecer, proteger. || r. Valerse del favor o de la protección de alguno. || Defenderse, guarecerse.

amparo. m. Acción y efecto de amparar o ampararse. || Abrigo o defensa.

ampelídeo. adj. BOT. Vitáceo.

amperaje. m. ELECTR. Cantidad de amperios que actúan en un sistema eléctrico.

amperímetro. m. ELECTR. Aparato que sirve para medir el número de amperios de una corriente eléctrica.

amperio. m. FIS. Unidad de corriente eléctrica. Es la intensidad de la corriente que, al circular por dos conductores paralelos de determinadas características, origina entre ellos una fuerza de dos diezmillonésimas de neutonio por cada metro de conductor. Es una unidad básica del sistema Giorgi MKSA.

ampliación (al. *erweiterung*, fr. *ampliation*, ingl. *amplification*, it. *ampliazione*). Acción y efecto de ampliar.

ampliador, ra. adj. Que amplía o sirve para ampliar. Ú.t.c.s.

ampliar (al. *vergrössern*, fr. *élargir*, ingl. *to enlarge*, it. *amplificare*). tr. Extender, dilatar. || Reproducir una fotografía en tamaño mayor del que tenga.

amplificación. f. Acción y efecto de amplificar.

amplificador, ra (al. *Verstärker*, fr. *amplificateur*, ingl. *amplifier*, it. *amplificatore*). adj. Que amplifica. Ú.t.c.s. || m. FIS. Aparato o sistema, mediante el cual se aumenta la intensidad o amplitud de un fenómeno físico.

amplificar (al. *erweitern*, fr. *amplifier*, ingl. *to amplify*, it. *amplificare*). tr. Ampliar, extender, dilatar.

amplio, plia. adj. Extenso, dilatado, espacioso.

amplitud. f. Extensión, dilatación. || fig. Capacidad de comprensión intelectual o moral. || ASTR. Ángulo comprendido entre el plano vertical que pasa por la visual dirigida al centro de un astro y el vertical primario. || FIS. En el movimiento oscilatorio, espacio recorrido por el cuerpo entre sus dos posiciones extremas.

ampolla (al. *Blase, Ampulle*; fr. *ampoule*, ingl. *blister, ampoule*; it. *ampolla*). f. Vejiga formada por la elevación de la epidermis. || Vasija de vidrio o cristal, de cuello largo y angosto y cuerpo ancho y redondo. || Pequeño recipiente de vidrio cerrado, que contiene un líquido inyectable. || Vinajera. || Burbuja que se forma en el agua cuando hierve o cuando llueve con fuerza. || Abultamiento producido en la superficie de un metal por la expansión de un gas en él contenido.

ampolleta. f. *Amer*. Bombilla eléctrica.

ampón, na. adj. Amplio, repolludo, ahuecado.

ampulosidad. f. Calidad de ampuloso.

ampuloso, sa. adj. Hinchado y redundante. Dícese del lenguaje o del estilo, y del escritor o del orador. [*Sinón.*: enfático, prosopopéyico. *Antón.*: llano, sencillo]

amputación. f. Acción y efecto de amputar.

amputar (al. *amputieren*, fr. *amputer*, ingl. *to amputate*, it. *amputare*). tr. Cortar en derredor o quitar del todo. || fig. Quitar, suprimir una parte de un todo. || CIR. Cortar y separar enteramente del cuerpo un miembro o parte de él. [*Sinón.*: cercenar, mutilar]

amueblado. m. *Amer.* Casa de citas.

amueblar. tr. Dotar de muebles un edificio o alguna parte de él.

amugronar. tr. AGR. Acodar la vid para ocupar el vacío de una cepa que falta en la viña.

amuleto (al. *Amulett*, fr. *amulette*, ingl. *amulet*, it. *amuleto*). m. Medalla u otro objeto portátil al que supersticiosamente se atribuye virtud sobrenatural para alejar un daño o peligro o para propiciar algo.

amura. MAR. Parte de los costados del buque donde éste empieza a estrecharse para formar la proa. || MAR. Cabo que hay en cada uno de los puños bajos de las velas para llevarlos hacia proa y afirmarlos.

amurada. f. MAR. Cada uno de los costados del buque por su parte interior.

amurallar. tr. Cercar con muros.

amurar. tr. MAR. Sujetar con la amura los puños bajos de las velas para que éstas queden bien orientadas cuando se ha de navegar de bolina.

amurcar. tr. Acornear el toro.

an—. Forma que toma la part. insep. *a—* delante de vocal.

ana—. prep. insep., que significa *contra, sobre* o *de nuevo.*

anabaptismo. m. Secta de los anabaptistas.

anabaptista. adj. Dícese del que cree que no se debe bautizar a los niños antes de que lleguen al uso de razón, y que, en caso de haberlo hecho, se ha de reiterar su bautismo cuando sean adolescentes. Ú.m.c.s.

anabólico, ca. adj. Perteneciente o relativo al anabolismo.

anabolismo. m. BIOL. Proceso constructivo por medio del cual las sustancias simples se convierten en compuestos más complejos por la acción de células vivientes.

anacanto. adj. ZOOL. Dícese de peces teleósteos, con aletas de radios blandos y flexibles y de las cuales las abdominales están situadas debajo o delante de las pectorales. Ú.t.c.s. || m. pl. Suborden de estos peces, al que pertenecen la merluza, el bacalao, etc.

anacarado, da. adj. De color de nácar.

anacardiáceo, a. adj. BOT. Dícese de plantas dicotiledóneas, en forma de árbol o de arbusto, de hojas simples o compuestas y fruto en drupa o seco, con una sola semilla; como el terebinto, el mango y el lentisco. Ú.t.c.s.f. || f. pl. Familia de estas plantas.

anacoluto. m. GRAM. Inconsecuencia en el régimen, o en la construcción de una cláusula.

anaconda. f. Serpiente americana de la familia de las boas, que llega a tener más de diez metros de longitud.

anacoreta. com. Persona que vive en lugar solitario, entregada enteramente a la contemplación y a la penitencia. [*Sinón.*: asceta, ermitaño, cenobita]

anacreóntico, ca. adj. Propio y característico del poeta griego Anacreonte y de sus obras. Se aplica especialmente a la composición poética en que se cantan los placeres del amor, del vino, etc., con ligereza, donaire y gusto delicado. Ú.t.c.s.f.

anacrónico, ca. adj. Que adolece de anacronismo.

anacronismo. m. Error que consiste en suponer acaecido un hecho antes o después del tiempo en que sucedió, y por ext., incongruencia que resulta de presentar algo como propio de una época a la que no corresponde. || Antigualla, mueble o traje pasado de moda.

ánade. amb. Pato. || Por ext., cualquier otra ave de los mismos caracteres genéricos que el pato.

anaerobio. adj. Aplícase al ser que puede vivir y desarrollarse sin aire, especialmente sin oxígeno.

anafilaxia. f. FISIOL. Impresionabilidad exagerada del organismo debida a la acción de ciertas sustancias orgánicas, cuando al inyectarlas por segunda vez, aun en pequeñísima cantidad, producen desórdenes varios, a veces graves. || Impresionabilidad excesiva a la acción de ciertas sustancias alimenticias o medicamentos.

anafilaxis. f. Anafilaxia.

anáfora. f. RET. Repetición de palabras.

anafrodisia. f. Disminución o falta del apetito venéreo.

anafrodita. adj. Dícese del que por temperamento o virtud se abstiene de los placeres sensuales. Ú.t.c.s.

anaglifo. m. ARQ. Vaso u obra, tallada, de relieve abultado.

anagliptica. f. IMP. Impresión en relieve que utilizan los ciegos.

anagogía. f. Sentido místico de la Sagrada Escritura, encaminado a dar idea de la bienaventuranza eterna. || Elevación del alma en el contemplamiento de las cosas divinas.

anagrama. m. Transformación de una palabra o sentencia en otra, por transposición de sus letras. || Palabra o sentencia que resulta de dicha transposición.

anagramático, ca. adj. Relativo al anagrama.

anagramatista. com. Persona que encubre su nombre bajo un seudónimo anagramático.

anal. adj. Perteneciente o relativo al ano.

analepsia. f. Restablecimiento de las fuerzas después de una enfermedad.

anales. m. pl. Relaciones de sucesos por años.

analfabetismo (al. *Analphabetismus*, fr. *analphabétisme*, ingl. *illiteracy*, it. *analfabetismo*). m. Condición de analfabeto. || Falta de instrucción elemental en un país.

analfabeto, ta. adj. Que no sabe leer ni escribir. Ú.t.c.s. || Por ext. y ponderación, ignorante o desconocedor de una disciplina. [*Sinón.*: iletrado]

analgesia. f. MED. Falta o supresión de toda sensación dolorosa, sin pérdida de los restantes modos de la sensibilidad.

analgésico, ca. adj. Perteneciente o relativo a la analgesia. || m. Medicamento o droga que produce analgesia.

análisis (al. *Analyse*, fr. *analyse*, ingl. *analysis*, it. *analisi*). m. Distinción y separación de las partes de un todo hasta llegar a conocer sus principios o elementos. || fig. Examen que se hace de una obra, discurso o escrito. || GRAM. Examen de las palabras del discurso para determinar la categoría, oficio, accidentes y propiedades gramaticales de cada una de ellas. || MAT. Arte de resolver problemas por álgebra. || MED. Examen químico o bacteriológico de los humores, secreciones o tejidos con un fin diagnóstico. || — *cualitativo.* QUÍM. El que tiene por objeto descubrir y aislar los elementos de un cuerpo compuesto. || — *cuantitativo.* QUÍM. El que se emplea para determinar la cantidad de cada elemento o ingrediente. ‖ — *espectral*. Fís. Método de análisis químico fundado en la observación del espectro que produce la llama del cuerpo que se analiza.

analista (al. *Analytiker*, fr. *analyste*, ingl. *analyst*, it. *analista*). com. El que hace análisis químicos o médicos. ‖ Autor de anales.

analítico, ca. adj. Perteneciente o relativo al análisis. ‖ Que procede por vía de análisis.

analizador, ra. adj. Que analiza. Ú.t.c.s. ‖ m. Fís. Anteojo del espectroscopio con que se observa la luz ya dispersada.

analizar. tr. Hacer análisis de algo.

análogamente. adv. m. Con analogía.

analogía (al. *Analogie*, fr. *analogie*, ingl. *analogy*, it. *analogia*). f. Relación de semejanza entre cosas distintas. ‖ GRAM. Semejanza formal entre los elementos lingüísticos que desempeñan igual función, o tienen entre sí alguna coincidencia significativa. ‖ LING. Creación de nuevas formas lingüísticas o modificación de las existentes, a semejanza de otras. ‖ GRAM. Parte de la gramática que trata de los accidentes y propiedades de las palabras, consideradas aisladamente. [*Sinón.*: correspondencia, similitud]

analógico, ca. adj. Análogo. ‖ LING. Perteneciente o relativo a la analogía.

análogo, ga. (al. *analog*, fr. *analogue*, ingl. *analogous*, it. *analogo*). adj. que tiene analogía con algo.

anamnesia. f. Anamnesis.

anamnesis. f. MED. Parte del examen clínico que reúne todos los datos personales, hereditarios y familiares del enfermo, anteriores a la enfermedad.

anamorfosis. f. Pintura o dibujo que, según desde donde se mire, ofrece a la vista una imagen deforme o regular.

ananás. m. BOT. Planta bromiliácea, de flores de color morado y fruto grande comestible en forma de piña. ‖ Fruto de esta planta, amarillento, carnoso y muy suculento, terminado por una corona de hojas. [*Sinón.*: piña americana]

anapesto. m. LIT. Pie de las métricas griega y latina, compuesto de tres sílabas: las dos primeras, breves, y la otra, larga.

anaptixis. f. LING. Desarrollo de la resonancia vocálica de las sonánticas, hasta convertir esta resonancia en vocal, como en *agaradable* por *agradable*.

anaquel. m. Cada una de las tablas compuestas horizontalmente en muros, armarios, etc., que sirven para colocar sobre ellas libros u otros objetos. [*Sinón.*: estante, repisa]

anaranjado, da. adj. De color semejante a la naranja. Ú.t.c.s. Es el segundo color del espectro solar.

anarcosindicalismo. m. SOCIOL. Corriente del anarquismo que otorga un papel de suma importancia a la organización de la clase trabajadora en sindicatos, como instrumento de lucha para la consecución de objetivos.

anarquía (al. *Anarchie*, fr. *anarchie*, ingl. *anarchy*, it. *anarchia*). f. Falta de todo gobierno en un Estado. ‖ fig. Desorden, confusión por ausencia o flaqueza de la autoridad pública. ‖ Por ext., desconcierto, barullo, incoherencia.

anárquico, ca. adj. Perteneciente o relativo a la anarquía.

anarquismo. m. Ideología política y social que propugna la abolición de todo gobierno sobre el individuo y principalmente la desaparición del Estado.

anarquista (al. *Anarchist*, fr. *anarchiste*, ingl. *anarchist*, it. *anarchista*). adj. Propio del anarquismo o de la anarquía. ‖ com. Persona que profesa el anarquismo.

anarquizar. tr. Introducir o propagar el anarquismo.

anastomosis. f. Unión de unos elementos anatómicos con otros de la misma planta o del mismo animal.

anástrofe. f. GRAM. En una oración, inversión violenta en el orden de las palabras.

anata. r. Renta que produce en un año cualquier beneficio o empleo.

anatema. amb. Excomunión. ‖ Maldición, imprecación.

anatematizar. tr. Imponer el anatema. ‖ Maldecir a alguien.

anatomía (al. *Anatomie*, fr. *anatomie*, ingl. *anatomy*, it. *anatomia*). f. Ciencia que enseña el número, estructura, localización y relaciones de las diferentes partes de los cuerpos orgánicos. ‖ BIOL. Disección o separación de las partes del cuerpo de un animal o planta.

anatómico, ca. adj. Concerniente a la anatomía. ‖ s. Anatomista.

anatomista. com. Profesor de anatomía.

anca. f. Cada una de las dos mitades laterales de la parte posterior de las caballerías y otros animales. ‖ Parte posterior y superior de las caballerías. ‖ Parte superior de la pierna de una persona, cadera.

ancestral (al. *uralt*, fr. *ancestral*, ingl. *ancestral*, it. *ancestrale*). adj. Perteneciente o relativo a los antepasados.

ancianidad. f. Último período de la vida ordinaria del hombre. [*Sinón.*: vejez, senectud. *Antón.*: juventud]

anciano, na (al. *greis, alt*; fr. *vieux, vieillard*; ingl. *old, old man (woman)*; it. *anziano, vecchiotto*). adj. Dícese del hombre o mujer que tiene muchos años y de lo que es propio de ellos. Ú.t.c.s.

ancla (al. *Anker*, fr. *ancre*, ingl. *anchor*, it. *ancora*). f. MAR. Instrumento de hierro forjado, en forma de arpón o anzuelo doble, compuesto de una barra que lleva unas uñas dispuestas para aferrarse al fondo del mar y sujetar la nave. [*Sinón.*: áncora]

anclaje. m. MAR. Acción de anclar una embarcación. ‖ Tributo que se paga por fondear en un puerto.

anclar (al. *ankern*, fr. *jeter l'ancre*, ingl. *to drop anchor*, it. *ancorare*). intr. MAR. Fondear la nave. [*Sinón.*: ancorar]

ancón. m. Ensenada pequeña en la que se puede fondear.

áncora. f. Ancla.

ancorel. m. Piedra que sirve de ancla a la boya de una red.

ancho, cha (al. *breit*, fr. *large*, ingl. *wide*, it. *largo*). adj. Que tiene más o menos anchura, o la tiene excesiva. ‖ Holgado, amplio en demasía. ‖ Orgulloso. Ú. m. con los verbos *estar* o *ponerse*. ‖ m. Anchura. ‖ *estar* uno *a sus anchas*. fam. Cómodamente, con entera libertad.

anchoa (al. *Anchove*, fr. *anchois*, ingl. *anchovy*, it. *acciuga*). f. Boquerón curado en salmuera. ‖ En algunas partes, boquerón.

anchoar. tr. Rellenar con anchoa el hueco de una aceituna deshuesada.

anchura (al. *Breite*, fr. *largeur*, ingl. *width*, it. *larghezza*). f. La menor de las dos dimensiones principales que tienen las cosas o figuras planas. ‖ En una superficie, su dimensión considerada de izquierda a derecha o de derecha a izquierda. ‖ En objetos de tres dimensiones, la segunda en magnitud. ‖ Amplitud, extensión o capacidad grandes. ‖ Holgura, espacio suficiente para que pase, quepa o se mueva dentro alguna cosa. ‖ Libertad, soltura, desahogo.

anchuroso, sa. adj. Muy ancho o espacioso.

andada. f. Pan que se pone muy delgado y llano para que al cocer quede muy duro y sin miga. || pl. Entre cazadores, huellas de los animales. || *volver uno a las andadas.* fig. y fam. Reincidir en un vicio o mala costumbre.

andaderas. f. pl. Aparato para que el niño aprenda a andar sin caerse.

andador, ra. adj. Que anda mucho o con velocidad. Ú.t.c.s. || Que anda de una parte a otra sin parar en ninguna. Ú.t.c.s. || m. pl. Tirantes que sirven para sostener al niño cuando aprende a andar.

andalucismo. m. Locución o modo de hablar peculiar de los andaluces. || Amor o apego a las cosas de Andalucía.

andaluz, za. adj. Natural de Andalucía. Ú.t.c.s. || Perteneciente a esta región de España. || m. Dícese de la variedad de la lengua española hablada en Andalucía. Ú.t.c.s.m.

andaluzada. f. fam. Exageración que, como habitual, suele atribuirse a los andaluces.

andamiaje. m. Conjunto de andamios. || Andamio.

andamio (al. *Gerüst,* fr. *échafaudage,* ingl. *scaffolding,* it. *impalcatura*). m. Armazón de tablones o de vigas o tubos metálicos que sirve para colocarse encima y trabajar en la construcción o reparación de edificios, pintar paredes o techos, etc. || Tablado que se pone en plazas o sitios públicos para ver desde él alguna fiesta, o con otro objeto.

andana. f. Orden de algunas cosas puestas en línea.

andanada (al. *Breitseite,* fr. *bordée,* ingl. *broadside,* it. *bordata*). f. Andana, orden de cosas. || Descarga cerrada de toda una batería de cualquiera de los costados de un buque. || Localidad cubierta, con gradas, en las plazas de toros. || fig. y fam. Represión.

andante. adv. m. Mús. Con movimiento moderadamente lento. || m. Mús. Composición o parte de ella que se ha de ejecutar con este movimiento.

andanza. f. Acción de recorrer diversos lugares, considerada como azarosa. || Suerte, buena o mala. || pl. Vicisitudes que se experimentan en un lugar, en un viaje o en un tiempo dados. || Peripecias, aprietos, trances.

andar (al. *gehen,* fr. *aller,* ingl. *to go,* it. *andare*). intr. Ir de un lugar a otro a pie. Ú.t.c.r. || Ir de un lugar a otro lo

inanimado, o moverse un artefacto para ejecutar sus funciones. || fig. Estar. || fig. Ocuparse en algo. || Hablando del tiempo, pasar o correr. || Con las prep. *con* y *sin* y algunos nombres, tener o padecer lo que el nombre significa, o al contrario. || Seguido de la prep. *a* y de nombres en plural, como *puñetazos, tiros,* darlos o reñir de este modo. || fam. Seguido de la prep. *en,* poner o meter las manos o los dedos en alguna cosa. Ú.t.c.r. || Seguido de la prep. *con,* traer entre manos. || Con gerundios, denota la acción que expresan éstos. || tr. Recorrer un espacio. || r. Con las prep. *con* o *en,* usar o emplear. || *todo se andará.* loc. fam. con que se da a entender que, en su tiempo, ocurrirá algo que se creía olvidado.

andar. m. Acción o modo de andar. || fig. Modo o manera de proceder. || pl. Modo de andar las personas.

andariego, ga. adj. Andador, que anda mucho. Ú.t.c.s.

andarín, na. adj. Dícese de la persona muy andadora. Ú.t.c.s.

andarivel. m. Maroma tendida entre dos puntos separados por agua, mediante la cual pueden palmearse embarcaciones menores. || Cuerda colocada en diferentes sitios del buque, a manera de pasamano, o para otros usos.

andarríos. m. Zool. Aguzanieves.

andas. f. pl. Tablero que, sostenido por dos varas horizontales, sirve para conducir efigies, personas o cosas.

andel. m. Rodada o carril que deja el paso de un carro u otro vehículo en el campo. Ú.m. en pl.

andén (al. *Bahnsteig,* fr. *quai,* ingl. *platform,* it. *marciapiede*). m. En las norias y otros ingenios movidos por caballerías, sitio por donde andan circularmente. || Corredor o sitio destinado para andar. || Pretil, parapeto, antepecho. || En las estaciones de ferrocarril, especie de acera a lo largo de la vía. || En los puertos de mar, espacio de terreno sobre el muelle para el embarque o desembarque de géneros. || Acera de un puente. || *Anaquel.* || *Amer.* Acera de la calle. || *Amer.* Bancal, terreno de labranza. Ú. generalmente en pl.

andero. m. Cada uno de los que llevan en hombros las andas.

andinismo. m. *Amer.* Deporte que consiste en la ascensión a los Andes.

andino, na. adj. Perteneciente o relativo a la cordillera de los Andes.

ándito. m. Corredor o andén que exteriormente rodea del todo o en gran

parte un edificio. || Acera de una calle.

andorga. f. fam. Vientre, cavidad inferior del cuerpo.

andorrano, na. adj. Natural de Andorra. Ú.t.c.s. || Perteneciente a este país.

andorrear. intr. Vagar de una parte a otra sin hacer cosa de provecho.

andosco, ca. adj. Aplícase a la res de ganado menor que tiene dos años. Ú.t.c.s.

andrajo. m. Pedazo o jirón de ropa muy usada. [*Sinón.:* harapo, pingo]

andrajoso, sa. adj. Cubierto de andrajos; sucio y desaliñado.

androceo. m. Bot. Tercer verticilo de la flor, formado por los estambres.

andrógino, na. adj. Bot. Monoico. || Zool. Dícese de algunos animales que, aun cuando reúnen los dos sexos, no pueden ser fecundos aisladamente.

androide. adj. De figura de hombre.

Andrómeda. n.p.f. Astr. Constelación septentrional, situada al sur de Casiopea.

andullo. m. Tejido que se pone en las jaretas y motones de lo buques para evitar el roce. || Hoja larga de tabaco arrollada. || Manojo de hojas de tabaco. || *Amer.* Pasta de tabaco para mascar.

andurrial. m. Paraje extraviado o fuera de camino. Ú.m. en pl.

anea. f. Bot. Planta tifácea, cuyas hojas se emplean para hacer asientos de silla, cestos, etc. || Espadaña.

anear. m. Sitio poblado de aneas.

anécdota (al. *Anekdote,* fr. *anecdote,* ingl. *anecdote,* it. *aneddoto*). f. Relato breve de un hecho curioso que se hace como ilustración, ejemplo o entretenimiento. || Suceso curioso y poco conocido que se cuenta en dicho relato.

anecdotario. m. Colección de anécdotas.

anecdótico, ca. adj. Perteneciente o relativo a la anécdota.

anegación. f. Acción y efecto de anegar o anegarse.

anegadizo, za. adj. Que frecuentemente se anega o inunda. Ú.t.c.s.m.

anegar (al. *ertränken,* fr. *submerger,* ingl. *to overflow,* it. *sommergere*). tr. Ahogar a uno sumergiéndolo en el agua. Ú.t.c.r. || Inundar de agua. Ú.m.c.r. || Abrumar, agobiar, molestar. || r. Naufragar una nave.

anejo, ja (al. *verbunden,* fr. *annexe,* ingl. *annexed,* it. *annesso*). adj. Anexo, agregado a otra cosa, con dependencia de ella. Ú.t.c.s. || m. Grupo de población rural incorporado a otro u otros, para formar municipio.

anélido, da. adj. ZOOL. Dícese de los animales vermiformes, de sangre roja y cuerpo blando con anillos o pliegues transversales, como la lombriz y la sanguijuela. ‖ m. pl. Clase de estos animales.

anemia (al. *Anämie*, fr. *anémie*, ingl. *anaemia*, it. *anemia*). f. FISIOL. Empobrecimiento de la sangre por disminución de su cantidad total, como en las hemorragias, o por enfermedades que reducen la cantidad de hemoglobina o el número de glóbulos rojos. ‖ — *perniciosa*. PAT. Enfermedad caracterizada por una disminución de los glóbulos rojos, con aumento de su tamaño.

anémico, ca. adj. Perteneciente o relativo a la anemia. ‖ Que padece anemia. Ú.t.c.s.

anemófilo, la. adj. BOT. Dícese de las plantas en las que la polinización se efectúa por medio del viento.

anemografía. f. Parte de la meteorología que trata de la descripción de los vientos.

anemometría. f. Parte de la meteorología que enseña a medir la velocidad o la fuerza del viento.

anemómetro. m. Instrumento para medir la velocidad o la fuerza del viento.

anémona o anemona. f. BOT. Planta herbácea ranunculácea, con flores de seis pétalos, grandes y vistosas. ‖ Flor de esta planta. ‖ — *de mar.* ZOOL. Pólipo solitario antozoo, que vive fijo en las rocas marinas. Su abertura bucal está rodeada de numerosos tentáculos que le dan aspecto de flor.

anemone. f. Anémona.

anemoscopio. m. Instrumento para indicar los cambios de dirección del viento.

aneroide. adj. ↗ barómetro aneroide.

anestesia (al. *Anästhesie*, fr. *anesthésie*, ingl. *anesthesia*, it. *anestesia*). f. MED. Falta o privación de la sensibilidad, ya por efecto de un padecimiento, ya artificialmente producida. [*Sinón.*: narcosis, insensibilidad]

anestesiar (al. *anästhesieren*, fr. *anesthésier*, ingl. *to anesthesize*, it. *anestetizzare*). tr. Privar total o parcialmente de la sensibilidad por medio de la anestesia.

anestésico, ca. adj. Perteneciente o relativo a la anestesia. ‖ Que produce o causa anestesia. Ú.t.c.s.m.

anestesiología. f. MED. Tratado de la anestesia y de los anestésicos.

anestesista. com. MED. El que aplica la anestesia al paciente en una intervención quirúrgica.

aneurisma. amb. MED. Tumor sanguíneo que se forma por relajación o rotura de las túnicas de una arteria. ‖ Dilatación o aumento anormal del volumen del corazón.

anexar (al. *angliedern*, fr. *adjoindre*, ingl. *to adjoin*, it. *annettere*). tr. Unir o agregar una cosa a otra con dependencia de ella. [*Sinón.*: adherir, incorporar, adscribir. *Antón.*: separar]

anexión (al. *Anschluss*, fr. *anexion*, ingl. *annexation*, it. *annessione*). f. Acción y efecto de anexar.

anexionar. tr. Anexar.

anexionismo. m. Doctrina que defiende las anexiones, especialmente tratándose de territorios.

anexionista. adj. Partidario o defensor del anexionismo. Ú.t.c.s.

anexo, xa. adj. Unido o agregado a otra cosa con dependencia de ella. Ú.t.c.s.

anfibio, bia (al. *Amphibie*, fr. *amphibie*, ingl. *amphibious*, it. *anfibio*). adj. Aplícase a los animales y plantas que pueden vivir en el agua y en la tierra. Ú.t.c.s. ‖ m. pl. ZOOL. Clase de estos animales. ‖ Dícese de los vehículos que pueden caminar por tierra y por agua. ‖ ZOOL. Batracio. Ú.t.c.s.

anfibol. m. GEOL. Mineral compuesto de sílice, magnesia, cal y óxido ferroso, de color verde o negro y brillo anacarado.

anfibología. f. Doble sentido de la palabra, cláusula, o manera de hablar.

anfíbraco. m. LIT. Pie de la poesía griega y latina, que consta de tres sílabas, una larga entre dos breves.

anfímacro. m. LIT. Pie de la poesía griega y latina que consta de tres sílabas, una breve entre dos largas.

anfión. m. Opio.

anfipróstilo. m. ARQ. Edificio con pórtico y columnas en dos de sus fachadas.

anfiteatro (al. *Anphitheater*, fr. *amphitheatre*, ingl. *amphitheater*, it. *anfiteatro*). m. Edificio de figura redonda u oval, con gradas a su alrededor, y en el cual se celebran varios espectáculos. ‖ Conjunto de asientos, en gradas semicirculares, que suele haber en las aulas y teatros.

anfitrión, na (al. *Gastgeber*, fr. *amphitryon*, ingl. *host*, it. *anfitrione*). s. fig. y fam. Persona que tiene convidados a su mesa y los regala con esplendidez.

ánfora. f. ARQUEOL. Cántaro alto y estrecho, de cuello largo y con dos asas, muy usado por los antiguos griegos y romanos. ‖ pl. Jarras o cántaros de plata en que el obispo consagra los óleos el Jueves Santo.

anfótero, ra. adj. QUÍM. Dícese del cuerpo o la sustancia que unas veces se comporta como ácido, y otras, como base.

anfractuosidad. f. Calidad de anfractuoso. ‖ ANAT. Surco o depresión sinuosa que separa las circunvoluciones cerebrales.

anfractuoso, sa. adj. Quebrado, desigual, sinuoso.

angarillas. f. pl. Armazón compuesta de dos varas con un tabladillo en medio, en que se llevan a mano materiales para edificios y otras cosas. ‖ Aguaderas. ‖ Vinagreras para el servicio de la mesa.

angazo. m. Instrumento para pescar mariscos.

ángel (al. *Engel*, fr. *ange*, ingl. *angel*, it. *angelo*). m. Espíritu celeste creado por Dios para su ministerio. ‖ Cualquiera de los espíritus celestes que pertenecen al último de los nueve coros. ‖ fig. Gracia, simpatía. ‖ — *custodio* o *de la guarda*. El que Dios tiene señalado a cada persona para su custodia. ‖ *pasa un ángel.* fr. proverb. que se emplea cuando en una conversación se produce silencio completo.

angelical. adj. Perteneciente o relativo a los ángeles. ‖ fig. Parecido a los ángeles, por su hermosura o inocencia.

angelito. m. dim. de ángel. ‖ fig. Niño de muy tierna edad, aludiendo a su inocencia. ‖ fig. Criatura recién fallecida.

angelote. m. aum. de ángel. ‖ fam. Figura grande de ángel, que se pone en los retablos o en otras partes. ‖ fig. y fam. Niño muy grande, gordo y de apacible condición. ‖ fig. y fam. Persona muy sencilla y apacible.

ángelus. m. Oración en honor del misterio de la Encarnación.

angevino, na. adj. Natural de Angers o de Anjou. ‖ Perteneciente o relativo a la casa de Anjou.

angina (al. *Angina*, fr. *angine*, ingl. *angina*, it. *angina*). f. MED. Inflamación de las amígdalas o de éstas y de la faringe. ‖ — *de pecho*. Síndrome caracterizado por un imprevisto y violento dolor precordial, que generalmente se propaga a la espalda y brazo izquierdo y se acompaña de una sensación de sofoco y angustia.

angiología. f. ANAT. Parte de la anatomía que trata del sistema vascular.

angioma. m. MED. Tumor benigno formado por vasos sanguíneos dilatados.

angiospermo, ma. adj. BOT. Dícese de las plantas fanerógamas cuyos carpelos forman una cavidad cerrada u ovario, dentro de la cual están los óvulos. Ú.t.c.s.f. || f. pl. Grupo de estas plantas.

anglicanismo (al. *Anglikanismus*, fr. *anglicanisme*, ingl. *anglicanism*, it. *anglicanismo*). m. Conjunto de las doctrinas de la religión reformada predominante en Inglaterra.

anglicano, na. adj. Que profesa el anglicanismo. Ú.t.c.s. || Perteneciente a él. || Inglés.

anglicismo. m. Modo de hablar propio y privativo de la lengua inglesa. || Vocablo o giro de esta lengua empleado en otra. || Empleo de anglicismos.

anglo, gla. adj. Dícese del individuo de una tribu germánica que en el siglo v se estableció en Inglaterra. Ú.t.c.s.

angloamericano, na. adj. Perteneciente a ingleses y americanos. || Natural de los Estados Unidos de América. Apl. especialmente al de origen inglés. Ú.t.c.s.

anglofilia. f. Afición o simpatía por lo inglés o a los ingleses.

anglófilo, la. adj. Que simpatiza con Inglaterra, con los ingleses o con lo inglés. Ú.t.c.s.

anglofobia. f. Aversión a lo inglés o a los ingleses.

anglófobo, ba. adj. Desafecto a Inglaterra, a los ingleses o a lo inglés. Ú.t.c.s.

anglohablante. adj. Dícese de la persona, comunidad o país que tiene como lengua materna el inglés. Ú.t.c.s.

anglomanía f. Afectación en imitar las costumbres inglesas. || Afectación en emplear anglicismos.

anglómano, na. adj. Que adolece de anglomanía. Ú.t.c.s.

angloparlante. adj. Anglohablante.

anglosajón, na (al. *Angelsächsisch, Angelsachse*; fr. *anglo-saxon*; ingl. *anglo-saxon*; it. *anglosassone*). adj. Dícese del individuo procedente de las tribus germánicas de los anglos y sajones que se establecieron en Inglaterra en los siglos v y VI. Ú.t.c.s. || Dícese de los individuos y pueblos de procedencia y lengua inglesa. || m. Lengua hablada por los antiguos anglosajones y de la cual procede el inglés.

angosto, ta (al. *eng*, fr. *étroit*, ingl. *narrow*, it. *angusto*). adj. Estrecho o reducido.

angostura. f. Calidad de angosto. || Estrechura o paso estrecho. || fig. Estrechez intelectual o moral.

ángstrom. m. Angstromio.

angstromio. m. FIS. Unidad de longitud equivalente a una diezmillonésima de milímetro. Se utiliza para medir longitudes de onda y dimensiones atómicas.

anguila (al. *Aal*, fr. *anguille*, ingl. *eel*, it. *anguilla*). f. ZOOL. Pez malacopterigio ápodo, de cuerpo cilíndrico cubierto de una sustancia viscosa. Es de carne comestible. || MAR. Cada uno de los dos maderos, paralelos a la quilla del buque en construcción, que son la base sobre la que se bota éste al agua. Ú.m. en pl.

angula. f. Cría de la anguila.

angular. adj. Perteneciente o relativo al ángulo. || De figura de ángulo.

ángulo (al. *Winkel*, fr. *angle*, ingl. *angle*, it. *angolo*). m. GEOM. Cada una de las dos porciones de plano limitadas por dos semirrectas que parten de un mismo punto. || Rincón; esquina o arista. || fig. Punto de vista. || — *agudo*. GEOM. El menor que el recto. || — *complementario*. GEOM. El que con otro forman un recto. || — *de tiro*. ART. El que forma la línea horizontal con el eje de la pieza. || — *obtuso*. GEOM. El mayor o más abierto que el recto. || — *recto*. GEOM. El que forman dos líneas o dos planos que se cortan perpendicularmente. || — *suplementario*. GEOM. El que sumado con otro da un total de dos rectos.

anguloso, sa. adj. Que tiene ángulos o esquinas.

angurria. f. Deseo vehemente o insaciable. || Avidez, codicia. || Hambre.

angustia (al. *Angst*, fr. *angoisse*, ingl. *anxiety*, it. *angustia*). f. Aflicción, congoja. || Temor opresivo sin causa precisa. [*Sinón.*: ansiedad, inquietud. *Antón.*: tranquilidad]

angustiado, da. adj. Que implica o expresa angustia.

angustiar. tr. Causar angustia, acongojar. Ú.t.c.r.

angustioso, sa (al. *beängstigend*, fr. *angoissant*, ingl. *anxious*, it. *angustioso*). adj. Lleno de angustia. || Que la causa. || Que la padece.

anhelar (al. *begehren*, fr. *convoiter*, ingl. *to pant*, it. *anelare*). intr. Respirar con dificultad. || Tener ansia de conseguir una cosa. Ú.t.c.tr. [*Sinón.*: apetecer, ambicionar. *Antón.*: desdeñar]

anhelo. m. Deseo vehemente.

anheloso, sa. adj. Dícese de la respiración frecuente y fatigosa. || Que respira de este modo. || Que tiene, causa o siente anhelo.

anhídrido (al. *Anhydrit*, fr. *anhydride*, ingl. *anhydride*, it. *anidride*). m. QUÍM. Cuerpo que procede de la deshidratación de los ácidos, o de la combinación del oxígeno con metaloides.

anhidro (al. *wasserfrei*, fr. *anhydre*, ingl. *anhydrous*, it. *anidro*). adj. QUÍM. Aplícase a los cuerpos en cuya formación no entra el agua, o que la han perdido si la tenían.

anidar (al. *nisten*, fr. *nieher*, ingl. *to nestle*, it. *annidare*). intr. Hacer el nido las aves o vivir en él. Ú.t.c.r. || fig. Morar, habitar. Ú.t.c.r. || tr. fig. Abrigar, acoger.

anilina (al. *Anilin*, fr. *aniline*, ingl. *aniline*, it. *anilina*). f. QUÍM. Base orgánica obtenida a partir del benceno. Es líquida, aceitosa, muy tóxica; se emplea en la industria de colorantes, farmacéutica, etc.

anilla. f. Cada uno de los anillos que sirven para colocar colgaduras o cortinas. || Anillo al que se ata un cordón o correa para sujetar un objeto. || Faja del cigarro puro. || pl. Par de aros, generalmente de metal, pendientes de cuerdas o cadenas, que se emplean para ejercicios gimnásticos.

anillar. tr. Dar forma de anillo. || Sujetar con anillos. || Colocar en las patas de las aves, especialmente en las migratorias, anillos con marcas.

anillo (al. *Ring*, fr. *bague*, ingl. *ring*, it. *anello*). m. Aro pequeño. || Aro de metal u otra materia, liso o no, que se lleva en los dedos de la mano como adorno. || ARQ. Moldura que rodea por su sección recta un cuerpo cilíndrico. || ARQ. Cornisa circular y ovalada que sirve de base a la cúpula. || ZOOL. Cada uno de los segmentos en que está dividido el cuerpo de los gusanos y artrópodos. [*Sinón.*: argolla, sortija]

ánima. f. Alma, espíritu. || fig. Alma o hueco de las piezas de artillería.

animación. f. Acción y efecto de animar o animarse. || Viveza, expresión en las acciones, palabras o movimientos. || Concurso de gente en una fiesta u otro lugar. || CINEM. Técnica que consiste en dar a las figuras dibujadas o a los objetos movimientos parecidos a los de las personas, u otros que ellos no son capaces de realizar solos.

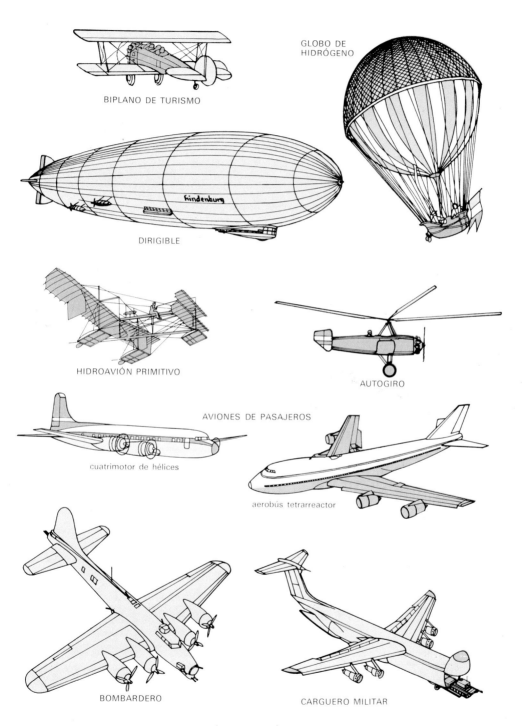

BIPLANO DE TURISMO

GLOBO DE HIDRÓGENO

DIRIGIBLE

HIDROAVIÓN PRIMITIVO

AUTOGIRO

AVIONES DE PASAJEROS

cuatrimotor de hélices

aerobús tetrarreactor

BOMBARDERO

CARGUERO MILITAR

AERONÁUTICA Y ASTRONÁUTICA

AERONÁUTICA
Y ASTRONÁUTICA
PARTES PRINCIPALES DE UN AVIÓN DE TRANSPORTE SUPERSÓNICO

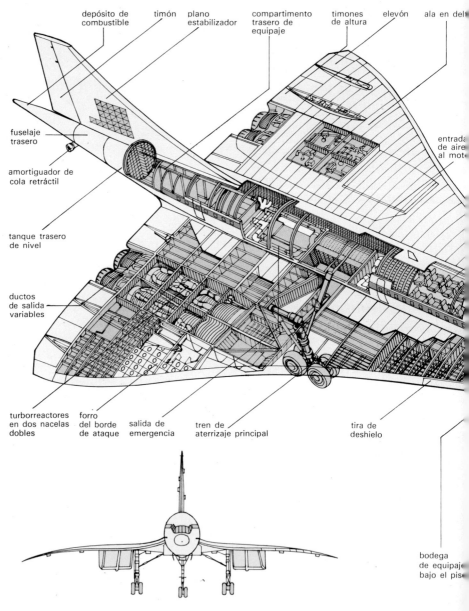

depósito de combustible

timón

plano estabilizador

compartimento trasero de equipaje

timones de altura

elevón

ala en del

fuselaje trasero

amortiguador de cola retráctil

tanque trasero de nivel

ductos de salida variables

entrada de aire al mot

turborreactores en dos nacelas dobles

forro del borde de ataque

salida de emergencia

tren de aterrizaje principal

tira de deshielo

bodega de equipaj bajo el pis

VISTA FRONTAL

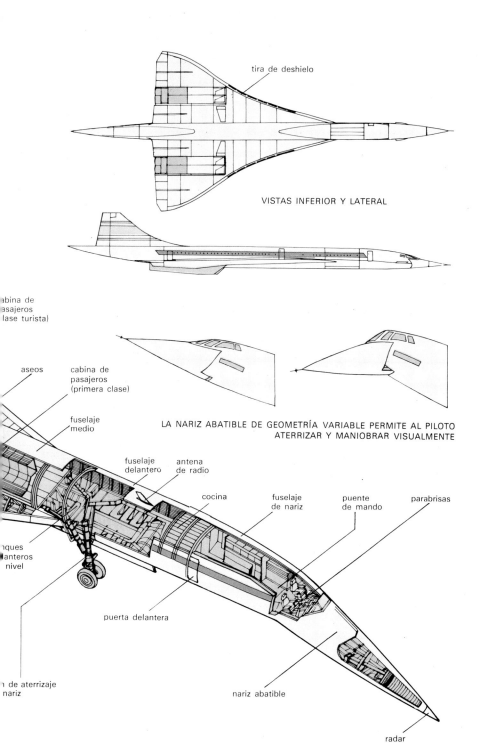

tira de deshielo

VISTAS INFERIOR Y LATERAL

cabina de
pasajeros
(clase turista)

aseos

cabina de
pasajeros
(primera clase)

fuselaje
medio

LA NARIZ ABATIBLE DE GEOMETRÍA VARIABLE PERMITE AL PILOTO
ATERRIZAR Y MANIOBRAR VISUALMENTE

fuselaje
delantero

antena
de radio

cocina

fuselaje
de nariz

puente
de mando

parabrisas

nques
anteros
nivel

puerta delantera

de aterrizaje
nariz

nariz abatible

radar

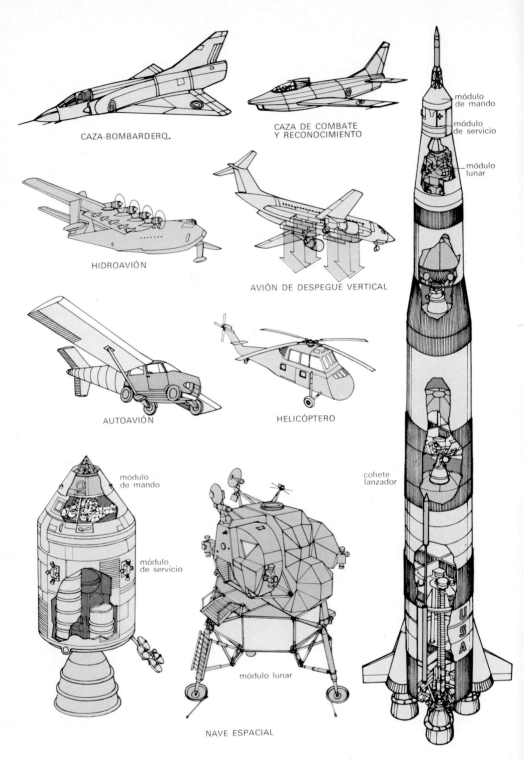

CAZA-BOMBARDERO.

CAZA DE COMBATE
Y RECONOCIMIENTO

HIDROAVIÓN

AVIÓN DE DESPEGUE VERTICAL

AUTOAVIÓN

HELICÓPTERO

módulo
de mando

módulo
de servicio

módulo
lunar

cohete
lanzador

módulo
de mando

módulo
de servicio

módulo lunar

NAVE ESPACIAL

AERONÁUTICA Y ASTRONÁUTICA

animado, da. adj. Alegre, divertido; concurrido.

animador, ra. adj. Que anima. Ú.t.c.s. ‖ s. Cantante que actúa con el acompañamiento de una orquesta de baile y marca el ritmo con ademanes o movimientos.

animadversión. f. Enemistad, ojeriza. ‖ Reparo; advertencia severa.

animal. m. Ser orgánico que vive, siente y se mueve por propio impulso. ‖ Animal irracional. ‖ adj. Perteneciente o relativo al animal. ‖ Perteneciente o relativo a la parte sensitiva de un ser viviente, a diferencia de la parte racional o espiritual. ‖ fig. Dícese de la persona incapaz, grosera o muy ignorante. Ú.t.c.s.

animalada. f. fam. Borricada, dicho o hecho necio.

animálculo. m. Animal microscópico.

animar (al. *beleben*, fr. *animer*, ingl. *to animate*, it. *animare*). tr. Vivificar el alma al cuerpo. ‖ Infundir ánimo, valor o energía. ‖ Excitar a una acción. ‖ En obras de arte, hacer que parezcan dotadas de vida. ‖ Comunicar a las cosas inanimadas mayor vigor, movimiento e intensidad. ‖ Dar movimiento y vida a un concurso de gente o a un paraje. Ú.t.c.r. ‖intr. Vivir, habitar. ‖r. Cobrar ánimo.

anímico, ca. adj. Psíquico.

animismo (al. *Animismus*, fr. *animisme*, ingl. *animism*, it. *animismo*). m. Doctrina que considera el alma como principio vital. ‖ Creencia que atribuye a todos los seres y fenómenos la presencia de un espíritu al que hay que adorar, para aplacar, halagar o dominar.

ánimo. m. Alma o espíritu, en cuanto es principio de la actividad humana. ‖ Valor, esfuerzo, energía. ‖ Intención, voluntad. [*Sinón.*: arresto, brío, resolución. *Antón.*: desánimo]

animosidad (al. *Hass*, fr. *aversion*, ingl. *aversion*, it. *animosità*). f. Aversión, ojeriza.

animoso, sa. adj. Que tiene ánimo o valor.

aniñado, da. adj. Dícese del que en su aspecto, acciones o genio se parece a los niños. ‖ También se dice de las cosas en que consiste esta semejanza.

anión. m. Fís. Elemento electronegativo de una molécula, que en la electrólisis se dirige al ánodo.

aniquilación. f. Acción y efecto de aniquilar o aniquilarse.

aniquilar (al. *vernichten*, fr. *anéantir*, ingl. *to destroy*, it. *annientare*). tr. Reducir a la nada. Ú.t.c.r. ‖ fig. Destruir o arruinar enteramente. Ú.t.c.r. [*Sinón.*: anonadar, arrasar, devastar. *Antón.*: construir, conservar]

anís (al. *Anis*, fr. *anis*, ingl. *anised*, it. *anice*). m. BOT. Planta umbelífera, de flores pequeñas y blancas, y semillas aovadas, menudas, aromáticas y de sabor agradable. ‖ Semilla de esta planta. ‖ Grano de anís con baño de azúcar. ‖ fig. Aguardiente anisado.

anisado. m. Aguardiente anisado.

anisal. m. *Amer.* Anisar.

anisar. m. Tierra sembrada de anís. ‖ tr. Echar anís a una cosa.

anisete. m. Licor compuesto de aguardiente, azúcar y anís.

anisófilo, la. adj. BOT. De hojas desiguales.

anisómero, ra. adj. BIOL. Dícese del cuerpo formado por partes desiguales.

anisopétalo, la. adj. BOT. De pétalos desiguales.

anisotropía. f. FÍS. Calidad de anisótropo.

anisótropo, pa. adj. FÍS. Que no es isótropo.

aniversario, ria (al. *Jahrestag*, fr. *anniversaire*, ingl. *anniversary*, it. *anniversario*). adj. Anual. ‖ m. Día en que se cumplen años de algún suceso. [*Sinón.*: conmemoración, celebración, cumpleaños]

ano (al. *After*, fr. *anus*, ingl. *anus*, it. *ano*). m. Orificio en que termina el conducto digestivo y por el cual se expele el excremento.

anoche. adv. t. En la noche de ayer.

anochecer (al. *Abend werden*; fr. *se faire nuit*, fr. *to grow dark*, it. *annottare*). intr. Empezar a faltar la luz del día, venir la noche. ‖ Llegar o estar en un paraje al empezar la noche.

anochecer (al. *Abendstunde*, fr. *tombée du jour*, ingl. *nightfall*, it. *prima sera*). m. Tiempo durante el cual anochece.

anochecida. f. Anochecer, tiempo en que anochece.

anodino, na. adj. MED. Que templa o calma el dolor. Ú.t.c.s. ‖ Insignificante, ineficaz, insustancial.

ánodo. m. FÍS. Polo positivo de un aparato eléctrico o electrónico.

anofeles. adj. Dícese del mosquito transmisor de las fiebres palúdicas. Ú.m.c.s.

anomalía (al. *Unregelmässigkeit*, fr. *anomalie*, ingl. *anomaly*, it. *anomalia*). f. Irregularidad, discrepancia de una regla.

anómalo, la. adj. Irregular, extraño.

anonadamiento. m. Acción y efecto de anonadar o anonadarse.

anonadar (al. *vernichten*, fr. *abattre*, ingl. *to averwhelm*, it. *annientare*). tr. Aniquilar, reducir a la nada. Ú.t.c.r. ‖ fig. Apocar. ‖ fig. Humillar, abatir. Ú.t.c.r.

anónimo, ma. adj. Dícese de la obra o escrito que no lleva el nombre de su autor. Ú.t.c.s.m. ‖ Dícese del autor cuyo nombre no es conocido. Ú.t.c.s.m. ‖ ⟋ sociedad anónima. ‖ m. Carta o papel sin firma en que, por lo común, se dice algo ofensivo. ‖ Secreto del autor que oculta su nombre.

anopluro. adj. ZOOL. Dícese de insectos hemípteros, sin alas, que viven como ectoparásitos en el cuerpo de algunos mamíferos; como el piojo y la ladilla. Ú.t.c.s. ‖ m. pl. Suborden de estos animales.

anorexia. f. PAT. Falta anormal de ganas de comer.

anormal (al. *anormal*, fr. *anormal*, ingl. *abnormal*, it. *anormale*). adj. Que se halla fuera de su naturaleza o estado, o de las condiciones que le son inherentes. ‖ com. Persona privada de alguno de los sentidos corporales o cuyo desarrollo intelectual moral o físico es deficiente. [*Sinón.*: anómalo, fenomenal, deforme, monstruoso]

anormalidad. f. Calidad de anormal.

anotación (*Anmerkung*, fr. *annotation*, ingl. *annotation*, it. *annotazione*). f. Acción y efecto de anotar. [*Sinón.*: apunte, acotación, registro]

anotador, ra. adj. Que anota. Ú.t.c.s. ‖ s. CINEM. Ayudante del director, que se encarga de apuntar durante el rodaje de una película todos los pormenores de cada escena.

anotar (al. *aufzeichnen*, fr. *annoter*, ingl. *to note*, it. *annotare*). tr. Poner notas en un escrito, libro, etc. ‖ Apuntar, tomar nota. ‖ Hacer anotación en un registro público. [*Sinón.*: marginar, glosar, incluir, asentar]

anquilosamiento. m. Acción y efecto de anquilosarse.

anquilosarse. r. Producirse anquilosis. ‖ fig. Detenerse una cosa en su progreso. [*Sinón.*: atrofiarse, paralizarse. *Antón.*: desarrollarse, progresar]

anquilosis (al. *Gelenksteifheit*, fr. *ankylose*, ingl. *ankylose*, it. *anchilosi*). f. MED. Disminución o imposibilidad de movimiento en una articulación.

ánsar. m. ZOOL. Ave palmípeda, de

pico cónico y muy fuerte en la base; tarsos robustos y patas rojizas. Es el ganso bravo o salvaje. || Ganso, ave.

ansia (al. *Gier*, fr. *désir ardent*, ingl. *eagerness*, it. *ansia*). f. Congoja o fatiga que causa en el cuerpo inquietud o agitación violenta. || Angustia o aflicción del ánimo. || Náusea. || Anhelo. [*Sinón.*: desazón, zozobra, deseo. *Antón.*: despreocupación, inapetencia]

ansiar. tr. Desear con ansia. || r. Llenarse de ansia.

ansiedad (al. *Ängstlichkeit*, fr. *anxieté*, ingl. *anxiety*, it. *ansietà*). f. Estado de inquietud o zozobra de ánimo. || MED. Angustia que suele acompañar a muchas enfermedades.

ansioso, sa. adj. Acompañado de ansias y congojas grandes. || Que tiene deseo vehemente de una cosa.

anta. f. Alce. || Menhir.

antagónico, ca. adj. Que denota o implica antagonismo.

antagonismo (al. *Antagonismus*, fr. *antagonisme*, ingl. *antagonism*, it. *antagonismo*). m. Contrariedad, oposición sustancial o habitual, especialmente en doctrinas y opiniones. [*Sinón.*: rivalidad, discrepancia. *Antón.*: acuerdo, colaboración]

antagonista. com. Persona o cosa opuesta o contraria a la otra. [*Sinón.*: enemigo, adversario, rival. *Antón.*: amigo, seguidor]

antaño. adv. t. En el año que precedió al corriente. || Por ext., en tiempo antiguo.

antártico, ca. adj. GEOGR. Perteneciente, cercano o relativo al polo sur de la Tierra. || Por ext., meridional.

ante. m. Alce. || Búfalo. || Piel de ante adobada y curtida. || Piel de algunos otros animales adobada y curtida a semejanza de la de ante.

ante. prep. En presencia de, delante de. || En comparación, respecto de. || Se usa como prefijo.

antealtar. m. Espacio contiguo a la grada o demarcación del altar.

anteanoche. adv. t. En la noche de anteayer.

anteayer. adv. t. En el día que precedió inmediatamente al de ayer.

antebrazo (al. *Unterarm*, fr. *avantbras*, ingl. *forearm*, it. *avambraccio*). m. ANAT. Parte del brazo desde el codo hasta la muñeca. || ZOOL. Brazuelo.

antecámara. f. Pieza anterior a la sala principal de un palacio o casa grande. || Pieza que está delante de la cámara o habitación donde se recibe.

antecedente (al. *vorhergehend*, fr. *antécédent*, ingl. *foregoing*, it. *antecedente*). adj. Que antecede. || m. Acción, dicho o circunstancia anterior que sirve para juzgar hechos posteriores. || GRAM. El primero de los terminos de una relación gramatical. || GRAM. Término a que hacen referencia los pronombres relativos.

anteceder. tr. Preceder.

antecesor, ra (al. *Vorgänger*, fr. *prédécesseur*, ingl. *predecessor*, it. *predecessore*). adj. Anterior en tiempo. || s. Persona que precedió a otra en una dignidad, empleo, obra, etc. || Antepasado. [*Sinón.*: predecesor. *Antón.*: descendiente, sucesor]

anteco, ca. adj. GEOGR. Aplícase a los moradores de la tierra que están en el mismo meridiano y a igual distancia del Ecuador, pero en distinto hemisferio. Ú.m.c.s.m. y en pl.

antecoger. tr. Coger a una persona o cosa, llevándola por delante.

antedata. f. Fecha falsa de un documento, anterior a la verdadera.

antedecir. tr. Predecir, anticipar.

antedía. adv. t. Antes de un día determinado. || En el día precedente.

antedicho, cha. adj. En los libros y escritos, dicho con anterioridad.

antediluviano, na. adj. Anterior al diluvio universal. || fig. Antiquísimo.

antefirma. f. Denominación de empleo, dignidad o representación del firmante de un documento, puesta antes de la firma.

anteiglesia. f. Atrio, pórtico o lonja delante de la iglesia.

antelación (al. *Vorwegnahme*, fr. *priorité*, ingl. *anticipation*, it. *priorità*). f. Anticipación con que, en el orden al tiempo, sucede una cosa respecto a otra.

antemano. adv. t. Con anticipación, anteriormente.

antemeridiano, na. adj. Anterior al mediodía.

ante meridiem. expr. lat. Antes del mediodía. Ú.m. en la abreviatura *a.m.*

antena (al. *Antenne*, fr. *antenne*, ingl. *aerial*, it. *antenna*). f. Entena. || FÍS. Conductor o sistema de conductores adaptados para emitir o captar energía en forma de ondas electromagnéticas. || ZOOL. Cada uno de los apéndices articulados que llevan en la cabeza muchos artrópodos.

anteojera. f. Estuche en que se tienen o guardan anteojos. || En las guarniciones de las caballerías de tiro, piezas de cuero u otro material que caen junto a los ojos del animal para que no vea por los lados.

anteojo. m. Instrumento óptico para ver objetos lejanos. || Anteojera de las caballerías. || pl. Instrumento óptico con dos tubos y un juego de varios cristales en cada uno, que sirve para mirar a lo lejos con ambos ojos. || Instrumento óptico compuesto de cristales y armadura que permite tenerlos sujetos delante de los ojos.

antepalco. m. Espacio o pieza que da acceso a un palco.

antepasado, da (al. *Vorfahr*, fr. *ancêtre*, ingl. *ancestor*, it. *antenato*). adj. Dicho de tiempo, anterior a otro tiempo pasado ya. || m. Abuelo o ascendiente. Ú.m. en pl.

antepecho. m. Pretil que se suele poner en parajes altos para evitar caídas. || Reborde en el alféizar de la ventana.

antepenúltimo, ma. adj. Inmediatamente anterior al penúltimo.

anteponer. tr. Poner delante; poner inmediatamente antes. Ú.t.c.r. || Preferir, estimar más. [*Sinón.*: anticipar. *Antón.*: posponer]

anteportada. f. Hoja que precede a la portada de un libro.

anteproyecto. m. Conjunto de trabajos preliminares para redactar un proyecto. || Por ext., primera redacción sucinta de una ley, programa, etc.

antepuerta. f. Cortina que se pone delante de una puerta para abrigo u ornato.

antepuerto. m. Terreno elevado que en las cordilleras precede al puerto. || MAR. Parte avanzada de un puerto, donde los buques esperan para entrar o se disponen para salir.

antera. f. BOT. Parte del estambre de las flores que contiene el polen.

anterior (al. *früher*, fr. *antérieur*, ingl. *previous*, it. *anteriore*). adj. Que precede en lugar o tiempo. [*Sinón.*: previo, antedicho, pasado. *Antón.*: posterior, futuro]

anterioridad. f. Precedencia en el tiempo de una cosa con respecto a otra.

antes (al. *früher*, fr. *avant*, ingl. *before*, it. *prima*). adv. t. y l. que denota prioridad de tiempo o lugar. || conj. advers. que denota idea de contrariedad y preferencia.

antesala. f. Pieza situada delante de la sala principal de una casa. || *hacer antesala.* Aguardar en una habitación a ser recibido por una persona.

anti-. Prefijo que denota oposición o contrariedad.

antiaéreo, a. adj. MIL. Perteneciente o relativo a la defensa contra aviones militares. Apl. a los cañones, ú.t.c.s.

antibaquio. m. LIT. Pie de las métricas griega y latina que consta de dos sílabas largas seguida de una breve.

antibiótico, ca (al. *antibiotikum*, fr. *antibiotique*, ingl. *antibiotio*, it. *antibiotico*). adj. MED. Aplícase a las sustancias capaces de inhibir el desarrollo de determinados microorganismos. Ú.t.c.s.m. || Se dice de la acción terapéutica de dichas sustancias.

anticiclón (al. *Antizyklon*, fr. *anticyclone*, ingl. *anticyclone*, it. *anticiclone*). m. METEOR. Región de máxima presión barométrica rodeada de senos de bajas presiones.

anticiclónico, ca. adj. Perteneciente o relativo al anticiclón.

anticipación. f. Acción y efecto de anticipar o anticiparse. || RET. Figura que consiste en proponerse uno la objeción que otro pudiera hacerle, para refutarla de antemano. [*Sinón.*: antelación, adelanto, avance. *Antón.*: retraso]

anticipada. f. Acción de acometer al contrario antes de que se ponga en defensa.

anticipar (al. *vorwegnehmen*, fr. *anticiper*, ingl. *to anticipate*, it. *anticipare*). Hacer que ocurra algo antes del tiempo señalado. || Anteponer, preferir. || Sobrepujar, aventajar. || r. Adelantarse una persona a otra en la ejecución de algo. || Ocurrir algo antes del tiempo señalado.

anticipo. m. Anticipación. || Dinero anticipado.

anticlerical. adj. Contrario al clericalismo. || Contrario al clero.

anticlericalismo. m. Doctrina que se opone al clericalismo. || Animosidad contra todo lo relacionado con el clero.

anticlinal. adj. GEOL. Dícese del plegamiento de las capas del terreno en forma de 'A o de V invertida. Ú.t.c.s.m.

anticoncepcional. adj. ↗ anticonceptivo.

anticonceptivo, va. adj. Dícese del medio, práctica o agente que impide a la mujer quedar embarazada. Ú.t.c.s.m.

anticongelante. adj. Sustancia que impide la congelación de un líquido. Ú.t.c.s.

anticonstitucional. adj. Contrario a la constitución o ley fundamental de un Estado.

anticresis. f. Contrato en que el deudor consiente que su acreedor goce de los frutos de la finca que le entrega, hasta que sea cancelada la deuda.

anticristo. m. Hombre perverso y diabólico que perseguirá cruelmente a la cristiandad al fin del mundo.

anticuado, da. adj. Que ya no está en uso.

anticuar. r. Hacerse antigua alguna cosa.

anticuario (al. *Antiquar*, fr. *antiquaire*, ingl. *antiquary*, it. *antiquario*). m. El que hace profesión del conocimiento de las cosas antiguas o negocia con ellas.

anticuerpo (al. *Antikörper*, fr. *anticorps*, ingl. *antibody*, it. *anticorpo*). m. FISIOL. Cada una de las diversas sustancias con que un organismo animal reacciona a la penetración de antígenos en su medio interno.

antideportivo, va. adj. Que carece de deportividad.

antidetonante. adj. TÉCN. Dícese del producto que se añade a la gasolina para evitar, en los motores de combustión interna, la explosión prematura de la mezcla carburante.

antidoto (al. *Gegengift*, fr. *antidote*, ingl. *antidote*, it. *antidoto*). m. MED. Contraveneno. || Por ext., medicina que preserva de algún mal.

antiemético, ca. adj. FARM. Que sirve para impedir el vómito. Ú.t.c.s.m.

antifaz. m. Velo, máscara o cosa parecida con que se cubre la cara. || Pieza, generalmente de seda negra, que cubre las facciones alrededor de los ojos. || Pieza con que se cubren los ojos para impedir que les dé la luz.

antiflogístico, ca. adj. MED. Que sirve para calmar la inflamación. Ú.t.c.s.

antifona. f. Breve pasaje de la Sagrada Escritura que se canta o reza antes y después de los salmos y de los cánticos en las horas canónicas.

antifonal. adj. Dícese del libro en que se contienen las antífonas. Ú.t.c.s. [*Sinón.*: antifonario]

antifrasis. f. RET. Figura que consiste en designar personas o cosas con voces que signifiquen lo contrario de lo que se debiera decir.

antifricción. m. MEC. Aleación utilizada en el revestimiento de los cojinetes y otras piezas para disminuir los efectos del rozamiento.

antigás. adj. Dícese de la máscara o careta destinada a evitar la acción de los gases tóxicos.

antígeno. m. MED. Sustancia que penetrando en el medio interno de un organismo animal determina en él una reacción inmunitaria o anafiláctica.

antigualla. f. Obra u objeto de arte de antigüedad remota. || Mueble, traje, adorno que ya no está de moda.

antigubernamental. adj. Contrario al gobierno constituido.

antigüedad. f. Calidad de antiguo. || Tiempo antiguo. || Los hombres que vivieron en tiempo antiguo. || Tiempo transcurrido desde el día en que se obtiene un empleo. || pl. Monumentos u objetos artísticos de tiempo antiguo.

antiguo, gua (al. *alt*; fr. *ancien*, *antique*; ingl. *old*, *ancient*; it. *antico*). adj. Que existe desde hace mucho tiempo. || Que existió o sucedió en tiempo remoto. || Dícese de la persona que lleva mucho tiempo en un empleo o profesión. || pl. Los que vivieron en siglos remotos. [*Sinón.*: arcaico, pretérito]

antihelmíntico, ca. adj. MED. Que sirve para eliminar las lombrices.

antihigiénico, ca. adj. Contrario a los preceptos de la higiene.

antijurídico, ca. adj. Que es contra derecho.

antilogía. f. Contradicción entre textos o expresiones.

antilógico, ca. adj. Perteneciente o relativo a la antilogía.

antílope. m. ZOOL. Mamífero rumiante de cornamenta persistente, como la gacela y la gamuza.

antillano, na. adj. Natural de cualquiera de las islas Antillas. Ú.t.c.s. || Perteneciente a cualquiera de ellas.

antimagnético, ca. adj. Que está exento de la influencia magnética.

antimateria. f. FIS. Forma de materia, en la que cada partícula elemental está sustituida por su antipartícula.

antimilitarismo. m. Oposición al desarrollo y a la existencia de los ejércitos y a la guerra.

antimonial. adj. QUIM. Que contiene antimonio.

antimonio. m. QUIM. Metal blanco azulado, brillante, de estructura laminosa. Se usa en medicina y, aleado con plomo y estaño, sirve para fabricar los caracteres de imprenta.

antinatural. adj. Contranatural.

antinomia (al. *Antinomie*, fr. *antinomie*, ingl. *antinomy*, it. *antinomia*). f. Contradicción entre dos leyes vigentes o dos preceptos de una misma ley. || Contradicción entre dos principios racionales.

antinómico, ca. adj. Que implica antinomia.

antioqueno, na. adj. Natural de Antioquia. Ú.t.c.s. ‖ Perteneciente a esta ciudad de Siria.

antioqueño, ña. adj. Natural de Antioquia, en Colombia. Ú.t.c.s. ‖ Perteneciente o relativo a esta ciudad o departamento.

antipapa. m. El que no está canónicamente elegido papa y pretende ser reconocido como tal, contra el legítimo.

antipara. f. Cancel o biombo que se pone delante de una cosa para ocultarla.

antiparras. f. pl. fam. Anteojos, gafas.

antipartícula. f. Fís. Partícula elemental producida artificialmente, que tiene la misma masa, carga igual y contraria y momento magnético de sentido contrario que los de la partícula correspondiente.

antipatía (al. *Antipathie*, fr. *antipathie*, ingl. *antipathy*, it. *antipatia*). f. Repugnancia natural que se siente hacia alguien o algo. [*Sinón.*: animadversión, hostilidad. *Antón.*: simpatía]

antipático, ca. adj. Que causa antipatía.

antipatriótico, ca. adj. Contrario al patriotismo.

antipedagógico, ca. adj. Contrario a los preceptos de la pedagogía.

antipirético, ca. adj. MED. Dícese del medicamento eficaz contra la fiebre. Ú.t.c.s.

antípoda (al. *antipode*, fr. *antipode*, ingl. *antipode*, it. *antipodo*). adj. GEOGR. Dícese de cualquier individuo o punto geográfico que ocupe en el globo terráqueo un lugar diametralmente opuesto a otro dado. Ú.t.c.s. y en pl.

antirrábico, ca. adj. MED. Útil contra la rabia.

antisemitismo. m. Movimiento que se opone a la influencia de los judíos en la sociedad.

antisepsia (al. *Antiseptik*, fr. *antisepsie*, ingl. *antisepsis*, it. *antisepsi*). f. MED. Cualquier método que aspire a conseguir la eliminación de agentes infecciosos.

antiséptico (al. *Antiseptisch*, fr. *antiseptique*, ingl. *antiseptic*, it. *antisettico*). adj. MED. Sustancia empleada en la antisepsia. Ú.t.c.s.

antisocial. adj. Contrario a la sociedad o al orden social. Ú.t.c.s.

antispasto. m. LIT. Pie de las métricas griega y latina, compuesto de un yambo y un troqueo.

antitanque. adj. MIL. Dícese de las armas y proyectiles destinados a destruir tanques de guerra y otros vehículos semejantes.

antitérmico, ca. adj. Fís. Que se opone a la propagación del calor. ‖ MED. Antipirético.

antítesis (al. *Antithese*, fr. *antithèse*, ingl. *antithesis*, it. *antitesi*). f. FIL. Oposición de dos juicios o afirmaciones. ‖ fig. Persona o cosa opuesta enteramente a otra en sus condiciones. ‖ RET. Figura que consiste en contraponer una frase o una palabra a otra de contraria significación.

antitetánico, ca. adj. MED. Que cura o previene el tétanos.

antitético, ca. adj. Que denota o implica antítesis.

antitoxina. f. MED. Sustancia de origen orgánico que destruye los efectos de las toxinas.

antitrago. m. Prominencia de la oreja situada en la parte inferior del pabellón.

antivariólico, ca. adj. MED. Que evita la viruela.

antófago, ga. adj. ZOOL. Que se alimenta de flores.

antojadizo, za. adj. Que tiene antojos con frecuencia.

antojarse. r. Hacerse objeto de vehemente deseo alguna cosa. Dícese más generalmente de lo que se apetece por puro capricho. ‖ Ofrecerse a la consideración como probable alguna cosa.

antojo. m. Deseo vivo y pasajero de algo. ‖ Juicio que se hace de una cosa sin el debido examen. ‖ Lunar, mancha o tumor eréctil que suelen presentar en la piel algunas personas.

antología. f. Colección de textos literarios escogidos de la producción de un autor o de una literatura determinada. ‖ Por ext., se dice del conjunto o selección de otras obras artísticas.

antológico, ca. adj. Propio de una antología o perteneciente a ella.

antoniano, na. adj. Dícese del religioso de la orden de San Antonio Abad. Ú.t.c.s. ‖ Perteneciente a esta orden.

antonimia. f. GRAM. Calidad de antónimo.

antónimo, ma (al. *antonym*, fr. *antonyme*, ingl. *antonym*, it. *antonimo*). adj. GRAM. Dícese de las palabras que expresan ideas opuestas o contrarias. Ú.t.c.s.m. [*Sinón.*: antitético, contrario]

antonomasia. f. RET. Sinécdoque que consiste en poner el nombre apelativo por el propio, o viceversa.

antorcha (al. *Facket*, fr. *torche*, ingl. *torch*, it. *torcia*). f. Hacha, vela.

antozoo. adj. ZOOL. Dícese de ciertos animales celentéreos que viven fijos en el fondo del mar y están constituidos por un solo pólipo o por una colonia de muchos pólipos; como la actinia y el coral. Ú.m.c.s. ‖ m. pl. Clase de estos animales.

antracita (al. *Anthrazit*, fr. *anthracite*, ingl. *anthracite*, it. *antracite*). f. Carbón fósil amorfo, poco bituminoso, que arde con dificultad.

antracosis. f. MED. Neumoconiosis producida por el polvo de carbón.

ántrax. m. MED. Tumor inflamatorio en el tejido subcutáneo. Se observa sobre todo en los diabéticos. ‖ — *maligno*. Carbunco.

antro. m. Caverna, cueva, gruta. ‖ fig. Lugar lóbrego, oscuro, incómodo, o repelente por alguna razón.

antropo—. Elemento que entra en la formación de algunas voces españolas con el significado de "hombre".

antropofagia. f. Hábito de comer carne humana.

antropófago, ga. adj. Que come carne humana. Ú.t.c.s.

antropografía. f. ANTROP. Parte de la antropología que trata de la descripción de las razas humanas y de sus variedades.

antropoide. adj. ZOOL. Dícese de los animales que por sus caracteres morfológicos externos se asemejan al hombre; se aplica especialmente a los monos antropoideos. Ú.t.c.s.

antropoideo, dea. adj. ZOOL. Dícese de los monos catirrinos, sin cola, como el orangután, etc. Ú.t.c.s. ‖ m. pl. Grupo de estos animales.

antropología. f. Ciencia que trata del hombre y de las razas humanas, física y moralmente consideradas.

antropólogo, ga. s. Persona que profesa la antropología o tiene de ella especiales conocimientos.

antropometría. f. Ciencia que estudia las dimensiones y proporciones del cuerpo humano.

antropomórfico, ca. adj. Perteneciente o relativo al antropomorfismo.

antropomorfismo. m. Conjunto de creencias que atribuyen a la divinidad la figura o las cualidades del hombre.

antropomorfita. adj. Dícese de ciertos herejes que atribuyen a Dios cuerpo humano.

antropomorfo, fa. adj. Que tiene apariencia humana. ‖ ZOOL. Antropoideo. Ú.t.c.s.

antroponimia. f. Estudio del origen y significado de los nombres propios de persona.

antruejo. m. Los tres días de carnaval.

anual (al. *jährlich*, fr. *annuel*, ingl. *yearly*, it. *annuale*). adj. Que sucede o se repite cada año.

anualidad. f. Calidad de anual. || Importe anual de una renta o carga periódica.

anualmente. adv. t. Cada año.

anuario. m. Libro publicado de año en año, especialmente el que contiene las informaciones correspondientes al año.

anubarrado, da. adj. Cubierto de nubes.

anublar. tr. Ocultar las nubes el azul del cielo o la luz del Sol o la Luna. Ú.t.c.r. || fig. Oscurecer, empañar. Ú.t.c.r.

anudar (al. *knoten, verknüpfen;* fr. *nouer;* ingl. *to knot;* it. *annodare*). tr. Hacer nudos. Ú.t.c.r. || Juntar o unir, mediante un nudo, dos hilos, dos cuerdas, o cosas semejantes. Ú.t.c.r. || fig. Juntar, unir, aunar. Ú.t.c.r.

anuencia. f. Consentimiento.

anuente. adj. Que consiente.

anulación. f. Acción y efecto de anular o anularse.

anular (al. *annullieren*, fr. *annuler* ingl. *to make void*, it. *annullare*). tr. Dar por nulo o dejar sin fuerza un tratado, contrato, etc. || fig. Incapacitar, desautorizar a uno. Ú.t.c.r. || r. fig Retraerse, humillarse. [*Sinón.*: abolir. revocar, derogar. *Antón.*: confirmar, revalidar, autorizar]

anular (al. *ringförmig*, fr. *annulaire* ingl. *ringshaped*, it. *annullare*). adj. Perteneciente o relativo al anillo. || De figura de anillo.

ánulo. m. ARQ. Anillo o gradecilla.

anuloso, sa. adj. Compuesto de anillos. || Anular, de anillo.

anunciación. f. Acción de anunciar. || Por antonomasia, el anuncio del misterio de la Encarnación que trajo el arcángel San Gabriel a la Virgen Santísima. || Fiesta con que la Iglesia celebra este misterio.

anunciar (al. *melden*, fr. *annoncer* ingl. *to announce*, it. *annunciare*). tr. Dar noticia o aviso de alguna cosa. || Por ext., hacer saber, proclamar. || Dar publicidad a una cosa con fines de propaganda comercial. || Pronosticar. [*Sinón.*: manifestar, comunicar. *Antón.*: ocultar, callar]

anuncio (al. *Meldung, Inserat;* fr.

annonce; ingl. *announcement, advertisement;* it. *annunzio, avviso*). m. Acción y efecto de anunciar. || Conjunto de palabras o signos con que se anuncia algo. || Pronóstico. [*Sinón.*: aviso, informe]

anuo, nua. adj. Anual.

anuria. f. MED. Supresión de la secreción urinaria.

anuro, ra. adj. ZOOL. Que carece de cola. || Dícese de los batracios desprovistos de cola, como las ranas, sapos, etc. Ú.t.c.s. || m. pl. Orden de estos animales.

anverso. m. En monedas y medallas, haz principal, por llevar el busto de una persona o por otro motivo. || Cara en que va impresa la primera página de un libro.

anzolar. tr. Poner anzuelos. || Coger con ellos.

anzuelo. m. Arponcillo de hierro u otro metal que sirve para pescar. || fig. y fam. Atractivo o aliciente.

añacal. m. El que lleva el trigo al molino. || Tabla en que se lleva el pan del horno a las casas.

añada. f. Discurso o tiempo de un año. || Cosecha de cada año, y especialmente la del vino.

añadido. m. Añadidura. || Postizo.

añadidura. f. Lo que se añade a algo. || *por añadidura.* m. adv. Además.

añadir (al. *hinzufügen*, fr. *ajouter*, ingl. *to add*, it. *aggiungere*). tr. Agregar, incorporar una cosa a otra. || Aumentar, acrecentar.

añagaza. f. Señuelo para cazar aves. || fig. Artificio para atraer con engaño.

añal. adj. Anual. || Dícese de la res que tiene un año cumplido. Ú.t.c.s.

añalejo. m. REL. Especie de calendario para los eclesiásticos, que señala el orden y rito del rezo y oficio divino de todo el año.

añejar. tr. Hacer añeja una cosa. Ú.t.c.r. || r. Alterarse las cosas con el transcurso del tiempo, mejorándose o deteriorándose.

añejo, ja. adj. Dícese de ciertas cosas que tienen uno o más años. || fig. y fam. Que tiene mucho tiempo.

añicos. m. pl. Pedazos pequeños en que se divide alguna cosa al romperse.

añil. m. BOT. Arbusto leguminoso de fruto en vaina arqueada, con granillos lustrosos y muy duros. || Sustancia de color azul oscuro que se obtiene de esta planta. || Color de esta sustancia.

añojal. m. AGR. Pedazo de tierra

que se cultiva algunos años y luego se deja yermo por más o menos tiempo.

año (al. *Jahr*, fr. *année*, ingl. *year*, it. *anno*). m. ASTR. Tiempo que transcurre durante una revolución real de la Tierra en su órbita alrededor del Sol. || Período de doce meses. || pl. Día en que uno cumple años. || — *académico.* Período de un año que comienza con la apertura del curso, después de las vacaciones del anterior. || — *bisiesto.* El que excede al año común en un día, que se añade al mes de febrero. Se repite cada cuatro años, a excepción del último de cada siglo cuyas centenas no sean múltiplos de cuatro. || — *civil.* El que consta de un número cabal de días: 365 si es común y 366 si es bisiesto. || — *de gracia.* Año de la era cristiana. || — *de luz* o *luz.* ASTR. Espacio recorrido por la luz durante un año, equivalente a unos nueve billones de kilómetros. Ú. como unidad para evaluar las distancias estelares. || — *lunar.* ASTR. Período de 12 revoluciones sinódicas de la Luna, o sea de 354 días, del cual hacen uso los mahometanos. || — *nuevo.* El que está a punto de empezar, o ha empezado recientemente. || — *santo.* El del jubileo universal que se celebra en Roma. Se celebran también años santos particulares. || *de buen año.* m. adv. Gordo, saludable. Ú. generalmente con el verbo *estar*. || *el año de la nana.* expr. fam. En tiempo incierto y muy antiguo. || *entrado en años.* De edad provecta.

añoranza (al. *Sehnsucht*, fr. *nostalgie*, ingl. *homesickness*, it. *nostalgia*). f. Acción de añorar, nostalgia.

añorar. tr. Recordar con pena la ausencia, privación o pérdida de persona o cosa muy querida.

añoso, sa. adj. De muchos años.

añublo. m. Honguillo parásito de los cereales.

añusgar. intr. Atragantarse. || fig. Enfadarse.

aojar. tr. Hacer mal de ojo. || Ojear, la caza. || fig. Malograr una cosa.

aojo. m. Acción y efecto de aojar.

aonio, nia. adj. Beocio. Ú.t.c.s. || fig. Relativo a las musas.

aorta (al. *Aorta*, fr. *aorte*, ingl. *aorta*, it. *aorta*). f. Arteria principal. Nace del ventrículo izquierdo del corazón y termina en la cavidad abdominal.

aovado, da. adj. De figura de huevo.

aovar. intr. Poner huevos.

aovillarse. r. fig. Encogerse mucho, hacerse un ovillo.

apabullamiento. m. Apabullo.

apabullar. tr. fam. Dejar a uno confuso y sin saber cómo reaccionar.

apabullo. m. fam. Acción y efecto de apabullar.

apacentamiento. m. Acción y efecto de apacentar o apacentarse. || Pasto, lo que sirve para sustento del animal.

apacentar (al. *weiden*, fr. *faire paître*, ingl. *to graze*, it. *pascolare*). tr. Dar pasto a los ganados. || r. Pacer el ganado.

apacible (al. *ruhig*, fr. *paisible*, ingl. *peaceable*, it. *placido*). adj. Manso, dulce y agradable en la condición y el trato. || Tranquilo, agradable.

apaciguamiento. m. Acción y efecto de apaciguar o apaciguarse.

apaciguar (al. *beruhigen*, fr. *apaiser*, ingl. *to appease*, it. *rappacificare*). tr. Poner paz, sosegar. Ú.t.c.r. [*Antón.*: inquietar, enfurecer]

apache (voz amerindia). adj. Dícese de ciertos indios americanos que habitaban en la zona fronteriza de México y Estados Unidos. Ú.t.c.s. || m. fig. Malhechor de París.

apadrinamiento. m. Acción y efecto de apadrinar.

apadrinar. tr. Acompañar o asistir como padrino a una persona. || fig. Patrocinar, proteger. || r. Ampararse, valerse, acogerse.

apagado, da. adj. De carácter tímido y apocado. || Dícese del color amortiguado, poco vivo.

apagador. m. Pieza de metal que sirve para apagar velas. || MÚS. Pieza de los pianos que sirve para evitar las resonancias.

apagamiento. m. Acción de apagar o apagarse.

apagar (al. *ausmachen*, fr. *éteindre*, ingl. *to quench*, it. *spegnere*). tr. Extinguir el fuego o la luz. Ú.t.c.r. || Aplacar, disipar, extinguir. Ú.t.c.r. || Hablando de la cal viva, echarle agua para que pueda emplearse en obras de fábrica. || En ciertos casos, desconectar o cortar un circuito eléctrico. || PINT. Rebajar el color vivo o templar el tono de la luz. [*Antón.*: encender]

apagón. m. Extinción pasajera y accidental del alumbrado eléctrico.

apaisado, da. adj. Dícese de la figura u objeto de forma rectangular cuya base es mayor que su altura.

apalabrar. tr. Concertar de palabra dos o más personas alguna cosa.

apalancamiento. m. Acción y efecto de apalancar.

apalancar. tr. Levantar alguna cosa con palanca.

apaleamiento. m. Acción y efecto de apalear o dar golpes.

apalear (al. *prügeln*, fr. *bâtonner*, ingl. *to cudgel*, it. *bastonare*). tr. Dar golpes con palo o cosa semejante. || Sacudir ropas, alfombras, etc., con palo o con vara. || Varear el fruto del árbol. || Aventar con pala el grano para limpiarlo.

apaleo. m. Acción y efecto de apalear con pala. || Tiempo de apalear el grano.

apancle. m. *Amer.* Acequia, caño de agua.

apandar. tr. fam. Pillar, guardar una cosa con ánimo de apropiársela.

apangado, da. adj. *Amer.* Zopenco, atontado.

apaninarse. r. *Amer.* Aclimatarse.

apantallado, da. adj. *Amer.* Mentecato.

apañado, da. adj. fig. Hábil, mañoso para hacer alguna cosa. || fig. y fam. Adecuado para el uso a que se destina.

apañadura. f. Acción y efecto de apañar o apañarse.

apañar. tr. Asir; recoger y guardar algo. || Apoderarse de una cosa, capciosa o ilícitamente. || Aderezar. || Ataviar. || Remendar, componer.

apaño. m. Acción y efecto de apañar. || fam. Compostura, reparación o remiendo. || fam. Maña o habilidad para hacer algo. || fam. Respecto de una persona amancebada, la que lo está con ella. || fam. Acomodo, avío.

aparador (al. *Buffett*, fr. *buffet*, ingl. *sideboard*, it. *credenza*). m. Mueble donde se guarda lo necesario para el servicio de la mesa. || Escaparate. [*Sinón.*: trinchero]

aparar. tr. Acudir con las manos, falda, etc., a tomar o coger una cosa. Ú.m. en imper. || Preparar, disponer.

aparato (al. *Apparat*, fr. *appareil*, ingl. *apparatus*, it. *apparecchio*). m. Apresto, prevención, reunión de lo que se necesita para algún fin. || Pompa, ostentación. || Circunstancia o señal que precede o acompaña a alguna cosa. || Artificio mecánico compuesto de varias piezas combinadas para un determinado fin. || En determinadas circunstancias se emplea para designar específicamente un avión, un receptor telefónico, etc. || BIOL. Conjunto de órganos que en los animales o en las plantas concurren al desempeño de una misma función.

aparatoso, sa. adj. Que tiene mucho aparato u ostentación.

aparcadero. m. Aparcamiento, lugar destinado para aparcar vehículos.

aparcamiento. m. Acción y efecto de aparcar. || Lugar amplio destinado al estacionamiento de vehículos.

aparcar. tr. Colocar convenientemente en un campamento o parque los carruajes y, en general, los pertrechos y material de guerra. || Colocar transitoriamente en un lugar público determinado, coches u otros vehículos. || Detener el conductor su automóvil y colocarlo transitoriamente en un lugar.

aparcería. f. Trato o convenio de los que van a parte en una granjería.

aparcero, ra. s. Persona que tiene aparcería con otra u otras. || Comunero en una heredad o hacienda.

apareamiento. m. Acción y efecto de aparear o aparearse.

aparear (al. *paarweise anordnen*, fr. *accoupler*, ingl. *to match*, it. *appaiare*). tr. Ajustar una cosa con otra de forma que queden iguales. || Unir o juntar formando par. Ú.t.c.r. || Juntar las hembras de los animales con los machos para que críen. Ú.t.c.r. [*Sinón.*: emparejar]

aparecer (al. *erscheinen*, fr. *apparaître*, ingl. *to appear*, it. *appaire*). intr. Manifestarse, mostrarse a la vista. Ú.t.c.r. || Parecer, hallarse. Ú.t.c.r. [*Antón.*: desaparecer, ocultar]

aparecido. m. Espectro de un difunto.

aparejado, da. p.p. de aparejar. || Con los verbos *traer* y *llevar*, inherente o separable de aquello de que se trata. || adj. Apto, idóneo.

aparejador, ra (al. *Werkmeister*, *Polier*; fr. *contremaître*; ingl. *foreman*; it. *apparecchiatore*). adj. Que apareja. Ú.t.c.s. || s. Ayudante del arquitecto.

aparejar. tr. Preparar, disponer. Ú.t.c.r. || Vestir con esmero, adornar. Ú.t.c.r. || Poner el aparejo a las caballerías. || MAR. Poner a un buque su aparejo. || PINT. Imprimar.

aparejo (al. *Takelung*, fr. *agrès*, ingl. *tackle*, it. *attrezzatura*). m. Preparación, disposición para alguna cosa. || Prevención de lo necesario para conseguir un fin. || Arreo necesario para montar o cargar las caballerías. || Sistema de poleas compuesto por dos grupos, uno fijo y otro móvil. || ARQ. Forma o modo en que quedan colocados los materiales en una construcción. || MAR. Conjunto de palos, vergas, jarcias y velas de un buque. || PINT. Imprimación. || pl. Instrumentos y cosas necesarios para cualquier oficio o maniobra.

aparentar (al. *vorgeben*, fr. *feindre*, ingl. *to pretend*, it. *simulare*). tr. Manifestar o dar a entender lo que no es o no está. ‖ Hablando de la edad de una persona, tener ésta el aspecto correspondiente a dicha edad.

aparente. adj. Que parece y no es. ‖ Que parece y se muestra a la vista. ‖ Que tiene determinado aspecto o apariencia.

aparición. f. Acción de aparecer o aparecerse. ‖ Espectro, fantasma.

apariencia (al. *Schein, Erscheinung*; fr. *apparence*; ingl. *appearance*; it. *apparenza*). f. Aspecto exterior de una persona o cosa. ‖ Verosimilitud, probabilidad. ‖ Cosa que parece y no es. ‖ *en apariencia*. m. adv. Aparentemente, al parecer.

apartadero. m. Lugar que en los caminos y canales sirve para que, apartándose las personas, caballerías y barcos, quede libre el paso. ‖ Sitio donde se aparta a unos toros de otros para encajonarlos.

apartado, da. adj. Remoto, retirado. ‖ Diferente, distinto. ‖ Lugar de la oficina de correos destinado a apartar cartas y periódicos para que los interesados los recojan. ‖ Cada uno de los párrafos que en un artículo de una ley, u otro texto, se dedican a un asunto o aspecto del mismo.

apartamento (al. *Wohnung*, fr. *appartement*, ingl. *apartment*, it. *appartamento*). m. Vivienda de varios aposentos en un edificio.

apartar (al. *trennen, entfernen*; fr. *séparer*; ingl. *to divide, to put aside*; it. *appartare*). tr. Separar, dividir. Ú.t.c.r. ‖ Quitar a una persona o cosa del lugar donde estaba para dejarlo desembarazado. Ú.t.c.r. ‖ Alejar, retirar. Ú.t.c.r. ‖ fig. Disuadir a uno de alguna cosa. ‖ r. Divorciarse los casados.

aparte (al. *beiseite*, fr. *à part*, ingl. *apart*, it. *a parte*). adv. l. En otro lugar. ‖ A distancia, desde lejos. ‖ adv. m. Separadamente, con distinción. ‖ Con omisión, con preterición de. ‖ m. Lo que en la representación escénica dice cualquiera de los personajes suponiendo que no le oyen los demás. ‖ Trozo de escrito que comienza con mayúscula y termina con punto y aparte. ‖ adj. Diferente, distinto.

aparvar. tr. AGR. Disponer la mies en la era para trillarla. ‖ Recogerla en montones.

apasionado, da. adj. Poseído de alguna pasión o afecto. Ú.t.c.s. ‖ Partidario de alguno, o afecto a él.

apasionamiento. m. Acción y efecto de apasionar o apasionarse.

apasionar (al. *begeistern*, fr. *passioner*, ingl. *to fill with passion*, it. *appassionare*). tr. Causar, excitar alguna pasión. Ú.m.c.r. ‖ Atormentar.

apatía (al. *Apathie*, fr. *apathie*, ingl. *apathy*, it. *apatia*). f. Dejadez, falta de vigor o energía. [*Sinón.*: abandono, desidia. *Antón.*: fervor, esfuerzo]

apático, ca. adj. Que adolece de apatía.

apátrida. adj. Dícese de la persona que ha perdido su nacionalidad y no ha adquirido otra. Ú.t.c.s.

apea. f. Soga para trabar o maniatar las caballerías.

apeadero. m. Poyo o sillar en los zaguanes o a la puerta de las casas para montar en las caballerías. ‖ Sitio en el camino donde los viajeros pueden apearse. ‖ En los ferrocarriles, sitio de la vía preparado para el servicio del público, pero sin apartadero ni demás accesorios.

apear (al. *herunterheben*, fr. *descendre*, ingl. *to aligh*, it. *scendere*). tr. Bajar a alguno de una caballería o carruaje. Ú.m.c.r. ‖ Sujetar a las caballerías para que no se escapen. ‖ Arrimar a la rueda de un coche una piedra o leño para que no gire.

apechugar. intr. Dar empujones con el pecho. ‖ fig. y fam. Aceptar alguna cosa venciendo la repugnancia que causa.

apedazar. tr. Despedazar. ‖ Echar pedazos, remendar.

apedrear (al. *steinigen*, fr. *lapider*, ingl. *to stone*, it. *lapidare*). tr. Tirar piedras a una persona o cosa. ‖ impers. Caer pedrisco o granizo. [*Sinón.*: lapidar; granizar]

apegarse. r. fig. Cobrar apego.

apego. m. fig. Afición o inclinación.

apelación (al. *Berufung*, fr. *appel*, ingl. *appeal*, it. *appello*). f. DER. Acción de apelar. [*Sinón.*: recurso]

apelado, da. DER. Dícese del litigante que ha obtenido sentencia favorable contra la cual se apela. Ú.t.c.s. ‖ Dícese de dos o más caballerías del mismo pelo o color.

apelar (al. *Berufung einlegen*, fr. *interjeter appel*, ingl. *to appeal*, it. *appellarsi*). intr. DER. Recurrir a juez o tribunal superior para que revoque, enmiende o anule la sentencia dada por el inferior. ‖ Recurrir a alguien para un trabajo o necesidad. Ú.t.c.r. ‖ intr. Referirse, recaer. [*Sinón.*: recurrir, alzarse, interponer]

apelativo. m. Sobrenombre. ‖ Apellido.

apelmazar. tr. Hacer que una cosa esté menos esponjosa de lo requerido. Ú.t.c.r.

apelotonar. tr. Formar pelotones. Ú.t.c.r.

apellar. tr. Adobar la piel sobándola.

apellidarse. r. Llamarse, tener tal nombre o apellido.

apellido (al. *Hausname*, fr. *nom de famille*, ingl. *surname*, it. *cognome*). m. Nombre de familia con que se distinguen las personas.

apenar. tr. Causar pena, afligir. Ú.t.c.r.

apenas (al. *kaum*, fr. *à peine*, ingl. *hardly*, it. *appena*). adv. m. Penosamente. ‖ Casi no. ‖ adv. t. Luego que, al punto que.

apencar. intr. fam. Apechugar.

apéndice (al. *Anhang, Wurmfortsatz*; fr. *appendice*; ingl. *appendix*; it. *appendice*). m. Cosa adjunta o añadida a otra, de la cual es como parte accesoria. ‖ BOT. Conjunto de escamas que tienen en su base algunos peciolos. ‖ *— cecal, vermicular* o *vermiforme.* ZOOL. Prolongación delgada, hueca y de longitud variable con que acaba el intestino ciego del hombre y otros mamíferos.

apendicitis (al. *Blinddarmentzündung*, fr. *appendicite*, ingl. *appendicitis*, it. *appendicite*). f. MED. Inflamación del apéndice vermicular.

apendicular. adj. Perteneciente o relativo al apéndice.

apepsia. f. MED. Falta de digestión.

aperador. m. El que tiene por oficio aperar. ‖ El que cuida de la hacienda y de las cosas pertenecientes a la labranza. ‖ Capataz de una mina.

aperar. tr. Construir o componer carros y aperos de labranza.

apercibimiento. m. Acción y efecto de apercibir o apercibirse.

apercibir (al. *vorbereiten, warnen*; fr. *apprêter*; ingl. *to provide*; it. *scorgere*). tr. Disponer, preparar lo necesario para alguna cosa. Ú.t.c.r. ‖ Amonestar, advertir. ‖ Percibir, observar. Ú.t.c.r. ‖ DER. Hacer saber a la persona citada, emplazada o requerida, las consecuencias que se seguirán de determinados actos u omisiones suyas.

apergaminado, da. adj. Semejante al pergamino.

apergaminarse. r. fig. y fam. Acartonarse uno.

aperitivo, va (al. *Appetit erregend*, fr.

apéritif, ingl. *aperitif*, it. *aperiti-vo*). adj. Que sirve para abrir el apetito. Ú.t.c.s.m. || m. Bebida y manjares que se toman antes de la comida principal. || adj. MED. Que sirve para combatir las obstrucciones, abriendo las vías que recorren los líquidos en el estado normal. Ú.t.c.s.m.

apernar. tr. MONT. Asir o agarrar el perro por las patas a una res.

apero (al. *Ackergerät*, fr. *attirail de labourage*, ingl. *agricultural implement*, it. *arnesi agricoli*). m. Conjunto de instrumentos y cosas necesarias para la labranza. Ú.m. en pl. || Por ext., conjunto de herramientas o utensilios. Ú.m. en pl. || Conjunto de animales destinados a faenas agrícolas en una hacienda. || Majada.

apertura (al. *Öffnen, Eröffnung*; fr. *ouverture*; ingl. *opening*; it. *apertura*). f. Acción de abrir. || Tratándose de asambleas, etc., acto de dar principio, o de volver a dárselo, a sus tareas. || Combinación de ciertas jugadas con que se inicia una partida de ajedrez. || fig. Tendencia favorable a la comprensión de actitudes ideológicas, políticas, etc., distintas de las que uno sostiene, o a la colaboración con quienes las representan.

apesadumbrar (al. *betrüben*, fr. *chagriner*, ingl. *to vex*, it. *affliggere*). tr. Causar pesadumbre, afligir. Ú.m.c.r.

apestar. tr. Causar o comunicar la peste. Ú.t.c.r. || fig. Corromper, viciar. || intr. Despedir mal olor.

apétalo, la. adj. BOT. Que carece de pétalos.

apetecer. tr. Tener deseo de una cosa. Ú.t.c.r. || intr. Gustar, agradar una cosa.

apetecible. adj. Digno de apetecerse.

apetencia (al. *Appetit, Lust*; fr. *appétence*; ingl. *appetence*; it. *appetenza*). f. Gana de comer. || Movimiento natural que inclina al hombre a desear alguna cosa.

apetito (al. *appetit*, fr. *appétit*, ingl. *appetite*, it. *appetito*). m. Impulso instintivo que nos lleva a satisfacer deseos o necesidades. || Gana de comer. || fig. Lo que excita el deseo de alguna cosa.

apetitoso, sa. adj. Que excita el apetito. || Gustoso, sabroso.

apiadar (al. *mitleid erwecken, sich erbarmen*; fr. *apitoyer, s'apitoyer*; ingl. *to pity*; it. *impietoisirsi*). tr. Causar piedad. || Tratar con piedad. || r. Tener piedad. [*Sinón.*: condoler, compadecer]

apical. adj. Perteneciente o relativo a un ápice o punta, o localizado en ellos. || LING. En fonética, dícese de la consonante en cuya articulación interviene principalmente el ápice de la lengua, como la *l* o la *t*. Ú.t.c.s.f. || Dícese de la letra que representa este sonido. Ú.t.c.s.f.

ápice. m. Extremo superior o punta de algo. || Cualquier signo ortográfico que se pone sobre las letras. || fig. Parte pequeñísima, insignificante.

apícola. adj. Perteneciente o relativo a la apicultura.

apículo. m. BOT. Punta corta, aguda y poco resistente.

apicultor, ra (al. *Imker*, fr. *apiculteur*, ingl. *apiarist*, it. *apicultore*). s. Persona que se dedica a la apicultura.

apicultura (al. *Bienenzucht*, fr. *apiculture*, ingl. *apiculture*, it. *apicultura*). f. Arte de criar abejas para aprovechar sus productos.

apilar. tr. Amontonar, poner en pila.

apiñado, da. adj. De figura de piña.

apiñar. tr. Juntar o agrupar estrechamente personas o cosas. Ú.t.c.r.

apio (al. *Sellerie*, fr. *céleri*, ingl. *celery*, it. *sedano*). m. Planta umbelífera, de tallo jugoso y flores muy pequeñas y blancas. Es comestible.

apiolar. tr. Poner pihuela o apea. || Atar los pies de un animal muerto en la caza para colgarlo. || fig. y fam. Prender a una persona. || fig. y fam. Matar.

apiri. m. *Amer.* Peón de minas que transporta el mineral.

apisonadora (al. *Dampfwalze*, fr. *rouleau compresseur*, ingl. *road-roller*, it. *rullo*). f. Máquina locomóvil, de gran peso, montada sobre unos pesados rodillos, que sirve para apisonar pavimentos.

apisonar. tr. Apretar con pisón la tierra u otra cosa. || Apretar o allanar la tierra o la grava por medio de rodillos pesados.

apitonar. intr. Echar pitones los animales que crían cuernos. || Empezar los árboles a brotar. || tr. Romper las aves las cáscaras de sus huevos con el pico.

aplacamiento. m. Acción y efecto de aplacar.

aplacar. tr. Amansar, mitigar. Ú.t.c.r.

aplanadera. f. Instrumento con que se aplana el suelo.

aplanar (al. *ebnen, erstaunen*; fr. *aplanir*; ingl. *to level*; it. *spianare*). tr. Allanar, poner llano. || fig. y fam. Dejar a uno pasmado. || fig. Perder la anima-

ción o el vigor por enfermedad u otra causa.

aplastamiento. m. Acción y efecto de aplastar o aplastarse.

aplastar (al. *zerdrücken*, fr. *aplatir*, ingl. *to flatten*, it. *schiacciare*). tr. Deformar una cosa aplanándola o disminuyendo su grueso. Ú.t.c.r. || fig. y fam. Dejar a uno confuso. [*Sinón.*: apisonar, chafar; confundir]

aplatanar. tr. Causar indolencia o restar actividad a alguien. || r. Entregarse a la indolencia o inactividad.

aplaudir (al. *applaudieren*, fr. *applaudir*, ingl. *to applaud*, it. *applaudire*). tr. Palmotear en señal de aprobación. || Celebrar el mérito de alguien.

aplauso. m. Acción y efecto de aplaudir.

aplazar (al. *anberaumen, verschieben*; fr. *ajorner*; ingl. *to adjourn*; it. *rimettere*). tr. Convocar para tiempo y sitio señalados. || Diferir, retardar. || *Amer.* Suspender a un examinando.

aplicación. f. Acción y efecto de aplicar o aplicarse. || fig. Afición con que se hace una cosa, especialmente el estudio. || Detalle de ornamentación sobrepuesto.

aplicado, da. adj. fig. Que muestra aplicación o asiduidad.

aplicar (al. *anwenden*, fr. *appliquer*, ingl. *to apply*, it. *posticipare*). tr. Poner una cosa sobre otra o en contacto con otra. || fig. Emplear alguna cosa o los procedimientos que le son propios para mejor conseguir un fin. || fig. Referir a un caso particular lo que se ha dicho en general, o a un individuo lo que se ha dicho de otro. || fig. Atribuir, imputar. || fig. Destinar, adjudicar. || r. fig. Poner esmero o diligencia en hacer una cosa.

aplique. m. Cualquier pieza del decorado teatral que no sea el telón, los bastidores y las bambalinas. || Candelero u otro ornato adosado a la pared.

aplomado, da. adj. Que tiene aplomo. || Plomizo.

aplomar. tr. Hacer mayor la pesantez de una cosa. Ú.t.c.r. || ALBAÑ. Examinar con la plomada si las paredes u otras partes de la obra en construcción están verticales. Ú.t.c.intr. || r. Desplomarse.

aplomo (al. *Nachdruck*, fr. *aplomb*, ingl. *assurance*, it. *serenità*). m. Gravedad, seriedad. || Cada línea vertical de un caballo que señala la dirección que deben tener sus miembros para que esté bien constituido. Ú.m. en pl. || Verticalidad. || Plomada.

apnea. f. MED. Falta o suspensión de la respiración.

apocado, da. adj. fig. De poco ánimo o espíritu. || fig. Vil o de baja condición. [*Sinón.*: tímido, pusilánime, acoquinado. *Antón.*: atrevido, resuelto]

Apocalipsis. n.p.m. Último libro canónico del Nuevo Testamento.

apocalíptico, ca. adj. Perteneciente o relativo al Apocalipsis. || fig. Terrorífico, espantoso.

apocamiento (al. *Schüchternheit*, fr. *pusillanimité*, ingl. *shyness*, it. *pussillanimità*). m. fig. Cortedad de ánimo. || fig. Abatimiento.

apocar. tr. Minorar, reducir. || fig. Limitar, estrechar. || fig. Humillar, abatir. Ú.t.c.r. [*Sinón.*: cortar, encoger, achicarse, amilanarse. *Antón.*: agrandar, enaltecerse]

apocináceo, a. adj. BOT. Dícese de plantas dicotiledóneas de hojas persistentes, flores hermafroditas y fruto capsular o folicular; como la adelfa. Ú.t.c.s.f. || f. pl. Familia de estas plantas.

apócopa. f. GRAM. Apócope.

apocopar. tr. GRAM. Cometer apócope.

apócope (al. *Apokope*, fr. *apocope*, ingl. *apocope*, it. *apocope*). f. GRAM. Metaplasmo que consiste en suprimir una o más letras al final de un vocablo.

apócrifo, fa. adj. Fabuloso, supuesto o fingido. || Dícese del libro que se atribuye a autor sagrado pero no está incluido en el canon.

apodar. tr. Poner o decir apodos.

apoderado, da. adj. Dícese del que tiene poderes de otro para representarle. Ú.t.c.s. [*Sinón.*: procurador, mandatario]

apoderar. tr. Dar poder una persona a otra para que le represente. || r. Hacerse uno dueño de una cosa.

apodíctico, ca. adj. LÓG. Que no admite contradicción.

apodo. m. Nombre que suele darse a una persona, tomado de sus defectos o de alguna otra circunstancia.

ápodo, da. adj. ZOOL. Falto de pies. || ZOOL. Dícese de batracios de cuerpo vermiforme, sin extremidades y sin cola. Ú.t.c.s.m. || m. pl. Orden de estos animales.

apódosis. f. RET. Parte del período en que se completa el sentido que queda pendiente en la primera, llamada prótasis.

apófige. f. ARQ. Cada una de las partes curvas que enlazan las extremidades del fuste de la columna con la primera moldura de su base o capitel.

apófisis. f. ANAT. Parte saliente de un hueso que sirve para su articulación o para las inserciones musculares.

apofonía. f. Alteración de vocales en palabras de la misma raíz.

apogeo (al. *Erdferne*, fr. *apogée*, ingl. *apogee*, it. *apogeo*). m. ASTR. El punto más distante de la Tierra en la órbita de la Luna y en la aparente del Sol. || fig. Lo sumo de la grandeza o perfección en gloria, virtud, poder, etc. [*Sinón.*: auge. *Antón.*: decadencia]

apolillar. tr. Roer la polilla las ropas u otras cosas.

apolíneo, nea. adj. Perteneciente o relativo a Apolo. || Aplícase especialmente a la belleza masculina.

apoliticismo. m. Condición de apolítico, carencia de carácter o significación políticos.

apolítico, ca. adj. Ajeno a la política.

apologética (al. *Apologetik*, fr. *apologétique*, ingl. *apologetics*, it. *apologetica*). f. REL. Parte de la teología que expone las pruebas y fundamentos de la verdad de la religión católica.

apologético, ca. adj. Perteneciente o relativo a la apología.

apología (al. *Apologie*, fr. *apologie*, ingl. *apology*, it. *apologia*). f. Discurso en defensa o alabanza de personas o cosas.

apológico, ca. adj. Perteneciente o relativo al apólogo o fábula.

apologista. com. Persona que hace alguna apología.

apólogo. adj. Apológico. || m. Fábula, composición literaria.

apoltronamiento. m. Acción y efecto de apoltronarse.

apoltronarse. r. Hacerse poltrón. Dícese más comúnmente de los que llevan vida sedentaria.

aponeurosis. f. ANAT. Membrana blanca que cubre los músculos.

aponeurótico, ca. adj. ANAT. Perteneciente o relativo a la aponeurosis.

apoplejía (al. *Schlaganfall*, fr. *apoplexie*, ingl. *apoplexy*, it. *apoplessia*). f. Suspensión súbita de la acción cerebral, debida a derrames sanguíneos en el encéfalo o en las meninges.

apoplético, ca. adj. Perteneciente o relativo a la apoplejía. || Que padece apoplejía. Ú.t.c.s.

aporcar. tr. Cubrir con tierra ciertas hortalizas para que resulten más tiernas.

aporía. f. FIL. Dificultad de resolver un problema por los caminos de la lógica.

aporisma. MED. Tumor que se forma por derrame de la sangre entre la piel y la carne.

aporrear. tr. Golpear con porra o palo. Ú.t.c.r. || Dar golpes.

aportación. f. Acción de aportar. || Conjunto de bienes aportados.

aportar (al. *einbringen*, fr. *apporter*, ingl. *to bring*, it. *apportare*). intr. Tomar puerto o arribar a él. || Llevar cada cual la parte que le corresponde a la sociedad de que es miembro.

aportillar. tr. Romper una muralla o pared para poder entrar por la abertura. || r. Caerse alguna parte de muro o pared.

aposentamiento. m. Acción de aposentar o aposentarse. || Aposento, cuarto, posada.

aposentar. tr. Dar habitación y hospedaje. || tr. Tomar casa, alojarse. [*Sinón.*: albergar, acomodar, domiciliarse, avecindarse]

aposento (al. *Zimmer*, fr. *chambre*, ingl. *room*, it. *camera*). m. Cuarto o pieza de una casa. || Posada, hospedaje.

aposición. f. GRAM. Efecto de poner consecutivamente dos o más sustantivos, sin conjunción.

apósito. m. MED. Remedio que se aplica exteriormente, sujetándolo con vendas. [*Sinón.*: tópico, compresa]

aposta. adv. m. Adrede.

apostar (al. *wetten*, fr. *parier*, ingl. *to bet*, it. *scommettere*). tr. Pactar entre sí, los que disputan, que quien acierte ganará cierta cantidad de dinero o cosa determinada de antemano. || Poner una o más personas en un paraje para determinado fin. Ú.t.c.r. [*Sinón.*: jugar, envidar; situar, emboscar]

apostasía. f. Acción y efecto de apostatar. [*Sinón.*: retracción, repudio. *Antón.*: ortodoxia, fidelidad]

apóstata. com. Persona que comete apostasía.

apostatar (al. *vom Glauben abfallen*, fr. *apostasier*, ingl. *to apostasize*, it. *apostatare*). intr. Negar la fe de Jesucristo recibida en el bautismo. || Por ext., no cumplir un clérigo con las obligaciones de su estado. || Por ext., abandonar cualquier religión, partido u opinión para entrar en otro. [*Sinón.*: renegar, abjurar. *Antón.*: abrazar, convertirse]

a posteriori. m. adv. lat. Indica la demostración que consiste en ascender del efecto a la causa. || Después de examinar el asunto de que se trata.

apostilla. f. Aclaración de un texto.

apóstol (al. *Apostel*, fr. *apôtre*, ingl. *apostle*, it. *apostolo*). m. Cada uno de los doce primeros discípulos de Cristo, y también San Pablo y San Bernabé. ‖ Propagador de cualquier doctrina. [*Sinón.*: evangelizador, catequizador]

apostolado. m. Ministerio de apóstol. ‖ fig. Campaña de propaganda de una causa o doctrina.

apostólico, ca. adj. Perteneciente o relativo a los apóstoles. ‖ Perteneciente al papa o que dimana de su autoridad.

apostrofar. tr. Dirigir apóstrofes.

apóstrofe. m. RET. Figura que consiste en interrumpir el discurso para dirigir la palabra con vehemencia, en segunda persona, a una o varias personas o cosas. ‖ Dicterio.

apóstrofo. m. GRAM. Signo ortográfico (') que indica la elisión de una vocal en fin de palabra cuando la siguiente empieza por vocal. No se usa actualmente en castellano.

apostura. f. Gentileza, buena disposición en la persona. ‖ Actitud, ademán, aspecto.

apotegma. m. Dicho breve y sentencioso; dicho feliz.

apotema (al. *Seitendiagonale*, fr. *apothème*, ingl. *apothem*, it. *apotema*). f. GEOM. Perpendicular trazada desde el centro de un polígono regular a uno cualquiera de sus lados. ‖ GEOM. Altura de las caras triangulares de una pirámide regular.

apoteósico, ca. adj. Perteneciente a la apoteosis.

apoteosis. f. fig. Ensalzamiento de una persona. ‖ fig. Final brillante de algo.

apoteótico, ca. adj. Apoteósico.

apoyar (al. *stützen*, fr. *appuyer*, ingl. *to support*, it. *appoggiare*). tr. Hacer que una cosa descanse sobre otra. ‖ Basar, fundar. ‖ fig. Favorecer, ayudar. ‖ fig. Confirmar, sostener alguna opinión o doctrina. ‖ fig. Sacar la apoyadura. ‖ intr. Cargar, estribar. ‖ r. fig. Servirse de una persona o cosa como de apoyo. ‖ fig. Servirse de algo como razón o fundamento de una doctrina o opinión.

apoyatura. f. MÚS. Nota pequeña y de adorno cuyo valor se toma del signo siguiente para no alterar la duración del compás. ‖ Apoyo.

apoyo. m. Lo que sirve para sostener. ‖ Apoyadura. ‖ fig. Protección, auxilio o favor. [*Sinón.*: soporte, puntal, socorro]

apreciable. adj. Capaz de ser apreciado. ‖ fig. Digno de aprecio o estima.

apreciación. f. Acción y efecto de apreciar.

apreciar (al. *schätzen*, fr. *apprécier*, ingl. *to appreciate*, it. *apprezzare*). tr. Poner precio a las cosas vendibles. ‖ fig. Reconocer y estimar el mérito de las personas o cosas. [*Sinón.*: valuar, justipreciar, querer. *Antón.*: desestimar, aborrecer]

aprecio. m. Apreciación. ‖ Acción y efecto de apreciar, reconocer, estimar. ‖ Estimación afectuosa de una persona.

aprehender (al. *fassen*, fr. *appréhender*, ingl. *to seize*, it. *afferrare*). tr. Coger, aprender a una persona o algún objeto. ‖ FIL. Concebir las especies de las cosas sin hacer juicio de ellas.

aprehensión. f. Acción y efecto de aprehender.

apremiar (al. *drängen*, fr. *presser*, ingl. *to urge*, it. *costringere*). tr. Dar prisa, compeler a uno a que haga prontamente alguna cosa. ‖ Obligar a uno con mandamiento de autoridad a que haga algo. ‖ Imponer apremio o recargo.

apremio. m. Acción y efecto de apremiar. ‖ Mandamiento de autoridad para compeler al pago de una cantidad o al cumplimiento de otro acto. ‖ Recargo de retribuciones o multas por causa de demora en el pago.

aprender (al. *lernen*, fr. *apprendre*, ingl. *to learn*, it. *apprèndere*). tr. Adquirir el conocimiento de una cosa por medio del estudio o experiencia.

aprendiz, za (al. *Lehrling*, fr. *apprenti*, ingl. *apprentice*, it. *apprendista*). s. Persona que aprende algún arte u oficio.

aprendizaje. m. Acción y efecto de aprender un arte u oficio. ‖ Tiempo que en ello se emplea.

aprensión. f. Aprehensión. ‖ Escrúpulo, miedo al contagio. ‖ Opinión, idea infundada o extraña. Ú.m. en pl. ‖ Miramiento, delicadeza, reparo.

aprensivo, va. adj. Dícese de la persona que en todo ve peligros para su salud, o imagina que son graves sus leves dolencias.

apresamiento. m. Acción y efecto de apresar.

apresar. tr. Asir, hacer presa con las garras o colmillos. ‖ Tomar por fuerza. ‖ Capturar, aprisionar. [*Antón.*: soltar, liberar]

aprestar. tr. Aparejar, disponer lo necesario para algo. Ú.t.c.r. ‖ Aderezar los tejidos.

apresto (al. *Vorbereitung*, fr. *apprêt*, ingl. *preparation*, it. *apprestamento*). m. Prevención, preparación para algo. ‖ Acción y efecto de aprestar las telas. ‖ Ingredientes que sirven para aprestar.

apresurar (al. *eilen*, fr. *hâter*, ingl. *to hurry*, it. *affrettare*). tr. Dar prisa. Ú.t.c.r. [*Sinón.*: acelerar. *Antón.*: sosegar]

apretado, da. adj. fig. Arduo, dificultoso. ‖ fig. y fam. Mezquino, miserable.

apretar (al. *drüken*, fr. *presser*, ingl. *to press*, it. *stringere*). tr. Estrechar con fuerza, oprimir. ‖ Ceñir estrechamente. ‖ Poner una cosa sobre otra haciendo fuerza o comprimiendo. ‖ Aguijar, espolear. ‖ Aumentar la tirantez de lo que sirve para estrechar. ‖ Estrechar algo o reducirlo a menor volumen. ‖ Apiñar estrechamente. Ú.m.c.r. ‖ Acosar a uno. ‖ Tratar con excesivo rigor. ‖ Tratar de llevar a efecto con urgencia. ‖ intr. Obrar una persona o cosa con mayor esfuerzo o intensidad que de ordinario.

apretón. m. Apretadura muy fuerte y rápida. ‖ Apretura causada por la excesiva concurrencia de gente.

apretujamiento. m. Acción y efecto de apretujar o apretujarse.

apretujar. tr. fam. Apretar mucho o reiteradamente. ‖ r. Oprimirse varias personas en un recinto estrecho.

apretura. f. Opresión causada por la excesiva concurrencia de gente. ‖ Sitio o paraje estrecho. ‖ Escasez, falta de víveres.

aprieto. m. Apertura, opresión. ‖ fig. Conflicto, apuro.

a priori. m. adv. lat. que indica la demostración que consiste en descender de la causa al efecto o de la esencia de una cosa a sus propiedades. ‖ Antes de examinar el asunto de que se trata.

apriorismo. m. Método en que se emplea sistemáticamente el razonamiento a priori.

apriorístico, ca. adj. Perteneciente o relativo al apriorismo.

aprisa (al. *rasch*, fr. *vite*, ingl. *quick*, it. *presto*). adv. m. Con celeridad o prontitud.

aprisco. m. Paraje donde los pastores resguardan el ganado.

aprisionar (al. *gefangen nehmen*, fr. *emprisonner*, ingl. *to imprison*, it. *imprigionare*). tr. Poner en prisión. ‖ fig. Atar, sujetar.

aproar. intr. MAR. Poner el buque proa a alguna parte.

aprobación (al. *Billigung*, fr. *approbationn*, ingl. *approval*, it. *approvazione*). f. Acción y efecto de aprobar.

aprobado. m. En exámenes, nota de aptitud o idoneidad en la materia.

aprobar (al. *anerkennen*, fr. *approuver*, ingl. *to approve*, it. *approvare*). tr. Calificar o dar por bueno. ‖ Tratándose de doctrinas u opiniones, asentir a ellas. ‖ Tratándose de personas, declarar hábil y competente. ‖ Obtener la aprobación en un examen o asignatura.

aprontar. tr. Prevenir, disponer con prontitud. ‖ Entregar sin dilación.

apropiación. f. Acción y efecto de apropiar o apropiarse.

apropiado, da. adj. Acomodado para el fin a que se destina.

apropiar (al. *aneignen*, fr. *appropier*, ingl. *to appropiate*, it. *appropiare*). tr. Hacer propia de uno cualquier cosa. ‖ Aplicar a algo lo que le es propio. ‖ r. Tomar para sí algo. [*Sinón*.: adueñarse, apoderarse; adecuar, acomodar]

aprovechado, da. adj. Dícese del que saca provecho de todo. ‖ Aplicado, diligente.

aprovechamiento. m. Acción y efecto de aprovechar o aprovecharse.

aprovechar (al. *ausnutzen*, fr. *employer*, ingl. *to take advantage*, it. *approfittare*). intr. Servir de provecho alguna cosa. ‖ Adelantar en la virtud, estudios, etc. Ú.t.c.r.

aprovisionamiento. m. Acción y efecto de aprovisionar o aprovisionarse.

aprovisionar. tr. Proveer de vituallas o pertrechos, o de ambas cosas a la vez. [*Sinón*.: abastecer, avituallar]

aproximación (al. *Annäherung*, fr. *approche*, ingl. *approach*, it. *approssimazione*). f. Acción y efecto de aproximar o aproximarse. ‖ En la lotería, premio que se concede a algunos números próximos al que ha obtenido el premio mayor.

aproximado, da. adj. Que se acerca más o menos a lo exacto.

aproximar. tr. Arrimar, acercar. Ú.t.c.r.

áptero, ra. adj. ZOOL. Que carece de alas.

aptitud (al. *Eignung*, fr. *aptitude*, ingl. *aptitude*, it. *attitudine*). f. Cualidad que hace que un objeto sea apto para cierto fin. ‖ Capacidad para el buen desempeño de un negocio. [*Sinón*.: idoneidad, habilidad, competencia]

apto, ta. adj. Idóneo, hábil, a propósito para hacer algo. [*Sinón*.: capaz, suficiente. *Antón*.: inepto, incompetente]

apuesta (al. *Wette*, fr. *gageure*, ingl. *bet*, it. *scommessa*). f. Acción y efecto de apostar dinero u otra cosa. ‖ Cosa que se apuesta.

apuesto, ta. adj. Ataviado, adornado, de agradable aspecto personal.

apuntación. f. Apuntamiento, acción y efecto de apuntar. ‖ Mús. Acción de escribir los signos musicales. ‖ Notación, escritura musical.

apuntador, ra (al. *Einsager*, fr. *souffleur*, ingl. *prompter*, it. *suggeritore*). adj. Que apunta. Ú.t.c.s. ‖ m. El que en el teatro apunta a los actores lo que han de decir. ‖ Traspunte.

apuntalamiento. m. Acción y efecto de apuntalar.

apuntalar. tr. Poner puntales. ‖ fig. Sostener, afirmar. [*Sinón*.: entibar]

apuntamiento. m. Acción y efecto de apuntar. ‖ DER. Resumen de los autos de un proceso.

apuntar (al. *zielen*, fr. *braquer*, ingl. *to take aim*, it. *puntare*). tr. Asestar una arma arrojadiza o de fuego. ‖ Señalar hacia sitio u objeto determinado. ‖ Señalar en lo escrito alguna cosa para encontrarla fácilmente. ‖ Tomar nota por escrito de algo. ‖ B. ART. Hacer un apunte o dibujo ligero. ‖ Empezar a fijar y colocar una cosa interinamente. ‖ Sacar punta a algún objeto. ‖ Unir ligeramente con puntadas. ‖ En el teatro, leer el apuntador a los actores lo que han de recitar. ‖ fig. Señalar, indicar. ‖ fig. Insinuar. ‖ fig. Sugerir. ‖ intr. Empezar a manifestarse algo. ‖ r. Empezar el vino a tener punta de agrio.

apunte. m. Acción y efecto de apuntar. ‖ Nota que se hace por escrito de algo. ‖ Dibujo que se toma rápidamente del natural. ‖ En el teatro, apuntador y traspunte. ‖ pl. Extracto de las explicaciones de un profesor que toman los alumnos.

apuntillar. tr. TAUROM. Rematar al toro con la puntilla.

apuñalar (al. *erstechen*, fr. *poignarder*, ingl. *to stab*, it. *pugnalare*). tr. Dar de puñaladas.

apuñar. tr. Asir o coger algo con la mano, cerrándola. ‖ intr. Apretar la mano para que no se caiga lo que se lleva en ella.

apurado, da. adj. Pobre, falto de dinero o necesitado de algo. ‖ Dificultoso, peligroso, angustioso. ‖ Esmerado, exacto. ‖ Apresurado.

apurar (al. *erschöpfen*, fr. *épuiser*, ingl. *to exhaust*, it. *esaurire*). tr. Purificar, reducir al estado de pureza. ‖ Extremar, llevar hasta el cabo. ‖ Acabar o agotar. ‖ Sufrir hasta el extremo. ‖ fig. Apremiar, dar prisa. ‖ r. Afligirse.

apure. m. MINER. Acción de apurar o purificar una cosa.

apuro. m. Aprieto, escasez grande. ‖ Aflicción, conflicto. ‖ Apremio.

aquejar. tr. fig. Acongojar, fatigar. ‖ fig. Hablando de enfermedades, vicios, etc., afectar a una persona o cosa, causarles daño.

aquejoso, sa. adj. Afligido, acongojado.

aquel, lla, llo, llas, llos (al. *jener, jene, jenes*; fr. *ce, cet là, cette là*; ingl. *that*; it. *quell, quello, quella*). Formas de pron. dem. en m., f. y n., y en sing. y pl. Designan lo que física o mentalmente está lejos de la persona que habla y de la que escucha. ‖ Las formas m. y f. se usan como adj.

aquelarre. m. Conciliábulo nocturno de brujos y brujas para la práctica de artes supersticiosas.

aquende. adv. l. De la parte de acá.

aquenio. m. BOT. Fruto seco, indehiscente, con una sola semilla y con pericarpio no soldado a ella.

aqueo, a. adj. Natural de Acaya. Ú.t.c.s. ‖ Perteneciente a esta región de Grecia. ‖ Por ext., perteneciente a la Grecia antigua. Ú.t.c.s.

aquerenciado, da. *Amer*. Enamorado.

aquerenciarse. r. Tomar querencia a un lugar. Se dice especialmente de los animales.

aquí (al. *hier, hierhin*; fr. *ici*; ingl. *here*; it. *qui*). ad. l. En este lugar. ‖ A este lugar. ‖ adv. t. Ahora, en tiempo presente.

aquiescencia. f. Asenso, consentimiento.

aquiescente. adj. Que consiente, permite o autoriza.

aquietamiento. m. Acción y efecto de aquietar o aquietarse.

aquietar. tr. Sosegar, apaciguar. Ú.t.c.r. [*Antón*.: excitar, intranquilizar]

aquilatamiento. m. Acción y efecto de aquilatar.

aquilatar. tr. Examinar y graduar los quilates del oro y piedras preciosas. ‖ fig. Examinar y apreciar debidamente el mérito de una persona, o verdad de una cosa. ‖ Apurar, purificar.

aquilino, na. adj. poét. Aguileño.

aquilón. m. Bóreas, viento que sopla del Norte.

aquillado, da. adj. De forma de quilla. ‖ MAR. Aplícase al buque que tiene mucha quilla.

aquitano, na. adj. Natural de Aquitania. Ú.t.c.s.

ara. f. Altar en que se ofrecen sacrificios. ‖ Piedra sagrada sobre la que el sacerdote extiende los corporales para celebrar la misa. ‖ *en aras de.* loc. En obsequio o en honor de.

árabe (al. *Arabisch, Araber;* fr. *arabe;* ingl. *arabic, arab;* it. *arabo*). adj. Natural de Arabia. Ú.t.c.s. ‖ Natural del más numeroso grupo étnico semita originario de Arabia, del que forman parte diversos pueblos asiáticos y africanos. ‖ Perteneciente o relativo a la lengua y cultura de estos pueblos. ‖ m. Idioma árabe.

arabesco, ca. adj. Arábigo. ‖ m. B. ART. Dibujo de adorno compuesto de tracerías, follajes, cintas y volutas.

arábigo, ga. adj. Árabe, perteneciente a Arabia. ‖ m. Idioma árabe. [*Sinón.*: arábico]

arabismo. m. Giro o modo de hablar propio de la lengua árabe. ‖ Vocablo o giro de esta lengua empleado en otra.

arabista. com. Persona versada en la lengua y literatura árabes.

arabización. f. Acción y efecto de arabizar o arabizarse.

aráceo, a. adj. BOT. Dícese de las plantas angiospermas monocotiledóneas, herbáceas, algúnas leñosas, con rizomas o tubérculos; hojas alternas, flor en espádice y fruto en baya; como el aro y la cala. Ú.t.c.s.f. ‖ f. pl. Familia de estas plantas.

arácnido, da. adj. ZOOL. Dícese de los artrópodos sin antenas, de respiración traqueal o pulmonar, con un par de quelíceos, cuatro pares de patas y cefalotórax y abdomen; como las arañas y los escorpiones. ‖ m. pl. Clase de estos animales.

aracnoides. f. ANAT. Membrana que con la duramadre y la piamadre forma las meninges.

arada. f. Acción de arar. ‖ Tierra labrada con el arado.

arado (al. *Pflug,* fr. *charrue,* ingl. *plough plow,* it. *aratro*). m. AGR. Instrumento agrícola que sirve para labrar la tierra, que rompe, ablanda y esponja.

arador, ra. adj. Que ara. Ú.t.c.s. ‖ — *de la sarna.* m. ZOOL. Ácaro diminuto parásito, que produce en el hombre la enfermedad de la sarna. Vive bajo la capa córnea de la epidermis.

aradura. f. Acción y efecto de arar.

aragonés, sa. adj. Natural de Aragón. Ú.t.c.s. ‖ Perteneciente a la región o al antiguo reino de este nombre. ‖ LING. Dícese de la variedad de castellano que se habla en Aragón. Ú.t.c.s.m.

aragonesismo. m. Palabra, locución o giro peculiar de los aragoneses.

aralia. f. BOT. Arbusto araliáceo de flores pequeñas, blancas y frutos negruzcos.

araliáceo, a. adj. BOT. Dícese de las plantas dicotiledóneas, generalmente tropicales, de flores en umbela o cabezuela, con el cáliz soldado al ovario y fruto en baya; como la hiedra. Ú.t.c.s.f. ‖ f. pl. Familia de estas plantas.

arameo. adj. Descendiente de Aram, hijo de Sem. Ú.t.c.s. ‖ Natural del país de Aram. Ú.t.c.s. ‖ Perteneciente a este pueblo bíblico. ‖ m. Lengua aramea.

arana. f. Embuste, trampa, estafa.

arancel (al. *Gebühr,* fr. *tarif,* ingl. *tariff,* it. *tariffa*). m. Tarifa oficial que determina los derechos que se han de pagar por algún concepto. ‖ Tasa, norma.

arancelario, ria. adj. Perteneciente o relativo al arancel.

arandano. m. Terreno húmedo y sombrío poblado de arándanos.

arándano. m. BOT. Planta ericácea de flores de color blanco o rosáceo y fruto comestible. ‖ Fruto de esta planta.

arandela (al. *Unterlegscheibe,* fr. *rondelle,* ingl. *washer,* it. *disco*). f. Disco agujereado por el centro que se pone en la parte superior del candelero. ‖ Anillo metálico usado en las máquinas para evitar el roce entre dos piezas.

aranero, ra. adj. Embustero, tramposo, estafador. Ú.t.c.s.

aranés, sa. adj. Natural de cualquiera de los pueblos comprendidos en el valle de Arán. Ú.t.c.s. ‖ Perteneciente a este valle de los Pirineos. ‖ m. LING. Dialecto gascón hablado en este valle.

araña (al. *Spine, Kronleuchter;* fr. *araignée, lustre;* ingl. *spider, luster;* it. *ragno, lampadario*). f. ZOOL. Arácnido pulmonado de cuatro pares de patas y abdomen abultado en cuya extremidad tiene dos glándulas, con las que segrega la sustancia sedosa con que fabrica la tela en la que aprisiona a los insectos de que se alimenta. ‖ Especie de candelabro colgante. ‖ Red para cazar pájaros.

arañar (al. *ritzen,* fr. *égratigner,* ingl. *to scratch,* it. *graffiare*). tr. Rasgar ligeramente el cutis con las uñas, u otra cosa. Ú.t.c.r. ‖ Hacer rayas superficiales sobre cosas lisas.

arañazo. m. Herida superficial causada en la piel con las uñas, u otra cosa. [*Sinón.*: rasguño, rasgadura]

arañil. adj. Propio de la araña o perteneciente a ella.

arañuela. f. dim. de araña. ‖ ZOOL. Larva de insectos de los plantíos. ‖ BOT. Planta ranunculácea de hermosas flores.

arar (al. *pflügen,* fr. *labourer,* ingl. *to plough, to plow,* it. *arare*). tr. Remover la tierra haciendo en ella surcos con el arado. [*Sinón.*: labrar]

araucano, na. adj. Natural de Arauco. Ú.t.c.s. ‖ Perteneciente a este país de América. ‖ m. LING. Idioma de los araucanos.

araucaria. f. BOT. Árbol conífero de fruto drupáceo, con una almendra dulce muy alimenticia. Es originario de América.

arbitraje. m. Acción o facultad de arbitrar. ‖ Juicio arbitral. ‖ Procedimiento para resolver pacíficamente conflictos internacionales, sometiéndolos al fallo de una tercera potencia.

arbitral. adj. Perteneciente o relativo al árbitro.

arbitrar. tr. Proceder uno libremente, a su arbitrio. ‖ Dar o proponer arbitrios. ‖ intr. Discurrir, formar juicio. ‖ Juzgar como árbitro. ‖ Encontrar o allegar algo como medios, etc. ‖ r. Ingeniarse.

arbitrariedad (al. *Willkür,* fr. *l'arbitraire,* ingl. *arbitrariness,* it. *arbitrio*). f. Acto o proceder contrario a la justicia, la razón o las leyes. [*Sinón.*: atropello, ilegalidad. *Antón.*: justicia, legalidad]

arbitrario, ria. adj. Que depende del arbitrio. ‖ Que procede con arbitrariedad. ‖ Que incluye arbitrariedad. ‖ Arbitral.

arbitrio. m. Facultad de tomar una resolución con preferencia a otra. ‖ Poder, autoridad. ‖ Voluntad gobernada por el apetito o capricho. ‖ Medio extraordinario propuesto para el logro de un fin. ‖ Sentencia del árbitro. ‖ pl. Derechos o imposiciones para obtener fondos para gastos públicos, generalmente municipales.

árbitro (al. *Schiedsrichter,* fr. *arbitre,* ingl. *umpire,* it. *arbitro*) adj. Se dice del que puede actuar sin dependencia de otro. Ú.t.c.s. ‖ com. Persona que en las contiendas deportivas cuida de la aplicación del reglamento.

árbol (al. *Baum,* fr. *arbre,* ingl. *tree,* it. *albero*). m. BOT. Planta perenne, de tronco leñoso y elevado, que se ramifica a cierta altura del suelo. || Mús. En los órganos, eje que hace sonar el registro que se desea. || Arq. Pie derecho de la escalera de caracol. || Mar. Palo de un buque. || Técn. Barra fija o giratoria que sirve de eje en una máquina. || — genealógico. Cuadro descriptivo de los parentescos de una familia.

arbolado, da. adj. Dícese del lugar poblado de árboles. || m. Conjunto de árboles.

arboladura (al. *Bemastung*, fr. *mâture*, ingl. *masts*, it. *alberatura*). f. Mar. Conjunto de árboles y vergas de un buque.

arbolar. tr. Enarbolar, levantar banderas, etc. || Poner los árboles a una embarcación. || Arborizar. || intr. Elevarse mucho las olas del mar. Ú.t.c.r.

arboleda (al. *Baumpflanzung*, fr. *futaie*, ingl. *grove*, it. *albereta*). f. Sitio poblado de árboles.

arborecer. intr. Hacerse árbol.

arbóreo, a. adj. Perteneciente, relativo o semejante al árbol.

arborescencia. f. Bot. Crecimiento o calidad de las plantas arborescentes. || Geol. Semejanza de ciertos minerales o cristalizaciones con un árbol.

arborescente. adj. Dícese de la planta cuyos caracteres se parecen a los del árbol.

arboricultor. m. El que se dedica a la arboricultura.

arboricultura. f. Cultivo de los árboles. || Enseñanza relativa al modo de cultivarlos.

arboriforme. adj. De figura de árbol.

arbotante (al. *Strebebogen*, fr. *arcboutant*, ingl. *flying butress*, it. *arco rampante*). m. Arq. Arco que por su extremo superior contrarresta el empuje de algún arco o bóveda. || Mar. Palo o hierro que sobresale del casco del buque.

arbustivo, va. adj. Bot. Que tiene la naturaleza o las calidades del arbusto.

arbusto (al. *Strauch*, fr. *arbuste*, ingl. *shrub*, it. *arbusto*). m. Planta perenne, de tallos leñosos y ramas desde la base.

arca (al. *Kaste, Geldschrank*; fr. *coffre, coffre-fort*; ingl. *saffe*; it. *arca, cassaforte*). f. Caja, por lo común de madera sin forrar y de tapa llana. || Caja para guardar dinero. || pl. Pieza donde se guarda el dinero en las tesorerías. || Vacíos que hay debajo de las costillas, sobre los ijares.

arcabucero. m. Soldado armado de arcabuz. || Fabricante de arcabuces y de otras armas de fuego.

arcabuz. m. Arma antigua de fuego, semejante al fusil. || Arcabucero, soldado.

arcada (al. *Arkade, Würgen*; fr. *arcade, nausée*; ingl. *archway, vomiturition*; it. *arcata, nausea*). f. Serie de arcos. || Ojo de un arco de puente. || Movimiento violento del estómago que excita al vómito. Ú. m. en plural.

arcaduz. m. Caño por donde se conduce el agua. || Cada uno de los caños de que se compone una cañería. || Cangilón de noria.

arcaico, ca (al. *altertümlich*, fr. *archaïque*, ingl. *archaic*, it. *arcaico*). adj. Muy antiguo. || Perteneciente o relativo al arcaísmo.

arcaísmo. m. Calidad de arcaico. || Voz, frase o modo de decir anticuados. || Imitación de lo antiguo.

arcaizar. intr. Usar arcaísmos. || tr. Dar carácter de antiguo a una lengua, empleando arcaísmos.

arcángel (al. *Erzengel*, fr. *archange*, ingl. *archangel*, it. *arcangelo*). m. Espíritu bienaventurado que pertenece al octavo coro de los espíritus celestes.

arcano, na. adj. Secreto, reservado. || m. Secreto muy reservado y de importancia. [*Sinón*.: recóndito, impenetrable; misterio, enigma]

arce (al. *Ahorn*, fr. *érable*, ingl. *maple-tree*, it. *acero*). m. Árbol acerineo, de madera muy dura y fruto de dos sámaras unidas.

arcedianato. m. Dignidad de arcediano. || Territorio de su jurisdicción.

arcediano. m. Dignidad en las iglesias catedrales.

arcedo. m. Sitio poblado de arces.

arcén. m. Margen u orilla. || Brocal del pozo.

arcilla (al. *Tonerde*, fr. *argile*, ingl. *clay*, it. *mineral*). f. Sustancia mineral, combinación de sílice y alúmina.

arcilloso, sa. adj. Que tiene arcilla. || Que abunda en arcilla. || Semejante a la arcilla.

arciprestazgo. m. Dignidad o cargo de arcipreste. || Territorio de su jurisdicción.

arcipreste. m. Dignidad en las iglesias catedrales. || Presbítero que ejerce ciertas atribuciones sobre los curas e iglesias de un territorio determinado.

arco (al. *Bogen*, fr. *arc*, ingl. *bow*, it. *arco*). m. Geom. Porción de curva. || Arma que sirve para disparar flechas. || Mús. Vara delgada, corva o doblada en sus extremos, entre los cuales se mantienen tensas las cerdas que sirven para herir las cuerdas de varios instrumentos musicales. || Aro que ciñe y mantiene unidas las duelas de pipas, cubas, etc. || Arq. Obra en forma de arco geométrico. || — *iris*. Iris. || — *voltaico*. Fís. Descarga eléctrica luminosa entre dos conductores separados por un medio aislador, con vaporización parcial de aquéllos.

arcón, na. s. aum. de arca, caja.

archi–. Voz que sólo tiene uso como prefijo y denota preeminencia o superioridad.

archicofrade. m. Individuo de una archicofradía.

archicofradía. f. Cofradía más antigua o que tiene más privilegios que otras.

archidiácono. m. Arcediano.

archidiócesis. f. Diócesis arzobispal.

archiduque. m. Dignidad de los príncipes de la casa de Austria y de la de Baviera.

archilaúd. m. Instrumento antiguo de música semejante al laúd, pero mayor.

archimandrita. m. En la iglesia griega, dignidad eclesiástica inferior a la de obispo.

archipiélago (al. *Archipel*, fr. *archipel*, ingl. *archipelago*, it. *arcipelago*). m. Parte del mar poblada de islas. || Conjunto de islas agrupadas en una superficie de mar.

archivador. adj. Que archiva. Ú.t.c.s. || m. Mueble de oficina en que se archivan documentos, fichas u otros papeles. || Carpeta para el mismo uso.

archivar. tr. Poner y guardar papeles o documentos en un archivo.

archivero. s. Persona que tiene a su cargo un archivo o trabaja en él.

archivo (al. *Archiv*, fr. *archives*, ingl. *archives*, it. *archivio*). m. Local en que se custodian documentos públicos o particulares. || Conjunto de estos documentos.

archivología. f. Disciplina que estudia los archivos en todos sus aspectos.

archivólogo, ga. s. Persona que se dedica a la archivología.

archivolta. f. Arq. Conjunto de molduras que decoran un arco en su paramento exterior vertical.

ardedura. f. Acción y efecto de arder. || Fuego, llamarada.

arder (al. *brennen*, fr. *brûler*, ingl. *to burn*, it. *ardere*). intr. Estar encendido. || fig. Con las prep. *de* o *en*, y tratándose de pasiones, estar muy agitado por ellas. || tr. Abrasar, quemar. Ú.t.c.r. || Experimentar ardor alguna parte del cuerpo.

ardid (al. *List*, fr. *ruse*, ingl. *trick*, it. *stratagemma*). m. Artificio empleado hábilmente para el logro de algún intento. [*Sinón.*: artimaña, treta]

ardido, da. adj. Valiente, intrépido, denodado. || *Amer.* Irritado, enojado.

ardiente (al. *glühend*, fr. *ardent*, ingl. *burning*, it. *ardente*). adj. Que causa ardor o parece que abrasa. || fig. Fervoroso, activo, eficaz. || Apasionado, fogoso, vehemente.

ardilla (al. *Eichhörnchen*, fr. *écureuil*, ingl. *squirrel*, it. *scoiattolo*). f. ZOOL. Mamífero roedor de cola muy poblada. Es muy ágil y de costumbres arborícolas. Vive especialmente en las coníferas.

ardor. m. Calor grande. || fig. Brillo, resplandor. || fig. Enardecimiento de los afectos y pasiones.

ardoroso, sa. adj. Que tiene ardor o lo produce. || fig. Ardiente, vigoroso.

arduidad. f. Calidad de arduo.

arduo, dua. adj. Muy difícil. [*Sinón.*: penoso, peliagudo. *Antón.*: fácil, sencillo]

área (al. *Fläche*, fr. *aire*, ingl. *area*, it. *area*). f. Superficie comprendida dentro de un perímetro. || Medida de superficie, que es un cuadrado de 10 metros de lado. || Espacio en que se produce determinado fenómeno o que se distingue por ciertos caracteres geográficos, botánicos, zoológicos, etc. || DEP. En determinados deportes, zona marcada delante de la meta, dentro de la cual son castigadas con sanciones especiales las faltas cometidas por el equipo que la defiende.

areca. f. BOT. Palma de tronco algo más delgado por la base que por la parte superior, con flores en espiga o panoja y fruto del tamaño de una nuez. || Fruto de esta planta, empleado en tintorería.

arel. m. Criba grande para limpiar el trigo en la era.

arena (al. *Sand*, fr. *sable*, ingl. *sand*, it. *sabbia*). f. Conjunto de partículas disgregadas de las rocas y de composición variable. || Metal o mineral reducido a partes muy pequeñas. || fig. Sitio o lugar del combate. || fig. Redondel de la plaza de toros. || pl. Piedrecitas o concreciones que se encuentran en la vejiga.

arenal (al. *Sanfläche*, fr. *terrain sabloneux*, ingl. *sandy ground*, it. *arenario*). m. Suelo de arena movediza. || Extensión grande de terreno arenoso.

arenero, ra. s. Persona que vende arena. || m. Caja en que las locomotoras llevan arena para soltarla sobre los carriles. || TAUROM. Mozo que cuida la superficie del redondel durante la lidia.

arenga (al. *Rede*, fr. *harangue*, ingl. *harangue*, it. *arringa*). f. Discurso solemne y de elevado tono. || fig. y fam. Discurso, razonamiento largo, impertinente y enfadoso.

arengar. intr. Decir en público una arenga. Ú.t.c.tr.

arenilla. f. Arena fina de hierro magnético que se echaba a los escritos para secarlos. || pl. Salitre en granos menudos que se emplea en la fabricación de la pólvora. || Cálculo que se forma en la vejiga.

arenisca (al. *Sandstein*, fr. *grés*, ingl. *sandstone*, it. *arenaria*). f. GEOL. Roca formada con granillos de cuarzo unidos por un cemento silíceo, arcilloso, calizo o ferruginoso.

arenoso, sa. adj. Que tiene arena. || Que participa de la naturaleza y calidades de la arena.

arenque (al. *Hering*, fr. *hareng*, ingl. *herring*, it. *aringa*). m. ZOOL. Pez teleósteo cupleido. Vive en el Atlántico y es objeto de pesca intensa. Comestible, se consume fresco y salado.

areola o **aréola**. f. MÉD. Círculo rojizo que limita ciertas pústulas. || ANAT. Círculo rojizo que rodea el pezón de las mamas.

areómetro. m. FÍS. Instrumento que sirve para determinar las densidades de los líquidos, o de los sólidos por medio de líquidos.

areopagita. m. Cada uno de los jueces del Areópago.

areópago. m. Tribunal superior de la antigua Atenas. || fig. Grupo de personas graves a las que se atribuye, a veces irónicamente, autoridad para resolver ciertos asuntos.

areóstilo. adj. ARQ. Dícese del monumento o edificio con columnas, cuyos intercolumnios son de ocho módulos o rara vez más. Ú.t.c.s.

arepa. f. Torta que se hace en América con maíz, huevos y manteca, cocida al horno.

arete. m. Arillo de metal que llevan las mujeres atravesado en el lóbulo de cada oreja. || Zarcillo, pendiente.

argamasa (al. *Mörtel*, fr. *mortier*, ingl. *morter*, it. *calcina*). f. ALBAÑ. Mortero de cal, arena y agua.

argamasar. tr. ALBAÑ. Hacer argamasa. || Trabar o unir con argamasa.

argán. m. Árbol sapotáceo de fruto comestible cuyas semillas dan aceite.

arganeo. m. MAR. Argolla de hierro en el extremo superior de la caña del ancla.

argelino, na. adj. Natural de Argel o de Argelia. Ú.t.c.s. || Perteneciente a esta ciudad y estado de África.

argén. m. BLAS. Color blanco o de plata.

argentar (al. *versilbern*, fr. *argenter*, ingl. *to coat with silver*, it. *argentare*). tr. Platear. || Guarnecer alguna cosa con plata.

argénteo, a. adj. De plata. || Que tiene un baño de plata.

argentera. f. Mina de plata.

argentífero, ra. adj. Que contiene plata.

argentinidad. f. Calidad de lo que es privativo de Argentina.

argentinismo. m. Voz, frase o modismo propio de los argentinos.

argentino, na. adj. Argénteo. || Que suena como la plata o de manera semejante. || Natural de la República Argentina. Ú.t.c.s. || Perteneciente a este país. || m. Moneda de oro que se usó en Argentina.

argila o **argilla**. f. Arcilla.

argolla (al. *Halseisen*, fr. *carcan*, ingl. *ring*, it. *arello*) f. Aro grueso de hierro que sirve para amarre o de asidero. || fig. Sujeción, cosa que sujeta a uno a la voluntad de otro.

árgoma. f. Aulaga.

argón. m. QUÍM. Gas noble que se encuentra en el aire en pequeñas proporciones.

argonauta. m. MIT. Cada uno de los héroes griegos que, según la mitología, fueron a Colcos en la nave Argos a la conquista del vellocino de oro. || ZOOL. Molusco marino cefalópodo, con ocho tentáculos, dos de ellos muy ensanchados en sus extremos.

argot (voz francesa). m. fam. Jerga, jerigonza, germanía.

argucia. f. Sutileza, sofisma, argumento falso presentado con agudeza. [*Sinón.*: añagaza, componenda]

argüir (al. *folgern*, fr. *arguer*, ingl. *to argue*, it. *arguire*). tr. Sacar en claro, deducir. || Descubrir, probar. || Echar en cara, acusar. || Poner argumentos contra una opinión o contra quien la sostiene.

argumentación. f. Acción de argumentar. || Argumento, razonamiento.

argumentar. intr. Argüir, disputar la opinión ajena y poner argumentos contra ella. Ú.t.c.rec.

argumento (al. *Beweis, Thema*; fr.

argument; ingl. *argument;* it. *argomento*). m. Razonamiento que se emplea para demostrar una proposición, o bien para convencer a otro de aquello que se afirma o niega. ‖ LIT. Asunto de que trata una obra. ‖ Sumario que suele ponerse al principio de una obra o en cada una de sus partes.

aria. f. MÚS. Composición para ser cantada por una sola voz.

aridez. f. Calidad de árido.

árido, da (al. *trocken, unfrunchtbar;* fr. *aride;* ingl. *dry;* it. *arido*). adj. Seco estéril. ‖ fig. Falto de amenidad. ‖ m. pl. Granos, legumbres y otras cosas sólidas a que se aplican medidas de capacidad. ‖ Materiales rocosos naturales, como arenas o gravas, empleados en las argamasas. [*Antón.:* fértil, fecundo; agradable]

Aries. n.p.m. ASTR. Primer signo del Zodíaco, que el Sol recorre aparentemente al comenzar la primavera. ‖ Constelación zodiacal.

ariete. m. Máquina militar que se empleaba antiguamente para batir murallas. ‖ — *hidráulico.* MEC. Máquina para elevar agua.

arijo, ja. adj. AGR. Aplícase a la tierra delgada y fácil de cultivar.

arilo. m. BOT. En algunas semillas, envoltura que se sobrepone a los tegumentos ordinarios.

ario, ria (al. *Arier,* fr. *aryen,* ingl. *aryan,* it. *ariano*). adj. Dícese del individuo de una raza o pueblo primitivo que habitó en el centro de Asia en época muy remota y de la cual se cree proceden los pueblos jaféticos e indoeuropeos. Ú.t.c.s. ‖ Dícese de las lenguas de estos pueblos. ‖ Perteneciente a los arios.

arisco, ca. adj. Áspero, intratable. Dícese de personas y animales.

arista (al. *Kante,* fr. *arête,* ingl. *edge,* it. *spigolo*). f. GEOM. Línea que resulta de la intersección de dos superficies considerada por la parte exterior del ángulo que forman. ‖ Filamento áspero del cascabillo. ‖ Pajilla del cáñamo o del lino.

aristado, da. adj. Que tiene aristas.

aristocracia (al. *Aristokratie,* fr. *aristocratie,* ingl. *aristocracy,* it. *aristocrazia*). f. Gobierno que sólo ejercen el poder las clases altas. ‖ Clase noble de una nación, provincia, etc. ‖ Por ext., clase que sobresale de entre las demás por alguna circunstancia.

aristócrata. com. Individuo de la aristocracia. ‖ Partidario de la aristocracia.

aristocrático, ca. adj. Perteneciente o relativo a la aristocracia. ‖ Fino, distinguido.

aristotélico, ca. adj. Perteneciente, relativo o conforme a Aristóteles o a su doctrina.

aristotelismo. m. Peripato.

aritmética (al. *Arithmetik,* fr. *arithmétique,* ingl. *arithmetic,* it. *aritmetica*). f. Parte de las matemáticas que estudia la composición o descomposición de la cantidad representada por números.

aritmético, ca. adj. Perteneciente o relativo a la aritmética. ‖ s. Persona que profesa la aritmética, o que tiene en ella especiales conocimientos.

arlequín. m. Personaje cómico de la antigua comedia italiana, que llevaba mascarilla negra y trajes de cuadros de distintos colores.

arma (al. *Waffe,* fr. *arme,* ingl. *weapon,* it. *arma*). f. Instrumento destinado a atacar o defenderse. ‖ MIL. Cada uno de los cuerpos militares que forman el ejército. ‖ pl. Armadura. ‖ Milicia o profesión militar. ‖ fig. Medios para conseguir una cosa. ‖ BLAS. Escudo de armas, o blasones de los escudos. ‖ — *arrojadiza.* La que se lanza con la mano u otro instrumento elemental. ‖ — *blanca.* La ofensiva de hoja de acero. ‖ — *defensiva.* La blanca o de escaso alcance que se emplea para la propia defensa. ‖ — *de fuego.* Aquella en que el disparo se verifica con auxilio de la pólvora. ‖ *alzarse en armas.* Sublevarse. ‖ *de armas tomar.* loc. Dícese de la persona que tiene bríos y resolución para acometer empresas arriesgadas. ‖ *pasar* a uno *por las armas.* MIL. Fusilarlo. ‖ *presentar armas.* MIL. Hacer la tropa honores militares a una persona poniendo el fusil frente al pecho, con el disparador hacia afuera. ‖ *rendir las armas.* MIL. Entregar la tropa sus armas al enemigo en reconocimiento de su derrota. ‖ *tomar las armas.* Armarse para la defensa o el ataque.

armada (al. *Flotte,* fr. *flotte,* ingl. *navy,* it. *flotta*). f. Conjunto de fuerzas navales de un estado. ‖ Escuadra, conjunto de buques de guerra. ‖ MONT. Gente con perros que espantaban a las reses para llevarlas hacia los cazadores. ‖ MONT. Línea de cazadores que acechan a las reses en la batida.

armadía. f. Conjunto de maderas unidos a otros para conducirlos a flote.

armadillo (al. *Gürteltier,* fr. *tatou,* ingl. *armadillo,* it. *tatusa*). m. ZOOL. Mamífero desdentado de la América Meridional, que tiene la piel recubierta por unas laminillas córneas dispuestas en bandas. Es parecido al cerdo y puede arrollarse sobre sí mismo.

armador, ra. s. Persona que arma. ‖ m. El que por su cuenta arma o avía una embarcación.

armadura (al. *Waffenrüstung,* fr. *armure,* ingl. *armour,* it. *armatura*). f. Conjunto de armas de hierro con que se vestían los que habían de combatir. ‖ Pieza o piezas unidas sobre las que se arma una cosa. ‖ Esqueleto.

armamento (al. *Rüstung,* fr. *armement,* ingl. *armament,* it. *armamento*). m. Prevención de todo lo necesario para la guerra. ‖ Conjunto de armas para el servicio de un cuerpo militar. ‖ Equipo y provisión de un buque.

armar (al. *rüsten, bewaffnen;* fr. *armer;* ingl. *to arm;* it. *armare*). tr. Vestir o poner a uno las armas. Ú.t.c.r. ‖ Proveer de armas. Ú.t.c.r. ‖ Apercibir y aparejar para la guerra. Ú.t.c.r. ‖ Aprestar un arma para usarla. ‖ Juntar entre sí las cosas de que se compone un artefacto, mueble, etc. ‖ Fundar una cosa sobre otra. ‖ fig. y fam. Hablando de pleitos, escándalos, etc., mover, causar. Ú.t.c.r. ‖ fig. y fam. Aviar. Ú.t.c.r. ‖ MAR. Aprestar una embarcación. ‖ intr. Convenir una cosa a uno. ‖ r. fig. Ponerse en disposición de ánimo para lograr algún fin. ‖ *armarla.* fam. Provocar riñas o alborotos.

armario (al. *Schrank,* fr. *armoire,* ingl. *wardrobe,* it. *armadio*). m. Mueble con perchas en su interior, en el cual se guardan ropas u otros objetos.

armatoste. m. Cualquier máquina o mueble tosco, pesado y mal hecho. ‖ fig. y fam. Persona corpulenta y torpe que para nada sirve.

armazón. amb. Armadura, pieza sobre la que se arma alguna cosa. ‖ Acción y efecto de armar. ‖ Armadura, esqueleto.

armella. f. Anillo de metal que suele tener una espiga o tornillo para clavarlo en parte sólida.

armenio, nia. adj. Natural de Armenia. Ú.t.c.s. ‖ Perteneciente a este país asiático. ‖ Dícese de los cristianos de Oriente que conservan su antiquísimo rito, y forman dos patriarcados, católico uno y cismático el otro. Ú.t.c.s. ‖ m. LING. Lengua armenia.

armería (al. *Wafennsammlung,* fr. *musée d'armes,* ingl. *armory,* it. *armeria*). f. Edificio o lugar donde se exhiben armas para su estudio o curiosidad. ‖ Arte de fabricar armas. ‖ Tienda en que se venden armas.

armero. m. El que fabrica o vende armas. ‖ El que las custodia o repara. ‖ Armario para guardar armas.

armilla. f. ART. Astrágalo de los cañones. ‖ ARQ. Espira de la columna.

armiñado, da. adj. Guarnecido con piel de armiño. ‖ De blancura semejante a la de este animal.

armiño (al. *Hermelin*, fr. *hermine*, ingl. *ermine*, it. *ermelino*). m. ZOOL. Mamífero carnicero de la familia de los mustélidos, de piel muy suave y delicada, parda en verano y blanquísima en invierno, con la punta de la cola siempre negra. ‖ Piel de este animal. ‖ fig. Lo puro o limpio. ‖ BLAS. Mota larga y negra en campo de plata. Ú.m. en pl.

armisticio (al. *Waffenstill-stand*, fr. *armistice*, ingl. *armistice*, it. *armistizio*). m. Suspensión de hostilidades entre beligerantes.

armón. m. Juego delantero de la cureña de campaña.

armonía (al. *Harmonie*, fr. *harmonie*, ingl. *harmony*, it. *armonia*). f. Combinación de sonidos simultáneos y diferentes, pero acordes. ‖ Grata variedad de sonidos y pausas en la prosa o en el verso. ‖ Conveniente proporción y correspondencia de unas cosas con otras. ‖ fig. Amistad y buena correspondencia. ‖ MÚS. Arte de formar y enlazar los acordes.

armónica (al. *Harmonika*, fr. *harmonica*, ingl. *harmonica*, it. *armonica*). f. MÚS. Instrumento musical de viento provisto de una serie de orificios con lengüetas. Se toca soplando o aspirando por ellos.

armónico, ca. adj. Perteneciente o relativo a la armonía. ‖ m. MÚS. Sonido agudo concomitante, producido por la resonancia de otro fundamental.

armonio (al. *Harmonium*, fr. *harmonium*, ingl. *harmonium*, it. *armonio*). m. MÚS. Órgano pequeño al cual se da el aire por medio de un fuelle que se mueve con los pies.

armonioso, sa. adj. Sonoro y agradable al oído. ‖ fig. Que tiene armonía.

armonización. f. MÚS. Acción y efecto de armonizar.

armonizar. tr. Poner en armonía dos o más partes de un todo. ‖ intr. Estar en armonía.

arnés. m. Armadura, conjunto de armas. ‖ pl. Guarniciones para caballerías.

árnica. f. BOT. Planta compuesta, cuyas flores y raíz tienen sabor acre y olor fuerte que hace estornudar. ‖ Tintura hecha con esta planta.

aro (al. *Reifen*, fr. *cerceau*, ingl. *hoop*, it. *aro*). m. Pieza en forma de circunferencia. ‖ Juguete en forma de aro que los niños hacen rodar valiéndose de un palo. ‖ Arete, zarcillo. ‖ BOT. Planta aroidea, de raíz tuberculosa y feculenta y frutos parecidos a la grosella.

aroideo, a. adj. BOT. Aráceo.

aroma (al. *Aroma*, fr. *arôme*, ingl. *perfume*, it. *aroma*). f. Flor de aromo. ‖ Perfume, olor muy agradable. [*Sinón.*: fragancia, esencia]

aromático, ca. adj. Que tiene aroma u olor agradable.

aromatizar. tr. Dar o comunicar aroma a alguna cosa.

arpa (al. *Harfe*, fr. *harpe*, ingl. *harp*, it. *arpa*). f. Instrumento músico de forma triangular, con cuerdas colocadas verticalmente y que se tocan con los dedos de ambas manos.

arpado, da. adj. Que remata en dientecillos parecidos a los de una sierra.

arpadura. f. Arañazo o rasguño.

arpar. tr. Arañar o rasgar con las uñas. ‖ Hacer tiras o pedazos una cosa.

arpegio. m. MÚS. Sucesión más o menos acelerada de los sonidos de un acorde.

arpeo. m. MAR. Instrumento de hierro con unos garfios, que sirve para rastrear, o para aferrarse dos embarcaciones.

arpía. f. Ave fabulosa, con rostro de doncella y cuerpo de ave de rapiña. ‖ fig. y fam. Mujer de muy mal carácter. ‖ fig. y fam. Mujer muy fea y flaca.

arpillera. f. Tejido muy basto que se usa para hacer sacos y para embalar.

arpista. com. Persona que toca el arpa.

arpón (al. *Harpune*, fr. *harpon*, ingl. *harpoon*, it. *arpione*). m. Instrumento de pesca, generalmente arrojadizo, que consta de un astil armado de punta de hierro y ganchos para hacer presa.

arqueada. m. En los instrumentos de cuerda, golpe o movimiento del arco. ‖ Arcada que acompaña al vómito.

arqueador. m. Perito que mide la capacidad de las embarcaciones.

arqueaje. m. Arqueo de las embarcaciones.

arquear. tr. Dar figura de arco. Ú.t.c.r. ‖ Medir la cabida de una embarcación.

arqueo. m. Acción y efecto de arquear o arquearse. ‖ MAR. Cabida de una embarcación. ‖ Reconocimiento de los caudales y papeles que existen en la caja o en los libros de contabilidad.

arqueología (al. *Archeologie*, fr. *Archéologie*, ingl. *archaeology*, it. *archeologia*). f. Ciencia que estudia los restos materiales de las civilizaciones pretéritas.

arqueólogo, ga. m. El que profesa la arqueología o tiene de ella especiales conocimientos.

arquería. f. Serie de arcos.

arquero (al. *Bogenschütze*, fr. *archer*, ingl. *archer*, it. *arciere*). m. Soldado que combatía armado de arco y flechas. ‖ Cajero, tesorero.

arquetipo. m. FIL. Tipo ideal, supremo, prototipo o modelo de las cosas. ‖ Modelo original y primario en un arte u otra materia.

arquidiócesis. f. Archidiócesis.

arquimesa. f. Mueble con tablero de mesa y varios cajones.

arquitecto, ta. s. Persona que profesa o ejerce la arquitectura. ‖ — técnico. Aparejador.

arquitectónico, ca. adj. Perteneciente o relativo a la arquitectura.

arquitectura (al. *Architektur*, fr. *architecture*, ingl. *architecture*, it. *architettura*). f. Arte de proyectar y construir edificios. ‖ — naval. Arte de construir embarcaciones.

arquitrabe (al. *Architrav*, fr. *architrave*, ingl. *architrave*, it. *architrave*). m. ARQ. Parte inferior del entablamiento, que descansa sobre el capitel de la columna.

arquivolta. f. ARQ. Archivolta.

arrabal (al. *Vorstadt*, fr. *Faubourg*, ingl. *suburb*, it. *suburbio*). m. Barrio situado fuera del recinto de la población. ‖ Sitio extremo de una población. ‖ Población anexa a otra mayor. [*Sinón.*: barrio suburbio]

arrabalero, ra. adj. Habitante de un arrabal. Ú.t.c.s. ‖ Dícese de la persona que en su traje y modales muestra mala educación. Ú.t.c.s.

arrabiatar. tr. *Amer.* Atar por el rabo. ‖ r. fam. *Amer.* Someterse con servilismo.

arrabio. m. Producto obtenido en horno alto por reducción del mineral de hierro.

arracada. f. Arete con adorno colgante.

arracimarse. r. Unirse cosas en figura de racimo.

arraclán. m. Bot. Árbol de las ramináceas de cuya madera se obtiene un carbón muy ligero.

arraigado, da. adj. Que posee bienes raíces. ‖ m. Mar. Amarradura de un cabo o cadena.

arraigar (al. *Einwurzel*, fr. *prendre racine*, ingl. *to root*, it. *radicare*). intr. Echar o criar raíces. Ú.t.c.r. ‖ fig. Hacerse muy firme y difícil de extinguir o extirpar un afecto, vicio, virtud o costumbre. Ú.t.c.r. ‖ tr. fig. Establecer, fijar firmemente una cosa. ‖ r. Establecerse de asiento en un lugar. [*Sinón.*: radicar, enraizarse. *Antón.*: erradicar, desarraigarse]

arraigo. m. Acción y efecto de arraigar o arraigarse. ‖ Bienes raíces.

arramblar. tr. Dejar un río o torrente cubierto de arena el suelo por donde pasa. ‖ fig. Arrastrarlo todo, llevándoselo con violencia.

arrancada. f. Partida o salida violenta de una persona o animal. ‖ Comienzo del movimiento de una máquina o vehículo que se pone en marcha. ‖ Aumento repentino de la velocidad. ‖ Mar. Velocidad notable de un buque.

arrancar (al. *ausreissen*, fr. *arracher*, ingl. *to root out*, it. *strappare*). tr. Sacar de raíz. ‖ Sacar violentamente una cosa del lugar en que está. ‖ Quitar con violencia. ‖ Mar. Dar a una embarcación mayor velocidad de la que lleva. ‖ intr. Aumentar la celeridad durante una carrera. ‖ Iniciarse el funcionamiento de una máquina o el movimiento de un vehículo. Ú.t.c.tr. ‖ fig. y fam. Empezar a hacer algo de modo inesperado. Ú.t.c.tr. ‖ fig. Provenir, tener origen.

arranque (al. *Schwung*, fr. *élan*, ingl. *sally*, it. *impeto*). m. Acción y efecto de arrancar. ‖ fig. Ímpetu. ‖ fig. Ocurrencia pronta que no se esperaba. ‖ fig. Pujanza, brío. Ú.m. en pl. ‖ fig. Origen, principio, comienzo. ‖ Mec. Dispositivo eléctrico para poner en marcha un motor de explosión.

arranquera. f. *Amer.* Falta de dinero habitual o pasajera.

arrapiezo. m. Harapo, andrajo. ‖ fig. y despect. Persona de corta edad o humilde condición.

arras. f. pl. Lo que se entrega como prenda o señal de un contrato.

arrasado, da. adj. De la calidad del raso, o parecido a él.

arrasamiento. m. Acción y efecto de arrasar.

arrasar (al. *ebnen*, *zerstören*; fr. *raser*, *ruiner*; ingl. *to level*, *to destroy*; it. *radare al suolo*, *devastare*). tr. Allanar la superficie de alguna cosa. ‖ Destruir, arruinar. ‖ Igualar con el rasero. ‖ Llenar una vasija hasta el borde. ‖ Llenar o cubrir los ojos de lágrimas. Ú.t.c.r. ‖ intr. Quedar el cielo despejado. Ú.t.c.r.

arrastradizo, za. adj. Que se lleva o puede llevarse a rastra. ‖ Que ha sido trillado.

arrastrado, da. adj. fig. y fam. Pobre, desastrado y azaroso; afligido de privaciones y molestias. ‖ fig. y fam. Pícaro, bribón. Ú.t.c.s. ‖ Se dice del juego de naipes en que es obligatorio servir a la carta jugada. Ú.t.c.s.

arrastramiento. m. Acción de arrastrar o arrastrarse.

arrastrar (al. *scheleppen*, fr. *traîner*, ingl. *to haul*, it. *trascinare*). tr. Llevar a una persona o cosa por el suelo, tirando de ella. ‖ Llevar o mover rasando el suelo. ‖ fig. Impulsar un poder o fuerza irresistible. ‖ fig. Llevar uno tras sí, o traer a otro a su voluntad. ‖ fig. Llevar algo adelante, o soportar algo penosamente. ‖ intr. Ir una cosa rasando el suelo, o pender hasta tocar el suelo. ‖ En varios juegos de naipes, jugar carta a que han de servir los demás jugadores. ‖ r. fig. Humillarse.

arrastre. m. Acción de arrastrar. ‖ Talud o inclinación de las paredes de un pozo de mina. ‖ Taurom. Acto de retirar del ruedo al toro muerto. ‖ *estar uno para el arrastre.* fig. y fam. Hallarse en extremo decaimiento físico o moral.

arrayán. m. Bot. Arbusto mirtáceo, de flores axilares, pequeñas y blancas, y baya de color negro azulado.

arrayanal. m. Terreno poblado de arrayanes.

arre. Voz usada para estimular a las bestias.

arreado, da. adj. fam. Empobrecido, en mala situación económica. ‖ *Amer.* Se dice de la persona floja o cansada para el trabajo.

arrear (al. *antreiben*, fr. *exciter*, ingl. *to quicken*, it. *incitare*). tr. Estimular a las bestias con la voz para que echen a andar o aviven el paso. ‖ Meter prisa, estimular. Ú.t.c.intr. ‖ *Amer.* Robar ganado. ‖ Poner arreos. ‖ fam. Dar seguidos tiros, golpes, etc. ‖ Por ext., pegar o dar un golpe o un tiro. ‖ intr. Ir, caminar de prisa. ‖ *¡arrea!* interj. fam. que denota pasmo o asombro.

arrebañadura. f. fam. Acción de arrebañar. ‖ pl. Residuos que se recogen arrebañándolos.

arrebañar. tr. Recoger alguna cosa sin dejar nada. ‖ Recoger de un plato los residuos de comida hasta apurarlos. [*Sinón.*: rebañar]

arrebatado, da. adj. Precipitado e impetuoso. ‖ fig. Inconsiderado y violento. ‖ Dicho del color del rostro, muy encendido. [*Sinón.*: arrebolado]

arrebatamiento. m. Acción de arrebatar o arrebatarse. ‖ fig. Furor causado por la vehemencia de una pasión. ‖ Éxtasis.

arrebatar (al. *wegreissen*, fr. *enlever*, ingl. *to snacht*, it. *strappare*). tr. Quitar una cosa con violencia y fuerza. ‖ fig. Conmover poderosamente. Ú.t.c.r. ‖ Agr. Agostar el calor las mieses antes de tiempo. Ú.t.c.r. ‖ r. Dejarse llevar por alguna pasión. ‖ Cocerse precipitadamente y mal un manjar por exceso de calor.

arrebatiña. f. Acción de recoger violentamente una cosa entre muchos que la pretenden.

arrebato. m. Acción de arrebatar.

arrebol. m. Color rojo de las nubes cuando son heridas por los rayos del Sol. ‖ Color encarnado que se ponían las mujeres en el rostro.

arrebolada. f. Conjunto de nubes enrojecidas por los rayos de Sol.

arrebolar. tr. Poner de color de arrebol. Ú.m.c.r.

arrebujar. tr. Coger mal y sin orden alguna cosa flexible. ‖ r. Cubrirse bien y envolverse con la ropa de la cama, capa o mantón, etc.

arreciar (al. *stärker werden*, fr. *renforcer*, ingl. *to increase*, it. *crescere*). tr. Dar fuerza y vigor. Ú.t.c.r. ‖ intr. Cobrar fuerza o vigor. ‖ Irse haciendo cada vez más recia o violenta alguna cosa. [*Sinón.*: aumentar, empeorar]

arrecife (al. *Felsenriff*, fr. *écueil*, ingl. *reef*, it. *scoglio*). m. Camino, y en general, carretera. ‖ Banco o bajo formado en el mar, o roca casi a flor de agua. [*Sinón.*: escollo]

arrecirse. r. Entorpecerse o entumecerse por el frío.

arrecharse. r. *Amer.* Encolerizarse, enfurecerse.

arrecho, cha. adj. Tieso, erguido, arrogante. ‖ *Amer.* Dícese de la persona excitada por el apetito sexual.

arrechucho. m. fam. Arranque. ‖ fam. Indisposición repentina y pasajera.

arredramiento. m. Acción y efecto de arredrar o arredrarse.

arredrar. tr. Apartar, separar. Ú.t.c.r. ‖ fig. Retraer, hacer volver atrás; amedrentar, atemorizar. Ú.t.c.r.

arregazado, da. adj. fig. Que tiene la punta hacia arriba.

arreglado, da. adj. Sujeto a regla. ‖ fig. Ordenado, moderado.

arreglar (al. *ordnen*, fr. *arranger*, ingl. *to arrange*, it. *accomodare*). tr. Reducir o sujetar a regla; ajustar. Ú.t.c.r. ‖ Componer, concertar, ordenar. ‖ Reparar algún objeto, máquina o herramienta. ‖ fam. En frases de amenaza, corregir a uno. ‖ *arreglárselas*. fam. Componérselas.

arreglo. m. Acción de arreglar o arreglarse. ‖ Regla, orden, coordinación. ‖ Avenencia. ‖ fam. Amancebamiento. [*Sinón.*: compostura, componenda]

arrellanarse (al. *sich bequem hinsetzen*, fr. *s'asseoir à son aise*, ingl. *to sit at ease*, it. *adagiarsi*). r. Extenderse en el asiento con comodidad.

arremangado, da. adj. fig. Levantado o vuelto hacia arriba.

arremangar (al. *aufraffen*, fr. *retrousser*, ingl. *to tuck up*, it. *rimboccare*). tr. Recoger hacia arriba las mangas o la ropa. Ú.t.c.r. [*Sinón.*: remangar]

arrematar. tr. fam. Rematar, dar fin a una cosa.

arremeter (al. *angreifen*, fr. *attaquer*, ingl. *to assail*, it. *assalire*). tr. Acometer con ímpetu y furia. ‖ Arrojarse con presteza.

arremetida. f. Acción de arremeter.

arremolinarse. r. Formar remolinos las aguas, el viento. ‖ fig. Amontonarse o apiñarse desordenadamente las gentes.

arrendado, da. adj. Se dice de las caballerías que obedecen a las riendas.

arrendador, ra. s. Persona que da en arrendamiento alguna cosa.

arrendajo. m. ZOOL. Pájaro córvido de mediano tamaño que se alimenta de bellotas y huevos de algunas aves canoras cuya voz imita.

arrendamiento (al. *Pacht*, fr. *bail*, ingl. *lease*, it. *affitto*). m. Acción y efecto de arrendar. ‖ Contrato por el que se arrienda. ‖ Precio en que se arrienda.

arrendar (al. *verpachten*, fr. *louer*, ingl. *to lease*, it. *affittare*). Ceder o adquirir por precio el goce o aprovechamiento temporal de las cosas, obras o servicios. ‖ Asegurar por las riendas una caballería. ‖ Enseñar al caballo a que obedezca a la rienda. ‖ fig. Sujetar.

arrendatario, ria. adj. Que toma en arrendamiento alguna cosa. Ú.t.c.s.

arreo. m. Atavío, adorno. ‖ pl. Guarniciones de las caballerías. ‖ Cosas menudas que pertenecen a otra principal o se usan con ella. ‖ *Amer.* Acción de llevarse violenta o furtivamente alguna cosa.

arrepentida. f. Mujer de mala vida que se arrepiente y se encierra en clausura o monasterio.

arrepentimiento (al. *Reue*, fr. *repentir*, ingl. *repentance*, it. *pentimento*). m. Pesar por haber hecho alguna cosa.

arrepentirse (al. *bereuen*, fr. *se repentir*, ingl. *to repent*, it. *pentirsi*). r. Pesarle a uno haber hecho o dejado de hacer algo.

arrepera. f. vulg. *Amer.* Mujer homosexual.

arrestado, da. adj. Audaz, arrojado.

arrestar (al. *festnehmen*, fr. *arrêter*, ingl. *to arrest*, it. *arrestare*). tr. Detener, poner preso. ‖ r. Determinarse, resolverse, y, por ext., arrojarse a una acción o empresa ardua.

arresto. m. Acción de arrestar. ‖ Detención provisional. ‖ Reclusión por un tiempo breve, como corrección o pena. ‖ — *mayor*. DER. Pena de privación de libertad desde un mes y un día hasta seis meses. ‖ — *menor*. Pena de privación de libertad de uno a treinta días de duración.

arriada. f. MAR. Acción y efecto de arriar. ‖ Riada.

arrianismo (al. *Arianismus*, fr. *arianisme*, ingl. *arianism*, it. *arianesimo*). m. Herejía de Arrio, que negaba la consustanciabilidad de Jesucristo con Dios Padre. ‖ Religión de los visigodos hasta la conversión de Recaredo al catolicismo.

arriano, na. adj. Partidario del arrianismo. ‖ Perteneciente o relativo a él.

arriar (al. *einziehen*, fr. *amener*, ingl. *to strike —the colours—*, it. *ammainare*). tr. MAR. Bajar las velas o las banderas que están izadas. ‖ MAR. Aflojar o soltar un cabo o cadena.

arriate. m. Espacio estrecho y dispuesto para tener plantas de adorno junto a las paredes de los jardines y patios. ‖ Calzada, camino o paso. ‖ Encañado.

arriba (al. *oben*, *nach oben*; fr. *en haut*; ingl. *above*; it. *insù*). adv. l. A lo alto, hacia lo alto. ‖ En lo alto, en la parte alta. ‖ En lugar anterior o que está antes de otro; pero denotando superioridad. ‖ En dirección hacia lo que está más alto, respecto de lo que está más bajo. ‖ En un escrito, antes o antecedentemente. ‖ Con cantidades o medidas de cualquier especie, denota exceso indeterminado.

arribada. f. Acción de arribar o llegar. ‖ MAR. Bordada que da un buque, dejándose ir con el viento.

arribar (al. *einlaufen*, fr. *prendre port*, ingl. *to put into port*, it. *approdare*). intr. Llegar la nave a un puerto. ‖ Llegar por tierra a cualquier paraje. Ú.t.c.r.

arribazón. m. Gran afluencia de peces a las costas y puertos.

arribeño, ña. adj. *Amer.* Aplícase por los habitantes de las costas al que procede de las tierras altas. Ú.t.c.s.

arribismo. m. Cualidad de arribista.

arribista. com. Persona ambiciosa y carente de escrúpulos que es capaz de todo para alcanzar el triunfo.

arribo. m. Llegada.

arriendo. m. Arrendamiento.

arriero (al. *Maultiertreiber*, fr. *muletier*, ingl. *muleteer*, it. *mulattiere*). m. El que trajina con bestias de carga.

arriesgado, da. adj. Aventurado, peligroso. ‖ Osado, temerario.

arriesgar (al. *wagen*, fr. *risquer*, ingl. *to risk*, it. *arrischiare*). tr. Poner a riesgo. Ú.t.c.r.

arrimadero. m. Cosa en que se puede apoyar o a que uno puede arrimarse.

arrimadillo. m. Juego de muchachos en el que gana quien lanza algo más cerca de la pared.

arrimadizo, za. adj. Aplícase a lo que está hecho para arrimarlo a alguna parte. ‖ fig. Dícese del que interesadamente se arrima o pega a otro. Ú.t.c.s.

arrimar (al. *annähern*, fr. *approcher*, ingl. *to approach*, it. *avvicinare*). tr. Acercar o poner una cosa junto a otra. Ú.t.c.r. ‖ fig. Dejar, abandonar. Ú. con nombres de cosas materiales que representan lo abandonado. ‖ fig. Arrinconar. ‖ fig. y fam. Dar. ‖ r. Apoyarse sobre alguna cosa. ‖ Agregarse a otros. ‖ fig. Amancebarse. ‖ TAUROM. Torear o intentar torear en terreno próximo al toro.

arrimo. m. Acción de arrimar o arrimarse. ‖ Proximidad. ‖ Apoyo. ‖ Ayuda. ‖ Apego, afición. ‖ Pared medianera.

arrimón. m. El que está aguardando en la calle, arrimado a la pared. ‖ Arrimadizo, que interesadamente se arrima a otro.

arrinconado, da. adj. Apartado, retirado. ‖ fig. Desatendido, olvidado.

arrinconar (al. *weglegen*, fr. *mettre de côté*, ingl. *to put aside*, it. *mettere da canto*). tr. Poner una cosa en un rincón o lugar retirado. || Estrechar a alguien hasta que no pueda retroceder más.

arriscado, da. adj. Formado o lleno de riscos. || Atrevido, resuelto. || Ágil, gallardo. || *Amer.* Remangado, respingado, vuelto hacia arriba.

arriscador, ra. s. Persona que recoge la aceituna en el vareo de los olivos.

arriscamiento. m. Atrevimiento, resolución que entraña riesgo.

arriscar. tr. Arriesgar. Ú.t.c.r. || fig. Encresparse, enfurecerse, alborotarse. || r. Despeñarse las reses por los riscos. || fig. Engreírse o envanecerse.

arrisco. m. Riesgo.

arritmia. f. Falta de ritmo regular. || MED. Falta de regularidad en las contracciones del corazón.

arrivista. com. Arribista.

arroba. f. Peso de 25 libras, equivalente a 11 quilogramos y 502 gramos. || Pesa de una arroba. || *por arrobas.* A montones.

arrobamiento. m. Acción de arrobar o arrobarse. || Éxtasis.

arrobar. tr. Embelesar. || r. Enajenarse, quedar fuera de sí.

arrobo. m. Arrobamiento, éxtasis.

arrocero, ra. adj. Perteneciente o relativo al arroz. || s. Persona que cultiva arroz.

arrodillar (al. *knien*, fr. −*s'*− agenouiller, ingl. *to kneel down*, it. *inginocchiar−si*−). tr. Hacer que uno hinque una o ambas rodillas. || r. Ponerse de rodillas. Ú.t.c. intr.

arrogación. f. Acción y efecto de arrogar o arrogarse.

arrogancia. f. Calidad de arrogante. |Sinón.: altanería, soberbia. *Antón.*: humildad, sencillez]

arrogante. adj. Altanero, soberbio. || Valiente, brioso. || Gallardo, airoso.

arrogar. tr. Adoptar al huérfano o emancipado. || r. Atribuirse, apropiarse. Se dice de cosas inmateriales, como facultad, autoridad, etc.

arrojado, da. adj. fig. Resuelto, intrépido.

arrojar (al. *werfen*, fr. *jeter*, ingl. *to throw*, it. *gettare*). tr. Impeler con violencia una cosa. || Echar. || fig. Tratándose de cuentas, documentos, etc., presentar como resultado. || fam. Vomitar. || r. Precipitarse, dejarse caer violentamente desde lo alto. || Ir violentamente hacia algo o alguien. || Resolverse a hacer algo sin reparar en las dificultades.

arrojo. m. fig. Osadía, intrepidez.

arrollar (al. *überwältigen*, fr. *entrafner*, ingl. *to sweep away*, it. *travolgere*). tr. Envolver una cosa de modo que resulte de forma de rollo. || Devanar un hilo o alambre en torno de un carrete. || Llevar rodando alguna cosa sólida la violencia del agua o del viento. || fig. Derrotar al enemigo. || fig. Vencer, dominar, superar. || fig. Confundir una persona a otra, dejándola sin poder replicar. || fig. Dormir al niño arrullándolo.

arropamiento. m. Acción y efecto de arropar o arroparse, abrigar.

arropar. tr. Cubrir o abrigar con ropa. Ú.t.c.r., cubrir, abrigar. || Echar arrope al vino.

arrope. m. Mosto cocido hasta que toma consistencia de jarabe. || Jarabe concentrado. || Almíbar de miel cocida y espumosa.

arrostrar. tr. Hacer cara, resistir. || Sufrir o tolerar a una persona o cosa desagradable. Ú.t.c. intr. || r. Atreverse a luchar con el contrario.

arroyada. f. Valle por donde corre un arroyo. || Surco que produce en la tierra el agua corriente. || Crecida de un arroyo e inundación consiguiente.

arroyar. tr. Formar la lluvia arroyadas o zanjas en la tierra. Ú.m.c.r. || Formar arroyos.

arroyo (al. *Bach*, fr. *ruisseau*, ingl. *brook*, it. *ruscello*). m. Caudal corto de agua, casi continuo. || Cauce por donde corre. || Parte de la calle por donde suelen correr las aguas. || Por ext., vía en poblado.

arroz (al. *Reis*, fr. *riz*, ingl. *rice*, it. *riso*). m. BOT. Planta herbácea gramínea, originaria del sudeste de Asia. Requiere terreno que pueda ser inundado por el agua. Su grano es de gran valor alimentario. || Fruto de esta planta.

arrozal. m. Tierra sembrada de arroz.

arruga (al. *Falte*, fr. *pli*, ingl. *rumple*, it. *piega*). f. Pliegue que se hace en la piel. || Pliegue deforme e irregular que se hace en la ropa o cualquier tela.

arrugamiento. m. Acción y efecto de arrugar o arrugarse.

arrugar (al. *falten, sich zusammenziehen*; fr. *se rider*; ingl. *to wrinkle, to shrink*; it. *corrugarsi*). tr. Hacer arrugas. Ú.t.c.r. || r. Encogerse. || fig. *Amer.* Acobardarse. || *arrugar* uno *el ceño, la frente,* etc. Mostrar en el semblante ira o enojo. [Sinón.: fruncir. *Antón.*: estirar, alisar]

arruinar (al. *zerstören*, fr. *ruiner*, ingl. *to ruin*, it. *rovinare*). tr. Causar ruina. Ú.t.c.r. || fig. Destruir, ocasionar grave daño. Ú.t.c.r. [Sinón.: asolar]

arrullar (al. *girren*, fr. *roucouler*, ingl. *to coo*, it. *tubare*). tr. Dirigir arrullos el palomo o el tórtolo a la hembra, o al contrario. || fig. Adormecer al niño con arrullos. || fig. y fam. Enamorar a una persona con palabras halagüeñas.

arrullo. m. Canto amoroso que en la época de celo emiten palomas y tórtolas al aparearse. || Habla dulce y halagüeña con que se enamora a una persona. || fig. Cantarcillo para adormecer a los niños.

arrumaco. m. fam. Demostración de cariño hecha con gestos o ademanes. Ú.m. en pl. || fam. Adorno o atavío estrafalario.

arrumaje. m. MAR. Distribución y colocación de la carga de un buque.

arrumar. tr. MAR. Distribuir y colocar la carga de un buque. || r. MAR. Cargarse de nubes el horizonte.

arrumbamiento. m. Rumbo, dirección en el horizonte. || GEOL. Dirección que adoptan las formaciones o los accidentes geológicos.

arrumbar. tr. Poner una cosa como inútil en lugar apartado. || MAR. intr. Fijar el rumbo a que se navega o se debe navegar.

arruncharse. r. *Amer.* Hacerse uno un ovillo.

arrurruz. m. Fécula que se extrae de la raíz de varias plantas tropicales.

arsenal (al. *Arsenal*, fr. *arsenal*, ingl. *arsenal*, it. *arsenale*). m. Establecimiento en que se construyen, reparan y conservan las embarcaciones. || Almacén general de armas y otros efectos de guerra.

arseniato. m. QUÍM. Sal de ácido arsénico.

arsénico (al. *Arsen*, fr. *arsenic*, ingl. *arsenic*, it. *arsenico*). m. QUÍM. Metaloide de color gris y brillo metálico; al calentarlo se volatiliza sin fundirse. El ácido y sus compuestos son muy tóxicos.

arte (al. *Kunst*, fr. *art*, ingl. *art*, it. *arte*). amb. Virtud, disposición e industria para hacer una cosa. || Acto o facultad mediante los cuales, valiéndose de la materia, de la imagen o del sonido, el hombre imita o expresa lo material o inmaterial, y crea copiando o fantaseando. || Conjunto de reglas para hacer bien algo. || Aparato para pescar. || − *bella,* o *noble.* Cualquiera de las que tienen por objeto expresar la belleza. Ú.m. en pl. con el calificativo antepuesto. ‖ – *liberal.* Cualquiera de las que requieren el ejercicio del entendimiento. Ú.m. en pl. ‖ *malas artes.* Medios o procedimientos reprobables para lograr algo. ‖ *no tener arte ni parte* en alguna cosa. No intervenir en ella.

artefacto. m. Obra mecánica hecha según arte. ‖ despect. Armatoste; máquina grande o tosca.

artejo (al. *Knöchel,* fr. *article,* ingl. *joint,* it. *articolo*). m. Nudillo del dedo. ‖ ZOOL. Cada una de las piezas articuladas de que se forman los apéndices de los artrópodos.

artemisa. f. BOT. Planta olorosa de tallo herbáceo y flores de color blanco amarillento. Es medicinal.

arteria (al. *Arterie,* fr. *artère,* ingl. *artery,* it. *arteria*). f. ANAT. Cada uno de los vasos que llevan la sangre desde el corazón a las demás partes del cuerpo. ‖ fig. Calle de una población, a la cual afluyen muchas otras.

artería. f. Amaño, astucia.

arterial. adj. Relativo a las arterias.

arterioesclerosis. f. MED. Arteriosclerosis.

arteriola. f. Arteria pequeña.

arteriosclerosis. f. MED. Endurecimiento de las arterias.

artero, ra. adj. Mañoso, astuto, taimado, malintencionado.

artesa. f. Cajón rectangular, de madera, que se estrecha hacia el fondo, y sirve para amasar pan, lavar y otros usos.

artesanal. adj. Artesano.

artesanía. f. Clase social constituida por los artesanos. ‖ Arte u obra de los artesanos.

artesano, na (al. *Handwerker,* fr. *artisan,* ingl. *craftsman,* it. *artigiano*). adj. Perteneciente o relativo a la artesanía. ‖ s. Persona que ejercita un arte u oficio mecánico. ‖ El que crea objetos dándoles un sello personal, a diferencia del obrero fabril.

artesilla. f. Cajón de madera que en las norias recibe el agua que vierten los arcaduces.

artesón. m. Artesa que sirve en las cocinas para fregar. ‖ ARQ. Artesonado. ‖ ARQ. Elementos que forman el artesonado.

artesonado, da (al. *Täfelung,* fr. *plafond à caissons,* ingl. *panelling,* it. *soffitto a cassettoni*). adj. ARQ. Adornado con artesones. ‖ m. ARQ. Ornamento de techos, bóvedas, etc., consistente en compartimentos cónca-

vos y poligonales, de diversos materiales.

ártico, ca (al. *Arktisch,* fr. *arctique,* ingl. *artic,* it. *artico*). adj. ASTR. y GEOGR. Perteneciente, cercano o relativo al polo ártico. [*Sinón.:* boreal]

articulación (al. *Gelenk,* fr. *articulation,* ingl. *joint,* it. *articolazione*). f. Acción y efecto de articular o articularse. ‖ Enlace o unión de dos piezas o partes de una máquina o instrumento. ‖ Pronunciación clara y distinta de las palabras. ‖ BOT. Unión de una parte de la planta con otra de la que puede desgajarse. ‖ BOT. Nudo o soldadura en el tallo de ciertas plantas. ‖ LING. Característica que tiene el lenguaje oral del hombre de estar constituido por elementos que se combinan a distintos niveles (fonemas, morfemas, palabras, etc.). ‖ LING. Posición y movimiento de los órganos de la voz para la pronunciación de un fonema. ‖ ANAT. Unión de un hueso u órgano esquelético con otro.

articulado, da. adj. Que tiene articulaciones. ‖ ZOOL. Animal cuyo esqueleto es exterior y formado de piezas articuladas unas con otras. ‖ LING. Dícese del lenguaje oral. ‖ m. Serie de artículos de un tratado, ley, etc.

articular. adj. Perteneciente o relativo a la articulación o a las articulaciones.

articular. tr. Unir, enlazar. Ú.t.c.r. ‖ Pronunciar claramente las palabras. ‖ Colocar los órganos de la voz para la pronunciación de cada sonido.

articulista (al. *Artikelschreiber,* fr. *publiciste,* ingl. *writer of articles,* it. *articolista*). com. Persona que escribe artículos en periódicos o revistas.

artículo (al. *Artikel,* fr. *article,* ingl. *article,* it. *articolo*). m. Artejo. ‖ Cada una de las divisiones de un diccionario encabezada con distinta palabra. ‖ Cada una de las disposiciones numeradas de una ley, tratado, etc. ‖ Cualquier escrito de contenido ideológico y no meramente informativo que se publica en periódicos y revistas. ‖ Mercancía. ‖ DER. En un juicio, cuestión incidental. ‖ GRAM. Parte de la oración que se antepone al nombre y sirve para denotar su extensión.

artículo mortis (in). expr. lat. En el momento de la muerte.

artífice (al. *Künstler,* fr. *artiste,* ingl. *artificer,* it. *artefice*). com. Artista que ejecuta alguna arte bella. ‖ fig. Autor. ‖ Persona que tiene arte para conseguir lo que desea.

artificial (al. *künstlich,* fr. *artificiel,* ingl. *artificial,* it. *artificiale*). adj. Hecho por mano o arte del hombre. ‖ No natural, falso.

artificiero. m. Artillero dedicado al manejo y tratamiento de municiones y explosivos.

artificio. m. Arte o habilidad con que está hecha una cosa. ‖ Máquina para lograr un fin con mayor facilidad que por medios ordinarios. ‖ fig. Disimulo, doblez. [*Sinón.:* ingenio]

artificioso, sa. adj. Hecho con artificio o arte. ‖ fig. Disimulado, doble.

artilugio. m. Mecanismo, artefacto, sobre todo si es de cierta complicación; suele usarse con sentido despectivo. ‖ Ardid o maña. ‖ Artificio, por lo general engañoso; artimaña. ‖ Herramienta de un oficio.

artillar. tr. MIL. Armar con artillería fortalezas o naves.

artillería (al. *Artillerie,* fr. *artillerie,* ingl. *artillery,* it. *artiglieria*). f. MIL. Arte de construir, conservar y usar los efectos de guerra. ‖ Conjunto de máquinas de guerra que tiene una plaza, un ejército o un buque. ‖Cuerpo militar destinado a este servicio.

artillero, ra (al. *Artillerist,* fr. *artilleur,* ingl. *artillery-man,* it. *artigliere*). adj. MIL. Perteneciente o relativo a la artillería. ‖ m. Individuo que sirve en la artillería del ejército o armada.

artimaña. f. Trampa para cazar. ‖ fam. Artificio, astucia.

artiodáctilo. adj. ZOOL. Dícese del mamífero ungulado que tiene un número par de dedos en cada pata. Ú.t.c.s. ‖ m. pl. Orden de estos animales, que comprende paquidermos y rumiantes.

artista (al. *Künstler,* fr. *artiste,* ingl. *artist,* it. *artista*). com. Persona que ejercita alguna de las bellas artes o está dotada de la virtud necesaria para su cultivo.

artístico, ca. adj. Hecho con arte, o relacionado con las bellas artes.

artolas. f. pl. Aparato de forma parecida a las aguaderas, que se coloca sobre la caballería para que puedan ir sentadas dos personas.

artralgia. f. MED. Dolor en las articulaciones.

artrítico, ca. adj. MED. Relativo a la artritis o a las enfermedades que afectan a los tejidos articulares. ‖ Que padece artritis. Ú.t.c.s.

artritis. f. MED. Inflamación de las articulaciones.

artritismo (al. *Gelenkrheumatismus*, fr. *arthritisme*, ingl. *arthritis*, it. *artritismo*). m. MED. Enfermedad general que se manifiesta por obesidad, diabetes y otras afecciones.

artrópodo. adj. ZOOL. Dícese del animal invertebrado provisto de apéndices compuestos de piezas articuladas, como la araña. Ú.t.c.s. ǁ m. pl. Tipo de estos animales.

artrosis. f. PAT. Afección crónica de las articulaciones de naturaleza degenerativa y no inflamatoria.

arundíneo, ea. adj. Perteneciente o relativo a las cañas.

arúspice. m. Sacerdote que en la antigua Roma examinaba las entrañas de las víctimas para hacer presagios.

arveja. f. Algarroba, planta y su semilla. ǁ *Amer.* Guisante.

arvejal. m. Terreno poblado de arvejas.

arvense. adj. BOT. Aplícase a toda planta que crece en los sembrados.

arzobispado. m. Dignidad de arzobispo. ǁ Territorio en que el arzobispo ejerce su jurisdicción.

arzobispal. adj. Relativo al arzobispo.

arzobispo. m. Obispo de la iglesia metropolitana, o que tiene honores de tal.

arzón. m. Parte delantera o trasera que une los dos brazos longitudinales del fuste de una silla de montar.

as (al. *As*, fr. *as*, ingl. *ace*, it. *asso*). m. Unidad romana de monedas, pesos y medidas. ǁ Carta en que cada palo de la baraja de naipes representa el número uno. ǁ Punto único señalado en una de las seis caras del dado. ǁ fig. Persona que sobresale notablemente en algo.

asa (al. *Griff*, fr. *anse*, ingl. *handle*, it. *ansa*). f. Parte que sobresale del cuerpo de una vasija, cesta, etc., y que sirve para asirla o elevarla. [*Sinón.*: agarradero]

asado. m. Carne asada.

asador (al. *Bratspiess*, fr. *broche*, ingl. *spit*, it. *spiedo*). m. Varilla en que se clava y se pone al fuego lo que se quiere asar. ǁ Aparato para igual fin. [*Sinón.*: espetón]

asadura. f. Conjunto de entrañas del animal. Ú.t. en pl. ǁ Hígado, o hígado y bofes.

asaetar. tr. Asaetear.

asaetear. tr. Disparar saetas contra alguien. ǁ Herir o matar con saetas.

asalariado, da. adj. Dícese de la persona que presta algún servicio mediante salario o jornal. Ú.t.c.s.

asalariar. tr. Señalar salario.

asalmonado. adj. Salmonado. ǁ De color rosa pálido.

asaltar (al. *überfallen*, fr. *assaillir*, ingl. *to assail*, it. *assaltare*). tr. MIL. Acometer una plaza o fortaleza para entrar en ella. ǁ Acometer a alguien. ǁ fig. Ocurrir algo de pronto.

asalto (al. *Angriff*, fr. *assaut*, ingl. *assault*, it. *assalto*). m. Acción y efecto de asaltar. ǁ Juego entre dos, variante del tres en raya. ǁ Combate deportivo a esgrima. ǁ En boxeo, cada una de las partes o tiempos de que consta un combate.

asamblea (al. *Versammlung*, fr. *assemblée*, ingl. *assembly*, it. *assemblea*). f. Reunión numerosa de personas convocadas para algún fin. ǁ Cuerpo político y deliberante. ǁ MIL. Reunión numerosa de tropa y toque para que ésta se una. [*Sinón.*: cónclave, junta, cortes, parlamento, cámara]

asambleísta. com. Persona que forma parte de una asamblea.

asar (al. *braten*, fr. *rôtir*, ingl. *to roast*, it. *arrostire*). tr. Hacer comestible un manjar por la acción directa del fuego, o del aire caldeado. ǁ r. Sentir extremado calor o ardor. [*Sinón.*: cocer; acalorarse]

asardinado, da. adj. Aplícase a la obra hecha de ladrillos o adobes puestos de canto.

asativo, va. adj. FARM. Aplícase al cocimiento que se hace de alguna cosa con su propio zumo.

asaz. adv. c. Bastante, harto, muy. Ú.m. en poesía.

asbesto. m. Mineral semejante al amianto, pero de fibras duras y rígidas.

ascáride. f. Lombriz intestinal.

ascendencia. f. Serie de ascendientes o antecesores de una persona. [*Sinón.*: linaje, origen]

ascender (al. *aufsteigen*, fr. *monter*, ingl. *to go up*, it. *ascendere*). intr. Subir de un sitio bajo a otro más alto. ǁ fig. Adelantar en empleo o dignidad. ǁ tr. Dar un ascenso. ǁ Importar una cuenta. [*Sinón.*: elevar, progresar]

ascendiente. com. Padre, madre o abuelos de quien desciende una persona. ǁ m. Predominio, influencia.

ascensión. f. Acción y efecto de ascender. ǁ Por excel., la de Cristo a los cielos. ǁ REL. Fiesta movible que anualmente celebra la Iglesia este misterio. ǁ Exaltación a una dignidad suprema.

ascensional. adj. Aplícase al movimiento de un cuerpo hacia arriba. ǁ Dícese de la fuerza que produce la ascensión.

ascenso. m. Subida. ǁ fig. Promoción a mayor dignidad o empleo.

ascensor (al. *Aufzug*, fr. *ascenseur*, ingl. *lift*, it. *ascensore*). m. Aparato para trasladar personas de unos pisos a otros. ǁ Montacargas.

ascensorista. com. Persona que tiene a su cargo el manejo del ascensor.

asceta (al. *Ascet*, fr. *ascète*, ingl. *ascetic*, it. *asceta*). com. Persona que hace vida ascética. [*Sinón.*: anacoreta, ermitaño]

ascético, ca. adj. Se dice de quien se dedica a la práctica y ejercicio de la perfección espiritual. ǁ Perteneciente a esta práctica o ejercicio. ǁ Que trata de la vida ascética.

ascetismo (al. *Askese*, fr. *ascétisme*, ingl. *ascetim*, it. *ascetismo*). m. Profesión o doctrina de la vida ascética.

ascitis. f. PAT. Hidropesía del vientre.

asco (al. *Ekel*, fr. *dégout*, ingl. *loathing*, it. *schifo*). m. Repugnancia hacia alguna cosa, que produce vómito. ǁ fig. Impresión desagradable causada por alguna cosa que repugna. ǁ Esta misma cosa. ǁ *hecho un asco.* fig. y fam. Muy sucio. ǁ *hacer ascos.* fig. y fam. Hacer afectadamente desprecio de una cosa.

ascomiceto, ta. adj. BOT. Dícese de los hongos cuyos esporidios están encerrados en saquitos. Ú.t.c.s.m. ǁ m. pl. Orden de estos hongos.

ascua (al. *Glühfeuer*, fr. *brase*, ingl. *livecoal*, it. *brace*). f. Pedazo de cualquier materia sólida y combustible que está penetrada por el fuego, aunque sin dar llama. ǁ *estar* uno *en ascuas.* fig. y fam. Estar inquieto.

aseado, da. adj. Limpio, curioso.

asear (al. *Verzieren*, fr. *orner*, ingl. *to tidy up*, it. *acconciare*). tr. Adornar, componer con curiosidad y limpieza. Ú.t.c.r. [*Antón.*: ensuciar]

asechanza. f. Engaño o artificio para hacer daño a otro. Ú.m. en pl.

asechar. tr. Poner asechanzas.

asediar. tr. Cercar un punto fortificado. ǁ fig. Importunar a uno sin descanso con pretensiones.

asedio (al. *Belagerung*, fr. *siége*, ingl. *siege*, it. *assedio*). m. Acción y efecto de asediar. [*Sinón.*: cerco, sitio, molestia]

aseguración. f. Seguro, contrato.

asegurado, da. adj. Dícese de la persona que ha contratado un seguro a su favor. Ú.t.c.s.

asegurador, ra. adj. Que asegura. Ú.t.c.s. ‖ Persona o empresa que asegura riesgos ajenos. Ú.t.c.s.

aseguramiento. m. Acción y efecto de asegurar. ‖ Seguro, salvoconducto.

asegurar (al. *sichern, versichern;* fr. *assurer;* ingl. *assure, insure;* it. *assicurare*). tr. Dejar firme y seguro; establecer, fijar sólidamente. ‖ Imposibilitar la huida o defensa de una persona. ‖ Librar de cuidado o temor. Ú.t.c.r. ‖ Resguardar, defender a las personas o cosas. Ú.t.c.r. ‖ Dar firmeza y seguridad mediante prenda o hipoteca. ‖ Poner a cubierto una cosa de la pérdida que por cualquier accidente pueda tener su dueño, obligándose a indemnizarle total o parcialmente de su importe, con sujeción a las condiciones pactadas.

aseidad. f. Atributo de Dios, por el cual existe por sí mismo.

asemántico, ca. adj. LING. Dícese de cualquier elemento lingüístico desprovisto de significación.

asemejar. tr. Hacer una cosa con semejanza a otra. ‖ Representar una cosa como semejante a otra. Ú.t.c.r. ‖ intr. Tener semejanza. ‖ r. Mostrarse semejante. [*Sinón.:* parecer. *Antón.:* diferenciar]

asendereado, da. adj. fig. Agobiado de trabajos o adversidades. ‖ fig. Práctico, experto.

asenderear. tr. Hacer sendas o senderos. ‖ Perseguir a uno haciéndole huir por los senderos.

asenso. m. Acción y efecto de asentir. [*Sinón.:* asentamiento, aprobación]

asentaderas. f. pl. fam. Nalgas.

asentado, da. adj. Sentado, juicioso, ‖ fig. Estable, permanente.

asentador. m. El que asienta. ‖ El que contrata al por mayor víveres para un mercado público.

asentamiento. m. Acción y efecto de asentar o asentarse. ‖ Establecimiento donde se ejerce una profesión. ‖ Lugar que, en una posición, ocupa cada pieza o batería. ‖ fig. Juicio, cordura.

asentar (al. —*fest-ver-aus— legen,* fr. *asseoir,* ingl. *to seat,* it. *sedere*). tr. Sentar en silla, banco, etc. ‖ Colocar a uno en determinado asiento en señal de posición de algún empleo o cargo. ‖ Poner alguna cosa de modo que permanezca firme. ‖ Hablando de pueblos o edificios, fundar. ‖ Dicho de golpes, darlos con tino y violencia. ‖ Aplanar, alisar. ‖ Afinar un filo. ‖ Hacer presupuesto de algo. ‖ Afirmar, dar por cierto algo. ‖ Ajustar, hacer convenio o tra-

tado. ‖ Anotar o poner por escrito algo para que conste. ‖ intr. Caer bien una cosa a otra. ‖ r. Posarse las aves. ‖ Establecerse en un lugar. ‖ Tratándose de líquidos, posarse. ‖ Hacer asiento una obra. ‖ Estancarse un manjar en el estómago o los intestinos.

asentimiento. m. Asenso. ‖ Consentimiento.

asentir (al. *zustimmen,* fr. *acquiescer,* ingl. *to assent,* it. *assentire*). intr. Admitir algo como cierto o conveniente. [*Antón.:* negar, impedir]

aseo (al. *Sauberkeit,* fr. *propreté,* ingl. *tidiness,* it. *pulizia*). m. Limpieza, curiosidad. ‖ Adorno, compostura. ‖ Esmero, cuidado. ‖ Apostura, gentileza, buena disposición. ‖ Cuarto de aseo.

asépala. adj. BOT. Dícese de la flor que carece de sépalos.

asepsia. f. MED. Ausencia de materia séptica; estado libre de infección. ‖ MED. Método que se propone impedir el acceso al organismo de gérmenes nocivos.

aséptico, ca. adj. MED. Relativo a la asepsia.

asequible. adj. Que puede conseguirse o alcanzarse. [*Sinón.:* factible. *Antón.:* inasequible, imposible]

aserción. f. Acción y efecto de afirmar o dar por cierta una cosa. ‖ Proposición en que se hace la aserción.

aserradero. m. Paraje donde se asierra la madera u otra cosa.

aserrador, ra. adj. Que sierra. ‖ m. El que tiene por oficio aserrar. ‖ f. Máquina de aserrar. ‖ Serrería.

aserradura. f. Corte que hace la sierra. ‖ Parte por donde se ha hecho el corte. ‖ pl. Aserrín.

aserrar. tr. Serrar.

aserrería. f. Serrería.

aserrín. m. Serrín.

aserto. m. Afirmación de la certeza de una cosa.

asesinar (al. *ermorden,* fr. *assassiner,* ingl. *to murder,* it. *assassinare*). tr. Matar alevosamente, o por precio, o con premeditación, a una persona.

asesinato (al. *Mord,* fr. *meurtre,* ingl. *murder,* it. *assassinio*). m. Acción y efecto de asesinar. [*Sinón.:* homicidio, crimen]

asesino, na (al. *Mörder,* fr. *meurtrier,* ingl. *murderer,* it. *assassino*). adj. Que asesina, homicida. Ú.t.c.s. [*Sinón.:* criminal]

asesor, ra. adj. Que asesora. Ú.t.c.s.

asesoramiento. m. Acción de asesorar o asesorarse.

asesorar. tr. Dar consejo o dictamen. ‖ r. Tomar consejo del letrado asesor, o de cualquier persona que asesore.

asesoría. f. Oficio de asesor. ‖ Estipendio del asesor. ‖ Oficina del asesor.

asestar. tr. Dirigir una arma hacia el objetivo que se quiere ofender con ella. ‖ Dirigir la vista, los anteojos, etc. ‖ Descargar contra un objeto el proyectil o golpe de una arma o de otra cosa que haga su oficio.

aseveración. f. Acción y efecto de aseverar.

aseverar. tr. Afirmar o asegurar lo que se dice.

asexuado, da. adj. Que carece de sexo.

asexual. adj. Sin sexo; ambiguo, indeterminado. ‖ BIOL. Dícese de la reproducción que se verifica sin la intervención de los dos sexos.

asfaltado, da. adj. De asfalto. ‖ m. Acción de asfaltar. ‖ Pavimento de asfalto.

asfaltar. tr. Revestir de asfalto.

asfáltico. adj. De asfalto.

asfalto (al. *Asphalt,* fr. *asphalte,* ingl. *asphalt,* it. *asfalto*). m. Sustancia bituminosa obtenida en la destilación natural del petróleo. Artificialmente, se obtiene destilando diversos alquitranes. Se emplea para pavimentar.

asfixia (al. *Erstichkung,* fr. *asphyxie,* ingl. *asphyxia,* it. *asfissia*). f. Suspensión de la respiración y estado de muerte aparente o inminente por ella provocado. ‖ fig. Sensación de agobio producida por el excesivo calor o por enrarecimiento del aire. [*Sinón.:* ahogo]

asfixiar. tr. Producir asfixia. Ú.t.c.r.

así (al. *so,* fr. *ansi,* ingl. *thus,* it. *cosi*). m. De esta, o de esa, manera. ‖ Igualmente. ‖ Como conjunción, correspondiéndose con *como* o *cual,* equivale a tanto, o a de igual manera. ‖ Como conjunción continuativa equivale a *en consecuencia, por lo cual, de suerte que;* en este caso suele llevar antepuesta la copulativa *y.* ‖ Aunque, por más que.

asiático, ca. adj. Natural de Asia. Ú.t.c.s. ‖ Perteneciente a esta parte del mundo.

asidero. m. Parte por donde se ase algo. ‖ fig. Ocasión o pretexto.

asiduidad. f. Frecuencia, puntualidad o aplicación constante a algo.

asiduo, dua (al. *emsij,* fr. *assidu,* ingl. *assiduous,* it. *assiduo*). adj. Frecuente, puntual, perseverante.

asiento (al. *Sitz,* fr. *siège,* ingl. *seat,*

it. *sedile*). m. Cualquier cosa destinada a sentarse en ella. ‖ Lugar que tiene alguno en un tribunal o junta. ‖ Sitio en que está o estuvo fundado un pueblo o edificio. ‖ Base de una vasija, botella, etc. ‖ Poso sedimento de un líquido. ‖ Acción y efecto de asentar un material en la obra. ‖ Tratado de paces. ‖ Contrato u obligación para proveer de víveres, etc., a un organismo público. ‖ Apuntamiento o anotación de una cosa. ‖ Parte del freno que entra en la boca de la caballería. ‖ Espacio sin dientes de la mandíbula posterior de las caballerías. ‖ fig. Cordura, prudencia, madurez. ‖ pl. Perlas chatas por un lado y redondas por otro.

asignación. f. Acción de asignar. ‖ Cantidad señalada por cualquier concepto.

asignar (al. *anweisen*, fr. *assigner*, ingl. *to assign*, it. *assegnare*). tr. Señalar lo que corresponde a una persona o cosa. ‖ Fijar.

asignatura (al. *Fach*, fr. *matière*, ingl. *curriculum*, it. *materia d'insegnamento*). f. Cada una de las materias que se enseñan en un centro docente.

asilado, da. s. Acogido a un establecimiento de beneficencia.

asilar. tr. Dar asilo. ‖ Albergar en un asilo. Ú.t.c.r. ‖ r. Tomar asilo.

asilo (al. *Asyl*, fr. *asile*, ingl. *asylum*, it. *asilo*). m. Lugar privilegiado de refugio para los perseguidos. Establecimiento benéfico en el que se acogen menesterosos. ‖ fig. Amparo, favor.

asilvestrado, da. adj. Aplícase a la planta silvestre cuyo origen es la semilla de una planta cultivada.

asimetría. f. Falta de simetría.

asimilación. f. Acción y efecto de asimilar o asimilarse. ‖ BIOL. Anabolismo.

asimilar (al. *angleichen*, fr. *assimiler*, ingl. *to assimilate*, it. *assimilare*). tr. Asemejar, comparar. Ú.t.c.r. ‖ Conceder a los individuos de una clase derechos y honores iguales a los que tienen los individuos de otra. ‖ BIOL. Incorporarse a las células sustancias aptas para cooperar en la formación del protoplasma. ‖ fig. Comprender lo que se aprende; incorporarlo a los conocimientos previos. ‖ LING. Transformarse un sonido por influencia de otro semejante de la misma palabra. ‖ Ser semejante una cosa a otra. ‖ r. Parecerse, asemejarse.

asimilativo, va. adj. Que puede hacer una cosa semejante a otra.

asimilista. adj. Se dice de la política

que procura asimilar las minorías étnicas o lingüísticas de un país, y del individuo que la practica. Ú.t.c.s.

asimismo. adv. m. Así mismo. De este o del mismo modo. ‖ También.

asín. adv. m. fam. Así.

asina. adv. m. fam. Así.

asíndeton. m. RET. Figura que consiste en omitir las conjunciones para dar viveza al concepto.

asíntota. f. GEOM. Línea recta que, prolongada indefinidamente, se acerca de continuo a una curva, sin llegar nunca a encontrarla.

asir (al. *greifen*, fr. *saisir*, ingl. *to grasp*, it. *afferrare*). tr. Tomar o coger con la mano, y en general, tomar, coger, prender. ‖ intr. Tratándose de plantas, arraigar o prender en la tierra. ‖ r. Agarrarse de alguna cosa.

asirio, ria. adj. Natural de Asiria. Ú.t.c.s. ‖ Perteneciente a este antiguo país de Asia. ‖ m. Lengua asiria.

asistencia. f. Acción de asistir a un lugar; presencia en él. ‖ Socorro, favor, ayuda. ‖ pl. Medios que se dan a alguno para que se mantenga. ‖ TAUROM. Conjunto de los mozos de plaza.

asistencial. adj. Perteneciente o relativo a la asistencia social.

asistenta (al. *Aushilfsfrau*, fr. *femme de ménage*, ingl. *charwoman*, it. *domestica*). f. Monja que asiste y suple a la superiora. ‖ Mujer que sirve como criada en una casa sin residir en ella.

asistente. adj. Que asiste. ‖ m. Soldado destinado al servicio personal de un general, jefe u oficial. [*Sinón.*: ayudante, auxiliar]

asistir (al. *assistieren*, fr. *assister*, ingl. *to help*, it. *assistere*). tr. Acompañar a alguno en un acto público. ‖ Socorrer, ayudar. ‖ Estar de parte de alguna persona la razón, el derecho, etc. ‖ intr. Concurrir con frecuencia a un lugar. ‖ Estar o hallarse presente.

asma (al. *Asthma*, fr. *asthme*, ingl. *asthma*, it. *asma*). f. PAT. Enfermedad de los bronquios, que se manifiesta por accesos intermitentes de tos, respiración difícil y anhelosa, expectoración escasa y estertores sibilantes.

asmático, ca. adj. Perteneciente o relativo al asma. ‖ Que la padece. Ú.t.c.s.

asna. f. Hembra del asno. ‖ pl. Maderos que cargan sobre la viga principal, costaneras.

asnal. adj. Perteneciente o relativo al asno, animal.

asno (al. *Esel*, fr. *âne*, ingl. *donkey*, it. *asino*). m. Animal solípedo, más

pequeño que el caballo y con las orejas más largas. ‖ fig. Persona ruda y de muy poco entendimiento. Ú.t.c. adj. [*Sinón.*: burro, pollino, jumento]

asociación (al. *Vereinigung*, fr. *association*, ingl. *association*, it. *associazione*). f. Acción de asociar o asociarse. ‖ Conjunto de los asociados para un mismo fin, y persona jurídica por ellos formada. [*Sinón.*: sociedad, entidad, federación]

asociacionismo. m. FIL. Doctrina que explica todos los fenómenos psíquicos por la ley de asociación de ideas.

asociado, da. adj. Dícese de la persona que acompaña a otra en alguna comisión o encargo. Ú.t.c.s. ‖ s. Persona que forma parte de una asociación o compañía.

asociar (al. *vereinigen*, fr. *associer*, ingl. *to associate*, it. *associare*). tr. Dar a uno por compañero persona que le ayude. ‖ Juntar una cosa con otra, de forma que concurran a un mismo fin. ‖ Tomar uno compañero que le ayude. ‖ r. Juntarse para un fin. [*Sinón.*: unir, aunar. *Antón.*: separar, desunir, desligar]

asociativo, va. adj. Que asocia.

asolamiento. m. Acción y efecto de asolar. [*Sinón.*: asolación]

asolanar. tr. Dañar el viento solano alguna cosa, como frutas, etc. Ú.m.c.r.

asolapar. ALBAÑ. tr. Asentar una teja sobre otra de modo que sólo cubra parte de ella.

asolar (al. *verwüsten*, fr. *dévaster*, ingl. *to lay waste*, it. *devastare*). tr. Poner por el suelo, destruir, arrasar. ‖ Secar o echar a perder los frutos del campo el calor, una sequía, etc. Ú.t.c.r. ‖ r. Tratándose de líquidos, posarse.

asoldar. tr. Tomar a sueldo, asalariar. Ú.t.c.r. [*Sinón.*: asoldadar]

asoleada. f. *Amer.* Insolación.

asolear. tr. Tener una cosa al sol por algún tiempo. ‖ r. Acalorarse tomando el sol. ‖ Ponerse moreno tomando el sol.

asomada. f. Acción de manifestarse por poco tiempo. ‖ Paraje desde el cual se empieza a ver algún lugar.

asomar (al. *zum Vorschein kommen*, fr. *se montrer au dehors*, ingl. *to peep*, it. *affacciarsi*). intr. Empezar a mostrarse. ‖ tr. Sacar o mostrar alguna cosa por una abertura. Ú.t.c.r.

asómate. m. GEOL. Pequeño collado en la crestería de las sierras, desde el que se divisa amplio panorama.

asombrar (al. *erstaunen*, fr. *étonner*,

ingl. *to astonish*, it. *meravigliare*). tr. Hacer sombra una cosa a otra. || Obscurecer un color mezclándolo con otro. || fig. Asustar, espantar. Ú.t.c.r. || fig. Causar gran admiración. Ú.t.c.r.

asombro (al. *Erstaunen*, fr. *étonnement*, ingl. *amazement*, it. *stupore*). m. Susto, espanto. || Gran admiración. [*Antón.*: indiferencia, impasibilidad]

asombroso, sa. adj. Que causa asombro.

asomo. m. Acción de asomar o asomarse. || Indicio o señal de alguna cosa: sospecha.

asonada. f. Reunión numerosa para conseguir violentamente cualquier fin. [*Sinón.*: alboroto, revuelta]

asonancia. f. Correspondencia de un sonido con otro. ||fig. Correspondencia o relación de una cosa con otra. || LIT. En métrica, rima imperfecta entre palabras cuyas vocales coinciden a partir de aquella sobre la que se carga el acento, y de consonantes distintas. [*Antón.*: disonancia]

asonante. adj. Dícese de cualquier voz con respecto a otra de la misma asonancia. Ú.t.c.s.

asonar. intr. Hacer asonancia o convenir un sonido con otro.

asordar. tr. Ensordecer a alguno con ruido o con voces.

aspa (al. *Andreaskreuz*, fr. *sautoir*, ingl. *saltier cross*, it. *croce di Sant'Andrea*). f. Conjunto de maderos atravesados de modo que formen la figura de una X. || Aparato para aspar el hilo. || Aparato exterior del molino de viento, en forma de cruz o aspa. || Cada uno de los brazos de este aparato. || Cualquier representación, figura, agrupación o signo en forma de X. || *Amer.* Asta, cuerno vacuno.

aspado, da. adj. Que tiene forma de aspa.

aspar. tr. Hacer madeja el hilo en el aspa. || Clavar en un aspa a una persona.

aspaviento (al. *Getue*, fr. *échasses*, ingl. *exagerated gesture*, it. *casimisdei*). m. Demostración excesiva o afectada de espanto o admiración.

aspecto (al. *Aussehen*, fr. *aspect*, ingl. *look*, it. *aspetto*). m. Apariencia de las personas y cosas a la vista. || GRAM. Manera de concebir la acción del verbo.

aspereza. f. Calidad de áspero. || Desigualdad del terreno que lo hace escabroso y difícil de caminar por él. [*Antón.*: suavidad, lisura]

asperjar (al. *besprengen*, fr. *asper-*

ger, ingl. *to sprinkle*, it. *aspergere*). tr. Hisopear. || Rociar.

áspero, ra (al. *rauh*, fr. *âpre*, ingl. *rough*, it. *aspro*). adj. Que por tener la superficie desigual no resulta suave al tacto. || Escabroso, dicho del terreno desigual. [*Sinón.*: basto, rasposo, agrio, desapacible. *Antón.*: suave]

asperón. m. Arenisca que se emplea en los usos generales de construcción y piedras de amolar.

aspersión (al. *Besprengung*, fr. *aspersion*, ingl. *sprinkling*, it. *aspersione*). f. Acción de asperjar.

aspersorio. m. Instrumento con que se asperja.

áspid. m. ZOOL. m. Víbora muy venenosa que sólo se diferencia de la culebra común en que tiene las escamas de la cabeza igual a las del resto del cuerpo. || ZOOL. Culebra venenosa de Egipto, de color verde amarillento, con manchas pardas y cuello extensible.

aspillera (al. *Schiesscharte*, fr. *meurtrière*, ingl. *loophole*, it. *feritoia*). f. FORT. Abertura larga y estrecha practicada en un muro para disparar por ella. [*Sinón.*: tronera]

aspiración. f. Acción y efecto de aspirar. || En fonética, sonido que resulta del roce del aliento cuando se emite con cierta fuerza hallándose abierto el canal articulatorio. || MÚS. Espacio menor de una pausa.

aspirador, ra (al. *Staubsauger*, fr. *aspirateur*, ingl. *vacuum cleaner*, it. *aspiratore*). adj. Que aspira aire. || s. Máquina, dotada de motor eléctrico, que aspira el polvo.

aspirante. adj. Que aspira. Ú.t.c.s. || m. Persona que ha obtenido derecho a ocupar un cargo público. ||com. Persona que pretende un empleo, dignidad u otra cosa.

aspirar (al. *einatmen, ansreben;* fr. *aspirer;* ingl. *to inspire, to strive;* it. *aspirare*). Atraer el aire exterior a los pulmones. || Pretender algún empleo, dignidad u otra cosa. || En fonética, pronunciar con aspiración. [*Sinón.*: anhelar. *Antón.*: renunciar, desistir]

aspirina. f. FARM. Nombre comercial del ácido acetilsalicílico. Es un cuerpo blanco cristalizado, muy poco soluble en agua, que se usa en medicina como antipirético, analgésico y antirreumático.

asquear (al. *—an—ekeln*, fr. *écoeurer*, ingl. *to loathe*, it. *stomacare*). tr. Sentir asco de alguna cosa. Ú.t.c. intr.

asquerosidad (al. *Ekelhaftigkeit*, fr. *saleté*, ingl. *filthiness*, it. *schifosità*). f. Suciedad que mueve a asco.

asqueroso, sa. adj. Que causa asco. || Que tiene asco. || Que es propenso a tenerlo.

asta (al. *Schaft, Horn;* fr. *mât de pavillon, corne;* ingl. *flag staff, horn;* it. *asta, corno*). f. Arma ofensiva de los antiguos romanos, compuesta de hierro, ástil y regatón. || Palo de lanza, pica, venablo, etc. || Lanza o pica. || Palo que sostiene una bandera. || Cuerno. || *a media asta.* fr. que denota estar a medio izar una bandera, en señal de luto.

astado, da. adj. Provisto de asta. ||m. Astero, soldado. ||fig. TAUROM. Toro.

ástato o **astato.** m. QUÍM. Halógeno obtenido al bombardear bismuto con partículas alfa.

asteísmo. m. RET. Figura que consiste en dirigir delicadamente una alabanza con apariencia de represión.

astenia (al. *Kraftlosigkeit*, fr. *asthénie*, ingl. *asthenia*, it. *astenia*). f. MED. Falta o decaimiento considerable de fuerzas.

asténico, ca. adj. Perteneciente o relativo a la astenia. || Que la padece. Ú.t.c.s.

asterisco (al. *Sternchen*, fr. *astérisque*, ingl. *asterisk*, it. *asterisco*). m. Signo ortográfico (*) empleado para llamadas a notas y otros usos convencionales. || En lingüística se usa para indicar que una palabra o forma es hipotética.

asteroide. adj. De figura de estrella. || m. Cada uno de los pequeños planetas cuyas órbitas están entre Marte y Júpiter.

astifino. adj. Dícese del toro de astas delgadas y finas.

astigmatismo (al. *Astigmatismus*, fr. *astigmatisme*, ingl. *astigmatism*, it. *astigmatismo*). m. Imperfección del ojo o de los instrumentos dióptricos, consistente en que un punto luminoso determina una mancha lineal, elíptica e irregular, haciendo confusa la visión.

astil (al. *Stiel*, fr. *manche*, ingl. *handle*, it. *astile*). m. Mango de las azadas, hachas, picos, etc. || Varilla de la saeta. || Barra horizontal de la que penden los platillos de la balanza. || Barra de la romana, por donde corre el pilón. || Eje córneo de la pluma de ave, de donde salen las barbas.

astilla (al. *Splitter*, fr. *éclat*, ingl. *chip*, it. *scheggia*). f. Fragmento irregular que salta o queda de una pieza u objeto de madera que se rompe violentamente. ‖ El que queda o salta del pedernal y otros minerales.

astillar. tr. Hacer astillas. Ú.t.c.r.

astillero (al. *Werft*, fr. *chantier*, ingl. *dockyard*, it. *cantiere navale*). m. Establecimiento donde se construyen y reparan buques. ‖ Depósito de maderos. ‖ *Amer.* Lugar del monte donde se hace corte de leña.

astracán. m. Piel de cordero nonato o recién nacido, muy fina y de pelo rizado, que se prepara en Rusia. ‖ Tejido de lana o de pelo de cabra, de mucho cuerpo y con rizos en su superficie.

astracanada. f. fam. Farsa teatral disparatada y chabacana.

astrágalo. m. Tragacanto. ‖ ARQ. Cordón en forma anular que rodea al fuste de la columna debajo del tambor del capitel. ‖ ZOOL. Uno de los huesos del tarso, que se articula con la tibia y el peroné. Taba.

astral. adj. Perteneciente o relativo a los astros.

astricción. f. Acción y efecto de astringir.

astrictivo, va. adj. Que astringe o tiene la virtud de astringir.

astringencia. f. Calidad de astringente. ‖ Astricción.

astringente. adj. Que astringe. Se dice principalmente de alimentos o remedios. Ú.t.c.s.

astringir. tr. Estrechar, contraer una sustancia los tejidos orgánicos. ‖ fig. Sujetar, constreñir.

astro (al. *Gestirn*, fr. *astre*, ingl. *star*, it. *astro*). m. Cualquiera de los cuerpos celestes que pueblan el firmamento. ‖ fig. Persona sobresaliente en su línea.

astrofísica. f. Parte de la astronomía que estudia la constitución física de los astros.

astrolabio. m. ASTR. Antiguo instrumento en que se representaba la esfera celeste con las principales estrellas. Se usaba para medir alturas, lugares y movimientos de los astros.

astrología (al. *Astrologie*, fr. *astrologie*, ingl. *astrology*, it. *astrologia*). f. Ciencia de los astros, que se usa para pronosticar los sucesos por la situación y aspecto de los planetas.

astrológico, ca. adj. Perteneciente o relativo a la astrología.

astrólogo, ga. adj. Astrológico. ‖ s. Persona que profesa la astrología.

astronauta. com. Cosmonauta.

astronáutica. f. Cosmonáutica.

astronave. f. Cosmonave.

astronomía (al. *Astronomie*, fr. *astronomie*, ingl. *astronomy*, it. *astronomia*). f. Ciencia que trata de cuanto se refiere a los astros, y principalmente a su situación y movimientos.

astrónomo, ma. s. Persona que profesa la astronomía.

astroso, sa. adj. Malhadado, desgraciado. ‖ fig. Desastrado. ‖ fig. Vil, despreciable.

astucia (al. *List*, fr. *astuce*, ingl. *cunning*, it. *furbizia*). f. Calidad de astuto. ‖ Ardid para lograr un intento.

astur. adj. Natural de una antigua región de España, cuya capital era Astúrica, hoy Astorga. ‖ Natural de Asturias. Ú.t.c.s.

asturiano, na. adj. Natural de Asturias. Ú.t.c.s. ‖ Perteneciente al principado de Asturias. ‖ Dícese de la variedad asturiana del dialecto romance asturleonés. Ú.t.c.s.m.

astuto, ta. adj. Agudo, hábil para engañar o evitar el engaño, o para lograr artificiosamente algún fin. ‖ Que implica astucia.

asueto. m. Vacación por un día o una tarde. [Sinón.: descanso]

asumir (al. *übernehmen*, fr. *assumer*, ingl. *to take upon oneself*, it. *assumere*). tr. Atraer a si, tomar para sí o sobre sí.

asunción. f. Acción y efecto de asumir. ‖ Por excel., acto de ser elevada por Dios la Virgen desde la tierra al cielo. ‖ Fiesta con que se celebra anualmente este misterio el 15 de agosto.

asunto (al. *Gegenstand*, fr. *sujet*, ingl. *atter*, it. *soggetto*). m. Materia de que se trata. ‖ Argumento de una obra. ‖ Ocupación lucrativa. [Sinón.: tema, trama; negocio]

asustadizo, za. adj. Que se asusta con facilidad.

asustar. tr. Dar o causar susto. Ú.t.c.r. ‖ Producir desagrado o escándalo. Ú.t.c.r. [Sinón.: atemorizar, espantar]

atabal. m. Timbal semiesférico, de un parche. ‖ Tamborcillo o tamboril que suele tocarse en fiestas públicas. ‖ Atabalero.

atabalear. intr. Producir los caballos con las manos ruido semejante al que hacen los atabales. ‖ Imitar con los dedos sobre un mueble el golpear de los palillos sobre los atabales.

atabalero. m. El que toca el atabal.

atabanado, da. adj. Dícese del caballo o yegua de pelo oscuro con pintas blancas en los ijares y en el cuello.

atacar (al. *angreifen*, fr. *attaquer*,

ingl. *to atack*, it. *attacare*). tr. Acometer, embestir. ‖ Apretar, atestar, atiborrar. ‖ Afectar dañosamente, irritar. ‖ Tratándose de composiciones musicales, empezar a ejecutarlas. ‖ MÚS. Producir un sonido destacado, por medio de un golpe seco y fuerte. ‖ QUÍM. Ejercer acción una sustancia sobre otra.

atadero. m. Lo que sirve para atar. ‖ Parte por donde se ata alguna cosa. ‖ Gancho, anillo, etc., en que se ata alguna cosa.

atadijo. m. fam. Lío pequeño y mal hecho. ‖ Lo que sirve para atar.

atado. m. Conjunto de cosas atadas.

atadura. f. Acción y efecto de atar. ‖ Cosa con que se ata. ‖ fig. Unión o enlace. [Sinón.: nudo, lazo. Antón.: desunión]

ataharre. m. Banda de cuero o cáñamo que rodea las ancas de la caballería e impide que el aparejo se corra hacia adelante.

atajada. f. *Amer.* Acción de atajar. ‖ *Amer.* Acción de ir por un atajo. ‖ *Amer.* Acción de impedir el curso de una cosa.

atajadizo. m. Tabique u otra cosa con que se ataja un terreno. ‖ Porción menor del sitio atajado.

atajar. intr. Ir o tomar por el atajo. ‖ Tratándose de personas o animales, salirles al encuentro por un atajo. ‖ Cortar o dividir un terreno. ‖ Señalar con rayas en un escrito lo que se ha de omitir. ‖ Dividir un rebaño en atajos o porciones. ‖ Detener a alguna persona en su acción o cortar el curso de alguna cosa. ‖ fig. Interrumpir a alguien en lo que está diciendo.

atajo (al. *Seitenweg*, fr. *traverse*, ingl. *short cut*, it. *scorciatoia*). m. Senda por donde se abrevia el camino. ‖ fig. Procedimiento o medio rápido. ‖ División de una cosa. ‖ Acción y efecto de atajar un escrito.

atalajar. tr. Poner el atalaje a las caballerías de tiro y engancharlas.

atalaje. m. Atelaje. Ú.m. en artillería. ‖ fig. y fam. Ajuar.

atalaya (al. *Wachturm*, fr. *vigie*, ingl. *watchtower*, it. *vedetta*). f. Torre hecha comúnmente en lugar alto para ver desde ella el campo o el mar y avisar de lo que se descubre. ‖ Cualquier eminencia o altura desde donde se descubre mucho espacio. ‖ m. Hombre destinado a vigilar desde la atalaya. ‖ El que atisba o procura inquirir lo que sucede.

atañer (al. *betreffen*, fr. *concerner*, ingl. *to regard*, it. *concernere*). intr.

Corresponder, tocar o pertenecer. [Sinón.: concernir, incumbir]

ataque (al. *Angriff*, fr. *attaque*, ingl. *attack*, it. *attacco*). m. Acción de atacar o acometer. ‖ Conjunto de trabajos de trinchera para expugnar una plaza. ‖ Acceso o acometimiento repentino de un estado morboso.

atar (al. *festbinden*, fr. *lier*, ingl. *to tie*, it. *legare*). tr. Unir por medio de ligaduras. ‖ fig. Impedir el movimiento. [Sinón.: amarrar. Antón.: desatar, soltar]

ataraxia. f. FIL. Calma, tranquilidad del ánimo no enturbiado por ningún deseo ni temor.

atarazana. f. Arsenal en que se reparan embarcaciones.

atarazar. tr. Morder o rasgar con los dientes.

atardecer. m. Último período de la tarde.

atarear. tr. Poner o señalar tarea. ‖ r. Entregarse con ardor al trabajo.

atarjea. f. Caja de ladrillo para proteger las cañerías. ‖ Conducto por donde las aguas de la casa van al sumidero.

atasajar. tr. Hacer tasajos la carne.

atascadero. m. Lodazal o sitio donde se atascan los carruajes. ‖ Estorbo que impide la continuación de un proyecto o idea.

atascamiento. m. Atasco.

atascar (al. *verstopfen*, fr. *s'embourver*, ingl. *to stop up*, it. *turare*). tr. Obstruir. Ú.m.c.r. ‖ r. fig. Quedarse detenido por algún obstáculo.

atasco. m. Impedimento que no permite el paso. ‖ Obstrucción de un conducto.

ataúd (al. *Bahre*, fr. *bière*, ingl. *coffin*, it. *bara*). m. Caja en que se pone al cadáver para llevarlo a enterrar. [Sinón.: féretro]

ataujía. f. Obra de adorno que se hace con filamentos de oro o plata embutidos en otros metales. [Sinón.: damasquinado]

ataurique. m. Labor que representa hojas y flores, hecha con yeso.

ataviar (al. *Schmücken*, fr. *parer*, ingl. *to dress up*, it. *abbigliare*). tr. Componer, adornar. Ú.t.c.r.

atávico, ca. adj. Perteneciente o relativo al atavismo. [Sinón.: ancestral]

atavío. m. Compostura y adorno. ‖ fig. Vestido. ‖ pl. Objetos que sirven para adorno.

atavismo. m. Semejanza con los abuelos. ‖ BIOL. En los seres vivos, tendencia de reaparición de caracteres propios de sus ascendientes.

ataxia. f. PAT. Perturbación de las funciones del sistema nervioso.

atediar. tr. Causar tedio. Ú.t.c.r.

ateísmo. m. Dícese de la doctrina filosófica, o de la conducta moral, que niega la existencia de Dios.

atelaje. m. Tiro. ‖ Conjunto de guarniciones de las bestias de tiro. Ú.m. en artillería.

atemorizar. tr. Causar temor, espantar. Ú.t.c.r. [Sinón.: acobardar, asustar]

atemperación. f. Acción y efecto de atemperar o atemperarse.

atemperar (al. *anpassen*, fr. *accommoder*, ingl. *to make suitable*, it. *accommodare*). tr. Moderar, templar. Ú.t.c.r. ‖ Acomodar una cosa a otra. Ú.t.c.r.

atenazado, da. adj. Parecido a una tenaza o que tiene forma de ésta.

atenazar. tr. Hablando de los dientes, ponerlos apretados de ira o de dolor. ‖ fig. Sujetar.

atención (al. *Aufmerksamkeit*, fr. *attention*, ingl. *attention*, it. *attenzione*). f. Acción de atender. ‖ Urbanidad, demostración de respeto u obsequio. ‖ *llamar la atención.* Provocar o atraerla una persona o cosa que despierte interés o curiosidad. ‖ Sorprender, causar sorpresa. ‖ Reconvenir. ‖ *en atención a.* m. adv. Atendiendo, teniendo presente.

atender (al. *beachten*; fr. *considérer*; ingl. *to mind, to attend*; it. *attendere, considerare*). tr. Esperar, aguardar. ‖ Acoger favorablemente, o satisfacer un deseo, ruego, etc. Ú.t.c. intr. ‖ intr. Tener en consideración algo. ‖ Mirar por alguna persona o cosa, o cuidarla. Ú.t.c. tr.

ateneísta. com. Socio de un ateneo.

ateneo. m. Nombre de algunas asociaciones, en la mayor parte de los casos, científicas o literarias. ‖ Local en donde se reúnen.

atenerse. r. Adherirse a una persona o cosa, teniéndola por más segura. ‖ Ajustarse uno en sus acciones a alguna cosa.

ateniense. adj. Natural de Atenas. Ú.t.c.s. ‖ Perteneciente a esta ciudad griega o a la antigua república del mismo nombre.

atenorado, da. adj. MÚS. Aplícase a la voz que guarda semejanza con la del tenor o instrumentos que participan de su timbre.

atentado, da. adj. Moderado. ‖ Hecho con mucho tiento. ‖ m. Procedimiento abusivo de cualquier autoridad.

‖ Agresión o desacato al estado o a una autoridad. ‖ Agresión contra la vida o la integridad física o moral de una persona. ‖ Acción contraria a lo que se considera recto.

atentar. tr. Ejecutar algo ilícito. ‖ intr. Intentar un delito; cometer atentado. ‖ r. Proceder con cuidado, con tiento.

atentatorio, ria. adj. Que lleva en sí la tendencia, conato o ejecución del atentado.

atento, ta. adj. Que tiene fija la atención en una cosa. ‖ Cortés.

atenuación. f. Acción y efecto de atenuar.

atenuante. adj. Que atenúa. Ú.t.c.s.

atenuar (al. *mildern*, fr. *atténuer*, ingl. *to tone down*, it. *attenuare*). tr. Poner tenue una cosa. ‖ fig. Aminorar o disminuir.

ateo, a (al. *Atheist*, fr. *athée*, ingl. *atheist*, it. *ateo*). adj. Que niega la existencia de Dios. Ú.t.c.s.

aterciopelado, da. adj. Parecido al terciopelo.

aterimiento. m. Acción y efecto de aterirse.

aterir. tr. Pasmar de frío. Ú.m.c.r.

aterrador, ra. adj. Que aterra. Ú.t.c.s.

aterrajar. tr. Labrar con la terraja las roscas de los tornillos y tuercas. ‖ Hacer molduras con la terraja.

aterraje. m. Acción de aterrar un buque o un avión.

aterramiento. m. Aumento del depósito de tierras, limo o arena en el fondo de un paraje marítimo o fluvial. ‖ Terror. ‖ Humillación, abatimiento.

aterrar. tr. Bajar al suelo. ‖ Derribar, abatir. ‖ Aterrorizar. ‖ Cubrir con tierra. ‖ intr. Llegar a tierra.

aterrizaje. m. Acción de aterrizar.

aterrizar (al. *landen*, fr. *atterrir*, ingl. *to land*, it. *attenare*). intr. Posarse en tierra un avión.

aterrorizar (al. *erschrecken*, fr. *terroriser*, ingl. *to frighten*, it. *terrorizare*). tr. Aterrar, causar terror. Ú.t.c.r.

atesorar (al. *schätze sammenln*, fr. *thésauriser*, ingl. *to treasure*, it. *tesoreggiare*). tr. Guardar dinero o cosas de valor. ‖ fig. Tener muchas buenas cualidades. [Antón.: dilapidar, gastar]

atestación. f. Deposición de testigo o de persona que testifica.

atestado. m. Documento oficial en que una autoridad hace constar como cierta alguna cosa.

atestar. tr. Henchir alguna cosa hueca apretando lo que se mete en ella. ǁ Meter una cosa en otra. ǁ Der. Testificar, atestiguar.

atestiguación. f. Acción de atestiguar.

atestiguar. tr. Deponer, afirmar algo como testigo.

atezado, da. adj. Que tiene la piel tostada por el sol. ǁ De color negro.

atezar. tr. Poner liso, terso o lustroso. ǁ Ennegrecer. Ú.t.c.r.

atiborrar. tr. Llenar de borra. ǁ fig. y fam. Atracar de comida. Ú.m.c.r.

ático, ca. adj. Natural de Ática o de Atenas. Ú.t.c.s. ǁ Perteneciente a este país o a esta ciudad de Grecia. ǁ m. Ling. Uno de los dialectos del griego. ǁ Arq. Último piso de un edificio, por lo general retranqueado y del que, a veces, forma parte una azotea. ǁ Arq. Último piso de un edificio, que cubre el arranque de las techumbres.

atiesar. tr. Poner tiesa una cosa. Ú.t.c.r.

atifle. m. Utensilio de los alfareros, para evitar que las piezas se peguen unas con otras al cocerse.

atigrado, da. adj. Que tiene manchas como la piel del tigre.

atildado, da. adj. Pulcro, elegante.

atildamiento. m. Acción y efecto de atildar o atildarse.

atildar. tr. Poner tildes a las letras. ǁ fig. Componer, asear. Ú.t.c.r.

atinar. intr. Encontrar algo a tiento. ǁ Dar por sagacidad o suerte con lo que se busca o necesita. Ú.t.c.tr. ǁ Acertar a dar en el blanco. ǁ Acertar algo por conjeturas.

atingencia. f. *Amer.* Relación, conexión, correspondencia.

atiparse. r. Atracarse, hartarse.

atiplado, da. adj. Hablando de la voz o del sonido, agudo, en tono elevado.

atiplar. tr. Mús. Elevar la voz o el sonido de un instrumento hasta el tono de tiple. ǁ r. Volverse agudo el tono grave.

atirantar. tr. Poner tirante. ǁ Arq. Afirmar con tirantes.

atisba. m. *Amer.* Vigía, atalaya.

atisbar. tr. Mirar, observar recatadamente.

atisbo. m. Acción de atisbar. ǁ Vislumbre, conjetura.

atizador. m. Instrumento que sirve para atizar. [*Sinón.*: hurgón, espetón.]

atizar (al. *schüen*, fr. *attiser*, ingl. *to rake*, it. *attizare*). tr. Remover el fuego o añadirle combustible para que arda más. ǁ Despabilar o dar más mecha a la luz. ǁ fig. Dar.

atlante. m. Arq. Cada una de las estatuas de hombres que sustentan sobre sus hombros o cabezas los arquitrabes de las obras.

atlántico, ca. adj. Geogr. Perteneciente al monte Atlas. ǁ Se dice del océano que se extiende entre las costas occidentales de Europa y África hasta las orientales de América. Ú.t.c.s.

atlas. m. Geogr. Colección de mapas en un volumen. ǁ Colección de láminas. ǁ Anat. Primera vértebra de la columna vertebral.

atleta (al. *Athlet*, fr. *athlète*, ingl. *athlete*, it. *atleta*). m. El que tomaba parte en los antiguos juegos públicos de Grecia o Roma. ǁ El que practica ejercicios o deportes que requieren el empleo de la fuerza. ǁ fig. Hombre corpulento y de mucha fuerza.

atlético, ca. adj. Perteneciente o relativo al atleta o a los juegos públicos.

atletismo (al. *Athletik*, fr. *athlétisme*, ingl. *athletism*, it. *atletismo*). m. Práctica de ejercicios atléticos y doctrina referente a los mismos.

atmósfera (al. *Atmosphäre*, fr. *atmosphère*, ingl. *atmosphere*, it. *atmosfera*). f. Envoltura gaseosa de la Tierra. ǁ Fluido gaseoso que rodea un cuerpo cualquiera. ǁ fig. Espacio a que se extienden las influencias de una persona o cosa. ǁ Fís. Unidad de presión equivalente a la de una columna de mercurio de 760 mm.

atmosférico, ca. adj. Perteneciente o relativo a la atmósfera.

atole. m. Bebida muy utilizada en América que se hace con leche y harina de maíz.

atolón. m. Geogr. Isla madrepórica anular, con una laguna interior.

atolondrado, da. adj. Que procede sin reflexión.

atolondramiento (al. *Betäubung*, fr. *étourderie*, ingl. *thoughtlessness*, it. *stordire*). m. Acción de atolondrar o atolondrarse.

atolondrar (al. *betäuben*, fr. *étourdir*, ingl. *to amaze*, it. *stordire*). tr. Aturdir, turbar los sentidos. Ú.t.c.r.

atolladero. m. Atascadero.

atollar. intr. Dar en un atolladero. Ú.t.c.r. ǁ r. fig. y fam. Atascarse.

atómico, ca. adj. Fís. Perteneciente o relativo al átomo. ǁ Que utiliza la energía producida por la desintegración del átomo.

atomismo. m. Fil. Doctrina de la formación del mundo por el concurso fortuito de los átomos.

atomización. f. Acción y efecto de atomizar.

atomizador. m. Pulverizador de líquidos.

atomizar. tr. Dividir en partes sumamente pequeñas, pulverizar.

átomo (al. *Atom*, fr. *atome*, ingl. *atom*, it. *atomo*). m. Fís. Partícula más pequeña de un elemento, que puede desintegrarse por medios físicos. Consta de un núcleo con protones y neutrones, rodeado de electrones. ǁ Partícula material de pequeñez muy extremada.

atonal. adj. Mús. Dícese de la composición concebida sin sujeción a una tonalidad determinada. ǁ Se aplica a la música dodecafónica.

atonalidad. f. Mús. Calidad de atonal.

atonía. f. Med. Falta de tono y vigor, o debilidad de los tejidos orgánicos.

atónito, ta. adj. Pasmado de un objeto o suceso raro. [*Sinón.*: asombrado]

átono, na. adj. Gram. Dícese de la vocal, sílaba o partícula que se pronuncia sin acento prosódico.

atontado, da. adj. Dícese de la persona tonta o que no sabe cómo conducirse.

atontamiento. m. Acción y efecto de atontar o atontarse.

atontar. tr. Aturdir, atolondrar. Ú.t.c.r.

atopile. m. *Amer.* Persona que en las plantaciones de caña distribuye a diario el agua para el riego.

atoramiento. m. Acción de atorarse o atragantarse.

atorar. tr. Atascar, obstruir. Ú.t.c. intr. y c.r. ǁ r. Atragantarse.

atormentar (al. *quälen*, fr. *tourmenter*, ingl. *to torture*, it. *tormentare*). tr. Causar dolor o molestia corporal. Ú.t.c.r. ǁ Dar tormento al reo. ǁ fig. Causar aflicción o enfado. Ú.t.c.r.

atornillar. tr. Introducir un tornillo haciéndolo girar alrededor de su eje. ǁ Sujetar con tornillos.

atorrante. adj. *Amer.* Vagabundo callejero que vive de pordiosear.

atorrar. intr. *Amer.* Llevar vida de atorrante.

atortillar. tr. *Amer.* Aplastar.

atortolar. tr. fam. Aturdir o acobardar. Ú.t.c.r. ǁ r. Enamorarse.

atosigamiento. m. Acción de atosigar o dar mucha prisa.

atosigar. tr. Fatigar a alguien, dándole prisa para que haga una cosa. Ú.t.c.r.

atrabancar. tr. Pasar o saltar de prisa, salvar obstáculos. Ú.t.c.r.

atrabiliario, ria. adj. MED. Perteneciente o relativo a la atrabilis. || fam. De genio destemplado y violento. Ú.t.c.s.

atrabilis. f. MED. Cólera o bilis negra y acre.

atracada. f. *Amer.* Atracón. || MAR. Acción y efecto de atracar una embarcación.

atracadero. m. GEOGR. Paraje donde pueden sin peligro arrimarse a tierra las embarcaciones menores.

atracador, ra. s. Persona que saltea o atraca un poblado.

atracar. tr. fam. Hacer comer y beber con exceso, hartar. Ú.t.c.r. || Cerrar el hueco por el cual se ha introducido el explosivo, a fin de asegurar su efecto. || MAR. Arrimar unas embarcaciones a otras, o a tierra. Ú.t.c. intr. || Acercar, arrimar. || Asaltar con propósito de robo.

atracción (al. *Anziehung*, fr. *attraction*, ingl. *attraction*, it. *attrazione*). f. Acción de atraer. || Fuerza para atraer. || pl. Espectáculos o diversiones variados que se celebran en un mismo lugar o son parte de un mismo programa. || FIS. La que ejercen recíprocamente todas las moléculas de los cuerpos mientras están unidas o en contacto. [*Sinón.*: afinidad, simpatía; cohesión, adherencia]

atraco. m. Acción de atracar, o asaltar para robar.

atracón. m. fam. Acción y efecto de atracar de comida. || Hartazgo de algo.

atractivo, va. adj. Que atrae o tiene fuerza para atraer. || Que gana la voluntad. || m. Gracia en el semblante, en el físico, en las palabras, en las acciones, etc.

atraer (al. *anziehen*, fr. *attirer*, ingl. *to attract*, it. *attrarre*). tr. Traer hacia sí alguna cosa. || fig. Reducir una persona a otra a su voluntad. [*Sinón.*: aspirar, captar, cautivar, acarrear. *Antón.*: separar, rechazar, evitar]

atragantar. tr. Quedarse detenido algo en la garganta; producir ahogo. Ú.m.c.r. || fig. Causar fastidio o enfado.

atraillar. tr. Atar con traílla. Se dice de los perros. || Seguir el cazador la res, yendo guiado del perro atraillado.

atrampar. tr. Coger o pillar en la trampa. || r. Caer en la trampa. || Caer el pestillo de la puerta de modo que no se pueda abrir.

atrancar. tr. Asegurar la puerta por medio de una tranca. Ú.t.c.r. || Atascar, obstruir. Ú.m.c.r. || r. Encerrarse con tranca.

atranco. m. Atolladero. || Embarazo o apuro.

atrapar (al. *–ein– fangen*, fr. *attraper*, ingl. *to catch*, it. *chiappare*). tr. fam. Coger al que huye. || fam. Coger algo. [*Sinón.*: agarrarse, apoderarse, *Antón.*: soltar]

atrás (al. *rückwärts*, fr. *en arrière*, ingl. *backward*, it. *indietro*). adv. l. Hacia la parte que queda a espaldas de uno. || Se usa también para expresar tiempo pasado. || Apl. al discurso, anteriormente.

atrasar (al. *aufschieben*, fr. *retarder*, ingl. *to put back*, it. *ritardare*). tr. Retardar. Ú.t.c.r. || Fijar un hecho en época posterior a la verdadera. || Hacer que el reloj marche con menos velocidad, o hacer retroceder sus saetas. || intr. Señalar el reloj tiempo pasado, o no marchar con la velocidad debida. Ú.t.c.r. || r. Quedarse atrás. || Dejar de crecer; no alcanzar el completo desarrollo.

atraso (al. *Verspätung*, fr. *retard*, ingl. *backwardness*, it. *ritardo*). m. Efecto de atrasar o atrasarse. || pl. Pagas o rentas vencidas y no cobradas.

atravesado, da. adj. Que tiene los ojos casi como bizcos. || Dícese del animal cruzado o mestizo. || fig. Que tiene mala intención o mal carácter.

atravesar (al. *durchkreuzen*, fr. *traverser*, ingl. *to go across*, it. *attraversare*). tr. Poner una cosa de modo que pase de una parte a otra. || Pasar un objeto sobre otro o hallarse puesto sobre él oblicuamente. || Pasar un cuerpo penetrándolo de parte a parte. || Poner delante algo que impida el paso o haga caer. || Pasar cruzando de una parte a otra. || r. Ponerse una cosa entremedias de otras.

atrayente. adj. Que atrae. [*Antón.*: repelente]

atrever (al. *wagen*, fr. *oser*, ingl. *to dare*, it. *ardire*). r. Determinarse a algo arriesgado. || Insolentarse. [*Sinón.*: arriesgar, osar. *Antón.*: acobardar]

atrevido, da. adj. Que se atreve o tiene atrevimiento. Ú.t.c.s. || Dicho o hecho con atrevimiento. [*Sinón.*: osado. *Antón.*: apocado, tímido]

atrevimiento (al. *Wagnis*, fr. *audace*, ingl. *boldness*, it. *audacia*). m. Acción y efecto de atreverse o arriesgarse; o de insolentarse. [*Sinón.*: audacia, intrepidez]

atrezzo (voz italiana). m. En teatro y cinematografía, conjunto de muebles, vestuario, decorado, etc., empleados en la representación escénica.

atribución. f. Acción de atribuir. || Cada una de las facultades que a una persona da el cargo que ejerce.

atribuir (al. *zuschreiben*, fr. *attribuer*, ingl. *to ascribe*, it. *attribuire*). tr. Aplicar hechos o cualidades a una persona o cosa. Ú.t.c.r. || Asignar una cosa a alguien como de su competencia.

atribular. tr. Causar tribulación. || r. Padecerla.

atributivo, va. adj. Que indica o enuncia un atributo o cualidad. || LING. Perteneciente o relativo al atributo. || LING. Dícese de los verbos que forman parte del predicado nominal.

atributo (al. *Attribut*, fr. *attribut*, ingl. *attribute*, it. *attributo*). m. Cada una de las cualidades o propiedades de un ser. || Símbolo que denota el carácter y representación de las figuras. || LING. Adjetivo unido a un nombre. || LING. Adjetivo, sustantivo o sintagma en función nominal, que forma el predicado nominal con los verbos ser y estar. || LING. Predicado nominal. || Cualquiera de las perfecciones de la esencia de Dios.

atrición. f. REL. Dolor de haber ofendido a Dios por temor al castigo.

atril (al. *Chorpult*, fr. *lutrin*, ingl. *lectern*, it. *leggio*). m. Mueble de madera o metal, en forma de plano inclinado, que sirve para sostener libros o papeles.

atrincheramiento. m. Acción y efecto de atrincherar o atrincherarse. || Conjunto de trincheras para la defensa o el ataque.

atrincherar (al. *verschanzen*, fr. *retrancher*, ingl. *to entrench*, it. *trincerare*). tr. MIL. Ceñir con trincheras un puesto para defenderlo. || r. Ponerse a cubierto del enemigo en trincheras.

atrio (al. *Vorhalle*, fr. *parvis*, ingl. *parvis*, it. *atrio*). m. ARQ. Espacio descubierto y por lo común cercado de pórticos, que hay en algunos edificios. || Andén que hay en algunos templos o palacios, más alto que el piso de la calle. || Zaguán.

atrito, ta. adj. Que tiene atrición.

atrocidad. f. Crueldad grande. || fam. Dicho o hecho muy necio o temerario. || fam. Exceso, demasía.

atrofia (al. *Schwund*, fr. *atrophie*, ingl. *atrophy*, it. *atrofia*). f. Falta de desarrollo de cualquier parte del cuerpo. || PAT. Consunción de algún órgano por defecto de nutrición o por vejez.

atrofiar. tr. Producir atrofia. || r. Padecerla.

atrófico, ca. adj. Relativo a la atrofia.

atronador, ra. adj. Que atruena. [*Sinón.*: ensordecedor]

atronadura. f. Hendedura que las heladas y deshielos suelen producir en las maderas. || VET. Alcanzadura.

atronar. intr. Tronar. || tr. Asordar o perturbar con ruido como de trueno. || Aturdir. || Tapar los oídos de una caballería para que no se espante con el ruido. || Dejar sin sentido a una res con un golpe antes de degollarla. || TAUROM. Apuntillar. || r. Aturdirse y quedarse sin acción vital con los truenos. Se dice de algunas crías de animales.

atropellado, da. adj. Que habla u obra con precipitación.

atropellar (al. *überfahren, niederdrücken;* fr. *fouler aux pieds;* ingl. *to trample on;* it. *calpestare*). tr. Pasar precipitadamente por encima de alguien. || Derribar o empujar a alguien para abrirse paso. || fig. Agraviar. || fig. Proceder sin miramiento a leyes, respetos o inconvenientes. || fig. Hacer una cosa precipitadamente y sin cuidado. Ú.t.c.r. || r. Apresurarse demasiado en las obras o palabras.

atropello. m. Acción y efecto de atropellar o atropellarse.

atropina. f. QUÍM. Alcaloide venenoso que se extrae de la belladona y se emplea en medicina.

atroz. adj. Fiero, inhumano. || Enorme, grave. || fam. Muy grande, desmesurado.

atuendo. m. Atavío, vestido.

atufar. tr. Trastornar con el tufo. Ú.m.c.r. || fig. Enfadar, enojar. Ú.m.c.r.

atún (al. *Thunfisch,* fr. *thom,* ingl. *tunnysfish,* it. *tonno*). m. ZOOL. Pez acantopterigio de unos tres metros de longitud, que acostumbra a pescarse en almadrabas. Su carne, comestible, es de gusto agradable. || fig. y fam. Hombre ignorante.

atunera. f. Anzuelo de gran tamaño para pescar atunes.

aturdido. adj. Atolondrado.

aturdimiento. (al. *Verwirrung,* fr. *étourdissement,* ingl. *bewilderment,* it. *stordimento*). m. Perturbación de los sentidos por efecto de un golpe, de un ruido extraordinario, etc. || fig. Perturbación moral. || Torpeza, falta de seguridad.

aturdir (al. *bestürzen,* fr. *étourdir,* ingl. *to bewilder,* it. *stordire*). tr. Causar aturdimiento Ú.t.c.r. || fig. Confundir, desconcertar, pasmar. Ú.t.c.r.

aturrullar. tr. fam. Confundir a uno, turbarle, aturdirle. Ú.t.c.r.

aturullamiento. m. Atolondramiento.

aturullar. tr. Aturrullar. Ú.t.c.r.

atusar. tr. Recortar e igualar el pelo con tijeras. || Igualar los jardineros con tijeras las plantas. || Alisar el pelo, especialmente pasando por él la mano o el peine mojado. || r. fig. Componerse con demasiada afectación o prolijidad.

audacia (al. *Kühnheit,* fr. *audace,* ingl. *boldness,* it. *audacia*). f. Osadía, atrevimiento.

audaz (al. *Kühn,* fr. *audacieux,* ingl. *audacious,* it. *audace*). adj. Osado, atrevido.

audible. adj. Que se puede oír.

audición (al. *Gehör,* fr. *audition,* ingl. *audition,* it. *audizione*). f. Acción y efecto de oír. || Concierto, recital o lectura en público.

audiencia (al. *Audienz,* fr. *audience,* ingl. *audience,* it. *udienza*). f. Acto de oír los soberanos u otras autoridades a las personas que acuden a ellos, reclamando o solicitando algo. || Ocasión para aducir razones o pruebas que se concede al interesado en un juicio o expediente. || DER. Tribunal de justicia colegiado y que entiende en los pleitos y causas de determinado territorio. || Distrito de su jurisdicción. || Edificio en que se reúne.

audífono. m. Audiófono.

audio-. Elemento compositivo que, antepuesto a otro, expresa la idea de sonido o audición.

audiófono (al. *Hörrohr,* fr. *audiophone,* ingl. *audiphone,* it. *audifono*). m. Aparato usado por los sordos para percibir mejor los sonidos.

audiofrecuencia. f. Cualquiera de las frecuencias de onda empleadas en la transmisión de los sonidos.

audiometría. f. Mensuración de la agudeza auditiva en relación con las diferentes frecuencias de los sonidos.

audiómetro. m. Instrumento para medir la sensibilidad auditiva.

audiovisual. adj. Que se refiere conjuntamente al oído y a la vista o los emplea a la vez. Se aplica en especial a los métodos didácticos que se valen de grabaciones acústicas acompañadas de imágenes ópticas.

auditivo, va (al. *Gehör,* fr. *auditif,* ingl. *auditory,* it. *auditivo*). adj. Que tiene virtud para oír. || Perteneciente al órgano del oído.

auditor. m. Oyente. || Revisor de cuentas colegiado.

auditorio (al. *Auditorium,* fr. *auditorium,* ingl. *auditorium,* it. *auditorio*). m. Local acondicionado para escuchar conferencias, lecturas, etc. || Concurso de oyentes.

auditorio, ria. adj. Que tiene virtud para oír. || Perteneciente al oído.

auge (al. *Aufschwung,* fr. *apogée,* ingl. *flourishment,* it. *auge*). m. Elevación grande de dignidad o fortuna. || ASTR. Apogeo de la Luna.

augita. f. Mineral brillante, de color verde oscuro o negro, que se halla enclavado en los basaltos.

augur. m. Ministro romano, que practicaba oficialmente la adivinación por el vuelo o el canto de las aves.

auguración. f. Adivinación por el vuelo o el canto de las aves.

augurar (al. *wahrsagen,* fr. *augurer,* ingl. *to predict,* it. *augurare*). tr. Agorar, pronosticar. || Presagiar, predecir.

augurio. m. Agüero, presagio, indicio de algo futuro.

augustal. adj. Perteneciente o relativo al emperador Augusto.

augusto, ta. adj. Aplícase a lo que merece gran respeto y admiración por su majestad y excelencia. || Título de Octaviano César que después llevaron todos los emperadores. || m. Payaso de circo.

aula (al. *Hörsaal,* fr. *classe —de collège—,* ingl. *lecture hall,* it. *aula*). f. Sala donde se enseña un arte o facultad.

aulaga. f. BOT. Planta leguminosa, de hojas lisas, terminadas en puntas, y flores amarillas.

áulico, ca. adj. Perteneciente a la corte o al palacio. || Cortesano o palaciego. Ú.t.c.s.

aullar (al. *heulen,* fr. *hurler,* ingl. *to howl,* it. *urlare*). intr. Dar aullidos. [*Sinón.*: ulular]

aullido (al. *Geheul,* fr. *hurlement,* ingl. *howl,* it. *urlo*). m. Voz triste y prolongada del lobo, perro u otros animales.

aumentar (al. *vermehren,* fr. *augmenter,* ingl. *to increase,* it. *aumentare*). tr. Dar mayor extensión, número o materia. Ú.t.c. intr. y c.r. [*Sinón.*: acrecentar, agrandar, incrementar. *Antón.*: disminuir]

aumentativo, va (al. *verstärkend,* fr. *augmentatif,* ingl. *augmentative,* it. *aumentativo*). adj. Que aumenta. || GRAM. Aplícase a los vocablos que aumentan la significación de los positivos de que proceden.

aumento. m. Acrecentamiento o extensión de una cosa. ‖ Adelantamiento o medra en conveniencias o empleos. Ú.m. en pl. [*Sinón.*: crecimiento, ampliación, mejora, avance. *Antón.*: disminución, empeoramiento]

aun (al. *noch*, fr. *encore*, ingl. *yet*, it. *ancora*). adv. t. y m. Todavía. ‖ Denota a veces encarecimiento o ponderación. Se escribe con tilde cuando puede sustituirse por todavía.

aunar (al. *vereinigen*, fr. *unir*, ingl. *to unite*, it. *adunare*). tr. Unir, confederar. Ú.m.c.r. ‖ Unificar. Ú.t.c.r. ‖ Armonizar varias cosas. Ú.t.c.r.

aunque (al. *obgleich*, fr. *quoique*, ingl. *though*, it. *benchè*). conj. concesiva que expresa relaciones propias de esta clase de conjunciones. ‖ conj. advers. que expresa relaciones propias de esta clase de conjunciones.

aupar (al. *aufhelfen*, fr. *aider à monter*, ingl. *to help to get up*, it. *aiutare a salire*). tr. fam. Ayudar a subir o levantarse. Ú.t.c.r. ‖ fig. Ensalzar, enaltecer. Ú.t.c.r.

aura. f. Viento suave y apacible. ‖ Hálito, aliento, soplo. ‖ ZOOL. Ave rapaz diurna, del tamaño de una gallina, con plumaje negro y cabeza desnuda.

áureo, ea. adj. De oro. ‖ Parecido al oro o dorado.

aureola o **auréola** (al. *Heiligenschein*, fr. *auréole*, ingl. *aureola*, it. *aureola*). f. Resplandor o círculo luminoso que suele figurarse detrás de la cabeza de las imágenes santas. ‖ Areola. ‖ fig. Gloria que se alcanza por méritos o virtudes. [*Sinón.*: nimbo, halo]

áurico, ca. adj. De oro.

aurícula (al. *Vorhof*, fr. *oreillette du coeur*, ingl. *auricle*, it. *auricola*). f. ANAT. Cada una de las dos cavidades superiores del corazón donde desemboca la sangre que transportan las venas. ‖ BOT. Prolongación de la parte inferior del limbo de las hojas

auricular. adj. Perteneciente o relativo a la aurícula del corazón u oído. ‖ Parte o pieza aislada que se aplica al oído en aparatos telefónicos y en otros.

aurífero, ra. adj. Que lleva o contiene oro.

auriga. m. poét. El que dirige las caballerías que tiran de un carruaje. ‖ n.p.m. ASTR. Constelación boreal, entre Géminis y Perseo.

aurora (al. *Mongenröte*, fr. *aurore*, ingl. *dawn*, it. *aurora*). f. Luz sonrosada que precede inmediatamente a la salida del Sol. ‖ fig. Principio o primeros tiempos de algo.

auscultación. f. MED. Acción y efecto de auscultar.

auscultar (al. *abhorchen*, fr. *ausculter*, ingl. *to auscultate*, it. *auscultare*). tr. MED. Aplicar el oído o estetoscopio a puntos del cuerpo humano para explorar los sonidos y ruidos en las cavidades del pecho y vientre.

ausencia (al. *Abwesenheit*, fr. *absence*, ingl. *absence*, it. *assenza*). f. Acción y efecto de ausentarse o de estar ausente. ‖ Tiempo en que alguno está ausente. ‖ Falta o privación de una cosa. ‖ PSICO. Distracción del ánimo respecto de la situación o acción en que se encuentra el sujeto. ‖ *brillar algo, o alguien, por su ausencia.* loc. fam. No estar presente una persona o cosa donde era de esperar. [*Antón.*: presencia]

ausentar (al. *fortgehen*, fr. —*s'* —*absenter*, ingl. *to go away*, it. *assentar —si—*). tr. Hacer que uno parta o se ausente de un lugar. ‖ r. Separarse de una persona o lugar. [*Sinón.*: alejar, evadirse. *Antón.*: presentar, aparecer]

ausente (al. *abwesend*, fr. *absent*, ingl. *absent*, it. *assente*). adj. Dícese del que está separado de una persona o lugar. Ú.t.c.s.

auspiciar. tr. *Amer.* Proteger, patrocinar.

auspicio (al. *Anzeichen*, fr. *auspice*, ingl. *auspice*, it. *auspicio*). m. Agüero. ‖ Protección, favor. ‖ pl. Señales prósperas o adversas que en el comienzo de un negocio parecen presagiar su buena o mala terminación.

austeridad (al. *Strenge*, fr. *austérité*, ingl. *austerity*, it. *austerità*). f. Calidad de austero. ‖ Mortificación de los sentidos y pasiones.

austero, ra. adj. Agrio, áspero al gusto. ‖ Mortificado, penitente. ‖ Severo, rígido.

austral (al. *südlich*, fr. *austral*, ingl. *southern*, it. *australe*). adj. GEOGR. Perteneciente al austro y en general al polo y hemisferio del mismo nombre. [*Sinón.*: meridional, antártico]

australiano, na. adj. Natural de Australia. Ú.t.c.s. ‖ Perteneciente o relativo a este continente de Oceanía.

austríaco, ca. adj. Natural de Austria. Ú.t.c.s. ‖ Perteneciente o relativo a esta nación.

austro. m. Viento que sopla de la parte del Sur. ‖ Sur, punto cardinal.

autarquía (al. *Autarkie*, fr. *autarchie*, ingl. *autarchy*, it. *autarchia*). f. Poder para gobernarse a sí mismo. ‖

ECON. Estado de un país o territorio que procura basarse en sus recursos, evitando las importaciones.

autárquico, ca. adj. Relativo a la autarquía económica.

auténtica. f. Certificación con que se testifica la identidad y verdad de algo. ‖ Copia autorizada de una orden, carta, etc.

autenticación. f. Acción y efecto de autenticar.

autenticar. tr. Autorizar o legalizar algo. ‖ Acreditar, dar fama.

autenticidad. f. Calidad de auténtico.

auténtico, ca (al. *echt*, fr. *authéntique*, ingl. *authentic*, it. *autentico*). adj. Autorizado o legalizado, que hace fe pública. [*Sinón.*: original, legítimo, genuino. *Antón.*: falso]

autentificar. tr. Autenticar.

autillo. m. ZOOL. Ave rapaz nocturna, parecida a la lechuza.

auto. m. DER. Resolución judicial que decide cuestiones para las que no se requiere sentencia. ‖ LIT. Breve composición dramática en que suelen intervenir personajes bíblicos o alegóricos. ‖ pl. DER. Conjunto de actuaciones de un procedimiento judicial. ‖ m. abrev. de automóvil.

auto—. Prefijo de algunas voces con el significado de "propio o por uno mismo".

autobiografía (al. *Selbstbiographie*, fr. *autobiographie*, ingl. *autobiography*, it. *autobiografia*). f. Vida de una persona escrita por ella misma.

autobombo. m. fest. Elogio desmesurado y público que hace uno de sí mismo.

autobús (al. *Omnibus*, fr. *autobus*, ingl. *bus*, it. *autobus*). m. Ómnibus automóvil que se emplea en el servicio urbano.

autocamión. m. Camión automóvil.

autocar. m. Autobús para el turismo.

autocarril. m. *Amer.* Autovía.

autoclave (al. *Drucktopf*, fr. *autoclave*, ingl. *autoclave*, it. *autoclave*). f. Aparato hermético que se usa para esterilizar por medio de vapor a presión los instrumentos empleados en curas quirúrgicas.

autocracia. f. SOCIOL. Sistema de gobierno en el cual la voluntad de un solo hombre es la suprema ley.

autócrata. com. Persona que ejerce por sí sola la autoridad suprema en un estado.

autocrítica. f. Crítica de sí mismo. ‖

Crítica de una obra hecha por su propio autor.

autóctono, na. adj. Aplícase a los pueblos o gentes originarios del mismo país en que viven. Ú.t.c.s. ‖ Dícese de lo que ha nacido o se ha originado en el mismo lugar donde se encuentra. [*Sinón.*: indígena, aborigen]

autodeterminación al. *Selbsbestmmung,* fr. *autodétermination,* ingl. *self-determination,* it. *autodeterminazione*). f. Decisión de los pobladores de una unidad territorial acerca de su futuro estatuto político.

autodidacto, ta. adj. Que se instruye por sí mismo. Ú.t.c.s.

autódromo (al. *Autorennbahn,* fr. *autodrome,* ingl. *racing track,* it. *autodromo*). m. Pista construida especialmente para que corran por ella automóviles, ya con fines de competición ya para estudiar sus características en funcionamiento.

autoencendido. m. TÉCN. Encendido intempestivo de la mezcla de carburante de los cilindros de un motor de combustión interna.

autoescuela. f. Escuela para enseñar a conducir automóviles.

autógeno, na. adj. TÉCN. Se dice de la soldadura de metales que se hace, sin intermedio de materia extraña, fundiendo las partes por donde se hace la unión.

autogiro. m. AER. Aparato de aviación provisto de una hélice horizontal formada de grandes palas que permiten al aparato tomar tierra casi verticalmente.

autognosis. f. Conocimiento de sí mismo; reflexión sobre sí mismo.

autografía. f. IMP. Procedimiento por el cual un escrito se traslada a una piedra preparada para sacar varios ejemplares del mismo.

autografiar. tr. Reproducir algo por medio de la autografía.

autógrafo, fa. adj. Aplícase al escrito de mano de su mismo autor. Ú.t.c.s.m.

autoignición. f. TÉCN. Autoencendido.

autoinducción. f. FÍS. Producción de una fuerza electromotriz en un circuito por la variación de corriente que pasa por él.

automación. f. *Neol.* Acción de un ingenio capaz de autocontrolarse y programar su actuación frente a situaciones externas nuevas.

autómata (al. *Automat,* fr. *automate,* ingl. *automaton,* it. *automata*). m. Aparato que encierra dentro de sí el mecanismo que le imprime movimiento. ‖ Máquina que imita la figura y los movimientos de un ser animado. ‖ fig. y fam. Persona que se deja dirigir por otra.

automático, ca. adj. Perteneciente o relativo al autómata, al automatismo o a la automación. ‖ TÉCN. Se aplica a los mecanismos que funcionan en todo o en parte por sí solos; dícese también de su funcionamiento. ‖ fig. Maquinal o indeliberado. ‖ m. Corchete o cierre en dos piezas que se unen para sujetar dos lados o partes de una pieza de ropa. ‖ f. Ciencia que trata de sustituir en un proceso el operador humano por dispositivos mecánicos o electrónicos.

automatismo (al. *Uwnillkürlichkeit,* fr. *automatisme,* ingl. *automatism,* it. *automatismo*). m. FISIOL. Ejecución de actos diversos sin participación de la voluntad.

automatización. f. Acción y efecto de automatizar.

automatizar. tr. Convertir ciertos movimientos corporales en movimientos automáticos o indeliberados. ‖ Aplicar la automática a un proceso, a un dispositivo, etc.

automotor, ra. adj. TÉCN. Máquina o aparato que ejecuta determinados movimientos sin la intervención directa de acción exterior. Ú.t.c.s.

automotriz. adj. f. Automotora.

automóvil (al. *Kraftfahrzeug,* fr. *automobile,* ingl. *motor car,* it. *automobile*). adj. Que se mueve por sí mismo. ‖ m. Coche con motor que se conduce sin necesidad de carriles.

automovilismo. m. Conjunto de conocimientos referentes a la construcción, funcionamiento y manejo de vehículos automóviles. ‖ Ejercicio del que conduce un automóvil.

automovilista. com. Persona que conduce un automóvil.

autonomía (al. *Autonomie,* fr. *autonomie,* ingl. *home-rule,* it. *autonomia*). f. Estado y condición del pueblo que goza de plena independencia política. ‖ Concepción del individuo para el que ciertos conceptos no depende de nadie. ‖ POLIT. Potestad que dentro de un Estado pueden gozar municipios, provincias, nacionalidades, etc., para autogobernarse según determinados estatutos. ‖ Capacidad máxima de un vehículo aéreo, marítimo o terrestre, para efectuar un recorrido ininterrumpido sin repostarse.

autónomo, ma. adj. Que goza de autonomía.

autopista (al. *Autobahn,* fr. *autoroute,* ingl. *motorway,* it. *autostrada*). f. Carretera con calzadas separadas para ambas direcciones, sin otros caminos que la atraviesen y reservada para vehículos automóviles.

autopropulsión. f. Acción de trasladarse una máquina por su propia fuerza motriz.

autopsia (al. *Totenschau,* fr. *autopsie,* ingl. *autopsy,* it. *autopsia*). f. MED. Examen anatómico del cadáver para averiguar las causas de la muerte.

autor, ra (al. *Urheber,* fr. *auteur,* ingl. *author,* it. *autore*). s. El que es causa de alguna cosa, o que la inventa. ‖ Persona que ha hecho alguna obra científica, literaria o artística. ‖ DER. En lo criminal, persona que comete el delito, o fuerza, induce o coopera directamente a su ejecución.

autoridad (al. *Autoritat,* fr. *autorité,* ingl. *authority,* it. *autorità*). f. Carácter o representación de una persona por su empleo, mérito o nacimiento. ‖ Potestad, facultad. ‖ Poder de una persona sobre otra que le está subordinada. ‖ Persona revestida de algún poder, mando o magistratura. ‖ Crédito y fe que se da a una persona o cosa en determinada materia. ‖ Texto o expresión de un libro o escrito que se citan en apoyo de lo que se dice.

autoritario, ria. adj. Que se funda exclusivamente en la autoridad. ‖ Persona excesivamente partidaria del principio de autoridad. Ú.t.c.s.

autoritarismo. m. Sistema fundado en la sumisión incondicional a la autoridad.

autorización. f. Acción y efecto de autorizar. ‖ Permiso.

autorizar (al. *ermächtigen,* fr. *autoriser,* ingl. *to authorize,* it. *autorizzare*). tr. Dar a uno autoridad o facultad para hacer algo. ‖ Dar fe el escribano o notario en un documento. ‖ Confirmar o comprobar algo con autoridad de alguien. ‖ Permitir. [*Sinón.*: conceder; acreditar. *Antón.*: denegar; desautorizar; desaprobar]

autorretrato. m. PINT. Retrato de una persona hecho por ella misma.

autoservicio. m. Establecimiento comercial al por menor, en el que el comprador se sirve a sí mismo y paga a la salida. [*Sinón.*: supermercado]

autostop o **auto-stop.** m. Sistema de viajar por medio de coches a los que se para en la carretera.

autostopista. m. Persona que viaja por medio de autostop.

autosugestión. f. MED. Sugestión que nace espontáneamente en una persona, sin que intervenga influencia exterior.

autótrofo, fa. adj. BIOL. Dícese del organismo capaz de elaborar su propia materia orgánica.

autovía. f. Coche ferroviario propulsado por un motor de combustión interna. || Carretera amplia para la circulación rápida de vehículos automóviles.

auxiliar (al. *hilfs*, fr. *auxiliaire*, ingl. *auxiliary*, it. *ausiliario*). adj. Que auxilia. Ú.t.c.s. || GRAM. ↗ verbo auxiliar. || com. Funcionario subalterno. || Profesor que sustituye al catedrático o le ayuda en su labor.

auxiliar. tr. Dar auxilio. || Ayudar a bien morir.

auxiliaría. f. Empleo de auxiliar.

auxilio (al. *Hilfe*, fr. *assistance*, ingl. *assistance*, it. *ausilio*). m. Ayuda, socorro, amparo.

aval (al. *Garantieschein*, fr. *aval*, ingl. *endorsement*, it. *avallo*). m. COM. Firma que se pone al pie de una letra o documento análogo, para responder de su pago. || Escrito en que uno responde de la conducta de otro.

avalancha. f. Alud.

avalar (al. *bürgen*, fr. *donner son aval*, ingl. *to vouch*, it. *avvallare*). tr. Garantizar por medio de aval.

avalista. com. Persona que avala.

avalorar. tr. Dar valor a algo. || fig. Infundir ánimo.

avaluar. tr. Valuar.

avancarga (de). loc. Dícese de las armas de fuego que se cargan por la boca.

avance (al. *Vörrucken*, fr. *avancement*, ingl. *advance*, it. *avanzamento*). m. Acción de avanzar, mover o prolongar hacia adelante. || Anticipo de dinero. || Avanzo. || Fragmentos de una película que se proyectan antes de su estreno con fines publicitarios. [*Sinón.*: progreso, adelanto. *Antón.*: retraso]

avante. adv. l. y t. Adelante.

avantrén. m. ART. Juego delantero de los carruajes de que se sirve la artillería.

avanzada. f. MIL. Partida de soldados destacada para observar al enemigo de cerca y precaver sorpresas.

avanzadilla. f. MIL. Pequeña avanzada.

avanzar (al. *fortschreiten*, fr. *avancer*, ingl. *to proceed*, it. *andare avanti*). intr. Ir hacia adelante. Ú.t.c.r. || Tratándose de tiempo, acercarse a su fin.

Ú.t.c.r. || fig. Adelantar, progresar o mejorar en la acción, estado o condición. [*Sinón.*: acometer. *Antón.*: retroceder]

avanzo. m. Balance de un comerciante. || Presupuesto de una obra.

avaricia (al. *Geiz*, fr. *avarice*, ingl. *avarice*, it. *avarizia*). f. Afán desordenado de poseer y adquirir riquezas para atesorarlas. [*Sinón.*: avidez, ambición, codicia]

avaricioso. adj. Avariento.

avariento, ta. adj. Que tiene avaricia.

avaro, ra (al. *geizig*, fr. *avare*, ingl. *miser*, it. *avaro*). adj. Avariento. Ú.t.c.s. || fig. Que reserva, oculta o escatima algo. [*Sinón.*: ávido, ambicioso, codicioso. *Antón.*: derrochador, generoso]

avasallar. tr. Sujetar, rendir o someter a obediencia. [*Sinón.*: atropellar, sojuzgar, humillar]

avatar. m. Reencarnación, tranformación. || Fase, cambio, vicisitud. Ú.m. en pl.

ave (al. *Vogel*, fr. *oiseau*, ingl. *bird*, it. *ucello*). f. ZOOL. Animal vertebrado, ovíparo, de respiración pulmonar y sangre de temperatura constante, pico córneo, cuerpo cubierto de plumas, con dos patas y dos alas comúnmente aptas para el vuelo. || pl. Clase de estos animales. || — *rapaz*, o *de rapiña.* Cualquiera de las carnívoras que tienen pico y uñas muy robustos y encorvados, como el águila. || fig. Persona que se apodera con violencia o astucia de lo que no es suyo.

avecinar. tr. Acercar. Ú.m.c.r. || Avecindar. Ú.m.c.r.

avecindar. tr. Admitir a alguno en el número de vecinos de un pueblo. || r. Establecerse en un pueblo en calidad de vecino.

avejentar. tr. Poner a uno en estado de parecer viejo sin serlo. Ú.m.c.r. [*Sinón.*: envejecer, estropear]

avellana (al. *Haselnuss*, fr. *noisette*, ingl. *hazelnut*, it. *nocciola*). f. BOT. Fruto del avellano; es casi esférico, de corteza dura, delgada y de color canela. Su carne, cubierta por una película rojiza, es aceitosa y de gusto agradable.

avellanar. tr. MEC. Ensanchar los agujeros para los tornillos, a fin de que la cabeza de éstos quede embutida en la pieza taladrada. || r. Arrugarse o ponerse enjuta, como las avellanas secas, una persona o cosa.

avellano (al. *Haselstrauch*; fr. *cou-*

drier, noisetier; ingl. *hazel;* it. *avellano*). m. BOT. Arbusto betuláceo, de hojas ovales. Se cultiva por sus frutos comestibles. || Madera de este árbol.

avemaría. f. Oración que empieza con las palabras con que al arcángel San Gabriel saludó a la Virgen. || Cada una de las cuentas pequeñas del rosario. || Ángelus.

avena (al. *Hafer*, fr. *avoine*, ingl. *oats*, it. *avena*). f. BOT. Planta gramínea que se cultiva para alimento de caballerías y otros animales. || Conjunto de granos de esta planta.

avenar. tr. Dar salida a las aguas muertas o a la excesiva humedad por medio de zanjas o cañerías. [*Sinón.*: desaguar]

avenate. m. Bebida hecha de avena mondada, cocida en agua y molida.

avenencia. f. Convenio, transacción. || Conformidad y unión. [*Antón.*: disconformidad, discrepancia]

avenida (al. *Flut, beite Strasse;* fr. *débordement, avenue;* ingl. *flood, avenue;* it. *inondazione, corso*). f. Creciente impetuosa de un río o arroyo. || Vía ancha con árboles a los lados. || fig. Concurrencia de varias cosas. [*Sinón.*: riada, crecida, paseo]

avenido, da. adj. Con los adverbios *bien* o *mal,* concorde o conforme con personas o cosas, o al contrario.

avenir. tr. Concordar, ajustar las partes discordes. Ú.m.c.r. || intr. Suceder, efectuarse un hecho. || r. Componerse o entenderse bien con una persona o cosa. || Amoldarse, conformarse, resignarse. || Hallarse las cosas en armonía o conformidad.

aventador, ra. adj. Dícese del que avienta y limpia los granos. Ú.t.c.s. || m. Bieldo. || Soplillo o abanico.

aventajado, da. adj. Que aventaja a lo ordinario o común en su línea; notable. || Ventajoso, conveniente.

aventar. tr. Hacer o echar aire a algo. || Echar viento a los granos en la era, para limpiarlos. || Impeler el viento alguna cosa.

aventura (al. *abenteuer*, fr. *aventure*, ingl. *adventure*, it. *avventura*). f. Acaecimiento, suceso extraño. || Contingencia, casualidad. || Riesgo; empresa de resultado incierto.

aventurado, da. adj. Arriesgado, atrevido, inseguro.

aventurar. tr. Arriesgar, poner en peligro. Ú.t.c.r. Decir una cosa atrevida o de la que se tiene duda. [*Sinón.*: tentar, osar]

aventurero, ra (al. *Abenteuer*, fr.

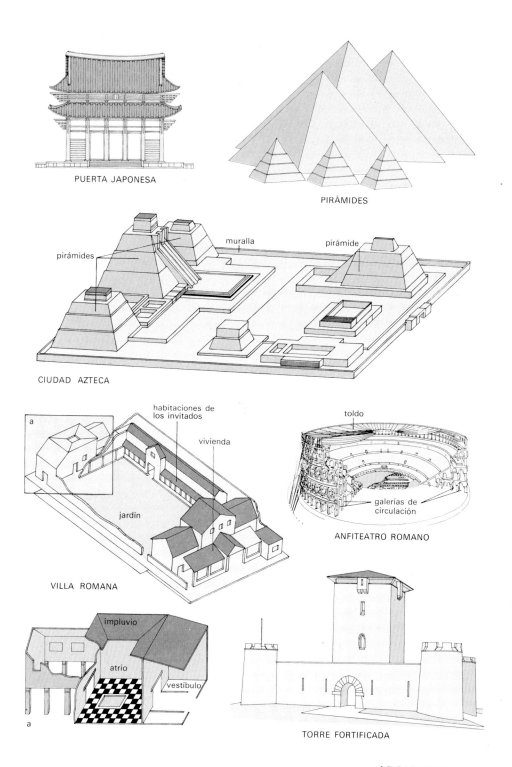

PUERTA JAPONESA

PIRÁMIDES

pirámides   muralla   pirámide

CIUDAD AZTECA

a

habitaciones de
los invitados

vivienda

jardín

VILLA ROMANA

toldo

galerías de
circulación

ANFITEATRO ROMANO

impluvio

atrio

vestíbulo

a

TORRE FORTIFICADA

ARQUITECTURA

ARQUITECTURA

INSTALACIONES DE UN CENTRO DE FERIAS Y CONGRESOS

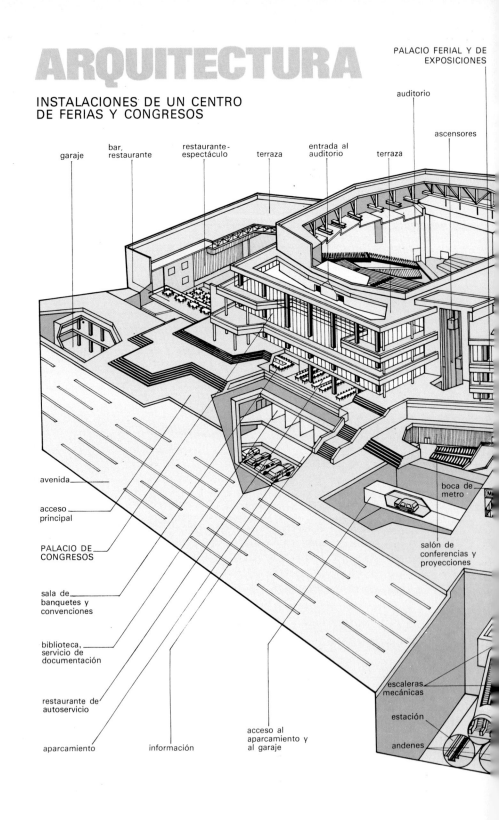

PALACIO FERIAL Y DE EXPOSICIONES

auditorio

ascensores

garaje

bar, restaurante

restaurante-espectáculo

terraza

entrada al auditorio

terraza

avenida

acceso principal

PALACIO DE CONGRESOS

boca de metro

salón de conferencias y proyecciones

sala de banquetes y convenciones

biblioteca, servicio de documentación

restaurante de autoservicio

escaleras mecánicas

estación

aparcamiento

información

acceso al aparcamiento y al garaje

andenes

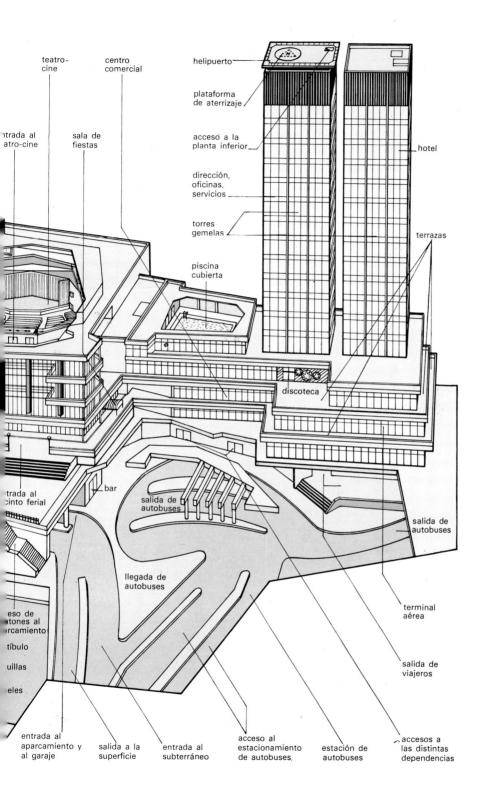

teatro-
cine

centro
comercial

helipuerto

entrada al
teatro-cine

sala de
fiestas

plataforma
de aterrizaje

acceso a la
planta inferior

hotel

dirección,
oficinas,
servicios

torres
gemelas

terrazas

piscina
cubierta

discoteca

entrada al
recinto ferial

bar

salida de
autobuses

salida de
autobuses

llegada de
autobuses

acceso de
peatones al
aparcamiento

terminal
aérea

vestíbulo

taquillas

salida de
viajeros

hoteles

entrada al
aparcamiento y
al garaje

salida a la
superficie

entrada al
subterráneo

acceso al
estacionamiento
de autobuses,

estación de
autobuses

accesos a
las distintas
dependencias

PALACIO DE DEPORTES

RASCACIELOS

ARCO DE TRIUNFO

CENTRO DE CONGRESOS

oficinas

taquillas

voladizo

vías →

vestíbulo

ESTACIÓN DE FERROCARRIL

ARQUITECTURA

aventurier, ingl. *adventurer,* it. *avventuriero*). adj. Que busca aventuras. ‖ Se aplica a la persona que por medios reprobados trata de conseguir un puesto que no le pertenece.

avergonzar (al. *beschämen,* fr. *faire honte,* it. *far vergognare*). tr. Causar vergüenza. ‖ r. Tener o sentir vergüenza. [*Sinón.:* abochornar, afrentar. *Antón.:* presumir, alardear]

avería. f. Lugar donde se crían aves. ‖ Averío.

avería (al. *Havarie,* fr. *havarie,* ingl. *damage,* it. *avaria*). Daño que padecen las mercancías o géneros. ‖ fam. Azar o perjuicio. ‖ Daño que impide el funcionamiento de un aparato, vehículo, etc. [*Sinón.:* accidente, percance]

averiar (al. *verderben,* fr. *—se— détériorer,* it. *to be damaged,* it. *avariarsi*). tr. Producir avería. Ú.t.c.r. ‖ r. Echarse a perder o estropearse una cosa.

averiguación. f. Acción y efecto de averiguar.

averiguar (al. *ermitteln,* fr. *rechercher,* ingl. *to inquire,* it. *verificare*). tr. Inquirir la verdad hasta descubrirla.

averío. m. Conjunto de muchas aves. [*Sinón.:* bandada]

averno. m. poét. Infierno.

averroísmo. m. Sistema y doctrina del filósofo árabe Averroes.

averroísta. adj. Que profesa el averroísmo. Apl. a pers., ú.t.c.s.

aversión (al. *Abniegung,* fr. *aversion,* ingl. *aversion,* it. *avversione*). f. Oposición y repugnancia que se tiene a una persona o cosa. [*Sinón.:* antipatía, rencor. *Antón.:* simpatía]

avestruz (al. *Strauss,* fr. *autruche,* ingl. *ostrich,* it. *struzzo*). m. ZOOL. Ave corredora, la mayor de las conocidas. Tiene el cuello largo y las patas robustas y de gran longitud, con sólo dos dedos en cada una de ellas.

avetoro. m. ZOOL. Especie de garza de color leonado con pintas pardas.

avezar. tr. Acostumbrar. Ú.t.c.r.

aviación (al. *Luftschiffahrt,* fr. *aviation,* ingl. *aviation,* it. *aviazione*). f. Locomoción aérea por medio de aparatos más pesados que el aire. ‖ MIL. Cuerpo militar que utiliza este medio para la guerra.

aviador, ra. adj. Persona que gobierna o tripula un aparato de aviación. Ú.t.c.s. ‖ m. Individuo que sirve en la aviación militar.

aviar. tr. Prevenir o disponer algo para el camino. ‖ Aderezar la comida. ‖

fam. Alistar, aprestar, componer. Ú.t.c.r. ‖ fam. Avivar la ejecución de lo que se está haciendo. ‖ fam. Proporcionar a uno lo que le hace falta para algo. Ú.t.c.r. ‖ *Amer.* Prestar dineros o efectos a labrador, ganadero o minero. ‖ *estar* uno *aviado.* fig. y fam. Estar rodeado de dificultades.

aviario, ria. adj. Perteneciente o relativo a las aves. ‖ m. Colección de aves.

avícola. adj. Perteneciente o relativo a la avicultura.

avicultor, ra. s. Persona que se dedica a la cría de aves.

avicultura (al. *Geflügelzucht,* fr. *aviculture,* ingl. *aviculture,* it. *avicultura*). f. Arte de criar y fomentar la reproducción de las aves y aprovechar sus productos.

avidez. f. Ansia, codicia.

ávido, da. adj. Ansioso, codicioso.

avieso, sa. adj. Torcido, fuera de regla. ‖ fig. Malo o mal inclinado. [*Sinón.:* perverso, siniestro]

avilés, sa. adj. Natural de Ávila. Ú.t.c.s. ‖ Perteneciente o relativo a esta ciudad o a su provincia.

avinagrado, da. adj. fig. De condición acre y áspera.

avinagrar. tr. Poner agria una cosa. Ú.m.c.r. [*Sinón.:* acedar]

avío. m. Prevención, apresto. ‖ Conveniencia, interés, provecho personal. ‖ *Amer.* Préstamo que se hace al ganadero, labrador o minero. ‖ pl. fam. Utensilios necesarios para alguna cosa.

avión (al. *Flugzeug,* fr. *avion,* ingl. *airplane,* it. *aeroplano*). m. Aeronave más pesada que el aire, provista de alas, cuya sustentación y avance son consecuencia de la acción de uno o varios motores. ‖ — *de caza.* MIL. El de tamaño reducido destinado a combates aéreos.

avioneta. f. Avión pequeño.

avisado, da. adj. Prudente, discreto.

avisador, ra. adj. Que avisa. Ú.t.c.s. ‖ m. Persona que lleva o trae avisos.

avisar (al. *benachrichtigen,* fr. *aviser,* ingl. *to advise,* it. *avvisare*). tr. Dar noticia de un hecho. ‖ Advertir, aconsejar. ‖ Llamar a alguien para que preste un servicio.

aviso (al. *Nachricht,* fr. *avis,* ingl. *advice,* it. *avviso*). m. Noticia, advertencia o consejo dado a alguno. ‖ Indicio, señal. ‖ Precaución, atención, cuidado. ‖ Prudencia, discreción. ‖ *Amer.* Anuncio. ‖ TAUROM. Advertencia que la presidencia hace al espada cuando éste rebasa el tiempo fijado por el reglamento para la faena de matar.

avispa (al. *Wespe,* fr. *guêpe,* ingl. *wasp,* it. *vespa*). f. ZOOL. Insecto himenóptero de color amarillo con fajas negras, que tiene un aguijón con el que pica. Vive en sociedad y fabrica panales.

avispado, da. adj. fig. y fam. Vivo, despierto, agudo.

avispero. m. Panal que fabrican las avispas. ‖ Lugar en que lo fabrican. ‖ Conjunto o multitud de avispas. ‖ fig. Negocio enredado y peligroso.

avispón. m. ZOOL. Avispa mayor que la común, de color rojo pardo.

avistar. tr. Alcanzar una cosa con la vista. ‖ t. Reunirse una persona con otra para tratar algún negocio.

avitaminosis. f. MED. Carencia o escasez de vitaminas.

avituallamiento. m. Acción y efecto de avituallar.

avituallar (al. *verproviantieren,* fr. *ravitailler,* ingl. *to victual,* it. *vettovagliare*). tr. Proveer de vituallas. [*Sinón.:* abastecer, aprovisionar]

avivar (al. *beleben,* fr. *aviver,* ingl. *to quicken,* it. *avvivare*). tr. Dar viveza, excitar, animar. ‖ fig. Encender, acalorar. ‖ fig. Hablando del fuego, hacer que arda más. ‖ fig. Hablando de la luz artificial, hacer que dé más claridad. ‖ fig. Hablando de los colores, ponerlos más encendidos. ‖ Cobrar vida, vigor. Ú.t.c.r.

avizor. adj. *ojo avizor.* ‖ m. el que avizora.

avizorar. tr. Acechar.

—avo, —va. Terminación que se añade a los números cardinales para significar las partes en que se ha dividido la unidad.

avocar. tr. Llamar a sí cualquier superior un negocio que está sometido a examen de un inferior.

avoceta. f. ZOOL. Ave zancuda, de cuerpo blanco con manchas negras, pico largo, delgado y encorvado hacia arriba y cola corta.

avulsión. f. CIR. Extirpación.

avutarda. f. ZOOL. Ave zancuda de color rojo, manchado de negro y blanco, el cuello largo y delgado y las alas pequeñas, de vuelo corto y pesado.

axial. adj. Axil.

axil. adj. Perteneciente o relativo al eje.

axila. f. BOT. Ángulo formado por la articulación de cualquier parte de la planta con el tronco o la rama. ‖ ZOOL. Sobaco.

axilar. adj. HIST. NAT. Perteneciente o relativo a la axila.

axiología. f. Disciplina filosófica que estudia los valores.

axioma (al. *Axioma*, fr. *axiome*, ingl. *axiom*, it. *assioma*). m. Proposición tan clara y evidente que no necesita ni puede demostrarse.

axiomático, ca. adj. Incontrovertible, evidente. ‖ f. Conjunto de axiomas en que se basa una ciencia.

axis. m. ANAT. Segunda vértebra del cuello, sobre la que se verifica el movimiento de rotación de la cabeza.

axonometría. f. Método de perspectiva para representar figuras sólidas en un plano.

¡ay! interj. con la que se expresa aflicción o dolor. ‖ m. Suspiro, quejido.

ayer (al. *gester*, fr. *hier*, ingl. *yesterday*, it. *ierì*). adv. t. En el día que precedió inmediatamente al de hoy. ‖ fig. Poco tiempo ha. ‖ fig. En tiempo pasado. ‖ m. Tiempo pasado.

ayo, ya. s. Persona encargada de cuidar de la crianza de los niños y de custodiarlos.

ayocote. m. *Amer.* Especie de frijol más grueso que el común.

ayote. m. *Amer.* Calabaza, fruto.

ayuda (al. *Hilfe*, fr. *aide*, ingl. *help*, it. *aiuto*). f. Acción y efecto de ayudar. ‖ Persona o cosa que ayuda. ‖ Medicamento líquido que se introduce por el ano. ‖ Lavativa, jeringa. ‖ En equitación, cualquier estímulo que el jinete comunica al caballo. ‖ — de cámara. Servidor adscrito al servicio personal del señor.

ayudado, da. adj. TAUROM. Dícese del pase de muleta en cuya ejecución intervienen las dos manos del matador. Ú.t.c.s.

ayudante (al. *Hilfs*, fr. *aide*, ingl. *assistant*, it. *aiutante*). adj. Que ayuda. ‖ m. En algunos cuerpos y oficinas, oficial subalterno. ‖ Maestro o profesor subalterno. ‖ MIL. Oficial destinado personalmente a las órdenes de un general o jefe superior.

ayudantía. f. Empleo de ayudante. ‖ Oficina de ayudante.

ayudar (al. *helfen, beistehen, zu Hilfe kommen;* fr. *aider, secourir;* ingl. *to aid, to help;* it. *aiutare, soccorrere*). tr. Prestar cooperación. ‖ Por ext., auxiliar, socorrer. ‖ r. Hacer un esfuerzo, poner los medios para el logro de algo. ‖ Valerse de la ayuda de otro.

ayunar (al. *fasten*, fr. *jeûner, to fast*, it. *digiunare*). intr. Abstenerse total o parcialmente de comer o beber. ‖ Privarse o estar privado de algo.

ayuno, na. adj. Que no ha comido. ‖

en ayunas. m. adv. Sin haberse desayunado.

ayuntamiento. m. Acción y efecto de ayuntar o ayuntarse. ‖ Junta, reunión de personas. ‖ Corporación municipal. ‖ Casa consistorial. ‖ Cópula carnal.

azabache (al. *Schwarzer, Bernstein,* fr. *jais*, ingl. *jet*, it. *ge*). m. Variedad del lignito, de color negro y susceptible de pulimento.

azacán, na. adj. Que se ocupa en trabajos humildes y penosos. Ú.t.c.s. ‖ m. Aguador.

azada (al. *Hacke*, fr. *houe*, ingl. *hoe*, it. *vanga*). f. Instrumento que consta de pala de hierro y mango y sirve para cavar tierras roturadas, remover estiércol, etc.

azadón. m. Instrumento parecido a la azada pero con la pala algo curva y más larga que ancha. ‖ Azada.

azafata. f. Criada que sirve a la reina los vestidos y alhajas. ‖ Camarera que sirve en un avión, autocar, etc. ‖ Empleada que atiende al público en viajes, congresos, etc., prestando distintos servicios.

azafrán (al. *Safran*, fr. *safran*, ingl. *safron*, it. *zafferano*). m. Planta herbácea iridácea, de hojas largas y flores de color violeta. ‖ Estigma de las flores de esta planta, usado como colorante, como condimento y en medicina.

azafranado, da. adj. De color de azafrán.

azafranal. m. Sitio sembrado de azafranes.

azafranar. tr. Teñir de azafrán. ‖ Poner azafrán en un líquido. ‖ Mezclar azafrán con otra cosa.

azahar. m. Flor blanca, y por antonomasia la del naranjo, limonero y cidro.

azalea. f. BOT. Arbolito ericáceo cuyas hojas oblongas y flores en corimbo contienen una sustancia venenosa.

azanoria. f. Zanahoria.

azar (al. *Zufal*, fr. *hasard*, ingl. *chance*, it. *azzardo*). Casualidad, caso fortuito. ‖ Desgracia imprevista. ‖ *al azar.* Sin rumbo ni orden. [*Sinón.:* acaso, albur, suerte, accidente, fatalidad. *Antón.:* certeza]

azarar. tr. Conturbar, sobresaltar, avergonzar. Ú.t.c.r. ‖ r. Ruborizarse. ‖ Torcerse un asunto por un caso imprevisto.

azararse. r. *Amer.* Turbarse, avergonzarse. ‖ *Amer.* Irritarse, enfadarse.

azaroso, sa. adj. Que tiene en sí azar o desgracia. ‖ Turbado, temeroso.

ázimo. adj. *pan ázimo.*

azoar. tr. QUÍM. Impregnar de ázoe o nitrógeno. Ú.t.c.r.

ázoe. m. QUÍM. Nitrógeno.

azófar. m. Latón.

azogar. tr. Cubrir con azogue una cosa. ‖ Apagar la cal rociándola con agua. ‖ r. Contraer la enfermedad producida por la absorción de los vapores de azogue. ‖ fig. y fam. Turbarse y agitarse mucho.

azogue (al. *Quecksilber*, fr. *mercure*, ingl. *quicksilver*, it. *mercurio*). m. Mercurio, metal.

azolar. tr. CARP. Desbastar la madera con azuela.

azolvar. tr. Cegar con alguna cosa un conducto. Ú.t.c.r.

azor (al. *Habicht*, fr. *autour*, ingl. *hawk*, it. *astore*). m. ZOOL. Ave de rapiña, de alas y pico negros, cola ceniciena manchada de blanco y patas amarillas.

azoramiento. m. Acción y efecto de azorar o azorarse.

azorar. tr. Asustar, perseguir o alcanzar el azor a las aves. ‖ fig. Conturbar, sobresaltar, avergonzar. Ú.t.c.r. ‖ fig. Irritar, infundir ánimo. Ú.t.c.r.

azotacalles. com. fig. y fam. Persona ociosa que anda continuamente callejeando. [*Sinón.:* vagabundo, vago, trotacalles]

azotado, da. adj. De varios colores unidos confusamente y sin orden. ‖ m. Reo castigado con pena de azotes.

azotaina. f. fam. Zurra de azotes.

azotamiento. m. Acción y efecto de azotar o azotarse.

azotar (al. *schlagen*, fr. *fouetter*, ingl. *to whip*, it. *staffilare*). tr. Dar azotes. Ú.t.c.r. ‖ Dar golpes con la cola o con las alas. ‖ Cortar el aire con violencia. ‖ fig. Golpear una cosa o dar repetida y violentamente contra ella. [*Sinón.:* fustigar, flagelar]

azote. m. Instrumento formado con cuerdas anudadas, y a veces erizadas de puntas, con que se castigaba a los delincuentes. ‖ Cualquier instrumento que sirve para azotar. ‖ Golpe dado con el azote. ‖ Golpe dado en las nalgas con la mano. ‖ Golpe repetido del agua o del aire. ‖ fig. Aflicción, calamidad, castigo grande. ‖ fig. Persona que es causa de este castigo o calamidad.

azotea. f. Cubierta llana de un edificio por la que se puede andar. [*Sinón.:* terrado]

azteca. adj. Dícese del individuo de un antiguo pueblo dominador del territorio de México. Ú.t.c.s. ‖ Perteneciente a este pueblo. ‖ m. Idioma azteca.

azúcar (al. *Zucker*, fr. *sucre*, ingl. *sugar*, it. *zucchero*). amb. Cuerpo sólido, cristalizable, de color blanco en estado puro, soluble en agua y en alcohol y de sabor muy dulce. Se extrae de la caña dulce, de la remolacha y de otros vegetales. ‖ QUÍM. Nombre genérico de varios hidratos de carbono, de sabor dulce, como la sacarosa, la glucosa, etc. ‖ — *cande* o *candi*. El obtenido por evaporación lenta, en cristales grandes. ‖ — *lustre*. El molido y pasado por cedazo. ‖ — *de pilón*. El refinado, obtenido en panes de figura cónica.

azucarado, da. adj. Semejante al azúcar en el gusto.

azucarar. tr. Bañar con azúcar. ‖ Endulzar con azúcar. ‖ r. Bañar con almíbar. ‖ *Amer.* Cristalizarse el almíbar de las conservas.

azucarera. f. Vasija para poner azúcar en la mesa. ‖ Fábrica en que se extrae y elabora el azúcar.

azucarería. f. *Amer.* Tienda donde se vende azúcar al por menor.

azucarero, ra. adj. Relativo al azúcar. ‖ s. Persona técnica en la fabricación de azúcar.

azucarillo. m. Porción de masa esponjosa hecha con almíbar, clara de huevo y zumo de limón, propia para endulzar un líquido.

azucena (al. *Lilienjasmin*, fr. *lis blanc*, ingl. *lily*, it. *giglio*). f. BOT. Planta liliácea, de flores blancas y grandes y muy olorosas. ‖ Flor de esta planta.

azud. m. Máquina con que se saca agua de los ríos. [*Sinón.*: noria]

azuela. f. Herramienta de carpintero que sirve para desbastar.

azufaifa. f. Fruto del azufaifo; es una drupa elipsoidal dulce y comestible.

azufaifo. m. BOT. Árbol ramnáceo, de cinco a seis metros de altura, tronco tortuoso y ramas ondeadas, llenas de aguijones rectos, que nacen de dos en dos; hojas alternas, festoneadas y lustrosas, y flores pequeñas y amarillas. Su fruto es la azufaifa.

azufrado, da. adj. Sulfuroso. ‖ Parecido en el color al azufre. ‖ m. Acción y efecto de azufrar.

azufrar (al. *schwefeln*, fr. *soufrer*, ingl. *to sulphurate*, it. *solforare*). tr. Echar azufre en una cosa. ‖ Dar o impregnar de azufre. ‖ Sahumar con él.

azufre (al. *Schwefel*, fr. *soufre*, ingl. *sulphur*, it. *solfo*). m. QUÍM. Metaloide sólido, de color amarillo, que funde a temperatura poco elevada y arde con llama azul. Abunda en estado nativo.

azufrera. f. Mina de azufre.

azul (al. *blau*, fr. *bleu*, ingl. *blue*, it. *azzurro*). adj. Del color del cielo sin nubes. Ú.t.c.s. Es el quinto color del espectro solar. ‖ m. Materia colorante azul. ‖ — *celeste*. El más claro. ‖ — *de Prusia*. Sustancia de color azul subido, compuesta de cianógeno y hierro, que se usa en pintura. ‖ — *marino*. Azul oscuro.

azular. tr. Dar o teñir de añil.

azulear. intr. Mostrar alguna cosa el color azul que en sí tiene. ‖ Tirar a azul.

azulejería. f. Oficio de azulejero. ‖ Obra hecha o revestida de azulejos.

azulejero. m. El que hace azulejos.

azulejo (al. *Kachel*, fr. *carreau de faïence*, ingl. *wall-tile*, it. *formellato*). m. Ladrillo vidriado, de varios colores, que sirve para frisos, letreros de calles, etcétera.

azulete. m. Sustancia de color azul que se utiliza para dar lustre a la ropa blanca. ‖ Tono azulado dado a la ropa blanca.

azulino, na. adj. Que tira a azul.

azuloso, sa. adj. Azulado.

azumar. tr. Teñir los cabellos con algún zumo que les dé lustre o color.

azumbrado, da. adj. Medido por azumbres. ‖ fig. y fam. Borracho.

azumbre. amb. Medida de capacidad para líquidos. Equivale a 2 l y 16 ml. Ú.m.c.f.

azur. adj. BLAS. De color azul; en grabado se representa por líneas horizontales. Ú.t.c.s.m.

azurita. f. Carbonato de cobre hidratado, de color azul de añil.

azuzar (al. *hetzen*, fr. *exciter*, ingl. *to set on dogs*, it. *incitare*). tr. Incitar a los perros para que acometan. ‖ fig. Irritar, estimular.

b. f. Segunda letra del abecedario español y primera de sus consonantes. Su nombre es *be*.

baba (al. *Geifer*, fr. *bave*, ingl. *drivel*, it. *bava*). f. Líquido espeso y pegajoso que segregan por la superficie del cuerpo las babosas y otros moluscos terrestres. || Saliva de los mamíferos cuando fluye de la boca. || Líquido de las glándulas de algunos gusanos que, segregado en forma de hilos, forma la seda. || fig. *Amer*. Palabrería, dicho insustancial. || *caersele a uno la baba*. fr. fig. y fam. con que se da a entender que es bobo, o que experimenta gran complacencia viendo u oyendo alguna cosa.

babaza. f. Baba que segregan algunos animales y plantas. || Babosa, molusco.

babear (al. *geifern*, fr. *baver*, ingl. *to drivel*, it. *sbavazzare*). intr. Echar de sí la baba. || fig. y fam. Obsequiar a una mujer con excesivo rendimiento. [*Sinón*.: espumajear]

babel. amb. fig. y fam. Lugar en que reina gran desorden y confusión. || fig. y fam. Desorden y confusión. [*Sinón*.: barullo, barahúnda]

babeo m. Acción de babear.

babero. m. Pieza de tela que se coloca a los niños pendiente del cuello para que no se manchen. || Trozo de lienzo que, a manera de peto, usan ciertas órdenes religiosas.

babieca. com. fam. Persona floja y boba. Ú.t.c.adj.

babilónico, ca. adj. Perteneciente o relativo a Babilonia. || fig. Fastuoso.

babilonio, nia. adj. Natural de Babilonia. Ú.t.c.s.

babilla f. En los cuadrúpedos, región de las extremidades posteriores, formada por los músculos y tendones que articulan el fémur con la tibia y la rótula.

babirusa. m. ZOOL. Especie de cerdo salvaje parecido al jabalí, pero de mayor tamaño y con grandes colmillos, que en el macho se encorvan hacia atrás. Se cría en Insulindia.

bable. m. Dialecto que se habla en Asturias. || LING. Modalidad adoptada por un dialecto en un determinado territorio.

babor (al. *Backbord*, fr. *babord*, ingl. *larboard*, it. *babordo*). m. MAR. Lado izquierdo de la embarcación, mirando de popa a proa.

babosa. f. ZOOL. Molusco gasterópodo, sin concha, que segrega en su marcha una baba clara y pegajosa.

babosear. tr. Llenar o rociar de babas. [*Sinón*.: babear]

baboso, sa. adj. Aplícase a la persona que echa muchas babas. Ú.t.c.s. || fig. y fam. Aplícase al que no tiene edad o condiciones para lo que hace, dice o intenta. Ú.t.c.s. || fig. Bobo, simple. Ú.t.c.s.

babucha. f. Zapato ligero y sin tacón, usado principalmente por los moros. || *a babuchas*. m. adv. *Amer*. A cuestas.

baca. f. Parte superior de algunos carruajes donde pueden ir pasajeros y se colocan equipajes o bultos, resguardados con una cubierta. || Esta cubierta. || Parrilla que se coloca en el techo de los automóviles para llevar paquetes; portaequipaje.

bacalada. f. Bacalao curado.

bacalao (al. *Stockfisch*, fr. *morue*, ingl. *codfish*, it. *baccalà*). m. Pez teleósteo de cuerpo simétrico y cabeza muy grande. Su carne es comestible y se conserva salada y prensada. || *cortar el bacalao*. fig. y fam. Mandar o disponer de hecho en una colectividad o en un asunto. [*Sinón*.: abadejo]

bacanal. adj. Perteneciente al dios Baco. Aplícase a las fiestas que se celebraban en honor de este dios. Ú.m.c.s.f. y en pl. || f. fig. Orgía con desorden y tumulto. [*Sinón*.: jolgorio, francachela]

bacanora f. *Amer*. Bebida alcohólica que se obtiene del pulque.

bacante. f. Mujer que celebraba las fiestas bacanales. || fig. Mujer descocada y lúbrica.

bacará. m. Cierto juego de naipes.

bacarrá. m. Bacará.

baceta. f. Naipes que quedan sin repartir después de haber dado a cada jugador los que le corresponden.

bacía. f. Vasija, pieza cóncava. || La que utilizan los barberos para remojar la barba.

bacilar. adj. Perteneciente o relativo a los bacilos.

bacilo (al. *Bazillus*, fr. *bacille*, ingl. *bacillus*, it. *bacilo*). m. Bacteria alargada en forma de bastoncito.

bacillar. m. Viña nueva.

bacín. m. Vaso de barro vidriado, alto y cilíndrico, utilizado para recibir los excrementos. || Bacineta para pedir limosna. [*Sinón*.: orinal]

bacinada. f. Inmundicia arrojada del bacín. || fig. y fam. Acción indigna y despreciable.

bacineta. f. Bacía pequeña para recoger limosna u otros usos.

bacteria (al. *Bakterie*, fr. *bactérie*, ingl. *bacterium*, it. *batterio*). f. BOT. Microorganismo vegetal unicelular, sin clorofila ni núcleo, pero con gránulos de cromatina dispersos en el protoplasma y provisto a veces de flagelos mediante los que se mueve en un medio líquido. Muchas especies viven en las aguas dulces o marinas, en sustancias orgánicas en el suelo y en materias orgánicas en putrefacción; otras son parásitas y más o menos patógenas.

bactericida. adj. Que extermina las bacterias.

bacteriología. f. Parte de la microbiología que tiene por objeto el estudio de todo lo concerniente a las bacterias.

bacteriológico, ca. adj. Perteneciente a la bacteriología.

bacteriólogo, ga. s. Persona que profesa la bacteriología.

bacteriostático, ca. adj. MED. Dícese de las sustancias que impiden o inhiben la reproducción de las bacterias.

báculo. m. Palo o cayado con que se ayudan a andar los que están débiles o los ancianos. ‖ fig. Alivio y consuelo. ‖ —pastoral. El que usan los obispos. [Sinón.: bastón, bordón]

bache (al. *Schlagloch*, fr. *cahot*, ingl. *roadhole*, it. *tocca*). m. Hoyo que se hace en la calle o la carretera. ‖ Interrupción accidental que se produce en una actividad continuada. ‖ Desigualdad de la densidad atmosférica que determina un momentáneo descenso del avión. [Sinón.: agujero, socavón]

bachicha. com. *Amer.* Apodo con que se designa al italiano.

bachiche. m. *Amer.* Bachicha.

bachiller (al. *Abiturient*, fr. *bachelier*, ingl. *bachelor*, it. *baccelliere*). com. Persona que ha recibido el primer grado académico que se otorgaba antes a los estudiantes de facultad. ‖ Persona que ha obtenido el grado que se concede al terminar la segunda enseñanza.

bachiller, ra. s. fig. y fam. Persona que habla mucho y con impertinencia. Ú.t.c. adj.

bachillerato (al. *Abitur*, fr. *baccalauréat*, ingl. *baccalaureate*, it. *baccellierato*). m. Grado de bachiller. ‖ Estudios necesarios para obtenerlo.

bachillería. f. fam. Locuacidad impertinente. ‖ fam. Cosa dicha sin fundamento.

badajada. f. Golpe que da el badajo en la campana.

badajo. m. Pieza que pende en la parte inferior de campanas, cencerros y esquilas y con la cual se golpean éstos para hacerlos sonar.

badajocense. adj. Natural de Badajoz. Ú.t.c.s. ‖ Perteneciente o relativo a esta ciudad.

badajoceño, ña. adj. Badajocense.

badán. m. Tronco del cuerpo en el animal.

badana. f. Piel curtida de carnero u oveja. ‖ m. fam. Persona perezosa. Ú.m. en pl. ‖ *zurrarle* a uno *la badana.* fig. y fam. Darle de golpes.

badea. f. Sandía o melón de mala calidad. ‖ fig. y fam. Persona floja. ‖ fig. y fam. Cosa sin sustancia. ‖ vulg. *Amer.* Homosexual.

badén (al. *Querrinne*, fr. *cassis*, ingl. *irish bridge*, it. *zanella*). m. Cauce enlosado o empedrado que se hace en una carretera para dar paso a un corto caudal de agua. ‖ Zanja que forma en el terreno el paso de las aguas llovedizas.

baderna f. MAR. Cabo trenzado que se emplea para sujetar el cable al virador, trincar la caña del timón, etc.

badián. m. Árbol magnoliáceo de Oriente, siempre verde, cuyas semillas, pequeñas y aromáticas, se utilizan como condimento con el nombre de anís estrellado.

badil. m. Paleta de metal con que se remueve la lumbre en chimeneas y braseros. [Sinón.: badila]

badila. f. Badil, y más comúnmente el del brasero.

badulaque. m. Afeite antiguo. ‖ fig. y fam. Persona de poca razón y fundamento. Ú.t.c.adj. [Sinón.: atontado, abobado]

baffle (voz inglesa). m. TÉCN. Cajón que sirve de soporte a un altavoz.

baga. f. Cápsula que contiene la linaza o semillas del lino.

bagá. m. Árbol de Cuba, cuyas hojas sirven de alimento al ganado.

bagacera. f. Lugar de los ingenios de azúcar donde se pone a secar el bagazo de la caña.

bagaje (al. *Feldgepäck*, fr. *bagage*, ingl. *baggage*, it. *bagaglio*). m. MIL. Equipaje militar de un ejército o tropa en marcha. ‖ fig. Conjunto de conocimientos y noticias de que dispone una persona.

bagatela (al. *Kleinigkeit*, fr. *bagatelle*, ingl. *bagatelle*, it. *bagatella*). f. Cosa de poca sustancia y valor. [Sinón.: fruslería, nadería, futesa]

bagazo. m. Cáscara que queda después de deshecha la baga y separada de ella la linaza. ‖ Residuo de aquello que se exprime para sacarle el zumo, como la naranja, la caña de azúcar, etc.

bagre. m. ZOOL. Pez teleósteo de tamaño considerable, color pardo atigrado y carne amarillenta muy gustosa. Abunda en los ríos de América.

bagual, la. adj. *Amer.* Incivil. ‖ m. *Amer.* Potro o caballo no domado.

baguarí. m. ZOOL. *Amer.* Especie de cigüeña de cuerpo blanco, alas negras y patas rojas.

¡bah! interj. con que se denota incredulidad o desdén.

baharí. m. Ave rapaz diurna, de color oscuro y pies rojos.

bahía (al. *Bucht*, fr. *baie*, ingl. *bay*, it. *baia*). f. Entrada de mar en la costa, menor que el golfo. [Sinón.: ensenada, abra]

bahorrina. f. fam. Conjunto de cosas repugnantes mezcladas con agua sucia. ‖ fig. y fem. Conjunto de gente soez y ruin.

bailable. adj. Dícese de la música compuesta para bailar. Ú.t.c.s.

bailar (al. *tanzen*, fr. *danser*, ingl. *to dance*, it. *ballare*). intr. Mover rítmicamente el cuerpo, los brazos y los pies, al compás de la música. ‖ Moverse rápidamente una cosa sin salir de un espacio determinado. ‖ Girar una cosa en torno de su eje, manteniéndose en equilibrio sobre él, como la peonza, etc. ‖ tr. Hacer bailar. [Sinón.: danzar]

bailarín, na. adj. Que baila. Ú.t.c.s. ‖ s. Persona que profesa el arte de bailar. [Sinón.: danzarín]

baile (al. *Tanz*, fr. *danse*, ingl. *dance*, it. *ballo*). m. Acción de bailar. ‖ Cada una de las series de mudanzas que hacen los que bailan. ‖ Festejo en que se baila. ‖ —de San Vito. Nombre vulgar de varias enfermedades convulsivas caracterizadas por movimientos y ataques histéricos. [Sinón.: danza]

bailotear. intr. Bailar mucho y en especial sin gracia.

bailoteo. m. Acción y efecto de bailotear.

baja. f. Disminución del precio y estimación de una cosa. ‖ MIL. Pérdida o falta de un individuo. ‖ Acto en que se declara la cesación en industrias o profesiones sometidas a impuesto. ‖ Formulario fiscal para tales declaraciones. ‖ Cese de una persona en un cuerpo, profesión, carrera, etc. [Sinón.: depreciación, mengua]

bajá. m. En Turquía, antiguamente, el que obtenía algún mando superior.

bajada (al. *Abstieg*, fr. *descente*, ingl. *way down*, it. *discesa*). f. Acción de bajar. ‖ Camino o senda por donde se baja desde alguna parte. [Sinón.: descenso]

bajagua. f. *Amer.* tabaco malo.

bajamar. f. Término del reflujo del mar. ‖ Tiempo que éste dura.

bajante. amb. En una construcción, tubería de desagüe. ‖ f. *Amer.* Descenso de nivel de las aguas.

bajar (al. *hinabsteigen*, fr. *descendre*, ingl. *to descend, to fall*, it. *abbassare*). intr. Ir desde un lugar a otro que esté más bajo. Ú.t.c.r. ‖ Disminuirse alguna cosa. || tr. Poner alguna cosa en lugar inferior al que ocupaba. || Apear. Ú.t.c. intr. y c.r. || Inclinar hacia abajo. || Disminuir la estimación o valor de alguna cosa. || fig. Humillar, abatir. Ú.t.c.r. [*Sinón.*: descender, menguar. *Antón.*: subir]

bajareque. m. *Amer.* Bohío o casucho muy pobre o ruinoso. || *Amer.* Pared de palos entretejidos con cañas y barro.

bajel. m. Buque, barco.

bajero, ra. adj. Bajo, que está en lugar inferior. || Que se usa debajo de otra cosa.

bajeza. f. Acción indigna. || fig. Humillación, condición de humildad e inferioridad. [*Sinón.*: abyección, ruindad, vileza]

bajío. m. Bajo, elevación del fondo en los mares, río y lagos, y más comúnmente el de arena. || *Amer.* Terreno bajo.

bajista. com. Persona que juega a la baja en la bolsa.

bajo, ja (al. *klein, niedrig;* fr. *petit, bas;* ingl. *short, low;* it. *piccolo, basso*). adj. De poca altura. || Dícese de lo que está en lugar inferior respecto de otras cosas de la misma clase. || Inclinado hacia abajo. || fig. Humilde, despreciable. || fig. Aplicado a expresiones, lenguaje, etc., vulgar, ordinario. || fig. Dicho del precio de las cosas, poco considerable. || fig. Tratándose de sonido, grave. || fig. Que no se oye de lejos. || m. Sitio o lugar hondo. || En los mares, ríos y lagos navegables, elevación del fondo, que impide flotar a las embarcaciones. || MÚS. La más grave de las voces humanas. || MÚS. Persona que tiene aquella voz. || MÚS. Instrumento que produce los sonidos más bajos de la escala general. || pl. Parte inferior del traje de las mujeres y especialmente de la ropa interior. || Piso bajo de las casas que tienen dos o más. || adv. m. En voz baja o que apenas se oiga. || prep. Debajo de. || *por lo bajo.* m. adv. Recatada o disimuladamente.

bajón. m. Instrumento musical de viento, semejante al fagot. || fig. y fam. Notable disminución en el caudal, la salud, etc.

bajonazo. m. TAUROM. Estocada excesivamente baja.

bajorrelieve. m. ESC. Aquel relieve en el cual las figuras resaltan poco del plano.

bajura. f. Falta de elevación.

bala (al. *Kugel*, fr. *balle*, ingl. *bullet*, it. *palla*). f. Proyectil, generalmente de plomo, para cargar las armas de fuego. || Entre transportistas, fardo apretado de mercancías. Aplícase en especial a los fardos de algodón. || Confite redondo, liso, todo de azúcar. || Entre impresores y libreros, atado de 10 resmas de papel. || —*perdida.* La que hiere o va a dar en un sitio sin haber sido dirigida a él. En sentido, familiar, tarambana, sin juicio.

balacera. f. *Amer.* Tiroteo.

balada (al. *Ballade*, fr. *ballade*, ingl. *ballad*, it. *ballata*). f. Balata. || LIT. Composición poética, dividida generalmente en estrofas iguales, en la que se refieren sucesos legendarios o tradicionales en forma sencilla y melancólica. || Composición poética provenzal dividida en estrofas de rima variada, que terminan en un mismo verso a manera de estribillo.

baladí. adj. De poca sustancia y aprecio. [*Sinón.*: insustancial, insignificante, trivial]

baladrero, ra. adj. Alborotador.

baladro. m. Alarido o voz espantosa.

baladrón, na. adj. Fanfarrón que, siendo cobarde, se las da de valiente.

baladronada. f. Hecho o dicho propio de baladrones. [*Sinón.*: fanfarronada, bravuconada, jactancia]

baladronear. intr. Hacer o decir baladronadas.

bálago. m. Paja larga de los cereales después de quitarle el grano. || En algunas partes, paja trillada.

balaguero. m. Montón de bálago, o paja trillada, que se hace en la era.

balaje. m. Rubí de color morado.

balalaica. f. MÚS. Instrumento músico ruso parecido a la guitarra, pero con caja de forma triangular.

balance (al. *Bilanz*, fr. *bilan*, ingl. *balance-sheet*, it. *bilancio*). m. Movimiento que hace un cuerpo, inclinándose a uno y otro lado sucesivamente. || fig. Vacilación, inseguridad. || COM. Confrontación del activo y del pasivo para averiguar el estado del caudal. || MAR. Movimiento que hace la nave de babor a estribor, o al contrario. || *Amer.* Mecedora. [*Sinón.*: balanceo, mecimiento]

balancear. intr. Dar o hacer balances. Ú.t.c.r. || fig. Dudar, estar perplejo. || tr. Igualar o poner en equilibrio. || r. *Amer.* Mecerse.

balanceo. m. Acción y efecto de balancear o balancearse. [*Sinón.*: balance, vaivén]

balancín. m. Madero paralelo a las ruedas de un carruaje, fijo en su promedio a la tijera. || Madero a cuyos extremos se enganchan los tirantes de las caballerías. || Palo largo que usan los volatineros para mantenerse en equilibrio sobre la cuerda. || Barra que puede moverse alrededor de un eje y se emplea en las máquinas de vapor para transformar un movimiento alternativo rectilíneo en otro circular continuo. || Mecedora.

balandra. f. Balandro.

balandrán. m. Vestidura talar ancha y con esclavina que usan algunos eclesiásticos.

balandro (al. *Kleiner Kutter*, fr. *cotre*, ingl. *cutter*, it. *cutter*). m. Embarcación pequeña con cubierta y un solo palo.

balanitis. f. MED. Inflamación de la mucosa del bálano.

bálano o **balano.** m. ANAT. Parte extrema o cabeza del miembro viril. || ZOOL. Crustáceo cirrópodo, sin pedúnculo, que vive fijo sobre las rocas.

balanza (al. *Waage*, fr. *balance*, ingl. *scales*, it. *bilancia*). f. FÍS. Instrumento que se emplea para medir la masa de un cuerpo comparándolo con otros que se toman como patrones. Consiste en una barra móvil de cuyos extremos penden dos platillos. || n.p.f. ASTR. Libra, constelación y signo zodiacal. || *de comercio.* Estado comparativo de la importación y exportación de artículos mercantiles en un país. || — *de pagos.* Estado financiero de un país, determinado por la expresión en divisas del movimiento comercial de la nación. || *inclinar la balanza.* Inclinar un asunto en favor de alguien o de algo. Ú.t.c.r.

balar. intr. Dar balidos.

balarrasa. m. fig. y fam. Aguardiente fuerte. || fig. y fam. Tarambana.

balasto. m. Capa de grava que se tiende para asentar y sujetar las traviesas de las vías férreas.

balata. f. BOT. Árbol sapotáceo de América, que segrega una sustancia parecida al caucho. || Esta misma sustancia. Se emplea como aislante. || LIT. Composición poética especialmente escrita para ser cantada al son de la música.

balausta. f. BOT. Fruto carnoso, dividido en celdillas irregulares, como la granada.

balaustrada (al. *Brüstung*, fr. *balustrade*, ingl. *balustrade*, it. *balaustrata*). f. Serie de balaustres colocados entre los barandales.

balaustre o **balaústre.** m. Cada una

de las columnitas que con los barandales forman las barandillas de balcones, azoteas, corredores y escaleras.

balay (port. *balaio*). m. *Amer.* Cesta de mimbre o de carrizo.

balazo. m. Golpe de bala disparada con arma de fuego. ‖ Herida de bala.

balboa. m. Moneda de oro de Panamá.

balbucear (al. *stammeln*, fr. *balbutier*, ingl. *to stammer*, it. *balbettare*). intr. Hablar o leer con pronunciación dificultosa y vacilante, trastocando letras o sílabas. [*Sinón.*: balbucir, mascullar, tartamudear, farfullar]

balbucencia. f. Acción y efecto de balbucir.

balbuceo. m. Acción de balbucear.

balbucir. intr. Balbucear.

balcánico, ca adj. Perteneciente o relativo a la región de los Balcanes.

balcón (al. *Balkon*, fr. *balcon*, ingl. *balcony*, it. *balcone*). m. Parte saliente en las fachadas de las casas, con una barandilla y una puerta que da a una habitación. ‖ *Amer.* Plataforma de los coches del tren.

balconaje. m. Conjunto de balcones de un edificio.

balda. f. Anaquel de armario o alacena. ‖ Aldaba, barra para atrancar las puertas.

baldado, da. adj. Tullido, impedido.

baldaquín. m. Especie de dosel hecho de tela de seda. ‖ Pabellón que cubre un altar. [*Sinón.*: palio]

baldaquino. m. Baldaquín.

baldar (al. *lähmane*, fr. *estropier*, ingl. *to cripple*, it. *storpiare*). tr. Impedir una enfermedad o accidente el uso de los miembros o de alguno de ellos. Ú.t.c.r. ‖ fig. Causar a alguno gran contrariedad.

balde (al. *Eimer*, *Kübel*; fr. *seau*, *seile*; ingl. *bucket*, it. *bugliolo*, *secchio*). m. Cubo para sacar y transportar agua, sobre todo en las embarcaciones.

balde (de). m. adv. Graciosamente, sin precio alguno. ‖ Sin motivo, sin causa. ‖ *en balde.* m. adv. En vano.

baldear. tr. Regar con baldes. ‖ Achicar con baldes el agua de una excavación.

baldeo. m. Acción de baldear.

baldés. m. Piel de oveja curtida, suave y endeble, que sirve para fabricar guantes y otras cosas.

baldío, a adj. Aplícase a la tierra o terreno que ni se labra ni está adehesado. Ú.t.c.s. ‖ Vano, sin fundamento. [*Sinón.*: inculto, inmotivado. *Antón.*: fértil]

baldón. m. Oprobio, injuria.

baldonar. tr. Injuriar a alguno de palabra en su cara. [*Sinón.*: afrentar, insultar. *Antón.*: alabar]

baldosa (al. *Fliese*, fr. *carreau*, ingl. *flagstone*, it. *mattonella*). f. Antiguo instrumento músico de cuerda. ‖ Placa de mármol, piedra o cerámica, generalmente cuadrada, que sirve para solar.

baldosín. m. Baldosa pequeña y fina.

baldragas. m. Hombre flojo, sin energía. [*Sinón.*: débil, impotente]

balduque. m. Cinta angosta, generalmente encarnada, que se usa para atar legajos.

balea. f. Escobón para barrer las eras.

balear. adj. Natural de las islas Baleares. Ú.t.c.s. ‖ Baleárico.

balear. tr. *Amer.* Tirotear, disparar balas sobre alguien o algo.

baleárico, ca. adj. Perteneciente a las islas Baleares.

baleo. m. *Amer.* Acción y efecto de balear, disparar balas; tiroteo.

baleo. m. Ruedo o felpudo. [*Sinón.*: esterilla]

balido. m. Voz del carnero, el cordero, la oveja, la cabra, el gamo y el ciervo.

balín. m. Bala de menor calibre que la ordinaria de fusil.

balística (al. *Ballistik*, fr. *balistique*, ingl. *ballistics*, it. *balistica*). f. Ciencia que estudia el movimiento de los proyectiles.

balitar. intr. Balar con frecuencia.

baliza (al. *Boje*, fr. *bouée*, ingl. *buoy*, it. *gavitello*). f. MAR. Señal fija o flotante que se pone de marca para indicar bajos, veriles o cualquier punto o rumbo que convenga señalar. ‖ Señal empleada para limitar pistas terrestres. [*Sinón.*: boya]

balizar. tr. Abalizar.

balneario, ria adj. Perteneciente o relativo a baños públicos, y en especial a los medicinales. ‖ m. Edificio con baños medicinales.

balneoterapia. f. MED. Tratamiento de las enfermedades por medio de baños, generales o locales.

balompié. m. Fútbol.

balón (al. *Ball*, fr. *ballon*, ingl. *ball*, it. *pallone*). m. Fardo grande de mercancías. ‖ Pelota grande llena de aire a presión, usada en varios juegos. ‖ Recipiente flexible para contener cuerpos gaseosos, especialmente oxígeno para inhalaciones. ‖ Recipiente esférico de vidrio con cuello prolongado.

baloncesto. m. Juego entre dos equipos de cinco jugadores que, valiéndose de las manos, tratan de introducir el balón en una red colocada a cierta altura en la meta contraria.

balonmano. m. Juego entre dos equipos de 7 jugadores cada uno, cuya finalidad consiste en introducir un balón en la portería contraria, empujándolo con las manos con sujeción a unas reglas.

balonvolea. m. Juego entre dos equipos de 6 jugadores, que tratan de lanzar con las manos un balón al campo contrario, por encima de una red tendida horizontalmente a cierta distancia del suelo.

balsa (al. *Floss*, fr. *radeau*, ingl. *raft*, it. *zàttera*). f. Hueco del terreno que se llena de agua, natural o artificialmente. ‖ Conjunto de maderos unidos unos con otros que se emplea para navegar. [*Sinón.*: estanque, charca; almadía, armadía]

balsámico, ca. adj. Que tiene bálsamo o cualidades de tal.

bálsamo (al. *Balsam*, fr. *baume*, ingl. *balm*, it. *bàlsamo*) m. Líquido aromático que fluye de ciertos árboles y que se espesa por la acción del aire. ‖ FARM. Medicamento compuesto de sustancias aromáticas que se aplica como remedio en las heridas y llagas.

balso. m. MAR. Lazo grande para suspender pesos o elevar a los marineros a lo alto de los palos o a las vergas.

báltico, ca. adj. Perteneciente al mar Báltico o a los países que lo rodean.

baluarte (al. *Bollwerk*, fr. *bastion*. ingl. *bastion*, it. *bastione*). m. Obra de fortificación de figura pentagonal que sobresale en el encuentro de dos cortinas. ‖ fig. Amparo y defensa. [*Sinón.*: bastión]

balumba. f. Bulto que hacen muchas cosas juntas. ‖ Conjunto desordenado y excesivo de cosas.

ballena (al. *Walfisch*, fr. *baleine*, ingl. *whale*, it. *balena*). f. ZOOL. Mamífero cetáceo, el mayor de todos los animales conocidos, que llega a medir más de 30 m. ‖ Cada una de las láminas córneas y elásticas que tiene la ballena en la mandíbula superior, y que, cortadas en tiras, sirven para diferentes usos. ‖ n.p.f. ASTR. Constelación del hemisferio austral, próxima al Ecuador y situada debajo de Piscis.

ballenato. m. Hijuelo de la ballena.

ballenero, ra adj. Relativo a la pesca de la ballena. ‖ m. Pescador de ballenas. || MAR. Buque armado y equipado para la pesca de la ballena.

ballesta. (al. *Armbrust*, fr. *arbalète*, ingl. *crossbow*, it. *balestra*). f. Máquina antigua de guerra para arrojar piedras o saetas gruesas. || Arma portátil antigua, que disparaba flechas y saetas. || Armadijo para cazar pájaros. || Cada uno de los muelles en que descansa la caja de los coches.

ballestero. m. El que usaba de la ballesta o servía con ella en la guerra. || El que tenía por oficio hacer ballestas.

ballet (voz francesa). m. Danza escénica.

ballueca. f. Especie de avena que crece entre los trigos, a los cuales perjudica.

bambalear. intr. Bambolear. Ú.m. c.r. || fig. No estar segura o firme alguna cosa. Ú.m.c.r.

bambalina. f. Cada una de las tiras de lienzo pintado que cuelgan del telar del teatro y figuran la parte superior de lo que la decoración representa.

bambarria. com. fam. Persona tonta. Ú.t.c. adj.

bamboche. m. fam. Persona rechoncha y de cara abultada y encendida.

bambolear. intr. Moverse una persona o cosa de un lado a otro sin perder el sitio en que está. Ú.m.c.r. [*Sinón.*: balancear, oscilar]

bamboleo. m. Acción y efecto de bambolear o bambolearse.

bambolla. f. Burbuja, ampolla, vejiga. || fig. Cosa fofa, abultada y de poco valor. || fam. Boato u ostentación de más apariencia que realidad.

bambú (al. *Bambus*, fr. *bambou*, ingl. *bamboo*, it. *bambù*). m. BOT. Planta gramínea, originaria de la India, con tallo leñoso y muy alto. Las cañas, muy resistentes, se emplean en la construcción de casas y en la fabricación de muebles y otros objetos.

bambuco. m. Baile popular de Colombia. || Tonada de este baile.

banal. adj. Insustancial, trivial.

banalidad. f. Calidad de banal. || Dicho banal.

banana. f. Banano. || *Amer.* Plátano, fruto.

bananal. m. *Amer.* Conjunto de plátanos o bananos que crecen en un lugar.

banano. m. Plátano, planta musácea.

banasta. f. Cesto de mimbres o listas de madera delgadas y entretejidas. [*Sinón.*: canasta]

banasto. m. Banasta redonda.

banca (al. *Wechselgeschäft*, fr. *banque*, ingl. *banking*, it. *banca*). f. Asiento de madera sin respaldo. || Embarcación pequeña y estrecha usada en Filipinas. || Juego en el que aquel que lleva el naipe pone una cantidad de dinero y los demás apuntan la cantidad que quieren a las cartas que eligen. || Cantidad de dinero que pone el que lleva el naipe. || COM. Comercio que principalmente consiste en operaciones de giro, cambio y descuentos, en abrir créditos y cuentas corrientes y en vender y comprar efectos públicos. || fig. Conjunto de bancos o banqueros. || Banco.

bancal. m. En las sierras y terrenos pendientes, rellano de tierras que se forma natural o artificialmente, y que se aprovecha para algún cultivo. || Pedazo de tierra cuadrilongo, dispuesto para plantar legumbres o árboles frutales.

bancario, ria. adj. Perteneciente o relativo a la banca mercantil.

bancarrota (al. *bankerott*, fr. *banqueroute*, ingl. *bankruptcy*, it. *bancarrotta*). f. Quiebra, y más comúnmente la que procede de la falta grave o la fraudulenta. || fig. Hundimiento de un sistema o doctrina.

banco (al. *Sitzbank, Bank*; fr. *banc*, *banque*; ingl. *bench, bank*; it. *banco*). m. Asiento de madera o piedra en que pueden sentarse varias personas. || Madero grueso sobre cuatro pies, que sirve de mesa para muchas labores de carpinteros y otros artesanos. || COM. Establecimiento público de crédito. || En los mares, ríos y lagos navegables, bajo que se prolonga en una gran extensión. || Conjunto de peces que van juntos en gran número. || GEOL. Estrato de gran espesor. || MINER. Macizo de mineral que presenta dos caras descubiertas, una horizontal superior y otra vertical.

banda (al. *Bande, Seite*; fr. *bande, bord*; ingl. *band, side*; it. *banda, ciarpa*). f. Cinta ancha que se lleva atravesada desde un hombro al costado opuesto. || Faja o lista. || DEP. Zona limitada por cada uno de los dos lados más largos de un campo deportivo y otra línea exterior. || Grupo de gente armada. || Bandada, manada. || Lado de algunas cosas. || Cada uno de los bordes de la mesa de billar. || BLAS. Pieza honorable que representa la insignia distintiva de las altas jerarquías militares y se coloca diagonalmente de derecha a izquierda. || MAR. Costado de la nave. || MIL. Conjunto de tambores y cornetas, o de músicos del ejército. Por ext., se da este nombre a otros cuerpos de músicos no militares. || CINEM. Cada una de las dos partes en que se divide la película, una destinada a la imagen y la otra al sonido. || pl. IMP. Carriles sobre los cuales se desplaza el carro o la platina en algunas máquinas de imprimir.

bandada. f. Número crecido de aves que vuelan juntas. [*Sinón.*: averío]

bandazo. m. MAR. Tumbo o balance violento que da una embarcación.

bandear. tr. *Amer.* Atravesar, pasar de parte a parte; taladrar. || *Amer.* Cruzar un río de una banda a otra. || r. Saberse ingeniar para satisfacer las necesidades de la vida, o para salvar otras dificultades.

bandeja (al. *Tablett*, fr. *plateau*, ingl. *tray*, it. *vassoio*). f. Pieza plana o algo cóncava en la cual se sirven dulces, refrescos y otras cosas. || *pasar la bandeja*. loc. fig. y fam. Pedir un favor o servicio a quien antes ha sido favorecido o servido por uno. || *servir en bandeja*, o *en bandeja de plata*. loc. fig. y fam. Dar a uno grandes facilidades para que consiga alguna cosa. [*Sinón.*: batea, fuente, plata]

bandera (al. *Fahne*, fr. *drapeau*, ingl. *flag*, it. *bandiera*). f. Lienzo, de figura generalmente cuadrada o cuadrilonga, que se fija por uno de sus lados a un asta o una driza y sirve como insignia o señal. Sus colores o el escudo que lleva indican la nación a que pertenece la fortaleza, nave, etc., en que está izada. || Lienzo u otra tela, comúnmente de diversos colores, que sirve como adorno en las grandes fiestas, y en los buques y torres costeras para hacer señales. || Insignia de los regimientos de infantería. || Gente o tropa que milita bajo una misma bandera. || Cada una de las compañías de los antiguos tercios españoles y actualmente de las unidades de la Legión. || — *blanca*, o *de paz*. La que se enarbola como señal de paz o amistad. || *de bandera*. loc. adj. Excelente en su línea. || *jurar la bandera* o *jurar bandera*. Jura militar o civil de la bandera. [*Sinón.*: enseña, estandarte]

bandería. f. Bando o parcialidad.

banderilla. f. TAUROM. Palo que usan los toreros para clavarlo en el cerviguillo de los toros. || fig. y fam. Dicho picante y satírico; pulla. || — *de fuego*. La guarnecida de petardos, que estallan al clavarla en el toro. || — *negra*. La de castigo, de color negro y punta de mayor tamaño que lo normal.

banderillazo. m. *Amer.* fig. Sablazo o petardo.

banderillear. tr. Poner banderillas a los toros.

banderillero. m. Torero que pone banderillas.

banderín. m. dim. de bandera. || MIL. Cabo o soldado que sirve de guía a la infantería en sus ejercicios. || — *de enganche.* Oficina destinada a la inscripción de voluntarios para servicio militar.

banderizo, za. adj. Que sigue bando o parcialidad. Ú.t.c.s. || fig. Fogoso, alborotado. [*Sinón.:* faccioso]

banderola. f. Bandera pequeña que tiene varios usos en la milicia, en la topografía y en la marina. || Cinta o pedazo de tela que, como adorno, llevan los soldados de caballería en las lanzas.

bandidaje. m. Existencia continuada de bandidos en un país. || Conjunto de los bandidos que actúan en un país o región. || Desafueros y violencias propias de los bandidos.

bandido, da (al. *Räuber,* fr. *bandit, brigand;* ingl. *bandit, outlaw;* it. *bandito*). Fugitivo de la justicia llamado por bando. Ú.t.c.s. || m. Bandolero, salteador de caminos. || Persona perversa y desenfrenada. [*Sinón.:* malhechor, bandolero]

bando (al. *Öftentliche,* fr. *ban,* ingl. *ban,* it. *bando*). m. Edicto o mandato solemnemente publicado por orden superior. || Acto de publicarlo. || Facción, partido, parcialidad.

bandola. f. Instrumento músico pequeño de cuatro cuerdas.

bandolera. f. Mujer que vive con bandoleros o toma parte en sus delitos. || Correa que cruza por el pecho y la espalda, y que en el remate lleva un gancho para colgar un arma de fuego.

bandolerismo. m. Bandidaje.

bandolero. m. Salteador de caminos. || Persona perversa. [*Sinón.:* bandido]

bandolina. f. Instrumento músico pequeño, de cuatro cuerdas dobles y de cuerpo curvado.

bandolón. m. Instrumento músico semejante en la figura a la bandurria, pero del tamaño de la guitarra.

bandurria (al. *Mandoline,* fr. *mandore,* ingl. *bandore,* it. *mandola*). f. Instrumento músico semejante a la guitarra, pero de menor tamaño. Tiene doce cuerdas.

bangaño, ña. adj. *Amer.* Dícese de recipientes hechos con cáscaras de ciertas calabazas. Ú.t.c.s.

banjo. m. MÚS. Instrumento músico de cuerda, de origen norteamericano, cuya caja de resonancia es circular y está cubierta por una piel. Puede ser de cuatro cuerdas (jazz), o bien de cinco.

banqueo. m. *Amer.* Desmonte de un terreno en planos escalonados.

banquero (al. *Bankier,* fr. *banquier,* ingl. *banker,* it. *banchiere*). m. Jefe de una casa de banca. || El que se dedica a operaciones bancarias. || En el juego de la banca y otros, el que lleva el naipe.

banqueta. f. Asiento de tres o cuatro pies y sin respaldo. || Banquillo muy bajo para poner los pies. [*Sinón.:* taburete]

banquete. m. Comida para celebrar algún acontecimiento. || Comida espléndida. [*Sinón.:* ágape, festín]

banquillo. m. Asiento en que se coloca el procesado ante el tribunal. || *Amer.* Patíbulo.

banquisa. f. GEOL. Hielo marino acumulado por amontonamiento y compresión.

bantú. adj. Dícese del individuo de un pueblo que habita en el centro y mediodía de África. Ú.t.c.s. || m. LING. Lengua hablada por este pueblo.

bañadera. f. *Amer.* Bañera.

bañado. m. *Amer.* Terreno cenagoso.

bañador. m. Traje para bañarse.

bañar (al. *baden,* fr. *baigner,* ingl. *to bathe,* it. *bagnare*). tr. Meter el cuerpo o parte de él en agua u otro líquido. Ú.t.c.r. || Sumergir una cosa en un líquido. || Humedecer en agua alguna cosa. || Tocar algún paraje el agua del mar, de un río, etc. || Cubrir una cosa con una capa de otra sustancia. || Tratándose del sol, de la luz o del aire, dar de lleno en alguna cosa.

bañera. f. Baño, pila que sirve para bañarse.

bañero. m. Persona que cuida de los baños y sirve a los que se bañan.

bañista. com. Persona que concurre a tomar baños.

baño (al. *Bad,* fr. *bain,* ingl. *bath,* it. *bagno*). m. Acción y efecto de bañar o bañarse. || Agua o líquido para bañarse. || Pila grande que sirve para bañarse o lavarse. || Cuarto de baño. || Sitio donde hay aguas para bañarse. Ú.m. en pl. || Capa de materia extraña con que queda cubierta la cosa bañada. || fig. y fam. Revolcón, acción de vencer y apabullar al adversario. || PINT. Mano de color que se da sobre lo ya pintado. || pl. Balneario de aguas medicinales. || — *de María.* Recipiente con agua puesto a la lumbre y en el cual se mete otra vasija para que su contenido reciba un calor suave y constante. || — *de sol.* Exposición del cuerpo desnudo a los rayos solares. || — *turco.* Aquel en el cual el que lo toma pasa sucesivamente por cámaras de aire caliente de temperatura cada vez más elevada, lo que provoca intensas sudaciones. || *dar un baño* a alguien. loc. fig. y fam. Mostrar superioridad manifiesta sobre un contendiente.

bao. m. MAR. Cada una de las piezas de madera, hierro o acero que, puestas de un costado a otro del buque, sirven de consolidación y para sostener las cubiertas.

baobab. m. BOT. Árbol bombacáceo del África tropical, de 9 a 10 metros de altura.

baptisterio (al. *Taufkapelle,* fr. *baptistère,* ingl. *baptistry,* it. *battistero*). m. Lugar donde está la pila bautismal. || Pila bautismal. || ARQ. Edificio próximo a un templo, donde se administra el bautismo. [*Sinón.:* bautisterio]

baque. m. Golpe que da el cuerpo o cualquier cosa pesada al caer.

baquelita (al. *Bakelit,* fr. *bakélite,* ingl. *bakelite,* it. *bachelite*). f. QUÍM. Resina sintética de marca registrada, incombustible, de gran dureza, tenacidad y resistencia, aislante del calor y la electricidad. Se obtiene condensando los fenoles con formaldehído, y tiene muchos usos y aplicaciones.

baqueta. f. Vara delgada que sirve para limpiar o atacar las armas de fuego. || Varilla que usan los picadores para el manejo de los caballos. || ARQ. Moldura redonda y estrecha.

baquetazo. m. Golpe dado con la baqueta.

baquetear. tr. fig. Incomodar demasiado. [*Sinón.:* fastidiar]

baquía. f. Conocimiento práctico de las sendas, atajos, etc., de un país. || *Amer.* Destreza, habilidad manual.

baquiano, na. adj. Experto, cursado. || Práctico de los caminos, trochas y atajos. Ú.t.c.s. || m. Guía para poder transitar por ellos.

baquiar. tr. *Amer.* Adiestrar.

báquico, ca. adj. Perteneciente o relativo a Baco. || fig. Perteneciente a la embriaguez.

bar (voz inglesa). m. Local donde se sirven bebidas. || Mueble en forma de mostrador que se usa para servir y guardar bebidas.

barahúnda. f. Ruido y confusión grandes.

baraja (al. *Kartenspiel*, fr. *jeu de cartes*, ingl. *pack of cards*, it. *mazzo di carte da gioco*). f. Conjunto de naipes que sirve para varios juegos. ‖ *jugar* uno *con dos barajas*. fig. y fam. Proceder con doblez.

barajar. tr. En el juego de naipes, mezclarlos unos con otros antes de repartirlos. ‖ fig. Mezclar y revolver unas personas o cosas con otras. Ú.t.c.r. ‖ fig. Sortear un peligro o dificultad.

baranda. f. Barandilla. ‖ Borde o cerco de las mesas de billar. [*Sinón.*: barandal, pasamanos]

barandal. m. Listón sobre el que se asientan los balaustres. ‖ El que los sujeta por arriba. ‖ Barandilla. [*Sinón.*: baranda]

barandilla (al. *Geländer*, fr. *gardefou*, ingl. *banister*, it. *ringhiera*). f. Antepecho compuesto de balaustres y de los barandales que los sujetan. Se usa en balcones, pasamanos de escalera, etc.

barata. f. Baratura. ‖ Trueque, cambio. ‖ *Amer.* Venta a bajo precio.

baratear. tr. Dar una cosa por menos de su precio ordinario.

baratería. f. DER. Engaño, fraude en compras o trueques.

baratero, ra. adj. *Amer.* Dícese del comerciante que vende barato. Ú.t.c.s.

baratía. f. *Amer.* Baratura.

baratija. f. Cosa menuda y de poco valor. Ú.m. en pl. [*Sinón.*: fruslería]

baratillo. m. Conjunto de cosas de poco precio. ‖ Tienda o puesto en que se venden. ‖ Sitio fijo en que se hacen estas ventas.

barato, ta (al. *billig*, fr. *bon marché*, ingl. *cheap*, it. *buon mercato*). adj. Vendido o comprado a bajo precio. ‖ fig. Que se logra con poco esfuerzo. ‖ m. Venta de efectos a bajo precio. ‖ adv. m. Por poco precio. [*Sinón.*: ganga. *Antón.*: caro]

báratro. m. poét. Infierno.

baratura. f. Bajo precio de los objetos vendibles.

baraúnda. f. Barahúnda.

barba (al. *Kinn, Bart*; fr. *menton, barbe*; ingl. *chin, beard*; it. *mento, barba*). f. Parte de la cara que está debajo de la boca. ‖ Pelo que nace en esta parte de la cara y en los carrillos. Ú.t. en pl. ‖ En el ganado cabrío, mechón de pelo pendiente del pellejo que cubre la quijada inferior. ‖ Carúnculas colgantes que en la mandíbula inferior tienen algunas aves. ‖ m. Comediante que hace el papel de viejo. ‖ f. pl. BOT. Conjunto de raíces delgadas de las plantas. ‖ Bordes desiguales del papel de tina. ‖ Filamentos sutiles que guarnecen el astil de la pluma. ‖ — *cerrada*. La del hombre muy poblada y fuerte. ‖ — *corrida*. La que se deja crecer toda, sin afeitar ninguna parte de ella. ‖ — *ballena*. Ballena, lámina córnea y elástica. ‖ *con toda la barba*. loc. adj. con que se pondera la plenitud de cualidades de una persona. ‖ *en las barbas de* uno. m. adv. En su presencia, a su vista, en su cara. ‖ *por barba*. m. adv. Por cabeza o por persona. ‖ *subirse* uno *a las barbas* de otro. fig. y fam. Atreverse o perder el respeto al superior, o quererse igualar con quien le supera.

barbacana. f. FORT. Obra de defensa avanzada y aislada. ‖ Muro bajo con que se suelen rodear las plazuelas que algunas iglesias tienen alrededor de ellas o delante de algunas de sus puertas. ‖ Saetera o tronera.

barbacoa. f. Parrilla usada para asar al aire libre carne o pescado. ‖ *Amer.* Conjunto de palos de madera verde puestos sobre un hueco a manera de parrilla que se usa para asar carne. ‖ Carne asada de este modo. ‖ Zarzo sostenido con puntales, que sirve de camastro.

barbada. f. Quijada inferior de las caballerías. ‖ Cadenilla que se pone a las caballerías por debajo de la barba. ‖ ZOOL. Pez teleósteo anacanto, parecido al abadejo. Vive en el Mediterráneo.

barbado, da. adj. Que tiene barba. ‖ AGR. Árbol o sarmiento que se planta con raíces. ‖ Renuevo o hijuelo de árbol o arbusto.

barbar. intr. Echar barbas el hombre. ‖ AGR. Echar raíces las plantas.

barbaridad. f. Calidad de bárbaro. ‖ Dicho o hecho necio o temerario. ‖ Atrocidad, demasía. ‖ fig. y fam. Cantidad grande o excesiva.

barbarie. f. fig. Rusticidad, falta de cultura. ‖ fig. Fiereza, crueldad.

barbarismo. m. GRAM. Vicio del lenguaje que consiste en pronunciar o escribir mal las palabras, o en emplear vocablos impropios. ‖ fig. Barbaridad, dicho o hecho temerario.

bárbaro, ra (al. *Barbar*, fr. *barbare*, ingl. *barbarian*, it. *bàrbaro*). adj. Dícese del individuo de cualquiera de las hordas que en el siglo V abatieron el imperio romano y se difundieron por la mayor parte de Europa. Ú.t.c.s. ‖ Perteneciente a estos pueblos. ‖ fig. Fiero, cruel. ‖ fig. Arrojado, temerario. ‖ fig. Inculto, grosero, tosco.

barbechar. tr. AGR. Arar o labrar la tierra disponiéndola para la siembra.

barbechera. f. AGR. Conjunto de varios barbechos. ‖ Tiempo en que se barbecha. ‖ Acción y efecto de barbechar.

barbecho (al. *Brachfeld*, fr. *jachère*, ingl. *fallow*, it. *maggese*). m. AGR. Tierra labrantía que no se siembra durante uno o más años. ‖ Acción de barbechar. [*Sinón.*: huebra, escalio]

barbería. f. Tienda del barbero. ‖ Oficio de barbero.

barbero (al. *Barbier*, fr. *barbier, coiffeur;* ingl. *barber*, it. *barbiere*). m. El que tiene por oficio afeitar la barba. ‖ *Amer.* Adulador.

barbián, na. adj. fam. Desenvuelto, gallardo, arriscado. Ú.t.c.s.

barbilampiño. adj. Dícese del varón adulto que no tiene barba o la tiene muy escasa. [*Sinón.*: imberbe, lampiño]

barbilindo. adj. Preciado de lindo y bien parecido.

barbilla (al. *Kinnspitze*, fr. *bout du menton*, ingl. *chin*, it. *barbetla*). f. Punta de la barba. ‖ Papada, abultamiento carnoso. ‖ Apéndice carnoso que algunos peces tienen en la parte inferior de la cabeza. ‖ m. pl. *Amer.* Hombre de barba escasa.

barbiquejo. m. Barboquejo. ‖ *Amer.* Pañuelo que se pasa por debajo de la barba y ata por encima de la cabeza, o a un lado de la cara. ‖ MAR. Cabo que sujeta el bauprés al tajamar o a la roda.

barbitúrico. adj. QUÍM. Dícese del ácido cristalino cuyos derivados tienen propiedades hipnóticas y sedantes. ‖ m. Cualquiera de estos derivados.

barbo (al. *Barbe*, fr. *barbeau*, ingl. *barbel*, it. *barbio*). m. Pez de río, fisóstomo, de lomo oscuro y vientre blanquecino. Es comestible.

barboquejo. m. Cinta con que se sujeta por debajo de la barba el sombrero o casco.

barbotar. intr. Barbotear. Ú.t.c.r.

barbotear. intr. Barbullar, mascullar.

barbudo, da (al. *vollbärtig*, fr. *barbu*, ingl. *fullbearded*, it. *barbuto*). adj. Que tiene muchas barbas. ‖ m. Barbado, renuevo de una planta.

barbullar. intr. y fam. Hablar atropelladamente y a borbotones. [*Sinón.*: barbotar]

barca (al. *Boot*, fr. *barque*, ingl. *boat*, it. *barca*). f. Embarcación pequeña para pescar o traficar en las costas del mar, o en los ríos y lagos.

barcaje. m. Transporte de efectos en una barca. ‖ Precio que por él se paga. ‖ Precio que se paga por pasar de una a otra parte del río en una barca.

barcarola. f. Canción popular de Italia. ‖ Canto de los marineros que imita por su ritmo el movimiento de los remos.

barcaza. f. Lanchón para transportar carga de los buques a tierra o viceversa.

barcelonés, sa. adj. Natural de Barcelona. Ú.t.c.s. ‖ Perteneciente a esta ciudad.

barcino, na. adj. Dícese de los animales de pelo blanco y pardo, y a veces rojizo. ‖ *Amer.* Dícese del político versátil.

barco (al. *Schiff*, fr. *bateau*, ingl. *ship*, it. *nave*). m. Construcción hueca y flotante, hecha de madera, hierro u otro material, que, impulsada y dirigida por un artificio adecuado, sirve para transportar por el agua personas o cosas. ‖ Barranco poco profundo. ‖ — *cisterna.* El dedicado a transportar líquidos.

barchilón, na. *Amer.* Enfermero de un hospital.

barda. f. Armadura antigua de los caballos. ‖ Cubierta de paja, broza, etc., que se pone sobre las tapias.

bardaguera. f. Bot. Arbusto salicáceo con cuyos ramos delgados se hacen canastillas y cestas.

bardaje. m. Homosexual pasivo.

bardal. m. Barda, seto. ‖ Zarza, planta silvestre.

bardar. tr. Poner bardas a los vallados o tapias.

bardo. m. Poeta de los antiguos celtas. ‖ Por ext., poeta heroico o lírico de cualquier época o país.

baremo. m. Cuaderno o tabla de cuentas ajustadas. ‖ Lista o repertorio de tarifas. ‖ Conjunto de normas convencionales para evaluar los méritos personales, la solvencia de las empresas, etc.

bargueño. m. Mueble de madera con muchos cajoncitos y gavetas, adornado con labores de talla o de taracea.

baria. f. Fís. En el sistema cegesimal, unidad de presión equivalente a una dina por centímetro cuadrado.

baricentro. m. Fís. Centro de gravedad de un cuerpo. ‖ Mat. En un triángulo, punto de intersección de las tres medianas.

bario (al. *Barium*, fr. *baryum*, ingl. *barium*, it. *bario*). m. Quím. Elemento metálico, de color blanco plateado,

dúctil y difícil de fundir. En contacto con el aire y con el agua se oxida rápidamente.

barisfera. f. Núcleo central del globo terrestre.

barita. f. Quím. Óxido de bario, que en forma de polvo blanco se obtiene en los laboratorios.

baritina. f. Sulfato de barita que se usa para falsificar el albayalde.

barítono (al. *Bariton*, fr. *baryton*, ingl. *barytone*, it. *baritono*). m. Mús. Voz media entre la de tenor y la de bajo. ‖ Mús. El que tiene esta voz.

barjuleta. f. Bolsa grande de tela o cuero que llevaban a la espalda los caminantes con ropa y menesteres.

barlovento. m. Mar. Parte de donde viene el viento, con respecto a un punto o lugar determinado.

barman (voz inglesa). m. Mozo de bar, en especial el que atiende la barra y mezcla las bebidas.

barniz (al. *Firnis*, *Lack*; fr. *vernis*, ingl. *varnish*, it. *vernice*). m. Disolución de una o más resinas en un líquido que al aire se volatiliza o se deseca, dejando, en este caso, una capa adherente, homogénea y brillante. ‖ Baño que se da al barro, loza y porcelana, y que se vitrifica con la cocción. ‖ Afeite. ‖ Conocimiento poco profundo o noticia superficial de una ciencia. [*Sinón.:* laca]

barnizada. f. *Amer.* Embarnizadura.

barnizador, ra (al. *Lackarbeiter*, fr. *vernisseur*, ingl. *varnisher*, it. *verniciatore*). adj. Que barniza. Apl. a pers. Ú.t.c.s.

barnizar (al. *firnissen*, *lackieren*; fr. *vernir*, ingl. *to varnish*, it. *inverniciare*). tr. Dar un baño de barniz. [*Sinón.:* embarnizar]

barógrafo. m. Fís. Barómetro registrador.

barométrico, ca. adj. Perteneciente o relativo al barómetro.

barómetro (al. *Barometer*, fr. *baromètre*, ingl. *barometer*, it. *baròmetro*). m. Instrumento que sirve para determinar la presión atmosférica.

barón (al. *Baron*, fr. *baron*, ingl. *baron*, it. *barone*). m. Título de dignidad nobiliaria.

baronesa. f. Mujer del barón. ‖ Mujer que goza de una baronía.

baronía. f. Dignidad de barón. ‖ Territorio sobre el que recae este título o en que ejercía jurisdicción un barón.

barquear. tr. Atravesar en barca un río o lago. ‖ intr. Utilizar los botes o lanchas para ir de un punto a otro.

barquero, ra. s. Persona que gobierna la barca.

barquilla. f. Molde para hacer pasteles. ‖ Cesto en que van los tripulantes de un globo. ‖ Mar. Tablita en figura de sector de círculo a la que se ata el cordel de la corredera que mide lo que anda la nave.

barquillero, ra s. Persona que hace o vende barquillos. ‖ m. Molde para hacer barquillos. ‖ f. Recipiente de forma cilíndrica en que el barquillero lleva su mercancía.

barquillo (al. *Hohlhippe*, fr. *cornet*, ingl. *wafer*, it. *cialdone*). m. Hoja delgada de pasta hecha con harina sin levadura y azúcar o miel, a la cual se da forma de canuto.

barquinazo. m. fam. Vaivén brusco de un carruaje o vuelco de éste.

barra (al. *Stange*, fr. *barre*, ingl. *bar*, it. *barra*). f. Pieza de metal u otra materia, por lo general prismática o cilíndrica y mucho más larga que gruesa. ‖ Palanca de hierro que sirve para levantar o mover cosas de mucho peso. ‖ Rollo de metal sin labrar. ‖ Barandilla que, en la sala donde se celebran asambleas o sesiones, separa el lugar destinado al público. ‖ Pieza de pan de forma alargada. ‖ La que suelen tener los bares y establecimientos similares a lo largo del mostrador. ‖ Banco o bajo de arena que se forma en la embocadura de algunos ríos y que hace peligrosa su navegación. ‖ *Amer.* Público que asiste a las sesiones de un tribunal, asamblea o corporación. ‖ *Amer.* Pandilla, grupo de amigos que se reúnen a menudo. ‖ *Amer.* Cada una de las acciones o participaciones en que se dividía una empresa para el laboreo de alguna mina. ‖ Blas. Pieza honorable que representa el tahalí de la espada del caballero y ocupa diagonalmente, de izquierda a derecha, el tercio central del escudo. ‖ — *fija.* La sujeta horizontalmente a la altura conveniente para hacer ciertos ejercicios gimnásticos. ‖ *sin mirar, pararse* o *reparar en barras.* expres. advs. figs. Sin reparos.

barrabás. m. fig. y fam. Persona mala, traviesa, díscola.

barrabasada. f. fam. Travesura grave, acción atropellada.

barraca (al. *Baracke*, it. *baraque*, ingl. *barrack*, it. *baracca*). f. Albergue construido toscamente. ‖ Vivienda rústica de las huertas de Valencia y Murcia. ‖ *Amer.* Edificio en que se depositan efectos destinados al tráfico.

barracón. m. aum. de barraca. Se

aplica especialmente a las casetas construidas en las ferias para vender diversos artículos, exhibir espectáculos, etc.

barracuda. f. ZOOL. Pez acantopterigio de fuerte dentadura y boca en forma de pico.

barragán. m. Tela de lana impenetrable al agua. ‖ Abrigo de esta tela. ‖ Mozo soltero.

barragana. f. Manceba. ‖ Concubina que vivía en la casa del que estaba amancebado con ella.

barrajar. tr. *Amer.* Derribar con fuerza. ‖ intr. *Amer.* Salir precipitadamente. Ú.t.c.r.

barrales. m. pl. *Amer.* Costados de una carretera.

barranca. f. Barranco.

barrancal. m. Sitio donde hay muchos barrancos.

barranco (al. *Schlucht*, fr. *précipice*, ingl. *gorge*, it. *burrone*). m. Despeñadero, precipicio. ‖ Quiebra profunda producida en la tierra por las corrientes de las aguas o por otras causas. ‖ fig. Dificultad en lo que se intenta o ejecuta. [*Sinón.*: barranca, quebrada; embarazo]

barrear. tr. Cerrar con maderos o fajinas cualquier abertura.

barredero, ra. adj. fig. Que arrastra cuanto encuentra. ‖ m. Especie de escoba con que se barre el horno antes de meter el pan a cocer.

barredor, ra adj. Que barre. Ú.t.c.s.

barredura. f. Acción de barrer. ‖ pl. Inmundicia que se barre.

barrena (al. *Bohrer*, fr. *vrille*, ingl. *gimlet*, it. *succhiello*). f. Instrumento que sirve para taladrar madera, hierro u otra materia dura. ‖ Barra de hierro empleada para agujerear peñascos, paredes rocosas, etc. ‖ — *de mano.* La que está dotada de manija. ‖ *entrar en barrena.* AER. Empezar a caer verticalmente y girando un avión por faltarle la velocidad mínima para mantenerse en el aire. [*Sinón.*: taladro]

barrenar (al. *bohren*, fr. *forer*, ingl. *to bore*, it. *succhiellare*). tr. Abrir agujeros con barrena o barreno en algún cuerpo. ‖ fig. Desbaratar la intención de alguno; impedirle el logro de una cosa. ‖ TAUROM. Hincar la puya o el estoque revolviéndolos. [*Sinón.*: taladrar.]

barrendero, ra (al. *Strassenkehrer*, fr. *balayeur*, ingl. *sweeper*, it. *spazzatore*). s. Persona que tiene por oficio barrer.

barrenero. m. El que hace o vende barrenas. ‖ Operario que abre los barrenos en las minas, canteras, etc.

barreno (al. *Loch*, fr. *trou de mine*, ingl. *auger-hole*, it. *trivellone*). m. Barrena grande. ‖ Agujero que se hace con la barrena. ‖ Agujero relleno de materia explosiva en una roca o en una obra de fábrica para volarla. ‖ Por ext., en minería, explosivo. ‖ fig. *Amer.* Tema, manía.

barreño, ña. adj. De barro. ‖ s. Vasija de barro tosco, metal o plástico, por lo común más estrecha en la base, que sirve para fregar loza y otros usos.

barrer (al. *kehren*, fr. *balayer*, ingl. *to sweep*, it. *scopare*). tr. Quitar del suelo con la escoba el polvo, la basura, etc. ‖ fig. Llevarse todo lo que había en alguna parte. [*Sinón.*: escobar; despejar]

barrera (al. *Barriere*, fr. *barrière*, ingl. *barrier*, it. *barriera*). f. Valla, compuerta, madero, cadena u otro obstáculo con que se cierra un paso o se cerca un lugar. ‖ Antepecho con que se cierra el redondel en las plazas de toros. ‖ fig. En las mismas plazas, delantera o primera fila de asientos. ‖ En ciertos deportes, fila de jugadores que, uno al costado del otro, se coloca delante de su meta para protegerla de un lanzamiento contrario. ‖ fig. Obstáculo entre una cosa y otra. ‖ Sitio de donde se saca el barro de que se hace uso en los alfares. [*Sinón.*: empalizada, estacada]

barreta. f. Barra o palanca pequeña que usan los mineros, albañiles, etc. ‖ Tira de cuero que suele ponerse en el interior del calzado para reforzar la costura.

barretina. f. Gorro catalán.

barriada. f. Barrio. ‖ Parte de un barrio.

barrica. f. Tonel mediano.

barricada (al. *Barrikade*, fr. *barricade*, ingl. *barricade*, it. *barricata*). f. Parapeto improvisado hecho con adoquines, vallas, etc., que se utiliza en las revueltas populares.

barrido. m. Acción de barrer. ‖ Barreduras.

barriga (al. *Bauch*, fr. *ventre*, ingl. *belly*, it. *pancia*). f. Vientre. ‖ fig. Parte media abultada de una vasija. [*Sinón.*: panza, tripa]

barrigudo, da. adj. Que tiene barriga prominente.

barriguera. f. Correa que ciñe la barriga a las caballerías de tiro.

barril (al. *Fass*, fr. *baril*, ingl. *barrel*, it. *barile*). m. Vasija de madera que sirve para conservar y transportar licores

y otros géneros. ‖ Vaso de barro, de gran vientre y cuello angosto, en que tienen los campesinos agua para beber. ‖ *Amer.* Nudo, de figura de un barrilito, que por adorno se hace en las riendas. [*Sinón.*: cuba, bocoy]

barrilaje. m. *Amer.* Barrilería, conjunto de barriles.

barrilería. f. Conjunto de barriles. ‖ Taller donde se hacen barriles. ‖ Sitio donde se venden.

barrilete. m. dim. de barril. ‖ Instrumento de hierro de que usan los carpinteros y otros artífices para asegurar sobre el banco los materiales que labran. ‖ MAR. Especie de nudo en forma de barril que se hace en algunos cabos. ‖ MÚS. La pieza cilíndrica del clarinete más inmediata a la boquilla.

barrilla. f. BOT. Planta quenopodiácea que crece en terrenos salados y de cuyas cenizas se obtiene la sosa. ‖ Estas mismas cenizas.

barrillo. m. Barro, granillo del cutis.

barrio (al. *Stadtviertel*, fr. *quartier*, ingl. *quarter*, it. *quartiere*). m. Cada una de las partes en que se dividen los pueblos grandes o sus distritos. ‖ Arrabal. ‖ Grupo de casas o aldea dependiente de otra población. ‖ *el otro barrio.* fig. y fam. El otro mundo, el más allá. [*Sinón.*: barriada, suburbio]

barritar. intr. Dar barritos el elefante.

barrito. m. Berrido del elefante.

barrizal. m. Sitio lleno de barro o lodo. [*Sinón.*: lodazal, fangal]

barro (al. *Schlamm*, fr. *bourbe*, ingl. *mud*, it. *fango*). m. Masa que resulta de la mezcla de tierra y agua. ‖ Búcaro, vasija. ‖ Cada uno de los granillos de color rojizo que salen en el rostro. [*Sinón.*: lodo, fango, limo]

barroco, ca (al. *barock*, fr. *baroque*, ingl. *baroque*, it. *barocco*). adj. ARQ. Dícese del estilo de ornamentación caracterizado por la profusión de volutas y otros adornos en que predomina la línea curva y que se desarrolló en los siglos XVII y XVIII. ‖ m. Período en que prevaleció dicho estilo artístico.

barroquismo. m. Tendencia a lo barroco. ‖ Extravagancia, mal gusto.

barroso, sa adj. Dícese del terreno que tiene barro o en que se forma barro fácilmente. ‖ Se aplica al rostro que tiene barros. ‖ De color de barro; rojizo.

barrote. m. Barra gruesa. ‖ Barra de hierro que sirve para afianzar alguna cosa. ‖ CARP. Palo que se pone atravesado sobre otros palos o tablas para sostener o reforzar.

barrueco. m. Perla irregular. ‖ Nódulo esferoidal que suele encontrarse en las rocas.

barruntar (al. *ahnen*, fr. *conjecturer*, ingl. *to conjecture*, it. *congetturare*). tr. Prever. conjeturar o presentir por algún indicio. |*Sinón.*: sospechar, presumir|

barrunte. m. Indicio, noticia.

barrunto. m. Acción de barruntar. ‖ Barrunte.

bartola (a la). m. adv. fam. Sin ningún cuidado. Ú. con los verbos *echarse, tenderse* y *tumbarse.*

bartulear. intr. *Amer.* Cavilar.

bártulos. m. pl. fig. Enseres que se manejan. ‖ *liar los bártulos.* fig.y fam. Arreglarlo todo para una mudanza o viaje. ‖ *preparar los bártulos.* fig. y fam. Disponer los medios de ejecutar algo. |*Sinón.*: útiles, utensilios, efectos|

barullo. m. fam. Confusión, desorden.

barzal. m. Terreno cubierto de zarzas y maleza.

barzón. m. Paseo ocioso. ‖ AGR. Anillo por el que pasa el timón del arado en el yugo.

barzonear. intr. *Andar vago y sin destino.* |*Sinón.*: vagabundear|

basa. f. Base, funcionamiento o apoyo. ‖ ARQ. Parte inferior de la columna en que descansa el fuste.

basada. f. Aparato armado en la grada debajo del buque, para botarlo al agua.

basal. adj. ANAT. Relativo a la base.

basáltico, ca. adj. GEOL. Constituido por basalto o que participa de su naturaleza

basalto (al. *Basalt*, fr. *basalte*, ingl. *basalt*, it. *basalto*). m. GEOL. Roca volcánica de color negro o verdoso y muy dura, compuesta principalmente por feldespato y piroxena o augita.

basamento. m. ARQ. Cuerpo formado por la base y el pedestal de la columna.

basar. tr. Asentar algo sobre una base. ‖ fig. Fundar, apoyar. Ú.t.c.r.

basáride. m. ZOOL. Mamífero carnívoro americano, parecido a la comadreja, pero de mayor tamaño.

basca. f. Ansia, desazón que se experimenta en el estómago cuando se quiere vomitar. Ú. m. en pl.

báscula (al. *Waage*, fr. *bascule*, ingl. *scale*, it. *basculla*). f. Aparato para pesar objetos, generalmente grandes.

bascular. intr. Moverse un cuerpo girando sobre un eje vertical. ‖ En algunos vehículos, inclinarse la caja, de modo que la carga resbale hacia afuera por su propio peso.

base (al. *Grundlage, Basis;* fr. *base,* ingl. *base, basis;* it. *base*). f. Fundamento o apoyo principal en que estriba o descansa alguna cosa. ‖ MAT. Cantidad fija y distinta de la unidad, que ha de elevarse a una potencia dada. ‖ ARQ. Basa de una columna o estatua. ‖ MAT. Línea o superficie en que se supone descansa una figura. ‖ QUÍM. Cuerpo, de procedencia orgánica o inorgánica, que tiene la propiedad de combinarse con los ácidos para formar sales. ‖ MIL. Zona donde están concentrados los servicios de aprovisionamiento y reparación necesarios para una operación. ‖ — *aérea.* Aeropuerto militar. ‖ — *naval.* Puerto o parte de costa en que se preparan y pertrechan las fuerzas navales. ‖ *a base de.* loc. adv. Tomando como base o fundamento.

basicidad. f. QUÍM. Propiedad que tiene un cuerpo de poder actuar como base en una combinación.

básico, ca. adj. Perteneciente a las bases sobre las que se sustenta una cosa; fundamental. ‖ QUÍM. Dícese de la sal en que predomina la base.

basilar. adj. Perteneciente o relativo a la base.

basílica (al. *Basilika*, fr. *basilique*, ingl. *basilica*, it. *basilica*). f. Palacio o casa real. ‖ Edificio público que servía a los romanos de tribunal y de lugar de reunión y de contratación. ‖ Cada una de las trece iglesias de Roma, siete mayores y seis menores. ‖ Iglesia notable por su antigüedad, extensión o magnificencia, o que goza de privilegios.

basilisco. m. Animal fabuloso, al que se atribuía la propiedad de matar con la vista. ‖ fig. Hombre furioso o dañino. ‖ Pieza antigua de artillería. ‖ *estar* uno *hecho un basilisco.* fig. y fam. Estar muy airado.

basta. f. Hilván. ‖ Cada una de las puntadas o ataduras del colchón.

¡basta! Voz imperativa del verbo bastar, que corresponde a *bastante, no más* y, a veces, a *¡alto!*

bastante (al. *genug*, fr. *assez*, ingl. *enough*, it. *abbastanza*). p.a. de bastar. Que basta. ‖ adv. c. Ni mucho ni poco; ni más ni menos de lo regular. ‖ No poco. |*Sinón.*: suficiente, asaz. *Antón.*: escaso, insuficiente|

bastantear. intr. DER. Reconocer un abogado, por escrito, que un instrumento público, en el cual consta un contrato de mandato, es suficiente para dar valor legal a una o más actuaciones del mandatario. Ú.t.c.tr. ‖ Por ext., declarar que un poder es suficiente para el fin con que se otorgó. Ú.t.c.tr.

bastar (al. *genügen*, fr. *suffire*, ingl. *to suffice*, it. *bastare*). intr. Ser suficiente. Ú.t.c.r. |*Sinón.*: alcanzar. *Antón.*: faltar|

bastardear. intr. Degenerar de su naturaleza. |*Sinón.*: desnaturalizar, adulterar|

bastardía (al. *Unehelichkeit*, fr. *bâtardie*, ingl. *bastardy*, it. *bastardiggine*). f. Calidad de bastardo. ‖ Dicho o hecho indigno.

bastardilla. f. Instrumento músical, especie de flauta. ‖ *letra* —. ↗ letra.

bastardo, da. adj. Que degenera de su origen o naturaleza. ‖ m. Boa, serpiente.

baste. m. Basta, hilván. ‖ Especie de almohadilla que lleva la silla de montar en su parte inferior.

bastear. tr. Echar bastas.

bastidor (al. *Rahmen, Kulisse*; fr. *châssis, coulisse*; ingl. *frame*, it. *telaio*). m. Armazón en el cual se fijan lienzos para pintar y bordar; sirve también para armar vidrieras y otros usos análogos. ‖ Armazón que mantiene y fija una superficie pintada y que se usa sobre todo en la decoración teatral. ‖ Armazón metálico que soporta la caja de un vagón, automóvil, etc. ‖ *entre bastidores.* loc. fam. Dícese en el teatro de lo que se refiere a organización interior, y a dichos y ocurrencias de los actores. Por ext., dícese de aquello que se trama o prepara reservadamente.

bastilla. f. Doblez que se asegura con puntadas a los extremos de la tela para que no se deshilache.

bastimentar. tr. Proveer de bastimentos o provisiones.

bastimento. m. Embarcación, barco. ‖ Provisión para sustento de una ciudad, ejército, etc.

bastión (al. *Bollwerk, Bastei;* fr. *bastion*, ingl. *bastion*, it. *bastione*). m. FORT. Baluarte.

basto. m. Cierto aparejo o albarda que llevan las caballerías de carga. ‖ As en el palo de naipes llamado bastos. ‖ Cualquier naipe del palo de bastos. ‖ pl. Uno de los cuatro palos de la baraja española.

basto, ta. adj. Grosero, tosco. ‖ fig. Dícese de la persona rústica o grosera. |*Sinón.*: zafio, ordinario|

bastón (al. *Stock*, fr. *canne, bâton*; ingl. *cane, walking-stick*; it. *bastone*).

97

m. Vara que sirve para apoyarse al andar. ‖ Insignia de mando o de autoridad. [*Sinón.*: báculo, cayado]

bastonazo. m. Golpe dado con el bastón.

bastoncillo. m. Galón angosto que sirve para guarnecer. ‖ ANAT. Célula nerviosa de una de las capas de la retina.

bastonear. tr. Dar golpes con bastón o palo.

bastonera. f. Mueble para colocar en él paraguas y bastones.

basura (al. *Kehricht*, fr. *ordure*, ingl. *sweepings*, it. *spazzatura*). f. Inmundicia, y especialmente la que se recoge barriendo. ‖ Desecho o estiércol de las caballerías. ‖ fig. Lo repugnante o despreciable.

basural. m. *Amer.* Sitio en que se echa la basura.

basurero. m. El que lleva o saca la basura al sitio destinado para echarla. ‖ Lugar en donde se amontona la basura. [*Sinón.*: vertedero, albañal]

basurita. f. *Amer.* Propina.

bata (al. *Morgenrock*, fr. *robe de chambre*, ingl. *dressing gowm*, it. *vestaglia*). f. Ropa talar con mangas, usada para estar en casa con comodidad. ‖ Traje holgado que, con el mismo fin, usan las mujeres. ‖ *Amer.* Tabla de madera que se usa para jugar a pelota, y tabla con que se golpea la ropa para lavarla. ‖ *media bata.* Batín.

batacazo. m. Golpe fuerte y con estruendo que da alguna persona cuando cae. [*Sinón.*: porrazo]

batahola. f. fam. Bulla, ruido grande.

batalla (al. *Schlacht*, fr. *bataille*, ingl. *battle*, it. *battaglia*). f. Combate entre dos ejércitos o dos armadas navales. ‖ Justa o torneo. ‖ En los carruajes de cuatro ruedas, distancia de eje a eje. ‖ fig. Agitación del ánimo. ‖ — *campal.* MIL. La decisiva entre dos ejércitos completos. ‖ — *de flores.* Festejo público en que los participantes se arrojan flores unos a otros. [*Sinón.*: lucha, lid, combate]

batallador, ra. adj. Que batalla.

batallar. intr. Pelear, reñir con armas. ‖ fig. Disputar, debatir, porfiar.

batallón (al. *Batallion*, fr. *bataillon*, ingl. *battalion*, it. *battaglione*). m. MIL. Unidad táctica del arma de Infantería, que se compone de cierto número de compañías.

batán. m. Máquina compuesta de gruesos mazos de madera, para golpear, desengrasar y enfurtir los paños. ‖ Edificio en que funciona.

batanar. tr. Abatanar.

bataola. f. Batahola.

batata. f. Planta convolvulácea de tallo rastrero y raíces como las de la patata. ‖ Cada uno de los tubérculos de las raíces de esta planta. ‖ fig. *Amer.* Apocamiento.

batatazo. m. *Amer.* Ganancia inesperada.

batayola. f. MAR. Barandilla de madera que se colocaba sobre las bordas del buque para sostener los empalletados. ‖ MAR. Caja cubierta con encerados, dentro de la cual se recogen los coyes de la tripulación.

bate. m. Palo más grueso por el extremo libre que por la empuñadura, con el que se golpea la pelota en el juego del béisbol.

batea. f. Bandeja. ‖ Dornajo. ‖ Vagón descubierto y de bordes bajos. ‖ *Amer.* Artesa para lavar.

bateador. m. El que maneja el bate en el juego del béisbol.

batear. tr. Golpear la pelota con el bate. Ú.t.c.intr.

batel. m. Bote, barco pequeño.

batelero, ra. s. Persona que gobierna el batel.

bateo. m. fam. Bautizo.

batería (al. *Batterie*, fr. *batterie*, ingl. *battery*, it. *batteria*). f. Conjunto de piezas de artillería. ‖ Unidad táctica del arma de Artillería. ‖ En los buques mayores de guerra, conjunto de cañones que hay en cada puente. Acción y efecto de batir. ‖ MÚS. Conjunto de instrumentos de percusión en una banda u orquesta. ‖ fig. En los teatros, fila de luces del proscenio. ‖ — *de cocina.* Conjunto de utensilios necesarios para la cocina. ‖ — *eléctrica.* FÍS. Acumulador de electricidad, o conjunto de ellos. ‖ *en batería.* loc. adj. o adv. Modo de aparcar o estacionar los vehículos, colocándolos paralelamente unos a otros.

batiboleo. m. fam. *Amer.* Bulla, batahola.

batiburrillo. m. Baturrillo.

batida (al. *Treibjagd*, fr. *battue*, ingl. *battue*, it. *batuta*). f. En la montería, acción de batir el monte. ‖ Acción de batir o acuñar moneda.

batidero. m. Continuo golpear de una cosa con otra. ‖ Lugar donde se bate y golpea. ‖ Terreno desigual que hace difícil el paso de los carruajes.

batido, da. p.p. de batir. ‖ adj. Aplícase a los tejidos de seda que resultan con visos distintos. ‖ Aplícase al camino muy andado y trillado. ‖ m. Claras,

yemas o huevos batidos. ‖ Bebida que se hace batiendo helado, leche, huevos u otros ingredientes.

batidor, ra. adj. Que bate. ‖ m. Instrumento para batir. ‖ Explorador que descubre y reconoce el campo o el camino. ‖ Peine claro de púas. MONT. El que levanta la caza en las batidas. ‖ f. Aparato electrodoméstico que se utiliza para triturar alimentos o para emulsionar líquidos.

batiente. m. Parte del cerco de las puertas y ventanas en que éstas se detienen y baten al cerrarse. ‖ Lugar donde la mar bate el pie de una costa o de un dique.

batihoja. m. Artífice que a golpes de mazo labra metales, reduciéndolos a láminas.

batilongo. m. *Amer.* Bata larga y holgada de mujer.

batimetría. f. Arte de medir las profundidades del mar y estudio de la distribución de plantas y animales en sus diversas zonas.

batimétrico, ca. adj. Relativo a la batimetría.

batimiento. m. Acción de batir.

batín. m. Bata corta.

batir (al. *schlagen*, fr. *battre*, ingl. *to beat*, it. *bàttere*). tr. Dar golpes, golpear. ‖ Arruinar, echar por tierra alguna pared, edificio, etc. ‖ Hablando del sol, el agua o el aire, dar en una parte sin estorbo alguno. ‖ Mover con fuerza e ímpetu alguna cosa. ‖ Mover y revolver alguna cosa para que se condense o trabe, o para que se líquide o disuelva. ‖ Martillear una pieza de metal hasta reducirla a chapa. ‖ Derrotar al enemigo. ‖ Acuñar moneda. ‖ Con voces significativas de terreno en despoblado, como campo, camino, etc., reconocer, recorrer. ‖ DEP. Vencer, ganar a un contrincante. ‖ DEP. Superar una marca homologada. ‖ r. Combatir, pelear. ‖ Abatirse, descender el ave de rapiña.

batíscafo. m. Aparato autónomo de sumersión que permite explorar las profundidades del mar.

batista. f. Lienzo fino muy delgado.

bato. m. Hombre de pocos alcances.

batómetro. m. FÍS. Aparato para medir la profundidad del mar.

batracio (al. *amphibisch*, fr. *batracien*, ingl. *batrachian*, it. *batracio*). adj. ZOOL. Dícese de los vertebrados tetrápodos, de sangre fría, llamados también anfibios. Ú.m.c.s. ‖ m. pl. Clase que integran estos animales.

baturrillo. m. Mezcla de cosas que

no encajan bien unas con otras, o de especies inconexas y que no vienen a propósito. |Sinón.: amasijo|

baturro, rra. adj. Rústico aragonés. Ú.t.c.s.

batuta (al. *Taktstock*, fr. *bâton*, ingl. *conductor's baton*, it. *bacchetta*). f. Bastón corto con el que el director de una orquesta marca el compás. || *llevar uno la batuta*. fig. y fam. Dirigir una corporación o conjunto de personas.

baúl (al. *Koffer*, fr. *malle*, ingl. *trunk*, it. *baule*). m. Cofre, arca. || fig. y fam. Vientre, panza. || — *mundo*. El grande y de mucho fondo.

bauprés. m. MAR. Palo grueso que en la proa de los barcos sirve para asegurar los estayes del trinquete.

bausán, na. s. Figura de hombre embutida de paja u otra materia semejante y vestida de armas. || fig. Persona boba o necia.

bautismal. adj. Perteneciente o relativo al bautismo.

bautismo (al. *Taufe*, fr. *baptême*, ingl. *baptism*, it. *battèsimo*). m. Sacramento de la Iglesia, con el cual se da el carácter de cristianos. || Bautizo. || — *de fuego*. Hecho de entrar por primera vez en combate. || — *de sangre*. Hecho de ser herido en combate por vez primera.

bautista. m. El que bautiza.

bautisterio. m. Baptisterio.

bautizar (al. *taufen*, fr. *baptiser*, ingl. *to baptise*, it. *battezzare*). tr. Administrar el bautismo. || fig. Poner nombre a una cosa. || fig. y fam. Dar a una persona o cosa un nombre distinto al suyo. || fig. y fam. Tratándose del vino, mezclarlo con agua. || fig. y fam. Arrojar sobre una persona agua u otro líquido. |Sinón.: batear, cristianizar; motejar; aguar|

bautizo. m. Acción de bautizar y fiesta con que se solemniza. [Sinón.: bautismo, bateo]

bauxita. f. MINER. Mineral blando, de aspecto terroso y color amarillento o rosado, que sirve como primera materia en la obtención del aluminio.

bávaro, ra. adj. Natural de Baviera. Ú.t.c.s. || Perteneciente a esta región de Alemania.

baya (al. *Beere*, fr. *baie*, ingl. *barry*, it. *bacca*). f. BOT. Fruto carnoso y jugoso que contiene semillas rodeadas de pulpa: como la uva.

bayadera. f. Bailarina y cantante india.

bayeta (al. *Wischtuch*, fr. *bayette*, ingl. *baize*, it. *baietta*). f. Tela de lana, floja y poco tupida. || Paño, generalmente de lana, que se utiliza para fregar los suelos.

bayetón. m. Tela de lana con mucho pelo, que se usa para abrigo.

bayo, ya. adj. De color blanco amarillento. Se aplica más comúnmente a los caballos y a su pelo. Ú.t.c.s.

bayoneta (al. *Bajonett*, fr. *baïonnette*, ingl. *bayonet*, it. *baionetta*). f. Arma blanca complementaria del fusil, a cuyo cañón se adapta exteriormente, junto a la boca. || *a la bayoneta*. m. adv. MIL. Sirviéndose de ella, armada, y sin hacer fuego.

bayonetazo. m. Golpe dado con la bayoneta. || Herida hecha con esta arma.

bayú. m. *Amer*. Mancebía.

baza (al. *Stich*, fr. *levée*, ingl. *trick*, it. *bazza*). f. Número de cartas que en ciertos juegos de naipes recoge el que gana la mano. || *meter baza*. Intervenir en la conversación de otros, especialmente sin tener autoridad para ello.

bazar. m. En Oriente, mercado público. || Tienda en que se venden productos diversos.

bazo, za (al. *Milz*, fr. *rate*, ingl. *milt*, it. *milza*). adj. De color moreno y que tira a amarillo. || m. ANAT. Víscera vascular de color rojo oscuro, situada en el hipocondrio izquierdo y que tiene función hematopoyética.

bazofia. f. Mezcla de heces o desechos de comidas. || fig. Cosa soez y despreciable.

bazuca (inglés *bazooka*). f. MIL. Arma portátil de infantería, consistente en un tubo metálico, y que sirve para disparar proyectiles dotados de propulsión a chorro. Se utiliza principalmente contra los tanques.

bazucar. tr. Revolver un líquido moviendo la vasija en que está. || Traquetear, mover o agitar una cosa.

be. f. Nombre de la letra *b*.

be. Onomatopeya de la voz del carnero y de la oveja. || m. Balido.

beata. f. Mujer que sin pertenecer a ninguna comunidad, viste hábito religioso y vive en su casa con recogimiento. || fam. Mujer que frecuenta mucho los templos. || vulg. Peseta, moneda.

beatería f. Acción de afectada virtud. || Religiosidad afectada.

beatificación. f. Acción de beatificar.

beatificar (al. *seligsprechen*, fr. *béatifier*, ingl. *to beatify*, it. *beatificare*). tr. Hacer feliz a alguno. || Declarar el Papa que algún siervo de Dios goza de la eterna bienaventuranza y se le puede dar culto.

beatífico, ca. adj. TEOL. Que hace bienaventurado a alguno.

beatilla. f. Especie de lienzo delgado y ralo.

beatitud. f. Bienaventuranza eterna. || Felicidad. [Sinón.: dicha]

beato, ta (al. *gottselig*, fr. *béat*, ingl. *blessed*, it. *beato*). adj. Feliz o bienaventurado. || Dícese de la persona beatificada por el Papa. Ú.m.c.s. || fig. Que afecta virtud. Ú.t.c.s. || m. El que lleva hábito religioso sin vivir en comunidad ni seguir regla determinada. || fam. Hombre que frecuenta mucho los templos. [Sinón.: dichoso; mojigato]

bebé. m. Nene o rorro.

bebedero, ra. adj. Dícese de lo que es bueno para beber. || m. Recipiente en que se echa la bebida a los pájaros de jaula y a otras aves domésticas. || Paraje donde acuden a beber las aves. || Pico saliente que tienen algunas vasijas en el borde y que sirve para beber. || Conducto o canal de salida del acero líquido o de la fundición. || Abrevadero.

bebedizo, za. adj. Potable. || m. Bebida que se da como medicina. || Bebida que se decía tener la virtud para conciliar el amor de otras personas. || Bebida confeccionada con veneno. [Sinón.: pócima]

bebedor, ra. adj. Que bebe. || Que abusa de las bebidas alcohólicas. Ú.t.c.s.

beber (al. *trinken*, fr. *boire*, ingl. *to drink*, it. *bere*). intr. Hacer que un líquido pase de la boca al estómago. Ú.t.c.tr. || Hacer uso frecuente o abusar de las bebidas alcohólicas. || m. Acción de beber.

bebestible. adj. fam. Que se puede beber. Ú.t.c.s.

bebezón. m. *Amer*. Borrachera. || *Amer*. Bebida alcohólica.

bebible. adj. fam. Aplícase a los líquidos que no son del todo desagradables al paladar.

bebida (al. *Getränk*, fr. *boisson*, ingl. *drink*, it. *bevanda*). f. Cualquier líquido que se bebe. || En sentido estricto, líquido compuesto, y especialmente los alcohólicos. || Vicio de tomar bebidas alcohólicas.

bebido, da. adj. Que ha bebido demasiado y está casi embriagado.

bebistrajo. m. Mezcla extravagante de bebidas. || fam. Bebida muy desagradable.

beca (al. *Spitendium*, fr. *bourse*, ingl. *scholarship*, it. *prebenda*). f. Plaza o prebenda de colegial. || fig. Pensión o estipendio que se concede a una persona para cursar determinados estudios.

becada. f. ZOOL. Chocha.

becar. tr. Sufragar o conceder a alguien una beca para estudiar.

becario, ria. s. Persona que disfruta de una beca para estudios.

becerra. f. Vaca desde que deja de mamar hasta que cumple un año.

becerrada. f. Lidia de becerros.

becerrillo. m. Piel de becerro curtida.

becerro (al. *Kalbsleder*, fr. *veau*, ingl. *calf*, it. *vitello*). m. Toro desde que deja de mamar hasta que cumple un año. || Piel de ternero o ternera curtida.

becuadro. m. MÚS. Signo con que se indica que vuelve a su entonación una nota afectada por un sostenido o bemol.

bechamel. f. Salsa blanca que se hace con harina, crema de leche y manteca.

bedel (al. *Schuldiener*, fr. *bedeau*, ingl. *beadle*, it. *bidello*). m. Empleado que, en los establecimientos de enseñanza, cuida del orden fuera de las aulas, anuncia las horas de las clases, etc.

beduino, na. adj. Dícese de los árabes nómadas que habitan en África septentrional y Oriente Medio. Ú.t.c.s. || m. fig. Hombre bárbaro y desaforado.

befa (al. *Verspottung*, fr. *dérision*, ingl. *jeer*, it. *beffa*). f. Expresión de desprecio grosera e insultante. [*Sinón.*: mofa, ludibrio, escarnio]

befar. intr. Mover los caballos el befo. || tr. Burlar, escarnecer.

befo, fa. adj. Belfo, que tiene más grueso el labio inferior que el superior. Ú.t.c.s. || De labios abultados y gruesos. Ú.t.c.s. || Zambo. Ú.t.c.s. || m. Belfo, labio de un animal.

begonia. f. Planta perenne begoniácea, con tallos carnosos, hojas grandes acorazonadas y flores monoicas, sin corola y con cáliz de color rosa.

begoniáceo, a. adj. BOT. Dícese de un género de plantas angiospermas dicotiledóneas, que pertenecen exclusivamente al género de las begonias. Ú.t.c.s.f. || f. pl. Familia de estas plantas.

behetría. f. En lo antiguo, población cuyos vecinos podían recibir por señor a quien quisieran. || fig. Confusión o desorden.

beige (voz francesa). adj. com. Úsase para designar el color natural de la lana, es decir, el castaño claro.

béisbol. m. Deporte que se practica con una pelota y un bate y que consiste en anotarse cada equipo el mayor número de carreras en las nueve entradas de que consta el partido.

bejín. m. BOT. Hongo de color blanco, que contiene un polvo negro formado por las esporas. || Persona que se enoja con poco motivo.

bejuco. m. BOT. Nombre de diversas plantas tropicales, cuyos tallos se enrollan a otros vegetales. Se emplean para toda clase de ligaduras y para jarcias, tejidos, muebles y bastones.

belcebú. m. Diablo o demonio.

beldad (al. *Schönheit*, fr. *beauté*, ingl. *beauty*, it. *beltà*). || Mujer muy bella.

beldar. tr. Aventar con el bieldo las mieses, legumbres, etc., para separar del grano la paja.

belén. m. fig. Nacimiento, representación del de Jesucristo. || fig. y fam. Sitio en que hay mucha confusión; la misma confusión.

beleño. m. Planta solanácea de fruto capsular. Toda la planta, especialmente la raíz, es narcótica.

belfo, fa. adj. Dícese del que tiene más grueso el labio inferior. Apl. a pers., Ú.t.c.s. || m. Cualquiera de los dos labios del caballo y otros animales.

belga. adj. Natural de Bélgica. Ú.t.c.s. || Perteneciente a esta nación de Europa.

belicismo. m. Tendencia a provocar conflictos bélicos o a tomar parte en ellos.

belicista. adj. Partidario del belicismo. Ú.t.c.s.

bélico, ca (al. *kriegerisch*, fr. *guerrier*, ingl. *war*, *warlike*; it. *bèllico*). adj. Perteneciente a la guerra.

belicosidad. f. Calidad de belicoso.

belicoso, sa. adj. Guerrero, marcial. || fig. Agresivo, pendenciero. [*Sinón.*: batallador, acometedor. *Antón.*: pacífico]

beligerancia. f. Calidad de beligerante.

beligerante (al. *kriegführend*, fr. *belligérant*, ingl. *belligerent*, it. *belligerante*). adj. Aplícase a la potencia, nación, etc., que está en guerra. Ú.t.c.s. y más en pl.

belitre. adj. fam. Pícaro, ruin y de costumbres viles. Ú.t.c.s.

belvedere. m. ARQ. Especie de mirador o pabellón situado en lo alto de un edificio. También se da este nombre a los pabellones abiertos o cerrados que se levantan en los jardines, y a cualquier plataforma elevada que ofrezca una vista amplia.

bellaco, ca (al. *Schuft*, fr. *coquin*, ingl. *rogue*, it. *briccone*). adj. Malo, pícaro, ruin. Ú.t.c.s. || Astuto, sagaz. Ú.t.c.s.

belladona. f. Planta solanácea, venenosa, que contiene atropina y se utiliza con fines terapéuticos.

bellaquería. f. Calidad de bellaco. || Acción o dicho propio de bellaco. [*Sinón.*: truhanería, ruindad]

belleza (al. *Schönheit*, fr. *beauté*, ingl. *beauty*, it. *bellezza*). f. Propiedad de las cosas que nos hace amarlas, infundiendo en nosotros deleite espiritual. || Mujer notable por su hermosura. [*Sinón.*: hermosura, perfección. *Antón.*: fealdad]

bellido, da. adj. Bello, agraciado, hermoso.

bello, lla (al. *schön*, fr. *beau*, ingl. *beautiful*, it. *bello*). adj. Que tiene belleza. [*Sinón.*: guapo, hermoso, lindo]

bellota (al. *Eichel*, fr. *gland*, ingl. *acorn*, it. *ghianda*). f. Fruto del roble, de la encina y de otros árboles del mismo género. || Bálano o glande.

bellotear. intr. Comer la bellota el ganado de cerda.

bellotero, ra. s. Persona que coge o vende bellotas. || Tiempo de recoger la bellota. || r. Cosecha de bellota.

bemba. f. *Amer.* Boca gruesa de negro.

bembo. m. *Amer.* Bezo, especialmente el del negro bozal.

bemol (al. *Vertiefungszeichen*, fr. *bémol*, ingl. *flat*, it. *bemolle*). adj. MÚS. Dícese de la nota alterada en un semitono por bajo de su sonido natural. Ú.t.c.s. || m. MÚS. Signo que representa esta alteración. || *tener bemoles* una cosa. fig. y fam. Ser muy grave y dificultosa.

ben. m. BOT. Árbol leguminoso intertropical de cuyo fruto se obtiene un aceite que se emplea en relojería y perfumería. || En árabe, hijo.

benceno. m. QUÍM. Benzol, hidrocarburo.

bencina (al. *Benzin*, fr. *benzine*, ingl. *benzine*, it. *benzina*). f. Vocablo en desuso con el que se designó el éter de petróleo. La denominación de bencina se aplica erróneamente al benceno y a la gasolina.

bendecir (al. *segnen*, fr. *bénir*, ingl. *to bless*, it. *benedire*). tr. Alabar, ensalzar. || Colmar de bienes a uno la providencia. || Invocar en favor de alguien o algo la bendición divina. || Consagrar algo al culto divino. || Formar cruces en el aire con la mano extendida sobre personas o cosas, invocando a la Santísima Trinidad o recitando preces.

bendición (al. *Segen*, fr. *bénédiction*, ingl. *benedictión*, it. *benedizione*). f. Acción y efecto de bendecir.

bendito, ta. p.p. irreg. de bendecir. || adj. Santo o bienaventurado. Ú.t.c.s. || Dichoso o feliz. || s. Persona sencilla e ingenua.

benedictino, na (al. *benediktiner-mönch*, fr. *bénédictin*, ingl. *benedictine*, it. *benedittino*). adj. Perteneciente a la orden de San Benito. Ú.t.c.s. || m. Licor que elaboran los monjes de esta orden.

benefactor, ra. adj. Bienhechor. Ú.t.c.s.

beneficencia. f. Virtud de hacer bien. || Conjunto de fundaciones, establecimientos y demás institutos benéficos, y de los servicios gubernativos referentes a ellos.

beneficiado, da. s. Persona en beneficio de la cual se ofrece un espectáculo público. || m. El que goza un beneficio eclesiástico.

beneficiar (al. *guttun*, fr. *bénéficier*, ingl. *to benefit*, it. *beneficare*). tr. Hacer bien: Ú.t.c.r. || Cultivar una cosa procurando que dé frutos. || Trabajar un terreno para hacerlo productivo. || Extraer de una mina las sustancias útiles. || Someter estas mismas sustancias al tratamiento metalúrgico. ||COM. Hablando de efectos, libranzas y otros créditos, venderlos por menos de lo que importan. || *Amer.* Hablando de una res, descuartizarla y venderla al menudeo.

beneficiario, ria. adj. Dícese de la persona a quien beneficia un contrato de seguro, pensión, etc. Ú.t.c.s. || s. DER. El que goza un predio o usufructo cualquiera, cedido graciosamente por otra persona.

beneficio (al. *Wohlthal, Gewinn;* fr. *bénéfice*, ingl. *benefit*, it. *beneficio*). m. Bien que se hace o se recibe. || Utilidad, provecho. || Labor y cultivo que se da a los campos, árboles, etc. || Acción de beneficiar minas o minerales. ||Conjunto de emolumentos que obtiene un eclesiástico, inherentes o no a un oficio. || DER. Derecho que compete a uno por ley o privilegio.

beneficioso, sa. adj. Provechoso, útil.

benéfico, ca (al. *wohlthätig*, fr. *bénéfique*, ingl. *beneficent*, it. *benèfico*). adj. Que hace bien. || Relativo a la ayuda a los necesitados.

benemérito, ta. adj. Digno de galardón. || f. La Guardia Civil.

beneplácito (al. *Genehmigung*, fr. *approbation*, ingl. *approbation*, it.

beneplàcito). m. Aprobación, permiso. || Complacencia.

benevolencia (al. *Wohlwollen*, fr. *bienveillance*, ingl. *benevolence*, it. *benevolenza*). f. Simpatía y buena voluntad hacia las personas.

benevolente. adj. Que tiene benevolencia, favorable.

benévolo, la (al. *wohlwollend*, fr. *bienveillant*, ingl. *benevolent*, it. *benèvolo*). adj. Que tiene buena voluntad o afecto. [*Sinón.*: afable, bueno.

bengala. f. Artificio pirotécnico que arde lentamente, sin explosión, dando luces de colores.

bengalí. adj. Natural de Bengala. Ú.t.c.s. || Perteneciente a esta región del Indostán. || m. Lengua derivada del sánscrito que se habla en Bengala.

benignidad. f. Calidad de benigno.

benigno, na (al. *gütig*, fr. *benigne*, ingl. *benign*, it. *benigno*). adj. Afable, benévolo. || fig. Templado, suave, apacible.

benimerín. m. Individuo de una tribu guerrera que durante los siglos XIII y XIV fundó una dinastía en el norte de África y sustituyó a los almohades en el dominio de la España musulmana.

benjamín. m. fig. Hijo menor y, por lo común, el más querido de sus padres.

benjuí. m. Resina aromática que se obtiene en un árbol de las Indias Orientales. Se usa en perfumería y medicina, y para la obtención del ácido benzoico.

bentónico, ca. adj. BIOL. Dícese del animal o planta que habitualmente vive en contacto con el fondo del mar.

bentos. m. BIOL. Conjunto de los seres bentónicos.

benzoe. m. Benjuí.

benzoico, ca. adj. QUÍM. Perteneciente o relativo al benjuí.

benzol. m. QUÍM. Líquido incoloro volátil que se extrae por destilación de la brea de hulla y que tiene muchas aplicaciones en la fabricación de productos sintéticos.

beodo, da (al. *betrunken*, fr. *ivre*, ingl. *drunk*, it. *ubbriaco*). adj. embriagado o borracho. Ú.t.c.s.

béquico, ca. adj. Eficaz contra la tos.

berbecí. m. *Amer.* Persona que se enfada por poco, bejín.

berbén. m. *Amer.* Escorbuto, loanda.

berberecho. m. ZOOL. Molusco bivalvo de concha estriada y casi circular.

berberisco, ca. adj. Beréber. Apl. a pers., Ú.t.c.s.

berbiquí (al. *Drillbohrer*, fr. *vilebrequin*, ingl. *brace*, it. *trapano*). m. Manubrio semicircular o en forma de doble codo, que puede girar alrededor de un puño ajustado en una de sus extremidades y tener sujeta en la otra la espiga de cualquier herramienta propia para taladrar.

beréber, o **bereber.** adj. Natural de Berbería. Ú.t.c.s. || Perteneciente a esta región de África. || m. Individuo de la raza más antigua y numerosa de las que habitan el África septentrional. [*Sinón.*: berberisco, rifeño]

berenjena (al. *Eierpfanze*, fr. *aubergine*, ingl. *eggplant*, it. *melanzana*). f. Planta solanácea de fruto aovado y comestible. || Fruto de esta planta.

berenjenal. m. Sitio plantado de berenjenas. || *meterse uno en un berenjenal.* fig. y fam. Meterse en negocios enredados y dificultosos.

bergamota. f. Variedad de pera muy jugosa y aromática. || Variedad de lima muy aromática de la cual se extrae una esencia usada en perfumería.

bergamoto. m. Limero que produce la bergamota. || Peral que produce la bergamota.

bergante. m. Pícaro, sinvergüenza.

bergantín (al. *Brigg*, fr. *brigantin*, ingl. *brig.*, it. *brigantino*). m. MAR. Buque de dos palos y vela cuadrada o redonda.

beriberi. m. PAT. Enfermedad carencial debida a la falta de vitamina B_1 en la alimentación. Se presenta bajo la forma paralítica, caracterizada por parálisis, atrofia muscular, etc., o bajo la forma hidrópica, con edemas, astenia, etc., que conduce rápidamente a la muerte.

berilio. m. QUÍM. Elemento metálico, duro, de color blanco grisáceo y sabor dulce.

berilo. m. Variedad de esmeralda de color verdemar y a veces amarillo, blanco o azul.

berlina. f. Coche cerrado, comúnmente de dos asientos. [*Sinón.*: cupé]

berlinés, sa. adj. Natural de Berlín. Ú.t.c.s. || Perteneciente a esta ciudad de Alemania.

berlinga. f. Pértiga de madera verde con que se mueve la masa fundida en los hornos metalúrgicos.

bermejear. intr. Mostrar una cosa color bermejo. || Tirar a bermejo.

bermejo, ja. adj. Rubio, rojizo. [*Sinón.*: encarnado]

bermejón, na. adj. De color bermejo o que tira a él.

bermellón (al. *Zinnober*, fr. *vermillon*, ingl. *vermilion*, it. *vermiglione*). m. Cinabrio reducido a polvo, que toma color rojo vivo. || Este mismo color.

bernardina. f. fam. Mentira que se dice fingiendo valentías o cosas extraordinarias. Ú.t. en pl.

bernegal. m. Taza ancha de boca y de figura ondeada.

bernia. f. Tejido basto de lana del que se hacían capas de abrigo.

berraña. f. BOT. Variedad no comestible del berro común.

berrea. f. Acción y efecto de berrear. || Brama del ciervo y algunos otros animales.

berrear. intr. Dar berridos los becerros u otros animales. || fig. Gritar o cantar desentonadamente. [*Sinón.*: chillar]

berrendo, da. adj. Manchado de dos colores, natural o artificialmente. || TAUROM. Dícese del toro en cuya piel hay manchas. Ú.t.c.s.

berreo. m. Acción y efecto de berrear. || *Amer.* Berrinche.

berrido (al. *Blöken*, fr. *beuglement*, ingl. *bellowing*, it. *muggito*). m. Voz del becerro y otros animales que berrean. || fig. Grito desaforado de persona, o nota alta y desafinada al cantar.

berrinche. m. fam. Coraje, enojo grande. [*Sinón.*: rabieta, enfado]

berro. m. Planta crucífera que crece en lugares aguanosos. Tiene un gusto picante y las hojas se comen en ensalada.

berrocal. m. Sitio lleno de berruecos graníticos.

berrueco. m. Tumorcillo que se cría en las niñas de los ojos. || Tolmo granítico.

berza. f. Col.

berzal. m. Campo plantado de berzas.

berzas. m. fig. Berzotas.

berzotas. m. fig. Persona ignorante o necia.

besalamano. m. Esquela con la abreviatura B.L.M., que se redacta en tercera persona y que no lleva firma.

besamanos (al. *Handkuss*, fr. *baisemain*, ingl. *kissing hands*, it. *baciamano*). m. Acto en que concurren muchas personas a manifestar su adhesión al rey y personas reales. || Modo de saludar a algunas personas, acercando la mano derecha a la boca y apartándola de ella una o más veces.

besamel o **besamela.** f. Bechamel.

besana. f. AGR. Labor de surcos paralelos que se hace con el arado. || Primer surco que se abre en la tierra cuando se empieza a arar.

besante. m. Antigua moneda bizantina de oro o plata.

besar (al. *küssen*, fr. *baiser*, ingl. *to kiss*, it. *baciare*). tr. Tocar alguna cosa con los labios contrayéndolos y dilatándolos suavemente, en señal de amor, amistad o reverencia. Ú.t.c. rec. || fig. y fam. Tratándose de cosas inanimadas, tocar unas a otras.

beso (al. *Kuss*, fr. *baiser*, ingl. *kiss*, it. *bacio*). m. Acción de besar o besarse || – de Judas. fig. El que se da con doblez y falsa intención.

bestia (al. *Tier*, *Vieh*; fr. *bête*, ingl. *beast*, it. *bestia*). f. Animal cuadrúpedo, generalmente los de carga. || com. fig. Persona ruda e ignorante. Ú.t.c.adj.

bestiaje. m. Conjunto de bestias de carga.

bestial. adj. Brutal o irracional. || fig. y fam. De grandeza desmesurada.

bestialidad. f. Brutalidad o irracionalidad. || Pecado de lujuria cometido con una bestia. [*Sinón.*: crueldad]

bestializarse. r. Hacerse bestial, vivir o proceder como las bestias.

bestiario. m. Hombre que luchaba con las fieras en los circos romanos. || En l i literatura medieval, colección de fábulas referentes a animales reales o quiméricos.

best-seller (voz inglesa). m. Término con que se designa cada uno de los libros que se hallan en la lista de los que más se han vendido durante un período determinado.

besucón, na. adj. fam. Que besuquea. Ú.t.c.s.

besugo (al. *Schellfisch*, fr. *pagre*, ingl. *sea-bream*, it. *sparo*). m. ZOOL. Pez teleósteo, acantopterigio, de carne blanca y de sabor delicado. || ZOOL. Especie de pajel propia del Mediterráneo.

besuquear. tr. fam. Besar repetidamente.

besuqueo. m. Acción de besuquear.

beta. f. Nombre de la segunda letra del alfabeto griego, que corresponde a la que en el nuestro se llama *be*.

betabel. f. *Amer.* Remolacha.

betatrón. m. FIS. Acelerador de electrones.

betel. m. Planta trepadora que se cultiva en el Extremo Oriente. Sus hojas tienen cierto sabor a menta.

bético, ca. adj. Natural de la antigua Bética, hoy Andalucía. Ú.t.c.s. || Perteneciente a esta región.

betlemita. adj. Natural de Belén. Ú.t.c.s. || Perteneciente a esta ciudad de Palestina.

betónica. f. Planta labiada de hojas y raíces medicinales.

betuláceo, cea. adj. BOT. Dícese de árboles o arbustos angiospermos dicotiledóneos, de hojas alternas y fruto a manera de nuez; como el abedul y el aliso. Ú.t.c.s.f. || f. pl. Familia de estas plantas.

betuminoso, sa. adj. Bituminoso.

betún (al. *Schulhwichse*, fr. *cirage*, ingl. *shoe polish*, it. *cera da scarpe*). m. Nombre genérico de varias sustancias que se encuentan en la naturaleza y arden con llama, humo espeso y olor peculiar. || Mezcla de varios ingredientes que se usa para poner negro y lustroso el calzado. [*Sinón.*: brea, asfalto, alquitrán]

bey. m. Gobernador de un distrito, ciudad o región del Imperio otomano.

bezo. m. Labio grueso. || Labio. || fig. Carne que se levanta alrededor de la herida enconada. [*Sinón.*: belfo]

bezoar. m. Concreción calculosa que suele encontrarse en las vías digestivas y en las urinarias de algunos cuadrúpedos, y que se ha considerado como antídoto y medicamento.

bezote. m. Adorno que usaban los indios de América en el labio inferior.

bezudo, da. adj. Grueso de labios.

bi—. Prefijo que significa dos, o dos veces.

bibelot. m. Figurilla, bujería, juguete, etc., que se pone como adorno.

biberón (al. *Kinderdutte*, fr. *biberon*, ingl. *nursing-bottle*, it. *biberone*). m. Botella de vidrio o plástico provista de una tetina de goma elástica, que se utiliza para la lactancia artificial.

Biblia. f. La Sagrada Escritura, es decir, el conjunto de los libros sagrados del cristianismo.

bíblico, ca. adj. Perteneciente o relativo a la Biblia.

bibliofilia. f. Pasión por los libros, y especialmente por los raros.

bibliófilo. m. El aficionado a las ediciones originales, más correctas o más raras de los libros.

bibliografía. f. Descripción, conocimiento de libros, de sus ediciones, etc. || Catálogo de libros o escritos referentes a materia determinada.

bibliográfico, ca. adj. Relativo a la bibliografía.

bibliógrafo. m. El que posee gran conocimiento de libros o el que los describe.

bibliología. f. Estudio general del libro en su aspecto histórico y técnico.

bibliomancia. f. Adivinación que se hace abriendo un libro al azar e interpretando un pasaje de la página por la que se abre.

bibliomanía. f. Pasión de tener muchos libros raros, o pertenecientes a una materia determinada, más por manía que para instruirse.

bibliómano. m. El que tiene bibliomanía.

biblioteca (al. *Bibliothek*, fr. *bibliothèque*, ingl. *bibliothec, library;* it. *biblioteca*). f. Local donde se tienen considerable número de libros ordenados para la lectura. || Conjunto de estos libros.

bibliotecario, ria. s. Persona especializada en el cuidado, ordenación y servicio de una biblioteca.

bicameral. adj. Aplícase al sistema político parlamentario basado en la actuación de dos cámaras.

bicarbonato (al. *Doppeltkohlensawes Salz*, fr. *bicarbonate*, ingl. *bicarbonate*, it. *bicarbonato*). m. QUÍM. Sal que se obtiene al sustituir parcialmente los hidrógenos del ácido carbónico por un metal o radical electropositivo.

bicéfalo, la. adj. Bicípete.

bíceps. adj. ZOOL. De dos cabezas, dos puntas, dos cimas, o cabos. || ZOOL. Dícese de los músculos pares que tienen por arriba dos porciones o cabezas. Ú.t.c.s.

bicicleta (al. *Fahrrad*, fr. *bicyclette*, ingl. *bicycle*, it. *bicicletta*). f. Velocípedo de dos ruedas iguales, cuyos pedales transmiten el movimiento a la rueda trasera por medio de dos piñones y una cadena.

biciclo. m. Velocípedo de dos ruedas cuyos pedales actúan directamente sobre una de ellas.

bicípite. adj. Que tiene dos cabezas.

bicoca. fig. y fam. Cosa de poca estima y aprecio. || fig. y fam. Ganga, cosa apreciable que se adquiere a poca costa o con poco trabajo.

bicolor. adj. De dos colores.

bicóncavo, va. adj. MAT. Dícese del cuerpo que tiene dos superficies cóncavas opuestas.

biconvexo, xa. adj. MAT. Dícese del cuerpo que tiene dos superficies convexas opuestas.

bicoquete. m. Papalina, gorra con dos puntas.

bocornio. m. Sombrero de dos picos.

bicromía. f. IMP. Impresión en dos colores.

bicha. f. fam. Entre personas supersticiosas, culebra, por creer que es de mal agüero el pronunciar este nombre. || ARQ. Figura fantástica en forma de mujer de medio cuerpo arriba y de pez u otro animal en la parte inferior, que se emplea como objeto de ornamentación.

bicharraco. m. despect. de bicho.

biche. adj. *Amer.* Dícese de la fruta verde y de las personas débiles. || *Amer.* Fofo. || m. *Amer.* Olla grande.

bicheadero. m. *Amer.* Atalaya.

bicheador, ra. adj. *Amer.* Que bichea. Ú.t.c.s.

bichear. tr. *Amer.* Espiar, observar a escondidas.

bichero. m. MAR. Asta larga que sirve para atracar y desatracar. [*Sinón.:* cloque]

bicho (al. *Ungeziefer*, fr. *bestiole*, ingl. *grub*, it. *bestiola*). m. Sabandija o animal pequeño. || Toro de lidia. || Animal, especialmente el doméstico. || fig. Persona de figura ridícula. || fig. Persona aviesa, de malas intenciones. || *bicho viviente.* Expresión ponderativa que indica que no se exceptúa persona alguna de lo que se dice. || *mal bicho.* Persona de perversa intención.

bichoco, ca. adj. *Amer.* Dícese del caballo que por debilidad no puede apenas moverse. Por ext., se aplica a las personas que se encuentran en esta condición.

bidé (al. *Bidet*, fr. *bidet*, ingl. *bidet*, it. *bidè*). m. Elemento sanitario sobre el que puede una persona colocarse a horcajadas para lavarse.

bidente. adj. De dos dientes.

bidón. m. Vasija metálica de regular capacidad para contener líquidos.

biela (al. *Treibstange*, fr. *bielle*, ingl. *bracestrut*, it. *biella*). f. Barra que en las máquinas sirve para transformar el movimiento de vaivén en otro de rotación, o viceversa.

bielda. f. Especie de bieldo que sirve para recoger, cargar y encerrar la paja. || Acción de beldar.

bieldar. tr. Beldar.

bieldo. m. Instrumento para beldar, compuesto de un palo largo, de otro atravesado en uno de los extremos de aquél y de cuatro fijos en el transversal, en figura de dientes.

bien (al. *Gut, Wohl;* fr. *bien*, ingl. *good*, it. *bene*). m. Aquello que en sí mismo tiene el complemento de la perfección en su propio género o lo que es objeto de la voluntad. || Utilidad, beneficio. || adv. m. Según es debido, perfec-

ta o acertadamente, de buena manera. || Bastantemente, muy, mucho. || Denota a veces condescendencia o asentimiento. || Repetido, hace las veces de conjunción distributiva. || m. pl. Hacienda, riqueza, caudal. || — *gananciales.* DER. Dícese de los bienes que cualquiera de los cónyuges obtiene durante el matrimonio y que pasan a pertenecer al patrimonio común. || — *inmuebles.* Aquellos que no es posible mover de lugar, como casas, tierras, etc. || — *muebles.* Aquellos que se pueden trasladar de una parte a otra. || — *raíces.* Bienes inmuebles. || — *semovientes.* Los que consisten en ganado de cualquier especie. || *hacer bien.* Beneficiar, socorrer, dar limosna. || *pues bien.* m. conj. que se usa para admitir o conceder algo. || *si bien.* Aunque. || *tener uno a bien.* Estimar conveniente hacer alguna cosa. || *y bien.* expr. que sirve para introducirse a preguntar algo. [*Antón.:* mal]

bienal. adj. Que sucede cada bienio. || Que dura un bienio. || f. Exposición o manifestación artística o cultural que se repite cada dos años.

bienandanza. f. Felicidad, fortuna en los sucesos.

bienaventurado, da. adj. Que goza de Dios en el cielo. Ú.t.c.s. || Afortunado, feliz. || Dícese de la persona muy sencilla o cándida. Ú.t.c.s. [*Sinón.:* venerable, justo]

bienaventuranza (al. *Glückseligkeit*, fr. *béatitude*, ingl. *beatitude*, it. *beatitùdine*). f. Vista y posesión de Dios en el cielo. || Prosperidad o felicidad humana. || pl. Las ocho felicidades que manifestó Cristo a sus discípulos.

bienestar (al. *Wohlergehen*, fr. *bien-être*, ingl. *welfare*, it. *benessere*). m. Comodidad, vida abastecida de cuanto conduce a pasarlo bien y con tranquilidad. [*Sinón.:* bienandanza. *Antón.:* malestar]

biengranada. f. Planta aromática salsolácea que se considera específico contra la hemoptisis.

bienhablado, da. adj. Que habla cortésmente y sin murmurar.

bienhadado, da. adj. Bienfortunado.

bienhechor, ra (al. *Wohltöter*, fr. *bienfaiteur*, ingl. *benefactor*, it. *benefattore*). adj. Que hace bien a otro. Ú.t.c.s. [*Sinón.:* auxiliador, favorecedor. *Antón.:* malhechor]

bienintencionado, da. adj. Que tiene buena intención.

bienio. m. Lapso de dos años.

bienmandado, da. adj. Obediente y sumiso con sus superiores.

bienoliente. adj. Fragante.

bienquerencia. f. Buena voluntad, cariño.

bienquistar. tr. Poner bien a una o varias personas con otra u otras. Ú.t.c.r.

bienquisto, ta. adj. De buena fama y generalmente estimado. [Sinón.: apreciado, querido]

bienvenida (al. *Willkommen*, fr. *bienvenue*, ingl. *welcome*, it. *benvenuto*). f. Llegada feliz. ‖ Parabién que se da a uno por haber llegado con felicidad.

bienvivir. intr. Vivir con holgura. ‖ Vivir honestamente.

bies. m. Oblicuidad, sesgo. Ú. principalmente en la loc. *al bies*, en diagonal. ‖ Trozo de tela cortado en sesgo respecto al hilo.

bifásico, ca. adj. Fís. Se dice de un sistema de dos corrientes eléctricas iguales, procedentes del mismo generador y retrasadas una respecto a otra en un semiperíodo.

bife. m. *Amer.* Bistec. ‖ *Amer.* Bofetada.

bifero, ra. adj. Bot. Dícese de las plantas que fructifican dos veces al año.

bífido, da. adj. Bot. Hendido en dos partes o que se bifurca.

bifocal. adj. Ópt. Que tiene dos focos. Dícese de las lentes que tienen una parte para corregir la visión a corta distancia y otra para lejos.

bifronte. adj. De dos frentes o dos caras.

bifurcación (al. *Gabelung*, fr. *bifurcation*, ingl. *bifurcation*, it. *bifurcazione*). f. Acción y efecto de bifurcarse. [Sinón.: ramificación, división]

bifurcarse. r. Dividirse algo en dos ramales, brazos o puntas.

biga. f. Carro de dos caballos.

bigamia (al. *Doppelehe*, fr. *bigamia*, ingl. *bigamy*, it. *bigamìa*). f. Der. Estado de un hombre casado con dos mujeres a un tiempo o de la mujer casada con dos hombres. ‖ Der. Segundo matrimonio que contrae el que sobrevive de los dos consortes.

bígamo, ma. adj. Que se casa por segunda vez, viviendo el primer cónyuge. Ú.t.c.s. ‖ Binubo. Ú.t.c.s. ‖ Casado con viuda o casada con viudo. Ú.t.c.s.

bigardear. intr. fam. Andar uno vago y mal entretenido. [Sinón.: vagabundear]

bigardo, da. adj. fig. Vago, vicioso. Ú.t.c.s.

bignoniáceo, a. adj. Bot. Aplícase a plantas arbóreas angiospermas, dicotiledóneas, sarmentosas y trepadoras. Ú.t.c.s. ‖ f. pl. Familia de estas plantas.

bigornia. f. Yunque con dos puntas opuestas.

bigote (al. *Schnurrbart*; fr. *moustache*; ingl. *mustache*; it. *baffo, mustacchio*). m. Pelo que nace sobre el labio superior. Ú.t. en pl. [Sinón.: mostacho, bozo]

bigotear. intr. vulg. *Amer.* Tener cópula carnal.

bigotera. f. Tira con que se cubren los bigotes para que no se descompongan. ‖ Adorno de cintas que usaban las mujeres para el pecho. ‖ Puntera del calzado. ‖ Compás pequeño.

bigotudo, da. adj. Que tiene mucho bigote.

bija. f. Bot. Árbol bixíneo de las regiones cálidas de América; de su fruto se extrae una bebida medicinal y de la semilla una sustancia de color rojo que se usa en pintura y tintorería. ‖ Fruto de este árbol, y también su semilla. ‖ Pasta tintórea preparada con esta semilla.

bikini. m. Biquini.

bilabiado, da. adj. Bot. Dícese del cáliz o corola cuyo tubo se divide en dos partes por su extremo superior.

bilabial. adj. Ling. Dícese del sonido en cuya pronunciación intervienen los dos labios, y también de la letra que lo representa; como la *b* y la *p*. Ú.t.c.s.f.

bilateral. adj. Perteneciente o relativo a los dos lados, partes o aspectos que se consideran.

bilbaíno, na. adj. Natural de Bilbao. Ú.t.c.s. ‖ Perteneciente a esta ciudad.

biliar. adj. Relativo a la bilis.

bilingüe. adj. Que habla dos lenguas. ‖ Escrito en dos idiomas.

bilingüismo (al. *Zweisprachigkeit*, fr. *bilinguisme*, ingl. *bilingualism*, it. *bilinguismo*). m. Uso habitual de dos lenguas en un mismo país.

bilioso, sa. adj. Abundante de bilis. ‖ Med. Aplícase a aquello en que predomina la bilis.

bilis (al. *Galle*, fr. *bile*, ingl. *bile*, it. *bile*). f. Fisiol. Líquido viscoso, de color verdoso amarillento y sabor amargo, separado por el hígado de los vertebrados. Emulsiona las grasas de los alimentos que se encuentran en el intestino, facilitando la digestión. [Sinón.: hiel, atrabilis]

bilítero, ra. adj. De dos letras.

bilobulado, da. adj. Que tiene dos lóbulos.

bilocarse. r. Hallarse a un tiempo en dos lugares distintos.

billar (al. *Billardspiel*, fr. *billard*, ingl. *billiards*, it. *biliardo*). m. Juego consistente en impulsar con tacos unas bolas de marfil, que ruedan en una mesa rectangular recubierta por un paño verde y limitada por bandas elásticas.

billetaje. m. Conjunto o totalidad de los billetes de un teatro, tranvía, etc.

billete (al. *Fahrschein, Banknote*; fr. *billet*, ingl. *ticket, bank-note*; it. *biglietto, banco nota*). m. Carta breve. ‖ Tarjeta o cédula que da derecho para entrar u ocupar asiento en alguna parte, o viajar en un vehículo. ‖ Cédula que acredita participación en una rifa o lotería. ‖ Cédula que representa cantidades de numerario. ‖ — *de banco*. Título al portador, a la vista y sin devengar interés, que autoriza a exigir del respectivo Banco de emisión el pago en la moneda del país de la cantidad que representa.

billetera. f. Billetero.

billetero. m. Carterita de bolsillo para llevar billetes de banco.

billón. m. Mat. Un millón de millones, que se expresa por la unidad seguida de doce ceros.

bimano, na o **bímano, na.** adj. Zool. De dos manos. Se dice sólo del nombre. Ú.t.c.s.

bimba. f. fam. Chistera, sombrero de copa. ‖ fam. *Amer.* Persona muy alta.

bimbalete. m. *Amer.* Palo que se emplea para sostener tejados y otros usos.

bimembre. adj. De dos miembros o partes.

bimensual. adj. Que se hace u ocurre dos veces al mes.

bimestral. adj. Que se repite cada dos meses. ‖ Que dura dos meses.

bimestre. m. Lapso de tiempo de dos meses.

bimetalismo. m. Sistema monetario que admite como patrones el oro y la plata.

bimotor. m. Avión de dos motores.

bina. f. Acción y efecto de binar las tierras o las viñas.

binación. f. Acción de binar el cura.

binador. m. El que bina. ‖ Instrumento que sirve para binar o cavar.

binar. tr. Dar segunda reja a las tierras de labor. ‖ Hacer la segunda cava en las viñas. ‖ intr. Celebrar el sacerdotes dos misas en día festivo.

binario, ria. adj. Compuesto de dos elementos, unidades o guarismos. ‖

MAT. Aplicase al sistema de numeración que tiene por base dos.

binocular. adj. Relativo a los dos ojos.

binóculo (al. *Binokel,* fr. *binocle,* ingl. *binocle,* it. *binòcolo*). m. Anteojo con lunetas para ambos ojos. [*Sinón.:* prismáticos, gafas]

binomio (al. *Binom,* fr. *binôme,* ingl. *binomial,* it. *binomio*). m. MAT. Expresión algebraica de dos términos.

binubo, ba. adj. Casado por segunda vez. Ú.t.c.s.

binza. f. Fárfara del huevo. || Película exterior de la cebolla. || ZOOL. Cualquier telilla del cuerpo del animal.

bio— o **bio.** Elemento compositivo que antepuesto o pospuesto a otro, expresa la idea de vida.

biodinámica. f. Ciencia de las fuerzas vitales.

biofísica. f. FIS. y BIOL. Ciencia que se ocupa de los fenómenos físicos que ocurren en la materia viva.

biogénesis. f. BIOL. Teoría según la cual los seres vivos provienen de otros seres preexistentes.

biogenia. f. BIOL. Biogénesis.

biografía (al. *Lebensbeschreibung,* fr. *biographie,* ingl. *biographye,* it. *biografía*) f. Historia de la vida de una persona.

biografiar. tr. Escribir la biografía de alguien.

biógrafo, fa. s. Escritor de biografías.

biología (al. *Biologie,* fr. *biologie,* ingl. *biology,* it. *biología*) f. Ciencia que estudia la vida y los seres vivos.

biológico, ca. adj. Relativo a la biología.

biólogo, ga. s. Persona que profesa la biología o tiene en ella especiales conocimientos.

biombo. m. Mampara compuesta de varios batidores unidos por medio de goznes.

biopsia. f. MED. Sistema de diagnóstico consistente en tomar del ser vivo una porción del órgano o tumor afectado, ya mediante escisión quirúrgica, ya por punción y aspiración, para su examen anatómico y patológico.

bioquímica. f. Ciencia que estudia los fenómenos químicos que tienen lugar en la materia viva.

biosfera. f. BIOL. Conjunto de los medios donde se desarrollan los seres vivos. || Conjunto que forman los seres vivos con el medio en que se desarrollan.

biotipo. m. Forma típica de animal o planta que puede considerarse característica de su especie.

bióxido. m. QUIM. Combinación de un radical simple o compuesto con dos átomos de oxígeno.

bipartición. f. División de una cosa en dos partes.

bípedo, da. adj. De dos pies. Ú.t.c.s.m.

biplano. m. Aeroplano cuyas alas forman dos planos de sustentación paralelos.

biplaza. adj. Dícese del vehículo de dos plazas. Se aplica especialmente a los aviones. Ú.t.c.s.

biquini. m. Traje de baño femenino formado por dos piezas muy reducidas.

birlar. tr. En el juego de bolos, tirar por segunda vez la bola desde donde se detuvo la primera vez que se tiró. || fig. y fam. Matar o derribar a uno de un golpe o disparo. || fig. y fam. Quitar a uno algo valiéndose de intrigas. [*Sinón.:* hurtar]

birlibirloque (por arte de). loc. fam. con que se denota haberse hecho una cosa por medios ocultos y extraordinarios.

birmano, na. adj. Natural de Birmania. Ú.t.c.s. || Perteneciente a este país de Asia.

birrefringencia. f. ÓPT. Doble refracción.

birrefringente. adj. ÓPT. Dícese de los cuerpos en que se produce la doble refracción.

birreta. f. Solideo encarnado de los cardenales.

birrete. m. Birreta. || Gorro de forma prismática coronado por una borla de color determinado. || Gorro, bonete.

birria. f. Zaharrón, moharracho. Ú.t.c.m. || Mamarracho, facha, adefesio. || *Amer.* Capricho, obstinación.

bis. adv. c. Se emplea en impresos o manuscritos para dar a entender que una cosa debe repetirse o está repetida. || Se usa como interjección para pedir la repetición de un número en un espectáculo. || Ejecución o declamación, repetida para corresponder a los aplausos del público en un espectáculo. || prep. insep. que significa dos veces.

bisabuelo, la. s. Respecto de una persona, el padre o la madre de su abuelo o de su abuela. || m. pl. El bisabuelo y la bisabuela.

bisagra (al. *Scharnier,* fr. *charnière,* ingl. *hinge,* it. *cerniera*). f. Conjunto de dos planchitas de metal articuladas entre sí que sirve para facilitar el movimiento giratorio de las puertas y otras cosas que se abren y cierran. [*Sinón.:* charnela, gozne]

bisar. tr. Repetir, a petición de los espectadores, la ejecución de un número musical, teatral, etc.

bisbisar. tr. fam. Musitar. [*Sinón.:* susurrar, murmurar]

bisbiseo. m. Acción de bisbisar.

biscuit. m. Bizcocho.

bisecar. tr. MAT. Dividir en dos partes iguales.

bisección. f. MAT. Acción y efecto de bisecar.

bisector, triz (al. *winkelhalbierende,* fr. *bissectrice,* ingl. *bisector,* it. *bisettrice*). adj. MAT. Que divide en dos partes iguales. Ú.t.c.s. || f. Recta que divide un ángulo en dos partes iguales.

bisel. m. Corte oblicuo en el borde de una lámina o plancha.

biselar. tr. Hacer biseles.

bisemanal. adj. Que se hace u ocurre dos veces por semana.

bisexual. adj. Hermafrodita. Ú.t.c.s. [*Sinón.:* andrógino]

bisiesto. adj. Dícese del año de 366 días. Ú.t.c.s.

bisílabo, ba. adj. De dos sílabas.

bismuto (al. *Wismut,* fr. *bismuth,* ingl. *bismuth,* it. *bismuto*). m. QUIM. Elemento metálico duro, frágil, de color gris rojizo, y fácilmente fusible. Se encuentra en estado nativo o combinado con oxígeno y azufre. Algunas de sus sales se emplean en medicina.

bisnieto, ta. s. Biznieto.

bisojo, ja. adj. Bizco. Ú.t.c.s.

bisonte (al. *Wisent,* fr. *bison,* ingl. *bison,* it. *bisonte*). m. Bóvido salvaje con la parte anterior del cuerpo muy abultada, cubierto de pelo y con cuernos poco desarrollados.

bisoñé. m. Peluca que cubre sólo la parte anterior de la cabeza.

bisoño, ña. adj. Aplícase al soldado o tropa nuevos. Ú.t.c.s. || fig. y fam. Nuevo e inexperto en cualquier materia u oficio. Ú.t.c.s. [*Sinón.:* aprendiz, novato, pipiolo. *Antón.:* veterano]

bisté o **bistec** (al. *Beefsteack,* fr. *bifteck,* ingl. *beefsteack,* it. *bistecca*). m. Lonja de carne de vaca asada en parrilla o frita.

bistre. m. PINT. Color de tierra quemada; se prepara con hollín.

bisturí (al. *Seziermesser,* fr. *bistouri,* ingl. *bistoury,* it. *bisturí*). m. CIR. Instrumento cortante empleado para efectuar incisiones en tejidos blandos.

bisulco, ca. adj. ZOOL. De pezuñas partidas.

bisutería. f. Industria que produce objetos de adorno hechos de materiales no preciosos. || Tienda donde se venden dichos objetos. || Estos mismos objetos de adorno. Frecuentemente se usa con valor despectivo y figurado.

bit. m. En cibernética, unidad de información.

bita. f. MAR. Cada uno de los postes que sirven para dar vueltas a los cables del ancla cuando se fondea la nave.

bitácora. f. MAR. Especie de armario, fijo a la cubierta e inmediato al timón, en que se guarda la aguja de marear.

biter (al. *bitter*). m. Cierta bebida alcohólica, hecha a base de genciana, angostura, etc., que se toma como aperitivo.

bitoque. m. Tarugo de madera con que se cierra el agujero o piquera de los toneles. || *Amer.* Grifo, llave del agua.

bituminoso, sa. adj. Que tiene betún o semejanza con él.

bivalente. adj. QUIM. Dícese de los elementos cuya valencia es 2.

bivalvo, va. adj. Que tiene dos valvas.

bixáceo, a. adj. Bixíneo.

bixíneo, a. adj. BOT. Dícese de árboles y arbustos angiospermos dicotiledóneos, con hojas alternas, flores axilares hermafroditas y fruto en cápsula. Ú.t.c.s.f. || f. pl. Familia de estas plantas.

bizantinismo. m. Corrupción por lujo en la vida social, o por exceso de ornamentos en el arte. || Afición a discusiones bizantinas.

bizantino, na. adj. Natural de Bizancio, hoy Estambul o Constantinopla. Ú.t.c.s. || fig. Dícese de las discusiones baldías, intempestivas o demasiado sutiles.

bizarría. f. Gallardía, valor. || Generosidad, esplendor. [*Antón.*: cobardía, temor]

bizarro, rra. adj. Valiente, esforzado. || Generoso, espléndido.

bizcar. intr. Torcer la vista al mirar. || tr. Guiñar un ojo.

bizco, ca (al. *schielend*, fr. *louche*, ingl. *cross-eyed*, it. *bircio*). adj. Dícese de la persona que tuerce la vista. Ú.t.c.s. || Dícese de la mirada torcida o del ojo que tiene esta mirada. [*Sinón.*: bisojo, estrábico]

bizcocho (al. *Biskuit*, fr. *biscuit*, ingl. *biscuit*, it. *biscotto*). m. Pan sin levadura que se cuece por segunda vez. || Masa compuesta de harina, huevos y azúcar que se cuece al horno. || Objeto

de loza o porcelana después de la primera cochura y sin barnizar. || *Amer.* Pastel de crema o dulce. || — *borracho.* El empapado en almíbar y vino generoso.

bizcorneado, da. adj. *Amer.* Bizco. || IMP. Dícese del pliego que sale torcido.

bizcornear. intr. *Amer.* Bizcar.

bizcorneta. adj. *Amer.* Bizco.

bizma. f. Emplasto para confortar. [*Sinón.*: cataplasma]

bizmar. tr. Poner bizmas. Ú.t.c.r.

bizna. f. Película que separa los cuatro gajitos de la juez.

biznaga. f. BOT. Planta umbelífera de tallos lisos, flores blancas y fruto oval y lampiño.

biznieto, ta. s. Respecto de una persona, hijo o hija de su nieto o nieta.

bizquear. intr. fam. Torcer la vista el que es bisojo.

bizquera. f. Estrabismo.

blanca. f. Moneda antigua de vellón. || MÚS. Mínima, nota que vale la mitad de una redonda. || *estar* uno *sin blanca.* No tener dinero.

blanco, ca (al. *weiss, scheibe*; fr. *blanc, objectif*; ingl. *white, target*; it. *bianco, bersaglio*). adj. De color de nieve; es el color de la luz solar no descompuesta en los colores del espectro. Ú.t.c.s. || Dícese de las cosas que, sin ser blancas, tienen el color más claro que otras de la misma especie. || Tratándose de la especie humana, dícese del color de la raza europea, en contraposición con el de las demás. Ú.t.c.s. || m. Objeto situado bajo para ejercitarse en el tiro y puntería. || Por ext., objeto sobre el cual se dispara un arma de fuego. || Hueco o intermedio entre dos cosas. || Espacio que en los escritos se deja sin llenar. || fig. Fin u objeto a que se dirigen nuestros deseos o acciones. || IMP. Molde en que se imprime la primera cara de cada pliego. || — *de España.* Nombre común al carbonato básico de plomo, al subnitrato de bismuto y a la creta lavada. || *quedarse en blanco.* Quedarse sin comprender lo que se oye o se lee. [*Sinón.*: albo; objetivo. *Antón.*: negro]

blancor. m. Blancura.

blancura (al. *Weisse*, fr. *blancheur*, ingl. *whiteness*, it. *bianchezza*). f. Calidad de blanco. [*Sinón.*: albura]

blancuzco, ca. adj. Que tira a blanco, o es de color blanco sucio.

blandear. intr. Aflojar, ceder. Ú.t.c.r. || tr. Hacer que uno mude de parecer o propósito. [*Sinón.*: complacer, contemporizar. *Antón.*: endurecer, resistir]

blandengue. adj. Blando, suave.

blandicia. f. Adulación, halago. || Molicie, delicadeza.

blandir (al. *schwingen*, fr. *brandir*, ingl. *to brandish*, it. *brandire*). tr. Mover un arma u otra cosa con movimiento vibratorio. [*Sinón.*: enarbolar]

blando, da (al. *weich*, fr. *mou*, ingl. *soft*, it. *molle*). adj. Tierno, suave. || Tratándose de los ojos, tierno. || fig. Suave, benigno. || fig. Afeminado y que no es para el trabajo. || fig. De genio y trato apacibles. || fig. y fam. Cobarde, pusilánime. [*Sinón.*: mórbido]

blandón. m. Hacha de cera de un pabilo. || Candelero grande en que se ponen estas hachas.

blandura. f. Calidad de blando. || Emplasto que se aplica a los tumores para que se ablanden y maduren. || fig. Dulzura, afabilidad en el trato. [*Sinón.*: flaccidez. *Antón.*: dureza]

blanqueador, ra. adj. Que blanquea. Ú.t.c.s.

blanqueamiento. m. Blanqueo.

blanquear (al. *bleichen*, fr. *blanchir*, ingl. *to bleach*, it. *imbiancare*). tr. Poner blanca una cosa. || tr. Mostrar una cosa la blancura que en sí tiene. || Tirar al blanco. [*Sinón.*: emblanquecer, albear]

blanquecer. tr. Blanquear, poner blanca una cosa.

blanquecino, na. adj. Que tira a blanco.

blanqueo. m. Acción y efecto de blanquear.

blanquillo, lla. adj. Candeal. Ú.t.c.s.m. || m. *Amer.* Durazno de cáscara blanca.

blasfemar (al. *lästern*, fr. *blasphémer*, ingl. *to swear*, it. *bestemmiare*). intr. Decir blasfemias. || fig. Maldecir, vituperar. [*Antón.*: ensalzar, alabar, orar]

blasfemia (al. *Gotteslästerung*, fr. *blasphème*, ingl. *blasphemy*, it. *bestemmia*). f. Palabra o expresión injuriosa contra Dios, la Virgen o los santos. || fig. Palabra gravemente injuriosa contra una persona.

blasfemo, ma. adj. Que contiene blasfemia. || Que dice blasfemia. Ú.t.c.s.

blasón (al. *Wappen*, fr. *blason*, ingl. *blazon*, it. *blasone*). m. BLAS. Arte de explicar y describir los escudos de armas. || Cada señal o pieza de las que se ponen en un escudo. || Escudo de armas. || Honor o gloria. [*Sinón.*: herádica, insignia]

blasonado, da. adj. Ilustre por sus blasones.

blasonar. tr. BLAS. Disponer el

escudo de armas según la regla del arte. ‖ intr. fig. Hacer ostentación de algo con alabanza propia. [*Sinón.*: jactarse, vanagloriarse]

blastodermo. m. BIOL. Conjunto de las células procedentes de la segmentación del huevo de los animales, que suele tener la forma de disco o de membrana.

bledo. m. BOT. Planta quenopodiácea, comestible, con tallos rastreros, hojas triangulares y flores rojas muy pequeñas y en racimos axilares. ‖ fig. Cosa insignficante, de poco o ningún valor.

blenda (al. *Blende*, fr. *blende*, ingl. *blende*, it. *blenda*). f. MINERAL. Sulfuro de cinc que se halla en la naturaleza en forma de cristales muy brillantes, cuyo color varía desde el amarillo rojizo al pardo oscuro. Se utiliza para extraer el cinc.

blenorragia (al. *Tripper*, fr. *blenorrhagie*, ingl. *blenorrhagia*, it. *blenorragia*). f. PAT. Flujo mucoso ocasionado por la inflamación de una membrana, principalmente de la uretra. ‖ Enfermedad venérea infectocontagiosa. [*Sinón.*: gonococia, gonorrea]

blenorrágico, ca. adj. Relativo a la blenorragia. [*Sinón.*: gonorreico]

blenorrea. f. MED. Blenorragia crónica.

blinda. f. FORT. Viga gruesa que con zarzos, tierra, etc., constituye un cobertizo defensivo.

blindado, da. p.p. de blindar. ‖ adj. Dícese de lo que está dotado de blindaje. ‖ m. Carro de combate.

blindaje (al. *Panzerung*, fr. *blindage*, ingl. *blindage*, it. *blindaggio*). m. FORT. Cobertizo que se hace con blindas. ‖ MIL. Plancha metálica o capa de material resistente con que se protegen los locales, barcos, vehículos, etc., de los proyectiles enemigos. ‖ FIS. Envoltura metálica de un órgano o aparato que lo aisla de los campos magnéticos.

blindar (al. *panzern*, fr. *blinder*, ingl. *to blind*, it. *blindare*). tr. Proteger exteriormente con materiales diversos las cosas o los lugares contra los efectos de las balas, el fuego, etc. [*Sinón.*: acorazar]

bloc. m. Bloque o conjunto de hojas de papel.

blocaje. m. DEP. Acción y efecto de blocar.

blocao. m. FORT. Fortín de hormigón y acero construido con fines defensivos.

blocar. tr. DEP. En ciertos deportes, especialmente fútbol y balonmano, de-

tener el portero la pelota. ‖ En boxeo, parar el púgil el golpe que el contrario le dirigía al cuerpo.

blof. m. *Amer.* Bluff.

blonda (al. *Seidenspitze*, fr. *blonde*, ingl. *blondlace*, it. *merletto*). f. Encaje de seda.

blondín. m. TÉCN. Transbordador teleférico compuesto por un sistema de cables, tendidos entre postes, por los que se traslada una vagoneta.

blondina. f. Blonda angosta.

blondo, da. adj. Rubio, de color rojo claro.

bloque (al. *Steinblock*, fr. *bloc*, ingl. *block*, it. *blocco*). m. Trozo grande de piedra sin labrar. ‖ Sillar artificial hecho de hormigón. ‖ Paralelepípedo recto rectangular de materia dura. ‖ Taco de hojas de papel para escribir, dibujar, etc. ‖ Agrupación ocasional de partidos políticos. ‖ Por ext., se aplica a concentraciones políticas, económicas, industriales, etc. ‖ Manzana de casas. ‖ Edificio que comprende varias casas de la misma altura y características semejantes. ‖ *en bloque*. loc. fig. En conjunto, sin distinción.

bloquear (al. *blockieren*, fr. *bloquer*, ingl. *to blockade*, it. *bloccare*). tr. Realizar una acción militar o naval consistente en cortar las comunicaciones de una plaza, puerto, territorio o ejército. ‖ Asediar, incomunicar. ‖ Sujetar, inmovilizar, impedir el movimiento o la acción. ‖ COM. Inmovilizar la autoridad una cantidad o crédito, privando a su dueño de disponer de ellos total o parcialmente por cierto tiempo.

bloqueo (al. *Blockade*, fr. *blocus*, ingl. *blockade*, it. *blocco*). m. Acción y efecto de bloquear. ‖ MAR. Fuerza marítima que bloquea.

bluf. m. Bluff.

bluff (voz inglesa). m. Fanfarronada, baladronada. ‖ Palabra o acción que se dice o hace con el fin de impresionar.

blusa (al. *Bluse*, fr. *blouse*, ingl. *blouse*, it. *camiciotto*). f. Vestidura exterior a manera de túnica y con mangas. ‖ Prenda exterior a modo de jubón holgado, que usan las mujeres y niños.

blusón. m. Blusa larga.

boa (al. *Boa*, fr. *boa*, ingl. *boa*, it. *boa*). f. Serpiente americana, de las mayores que se conocen. No es venenosa, pero posee gran fuerza y es capaz de matar grandes animales por asfixia, enroscándose en su cuerpo. ‖ m. Prenda de piel o pluma, y en forma de culebra, que usan las mujeres para abrigo o adorno del cuello.

boato. m. Ostentación en el porte exterior. [*Sinón.*: fausto, pompa, suntuosidad. *Antón.*: sencillez]

boardilla. f. Buhardilla.

bobada. f. Bobería.

bobalicón, na. adj. fam. aum. de bobo. Ú.t.c.s.

bobatel. m, fam. Hombre bobo.

bobear. intr. Hacer o decir boberías. ‖ fig. Emplear el tiempo en cosas vanas e inútiles.

bobera. f. *Amer.* Bobería, bobada.

bobería. f. Dicho o hecho necio. [*Sinón.*: tontería, necedad]

bobeta. adj. *Amer.* Bobalicón. Ú.t.c.s.

bóbilis, bóbilis (de). m. adv. fam. De balde. ‖ fam. Sin trabajo.

bobina. f. Cilindro de hilo, cordel, etc., arrollado en un canuto de cartón. ‖ Rollo de hilo, cable, papel, etc., montado o no sobre un soporte. ‖ IMP. Rollo de papel continuo que se utiliza para imprimir con máquina rotativa. ‖ ELECTR. Arrollamiento de alambre o hilo conductor de electricidad en un aparato o instrumento eléctrico.

bobinado. m. Acción y efecto de bobinar. ‖ Conjunto de bobinas de un circuito electrónico. ‖ Conjunto de las espiras de una bobina o un carrete.

bobinadora. f. Máquina para hilar y bobinar.

bobinaje. m. Bobinado.

bobinar. tr. Arrollar o devanar hilos, alambres, etc., en forma de bobina.

bobo, ba (al. *einfältig*, fr. *niais*, ingl. *dunce*, it. *sciocco*). adj. De muy corto entendimiento. Ú.t.c.s. ‖ Extremada y neciamente candoroso. Ú.t.c.s. [*Sinón.*: tonto, memo]

boca (al. *Mund*, fr. *bouche*, ingl. *mouth*, it. *bocca*). f. Abertura anterior del tubo digestivo de los animales, situada en la cabeza, que sirve de entrada a la cavidad bucal y por la cual se toma el alimento. También se aplica a toda la expresada cavidad en la cual están colocados la lengua y los dientes. ‖ En ciertas herramientas, parte afilada con que cortan. ‖ En algunas herramientas de percusión, cada una de las caras destinadas a golpear. ‖ ZOOL. Pinza con que termina cada una de las patas delanteras de los crustáceos. ‖ fig. Entrada o salida. ‖ fig. Abertura, agujero. ‖ fig. Hablando de vinos, gusto o sabor. ‖ fig. Persona o animal a quien se mantiene o da de comer. ‖ — *de fuego*. Cualquier arma que se carga con pólvora. ‖ — *del estómago*. Parte central de la región epigástrica. ‖ *andar de* boca en boca, o en boca de todos, una cosa. fig. Saberse públicamente, estar divulgada una noticia. || a pedir de boca. loc. adv. fig. A medida del deseo. || boca abajo. m. adv. Tendido con la cara hacia el suelo. Hablando de vasijas y otros recipientes en posición invertida. || boca arriba. m. adv. Tendido de espaldas. || cerrar la boca a uno. fig. y fam. Hacerle callar. || con la boca abierta. loc. adv. fig y fam. Suspenso o admirado de alguna cosa. || no decir uno esta boca es mía. fig. y fam. No hablar palabra. || hacérsele a uno la boca agua. fam. Recordar con deleite el buen sabor de un manjar.

bocacalle. f. Entrada de una calle. || Calle secundaria que afluye a otra.

bocací. m. Tela de hilo, de color, más gorda que la holandilla.

bocacín. m. Bocaci.

bocacha. f. Trabuco de gran calibre y boca acampanada. || MIL. Pieza supletoria que se coloca en la boca de ciertas armas para aumentar el efecto de éstas, para lanzar granadas, etc.

bocadillo (al. belegtes Brötchen, fr. sandwich, ingl. sandwich, it. semolino gravido). m. Cierto lienzo delgado y poco fino. || Especie de cinta de las más angostas. || Dulce de guayaba envuelto en hojas de plátano. || Panecillo relleno con algún manjar, como jamón, queso, etc. || Amer. Dulce de coco o de bonito. [Sinón.: emparedado, sandwich]

bocado (al. Mundvoll, fr. bouchée, ingl. morsel, it. boccone). m. Porción de comida que cabe de una vez en la boca. || Un poco de comida. || Mordedura o herida que se hace con los dientes. || Pedazo de cualquier cosa que se arranca con la boca. || Parte del freno que entra en la boca de la caballería, y también el mismo freno. || – de Adán. Nuez de la garganta.

bocajarro (a). m. adv. Tratándose del disparo de un arma de fuego, a quemarropa, desde muy cerca. || fig, De improviso, inopinadamente.

bocal. m. Jarra de boca ancha para sacar el vino de las tinajas.

bocamanga. f. Parte de la manga que está más cerca de la muñeca.

bocamina. f. Boca que sirve de entrada a una mina.

bocana. f. Paso estrecho de mar que sirve de entrada a una bahía o fondeadero.

bocanada. f. Cantidad de líquido que de una vez se toma en la boca o se arroja de ella. || Porción de humo que se echa cuando se fuma.

bocatero, ra. adj. Amer. Persona que habla mucho.

bocarte. m. TECN. Máquina trituradora para desmenuzar minerales.

bocaza. f. y fam. El que habla más de lo que aconseja la discreción. [Sinón.: parlanchín]

bocazas. m. vulg. Bocaza.

bocel. m. ARQ. Moldura convexa de sección semicircular. || cuarto bocel. ARQ. Moldura convexa cuya sección es un cuarto de círculo.

bocera. f. Lo que queda pegado a la parte exterior de los labios después de haber comido o bebido. || Boquera.

boceras. m. Bocaza, hablador.

boceto (al. Skizze, fr. ébauche, ingl. sketch, it. schizzo). m. En pintura, borroncillo en colores previo a la ejecución del cuadro; en escultura, modelado sin pormenor y en tamaño reducido de la figura o de la composición. Por ext. se aplica a otras obras de arte que no tienen forma acabada. [Sinón.: bosquejo, apunte, croquis]

bocina (al. Waldhorn, fr. buccin, ingl. speaking-trumpet, it. portavoce). f. Cuerno, instrumento músical. || Instrumento de metal, en figura de trompeta, que se usa en los buques para hablar de lejos. || Instrumento semejante al anterior, que se hace sonar mecánicamente en los automóviles y otros vehículos. || Amer. Trompetilla para los sordos. [Sinón.: claxon]

bocinazo. m. Ruido fuerte producido con una bocina.

bocio. m. Hipertrofia de la glándula tiroides. || Tumor localizado en el cuerpo del tiroides.

bocón, na. adj. fam. Que tiene grande la boca. Ú.t.c.s. || fig. y fam. Que habla mucho y echa bravatas. Ú.t.c.s. || fig. Maldiciente, murmurador. [Sinón.: fanfarrón]

bocoy. m. Barril grande para envase.

bocha. f. Bola de madera que se tira en el juego de bochas. || pl. Juego que consiste en lanzar a cierta distancia unas bolas medianas y otra más pequeña, y gana el que se arrima más a ésta con las otras.

bochar. tr. En el juego de las bochas, dar con una bola a otra para apartarla del sitio en que está.

boche. m. Hoyo pequeño que hacen los muchachos en el suelo para jugar, tirando a meter dentro de él las piezas con que juegan.

bochinche. m. Tumulto, barullo.

bochorno. m. Aire caliente y molesto que se levanta en el estío. || Calor sofocante. || Encendimiento pasajero del rostro. || Sofocamiento producido por algo que ofende, molesta o avergüenza. [Sinón.: calina; sofoco; sonrojo, rubor]

bochornoso, sa. adj. Que causa bochorno.

boda (al. Hochzeit, fr. noce, ingl. wedding, it. nozze). f. Casamiento y fiesta con que se solemniza. Ú.m. en pl. || – de diamante. Sexagésimo aniversario de la boda y, por ext., de cualquier acontecimiento señalado. || – de oro. Quincuagésimo aniversario de hechos. || – de plata. Vigésimo quinto aniversario. [Sinón.: himeneo, matrimonio, nupcias. Antón.: divorcio]

bodega (al. Weinkeller, fr. cave, ingl. cellar, it. cantina). f. Lugar donde se guarda y cría el vino || Almacén o tienda de vinos. || Despensa en que se guardan comestibles. || Troj o granero. || MAR. Espacio interior de los buques desde la cubierta inferior hasta la quilla.

bodegón. m. Tienda donde se guisan y dan de comer viandas ordinarias. || Taberna. || PINT. Cuadro en que se representan cosas comestibles, vasijas, etc. [Sinón.: figón]

bodeguero, ra. s. Dueño de una bodega de vinos. || Persona que tiene a su cargo la bodega. || Amer. Tabernero.

bodocal. adj. Dícese de una especie de uva negra de grano gordo y de la vid que la produce. Ú.t.c.s.

bodoque. m. Bola de barro endurecida al aire, que servía para tirar con ballesta de bodoques. || Reborde con que se refuerzan los ojales del colchón por donde se pasan las bastas. || Relieve redondo que sirve de adorno en algunos bordados. || fig. y fam. Persona de cortos alcances. Ú.t.c.adj. || Amer. Pelotilla de papel. || Amer. Pelota o pedazo informe de papel, masa, lodo o cualquier otro material blando. || fig. Amer. Chichón, y en general hinchazón de forma redondeada en cualquier parte del cuerpo.

bodrio. m. Caldo con algunas sobras de sopa, mendrugos, etc. || Guiso mal aderezado. || Sangre de cerdo mezclada con cebolla para embutir morcillas. || Cosa mal hecha, desordenada o de mal gusto. [Sinón.: bazofia]

bóer (voz holandesa). adj. Dícese de los habitantes del África Austral que son de origen holandés. Ú.t.c.s. || Perteneciente a esta región del Sur de África.

bofarse. r. Esponjarse, ponerse fofa una cosa. || Afollarse una pared.

bofe. m. Pulmón, órgano de la respiración. Ú.m. en pl. ‖ *echar* uno *el bofe*, o *los bofes.* fig. y fam. Afanarse, trabajar excesivamente.

bofetada (al. *Ohrfeige,* fr. *soufflet,* ingl. *slap,* it. *schiaffo*). f. Golpe que se da en el carrillo con la mano abierta. ‖ *Amer.* Puñetazo. [*Sinón.:* sopapo, guantazo]

bofetón. m. Bofetada dada con fuerza. ‖ Bofetada. ‖ Tramoya de teatro que al girar hace aparecer o desaparecer ante los espectadores personas u objetos.

boga. f. ZOOL. Nombre de dos peces acantopterigios, uno de río y otro de mar, ambos comestibles. ‖ Acción de bogar o remar. ‖ fig. Buena aceptación, fortuna o felicidad creciente. Ú. en la loc. *en boga.* [*Sinón.:* moda, popularidad]

bogar. intr. MAR. Remar.

bogavante. m. Primer remero de cada banco de la galera. ‖ Lugar en que se sentaba este remero. ‖ ZOOL. Crustáceo marino, semejante a la langosta.

bogotano, na. adj. Natural de Bogotá. Ú.t.c.s. ‖ Perteneciente o relativo a esta ciudad de Colombia.

bohemio, mia. adj. Natural de Bohemia. Apl. a pers., Ú.t.c.s. ‖ Gitano. Ú.t.c.s. ‖ Dícese de la persona de costumbres libres y vida irregular y desordenada. Ú.t.c.s. ‖ Dícese de la vida y costumbres de esta persona. ‖ m. LING. Lengua checa.

bohemo, ma. adj. Bohemio, natural de Bohemia. Ú.t.c.s.

bohío. m. Cabaña de América, hecha de madera y ramas, cañas o paja. [*Sinón.:* choza]

bohordo. m. Junco de la espadaña. ‖ Lanza corta arrojadiza.

boicot. m. Acción y efecto de boicotear.

boicotear. tr. Hacer el vacío, privar de relación, ya sea comercial o de otro tipo, a persona o entidad para obligarle a ceder en lo que se le exige. [*Sinón.:* aislar, coaccionar]

boina. f. Gorra sin visera, redonda y chata, de lana y, por lo común, de una sola pieza.

boîte (voz francesa). f. Salón de baile, generalmente de reducidas dimensiones.

boj (al. *Buchsbaum,* fr. *buis,* ingl. *box-tree,* it. *bosso*). m. Arbusto buxáceo de madera amarilla, sumamente dura y compacta, muy apreciada para el grabado, obras de tornería y otros usos. ‖ Madera de este arbusto. ‖ Bolo de madera sobre el cual se cosen los pedazos de cuero de que se confecciona el calzado.

bojar. tr. MAR. Medir el perímetro de una isla, cabo o porción saliente de la costa. ‖ Rodear, recorrer dicho perímetro navegando. ‖ intr. Tener una isla, cabo o porción saliente de la costa determinada dimensión en circuito.

bojear. tr. e intr. MAR. Bojar. ‖ intr. Navegar a lo largo de una costa.

bojedad. f. *Amer.* Bobería, simpleza.

bojedal. m. Sitio poblado de bojes.

bol (al. *henkellose Tasse,* fr. *bol,* ingl. *towl,* it. *bolo*). m. Ponchera. ‖ Taza grande y sin asa. ‖ Redada, lance de red. ‖ Jábega, red grande. ‖ Bolo.

bola (al. *Kugel,* fr. *boule,* ingl. *ball,* it. *palla*). f. Cuerpo esférico de cualquier materia. ‖ En algunos juegos de naipes, lance que consiste en hacer uno todas las bazas. ‖ Canica. Ú.m. en pl. ‖ fig. y fam. Embuste, mentira. ‖ *Amer.* Tamal de figura esférica.

bolada. f. *Amer.* Oportunidad para un negocio.

bolado. m. Azucarillo.

bolazo. m. fig. *Amer.* Disparate, despropósito. ‖ Mentira, embuste.

bolchevique. adj. Partidario del bolchevismo. Ú.t.c.s.

bolcheviquismo. m. Sistema de gobierno establecido en Rusia por la revolución social de 1917, que practica el colectivismo mediante la dictadura que ejerce en nombre del proletariado. ‖ Doctrina defensora de tal sistema.

bolchevismo. m. Bolcheviquismo.

boldina. f. Alcaloide extraído del boldo; es de sabor amargo.

boldo. m. BOT. Arbusto nictagíneo, originario de Chile, de hojas siempre verdes, cuya infusión se emplea para curar las dolencias del estómago y del hígado.

boleada. f. *Amer.* Acción y efecto de bolear.

boleadoras. f. pl. Instrumento usado en América del Sur para cazar animales, formado por dos o tres bolas atadas a sendas guascas.

bolear. intr. En el juego de billar, jugar por puro entretenimiento. ‖ tr. *Amer.* Echar o arrojar las boleadoras a un animal para aprehenderlo. ‖ fig. *Amer.* Envolver, enredar a uno; hacerle una mala partida. Ú.t.c.r.

bolero, ra. adj. fig. y fam. Que dice muchas mentiras. Ú.t.c.s. ‖ m. MÚS. Aire musical popular español. ‖ MÚS. Canción y danza cubana de ritmo sincopado y compás binario. ‖ Chaquetilla corta de señora. ‖ f. Boliche, lugar en que se juega a los bolos.

boleta. f. Cédula que se da para poder entrar en alguna parte. ‖ Especie de libranza para tomar o cobrar alguna cosa. [*Sinón.:* boletín, entrada; talón, cheque]

boletería. f. *Amer.* Taquilla, despacho de billetes.

boletero, ra. s. *Amer.* Persona que vende boletos.

boletín (al. *Bolletin,* fr. *bulletin,* ingl. *bulletin,* it. *bolletino*). m. Libramiento para cobrar dinero. ‖ Boleta, cédula. ‖ Publicación que trata de asuntos científicos, artísticos o de otra índole, generalmente publicada por alguna corporación. ‖ Periódico que contiene disposiciones oficiales. [*Sinón.:* talón, cheque; gaceta]

boleto. m. Billete de teatro, ferrocarril, etc.

boliche. m. Bola pequeña que se usa en el juego de las bochas. ‖ Juego de bolos. ‖ Lugar donde se ejecuta este juego. ‖ Tienda de baratijas. ‖ Jábega pequeña. ‖ Pescado menudo que se saca con ella. ‖ Establecimiento industrial o taller de poca importancia.

bólido (al. *Meteorstein,* fr. *bolide,* ingl. *bolide,* it. *bòlide*). m. ASTR. Cuerpo que atraviesa la atmósfera en forma de globo inflamado muy brillante y que a veces estalla y se divide en fragmentos, los aerolitos. ‖ fig. Persona o cosa que se mueve muy de prisa. ‖ fig. Automóvil cuyo motor y carrocería se ha diseñado especialmente para las carreras y que es capaz de alcanzar grandes velocidades.

bolígrafo. m. Instrumento para escribir que lleva en su interior un tubo de tinta especial y, en la punta, una bolita metálica que gira libremente, con lo cual se entinta de forma continua.

bolillo. m. Palito torneado que sirve para hacer encajes y pasamanería.

bolina. f. MAR. Cabo en que se hala hacia la proa la relinga de barlovento de una vela para que reciba mejor el viento. ‖ MAR. Sonda, cuerda con un peso al extremo. ‖ fig. Ruido o bulla de pendencia o alboroto. ‖ *ir,* o *navegar, de bolina.* MAR. Navegar de modo que la dirección de la quilla forme con la del viento el ángulo menor posible. [*Sinón.*: algazara, vocerío]

bolinear. intr. MAR. Navegar de bolina.

bolívar. m. Unidad monetaria de Venezuela.

bolivariano, na. adj. Perteneciente o relativo a Simón Bolívar.

boliviano, na. adj. Natural de Bolivia. Ú.t.c.s. || Perteneciente o relativo a esta república de América.

bolo (al. *Kegel*, fr. *quille*, ingl. *bowl*, it. *birillo*). m. Trozo de palo labrado en forma cónica o en otra de base plana, para que se tenga derecho en el suelo. || fig. y fam. Hombre ignorante o de escasa habilidad. Ú.t.c. adj. || pl. Juego que consiste en derribar nueve bolos colocados en el suelo en tres filas, tirando varias bolas desde una raya señalada. || — *alimenticio*. m. FISIOL. Alimento masticado e insalivado que de una vez se deglute.

bolo, la. adj. *Amer.* Ebrio. Ú.t.c.s.

bolón. m. *Amer.* Piedra de regular tamaño que se emplea en los cimientos de las construcciones.

boloñés, sa. adj. Natural de Bolonia. Ú.t.c.s. || Perteneciente a esta ciudad de Italia.

bolsa (al. *Tasche, Börse*; fr. *bourse*, ingl. *purse, stock-exchange*; it. *borsa*). f. Especie de saco o talega que sirve para llevar o guardar alguna cosa. || Arruga que hace un vestido cuando no ajusta bien al cuerpo. || COM. Reunión oficial de los que operan con fondos públicos. || Lugar en que se reúnen. || COM. Conjunto de operaciones con efectos públicos. || fig. Caudal o dinero de una persona. || *Amer.* Bolsillo. || CIR. Cavidad llena de pus, linfa, etc. || MINER. Parte de un criadero donde el mineral está reunido con mayor abundancia. || pl. ANAT. Las dos cavidades del escroto donde se alojan los testículos. || — *de trabajo.* Organismo encargado de recibir ofertas y peticiones de trabajo y de ponerlas en conocimiento de los interesados. || *aflojar la bolsa.* fig. Pagar obligado. || *dar como en bolsa.* fig. *Amer.* Castigar duramente de palabra o de hecho.

bolsear. tr. *Amer.* Quitarle a uno del bolsillo el dinero u otra cosa.

bolsillo (al. *Tasche*, fr. *poche*, ingl. *pocket*, it. *tasca*). m. Bolsa o saquillo en que se guarda el dinero. || Saquillo cosido en los vestidos y que sirve para meter en él cosas usuales. || fig. Bolsa, dinero de una persona.

bolsín. m. COM. Reunión de los bolsistas para sus tratos, fuera de las horas y sitio de reglamento. || Lugar donde se verifica dicha reunión.

bolsista. m. El que se dedica a la compra y venta de efectos públicos. || *Amer.* Ladrón de bolsillos.

bolso. m. Bolsa, bolsillo. || Bolsa de mano usada por las mujeres para llevar objetos de uso personal y como complemento del vestido. || MAR. Seno que el viento forma en las velas durante ciertas maniobras.

bollar. tr. Poner un sello de plomo en los tejidos para que se conozca la fábrica de donde salen. [*Sinón.*: marchamar, sellar, abollonar]

bollería. f. Lugar donde se hacen bollos o panecillos y establecimiento donde se venden.

bollero, ra. s. Persona que hace bollos o los vende. || f. vulg. Lesbiana.

bollo (al. *Kuchen*, fr. *pain au lait*, ingl. *cake*, it. *buccellato*). m. Panecillo de harina amasada con huevos, leche, etc. || Elevación que resulta en una de las caras de una pieza de metal por golpe dado o presión hecha en la cara opuesta. || Cierto plegado de tela. [*Sinón.*: bizcocho]

bollón. m. Clavo de cabeza grande que sirve para adorno.

bomba (al. *Pumpe, Bombe*; fr. *pompe, bombe*; ingl. *pump, bomb*; it. *pompa, bomba*). f. Máquina para elevar el agua u otro líquido. || MIL. Proyectil hueco y lleno de materia explosiva. || Pieza hueca de cristal que se pone en las lámparas y otros utensilios semejantes. || MÚS. En los instrumentos músicos de metal, tubo encorvado que sirve para la buena afinación. || fig. Noticia inesperada que se dice de improviso y causa estupor. || fig. *Amer.* Pompa, burbuja. || fig. y fam. *Amer.* Embriaguez. || — *aspirante.* MEC. La hidráulica que consta de un tubo de aspiración y un émbolo, provisto de uno o dos orificios con válvulas, que cierra la parte superior del tubo de aspiración. || — *aspirante-impelente.* MEC. La hidráulica que combina las propiedades de la aspirante y la impelente, y produce doble efecto. || — *atómica.* MIL. Arma de gran poder destructor que estalla debido a la desintegración atómica de un isótopo del uranio. || — *centrífuga.* MEC. La hidráulica que consiste en una caja metálica cilíndrica, en el interior de la cual gira una rueda de paletas planas o curvas; el tubo de aspiración entra por el centro y el líquido es proyectado por las paletas a la periferia, de donde parte el tubo de expulsión. || — *de cobalto.* MED. Aparato empleado en la terapéutica anticancerosa, basado en la aplicación del isótopo 60 del cobalto, de propiedades radiactivas. || — *de gasolina. Amer.* Surtidor de gasolina. || — *de hidrógeno.* MIL. Aquella cuya explosión se basa en la energía que se libera al fusionar el deuterio y el tritio para formar el helio. || — *de mano.* MIL. La explosiva de tamaño reducido que se puede lanzar con la mano. || — *de tiempo.* La preparada para que haga explosión algún tiempo después de lanzada o colocada. || — *hidráulica.* MEC. Aquella cuyo funcionamiento se basa en el vacío más o menos completo que se produce en su interior por medios mecánicos. || — *impelente.* MEC. La hidráulica carente de tubo de aspiración, que está sumergida, va provista de una válvula en la base inferior del cilindro y posee un émbolo macizo. || — *volcánica.* Fragmento de lava fundida lanzado por un volcán a la atmósfera, donde se consolida. || *caer como una bomba.* fr. fig. y fam. que se dice de la persona que se presenta inopinadamente, o de la noticia inesperada, que produce estupor. || *pasarlo bomba.* fig. y fam. Disfrutar, estar muy divertido en un lugar o situación determinada. [*Sinón.*: aguatocha; granada]

bombacáceo, a. adj. BOT. Bombáceo.

bombáceo, a. adj. BOT. Dícese de árboles y arbustos intertropicales dicotiledóneos, con hojas alternas, fruto vario y semilla frecuentemente cubierta de lana o pulpa. Ú.t.c.s.f. || f. pl. Familia de estas plantas.

bombacha. f. *Amer.* Bombacho. Ú.t. en pl.

bombacho. adj. Dícese del pantalón cuyas perneras se ensanchan por el bajo y adquieren forma de campana al recogerse. Ú.t.c.s.

bombarda (al. *Bombarde*, fr. *bombarde*, ingl. *bombard*, it. *bombarda*). f. Cañón de gran calibre que se usaba antiguamente. || MÚS. Antiguo instrumento músico de viento. || Registro del órgano, que produce sonidos muy fuertes y graves. || MAR. Buque de dos palos, armado de morteros instalados en la proa. || Embarcación de cruz, sin cofas y de dos palos, usada en el Mediterráneo. [*Sinón.*: lombarda]

bombardear. tr. Bombear, disparar bombas. || Arrojar bombas desde una aeronave. || Hacer fuego violento y sostenido contra un objetivo. || FÍS. Someter un cuerpo a ciertas radiaciones o al impacto de neutrones u otros elementos del átomo.

bombardeo (al. *Bombardierung*, fr. *bombardement*, ingl. *bombardment*, it. *bombardamento*). m. Acción de bombardear.

bombardero. m. Avión de grandes dimensiones y amplio radio de acción, destinado a bombardear.

bombardino. m. Instrumento musical de viento, de metal y de sonido grave.

bombardón. m. Instrumento musical de viento, de grandes dimensiones, que sirve de contrabajo en las bandas militares.

bombazo. m. Golpe que da la bomba al caer. ‖ Explosión de este proyectil. ‖ Daño que causa. [*Sinón.*: zambombazo, estallido]

bombear. tr. Arrojar o disparar bombas de artillería. ‖ Lanzar por alto una pelota o balón haciendo que siga una trayectoria parabólica. ‖ Elevar agua u otro líquido por medio de una bomba. ‖ *Amer.* Espiar. ‖ *Amer.* Despedir, expulsar. [*Sinón.*: bombardear]

bombeo. m. Comba, convexidad. ‖ Acción y efecto de bombear un líquido.

bombero (al. *Feuerwehrmann*, fr. *pompier*, ingl. *fireman*, it. *pompiere*). m. El que tiene por oficio trabajar con la bomba hidráulica. ‖ Cada uno de los operarios encargados de extinguir los incendios.

bombilla (al. *Glühbirne, Glühlampe*, fr. *ampoule électrique*, ingl. *bulb*, it. *lampadina*). f. Globo de cristal en el que se ha hecho el vacío y dentro del cual se ha colocado un hilo de platino, carbón, etc., que al paso de una corriente eléctrica se pone incandescente. ‖ *Amer.* Tubo o caña delgada que sirve para sorber el mate. ‖ *Amer.* Cucharón.

bombillo. m. Aparato con sifón para evitar la subida del mal olor en las bajadas de aguas inmundas. ‖ Tubo metálico ensanchado en la parte inferior, para sacar líquidos. ‖ *Mar.* Bomba pequeña que se destina a varios usos, especialmente a extinguir incendios.

bombín. m. fam. Sombrero hongo.

bombo, ba (al. *Pauke*, fr. *grosse caisse*, ingl. *bass-drum*, it. *gran cassa*). adj. fam. Aturdido, atolondrado. ‖ m. Mús. Tambor muy grande que se toca con una maza y se emplea en las orquestas y en las bandas militares. ‖ El que toca este instrumento. ‖ Caja cilíndrica o esférica y giratoria que sirve

para contener bolas numeradas que han de sacarse a la suerte. ‖ fig. Elogio ruidoso con que se ensalza a una persona o se anuncia alguna cosa. ‖ *dar bombo.* fig. y fam. Elogiar con exageración. Ú.t.c.r.

bombón (al. *Bonbon*, fr. *bonbon*, ingl. *bonbon*, it. *bonbone*). m. Dulce pequeño de chocolate que en su interior suele contener licor o crema. [*Sinón.*: chocolatín]

bombona. f. Vasija de vidrio, loza, plástico, etc., de boca estrecha, muy barriguda y de bastante capacidad, que se usa para el transporte de ciertos líquidos. ‖ Vasija metálica muy resistente, que se usa para contener gases a presión o líquidos muy volátiles. [*Sinón.*: redoma, garrafa]

bombonaje. m. Planta pandanácea americana, con cuyas hojas se fabrican objetos de jipijapa.

bombonera. f. Caja para bombones.

bonachón, na. adj. fam. De genio dócil, crédulo y amable. Ú.t.c.s. [*Sinón.*: buenazo]

bonaerense. adj. Natural de Buenos Aires. Ú.t.c.s. ‖ Perteneciente o relativo a esta ciudad y provincia de Argentina.

bonancible. adj. Tranquilo, sereno, suave. Dícese del mar, del tiempo y del viento. [*Sinón.*: apacible, despejado]

bonanza (al. *Windstille*, fr. *bonace*, ingl. *calmness*, it. *bonaccia*). f. tiempo tranquilo o sereno en el mar. ‖ fig. Prosperidad. ‖ Miner. Zona de mineral muy rico. [*Sinón.*: calma; dicha. *Antón.*: tempestad; desdicha]

bonapartismo. m. Partido o comunión política de los bonapartistas.

bonapartista. adj. Partidario de Napoleón I, o de su imperio y dinastía. Ú.t.c.s. ‖ Relativo al bonapartismo.

bondad (al. *Güte*, fr. *bonté*, ingl. *goodness*, it. *bontà*). f. Calidad de bueno. ‖ Natural inclinación a hacer el bien. ‖ Blandura y apacibilidad de genio. [*Antón.*: maldad]

bondadoso, sa. adj. Lleno de bondad, de genio apacible. [*Sinón.*: bueno]

boneta. f. Mar. Paño que se añade a algunas velas para aumentar su superficie. ‖ *Amer.* Especie de capota femenina.

bonete (al. *Mütze*, fr. *bonnet*, ingl. *bonnet*, it. *berretta*). m. Especie de gorra, comúnmente de cuatro picos, usada por los eclesiásticos. ‖ fig. Clérigo secular. ‖ Dulcera de vidrio ancha por la boca y angosta por el pie. ‖ Zool. Redecilla de los rumiantes. [*Sinón.*: birrete]

bongó. m. Pequeño tambor que usan los negros cubanos en sus fiestas. Se ha incorporado como instrumento en los conjuntos que interpretan ritmos afrocubanos.

boniato. m. Planta convolvulácea de raíces tuberculosas de fécula azucarada. ‖ Cada uno de los tubérculos de la raíz de esta planta.

bonificación. f. Acción y efecto de bonificar. ‖ Descuento; particularmente en algunas pruebas deportivas, descuento en el tiempo empleado.

bonificar. tr. Tomar en cuenta y asentar una partida en el haber. ‖ Conceder el vendedor al comprador mejora en el precio.

bonito. m. Pez acantopterigio comestible, parecido al atún, pero más pequeño.

bonito, ta (al. *hübsch*, fr. *joli*, ingl. *pretty*, it. *bellino*). adj. Lindo, agraciado.

bono. m. Tarjeta que puede canjearse por comestibles u otros artículos, y a veces por dinero. ‖ Com. Título de deuda emitido comúnmente por una tesorería pública.

bonote. m. Filamento extraído de la corteza del coco.

bonzo (al. *Bonze*, fr. *bonze*, ingl. *bonze*, it. *bonzo*). m. En Asia oriental, sacerdote del culto de Buda.

boñiga (al. *Kuhmist*, fr. *bouse*, ingl. *cow-dung*, it. *bovina*). f. Excremento del ganado vacuno, y el semejante de otros animales.

boom (voz inglesa). m. Auge súbito, prosperidad repentina.

boqueada. f. Acción de abrir la boca. Sólo se dice de los que están a punto de morir. Ú.m. en pl.

boquear. intr. Abrir la boca. ‖ Estar expirando. ‖ fig. y fam. Estar una cosa acabándose. ‖ tr. Pronunciar una palabra o expresión.

boquera. f. Boca o puerta de piedra que se hace en el caz para regar las tierras. ‖ Ventana por donde se echa la paja o el heno en el pajar. ‖ Med. Excoriación que se forma en las comisuras de los labios.

boqueriento, ta. adj. *Amer.* Que padece boqueras.

boquerón (al. *Anschove*, fr. *anchois*, ingl. *anchovy*, it. *acciuga*). m. Pez malacopterigio abdominal muy parecido a la sardina, pero más pequeño. [*Sinón.*: anchoa, aladroque, haleche]

boquete. m. Entrada angosta de un lugar o paraje. ‖ Brecha, abertura hecha en una pared.

boquetero. m. *Amer.* Empleado en las cárceles.

boquiabierto, ta. adj. Que tiene la boca abierta. ‖ fig. Que está embobado mirando alguna cosa. ‖ Sorprendido.

boquifresco, ca. adj. Aplícase a las caballerías que tienen la boca muy salivosa. ‖ fig. y fam. Aplícase a la persona que sin reparos dice verdades desagradables.

boquilla (al. *Zigarrenspitze*, fr. *porte-cigarette*, ingl. *cigar-holder*, it. *portasigarí*). f. Abertura inferior del calzón. ‖ Pieza pequeña y hueca que se adapta al tubo de varios instrumentos de viento y sirve para producir el sonido, apoyando los labios en los bordes de ella. ‖ Tubo pequeño de diversas formas, en cuya parte más ancha se pone el cigarro para fumarlo, aspirando el humo por el extremo opuesto. ‖ Pieza donde se produce la llama en los aparatos de alumbrado. ‖ Porta-lámparas. ‖ Extremo anterior del cigarro puro por el cual se enciende. ‖ Rollito o tubo que se coloca en un extremo de ciertos cigarrillos y por el cual se aspira el humo al fumar. ‖ *Amer.* Hablilla, rumor. ‖ *de boquilla*. loc. adv. con que se denota que el jugador hace la postura sin apronta el dinero. Por ext., ofrecimiento de algo sin hacerlo efectivo. En Puerto Rico: gratis, sin pagar.

boquillero, ra. adj. *Amer.* Jactancioso, que habla de boquilla; charlatán. Ú.t.c.s.

boquinegro, gra. adj. Aplícase a los animales que tienen la boca o el hocico negros, siendo de otro color el resto de la cabeza. ‖ m. ZOOL. Caracol terrestre de color amarillento, con zonas rojizas y puntos blancos, y negra la boca.

boquinete, ta. adj. *Amer.* Boquineto.

boquineto, ta. adj. *Amer.* Dícese de la persona que tiene el labio leporino.

boquirrubio, bia. adj. fig. Que sin necesidad ni reserva dice cuanto sabe. ‖ Inexperto, candoroso.

boratera. f. *Amer.* Yacimiento de borato.

borato. m. QUÍM. Combinación del ácido bórico con una base.

bórax. m. QUÍM. Sal blanca compuesta de ácido bórico, sosa y agua, que se emplea en medicina y en la industria. [*Sinón.*: atincar]

borbolla. f. Burbuja de aire que se forma en el agua producida por la lluvia u otras causas. ‖ Borbollón.

borbollar. intr. Hacer borbollones el agua. [*Sinón.*: borbotear, borbollonear]

borbollón. m. Erupción que hace el agua de abajo para arriba, elevándose sobre la superficie. ‖ *a borbollones*. m. adv. fig. Atropelladamente. [*Sinón.*: borbor, borboriteo, borbolloneo]

borborigmo. m. Ruido de tripas causado por el movimiento de los gases contenidos en la cavidad intestinal. Ú.m. en pl.

borbotar. intr. Nacer o hervir el agua impetuosamente o haciendo ruido.

borbotear. intr. Borbotar.

borboteo. m. Acción de borbotear.

borbotón. m. Borbollón. ‖ *a borbotones*. m. adv. A borbollones.

borceguí (al. *Halbstiefel*, fr. *brodequin*, ingl. *buskin*, it. *borzacchino*). m. Calzado que llega más arriba del tobillo, abierto por delante y que se junta por medio de correas o cordones. [*Sinón.*: bota]

borda (al. *Bord*, fr. *plat-bord*, ingl. *gunwale*, it. *bordata*). f. MAR. Vela mayor en las galeras. ‖ MAR. Canto superior del costado de un buque. ‖ *echar o tirar por la borda*. fig. y fam. Deshacerse inconsideradamente de una persona o cosa.

bordada. f. MAR. Derrota o camino que hace entre dos viradas una embarcación, voltejeando para adelantar hacia barlovento.

bordado, da (al. *Stickerei*, fr. *broderie*, ingl. *embroidery*, it. *ricamo*). p.p. de bordar. Acción de bordar. ‖ Labor de relieve ejecutada en tela o piel con aguja y diversas clases de hilo.

bordar (al. *sticken*, fr. *broder*, ingl. *to embroider*, it. *ricamare*). tr. Adornar una tela o piel con bordados. ‖ fig. Ejecutar alguna cosa con primor.

borde (al. *Rand*, fr. *bord*, ingl. *border*, it. *orlo*). m. Extremo u orilla de una cosa. ‖ En las vasijas, orilla que tienen alrededor de la boca. ‖ Bordo de la nave. [*Sinón.*: canto, margen; borcellar]

borde. adj. BOT. Aplícase a plantas y árboles no injertos ni cultivados. ‖ Dícese del hijo o hija nacidos fuera del matrimonio. Ú.t.c.s. ‖ fam. Tosco, torpe. [*Sinón.*: bastardo]

bordear. tr. Ir por el borde, o cerca del borde u orilla de una cosa. ‖ Hablando de una serie o fila de cosas, hallarse en el borde u orilla de otra. ‖ Frisar, acercarse mucho a una cosa. ‖ Tratándose de condiciones morales o intelectuales, aproximarse a un grado o estado de ellas. Ú.m. en sentido peyorativo. ‖ intr. MAR. Dar bordadas.

bordelés, sa. adj. Natural de Burdeos. Ú.t.c.s. ‖ Perteneciente a esta ciudad de Francia.

bordillo. m. Encintado de la acera.

bordo. m. MAR. Lado o costado exterior de la nave. ‖ Bordada de la nave. ‖ *a bordo*. m. adv. MAR. En la embarcación.

bordón. m. Bastón más alto que la estatura de un hombre. ‖ Verso quebrado que se repite al final de cada copla. ‖ Voz o frase que, por hábito vicioso, repite una persona en la conversación. ‖ En los instrumentos musicales de cuerda, cualquiera de las más gruesas que hacen el bajo. ‖ Cuerda de tripa atravesada diametralmente en el parche inferior del tambor. [*Sinón.*: muletilla, estribillo]

bordona. f. *Amer.* Bordón, cualquiera de las tres cuerdas bajas de la guitarra, en especial la sexta.

bordonear. intr. Ir tentando la tierra con el bordón. ‖ Dar palos con el bordón. ‖ fig. Andar vagando y mendigando. ‖ Pulsar el bordón de la guitarra.

boreal. adj. Perteneciente al bóreas. ‖ ASTR. y GEOGR. Septentrional.

bóreas. m. Viento norte.

borgoña. m. fig. Vino de Borgoña.

borgoñón, na. adj. Natural de Borgoña. Ú.t.c.s. ‖ Perteneciente a esta antigua provincia de Francia.

borgoñota. adj. Dícese de la celada que, dejando descubierta la cara, cubría la parte superior de la cabeza. Ú.t.c.s.f.

borla (al. *Quaste*, fr. *houppe*, ingl. *tassel*, it. *nappa*). f. Conjunto de hebras o cordoncillos sujetos y reunidos por su mitad o por uno de sus cabos en una especie de botón y sueltos por el otro o por ambos. ‖ Insignia de los graduados de doctores y maestros en las universidades.

borlón. m. Tela de lino y algodón sembrada de borlitas.

borne. m. Extremo de la lanza de justar. ‖ Cada uno de los botones de metal en que suelen terminar ciertas máquinas y aparatos eléctricos, y a los cuales se unen los hilos conductores. ‖ BOT. Codeso.

borne. adj. Dícese de la madera quebradiza.

bornear. tr. Dar vuelta, torcer o ladear. ‖ Mirar con un solo ojo para comprobar si un cuerpo o varios están en una misma línea con otro u otros, o si una superficie tiene alabeo. ‖ ARQ. Disponer y mover oportunamente los sillares hasta dejarlos colocados en su debido lugar. ‖ intr. MAR. Girar el buque sobre sus amarras estando fondeado. || r. Torcerse la madera, hacer combas.

boro (al. *Bor*, fr. *bore*, ingl. *boron*, it. *boro*). QUIM. Metaloide de color pardo oscuro, que sólo se presenta combinado, como en el bórax y el ácido bórico.

borona. f. Mijo. || Maíz. || Pan de maíz. || AMER. Migaja de pan.

borra. f. Cordera de un año. || Parte más grosera o corta de la lana. || Pelo de cabra que se rellenan las pelotas, cojines, etc. || Pelusa del algodón. || Pelusa polvorienta que se forma en los bolsillos, entre los muebles y sobre las alfombras. || fig. y fam. Cosas, expresiones y palabras inútiles y sin sustancia.

borrachear. intr. Emborracharse frecuentemente.

borrachera. f. Efecto de emborracharse. || fig. y fam. Disparate grande. || fig. y fam. Exaltación extremada en la manera de decir o hacer alguna cosa. [*Sinón.*: embriaguez, ebriedad]

borracho, cha (al. *betrunken*, fr. *ivre*, ingl. *drunk*, it. *ubriaco*). adj. Ebrio. Ú.t.c.s. || Que se embriaga habitualmente. Ú.t.c.s. || fig. y fam. Vivamente poseído de alguna pasión. [*Sinón.*: alcohólico, beodo]

borrador (al. *Kladde*, fr. *brouillon*, ingl. *rough draft*, it. *brogliazzo*). m. Escrito de primera intención en que se hacen adiciones, supresiones o enmiendas. || Libro en que los comerciantes hacen sus apuntes para arreglar después las cuentas. || Especie de cepillo que se usa para borrar lo escrito en el encerado.

borradura. f. Acción y efecto de borrar lo escrito.

borragináceo, a. adj. BOT. Borragíneo.

borragíneo, a. adj. BOT. Dícese de plantas dicotiledóneas, cubiertas de pelos ásperos, con flores en espiga y fruto en cápsula o baya. Ú.t.c.s.f. || f. pl. Familia de estas plantas.

borraja (al. *Borretsch*, fr. *bourrache*, ingl. *borage*, it. *borrana*). f. Planta borraginea de flores azules dispuestas en racimo. El tallo es comestible. || *agua de borrajas.* fig. y fam. Cosa de poca o ninguna importancia.

borrar (al. *ausradieren*, fr. *effacer*, ingl. *to erase*, it. *cancellare*). tr. Hacer desaparecer por cualquier medio lo representado con tinta, lápiz, etc. Ú.t.c.r. || fig. Desvanecer, hacer que desaparezca una cosa. Ú.t.c.r. [*Sinón.*: tachar]

borrasca (al. *Sturm*, fr. *bourrasque*, ingl. *storm*, it. *burrasca*). f. Tempestad, tormenta del mar. || fig. Temporal fuerte o tempestad que se levanta en tierra. || fig. Peligro que se padece en algún negocio. [*Sinón.*: temporal, tormenta; riesgo. *Antón.*: calma]

borrascoso, sa. adj. Que causa borrascas. || Propenso a ellas. || fig. y fam. Dícese de la vida, diversiones, etc., en que predomina el libertinaje. || fig. Agitado, violento.

borrego, ga (al. *Lamm*, fr. *agneau*, ingl. *lamb*, it. *agnello*). s. Cordero o cordera de uno a dos años. || fig. y fam. Persona sencilla o ignorante. Ú.t.c. adj. || m. fig. *Amer.* Bulo.

borrica. f. Hembra del borrico. || fig. y fam. Mujer necia. Ú.t.c.adj.

borricada. f. Conjunto de borricos. || Cabalgata que se hace en borricos. || fig. y fam. Dicho o hecho necio. [*Sinón.*: animalada, tontería]

borrico. m. Asno. || Armazón que sirve a los carpinteros para apoyar en ella la madera que labran. || fig. Persona muy necia. Ú.t.c. adj. [*Sinón.*: rucio, burro, jumento]

borriquete. m. Borrico de carpinteros. || MAR. Vela que se pone sobre el trinquete.

borro. m. Cordero que pasa de un año y no llega a dos.

borrón (al. *Tintenklecks*, fr. *pâté*, ingl. *inkblot*, it. *sgorbio*). m. Gota de tinta que cae, o mancha de tinta que se hace en el papel. || fig. Acción indigna que mancha la reputación. || *borrón y cuenta nueva.* fr. fig. y fam. con que expresa el olvido de errores pasados. [*Sinón.*: chafarrinada, baldón]

borroso, sa. adj. Dícese del escrito, dibujo, etc., cuyos trazos aparecen confusos. || Que no se distingue con claridad.

boruca. f. Bulla, algazara.

borujo. m. Burujo, bulto pequeño. || Masa que resulta del hueso de la aceituna después de molida y exprimida.

boscaje. m. Bosque de poca extensión. || PINT. Cuadro que representa un paisaje con árboles y animales.

bósforo. m. GEOGR. Estrecho o canal entre dos tierras firmes por donde un mar se comunica con otro.

bosque (al. *Wald*, fr. *bois*, ingl. *wood*, it. *bosco*). m. Sitio poblado de árboles y matas. || fig. Abundancia desordenada de alguna cosa.

bosquejar (al. *skizzieren*, fr. *ébaucher*, ingl. *to sketch*, it. *abbozzare*). tr. Disponer cualquier obra material, pero

sin concluirla. || fig. Indicar con alguna vaguedad un concepto o plan. [*Sinón.*: esbozar, abocetar, proyectar]

bosquejo. m. Traza primera de una obra pictórica, y en general de cualquier producción del ingenio. || fig. Idea vaga de una cosa. [*Sinón.*: boceto]

bosquimán. m. Individuo de una tribu del África meridional emplazada al norte de la República Sudafricana.

bosta. f. Excremento del ganado vacuno y del caballar. [*Sinón.*: boñiga, majada]

bostezar (al. *gähnen*, fr. *bâiller*, ingl. *to yawn*, it. *sbadigliare*). intr. Hacer involuntariamente, abriendo mucho la boca, inspiración lenta y profunda y luego espiración, también prolongada, por efecto de sueño, aburrimiento, etc.

bostezo (al. *Gähnen*, fr. *bâillament*, ingl. *yawning*, it. *sbadiglio*). m. Acción de bostezar.

bota (al. *Stiefel*, fr. *botte*, ingl. *boot*, it. *stivalone*). f. Cuero pequeño empegado por su parte interior y cosido por sus bordes, que remata en un cuello con brocal por donde se llena de vino y se bebe. || Cuba para guardar vino u otros líquidos. || Calzado, generalmente de cuero, que resguarda el pie y parte de la pierna. || Especie de borceguí que usan las mujeres. || — *de montar.* La que cubre la pierna por encima del pantalón y usan algunos jinetes para cabalgar o, como prenda de uniforme, los militares.

botado, da. adj. fig. *Amer.* Muy barato. Ú.t.c.s. || Desvergonzado. Ú.t.c.s.

botador. m. Palo largo con que los barqueros hacen fuerza en la arena para desencallar o hacer andar los barcos. || CARP. Instrumento de hierro para arrancar los clavos o para embutir sus cabezas.

botadura. f. Acto de echar al agua un buque.

botafumeiro. m. Incensario. || fig. y fam. Adulación.

botalón. m. MAR. Palo largo que se saca hacia la parte exterior de la embarcación, para varios usos.

botamen. m. Conjunto de botes de una farmacia.

botana. f. Remiendo que se pone en los agujeros de los odres para que no se salga el líquido. || Taruguito de madera que se pone con el mismo objeto en las cubas de vino.

botánica (al. *Botanik*, fr. *botanique*, ingl. *botany*, it. *botànica*). f. Ciencia que trata del reino vegetal. || *Amer.*

Sitio donde se venden hierbas medicinales.

botánico, ca. adj. Perteneciente o relativo a la Botánica. || s. Persona versada en Botánica. || *Amer.* Curandero que receta principalmente hierbas.

botar (al. *ablaufen lassen*, [*auf*] *prallen*; fr. *lancer, bondir*; ingl. *to launch, to bound*; it. *varare, balzare*). tr. Arrojar, tirar, echar fuera. || Echar al agua un buque haciéndolo resbalar por la grada. || *Amer.* Abandonar, arrojar, o tirar lo que no sirve. || intr. Saltar o levantarse la pelota después de haber chocado con el suelo. || Saltar o levantarse otra cosa cualquiera como la pelota. || Dar botes el caballo. || fig. y fam. Manifestar uno su ira o su alegría de alguna manera. [*Sinón.*: brincar]

botarate. m. fam. Hombre alborotado y de poco juicio. Ú.t.c. adj. || fig. *Amer.* Persona derrochadora, manirrota. Ú.t.c. adj. [*Sinón.*: atolondrado, irreflexivo. *Antón.*: juicioso; reflexivo]

botarel. m. ARQ. Contrafuerte, machón para fortalecer un muro.

botarga. f. Vestido ridículo de varios colores usado en algunas representaciones teatrales. || Especie de embuchado.

botasilla. f. MIL. Toque de clarín para que los soldados ensillen los caballos.

bote. m. Salto que da el caballo cuando desahoga su impaciencia, o cuando quiere tirar al jinete. || Salto que da la pelota al chocar con el suelo. || Salto que da una persona u otra cosa cualquiera, botando como la pelota.

bote. m. Barco pequeño y sin cubierta. || Vasija pequeña, comúnmente cilíndrica, que sirve para guardar pomadas, tabaco, conservas, etc. || vulg. *Amer.* Órgano sexual femenino.

bote (de bote en). fr. fig. y fam. que se dice de cualquier sitio o local completamente lleno de gente.

botella (al. *Flasche*, fr. *bouteille*, ingl. *bottle*, it. *bottiglia*). f. Vasija de cuello angosto, que sirve para contener líquidos. || Líquido que cabe en una botella. [*Sinón.*: frasco]

botellín. m. Botella pequeña.

botellón. m. aum. de botella. || *Amer.* Damajuana.

botería. f. Taller donde se hacen botas o pellejos para vino, aceite, etc. || *Amer.* Zapatería.

botica. f. Establecimiento en que se hacen y despachan medicinas. || En algunas partes, tienda. [*Sinón.*: farmacia]

boticario, ria. s. Persona que tiene a su cargo una botica. || Que ha cursado los estudios de farmacia. [*Sinón.*: farmacéutico]

botija. f. Vasija de barro mediana, redonda y de cuello corto y angosto.

botijo. m. Vasija de barro poroso, de vientre abultado, que tiene un asa en la parte superior, una boca para echar el agua, a uno de sus lados, y al opuesto un pitón para beber.

botillería. f. Tienda donde se hacían y vendían bebidas heladas o refrescos. || *Amer.* Comercio de venta de vinos o licores embotellados.

botín. m. Calzado que cubre el pie y parte de la pierna. || Botín de cuero, paño o lienzo, que se llevaba sobre el calzado, ajustado a la pierna con botones o hebillas.

botín. m. Despojo que se concedía a los soldados como premio de conquista. || MIL. Conjunto de las armas, provisiones y demás efectos de una plaza o de un ejército derrotado y de los cuales se apodera el vencedor.

botiquín (al. *Reiseapotheke*, fr. *boftier*, ingl. *medicine-chest*, it. *cassetta dei medicinali*). m. Mueble, caja o maleta para guardar medicinas o transportarlas a donde convenga. || Conjunto de estas medicinas.

boto, ta. adj. Romo, obtuso. || fig. Rudo o torpe.

botón (al. *Knopf*, fr. *bouton*, ingl. *button*, it. *bottone*). m. BOT. Yema de los vegetales. || Flor cerrada y cubierta por las hojas. || Pieza pequeña de forma varia que se pone en los vestidos para abrocharlos o como adorno. || Pequeña pieza redondeada o cilíndrica con cuya presión se establece o interrumpe una conexión, y sirve para hacer sonar un timbre, poner en marcha una máquina, etc. || BOT. Parte central de las flores de la familia de las compuestas. || ESGR. Chapita redonda que se pone en la punta del florete o de la espada para no hacerse daño. || MÚS. En los instrumentos de pistones, pieza circular y metálica que recibe la presión del dedo para funcionar.

botonadura. f. Juego de botones para un traje o prenda de vestir.

botones. m. fam. Muchacho que sirve en los hoteles para hacer recados.

bototo. *Amer.* Calabaza para llevar agua.

bou. m. Pesca en que dos barcas separadas tiran de la red, arrastrándola por el fondo. || Barca de motor destinada a este tipo de pesca.

bouquet (voz francesa). m. Aroma del vino.

boutique (voz francesa). f. Tienda de modas.

bóveda (al. *Gewölbe*, fr. *voûte*, ingl. *wault*, it. *volta*). f. ARQ. Obra de fábrica curvada que sirve para cubrir el espacio comprendido entre dos muros o varios pilares. || Cripta. || — *celeste*. Firmamento. || — *craneal*. ANAT. Bóveda craneana. || — *craneana*. ANAT. Parte superior e interna del cráneo. || — *de aljibe*, o — *esquifada*. ARQ. Aquella cuyos dos cañones cilíndricos se cortan el uno al otro. || — *fingida*. ARQ. La construida de tabique, bajo un techo o armadura, a imitación de una bóveda. || — *palatina*. ANAT. Paladar, cielo de la boca. [*Sinón.*: cúpula, domo]

bovedilla. f. ARQ. Bóveda pequeña entre dos vigas del techo de una habitación. || MAR. Parte arqueada de la fachada de popa de los buques.

bóvido. m. ZOOL. Mamífero rumiante, de cuernos óseos, no caedizos, cubiertos por un estuche córneo. || m. pl. Familia de estos mamíferos.

bovino, na. adj. Perteneciente al buey o a la vaca. || ZOOL. Dícese de todo mamífero rumiante con el estuche de los cuernos liso, el hocico ancho y desnudo, y la cola larga, con un mechón en el extremo. Son animales de gran talla y muchos de ellos están reducidos a domesticidad. || m. pl. Subfamilia de estos animales.

box (voz inglesa). m. Boxeo, pugilato. || *Amer.* Buzón de correos. || DEP. En las carreras de automóviles, zona destinada para la instalación del taller de reparaciones de cada vehículo.

boxeador. m. El que se dedica al boxeo. [*Sinón.*: púgil]

boxear. intr. Practicar el boxeo.

boxeo (al. *Boxen*, fr. *boxe*, ingl. *boxing*, it. *pugilato*). m. Deporte en el cual dos púgiles se enfrentan, con guantes especiales y sometiéndose a unas reglas, sobre un cuadrilátero elevado, cercado por cuerdas, llamado ring. [*Sinón.*: pugilato]

boya (al. *Boje*, fr. *bouée*, ingl. *buoy*, it. *boa*). f. Cuerpo flotante sujeto al fondo del mar, de un lago, etc. que se coloca como señal. || Corcho que se pone en la red de pescar para que las plomadas no la lleven al fondo, y para indicar su situación. [*Sinón.*: baliza]

boyal. adj. Perteneciente o relativo al ganado vacuno. [*Sinón.*: bovino]

boyante. adj. fig. Que tiene fortuna o goza de felicidad creciente. || MAR.

Dicese del buque que por llevar poca carga no cala lo que debe. || TAUROM. Dicese del toro que acomete de modo franco. [Sinón.: próspero. Antón.: desaforutado]

boyar. intr. Flotar una cosa en el agua. || MAR. Volver a flotar la embarcación que ha estado en seco.

boyardo. m. Antiguo feudatario de Rusia o Transilvania.

boyera. f. Corral donde se recogen los bueyes.

boyero. m. El que guarda bueyes o los conduce.

boza. f. MAR. Cabo que, afirmado en la proa de las embarcaciones menores, sirve para amarrarlas.

bozal (al. *Maulkorb*, fr. *muselière*, ingl. *muzzle*, it. *musoliera*). adj. Deciase del negro recién sacado de su país. Ú.t.c.s. || fig. y fam. Bisoño, inexperto en un arte u oficio. Ú.t.c.s. || fig. y fam. Simple, idiota. Ú.t.c.s. || m. Esportilla que, colgada de la cabeza, se pone en la boca de las bestias de labor para que no se paren a comer. || Objeto que se pone en la boca de los perros para que no muerdan. || Amer. Bozo, ramal anudado al cuello de la caballería.

bozo (al. *Milchbart*, fr. *duvet*, ingl. *down*, it. *lanùgine*). m. Vello que apunta sobre el labio superior antes de nacer la barba. || Parte exterior de la boca. || Cabestro que se echa a las caballerías sobre la boca, formando un cabezón con sólo un cabo o rienda.

braceada. f. Movimiento de brazos ejecutado con esfuerzo o violencia.

braceaje. m. En las casas de moneda, fabricación de ésta. || MAR. Profundidad del mar en determinado paraje.

bracear. intr. Mover repetidamente los brazos. || Nadar sacando los brazos fuera del agua y volteándolos hacia delante. || fig. Esforzarse, forcejear. || Doblar el caballo los brazos con soltura al andar, levantándolos mucho.

braceo. m. Acción de bracear.

bracero, ra. adj. Aplícase al arma que se arrojaba con el brazo. || m. El que da el brazo a otro para que se apoye en él. || Peón, jornalero.

bracmán. m. Brahmán.

braco, ca. adj. Dícese del perro perdiguero. Ú.t.c.s. || fig. y fam. Aplícase a la persona que tiene la nariz roma y algo levantada. Ú.t.c.s.

bráctea. f. BOT. Hoja modificada que nace del pedúnculo de las flores de ciertas plantas.

bractéola. f. BOT. Bráctea pequeña.

braga (al. *Schlüpfer*, fr. *braie*, ingl. *breeches*, it. *brache*). f. Pañal de los niños. || ZOOL. Conjunto de plumas de las aves calzadas. || pl. Prenda interior que usan las mujeres, y que cubre desde la cintura hasta el arranque de los muslos, con aberturas para el paso de éstos. Ú.t. en sing.

bragado, da. adj. Aplícase al buey y a otros animales que tienen la bragadura de diferente color que el resto del cuerpo. || fig. y fam. Aplícase a la persona enérgica y firme. [Sinón.: animoso, valiente. Antón.: cobarde, indeciso]

bragadura. f. Entrepiernas del hombre o del animal.

bragazas. m. fig. y fam. Hombre que se deja dominar con facilidad. Ú.t.c. adj. [Sinón.: calzonazos]

braguero (al. *Bruchband*, fr. *brayer*, ingl. *truss*, it. *brachiere*). m. Aparato o vendaje para contener las hernias o quebraduras. || Amer. Cuerda que rodea el cuerpo del toro, y de la cual se ase al que lo monta en pelo.

bragueta (al. *Hosenschlitz*, fr. *braguette*, ingl. *fly*, it. *brachetta*). f. Abertura de los calzones o pantalones por delante.

braguetazo. m. Casamiento por interés con mujer rica. || dar braguetazo. Casarse por interés un hombre con una mujer rica.

braguetero. adj. fam. Dícese del hombre lascivo. Ú.t.c.s.

brahmán. m. Cada uno de los individuos de la primera de las cuatro castas en que se halla dividida la población de la India.

brahmanismo. m. Religión de la India, que reconoce a Brahma como dios supremo.

brama. f. Acción y efecto de bramar. || Celo de los ciervos y otros animales salvajes. || Temporada en que se hallan poseídos de él.

bramadera. f. Pedazo de tabla, en forma de rombo, sujeto a un cordel, que usan los niños como juguete; haciéndolo girar rápidamente produce una especie de bramido. || Instrumento parecido que usan los pastores para llamar y guiar al ganado.

bramadero. m. Poste al que se atan los animales para herrarlos, domarlos o matarlos. || Sitio al que acuden con preferencia los ciervos u otros animales salvajes cuando están en celo.

bramar (al. *röhren*, fr. *bramer*, ingl. *to roar, to bellow*, it. *bramire*). intr. Dar bramidos. || fig. Manifestar uno con gritos la ira de que está poseído. || fig.

Hacer ruido estrepitoso el viento, el mar, etc. [Sinón.: rugir]

bramido (al. *Gebrüel*, fr. *bramement*, ingl. *bellow*, it. *bramito*). m. Voz del toro y de otros animales salvajes. || fig. Grito de una persona cuando está colérica. || fig. Ruido grande producido por el aire, el mar, etc. [Sinón.: rugido, fragor]

brandy (voz inglesa). m. Aguardiente producido por la destilación de mostos de diversas frutas.

branquia (al. *Kieme*, fr. *branchie*, ingl. *branchia*, it. *branchia*). f. ZOOL. Organo respiratorio de diversos animales acuáticos, constituido por láminas tegumentarias. Ú.m. en pl.

branquial. adj. Relativo a las branquias.

braquicéfalo, la. adj. Dícese de la persona cuyo cráneo es casi redondo. Ú.t.c.s.

braquiuro. adj. ZOOL. Dícese de crustáceos decápodos cuyo abdomen es corto, no sirviéndole al animal para nadar; como la centolla. Ú.t.c.s. || m. pl. ZOOL. Suborden de estos animales.

brasa (al. *Kohlenglut*, fr. *braise*, ingl. *live coal*, it. *brace, bragia*). f. Leña o carbón encendido.

brasero (al. *Kohlenbecken*, fr. *brasier*, ingl. *brazier*, it. *braciere*). m. Pieza redonda de metal, en la cual se hace lumbre para calentarse. || Amer. Hoguera.

brasil. m. Árbol leguminoso tropical, cuya madera es el palo brasil. || Palo brasil.

brasileño, ña. adj. Natural del Brasil. Ú.t.c.s. || Perteneciente o relativo a este país de América.

brasilero, ra. adj. Amer. Brasileño.

brasilete. m. BOT. Árbol leguminoso cuya madera es menos sólida y de color menos intenso que la del brasil. || Madera de este árbol.

brava. f. Amer. Apócope de bravata. || Amer. Sablazo con imposición.

bravata. f. Amenaza proferida con arrogancia para intimidar a alguien. || Baladronada. [Sinón.: fanfarronada]

bravear. intr. Echar bravatas.

braveza. f. Bravura. || Ímpetu de los elementos. [Sinón.: fiereza]

bravío, a (al. *wild*, fr. *sauvage*, ingl. *savage*, it. *feroce, indòmito*). adj. Feroz, indómito, salvaje. || fig. Se dice de los árboles y plantas silvestres. [Antón.: suave]

bravo, va (al. *tapfer, mutig*; fr. *brave, vaillant*; ingl. *brave, valiant*; it. *bravo, prode*). adj. Valiente, esforzado. || Bueno. excelente. ‖ Hablando de animales, fiero. ‖ Aplícase al mar cuando está embravecido y alborotado. ‖ Áspero, inculto, fragoso. ‖ fig. y fam. De genio áspero. ‖ *¡bravo!* interj. de aplauso.

bravonel. m. Fanfarrón, valentón.

bravosidad. f. Gallardía o gentileza. ‖ Arrogancia, baladronada.

bravucón, na. adj. fam. Valiente sólo en apariencia. Ú.t.c.s. [*Sinón.*: baladrón]

bravura (al. *Tapferkeit,* fr. *bravoure,* ingl. *courage,* it. *bravura*). f. Fiereza de los brutos. ‖ Esfuerzo o valentía de las personas. ‖ Bravata. [*Sinón.*: bestialidad; ánimo, coraje. *Antón.*: cobardía, timidez]

braza (al. *Klafter,* fr. *brasse,* ingl. *fathom,* it. *braccio*). f. Medida de longitud, equivalente a 1,6718 metros, usada generalmente en la marina. ‖ MAR. Cabo doble o sencillo que laborea por el penol de las vergas y sirve para mantenerlas fijas y hacerlas girar en un plano horizontal. ‖ Cierto estilo de natación.

brazada. f. Movimiento que se hace con los brazos, extendiéndolos y recogiéndolos como cuando se rema o se nada. ‖ Brazado. ‖ — *de piedra. Amer.* Medida que sirve de unidad en la compraventa de mampuestos y que equivale a 4,70 metros cúbicos.

brazado. m. Cantidad de leña, palos, hierba, etc., que se puede abarcar y llevar de una vez con los brazos.

brazal. m. Pieza de la armadura que cubría el brazo. ‖ Embrazadura del escudo, pavés, etc. ‖ Sangría que se saca de un río o acequia grande para regar. ‖ Tira de tela que ciñe el brazo izquierdo por encima del codo y que sirve de distintivo o como señal de luto si la tela es negra. ‖ MAR. Cada uno de los maderos fijados por sus extremos a una y otra banda para el enjaretado.

brazalete (al. *Armband,* fr. *bracelet,* ingl. *armlet,* it. *braccialetto*). m. Aro de metal u otra materia que rodea el brazo y se usa como adorno. [*Sinón.*: ajorca]

brazo (al. *Arm,* fr. *bras,* ingl. *arm,* it. *braccio*). m. Miembro del cuerpo que comprende desde el hombro a la extremidad de la mano. ‖ Porción de este miembro desde el hombro hasta el codo. ‖ Cada una de las patas delanteras de los cuadrúpedos. ‖ En los aparatos de iluminación, candelero que sale del cuerpo central y sirve para sostener las luces. ‖ Cada uno de los palos que salen desde la mitad del respaldo del sillón hacia adelante. ‖ En la balanza, cada una de las dos mitades de la barra horizontal, de cuyos extremos cuelgan o en los cuales se apoyan los platillos. ‖ Pértiga articulada de una grúa. ‖ Rama de árbol. ‖ fig. Valor, esfuerzo, poder. ‖ Fís. Cada una de las distancias del punto de apoyo de la palanca a las direcciones de la potencia y la resistencia. ‖ pl. fig. Protectores, valedores. ‖ fig. Braceros, jornaleros. ‖ — *de gitano.* Pieza de repostería que consiste en una capa de bizcocho, a la cual se le pone encima nata, crema, chocolate, etc., y se arrolla en forma de cilindro. ‖ — *de mar.* Canal ancho y largo del mar, que entra tierra adentro. ‖ — *de río.* Parte del río que, separándose de él, corre independientemente hasta reunirse de nuevo con el cauce principal o desemboca en el mar. ‖ *a brazo partido.* m. adv. Con los brazos solos, sin usar de armas. A viva fuerza. ‖ *con los brazos abiertos.* m. adv. fig. Con agrado y amor. ‖ *cruzarse de brazos.* fig. Abstenerse de obrar o intervenir en un asunto. ‖ *dar uno su brazo a torcer.* fig. Rendirse, desistir de su propósito. ‖ *hecho un brazo de mar.* fig. y fam. Dícese de la persona ataviada con mucho lujo y lucimiento. ‖ *no dar uno su brazo a torcer.* fig. y fam. Mantenerse firme en su propósito.

brazuelo. m. ZOOL. Parte de las patas delanteras de los cuadrúpedos entre el codo y la rodilla.

brea. (al. *Teer,* fr. *goudron,* ingl. *pitch,* it. *pece*). f. Sustancia viscosa de color rojo oscuro que se obtiene destilando al fuego la madera de varios árboles coníferos. Se emplea como pectoral y antiséptico. ‖ MAR. Mezcla de brea, pez, sebo y aceite de pescado, que se usa para calafatear y pintar. ‖ — *líquida.* Alquitrán. ‖ — *mineral.* Sustancia crasa y negra semejante a la brea, que se obtiene por destilación de la hulla. ‖ — *seca.* Colofonia.

brear. tr. fig. y fam. Maltratar, molestar.

brebaje (al. *Trank,* fr. *breuvage,* ingl. *beverage,* it. *beveraggio*). m. Bebida, y en especial la compuesta de ingredientes desagradables al paladar.

breca. f. Pez malacopterigio muy abundante, cuyas escamas plateadas se utilizan como materia prima en la industria de las perlas artificiales.

brécol. m. Variedad de col común, cuyas hojas no se apiñan. Ú.m. en pl.

brecha (al. *Bresche,* fr. *brèche,* ingl. *breach,* it. *breccia*). f. Rotura que hace en la muralla o pared la artillería u otro ingenio. ‖ Abertura hecha en una pared. ‖ fig. Impresión que hace en el ánimo la razón o sugestión ajena, o algún sentimiento propio. ‖ *abrir brecha.* ART. Arruinar parte de la muralla de una plaza, castillo, etc., para poder dar el asalto. ‖ fig. Persuadir a uno, hacer impresión en su ánimo. [*Sinón.*: agujero, boquete]

brega. f. Acción y efecto de bregar. ‖ Riña o pendencia. ‖ fig. Chasco, zumba. Ú. con el verbo *dar.* [*Sinón.*: reyerta, contienda]

bregar. intr. Luchar, reñir, unos con otros. ‖ Ajetrearse, trabajar afanosamente. ‖ fig. Luchar con los riesgos y dificultades para superarlos. ‖ tr. Amasar de cierta manera. [*Sinón.*: batallar, esforzarse]

bren. m. Salvado.

breña. f. Tierra quebrada entre peñas y poblada de maleza.

bresca. f. Panal de miel.

brete. m. Cepo de hierro que se ponía a los reos en los pies. ‖ fig. Aprieto sin posible evasiva. ‖ Úsase comúnmente en las frases *estar,* y *poner, en un brete.* ‖ *Amer.* En estancias y mataderos, sitio cercado, donde se matan o se marcan las reses. [*Sinón.*: apuro]

bretón, na. adj. Natural de Bretaña. Ú.t.c.s. ‖ Perteneciente a esta región de Francia. ‖ m. LING. Lengua que hablan los bretones. ‖ Variedad de col cuyo tronco echa muchos tallos. ‖ Tallo de esta planta.

breva. f. Primer fruto que anualmente da la higuera breval. ‖ Cigarro puro algo aplastado. ‖ *Amer.* Tabaco en rama elaborado a propósito para masticarlo. ‖ fig. Ventaja lograda por alguno.

breve (al. *kurz,* fr. *bref,* ingl. *short,* it. *breve*). adj. De corta extensión o duración. ‖ GRAM. Aplicado a palabras, grave, que lleva el acento en la penúltima sílaba. ‖ m. Documento pontificio menos solemne que la bula. ‖ f. MÚS. Figura o nota musical antigua que valía dos compases mayores. ‖ *en breve.* m. adv. Dentro de poco tiempo, muy pronto. [*Sinón.*: pequeño, sucinto, conciso. *Antón.*: extenso]

brevedad. f. Corta extensión o duración de una cosa, acción o suceso. [*Sinón.*: concisión, fugacidad]

breviario (al. *Brevier,* fr. *bréviaire,* ingl. *breviary,* it. *breviario*). m. Libro que contiene el rezo eclesiástico de todo el año. ‖ Epítome o compendio.

brezal. m. Sitio poblado de brezos.

brezo (al. *Heidekraut,* fr. *bruyère,*

ingl. *heather*, it. *escopa*). m. Arbusto ericáceo de madera dura y raíces que sirven para hacer carbón de fragua. [Sinón.: urce]

briba. f. Holgazanería, picaresca.

bribón, na (al. *Spitzbube*, fr. *coquin*, ingl. *vagrant*, it. *bribone*). adj. Haragán, dado a la briba. Ú.t.c.s. || Pícaro, bellaco. Ú.t.c.s. [Antón.: honorable, aplicado]

bribonada. f. Picardía, bellaquería.

bribonear. intr. Hacer vida de bribón. || Hacer bribonadas.

bricbarca. m. MAR. Buque de tres palos sin vergas de cruz en la mesana.

bricolage (voz francesa). m. Actividad consistente en realizar toda clase de pequeñas obras y reparaciones caseras, sin remuneración o para utilidad propia.

brida (al. *Zaum*, fr. *bride*, ingl. *bridle*, it. *briglia*). f. Freno del caballo con las riendas y el correaje. || Reborde circular en el extremo de los tubos metálicos para acoplar unos a otros. || pl. CIR. Filamentos membranosos que se forman en los abscesos o en los labios de las heridas.

bridge (voz inglesa). m. Juego de naipes que se realiza entre cuatro personas, por parejas, con baraja francesa de 52 cartas.

brigada (al. *Brigade*, fr. *brigade*, ingl. *brigade*, it. *brigata*). f. MIL. Unidad orgánica del ejército. || Conjunto de personas reunidas para dedicarlas a ciertos trabajos. || m. MIL. Suboficial con empleo superior al de sargento.

brigadier. m. MIL. Antiguamente, oficial general cuya categoría era inmediatamente superior a la de coronel en el ejército y a la de contralmirante en la marina.

brigantino, na. adj. Propio de la Coruña o relativo a esta ciudad.

brillante (al. *leuchtend*, fr. *brillant*, ingl. *brilliant*, it. *brillante*). p.a. de brillar. Que brilla. || adj. fig. Admirable o sobresaliente. || m. *Diamante brillante*. [Sinón.: fulgente, resplandeciente, radiante]

brillantina. f. Cosmético líquido para dar brillo al cabello.

brillar (al. *glänzen*, fr. *briller*, ingl. *to shine*, it. *brillare*). intr. Resplandecer, despedir rayos de luz. || fig. Lucir o sobresalir en talento, hermosura, etc. [Sinón.: fulgurar, irradiar, relumbrar, descollar]

brillazón. f. *Amer.* Espejismo.

brillo (al. *Glanz*, fr. *brillant*, ingl.

brillancy, it. *brillo*). m. Lustre o resplandor. || fig. Lucimiento, gloria.

brincar. intr. Dar brincos o saltos. [Sinón.: saltar]

brinco. m. Movimiento que se hace levantando los pies del suelo con ligereza.

brindar. intr. Manifestar, al ir a beber vino u otro licor, el bien que se desea a personas o cosas. || Ofrecer voluntariamente a uno alguna cosa, convidarle con ella. Ú.t.c. tr. || r. Ofrecerse voluntariamente a ejecutar o hacer algo.

brindis. m. Acción de brindar al ir a beber. || Lo que se dice al brindar.

brío. m. Pujanza. Ú.m. en pl. || fig. Espíritu, valor, resolución. || fig. Garbo, gallardía, gentileza.

brioche (voz francesa). m. Especie de panecillo o pastel hecho con flor de harina, manteca y huevos.

briofito, ta. adj. BOT. Dícese de las plantas criptógamas que poseen tallos y hojas pero carecen de vasos y raíces, teniendo en lugar de éstas unos filamentos que absorben del suelo el agua y las sales minerales necesarias para la nutrición. Ú.t.c.s. || f. pl. Tipo de estas plantas.

brios! (¡voto a). expr. fam. ¡Voto a Dios!

brioso, sa. adj. Que tiene brio. [Sinón.: pujante, animoso]

briqueta. f. Conglomerado de carbón u otra materia en forma de ladrillo.

brisa (al. *Brise*, fr. *brise*, ingl. *breeze*, it. *brezza*). f. Airecillo que en las costas viene de la mar durante el día, y por la noche de la parte de tierra. || Viento del Nordeste, contrapuesto al vendaval. || Orujo de la uva.

brisca. f. Cierto juego de naipes.

briscado, da. adj. Se dice del hilo de oro o plata a propósito para emplearse entre seda, en el tejido de ciertas telas. || m. Labor hecha con este hilo. [Sinón.: brochado]

briscar. tr. Tejer o hacer labores con hilo briscado.

bristol. m. Especie de cartulina satinada. || Papel para dibujar.

británico, ca. adj. Perteneciente a la antigua Britania. || Perteneciente o relativo a Gran Bretaña.

britano, na. adj. Natural de la antigua Britania. Ú.t.c.s. || Británico.

briza. f. BOT. Género de plantas gramíneas que vegetan en casi todos los terrenos y son muy apreciadas como pasto.

brizna. f. Filamento o parte delgada

de alguna cosa. || Hebra que en la sutura tiene la vaina de la judía y otras legumbres.

broa. f. Abra o ensenada llena de barras y rompientes.

broca (al. *Bohreisen*, fr. *mèche*, ingl. *drill*, it. *tràpano*). f. Carrete que dentro de la lanzadera lleva el hilo para la trama de ciertos tejidos. || Barrena de boca cónica que se usa con las máquinas de taladrar.

brocadillo. m. Tela de seda y oro más ligera que el brocado.

brocado (al. *Brokat*, fr. *brocart*, ingl. *brocade*, it. *broccato*). m. Guadameci dorado o plateado. || Tela de seda entretejida con oro o plata. || Tejido fuerte, todo de seda, con dibujos de distinto color que el del fondo.

brocal (al. *Brunnenrand*, fr. *margelle*, ingl. *curb*, it. *sponda*). m. Antepecho construido alrededor de la boca de un pozo. || Boquilla de la vaina de las armas blancas. || MEC. Eje que atraviesa la barra de la balanza romana. || MIL. Moldura que refuerza la boca de las piezas de artillería. || MINER. Boca de pozo.

brocatel. adj. Dícese del mármol que presenta manchas y vetas de colores variados. Ú.t.c.s. || m. Tejido de cáñamo y seda, a modo de damasco.

brocearse. r. MINER. *Amer.* Perderse o malearse el hilo de una veta metálica. || fig. Echarse a perder un negocio.

broceo. m. *Amer.* Acción y efecto de brocearse.

brócula. f. En cerrajería, especie de taladro.

bróculi. m. Brécol.

brocha (al. *Pinsel*, fr. *brosse*, ingl. *paint brush*, it. *pennello*). f. Escobilla de cerda u otro material, atada al extremo de un mango, que sirve para pintar y otros usos. || *de brocha gorda*. expr. fig. Dícese del pintor y de la pintura de puertas, ventanas, etc.; aplicase familiarmente al mal pintor y a las obras de ingenio toscas o de mal gusto. [Sinón.: pincel]

brochada. f. Cada una de las idas y venidas de la brocha sobre la superficie que se pinta. [Sinón.: pincelada]

brochado, da. adj. Aplicase a los tejidos de seda que tienen alguna labor de oro o plata con el hilo retorcido o levantado.

brochal. m. ARQ. Madero atravesado entre otros dos de un suelo, y ensamblado en ellos.

broche (al. *Brosche*, fr. *agrafe*, ingl. *clasp*, it. *fermaglio*). m. Conjunto de dos piezas, una de las cuales engancha o encaja en la otra. ‖ *broche de oro*. loc. fig. Final feliz y brillante de un acto público, reunión, gestión, etc.

brocheta. f. Broqueta.

brochón. m. Escobilla de cerdas que sirve para blanquear las paredes.

broma. f. Bulla, diversión. ‖ Chanza, burla. ‖ Masa de cascotes, piedras y cal. ‖ Persona o cosa pesada y molesta. ‖ Zool. Taraza, molusco que causa daños en las construcciones navales.

bromar. tr. Roer la broma la madera.

bromatología. f. Ciencia que estudia los alimentos.

bromatólogo, ga. s. Persona que profesa la bromatología.

bromazo. m. Broma pesada.

bromear. intr. Usar de bromas o chanzas. Ú.t.c.r. [Sinón.: burlarse]

bromeliáceo, a. adj. Bot. Dícese de hierbas y matas angiospermas, monocotiledóneas, casi siempre parásitas, con hojas reunidas en la base, flores en espiga, racimo o panoja y fruto en bayas o cápsulas con semillas de albumen harinoso. Ú.t.c.s.f. ‖ f. pl. Familia de estas plantas.

bromista. adj. Aficionado a gastar bromas. Ú.t.c.s. [Sinón.: burlón, chancero, guasón]

bromo (al. *Brom*, fr. *brome*, ingl. *bromine*, it. *bromo*). m. Quím. Elemento no metálico, líquido, de color pardo rojizo y olor fuerte y repugnante.

bromuro. m. Quím. Combinación del bromo con un radical simple o compuesto.

bronca. f. Riña o disputa ruidosa. ‖ Represión áspera. ‖ Manifestación colectiva de desagrado en un espectáculo público.

bronce (al. *Bronze*, fr. *bronze*, ingl. *bronze*, it. *bronzo*). m. Cuerpo metálico que resulta de la aleación del cobre con el estaño. Es de color amarillento rojizo, muy tenaz y sonoro. ‖ fig. Estatua o escultura de bronce.

bronceado, da. adj. De color de bronce. ‖ m. Acción y efecto de broncear o broncearse.

broncear (al. *bronzieren*, fr. *bronzer*, ingl. *to bronze*, it. *bronzare*). tr. Dar color de bronce. ‖ r. fig. Tomar color moreno la piel por acción de los rayos solares.

broncíneo, a. adj. De bronce. ‖ Parecido a él.

broncista. m. El que trabaja en bronce.

bronco, ca. adj. Tosco, áspero, sin

desbastar. ‖ fig. Dícese de la voz y de los instrumentos de música que tienen sonido desagradable y áspero. ‖ fig. De genio y trato ásperos. [Sinón.: brusco, basto. *Antón.*: suave, blando]

bronconeumonía. f. Med. Inflamación de la mucosa bronquial y del parénquima pulmonar.

bronquear. tr. *Amer.* Reprender con dureza, reñir.

bronquedad. f. Calidad de bronco.

bronquial. adj. Relativo a los bronquios.

bronquio (al. *Bronchie*, fr. *bronche*, ingl. *bronchus*, it. *bronco*). m. Anat. Cada uno de los dos conductos fibrocartilaginosos en que se bifurca la tráquea y que entran en los pulmones. Ú.m. en pl.

bronquiolo o bronquíolo. m. Anat. Cada uno de los pequeños conductos en que se dividen y subdividen los bronquios dentro de los pulmones. Ú.m. en pl.

bronquitis. f. Pat. Inflamación aguda o crónica de la membrana mucosa de los bronquios.

brontosaurio. m. Paleont. Reptil fósil de enormes proporciones. Vivió en el período jurásico.

broquel (al. *Schild*, fr. *bouclier*, ingl. *buckler*, it. *brocchiere*). m. Escudo pequeño de madera o corcho. ‖ Escudo, arma defensiva. ‖ fig. Defensa o amparo. ‖ Mar. Posición en que quedan las velas y vergas cuando se abroquelan. [Sinón.: protección, salvaguarda]

broqueta. f. Aguja o estaquilla con que se sujetan las patas de las aves para asarlas, o en que se ensartan pajarillos, pedazos de carne u otro manjar.

brotadura. f. Acción de brotar.

brotar (al. *keimen*, fr. *pousser*, ingl. *to shoot*, it. *germogliare*). intr. Nacer o salir la planta de la tierra. ‖ Salir en la planta renuevos, hojas, etc. ‖ Manar, salir el agua de los manantiales. ‖ fig. Tratándose de viruelas, granos, etc., salir al cutis. ‖ fig. Tener principio o empezar a manifestarse una cosa.

brote (al. *Knospe*, fr. *bourgeon*, ingl. *germ*, it. *gemma*). m. Pimpollo o renuevo que empieza a desarrollarse. ‖ Acción de brotar o empezar a manifestarse una cosa. [Sinón.: vástago]

broza. f. Conjunto de hojas, ramas y otros despojos de las plantas. ‖ Desecho o desperdicio de algo.

bruces (a, o de). m. adv. Boca abajo. Se junta con varios verbos.

bruja (al. *Hexe*, fr. *sorcière*, ingl.

witch, it. *strega*). f. Mujer que, según la opinión vulgar, tiene pacto con el diablo, por medio del cual hace cosas extraordinarias. ‖ fig. y fam. Mujer fea y vieja.

brujear. intr. Hacer brujerías.

brujería. f. Superstición y engaños en que cree el vulgo que se ejercitan las brujas. [Sinón.: hechizo]

brujesco, ca. adj. Propio del brujo o de la brujería, o perteneciente a ellos.

brujo (al. *Hexenmeister*, fr. *sorcier*, ingl. *sorcerer*, it. *stregone*). m. Hombre supersticioso o embaucador de quien se dice tiene pacto con el diablo.

brujo, ja. adj. *Amer.* Falso, fraudulento. ‖ *Amer.* Empobrecido, sin dinero. Ú.m. en terminación femenina aun con sustantivos masculinos. Ú.t.c.s.

brújula (al. *Seekompass*, fr. *boussole*, ingl. *compass*, it. *bùssola*). f. Barrita o flechilla imanada que, puesta en equilibrio sobre una púa, se orienta siempre hacia el norte magnético. ‖ Mar. Instrumento que se usa a bordo para saber el rumbo que lleva la nave. ‖ *perder la brújula*. fig. Perder el tino en el manejo de algún negocio. [Sinón.: calamita]

brujulear. tr. fig. y fam. Buscar con diligencia y por caminos diversos el logro de una pretensión.

bruma (al. *Seenebel*, fr. *brume*, ingl. *fog*, it. *bruma*). f. Niebla, y especialmente la que se forma sobre el mar.

brumario. m. Segundo mes del calendario republicano francés.

brumoso, sa. adj. Nebuloso.

bruno, na. adj. De color negro u oscuro. ‖ m. Variedad de ciruelo propio del norte de España. ‖ Ciruela negra obtenida de este árbol.

bruñido, p. p. de bruñir. ‖ m. Acción y efecto de bruñir.

bruñidor, ra. adj. Que bruñe. Ú.t.c.s. ‖ m. Instrumento para bruñir.

bruñir (al. *polieren*, fr. *brunir*, ingl. *to burnish*, it. *brunire*). tr. Sacar lustre o brillo a una cosa; como metal, piedra, etc. [Sinón.: pulir, lustrar]

bruño. m. Bruno, ciruela negra, y árbol que la produce.

brusco, ca (al. *jäh*, fr. *brusque*, ingl. *rough*, it. *brusco*). adj. Áspero, desapacible. ‖ Rápido, repentino, pronto. ‖ m. Bot. Planta esmilácea que produce bayas del color y tamaño de una guinda pequeña.

bruselense. adj. Natural de Bruselas. Ú.t.c.s. ‖ Perteneciente a esta ciudad de Bélgica.

brusquedad. f. Calidad de brusco. ‖ Acción o procedimiento bruscos.

brutal. adj. Que imita o semeja a los brutos. [*Sinón.*: salvaje, bárbaro, grosero]

brutalidad. f. Calidad de bruto. ‖ fig. Excesivo desorden de los afectos y pasiones. ‖ fig. Acción torpe, grosera o cruel. [*Sinón.*: salvajismo, vandalismo. *Antón.*: humanidad, sociabilidad]

bruto, ta (al. *Tier, Bestie*, fr. *bête, brute;* ingl. *brute, beast;* it. *bruto*). adj. Necio, incapaz, que obra como falto de razón. Ú.t.c.s. ‖ Vicioso, torpe. ‖ Dícese de las cosas toscas y sin pulimento. ‖ m. Animal irracional. Aplícase generalmente a los cuadrúpedos. ‖ *en bruto.* loc. adj. Sin pulir o labrar. Dícese también de las cosas que se toman por peso sin rebajar la tara.

bruza. f. Cepillo de cerdas muy espesas y fuertes que sirve para limpiar las caballerías, los moldes de imprenta, etc.

bruzar. tr. Limpiar con la bruza.

buba. f. Postilla o tumorcillo de pus. ‖ MED. Tumor blando, generalmente doloroso y con pus, que se presenta en la región inguinal como consecuencia del mal venéreo, y a veces en el cuello y las axilas. Ú.m. en pl. ‖ También se denominan así tumores análogos de otro origen.

bubón. m. Tumor purulento y voluminoso.

bubónico, ca. adj. Perteneciente o relativo al bubón.

bucal. adj. Perteneciente o relativo a la boca.

bucanero. m. Aventurero que cazaba reses bovinas salvajes en América. ‖ Corsario que en los siglos XVII y XVIII se entregaba al saqueo de las posesiones españolas de ultramar.

búcaro. m. Arcilla que despide olor agradable. Hay tres especies, que se diferencian en el color, que puede ser rojo, negro o blanco. ‖ Vasija hecha con esta arcilla. ‖ Jarrón para flores.

buccinador. m. ANAT. Cada uno de los dos músculos planos situados uno en cada mejilla entre los maxilares superior e inferior, que actúan en el acto de silbar o soplar.

bucear (al. *tauchen*, fr. *plonger*, ingl. *to dive*, it. *tuffare*). intr. MAR. Nadar y mantenerse debajo del agua, conteniendo la respiración. ‖ Trabajar como buzo. ‖ fig. Explorar acerca de algún tema o asunto.

buceo. m. Acción de bucear.

bucle (al. *Locke*, fr. *boucle*, ingl. *rin-*

glet, it. *riccio*). m. Rizo de cabello en forma helicoidal. [*Sinón.*: tirabuzón]

buco. m. Macho de la cabra. [*Sinón.*: cabrón, macho cabrío]

bucólica. f. LIT. Composición poética del género bucólico. [*Sinón.*: égloga, pastoral]

bucólico, ca. adj. LIT. Aplícase a la poesía o composición poética en que se trata de temas pastoriles o campestres. ‖ Perteneciente o relativo a este género de poesía. ‖ Dícese del poeta que lo cultiva. Ú.t.c.s.

buchada. f. Bocanada.

buche (al. *Kropf*, fr. *jabot*, ingl. *craw*, it. *gozzo*). m. ZOOL. Bolsa membranosa que comunica con el esófago de las aves, en la cual se reblandece el alimento. ‖ En algunos cuadrúpedos, estómago. ‖ Porción de líquido que cabe en la boca. ‖ fam. Estómago de los racionales.

buchinche. m. Zaquizamí, cuchitril. ‖ *Amer.* Café o taberna de aspecto pobre.

búdico, ca. adj. Relativo al budismo.

budín. m. Plato de dulce que se prepara con bizcocho o pan deshecho en leche, azúcar y frutas secas, cocido todo al baño de María.

budinera. f. Cazuela en la que se confecciona el budín.

budión. m. Pez acantopterigio, muy común en los mares de España.

budismo. m. Conjunto de prácticas ascéticas y morales enseñadas por Buda, que dieron origen a una de las religiones más extendidas del mundo. Su principal problema consiste en suprimir la causa del dolor con la aniquilación del deseo.

budista. adj. Perteneciente o relativo al budismo. ‖ com. Persona que profesa el budismo.

buen. adj. Apócope de bueno. Úsase precediendo a un sustantivo o a un verbo en infinitivo.

buenaventura. f. Buena suerte, dicha de alguien. ‖ Adivinación supersticiosa que hacen las gitanas de la suerte de las personas.

buenazo, za. adj. aum. de bueno. ‖ fam. Dícese de la persona pacífica o de buen natural. Ú.m.c.s.

bueno, na (al. *gut*, fr. *bon*, ingl. *good*, it. *buono*). adj. Que tiene bondad en su género. ‖ Útil y a propósito para una cosa. ‖ Gustoso, apetecible, divertido. ‖ Grande, que excede a lo común. ‖ Sano. ‖ Dícese, por lo común irónicamente, de la persona simple, bonachona o chocante. Ú.m.c.s. ‖ Bastante,

suficiente. ‖ Usado como adverbio a manera de exclamación, denota aprobación, contentamiento, sorpresa, etc., o equivale a *basta* o *no más.* ‖ *de buenas.* loc. fam. De buen humor, alegre y complaciente. ‖ *de buenas a primeras.* m. adv. A la primera vista, al primer encuentro. [*Sinón.*: bondadoso, benévolo; sabroso. *Antón.*: malo]

buey (al. *Rind*, fr. *boeuf*, ingl. *ox*, it. *bue*). m. Macho vacuno castrado.

búfalo, la (al. *Büffel*, fr. *bufle*, ingl. *buffalo*, it. *bùfalo*). s. Bóvido corpulento, con largos cuernos deprimidos, del que existen dos especies, una asiática y otra africana. A veces se da este nombre al bisonte americano.

bufanda. f. Prenda, por lo común de lana o seda, con la cual se abriga el cuello y la boca.

bufar (al. *schnauben*, fr. *souffler*, ingl. *to puff*, it. *sbuffare*). intr. Resoplar con ira y furor el toro, el caballo y otros animales. ‖ fig. y fam. Manifestar uno su ira o enojo extremo de algún modo. ‖ r. Bofarse, afollarse una pared.

bufé. m. Comida, por lo común nocturna, compuesta de manjares calientes y fríos, con que se cubre de una vez la mesa. ‖ Local destinado para reuniones o espectáculos, en el cual se sirven dichos manjares. ‖ Local para tomar refacción ligera en estaciones de ferrocarril y otros lugares.

bufete. m. Mesa de escribir con cajones. ‖ fig. Despacho de un abogado. [*Sinón.*: escritorio, buró]

bufido. m. Resoplido del animal que bufa. ‖ fig. y fam. Expresión de enojo o enfado.

bufo, fa. adj. Aplícase a lo cómico que raya en lo grotesco y burdo. ‖ s. Persona que hace el papel de gracioso en la ópera italiana.

bufón, na (al. *Geck*, fr. *bouffon*, ingl. *buffoon*, it. *buffone*). adj. Chocarrero. ‖ s. Truhán que se ocupa en hacer reír.

bufonada. f. Dicho o hecho propio de bufón. ‖ Chanza satírica.

bugle. m. Instrumento músico de viento, formado por un largo tubo cónico de metal, arrollado de distintas maneras y provisto de pistones.

buhardilla (al. *Dachboden*, fr. *galetas*, ingl. *garret*, it. *soffitta*). f. Ventana que se abre sobre el tejado de una casa para dar luz a los desvanes o salir por ella a los tejados. ‖ Desván.

buharro. m. Ave rapaz nocturna parecida al búho, pero de menor tamaño. Abunda en España. [*Sinón.*: corneja]

búho (al. *Uhu*, fr. *hibou*, ingl. *owl*, it. *gufo*). m. Ave rapaz nocturna, de color rojo y negro, pico corvo, ojos grandes y dos plumas alzadas en la cabeza, que figuran orejas. ‖ fig. y fam. Persona poco sociable.

buhonería. f. Chucherías y baratijas, de poca monta, como botones, peines, etc., que llevan algunos vendedores ambulantes. [*Sinón.*: bujería]

buhonero. m. El que lleva o vende cosas de buhonería.

buitre (al. *Geier*, fr. *vautour*, ingl. *vulture*, it. *avvoltoio*). m. Ave rapaz de gran envergadura, con cuerpo leonado, caracterizada por la ausencia de plumas en la cabeza y el cuello, y éste rodeado por un collar de plumas largas y flexibles. Se alimenta de carne muerta y vive en bandadas.

buitrón. m. Arte de pesca en forma de cono prolongado en cuya boca hay otro más corto, dirigido hacia adentro y abierto por el vértice para que entren los peces y no puedan salir. ‖ Red para cazar perdices.

bujarrón. adj. Homosexual activo. Ú.t.c.s.

buje. m. Pieza cilíndrica que guarnece interiormente el cubo de las ruedas de los vehículos.

bujería. f. Mercadería de estaño, hierro, vidrio, etc., de poco valor.

bujía (al. *Zündkerze*, fr. *bougie*, ingl. *sparking-plug*, it. *candela*). f. Vela de cera blanca, de esperma de ballena o de estearina. ‖ Candelero en que se pone. ‖ Unidad para medir la intensidad de un foco de luz artificial. ‖ Pieza que en los motores de combustión interna hace saltar la chispa eléctrica que inflama la mezcla gaseosa.

bula (al. *Bulle*, fr. *bulle*, ingl. *bull*, it. *bolla*). f. Sello de plomo que va pendiente de ciertos documentos pontificios. ‖ Documento pontificio relativo a materia de fe o de interés general, concesión de privilegios, etc.

bulbo (al. *Knolle*, fr. *bulbe*, ingl. *bulb*, it. *bulbo*). m. BOT. Parte redondeada del tallo de algunas plantas, ya encima, ya debajo del terreno. ‖ — *dentario.* ANAT. Parte blanda contenida en el interior de los dientes. ‖ — *piloso.* ANAT. La porción más abultada del fondo del folículo, que da origen al pelo. ‖ — *raquídeo.* ANAT. Abultamiento de la médula espinal en su parte superior.

bulboso, sa. adj. Que tiene bulbos.

bulbul. m. Ruiseñor.

bulerías. f. pl. Cante popular andaluz de ritmo vivo que se acompaña con palmoteo. ‖ Baile que se ejecuta al son de este cante.

bulevar. m. Paseo amplio, bordeado de árboles. [*Sinón.*: avenida]

búlgaro, ra. adj. Natural de Bulgaria. Ú.t.c.s. ‖ Perteneciente a este país europeo. ‖ m. LING. Lengua búlgara.

bulo. m. Noticia falsa propalada con algún fin. [*Sinón.*: infundio]

bulto (al. *Pack*, fr. *colis*, ingl. *bulk*, it. *fardello*). m. Volumen o tamaño de cualquier cosa. ‖ Cuerpo que por la distancia, por estar cubierto, o por otra causa, no se distingue lo que es. ‖ Elevación causada por cualquier hinchazón. ‖ Fardo, baúl, maleta, etc., tratándose de transportes o viajes. ‖ *a bulto.* m. adv. fig. Por mayor, sin examinar bien las cosas. ‖ *escurrir, guardar,* o *huir,* uno *el bulto.* fig. y fam. Eludir o evitar un trabajo, riesgo, compromiso.

bulla. f. Gritería o ruido que hacen una o más personas. ‖ Concurrencia de mucha gente.

bullabesa (del fr. bouillabaisse). f. Sopa de pescado y crustáceos.

bullanga. f. Tumulto, rebullicio.

bullanguero, ra. adj. Alborotador, amigo de bullangas. Ú.t.c.s.

bulldog o **buldog** (voz inglesa). m. Perro de cuerpo musculoso y macizo, pelo corto, cabeza corta y ancha, con la mandíbula inferior más larga que la superior y de gran bravura.

bulldozer (voz inglesa). m. Máquina automóvil provista de orugas, con motor muy potente y una pala frontal móvil, que sirve para efectuar trabajos de desmonte o de nivelación de terrenos.

bullicio. m. Ruido y rumor que causa mucha gente. ‖ Alboroto, tumulto.

bullicioso, sa. adj. Dícese de lo que causa ruido o bullicio, y de aquello en que lo hay. ‖ Inquieto, que se mueve mucho o con gran viveza. ‖ Alborotador. Ú.t.c.s.

bullir (al. *sieden*, fr. *boullir*, ingl. *to boil*, it. *bollire*). intr. Hervir el agua u otro líquido. ‖ Agitarse una cosa con movimiento parecido al del agua que hierve. ‖ fig. Moverse, agitarse una persona con viveza excesiva. ‖ fig. Moverse como dando señal de vida. Ú.t.c.r.

bumerang o **bumerán.** m. Arma arrojadiza que usan los indígenas de Australia, hecha de una lámina de madera encorvada de tal manera que, lanzada con movimiento giratorio, puede volver al punto de partida.

bungalow (voz inglesa). m. Vivienda colonial de un solo piso, rodeada de verandas. ‖ Por ext., casa de campo de una sola planta, de construcción ligera y simple.

búnker (al. *bunker*). m. Fortín subterráneo construido con cemento armado. ‖ En las pistas de golf, obstáculo natural o artificial. ‖ Hablando de colectividades políticas, parte irreductible en sus doctrinas, que rechaza sistemáticamente cualquier cambio o evolución y cuyos principios, de inspiración totalitaria, propugnan una dictadura derechista.

buñolería. f. Tienda donde se hacen y venden buñuelos.

buñuelo (al. *Krapfen*, fr. *beignet*, ingl. *cruller*, it. *frittella*). m. Fruta de sartén, que se hace de masa de harina bien batida y frita en aceite. ‖ fig. y fam. Cosa hecha atropelladamente y mal. [*Sinón.*: chapucería]

buque (al. *Schiff*, fr. *navire*, ingl. *ship*, it. *nave*). m. Cabida, espacio para contener. ‖ MAR. Casco de la nave. ‖ MAR. Barco con cubierta, adecuado para navegaciones o empresas marítimas de importancia. ‖ — *cisterna.* MAR. Buque tanque. ‖ — *de cabotaje.* MAR. El que se dedica a esta especie de navegación. ‖ — *de guerra.* El habilitado para usos militares. ‖ — *mercante.* MAR. El que se emplea en la conducción de pasajeros y mercancías. ‖ — *submarino.* MAR. El de guerra que, cerrado herméticamente, puede sumergirse y navegar bajo la superficie. ‖ — *tanque.* MAR. El especialmente construido para transportar carburantes líquidos. [*Sinón.*: bajel, navío]

buqué (fr. *bouquet*). m. Ramillete de flores. ‖ Bouquet, aroma de los vinos.

burbuja (al. *Wasserblase*, fr. *bulle*, ingl. *bubble*, it. *bolla*). f. Glóbulo de aire u otro gas que se forma en el interior de algún líquido y sube a la superficie del mismo. [*Sinón.*: pompa, ampolla]

burbujear. intr. Hacer burbujas.

burbujeo. m. Acción de burbujear.

burdégano. m. Híbrido que resulta del cruce de caballo y burra.

burdel (al. *Bordell*, fr. *bordel*, ingl. *brothel*, it. *bordello*). adj. Lujurioso, vicioso. ‖ m. Mancebía, casa de prostitutas. ‖ fig. y fam. Casa en que se falta al decoro con ruido y confusión. [*Sinón.*: prostíbulo, lupanar]

burdeos. m. fig. Vino procedente de Burdeos. ‖ adj. Color granate, que tiene el tono del vino tinto de Burdeos.

burdo, da. adj. Tosco, grosero.

bureo. m. Entretenimiento, diversión.

bureta. f. Utensilio de laboratorio consistente en un tubo de vidrio graduado, y dispuesto para poder dejar caer gota a gota un líquido.

burga. f. Manantial de agua caliente.

burgalés, sa. adj. Natural de Burgos. Ú.t.c.s. || Perteneciente a esta ciudad o a su provincia.

burgo. m. ant. Aldea pequeña, dependiente de otra principal.

burgomaestre. m. Primer magistrado municipal de algunas ciudades de Alemania, Países Bajos, Suiza, etc.

burgués, sa (al. *Bürger*, fr. *bourgeois*, ingl. *burgess*, it. *borghese*). adj. ant. Natural o habitante de un burgo. Ú.t.c.s. || Perteneciente al burgo. || s. Ciudadano de la clase media, acomodada u opulenta. Ú. comúnmente en contraposición a proletario. || adj. Perteneciente o relativo al burgués, ciudadano de clase media. || Vulgar, mediocre, carente de afanes espirituales o elevados. Ú.t.c.s.

burguesía. f. Cuerpo o conjunto de burgueses.

buriel. adj. De color rojo entre negro y leonado.

buril (al. *Griffel*, fr. *burin*, ingl. *burin*, it. *bulino*). m. Instrumento de acero puntiagudo que sirve a los grabadores para abrir y hacer líneas en los metales. [*Sinón.*: punzón]

burilar. tr. Grabar con el buril.

burla (al. *Spott*, fr. *moquerie*, ingl. *mockery*, it. *beffa*). f. Acción, ademán o palabras con que se procura poner en ridículo a personas o cosas. || Chanza. || Engaño. || *burla burlando.* m. adv. Sin advertirlo o sin darse cuenta de ello; disimuladamente, como quien no quiere la cosa. [*Sinón.*: broma, befa, mofa]

burladero. m. Trozo de valla que se pone delante de las barreras de las plazas de toros para que pueda refugiarse el lidiador, burlando al toro que le persigue.

burlador, ra. adj. Que burla. Ú.t.c.s. || m. Libertino habitual que hace gala de deshonrar a las mujeres.

burlar. tr. Chasquear, zumbar. Ú.m.c.r. || Engañar, hacer creer lo que no es verdad. || TAUROM. Esquivar la acometida del toro. || r. Hacer burla de personas o cosas. Ú.t.c. intr.

burlesco, ca. adj. fam. Festivo, jocoso.

burlete. m. Tira de tela, fieltro, etc., que se aplica al canto de las hojas de puertas o ventanas para que no entre el aire exterior.

burlón, na. adj. Inclinado a decir burlas o hacerlas. Ú.t.c.s. || adj. Que implica o denota burla. [*Sinón.*: zumbón]

buró. m. Escritorio con tablero para escribir.

burocracia (al. *Bürokratie*, fr. *bureaucratie*, ingl. *bureaucracy*, it. *burocrazia*). f. Clase social que forman los empleados públicos. || Influencia excesiva de tales empleados en los negocios del Estado.

burócrata. com. Persona perteneciente a la burocracia.

burocrático, ca. adj. Perteneciente o relativo a la burocracia.

burra. f. Hembra del burro. || fig. Mujer ignorante y negada a toda instrucción. Ú.t.c. adj. || fig. y fam. Mujer laboriosa y de mucho aguante. [*Sinón.*: jumento, pollina, borrica]

burrada. f. Manada de burros. || fig. y fam. Necedad. [*Sinón.*: disparate]

burrajo. m. Estiércol seco de las caballerizas. Se usa en algunos lugares como combustible.

burricie. f. Calidad de burro, torpeza, rudeza.

burro (al. *Esel*, fr. *âne*, ingl. *ass*, it. *àsino*). m. Asno, animal solípedo. Armazón que sirve para sujetar y tener en alto una de las cabezas del madero que se ha de aserrar. || Cierto juego de naipes. || fig. y fam. Persona ruda y de poco entendimiento. Ú.t.c. adj. || fig. El que pierde en cada mano en el juego del burro.

burujo. m. Pella que se forma apretándose unas con otras las partes que debían estar sueltas; como en la lana, en engrudo, etc.

busca (al. *Suche*, fr. *recherche*, ingl. *search*, it. *ricerca*). f. Acción de buscar.

buscapleitos. com. *Amer.* Buscarruidos, picapleitos.

buscar (al. *suchen*, fr. *chercher*, ingl. *to seek, to search*, it. *ricercare*). tr. Hacer diligencias para hallar una persona o cosa. [*Sinón.*: indagar]

buscarruidos. com. fig. y fam. Persona inquieta y provocativa que anda moviendo alboroto.

buscavidas. com. fig. y fam. Persona curiosa en averiguar las vidas ajenas. || fig. y fam. Persona diligente en buscarse por cualquier medio lícito el modo de vivir. [*Sinón.*: fisgón, entremetido; activo, apañado]

buscón, na. adj. Que busca. Ú.t.c.s. || Dícese de la persona que hurta o estafa. Ú.t.c.s. || f. Ramera.

busilis. m. fam. Punto en que estriba la dificultad del asunto de que se trata. [*Sinón.*: quid]

búsqueda. f. Busca, acción de buscar.

busto (al. *Büste*, fr. *buste*, ingl. *bust*, it. *busto*). m. Escultura o pintura de la cabeza y parte superior del tórax. || Parte superior del cuerpo humano.

bustrófedon. m. Manera de escribir consistente en trazar un renglón de izquierda a derecha y el siguiente de derecha a izquierda. Se usó en la Grecia antigua.

butaca. f. Silla de brazos con el respaldo inclinado hacia atrás. || Luneta, asiento de teatro. || fig. Billete para un teatro o cine.

butano (al. *Butan*, fr. *butane*, ingl. *butane*, it. *butano*). m. Hidrocarburo gaseoso natural, o derivado del petróleo, que envasado a presión tiene las mismas aplicaciones que el gas de alumbrado.

butifarra. f. Embuchado que se hace principalmente en Cataluña y Baleares. || *Amer.* Pan con jamón y ensalada.

butifarrero, ra. s. Persona cuyo oficio es hacer o vender butifarras.

butiro. m. Mantequilla.

buz. m. Beso de reconocimiento y reverencia.

buzamiento. m. Inclinación de un filón o de una capa del terreno.

buzar. intr. Inclinarse hacia abajo los filones o las capas del terreno.

buzarda. f. MAR. Cada una de las piezas curvas con que se liga y fortalece la proa de la embarcación.

buzo (al. *Taucher*, fr. *saphandrier*, ingl. *diver*, it. *palombaro*). m. El que tiene por oficio trabajar sumergido en el agua.

buzón (al. *Briefkasten*, fr. *boîte aux lettres*, ingl. *letter-box*, it. *buca della posta*). m. Agujero por donde se echan las cartas para el correo. || Por ext. caja o receptáculo donde caen los papeles echados por el buzón. || Sumidero.

c. f. Tercera letra del abecedario español. Su nombre es *ce*. Seguida inmediatamente de la *e* o la *i* suena como la *z*: en cualquier otro caso tiene sonido fuerte, como la *k*. ‖ Letra numeral que tiene el valor de ciento en la numeración romana.

¡ca! interj. fam. ¡Quiá!

cabal (al. *vollständing*, fr. *accompli*, ingl. *accomplished*, it. *compito*). adj. Ajustado a peso o medida. ‖ fig. Completo, acabado. [*Sinón.*: proporcionado, integro. *Antón.*: informal]

cábala. f. Tradición oral que entre los judíos explicaba y fijaba el sentido de los libros del Antiguo Testamento. ‖ Arte supersticioso que, por medio de anagramas, trasposiciones y combinaciones de las letras hebraicas y de las palabras de la Sagrada Escritura, quiere descubrir su sentido. ‖ fig. Cálculo supersticioso para acertar o adivinar una cosa. ‖ fig. y fam. Conjetura, suposición. Ú.m. en pl.

cabalgadura. f. Bestia en que se cabalga o puede cabalgar. [*Sinón.*: caballería, montura]

cabalgar (al. *reiten*, fr. *aller à cheval*, ingl. *to ride*, it. *cavalcare*). intr. Montar a caballo. Ú.t.c.r. ‖ Andar a caballo. ‖ Ir una cosa sobre otra. ‖ tr. Cubrir el caballo u otro animal a su hembra.

cabalgata (al. *Reitertrupp*, fr. *cavalcade*, ingl. *cavalcade*, it. *cavalcata*). f. Reunión de muchas personas que van cabalgando. [*Sinón.*: desfile]

cabalista. m. El que profesa la cábala.

cabalístico, ca. adj. Perteneciente o relativo a la cábala.

caballa (al. *Makrele*, fr. *maquereau*, ingl. *mackerel*, it. *scombro*). f. Pez acantopterigio de carne roja y poco estimada. [*Sinón.*: escombro]

caballada. f. Manada de caballos o de caballos y yeguas. ‖ *Amer.* Animalada.

caballar. adj. Perteneciente o relativo al caballo. [*Sinón.*: equino, hípico, ecuestre]

caballeresco, ca. adj. Propio de caballero. ‖ Aplícase a los libros y composiciones en que se cuentan las empresas de los caballeros andantes.

caballerete. m. fam. Caballero joven, presumido en su traje y acciones.

caballería (al. *Kavallerie*, fr. *cavalerie*, ingl. *cavalry*, it. *cavalleria*). f. Cualquier animal solípedo que sirve para cabalgar en él. ‖ Cuerpo de soldados montados, y del personal y material de guerra complementarios, que forman parte de un ejército. ‖ Cualquiera de las órdenes militares españolas. ‖ Arte de manejar el caballo, jugar las armas y hacer otros ejercicios de caballero. ‖ — *andante*. Profesión de los caballeros andantes.

caballeriza. f. Sitio destinado para estancia de los caballos y bestias de carga. ‖ Conjunto de bestias que hay en una caballeriza. [*Sinón.*: establo, cuadra]

caballerizo. m. El que tiene a su cargo el gobierno y cuidado de la caballeriza y de los que sirven en ella.

caballero, ra (al. *Ritter*, fr. *chevalier*, ingl. *knight*, it. *cavaliere*). adj. Que cabalga. ‖ m. Hidalgo de calificada nobleza. ‖ El que pertenece a alguna de las órdenes de caballería. ‖ Persona que se porta con nobleza y generosidad. ‖ Persona de alguna consideración o buen porte. ‖ — *andante*. El que en los libros de caballerías se dice que anda por el mundo buscando aventuras. ‖ *armar caballero* a uno. Vestirle las armas otro caballero o el rey. [*Sinón.*: jinete, señor]

caballerosidad. f. Calidad de caballeroso. ‖ Proceder caballeroso. [*Sinón.*: hidalguía, nobleza. *Antón.*: bellaquería, felonía]

caballeroso, sa. adj. Propio de caballeros. [*Sinón.*: noble, cortés]

caballete (al. *Staffelei*, fr. *chevalet*, ingl. *easel*, it. *cavalletto*). m. dim. de caballo. ‖ Potro de madera en que se daba tormento. ‖ Prominencia que la nariz suele tener en medio y que la hace corva. ‖ PINT. Armazón de madera en que se coloca el cuadro.

caballista. m. El que entiende de caballos y monta bien.

caballito. m. dim. de caballo. ‖ pl. Tiovivo. ‖ — *del diablo*. Insecto neuróptero notable por su vivo color y la rapidez de su vuelo. ‖ — *de mar*. Hipocampo.

caballo (al. *Pferd*, fr. *cheval*, ingl. *horse*, it. *cavallo*). m. ZOOL. Mamífero solípedo, de cuello y cola poblados de cerdas largas y abundantes, que se domestica fácilmente y es uno de los más útiles al hombre. ‖ Burro, armazón para sujetar un madero que se asierra. ‖ ARQ. Bastidor triangular que sirve de soporte al asiento de las tejas. ‖ Pieza del ajedrez, única que salta sobre las demás. ‖ Naipe que representa un caballo con su jinete. ‖ — *blanco*. fig. Persona que aporta el dinero para una empresa de resultado dudoso. ‖ — *de batalla*. Aquello en que sobresale el que profesa un arte o una ciencia. También se dice del punto principal de una controversia. ‖ — *marino*. Pez teleósteo que habita en los mares de España. También recibe este nombre el hipopótamo. ‖ — *de vapor*. Unidad de medida que expresa la potencia de una máquina; representa el esfuerzo necesario para levantar, a un metro de altura, en un segundo, 75 kg de peso, lo cual equivale a 75 kilográmetros. ‖ *a caballo*. m.

adv. Montado en una caballería, y, por ext., en una persona o cosa.

caballón. m. Lomo entre surco y surco. || Realce que se levanta con la azada para formar y dividir las eras de las huertas. [Sinón.: lindón]

caballuno, na. adj. Perteneciente o relativo al caballo.

cabaña (al. *Hütte*, fr. *hutte*, ingl. *cottage*, it. *capanna*). f. Casilla tosca, hecha en el campo, de palos entretejidos con cañas y cubierta de ramas, paja o hierbas. || Conjunto de ganado de cierta clase, de cierto lugar, etc. [Sinón.: barraca, choza, chamizo]

cabaret (voz francesa). m. Pequeño establecimiento de diversión, donde se bebe y se baila, y se representan espectáculos.

cabe. prep. Cerca de, junto a. Ú. en poesía.

cabecear (al. *stampfen*, fr. *tanguer*, ingl. *to pitch*, it. *beccheggiare*). intr. Mover la cabeza. || Volver la cabeza de un lado a otro en demostración de que no se asiente a lo que se oye o se pide. || Inclinar la cabeza hacia el pecho cuando uno, de pie o sentado, está durmiéndose. || Moverse la embarcación bajando y subiendo la proa. || Moverse demasiado en sentido longitudinal la caja de un carruaje. || DEP. En el fútbol, golpear la pelota con la cabeza.

cabeceo. m. Acción y efecto de cabecear. [Sinón.: vaivén, traqueteo]

cabecera (al. *Kopfende*, fr. *chevet*, ingl. *headboard*, it. *lettiera*). f. Principio o parte principal de algo. || Parte principal de un sitio en que se juntan varias personas. || Parte de la cama donde se ponen las almohadas. || Población principal de un territorio.

cabecilla. m. Jefe de rebeldes.

cabellera (al. *Haupthaar*, fr. *chevelure*, ingl. *hair*, it. *capigliatura*). f. Pelo de la cabeza, especialmente el largo y caído sobre la espalda. || Pelo postizo, peluca. || Ráfaga luminosa que aparece rodeando un cometa.

cabello (al. *Haar*, fr. *cheveu*, ingl. *hair*, it. *capello*). m. Cada uno de los pelos que nacen en la cabeza. || Conjunto de todos ellos. || *cabello* o *cabellos de ángel*. Dulce que se hace con la parte fibrosa de la cidra cayote y almíbar. || *Amer*. Fideos finos. || *merino*. El crespo y muy espeso.

caber (al. *hineingehen*, fr. *tenir*, ingl. *to go into*, it. *capire*). intr. Poder contenerse una cosa dentro de otra. || Tener lugar o entrada. || Ser posible o natural. tr. Coger, tener capacidad. || Admitir. ||

no cabe más. expr. con que se da a entender que una cosa es extremada en su línea. || *no caber* uno *en sí*. fig. Tener mucha vanidad o alegría.

cabestrillo. m. Banda o aparato pendiente del hombro, que sostiene la mano o el brazo lastimados.

cabestro. m. Ramal que se ata a la cabeza de la caballería para llevarla o asegurarla. || Buey manso que sirve de guía en las toradas. [Sinón.: brida, bozal]

cabeza (al. *Kopf*, fr. *tête*, ingl. *head*, it. *testa*). f. Parte superior del cuerpo del hombre, y superior o anterior del de muchos animales. || Parte superior y posterior de ella, que comprende desde la frente hasta el cuello, excluida la cara. || Principio o parte extrema de una cosa. || Parte opuesta a la punta del clavo, donde se dan los golpes para clavarlo. || fig. Juicio, capacidad. || fig. Res. || fig. Capital, población principal de un reino o provincia. || m. Jefe que gobierna o acaudilla una comunidad, corporación o muchedumbre. || Jefe de una familia que vive reunida. || Conjunto de las partes, o dientes, del bulbo del ajo, cuando forman aún un solo cuerpo. || — *de partido*. Ciudad o villa principal de un territorio. || — *de puente*. Fortificación que lo defiende. Posición militar que establece un ejército en la orilla de un río que está en territorio enemigo, para preparar el paso del grueso de las fuerzas. || — *de turco*. Persona a quien se suele hacer blanco de inculpaciones, por cualquier motivo. || *mala cabeza*. fig. y fam. Persona que procede sin juicio ni consideración. || *andar de cabeza*. fig. Estar muy atareado. || *bajar uno la cabeza*. fig. y fam. Obedecer y ejecutar sin réplica lo que se manda. || *pasarle a uno una cosa por la cabeza*. fig. y fam. Antojársele, imaginarla. || *quitar a uno de la cabeza una cosa*. fig. y fam. Disuadirle de algo. || *sentar uno la cabeza*. fig. y fam. Hacerse juicioso. || *subirse una cosa a la cabeza*. Ocasionar aturdimiento alguna cosa, como el vino, la vanagloria, etc.

cabezada. f. Golpe dado con la cabeza. || Cada movimiento que hace con la cabeza el que, sin estar acostado, se va durmiendo. || Acción de cabecear una embarcación. [Sinón.: cabeceo]

cabezal (al. *Kopfkissen*, fr. *oreiller*, ingl. *pilow*, it. *guanciale*). m. Almohada.

cabezazo. m. Cabezada, golpe dado con la cabeza.

cabezo. m. Cerro alto o cumbre de una montaña. || Montecillo aislado.

cabezón, na. adj. fam. Cabezudo, de cabeza grande. || fig. Terco, obstinado. || *Amer*. Dícese del vino que por su alta graduación se sube a la cabeza. || m. Correaje que ciñe y sujeta la cabeza de una caballería, al que va unido el ramal.

cabezonada. f. fam. Acción propia de persona terca u obstinada.

cabezota. com. fam. Persona que tiene la cabeza muy grande. || fig. y fam. Persona testaruda. Ú.t.c. adj. [Sinón.: terco, obstinado]

cabezudo, da. adj. Que tiene grande la cabeza. || fig. y fam. Terco, obstinado. || m. Figura de enano de gran cabeza que en algunas fiestas suele desfilar con los gigantones.

cabezuela. f. BOT. Conjunto esférico o hemisférico de flores con pedúnculo muy corto o sentadas sobre un eje deprimido y ensanchado.

cabida (al. *Gehalt*, fr. *capacité*, ingl. *content*, it. *capacità*). f. Espacio o capacidad que tiene una cosa para contener otra.

cabila. f. Tribu de beduinos o bereberes.

cabildear. intr. Gestionar con maña para ganar voluntades en un cuerpo colegiado o corporación.

cabildo. m. Comunidad de eclesiásticos capitulares de una iglesia. || Capítulo que celebran algunas religiones para elegir sus prelados y tratar de su gobierno. || Corporación que en Canarias representa a los pueblos de cada isla y administra los intereses comunes de ellos y los peculiares de ésta. [Sinón.: concejo, junta]

cabina. f. Locutorio telefónico. || Recinto aislado donde funciona un aparato de proyecciones. || En aviones, camiones, etc., departamento reservado al conductor.

cabinera. f. *Amer*. Azafata de avión.

cabio. m. Listón que se atraviesa a las vigas para formar suelos y techos.

cabizbajo, ja. adj. Que tiene la cabeza inclinada hacia abajo, por abatimiento, tristeza o cuidados graves.

cable (al. *Kabel*, fr. *câble*, ingl. *cable*, it. *cabo*). m. Maroma gruesa. || fam. Cablegrama. || MAR. Cabo grueso que se hace firme en el arganeo de un ancla. || MAR. Medida de 120 brazas. || — *eléctrico*. Cordón formado con varios conductores, aislados unos de otros, y protegido generalmente por una envoltura flexible y resistente.

cablegrama (al. *Kabelnachricht*, fr. *câblegramme*, ingl. *cablegram*, it. *cavogramma*). m. Telegrama transmitido por cable submarino.

cabo (al. *Kap*, fr. *cap*, ingl. *cape*, it. *capo*). m. Cualquiera de los extremos de las cosas. || Extremo o parte pequeña que queda de alguna cosa. || Lengua de tierra que penetra en el mar. || MAR. Cuerda. || MIL. Individuo de la clase de tropa, inmediatamente superior al soldado. || fig. Especies varias que se han tocado en algún asunto o discurso. || — *suelto*. fig. Circunstancia imprevista o que ha quedado pendiente en algún asunto. || *atar cabos*. fr. fig. Reunir antecedentes para sacar una consecuencia. || *de cabo a rabo*. m. adv. De principio a fin. || *llevar* uno *a cabo* una cosa. Ejecutarla, concluirla.

cabotaje (al. *Küstenfahrt*, fr. *cabotage*, ingl. *cabotage*, it. *cabotaggio*). m. Navegación que hacen los buques entre los puertos de su nación, sin perder de vista la costa. || Tráfico de esas naves.

cabra (al. *Ziege*, fr. *chèvre*, ingl. *goat*, it. *capra*). f. Mamífero rumiante doméstico. || Hembra de esta especie, algo más pequeña que el macho y a veces sin cuernos. || *Amer*. fig. y fam. Muchacha. || f. vulg. Ladilla, insecto parásito. || — *montés*. ZOOL. Especie salvaje, de color cenicienti rojizo, con la barba, las patas y la punta de la cola negras, una línea del mismo color a lo largo del espinazo y los cuernos echados hacia atrás y con la punta retorcida. Vive en las regiones escabrosas de España.

cabrahígo. m. Higuera silvestre. || Fruto de este árbol.

cabrear. tr. fig. y fam. Enfadar, poner a uno malhumorado o receloso. Ú.m.c.r.

cabrestante. m. Torno colocado verticalmente que se emplea para mover grandes pesos.

cabria. f. Torno en que la cuerda de tracción pasa por una polea suspendida en el punto de unión de tres vigas inclinadas que forman trípode.

cabrio. m. ARQ. Madero colocado paralelamente a los pares de una armadura de tejado, para recibir la tablazón.

cabrío, a. adj. Perteneciente a las cabras. | *Sinón.*: cabruno, caprino|

cabriola. f. Brinco que dan los que danzan, cruzando varias veces los pies en el aire. || Salto que da el caballo soltando un par de coces mientras se mantiene en el aire. |*Sinón.*: pirueta|

cabriolé. m. Especie de birlocho o silla volante.

cabritilla. f. Piel curtida de cualquier animal pequeño, como cabrito, cordero, etc.

cabrito (al. *Zicklein*, fr. *chevreau*, ingl. *kid*, it. *capretto*). m. Cría de la cabra, desde que nace hasta que deja de mamar. || fig. Cabrón, que consiente el adulterio de su mujer. || El que hace malas pasadas. | *Sinón.*: caloyo, choto|

cabrón (al. *Ziegenbock*, fr. *bouc*, ingl. *hegoat*, it. *becco*). m. Macho de la cabra. || fig. y fam. El que consiente el adulterio de su mujer. || El que hace cabronadas o malas pasadas a otros. || *Amer*. Rufián que trafica con mujeres públicas. | *Sinón.*: chivo, boque; consentido|

cabrona. f. vulg. *Amer*. Administradora de un prostíbulo. || *Amer*. Puta vieja.

cabronada. f. fam. Acción infame que permite alguno contra su honra. || fig. y fam. Acción malintencionada o indigna contra alguno; mala jugada.

cabruno, na. adj. Perteneciente o relativo a la cabra.

caca. f. fam. Excremento humano y especialmente el de los niños. || fig. y fam. Suciedad.

cacahual. m. Terreno poblado de cacaos.

cacahuete (al. *Erdnuss*, fr. *arachide*, ingl. *peanut*, it. *arachide*). m. BOT. Planta leguminosa oriunda de América, de flores amarillas, estériles las superiores y fecundas las inferiores, que alargan el pedúnculo y se introducen en el suelo, donde madura el fruto, que tiene cáscara coriácea y dos o más semillas comestibles. Se cultiva también para obtener aceite. | *Sinón.*: maní|

cacao (al. *Kakaobaum*, fr. *cacaoyer*, ingl. *cacao*, it. *caccao*). m. BOT. Arbolillo esterculiáceo de los países tropicales, de grandes hojas persistentes, flores encarnadas y fruto en baya con muchas semillas que se usan como principal ingrediente del chocolate. || Semilla de este árbol. || fig. Escándalo de voces, gritos, insultos, etc.

cacarear. intr. Dar voces repetidas el gallo o la gallina. || tr. fig. y fam. Ponderar con exceso las cosas propias. | *Sinón.*: cloquear; vanagloriarse, jactarse|

cacareo. m. Acción de cacarear.

cacatúa. f. ZOOL. Ave trepadora de Oceanía, que aprende a hablar con facilidad y, domesticada, vive en nuestros climas.

cacereño, ña. adj. Natural de Cáceres. Ú.t.c.s. || Perteneciente a esta ciudad o a su provincia.

cacería (al. *Jagd*, fr. *chasse*, ingl. *hunting party*, it. *partita di caccia*). f. Partida de caza. | *Sinón.*: montería|

cacerola (al. *Kasserolle*, fr. *casserole*, ingl. *stewpan*, it. *cazzeruola*). f. Vasija de metal de figura cilíndrica, con asas o mango, que sirve para cocer y guisar.

cacicazgo. m. Dignidad de cacique. || Territorio que posee el cacique.

cacimba. f. Hoyo que se hace en la playa para buscar agua potable.

cacique (al. *Kazike*, fr. *cacique*, ingl. *boss*, it. *cacicco*). m. Señor de vasallos, o superior de alguna provincia o pueblo de indios. || fig. y fam. Persona que en un pueblo o comarca ejerce excesiva influencia en asuntos políticos o administrativos.

caciquismo. m. Dominación o influencia de los caciques.

caco. m. fig. Ladrón que roba con destreza. | *Sinón.*: ratero|

cacofonía. f. Vicio del lenguaje que consiste en la repetición frecuente de las mismas letras o sílabas.

cacofónico, ca. adj. Que tiene cacofonía.

cacografía. f. Ortografía viciosa.

cacto (al. *Kaktus*, fr. *cactus*, ingl. *cactus*, it. *cacto*). m. BOT. Nombre de diversas plantas vasculares, crasas y perennes, de tallo redondeado cilíndrico, prismático o dividido en una serie de paletas ovaladas con espinas o pelos y flores olorosas de colores brillantes.

cacumen. m. fig. y fam. Agudeza, perspicacia. | *Sinón.*: ingenio, chispa|

cacha. f. En las navajas y en algunos cuchillos, cada una de las dos chapas que cubren el mango, o cada una de las dos piezas que lo forman. || Nalga. || *pegarse* o *echarse una cacha*. vulg. *Amer*. Tener cópula carnal.

cachalote (al. *Pottfisch*, fr. *cachalot*, ingl. *sperm-whale*, it. *capodoglio*). m. ZOOL. Cetáceo de 15 a 20 metros de largo, de cabeza muy grande, con más de 20 dientes cónicos en la mandíbula inferior y otros tantos agujeros en la superior, para alojarlos cuando cierra la boca. De él se obtienen el esperma de ballena y el ámbar gris.

cachar. tr. Hacer pedazos una cosa. || Partir o rajar madera en el sentido de las fibras.

cacharrería. f. Tienda de cacharros o loza ordinaria.

cacharro (al. *Topf*, fr. *pot ordinaire*,

ingl. *coarse earthen vessel*, it. *vaso di terra cotta*). m. Vasija tosca. ‖ Dícese en tono despectivo de la máquina, utensilio o herramienta que funciona mal, está estropeada o, simplemente, se ha quedado anticuada.

cachaza. f. fam. Lentitud y sosiego en el modo de hablar o de obrar; flema. |*Sinón.*: parsimonia, pachorra|

cachazudo, da. adj. Que tiene cachaza. |*Sinón.*: parsimonioso, calmoso. *Antón.*: diligente|

cachear. tr. Registrar a gente sospechosa para quitarle las armas que pueda llevar ocultas.

cachemir. m. Casimir.

cacheo. m. Acción de cachear.

cachete. m. (al. *Faustschlag*, fr. *gourmade*, ingl. *box*, it. *schiaffo*). m. Golpe que con el puño cerrado se da en la cabeza o en el rostro. ‖ Carrillo de la cara y especialmente el abultado. ‖Cachetero, puñal.

cachetero. m. Especie de puñal corto y agudo. ‖ Puñal de forma semejante con que se remata a las reses. ‖ TAUROM. Torero que remata al toro con este instrumento. |*Sinón.*: puntilla; puntillero|

cachetina. f. Riña a cachetes.

cachifo. m. *Amer.* Niño.

cachimba. f. Especie de pipa. ‖ *Amer.* Órgano sexual femenino.

cachiporra. f. Palo enterizo que tiene en su extremo una bola o cabeza abultada. |*Sinón.*: maza, clava|

cachivache. m. despect. Vasija, utensilio, trebejo u otro trasto de este género, roto o arrinconado por inútil. Ú.m. en pl. ‖ fig. y fam. Hombre ridículo e inútil. |*Sinón.*: cacharro|

cacho. m. Pedazo pequeño de una cosa. |*Sinón.*: trozo, fragmento|

cachondearse. r. vulg. Burlarse, guasearse.

cachondeo. m. vulg. Acción y efecto de cachondearse.

cachondez. f. Apetito venéreo.

cachondo, da. adj. Dícese de la perra en celo. ‖ Dominado por el apetito sexual. ‖ fig. y fam. Burlón, divertido.

cachorro, rra (al. *Tierjunge*, fr. *petit (des mamifères)*, ingl. *cub*, it. *cucciolo*). s. Perro de poca edad. ‖ Cría pequeña de otros mamíferos.

cachupín, na. s. *Amér.* Mote que se aplica al español que pasa a la América Septentrional y se establece en ella.

cada (al. *jeder*, fr. *chaque*, ingl. *each*, it. *ogni*). adj. Se usa para designar separadamente una o más cosas o personas con relación a otras de su especie.

cadalso (al. *Schaugerüst*, fr. *échafaud*, ingl. *scaffold*, it. *patibolo*). m. Tablado que se levanta para un acto solemne. ‖ El que se levanta para patíbulo.

cadáver (al. *Leichnam*, fr. *cadavre*, ingl. *corpse*, it. *cadavere*). m. Cuerpo muerto.

cadavérico, ca. adj. Perteneciente o relativo al cadáver. ‖ fig. Persona pálida y desfigurada.

caddie (voz inglesa) . m. DEP. En el golf, el que lleva los palos a los jugadores.

cadena (al. *Kette*, fr. *chaîne*, ingl. *chain*, it. *catena*). f. Conjunto de muchos eslabones enlazados entre sí por los extremos. ‖ Conjunto de presidiarios que iban encadenados a cumplir condena. ‖ Red de emisoras de radio o televisión. ‖ fig. Conjunto de personas que se enlazan cogiéndose de las manos. ‖ fig. Conjunto de establecimientos, instalaciones o construcciones de la misma especie o función, organizados en sistema y pertenecientes a una sola empresa o sometidos a una sola dirección. ‖ fig. En la producción industrial, dícese de las instalaciones destinadas a reducir al mínimo el tiempo y el esfuerzo. ‖ fig. Sucesión de hechos relacionados entre sí. ‖ — perpetua. DER. Pena que duraba tanto como la vida del condenado. Por ext., pena cuya gravedad sólo es menor que la de la pena de muerte. ‖ *en cadena*. loc. adj. y adv. Dícese de los hechos que se producen por transmisión o sucesión continuadas, y a veces provocando cada uno el siguiente.

cadencia (al. *Kadenz*, fr. *cadence*, ingl. *cadence*, it. *cadenza*). f. Serie de sonidos o movimientos que se suceden de un modo regular. ‖ Proporcionada distribución de los acentos y de las pausas, así en la prosa como en el verso. ‖ Efecto de tener un verso la acentuación que le corresponde. ‖ Medida del sonido que regula el movimiento de la persona que danza. ‖ Conformidad de los pasos del que danza con esta medida. ‖ MÚS. Ritmo que caracteriza una pieza musical. ‖ MÚS. Manera de terminar una frase musical. |*Sinón.*: ritmo, armonía|

cadencioso, sa. adj. Que tiene cadencia. |*Sinón.*: cadente, melódico, armonioso|

cadeneta. f. Labor o randa que se hace en figura de cadena delgada.

cadera (al. *Hüfte*, fr. *hanche*, ingl. *hip*, it. *anca*). f. Cada una de las dos partes salientes formadas a ambos lados del cuerpo por los huesos superiores de la pelvis.

cadete (al. *Kadett*, fr. *élève d'une école militaire*, ingl. *cadet*, it. *cadetto*). m. Alumno de una academia militar.

cadí. m. Entre turcos y moros, juez que entiende en las causas civiles.

cadmio. m. QUÍM. Metal de color blanco, algo azulado, muy parecido en aspecto al estaño. Es dúctil y maleable.

caducar (al. *verfallen*, fr. *être périmé*, ingl. *to lapse*, it. *diventare peronto*). intr. Perder su fuerza una ley, testamento, etc. ‖ Extinguirse un derecho, una instancia o recurso. ‖ Arruinarse o acabarse una cosa por antigua y gastada. |*Sinón.*: prescribir|

caduceo. m. Vara delgada, lisa y cilíndrica, rodeada de dos culebras, atributo de Mercurio.

caducidad. f. Acción y efecto de caducar una ley o un derecho. ‖ Calidad de caduco o decrépito. |*Sinón.*: prescripción, extinción|

caduco, ca. adj. Decrépito, muy anciano. ‖ Perecedero, poco durable. |*Sinón.*: chocho; efímero. *Antón.*: juvenil: imperecedero, perdurable|

caer (al. *fallen*, fr. *tomber*, ingl. *to fall*, it. *cadere*). intr. Venir un cuerpo de arriba a abajo por la acción de su propio peso. Ú. t. c. r. ‖ Perder un cuerpo el equilibrio hasta dar en tierra. Ú. t. c. r. ‖ Desprenderse una cosa del lugar a que estaba adherida. ‖ fig. Venir impensadamente a encontrarse en alguna desgracia o peligro. ‖ Perder la prosperidad, empleo o valimiento. ‖ fig. Tratándose de operaciones del entendimiento, llegar a comprender. ‖ fig. Estar situado en alguna parte o cerca de ella. ‖ fig. Corresponder un suceso a determinada época del año. ‖ fig. Venir o sentar bien o mal. ‖ *caer bien*, o *mal*, una persona. fig. y fam. Obtener buena o mal acogida. ‖ *caer enfermo*, o *malo*. fr. Contraer enfermedad. ‖ *caerse* uno *redondo*. fig. Venir al suelo por algún desmayo u otro accidente. ‖ *estar al caer*. fig. Tratándose de personas o cosas, estar a punto de llegar, o suceder.

café (al. *Kaffee*, fr. *café*, ingl. *coffee*, it. *caffè*). m. BOT. Cafeto. ‖ Semilla del cafeto. ‖ Bebida que se hace por infusión con esta semilla tostada y molida. ‖ Casa o sitio público donde se vende y se toma esta bebida. ‖ — *teatro*. Sala donde se despachan consumiciones y se representa una pequeña obra de teatro.

cafeína. f. QUÍM. Alcaloide blanco

que se obtiene de las semillas y hojas del café, del té y de otros vegetales.

cafetal. m. Lugar poblado de cafetos.

cafetera (al. *Kaffeekanne*, fr. *cafetière*, ingl. *coffee-pot*, it. *caffettiera*). f. Recipiente en que se hace o sirve café.

cafetería (al. *Kaffeehaus*, fr. *café*, ingl. *coffeehouse*, it. *caffè*). f. Local donde se sirve infusión de café y otras bebidas, y donde a veces se despachan también aperitivos y comidas.

cafetero, ra. adj. Perteneciente o relativo al café. || m. Dueño de un café. || El que vende café en un sitio público.

cafetín. m. Local, por lo común de poca categoría, donde se sirven bebidas.

cafeto. m. BOT. Árbol rubiáceo, originario de Etiopía, cuya semilla es el café.

cafre. adj. Habitante de la parte oriental de África del Sur, en las regiones de El Cabo y de Natal. Ú.t.c.s. || fig. Bárbaro, cruel. Ú.m.c.s. || fig. Zafio, rústico.

caftán. m. Entre turcos y moros, vestimenta que cubre el cuerpo desde el pescuezo hasta la mitad de la pierna.

cagadero. m. Sitio donde va mucha gente a evacuar el vientre.

cagado, da. adj. fig. y fam. Apocado y sin espíritu.

cagajón. m. Cada una de las porciones de excremento de las caballerías.

cagalera. f. fam. Diarrea.

cagar. intr. Evacuar el vientre. [*Sinón.:* defecar]

cagarruta. f. Cada una de las porciones, aproximadamente esféricas, del excremento del ganado menor.

cagón, na. adj. Que exonera el vientre muchas veces. || fig. y fam. Dícese de la persona muy medrosa y cobarde. Ú.t.c.s.

caid. m. Especie de juez o gobernador en el antiguo reino de Argel y otros países musulmanes.

caída (al. *Fall*, fr. *chute*, ingl. *fall*, it. *caduta*). f. Acción y efecto de caer. || Declive de alguna cosa. || Hablando de colgaduras, cada una de las partes de ellas que penden de alto a bajo. || Manera de plegarse o caer los paños o ropajes.

caído, da. adj. fig. Desfallecido. || Seguido de la preposición *de* y el nombre de una parte del cuerpo, se dice de la persona o animal que tiene demasiado declive en dicha parte. || m. Muerto en combate. Ú.m. en pl.

caimán. m. ZOOL. Reptil saurio parecido al cocodrilo, propio de los ríos de América.

caimiento. m. Caida, acción y efecto de caer. || fig. Desfallecimiento del ánimo.

cairel. m. Cerco de cabellera postiza que imita al pelo natural. || Adorno que, a modo de fleco, cuelga de los extremos de algunas ropas.

cairota. adj. Natural de El Cairo. || Perteneciente a esta ciudad.

caja (al. *Kiste, Kasse;* fr. *boîte; caisse;* ingl. *box, cash;* it. *scatola, cassa*). f. Pieza hueca de madera, metal u otra materia que sirve para meter dentro alguna cosa. Se cubre con una tapa, suelta o unida a la parte principal. || Mueble o pieza para guardar con seguridad dinero y otros valores. || Ataúd. || Parte del coche destinada para las personas que se sirven de él. || Parte exterior de madera, que cubre algunos instrumentos, como el órgano, el piano, etc., o que forma parte de ellos, como en el violín, la guitarra, etc. || Hueco en que se forma la escalera de un edificio. || IMP. Cajón con varios cajetines, en cada uno de los cuales se ponen los caracteres que representan una misma letra o signo tipográfico. || — *alta.* Parte de la caja tipográfica donde se colocan las mayúsculas. || Esas mismas mayúsculas. || — *baja.* Parte de la caja tipográfica donde se colocan las minúsculas. || Esas mismas minúsculas. || — *de ahorros.* Establecimiento destinado a recibir cantidades con las que va formando un capital a sus dueños. || — *de caudales.* Caja de hierro para guardar objetos de valor. || — *de reclutamiento.* Organismo militar encargado de la inscripción, clasificación y destino de los reclutas. || — *registradora.* La que se usa en el comercio y que suma automáticamente el importe de las ventas.

cajera. f. Mujer que en algunos establecimientos está encargada de la caja.

cajero (al. *Kassier*, fr. *caissier*, ingl. *cashier*, it. *cassiere*). m. El que hace cajas. || Persona que en las tesorerías, bancos, casas de comercio y en algunas particulares está encargada de la entrada y salida de caudales. [*Sinón.:* arquero]

cajetilla. f. Paquete de tabaco picado o de cigarrillos con envoltura de papel o cartulina.

cajetín. m. Caja metálica que usan los cobradores de tranvías y de autobús. || ELECTR. Listón de madera que se cubre con una moldura y tiene dos ranuras en las cuales se alojan los conductores eléctricos. || IMP. Cada uno de los compartimientos de la caja. || Caja tipográfica pequeña para signos especiales.

cajista. com. Oficial de imprenta que, juntando y ordenando las letras, compone lo que se ha de imprimir.

cajo. m. Pestaña que forma el encuadernador en el lomo de un libro sobre las primeras y últimas hojas para que quepan los cartones de las tapas.

cajón (al. *Schublade*, fr. *Tiroir*, ingl. *drawer*, it. *cassetto*). m. Caja, comúnmente de madera y de forma prismática, cuadrilonga o cúbica, destinada a guardar o preservar las cosas que se ponen dentro de ella. || Cualquiera de los receptáculos que se pueden sacar y meter en ciertos huecos, a los cuales se ajustan, de armarios, mesas, cómodas y otros muebles. || — *de sastre.* fig. y fam. Conjunto de cosas diversas y desordenadas.

cal. f. QUÍM. Óxido de calcio, sustancia blanca, ligera y cáustica, que en estado natural se halla siempre combinada. Cuando está viva, al contacto con el agua se hidrata o apaga, hinchándose con desprendimiento de calor; mezclada con arena, constituye la argamasa o mortero.

cala. f. Acción y efecto de calar un melón u otras frutas semejantes. || Pedazo cortado de una fruta para probarla. || Parte más baja en el interior de un buque. || Ensenada pequeña.

cala. f. BOT. Planta acuática aroidea, con hojas radicales, de peciolos largos, espádice amarillo y espata grande y blanca, que se cultiva en los jardines por su hermoso aspecto.

calabacera. f. BOT. Planta anual de la familia de las cucurbitáceas. Sus tallos son rastreros y muy largos, cubiertos de pelo áspero; hojas anchas y lobuladas y flores amarillas.

calabacín. m. Calabacita cilíndrica de corteza verde y carne blanca.

calabacino. m. Calabaza seca y hueca que se usa para contener líquidos.

calabaza (al. *Kürbis*, fr. *citrouille*, ingl. *pumpkin*, it. *zucca*). f. BOT. Calabacera, planta. || Fruto de la calabacera, de forma, tamaño y color muy variados; por lo común es grande, redonda y con multitud de semillas. || Calabacino. || fig. y fam. Persona inepta y muy ignorante. || *dar calabazas.* fig. y fam. Reprobar a uno en exámenes. Desairar o rechazar la mujer al que la pretende o requiere de amores.

calabazar. m. Sitio sembrado de calabazas.

calabobos. m. fam. Lluvia menuda y persistente.

calabozo (al. *Kerker*, fr. *cachot*, ingl. *dungeon*, it. *segreta*).'m. Lugar seguro, por lo general lóbrego y aun subterráneo, donde se encierra a determinados presos. ‖ Por ext., cualquier aposento de cárcel donde se encierra a los presos. |Sinón.: celda|

calabrés, sa. adj. Natural de Calabria. Ú.t.c.s. ‖ Perteneciente a esta región de Italia.

calabriada. f. Mezcla de vinos, especialmente de blanco y tinto.

calabrote. m. MAR. Cabo grueso hecho de nueve cordones colchados de izquierda a derecha, en grupos de a tres y en sentido contrario cuando se reúnen para formar el cabo.

calada. f. Acción y efecto de calar un líquido.

calado. m. Labor efectuada sobre una tela con una aguja, sacando o juntando hilos, como si se imita la randa o encaje. ‖ Labor que consiste en taladrar papel, tela, madera, metal u otra materia, con sujeción a un dibujo. ‖ MAR. Dícese de la profundidad de la parte sumergida de un barco. ‖ MAR. Altura que alcanza la superficie del agua sobre el fondo.

calafate. m. Dícese del que calafatea las embarcaciones

calafatear. tr. Taponar las junturas de las maderas de las naves con estopa y brea para que no penetre el agua.

calamar (al. *Tintenfisch*, fr. *calmar*, ingl. *squid*, it. *calamaro*) m. ZOOL. Molusco cefalópodo comestible, de cuerpo oval y en forma de bolsa. En la cabeza tiene tentáculos provistos de ventosas para sostenerse. Segrega un líquido negro llamado tinta, con el que enturbia el agua para ocultarse cuando le persiguen.

calambre (al. *Krampf*, fr. *crampe*, ingl. *cramp*, it. *crampo*). m. Contracción espasmódica, involuntaria y dolorosa en ciertos músculos. Generalmente es de poca duración. |Sinón.: rampa|

calamidad (al. *Missgeschick*, fr. *calamité*, ingl. *disaster*, it. *sciagura*). f. Desgracia o infortunio que alcanza a muchas personas. ‖ fig. Persona incapaz, molesta o inútil. |Sinón.: desastre, catástrofe|

calamita. f. Piedra imán.

calamitoso, sa. adj. Que causa calamidades o es propio de ellas. ‖ Infeliz,

desdichado. |Sinón.: desastroso, aciago|

cálamo. m. Especie de flauta antigua. ‖ poét. Pluma para escribir.

calamocha. f. Ocre amarillo de color apagado.

calamorra. adj. Dícese de la oveja que tiene lana en la cara.

calandria. f. Máquina para prensar y satinar ciertas telas o el papel. ‖ ZOOL. Pájaro parecido a la alondra.

calaña. f. Muestra, modelo, patrón, forma. ‖ fig. Índole, calidad, naturaleza de una persona o cosa.

cálao. m. ZOOL. Ave grande, trepadora, con el pico muy grueso, que se cría en Filipinas. Se alimenta de pajarillos.

calar. tr. Penetrar un líquido en un cuerpo permeable. ‖ Atravesar un instrumento como la espada, la barrena, etc., otro cuerpo, de una parte a otra. ‖ Imitar la labor de la randa o encaje en las telas, sacando o juntando alguno de sus hilos. ‖ Agujerear tela, papel, metal o cualquier otra materia en hojas, de forma que resulte un dibujo parecido al de la randa o encaje. ‖ Cortar de un melón u otras frutas un pedazo a fin de probarlas. ‖ Dicho de la gorra, sombrero, etc., ponérselos haciéndolos entrar mucho en la cabeza. Ú.t.c.r. ‖ fig. y fam. Tratándose de personas, conocer sus cualidades o intenciones. ‖ fig. y fam. Penetrar, comprender el motivo, razón o secreto de una cosa. ‖ MAR. Sumergir en el agua cualquier objeto, como las redes o artes de pesca, etc. ‖ intr. MAR. Alcanzar un buque en el agua determinada profundidad por la parte más baja de su casco. ‖ r. Mojarse una persona hasta que el agua, penetrando en la ropa, llegue al cuerpo. |Sinón.: hender; descubrir; empapar|

calavera (al. *Totenkopf*, fr. *tête de mort*, ingl. *skull*, it. *teschio*). f. Conjunto de huesos de la cabeza mientras permanecen unidos, pero despojados de la carne y de la piel. ‖ m. fig. Hombre de poco juicio y sensatez. |Sinón.: crapuloso, tronera|

calaverada. f. fam. Acción inadecuada, propia de un hombre de poco juicio.

calcador, ra. s. Persona que calca. ‖ m. Instrumento para calcar.

calcáneo. m. ANAT. Hueso del tarso, en la parte posterior del pie, donde forma el talón.

calcañal o **calcañar.** m. Parte posterior de la planta del pie.

calcar (al. *durchpausen*, fr. *calquer*,

ingl. *to trace*, it. *calcare*). tr. Sacar copia de un dibujo, inscripción o relieve por contacto del original con el papel o la tela a que han de ser trasladados.

calcáreo, a. adj. Que tiene cal.

calce. m. Llanta de los carruajes. ‖ Porción de hierro o acero que se añade a las herramientas cuando están gastadas. ‖ Cuña o alza que se introduce para ensanchar el espacio entre dos cuerpos. |Sinón.: calza|

calcedonia. f. Ágata muy traslúcida, de color azulado o lechoso.

calceta. f. Media.

calcetero, ra. adj. Dícese de la res vacuna de capa oscura y extremidades blancas.

calcetín (al. *Socke*, fr. *chaussette*, ingl. *sock*, it. *calza*). m. Media que sólo llega a la mitad de la pantorrilla.

cálcico, ca. adj. QUIM. Perteneciente o relativo al calcio.

calcificación. f. BIOL. Acción y efecto de calcificar o calcificarse. ‖ MED. Transformación de tejidos por depositarse en ellos sales de cal.

calcificar. tr. Producir carbonato de cal por medios artificiales.

calcímetro. m. Aparato que sirve para determinar la cal contenida en las tierras de labor.

calcinación. f. Acción y efecto de calcinar.

calcinar (al. *verkalken*, fr. *calciner*, ingl. *to calcine*, it. *calcinare*). tr. Reducir a cal viva los minerales calcáreos, privándolos del ácido carbónico por el fuego. ‖ fig. Reducir a cenizas. ‖ QUIM. Someter al calor los minerales de cualquier clase, para que de ellos se desprendan las sustancias volátiles.

calcio. m. QUIM. Elemento metálico de color blanco, muy alterable al aire y al agua, que, combinado con el oxígeno, forma la cal.

calcita. f. MINERAL. Carbonato de cal cristalizado.

calco. m. Copia que se obtiene calcando.

calcografía. f. Arte de estampar utilizando láminas metálicas grabadas. ‖ Taller donde se hace dicha estampación.

calcomanía (al. *Abziehbild*, fr. *décalcomanie*, ingl. *decalcomania*, it. *calcomania*). f. Operación que consiste en pasar de un papel a objetos diversos imágenes coloridas preparadas con trementina. ‖ Imagen obtenida por este medio. ‖ El papel o cartulina que tiene la figura, antes de transportarla.

calcopirita. f. MINERAL. Sulfuro natural de cobre y hierro, de color amarillo claro y brillante, y no muy duro.

calcotipia. f. Procedimiento de grabado en cobre, para reproducir en planchas sólidas en relieve una composición tipográfica de caracteres movibles.

calculador, ra. adj. Que calcula. || f. Dícese de la máquina que efectúa operaciones aritméticas.

calcular (al. *rechnen*, fr. *calculer*, ingl. *to reckon*, it. *calcolare*). tr. Hacer cálculos. || intr. fam. Reflexionar. [*Sinón.*: computar, contar]

cálculo (al. *Berechnung*, fr. *calcul*, ingl. *calculation*, it. *calcolo*). m. Cómputo, cuenta o investigación que se hace de alguna cosa por medio de operaciones matemáticas. || Conjetura. || Concreción anormal que se forma en la vejiga de la orina, y también en la de la bilis, en los riñones y en las glándulas salivares. || pl. Mal de piedra.

calda. f. Acción y efecto de caldear. || Baños de aguas minerales calientes.

caldeamiento. m. Acción y efecto de caldear.

caldear. tr. Calentar mucho.

caldera (al. *Kessel*, fr. *chaudière*, ingl. *boiler*, it. *caldaia*). f. Vasija de metal, grande y redonda, que sirve, en general, para poner a calentar o hacer cocer algo dentro de ella. || Calderada. || Caja del timbal hecha con latón o cobre. || *Amer.* Cafetera, tetera y vasija para hacer el mate. || — *de vapor*. Recipiente donde hierve agua, cuyo vapor a presión constituye la fuerza motriz que impulsa la máquina.

calderada. f. Lo que cabe de una vez en una caldera.

calderería. f. Oficio de calderero. || Tienda y barrio en que se hacen y venden obras de calderero. || Sección de los talleres metalúrgicos donde se cortan, forjan y unen barras y planchas de hierro o acero.

calderero (al. *Kesselschmied*, fr. *chaudronnier*, ingl. *coppersmith*, it. *ramaio*). m. El que hace o vende obras de calderería.

calderilla (al. *Kleingeld*, fr. *petite monnaie*, ingl. *copper money*, it. *spiccioli*). f. Conjunto de monedas fraccionarias, acuñadas con metales no preciosos. || Caldera pequeña para llevar agua bendita. [*Sinón.*: suelto]

caldero. m. Caldera pequeña de suelo casi semiesférico y con asa sujeta a dos argollas en la boca. || Lo que cabe en esta vasija. [*Sinón.*: perol]

calderón. m. Mús. Signo ⌒ que representa la suspensión del movimiento del compás. || Mús. Esa suspensión. || Mús. Frase que el cantor o el instrumentista ejecuta ad líbitum durante la momentánea suspensión del compás.

caldo (al. *Fleischbrühe*, fr. *bouillon*, ingl. *broth*, it. *brodo*). m. Líquido que resulta de cocer en agua la vianda. || Aderezo de la ensalada o del gazpacho. || Cualquiera de los jugos vegetales destinados a la alimentación, y directamente extraídos de los frutos: como el vino, aceite, sidra, etc. Ú.m. en pl. || — *de cultivo*. Líquido preparado para favorecer la proliferación de determinadas bacterias.

caldoso, sa. adj. Que tiene mucho caldo.

calé. m. Gitano de raza.

calecer. intr. Ponerse caliente alguna cosa.

calefacción. f. Acción y efecto de calentar o calentarse. || Conjunto de aparatos destinados a calentar un edificio o parte de él. || — *central*. La que partiendo de un solo foco afecta a todo un edificio.

calefactor. m. Persona que construye, instala o repara aparatos de calefacción.

caleidoscopio. m. Tubo ennegrecido interiormente, que encierra dos o tres espejos que forman entre sí ángulo agudo, y lleva en un extremo dos láminas de vidrio entre las cuales se colocan varios objetos de forma irregular, cuyas imágenes multiplicadas simétricamente forman figuras que se ven variar cada vez que se mueve el tubo, a la vez que se mira por el extremo opuesto de éste.

calendario (al. *Kalender*, fr. *calendrier*, ingl. *calendar*, it. *calendario*). m. Almanaque. || — *gregoriano*. El que no cuenta como bisiestos los años que terminan siglo, excepto cuando caen en decena de siglo. || — *juliano*. El que cuenta como bisiestos todos los años cuyo número de días es divisible por cuatro, aunque terminen siglo.

calendas. f. pl. En el antiguo cómputo romano y en el eclesiástico, el primer día de cada mes. || Tiempo, período, época. || fam. Época o tiempo pasado. || *las calendas griegas*. expr. irónica que denota un tiempo que no ha de llegar, porque los griegos no tenían calendas.

calentador, ra. adj. Que calienta. || m. Recipiente con lumbre, agua, vapor o corriente eléctrica, que sirve para calentar la cama, el baño, etc.

calentamiento. m. Acción y efecto de calentar o calentarse.

calentar (al. *Wärmen*, fr. *chauffer*, ingl. *to heat*, it. *scaldare*). tr. Hacer subir la temperatura. Ú.t.c.r. || fig. Avivar o dar calor a una cosa, para que se haga con más celeridad. || fig. y fam. Azotar, dar golpes. || r. vulg. Excitarse sexualmente. || fig. Enfervorizarse en la disputa o porfía. [*Sinón.*: enardecer, excitar. *Antón.*: enfriar]

calentura. f. Fiebre. || *Amer.* Descomposición por fermentación lenta del tabaco picado. || fig. y fam. *Amer.* Excitación sexual.

calenturiento, ta. adj. Dícese del que tiene indicios de calentura. [*Sinón.*: febril]

caler. intr. Convenir, importar.

calera. f. Cantera que da la piedra para hacer cal. || Horno donde se calcina la piedra caliza.

calesa. f. Carruaje de dos ruedas, con la caja abierta por delante, dos o cuatro asientos y capota de vaqueta.

calesera. f. Chaqueta con adornos, a estilo de la que usan los caleseros andaluces. || pl. Cante popular andaluz.

caletre. m. fam. Tino, discernimiento, capacidad.

calibrador. m. Instrumento para calibrar. || Tubo cilíndrico de bronce por el cual se hace correr el proyectil para apreciar su calibre.

calibrar (al. *kalibrieren*, fr. *calibrer*, ingl. *to gauge*, it. *calibrare*). tr. Medir o reconocer el calibre de las armas de fuego o el de otros tubos. || Medir o reconocer el calibre de los proyectiles o el grueso de los alambres, chapas de metal, etc. || Dar al alambre, al proyectil o al ánima del arma el calibre que se desea.

calibre (al. *Kaliber*, fr. *calibre*, ingl. *calibre*, it. *calibro*). m. ART. Diámetro interior de las armas de fuego. || ART. Por ext., diámetro del proyectil o de un alambre. || Diámetro interior de muchos objetos huecos, como tubos, conductos, etc. || fig. Tamaño, importancia, clase.

caliciforme. adj. BOT. Que tiene forma de cáliz.

caliche. m. Salitre conocido como nitrato de Chile.

calidad (al. *Beschaffenheit*, fr. *qualité*, ingl. *quality*, it. *qualità*). f. Manera de ser de una persona o cosa. || Carácter, genio, índole. || Importancia o gravedad de una cosa. || Nobleza del linaje. || En sentido absoluto, buena calidad, superioridad, excelencia. || pl. Prendas del ánimo.

cálido, da (al. *warm*, fr. *chaud*, ingl. *warm*, it. *caldo*). adj. Que da calor, o porque está caliente o porque excita ardor en el organismo animal, como la pimienta. || Caluroso. || B. ART. Se dice del colorido en el que predominan los matices dorados o rojizos.

calidoscopio. m. Caleidoscopio.

caliente (al. *heiss*, fr. *chaud*, ingl. *hot*, it. *caldo*). adj. Que posee una temperatura superior a la normal en el cuerpo humano. || Acalorado, vivo, si se trata de disputas, riñas, etc. || fig. y fam. Dícese de la persona que se excita sexualmente con facilidad. Ú.t.c.s. || *en caliente*. m. adv. fig. Bajo la impresión inmediata de las circunstancias del caso; al instante. || *estar caliente*. fig. y fam. Estar excitado sexualmente. [*Sinón.*: caldeado, acalorado, fogoso]

califa. m. Título de los príncipes sarracenos que, como sucesores de Mahoma, ejercieron la suprema potestad religiosa y civil en Asia, África y España.

califato. m. Dignidad de califa. || Tiempo que duraba el gobierno de un califa. || Período histórico en que gobernaron los califas.

calificación. f. Acción y efecto de calificar. [*Sinón.*: nota, particularidad]

calificado, da. adj. Dícese de la persona de autoridad, mérito y respeto. || Que tiene todos los requisitos necesarios. [*Sinón.*: competente]

calificar (al. *benennen*, fr. *qualifier*, ingl. *to qualify*, it. *qualificare*). tr. Apreciar o determinar las calidades o circunstancias de una persona o cosa. || Expresar o declarar este juicio.

calificativo, va. adj. Que califica. || GRAM. Se dice del adjetivo que denota alguna cualidad del sustantivo.

californiano, na. adj. Natural de California. Ú.t.c.s. || Perteneciente o relativo a esta región americana.

californio. m. QUIM. Elemento artificial radiactivo que se obtiene bombardeando el curio con partículas alfa.

calígene. f. Niebla, oscuridad, tenebrosidad.

caliginoso, sa. adj. Denso, oscuro, nebuloso. [*Sinón.*: tenebroso, brumoso]

caligrafía (al. *Schönschreibkunst*, fr. *calligraphie*, ingl. *penmanship*, it. *calligrafia*). f. Arte de escribir con letra correctamente formada.

caligrafiar. tr. Hacer un escrito con hermosa letra.

calígrafo. m. Perito en caligrafía. [*Sinón.*: pendolista, amanuense]

calina. f. Accidente atmosférico que enturbia el aire; suele producirse a causa de los vapores del agua. [*Sinón.*: bruma]

calinoso, sa. adj. Cargado de calina.

calisaya. f. Especie de quina.

cáliz (al. *Kelch*, fr. *calice*, ingl. *chalice*, it. *calice*). m. Vaso sagrado de oro o plata que se utiliza en la misa para echar el vino que se ha de consagrar. || POÉT. Copa o vaso. || Con verbos como *beber* y *apurar*, expresos o sobreentendidos, conjunto de amarguras o trabajos. || BOT. Cubierta externa de las flores completas, casi siempre verde y de la misma naturaleza de las hojas.

caliza (al. *Kalkstein*, fr. *pierre à chaux*, ingl. *limestone*, it. *pietra calcare*). f. Roca formada de carbonato de cal.

calizo, za. adj. Aplícase al terreno o a la piedra que tienen cal.

calma (al. *Stille*, fr. *calme*, ingl. *calm*, it. *calma*). f. Estado de la atmósfera cuando no hay viento. || fig. Cesación o suspensión de algo. || fig. Paz, tranquilidad. || fig. y fam. Cachaza, pachorra. || – *chicha*. Se dice, especialmente en la mar, cuando el aire está en completa quietud.

calmante. adj. Que calma. Ú.t.c.s. || m. MED. Dícese de los medicamentos narcóticos o de cualquier medio físico empleado para eliminar o mitigar el dolor o los estados convulsivos.

calmar. tr. Sosegar, adormecer, templar.

calmo, ma. adj. Dícese del terreno o tierra erial. || Que está en descanso.

calmoso, sa. adj. Que está en calma. || fam. Aplícase a la persona cachazuda, indolente y perezosa.

caló. m. Lenguaje o dialecto de los gitanos.

calofrío. m. Escalofrío. Ú.m. en pl.

calor (al. *Wärme, Hitze*; fr. *chaleur, chaud*; ingl. *heat*; it. *calore, caldo*). m. Sensación que se experimenta al recibir directa o indirectamente la radiación solar, aproximarse al fuego, etc. || Sensación análoga producida por causas fisiológicas o morbosas. || fig. Ardimiento, actividad, ligereza. || fig. Favor, buena acogida. || fig. Lo más fuerte y vivo de una acción. || FIS. Energía que pasa de un cuerpo a otro cuando están en contacto y es causa de que se equilibren sus temperaturas. || – *canicular*. El excesivo y sofocante. || – *natural*. El que producen las funciones

orgánicas del cuerpo estando sano, que es el propio y necesario para conservar la vida. [*Sinón.*: ardor, bochorno. *Antón.*: frío]

caloría (al. *Kalorie*, fr. *calorie*, ingl. *calorie*, it. *caloria*). f. FIS. Unidad de medida térmica equivalente al calor que se precisa para elevar un grado centígrado la temperatura de un gramo de agua.

caloricidad. f. FISIOL. Propiedad vital por la que algunos animales conservan un calor superior al del ambiente en que viven.

calorífero, ra. adj. Que conduce y propaga el calor.

calorífico, ca. adj. Que produce o distribuye calor.

calorimetría. f. FIS. Medición del calor que se desprende o absorbe en procesos biológicos, físicos o químicos.

calorímetro. m. FIS. Instrumento con que se mide el calor.

calostro. m. Primera leche que da la hembra después de parida. Ú.t. en pl.

caloyo. m. Cordero o cabrito recién nacido. || fig. Quinto, soldado.

calpixque. m. *Amer.* En México, mayordomo o capataz de una hacienda.

calumbre. f. Moho del pan.

calumnia (al. *Verleumdung*, fr. *calomnie*, ingl. *slander*, it. *calunnia*). f. Acusación falsa.

calumniador, ra. adj. Que calumnia. [*Sinón.*: infamador, sicofante]

calumniar. tr. Atribuir a alguien, falsa y maliciosamente, palabras, actos o intenciones deshonrosas.

calumnioso, sa. adj. Que conlleva calumnia.

caluroso, sa. adj. Que tiene calor o lo produce.

calva (al. *Glatze*, fr. *calvitie*, ingl. *bald head*, it. *calvizie*). f. Parte de la cabeza de la que se ha caído el pelo. || Parte de una piel, felpa u otro tejido semejante que ha perdido el pelo.

calvario. m. Via crucis. || fig. y fam. Serie o sucesión de adversidades y pesadumbres.

calvero. m. Paraje sin árboles en el interior de un bosque. [*Sinón.*: calvijar]

calvicie. f. Falta de pelo en la cabeza. [*Sinón.*: alopecia]

calvinismo. m. Herejía de Calvino. || Su secta.

calvinista. adj. Perteneciente a la secta de Calvino.

calvo, va (al. *Kahl*, fr. *chauve*, ingl. *bald*, it. *calvo*). adj. Que ha perdido el pelo de la cabeza. Ú.t.c.s. || Tratándose del terreno, pelado, sin vegetación alguna. || Dícese de los tejidos que han perdido el pelo. [*Sinón.:* glabro, pelón, motilón]

calza. f. Prenda de vestir que, según los tiempos, ceñía el muslo y la pierna o bien, en forma holgada, cubría sólo el muslo o parte de él. Ú.m. en pl. || Cuña con que se calza. || Liga o cinta con que se suele señalar a algunos animales para distinguirlos de otros de la misma especie. || Braga, calzones anchos. || *Amer.* Empaste de un diente o muela.

calzada. f. Camino empedrado y cómodo por su anchura. || Parte de la calle comprendida entre dos aceras.

calzado, da (al. *Schuhwerk,* fr. *chaussure,* ingl. *footwear,* it. *calzatura*). adj. Dícese de algunos religiosos porque usan zapatos, en contraposición con los que no los usan, o descalzos. || m. Todo género de zapato, borceguí, abarca, alpargata, etc., que sirve para cubrir y resguardar el pie.

calzador (al. *Schuhlöffel,* fr. *chaussepieds,* ingl. *shoe-horn,* it. *calzatoio*). m. Trozo de cuero, metal, asta u otra materia, de forma acanalada, que sirve para ayudar al pie a entrar en el zapato. || *Amer.* Portaplumas, palillero.

calzar (al. *anziehen,* fr. *chausser,* ingl. *to put on shoes,* it. *calzare*). tr. Cubrir el pie y algunas veces la pierna con el calzado. Ú.t.c.r. || Tratándose de guantes, espuelas, etc., usarlos o llevarlos puestos. || Poner calces. || Poner una cuña entre el piso y la rueda de un carruaje o máquina para inmovilizarla, o debajo de un mueble para evitar que cojee. || *Amer.* Empastar un diente o muela. || IMP. Poner con alzas los clisés o grabados a la altura de las letras.

calzo. m. Calce, cuña o alza.

calzón. m. Prenda de vestir del hombre, con dos perneras y que cubre desde la cintura hasta las rodillas. || Pantalón.

calzonazos. m. fig. y fam. Hombre muy flojo y condescendiente. [*Sinón.:* gurrumino, pusilánime]

calzoncillos (al. *Unterhosen,* fr. *caleçons,* ingl. *drawers,* it. *mutande*). m. pl. Calzones interiores.

callada. f. Silencio o efecto de callar. [*Sinón.:* mutis]

callado, da (al. *verschwiegen,* fr. *taciturne,* ingl. *taciturn,* it. *taciturno*). adj. Silencioso, reservado. || Se dice de lo hecho con silencio o reserva. [*Sinón.:* silente, taciturno]

callar (al. *schweigen,* fr. *—se-taire,* ingl. *to keep silence,* it. *tacere*). intr. No hablar, guardar silencio una persona. || Cesar de hablar. Ú.t.c.r. || tr. Guardar reserva acerca de una cosa.

calle (al. *Strasse,* fr. *rue,* ingl. *street,* it. *via*). f. Vía en poblado. || En los juegos de damas y ajedrez, serie de casillas en línea diagonal en el primero, y diagonal o paralela a las orillas del tablero en el segundo. || IMP. Línea de espacios vertical u oblicua que se forma ocasionalmente en una composición tipográfica y la afea. || fig. La gente, el público en general como conjunto no minoritario. || *Amer.* Tramo en una vía urbana comprendido entre dos esquinas. || *echarse a la calle.* Amotinarse.

calleja. f. Calle estrecha.

callejear. intr. Andar, frecuentemente y sin necesidad, de calle en calle.

callejero, ra. adj. Que gusta de callejear. || m. Lista de las calles de una ciudad.

callejón (al. *Gasse,* fr. *ruelle,* ingl. *lane,* it. *vicolo*). m. Paso estrecho y largo entre paredes, casas o elevaciones de terreno. || TAUROM. Espacio existente entre la barrera y la contrabarrera de las plazas de toros. || *— sin salida.* fig. y fam. Negocio o conflicto de muy difícil resolución.

callicida. amb. Sustancia preparada para extirpar los callos.

callista. com. Persona que se dedica a cortar o extirpar y curar callos, uñeros y otras dolencias de los pies, sea o no cirujano. [*Sinón.:* pedicuro]

callo (al. *Schwiele,* fr. *cor,* ingl. *cor,* it. *callo*). m. Dureza que por roce o presión se llega a formar en los pies, manos, rodillas, etc. || CIR. Cicatriz que se forma en la reunión de los fragmentos de un hueso fracturado. || pl. Pedazos de estómago de la vaca, ternera o cordero que se comen guisados. [*Sinón.:* callosidad; tripa]

callosidad. f. Dureza de la especie del callo, pero menos profunda.

calloso, sa. adj. Que tiene callos.

cama (al. *Bett,* fr. *lit,* ingl. *bed,* it. *letto*). f. Mueble para dormir, compuesto de una armazón de madera o metal sobre la que se coloca el colchón, almohadas, sábanas, etc. || Esta armazón por sí sola. || Plaza para un enfermo en un hospital o clínica o para un alumno en un colegio. || *— turca.* Especie de sofá ancho, sin brazos ni respaldo, que puede servir para dormir en él. || *caer uno en cama.* Caer enfermo. || *hacer cama redonda.* fig. y fam. Tener

trato sexual varias personas conjuntamente.

camada. f. Todos los hijuelos que pare de una vez la coneja, la loba u otra hembra, y que se hallan juntos en un mismo lugar. [*Sinón.:* lechigada, ventregada]

camafeo (al. *Kamee,* fr. *camée,* ingl. *cameo,* it. *cammeo*). m. Figura tallada en relieve sobre ónice u otra piedra dura y preciosa. || La misma piedra labrada.

camaleón (al. *Chamäleon,* fr. *caméléon,* ingl. *chameleon,* it. *camaleonte*). m. ZOOL. Saurio de cuerpo comprimido, cola prensil y lengua contráctil y muy ágil. Experimenta mutación de color. || fig. y fam. Persona que por carácter o a impulsos del favor o del interés, muda con facilidad de pareceres o doctrinas.

camama. f. Vulgarismo por embuste, falsedad, burla. [*Sinón.:* camelo]

camándula. f. Rosario de uno o tres dieces. || fig. y fam. Hipocresía, astucia.

cámara (al. *Kammer,* fr. *chambre,* ingl. *chamber,* it. *camera*). f. Sala o pieza principal de una casa. || En el palacio real, pieza donde sólo tienen entrada los ayudantes de cámara, embajadores y algunas otras personas. || Ayuntamiento, junta. || Cada uno de los cuerpos colegisladores en los gobiernos representativos. Comúnmente se distinguen con los nombres de Cámara Alta y Baja. || Cualquiera de los departamentos que en los buques de guerra se destinan al alojamiento de los generales, jefes y oficiales, y en los mercantes, al de la oficialidad o al servicio común de los pasajeros. || En las armas de fuego, espacio que ocupa la carga. || Aparato destinado a registrar imágenes animadas para el cine. || En televisión, aparato que se utiliza para captar y transmitir imágenes. || Compartimiento que tiene comunicación con los hornos metalúrgicos, para condensar o transformar las sustancias volatilizadas. || En los neumáticos, anillo tubular de goma provisto de una válvula para inyectar aire a presión. || m. Operador, persona que maneja la cámara cinematográfica o de televisión. || *— de combustión.* En los motores de explosión, espacio libre situado entre la culata y la cabeza del pistón, en el cual se produce la ignición de los gases. || *—fotográfica.* TÉCN. Instrumento óptico destinado al registro permanente de imágenes sobre una superficie sensible. || *— de gas.* Recinto hermético destinado a producir, por medio de gases tóxicos, la muerte de los condenados a esta pena. Aparato similar destinado a producir la muerte colectiva de los prisioneros de un campo de concentración. || — *lenta*. CINEM. Proyección de ciertas escenas de una película a menos velocidad de la normal. || — *mortuoria*. Capilla ardiente. || — *oscura*. Caja cerrada, en cuyas paredes hay una abertura que permite la entrada de rayos luminosos, los cuales forman una imagen invertida de los objetos exteriores sobre la pared opuesta.

camarada (al. *Kamerad*, fr. *camarade*, ingl. *comrade*, it. *compagno*). com. El que acompaña a otro en estudios, trabajo, habitación, etc. || El que anda en compañía con otros, tratándose con amistad y confianza. || Amigo, compañero. || Apelativo con que se conocen entre sí los miembros de algunos partidos políticos.

camaradería. f. Amistad o relación cordial que mantienen entre sí los buenos camaradas.

camarera. f. Moza de café, restaurante u otro establecimiento similar. || fam. Mujer que trabaja en un bar de clientela masculina, fomentando el consumo de bebidas y dando conversación y compañía al que lo desee.

camarero (al. *Kellner*, fr. *garçon*, ingl. *waiter*, it. *tavoleggiante*). m. Oficial de la cámara del Papa. || Criado distinguido en las casas de los grandes señores, encargado de todo cuanto pertenecía a su cámara. || Criado que sirve en los hoteles y en los barcos de pasajeros y sus camarotes, y cuida de los aposentos. || Mozo de café, restaurante u otro establecimiento similar.

camarilla. f. Conjunto de palaciegos que influyen subrepticiamente en los negocios del Estado. || Grupo de personas, familiares o amigos, que subrepticiamente influyen en las decisiones de alguna autoridad superior, o en los actos de un personaje importante.

camarín. m. Capilla pequeña colocada algo detrás de un altar y en la cual se venera alguna imagen. || Pieza en que se guardan las alhajas y vestidos de una imagen. || En los teatros, cada uno de los cuartos donde los actores se visten para salir a escena.

camarlengo. m. Título de dignidad entre los cardenales, presidente de la Cámara Apostólica y gobernador temporal en sede vacante.

camarón (al. *Garnele*, fr. *crevette*, ingl. *shrimp*, it. *granchiolino*). m.

ZOOL. Crustáceo marino comestible, de cuerpo estrecho, comprimido y algo encorvado, caparazón terminado en un cuerno largo y dentado finamente, antenas muy largas y boca formada por láminas filamentosas. |Sinón.: quisquilla, esquila|

camarote (al. *Käjüte*, fr. *cabine*, ingl. *cabin*, it. *cabina*). m. En los barcos, cada uno de los dormitorios.

camastro (al. *Elendes Bett*, fr. *grabat*, ingl. *poor bed*, it. *lettaccio*). m. despect. Lecho pobre y mal arreglado.

camauro. m. Birrete rojo con que se cubre el Papa.

cambalache. m. fam. Trueque de objetos de poco valor.

cámbaro. m. ZOOL. Crustáceo marino comestible, sin cola, más ancho que largo, con el caparazón verde y fuertes pinzas en el primer par de patas. |Sinón.: cangrejo de mar|

cambiar (al. *austauschen*, fr. *échanger*, ingl. *to exchange*, it. *scambiare*). tr. Dar, tomar o poner una cosa por otra. Ú.t.c. intr. || Mudar, variar, alterar. Ú.t.c.r. || Dar o tomar moneda, billetes o papel moneda de una especie por su equivalente en otra. || intr. En los vehículos automóviles, pasar de una velocidad a otra, haciendo uso de la palanca de cambio. || r. Mudarse de ropa.

cambio (al. *Geldwechsel*, fr. *change*, ingl. *exchange*, it. *cambio, valuta*). m. Acción y efecto de cambiar. || Dinero menudo. || COM. Tanto que se abona o cobra, según los casos, sobre el valor de una letra de cambio. || COM. Precio de cotización de los valores mercantiles. || COM. Valor relativo de las monedas de países diferentes o de las de distinta especie de un mismo país. || En el ferrocarril, mecanismo formado por las agujas y otras piezas de las vías férreas, que sirve para que las locomotoras, los vagones o los tranvías vayan por una u otra de las vías que concurren en un punto. || En automovilismo, sistema de engranajes que permite ajustar la velocidad del vehículo al régimen de revoluciones del motor. || *libre cambio*. Sistema económico que franquea o favorece el comercio, principalmente el internacional. Régimen aduanero fundado en esta doctrina. || *a las primeras de cambio*. loc. adv. fig. De buenas a primeras. || *en cambio*. m. adv. En lugar de. Se emplea también como indicador de contraste.

cambista. com. Persona que cambia dinero.

camboyano, na. adj. Natural de Camboya. Ú.t.c.s. || Perteneciente o relativo a este país.

cambriano, na. adj. GEOL. Relativo al primero de los cuatro períodos geológicos en que se divide la era primaria o paleozoica. || Perteneciente al terreno cambriano, en el que se han hallado los fósiles de edad más remota.

cámbrico, ca. adj. Cambriano.

cambujo, ja. adj. Tratándose de caballerías menores, morcillo. || *Amer.* Dícese del descendiente de zambaigo y china, o de chino y zambaiga. Ú.t.c.s. || *Amer.* Dícese del ave que tiene negras la pluma y la carne.

camelar. tr. fam. Galantear, requebrar. || fam. Seducir, engañar adulando. || *Amer.* Ver, mirar, acechar. |Sinón.: piropear, lisonjear|

camelia (al. *Kamelie*, fr. *camélia*, ingl. *camellia*, it. *camelia*). f. BOT. Arbusto rosáceo, originario de Japón y China, de hojas perennes, lustrosas y de un verde muy vivo, y flores inodoras, muy bellas, blancas, rojas o rosadas.

camélido. adj. ZOOL. Dícese de rumiantes artiodáctilos sin cuernos, que en la cara inferior del pie tienen una excrecencia callosa que comprende los dos dedos; como el camello y el dromedario. Ú.t.c.s. || m. pl. Familia de éstos animales.

camelo. m. fam. Galanteo. || fam. chasco, burla. || Noticia falsa. || Simulación, fingimiento, apariencia engañosa.

camellero. m. El que cuida de camellos o trajina con ellos.

camello (al. *Kamel*, fr. *chameau*, ingl. *camel*, it. *camello*). m. ZOOL. Cuadrúpedo rumiante oriundo de Asia Central, corpulento y algo más alto que el caballo. Tiene el cuello largo, la cabeza proporcionalmente pequeña y dos gibas en el dorso, formadas por la acumulación de una sustancia grasienta.

cameraman (voz inglesa). m. En cinematografía, operador.

camerino (voz italiana). m. Cuarto donde los actores se visten, camarín.

camilo. adj. Dícese del clérigo que pertenece a la congregación fundada en Roma por San Camilo de Lelis para el servicio de los enfermos. Ú.t.c.s.

camilucho, cha. adj. *Amer.* Dícese del indio jornalero del campo. Ú.t.c.s.

camilla (al. *Tragbahre*, fr. *civière*, ingl. *litter*, it. *barella*). f. Mesa armada con unos bastidores plegadizos y un tablero movible, debajo del cual se dispone un enrejado y una tarima para colocar un brasero. ‖ Cama estrecha y portátil para transportar enfermos o heridos.

camillero. m. El que lleva o transporta la camilla. ‖ Mil. Soldado práctico en conducir heridos en camilla y en hacerles algunas curas.

caminante. adj. Que camina. Ú.m.c.s.

caminar (al. *wandern*, fr. *marcher*, ingl. *to walk*, it. *camminare*). intr. Ir de viaje. ‖ Ir andando de un lugar a otro el hombre o el animal. ‖ tr. Andar determinada distancia.

caminata (al. *Weiter Spaziergang*, fr. *randonnée*, ingl. *long walk*, it. *camminata*). f. fam. Paseo largo y fatigoso.

caminero, ra. adj. Relativo al camino.

camino (al. *Weg*, fr. *chemin*, ingl. *way*, it. *strada*). m. Tierra hollada por donde se transita habitualmente. ‖ Vía que se construye para transitar. ‖ Jornada de un lugar a otro. ‖ Dirección que ha de seguirse para llegar a un lugar. ‖ fig. Medio o arbitrio para hacer o conseguir alguna cosa. ‖ — *de herradura*. El que es estrecho de modo que pueden transitar caballerías, pero no carros. ‖ — *de hierro*. Ferrocarril. ‖ *Camino de Santiago*. Vía Láctea. ‖ — *de sirga*. El que a orillas de los ríos y canales sirve para llevar las embarcaciones tirando de ellas desde tierra.

camión (al. *Lastwagen*, fr. *camion*, ingl. *truck*, it. *autocarro*). m. Carro de cuatro ruedas, grande y fuerte, que se usa principalmente para transportar cargas o fardos muy pesados. ‖ Vehículo automóvil de cuatro o más ruedas destinado a los mismos usos, autocamión. ‖ En algunas partes, autobús.

camionero. m. Persona que conduce un camión.

camioneta. f. Vehículo automóvil de cuatro ruedas destinado al transporte de carga. Se diferencia del camión por ser de menores dimensiones. ‖ En algunas partes, autobús que une el centro de una ciudad con la periferia.

camisa (al. *Hemd*, fr. *chemise*, ingl. *shirt*, it. *camicia*). f. Prenda de vestido interior hecha de lienzo, algodón u otra tela. ‖ Telilla con que están inmediatamente cubiertos algunos frutos, legumbres y granos. ‖ Piel que deja la culebra periódicamente. ‖ Revestimiento interior de un artefacto o una pieza mecánica, como el de los hornos de fundición, formado por materiales refractarios. ‖ Funda en forma de red, hecha con fibras de metales raros, con

la cual se cubren los mecheros de gas para que aumente la fuerza luminosa y disminuya el consumo de combustible. ‖ — *de fuerza*. Especie de camisa fuerte, abierta por detrás, con mangas cerradas en su extremidad, propia para sujetar los brazos del que padece demencia o delirio violento. ‖ *dejar* a uno *sin camisa*. fig. y fam. Arruinarlo enteramente. ‖ *jugar*, o *jugarse*, uno *hasta la camisa*. fig. y fam. Tener desordenada afición al juego. ‖ *meterse* uno *en camisas de once varas*. fig. y fam. Inmiscuirse en lo que no le incumbe o no le importa. ‖ *no llegarle* a uno *la camisa al cuerpo*. fig. y fam. Estar lleno de zozobra y temor por algún riesgo que amenaza.

camisería. f. Tienda en que se venden camisas. ‖ Taller donde se confeccionan.

camiseta (al. *Leibchen*, fr. *chemisette*, ingl. *vest*, it. *camicetta*). f. Camisa corta, ajustada y sin cuello, de franela, algodón o seda, ordinariamente de punto, y que por lo común se pone directamente sobre la piel.

camisola. f. Camisa de lienzo fino que se ponía sobre la interior, y solía estar guarnecida de puntillas o encajes en la abertura del pecho y los puños.

camisón. m. Camisa larga, especialmente la usada para dormir.

camomila. f. Bot. Manzanilla, la hierba y su flor.

camorra. f. fam. Riña o pendencia. [*Sinón.*: pelea, refriega]

camorrista. adj. fam. Que fácilmente y por leves causas arma camorras y pendencias. Ú.t.c.s. [*Sinón.*: reñidor, bravucón, camorrero, pendenciero]

camote. m. *Amer.* Batata. ‖ *Amer.* Bulbo. ‖ fig. *Amer.* Enamoramiento. ‖ fig. *Amer.* Amante, querida. ‖ fig. *Amer.* Mentira, bola. ‖ fig. *Amer.* Bribón, desvergonzado. ‖ fig. *Amer.* Persona tonta, boba.

camotear. intr. *Amer.* Andar vagando sin acertar con lo que se busca.

campal. adj. Perteneciente al campo.

campamento (al. *Lager*, fr. *camp*, ingl. *camp*, it. *accampamento*). m. Acción de acampar o acamparse. ‖ Mil. Lugar en despoblado donde se establecen temporalmente fuerzas del ejército resguardadas de la intemperie bajo tiendas de campaña o barracas. ‖ Mil. Tropa acampada. ‖ Por ext., instalación eventual, en terreno abierto, de personas que van de camino o que se reúnen para un fin especial. [*Sinón.*:

acantonamiento, vivaque; acampamiento]

campana (al. *Glocke*, fr. *cloche*, ingl. *bell*, it. *campana*). f. Instrumento de metal, en forma de copa invertida, que suena al ser herido por el badajo, y sirve principalmente en los templos para convocar a los fieles. ‖ Instrumento metálico de diversas formas que suena golpeado por un martillo o resorte. ‖ fig. Cualquier cosa que tiene forma semejante a la campana. ‖ *echar las campanas al vuelo*. fig. y fam. Dar publicidad con júbilo a alguna cosa. ‖ *oír* uno *campanas y no saber dónde*. fig. y fam. Entender mal una cosa o tergiversar una noticia.

campanada. f. Golpe que da el badajo en la campana. ‖ Sonido que produce. ‖ fig. Escándalo o novedad ruidosa.

campanario (al. *Glockenturm*, fr. *clocher*, ingl. *belfry*, it. *campanile*). m. Torre, espadaña o armadura donde se colocan las campanas.

campanero. m. Artífice que vacía y funde las campanas. ‖ El que tiene por oficio tocarlas.

campaniforme. adj. De forma de campana.

campanil. m. Campanario.

campanilla (al. *Klingel*, fr. *sonnette*, ingl. *hand-bell*, it. *campanello*). f. Campana manuable para muchos usos. ‖ Úvula. ‖ Flor cuya corola es de una pieza, y de figura de campana, que producen las enredaderas y otras plantas.

campanilleo. m. Sonido frecuente o continuado de la campanilla.

campante. adj. Que campa o sobresale. ‖ adj. fam. Ufano, satisfecho.

campanudo, da. adj. Que tiene alguna semejanza con la figura de campana. ‖ Dícese del vocablo de sonido muy fuerte y lleno, y del lenguaje o estilo hinchado y retumbante.

campánula. f. Bot. Hierba de hojas puntiagudas, flores violáceas campanadas y colgantes, propia de los prados de montaña de los Pirineos.

campaña (al. *Feldzug*, fr. *campagne*, ingl. *campaign*, it. *campagna*). f. Campo llano sin montes ni aspereza. ‖ Conjunto de actos o esfuerzos de índole diversa que se aplican a conseguir un fin determinado. ‖ Blas. Pieza de honor, en forma de faja, que ocupa en la parte inferior del escudo todo lo ancho de él y la cuarta parte de su altura. ‖ Mar. Período de operaciones de un buque o de una escuadra, desde la salida de un puerto hasta su regreso a él o comienzo de ulterior servicio. ‖ Mil. Tiempo que están los ejércitos fuera de sus cuarteles luchando con el enemigo.

campar. intr. Sobresalir. ‖ Acampar.

campeador. adj. Dícese del que sobresalía en el campo con acciones señaladas. Este calificativo se dio por excelencia al Cid Ruy Díaz de Vivar.

campear. intr. Salir a pacer los animales domésticos, o salir de sus cuevas y andar por el campo los que son salvajes. ‖ Campar, sobresalir, aventajarse. ‖ *Amer.* Salir al campo en busca de alguna persona o cosa.

campechano, na. adj. fam. Franco, dispuesto para cualquier broma o diversión. [*Sinón.:* bromista, alegre]

campeón, na (al. *Meister*, fr. *champion*, ingl. *champion*, it. *campione*). s. Persona que gana la primacía en el campeonato. ‖ Persona que defiende esforzadamente una causa o doctrina. ‖ m. Héroe famoso en armas.

campeonato (al. *Wettkampf*, fr. *championnat*, ingl. *tournament*, it. *campionato*). m. Certamen o contienda en que se disputa el premio en ciertos juegos o deportes. ‖ Preeminencia o primacía obtenida en las luchas deportivas.

campero, ra. adj. Perteneciente o relativo al campo, terreno fuera de poblado.

campesino, na. adj. Perteneciente al campo. ‖ Que suele andar en él. Ú.t.c.s. [*Sinón.:* rural, campestre]

campestre. adj. Campesino.

camping (voz inglesa). m. Acampada, campamento. ‖ Forma de excursionismo, y aun de turismo, que consiste en instalarse con tiendas de campaña en terrenos despoblados. ‖ Lugar donde se montan las tiendas de campaña.

campiña. f. Espacio grande de tierra llana labrantía.

campizal. m. Terreno pequeño cubierto a trechos de césped.

campo (al. *Feld*, fr. *campagne*, ingl. *field*, it. *campo*). m. Terreno extenso fuera de poblado. ‖ Tierra laborable. ‖ En contraposición a sierra o monte, campiña. ‖ Sembrados, árboles y demás cultivos. ‖ Sitio que se elige para celebrar un desafío. ‖ Término, terreno contiguo a una población. ‖ fig. Espacio, real o imaginario, en que cabe o por donde corre algo. ‖ fig En el grabado y las pinturas, espacio que no tiene figuras o sobre el cual se representan éstas. ‖ BLAS. Superficie total e interior del escudo. ‖ FIS. Espacio en que se

manifiesta cualquier acción física a distancia. ‖ MIL. Terreno o comarca ocupados por un ejército durante las operaciones de guerra. ‖ – *de batalla*. MIL. Lugar donde combaten dos ejércitos. ‖ – *de concentración*. Recinto en que por orden de la autoridad se obliga a vivir a cierto número de personas, por motivos políticos, militares, etc. ‖ – *del honor*. fig. Sitio donde, conforme a unas reglas, combaten dos o más personas. ‖ – *santo*. Cementerio de los católicos. ‖ – *semántico*. LING. Sector del vocabulario que comprende términos ligados entre sí por referirse a un mismo orden de realidades o de ideas. ‖ – *visual*. Espacio que abarca la vista estando el ojo inmóvil. ‖ *a campo raso*. m. adv. Al descubierto. ‖ *a campo traviesa*. m. adv. Dejando el camino y cruzando el campo. ‖ *batir el campo*. MIL. Reconocerlo. ‖ *dejar* uno *el campo abierto, libre, etc.* fig. Retirarse de algún empeño en que hay competidores.

camposanto. m. Campo santo.

campus. m. Conjunto de explanadas que rodean los edificios de una universidad.

camuflar (al. *tarnen*, fr. *camoufler*, ingl. *to camouflage*, it. *camuffare*). tr. Disimular la presencia de fuerzas bélicas dándoles apariencia que pueda engañar al enemigo. ‖ Por ext., disimular, dando a una cosa el aspecto de otra.

can. m. Perro, animal. ‖ Gatillo de las armas de fuego. ‖ ARQ. Cabeza de una viga del techo interior. ‖ *Can Mayor.* ASTR. Constelación austral situada debajo y algo al oriente de la de Orión. ‖ *Can Menor.* ASTR. Constelación ecuatorial al oriente de Orión y debajo del Cangrejo y de los Gemelos.

cana (al. *weisses Haar*, fr. *cheveu blanc*, ingl. *white hair*, it. *capello bianco*). f. Cabello que se ha vuelto blanco. Ú.m. en pl. ‖ *echar una cana al aire*. fig. y fam. Esparcirse, divertirse. ‖ *peinar canas.* fig. y fam. Ser viejo.

canadiense. adj. Natural de Canadá. Ú.t.c.s. ‖ Perteneciente o relativo a este país.

canal (al. *Kanal*, fr. *canal*, ingl. *channel*, it. *canale*). amb. Cauce artificial por donde se conduce el agua para darle salida o para diversos usos. ‖ m. Estrecho marítimo, que a veces es obra de la industria humana, como el de Panamá. ‖ amb. Cualquiera de las vías por donde los gases o las aguas cir-

culan en el seno de la Tierra. ‖ Teja delgada y mucho más combada que las comunes, que en los tejados sirve para formar los conductos por donde corre el agua. ‖ Cada uno de esos conductos. ‖ Res muerta, sin tripas y demás despojos. ‖ Cada una de las bandas de frecuencia en que puede emitir una emisora de radio o televisión.

canalización. f. Acción y efecto de canalizar.

canalizar (al. *kanalisieren*, fr. *canaliser*, ingl. *to canalize*, it. *canalizzare*). tr. Abrir canales. ‖ Regularizar el cauce o la corriente de un río o arroyo. ‖ Aprovechar para el riego o la navegación las aguas corrientes o estancadas, dándoles conveniente dirección por medio de canales o acequias.

canalón (al. *Dachrine*, fr. *gouttière*, ingl. *rain gutter*, it. *tubo della grondaia*). m. Conducto que recibe y vierte el agua en los tejados. [*Sinón.:* caño, gárgola]

canalla. f. fig. y fam. Gente baja, ruin. ‖ m. fig. y fam. Hombre despreciable y de malos procederes. [*Sinón.:* chusma, populacho; ruin]

canallada. f. Acción o dicho propios de un canalla.

canallesco, ca. adj. Propio de la canalla o de un canalla.

canana (al. *Patronengürtel*, fr. *ceinture à cartouches*, ingl. *cartridge belt*, it. *cartucciera a cinturone*). f. Cinto dispuesto para llevar cartuchos.

cananeo, a. adj. Natural de la tierra de Canaán. Ú.t.c.s. ‖ Perteneciente o relativo a este país.

canapé (al. *Kanapee*, fr. *canapé*, ingl. *lounge*, it. *canape*). m. Escaño que comúnmente tiene acolchados el asiento y el respaldo para mayor comodidad, y sirve para sentarse o recostarse. Los hay también de enrejado de junco delgado y con respaldo sólo de madera. ‖ Rebanada de pan sobre la que se extienden distintos manjares, y que sirve de aperitivo.

canario, ria. adj. Natural de las islas Canarias. Ú.t.c.s. ‖ Perteneciente a ellas. ‖ m. ZOOL. Pájaro originario de las islas Canarias, de unos trece centímetros de longitud; tiene las alas puntiagudas, cola larga y ahorquillada, pico cónico y delgado, y plumaje amarillo verdoso o blanquecino, a veces con manchas pardas. Es una de las aves de mejor y más sostenido canto; se reproduce en cautividad y a veces se cruza la hembra del canario con el macho del jilguero.

canasta (al. *Henkelkorb*, fr. *corbeille*, ingl. *basket*, it. *canestra*). f. Cesto de mimbre, ancho de boca, que suele tener dos asas. ‖ Juego de naipes, con dos o más barajas francesas entre dos bandos de jugadores. ‖ En ese juego, reunión de siete naipes del mismo número, que presenta un jugador solo o ayudado por sus compañeros. ‖ Tanto en el juego del baloncesto, que vale uno o dos puntos.

canastilla. f. Cestilla de mimbre en que se tienen objetos menudos de uso doméstico. ‖ Ropa que se previene para el niño que ha de nacer. [*Sinón.*: cesto; ajuar]

canasto. m. Canasta recogida de boca.

cáncamo. m. MAR. Pieza de hierro en forma de armella, clavada en la cubierta o costado del buque, que sirve para enganchar motones, amarrar cabos, etc.

cancán. m. Baile de origen francés, muy en boga durante la segunda mitad del siglo XIX.

cancanear. intr. fam. Errar, vagar o pasear sin objeto determinado. ‖ *Amer.* Tartamudear. ‖ *Amer.* Ratear un motor.

cancel. m. Contrapuerta de tres hojas, una de frente y tres laterales, ajustadas éstas a las jambas de una puerta de entrada, y cerrado todo por un techo.

cancela (al. *Gittertür*, fr. *grille*, ingl. *frontdoor grating*, it. *cancello*). f. Verjilla que se pone en el umbral de algunas casas para reservar el portal o zaguán del libre acceso del público. ‖ Verja, comúnmente de hierro y muy labrada, que en muchas casas de Andalucía sustituye a la puerta divisoria del portal y el recibimiento o pieza que antecede al patio, de modo que las macetas y otros adornos de éste se vean desde la calle.

cancelación. f. Acción y efecto de cancelar. [*Sinón.*: anulación, abolición, derogación]

cancelar (al. *tilgen*, fr. *annuler*, ingl. *to cancel*, it. *annullare*). tr. Anular, hacer ineficaz un instrumento público, una inscripción en registro, una nota o una obligación que tenía autoridad o fuerza. [*Sinón.*: derogar, abolir. *Antón.*: promulgar]

cáncer (al. *Krebs*, fr. *cancer*, ingl. *cancer*, it. *cancro*). m. Tumor maligno, duro y ulceroso, que invade y destruye los tejidos orgánicos animales y es difícilmente curable. ‖ n.p.m. ASTR.

Cuarto signo del Zodiaco, de 30° de amplitud, que el Sol recorre aparentemente al comenzar el verano. ‖ ASTR. Constelación zodiacal que actualmente se halla delante del mismo signo y un poco hacia el Oriente. [*Sinón.*: carcinoma, tumor, neoplasia, cancro]

cancerbero. m. MIT. Perro de tres cabezas que, según la leyenda, guardaba la puerta de los infiernos. ‖ Portero o guardián severo y de modales bruscos. ‖ Guardameta.

cancerología. f. Rama de la medicina, que se ocupa del cáncer.

canceroso, sa. adj. Que padece cáncer o que participa de su naturaleza.

canciller. m. Empleado auxiliar en embajadas, legaciones, consulados y agencias diplomáticas. ‖ Título que en algunos Estados europeos ostenta un alto funcionario que es a veces jefe o presidente del gobierno.

cancillería (al. *Kanzlei*, fr. *chancellerie*, ingl. *chancery*, it. *cancelleria*). f. Oficio del canciller. ‖ Oficina especial en las embajadas, legaciones, consulados y agencias diplomáticas.

canción (al. *Lied*, fr. *chanson*, ingl. *song*, it. *canzone*). f. Composición en verso, que se canta, o hecha a propósito para que se pueda poner en música. ‖ Música con que se canta esta composición. ‖ fig. Cosa dicha con repetición insistente o pesada. ‖ — *de cuna.* Cantar con que se procura hacer dormir a los niños. ‖ *ésa es otra canción.* fig. y fam. Ése es otro asunto.

cancionero. m. Colección de canciones y poesías.

cancro. m. Cáncer, tumor maligno. ‖ BOT. Úlcera que se manifiesta por manchas blancas o rosadas en la corteza de los árboles, la cual se resquebraja por el sitio dañado y segrega un líquido acre y rojizo.

cancha. f. Local destinado a juego de pelota, riñas de gallos u otros usos análogos. ‖ Suelo del frontón o trinquete. ‖ *Amer.* En general, sitio o lugar amplio y despejado. ‖ *Amer.* Hipódromo. ‖ *Amer.* Campo de fútbol. ‖ *Amer.* Lo que cobra el dueño de una casa de juego. ‖ *¡cancha! Amer.* interj. que se emplea para pedir que abran paso.

canchal. m. Peñascal o sitio poblado de piedras. [*Sinón.*: pedregal]

candado (al. *Hängeschloss*, fr. *cadenas*, ingl. *padlock*, it. *lucchetto*). m. Cerradura suelta contenida en una caja de metal, que, por medio de armellas, asegura puertas, ventanas, tapas de cofres, maletas, etc.

candar. tr. Cerrar con llave. ‖ Por ext., cerrar de cualquier modo.

candeal. adj. Dícese de cierta clase de trigo y del pan que con él se elabora. Ú.t.c.s. [*Sinón.*: ceburro]

candela. f. Vela para alumbrarse. ‖ Flor del castaño. ‖ fam. Lumbre, brasa. ‖ FÍS. Unidad fotométrica internacional, basada en la radiación de un cuerpo negro a la temperatura de solidificación del platino.

candelabro (al. *Kandelaber*, fr. *candélabre*, ingl. *candlestick*, it. *candelabro*). m. Candelero de dos o más brazos, que se sustenta sobre su pie o sujeto en la pared.

candelaria. f. Fiesta que celebra la Iglesia el día de la Purificación de Nuestra Señora, y en la cual se hace procesión solemne con candelas benditas.

candelero. m. Utensilio que sirve para mantener derecha la vela o candela. ‖ Velón. ‖ Instrumento para pescar deslumbrando a los peces con teas encendidas. ‖ El que hace o vende candelas. [*Sinón.*: candelabro, palmatoria, lucerno]

candencia. f. Calidad de candente.

candente. adj. Dícese del cuerpo, generalmente metal, cuando se enrojece o blanquea por acción del metal.

candidato, ta (al. *Anwärter*, fr. *candidat*, ingl. *candidate*, it. *candidato*). s. Persona que pretende alguna dignidad, honor o cargo. ‖ Persona propuesta o indicada para una dignidad o un cargo, aunque no lo solicite. [*Sinón.*: aspirante, solicitante, pretendiente]

candidatura. f. Reunión de candidatos a un empleo. ‖ Aspiración a cualquier honor o cargo o a ser propuesto para él. ‖ Papeleta en que va impreso el nombre de uno o varios candidatos. ‖ Propuesta de persona para una dignidad o un cargo.

candidez. f. Calidad de cándido.

cándido, da. adj. Sencillo, sin malicia ni doblez. [*Sinón.*: ingenuo, simple]

candil. m. Utensilio para alumbrar, formado por dos recipientes de metal superpuestos, cada uno con su pico; en el superior se ponen el aceite y la torcida; en el inferior, una varilla con garfio para colgarlo. ‖ Lamparilla manual de aceite, usada antiguamente, en forma de taza cubierta, que tenía en su borde superior, por un lado, la piquera o mechero, y por otro, el asa. [*Sinón.*: pendil]

candilejas. f. pl. Línea de luces en el proscenio del teatro.

candor. m. Suma blancura. ‖ fig. Sinceridad, sencillez y pureza del ánimo. [Sinón.: inocencia, ingenuidad. Antón.: suciedad, malicia]

candoroso, sa. adj. Que tiene candor.

canela (al. Zimt, fr. cannelle, ingl. cinnamon, it. cannella). f. Corteza de las ramas del canelo, una vez quitada la epidermis, de color rojo amarillento, olor muy aromático y sabor agradable. ‖ fig. y fam. Cosa muy fina y exquisita.

canelar. m. Plantío de canelos.

canelo, la. adj. De color de canela, aplicado especialmente a perros y caballos. ‖ m. BOT. Árbol originario de Ceilán, de la familia de las lauríneas, de siete a ocho metros de altura, con tronco liso, hojas parecidas a las del laurel, flores terminales blancas, de olor agradable, y por frutos, drupas ovales de color pardo azulado. La segunda corteza de sus ramas es la canela.

canelón. m. Canalón de tejados. ‖ Carámbano largo y puntiagudo que cuelga de las canales cuando se hiela el agua de la lluvia o se derrite la nieve. ‖ Rollo de pasta de harina relleno de diversos manjares, y también la pasta de que se hace.

canesú. m. Cuerpo de vestido femenino corto y sin mangas. ‖ Pieza superior de la camisa o la blusa, a la que se pegan el cuello, las mangas y el resto de la prenda.

cangilón. m. Vaso grande de barro o metal, en forma de cántaro, para acarrear o tener líquidos, y a veces para medirlos. ‖ Vasija de barro o metal que sirve para sacar agua de pozos y ríos; va atada, con otras, a una maroma doble que descansa sobre la rueda de la noria. ‖ Cada una de las vasijas de hierro que forman parte de ciertas dragas y extraen del fondo de puertos, ríos, etc., el fango, las piedras y la arena que los obstruyen.

cangreja. adj. MAR. Dícese de una vela de cuchillo, de forma trapezoidal, que va envergada con dos relingas en el pico y palo correspondientes. Ú.t.c.s.

cangrejera. f. Nido de cangrejos.

cangrejo (al. Krebs, fr. crabe, ingl. crab, it. gambero). m. ZOOL. Cualquiera de los artrópodos crustáceos del orden de los decápodos. ‖ MAR. Verga que tiene en uno de sus extremos una boca semicircular por donde ajusta con el palo del buque, y la cual puede correr de arriba abajo o viceversa, y girar a su alrededor mediante los cabos que se

emplean para manejarla. ‖ n.p.m. ASTR. Cáncer. ‖ – de mar. Cámbaro. ‖ – de río. Crustáceo decápodo, de unos diez centímetros de largo, con caparazón de color verdoso, que al cocerlo se cambia en rojo, y gruesas pinzas en los extremos de las patas del primer par. Su carne es muy apreciada.

cangrena. f. Gangrena.

canguro (al. Känguruh, fr. kangourou, ingl. kangoroo, it. canguro). m. ZOOL. Mamífero herbívoro, que anda a saltos por tener las extremidades delanteras mucho más cortas que las posteriores; cuando está quieto se apoya en estas últimas y en la cola, que es muy robusta. Vive en rebaños en las praderas de Australia y Nueva Guinea. ‖ NEOL. Vestido, por lo general impermeable, cerrado, con capucha y un bolso delantero, por cuyo parecido con un marsupial recibe la prenda este nombre.

caníbal (al. Kannibale, fr. cannibale, ingl. cannibal, it. cannibale). adj. Dícese del salvaje de las Antillas, que era tenido por antropófago. Ú.t.c.s. ‖ Antropófago. Ú.t.c.s. ‖ fig. Dícese del hombre cruel y feroz. Ú.t.c.s. ‖ ZOOL. Dícese del animal que come carne de otros de su especie.

canibalismo. m. Antropofagia atribuida a los caníbales. ‖ fig. Ferocidad propia de caníbales.

canica. f. Juego infantil que se hace con bolitas de barro, vidrio u otra materia dura. Ú.m. en pl. ‖ Cada una de estas bolitas.

canícula. f. Período del año en que son más acentuados los calores. [Sinón.: estío, verano]

canicular. adj. Perteneciente a la canícula.

cánido. adj. ZOOL. Dícese de los mamíferos carnívoros que son digitigrados, de uñas no retráctiles, con cinco dedos en las patas anteriores y cuatro en las posteriores, como el perro y el lobo. Ú.t.c.s. ‖ m. pl. Familia de estos animales.

canijo, ja. adj. fam. Débil y enfermizo. Ú.t.c.s. [Sinón.: enclenque, enfermizo. Antón.: robusto, sano]

canilla. f. Cualquiera de los huesos largos de la pierna o el brazo. ‖ Cualquiera de los huesos principales del ala del ave. ‖ Carrete metálico en que se devanan la seda o el hilo, y que van dentro de la lanzadera en las máquinas de tejer y coser. ‖ En algunas partes, pierna. ‖ Amer. Pantorrilla. ‖ Amer. Grifo, llave. ‖ fig. Amer. Fuerza física.

canino, na. adj. Relativo al can. ‖ m. Colmillo. [Sinón.: perruno]

canje. m. Cambio, trueque o sustitución.

canjear (al. austauschen, fr. échanger, ingl. to exchange, it. cambiare). tr. Hacer canje. [Sinón.: cambiar, permutar, trocar]

cano, na. adj. Que tiene canas. ‖ fig. Anciano o antiguo. [Sinón.: canoso, pelicano, entrecano]

canoa (al. Baumkhan, fr. canoë, ingl. canoe, it. canoa). f. Embarcación de remo muy estrecha, ordinariamente de una pieza, sin quilla y sin diferencia de forma entre proa y popa. ‖ Bote muy ligero que llevan algunos buques, generalmente para uso del capitán o comandante.

canódromo. m. Lugar convenientemente preparado para las carreras de galgos.

canon. m. Regla o precepto. ‖ Decisión o regla establecida en algún concilio de la Iglesia sobre el dogma o la disciplina. ‖ Catálogo de los libros sagrados y auténticos recibidos por la Iglesia católica. ‖ Parte de la misa. ‖ Regla de las proporciones de la figura humana, conforme al tipo ideal aceptado por los escultores egipcios y griegos. ‖ Presentación pecuniaria periódica que grava una concesión gubernativa o un disfrute en el dominio público. ‖ Percepción pecuniaria convenida o estatuida para cada unidad métrica que se extraiga de un yacimiento, o que sea objeto de otra operación mercantil o industrial.

canónico, ca. adj. Arreglado a los sagrados cánones y demás disposiciones eclesiásticas. ‖ Se aplica a los libros y epístolas que contienen el canon de los libros auténticos de la Sagrada Escritura. [Sinón.: regular. Antón.: irregular, inconforme]

canónigo (al. Domherr, fr. chanoine, ingl. canon, it. canonico). m. El que tiene una canonjía.

canonista. m. El que profesa el derecho canónico o tiene extensos conocimientos sobre esta disciplina.

canonización. f. Acción y efecto de canonizar.

canonizar (al. heiligsprechen, fr. canoniser, ingl. canonize, it. canonizzare). tr. Declarar solemnemente santo y poner el Papa en el catálogo de ellos a un siervo de Dios, ya beatificado. ‖ fig. Calificar de buena a una persona o cosa, aun cuando no lo sea. [Sinón.: santificar]

canonjía. f. Prebenda por la que se pertenece al cabildo de la iglesia catedral o colegial. || fig. y fam. Empleo de poco trabajo y bastante provecho. [Sinón.: canonicato, beneficio]

canoro, ra. adj. Dícese del ave de canto grato y melodioso. || Grato y melodioso, hablando de la voz de las aves y de las personas, y en sentido figurado, de la poesía, instrumentos musicales, etc.

canoso, sa (al. weisshaarig, fr. chenu, ingl. gray-haired, it. canuto). adj. Que tiene muchas canas. [Sinón.: cano, pelicano]

cansancio (al. Müdigkeit, fr. lassitude, ingl. weariness, it. stanchezza). m. Falta de fuerzas que resulta de haberse fatigado. [Sinón.: laxitud, agotamiento. Antón.: fortaleza, viveza]

cansar. tr. Causar cansancio. Ú.t.c.r. [Sinón.: fatigar, agotar]

cansino, na. adj. Aplícase al hombre o al animal cuya capacidad de trabajo está disminuida por el cansancio. || Cansado, pesado.

cantable. adj. Que se puede cantar. Mús. Que se canta despacio. || m. Parte que el autor del libreto de una zarzuela escribe en versos, debidamente acentuados, para que puedan ponerse en la música.

cantábrico, ca. adj. Perteneciente a Cantabria.

cántabro, bra. adj. Natural de Cantabria. Ú.t.c.s.

cantante. adj. Que canta. || com. Cantor o cantora de profesión.

cantar (al. singen, fr. chanter, ingl. to sing, it. cantare). m. Copla o breve composición poética puesta en música para cantarse, o adaptable a aires populares, como el fandango, la jota, etc. || — de gesta. Poesía popular en que se referían los hechos de personajes históricos, legendarios o tradicionales. || intr. Formar con la voz sonidos melodiosos y variados. Dícese de las personas y, por ext., de los animales, principalmente de las aves. Ú.t.c.tr. || Producir algunos insectos sonidos estridentes, haciendo vibrar ciertas partes de su cuerpo. || fig. y fam. Revelar o confesar lo secreto.

cántara. f. Medida de capacidad para líquidos; tiene ocho azumbres y equivale a 1.613 cl. || Cántaro.

cantarín, na. adj. Aficionado con exceso a cantar.

cántaro (al. Krug, fr. cruche, ingl. jug, it. brocca). m. Vasija grande de barro o metal, angosta de boca, ancha por la barriga y estrecha por el pie y, por lo común, con una o dos asas. || Medida de vino que varía de cabida en las diferentes regiones de España. [Sinón.: botijo]

cantata. f. Composición poética de alguna extensión, escrita para que se ponga en música y se cante. || Mús. Pieza vocal.

cantazo. m. Golpe dado con un canto. || Por ext., pedrada.

cante. m. Acción y efecto de cantar. || En Andalucía, cualquier género de canto popular. || — flamenco. Variante del cante hondo debida a los gitanos. || — hondo. Género de cante andaluz con marcados rasgos orientales, debidos a la influencia árabe. || — jondo. Cante hondo.

cantera (al. Steinbruch, fr. carrière, ingl. quarry, it. cava di petre). f. Sitio donde se saca piedra, greda u otra sustancia análoga para obras varias. || fig. Talento, ingenio y capacidad que muestra una persona.

cantería. f. Arte de labrar las piedras para las construcciones. || Porción de piedra labrada y obra que se hace con esta piedra. [Sinón.: estereotomía]

cantero. m. El que labra las piedras para las construcciones. || Extremo de ciertas cosas duras que se pueden partir con facilidad. [Sinón.: picapedrero, cincelador]

cántico. m. Cada una de las composiciones poéticas de los libros sagrados y los litúrgicos, en que se dan gracias o tributan alabanzas a Dios. [Sinón.: salmo]

cantidad (al. Menge, fr. quantité, ingl. quantity, it. quantità). f. Todo lo que es capaz de aumento o disminución, y puede, por consiguiente, medirse o numerarse. || Porción grande de alguna cosa. || Porción de dinero.

cantiga o cántiga. f. Antigua composición poética destinada al canto.

cantilena. f. Cantar, copla, composición poética breve, hecha generalmente para que se cante.

cantimplora (al. Feldflasche, fr. bidon, ingl. canteen, it. cantimplora). f. Vasija de metal, que sirve para enfriar el agua y es semejante a la garrafa. || Frasco aplanado y revestido de cuero, paja o bejuco, para llevar la bebida. [Sinón.: alcarraza]

cantina. f. Sótano donde se guarda el vino para el consumo de la casa. || Puesto público en que se venden bebidas y determinados comestibles. [Sinón.: bodega, bar]

cantinela. f. Cantilena.

cantinera. f. Mujer que tiene por oficio servir bebidas a la tropa, incluso durante las acciones de guerra.

cantinero. m. El que cuida de los licores y bebidas. || El que tiene cantina o puesto para vender bebidas y algunos comestibles.

canto (al. Gesang, fr. chant, ingl. singing, it. canto). m. Acción y efecto de cantar. || Arte de cantar. || Poema corto de género heroico. || Cada una de las partes en que se divide el poema épico. || Mús. Parte melódica que da carácter a una pieza de música concertante. [Sinón.: copla, tonada, canción]

canto. m. Extremidad o lado de cualquier parte o sitio. || Extremidad, punta, esquina o remate de alguna cosa. || En el cuchillo, o en el sable, parte opuesta al filo. || Corte del libro, opuesto al lomo. || Grueso de alguna cosa. || Trozo de piedra. || a canto o al canto. loc. adv. A pique o muy cerca de; inmediata y efectivamente; a veces, inevitablemente. Muy usado en frases elípticas, generalmente después de un sustantivo. [Sinón.: borde, margen, orilla]

cantón. m. Esquina de un edificio. || Región, territorio. || Acantonamiento, sitio de tropas acantonadas. || Amer. Parte aislada en medio de una llanura. || Blas. Cada uno de los cuatro ángulos que pueden considerarse en el escudo.

cantonal. adj. Partidario o defensor del cantonalismo. Ú.t.c.s. || Perteneciente o relativo al cantón o al cantonalismo.

cantonalismo. m. Sistema político que aspira a dividir el Estado en cantones casi independientes.

cantonera. f. Pieza que se coloca en las esquinas de libros, muebles u otros objetos como refuerzo o adorno. || Rinconera, mesilla.

cantor, ra (al. Sänger, fr. chanteur, ingl. singer, it. cantante). adj. Que canta, principalmente si lo tiene por oficio. Ú.t.c.s. || Zool. Dícese de las aves pequeñas, de cuello corto, cabeza relativamente grande, alas medianas, plumaje suave y abundante, uñas largas y aceradas y los músculos de la laringe muy desarrollados. [Sinón.: cantante]

cantoral. m. Libro de coro.

canturrear. intr. fam. Cantar a media voz.

cánula. f. Caña pequeña. || Tubo corto que se emplea en diferentes operaciones de cirugía o que forma parte de aparatos físicos o quirúrgicos. || Tubo terminal o extremo de las jeringas.

canular. adj. Que tiene forma de cánula.

canuto. m. Cañuto.

caña (al. *Schilfrohr*, fr. *canne*, ingl. *reed*, it. *canna*). f. Bот. Tallo de las plantas gramíneas, por lo común hueco y nudoso. ‖ Bот. Planta gramínea, indígena de Europa Meridional; tiene tallo leñoso, hueco, flexible y de tres a cuatro metros de altura; hojas anchas y algo ásperas, y flores en panojas muy ramosas; se cría en parajes húmedos. ‖ Canilla del brazo o de la pierna. ‖ Tuétano. ‖ Parte de la bota que cubre la pierna. ‖ Parte de la media que cubre desde la pantorrilla hasta el talón. ‖ Vaso de forma cilíndrica o ligeramente cónica, alto y estrecho, que se usa para beber vino o cerveza. Por ext., cualquier vaso para cerveza. ‖ Líquido contenido en uno de esos vasos. ‖ Arq. Fuste de la columna. ‖ En minería, galería de la mina. ‖ Cierta canción popular de procedencia andaluza. ‖ Aguardiente de caña. ‖ — *de azúcar*. Bот. Planta gramínea originaria de la India, con el tallo leñoso, de uno o dos metros de altura, hojas largas lampiñas y flores purpúreas en panoja piramidal; el tallo está lleno de un tejido esponjoso y dulce, del que se extrae el azúcar. ‖ — *del timón*. Mar. Palanca encajada en la cabeza del timón y con la cual se maneja. ‖ — *de pescar*. La que sirve para pescar y lleva en el extremo más delgado el sedal con el anzuelo. ‖ — *dulce*. Caña de azúcar.

cañada (al. *Engpass*, fr. *vallon*, ingl. *glen*, it. *gola –di montagne–*). f. Espacio de tierra entre dos alturas poco distantes entre sí.

cañaheja. f. Planta umbelífera de unos dos metros de altura, con raíces crasas y flores amarillas. ‖ Tallo principal de esta planta después de cortado y seco.

cañal. m. Cañaveral. ‖ Cerco de cañas que se hace en los ríos para pescar. ‖ Canal pequeño que se construye al lado de un río para que entre la pesca y se pueda recoger con facilidad.

cañamar. m. Sitio sembrado de cáñamo.

cañamazo. m. Estopa de cáñamo. ‖ Tela tosca de cáñamo. ‖ Tela de tejido ralo, dispuesta para bordar en ella con seda o lana de colores. ‖ La misma tela después de bordada.

cañamelar. m. Plantío de caña de azúcar.

cáñamo (al. *Hanf*, fr. *chanvre*, ingl. *hemp*, it. *canapa*). m. Bот. Planta herbácea anual, de unos dos metros de altura, tallo erguido, ramoso, áspero, hueco y velloso; hojas opuestas divididas en hojuelas lanceoladas, y flores verdosas. Su simiente es el cañamón. Esta planta se cultiva y prepara como el lino. ‖ Filamento textil de esta planta. ‖ Lienzo de cáñamo. ‖ *Amer.* Nombre que se da a diversas plantas textiles. ‖ — *índico*. Bот Variedad de cultivo del cáñamo común, de menor talla y peor calidad textil, pero con mucha mayor concentración del alcaloide que segregan los pelos de sus hojas. Las propiedades hinópticas han originado el uso de fumar sus hojas e inflorescencias después de secas y trituradas (⟋*grifa*, ⟋*hachís*, ⟋*mariguana* o *marihuana*).

cañamón. m. Simiente del cáñamo. Tiene el núcleo blanco, redondo, más pequeño que la pimienta y cubierto de una corteza de color gris verdoso.

cañar. m. Cañaveral.

cañavera. f. Carrizo.

cañaveral. m. Sitio poblado de cañas o cañaveras. ‖ plantío de cañas. [*Sinón.*: cañal, cañar, cañizar]

cañería. f. Conducto formado de caños por donde se distribuyen las aguas o el gas. [*Sinón.*: tubería]

cañero. m. El que hace cañerías. ‖ En Andalucía, utensilio en forma de doble bandeja con agujeros en la parte superior para sujetar las cañas o vasos del vino de manzanilla al servirlos.

cañero, ra. adj. Perteneciente o relativo a la caña de azúcar. Ú.t.c.s.

cañí. com. Gitano de raza.

cañiza. adj. Dícese de la madera que tiene la veta a lo largo.

cañizal. m. cañizar.

cañizo. m. Tejido de cañas y bramante o tomiza, que sirve para armazón en los toldos de los carros, sostén del yeso en los cielos rasos, etc.

caño (al. *Röhre*, fr. *tuyau*, ingl. *pipe*, it. *doccione*). m. Tubo corto de metal, vidrio o barro a modo de cañuto. ‖ En el órgano, conducto del aire que produce el sonido.

cañón (al. *Kanone*, fr. *canon*, ingl. *gun*, it. *cannone*). m. Pieza hueca y larga, a modo de caña. ‖ Parte córnea y hueca de la pluma del ave. ‖ Pieza de artillería, de gran longitud con respecto a su calibre, destinada a lanzar balas, metralla o cierta clase de proyectiles huecos. ‖ Geol. Hendidura estrecha y profunda excavada por la acción erosiva de las aguas del río que discurre por su fondo. ‖ Paso, desfiladero. ‖ *Amer.* Tronco de un árbol. ‖ *Amer.* Camino, tierra por donde se transita y vía construida para transitar.

cañonazo. m. Tiro de cañón de artillería. ‖ Ruido y estrago que produce. [*Sinón.*: descarga]

cañonear (al. *mit geschützen feuern*, fr. *cannoner*, ingl. *to fire guns*, it. *cannoneggiare*). tr. Batir a cañonazos. Ú.t.c.r.

cañonero, ra (al. *Kanonenboot*, fr. *canonnière*, ingl. *gunboat*, it. *cannoniera*). adj. Se aplica a los barcos y lanchas que montan algún cañón. Ú.t.c.s. ‖ m. Mar. Barco de guerra de poco desplazamiento que monta cañones de pequeño calibre. ‖ f. Mar. Lancha rápida artillada. ‖ Tronera, abertura para disparar el cañón. ‖ *Amer.* Pistolera.

cañutillo. m. Tubito delgado de vidrio, que se emplea en trabajos de pasamanería. ‖ Hilo de oro o de plata rizado para bordar.

cañuto. m. En las cañas, sarmientos y tallos semejantes, parte intermedia entre nudo y nudo. ‖ Cañón de palo, metal u otra materia, corto y no grueso, que sirve para diferentes usos. [*Sinón.*: canuto]

caoba (al. *Mahagonibaum*, fr. *acajou*, ingl. *mahogany-tree*, it. *mogano*). f. Bот. Árbol de América, de unos veinte metros de altura, con tronco muy recto y grueso, hojas compuestas de hojuelas enteras y aovadas, flores pequeñas y blancas, y su fruto capsular, duro y leñoso. Su madera es muy estimada para fabricar muebles por su hermoso aspecto, fácil pulimento y no carcomerse. ‖ Madera de este árbol.

caolín. m. Arcilla blanca muy pura que se emplea en la fabricación de la porcelana y del papel.

caos (al. *Chaos*, fr. *chaos*, ingl. *chaos*, it. *caos*). m. Según muchas tradiciones poéticas y religiosas, estado de confusión de los elementos, antecedente a la organización del universo. ‖ fig. Confusión, desorden.

caótico, ca. adj. Perteneciente o relativo al caos.

capa. f. Prenda de vestir larga y suelta, sin mangas, abierta por delante, que se lleva sobre el vestido. ‖ Sustancia diversa que se sobrepone a una cosa para bañarla o cubrirla. ‖ Porción de algunas cosas que están extendidas unas sobre otras. ‖ Hoja de tabaco que por su tersura y sanidad, se destina a envolver el rollo formado por la tripa y el capillo, terminando el torcido del cigarro puro. ‖ Colas de los caballos y otros animales. ‖ fig. Pretexto con que se encubre un designio. ‖ – *pluvial.* La que se ponen principalmente los prelados y los prestes en los actos del culto divino. ‖ *andar* uno *de capa caída.* fig. y fam. Padecer gran decadencia en bienes, fortuna o salud.

capacete. m. Pieza de la armadura, que cubría y defendía la cabeza.

capacidad (al. *Befähigung,* fr. *capacité,* ingl. *capacity,* it. *capacità*). f. Aptitud que poseen ciertos cuerpos y elementos para contener en su seno materia o energía. ‖ Extensión o espacio de algún sitio o local. ‖ Aptitud o suficiencia para alguna cosa. ‖ DER. Aptitud legal para ejercitar un derecho o una función civil, política o administrativa. [*Sinón.:* cabida, volumen; competencia. *Antón.:* incapacidad, ineptitud]

capacitar (al. *befähigen,* fr. *habiliter,* ingl. *to enable,* it. *abilitare*). tr. Hacer a uno apto, habilitarle para alguna cosa. Ú.t.c.r. ‖ Facultar o comisionar a una persona para hacer algo.

capacha. f. Esportilla de palma para llevar fruta y otras cosas menudas. ‖ vulg. *Amer.* Órgano sexual femenino.

capacho. m. Espuerta de juncos o mimbres para llevar fruta u otras ·cosas. ‖ Media sera de esparto con que se cubren los cestos de frutas y las seras del carbón y donde suelen comer los bueyes. ‖ Especie de espuerta de cuero o de estopa muy recia, en que los albañiles llevan la mezcla de cal y arena desde el montón para la obra.

capador. m. El que tiene el oficio de capar.

capadura. f. Acción y efecto de capar. ‖ Cicatriz que queda al castrado. ‖ Hoja de tabaco de calidad inferior, que se emplea para picadura y alguna vez para tripas.

capar (al. *kastrieren,* fr. *châtrer,* ingl. *to geld,* it. *castrare*). tr. Extirpar o inutilizar los órganos genitales. ‖ fig. y fam. Disminuir o cercenar.

caparazón (al. *Panzer,* fr. *carapace,* ingl. *crust,* it. *carcame*). m. Cubierta coriácea, ósea o caliza, que protege las partes blandas del cuerpo de insectos, arácnidos y crustáceos. ‖ Cubierta que se pone sobre algunas cosas para protegerlas.

capataz (al. *Aufseher,* fr. *contremaître,* ingl. *foreman,* it. *caposquadra*). m. El que gobierna y vigila a cierto número de trabajadores. ‖ Persona a cuyo cargo está la labranza y administración de las haciendas de campo.

capaz (al. *fähig,* fr. *capable,* ingl. *able,* it. *capace*). adj. Que tiene ámbito o espacio suficiente para recibir o contener en sí otra cosa. ‖ Grande o espacioso. ‖ fig. Apto, proporcionado, suficiente para una cosa determinada.

capazo (al. *Korb,* fr. *cabas de sparte,* ingl. *hempen basket,* it. *sporta*). m. Espuerta grande de esparto o de palma.

capciosidad. f. Calidad de capcioso.

capcioso, sa (al. *verfänglich,* fr. *captieux,* ingl. *captious,* it. *capzioso*). adj. Artificioso, engañoso. ‖ Dícese de las preguntas, sugerencias, etc., que se hacen para arrancar al interlocutor una respuesta que pueda comprometerlo o que favorezca los propósitos de quien las formula.

capea. f. Acción de capear. ‖ Lidia de becerros o novillos por aficionados.

capear. tr. Hacer suertes con la capa al toro o novillo. ‖ fig. y fam. Entretener a uno con engaños o evasivas. ‖ fig. Eludir mañosamente un compromiso o un trabajo desagradable. ‖ MAR. Mantenerse sin retroceder más de lo inevitable cuando el viento es duro y contrario. ‖ MAR. Sortear el mal tiempo con adecuadas maniobras.

capelo m. Cierto derecho que los obispos percibían del estado eclesiástico. ‖ Sombrero rojo, insignia de los cardenales de la Iglesia Romana. ‖ fig. Dignidad de cardenal. ‖ BLAS. Timbre del escudo de los prelados. ‖ *Amer.* Fanal, campana de cristal.

capellán (al. *Kaplan,* fr. *chapelain,* ingl. *chaplain,* it. *cappellano*). m. El que obtiene alguna capellanía. ‖ Cualquier eclesiástico, aunque no tenga capellanía. ‖ Sacerdote que dice misa en un oratorio privado.

caperuza. f. Bonete que remata en punta inclinada hacia atrás.

capi (voz quechua). m. *Amer.* Maíz. ‖ *Amer.* Vaina de simiente, como el fréjol, cuando está tierna.

capicúa. m. En el juego del dominó, lance que consiste en ganarlo con una ficha que puede colocarse en cualquiera de los dos extremos. ‖ En el uso común, una cifra que es igual leída de izquierda a derecha que de derecha a izquierda.

capilar (al. *Kapillargefäss,* fr. *capillaire,* ingl. *capillary,* it. *capillare*). adj. Perteneciente o relativo al cabello. ‖ Dícese de los fenómenos producidos por la capilaridad. ‖ fig. Se aplica a los tubos muy angostos, comparables al cabello, o a los vasos muy sutiles de los cuerpos orgánicos.

capilaridad. f. FÍS. Fenómeno debido a la tensión superficial, en virtud del cual un líquido asciende por tubos de pequeño diámetro o por entre dos láminas muy próximas. ‖ Calidad de capilar.

capilla (al. *Kapelle,* fr. *chapelle,* ingl. *chapel,* it. *cappella*). f. Capucha sujeta al cuello de las capas, gabanes o hábitos. ‖ Edificio contiguo a una iglesia, o parte integrante de ella, con altar y advocación particular. ‖ Oratorio portátil de los regimientos y otros cuerpos militares. ‖ Oratorio de las casas particulares. ‖ fig. Pequeño grupo de adictos a una persona o a una idea. Ú.m. en dim., y por lo común en sentido despectivo. ‖ – *ardiente.* Habitación o instalación en la casa de un difunto o en la iglesia, donde se coloca al cadáver para que reciba las primeras honras fúnebres. ‖ *estar en capilla,* o *en la capilla.* Estar el reo desde que se le notifica la sentencia de muerte hasta la ejecución, en cualquier pieza de la cárcel dispuesta como capilla. En sentido figurado y familiar, estar alguno esperando muy cerca el éxito de una pretensión o negocio que le da cuidado.

capirotazo. m. Golpe que se da generalmente en la cabeza, haciendo resbalar con violencia, sobre la yema del pulgar, el envés de la última falange de otro dedo de la misma mano. [*Sinón.:* papirote]

capirote. adj. Dícese de la res vacuna que tiene la cabeza de distinto color que el cuerpo. ‖ m. Capucho antiguo con falda que caía sobre los hombros y a veces llegaba a la cintura. ‖ Muceta con capillo, del color respectivo de cada facultad, que usan los doctores en ciertos actos solemnes. ‖ Cucurucho de cartón, cubierto de tela, con que se tocaban los disciplinantes en las procesiones de cuaresma. ‖ El cubierto de holandilla negra o de otro color, que llevan los que van a las procesiones de semana santa tocando las trompetas o alumbrando.

capitación. f. Repartimiento de tributos y contribuciones por cabezas.

capital (al. *Kapital, Hauptstadt;* fr. *capital, capitale;* ingl. *capital;* it. *capitale*). adj. Tocante o perteneciente a la cabeza. ‖ Aplícase a los siete pecados o vicios que son cabeza u origen de otros. ‖ Dícese de la población principal y cabeza de un Estado, nación, provincia o distrito. Ú.m.c.s. ‖ fig. Principal o muy grande. Dícese sólo de algunas cosas. ‖ Dícese de la letra mayúscula.

Ú.t.c.s. || Hacienda, caudal, patrimonio. || Valor permanente de lo que de manera periódica o accidental rinde u ocasiona rentas, intereses o frutos. || Elemento o factor de la producción formado por la riqueza acumulada que en cualquier aspecto se destina de nuevo a aquélla en unión del trabajo y de los agentes naturales.

capitalidad. f. Calidad de.ser una población cabeza o capital.

capitalino, na. adj. Perteneciente o relativo a la capital.

capitalismo (al. *Kapitalismus*, fr. *capitalisme*, ingl. *capitalism*, it. *capitalismo*). m. Régimen económico en el que los bienes de producción son propiedad de los que invierten el capital (capitalistas), y cuyos fundamentos son la propiedad privada de los medios de producción y la libertad del mercado.

capitalista. adj. Propio del capital o del capitalismo. || com. Persona acaudalada, principalmente en dinero o valores, a diferencia del hacendado, que posee fincas. || fig. Persona despreciable. || COM. Persona que coopera con su capital a uno o más negocios, en oposición a la que contribuye con sus servicios o su pericia. || m. fam. TAUROM. El que improvistamente toma parte en un espectáculo taurino para darse a conocer. || fam. TAUROM. Aficionado que saca en hombros al espada triunfante.

capitalizar (al. *kapitalisieren*, fr. *capitaliser*, ingl. *to capitalize*, it. *capitalizzare*), tr. Fijar el capital que corresponde a determinado rendimiento o interés. || Agregar al capital el importe de los intereses devengados.

capitán (al. *Kapitän*, fr. *capitain*, ingl. *captain*, it. *capitano*). m. Oficial del ejército a quien reglamentariamente corresponde el mando de una compañía, escuadrón o batería. || El que manda un buque mercante de cierta importancia; antiguamente solía llamarse así al comandante del barco de guerra. || Genéricamente, caudillo militar. || El que es cabeza de alguna gente forajida. || – *general*. En españa, el rey. Jefe supremo de la milicia. Cargo honorífico del jefe superior de una región militar.

capitana. f. Nave en que va embarcado y enarbola su insignia el jefe de una escuadra. || fam. Mujer que es cabeza de una tropa. || fam. Mujer del capitán.

capitanear. tr. Mandar tropa haciendo oficio de capitán. || fig. Guiar y conducir gente, aunque no sea militar ni armada. [*Sinón.*: acaudillar]

capitanía. f. Empleo de capitán. || – *general*. Cargo que ejerce un capitán general de región, territorio de la misma y edificio donde reside, con sus oficinas militares.

capitel (al. *Säulenknauf*, fr. *chapiteau*, ingl. *capital*, it. *capitello*). m. ARQ. Parte superior de la columna, que la corona con figura y ornamentación distintas, según el orden arquitectónico a que corresponde.

capitolino, na. adj. Perteneciente o relativo al Capitolio.

capitolio. m. fig. Edificio majestuoso y elevado. || ARQUEOL. Acrópolis.

capitoné. adj. Acolchado. || Dícese del vehículo de mudanzas adecuado para ser transportado con su carga por ferrocarril. Ú.t.c.s.

capitoste. m. Persona con mando, influencia, etc. Ú. en sent. despect.

capitulación. f. Concierto o pacto hecho entre dos o más personas sobre algún asunto, comúnmente grave. || Convenio en que se estipula la rendición de un ejército, plaza o punto fortificado. || pl. Conciertos que se hacen entre los futuros esposos, y se autorizan por escritura pública.

capitulado, da. adj. Resumido, compendiado.

capitular (al. *kapitulieren*, fr. *capituler*, ingl. *to capitulate*, it. *capitolare*). intr. Pactar, hacer algún ajuste o concierto. || Entregarse una plaza de guerra o un cuerpo de tropas bajo determinadas condiciones. || adj. Perteneciente o relativo a un cabildo secular o eclesiástico, o al capítulo de una orden. Ú.t.c.s.

capítulo (al. *Kapitel*, fr. *chapitre*, ingl. *chapter*, it. *capitolo*). m. Junta que hacen los religiosos y clérigos regulares para las elecciones de prelados y para otros asuntos. || División que se hace en los libros y en cualquier escrito para el mejor orden y más fácil inteligencia de la materia.

capnomancia o **capnomancía.** f. Adivinación supersticiosa hecha por medio del humo.

capó. m. Cubierta del motor del automóvil.

capón. adj. Dícese del hombre y del animal castrados. Ú.t.c.s. || m. Pollo que se castra cuando es pequeño y se ceba. || Haz de sarmientos. || m. fam. Golpe dado en la cabeza con el ñudillo del dedo corazón.

caporal. m. El que hace de cabeza de alguna gente, y la manda. || El que tiene a su cargo el ganado que se emplea en la labranza. || *Amer*. Capataz de una estancia de ganado.

capota (al. *Klappverdeck*, fr. *capote*, ingl. *hood*, it. *mantice*). f. Cabeza de la cardencha. || Tocado femenino, ceñido a la cabeza y sujeto con cintas por debajo de la barbilla. || Cubierta plegadiza que llevan algunos carruajes. || Capeta, capa corta y sin esclavina.

capotar. intr. Dar un automóvil la vuelta de campana. || Estrellarse un aparato de aviación, dando con la proa en tierra.

capotazo. m. TAUROM. Suerte del toreo que se hace con el capote y que tiene por objeto ofuscar o detener al toro.

capote. m. Capa de abrigo hecha con mangas y con menor vuelo que la capa común. || Especie de gabán ceñido al cuerpo y con largos faldones, que usan los soldados de infantería como prenda de abrigo en las marchas. || fig. y fam. Aglomeración de nubes. || – *de brega.* TAUROM. Capa de color vivo, por lo común rojo, algo más corta que el capote de paseo, usada por los toreros para la lidia. || – *de paseo.* TAUROM. Capa corta de seda con esclavina, bordada de oro o plata con lentejuelas, que los toreros de a pie usan en el paseíllo y al entrar y salir de la plaza.

capotear. tr. Capear al toro de lidia. || fig. Capear, entretener con engaños. || fig. Evadir mañosamente las dificultades y compromisos. [*Sinón.*: eludir, escurrirse]

Capricornio. m. ASTR. Décimo signo del Zodíaco, de 30º de amplitud, que el Sol recorre aparentemente al comenzar el invierno. || Constelación zodiacal que actualmente se encuentra delante del mismo signo.

capricho (al. *Grille*, fr. *caprice*, ingl. *whim*, it. *capriccio*). m. Idea o propósito que uno forma, sin razón, fuera de las reglas ordinarias y comunes. || Obra de arte en que el ingenio rompe la observancia de las reglas. || Antojo, deseo vehemente. || Objeto de ese deseo.

caprichoso, sa. adj. Que obra por capricho y lo sigue con tenacidad. [*Sinón.*: arbitrario, antojadizo]

caprino, na. adj. Cabruno.

cápsula (al. *Kapsel*, fr. *capsule*, ingl. *capsule*, it. *capsula*). f. Cajita cilíndrica de metal con que se cierran herméticamente las botellas después de llenas. ||

CAPITALIDAD-CÁPSULA

Cilindro pequeño y hueco, hecho de una hoja delgada de cobre, con un fulminante que hace explosión al recibir el impacto del percutor del arma de fuego, e inflama la pólvora. ‖ Por ext., nombre dado a distintas cosas en forma de cajita o pequeño recipiente. ‖ Bot. Fruto seco y hueco que contiene las semillas. ‖ Farm. Envoltura insípida y soluble de ciertos medicamentos. ‖ Zool. Membrana fibrosa en forma de saco cerrado que se encuentra en las articulaciones y recubriendo algunos órganos. ‖ En astronáutica, cabina habitable de un cohete espacial.

capsular. adj. Perteneciente o semejante a la cápsula. ‖ tr. Cerrar definitivamente las botellas, poniéndoles la cápsula.

captación. f. Acción y efecto de captar. [Antón.: repulsión]

captar. tr. Tratándose de aguas, recoger las de uno o más manantiales. ‖ Percibir por medio de los sentidos. ‖ Aprehender, entender, comprender. ‖ Con complemento directo de persona, atraer, ganar la voluntad o el afecto. ‖r. Ganarse determinados sentimientos.

captura. f. Acción y efecto de capturar. [Sinón.: arresto, detención. Antón.: liberación]

capturar (al. verhaften, fr. capturer, ingl. to capture, it. catturare). tr. Aprehender a persona que es o se reputa delincuente. ‖ Apoderarse de alguien o de algo. ‖ Captar un río las aguas de otro. [Sinón.: prender, arrestar, detener.]

capucha (al. Kapuze, fr. capuce, ingl. hood, it. cappuccio). f. Capilla que las mujeres traían en las manteletas. ‖ Capucho.

capuchino, na. adj. Dícese del religioso descalzo de la orden de San Francisco. Ú.t.c.s. ‖ Perteneciente o relativo a la orden de los capuchinos.

capucho. m. Pieza que del vestido que sirve para cubrir la cabeza; remata en punta y se puede echar a la espalda.

capuchón. m. aum. de capucha; capucho. ‖ Abrigo, a manera de capucha, que suelen usar las damas, sobre todo de noche. ‖ Dominó corto.

capulina. f. Amer. Cereza que produce el capulí. ‖ Amer. Araña negra muy venenosa. ‖ vulg. Amer. Ramera.

capullo (al. Seidenpuppe, fr. cocon, ingl. cocoon, it. bozzolo). m. Zool. Envoltura dentro de la cual se encierra, hilando su baba, el gusano de la seda para transformarse en crisálida. ‖ Obra análoga de las larvas de otros insectos.

‖ Botón de las flores, especialmente de las rosas. ‖ Cascabillo de la bellota. ‖ fam. Prepucio y glande del miembro viril. ‖ adj. vulg. Hombre presuntuoso. Ú.t.c.s.

caquéctico, ca. adj. Relativo a la caquexia. ‖ Que padece caquexia. Apl. a pers., ú.t.c.s.

caquexia. f. Bot. Decoloración de las partes verdes de las plantas por falta de luz. ‖ Med. Degeneración del estado normal nutritivo.

caqui. m. Bot. Árbol ebenáceo del Japón y la China, que se cultiva también en Europa y América del Sur; su fruto, dulce y carnoso, del tamaño de una manzana, es comestible. ‖ Fruto de este árbol.

caqui. m. Tela de algodón o de lana, cuyo color varía desde el amarillo ocre al verde gris, muy utilizada para uniformes militares. ‖ Color de esta tela.

cara (al. Gesicht, fr. figure, ingl. face, it. viso). f. Parte anterior de la cabeza, desde el principio de la frente hasta la punta de la barba. ‖ Fachada o frente de alguna cosa. ‖ Superficie de alguna cosa. ‖ Anverso de las monedas. ‖ fig. y fam. En ciertas ocasiones, desfachatez, descaro. ‖ Geom. Cada plano de un ángulo diedro o poliedro. ‖ Geom. Cada una de las superficies que forman o limitan un poliedro. ‖ adv. l. Hacia, en dirección a. ‖ — dura. Persona que no tiene vergüenza. ‖ — larga. fig. y fam. La que expresa tristeza y contrariedad. ‖ caérsele a uno la cara de vergüenza. fig. y fam. Sonrojarse. ‖ cara a cara. m. adv. En presencia de otro y descubiertamente. ‖ cruzar la cara a uno. Darle en ella una bofetada, un latigazo, etc. ‖ dar la cara. fig. Responder de los propios actos y afrontar las consecuencias. ‖ verse las caras. fig. y fam. Avistarse una persona con otra para manifestar vivamente enojo o para reñir.

cáraba. f. Cierta embarcación grande usada en Levante.

caraba. f. En algunas partes, reunión de personas campesinas en las fiestas y ratos de ocio. ‖ Broma, bulla, algazara. ‖ la caraba. expr. fam. que denota admiración, extrañeza o enfado.

carabao. m. Zool. Rumiante parecido al búfalo, pero de color gris azulado y cuernos largos, gachos y comprimidos.

carabela (al. Karavelle, fr. caravelle, ingl. caravel, it. caravella). f. Mar. Antigua embarcación muy ligera, larga y angosta, de una sola cubierta y popa

llana, con tres palos y velas latinas.

carabina (al. Karabiner, fr. carabine, ingl. rifle, it. carabina). f. Arma de fuego compuesta de las mismas piezas que el fusil, pero de menor longitud. ‖ fig. y fam. Mujer de edad que acompaña a una señorita cuando sale a la calle de paseo o a sus quehaceres.

carabinero (al. Zollwächter, fr. carabinier, ingl. carabineer, it. carabiniere). m. Soldado que usaba carabina. ‖ Gendarme destinado a la persecución del contrabando.

cárabo. m. Embarcación pequeña, de vela y remo, usada por los moros. ‖ Zool. Insecto coleóptero que da nombre a una familia de ellos, comprensiva de varias especies.

caracol (al. Schnecke, fr. escargot, ingl. snail, it. chiocciola). m. Zool. Molusco gasterópodo, de concha helicoidal. De sus varias especies, unas son terrestres, otras de agua dulce y otras marinas. El animal, que es comestible, puede sacar parte del cuerpo fuera de la concha. ‖ Concha de caracol. ‖ Pieza del reloj, cónica, con un surco en el que se enrosca la cuerda. ‖ Rizo de pelo. ‖ Cada una de las vueltas y tornos que el jinete hace dar al caballo, o las que hace un camino. ‖ Anat. Una de las cavidades que constituyen el laberinto del oído de los vertebrados.

caracola. f. Zool. Concha de un caracol marino de gran tamaño, de forma cónica, que, abierta por el ápice y soplando por ella, produce un sonido como de trompa.

caracolada. f. Guisado de caracoles.

caracolear. intr. Hacer caracoles el caballo.

caracolillo. m. Planta de jardín, con flores grandes, blancas y azules, aromáticas y enroscadas en figura de caracol. ‖ Cierta clase de café muy estimado, cuyo grano es más pequeño y redondo que el común.

carácter (al. Charakter, fr. caractère, ingl. character, it. carattere). m. Señal o marca que se imprime, pinta o esculpe en alguna cosa. ‖ Signo de escritura. Ú.m. en pl. ‖ Rastro que se supone deja en el alma alguna cosa conocida o sentida. ‖ Señal espiritual indeleble que imprimen en el alma ciertos sacramentos. ‖ Índole, condición, conjunto de rasgos o circunstancias con que se da a conocer una cosa, distinguiéndose de las demás. ‖ Modo de ser peculiar y privativo de cada persona por sus cualidades morales. ‖ Fuerza y elevación del ánimo, firmeza, energia. || Natural o genio. [*Sinón*.: aspecto, apariencia; idiosincrasia, personalidad; entereza]

característico, ca (al. *kennzeichnend*, fr. *caractéristique*, ingl. *typical*, it. *caratteristico*). adj. Perteneciente o relativo al carácter. || Aplícase a la cualidad que da carácter. || s. En teatro, actor o actriz que interpreta papeles de persona madura. [*Sinón*.: peculiar, propio, típico]

caracterizado, da. adj. Distinguido, autorizado por prendas personales, por categoría social o por cargo público.

caracterizar (al. *darstellen*, fr. *caractériser*, ingl. *to characterize*, it. *caratterizzare*). tr. Determinar los atributos peculiares de una persona o cosa, de modo que claramente se distinga de las demás. || r. Pintarse la cara o vestirse el actor conforme el tipo o figura que ha de representar.

caracú (voz guaraní). m. *Amer*. Hueso de tuétano que se echa en algunos guisos.

caradura. s. Cara dura, persona falta de vergüenza y sobrada de cinismo.

carajillo. m. En algunas partes bebida compuesta de café y un licor, especialmente anís, coñac o ron.

carajo. m. vulg. Pene || *!carajo!* interj. vulg. !Caramba!

¡caramba! interj. con que se denota extrañeza o enfado.

carámbano (al. *Eiszpfen*, fr. *glaçon*, ingl. *icicle*, it. *ghiacciolo*). m. Pedazo de hielo largo y puntiagudo.

carambola (al. *Karambolage*, fr. *carambolage*, ingl. *carom*, it. *carambola*). f. Lance del juego del billar que se hace con tres bolas, arrojando una de suerte que toque a las otras dos. || fig. y fam. Doble resultado que se alcanza con una sola acción. || *por carambola*. m. adv. fig. y fam. Indirectamente, por rodeos.

caramelo (al. *Zuckerwerk*, fr. *caramel*, ingl. *caramel*, it. *caramella*). m. Pasta de azúcar hecho almíbar al fuego y endurecido sin cristalizar al enfriarse.

caramillo. m. Flautilla de caña, madera o hueso, con sonido muy agudo. || Zampoña, instrumento a modo de flauta o compuesto de varias. || Montón mal hecho. || fig. Chisme, enredo, embuste.

caramujo. m. Especie de caracol pequeño que se adhiere a los fondos de los buques.

carantamaula. f. fam. Careta de cartón, de aspecto horrible y feo. || fig. y fam. Persona mal encarada.

carantoña. f. fam. Carantamaula. || fig. y fam. Mujer vieja y fea que se afeita y se compone para disimular su fealdad. || fam. Halago y caricia que se hace a uno para conseguir de él alguna cosa. Ú.m. en pl. [*Sinón*.: halago, zalema, zalamería]

carapacho. m. Caparazón que cubre las tortugas, los cangrejos y otros animales.

¡carape! interj. ¡Caramba!

caraqueño, ña. adj. Natural de Caracas. Ú.t.c.s. || Perteneciente a esta ciudad.

carátula. f. Careta, máscara o mascarilla. || fig. Profesión histriónica.

caravana (al. *Karawane*, fr. *caravane*, ingl. *caravan*, it. *carovana*). f. Grupo de gentes que se juntan para hacer un viaje con seguridad. || Conjunto de vehículos que van uno detrás de otro y poco distanciados entre sí. || Roulotte.

¡caray! interj. ¡Caramba!

carbón (al. *Kohle*, fr. *charbon*, ingl. *coal*, it. *carbone*). m. Materia sólida, ligera, negra y muy combustible, que resulta de la destilación o de la combustión incompleta de la leña o de otros cuerpos orgánicos. || Brasa o ascua después de apagada. || Carboncillo de dibujar. || — *animal*. El que por medio de la destilación se obtiene de los huesos y otras sustancias animales. || — *de piedra* o *mineral*. Sustancia fósil, dura, bituminosa y térrea, de color oscuro o casi negro; arde con menos facilidad, pero dando más calor que el carbón vegetal. || — *vegetal*. El de leña.

carbonar. tr. Hacer carbón. Ú.t.c.r.

carbonato. m. QUÍM. Sal resultante de la combinación del ácido carbónico con un radical simple o compuesto.

carboncillo. m. Palillo de madera ligera, carbonizado, que sirve para dibujar. || Hongo, planta acotiledónea. || Variedad de arena de color negro por la acción del sol.

carbonear. tr. Hacer carbón de leña.

carboneo. m. Acción y efecto de carbonear.

carbonera. f. Pila de leña, cubierta de arcilla para el carboneo. || Lugar donde se guarda carbón. || Mujer que vende carbón. || *Amer*. Mina de hulla.

carbonería. f. Puesto o almacén donde se vende carbón.

carbonero, ra. adj. Perteneciente o relativo al carbón. || m. y f. Persona que hace o vende carbón.

carbónico, ca. adj. QUÍM. Se aplica a combinaciones o mezclas en que entra el carbono.

carbonífero, ra. adj. Dícese del terreno que contiene carbón mineral. || Dícese de todo lo relativo al período durante el cual se han formado las masas de carbón de piedra.

carbonilla. f. Coque menudo. || Residuo menudo del carbón quemado. [*Sinón*.: cisco]

carbonización. f. Acción y efecto de carbonizar.

carbonizar. tr. Reducir a carbón un cuerpo orgánico. Ú.t.c.r.

carbono (al. *Kohlenstoff*, fr. *carbone*, ingl. *carbon*, it. *carbonio*). m. QUÍM. Elemento no metálico muy abundante en la naturaleza, que forma compuestos orgánicos en combinación con el hidrógeno, oxígeno, etc. En su estado puro se presenta como diamante o grafito.

carbonoso, sa. adj. Que tiene carbón. || Parecido al carbón.

carborundo. m. QUÍM. Carburo de silicio que se prepara sometiendo a elevadas temperaturas una mezcla de coque, arena silícea y cloruro sódico. || Masa cristalina que por su gran dureza se usa para sustituir con ventaja al asperón y al esmeril.

carbunclo. m. Carbúnculo. || Carbunco.

carbunco. m. PAT. y VET. Enfermedad virulenta y contagiosa que sufre el ganado lanar, cabrío y vacuno, y que accidentalmente puede transmitirse al hombre. Es producida por un bacilo.

carbúnculo. m. Rubí. Se le dio este nombre por suponer que lucía en la oscuridad, como un carbón encendido.

carburación. f. Acto por el que se combinan el carbono y el hierro para producir el acero. || MEC. Paso de la corriente de aire sobre el carburante para obtener la mezcla explosiva que, al inflamarse, produce la fuerza impulsora de un motor. || QUÍM. Acción y efecto de carburar.

carburador (al. *Vergaser*, fr. *carburateur*, ingl. *carburetor*, it. *carburatore*). m. Aparato que sirve para carburar. || MEC. Pieza del motor de explosión donde se efectúa la carburación.

carburante. adj. QUÍM. Que contiene hidrocarburo. || m. Mezcla de hidrocarburos que se emplea en los motores de explosión y de combustión interna.

carburar. tr. QUÍM. Mezclar los gases o el aire atmosférico con los carburantes gaseosos o con los vapores de los carburantes líquidos para hacerlos combustibles. ‖ fig. y fam. Funcionar bien.

carburo. m. QUÍM. Combinación del carbono con un radical simple.

carca. adj. despect. Carlista y, por ext., persona de ideas retrógradas. Ú.t.c.s.

carcaj. m. Caja donde se llevan las flechas. |Sinón.: aljaba]

carcajada. f. Risa impetuosa y ruidosa. |Sinón.: risotada]

carcajear. intr. Reír a carcajadas. Ú.m.c.r.

carcamal. m. fam. Persona decrépita y achacosa. Ú.t.c. adj. [Sinón.: vejestorio, chocho]

carcasa. f. Cierta bomba incendiaria. ‖ TÉCN. Parte exterior de un motor o máquina, y también conjunto de piezas fijas que sostienen los órganos activos.

cárcava. f. Zanja grande que suelen hacer las avenidas de agua. ‖ Foso o zanja. ‖ Sepultura.

cárcel (al. Gefängnis, fr. prison, ingl. jail, it. carcere). f. Edificio o local destinado a la custodia y seguridad de los presos.

carcelario, ria. adj.Perteneciente o relativo a la cárcel.

carcelero, ra (al. Gefängniswärter, fr. geôlier, ingl. jailer, it. carceriere). adj. Carcelario. ‖ s. Persona que tiene cuidado de la cárcel. [Sinón.: guardián, celador]

carcinoma. m. Tumor de naturaleza cancerosa.

carcoma (al. Holzwurm, fr. vrillette, ingl. woodworm, it. tarlo). f. ZOOL. Insecto coleóptero muy pequeño y de color oscuro cuya larva roe y taladra la madera. ‖ fig. Cuidado grave y continuo que mortifica y consume al que lo tiene.

carcomer. tr. Roer la carcoma la madera. ‖ fig. Consumir poco a poco una cosa; como la salud, la virtud, etc. Ú.t.c.r.

carda. f. Acción y efecto de cardar. ‖ Cabeza terminal del tallo de la cardencha. Sirve para sacar el pelo a los paños y felpas. ‖ Máquina utilizada en la industria textil para preparar el hilado de la lana lavada.

cardador, ra. s. Persona que carda la lana. ‖m. Miriápodo de cuerpo cilíndrico y liso.

cardamomo. m. BOT. Planta medicinal, especie de amomo, con el fruto más pequeño, triangular y correoso, de semillas esquinadas, aromáticas y de sabor algo picante.

cardán. m. MEC. Articulación que permite la transmisión del movimiento rotatorio de un eje a otro, cuya posición respecto al primero es variable.

cardar (al. krempeln, fr. carder, ingl. to comb, it. cardare). tr. Preparar con la carda una materia textil para el hilado. ‖ Sacar suavemente el pelo con la carda a paños y felpas.

cardelina. f. Jilguero.

cardenal (al. Kardinal, fr. cardinal, ingl. cardinal, it. cardinale). m. Cada uno de los prelados que componen el Sacro Colegio: son los consejeros del Papa en los negocios graves de la Iglesia, y forman el cónclave para la elección del Sumo Pontífice. Sus distintivos son: capelo, birreta y vestido encarnados. ‖Pájaro americano muy hermoso, con un alto penacho rojo, al cual debe su nombre. ‖ m. Equimosis. [Sinón.: purpurado; moradura]

cardenalato. m. Dignidad de cardenal.

cardenalicio, cia. adj. Perteneciente al cardenal, prelado de la Iglesia Católica.

cardencha. f. BOT. Planta bienal dipsacácea, de flores purpúreas cuyos involucros forman cabeza y se utilizan para sacar el pelo a los paños. ‖ Instrumento para preparar la lana después de limpia.

cardenilla. f. Variedad de uva menuda, tardía y de color amoratado.

cardenillo. m. QUÍM. Acetato de cobre que se emplea en la pintura. ‖ Color verde claro semejante al del acetato de cobre.

cárdeno, na. adj. De color amoratado. ‖ Dícese del toro en cuyo pelo hay mezcla de negro y blanco. ‖ Dícese del agua de color opalino. ‖ Dícese del lirio.

cardíáceo, a. adj. Que tiene forma de corazón.

cardiaco, ca o **cardíaco, ca** (al. herzkrank, fr. cardiac, ingl. cardiac, it. cardiaco). adj. Perteneciente o relativo al corazón. ‖ Que padece del corazón. Ú.t.c.s. [Sinón.: cardítico]

cardinal. adj. Principal, fundamental. ‖ GRAM. Dícese del adjetivo numeral que expresa exclusivamente cuántas son las personas o cosas de que se trata. ‖ puntos cardinales. Los que señalan las cuatro direcciones fundamentales (Norte, Sur, Este, Oeste). |Sinón.: capital, esencial. Antón.: accidental, secundario]

cardiografía. f. MED. Estudio y descripción del corazón.

cardiógrafo. m. MED. Aparato que mide y registra los movimientos del corazón.

cardiograma (al. Kardiogramm, fr. cardiogramme, ingl. cardiogram, it. cardiogramma). m. MED. Trazado obtenido por medio del cardiógrafo.

cardiología. f. Tratado del corazón y de sus funciones y enfermedades.

cardiólogo, ga. s. Médico especialista en las enfermedades del corazón.

cardiópata. adj. MED. Dícese de la persona que padece del corazón.

cardiopatía. f. MED. Cualquiera de las enfermedades del corazón.

carditis. f. MED. Inflamación del tejido muscular del corazón. [Sinón.: miocarditis]

cardo (al. Distel, fr. cardon, ingl. thistle, it. cardo). m. BOT. Planta anual de un metro de altura, hojas grandes y espinosas como las de la alcachofa, flores azules en cabezuela y pencas comestibles. ‖ fig. Persona arisca.

cardumen. m. Banco de peces.

carear. tr. Poner a una o varias personas en presencia de otra u otras con objeto de poder averiguar la verdad de dichos o hechos. ‖ Dirigir el ganado hacia alguna parte. ‖ fig. Cotejar una cosa con otra. ‖ r. Encontrarse varias personas para tratar de algún negocio. [Sinón.: encarar, enfrentar, comparar, confrontar]

carecer (al. ermangeln, fr. manquer, ingl. to lack, it. mancare). intr. Tener falta de algo. [Sinón.: faltar. Antón.: sobrar]

carena. f. MAR. Obra viva, parte normalmente sumergida de la nave. ‖ MAR. Reparo y compostura que se hace en el casco de la nave para que pueda volver a navegar en perfectas condiciones.

carenar (al. kielholen, fr. caréner, ingl. to careen, it. carenare). tr. MAR. Reparar o componer el casco de la nave.

carencia. f. Falta o privación de alguna cosa. ‖ PAT. Falta de determinadas sustancias en la ración alimenticia, especialmente vitaminas.

carencial. adj. PAT. Aplícase a los estados patológicos producidos por la carencia de un elemento esencial.

careo. m. Acción y efecto de carear.

carero, ra. adj. Que acostumbra a vender caro.

carestía (al. Teuerung, fr. cherté, ingl. dearness, it. carestia). f. Falta o escasez de algo; por antonomasia, de víveres. || Alza en los precios de las cosas de uso común. [*Antón.*: abundancia; baratura]

careta. f. Máscara o mascarilla de cartón u otra materia que se emplea para cubrir la cara. || *quitarle a uno la careta.* fig. Desenmascararlo.

careto, ta. adj. Dícese del animal de raza caballar o vacuna que tiene la cara blanca, y la frente y el resto de la cabeza de color oscuro.

carey. m. ZOOL. Tortuga de mar, con los pies palmeados y la concha del espaldar de color pardo o leonado y dividida en segmentos imbricados. || Materia córnea translúcida, con manchas amarillas, rojas y negras, que se obtiene en chapas delgadas calentando las escamas del carey. Es dura y capaz de recibir hermoso pulimento; sirve para hacer cajas, peines y otros objetos.

carga (al. *Last*, fr. *charge*, ingl. *load*, it. *carico*). f. Acción y efecto de cargar. || Cosa que hace peso sobre otra. || Cosa transportada. || Cantidad de pólvora, con proyectiles o sin ellos, que se echaba en el cañón de un arma de fuego. || Cantidad de sustancia explosiva con que se causa una voladura. || Acción de cargar en algunos deportes. || fig. Tributo, imposición, pecho, gravamen. || FIS. Cantidad de energía eléctrica acumulada en un cuerpo. || MIL. Embestida o ataque resuelto al enemigo. || Evolución de gente armada, principalmente la mantenedora del orden público, para dispersar o ahuyentar a los grupos de revoltosos. || — *de profundidad.* Bomba explosiva contra submarinos. || — *eléctrica.* FIS. Cantidad de electricidad. || *volver a la carga.* fig. Insistir en un empeño o tema.

cargado, da. adj. Dícese del tiempo o la atmósfera bochornosos. || Fuerte, espeso, saturado. [*Antón.*: despejado; flojo]

cargador. m. El que embarca las mercancías para que sean transportadas. || Pieza o instrumento que sirve para cargar ciertas armas de fuego. || *Amer.* Mozo de cordel.

cargamento (al. *Ladung*, fr. *chargement*, ingl. *cargo*, it. *carico*). Conjunto de mercancías que carga una embarcación. [*Sinón.*: flete]

cargante. adj. Que carga o molesta.

cargar (al. *beladen*, fr. *charger*, ingl. *to load*, it. *caricare*). tr. Poner o echar peso sobre una persona o bestia. || Embarcar o poner en un vehículo mer-

cancías para transportarlas. || Introducir la carga en el cañón de cualquier arma de fuego. || Proveer a algún utensilio o aparato de aquello que necesita para funcionar. || Acumular energía eléctrica en un cuerpo. || En el fútbol y otros juegos similares, desplazar de su sitio un jugador a otro mediante un choque violento con el cuerpo. || Acopiar con abundancia algunas cosas. || Comer o beber destempladamente. Ú.t.c.r. || fig. Aumentar, gravar el peso de alguna cosa. || fig. Imponer a las personas o cosas un gravamen, carga u obligación. || fig. Imputar, achacar a uno alguna cosa. || fig. Incomodar, molestar, cansar. Ú.t.c.r. || COM. Anotar en las cuentas corrientes las partidas que corresponden al debe. || MIL. Acometer con fuerza y vigor al enemigo. || Evolucionar los guardias o agentes del orden público para reprimir una manifestación popular. || intr. Inclinarse una cosa hacia alguna parte. Ú.t.c.r. || Junto con la preposición *con*, llevarse, tomar. || fig. Tomar o tener sobre sí alguna obligación o cuidado. || GRAM. Tratándose de acentuación o pronunciación, tener una letra o sílaba más valor prosódico que otras de la misma palabra. || r. Echar el cuerpo hacia alguna parte. || fig. Tratándose del tiempo, el cielo, el horizonte, etc., irse aglomerando y condensando las nubes. || *cargarse* a uno. fig. y fam. Matarlo. Suspenderle en un examen o ejercicio.

cargazón. f. Cargamento. || Pesadez del cuerpo en alguna parte del cuerpo; como la cabeza, el estómago, etc. || Aglomeración de nubes espesas. || *Amer.* Abundancia de frutos en las plantas.

cargo. m. Acción de cargar. || Carga o peso. || En las cuentas, conjunto de cantidades de que uno debe dar satisfacción. || fig. Dignidad, empleo, oficio. || fig. Persona que lo desempeña. || fig. Gobierno, dirección, custodia. || fig. Falta que se imputa a uno en su comportamiento. || *a cargo de.* loc. con que se indica que algo está confiado al cuidado de una persona. || *hacerse cargo* de alguna cosa. Encargarse o formar concepto de ella.

carguero, ra. adj. Que lleva carga. Ú.t.c.s. || m. Vehículo de carga. || s. Persona que lleva cargas.

cariacontecido, da. adj. fam. Que muestra en el semblante pena, turbación o sobresalto.

cariado, da. adj. Dícese del hueso o diente atacado de caries.

cariar. tr. Corroer, producir caries. Ú.m.c.r.

cariátide. f. ARQ. Estatua de mujer con traje talar, que hace oficio de columna o pilastra. || Por ext., cualquier figura humana que en un cuerpo arquitectónico sirve de columna o pilastra.

caribe. adj. Dícese del individuo de un pueblo del mismo nombre, que en otro tiempo dominó una parte de las Antillas. Ú.t.c.s. || Perteneciente a este pueblo. || m. Lengua de los caribes.

caribello. adj. TAUROM. Dícese del toro de cabeza oscura y frente con manchas blancas.

caribú. m. ZOOL. Reno salvaje del Canadá, cuya carne es comestible.

caricato. m. Bajo cantante que en la ópera interpreta papeles bufos. || Actor cómico que interpreta personajes conocidos. || *Amer.* Caricatura.

caricatura (al. *Karikatur*, fr. *caricature*, ingl. *caricature*, it. *caricatura*). f. Figura ridícula en que se deforman las facciones y el aspecto de una persona. || Obra de arte en que se ridiculiza una persona o cosa.

caricaturista. com. Dibujante de caricaturas.

caricaturizar. tr. Representar con una caricatura a alguien o algo.

caricia (al. *Liebkosung*, fr. *caresse*, ingl. *caress*, it. *carezza*). f. Demostración cariñosa que consiste en rozar suavemente con la mano el rostro de una persona, el cuerpo de un animal, etc. || Halago, agasajo, demostración amorosa.

caridad (al. *Barmherzigkeit*, fr. *charité*, ingl. *charity*, it. *carità*). f. Una de las tres virtudes teologales, que consiste en amar a Dios sobre todas las cosas y al prójimo como a nosotros mismos. || Virtud cristiana, opuesta a la envidia y a la animadversión. || Limosna que se da a los necesitados.

caries (al. *Knochenfrass*, fr. *carie*, ingl. *caries*, it. *carie*). f. Proceso de destrucción molecular de los tejidos óseo y dentario.

carillón. m. Grupo de campanas en una misma torre que producen un sonido armónico, por estar acordadas. || Juego de tubos o planchas de acero que producen un sonido musical.

cariñena. Vino tinto de alta graduación, que recibe el nombre de la ciudad zaragozana de que procede.

cariño (al. *Zuneigung*, fr. *affection*, ingl. *love*, it. *affetto*). m. Inclinación, amor o afecto que se siente hacia una persona o cosa. || fig. Expresión y señal de dicho sentimiento. Ú.m. en pl. [*Sinón.*: bienquerencia, afecto, dilección. *Antón.*: malquerencia, desamor]

cariñoso, sa. adj. Afectuoso, amoroso.

carioca. adj. Natural de Río de Janeiro. Ú.t.c.s. || Perteneciente o relativo a esta ciudad brasileña.

cariocinesis. f. BIOL. División del núcleo de la célula.

cariópside. f. BOT. Fruto seco a cuya única semilla está íntimamente adherido el pericarpio; como el grano de trigo.

carisma. m. TEOL. Don que concede Dios con abundancia a una criatura.

caritativo, va (al. *barmherzig*, fr. *charitable*, ingl. *charitable*, it. *caritatevole*). adj. Que practica la caridad. || Perteneciente o relativo a la caridad. [*Sinón.*: compasivo, filantrópico]

cariz (al. *Aussehen*, fr. *aspect*, ingl. *look*, it. *aspetto*). m. Aspecto de la atmósfera. || fig. y fam. Aspecto que presenta un negocio o una reunión de personas. [*Sinón.*: traza, viso]

carlanca. f. Collar ancho y fuerte, erizado de puntas de hierro, que protege a los mastines de las mordeduras de los lobos. || *Amer.* Molestia causada por alguna persona machacona y fastidiosa. || Persona de tal condición.

carlinga (al. *Flugzeugkabine*, fr. *carlingue*, ingl. *body of aircraft*, it. *carlinga*). f. MAR. Hueco, generalmente cuadrado, en que se encaja la mecha de un árbol u otra pieza semejante. || AER. Espacio destinado en los aviones a los pasajeros y tripulantes.

carlismo. m. Orden de ideas profesadas por los carlistas. || Partido o comunión política de los carlistas.

carlista. adj. Partidario de los derechos que don Carlos María Isidro de Borbón y sus descendientes han alegado a la corona de España. Ú.t.c.s.

carlita. f. Nombre que dan los ópticos a las lunetas que sirven para leer.

carlota. f. Tarta hecha con leche, huevos, azúcar, cola de pescado y vainilla.

carlovingio, gia. adj. Carolingio. Ú.t.c.s.

carmelita (al. *Karmeliter*, fr. *carme*, ingl. *white friar*, it. *carmelitano*). adj. Dícese del religioso de la Orden del Carmen. Ú.t.c.s. || Carmelitano. || f. Flor de la capuchina, planta que se suele echar en las ensaladas.

carmelitano, na. adj. Perteneciente a la Orden del Carmen.

carmen. m. Orden regular de religiosos mendicantes, fundada por Simón Stook en el siglo XIII. También hay conventos de religiosas de esta Orden. || Verso o composición poética.

carmenar. tr. Desenredar, limpiar el cabello, lana o seda. Ú.t.c.r.

carmesí. adj. Aplícase al color de grana dado por el quermes animal. [*Sinón.*: escarlata]

carmín (al. *Karminrot*, fr. *carmin*, ingl. *carmines*, it. *carminio*). m. Materia de color rojo encendido que se hace principalmente de la cochinilla. || Este mismo color. || Rosal silvestre cuyas flores son del color antedicho.

carminativo, va. adj. MED. Dícese del medicamento que favorece la expulsión de gases formados en el tubo digestivo.

carmíneo, a. adj. De carmín. || De color del carmín.

carnación. f. BLAS. Color natural y no heráldico que se da en el escudo a varias partes del cuerpo humano.

carnada. f. Cebo para pescar o cazar. [*Sinón.*: carnaza]

carnadura. f. Musculatura, robustez, abundancia de carnes.

carnal (al. *fleischlich*, fr. *charnel*, ingl. *carnal*, it. *carnale*). Lascivo o lujurioso. || Perteneciente a la lujuria. [*Sinón.*: libidinoso, lúbrico]

carnaval. m. Los tres días que preceden al miércoles de Ceniza. || Fiesta popular que se celebra en tales días.

carnaza. f. Cara de las pieles que ha estado en contacto con la carne y opuesta a la flor de las mismas. || Carnada, cebo.

carne (al. *Fleisch*, fr. *chair*, *viande*, ingl. *flesch*, *meat*, it. *carne*). f. Parte blanda y mollar del cuerpo de los animales. || Por antonomasia, la comestible que se vende para el abastecimiento común del pueblo. || Parte mollar de la fruta. || Uno de los tres enemigos del alma, que inclina a la sensualidad. || ─ *de cañón.* fig. Tropa inconsideradamente expuesta a peligro de muerte. || ─ *de gallina.* fig. Espasmo que produce en la epidermis del cuerpo humano la apariencia de la piel de las gallinas desplumadas. || ─ *viva.* En la herida o llaga, la sana a distinción de la que está dañada. || *metido en carnes.* Dícese de la persona algo gruesa, sin llegar a la obesidad. || *no ser* uno *carne ni pescado.* fig. y fam. Carecer de carácter o ser inútil. || *poner* uno *toda la carne en el asador.* fig. y fam. Arriesgarlo todo de una vez.

carné. m. Librito de apuntaciones. || Documento que se expide a favor de una persona, provisto de su fotografía y que faculta para ejercer ciertas actividades o la acredita como miembro de determinada agrupación.

carnero (al. *Widder*, fr. *mouton*, ingl. *sheep*, it. *montone*). m. Mamífero rumiante de cuernos huecos y arrollados en espiral, lana espesa y pezuña hendida. Es animal doméstico apreciado por su carne y lana. || Lugar donde se echan los cadáveres. || Osario. || *Amer.* Llama. || *Amer.* Persona que no tiene voluntad ni iniciativa propias. || *Amer.* Esquirol, rompehuelgas.

carnestolendas. f. pl. Carnaval.

carnet (voz francesa). m. Carné.

carnicería (al. *Fleischerei*, fr. *boucherie*, ingl. *butcher's shop*, it. *macelleria*). f. Tienda donde se vende carne al por menor. || Destrozo y mortandad de gente causados por la guerra u otra gran catástrofe. || *Amer.* Matadero. [*Sinón.*: tablajería; matanza]

carnicero, ra (al. *fleischer*, fr. *boucher*, ingl. *butcher*, it. *macellaio*). adj. Dícese del animal que da muerte a otros para comérselos. Ú.t.c.s. || fig. Cruel, sanguinario, inhumano. || Persona que vende carne.

cárnico, ca. adj. Relativo a la carne, en sentido industrial.

carnívoro, ra (al. *fleischfressend*, fr. *carnivore*, ingl. *carnivorous*, it. *carnivoro*). adj. Aplícase al animal que se ceba en la carne cruda de los cuerpos muertos. Ú.t.c.s.m. || Dícese también del animal que puede alimentarse de carne, por oposición al herbívoro o frugívoro. || Se dice igualmente de ciertas plantas de la familia de las droseráceas y otras afines que se nutren de los insectos que cogen por medio de órganos especiales. || ZOOL. Dícese de los mamíferos terrestres, unguiculados, cuya dentición se caracteriza por tener caninos robustos y molares con tubérculos cortantes; como el oso, la hiena y el tigre. Ú.t.c.s. || m. pl. Orden de estos animales.

carnosidad. f. Carne superflua que crece en una llaga. || Carne irregular que sobresale en alguna parte del cuerpo.

carnoso, sa. adj. De carne. || Que tiene muchas carnes. || BOT. Dícese de los órganos vegetales formados por tejido parenquimatoso, blando y lleno de jugo.

caro, ra (al. *teuer*, fr. *cher*, ingl. *expensive*, it. *caro*). adj. Que excede mucho del valor o estimación regular. || Subido de precio. || Amado, querido. || adv. m. A un precio alto o subido. [*Sinón.*: costoso, insume; apreciado. *Antón.*: barato; odiado]

carolingio, gia. adj. Perteneciente o relativo a Carlomagno y a su familia y dinastía o a su tiempo. U.t.c.s.

carótida (al. *Kopfschlagader*, fr. *carotide*, ingl. *carotid*, it. *carotide*). adj. ANAT. Dícese de cada una de las dos arterias que por uno y otro lado del cuello llevan la sangre a la cabeza. Ú.m.c.s.

carozo. m. Raspa de la panoja o espiga del maíz. || *Amer.* Hueso del durazno y otras frutas.

carpa (al. *Karpfen*, fr. *carpe*, ingl. *carp*, it. *carpione*). f. ZOOL. Pez teleósteo, verdoso por encima y amarillo por debajo, de boca pequeña, escamas grandes y una sola aleta dorsal; es comestible.

carpa. f. *Amer.* Tienda de campaña. || *Amer.* Puesto de feria cubierto con toldo. || Toldo de circo. || Gajo de uvas.

carpanta. f. fam. Hambre violenta. || *Amer.* Grupo de gente alegre, o pandilla de maleantes.

carpelo. m. BOT. Cada una de las partes distintas que constituyen el ovario o el fruto múltiple.

carpeta (al. *Mappe*, fr. *chemise* —*pour classement*—, ingl. *folder*, it. *cartella*). f. Cubierta de badana o de tela que se pone sobre las mesas y arcas. || Cartera grande para escribir sobre ella y guardar papeles. || Cubierta con que se resguardan y ordenan los legajos. || *Amer.* Tapete verde que cubre la mesa de juego.

carpetano, na. adj. Natural del reino de Toledo, antiguamente llamado Carpetania. Ú.t.c.s. || Perteneciente a él.

carpetazo (dar). fr. fig. En las oficinas, dejar tácita sin curso ni resolución una solicitud o expediente. || fig. Dar por terminado un asunto o desistir de proseguirlo.

carpintería. f. Taller o tienda en que trabaja el carpintero. || Oficio del carpintero. || Obra de grandes piezas de madera, para edificios. || — *metálica.* La que en vez de madera emplea metales.

carpintero (al. *Tischler*, fr. *menuisier*, ingl. *joiner*, it. *falegname*). m. El que por oficio trabaja y labra madera.

carpir. tr. *Amer.* Limpiar o escardar la tierra.

carpo. m. ANAT. Una de las tres partes de la mano; se articula con el antebrazo y con el metacarpo. Está constituido por ocho huesos.

carpófago, ga. adj. Se dice del animal que se alimenta principalmente de frutos.

carpología. f. BOT. Parte de la botánica que estudia el fruto de las plantas.

carraca. f. Antigua nave de transporte de hasta dos mil toneladas. || despect. Barco viejo o de navegación lenta, y por ext., cualquier artefacto deteriorado o caduco. || Instrumento de madera que produce un ruido seco y desapacible.

carral. m. Barril o tonel a propósito para acarrear vino.

carrasca. f. BOT. Encina, generalmente pequeña, o mata de ella. [*Sinón.*: carrasco, chaparro]

carrascal. m. Sitio o monte poblado de carrascas. || *Amer.* Pedregal.

carrasco. m. Carrasca, encina. || *Amer.* Extensión grande de terreno cubierto de vegetación leñosa.

carraspear. intr. Sentir o padecer carraspera.

carraspeo. m. Acción y efecto de carraspear.

carraspera. f. fam. Cierta aspereza en la garganta que enronquece la voz.

carrera (al. *Wettrennen, Berufstudium*; fr. *course, carrière*; ingl. *race, career*; it. *corsa, carriera*). f. Paso muy rápido del hombre o del animal, para trasladarse de un sitio a otro. || Sitio destinado para correr. || Curso de los astros. || Vía, calle o carretera. || Serie de calles que ha de recorrer una comitiva en procesiones y otros actos públicos y solemnes. || Pugna de velocidad entre personas que guían vehículos o montan animales. || Línea regular de navegación. || fig. Línea de puntos que se sueltan en la media o en otro tejido análogo. || fig. Camino o curso que sigue uno en sus acciones. || fig. Curso o duración de la vida humana. || fig. Profesión de las armas, letras, ciencias, etc. || pl. Concurso hípico para probar la ligereza de los caballos de raza especial, educados para este ejercicio. || Pugna de velocidad entre animales no cabalgados. || ARQ. Viga horizontal para sostener otras o para enlace de las construcciones. || *cubrir la carrera.* Situar fuerzas a ambos lados de un recorrido para impedir el acceso del público. || *de carrera.* m. adv. Con facilidad y presteza; sin reflexión. || *tomar carrera.* Retroceder para poder avanzar con más ímpetu.

carrerilla. f. En la danza española, dos pasos cortos acelerados hacia adelante, inclinándose a uno u otro lado. || *de carrerilla.* loc. adv. fam. De memoria y de corrido.

carrero (al. *Fuhrmann*, fr. *charretier*, ingl. *carman*, it. *carrettiere*). m. Carretero, el que guía.

carreta (al. *Karren*, fr. *charrette*, ingl. *cart*, it. *carretta*). f. Carro largo, angosto y más bajo que el ordinario. Tiene sólo dos ruedas, comúnmente sin herrar.

carretada. f. Carga que se lleva en una carreta o carro. [*Sinón.*: carrada]

carrete (al. *Spule*, fr. *bobine*, ingl. *reel*, it. *rocchetto*). m. Cilindro de madera, metal, plástico, etc., generalmente taladrado por el eje, con rebordes en sus bases, que sirve para devanar y mantener arrollados en él hilos, alambres, cordeles, cables, cintas, etc. || Rueda en que llevan los pescadores enrollado el sedal. [*Sinón.*: bobina]

carretear. tr. Conducir una cosa en carreta o carro. || Gobernar un carro o una carreta. || *Amer.* Gritar las cotorras y los loros, en especial cuando son jóvenes.

carretela. f. Coche de cuatro asientos, con caja poco profunda y cubierta plegadiza.

carretera (al. *Landstrasse*, fr. *route*, ingl. *road*, it. *strada*). f. Camino público, ancho y espacioso, dispuesto para que por él rueden carros y coches. [*Sinón.*: calzada]

carretero. m. El que hace carros y carretas. || El que guía las caballerías o los bueyes que tiran de ellas. [*Sinón.*: carrero]

carretilla (al. *Schubkarren*, fr. *brouette*, ingl. *wheelbarrow*, it. *carretta*). f. Carro pequeño de mano que se compone de un cajón, donde se pone la carga, una rueda en la parte anterior, y en la posterior dos pies para descansarlo y dos varas que coge el conductor para dirigirlo. || *Amer.* Quijada, mandíbula, carrillera.

carretón. m. Carro pequeño de dos o cuatro ruedas, que puede ser arrastrado por una o dos caballerías.

carricoche. m. Carro cubierto con caja como la de un coche.

carricuba. f. Carro dotado de un depósito para transportar líquidos. || Carro con una cuba de agua, que sirve para regar.

carril (al. *Schiene*, fr. *rail*, ingl. *rail*, it. *rotaia*). m. Huella que dejan en el suelo las ruedas del carruaje. || Surco, hendidura al arar. || Camino capaz tan sólo para el paso de un carro. || En las vías férreas, cada una de las barras de hierro o de acero laminado que, formando dos líneas paralelas, sustentan y guían las locomotoras y vagones que ruedan sobre ellas. || NEOL. Zona longitudinal de la calzada, con anchura suficiente para la circulación de una fila de vehículos. [Sinón.: riel, raíl; rodera]

carrillo. m. Parte carnosa de la cara, desde la mejilla hasta la parte inferior de la quijada. || Garrucha o polea. || *comer*, o *masticar*, uno *a dos carrillos*. fig. y fam. Comer con rapidez y voracidad.

carrizo. m. BOT. Planta gramínea, indígena de España. Se cría cerca del agua; sus hojas se emplean para forraje; sus tallos, para construir cielos rasos, y sus panojas para hacer escobas. [Sinón.: cisca, cañeta, jisca]

carro (al. *Karren*, fr. *char*, ingl. *cart*, it. *carro*). m. Carruaje de dos ruedas, con lanza o varas para enganchar el tiro, y cuya armazón consiste en un bastidor con listones o cuerdas para sostener la carga, y varales o tablas en los costados y frentes, para sujetarla. || Carga de un carro. || MIL. Tanque de guerra. || n. p. ASTR. ⚹ Osa Mayor, ⚹ Osa Menor. || *pasar* uno *el carro*, fig. y fam. Contenerse o moderarse el que está enojado u obra arrebatadamente. Se usa por lo común en imperativo.

carrocería (al. *Karosserie*, fr. *carrosserie*, ingl. *carriage body*, it. *carrozzeria*). f. Establecimiento en que se construyen, venden y componen carruajes. || Parte de los vehículos automóviles o ferroviarios que, asentada sobre el bastidor, reviste el motor y otros órganos, y en cuyo interior se acomodan los pasajeros o la carga.

carrocero, ra. adj. Perteneciente o relativo a la carroza. || m. Constructor de carruajes. || *Neol.* Operario especializado en construir o reparar carrocerías.

carromato. m. Carro con dos varas para enganchar caballerías en reata, y que suele tener bolsas de cuerda para recibir la carga y un toldo de lienzos y cañas.

carroña. f. Carne corrompida.

carroza (al. *Prachtkutsche*, fr. *carrosse*, ingl. *coach*, it. *carrozza di corte*). f. Coche grande, ricamente adornado. || Por ext., se llama así la que se construye para funciones públicas. || MAR. Armazón cubierta con un toldo

para resguardar de la intemperie la cámara de las góndolas y falúas.

carrozar. tr. Poner carrocería a un vehículo.

carruaje. m. Vehículo formado por una armazón de madera o hierro montada sobre ruedas.

carrusel. m. Tiovivo. || Cierto ejercicio vistoso efectuado por jinetes.

carta (al. *Brief*, fr. *lettre*, ingl. *letter*, it. *lettera*). f. Papel escrito, y ordinariamente cerrado, que una persona envía a otra para comunicarse con ella. || Cada uno de los naipes de la baraja. || Constitución escrita o código fundamental de un Estado, y especialmente la otorgada por el soberano. || Lista de manjares y bebidas que se pueden elegir en un restaurante o establecimiento análogo. || Mapa de la Tierra o de parte de ella. || — *abierta*. La dirigida a una persona y destinada a la publicidad. || — *blanca*. Nombramiento para un empleo sin el nombre del agraciado, para poder ponerlo después a favor de quien parezca. También, fig. y fam., facultad amplia que se da a alguno para obrar en determinado negocio. || — *credencial*. La que se da al embajador o ministro para que se le reconozca y admita como tal. || — *de marear*. Mapa en que se describe el mar, o una porción de él, con sus costas o los parajes donde hay escollos o bajíos. || — *de naturaleza*. Concesión a un extranjero de la gracia de ser tenido por natural del país. || — *pastoral*. Escrito que dirige un prelado a sus diocesanos. || *a carta cabal*. loc. adj. Intachable, completo. || *echar las cartas*. Adivinación supersticiosa hecha con los naipes. || *jugar* uno *la última carta*. fig. Emplear el último recurso en casos de apuro. || *jugarse* uno *todo a una carta*. fig. Hacer depender de un solo recurso la solución de una grave dificultad. || *no saber* uno *a qué carta quedarse*. loc. fam. Estar indeciso en el juicio o en la resolución que ha de tomar. || *poner las cartas boca arriba*. fig. Poner uno de manifiesto propósitos, argumentos, opiniones, etc., propios o ajenos. || *tomar* uno *cartas en el asunto*. fig. y fam. Intervenir en él.

cartabón (al. *Winkelmass*, fr. *équerre à dessin*, ingl. *set-square*, it. *quartabono*). m. Instrumento en forma de triángulo rectángulo que se emplea en el dibujo lineal. || Regla graduada, con dos topes, uno fijo y otro movible, que los zapateros usan para medir la longitud del pie.

cartagenero, ra. adj. Natural de Cartagena. Ú.t.c.s. || Perteneciente o relativo a esta ciudad.

cartaginés, sa. adj. Natural de Cartago. Ú.t.c.s. || Perteneciente a esta antigua ciudad.

cartapacio (al. *Schreibheft*, fr. *cahier*, ingl. *note-book*, it. *scarfaccio*). m. Cuaderno para escribir o tomar apuntes. || Funda de badana, hule o cartón, en la que los muchachos que van a la escuela meten sus libros y papeles. || Conjunto de papeles contenidos en una carpeta.

cartear. intr. Jugar las cartas falsas para tantear el juego. || rec. Corresponderse por carta; escribirse.

cartel (al. *Plakat*, fr. *placard*, ingl. *poster*, it. *affisso*). m. Papel que se fija en un paraje público para hacer saber una cosa.

cartela. f. Pedazo de cartón, madera u otra materia, a modo de tarjeta, destinado para escribir en él alguna cosa. || ARQ. Ménsula a modo de modillón, de más altura que vuelo.

cartelera. f. Armazón de superficie adecuada para fijar carteles o anuncios públicos. || En los periódicos, columnas en que se detalla el programa de los locales de diversión.

carteo. m. Acción y efecto de cartear o cartearse. [Sinón.: correspondencia]

cárter. m. Pieza de la bicicleta destinada a proteger la cadena de transmisión. || En los automóviles y otras máquinas, pieza o conjunto de piezas que protege determinados órganos y a veces sirve como depósito de lubricante.

cartera. f. Utensilio a modo de libro, que suele contener dos o más divisiones. Es de tamaño adecuado para llevarla en el bolsillo. || Objeto de forma cuadrangular, que se usa para llevar en su interior documentos, papeles, libros, etc. || ⚹ *ministro sin cartera*. fig. Empleo de ministro, jefe de un ministerio. || fig. Ejercicio de las funciones propias de cada ministerio. || COM. Valores o efectos comerciales de curso legal, que forman parte del activo de un comerciante, banco o sociedad, y, por ext., de un particular. || *tener en cartera* una cosa. fig. Tenerla preparada o en estudio para su próxima ejecución.

cartería. f. Empleo de cartero. || Oficina de correos donde se recibe y despacha la correspondencia pública.

carterista. m. Ladrón de carteras de bolsillo.

cartero, ra (al. *Briefträger*, fr. *fac-*

teur, ingl. *postman*, it. *portalettere*). s. Repartidor de las cartas del correo.

cartesianismo. m. FIL. Sistema filosófico de Descartes y de sus discípulos.

cartesiano, na. adj. Partidario del cartesianismo o perteneciente a él. Apl. a pers., ú.t.c.s.

cartilaginoso, sa. adj. Relativo a los cartílagos o de igual naturaleza.

cartílago. m. ANAT. Tejido elástico y blanquecino que generalmente forma láminas en el cuerpo de los vertebrados. Es una variedad de tejido conjuntivo.

cartilla (al. *Fibel*, fr. *syllabaire*, ingl. *speler*, it. *sillabario*). f. Cuaderno pequeño, impreso, que contiene las letras del alfabeto y los primeros rudimentos para aprender a leer. ‖ Testimonio que dan a los ordenados, para que conste que lo están. ‖ Cuaderno o libreta donde se anotan ciertas circunstancias o vicisitudes que interesan a determinada persona. ‖ *leerle* a uno *la cartilla.* fig. y fam. Reprenderle, advirtiendo lo que debe hacer en algún asunto.

cartografía (al. *Kartographie*, fr. *cartographie*, ingl. *cartography*, it. *cartografia*). f. Ciencia que se ocupa de la preparación y trazado de cartas geográficas.

cartográfico, ca. adj. Perteneciente o relativo a la cartografía.

cartógrafo. m. Autor de cartas geográficas.

cartomancia o **cartomancía.** f. Arte vano y supersticioso de adivinar el futuro por medio de los naipes.

cartón (al. *Pappe*, fr. *carton*, ingl. *cardboard*, it. *cartone*). m. Conjunto de varias hojas sobrepuestas de pasta de papel que forman una sola hoja gruesa. ‖ PINT. Dibujo o bosquejo que, por lo común, se hace en papel grueso, como estudio, para servir de modelo en frescos y cuadros de grandes dimensiones, mosaicos, vidrieras, etc. ‖ — *piedra.* Pasta de cartón o papel, yeso y aceite secante, que luego se endurece mucho y con la cual puede hacerse toda clase de figuras.

cartonaje. m. Obras de cartón.

cartoné. m. IMP. Encuadernación que se hace con tapas de cartón y forro de papel.

cartuchera (al. *Patronentasche*, fr. *cartouchière*, ingl. *cartridge-box*, it. *cartucciera*). f. Caja destinada a llevar la dotación individual de cartuchos de guerra o caza. ‖ Canana.

cartucho (al. *Patrone*, fr. *cartouche*, ingl. *cartridge*, it. *cartuccia*). m. Carga de pólvora y municiones, o de pólvora sola, correspondiente a cada tiro de alguna arma de fuego. ‖ Envoltorio cilíndrico de monedas de una misma clase. ‖ Bolsa hecha de cartulina para contener dulces, frutas y cosas semejantes. ‖ Cucurucho. ‖ *quemar* uno *el último cartucho.* fig. Emplear el último recurso en casos apurados.

cartuja. f. Orden religiosa muy austera, fundada por San Bruno en 1086. ‖ Monasterio o convento de esta orden.

cartujo. adj. Dícese del religioso de la Cartuja. Ú.t.c.s. ‖ m. fig. y fam. Hombre taciturno o muy distraído.

cartulina (al. *dünne Pappe*, fr. *carte*, ingl. *bristol-board*, it. *cartoncino bristol*). f. Cartón delgado, muy terso y limpio, que se usa para tarjetas, diplomas o cosas análogas.

carúncula. f. Eminencia carnosa pequeña, normal o patológica. ‖ Especie de carnosidad de color rojo vivo y naturaleza eréctil que poseen en la cabeza algunos animales, como el pavo y el gallo.

casa (al. *Haus*, fr. *maison*, ingl. *house*, it. *casa*). f. Edificio para habitar. ‖ Piso o parte de una casa, en que vive un individuo o una familia. ‖ Familia de una casa. ‖ Descendencia o linaje que tiene un apellido y viene del mismo origen. ‖ Establecimiento industrial o mercantil. ‖ — *civil.* Conjunto de personas que tienen a su cargo los servicios no militares del palacio o residencia del rey o jefe del Estado. ‖ — *consistorial.* Casa de la villa o ciudad adonde concurren los capitulares de su ayuntamiento a celebrar las juntas. Ú.t. en pl. ‖ — *cuna.* Inclusa, casa de niños expósitos. ‖ — *de camas.* Mancebía, casa de putas. ‖ — *de citas.* Aquélla en que se ejerce clandestinamente la alcahuetería. ‖ — *de Dios.* Templo o iglesia. ‖ — *de empeño* o *empeños.* Establecimiento donde se presta dinero mediante la entrega condicionada de ropas u objetos de valor. ‖ — *de huéspedes.* Aquélla en que, mediante cierto precio, se da estancia o comida, o sólo alojamiento, a algunas personas. ‖ — *de lenocinio.* Casa de mujeres públicas. ‖ — *de locos.* Manicomio. En sentido figurado, aquélla en que hay mucho bullicio, inquietud y falta de gobierno. ‖ — *de moneda.* La destinada para fundir, fabricar y acuñar moneda. ‖ — *de putas.* Burdel. ‖ — *de socorro.* Establecimiento benéfico donde se prestan los primeros auxilios a heridos o atacados de cualquier repentino accidente. ‖ — *de tócame Roque.* fig. y fam. Aquélla en que vive mucha gente y hay mala dirección y el consiguiente desorden. ‖ — *de trato.* Casa de putas. ‖ — *fuerte.* La fabricada para habitar en ella, con fortalezas y reparos para defenderse de los enemigos. ‖ — *militar.* Conjunto de generales y jefes de las fuerzas militares que, a las órdenes de un teniente general, se hallan como ayudantes al servicio inmediato del rey o jefe del Estado. ‖ — *mortuoria.* Aquélla en la que ha muerto recientemente alguna persona. ‖ — *pública.* Casa de putas. ‖ — *solariega.* La más antigua y noble de una familia. ‖ *echar* uno *la casa por la ventana.* fig. y fam. Gastar con esplendidez en un convite o con cualquier otro motivo. [*Sinón.*: mansión, morada; vivienda]

casaca (al. *Kittel*, fr. *casaque*, ingl. *coat*, it. *casacca*). f. Vestidura ceñida al cuerpo, con mangas que llegan hasta la muñeca y con faldones que llegan hasta las corvas. Hoy es prenda de uniforme.

casación. f. DER. Acción de casar o anular. [*Sinón.*: revocación, anulación]

casadero, ra. adj. Que está en edad de casarse. [*Sinón.*: núbil, conyugable]

casado, da (al. *verheiratet*, fr. *marié*, ingl. *married*, it. *sposato*). adj. Dícese de la persona que ha contraído matrimosio. Ú.t.c.s. ‖ m. En tipografía, modo de colocar las páginas en la platina, para que, doblado el pliego, queden numeradas correlativamente.

casal. m. Caserío, casa de campo. ‖ Amer. Pareja de macho y hembra.

casamata (al. *Kasematte*, fr. *casemate*, ingl. *casemate*, it. *casamatta*). f. FORT. Bóveda muy resistente para instalar en ella una o más piezas de artillería.

casamentero, ra. adj. Que propone una boda o interviene en el ajuste de ella.

casamiento (al. *Heirat*, fr. *mariage*, ingl. *wedding*, it. *matrimonio*). m. Acción y efecto de casar o casarse. ‖ Ceremonia nupcial. ‖ Contrato establecido con las solemnidades legales entre hombre y mujer, para vivir conyugalmente. [*Sinón.*: boda]

casar. intr. Contraer matrimonio. Ú.m.c.r. ‖ Corresponder, conformarse, cuadrar una cosa con otra. ‖ tr. Autorizar el cura párroco, u otro sacerdote con licencia suya, el sacramento del matrimonio. ‖ fam. Disponer un padre o superior el casamiento de persona que está bajo su autoridad. ‖ fig. Unir y juntar una cosa con otra. ‖ fig. Disponer y ordenar algunas cosas de suerte que hagan juego o tengan correspondencia entre sí. Ú.t.c. intr. ‖ *no casarse uno con nadie*. fig. y fam. Conservar la independencia de su actitud u opinión.

cascabel (al. *Schelle*, fr. *grelot*, ingl. *tinkling-bell*, it. *bubbolo*). m. Bola hueca de metal, con asa y una abertura debajo rematada en dos agujeros. Lleva dentro un pedacito de hierro o latón para que, al mover la bola, suene. ‖ *poner el cascabel al gato*. fig. y fam. Arrojarse a alguna acción peligrosa o muy difícil. [*Sinón.*: cascabillo]

cascabeleo. m. Ruido de cascabeles, o de voces o risas que lo parecen.

cascabillo. m. Cascabel. ‖ Pequeña cáscara que contiene el grano de trigo o de cebada.

cascada (al. *Wasserfall*, fr. *cascade*, ingl. *cascade*, it. *cascata*). f. Caída del agua por brusco fallo del lecho de una corriente. [*Sinón.*: catarata]

cascado, da. adj. fig. y fam. Aplícase a la persona o cosa que está muy vieja, trabajada o gastada. ‖ fig. Dícese de la voz que carece de fuerza y sonoridad.

cascajo. m. Guijo, fragmentos de piedra y de otras cosas que se quiebran. ‖ Conjunto de frutas de cáscara seca que suelen comer por Navidad. ‖ fam. Dícese de algunos trastos o muebles viejos.

cascanueces (al. *Nussknacker*, fr. *cassenoisettes*, ingl. *nut-cracker*, it. *schiaccianoci*). m. Instrumento a modo de tenaza, de hierro o madera, para partir nueces. ‖ ZOOL. Pájaro dentirrostro de la familia de los córvidos.

cascar (al. *zebrechen*, fr. *casser*, ingl. *to crack*, it. *schiacciare*). tr. Quebrantar o hender una cosa quebradiza. Ú.t.c.r. ‖ fam. Dar a uno golpes con la mano u otra cosa. ‖ fig. y fam. Quebrantar la salud de uno. Ú.t.c.r. ‖ intr. fig. y fam. Morir. ‖ fam. Charlar. ‖ *cascársela*. expr. vulg. Masturbarse.

cáscara (al. *Schale*, fr. *coque*, ingl. *shell*, it. *guscio*). f. Corteza o cubierta exterior de los huevos, de varias frutas y de otras cosas. ‖ Corteza de los árboles.

cascarón. m. Cáscara de huevo de cualquier ave, y más particularmente la rota por el pollo al salir de él. ‖ *Amer.* Árbol semejante ai alcornoque. ‖ ARQ. Bóveda cuya superficie es la cuarta parte de una esfera.

cascarrabias (al. *jähzorniger Mensch*, fr. *rageur*, ingl. *grouch*, it. *stizzoso*). com. fam. Persona que fácilmente se enoja, riñe o demuestra enfado. [*Sinón.*: irritable, quisquilloso]

cascarria. f. Cazcarria.

casco (al. *Helm*, fr. *casque*, ingl. *helmet*, it. *casco*). m. Cráneo. ‖ Cada uno de los pedazos de vasija o vaso que se rompe. ‖ Cada una de las capas gruesas de la cebolla. ‖ Copa del sombrero. ‖ Parte de la armadura que cubría y defendía la cabeza. Por ext., cualquiera de las piezas que, cubriéndola, procuran proteger la cabeza de los posibles golpes. ‖ Tonel, pipa o botella que sirve para contener líquidos. ‖ ART. Cada uno de los fragmentos en que se dividen los proyectiles huecos al estallar. ‖ MAR. Cuerpo de la nave, con abstracción del aparejo y las máquinas. ‖ En las bestias caballares, uña del pie o de la mano, que se corta y alisa para sentar la herradura. ‖ MIL. Pieza de hierro a modo del casco de la armadura, que los soldados llevan en el combate y para prestar algunos servicios de armas. ‖ pl. fam. Cabeza, parte del cuerpo, y también entendimiento. ‖ En radiotecnia, conjunto de dos auriculares mantenidos junto a las orejas por un fleje que pasa sobre la cabeza. ‖ *— de población*. Conjunto de sus edificios agrupados, hasta donde empieza el radio de la población misma. ‖ *alegre de cascos*. loc. fam. Dícese de la persona de poco asiento y reflexión.

cascote. m. Fragmento de alguna edificación derribada o arruinada. ‖ Conjunto de escombros que se emplea en nuevas construcciones. ‖ Metralla. [*Sinón.*: casco, cascajo]

caseificación. f. Acción y efecto de caseificar.

caseificar. tr. Transformar en caseína. ‖ Separar o precipitar la caseína de la leche.

caseína. f. QUIM. Sustancia albuminoidea de la leche, que unida a la manteca forma el queso.

cáseo. adj. Caseoso. ‖ Cuajada.

caseoso, sa. adj. Perteneciente o relativo al queso. ‖ Semejante a él.

casería. f. Casa aislada en el campo, con edificios dependientes y fincas rústicas unidas o cercanas a ella. [*Sinón.*: casal, caserío]

caserío. m. Conjunto de casas. ‖ Casería, casa aislada en el campo.

caserna. f. FORT. Bóveda, a prueba de bomba, que se construye debajo de los baluartes para alojar soldados o para almacenar víveres y otras cosas.

casero, ra (al. *häuslich*, fr. *ménager*, ingl. *homelike*, it. *casalingo*). adj. Que se hace o cría en casa o pertenece a ella. ‖ Que se hace en las casas, entre personas de confianza, sin aparato ni cumplimiento. ‖ fam. Dícese de la persona con propensión a permanecer en su casa, y también de la que cuida mucho del gobierno y economía de la misma. ‖ s. Dueño de una casa, que alquila ésta a otra persona. ‖ Administrador de ella. [*Sinón.*: familiar, doméstico; arrendador]

caserón. m. aum. de casa. ‖ Casa muy grande y destartalada.

caseta (al. *Umkleidekabine*, fr. *cabine*, ingl. *bathing-box*, it. *camerino da bagno*). f. Casa pequeña, de construcción ligera, por lo común de madera y sólo de planta baja. ‖ En los balnearios, casa de baños, playas, piscinas, etc., garita de madera donde los bañistas se cambian de ropa. [*Sinón.*: cabina, casilla]

casetón. m. ARQ. Artesón, cajeta o partición del artesonado.

casi (al. *fast*, fr. *presque*, ingl. *almost*, it. *quasi*). adv. c. Cerca de, poco menos de, aproximadamente, con corta diferencia, por poco.

casilla (al. *Schachfeld*, fr. *case*, ingl. *checker*, it. *casella*). f. Casa, escaque del tablero de damas o ajedrez. ‖ Cada una de las divisiones del papel rayado verticalmente o en cuadrículas, en que se anotan separados y en orden guarismos y otros datos. ‖ Casa, o albergue pequeño y aislado, del guarda de un campo, paso a nivel, puerta de jardín, etc. ‖ Cada una de las divisiones del casillero. ‖ Cada uno de los compartimientos que se hacen en algunas cajas y estanterías. ‖ *Amer.* Retrete, excusado. ‖ *— postal*. *Amer.* Apartado de correos. ‖ *sacar* a uno *de sus casillas*. fig. y fam. Alterar su método de vida. Hacerle perder la paciencia. [*Sinón.*: caseta, cabina, compartimiento]

casillero. m. Mueble con varias divisiones para tener clasificados papeles u otros objetos.

casimir. m. Tela muy fina, lisa, generalmente negra y fabricada con lana merina y en punto de tafetán.

casino (al. *Kasino*, fr. *casino*, ingl. *casino*, it. *casino*). m. Casa de recreo, situada por lo común fuera de poblado. ‖ Sociedad de hombres que se juntan en una casa para conversar, leer, jugar y otros esparcimientos. ‖ Asociación análoga, formada por los adeptos de un partido político o por los hombres de

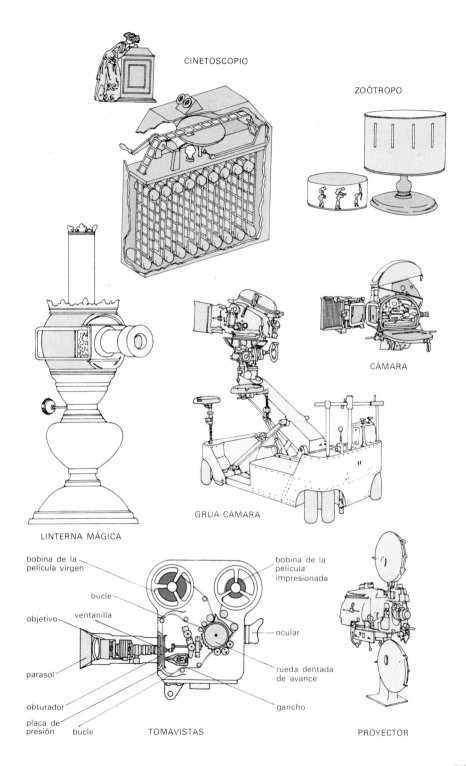

CINETOSCOPIO

ZOÓTROPO

CÁMARA

LINTERNA MÁGICA

GRÚA-CÁMARA

bobina de la
película virgen

bobina de la
película
impresionada

bucle

objetivo

ventanilla

ocular

parasol

rueda dentada
de avance

obturador

placa de
presión

bucle

gancho

TOMAVISTAS

PROYECTOR

CINE

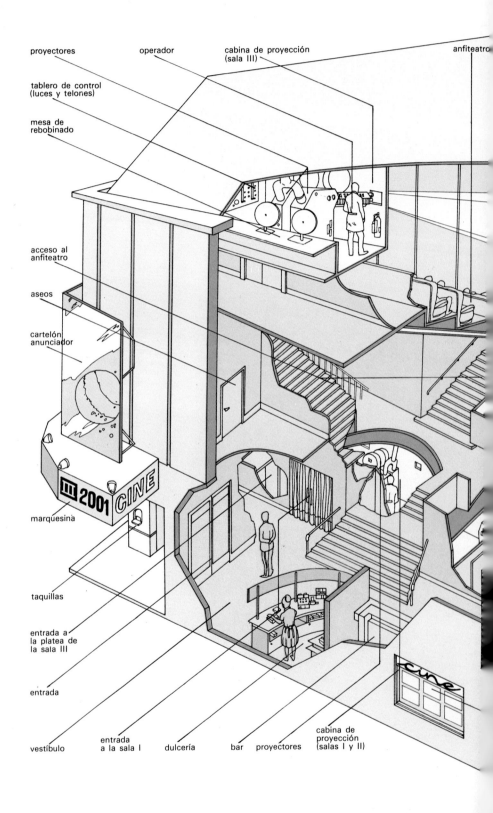

proyectores

operador

cabina de proyección
(sala III)

anfiteatro

tablero de control
(luces y telones)

mesa de
rebobinado

acceso al
anfiteatro

aseos

cartelón
anunciador

III 2001 CINE

marquesina

taquillas

entrada a
la platea de
la sala III

entrada

vestíbulo

entrada
a la sala I

dulcería

bar proyectores

cabina de
proyección
(salas I y II)

cine

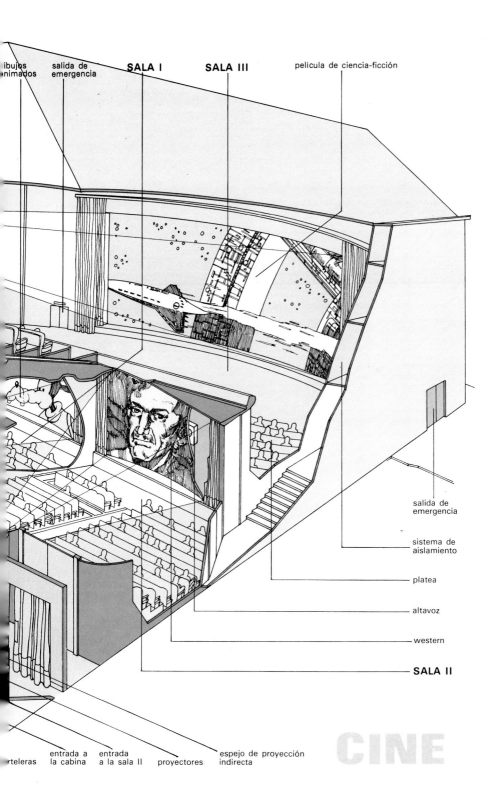

ibujos nimados

salida de emergencia

SALA I

SALA III

pelicula de ciencia-ficción

salida de emergencia

sistema de aislamiento

platea

altavoz

western

SALA II

rteleras

entrada a la cabina

entrada a la sala II

proyectores

espejo de proyección indirecta

CINE

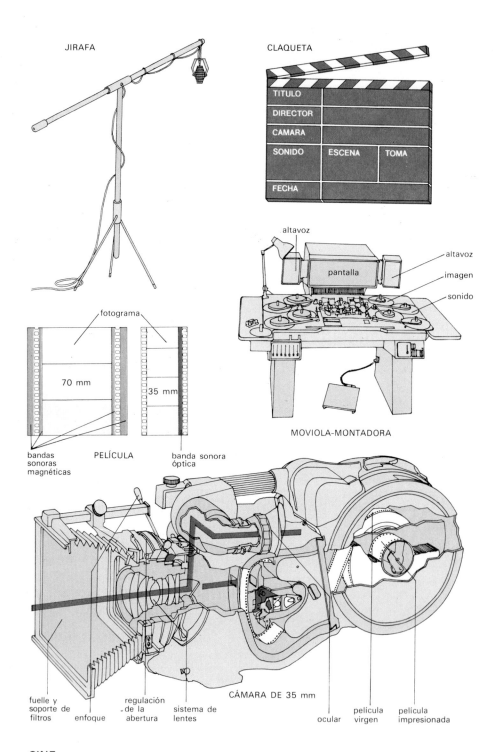

JIRAFA

CLAQUETA

TITULO		
DIRECTOR		
CAMARA		
SONIDO	ESCENA	TOMA
FECHA		

altavoz

altavoz

pantalla

imagen

sonido

MOVIOLA-MONTADORA

fotograma

70 mm

35 mm

bandas
sonoras
magnéticas

PELÍCULA

banda sonora
óptica

fuelle y
soporte de
filtros

enfoque

regulación
de la
abertura

sistema de
lentes

CÁMARA DE 35 mm

ocular

película
virgen

película
impresionada

CINE

una misma clase y condición. ‖ Edificio en que estas sociedades se reúnen.

casis. f. Bot. Nombre vulgar de la planta llamada grosellero negro. ‖ m. Zool. Molusco del Mediterráneo y del mar de las Indias.

casiterita. f. Mineral. Bióxido de estaño, mineral de color pardo y brillo diamantino, del que principalmente se extrae el metal.

casmodia. f. Pat. Enfermedad de tipo espasmódico que provoca en el enfermo bostezos casi continuos.

caso (al. *Fall*, fr. *cas*, ingl. *case*, it. *caso*). m. Suceso, acontecimiento. ‖ Lance, ocasión o coyuntura. ‖ Asunto de una consulta. ‖ Tratándose de enfermedades epidémicas, cada una de las invasiones individuales. ‖ Gram. Relación que tienen u oficio que desempeñan en la oración sus partes declinables. Los casos son seis: nominativo, vocativo, acusativo, genitivo, dativo y ablativo. ‖ – *de conciencia*. Punto dudoso en materia moral. ‖ – *de fuerza mayor*. Impedimento material que se opone a la realización de alguna cosa. ‖ *en todo caso*. loc. adv. Como quiera que sea. ‖ *hacer caso*. fr. fig. Atender a una cosa. ‖ *hacer al caso*. fr. Venir algo al propósito. ‖ *hacer caso omiso*. fr. Pasar en silencio alguna cosa, o no prestar atención a algo o a alguien. ‖ *poner por caso*. fr. Poner por ejemplo. ‖ *venir al caso*. fr. Hacer al caso.

casorio. m. fam. Casamiento hecho sin juicio ni consideración, o de poco lucimiento.

caspa (al. *Haarscuppen*, fr. *pellicule*, ingl. *scurf*, it. *forfora*). f. Escamilla que se forma en el cuero cabelludo. ‖ La que forman las herpes o queda de las hinchazones o llagas, después de sanas. ‖ Óxido y pátina que se desprende del cobre antes de fundirlo.

¡cáspita! interj. con que se denota extrañeza o admiración.

casquete. m. Pieza de la armadura que cubría y protegía la cabeza. ‖ Cubierta de tela, cuero, papel, etc., que se ajusta a la cabeza. ‖ – *esférico*. Geom. Parte de la superficie de la esfera, cortada por un plano que no pasa por el centro de ésta.

casquillo. m. Anillo o abrazadera de metal que sirve para reforzar la extremidad de una pieza de madera. ‖ Hierro de la saeta o flecha. ‖ Cartucho metálico vacío. ‖ Parte metálica de la bombilla eléctrica, que se ajusta o enrosca al portalámparas. ‖ *Amer.* Herradura de las caballerías.

casquivano, na. adj. fam. Dícese de la persona de poco juicio y reflexión.

casta (al. *Kaste*, fr. *caste*, ingl. *caste*, it. *casta*). f. Generación o linaje. Dícese también de los irracionales. ‖ Parte de los habitantes de un país que forma clase especial, sin mezclarse con los demás, por causa de nacimiento, religión, oficio, etc. ‖ fig. Especie o calidad de una cosa.

castálidas. f. pl. Las musas.

castaña (al. *Kastanie*, fr. *marron*, ingl. *chestnut*, it. *castagna*). f. Fruto del castaño, nutritivo y sabroso, del tamaño de la nuez y cubierto de una cáscara correosa de color pardo oscuro. ‖ Especie de moño que con la mata de pelo se hacen las mujeres en la parte posterior de la cabeza. ‖ *Amer.* Barril pequeño. ‖ – *pilonga*. La que se ha secado al humo y se guarda todo el año. ‖ *sacar las castañas del fuego*. fig. y fam. Ejecutar en beneficio de otro alguna cosa de que puede resultar daño o disgusto para sí.

castañar. m. Sitio poblado de castaños.

castañazo. m. Puñetazo.

castañero, ra. s. Persona que vende castañas.

castañeta. f. Castañuela, instrumento para el baile. ‖ Sonido que resulta de juntar la yema del dedo medio con la del pulgar y hacerla resbalar con fuerza y rapidez para que choque con el pulpejo. ‖ Moña de los toreros.

castañetada. f. Castañetazo.

castañetazo. m. Golpe recio que se da con las castañuelas, o con los dedos. ‖ Estallido que da la castaña cuando revienta en el fuego. ‖ Chasquido fuerte que suelen dar las coyunturas de los huesos por razón de algún movimiento extraordinario o violento.

castañetear (al. *mit den zähnen klappern*, fr. *claquer les dents*, ingl. *to clatter the theet*, it. *battere i denti*). intr. Sonarle a uno los dientes dando los de una mandíbula con los de la otra. ‖ Tocar las castañuelas.

castaño, ña (al. *Kastanienbaum*, fr. *marronier*, ingl. *chestnut-tre*, it. *castagno*). adj. Dícese del color de la cáscara de la castaña. Ú.t.c.s. ‖ Que tiene este color. ‖ m. Bot. Árbol de la familia de las cupulíferas, de unos veinte metros de altura, con tronco grueso, copa ancha y redonda, hojas grandes, flores blancas y frutos parecidos al erizo, y cuya simiente es la castaña. ‖ Madera de este árbol. ‖ – *de Indias*. Árbol de la familia de las hipocastáneas, de

madera blanda y amarillenta. Es planta ornamental originaria de la India. ‖ *pasar de castaño oscuro* una cosa. Ser demasiado enojosa o grave.

castañuela. f. Instrumento músical de percusión, hecho de madera dura o de marfil, compuesto de dos mitades cóncavas que juntas forman la figura de una castaña. Por medio de un cordón que atraviesa las orejas del instrumento, se sujeta éste al dedo pulgar o al medio, y se repica con los demás dedos. ‖ *estar* uno *como unas castañuelas*. fig. y fam. Estar muy alegre. [*Sinón.*: castañeta, palillo]

castellanía. f. Territorio o jurisdicción independiente.

castellanismo. m. Dicho o modo de hablar propio de las provincias castellanas.

castellanización. f. Acción y efecto de castellanizar o castellanizarse.

castellanizar. tr. Dar carácter castellano. Ú.t.c.r. ‖ Dar forma castellana a un vocablo de otro idioma. Enseñar el castellano a los que no lo saben.

castellano, na. adj. Natural de Castilla. Ú.t.c.s. ‖ Perteneciente a esta región de España. ‖ m. Español, lengua española. ‖ Dialecto románico nacido en Castilla la Vieja, del que tuvo su origen la lengua española. ‖ Señor de un castillo.

castellonense. adj. Natural de Castellón de la Plana. Ú.t.c.s. ‖ Perteneciente a esta ciudad o a su provincia.

casticismo. m. Amor a lo castizo, tanto en el idioma como en las costumbres, usos y modales.

castidad (al. *Keuschleit*, fr. *chasteté*, ingl. *chastity*, it. *castità*). f. Virtud que se opone a los apetitos carnales. [*Sinón.*: pureza. *Antón.*: impureza, lujuria]

castigador, ra. adj. Que castiga. Ú.t.c.s. ‖ fig. y fam. Que castiga y enamora. Ú.t.c.s.

castigar (al. *bestrafen*, fr. *punir*, ingl. *to punish*, it. *punire*). tr. Ejecutar algún castigo en un culpado. ‖ Mortificar y afligir. ‖ Escarmentar, corregir con rigor al que ha errado. ‖ fig. Enamorar por puro pasatiempo o jactancia.

castigo (al. *Strafe*, fr. *punition*, ingl. *punishment*, it. *punizione*). m. Pena que se impone al que ha cometido un delito o falta. [*Sinón.*: punición, sanción. *Antón.*: premio]

castillo (al. *Burg*, fr. *château fort*, ingl. *castle*, it. *castello*). m. Lugar fuerte, cercado de murallas, baluartes, fosos y otras fortificaciones. ‖ Máquina de madera, en forma de torre, que usaban en la guerra los antiguos, y la ponían sobre elefantes. || BLAS. Figura que representa una o más torres. || MAR. Parte de la cubierta alta o principal del buque, comprendida entre el palo trinquete y la proa. || Cubierta parcial que, en la misma sección, tienen algunos buques à la altura de la borda. || — *de fuego.* Armazón vestida de varios fuegos artificiales. || — *de popa.* MAR. Antiguamente, la toldilla. || — *de proa.* MAR Castillo del buque.

castizo, za. adj. De buen origen y casta. || Aplícase al lenguaje puro y sin mezcla de voces ni giros extraños. || En México, cuarterón nacido en América de mestizo y española o de español y mestiza. Ú.t.c.s.

casto, ta (al. *keusch,* fr. *chaste,* ingl. *chaste,* it. *casto*). adj. Puro, honesto, opuesto a la sensualidad.

castor (al. *Biber,* fr. *castor,* ingl. *beaver,* it. *castoro*). m. ZOOL. Mamífero roedor anfibio, de cuerpo grueso, cubierto de pelo castaño muy fino; patas cortas y cola aplastada, oval y escamosa. Construye su vivienda como una cabaña, a orillas de ríos y lagos, protegida por medio de pequeños diques que hace con ramitas y pequeñas maderas. Se alimenta de hojas y cortezas de árboles. Se le da caza para aprovechar su piel, muy estimada en peletería. || Pelo de este animal. || Cierta tela de lana, semejante a la piel del castor. || Paño o fieltro hecho con el pelo de castor.

castóreo. m. Sustancia secretada por las glándulas prepuciales del castor.

castorina. f. Especie de tejido parecido a la tela de castor. || QUÍM. Materia grasa contenida en el castóreo.

castra. f. Acción de castrar. || Tiempo en que se suele hacer esta operación.

castración. f. Acción y efecto de castrar. [*Sinón.:* capadura]

castradera. f. Instrumento de hierro que sirve para castrar las colmenas.

castrado, da. adj. Que ha sufrido la castración. Ú.t.c.s. [*Sinón.:* capado, eunuco]

castrador. m. El que castra.

castrametación. f. MIL. Arte de ordenar los campamentos militares.

castrar (al. *kastrieren,* fr. *châtrer,* ingl. *to geold,* it. *castrare*). tr. Extirpar los órganos genitales. || Secar o enjugar las llagas. Ú.t.c.r. || Quitar paneles con miel a las colmenas. || fig. Debilitar, enervar, apocar.

castrense. adj. Aplícase a cosas pertenecientes o relativas al ejército. [*Sinón.:* militar]

casual (al. *zufällig,* fr. *fortuit,* ingl. *casual,* it. *casuale*). adj. Que sucede por casualidad. [*Sinón.:* fortuito, accidental. *Antón.:* previsto]

casualidad (al. *Zufälligkeit,* fr. *hasard,* ingl. *chance,* it. *casualità*). f. Combinación de circunstancias que no se pueden prever ni evitar.

casuario (al. *Kasuar,* fr. *casoar,* ingl. *cassowary,* it. *casuario*). m. ZOOL. Ave del orden de las corredoras, de menor tamaño que el avestruz.

casucha. f. despect. Casa pequeña y mal construida.

casuista. adj. Dícese del autor que expone casos prácticos de teología moral.

casuística. f. Parte de la teología moral que trata de los casos de conciencia. || Consideración de los diversos casos particulares que se pueden prever en determinada materia.

casuístico, ca. adj. Perteneciente o relativo al casuista o a la casuística. || Se dice de las disposiciones legales que rigen casos especiales y no tienen aplicación genérica.

casulla (al. *Aessegewand,* fr. *chasuble,* ingl. *chasuble,* it. *pianeta*). f. LITURG. Vestidura sagrada que se pone el sacerdote sobre las demás para celebrar la misa.

casus belli. expr. lat. Caso o motivo de guerra.

cata. f. Acción de catar. || Porción de una cosa que se prueba. || *Amer.* Acción de catear. || *Amer.* Cosa oculta o encerrada.

cata. prep. insep. cuya significación primitiva es la de hacia abajo.

catabolismo. m. BIOL. Base destructiva del metabolismo.

catabre. m. *Amer.* Calabaza en la que se lleva el grano para sembrar.

cataclismo. m. Trastorno grande del globo terráqueo, producido por el agua. || fig. Gran trastorno en el orden social o político. [*Sinón.:* conmoción]

catacresis. f. RET. Tropo que consiste en dar a una palabra sentido traslaticio para designar una cosa que carece de nombre especial.

catacumbas. f. pl. Subterráneos en los cuales los primitivos cristianos enterraban a sus muertos y practicaban las ceremonias del culto.

catadióptrico, ca. adj. ÓPT. Dícese del aparato compuesto de espejos y lentes.

catador. m. El que cata. [*Sinón.:* degustador]

catadura. f. Acción y efecto de catar. || Gesto o semblante. Úsase generalmente con los calificativos de *mala, fea,* etc. [*Sinón.:* degustación; pinta]

catafalco (al. *Katafalk,* fr. *catafalque,* ingl. *cataflaque,* it. *catafalco*). m. Túmulo adornado profusamente.

catalán, na. adj. Natural de Cataluña. Ú.t.c.s. || Perteneciente a este país. m. Lengua romance hablada en Cataluña, parte del País Valenciano, las Baleares, Andorra, tierras del sudeste de Francia y en Alguer (Cerdeña).

catalanidad. f. Calidad o carácter de lo que es catalán.

catalanismo. m. Adhesión y afecto a los usos y costumbres de los catalanes. || Tendencia política que exige el reconocimiento nacional de los Países Catalanes. || Expresión, vocablo o giro propios de la lengua catalana existentes en otras lenguas.

catalanista. adj. Perteneciente o relativo al catalanismo. || com. Patriota catalán, opuesto al españolista.

catalejo (al. *Fernglas,* fr. *longue-vue,* ingl. *spy-glass,* it. *cannocchiale*). m. Instrumento óptico que sirve para ver objetos situados a larga distancia.

catalepsia (al. *Starrsucht,* fr. *catalepsie,* ingl. *catalepsy,* it. *catalessia*). f. MED. Accidente nervioso repentino que suspende las sensaciones e inmoviliza el cuerpo.

cataléptico, ca. adj. Referente a la catalepsia. || Dícese de la persona que padece catalepsia. Ú.t.c.s.

catalina. f. Polea usada en la elevación de grandes pesos. || Rueda dentada.

catálisis (al. *Katalyse,* fr. *catalyse,* ingl. *catalysis,* it. *catalisi*). f. QUÍM. Acción que ejercen ciertos cuerpos sobre determinadas reacciones químicas, acelerándolas o retardándolas, manteniéndose ellos inalterables en el proceso.

catalítico, ca. adj. Perteneciente o relativo a la catálisis.

catalizador (al. *Katalysator,* fr. *catalyseur,* ingl. *catalyzer,* it. *catalizzatore*). m. QUÍM. Cuerpo capaz de producir la transformación catalítica.

catalogar (al. *katalogisieren,* fr. *cataloguer,* ingl. *to list,* it. *catalogare*). tr. Apuntar, registrar ordenadamente libros, manuscritos, etc., y formar catálogo de ellos. [*Sinón.:* inventariar]

catálogo (al. *Katalog,* fr. *catalogue,*

ingl. *catalogue*, it. *catalogo*). m. Memoria, inventario o lista de personas, cosas o sucesos, puestos en orden. |*Sinón.*: inventario|

catamenial. adj. Que tiene relación con la función menstrual.

cataplasma (al. *Breiumschlag*, fr. *cataplasme*, ingl. *poultice*, it. *cataplasma*). f. Tópico de consistencia blanda que se aplica como calmante o emoliente. |*Sinón.*: sinapismo|

cataplexia. f. PAT. Especie de asombro o estupefacción que se revela sobre todo en los ojos. || Embotamiento súbito de la sensibilidad.

cataplines. m. pl. vulg. Testículos.

cataplum. Voz que se usa para expresar ruido, explosión o golpe.

catapulta. f. Ingenio militar antiguo para arrojar piedras o saetas. || Mecanismo lanzador de aviones en portaviones u otros espacios reducidos.

catar (al. *kosten*, fr. *déguster*, ingl. *to taste*, it. *assaggiare*). tr. Probar, gustar alguna cosa para examinar su sabor o sazón. || Ver, examinar, registrar. || Castrar las colmenas.

catarata (al. *Wasserfall*, fr. *cataracte*, ingl. *fall*, it. *cateratta*). f. Cascada o salto grande de agua. || MED. Opacidad del cristalino del ojo. || pl. Las nubes cargadas de agua, en el momento en que la vierten copiosamente.

cátaros. m. pl. Nombre común a varias sectas heréticas que propugnaban una extremada sencillez en las costumbres.

catarral. adj. Relativo al catarro.

catarro (al. *Schnupfen*, fr. *rhume*, ingl. *cold*, it. *catarro*). m. Flujo o destilación procedente de las membranas mucosas. || PAT. Inflamación de una membrana mucosa, en general, y en particular de las vías aéreas, con notable aumento de secreción.

catarsis. f. En muchas religiones paganas, purificación ritual del hombre a quien se considera impuro por haber transgredido algún precepto religioso o moral. || FISIOL. Expulsión espontánea o provocada de sustancias nocivas al organismo. || Por ext., eliminación de recuerdos que perturban la conciencia o el equilibrio nervioso.

catártico, ca. adj. Relativo a la catarsis psíquica o determinante de ella. || FARM. Aplícase a algunos medicamentos purgantes.

catástasis. f. RET. Punto culminante de un drama, tragedia o poema épico.

catastral. adj. Perteneciente o relativo al catastro.

catastro (al. *Kataster*, fr. *cadastre*, ingl. *cadastral survey*, it. *catasto*). m. Censo y padrón estadístico de las fincas rústicas y urbanas.

catástrofe (al. *Katastrophe*, fr. *catastrophe*, ingl. *catastrophe*, it. *catastrofe*). f. Última parte del poema dramático, con el desenlace, especialmente cuando es doloroso. Por ext., desenlace desgraciado de otros poemas. || fig. Suceso desgraciado que altera gravemente el orden regular de las cosas. || Hiperbólicamente, se aplica a cosas que son de mala calidad o resultan mal, producen mala impresión, están mal hechas, etc.

catastrófico, ca. adj. Relativo a una catástrofe o con caracteres de tal.

cataviento. m. MAR. Hilo con ruedecitas de corcho ensartadas que se coloca en la borda de barlovento para indicar la dirección del aire.

catavino. m. Jarrillo, taza o copa que se utiliza para probar el vino.

catavinos. m. El que tiene por oficio catar los vinos.

cate. m. Golpe, bofetada. || fam. Suspenso en los exámenes.

catear. intr. Dar cates. || tr. fig. y fam. Suspender en los exámenes a un alumno. || *Amer.* Allanar la casa de alguien. |*Sinón.*: suspender, cargar|

catecismo (al. *Katechismus*, fr. *catéchisme*, ingl. *catechism*, it. *catechismo*). m. Libro en que se explica la doctrina cristiana. || Obra que contiene la exposición sucinta de alguna ciencia o arte.

catecúmeno, na. s. El que se está instruyendo en la doctrina católica.

cátedra (al. *Lehrstuhl*, fr. *chaire*, ingl. *professorship*, it. *cattedra*). f. Asiento elevado, desde donde el maestro se dirige a los discípulos en la clase. || Aula. || fig. Empleo y ejercicio del catedrático. || fig. Facultad o asignatura que enseña un catedrático. || — *de San Pedro.* Dignidad del Sumo Pontífice. || *sentar cátedra.* fig. Dominar una ciencia o arte.

catedral (al. *Kathedrale*, fr. *cathédrale*, ingl. *cathedral*, it. *cattedrale*). adj. Iglesia principal de una diócesis, en que reside el obispo con su cabildo. Ú.m.c.s.f.

catedralicio, cia. adj. Relativo a la catedral.

catedrático, ca. s. Profesor o profesora titular de una cátedra.

cátedro. m. Catedrático.

categorema. f. LÓG. Cualidad por la que un objeto se clasifica en una u otra categoría.

categoría (al. *Rang*, fr. *catégorie*, ingl. *rank*, it. *categoria*). f. FIL. En la lógica aristotélica, cada una de las diez nociones abstractas y generales siguientes: sustancia, cantidad, calidad, relación, acción, pasión, lugar, tiempo, situación y hábito. || FIL. En la crítica de Kant, cada una de las formas del entendimiento: cantidad, calidad, relación y modalidad. || fig. Condición social de unas personas respecto de las demás. || fig. Uno de los diferentes elementos de clasificación que suelen emplearse en las ciencias.

categórico, ca. adj. Aplícase al discurso o proposición en que, explícita o absolutamente, se afirma o se niega una cosa. |*Sinón.*: terminante, concluyente|

catenaria. adj. Dícese de la curva que forma una cadena, cuerda o cosa semejante suspendida entre dos puntos no situados en la misma vertical. Ú.t.c.s.

catequesis. f. Catecismo.

catequismo. m. Ejercicio de instruir en cosas pertenecientes a la religión.

catequista. com. Persona que instruye a los catecúmenos. || La que ejerce el catequismo.

catequizar (al. *in der christlichen Lehre unterrichten*, fr. *catéchiser*, ingl. *to catechize*, it. *catechizzare*). tr. Instruir en la doctrina católica. || Persuadir a uno para que realice o consienta en algo que no era de su agrado.

caterva. f. Multitud de personas o cosas consideradas en grupo, sin orden ni concierto. |*Sinón.*: tropel|

catéter. m. MED. Sonda médica.

cateterismo. m. CIR. Acto quirúrgico o exploratorio que consiste en introducir un catéter o sonda en un conducto o cavidad.

cateto (al. *Kathethe*, fr. *cathète*, ingl. *cathetus*, it. *cateto*). m. GEOM. Cada uno de los dos lados que forman un ángulo recto en el triángulo rectángulo.

cateto. s. fam. Lugareño, palurdo.

catilinaria. adj. Dícese de las oraciones pronunciadas por Cicerón contra Catilina. Ú.t.c.s. || f. fig. Escrito o discurso vehemente dirigido contra una persona. |*Sinón.*: invectiva|

catión. m. FÍS. Ion positivo de una molécula, que en la electrólisis se dirige al cátodo.

catire. adj. *Amer.* Dícese del individuo rubio, especialmente del de pelo rojizo, hijo de blanco y mulata o viceversa.

catirrino. adj. ZOOL. Dícese de los

simios cuyas fosas nasales están separadas por un tabique cartilaginoso, tan estrecho que las ventanas de la nariz quedan dirigidas hacia abajo. Ú.t.c.s. ‖ m. pl. Grupo de estos animales.

catitear. tr. *Amer.* Temblequear con la cabeza los ancianos.

catoche. m. fam. *Amer.* Mal humor.

catódico, ca. adj. FÍS. Perteneciente al cátodo.

cátodo. m. FÍS. Polo negativo de un generador de electricidad o de una batería eléctrica.

catolicidad. f. Universalidad de la doctrina católica.

catolicismo. m. Comunidad y gremio universal de los que viven en la religión católica. ‖ Creencia de la Iglesia católica.

católico, ca (al. *katholisch*, fr. *catholique*, ingl. *catholic*, it. *cattolico*). adj. Universal. ‖ Verdadero, cierto, infalible, de fe divina. ‖ Que profesa la religión católica. Apl. a pers., ú.t.c.s. ‖ fig. y fam. Sano y perfecto. Ú. por lo común en la fr. *no estar muy católico*.

catón. m. fig. Censor severo. ‖ Libro compuesto de frases y períodos cortos y graduados para ejercitar en la lectura a los principiantes.

catóptrica. f. ÓPT. Parte de la óptica que trata de las propiedades de la luz reflejada.

catorce. adj. Diez más cuatro. ‖ Décimocuarto. Apl. a los días del mes, ú.t.c.s. ‖ Conjunto de signos con que se representa el número catorce.

catre (al. *Feldbett*, fr. *couchette*, ingl. *cot*, it. *branda*). m. Cama ligera para una sola persona. ‖ *llevarse a alguien al catre*. Tener cópula carnal.

catrín. m. *Amer.* Petimetre.

caucáseo, a. adj. Caucasiano.

caucasiano, na. adj. Perteneciente al Cáucaso.

caucásico, ca. adj. Aplicase a la raza blanca o indoeuropea, por suponerla originaria del Cáucaso.

cauce (al. *Flussbett*, fr. *lit d'une rivière*, ingl. *bed of a river*, it. *alveo*). m. Lecho de los ríos y arroyos. ‖ Conducto descubierto o acequia por donde corren las aguas de riego o residuales.

caución. f. Prevención, precaución o cautela. ‖ DER. Seguridad personal de cumplir lo pactado, prometido o mandado.

caucionar. tr. DER. Dar caución. ‖ Precaver cualquier daño o perjuicio.

cauchal. m. Sitio donde abundan las plantas de caucho.

cauchera. f. Planta de la cual se extrae el caucho.

cauchero. m. El que extrae caucho o lo trabaja.

caucho (al. *Kautschuk*, fr. *caoutchouc*, ingl. *rubber*, it. *caucciù*). m. Látex producido por varias moráceas y euforbiáceas intertropicales, que después de coagulado es una masa impermeable muy elástica y tiene muchas aplicaciones en la industria.

cauchutar o **cauchotar.** tr. TECN. Impermeabilizar o reforzar con caucho alguna cosa.

caudal (al. *Wassermenge, Reichtum*; fr. *débit d'eau, richesses*; ingl. *water volume, wealth*; it. *quantità d'acqua, ricchezza*). adj. Caudaloso, de mucha agua. ‖ Perteneciente o relativo a la cola. ‖ m. Hacienda, bienes de cualquier especie y, más comúnmente, dinero. ‖ Cantidad de agua que mana o corre. ‖ Abundancia de algo. [*Sinón.*: riqueza, copia. *Antón.*: penuria, escasez]

caudaloso, sa. adj. De mucha agua. ‖ Acaudalado, de mucho caudal.

caudillaje. m. Mando o gobierno de un caudillo.

caudillo (al. *Führer*, fr. *chef*, ingl. *leader*, it. *capo*). El que guía y manda gente de guerra. ‖ El que dirige un gremio, comunidad o cuerpo.

caula. f. *Amer.* Treta, engaño, ardid.

caulífero, ra. adj. BOT. Dícese de las plantas cuyas flores nacen sobre el tallo.

cauro. m. Noroeste, viento que sopla de esta parte.

causa (al. *Ursache*, fr. *cause*, ingl. *cause*, it. *causa*). f. Lo que se considera como fundamento u origen de algo. ‖ Motivo o razón para obrar. ‖ Empresa o doctrina en que se toma interés o partido. ‖ Litigio, pleito. ‖ DER. Proceso criminal que se instruye de oficio o a instancia de parte. [*Sinón.*: principio; móvil]

causahabiente. m. DER. Persona que ha sucedido o se ha subrogado por cualquier otro título en el derecho de otra u otras.

causal. f. Razón y motivo de una cosa.

causalidad. f. Causa, origen, principio. ‖ FIL. Ley en virtud de la cual se producen efectos.

causante. adj. Que causa. ‖ m. DER. Persona de quien proviene el derecho que uno tiene.

causar (al. *verursachen*, fr. *occasionner*, ingl. *to cause*, it. *cagionare*). tr.

Producir su efecto una causa. ‖ Ser causa, razón y motivo de que suceda una cosa. Ú.t.c.r. [*Sinón.*: ocasionar, motivar, originar]

causeo. m. *Amer.* Comida que se hace fuera de horas.

causticidad. f. Calidad de cáustico. ‖ fig. Malignidad en lo que se dice o escribe, mordacidad.

cáustico, ca (al. *Ätzend*, fr. *caustique*, ingl. *caustic*, it. *caustico*). adj. Dícese de lo que quema o desorganiza los tejidos animales. ‖ fig. Mordaz, agresivo. ‖ MED. Aplicase al medicamento que desorganiza los tejidos como si los quemase, produciendo una escara. Ú.m.c.s. ‖ m. Vejigatorio.

cautela (al. *Vorsicht*, fr. *cautèle*, ingl. *caution*, it. *cautela*). f. Precaución o reserva con que actúa alguien. ‖ Astucia, maña y sutileza para engañar.

cautelar. tr. prevenir, precaver. ‖ r. Precaverse, recelarse.

cauteloso, sa. adj. Que obra con cautela.

cauterio. m. Cauterización. ‖ fig. Lo que corrige o ataja eficazmente algún mal. ‖ CIR. Medio empleado para cauterizar.

cauterización. f. Acción y efecto de cauterizar.

cauterizar (al. *ätzen*, fr. *cautériser*, ingl. *to cauterize*, it. *cauterizzare*). tr. CIR. Restañar la sangre, cerrar las heridas y curar otras enfermedades con el cauterio. ‖ fig. Corregir con aspereza o rigor algún vicio.

cautín. m. Aparato para soldar con estaño.

cautivar (al. *fesseln*, fr. *captiver*, ingl. *to charn*, it. *affascinare*). tr. Hacer prisionero al enemigo en la guerra. ‖ fig. Atraer, ganar, enamorar. [*Sinón.*: prender, apresar; seducir. *Antón.*: libertar; aburrir]

cautiverio (al. *Gefangenschaft*, fr. *captivité*, ingl. *captivity*, it. *prigionia*). m. Estado de la persona que, hecha prisionera en la guerra, vive en poder del enemigo. ‖ Prisión.

cautividad. f. Cautiverio.

cautivo, va (al. *kriegsgefangener*, fr. *captif*, ingl. *prisoner*, it. *prigionero*). adj. Hecho prisionero en la guerra, o en otras circunstancias. Ú.t.c.s.

cava. f. Acción de cavar. ‖ Fosa, excavación en torno a un fuerte. ‖ Lugar subterráneo donde se guardan el vino y otras provisiones. ‖ m. *Neol.* Vino espumoso criado en una cava, champán.

cavar (al. *graben*, fr. *creuser*, ingl. *to*

dig, it. *scavare*). tr. Levantar y mover la tierra con la azada, azadón u otro instrumento semejante.

cavatina. f. Mus. Aria de cortas dimensiones.

caverna (al. *Höhle*, fr. *caverne*, ingl. *cavern*, it. *caverna*). f. Cavidad profunda, subterránea o entre rocas. || Med. Hueco que se produce en algunos tejidos orgánicos. [*Sinón*.: cueva, gruta]

cavernario, ria. adj. Propio de las cavernas.

cavernícola. adj. Que vive en las cavernas. || despect. fig. y fam. Retrógado, carca, partidario de instituciones o sistemas políticos que se consideran anticuados.

cavernoso, sa. adj. Perteneciente o relativo a la caverna. || Aplícase especialmente a la voz, a la tos, a cualquier sonido sordo y bronco. || Quien tiene muchas cavernas.

caviar. m. Manjar que consiste en huevas de esturión frescas y aderezadas con sal.

cavidad (al. *Höhlung*, fr. *cavité*, ingl. *cavity*, it. *cavità*). f. Espacio hueco dentro de un cuerpo cualquiera.

cavilación (al. grübeln, fr. *subtiliser*, ingl. *to muse*, it. *cavillare*). f. Acción y efecto de cavilar. || Cavilosidad.

cavilar (al. *grübeln*, fr. *subtiliser*, ingl. *to muse*, it. *cavillare*). tr. Pensar atenta y seguidamente en algo. [*Sinón*.: abismarse, abstraerse]

cayado (al. *Krummstab*, fr. *houlete*, ingl. *crook*, it. *vincastro*). m. Bastón corvo por la parte superior. || Báculo pastoral de los obispos.

cayo. m. Cualquier isla rasa y arenosa.

cayuco, ca. s. *Amer*. Persona de cabeza grande. || m. Embarcación india de una sola pieza, más pequeña que la canoa, con el fondo plano y sin quilla.

caz. m. Canal para conducir el agua a donde es aprovechada.

caza (al. *Jagd*, fr. *chasse*, ingl. *hunting*, it. *caccia*). f. Acción de cazar. || Conjunto de animales que pueden cazarse, antes o después de hacerlo. || m. Avión de combate, con numerosas bocas de fuego, rápido y de gran capacidad de maniobra. || — *mayor*. La de jabalíes, venados, ciervos, etc. || — *menor*. La de liebres, conejos, ánades, palomas, perdices, etc. [*Sinón*.: cinegética]

cazador, ra (al. *jäger*, fr. *chasseur*, ingl. *hunter*, it. *cacciatore*). adj. Que caza por oficio o por diversión. Ú.t.c.s. || Se dice de los animales que por instinto persiguen y cazan a otros animales. ||

f. Especie de americana con trabilla y bolsillos de parche, usada por lo general para la caza y el deporte.

cazalla. f. Aguardiente seco.

cazar (al. *jagen* fr. *chasser*, ingl. *to hunt*, it. *cacciare*). tr. Buscar o seguir a las aves, fieras y otras clases de animales para cogerlos o matarlos. || fig. y fam. Prender, cautivar la voluntad de uno con halagos o engaños. || fig. y fam. Sorprender a uno en un descuido, error o acción que hubiera deseado ocultar.

cazatorpedero. m. Mar. Buque de guerra destinado a la persecución de los torpederos enemigos.

cazcarria. f. Lodo o barro que se adhiere y se seca en la parte de la ropa que va cerca del suelo. Ú.m. en pl. || fam. Moco.

cazcorvo, va. adj. Aplícase a la caballería que tiene las patas corvas.

cazo (al. *Stielpfanne*, fr. *casserole*, ingl. *dipper*, it. *ramaiolo*). m. Vasija metálica, semiesférica por lo general, con mango largo para manejarla.

cazoleta. f. dim. de cazuela. || Pieza de la llave de las armas de chispa. || Pieza de hierro u otro metal que se fija debajo del puño de la espada y del sable y que sirve para resguardo de la mano. || Receptáculo pequeño que tiene algunos objetos, como el depósito del tabaco de la pipa, etc.

cazuela (al. *Schmorpfanne*, fr. *casserole*, ingl. *pan*, it. *cazzaruola*). f. Vasija que sirve para guisar. || Guisado que se hace en ella. || En los teatros, galería alta, o paraíso.

cazurro, rra. adj. fam. De pocas palabras y muy metido en sí. Ú.t.c.s.

ce. f. Nombre de la letra *c*.

ceba. f. Alimentación especial y abundante que se da al ganado para engordarlo.

cebada (al. *Gerste*, fr. *orge*, ingl. *barley*, it. *orzo*). f. Bot. Planta anual, de la familia de las gramíneas, parecida al trigo. || Conjunto de granos de esta planta.

cebadilla. f. Especie de cebada que crece espontánea en los caminos.

cebado, da. adj. *Amer*. Dícese de la fiera que, por haber comido carne humana, es más temible.

cebar (al. *mästen*, fr. *engraisser* —*des animaux*—, ingl. *to fatten*, it. *ingrassare*). tr. Dar o echar alimento a los animales. || fig. Alimentar, fomentar. || fig. Poner en las armas, proyectiles huecos, torpedos y barrenas el cebo necesario para inflamarlos. || fig. Hablando de máquinas o aparatos,

ponerlos en condiciones de empezar a funcionar. || *Amer*. Preparar el mate para tomarlo. || r. fig. Entregarse con mucha eficacia e intención a una cosa. || fig. Encarnizarse, ensañarse.

cebellina. adj. Especie de marta, algo menor que la común, de piel muy estimada. Ú.m.c.s.

cebiche. m. *Amer*. Plato de pescado o marisco crudo cortado en trozos pequeños y preparado en un adobo especial.

cebo (al. *Köder*, fr. *amorce*, ingl. *bait*, it. *esca*). m. Comida que se da a los animales para engordarlos o atraerlos. || fig. Porción de materia explosiva que se coloca en determinados puntos de las armas de fuego para que se produzca, al inflamarse, la explosión de la carga.

cebolla (al. *Zwiebel*, fr. *oignon*, ingl. *onion*, it. *cipolla*). f. Bot. Planta hortense, liliácea, que nace de un bulbo esferoidal blanco o rojizo, formado por capas tiernas y jugosas, de olor fuerte y sabor más o menos picante. || Cepa o bulbo de esta planta. || Bulbo.

cebollada. f. Guiso en el que la cebolla es el principal ingrediente.

cebollar. m. Sitio sembrado de cebollas.

cebolleta. f. Bot. Planta muy parecida a la cebolla. || Cebolla común que, después del invierno, se vuelve a plantar y se come tierna antes de florecer.

cebollino. m. Sementero de cebollas, cuando están en sazón para ser trasplantadas. || Simiente de cebolla. || Hombre torpe e ignorante. || *escardar cebollinos*. fig. y fam. No hacer nada de provecho. Ú. en sentido despect. con los verbos *enviar*, *ir*, etc.

cebón, na. adj. Dícese del animal que está cebado. Ú.t.c.s. || m. Puerco.

cebra (al. *Zebra*, fr. *zèbre*, ingl. *zebra*, it. *zebra*). f. Zool. Animal solípedo del África Austral, parecido al asno, de pelo blanco amarillento, con listas transversales pardas o negras.

cebrado, da. adj. Dícese del caballo o la yegua que, como la cebra, tiene en la piel manchas negras transversales.

cebú (al. *Zebu*, fr. *zebu*, ingl. *zebu*, it. *zebù*). m. Zool. Animal rumiante bovino que se distingue del buey común por tener encima de la cruz una o dos gibas de tejido graso.

ceca. f. Casa donde se labra la moneda.

cecal. adj. Anat. Perteneciente o relativo al intestino ciego.

cecear. intr. Pronunciar la *s* como *c* por vicio o por defecto orgánico.

ceceo. m. Acción y efecto de cecear.

cecidia. f. Bot. Agalla del roble.

cecina (al. *Rauchfleisch*, fr. *viande salée*, ingl. *salt meat*, it. *carne salata*). f. Carne salada, enjuta y secada al aire, al sol o al humo. || *Amer.* Tira de carne delgada, seca y sin sal. [*Sinón.*: tasajo]

cecografía. f. Escritura o modo de escribir de los ciegos.

ceda. f. Zeda, letra.

cedacear. intr. Aplicado a la vista, disminuir, oscurecerse.

cedazo (al. *Sieb*, fr. *sas*, ingl. *sieve*, it. *staccio*). m. Instrumento compuesto de un arco y de una tela, por lo común de cerdas, más o menos clara, que cierra la parte inferior. Sirve para separar las partes sutiles de las gruesas de algunas cosas. || Cierta red grande para pescar. [*Sinón.*: criba, harnero]

ceder (al. *abtreten*, fr. *céder*, ingl. *to make over*, it. *cedere*). tr. Dar, transferir, traspasar a otro una cosa, acción o derecho. || intr. Rendirse, sujetarse. || Disminuir o cesar la resistencia de una cosa.

cedilla. f. Letra de la antigua escritura española, que es una *c* con una virgulilla debajo (ç), y que servía para expresar un sonido parecido al de la *z*. || Esta misma virgulilla.

cedria. f. Goma, resina o licor que destila el cedro.

cédride. f. Fruto del cedro.

cedro (al. *Zeder*, fr. *cèdre*, ingl. *cedar*, it. *cedro*). m. Bot. Árbol de la familia de las coníferas, de unos 40 metros de altura, que vive más de dos mil años. || Madera de este árbol.

cédula (al. *Zettel*, fr. *cédule*, ingl. *slip*, it. *scheda*). f. Pedazo de papel o pergamino escrito, o en el que se ha de escribir algo. || Documento en el que se reconoce una deuda u otra obligación.

cefalalgia. f. Med. Dolor de cabeza.

cefalea. f. Med. Cefalalgia violenta y tenaz.

cefálico, ca. adj. Perteneciente a la cabeza.

cefalitis. f. Med. Inflamación de la cabeza.

cefalópodo. adj. Zool. Dícese de los moluscos marinos que tienen el manto en forma de saco con una abertura por la cual sale la cabeza, que se distingue bien del resto del cuerpo y está rodeada de tentáculos largos a propósito para la natación y provistos de ventosas; en general carecen de concha y segregan un líquido negruzco con que enturbian el agua con objeto de ocultarse; como el pulpo y el calamar. Ú.t.c.s. || m. pl. Clase de estos animales.

cefalorraquídeo, a. adj. Relativo a la cabeza y al raquis.

cefalotórax. m. Zool. En los arácnidos y crustáceos, región del cuerpo formada por la unión de la cabeza y el tórax, que forman un todo unido.

Cefeo. n.p.m. Astr. Constelación boreal situada cerca de la Osa Menor.

céfiro (al. *Zephir*, fr. *zephyr*, ingl. *Zephyr*, it. *zeffiro*). m. Poniente, viento. || Poéticamente, cualquier viento suave y apacible. || Tela de algodón casi transparente y de colores variados.

cegador, ra. adj. Que ciega o deslumbra.

cegajo. m. Zool. Macho cabrío durante su segundo año. || Cabrito de cabra montés.

cegar (al. *erblinden*, fr. *devenir aveugle*, ingl. *to become blind*, it. *diventare ceco*). intr. Perder enteramente la vista. || tr. Quitar la vista a alguno. || fig. Ofuscar el entendimiento y turbar la razón, como suelen hacer los afectos y pasiones desordenados. Ú.t.c. intr. || fig. Cerrar, hacer maciza una cosa que antes estaba hueca o abierta. [*Sinón.*: obcecar; obstruir]

cegato, ta. adj. fam. Corto de vista, o de vista escasa. Ú.t.c.s.

cegesimal. adj. Dícese del sistema que tiene por unidades fundamentales el centímetro, el gramo y el segundo. Debe su nombre a la sigla c.g.s., obtenida con la de cada una de las unidades básicas.

cegrí. m. Individuo de una familia del reino musulmán de Granada.

ceguedad. f. Ceguera. || Alucinación, afecto que ofusca la razón.

ceguera (al. *Blindheit*, fr. *cécité*, ingl. *blindness*, it. *cecità*). f. Privación total de la vista. || Med. Especie de oftalmía que suele dejar ciego al enfermo.

ceiba. f. Bot. Árbol americano, bombáceo, de unos treinta metros de altura y tronco grueso. De su madera se obtiene celulosa y se fabrican piezas como adoquines para el pavimento de las calles; sus flores son tintóreas.

ceibo. m. Bot. Árbol americano, papilionáceo, notable por sus flores rojas y brillantes, que nacen antes que las hojas.

ceja (al. *Augenbraue*, fr. *sourcil*, ingl. *eyebrow*, it. *ciglia*). f. Parte prominente y curva, cubierta de pelo, situada sobre la cuenca del ojo. || Pelo que la cubre. || fig. Parte que sobresale un poco en algunas cosas. || fig. Franja o conjunto de nubes que suele haber sobre la cumbre de los montes. || fig. Parte superior del monte o sierra. || Mús. Listón que tienen los instrumentos de cuerda entre el clavijero y el mástil, para apoyo y separación de las cuerdas. || Mús. Cejuela, pieza que se coloca en el mástil de la guitarra para elevar su entonación. || *tener a uno entre cejas,* o *entre ceja y ceja.* fig. y fam. Mirarle con prevención desfavorable. || *tener uno entre ceja y ceja alguna cosa.* fig. y fam. Fijarse en un pensamiento o propósito.

cejar (al. *rückwärtsgehen*, fr. *reculer*, ingl. *to move back*, it. *retrocedere*). intr. Retroceder, andar hacia atrás, ciar. || fig. Aflojar o ceder en un negocio, empeño o discusión. [*Sinón.*: recular; claudicar]

cejijunto, ta. adj. fam. Que tiene las cejas muy pobladas hacia el entrecejo. || fig. Ceñudo.

cejilla. f. Mús. Ceja.

cejo. m. Niebla que suele levantarse sobre los ríos y arroyos después de la salida del sol.

cejudo, da. adj. De cejas muy pobladas.

celada (al. *Sturmhaube*, fr. *salade*, ingl. *sallet*, it. *celata*). f. Pieza de la armadura, que servía para cubrir y proteger la cabeza. || Emboscada de gente armada en paraje oculto. || Engaño o fraude dispuesto con artificio o disimulo. [*Sinón.*: yelmo, casco; asechanza, trampa]

celador, ra. adj. Que cela o vigila. || s. Persona destinada por la autoridad para ejercer vigilancia. [*Sinón.*: vigilante, guardián]

celaje. m. Aspecto que presenta el cielo cuando hay nubes tenues y de varios matices. Ú.m. en pl. || Mar. Conjunto de nubes.

celar (al. *überwachen*, fr. *surveiller*, ingl. *to supervise*, it. *sorvegliare*). tr. Procurar con particular cuidado el cumplimiento de las leyes. || Observar los movimientos y acciones de una persona por recelar de ella. || Encubrir, ocultar. || Grabar en láminas de metal o madera para sacar estampas. || Cortar con buril o cinceles metal, piedra o madera para darles alguna forma. [*Sinón.*: velar; vigilar; espiar; tapar; esculpir]

celda (al. *Zelle*, fr. *cellule*, ingl. *cell*, it. *cella*). f. Cuarto del religioso en su convento. || Aposento individual. || Cada uno de los aposentos donde se encierra a los presos en las cárceles celulares. ‖ Celdilla, casilla de los panales de miel.

celdilla. f. Cada una de las casillas de que se componen los panales. ‖ Nicho hueco practicado en un muro. ‖ Célula, cavidad pequeña. ‖ BOT. Nombre que suele darse a cada una de las cavidades ocupadas por las simientes en la caja.

celebérrimo, ma. adj. sup. de célebre.

celebración. f. Acción de celebrar. ‖ Aplauso, aclamación. [*Sinón.*: conmemoración, solemnidad; ovación]

celebrante. adj. Que celebra. ‖ m. Sacerdote que está diciendo misa o preparado para decirla.

celebrar (al. *feiern*, fr. *célébrer*, ingl. *to celebrate*, it. *celebrare*). tr. Alabar, aplaudir, encarecer a una persona o cosa. ‖ Reverenciar solemnemente y con culto público los misterios de la religión. ‖ Hacer solemnemente y con los requisitos necesarios alguna función, junta o contrato. ‖ Decir misa. Ú.t.c. intr. [*Sinón.*: ensalzar, elogiar, encomiar; venerar]

célebre (al. *berühmt*, fr. *célèbre*, ingl. *famous*, it. *celebre*). adj. Que tiene fama. ‖ Chistoso o excéntrico. [*Sinón.*: afamado, famoso, renombrado]

celebridad. f. Fama, renombre o aplauso. ‖ Persona célebre. [*Sinón.*: nombradía]

celemín. m. Medida de capacidad para áridos. ‖ Medida antigua de superficie.

celentéreo. adj. ZOOL. Dícese del animal de simetría radiada cuyo cuerpo, de paredes no perforadas, contiene una sola cavidad, llamada digestiva o gastrovascular, que comunica con el exterior por un orificio único. Ú.t.c.s. ‖ m. pl. Grupo que forman estos animales.

celeque. adj. *Amer.* Aplícase a la fruta tierna o en leche.

célere. adj. Pronto, rápido. ‖ f. pl. MIT. Las horas.

celeridad. f. Prontitud, rapidez, velocidad. [*Sinón.*: presteza. *Antón.*: lentitud]

celeste (al. *himmlisch*, fr. *céleste*, ingl. *celestial*, it. *celeste*). adj. Perteneciente al cielo. ‖ Se aplica al color azul claro. Ú.t.c.s. [*Sinón.*: celestial, empíreo. *Antón.*: infernal]

celestial. adj. Perteneciente al cielo. ‖ fig. Perfecto, delicioso.

celestina. f. fig. Alcahueta.

celestina. f. MINERAL. Mineral formado por sulfato de estroncio; los ácidos no lo disuelven.

celiaco, ca o **celíaco, ca.** adj. ANAT. Perteneciente o relativo al vientre o a los intestinos.

celibato. m. Soltería.

célibe (al. *junggeselle*, fr. *célibataire*, ingl. *bachelor*, it. *celibe*). adj. Dícese de la persona que no ha contraído matrimonio. Ú.t.c.s. [*Sinón.*: soltero. *Antón.*: casado]

celo (al. *Eifer*, fr. *zèle*, ingl. *zeal*, it. *zelo*). m. Impulso íntimo que promueve las buenas obras. ‖ Apetito sexual en los animales. ‖ pl. Sospecha, inquietud y recelo de que la persona amada haya mudado o mude su cariño.

celofán. m. Nombre registrado de una película que se obtiene por la regeneración de la celulosa contenida en las soluciones de viscosa. Es transparente y flexible, y se utiliza principalmente como envase o envoltura.

celofana. f. Celofán.

celosia (al. *Gitterwerk*, fr. *jalousie*, ingl. *lattice-work*, it. *gelosia*). f. Enrejado de listoncillos de madera o de hierro, que se pone en las ventanas y otros huecos análogos, para que las personas que están en el interior vean sin ser vistas. ‖ Celotipia.

celoso, sa. adj. Que tiene celo o celos.

celotipia. f. Pasión de los celos.

celta (al. *Kelte*, fr. *celte*, ingl. *celt*, it. *celta*). adj. Dícese del individuo de un pueblo indoeuropeo que se estableció en parte de la antigua Galia, de las Islas Británicas y de la Península Ibérica. Ú.t.c.s. ‖ Perteneciente a dicho pueblo. ‖ m. Idioma de los celtas.

celtibérico, ca. adj. Celtíbero. Ú.t.c.s. ‖ Perteneciente a la Celtiberia.

celtíbero, ra o **celtibero, ra.** adj. Natural de la antigua Celtiberia. Ú.t.c.s. ‖ Celtibérico, perteneciente a la antigua Celtiberia.

céltico, ca. adj. Perteneciente a los antiguos celtas.

célula (al. *Zelle*, fr. *cellule*, ingl. *cell*, it. *cellula*). f. Pequeña celda, cavidad o seno. ‖ BIOL. Organismo elemental, microscópico, dotado de vida propia, cuya asociación forma los tejidos de las plantas y animales. ‖ — fotoeléctrica. FÍS. Dispositivo que permite transformar las variaciones de intensidad luminosa en variaciones de intensidad de la corriente eléctrica.

celular (al. *zellen-*; fr. *cellulaire;* ingl. *cellular, cell;* it. *cellulare*). adj. Perteneciente o relativo a las células. ‖ Dícese del establecimiento carcelario donde los reclusos están sistemáticamente incomunicados. ‖ Dícese del vehículo que utiliza la policía para trasladar a los presos en condiciones de seguridad.

celulario, ria. adj. Compuesto de muchas celdillas o células.

celuloide (al. *Zelluloid*, fr. *celluloïd*, ingl. *celluloid*, it. *celluloide*). m. Sustancia sólida, casi transparente y muy elástica, que se emplea en la industria y en las artes. Se fabrica con algodón pólvora y alcanfor.

celulosa (al. *Zellulose*, fr. *cellulose*, ingl. *cellulise*, it. *cellulosa*). f. QUÍM. Sustancia sólida, diáfana, insoluble en el agua, el alcohol y el éter, que forma la envoltura de las células en los vegetales. Se emplea industrialmente para fabricar papel, celuloide y explosivos.

cellisca. f. Temporal de agua y nieve muy menudas impelidas con fuerza por el viento.

cello. m. Aro con que se sujetan las duelas de las cubas, comportas, pipotes, etc.

cementación. f. Acción y efecto de cementar.

cementar. tr. METAL. Calentar una pieza de metal en contacto con otra materia en polvo o en pasta para endurecer su superficie o modificar su aspecto.

cementerio (al. *Friedhof*, fr. *cimentière*, ingl. *cementery*, it. *cimitero*). m. Terreno descubierto, generalmente cercado, destinado a enterrar cadáveres. [*Sinón.*: fosal, necrópolis, camposanto]

cemento (al. *Zement*, fr. *cément*, ingl. *cement*, it. *cemento*). m. Mezcla formada de arcilla y materiales calcáreos que, sometida a cocción, molida muy finamente, y mezclada a su vez con agua, se solidifica y endurece. ‖ Masa mineral que une los fragmentos o arenas de que se componen algunas rocas. ‖ ZOOL. Tejido óseo que cubre el marfil en la raíz de los dientes de los vertebrados. ‖ — armado. Hormigón armado.

cena (al. *Nachtessen*, fr. *souper*, ingl. *supper*, it. *cena*). f. Comida que se toma por la noche. ‖ Acción de cenar. ‖ Por antonomasia, última cena de Jesucristo con sus apóstoles.

cenáculo. m. Sala en que Cristo celebró la última cena. ‖ fig. y fam. Reunión poco numerosa de personas que profesan las mismas ideas.

cenador. m. Espacio, generalmente redondo, que suele haber en los jardines, cercado y adornado con plantas trepadoras, parras o árboles.

cenaduría. f. *Amer.* Figón en que se sirven comidas por la noche.

cenagal (al. *Schlammloch*, fr. *bourbier*, ingl. *quagmire*, it. *fangaio*). m. Sitio o lugar lleno de cieno. || fig. y fam. Asunto de difícil salida. [*Sinón.*: lodazal, barrizal, fangal]

cenagoso, sa. adj. Lleno de cieno. [*Sinón.*: fangoso, embarrado]

cenancle. m. *Amer.* Mazorca de maíz.

cenar (al. *zu nacht essen*, fr. *souper*, ingl. *to have supper*, it. *cenare*). intr. Tomar la cena. || tr. Comer en la cena tal o cual cosa.

cenca. f. *Amer.* Cresta de las aves.

cenceño, ña. adj. Delgado, enjuto. [*Sinón.*: flaco]

cencerro (al. *Viehglocke*, fr. *sonnaille*, ingl. *cowbell*, it. *sonaglio*). m. Campana pequeña y cilíndrica, tosca por lo común, hecha de hierro o cobre. Se usa para el ganado y suele atarse al pescuezo de las reses. [*Sinón.*: campano, esquila]

cencido, da. adj. Dícese del prado o terreno antes de ser hollado.

cencha. f. Traviesa en que se fijan las patas de las butacas, camas, etc.

cendal. m. Tela de seda o lino muy delgada y transparente. || Humeral, paño litúrgico. || Barbas de la pluma.

cenefa (al. *Einfassung*, fr. *bordure*, ingl. *border*, it. *orlo*). f. Lista sobrepuesta o tejida en los bordes de las cortinas, dosales, pañuelos, etc. || Dibujo de ornamentación que se pone a lo largo de los muros, pavimentos y techos. || MAR. Madero grueso que rodea una cofa o en que termina y apoya su armazón.

cenestesia. f. Sensación general de la existencia del propio cuerpo.

cenia. f. Máquina simple para elevar el agua y regar los campos.

cenicero (al. *Aschenbecher*, fr. *cendrier*, ingl. *ash tray*, it. *ceneraio*). m. Sitio donde se recoge o echa la ceniza. || Vasija o platillo donde deja el fumador la ceniza del cigarro. || Espacio que hay debajo de la rejilla del hogar para que en él caiga la ceniza.

cenicienta, ta. adj. De color de ceniza. || f. Persona o cosa injustamente postergada o despreciada.

cénit (al. *Zenit*, fr. *zénith*, ingl. *zenith*, it. *zenit*). m. ASTR. Punto del hemisferio celeste superior al horizonte, que corresponde verticalmente a un lugar de la Tierra. || Punto más elevado que alcanza el Sol en su carrera diurna aparente.

cenital. adj. Perteneciente o relativo al cénit.

ceniza (al. *Asche*, fr. *cendre*, ingl. *ash*, it. *cenere*). f. Polvo gris claro que queda después de una combustión completa. || Oidio. || fig. Residuos de un cadáver. Ú.m. en pl.

cenizo, za. adj. De color de ceniza. || m. BOT. Planta silvestre quenopodiácea. || Oidio. || fam. Aguafiestas, persona que tiene mala sombra o que la trae a los demás.

cenobial. adj. Perteneciente al cenobio.

cenobio. m. Monasterio.

cenobita. com. Persona que profesa la vida monástica.

cenotafio. m. Monumento funerario que no contiene el cadáver del personaje a quien se dedica.

cenote. m. *Amer.* Depósito de agua que se halla a gran profundidad.

cenozoico, ca. adj. GEOL. Se aplica a los terrenos que componen la parte superior de las tres en que se considera dividida la corteza terrestre.

censal. adj. Relativo al censo. [*Sinón.*: censual]

censar. tr. Incluir o registrar en el censo. || intr. Hacer el censo o empadronamiento de los habitantes de un lugar.

censatario, ria. s. Persona obligada a pagar los réditos de un censo.

censo (al. *Volkszählung*, fr. *recensement*, ingl. *census*, it. *censimento*). m. Padrón o lista de la población o riqueza de una nación o localidad. || Registro general de los ciudadanos con derecho de sufragio activo.

censor. m. El que de orden del gobierno o de autoridad competente examina obras literarias, cinematográficas, etc., y emite su dictamen sobre ellas. || El que es propenso a murmurar o criticar las acciones o cualidades de los demás.

censorio, ria. adj. Relativo al censor o a la censura.

censual. adj. Perteneciente al censo. [*Sinón.*: censal]

censualista. com. Persona a cuyo favor se impone o está impuesto un censo, o la que tiene derecho a recibir sus réditos. [*Sinón.*: censalista]

censura (al. *Zensur*, fr. *censure*, ingl. *censorship*, it. *censura*). f. Dictamen o juicio que se hace o da acerca de una obra o escrito. || Nota, corrección o reprobación de alguna cosa. || Murmuración, detracción. || Control que los gobiernos ejercen sobre las obras literarias, cinematográficas, etc., asumiendo en exclusiva su valoración moral o política y arrogándose la capacidad de prohibirlas o autorizar su difusión, libre o limitada, por lo que frecuentemente se convierte en un instrumento represor que coarta las libertades personales y la expresión artística. || Por ext., cuerpo de censores.

censurar. tr. Formar juicio de una obra u otra cosa. || Corregir, reprobar o notar por mala una cosa. || Murmurar, vituperar.

centauro (al. *Zentaur*, fr. *centaure*, ingl. *centaur*, it. *centauro*). m. MIT. Monstruo fabuloso de la mitología griega, mitad hombre y mitad caballo. || ASTR. Constelación del hemisferio austral.

centavo, va. adj. Centésimo, dícese de cada una de las cien partes de un todo. || m. Moneda americana de bronce, cobre o níquel, que vale un céntimo de peso.

centella (al. *Funke*, fr. *étincelle*, ingl. *spark*, it. *scintilla*). f. Rayo, chispa eléctrica en las nubes. Dícese vulgarmente del de poca intensidad. || Chispa o partícula de fuego que se desprende o salta del pedernal herido con el eslabón o cosa semejante.

centellear (al. *funkeln*, fr. *étinceler*, ingl. *to sparkle*, it. *scintillare*). intr. Despedir rayos de luz entrecortadamente, o de intensidad y coloración variables por momentos.

centelleo. m. Acción y efecto de centellear.

centena (al. *das Hundert*, fr. *centaine*, ingl. *hundred*, it. *centinaio*). f. MAT. Conjunto de cien unidades.

centenal. m. Sitio sembrado de centeno.

centenar. m. Centena. || Centenal.

centenario, ria (al. *Hundertjährig*, fr. *centenaire*, ingl. *centenarian*, it. *centenario*). adj. Perteneciente a la centena. || Dícese de la persona que tiene cien años de edad, o se acerca a ellos. Ú.t.c.s. || m. Día en que se cumplen una o más centenas de años del nacimiento o muerte de una persona ilustre, o de un suceso famoso.

centeno (al. *Roggen*, fr. *seigle*, ingl. *rye*, it. *segala*). m. BOT. Planta anual gramínea, y muy parecida al trigo, con el tallo delgado, espiga larga, estrecha y comprimida, de que se desprenden con facilidad los granos. || Conjunto de granos de esta planta, que es muy alimenticia y tiene los mismos usos que el trigo.

centeno, na. adj. Centésimo, adjetivo ordinal.

centesimal. adj. Dícese de cada uno de los números del uno al noventa y nueve inclusive.

centésimo, ma. adj. Que sigue inmediatamente al o a lo nonagésimonono. || Dícese de cada una de las cien partes iguales en que se divide un todo. Ú.t.c.s.

centi. Voz que se usa tan sólo como prefijo de vocablos compuestos, con la significación de cien.

centiárea. f. Medida de superficie que tiene la centésima parte de un área; es decir, equivale a un metro cuadrado.

centígrado, da. adj. Que está dividido en cien grados. || Fís. Dícese de la unidad de temperatura del termómetro Celsius, en el que 0 grados corresponden a la fusión del hielo y 100 a la ebullición del agua. || Dícese de la escala en que cada división vale un grado centígrado.

centímetro (al. *Zentimeter*, fr. *centimètre*, ingl. *centimeter*, it. *centimetro*). m. Medida de longitud que tiene la centésima parte de un metro. || – *cuadrado*. Medida de superficie que corresponde a un cuadrado que tenga un centímetro de lado. || – *cúbico*. Medida de volumen que corresponde a un cubo cuyo lado es un centímetro.

céntimo. m. Moneda real o imaginaria que vale la centésima parte de la unidad monetaria.

centinela (al. *Schildwache*, fr. *sentinélle*, ingl. *sentry*, it. *sentinella*). amb. MIL. Soldado que guarda el puesto que se le encarga. || fig. Persona que está observando algo. || – *de vista*. La que se pone al preso para que no le pierda de vista. [*Sinón.*: vigía]

centolla. f. ZOOL. Crustáceo marino, de caparazón casi redondo cubierto de pelos y tubérculos ganchudos, y con cinco pares de patas largas y vellosas. Su carne es muy apreciada.

centollo. m. Centolla.

centón. m. Manta hecha de gran número de piececitas de paño o tela de diversos colores.

centrado, da. adj. Dícese del instrumento matemático o de la pieza de una máquina cuyo centro se halla en la posición que debe ocupar.

central (al. *Zentrale*, fr. *centrale*, ingl. *central*, it. *centrale*). adj. Perteneciente al centro. || Que está en el centro. || f. Oficina en que están reunidos varios servicios públicos de una misma clase. || Casa o establecimiento principal de algunas empresas particulares. || TÉCN. Instalación donde se produce la energia eléctrica a partir de energia mecánica, nuclear, térmica, etc. || *Amer.* Ingenio o fábrica de azúcar.

centralismo. m. Doctrina de los centralistas.

centralista. adj. Partidario de la centralización política o administrativa. Apl. a pers., ú.t.c.s.

centralita. f. dim. de central. || Aparato que conecta una o varias líneas telefónicas con diversos teléfonos instalados en los locales de una misma entidad.

centralización. f. Acción y efecto de centralizar o centralizarse.

centralizar. tr. Reunir varias cosas en un centro común, o hacerlas depender de un poder central. Ú.t.c.r. || Asumir el poder público facultades atribuidas a organismos locales. [*Sinón.*: centrar]

centrar (al. *in den mittelpunki bringen*, fr. *centrer*, ingl. *to center*, it. *centrare*). tr. Determinar el punto céntrico de una superficie o de un volumen. || Colocar una cosa de modo que su centro coincida con el de otra. || En algunos deportes, y especialmente en fútbol, pasar un jugador la pelota de un extremo del campo al centro, delante de la portería contraria. [*Sinón.*: centralizar. *Antón.*: descentrar]

céntrico, ca. adj. Central.

centrifugador, ra. adj. Dícese del aparato o máquina en que se aprovecha la fuerza centrífuga para cualquier fin. Ú.t.c.s.

centrifugar. tr. Someter una materia a la acción de la fuerza centrífuga para depurarla, separar sus componentes, etc.

centrífugo, ga. adj. MEC. Que aleja del centro.

centrípeto, ta. adj. MEC. Que atrae, dirige o impele hacia el centro.

centro (al. *Mittelpunkt*, fr. *centre*, ingl. *center*, it. *centro*). m. GEOM. Punto interior del círculo del cual equidistan todos los de la circunferencia. || GEOM. En la esfera, punto interior del cual equidistan todos los de la superficie. || GEOM. En los polígonos y poliedros, punto que tiene la propiedad de que todas las diagonales que por él pasan quedan divididas en dos partes iguales. || GEOM. En las líneas y superficies curvas, punto de intersección de todos los diámetros. || Lo más distante y retirado de la superficie exterior de una cosa. || Lugar de donde parten o a donde convergen acciones particulares coordenadas. || Punto donde habitualmente se reúnen los miembros de una sociedad o corporación. || Instituto dedicado a cultivar o a fomentar determinados estudios e investigaciones. || Parte central de una ciudad o un barrio. || fig. El punto o las calles más concurridas de una población. || fig. Fin u objeto principal a que se aspira. || En deportes, punto en que, según su situación y figura, está la fuerza del cuerpo. || POLIT. Posición política que pretende constituir el equilibrio entre la ↗ derecha y la ↗ izquierda. || – *de gravedad*. Fís. Punto de aplicación de la resultante de todas las acciones de la gravedad sobre las moléculas de un cuerpo. || – *de mesa*. Vasija de porcelana, cristal o metal que se usa para colocarla con flores en la mesa. || – *nervioso*. ANAT. Cada uno de los grupos de células nerviosas que recibe las impresiones de la periferia y transmite las excitaciones motrices a los órganos correspondientes.

centroamericano, na. adj. Natural de Centroamérica. Ú.t.c.s. || Perteneciente a esta parte del continente americano.

centroeuropeo, a. adj. Dícese de los países situados en la Europa central y de lo perteneciente a los mismos.

centunviro. m. Cada uno de los cien ciudadanos que en la antigua Roma asistían al pretor urbano.

centuplicar. tr. Hacer cien veces mayor una cosa. Ú.t.c.r.

céntuplo, pla. adj. ARIT. Producto de multiplicar por ciento una cantidad. Ú.t.c.s.m.

centuria. f. Cien años, siglo. || En la milicia romana, compañía de cien hombres.

centurión. m. En la milicia romana, jefe de una centuria.

ceñidor. m. Faja, cinta, correa o cordel con que se ciñe el cuerpo por la cintura. [*Sinón.*: cinturón]

ceñir (al. *umgürten*, fr. *ceindre*, ingl. *to gird*, it. *cingere*). tr. Rodear, ajustar o apretar la cintura, el cuerpo, el vestido u otra cosa. || Rodear una cosa con otra. || r. fig. Moderarse o reducirse en los gestos, en las palabras, etc. || Amoldarse, concretarse a una ocupación o trabajo.

ceño. m. Cerco o aro que ciñe una cosa. || Demostración o señal de enfado y enojo, que se hace con el rostro. || fig. Aspecto imponente y amenazador que toman ciertas cosas. [*Sinón.*: zuño, sobrecejo; cariz]

ceñudo, da. adj. Que tiene ceño o sobrecejo.

cepa (al. *Weinstock*, fr. *cep*, ingl. *vinestock*, it. *ceppo*). f. Parte del tronco de cualquier árbol o planta que está dentro de tierra y unida a las raíces. ‖ Tronco de la vid, y por extensión, toda la planta. ‖ Raíz o principio de algunas cosas, como las astas y las colas de los animales.

cepillar. tr. Acepillar.

cepillo (al. *Bürste*, fr. *brosse*, ingl. *brush*, it. *spazzola*). m. Caja para recoger donativos. ‖ Instrumento de carpintería que lleva embutido un hierro acerado con filo, el cual sobresale un poco de la cara que ha de ludir con la madera que se quiere labrar. ‖ Instrumento semejante al anterior, pero todo de hierro, que se usa para labrar metales. ‖ Instrumento que sirve para quitar el polvo a la ropa y para otros usos de limpieza.

cepo (al. *Fangeisen*, fr. *piège*, ingl. *snare*, it. *trappola*). m. Gajo o rama de árbol. ‖ Madero grueso en que se fijan los instrumentos de los herreros, cerrajeros y operarios de otros oficios. ‖ Instrumento hecho de dos maderos gruesos, que unidos forman en el medio unos agujeros redondos, en los cuales se aseguraba la garganta o la pierna del reo, juntando los maderos. ‖ Trampa para cazar animales. ‖ Arquilla que se pone fija en las iglesias y otros parajes para que se echen en ella limosnas; cepillo.

ceporro. m. Cepa vieja que se arranca para la lumbre. ‖ fig. Persona torpe de entendimiento.

cequí. m. Moneda antigua de oro de origen veneciano.

cera (al. *Wachs*, fr. *cire*, ingl. *wax*, it. *cera*). f. Sustancia sólida que segregan las abejas. ‖ Conjunto de velas y hachas de cera que se utilizan en una solemnidad. ‖ BOT. Sustancia muy parecida a la cera elaborada por los insectos, que producen algunas plantas. ‖ Membrana que rodea la base del pico de algunas aves. ‖ — de los oídos. FISIOL. Sustancia crasa segregada por ciertas glándulas que existen en el conducto auditivo externo. ‖ — virgen. La que no está aún melada, o la que está en el panal y sin labrarse.

cerámica (al. *Keramik*, fr. *céramique*, ingl. *ceramics*, it. *ceramica*). f. Arte de fabricar vasijas y otros objetos de barro, loza y porcelana, de todas clases y calidades. ‖ Conjunto de estos objetos.

ceramista. com. El que fabrica objetos de cerámica.

cerasta. f. ZOOL. Víbora con manchas de color pardo rojizo, que tiene una especie de cuernecillos encima de los ojos. Se cría en los arenales de África y es muy venenosa.

cerástide. m. ZOOL. Lepidóptero nocturno que vive en Europa.

cerato. m. FARM. Composición que tiene por base una mezcla de cera y aceite.

cerbatana (al. *Blasrohr*, fr. *sarbacane*, ingl. *blowgun*, it. *cerbottana*). f. Cañuto en que se introducen cuerpecillos de varias especies para despedirlos impetuosamente después, soplando con violencia por una de sus extremidades. ‖ Trompetilla para los sordos.

cerbero. m. Cancerbero. ‖ Arbusto pequeño del que hay diversas variedades, algunas con principios venenosos. |Sinón.: guardián|

cerca (al. *Einfriedigung*, fr. *clôture*, ingl. *enclosure*, it. *steccato*). f. Vallado, tapia.

cerca. adv. l. y t. Próxima o inmediatamente. Antecediendo a nombre o pronombre pide la prep. *de*. ‖ Con la misma preposición, sirve en lenguaje diplomático para designar la residencia de un ministro en determinada corte extranjera. ‖ *cerca de.* m. adv. Aproximadamente, en corta diferencia, poco menos de. ‖ *de cerca.* m. adv. A corta distancia.

cercado. m. Huerto, prado u otro sitio rodeado de valla o tapia para su resguardo. ‖ Cerca, vallado.

cercanía. f. Calidad de cercano. ‖ Contorno, inmediaciones. Ú.m. en pl. |Sinón.: proximidad, alrededores|

cercano, na. adj. Próximo, inmediato.

cercar (al. *umzäunen*, fr. *clôturer*, ingl. *to fence*, it. *circondare*). tr. Rodear o circunvalar un sitio con un vallado, tapia o muro. ‖ Poner cerco o sitio a una plaza, ciudad o fortaleza. ‖ Rodear mucha gente a una persona o cosa. |Sinón.: circuir, circundar; asediar|

cercenar. tr. Cortar las extremidades de una cosa. ‖ Disminuir o acortar. |Sinón.: mutilar; reducir, abreviar|

cerceta (al. *Krickente*, fr. *sarcelle*, ingl. *widgeon*, it. *alzavola*). f. ZOOL. Ave palmípeda, del tamaño de una paloma. Tiene el pico grueso, la cola corta y es parda cenicienta salpicada de lunarcillos.

cerciorar. tr. Asegurar a alguien la verdad de una cosa. Ú.t.c.r. |Sinón.: certificar, afirmar|

cerco (al. *Belagerung*, fr. *investissement*, ingl. *blockade*, it. *assedio*). m. Lo que ciñe o rodea. ‖ Aro de cuba, de rueda y de otros objetos. ‖ Asedio que pone un ejército, rodeando una plaza o ciudad para combatirla. ‖ Corrillo. ‖ Halo. ‖ Marco que rodea algunas cosas. ‖ *Amer.* Cercado, vallado. ‖ *poner cerco.* Sitiar una plaza o ponerle sitio.

cercha. f. Cimbra para formar arcos o bóvedas. ‖ ARQ. Regla delgada y flexible, de madera, que sirve para medir superficies cóncavas y convexas. ‖ ARQ. Patrón de contorno curvo. ‖ MAR. Círculo de madera que forma la rueda del timón, en el que se afirman las cabillas.

cerda (al. *Borsten*, fr. *soie -du porc*, *etc.—*, ingl. *bristle*, it. *setola*). f. Pelo grueso, duro y largo. ‖ Hembra del cerdo.

cerdear. intr. Flaquear de los brazuelos el animal. ‖ Sonar mal o ásperamente las cuerdas de un instrumento.

cerdo (al. *Schwein*, fr. *porc*, ingl. *swine*, it. *porco*). m. ZOOL. Mamífero paquidermo doméstico, que tiene unos siete decímetros de alto y aproximadamente un metro de largo; cabeza grande, orejas caídas, jeta casi cilíndrica, con la cual hoza la tierra y las inmundicias; cuerpo muy grueso, con cerdas fuertes y ralas, patas cortas, pies con cuatro dedos, los de en medio envueltos por la uña, y rudimentarios los dos de los lados, y cola corta y delgada. Se cría y ceba para aprovechar su carne y grasa, abundantes y muy sabrosas. ‖ fig. Puerco, hombre sucio; hombre grosero y sin modales. ‖ — marino. Marsopa. |Sinón.: cochino, marrano, puerco|

cerdoso, sa. adj. Que cría y tiene muchas cerdas. ‖ Parecido a ellas por su aspereza.

cereal (al. *Getreide*, fr. *céréale*, ingl. *cereal*, it. *cereale*). adj. Perteneciente o relativo a la diosa Ceres. ‖ Aplícase a las plantas o frutos farináceos; como trigo, centeno, cebada, etc. Ú.t.c.s. y en pl.

cerebelo (al. *Kleinhirn*, fr. *cervelet*, ingl. *cerebellum*, it. *cervelletto*). m. ANAT. Parte del encéfalo situada por debajo y por detrás del cerebro.

cerebral. adj. Perteneciente o relativo al cerebro. ‖ Intelectual.

cerebro (al. *Hirn*, fr. *cerveau*, ingl. *brain*, it. *cervello*). m. ANAT. Uno de los centros nerviosos constitutivos del encéfalo, que en el hombre y en muchos mamíferos está situado delante y encima del cerebelo. || fig. Entendimiento. [Sinón.: seso, meollo; juicio, razón]

cerebroespinal. adj. ANAT. Que tiene relación con el cerebro y con la espina dorsal.

cereceda. f. Cerezal.

ceremonia (al. Zeremonie, fr. cérémonie, ingl. ceremony, it. cerimonia). f. Acción o acto exterior para dar culto a las cosas divinas o reverencia y honor a las profanas. || Además afectado, en obsequio de una persona o cosa.

ceremonial. m. adj. Perteneciente o relativo a la ceremonia. || Conjunto de formalidades para cualquier acto público o solemne. [Sinón.: ritual, protocolo]

ceremonioso, sa. adj. Que observa con puntualidad las ceremonias. || Que gusta de ceremonias.

cereño, ña. adj. De color de cera.

céreo, a. adj. De cera.

cerería. f. Sitio donde se trabaja o vende la cera.

cereza (al. Kirsche, fr. cerise, ingl. cherry, it. ciliegia). f. Fruto del cerezo. Es una drupa casi redonda, de uno a dos centímetros de diámetro, con surco lateral, piel lisa de color rojo y pulpa dulce y jugosa.

cerezal. m. Sitio poblado de cerezos.

cerezo (al. Kirschenbaum, fr. cerisier, ingl. cherry-tree, it. ciliegio). m. BOT. Árbol frutal amigdaláceo, de unos cinco metros de altura, de tronco liso y ramoso y flores blancas. Su fruto es la cereza.

cerífero, ra. adj. Que produce o da cera.

cerilla (al. Zündholz, fr. allumette, ingl. match, it. fiammifero). f. Vela de cera, muy delgada y larga. || Fósforo, hilo encerado, palito o trozo de cartón con fósforo en un extremo, que sirve para encender. || Cera de los oídos.

cerillera. f. Fosforera.

cerillero, ra. adj. Persona que vende cerillas. || m. Cerillera.

cerillo. m. Cerilla, vela de cera. || En Andalucía, fósforo.

cerio. m. QUÍM. Elemento metálico perteneciente a las llamadas tierras raras. Es de color gris, dúctil y maleable.

cerne. adj. Se dice de lo que es sólido y fuerte. Aplícase especialmente a las maderas. || m. Parte más dura y sana del tronco de los árboles. [Sinón.: cerna]

cerner. tr. Separar con el cedazo cualquier materia reducida a polvo, de suerte que lo más grueso quede sobre la tela. || fig. Atalayar, observar, examinar. || fig. Depurar, afinar los pensamientos y las acciones. || r. fig. Amenazar de cerca algún mal. [Sinón.: cernir, cribar, tamizar]

cernícalo. m. ZOOL. Ave de rapiña, común en España. || fig. y fam. Hombre ignorante y rudo. Ú.t.c. adj.

cernidura. f. Acción de cerner. || pl. Lo que queda después de cernida la harina.

cernir. tr. Cerner.

cero (al. Null, fr. zéro, ingl. zero, it. zero). m. MAT. Signo sin valor propio. Colocado a la derecha de un número entero decuplica su valor, pero a la izquierda no lo modifica. || FÍS. En las diversas escalas de los termómetros, manómetros y otros aparatos semejantes, punto desde el cual se cuentan los grados y otras unidades de medida. || ser uno cero, o un cero, a la izquierda. fig. y fam. Ser inútil o no valer para nada. || al cero. loc. adv. Hablando del corte de pelo, al rape.

ceromancia o **ceromancía.** f. Arte vano de adivinar, que consiste en ir echando gotas de cera derretida en una vasija llena de agua, para hacer deducciones según las figuras que se forman.

cerón. m. Residuo, escoria o heces de los panales de la cera.

ceroplástica. f. Arte de modelar la cera.

cerote. m. Mezcla de pez y cera que usan los zapateros para encerar los hilos con que cosen el calzado. || fig. y fam. Miedo, temor.

cerquillo. m. Círculo o corona formada de cabello en la cabeza de los religiosos de algunas órdenes. || Vira del calzado.

cerrada. f. Parte de la piel del animal que corresponde al cerro o lomo.

cerradera. f. Parte de la cerradura en la cual penetra el pestillo. [Sinón.: armella, cerradero]

cerradero, ra. adj. Aplícase al lugar que se cierra, o al instrumento con que se ha de cerrar una cosa. Ú.t.c.s. || m. Cerradera. || Cordón con que se abre y se cierra una bolsa o bolsillo.

cerrado, da (al. verchlossen, fr. réservé, ingl. reticent, it. taciturno). adj. fig. Dícese de la persona muy reservada y silenciosa. || fig. Incomprensible, oculto y oscuro. || fig. Se dice del cielo o de la atmósfera cuando se presentan muy cargados de nubes. || fig. Aplícase

a la persona de pocos alcances. || fig. Dícese del acento o pronunciación que presenta rasgos nacionales o locales muy marcados, generalmente con dificultad para la comprensión. || m. Cercado, huerto con valla y tapia.

cerradura (al. Schloss, fr. serrure, ingl. lock, it. serratura). f. Mecanismo de metal que se fija en puertas, cajones, etc., y sirve para cerrarlos por medio de uno o más pestillos que hacen jugar con la llave. || — de golpe. La que, por tener pestillo de muelle, se cierra automáticamente y sin llave. [Sinón.: cerraja]

cerraja. f. Cerradura. || BOT. Hierba de la familia de las compuestas; es amarga y se emplea en medicina.

cerrajería. f. Oficio de cerrajero. || Tienda, taller o calle donde se fabrican o venden cerraduras y otros instrumentos de hierro.

cerrajero (al. Schlosser, fr. serrurier, ingl. locksmith, it. fabbro ferraio). m. Maestro u oficial que hace cerraduras, llaves, candados, cerrojos y otras cosas de hierro.

cerrar (al. schliessen, fr. fermer, ingl. to shut, it. chiudere). tr. Asegurar una puerta, ventana, tapa, etc., para impedir que se abra. || Encajar en su marco la hoja o las hojas de una puerta, balcón, ventana, etc. || Hacer que el interior de un edificio, recinto, receptáculo, etc., quede incomunicado con el exterior. || Juntar los párpados, labios o dientes. || Tratándose de libros, cuadernos, etc., juntar todas sus hojas. || Tratándose de los cajones de una mesa o cualquier otro mueble, hacerlos entrar en su hueco. || Estorbar o impedir el tránsito por un paso, camino u otra vía. || Cercar. || Tapar. || Poner el émbolo de un grifo, espita, etc., de manera que impida la salida del fluido. Ú.t.c.r. || Hablando de arcos y bóvedas, formar la clave de ellos. || Hablando de heridas o llagas, cicatrizarlas. Ú.t.c.r. || Apiñar, agrupar, unir estrechamente. Ú.t.c.r. || Tratándose de cartas, paquetes o cosas semejantes, pegarlos o lacrarlos de modo que no sea posible ver lo que contienen. || fig. Concluir ciertas cosas o ponerles término. || Tratándose de ajustes, tratos o contratos, darlos por concertados y firmes. || Tratándose de gente que camina formando hilera o columna, ir detrás o en último lugar. || Encerrar, meter a uno o algo en parte de que no pueda salir. Ú.t.c.r. || En el juego del dominó, poner una ficha que impida seguir colocando las demás. ||

Hablando de la noche, llegar ésta a su plenitud. Ú.t.c.r. ‖ Refiriéndose al cielo, a la atmósfera, al horizonte, etc., encapotarse. ‖ Hablando del vehículo o del conductor que toma una curva, ceñirse al lado de mayor curvatura. ‖ fig. Mantenerse firme en un propósito. ‖ *cerrarse en falso.* Se dice de la herida que no está bien curada, aunque en el exterior aparenta estarlo.

cerrazón. f. Oscuridad grande que suele preceder a las tempestades. ‖ fig. Incapacidad de comprender algo por ignorancia o prejuicio. ‖ fig. Obstinación, obcecación.

cerril. adj. Aplícase al terreno áspero y escabroso. ‖ fig. y fam. Grosero, obtuso, rústico.

cerro (al. *Hügel,* fr. *butte,* ingl. *hill,* it. *colle*). m. Cuello o pescuezo del animal. ‖ Elevación de tierra aislada y de menor altura que el monte o la montaña. ‖ *por los cerros de Úbeda.* loc. fig. y fam. Por sitio o lugar muy remoto y fuera de camino; también se usa para dar a entender lo que se dice es incongruente y fuera de lugar.

cerrojazo. m. Acción de echar el cerrojo recia y bruscamente. ‖ fig. Clausura inesperada de una industria, asamblea, etc.

cerrojo (al. *Riegel,* fr. *verrou,* ingl. *bolt,* it. *catenaccio*). m. Barrita de hierro con manija, que cierra y ajusta la puerta o ventana con el marco, o una con otra las hojas de una puerta. ‖ En los fusiles y otras armas ligeras, cilindro metálico que contiene los elementos de percusión, de obturación y de extracción del casquillo. [*Sinón.*: pestillo]

certamen. m. ant. Desafío, duelo o pelea entre dos o más personas. ‖ fig. Función literaria en que se argumenta o discute sobre algún asunto. ‖ fig. Concurso abierto por las academias u otras corporaciones para estimular con premios el cultivo de las ciencias, artes o letras.

certero, ra. adj. Diestro y seguro en tirar. ‖ Seguro, acertado. ‖ Cierto, sabedor, bien informado.

certeza (al. *Gewissheit,* fr. *certitude,* ingl. *certainty,* it. *certezza*). f. Conocimiento seguro y claro de una cosa. [*Sinón.*: evidencia, certitud, certidumbre. *Antón.*: duda]

certidumbre. f. Certeza.

certificación. f. Acción y efecto de certificar. ‖ Documento en que se asegura la verdad de un hecho.

certificado, da. adj. Se dice de la carta o paquete que se certifica. Ú.t.c.s. ‖ m. Certificación.

certificar (al. *einschreiben,* fr. *recommander,* ingl. *to register,* it. *raccomandare*). tr. Asegurar, afirmar. ‖ Tratándose de cartas o paquetes que se han de remitir por el correo, obtener, mediante pago, un certificado o resguardo con que se pueda acreditar haberlos remitido. ‖ DER. Hacer cierta una cosa por medio de instrumento público. [*Sinón.*: aseverar, dar fe; legalizar]

certitud. f. Certeza.

cerúleo, a. adj. Aplícase al color azul del cielo despejado, o de la alta mar o de los grandes lagos.

cerumen. m. Cera de los oídos.

cerval. adj. Cervuno, propio del ciervo o semejante a el. ‖ Dícese del miedo incontrolable.

cervantino, na. adj. Propio y característico de Cervantes como escritor, o que tiene semejanza con sus dotes y cualidades.

cervantismo. m. Influencia de las obras de Miguel de Cervantes en la literatura general. ‖ Giro o locución cervantina.

cervantista. adj. Dedicado con especialidad al estudio de las obras de Cervantes y cosas que le pertenecen. Apl. a pers., ú.t.c.s.

cervato. m. Ciervo menor de seis meses.

cervecería. f. Fábrica de cerveza. ‖ Local donde se vende. ‖ Establecimiento donde se consume.

cervecero, ra. s. Persona que hace cerveza. ‖ Persona que tiene cervecería.

cerveza (al. *Bier,* fr. *bière,* ingl. *beer,* it. *birra*). f. Bebida hecha con granos germinados de cebada u otros cereales fermentados en agua, y aromatizada con lúpulo, boj, casia, etc.

cervical. adj. Perteneciente o relativo a la cerviz.

cérvido. adj. ZOOL. Dícese de los mamíferos artiodáctilos rumiantes cuyos machos tienen cuernos ramificados que caen y se renuevan periódicamente; como el ciervo y el reno. Ú.t.c.s. ‖ m. pl. Familia de estos animales.

cerviguillo. m. Parte exterior de la cerviz cuando es gruesa y abultada.

cerviz. f. Parte posterior del cuello. [*Sinón.*: nuca, cogote]

cervuno, na. adj. Perteneciente al ciervo o parecido a él.

cesación. f. Acción y efecto de cesar. [*Sinón.*: suspensión, paro. *Antón.*: iniciación]

cesante. Dícese del empleado del gobierno a quien se priva de su empleo, dejándole, en algunos casos, parte del sueldo. Ú.t.c.s.

César. n.p.m. Nombre que llevaron junto con el de Augusto los emperadores romanos. ‖ Emperador romano.

cesar (al. *aufhören,* fr. *cesser,* ingl. *to cease,* it. *cessare*). intr. Suspenderse o acabarse una cosa. ‖ Dejar de desempeñar un empleo o cargo. [*Sinón.*: concluir, finalizar]

cesárea. f. CIR. Intervención que consiste en extraer un feto viable mediante la sección de las paredes abdominal y uterina.

cesáreo, a. adj. Perteneciente al imperio o a la majestad imperial.

cesarismo. m. Sistema de gobierno en el cual una persona asume y ejerce todos los poderes públicos.

cese (al. *aufhören,* fr. *cessation,* ingl. *ceasing,* it. *cessazione*). m. Acción de cesar algunas cosas. ‖ Orden por la cual un funcionario deja de desempeñar el cargo que ejercía. ‖ Cesación.

cesio. m. QUIM. Metal alcalino, muy parecido al potasio, cuyos compuestos se hallan en varias aguas minerales.

cesión (al. *Abtretung,* fr. *cession,* ingl. *transfer,* it. *cessione*). f. Renuncia de una cosa que una persona hace a favor de otra.

cesionario, ria. s. Persona en favor de la cual se hace una cesión.

cesionista. com. Persona que hace cesión de bienes.

césped (al. *Rasen,* fr. *gazon,* ingl. *turf,* it. *cespo*). m. Hierba menuda y tupida que cubre el suelo. ‖ Corteza que se forma en el corte por donde han sido podados los sarmientos.

cesta (al. *Korb,* fr. *corbeille,* ingl. *basket,* it. *canestro*). f. Utensilio que sirve para recoger o llevar ropas, frutas y otros objetos. ‖ Especie de pala de mimbre que, sujetándola con la mano, sirve para jugar a la pelota. ‖ *llevar la cesta.* fig. y fam. Estar presente una persona al coloquio íntimo de una pareja de enamorados.

cestería. f. Lugar donde se hacen cestos o cestas. ‖ Tienda donde se venden.

cesto. m. Cesta grande y más alta que ancha, formada a veces con mimbres, tiras de caña o varas de sauce sin pulir. ‖ Tabaque, cestillo. ‖ Armadura de la mano, usada por los antiguos púgiles, que consistía en correas guarnecidas con puntas de metal. ‖ *— de los papeles.* Papelera.

cestodo. adj. ZOOL. Dícese de los

gusanos platelmintos de cuerpo largo y aplanado y dividido en segmentos, y que carecen de aparato digestivo; son endoparásitos de otros animales. Ú.t.c.s. ‖ m. pl. Orden de estos animales.

ceta. f. Zeta, letra.

cetáceo. adj. ZOOL. Dícese de los mamíferos pisciformes, algunos de ellos de gran tamaño; como la ballena. Ú.t.c.s.m. ‖ m. pl. Orden de estos animales.

cetina. f. Esperma de ballena o de cachalote.

cetrería. f. Arte de criar, domesticar, enseñar y curar las aves que sirven para la caza de volatería. ‖ Caza de aves y algunos cuadrúpedos con halcones, azores y otros pájaros de presa.

cetrino, na. adj. Aplícase al color amarillo verdoso. ‖ Compuesto con cidra o que participa de sus cualidades. ‖ fig. Melancólico y adusto.

cetro (al. *Zepter*, fr. *sceptre*, ingl. *sceptre*, it. *scettro*). m. Vara que usan sólo emperadores y reyes como insignia de su dignidad. ‖ *empuñar* uno *el cetro.* fig. Empezar a reinar.

ceutí. adj. Natural de Ceuta. ‖ Perteneciente o relativo a esta ciudad.

cía. f. ANAT. Hueso de la cadera.

cianhídrico. adj. QUIM. ↗ *ácido cianhídrico.*

cianosis. f. MED. Coloración azul y algunas veces negruzca o lívida de la piel, debida principalmente a afecciones cardíacas.

cianuro. m. QUIM. Nombre genérico de las sales y ésteres del ácido cianhídrico.

ciar. intr. Andar hacia atrás, retroceder. ‖ MAR. Remar hacia atrás.

ciática. f. Neuralgia del nervio ciático.

ciático, ca. adj. ANAT. Perteneciente a la cadera. ‖ m. Nervio ciático.

cibal. adj. Dícese de lo perteneciente o relativo a la alimentación.

Cibeles. n.p.f. ASTR. Tierra, planeta que habitamos.

cibera. adj. Que sirve para cebar. ‖ f. Residuo de los frutos después de exprimidos.

cibernética. f. MED. Ciencia que estudia el funcionamiento de las conexiones nerviosas en los seres vivos. ‖ TÉCN. Ciencia que estudia comparativamente los sistemas de comunicación y regulación automática de los seres vivos con sistemas electrónicos. Entre sus aplicaciones, arte de construir y manejar aparatos que por procedi-

mientos electrónicos llevan a cabo automáticamente cálculos y operaciones similares.

ciborio. m. ARQUEOL. Copa para beber, usada entre los antiguos griegos y romanos. ‖ Baldaquino que corona un altar o tabernáculo en las iglesias románicas.

cicatería. f. Calidad de cicatero. ‖ Ruindad, miseria, mezquindad, tacañería.

cicatero, ra. adj. Ruin, miserable, que escatima lo que debe dar. Ú.t.c.s. ‖ Puntilloso. [*Sinón.*: avaro, mezquino]

cicatriz (al. *Narbe*, fr. *cicatrice*, ingl. *scar*, it. *cicatrice*). f. Señal que queda en los tejidos orgánicos después de curada una herida o llaga.

cicatrización. f. Acción y efecto de cicatrizar o cicatrizarse.

cicatrizar. tr. Completar la curación de las llagas o heridas, hasta quedar bien cerradas. Ú.t.c. intr. y c.r.

cícero. m. IMP. Unidad de medida usada en tipografía. Tiene 12 puntos y equivale a poco más de cuatro milímetros y medio.

cicerone. m. Persona que enseña y explica las curiosidades de una localidad, edificio, etc. [*Sinón.*: guía]

ciceroniano, na. adj. Propio y característico de Cicerón como orador o literato, o que se asemeja a cualquiera de sus cualidades.

ciclamen. m. BOT. Planta primulácea europea, cuya raíz es purgante. Las hojas tienen el haz de color verde oscuro y el envés rojizo. [*Sinón.*: pamporcino, ciclamino]

ciclamino. m. BOT. Ciclamen.

ciclamor. m. BOT. Árbol leguminoso. Es planta de adorno, y muy común en España.

ciclán. adj. Que tiene un solo testículo. Ú.t.c.s. ‖ m. Borrego o primal cuyos testículos están en el vientre y no salen al exterior.

ciclar. tr. Bruñir y abrillantar las piedras preciosas.

cíclico, ca. adj. Perteneciente o relativo al ciclo.

ciclismo. m. Deporte de los aficionados a la bicicleta.

ciclista. com. Persona que practica el ciclismo. ‖ Persona que anda o sabe andar en bicicleta.

ciclo (al. *Zyklus*, fr. *cycle*, ingl. *cycle*, it. *ciclo*). m. Período de tiempo o cierto número de años que, acabados, se vuelven a contar. ‖ Período de tiempo al que se dota de unidad por lo que sucede durante su transcurso. ‖ FIS.

Serie de fases por que pasa un fenómeno físico periódico hasta que se reproduce una fase anterior. ‖ Serie de conferencias u otros actos de carácter cultural relacionados entre sí, generalmente por el tema. ‖ Conjunto de tradiciones épicas de determinado período de tiempo, o referentes a un grupo de hechos o a un personaje histórico. ‖ BOT. Cada una de las espiras que forman alrededor del tallo todos los puntos de inserción de las hojas.

cicloidal. adj. Perteneciente o relativo a la cicloide.

cicloide. f. GEOM. Curva plana descrita por un punto de la circunferencia cuando ésta rueda sin deslizarse sobre una línea recta.

ciclón. m. Huracán.

cíclope o **cíclope.** m. MIT. Cada uno de los gigantes, hijos del Cielo y de la Tierra, que tenían un solo ojo en medio de la frente.

ciclópeo, a. adj. Perteneciente o relativo a los cíclopes. ‖ ARQUEOL. Aplícase a ciertas construcciones antiquísimas hechas con enormes piedras sin argamasa. ‖ fig. Gigantesco, excesivo.

ciclostilo. m. Aparato que sirve para copiar muchas veces un escrito o dibujo por medio de una tinta especial sobre una plancha gelatinosa.

ciclóstomo. adj. ZOOL. Dícese de peces de cuerpo largo y cilíndrico, esqueleto cartilaginoso, piel sin escamas, con seis o siete pares de branquias y boca circular. Ú.t.c.s. ‖ m. pl. Orden de estos animales.

ciclotrón. m. FIS. Acelerador de partículas electrizadas con miras a la obtención de transmutaciones y desintegraciones de átomos.

cicuta (al. *Schierling*, fr. *ciguë*, ingl. *hemlock*, it. *cicuta*). f. BOT. Hierba de la familia de las umbelíferas, de unos dos metros de altura, tallo hueco, hojas fétidas, flores blancas pequeñas y semilla negruzca. El zumo cocido de esta hierba es venenoso, y se usa interiormente, en pequeña cantidad, como medicina activa.

cid (por alusión al Cid Campeador). m. fig. Hombre fuerte y muy valeroso.

cidra. f. Fruto del cidro, semejante al limón. ‖ — *cayote.* BOT. Planta, variedad de sandía. De su carne jugosa y blanca, una vez cocida, se hace un dulce llamado cabello de ángel. ‖ Fruto de esta planta.

cidro. m. BOT. Árbol rutáceo, de tronco liso y ramoso. Su fruto es la cidra.

ciego, ga (al. *Blind,* fr. *aveugle,* ingl. *blind,* it. *cieco*). adj. Privado de la vista. Ú.t.c.s. ‖ fig. Poseído por alguna pasión. ‖ fig. Dícese de cualquier conducto lleno de tierra o broza que no se puede usar. ‖ fig. Ofuscado, alucinado. ‖ m. Intestino ciego. ‖ *a ciegas.* m. adv. fig. Sin conocimiento, sin reflexión.

cielo (al. *Himmel;* fr. *ciel;* ingl. *sky, heaven;* it. *cielo*). m. Espacio azul y diáfano que rodea a la Tierra, y en el cual parece que se mueven los astros. ‖ Atmósfera. ‖ Gloria o bienaventuranza. ‖ fig. Parte superior que cubre algunas cosas. ‖ *– de la boca.* Paladar. ‖ *– raso.* Techo de superficie plana y lisa. ‖ *a cielo abierto.* m. adv. Sin techo ni cobertura alguna. ‖ *llovido del cielo.* loc. fig. y fam. que denota la oportunidad con que llega una persona u ocurre alguna cosa. ‖ *ver uno el cielo abierto.* fig. y fam. Presentársele ocasión o coyuntura favorable para salir de un apuro o conseguir lo que deseaba.

ciempiés (al. *Tausendfuss,* fr. *mille-pattes,* ingl. *millipede,* it. *millepiedi*). m. ZOOL. Miriápodo de diez a doce centímetros de longitud, con un par de patas en cada uno de los veintiún anillos en que tiene dividido el cuerpo.

cien. adj. Apócope de ciento. Ú. siempre antes de sustantivo.

ciénaga. f. Lugar o paraje lleno de cieno o pantanoso. [*Sinón.:* lodazal, cenagal]

ciencia (al. *Wissenschaft,* fr. *science,* ingl. *science,* it. *scienza*). f. Conocimiento cierto de las cosas por sus principios y causas. ‖ Cuerpo de doctrina metódicamente formado y ordenado que constituye un ramo particular del humano saber. ‖ fig. Saber o erudición. ‖ fig. Habilidad, maestría, conjunto de conocimientos de cualquier cosa. ‖ pl. Conjunto de conocimientos relativos a las ciencias exactas, fisicoquímicas y naturales. ‖ *gaya ciencia.* Ciencia de la poesía. ‖ *ciencias exactas.* Las que sólo admiten principios, consecuencias y hechos rigurosamente demostrables. ‖ *ciencias naturales.* Las que tienen por objeto el conocimiento de las leyes y propiedades de los cuerpos. ‖ *a,* o *de, ciencia cierta.* m. adv. Con toda seguridad, sin duda alguna.

cienmilésimo, ma. adj. Dícese de cada una de las cien mil partes iguales en que se divide un todo. Ú.t.c.s.

cienmillonésimo, ma. adj. Dícese de cada una de las cien mil millones de partes iguales en que se divide un todo. Ú.t.c.s.

cienmillonésimo, ma. adj. Dícese de cada una de las cien millones de partes iguales en que se divide un todo. Ú.t.c.s.

cieno (al. *Schlamm,* fr. *boue,* ingl. *mud,* it. *fango*). m. Lodo blando que forma depósitos en ríos, en lagunas o en sitios bajos y húmedos. [*Sinón.:* fango, légamo, limo]

científico, ca. adj. Perteneciente o relativo a la ciencia. ‖ Que posee una o más ciencias. Ú.t.c.s.

ciento. adj. Diez veces diez. ‖ Centésimo, ordinal. ‖ m. Signo o conjunto de signos con que se representa el número ciento. ‖ Centenal, centenar.

cierne. m. Acción de cerner, estar fecundándose la flor de ciertas plantas. ‖ Cierna. ‖ *en cierne.* m. adv. En flor, dícese de ciertas plantas. ‖ *estar en cierne,* o *en ciernes,* una cosa. fig. Estar en sus principios, faltarle mucho para su perfección.

cierre. m. Acción y efecto de cerrar o cerrarse. ‖ Lo que sirve para cerrar. ‖ Clausura temporal de tiendas u otros establecimientos mercantiles, por lo regular concertada entre los dueños. ‖ IMP. Tratándose de periódicos, revistas y otras publicaciones análogas, acción de dar por terminada la admisión de originales para la edición que está en prensa.

cierto, ta (al. *gewiss,* fr. *certain,* ingl. *certain,* it. *certo*). adj. Conocido como verdadero, seguro o indubitable. ‖ Se usa precediendo inmediatamente al sustantivo indeterminado. ‖ *por cierto.* loc. Ciertamente, a la verdad. A propósito. [*Sinón.:* indefectible, indiscutible, innegable. *Antón.:* dudoso, incierto]

cierva. f. ZOOL. Hembra del ciervo; es casi de su mismo tamaño y figura, pero no tiene cuernos.

ciervo (al. *Hirsch,* fr. *cerf,* ingl. *deer,* it. *cervo*). m. ZOOL. Animal rumiante, esbelto, de pelo áspero, patas largas y cola muy corta. El macho está armado de cuernos estriados, macizos y ramosos, que pierde y renueva todos los años.

cierzo (al. *Nordwind,* fr. *bise,* ingl. *North wind,* it. *sizza*). m. Viento septentrional.

cifosis. f. MED. Encorvadura defectuosa de la espina dorsal, de convexidad posterior.

cifra (al. *Ziffer,* fr. *chiffre,* ingl. *figure,* it. *cifra*). f. Número, signo con que se representa. ‖ Escritura en que se usan signos, guarismos o letras convencionales. ‖ Abreviatura, representación convenida y abreviada de ciertas palabras.

cifrado, da. adj. Dícese de algunas cosas escritas en cifra. [*Sinón.:* poligráfico, criptográfico, en clave]

cifrar (al. *beziffern,* fr. *chiffrer,* ingl. *to cipher,* it. *scrivere in cifra*). tr. Escribir en cifra. ‖ fig. Reducir a cosa, persona o idea lo que ordinariamente procede de varias causas.

cigala. f. ZOOL. Crustáceo marino, de color claro y caparazón duro, semejante al cangrejo de río.

cigarra (al. *Zikade,* fr. *cigale,* ingl. *cricket,* it. *cicala*). f. ZOOL. Insecto hemíptero, de abdomen cónico, en cuya extremidad tienen los machos un aparato con el cual, en tiempo de mucho calor, producen un ruido estridente y monótono.

cigarrera. f. Mujer que hace o vende cigarros. ‖ Caja o mueblecito en que se tienen a la vista cigarros puros. ‖ Petaca de bolsillo para contener cigarros o cigarrillos.

cigarrero. m. El que hace o vende cigarros.

cigarrillo (al. *Zigarette,* fr. *cigarette,* ingl. *cigarette,* it. *sigaretta*). m. Cigarro pequeño, de picadura o hebra envuelta en papel de fumar. [*Sinón.:* pitillo]

cigarro (al. *Zigarre,* fr. *cigare,* ingl. *cigar,* it. *sigarro*). m. Rollo de hojas de tabaco secas que se enciende por un extremo y se chupa o fuma por el opuesto. ‖ *– de papel.* Cigarrillo. [*Sinón.:* puro]

cigarrón. m. ZOOL. Saltamontes. ‖ fam. *Amer.* Maricón.

cigomático, ca. adj. ANAT. Perteneciente o relativo a la mejilla o al pómulo.

cigoto. m. EMBR. Huevo que resulta de la fusión de dos gametos.

cigüeña (al. *Storch,* fr. *cicogne,* ingl. *stork,* it. *cicogna*). f. ZOOL. Ave zancuda, como de un metro de altura. Es ave de paso, anida en las torres y árboles elevados, y se alimenta de sabandijas. ‖ MEC. Codo que tienen los tornos y otros instrumentos y máquinas en la prolongación del eje.

cigüeñal. m. MEC. Doble codo en el eje de ciertas máquinas. ‖ MEC. Árbol provisto de uno o más codos en los que se articulan bielas.

cija. f. Cuadra para encerrar el ganado lanar durante el mal tiempo. ‖ Pajar.

cilanco. m. Charco que en la orilla dejan las aguas de un río al retirarse.

cilantro. m. BOT. Hierba de la familia de las umbelíferas, con flores rojizas y cuya simiente aromática posee virtudes estomacales.

ciliado, da. adj. Que posee cilios. || m. pl. Zool. Clase de protozoos caracterizados por sus cilios vibrátiles.

ciliar. adj. Perteneciente o relativo a las pestañas.

cilicio. m. Vestidura áspera que usaban antiguamente para la penitencia. || Faja de cerdas o de cadenillas de hierro con púas que, para mortificación, se aplican algunas personas.

cilindrada. f. Técn. Capacidad de un cilindro de motor de explosión.

cilíndrico, ca. adj. Geom. Perteneciente al cilindro. || De forma de cilindro. || ↗ superficie cilíndrica.

cilindro. m. Geom. Sólido limitado por una superficie cilíndrica cerrada y dos planos que forman sus bases. || Geom. Por antonomasia, el recto y circular. || Mec. Tubo en el interior del cual se mueve el émbolo de una máquina.

cilio. m. Biol. Cada una de las pestañas vibrátiles de algunos organismos. Pueden tener funciones locomotoras, táctiles o tróficas. || Biol. Llámanse así las prolongaciones de algunas células epiteliales, especialmente las de la mucosa respiratoria de muchos animales.

cima (al. *Gipfel*, fr. *sommet*, ingl. *summit*, it. *cima*). f. Punto más alto de los montes, cerros y collados. || Parte más alta de los árboles. || fig. Fin o complemento de una obra o cosa. [*Sinón.*: cúspide, cumbre, término, culminación]

cimacio. m. Arq. Gola, moldura en forma de *S*.

cimarrón, na. adj. Dícese del animal doméstico que huye al campo y se hace montaraz. || *Amer.* Decíase del esclavo que se refugiaba en los montes buscando la libertad. || *Amer.* Dícese del animal salvaje no domesticado. || *Amer.* Dícese del mate amargo, o sea, sin azúcar. || fig. Mar. Dícese del marinero indolente y poco trabajador. Ú.t.c.s.

cimbalo. m. Campana pequeña. || Arqueol. Instrumento músico muy parecido, o casi idéntico, a los platillos, usados por griegos y romanos.

cimbel. m. Cordel que se ata al ave que sirve de señuelo para cazar otras. || Ave o figura de ella que se emplea con dicho objeto.

cimborio. m. Arq. Cimborrio.

cimborrio. m. Arq. Elemento arquitectónico formado por una cúpula con apoyos y complementos, que se coloca en la intersección de la nave principal con el crucero de un templo.

cimbra. f. Arq. Armazón de madera que sostiene la superficie convexa sobre la cual se van colocando las dovelas de una bóveda o arco. || Arq. Curvatura de la superficie interior de un arco o bóveda.

cimbrar (al. *schwingen*, fr. *faire vibrer*, ingl. *to brandish*, it. *scuotere*). tr. Mover una cosa flexible, cogiéndola por un extremo y haciéndola vibrar. Ú.t.c.r. || Arq. Colocar cimbras. [*Sinón.*: cimbrear]

cimbre. m. Galería subterránea.

cimbreante. adj. Flexible, que se cimbrea fácilmente.

cimbrear. tr. Cimbrar. Ú.t.c.r.

cimentación. f. Acción y efecto de cimentar. [*Sinón.*: cimiento, fundamento]

cimentar (al. *gründen*, fr. *cimenter*, ingl. *to lay the foundation*, it. *fondare*). tr. Echar o poner los cimientos de un edificio. || Fundar, edificar. || fig. Establecer o asentar los principios de una cosa espiritual. [*Sinón.*: fundamentar]

cimera. f. Parte superior del morrión, que se solía adornar con plumas u otros objetos. || Blas. Cualquier adorno que en las armaduras se pone sobre la cima del yelmo o celada.

cimero, ra. adj. Dícese de lo que está en la parte superior. [*Sinón.*: culminante]

cimiento (al. *Grundlage*, fr. *fondement*, ingl. *foundation*, it. *fondamento*). m. Parte del edificio que está debajo de tierra y sobre la cual estriba toda la fábrica. Ú.m. en pl. || fig. Principio y raíz de alguna cosa. [*Sinón.*: fundamento, origen]

cimitarra. f. Especie de sable curvo usado por turcos y persas.

cinabrio. m. Mineral compuesto de azufre y mercurio, muy pesado y de color rojo oscuro. || Bermellón.

cinamomo. m. Bot. Árbol de la familia de las meliáceas, de unos seis metros de altura. Su madera es dura y aromática. || Sustancia aromática que, según unos, es la mirra, y según otros, la canela.

cinc (al. *Zink*, fr. *zinc*, ingl. *zinc*, it. *zinco*). m. Quím. Metal de color blanco azulado y brillo intenso, blando y de estructura laminosa. Se funde a unos 400°. Es quebradizo y expuesto a la humedad se oxida, cubriéndose de una película protectora de la masa interior.

cincel (al. *Meissel*, fr. *ciseau*, ingl. *chisel*, it. *cesello*). m. Herramienta con boca acerada y recta, de doble bisel, que sirve para labrar piedras y metales a golpes de martillo.

cincelar (al. *eingraben*, fr. *ciseler*, ingl. *to chisel*, it. *cesellare*). tr. Labrar, grabar con cincel en piedras y metales. [*Sinón.*: esculpir, tallar]

cinco. adj. Cuatro y uno. || Quinto, ordinal. Aplicado a los días del mes, ú.t.c.s. || m. Cifra con que se representa el número cinco. || Naipe que representa cinco señales. || *esos cinco.* fig. y fam. La mano.

cincograbado. m. Grabado en cinc hecho en una plancha por medio de un mordiente.

cincografía. f. Arte de dibujar o grabar en una plancha de cinc dispuesta al efecto.

cincomesino, na. adj. De cinco meses. Ú.t.c.s.

cincuenta. adj. Cinco veces diez. || Quincuagésimo, ordinal. || m. Signo o cifra con que se representa el número cincuenta.

cincuentena. f. Conjunto de cincuenta unidades homogéneas.

cincuentenario, ria. adj. Conmemoración del día en que se cumplen cincuenta años de algún suceso.

cincha (al. *Sattelgurt*, fr. *sangle*, ingl. *cinch*, it. *sottopancia*). f. Faja con la que se asegura la silla o albarda sobre la cabalgadura.

cinchar. tr. Asegurar la silla o albarda apretando las cinchas. || Afianzar con cinchos o aros de hierro.

cincho. m. Faja ancha de acero o de otra materia con que se suele ceñir y abrigar el estómago. || Aro de hierro con que se refuerzan barriles, ruedas, etc.

cinchuela. f. dim. de cincha. || Banda o faja estrecha.

cine. m. Apócope de cinematógrafo. || Cinematografía.

cineasta. com. Persona que tiene una intervención importante en el cine; como actor, director, etc.

cinéfilo, la. adj. Aficionado al cine. Ú.t.c.s.

cinefórum. m. Sesión privada de cine, en la que al final de la proyección se establece un coloquio sobre la obra vista.

cinegética. f. Arte de la caza.

cinema. m. p. us. Cine.

cinemascope o **cinemascopio.** m. Procedimiento cinematográfico por el que se obtienen proyecciones panorámicas sobre pantallas curvas mayores que las normales.

cinemateca. f. Mueble o local donde se guardan películas cinematográficas. || Colección de películas. || Local donde se proyectan las películas de una colección. [Sinón.: filmoteca]

cinemática. f. Fís. Parte de la mecánica que estudia el movimiento en sus condiciones de espacio y tiempo, prescindiendo de la idea de fuerza.

cinematografía. f. Arte, técnica e industria de representar el movimiento por medio de la fotografía.

cinematográfico, ca. adj. Perteneciente o relativo al cinematógrafo o a la cinematografía.

cinematógrafo. m. Aparato óptico en el que, haciendo pasar rápidamente muchas escenas fotográficas que representan otros tantos momentos sucesivos de una acción determinada, se produce la ilusión de un cuadro cuyas figuras se mueven. || Local público donde se exhiben, como espectáculo, películas cinematográficas.

cinerama. m. Procedimiento cinematográfico en pantalla ancha basado en el uso de una cámara triple y tres proyectores.

cinerario, ria. adj. Cinéreo. || Destinado a contener cenizas de cadáveres.

cinéreo. adj. Ceniciento.

cinescopio. m. Tubo catódico de los receptores de televisión.

cinesiterapia. f. Kinesiterapia.

cinética. f. Fís. Parte de la dinámica que trata del movimiento.

cinético, ca. adj. Fís. Perteneciente o relativo al movimiento.

cingalés, sa. adj. Natural de Ceilán. Ú.t.c.s. || Perteneciente o relativo a esta isla asiática.

cíngaro, ra. adj. Gitano. Ú.t.c.s.

cinglar. tr. Hacer andar un bote, canoa, etc., con un solo remo puesto a popa. || METAL. Forjar el hierro para limpiarlo de escorias.

cíngulo. m. Cordón que usa el sacerdote para ceñirse el alba.

cínico, ca (al. cynisch, fr. cynique, ingl. cynic, it. cínico). adj. Aplícase al filósofo de cierta escuela de la cual fue fundador Antístenes, y Diógenes su más señalado representante. Ú.t.c.s. || Perteneciente a esta escuela. || Impúdico, desvergonzado. || Desaseado. [Sinón.: descarado; desastrado, sucio]

cínife. m. ZOOL. Mosquito común.

cinismo. m. FIL. Doctrina de los cínicos. || Desvergüenza en defender o practicar acciones o doctrinas vituperables. || Afectación de desaseo y grosería. || Obscenidad descarada. [Si-

nón.: desfachatez, insolencia, impudor]

cinta (al. Band, fr. ruban, ingl. ribbon, it. nastro). f. Tejido largo y angosto. || Por ext., tira de papel, talco, celuloide u otra materia flexible. || La impregnada de tinta que se usa en las máquinas de escribir. || Red de cáñamo fuerte. || Hilera de baldosas que se pone en los solados, paralela a las paredes y arrimada a ellas. || BOT. Planta perenne de adorno, de la familia de las gramíneas. || ARQ. Filete, parte más fina de la moldura. || Corona del casco de las caballerías. || CINEM. Película. || — aislante. La impregnada en una solución adhesiva de caucho, que se usa para recubrir los empalmes de los conductores eléctricos.

cintarazo. m. Golpe que se da de plano con la espada.

cinteado, da. adj. Adornado con cintas.

cintilar. tr. Brillar, centellear.

cinto. m. Faja de cuero, estambre o seda que se usa para ceñir y ajustar la cintura. || Cintura del cuerpo humano.

cintra. f. ARQ. Curvatura de una bóveda o de un arco.

cintura (al. Taille, fr. taille, ingl. waist, it. cintura). Parte más estrecha del cuerpo humano, por encima de las caderas. || Cinta con que las damas solían apretar la cintura para hacerla más delgada. || meter a uno en cintura, fig. y fam. Hacerle entrar en razón. [Sinón.: talle]

cinturita. f. Cinta o pretinilla. || m. fam. Amer. Rufián.

cinturón (al. Gürtel, fr. ceinture, ingl. belt, it. cinturone). m. aum. de cintura. || Cinto de que se lleva pendiente la espada o el sable. || Cinta, correa o cordón que sirve para ajustar el vestido al cuerpo. || fig. Serie de cosas que rodean a otra. || — de castidad. Instrumento para evitar la unión sexual. || apretarse el cinturón. Tener que reducir por escasez de medios los gastos, en especial el de la comida. Dícese también, eufemísticamente, de la austeridad forzosa que el poder impone al pueblo para hacerle pagar las consecuencias de una crisis económica. [Sinón.: ceñidor, bicurú, talabarte; cerca, cordón]

cipayo. m. Soldado indio al servicio de una potencia europea.

ciperáceo, a. adj. BOT. Dícese de las plantas monocotiledóneas, herbáceas, con rizoma corto; como la juncia, la castañuela y el papiro. Ú.t.c.s.

cipo. m. Pilastra erigida en memoria de algún difunto. || Hito, mojón.

cipote. m. Mojón de piedra. || Hombre torpe, tonto, bobo. || Hombre obeso, rechoncho. || Porra, cachiporra. || Palillo del tambor. || vulg. Miembro viril. || Amer. Pilluelo, chiquillo.

ciprés (al. Zypresse, fr. cyprès, ingl. cypress, it. cipresso). m. BOT. Árbol de la familia de las coníferas, de quince a veinte metros de altura, con tronco derecho y copa espesa y cónica. Su madera es rojiza y olorosa, resinosa e incorruptible. Es originario de Oriente Medio. || Madera de cualquiera de las especies de este árbol.

circense. adj. Propio del circo o perteneciente a él.

circo (al. Zirkus, fr. cirque, ingl. circus, it. circo). m. Entre los romanos, lugar destinado para algunos espectáculos, en especial para la carrera de caballos o carros. || Local con gradas para los espectadores y en medio un espacio circular para ejercicios ecuestres, gimnásticos, etc.

circonio. m. QUIM. Metal muy raro, pulverulento y negro, mal conductor de la electricidad y que, por frotación, puede adquirir brillo y color gris oscuro.

circuir. tr. Rodear, cercar.

circuito. m. Lugar comprendido dentro de un perímetro. || Contorno. || Trayecto en curva cerrada, que ha sido fijado previamente para carreras de automóviles, motocicletas, etc. || Fís. Camino que sigue una corriente eléctrica. || corto circuito. El que ofrece una resistencia sumamente pequeña, y en especial el que se produce accidentalmente por contacto entre dos conductores y suele terminar en una descarga.

circulación (al. Stadtverkehr, fr. circulation, ingl. traffic, it. circolazione). f. Acción de circular. || Tránsito de personas y vehículos por las vías públicas. || ECON. Movimiento de los productos, monedas, signos de crédito y, en general, de la riqueza.

circular (al. Kreisförmig, fr. circulaire, ingl. circular, it. circolare). adj. Relativo o perteneciente al círculo. || De figura de círculo. || f. Orden que una autoridad superior dirige a sus subordinados. || Cada uno de los avisos iguales que se dirigen a distintas personas para darles noticia de algo.

circular (al. umlaufen, fr. circuler, ingl. to circulate, it. circolare). intr. Andar o moverse en derredor. || Ir y venir. || Pasar alguna cosa de unas personas a otras. || Salir alguna cosa por una vía y volver por otra al origen.

círculo (al. *Kreis*, fr. *cercle*, ingl. *circle*, it. *circolo*). m. Geom. Area o superficie plana contenida dentro de la circunferencia. || vulg. Circunferencia. || Circuito, distrito, corro. || Casino, sociedad de recreo y edificio en que tiene su sede. || Sector o ambiente social. || — *vicioso*. Vicio del discurso que se comete cuando dos cosas se explican una por otra recíprocamente, y ambas quedan sin explicación.

circuncidar. tr. Cortar circularmente una porción del prepucio.

circuncisión. f. Acción y efecto de circuncidar. || Por excelencia, la de Nuestro Señor Jesucristo.

circunciso. p.p. irreg. de circuncidar. Ú.t.c.s. || adj. fig. judío, moro.

circundar. tr. Cercar, rodear.

circunferencia (al. *Umkreis*, fr. *conférence*, ingl. *circumference*, it. *circonferenza*). f. Geom. Curva plana, cerrada, cuyos puntos son equidistantes de otro, que se llama centro, situado en el mismo plano. || Contorno de una superficie.

circunflejo. adj. Se dice del acento compuesto de uno agudo y otro grave unidos por arriba (ˆ).

circunlocución. f. Ret. Figura que consiste en expresar mediante un rodeo de palabras algo que hubiera podido decirse con menos, pero no tan bella, enérgica o hábilmente. [*Sinón.*: perífrasis]

circunloquio. m. Rodeo de palabras para dar a entender algo que hubiera podido explicarse más brevemente.

circunnavegación. f. Acción y efecto de circunnavegar. [*Sinón.*: periplo]

circunnavegar. tr. Navegar alrededor. || Dar un buque la vuelta al mundo.

circunscribir. tr. Reducir a ciertos límites una cosa. Ú.t.c.r. || Geom. Formar una figura de modo que otra quede dentro de ella. || r. Ceñirse, concretarse a una ocupación.

circunscripción. f. Acción y efecto de circunscribir. || División administrativa, militar, electoral o eclesiástica de un territorio. [*Sinón.*: reducción, restricción; distrito, demarcación]

circunscrito, ta. p.p. irreg. de circunscribir. || adj. Geom. Aplícase a la figura que circunscribe a otra.

circunspección. f. Atención, cordura, prudencia. || Seriedad, decoro y gravedad en acciones y palabras. [*Sinón.*: mesura, sensatez. *Antón.*: imprudencia, insensatez]

circunspecto, ta. adj. Cuerdo, prudente. || Serio, grave, respetable.

circunstancia. f. Accidente de tiempo, lugar, modo, etc., que está unido a la sustancia de un hecho o dicho. || Calidad o requisito. || Conjunto de lo que está en torno a uno. || — *agravante*, *atenuante* y *eximente*. Der. Motivos legales para recargar, aliviar o librar al reo de responsabilidad criminal.

circunstancial. adj. Que implica o denota alguna circunstancia o que depende de ella.

circunstante. adj. Que está alrededor.

circunvalación. f. Acción de circunvalar.

circunvalar. tr. Cercar, ceñir, rodear una ciudad, fortaleza, etc. [*Sinón.*: circundar]

circunvolución. f. Vuelta o rodeo de alguna cosa. || — *cerebral*. Cada uno de los relieves que se observan en la superficie exterior del cerebro.

cirial. m. Cada uno de los candeleros altos, sin pie, que llevan los acólitos en algunas funciones litúrgicas.

cirílico, ca. adj. Dícese del alfabeto y las letras eslavas, adaptadas del griego por San Cirilo.

cirineo. m. fig. y fam. Persona que ayuda a otra en un empleo o trabajo.

cirio (al. *Altarkerze*, fr. *cierge*, ingl. *altar candle*, it. *cero*). m. Vela de cera de un pábilo, larga y gruesa.

cirrípedo. adj. Zool. Aplícase a los crustáceos que viven adheridos a cuerpos submarinos, y cuya concha se compone de varias valvas; como el percebe y el bálano. Ú.t.c.s. || m. pl. Orden de estos animales.

cirro. m. Tumor duro, en general poco doloroso. || Bot. Zarcillo de la vid. || Meteor. Nube blanca y ligera, en forma de filamentos de lana cardada.

cirrópodo. adj. Zool. Cirrípedo.

cirrosis. f. Pat. Nombre con que se designan varios procesos patológicos que afectan al hígado, caracterizados por alteraciones destructivas y regenerativas del parénquima hepático, acompañadas de proliferación del tejido conjuntivo. Es frecuente en los alcohólicos.

cirrótico, ca. adj. Perteneciente o relativo a la cirrosis.

ciruela (al. *Pflaume*, fr. *prune*, ingl. *plum*, it. *susina*). f. Fruto del ciruelo. Es una drupa, jugosa y dulce, cuyo color y tamaño difieren según la variedad del árbol.

ciruelo. m. Bot. Árbol frutal de la familia de las amigdaláceas, con las hojas lanceoladas, dentadas y un poco acanaladas, los ramos mochos y la flor blanca; su fruto es la ciruela. || fig. y fam. Hombre muy necio e incapaz. Ú.t.c. adj. || vulg. Sexo masculino.

cirugía (al. *Chirurgie*, fr. *chirurgie*, ingl. *surgery*, it. *chirurgia*). f. Parte de la medicina que tiene por objeto curar las enfermedades operando con instrumentos especiales, que destruyen la solución de continuidad de la piel. || — *plástica*. La que se ocupa de la reconstrucción y restauración de partes del cuerpo con fines funcionales o estéticos.

cirujano, na (al. *Chirurg*, fr. *chirurgien*, ingl. *surgeon*, it. *chirurgo*). s. El que profesa y practica la cirugía.

cis. prep. insep. De la parte o del lado de acá.

cisalpino, na. adj. Situado entre los Alpes y Roma.

cisandino, na. adj. Del lado de acá de los Andes.

ciscar. tr. fam. Ensuciar. || *Amer.* Molestar, fastidiar. Ú.t.c.r. || r. Evacuarse o soltarse el vientre.

cisco. m. Carbón vegetal menudo. || fig. y fam. Alboroto, bullicio, reyerta. || *hacer cisco.* fig. y fam. Destruir por completo.

cisma. amb. División o separación entre los individuos de un cuerpo o comunidad. || Discordia, desavenencia. [*Sinón.*: escisión, rompimiento. *Antón.*: unidad]

cismático, ca. adj. Que se aparta de su legítima cabeza. Apl. a pers., ú.t.c.s. || Dícese del que introduce cisma o discordia en un pueblo o comunidad.

cisne (al. *Schwan*, fr. *cygne*, ingl. *swan*, it. *cigno*). m. Zool. Ave palmípeda, de plumaje blanco, cabeza pequeña, cuello muy largo y flexible, patas cortas y alas grandes. || n.p.m. Astr. Una de las principales constelaciones boreales de la Vía Láctea.

cistáceo, ea. adj. Bot. Dícese de matas o arbustos angiospermos dicotiledóneos con hojas sencillas, flores en corimbo o en panoja y fruto en cápsula. Ú.t.c.s.f. || f. pl. Bot. Familia de estas plantas.

cister. m. Orden religiosa, de la regla de San Benito, fundada por San Roberto en el siglo XI, y que debió su mayor florecimiento a San Bernardo.

cisterciense (al. *Zisterzienser*, fr. *cistercien*, ingl. *cistercian*, it. *cistercense*). adj. Perteneciente a la orden del cister.

cisterna (al. *Zisterne*, fr. *citerne*, ingl. *cistern*, it. *cisterna*). f. Depósito subterráneo donde se recoge y conserva el agua. || Depósito destinado al almacenamiento o traslado de líquidos. [*Sinón.*: aljibe]

cistitis. f. MED. Inflamación de la vejiga.

cisura. f. Rotura o abertura sutil que se hace en una cosa.

cita (al. *Verabredung*, fr. *rendez-vous*, ingl. *appointment*, it. *appuntamento*). f. Señalamiento, asignación de día, hora y lugar para verse y hablarse dos o más personas. || Nota que se alega para prueba de lo que se dice o refiere. || Mención.

citación. f. DER. Llamamiento que hace el juez a alguien para que comparezca ante él. || DER. Documento en que se manifiesta este llamamiento.

citar (al. *anführen*, fr. *citer*, ingl. *to quote*, it. *allegare*). tr. Avisar a uno señalándole día, hora y lugar para tratar de algún asunto. || Referir los autores textos o lugares que se alegan en comprobación de lo que se dice o escribe. || En las corridas de toros, provocar a la fiera para que embista. [*Sinón.*: convocar, emplazar]

cítara, fr. *cithare*, ingl. *cittern*, it. *cetra*). f. Instrumento músical con tres órdenes de cuerdas, semejante a la guitarra aunque de menor tamaño.

citara. f. Pared cuyo grosor no sobrepasa la anchura del ladrillo común.

citerior. adj. Situado en la parte de acá, o aquende.

citología. f. BIOL. Parte de la biología que estudia la célula.

citoplasma. m. BIOL. El protoplasma de la célula, excluido el núcleo.

cítrico, ca. adj. Perteneciente o relativo al limón. || m. pl. Agrios, frutas agrias o agridulces.

citrón. m. Limón.

ciudad (al. *Stadt*; fr. *ville*; ingl. *town*, *city*; it. *città*). f. Población, por lo común grande, que antiguamente gozaba de mayores privilegios que las villas. || Conjunto de calles y edificios que componen la ciudad.

ciudadanía. f. Calidad y derecho de ciudadano. || Conjunto de los ciudadanos de un pueblo o nación.

ciudadano, na (al. *Stadtbewohner, Staatbürger*; fr. *citadin, citoyen*; ingl. *townsman, citizen*; it. *cittadino*). adj. Natural o vecino de una ciudad. Ú.t.c.s. || Perteneciente a la ciudad o a las ciudadanos. || m. El que está en posesión de los derechos de ciudadanía.

ciudadela (al. *Zitadelle*, fr. *citadelle*, ingl. *citadel*, it. *cittadella*). f. Recinto de fortificación permanente en el interior de una plaza.

ciudadrealeño, ña. adj. Natural de Ciudad Real. Ú.t.c.s. || Perteneciente a esta ciudad o a su provincia.

civeta. f. Gato de algalia.

cívico, ca (al. *bürger–*, fr. *civique*, ingl. *civic*, it. *civico*). adj. Civil, ciudadano. || Patriótico. || Perteneciente o relativo al civismo.

civil (al. *bürgerlich*, fr. *civil*, ingl. *civil*, it. *civile*). adj. Ciudadano, perteneciente a la ciudad. || Sociable, urbano, atento. || Aplicase a la persona que no es militar. || Dícese de lo que no es religioso. || m. fam. Individuo de la guardia civil.

civilización (al. *Zivilisation*, fr. *civilisation*, ingl. *civilization*, it. *civilizzazione*). f. Acción y efecto de civilizar o civilizarse. || Conjunto de ideas, ciencias, artes y costumbres propias de un determinado grupo humano.

civilizar. tr. Sacar del estado salvaje a pueblos o personas. Ú.t.c.r. || Educar, ilustrar. Ú.t.c.r.

civismo. m. Celo por las instituciones e intereses patrios. || Celo al servicio de los demás ciudadanos.

cizalla (al. *Metallschere*, fr. *cisaille*, ingl. *shears*, it. *forbici da lamiere*). f. Instrumento, a modo de tijeras grandes, con el cual se cortan en frío las planchas de metal. || Guillotina que sirve para cortar cartones y cartulinas. || En las casas de moneda, residuo de los rieles de que se ha cortado la moneda.

cizaña (al. *Tollgerste*, fr. *ivraie*, ingl. *wedd*, it. *zizzania*). f. BOT. Planta anual de la familia de las gramíneas. Se cría espontáneamente en los sembrados y la harina de su semilla es venenosa. || Cualquier cosa que hace daño a otra, maleándola o echándola a perder. ||fig. Disensión o enemistad. Ú.m. con los verbos *meter* y *sembrar*.

cizañar. tr. Sembrar o meter cizaña, disensión o enemistad.

cizañear. tr. Cizañar.

cizañero, ra. adj. Que mete cizaña. Ú.t.c.s.

cizañoso, sa. adj. Cizañero.

clac. m. Sombrero plegable.

clamar (al. *schreien*, fr. *crier*, ingl. *to cry*, it. *gridare*). intr. Dar voces lastimosas pidiendo favor o ayuda. || Gritar. [*Sinón.*: clamorear]

clámide. f. Copa corta y ligera que usaron los griegos y después adoptaron los romanos.

clamor (al. *Jammergeschrei*, fr. *clameur*, ingl. *outcry*, it. *clamore*). m. Grito. || Griterío.

clamoreo. m. Clamor repetido o continuado. || fam. Ruego importuno e insistente.

clamoroso, sa. adj. Dícese del rumor de las voces de mucha gente reunida.

clan. m. Nombre que en Escocia designaba tribu o familia, y que por extensión se aplica a otras formas de agrupación humana.

clandestinidad. f. Calidad de clandestino.

clandestino, na (al. *heimlich*, fr. *clandestin*, ingl. *stealthy*, it. *clandestino*). adj. Secreto, oculto. Suele decirse de lo que se hace o dice secretamente por temor a la ley o para eludirla. [*Sinón.*: subrepticio, furtivo]

claque (voz francesa). f. fig. y fam. Conjunto de los espectadores de un teatro que, percibiendo un salario o beneficiándose de una rebaja en el precio de la localidad, procuran arrancar al aplauso de la sala iniciándolo ellos.

claqueta. f. CINEM. Instrumento formado por dos tablillas de madera articuladas en las que se anota el título de la película y el plano que se va a rodar, y sirve para el montaje sincrónico de imagen y sonido.

clara. f. Materia blanca, líquida y transparente que rodea la yema del huevo. || Espacio corto, en tiempo lluvioso, en que deja de caer agua.

claraboya (al. *Oberlicht*, fr. *oeil-de-boeuf*, ingl. *skylight*, it. *lucernario*). f. Ventana abierta en el techo o en la parte alta de las paredes.

clarear (al. *hell werden*, fr. *poindre le jour*, ingl. *to dawn*, it. *far giorno*). intr. Empezar a amanecer. || tr. Dar claridad. || Irse abriendo o disipando el nublado. || r. Transparentarse. [*Sinón.*: alborear, aclarar]

clarete. adj. Dícese de una especie de vino tinto algo claro. Ú.t.c.s. [*Sinón.*: rosado]

claridad (al. *Klarheit*, it. *clarté*, ingl. *clearness*, it. *chiarezza*). f. Calidad de claro. || Efecto de la luz que hace distinguir bien los objetos. || Distinción con que percibimos las sensaciones. || fig. Palabra o frase con que se dice a uno resueltamente algo desagradable. Ú.m. en pl.

clarificar. tr. Iluminar, alumbrar. || Aclarar alguna cosa.

clarín (al. *Signaltrompete*, fr. *clairon*, ingl. *bugle*, it. *chiarina*). m. Instrumento semejante a la trompeta, pero más pequeño y de sonido más agudo. || El que toca el clarín.

clarinada. f. Toque de clarín. || fig. Dicho intempestivo o desentonado. [*Sinón.*: impertinencia, despropósito]

clarinete (al. *Klarinette*, fr. *clarinette*, ingl. *clarinet*, it. *clarinetto*). m. Instrumento musical de viento, que se compone de una boquilla de lengüeta de caña, un tubo formado por varias piezas de madera y un pabellón de clarín. || Músico que toca este instrumento.

clarión. m. Pasta hecha de yeso mate y greda, utilizada para escribir en los encerados.

clarividencia. f. Facultad de comprender y discernir claramente las cosas. || Penetración, perspicacia. [*Sinón.*: discernimiento, perspicuidad]

claro, ra (al. *klar*, fr. *clair*, ingl. *clear*, it. *chiaro*). adj. Bañado de luz. || Que se distingue bien. || Limpio, puro, desembarazado. || Transparente y terso. || Se aplica a las cosas líquidas mezcladas con algunos ingredientes, que no están muy trabadas ni espesas. || Con más espacios o intervalos de lo regular. || Dícese del color no subido o no muy cargado de tinte. || Evidente, cierto, manifiesto. || Dícese del sonido neto y puro, y también del timbre agudo. || Inteligible, fácil de comprender. || fig. Ilustre, insigne, famoso. || Expresado libremente. || Dícese del tiempo en que el cielo aparece sin nubes. || Tiempo durante el cual se interrumpe una peroración o discurso. || Espacio o intermedio que hay entre algunas cosas; como en las procesiones, líneas de tropa, sembrados, etc. || adv. m. Claramente. || — *de luna.* Momento corto en que la Luna se muestra en noche oscura con toda claridad. [*Sinón.*: iluminado; límpido, diáfano. *Antón.*: oscuro]

claroscuro. m. PINT. Conveniente distribución de la luz y de las sombras en un cuadro.

clase (al. *Klasse*, fr. *classe*, ingl. *class*, it. *classe*). f. Orden o número de personas del mismo grado, calidad u oficio. || Orden en que se consideran comprendidas diferentes personas o cosas. || Cada división de estudiantes que asisten a sus diferentes aulas. || Conjunto de niños que reciben un mismo grado de enseñanza. || Aula, cátedra. || Lección que da el maestro a los discípulos cada día. || En los establecimientos docentes, cada una de las asignaturas a que se destina separadamen-

te cierto tiempo. || HIST. NAT. Conjunto de órdenes o de familias afines. || — *media.* La formada por personas que viven de un trabajo no manual o de pequeñas rentas. || — *pasivas.* Denominación oficial bajo la que se comprenden los cesantes, jubilados, etc., que disfrutan de algún haber pasivo, y, por extensión, las viudas y huérfanos.

clasicismo. m. Sistema literario o artístico basado en la imitación de los modelos de la antigüedad griega o romana. Dícese en oposición a romanticismo.

clasicista. adj. Dícese del partidario del clasicismo. Ú.t.c.s.

clásico, ca (al. *Klassisch*, fr. *classique*, ingl. *classical*, it. *classico*). adj. Dícese del autor o de la obra que se tiene por modelo digno de imitación en cualquier literatura o arte. Apl. a pers., ú.t.c.s. || Principal o notable en algún concepto. || Perteneciente a la literatura o al arte de la antigüedad griega o romana.

clasificación. f. Acción y efecto de clasificar.

clasificar (al. *sortieren*, fr. *classifier*, ingl. *to class*, it. *classificare*). tr. Ordenar o disponer por clases. || r. Obtener determinado puesto en una competición. [*Sinón.*: catalogar]

clasista. adj. Propio de una clase social. || Partidario de las diferencias de clase. Ú.t.c.s.

claudicación. f. Acción y efecto de claudicar.

claudicar. intr. Cojear. || fig. Proceder y obrar defectuosamente o desarregladamente. || fig. Darse por vencido en una competición o abjurar de una idea. || fig. Ceder.

claustral. adj. Relativo al claustro. || Aplícase a ciertas órdenes religiosas y a sus miembros.

claustro (al. *Kreuzgang*, fr. *cloître*, ingl. *cloister*, it. *claustro*). m. Galería de una iglesia o convento. || Junta formada por los representantes de los distintos estamentos universitarios. || Conjunto de profesores de una universidad.

claustrofobia. f. MED. Temor morboso a permanecer en espacios cerrados.

cláusula (al. *Klausel*, fr. *clause*, ingl. *provision*, it. *clausola*). f. DER. Cada una de las disposiciones de un contrato, testamento, etc. || GRAM. y RET. Conjunto de palabras que forman una frase con sentido cabal. [*Sinón.*: condición, estipulación]

clausura (al. *Schluss*, fr. *clôture*, ingl. *closure*, it. *chiusura*). f. En los conventos de religiosos, recinto interior. || Vida religiosa o en clausura. || Acto solemne con que se terminan o suspenden las deliberaciones de un congreso, tribunal, etc.

clausurar. tr. Cerrar, poner fin.

clava. f. Palo toscamente labrado, como de un metro de largo, que va aumentando de diámetro desde la empuñadura hasta el extremo opuesto. [*Sinón.*: porra, cachiporra]

clavado, da. adj. Adornado con clavos. || Exacto. || Pintipardo. || m. *Amer.* DEP. En natación, salto.

clavar (al. *festnageln*, fr. *clouer*, ingl. *to nail*, it. *inchiodare*). tr. Introducir un clavo u otra cosa aguda a fuerza de golpes, en un cuerpo. || Asegurar con clavos una cosa. || fig. y fam. Perjudicar a alguien cobrándole más de lo justo.

clave (al. *Schlüssel*, fr. *clef*, ingl. *key*, it. *chiave*). m. Clavicémbalo. || f. Explicación de los signos convenidos para escribir en cifra. || Noticia o idea por la cual se hace comprensibl algo que era enigmático. || ARQ. Piedra con que se cierra el arco o bóveda. || MÚS. Signo que se pone al principio del pentagrama para determinar el nombre de las notas.

clavecín. m. Instrumento músico de teclado, a manera de piano.

clavel (al. *Nelke*, fr. *oeillet*, ingl. *pink*, it. *garofano*). m. BOT. Planta de la familia de las carófileas, con tallos nudosos y delgados, y muchas flores terminales de color rojo subido y olor agradable. || Flor de esta planta.

clavellina. f. BOT. Clavel, principalmente el de flores sencillas. || Planta semejante al clavel común, pero de tallos, hojas y flores menores. || Flor de esta planta.

clavera. f. Molde en el que se forman las cabezas de los clavos. || Agujero que forma el clavo al introducirse.

clavería. f. Dignidad de clavero en las órdenes militares.

clavero, ra. s. Persona a quien se confían las llaves.

clavetear. tr. Guarnecer o adornar con clavos. || Herretear.

clavicémbalo. m. MÚS. Instrumento músical de cuerdas y teclado, caracterizado por el modo de herir dichas cuerdas desde abajo por picos de pluma que actúan como plectros.

clavicordio. m. MÚS. Instrumento músical de cuerdas y teclado. Su mecanismo está constituido por una palanca, una de cuyas extremidades que forma la tecla desciende a causa de la presión del dedo, mientras que la otra, al elevarse, hiere la cuerda por debajo con un trozo de latón que lleva en la punta.

clavícula. (al. *Schlüsselbein*, fr. *clavicule*, ingl. *collar bone*, it. *clavicola*). f. ANAT. Cada uno de los huesos situados transversalmente en la parte superior del pecho y articulados por dentro con el esternón y por fuera con el omóplato.

clavicular. adj. Perteneciente a la clavícula.

clavija (al. *Stift*, fr. *cheville*, ingl. *peg*, it. *caviglia*). f. Trozo de madera, metal u otra materia apropiada que se encaja en un taladro hecho al efecto en una pieza sólida.

clavo (al. *Nagel*, fr. *clou*, ingl. *nail*, it. *chiodo*). m. Pieza metálica, por lo general de acero, con cabeza y punta. || Callo duro y profundo en los dedos de los pies. || Capullo seco de la flor del clavero. Se usa como especia en diferentes condimentos. || *agarrarse uno a, o de, un clavo ardiendo*. fig. y fam. Valerse de cualquier medio, por difícil que sea, para salvarse de un peligro. || *dar uno en el clavo*. fig. y fam. Acertar en lo que hace o dice.

cláxon. m. Bocina eléctrica de sonido potente que llevan los vehículos automóviles.

clemátide. f. BOT. Planta medicinal, de la familia de las ranunculáceas, de tallo rojizo, hojas opuestas y flores blancas y de olor suave.

clemencia (al. *Milde*, fr. *clémence*, ingl. *mercy*, it. *clemenza*). f. Virtud que modera el rigor de la justicia. [Sinón.: misericordia, indulgencia. Antón.: inclemencia]

clemente. adj. Que tiene clemencia.

clepsidra. f. Reloj de agua.

cleptomanía. f. Propensión morbosa al hurto.

cleptómano, na. adj. Dícese de la persona que padece cleptomanía. Ú.t.c.s.

clerecía. f. Conjunto de personas eclesiásticas que componen el clero. || Número de clérigos que concurren con sobrepelliz a una función litúrgica. || Oficio u ocupación de clérigos. || *mester de clerecía*. Nombre que recibe la poesía culta, escrita generalmente por clérigos, en la literatura castellana de los siglos XIII y XIV.

clergyman (voz inglesa). m. Traje de clérigo consistente en americana y pantalón oscuros y alzacuello.

clerical (al. *geistlich*, fr. *clérical*, ingl.

clerical, it. *clericale*). adj. Perteneciente al clérigo. || Afecto y sumiso al clero.

clericalismo. m. Nombre que suele darse a la influencia excesiva del clero en los asuntos políticos. || Marcada afección y sumisión al clero y a sus directrices.

clerigalla. colect. f. Designación despectiva del clero.

clérigo (al. *Geistlicher*, fr. *ecclésiastique*, ingl. *clergyman*, it. *chierico*). m. El que ha recibido las órdenes sagradas. || El que tiene la primera tonsura. [Sinón.: cura, eclesiástico, sacerdote]

clero (al. *Klerus*, fr. *clergé*, ingl. *priesthood*, it. *clero*). m. Conjunto sacerdotal de la Iglesia Católica. || – *regular*. El que se liga con tres votos solemnes de pobreza, obediencia y castidad. || – *secular*. El que no hace dichos votos solemnes. [Sinón.: clerecía]

cliché. m. Clisé de imprenta. || Imagen fotográfica negativa obtenida mediante cámara oscura. || fig. Lugar común, idea o expresión demasiado formularia y repetida.

cliente (al. *Kunde*, fr. *client*, ingl. *customer*, it. *cliente*). com. Persona que está bajo la protección o tutela de otra. || Respecto del que ejerce una profesión, persona que utiliza sus servicios. || Por ext., parroquiano.

clientela. f. Protección, amparo con que los poderosos patrocinan a los que se acogen a ellos. || Conjunto de los clientes.

clima (al. *Klima*, fr. *climat*, ingl. *climate*, it. *clima*). m. Conjunto de condiciones atmosféricas que caracterizan una región o país. || Ambiente, conjunto de condiciones que caracterizan una situación o de circunstancias que rodean a una persona. || País, región.

climatérico, ca. adj. Relativo a cualquiera de los períodos de la vida considerados como críticos. || Dícese del tiempo peligroso por alguna circunstancia.

climaterio. m. FISIOL. Época de la vida que sigue a la extinción de la función genital.

climático, ca. adj. Perteneciente o relativo al clima.

climatización. f. Acción y efecto de climatizar.

climatizador. m. TÉCN. Aparato para climatizar.

climatizar. tr. Técnica de proporcionar a un local o vehículo las condiciones de temperatura y humedad convenientes para la salud o la comodidad.

climatología. f. Tratado de los climas.

climatológico, ca. adj. Relativo a la climatología. || Perteneciente a las condiciones de cada clima.

clímax. m. Gradación retórica ascendente. || Término más alto de esta gradación. || Punto más alto o culminación de un proceso.

clin. f. Crin.

clínica (al. *Klinik*, fr. *clinique*, ingl. *(private) hospital*, it. *clinica*). f. Parte práctica de la enseñanza de la medicina. || Departamento de los hospitales destinados a dar esta enseñanza. || Hospital privado, más comúnmente quirúrgico, regido por uno o varios médicos.

clínico, ca. adj. Relativo o perteneciente a la clínica o enseñanza práctica de la medicina. || s. Persona dedicada al ejercicio práctico de la medicina.

clinómetro. m. FÍS. Especie de nivel. || FÍS. Aparato que mide la diferencia de calado entre la proa y la popa de un buque.

clip (voz inglesa). m. Clipe.

clipe. m. Utensilio hecho con una barrita de metal o de plástico, doblada sobre sí misma, que sirve para sujetar papeles por presión. || Especie de horquilla, de lados iguales, superpuestos y muy juntos, que emplean las mujeres para sujetar sus cabellos. || Alhaja o adorno femenino que se sujeta mediante la presión de pinzas o agujas y que suele usarse como zarcillo o para colocarse en el escote o en las solapas del vestido.

clípeo. m. Escudo circular y abombado que se usó en la antigüedad.

clíper. m. MAR. Buque de vela fino, ligero y de mucho aguante. || Avión grande para el transporte transatlántico.

clisar. tr. IMP. Reproducir con planchas de metal la composición de imprenta o grabados en relieve.

clisé. m. IMP. Plancha clisada, y especialmente la que representa un grabado. || Cliché fotográfico. || Lugar común.

clíster. m. Lavativa.

clítoris. m. Cuerpecillo carnoso eréctil que sobresale en la parte más elevada de la vulva.

cloaca (al. *Kloake*, fr. *cloaque*, ingl. *sewer*, it. *cloaca*). f. Conducto por donde van las aguas sucias o las inmundicias. || ZOOL. Porción final del intestino recto de las aves y reptiles, en la que desembocan los conductos genitales y urinarios.

cloque. m. Bichero. || Garfio que sirve para enganchar atunes.

cloquear. intr. Hacer clo clo la gallina clueca. || tr. Enganchar el atún con el cloque en las almadrabas, para sacarlo a tierra.

cloqueo. m. Cacareo sordo que emite la gallina clueca.

clorato. m. QUÍM. Sal formada por la combinación del ácido clórico con una base.

clorhídrico, ca. adj. QUÍM. Relativo o perteneciente a las combinaciones del cloro y del hidrógeno. || *ácido clorhídrico.*

clórico, ca. adj. QUÍM. Perteneciente o relativo al cloro.

cloro (al. *Chlor*, fr. *chlore*, ingl. *chlorine*, it. *cloro*). m. QUÍM. Elemento no metálico; es un gas amarillo verdoso, más pesado que el aire. Se obtiene por electrólisis del cloruro sódico en solución. Se usa como anticongelante y para la desinfección de aguas.

clorofila. f. BOT. Pigmento verde de los vegetales (hojas, tallos, etc.), localizado en los cloroplastos de las células.

clorofílico, ca. adj. Relativo a la clorofila.

cloroformo. m. QUÍM. Cuerpo constituido en la proporción de un átomo de carbono por uno de hidrógeno y tres de cloro. Es líquido, incoloro, de olor agradable y de sabor azucarado y picante, y se emplea en medicina como poderoso anestésico.

clorosis. f. BOT. Enfermedad de las plantas, por la cual las hojas pierden poco a poco su color. || PAT. Enfermedad de las adolescentes, caracterizada por palidez del rostro y empobrecimiento de la sangre, y comúnmente por opilación.

cloroso, sa. adj. Que contiene cloro.

cloruro. m. QUÍM. Combinación del cloro con un metal o ciertos no metales. || — de sodio, o sódico. QUÍM. Sal común o de cocina.

clown (voz inglesa). m. Payaso.

club. m. Junta de individuos de una sociedad política. || Sociedad fundada para recreo de los socios o para la práctica de uno o varios deportes. || *Neol.* Discoteca, sala de baile.

clubista. m. Socio de un club.

clueco, ca. adj. Aplícase a la gallina y otras aves cuando se echan sobre los huevos para empollarlos. Ú.t.c.s.

cluniacense. adj. Perteneciente o relativo al monasterio o congregación de Cluni, que es de San Benito, en Borgoña. Apl. a pers., ú.t.c.s.

co. prep. insep. equivalente a *con*, y que indica unión o compañia.

coa. f. *Amer.* Especie de pala usada para la labranza. || *Amer.* La siembra o labranza.

coacción. f. Fuerza que se hace a una persona para obligarla a que diga o ejecute una cosa. [*Sinón.:* imposición, intimación]

coaccionar (al. *zwingen,* fr. *contraindre,* ingl. *to coerce,* it. *costringere*). tr. Ejercer coacción.

coactivo, va. adj. Que tiene fuerza de apremiar u obligar. [*Sinón.:* apremiante, coercitivo, obligatorio]

coadjutor, ra. s. Persona que ayuda y acompaña a otra en ciertas cosas. || Eclesiástico que ayuda al cura párroco. [*Sinón.:* auxiliar]

coadyuvar. tr. Contribuir, asistir o ayudar a la consecución de una cosa. [*Sinón.:* auxiliar, cooperar]

coagulación. f. Acción y efecto de coagular o coagularse. [*Sinón.:* cuajamiento]

coagular (al. *gerinnen,* fr. *coaguler,* ingl. *to coagulate,* it. *coagulare*). tr. Cuajar, solidificar algunos líquidos, como la leche, la sangre, etc. Ú.t.c.r.

coágulo (al. *Gerinnsel,* fr. *grumeau,* ingl. *clot,* it. *coagulo*). m. Coagulación de la sangre. || Grumo extraído de un líquido coagulado. || Masa coagulada.

coalescencia. f. BIOL. Fusión de partes separadas.

coalición. f. Confederación, liga, unión.

coaptación. f. CIR. Acción de colocar en sus relaciones naturales los fragmentos en un hueso fracturado. || CIR. Acción de restituir en su sitio un hueso dislocado.

coartada. f. Conjunto de circunstancias de hecho que, por ser su realidad materialmente incompatible con la comisión de un delito, exoneran de sospecha al presunto responsable de dicho acto delictivo.

coartar (al. *einschänken,* fr. *restreindre,* ingl. *to restrain,* it. *coartare*). tr. Limitar, restringir, no conceder enteramente alguna cosa. [*Sinón.:* refrenar, contener. *Antón.:* permitir]

coatí. m. ZOOL. Nombre vulgar de varios mamíferos carniceros americanos, caracterizados por tener hocico y cola alargados y el pelaje listado y de dos colores. Son omnívoros.

coautor, ra. s. Autor o autora con otro u otros.

coaxial. adj. TÉCN. Aplícase a los cuerpos que tienen un eje común.

coba. f. fam. Halago o adulación fingidos. || *dar coba.* Emplear con insistencia estos halagos.

cobalto (al. *Kobalt,* fr. *cobalt,* ingl. *cobalt,* it. *cobalto*). m. QUÍM. Elemento metálico de color gris acerado, fuerte, dúctil y ligeramente maleable. Se usa en galvanoplastia, tintes y en aleaciones con hierro.

cobarcho. m. Una de las partes de la almadraba, que forma como una barrera de red.

cobarde (al. *feig,* fr. *lâche,* ingl. *coward,* it. *codardo*). adj. Pusilánime, sin valor ni espíritu. Ú.t.c.s. || Hecho con cobardía. [*Sinón.:* acoquinado, medroso, miedoso, temeroso. *Antón.:* valiente]

cobardía. f. Falta de ánimo y valor. [*Antón.:* valentía]

cobaya o **cobayo.** m. ZOOL. Conejillo de Indias.

cobertera. f. Pieza llana que sirve para tapar las ollas, etc. || Alcahueta. || ZOOL. Cada una de las plumas que cubren la base de la cola de las aves.

cobertizo (al. *Schuppen,* fr. *hangar,* ingl. *shed,* it. *tettoia*). m. Tejado que sale fuera de la pared y sirve para guarecerse de la lluvia. || Lugar cubierto para resguardar de la intemperie hombres, animales y efectos. [*Sinón.:* porche, soportal, sotechado]

cobertor (al. *Decke,* fr. *courtepointe,* ingl. *coverlet,* it. *coperta*). m. Colcha. Manta o cobertera para la cama.

cobertura. f. Cubrimiento, acción de cubrir o cubrirse. || Cubierta, lo que sirve para cubrir o tapar algo.

cobija. f. Teja que se pone con la parte cóncava hacia abajo, abrazando sus lados dos canales de tejado. || *Amer.* Frazada que se pone en la cama.

cobijar. tr. Cubrir o tapar. Ú.t.c.r. || fig. Albergar, hospedar. Ú.t.c.r.

cobijo. m. Acción y efecto de cobijar o cobijarse. || Hospedaje en el que el posadero no da de comer.

cobista. com. Adulador.

cobla. f. Copla. Composición poética de la poesía trovadoresca. || En Cataluña, conjunto instrumental, compuesto generalmente por once músicos, que interpreta la sardana.

cobra (al. *Kobra,* fr. *cobra,* ingl. *cobra,* it. *cobra*). f. ZOOL. Serpiente venenosa de los países tropicales, que llega a tener más de dos metros de largo. Posee colmillos acanalados y su mordedura es mortal. || Coyunda para uncir bueyes. || Conjunto de yeguas enlazadas para la trilla. || MONT.

Acción de buscar el perro la pieza muerta o herida, hasta traerla al cazador.

cobrador, ra. adj. Dícese del perro que trae la pieza al cazador. || s. Persona encargada del cobro de recibos por servicios o cantidades adeudadas. || Persona que cobra los viajes en los transportes públicos.

cobranza. f. Acción y efecto de cobrar. || MONT. Acción de cobrar las piezas que se matan. [*Sinón.*: cobro, recaudación]

cobrar (al. *einkassieren*, fr. *encaisser*, ingl. *to collec*, it. *riscuotere*). tr. Percibir el acreedor o un representante suyo una cantidad adeudada. || Recuperar, volver a poseer lo perdido. || Si se trata de ciertos afectos o impulsos del ánimo, tomar o sentir. || Adquirir. || fam. Recibir un castigo corporal. Se dice especialmente cuando se trata de muchachos. || En cinegética, recoger las piezas que se han cazado. || r. Volver en sí, recobrar el conocimiento. || Indemnizarse, compensarse de un favor hecho o de un daño recibido. Ú.t.c.tr.

cobre (al. Kupfer, fr. *cuivre*, ingl. *copper*, it. *rame*). m. QUÍM. Elemento metálico de color rojizo característico, dúctil y buen conductor de la electricidad. Se encuentra a veces nativo. Se usa principalmente en la fabricación de hilos conductores eléctricos. || pl. MÚS. Conjunto de instrumentos metálicos de viento de una orquesta.

cobrizo, za. adj. Aplícase al mineral que contiene cobre. || Parecido al cobre en el color.

cobro (al. *Inkasso*, fr. *encaissement*, ingl. *collection*, it. *incasso*). m. Cobranza.

coca. f. BOT. Arbusto originario de Perú y Bolivia, perteneciente a la familia de las eritroxiláceas. Sus hojas, en infusión o masticadas, tienen propiedades estimulantes. Su principio activo es la cocaína. || Hoja de este arbusto. || MAR. Vuelta que toma un cabo, por vicio o por torsión.

cocacho. adj. *Amer.* Dícese de los frijoles que endurecen al cocer. || . AMER. Coscorrón, golpe con los nudillos en la cabeza.

cocada. f. Dulce compuesto principalmente de médula rallada del coco. || AMER. Especie de turrón.

cocaína. f. Alcaloide de la coca, que se usa como anestésico local, especialmente en su aplicación tópica sobre superficies mucosas.

cocainomanía. f. MED. Hábito morboso del abuso de la cocaína.

cocainómano, na. adj. Persona que padece cocainomanía. Ú.t.c.s.

coccígeo, a. adj. Relativo al cóccix.

cocción. f. Acción y efecto de cocer o cocerse. [*Sinón.*: cocedura]

cóccix. m. ANAT. Hueso propio de los vertebrados que carecen de cola, formado por la unión de las últimas vértebras y articulado por su base con el hueso sacro.

cocear. intr. Dar o tirar coces.

cocer (al. *kochen*, fr. *cuire*, ingl. *to boil*, it. *cuocere*). tr. Hacer que un manjar crudo llegue a estar en disposición de poderse comer, manteniéndolo dentro de un líquido ácueo en ebullición. || Tratándose del pan, cerámica, piedra caliza, etc., someterlos a la acción del calor en el horno para que pierdan humedad y adquieran determinadas propiedades. || intr. Hervir un líquido. || Fermentar o hervir sin fuego un líquido, como el mosto.

cocido. m. Olla, guiso de carne, tocino, hortalizas y garbanzos, que se cuecen juntos.

cociente. m. MAT. Resultado que se obtiene dividiendo una cantidad por otra, y que expresa cuántas veces está contenida una (divisor) en la otra (dividendo).

cocimiento. m. Cocción. || Líquido cocido con hierbas u otras sustancias medicinales.

cocina (al. *Küche*, fr. *cuisine*, ingl. *kitchen*, it. *cucina*). f. Pieza de la casa donde se guisa. || Arte o manera especial de guisar de cada país o de cada cocinero. || Aparato que hace las veces de fogón, con hornillos y fuegos y también horno. || — *económica*. Aquélla en la cual la circulación de la llama y el humo del fogón comunican el calor a varios compartimentos, economizando así combustible. [*Sinón.*: fogón; gastronomía]

cocinar (al. *kochen*, fr. *cuisiner*, ingl. *to cook*, it. *cucinare*). tr. Guisar, aderezar las viandas. Ú.t.c.intr. || intr. fam. Meterse uno en cosas que no le conciernen.

cocinero, ra (al. *Koch*, fr. *cuisinier*, ingl. *cook*, it. *cuoco*). s. Persona que tiene por oficio guisar y aderezar las viandas.

cocinilla, ta. f. Aparato, por lo común de hojalata, con lamparilla de alcohol, que sirve para calentar agua y hacer cocimientos y para otros usos análogos.

cóclea. f. TÉCN. Rosca de Arquímedes, aparato para elevar agua. || ANAT. Órgano en forma de espiral o hélice.

coco (al. *Kokospalme*, fr. *cocotier*, ingl. *coconut-tree*, it. *coco*). m. BOT. Árbol americano, de la familia de las palmas. Anualmente suele producir dos o tres veces su fruto, que es de forma y tamaño de un melón regular. || Fruto de este árbol. Tiene dos cortezas; la primera fibrosa y la segunda muy dura. En el interior hay una pulpa blanca y gustosa, y en la cavidad central un líquido refrigerante. || ZOOL. Gorgojo, insecto coleóptero. || ZOOL. Micrococo, bacteria de forma esférica.

coco. m. Fantasma que se figura para meter miedo a los niños.

cococha. f. Protuberancia carnosa de la parte baja de la cabeza de la merluza y del bacalao.

cocodrilo (al. *Krokodil*, fr. *crocodile*, ingl. *crocodile*, it. *coccodrillo*). m. ZOOL. Reptil anfibio del orden de los saurios, de cuatro a cinco metros de largo, cubierto de escamas durísimas. Vive en los grandes ríos de las regiones intertropicales, y es temible por su voracidad. Nada con notable rapidez, pero en tierra es torpe y lento de movimientos.

cocol. m. *Amer.* Panecillo que tiene forma de rombo. || *Amer.* Motivo decorativo en forma de rombo en tejidos, bordados, etc.

cocote. m. Cogote.

cocotero. m. Coco, árbol.

cóctel o **coctel.** m. Bebida combinada en que entran licores y pueden entrar otros ingredientes. || Reunión o fiesta de sociedad en la que se toman diversas bebidas.

coctelera. f. Recipiente mezclador especial para combinar los distintos ingredientes del cóctel.

cochambre. amb. fam. Suciedad, cosa puerca, grasienta y de mal olor.

cochambroso, sa adj. fam. Lleno de cochambre. Ú.t.c.s.

coche (al. *Wagen*, fr. *voiture*, ingl. *carriage*, it. *vettura*). m. Carruaje con ruedas de tracción animal o automóvil, con una caja provista de asiento para dos o más personas. || — *cama*. Vagón de ferrocarril provisto de dormitorios. || — *de línea*. El que por concesión administrativa hace el servicio regular de viajeros entre dos o más poblaciones.

cochecito, llo. m. dim. de coche. || Cuna o sillita montada sobre ruedas, y que sirve para llevar niños pequeños.

cochera. f. Lugar donde se encierran los coches.

cochero (al. *Kutscher*, fr. *cocher*, ingl. *coachman*, it. *vetturino*). m. El que tiene por oficio gobernar los caballos o mulas que tiran del coche. || n. p. Astr. Constelación boreal.

cochifrito. m. Guisado de cordero o cabrito que, después de medio cocido, se fríe y se sazona con especias, vinagre y pimentón.

cochina. f. Hembra del cochino.

cochinada. f. fig. y fam. Cochinería.

cochinería. f. fig. y fam. Porquería, suciedad. || fig. y fam. Acción indecorosa, baja, grosera.

cochinero, ra. adj. Dícese de ciertos frutos que, por ser de inferior calidad, en su clase, se dan a los cochinos.

cochinilla. f. Zool. Crustáceo isópodo, terrestre, de unos dos centímetros de longitud. Se emplea en medicina. || Zool. Insecto hemíptero, originario de México, del tamaño de una chinche. Reducido a polvo se usa para dar color de grana a la seda, a la lana y a otras cosas. || Materia colorante obtenida de dicho insecto. [*Sinón*.: milpiés; grana]

cochinillo. m. Cochino o cerdo de leche. [*Sinón*.: lechón, tostón]

cochino, na. s. Cerdo. || Cerdo cebado que se destina a la matanza. || fig. y fam. Persona muy sucia y desaseada. Ú.t.c. adj.

cochitril. m. fam. Pocilga. || fig. y fam. Habitación estrecha y sucia. [*Sinón*.: cochiquera]

cochura. f. Cocción. || Porción de pan que se ha amasado para cocer.

coda. f. Mús. Adición brillante al final de una pieza de música. || Mús. Repetición final de una pieza bailable.

codal. adj. que consta de un codo. || Que tiene medida o figura de codo. || m. Pieza de la armadura que cubría el codo. || Arq. Madero atravesado horizontalmente entre dos jambas o entre dos paredes.

codaste. m. Mar. Madero grueso puesto verticalmente sobre el extremo de la quilla inmediato a la popa, y que sirve de fundamento a toda la armazón de esta parte del buque.

codazo. m. Golpe dado con el codo.

codear. intr. Mover los codos. || r. fig. Tratarse de igual a igual una persona con otra.

codeína. f. Alcaloide que se extrae del opio y usado como calmante.

codeo. m. Acción y efecto de codear o codearse. || *Amer*. Sablazo.

codera. f. Sarna que sale en el codo. || Pieza o remiendo que se pone en las mangas, en la parte que cubre el codo. || Mar. Cabo grueso con que se amarra el buque por la popa.

codeso. m. Bot. Mata de la familia de las leguminosas, ramosa, con flores amarillas y con semillas arriñonadas en las vainas del fruto.

códice. m. Libro manuscrito en que se conservan obras o noticias antiguas.

codicia. (al. *Habsucht*, fr. *convoitise*, ingl. *covetousness*, it. *cupidigia*). f. Apetito desordenado de riquezas. || fig. Deseo vehemente de las cosas buenas. || Taurom. Cualidad del toro de lidia de perseguir con vehemencia y tratar de coger con el bulto o engaño que se le presenta. [*Sinón*.: ambición, avidez; bravura, casta]

codiciar. tr. Desear con ansia riqueza u otras cosas. [*Sinón*.: ambicionar, anhelar]

codicioso, sa. adj. Que tiene codicia. Ú.t.c.s.

codificar. tr. Hacer o formar un cuerpo de leyes metódico y sistemático. || Transformar mediante un código la formulación de un mensaje.

código (al. *Gesetzbuch*, fr. *code*, ingl. *code*, it. *codice*). m. Cuerpo de leyes dispuestas según un plan metódico y sistemático. || Recopilación de las leyes o estatutos de un país. || fig. Conjunto de reglas o preceptos sobre cualquier materia. || Conjunto de signos de valor y significación convencional que sirve para comunicarse telegráficamente y en secreto con un corresponsal que conoce las claves. || *arrimar el código*. fig. *Amer*. Hacer sentir el peso de la ley.

codillo. m. En los cuadrúpedos, coyuntura del brazo próxima al pecho. || Codo, tubo doblado en ángulo. || Estribo de cabalgar. || Mar. Cada uno de los extremos de la quilla, desde los cuales arrancan la roda y el codaste.

codo (al. *Ellbogen*, fr. *coude*, ingl. *elbow*, it. *gomito*). m. Parte posterior y prominente de la articulación del brazo con el antebrazo. || En los cuadrúpedos, codillo, coyuntura. || Trozo de tubo doblado en ángulo en en arco. || Medida lineal, que se tomó de la distancia que media entre la extremidad de la mano y el codo. || *alzar, empinar* o *levantar el codo*: fig. y fam. Abusar de las bebidas alcohólicas. || *codo a codo*. m. adv. Hablando de personas, unas junto a otras, físicamente o en estrecha cooperación en la misma empresa. || *hablar por los codos*. fig. y fam. hablar demasiado. || *ser del codo. Amer*. Ser tacaño.

codoñate. m. Dulce de membrillo.

codorniz (al. *Wachtel*, fr. *caille*, ingl. *quail*, it. *quaglia*). f. Zool. Ave del orden de las gallináceas, muy común en España, de donde emigra a África en otoño. Tiene el lomo y las alas de color pardo con rayas más oscuras. Su carne es muy apreciada.

coeducación. f. Educación que se da conjuntamente a jóvenes de ambos sexos.

coeficiente. adj. Que conjuntamente con otra cosa produce un efecto. || Mat. En álgebra, parte numérica o factor constante de un término.

coercer. tr. Contener, refrenar, sujetar. || Der. Impedir que se haga algo.

coercible. adj. Que puede ser coercido.

coerción. f. Der. Acción de coercer.

coetáneo, a. adj. De la misma edad. Ú.t.c.s. || Por ext., contemporáneo.

coevo, va. adj. Dícese de las cosas que existieron en un mismo tiempo. Apl. a pers., Ú.t.c.s.

coexistencia. f. Existencia de una cosa a la vez que otra u otras.

coexistir. intr. Existir una persona o cosa a la vez que otra u otras.

cofa. f. Mar. Meseta colocada horizontalmente en el cuello de un palo para afirmar la obencadura de gavia y facilitar la maniobra de las velas altas.

cofia (al. *Haube*, fr. *coiffe*, ingl. *headdress*, it. *cuffia*). f. Red de seda o hilo que usaban los hombres y las mujeres para recoger el pelo. || Gorra que usaban las mujeres para adornar y abrigar la cabeza. || Pieza del casco de la armadura antigua. || Bot. Cubierta membranosa que envuelve algunas semillas.

cofrade. com. Persona que pertenece a alguna cofradía. [*Sinón*.: colega, asociado]

cofradía. f. Hermandad que forman algunos devotos para ejercitarse en obras de piedad. || Reunión de personas para un fin determinado.

cofre (al. *Truhe*, fr. *coffre*, ingl. *coffer*, it. *cofano*). m. Mueble de metal o madera, de tapa generalmente convexa y con cerradura, que se usa normalmente para guardar objetos de valor. || Baúl.

cogedor, ra. adj. Que coge. Ú.t.c.s. || m. Cajón de madera sin tabla por delante que sirve para recoger la basura que se barre. || Pequeño ruedo de esparto que tiene el mismo uso. || Utensilio metálico que sirve en las cocinas y en las chimeneas para recoger cenizas o restos de carbón. || f. vulg. *Amer*. Puta.

coger (al. *Nehmen*, fr. *prendre*, ingl. *to take*, it. *pigliare*). tr. Asir, agarrar o tomar. || Recoger o juntar algo. || Ocupar cierto espacio. || Tomar u ocupar un sitio, etc. || Alcanzar, tomar. || Herir o enganchar el toro a una persona con los cuernos. || intr. *Amer*. Tener cópula carnal. Ú.t.c. tr. [*Sinón*.: tomar, pillar. *Antón*.: soltar]

cogida. f. fam. Cosecha de frutos. || Acto de cogerlos. || Acto de coger o herir el toro a alguien.

cogitabundo, da. adj. Muy pensativo.

cogitar. tr. Pensar, reflexionar.

cognación. f. Consanguinidad por línea femenina. || Por ext., parentesco.

cognado, da. adj. GRAM. Semejante, parecido. || s. Pariente por cognación. [*Sinón*.: consanguíneo]

cognición. f. Conocimiento.

cognoscible. adj. Conocible.

cognoscitivo, va. adj. Dícese de lo que es capaz de conocer.

cogollo. m. Lo interior y más apretado de las hortalizas. || Brote que arrojan los árboles y otras plantas. || Parte alta de la copa de un pino. || fig. Lo escogido, lo mejor.

cogorza. f. vulg. Borrachera.

cogote (al. *Hinterkopf*, fr. *nuque*, ingl. *nape*, it. *nuca*). m. Parte superior y posterior del cuello. [*Sinón*.: nuca, cerviz]

cogotera. f. Trozo de tela que, sujeto en la parte posterior de algunas prendas que cubren la cabeza, sirve para resguardar la nuca del sol o de la lluvia. || Sombrero que los cocheros ponen a las bestias de tiro cuando han de sufrir un sol muy ardiente.

cogujada. f. ZOOL. Pájaro de la misma familia que la alondra y muy semejante a ésta.

cogulla (al. *Kutte*, fr. *cagoule*, ingl. *cowl*, it. *cocolla*). f. Hábito que visten varios religiosos monacales.

cohabitar. tr. Habitar juntamente con otro u otros. || Hacer vida marital el hombre y la mujer.

cohechar (al. *bestechen*, fr. *suborner*, ingl. *to bribe*, it. *subornare*). tr. Sobornar, corromper con dádivas al juez. || AGR. Alzar el barbecho, o dar a la tierra la última vuelta antes de sembrarla.

cohecho (al. *Bestechen*, fr. *subornation*, ingl. *bribery*, it. *subornazione*). m. Acción y efecto de cohechar o sobor-

nar a un funcionario público. m. Acción y efecto de cohechar la tierra. || Tiempo de cohechar la tierra.

coherencia. f. Conexión, relación o unión de unas cosas con otras. || FIS. Cohesión, unión molecular. [*Antón*.: incoherencia, disconformidad]

coherente. adj. Que tiene coherencia.

cohesión (al. *Kohäsion*, fr. *cohésion*, ingl. *cohesion*, it. *coesione*). f. Acción y efecto de reunirse o adherirse las cosas entre sí o la materia de que están formadas. || Enlace, unión de dos cosas. || FIS. Unión íntima entre las moléculas de un cuerpo. || FIS. Fuerza de atracción que las mantiene unidas. [*Sinón*.: coherencia]

cohete (al. *Rakete*, fr. *fusée*, ingl. *rocket*, it. *razzo*). m. Artificio pirotécnico que se compone de una carga propulsora que lo eleva a lo alto haciéndole describir una trayectoria luminosa, y una caña para evitar el cabeceo. Estalla en el aire, apareciendo luces de colores. || Artificio que se mueve en el espacio por propulsión a chorro y que se puede emplear como arma de guerra o como instrumento de investigación científica.

cohibir (al. *hemmen*, fr. *réprimer*, ingl. *to restrain*, it. *reprimere*). tr. Refrenar, reprimir, contener. Ú.t.c.r.

cohombro. m. BOT. Planta hortense, variedad del pepino, cuyo fruto es largo y torcido. || Fruto de esta planta. || Churro, dulce.

cohonestar. tr. Dar semejanza o visos de buena a una acción.

cohorte. f. Unidad táctica del antiguo ejército romano. || fig. Conjunto, muchedumbre, serie.

coima. f. Manceba.

coincidencia. f. Acción y efecto de coincidir. [*Sinón*.: concomitancia, simultaneidad]

coincidir (al. *übereinstimmen*, fr. *coincider*, ingl. *to fall in with*, it. *coincidere*). intr. Convenir una cosa con otra; ser conforme con ella. || Ocurrir dos o más cosas al mismo tiempo. || Ajustarse una cosa con otra; confundirse con ella. || Concurrir simultáneamente dos o más personas en un mismo lugar. [*Sinón*.: concurrir, simultanear. *Antón*.: discrepar]

coitar. intr. Realizar el coito, copular.

coito (al. *Beischlaf*, fr. *coït*, ingl. *coition*, it. *coito*). m. Ayuntamiento carnal del hombre con la mujer. [*Sinón*.: cópula]

cojear (al. *hinken*, fr. *boiter*, ingl. *to limp*, it. *zoppicare*). intr. Andar inclinando el cuerpo más a un lado que a otro, por no poder sentar con regularidad e igualdad ambos pies. || Moverse una mesa o cualquier otro mueble por tener algún pie más o menos largo que los demás, o por desigualdad en el piso. || fig. y fam. Adolecer de algún vicio o defecto.

cojera. f. Accidente o defecto que impide andar con regularidad.

cojín (al. *Kissen*, fr. *coussin*, ingl. *cushion*, it. *cuscino*). m. Almohadón.

cojinete (al. *Lager*, fr. *coussinet*, ingl. *bearing*, it. *cuscinetto*). m. dim. de cojín. || Almohadilla para coser. || Pieza de hierro con que se sujetan los carriles a las traviesas del ferrocarril. || MEC. Pieza movible de acero, de formas variadas, que sirve de apoyo y en la que se introduce y donde gira el muñón de un eje.

cojitranco, ca. adj. despect. Se dice del cojo que anda inquieto de una parte a otra. Ú.t.c.s.

cojo, ja (al. *hinked*, fr. *boiteux*, ingl. *lame*, it. *zoppo*). adj. Aplícase a la persona o animal que cojea. Ú.t.c.s. || Dícese de la persona o animal a quien falta una pierna o un pie, o tiene perdido el uso de cualquiera de estos miembros. Ú.t.c.s. || También se aplica al pie o pierna enfermos que impide andar correctamente. || fig. Dícese también de algunas cosas inanimadas; como del banco o la mesa cuando balancean a un lado y a otro. || Dícese de cosas inmateriales mal fundadas o incompletas.

cojón. m. vulg. Cada uno de los dos testículos. Ú.m. en pl. || **tener cojones.** loc. vulg. Tener coraje, ser viril y decidido. Hablando de una situación, ser complicada o muy especial.

cojonudo, da. adj. Dícese del que tiene cojones. || vulg. Excepcional, estupendo, magnífico.

cojudo, da. adj. Dícese del animal no castrado.

cok. m. Coque.

col (al. *Kohl*, fr. *chou*, ingl. *cabbage*, it. *cavolo*). f. BOT. Planta hortense, de la familia de las crucíferas, con hojas muy anchas y de pencas gruesas. Todas sus variedades son comestibles. [*Sinón*.: berza]

cola (al. *Schwanz*, fr. *queue*, ingl. *tail*, it. *coda*). f. Extremidad posterior del cuerpo y de la columna vertebral de algunos animales. || Conjunto de plumas fuertes que tienen las aves en la rabadilla. || Porción que en algunas ropas telares se prolonga por la parte posterior y se lleva comúnmente arrastrando. || Punta o extremidad posterior de alguna cosa. || || Apéndice luminoso que suelen tener los cometas. || Apéndice prolongado que se une a alguna cosa. || Hilera de personas que esperan turno. || *en la cola*. m. adv. fig. En el último lugar. || *hacer* uno *cola*. fig. y fam. Esperar vez, formando hilera con muchas personas, en una parte o acercarse a algún lugar. || *traer cola* una cosa. fig. y fam. Traer consecuencias o complicaciones.

cola. f. Pasta fuerte, translúcida y pegajosa que sirve para unir o adherir algo. || *no pegar ni con cola*. fig. y fam. Ser una cosa incongruente con otra; no venir a cuento.

colaboración. f. Acción y efecto de colaborar. [*Sinón.*: cooperación]

colaboracionismo. m. Participación activa en un régimen que repugna a la mayoría de los ciudadanos por considerarlo opresivo. || Tratándose de un país ocupado, colaboración con el invasor.

colaboracionista. com. Que practica el colaboracionismo.

colaborador, ra. s. Compañero en la formación de alguna obra, especialmente literaria. || Persona que escribe habitualmente en un periódico, sin pertenecer a la plantilla de redactores.

colaborar (al. *mitarbeiten*, fr. *collaborer*, ingl. *to collaborate*, it. *collaborare*). intr. Trabajar con otros en una misma obra.

colación. f. Acto de conferir un beneficio o grado. || Cotejo que se hace de una cosa con otra. || Conversación de los antiguos monjes sobre cosas espirituales. || Territorio que pertenece a cada parroquia. || Refacción ligera. || *traer a colación*. fig. y fam. Aducir pruebas y razones en apoyo de una cosa.

colada. f. Acción y efecto de colar. || Se toma especialmente por la acción de colar la ropa. || Sangría hecha en los hornos altos para que salga el hierro fundido.

coladero. m. Instrumento usado para colar un líquido. || Paso estrecho. || Entre estudiantes, centro docente donde se aprueba con facilidad, y también la materia que es de fácil superación.

colador (al. *Seiher*, fr. *couloire*, ingl. *strainer*, it. *colatoio*). m. Manga, cedazo, paño, cesto o vasija en que se cuela un líquido.

coladura. f. Acción y efecto de colar líquidos. || fig. y fam. Acción de colarse, de cometer errores.

colágeno. m. QUÍM. Sustancia albuminoide que se halla en el tejido conjuntivo u óseo, transformable en gelatina por cocción.

colagogo, ga. adj. MED. Dícese de los purgantes que se emplean principalmente contra la acumulación de bilis en la vesícula biliar.

colapso (al. *Zusammenbruch*, fr. *collapsus*, ingl. *collapse*, it. *colasso*). m. MED. Postración repentina de las fuerzas vitales. || fig. Paralización transitoria de los negocios. [*Sinón.*: desmayo, síncope, vahído]

colar (al. *durchseihen*, fr. *couler*, ingl. *to strain*, it. *colare*). tr. Pasar un líquido por una manga o cedazo. || Blanquear la ropa después de lavada, metiéndola en lejía caliente. || intr. Pasar por un lugar o paraje estrecho. || fam. Pasar algo por engaño. || r. fam. Introducirse a escondidas en alguna parte. || fig. y fam. Decir mentiras o equivocarse. || Estar muy enamorado. Ú.m. en p.p. || *no colar* una cosa. fig. y fam. No ser creída.

colateral. adj. Dícese de las cosas que se hallan a uno y otro lado de otra principal. || Se dice del pariente que no lo es por línea recta. Ú.t.c.s.

colcha (al. *Bettdecke*, fr. *couvre-lit*, ingl. *coverlet*, it. *coperta*). f. Cobertura de cama que sirve de adorno y abrigo. [*Sinón.*: cobertor, sobrecama]

colchón (al. *Matratze*, fr. *matelas*, ingl. *mattress*, it. *materasso*). m. Espacio de saco relleno de lana, pluma u otra cosa filamentosa o elástica, de tamaño proporcionado para dormir sobre él. || Por ext., cualquier otro objeto que hace el mismo papel, aunque no sea saco relleno.

colchoneta. f. Cojín largo y delgado. || Colchón más pequeño o delgado que los corrientes.

coleada. f. Sacudida de la cola de los peces y otros animales.

colear. intr. Mover la cola. || fig. Estar algo pendiente.

colección (al. *Sammlung*, fr. *collection*, ingl. *collection*, it. *collezione*). f. Conjunto de cosas de la misma clase. [*Sinón.*: reunión]

coleccionar. tr. Formar colección. [*Sinón.*: reunir. *Antón.*: separar]

coleccionista. com. Persona que se dedica a coleccionar algo.

colecta (al. *Kollekte*, fr. *quête*, ingl. *drive*, it. *colletta*). f. Repartimiento de una contribución o tributo, que se cobra por vecindario. || Recaudación de donativos. || Oración de la misa. [*Sinón.*: recaudación, cuestación]

colectar. tr. Recaudar, cobrar.

colectividad. f. Conjunto de personas reunidas para un fin.

colectivismo. m. Doctrina según la cual se debe suprimir la propiedad particular y confiar al Estado la distribución de la riqueza.

colectivo, va (al. *gemeinsam*, fr. *collectif*, ingl. *joint*, it. *collettivo*). adj. Relativo a cualquier agrupación de individuos. || Que tiene virtud de reunir. || GRAM. Se dice del nombre que en singular expresa pluralidad. || m. *Amer*. Autobús de pequeña capacidad.

colector, ra. adj. Que recoge. || m. Recaudador. || Conducto subterráneo en que vierten las alcantarillas sus aguas. || s. Coleccionista.

colega (al. *Kollege*, fr. *collègue*, ingl. *colleague*, it. *collega*). m. Compañero de un colegio, iglesia, corporación o ejercicio.

colegiado, da. adj. Dícese del individuo que pertenece a una corporación que forma colegio. || Se aplica al cuerpo constituido en colegio.

colegial (al. *Schüler*, fr. *écolier*, ingl. *schoolboy*, it. *scolaro*). adj. Perteneciente al colegio. || Se dice de la iglesia que sin ser catedral tiene cabildo. Ú.t.c.s. || m. Alumno de un colegio. || fig. y fam. Joven inexperto y tímido. [*Sinón.*: alumno, escolar]

colegiala. f. Alumna de un colegio.

colegiarse. r. Constituirse en colegio los individuos de una misma profesión o clase.

colegiata. f. Iglesia colegial.

colegio (al. *Privatschule*, fr. *collège*, ingl. *private scholl*, it. *collegio*). m. Establecimiento de enseñanza seglar o eclesiástico. || Casa o edificios del colegio. || Sociedad o corporación de hombres de la misma profesión. || — *de cardenales*. Cuerpo que componen los cardenales de la Iglesia Romana. || — *electoral*. El de electores para votar. || — *mayor*. Residencia de estudiantes de facultad sometidos a cierto régimen.

colegir. tr. Juntar, unir cosas sueltas. || Inferir, deducir.

colegislador, ra. adj. Dícese del cuerpo que concurre con otro para la formación de las leyes.

coleóptero. adj. ZOOL. Dícese de los insectos que tienen la boca dispuesta para masticar, caparazón consistente y dos élitros córneos; como el escarabajo, el cocuyo, la cantárida y el gorgojo. Ú.t.c.s. ‖ m. pl. Orden de estos insectos.

colera. f. Adorno de la cola del caballo.

cólera (al. *Zorn*, fr. *colère*, ingl. *anger*, it. *collera*). f. Bilis. ‖ fig. Ira, enojo. ‖ m. MED. Enfermedad aguda caracterizada por vómitos repetidos y abundantes deposiciones. ‖ *montar* uno *en cólera.* Encolerizarse, airarse.

colérico, ca. adj. Perteneciente a la cólera o que participa de ella. ‖ Perteneciente o relativo al cólera. ‖ Atacado por la enfermedad del cólera. Ú.t.c.s. ‖ Irascible, que se deja llevar fácilmente por la cólera.

colesterina. f. Colesterol.

colesterol. m. QUÍM. Alcohol con un solo átomo de hidrógeno que forma parte de las grasas animales.

coleta (al. *Nackenzopf*, fr. *natte*, ingl. *pigtail*, it. *treccia*). f. Cabello envuelto, desde el cogote, en una cinta en forma de cola, que caía sobre la espalda. Hoy la usan todavía los toreros. ‖ fig. y fam. Adición breve a lo escrito o lo hablado, para hacer algún inciso o salvedad. ‖ *cortarse la coleta.* fig. Abandonar una afición o dejar una costumbre.

coletazo. m. Golpe dado con la cola. ‖ pl. Sacudidas que dan con la cola los peces moribundos. ‖ fig. Última manifestación de una actividad próxima a extinguirse.

coletilla. f. Adición breve al final de un escrito o discurso.

coleto. m. Vestidura hecha de piel, por lo común de ante, con mangas o sin ellas, que cubre el cuerpo, ciñéndolo hasta la cintura. ‖ fig. y fam. Cuerpo del hombre.

colgadero, ra. adj. Que es apto para colgarse o guardarse. ‖ m. Objeto que sirve para colgar de él alguna cosa.

colgador. m. Colgadero, percha.

colgadura (al. *Teppichbehänge*, fr. *draperie*, ingl. *tapestry*, it. *parato*). f. Conjunto de tapices o telas con que se cubren y adornan las paredes, los balcones, etc.

colgajo. m. Cualquier trapo o cosa despreciable que cuelga, como los pedazos de tela rota o descosida. ‖ CIR. Porción de piel sana que en las operaciones quirúrgicas se reserva para recubrir la herida. [*Sinón.*: arambel; arlo]

colgante. adj. Que cuelga. Ú.t.c.s. ‖ ↗ *puente colgante.* ‖ m. Pinjante, joya que pende o cuelga. ‖ ARQ. Festón, adorno que forma ondas o guirnaldas.

colgar (al. *hängen*, fr. *suspendre*, ingl. *to hang up*, it. *suspendere*). tr. Suspender, poner una cosa pendiente de otra, sin que llegue al suelo. ‖ fig. y fam. Ahorcar. ‖ fig. Imputar, achacar. ‖ intr. Estar una cosa en el aire, pendiente o asida de otra, como las campanas, las borlas, etc.

colibrí (al. *Kolibri*, fr. *colibri*, ingl. *humming-bird*, it. *uccello mosca*). m. ZOOL. Pájaro americano, insectívoro, de tamaño muy pequeño y pico largo y débil. Hay varias especies. ‖ Pájaro mosca.

cólico, ca. adj. ANAT. Perteneciente al intestino colon. ‖ m. PAT. Acceso doloroso, localizado en los intestinos y caracterizado por violentos retortijones, ansiedad, sudores y vómitos. Se llama bilioso si se presenta la bilis con abundancia. ‖ — *miserere.* PAT. Oclusión intestinal aguda que determina un cuadro gravísimo cuyo síntoma dominante es el vómito de materias fecales.

coliflor (al. *Blumenkohl*, fr. *choufleur*, ingl. *cauliflower*, it. *cavolfiore*). f. BOT. Variedad de col que al entallecerse echa una pella compuesta de diversas cabezuelas o grumitos blancos.

coligación. f. Acción y efecto de coligarse. ‖ Unión, trabazón, enlace de unas cosas con otras.

coligarse. r. Unirse, confederarse unos con otros para algún fin.

colilla (al. *Zigarrenstummel*, fr. *bout de cigarette*, ingl. *cigarette stub*, it. *cicca di sigaro*). Resto del cigarro que se tira. [*Sinón.*: punta]

colimación. f. FÍS. Acción y efecto de colimar.

colimador. m. FÍS. Anteojo que va montado sobre los grandes telescopios astronómicos para facilitar su orientación. ‖ FÍS. En ciertos apratos, parte que tiene por misión colimar los rayos luminosos.

colimar. tr. FÍS. Obtener un haz de rayos paralelos a partir de un foco luminoso.

colimbo. m. ZOOL. Ave palmípeda, con membranas interdigitales completas, el pico comprimido y alas cortas, pero útiles para el vuelo.

colina. f. Elevación natural del terreno, menor que una montaña.

colindante (al. *angrenzend*, fr. *limitrophe*, ingl. *adjoining*, it. *limitrofo*). adj. Dícese de campos o edificios contiguos. ‖ DER. Dícese también de sus propietarios.

colindar. intr. Lindar entre sí dos o más fincas.

colirio (al. *Augenmittel*, fr. *collyre*, ingl. *eyewash*, it. *collirio*). m. MED. Medicamento compuesto de una o más sustancias disueltas en algún licor, o sutilmente pulverizadas y mezcladas, que se emplea en las enfermedades de los ojos.

colisa. f. MAR. Plataforma giratoria sobre la cual se coloca hirizontalmente la cureña, sin ruedas, de un cañón de artillería. ‖ MAR. El mismo cañón montado de este modo.

coliseo. m. Teatro destinado a las representaciones de tragedias y comedias.

colisión. f. Choque de dos cuerpos. ‖ Rozadura o herida hecha a consecuencia de ludir o rozarse una cosa con otra.

colitis. f. MED. Inflamación del instestino colon.

colmado, da. adj. Abundante, completo, copioso. ‖ m. Figón o tienda donde se sirven comidas especiales, principalmente mariscos. ‖ En algunas partes, los establecimientos de comestibles.

colmar (al. *überfüllen*, fr. *combler*, ingl. *to fill up*, it. *colmare*). tr. Llenar con exceso. ‖ Llenar las cámaras o trojes. ‖ fig. Dar con abundancia. ‖ fig. Satisfacer plenamente deseos, aspiraciones, etc.

colmena (al. *Bienenkorb*, fr. *ruche*, ingl. *beehive*, it. *arnia*). f. Especie de cajón que sirve a las abejas de habitación y para depósito de la miel que fabrican.

colmenar. m. Lugar donde están las colmenas.

colmenero, ra. s. Persona que tiene colmenas o cuida de ellas.

colmenilla. f. BOT. Hongo comestible, de sombrerete aovado, tallo liso y cilíndrico y color amarillento.

colmillo (al. *Spitzzahn*, fr. *dent canine*, ingl. *canine tooth*, it. *dente canino*). m. Diente agudo y fuerte, colocado en cada uno de los lados de las hileras que forman los dientes incisivos, entre el último de éstos y la primera muela. ‖ Cada uno de los dientes incisivos que tienen los elefantes en la mandíbula superior. ‖ *escupir* uno *por el colmillo.* fig. y fam. Echar fanfarronadas.

colmo. m. Porción de materia que sobresale por encima de los bordes del recipiente que la contiene. ‖ fig. Complemento o término de alguna cosa. ‖ *ser* una cosa *el colmo.* fig. y fam. Haber llegado a tal punto que razonablemente no se puede superar.

colocación. f. Acción y efecto de colocar o colocarse. ‖ Situación de una cosa. ‖ Empleo o destino.

colocar (al. *stellen*, fr. *placer*, ingl. *to place*, it. *collocare*). tr. Poner a una persona o cosa en su debido lugar. Ú.t.c.r. ‖ Hablando de dinero, invertirlo. ‖ fig. Acomodar a uno, poniéndolo en algún estado o empleo. Ú.t.c.r.

colodión. m. Disolución en éter de la celulosa nítrica. Se emplea como aglutinante en cirugía, para la preparación de las placas fotográficas y como membrana para filtrados.

colodrillo. m. Parte posterior de la cabeza.

colofón. m. IMP. Anotación al final de los libros, para indicar el nombre del impresor y el lugar y fecha de la impresión.

colofonia. f. Resina sólida, producto de la destilación de la trementina.

coloidal. adj. QUÍM. Perteneciente o relativo a los coloides.

coloide. adj. QUÍM. Se dice del cuerpo que disgregado en un líquido aparece como disuelto por la extremada pequeñez de sus partículas. Ú.t.c.s.

colombiano, na. adj. Natural de Colombia. Ú.t.c.s. ‖ Perteneciente o relativo a este país.

colombino, na. adj. Perteneciente a Cristóbal Colón o a su familia.

colombófilo, la. adj. Relativo o perteneciente a la afición a la cría de palomas.

colon. m. ANAT. Segunda porción del intestino grueso, entre el ciego y el recto. ‖ GRAM. Parte o miembro principal del período. ‖ GRAM. Puntuación con que se distinguen estos miembros; en castellano y otras lenguas es el punto y coma o los dos puntos.

colón. m. Unidad monetaria en Costa Rica y El Salvador.

colonia. f. Conjunto de personas que se van de un país a otro para poblarlo y cultivarlo, o para establecerse en él. ‖ País o lugar donde se establece esta gente. ‖ Territorio fuera de la nación que lo hizo suyo, y ordinariamente regido por leyes especiales. ‖ Conjunto de individuos de un país que viven y trabajan en otro. ‖ ZOOL. Agrupación de células o animales pequeños y aun microscópicos que viven juntos en gran número. ‖ Agua de Colonia.

coloniaje. m. *Amer.* Nombre que algunas repúblicas hispanoamericanas dan al período histórico en que formaron parte de la nación española. ‖ fig. *Amer.* Servidumbre, esclavitud.

colonial. adj. Perteneciente o relativo a la colonia.

colonialismo. m. Tendencia de un Estado a mantener un territorio sometido en régimen colonial.

colonialista. adj. Partidario del colonialismo. Ú.t.c.s.

colonización. f. Acción y efecto de colonizar.

colonizador, ra. adj. Que coloniza. Apl. a pers., ú.t.c.s.

colonizar (al. *kolonisieren*, fr. *coloniser*, ingl. *to colonize*, it. *colonizzare*). tr. Formar o establecer colonias en un país. ‖ Fijar en un territorio la morada de sus cultivadores.

colono (al. *Siedler*, fr. *colon*, ingl. *settler*, it. *colono*). m. Habitante de una colonia. ‖ Labrador que cultiva una heredad por arrendamiento y vive en ella.

coloquial. adj. Perteneciente o relativo al coloquio. ‖ LING. Dícese del lenguaje propio de la conversación, a diferencia del escrito o literario.

coloquio (al. *Gespräch*, fr. *entretien*, ingl. *conversation*, it. *colloquio*). m. Conferencia o charla entre dos o más personas. ‖ Composición literaria en forma de diálogo.

color (al. *Farbe*, fr. *couleur*, ingl. *colour*, it. *colore*). m. Impresión que los rayos de luz reflejados por un cuerpo producen en el sensorio común por medio de la retina del ojo. Ú.t.c.f. ‖ Sustancia preparada para dar a las cosas un tinte determinado. ‖ fig. Carácter peculiar de algunas cosas; y tratándose del estilo, cualidad especial que le distingue. ‖ BLAS. Cualquiera de los cinco colores heráldicos: azur, gules, sable, sinople y púrpura. ‖ FÍS. Cada una de las siete clases de rayos en que se descompone la luz blanca del sol al atravesar un prisma. ‖ pl. Símbolos de una entidad deportiva. ‖ *colores nacionales.* Los que adopta un país como distintivo en su bandera. ‖ *de color.* expr. que se aplica a las personas que no son de raza blanca. ‖ *sacarle* a uno *los colores a la cara.* fig. Sonrojarle, avergonzarle. ‖ *ver* uno *las cosas de color de rosa.* fig. y fam. Considerarlas con optimismo.

coloración. f. Acción y efecto de colorar.

colorado, da. adj. Que tiene color. ‖ Que tiene color más o menos rojo.

colorante. adj. Dícese de la sustancia capaz de dar color a otros cuerpos por superposición o impregnación.

colorar. tr. Dar color o teñir una cosa. [*Antón.*: decolorar, blanquear]

colorear (al. *färben*, fr. *colorer*, ingl. *to tinge*, it. *colorire*). tr. Colorar, dar color. ‖ intr. Mostrar una cosa el color colorado que en sí tiene. ‖ Tomar algunos frutos el color encarnado propio de su madurez.

colorete. m. Arrebol con que se pintan las mujeres.

colorido. m. Disposición y grado de intensidad en los diversos colores de una pintura. ‖ Carácter pintoresco y alegre que presenta un espectáculo.

colorín. m. ZOOL. Jilguero. ‖ Color vivo y sobresaliente. Ú.m. en pl.

colorir. tr. Dar color a una obra pictórica.

colorismo. m. En pintura, tendencia exagerada de dar preferencia al color sobre el dibujo. ‖ En literatura, propensión a recargar el estilo con calificativos vigorosos o redundantes.

colorista. adj. PINT. Se dice del pintor que usa bien los colores. Ú.t.c.s. ‖ fig. LIT. Se dice del escritor que usa frecuentemente de calificativos vigorosos y expresivos.

colosal. adj. Perteneciente o relativo al coloso. ‖ fig. De estatura mayor que la normal. ‖ fig. Dícese de lo que por sus cualidades sobresale muchísimo [*Sinón.*: ciclópeo, monumental; descomunal. *Antón.*: mínimo, pequeño]

coloso (al. *Koloss*, fr. *colosse*, ingl. *colossus*, it. *colosso*). m. Estatua que excede mucho del tamaño natural. ‖ fig. Persona o cosa que por sus cualidades sobresale muchísimo.

coludir. intr. DER. Pactar en daño de tercero.

columbario. m. ARQUEOL. En los cementerios romanos, conjunto de nichos donde se colocaban las urnas cinerarias. ‖ Nicho.

columbrar. tr. Divisar, ver desde lejos una cosa, sin distinguirla bien. ‖ fig. Rastrear o conjeturar por indicios una cosa. [*Sinón.*: entrever, vislumbrar; sospechar]

columna (al. *Saüle*, fr. *colonne*, ingl. *column*, it. *colonna*). f. Apoyo de forma generalmente cilíndrica, de mucha más altura que diámetro y que sirve para sostener techumbres o adornar edificios. ‖ Serie o pila de cosas colocadas ordenadamente unas sobre otras. ‖ En impresos, cualquiera de las partes en que suelen dividirse las planas por medio de un blanco o línea que las separa de arriba abajo. ‖ Forma más o menos cilíndrica que toman algunos fluidos en su movimiento ascensional. ‖ fig. Persona o cosa que sirve de amparo, apoyo o protección. ‖ Fís. Porción de fluido contenido en un cilindro vertical. ‖ Mil. Masa de tropas dispuestas en formación de poco frente y mucho fondo. ‖ *quinta columna.* Conjunto de los partidarios de una causa nacional o política, organizados y comprometidos para servirla activamente, y que, en ocasión de guerra, se hallan dentro de territorio enemigo. ‖ — *ática.* Arq. Pilar aislado de base cuadrada. ‖ — *blindada.* Mil. La que está provista de gran número de carros de combate acompañados de la infantería. ‖ — *compuesta.* Arq. La perteneciente al orden compuesto. Tiene las proporciones de la corintia y su capitel tiene las hojas de acanto, pero las volutas del jónico. ‖ — *corintia.* Arq. La perteneciente al orden corintio. Su capitel está adornado con hojas de acanto y caulículos. ‖ — *de media caña.* Arq. Columna embebida. ‖ — *dórica.* Arq. La perteneciente al orden dórico. Su capitel está compuesto de un ábaco con un equino o un cuarto bocel. Las más antiguas no tenían base. ‖ — *embebida.* Arq. La que parece que introduce en otro cuerpo parte de su fuste. ‖ — *entorchada.* Arq. Columna salomónica. ‖ — *fasciculada.* Arq. La que tiene su fuste formado por varias columnillas. ‖ — *gótica.* Arq. La perteneciente al estilo ojival. Es fasciculada y tiene el capitel adornado con hojas muy recortadas. ‖ — *jónica.* Arq. La que pertenece a este orden. Tiene el capitel adornado con volutas. ‖ — *ojival.* Arq. La perteneciente a este estilo. Es cilíndrica, delgada y de mucha altura; si lleva capitel, es muy pequeño. ‖ — *románica.* Arq. La perteneciente a este estilo. Tiene poca altura, con capitel de ábaco grueso y tambor muy historiado; tiene el fuste liso y suele presentarse adosada. ‖ — *salomónica.* Arq. La que presenta el fuste contorneado en espiral. ‖ — *termométrica.* Fís. La formada por el líquido destinado a medir la temperatura en un termómetro. ‖ — *vertebral.* Anat. Espinazo.

columnata. f. Serie de columnas que sostienen o adornan un edificio.

columnista. com. Redactor que tiene a su cargo una columna o sección fija en un periódico.

columpiar. tr. Impeler al que está sentado en un columpio. Ú.t.c.r.

columpio (al. *Schaukel,* fr. *balançoire,* ingl. *swing,* it. *altalena*). m. Cuerda fija en alto por sus dos cabos, para que se siente una persona en el seno que

forma en medio y pueda mecerse por impulso propio o ajeno.

coluro. m. Astr. Cada uno de los dos círculos máximos de la esfera celeste, que pasan por los polos del mundo y cortan a la eclíptica.

colusión. f. Der. Acción y efecto de coludir.

colutorio. m. Farm. Enjuagatorio medicinal.

colza. f. Bot. Planta oleífera de cuya semilla, redonda, lisa y de color rojo, se extrae un aceite de color amarillo claro y de fuerte olor acre.

colla. f. Gorjal, pieza de la armadura. ‖ Arte de pesca compuesto por determinado número de nasas colocadas en fila cuando se calan. ‖ Traílla de dos perros.

collada. f. Collado, paso. ‖ Mar. Duración larga de un mismo viento.

collado (al. *Bergsattel,* fr. *col,* ingl. *col,* it. *gola*). m. Elevación de tierra de menor altura que el monte. ‖ Depresión suave por donde se puede pasar de un lado a otro de una sierra. [*Sinón.:* altozano, loma, otero]

collar (al. *Halskette,* fr. *collier,* ingl. *necklace,* it. *vezzo*). m. Adorno femenino que ciñe o rodea el cuello, y a veces está guarnecido o formado por piedras preciosas. ‖ Insignias de algunas magistraturas, dignidades y órdenes de caballería. ‖ Aro, por lo común de cuero, que se ciñe al pescuezo de algunos animales, para adorno, sujeción o defensa. ‖ Faja de plumas que tienen ciertas aves alrededor del cuello. ‖ Mec. Anillo que abraza cualquier pieza circular de una máquina.

collarín. m. dim. de collar. ‖ Alzacuello de los eclesiásticos. ‖ Arq. Collarino.

collarino. m. Arq. Parte inferior del capitel, entre el astrágalo y el tambor.

collera. f. Collar de cuero o lona, relleno de borra o paja, que se pone al cuello de las caballerías para que no les haga daño el horcate. ‖ f. fig. Cadena de presos. ‖ *Amer.* Gemelos de camisa.

collerón. m. Collera de lujo que se usa para los caballos de los coches.

collón, na. adj. fam. Cobarde, pusilánime, sin valor ni espíritu. Ú.t.c.s.

com. prep. insep. Con, que expresa reunión o agregación.

coma (al. *Komma,* fr. *virgule,* ingl. *comma,* it. *virgola*). f. Signo ortográfico (,) que sirve para indicar la división de las frases o miembros más cortos de la oración o del período, y que también se emplea en aritmética para separar los

enteros de las fracciones decimales. ‖ m. Pat. Sopor más o menos profundo, dependiente de ciertas enfermedades, como congestión o hemorragia cerebral, diabetes, uremia, intoxicación, etc.

comadrazgo. m. Parentesco espiritual que contraen la madre de una criatura y la madrina de ésta.

comadre. f. Partera. ‖ Llámanse así recíprocamente la mujer que ha sacado de pila a una criatura y la madre de ésta. Por ext., el padre y el padrino del bautizado dan también el nombre de comadre a la madrina. ‖fam. Alcahueta. ‖fam. Vecina y amiga de una mujer.

comadrear. intr. fam. Chismear, murmurar, en especial las mujeres.

comadreja (al. *Wiesel,* fr. *belette,* ingl. *weasel,* it. *donnola*). f. Zool. Mamífero carnicero nocturno, de unos veinticinco centímetros de largo, de cabeza pequeña, patas cortas y pelo de color pardo rojizo por el lomo, blanco por debajo y parda la punta de la cola. Es muy vivo y ligero; caza ratones, topos y otros animales pequeños.

comadrón. m. Cirujano que asiste a la mujer en el parto.

comadrona (al. *Hebamme,* fr. *sagefemme,* ingl. *midwife,* it. *levatrice*). f. Partera, mujer que asiste a la parturienta.

comanche. adj. Dícese del indio que vivía en tribus en Texas y Nuevo México. Ú.t.c.s. ‖ Lo perteneciente a estas tribus. ‖ m. Lengua usada por ellas.

comandancia. f. Empleo de comandante. ‖ Provincia o comarca que está sujeta en lo militar a un comandante. ‖ Edificio, cuartel o departamento donde se hallan las oficinas de aquel cargo. ‖ — *de marina.* Subdivisión de un departamento marítimo.

comandante (al. *Major,* fr. *commandant,* ingl. *major,* it. *comandante*). m. Jefe militar de categoría comprendida entre las de capitán y teniente coronel. ‖ Militar que ejerce el mando en ocasiones determinadas. ‖ — *de un barco.* Jefe u oficial de la armada que manda un buque de guerra. ‖ — *militar.* El que ejerce el mando de tropas y de los servicios correspondientes a ellas en determinada localidad.

comandar. tr. Mil. Mandar un ejército, una plaza, un destacamento, una flota, etc.

comandita. f. Com. ✱ *sociedad en comandita.*

comanditario, ria. adj. Perteneciente a la comandita. Ú.t.c.s.

comando. m. MIL. Mando militar. || Grupo reducido de tropas de choque utilizado en misiones especiales, como ataques por sorpresa, incursiones y ataques en la retaguardia enemiga.

comarca (al. *Landstrich*, fr. *contrée*, ingl. *district*, it. *contrada*). f. División territorial que comprende varias poblaciones, por lo común de características e intereses similares.

comarcal. adj. Perteneciente o relativo a la comarca.

comatoso, sa. adj. MED. Perteneciente o relativo al coma.

comba. f. Inflexión que toman algunos cuerpos sólidos cuando se encorvan; como maderos, barras, etc. || Juego de niños que consiste en saltar por encima de una cuerda que se hace pasar por debajo de los pies y sobre la cabeza del que salta. || Esta misma cuerda. || *no perder comba.* loc. fig. y fam. No desaprovechar ninguna ocasión favorable.

combar (al. *biegen*, fr. *courber*, ingl. *to bend*, it. *curvare*). tr. Torcer, encorvar algo. Ú.t.c.r.

combate (al. *Gefecht*, fr. *combat*, ingl. *combat*, it. *combattimento*). m. Pelea, batalla entre personas o animales. || fig. Lucha o batalla interior del ánimo. || fig. Contradicción, pugna. || *fuera de combate.* loc. que se aplica al que ha sido vencido de manera que no puede continuar la lucha.

combatiente. m. Cada uno de los hombres que componen un ejército, o de los bandos en liza. [*Sinón.:* beligerante]

combatir (al. *bekämpfen*, fr. *combattre*, ingl. *to fight*, it. *combattere*). intr. Pelear. Ú.t.c.r. || tr. Acometer, embestir. || fig. Contradecir, impugnar. || fig. Atacar, reprimir, refrenar. [*Sinón.:* contender, luchar]

combatividad. f. Calidad o condición de combativo.

combativo, va. adj. Dispuesto o inclinado al combate o a la polémica.

combinación. f. Acción y efecto de combinar o combinarse. || Unión de dos cosas en un mismo sujeto. || Prenda interior femenina. || MAT. Cada uno de los distintos grupos que pueden formarse con los objetos o números de una serie.

combinado. m. Cóctel, bebida.

combinar (al. *zusammenstellen*, fr. *combiner*, ingl. *to combine*, it. *combinare*). tr. Unir cosas diversas de manera que formen un compuesto o agregado. || Concertar, traer a identi-

dad de fines. || QUÍM. Unir dos o más cuerpos en proporciones atómicas determinadas, para formar un compuesto cuyas propiedades sean distintas de las de los componentes. Ú.t.c.r. [*Sinón.:* integrar. *Antón.:* desintegrar, descomponer]

combinatorio, a. adj. Se aplica al arte de combinar.

combo, ba. adj. Se dice de lo que está combado. || m. Asiento sobre el que se colocan los toneles y las cubas. ||*Amer.* Mazo.

comburente. adj. FÍS. Que inicia la combustión o la activa. Ú.t.c.s.m.

combustibilidad. f. Calidad de combustible.

combustible (al. *Brennstoff*, fr. *combustible*, ingl. *fuel*, it. *combustibile*). adj. Que puede arder. || Que arde con facilidad. || QUÍM. Se dice de la sustancia capaz de combinarse con un cuerpo oxidante. || m. Cualquiera de las materias que sirven para hacer lumbre.

combustión. f. Acción y efecto de arder o quemar. || QUÍM. Combinación de un cuerpo combustible con otro comburente. [*Sinón.:* ignición, inflamación]

comedero, ra. adj. Que se puede comer. || m. Vasija o cajón donde se echa la comida a las aves y otros animales. || Comedor, habitación donde se come.

comedia (al. *Komödie*, fr. *comédie*, ingl. *comedy*, it. *commedia*). f. LIT. Pieza dramática de enredo y desenlace festivo. || Poema dramático de cualquier género que sea. || Género cómico. || fig. Farsa, fingimiento.

comediante, ta. s. Actor y actriz. || fig. y fam. Persona que·para algún fin aparenta lo que no siente en realidad.

comedido, da. adj. Cortés, prudente, moderado.

comedimiento. m. Cortesía, moderación, urbanidad.

comediógrafo, fa. s. Persona que escribe comedias.

comedón. m. Grano sebáceo con un puntito negro que se forma en la piel del rostro.

comedor (al. *Esszimmer*, fr. *salle à manger*, ingl. *dining-room*, it. *sala de pranzo*). adj. Que come mucho. || m. En las casas, habitación destinada para comer. || Establecimiento destinado a servir comidas a personas determinadas y en ciertos casos al público. Ú.t. en pl.

comején. m. ZOOL. Insecto neuróptero, de color blanco, que vive

en parajes húmedos y climas cálidos, formando colonias. En América se le llama hormiga blanca, y en Filipinas, anay.

comendador. m. Caballero que tiene encomienda de alguna de las órdenes militares o de caballería.

comendadora. f. Superiora o prelada de los conventos de las órdenes militares, o de religiosas de la Merced.

comensal (al. *Tischgenosse*, fr. *convive*, ingl. *commensal*, it. *commensale*). com. Persona que vive a la mesa y a expensas de otra, en cuya casa habita como familiar o dependiente. || Cada una de las personas que comen en una misma mesa. || BIOL. Organismo que vive asociado con otro nutriéndose de sus residuos o reservas alimenticias.

comentar (al. *auslegen*, fr. *commenter*, ingl. *to comment*, it. *commentare*). tr. Explicar, aclarar el contenido de un escrito para que se entienda con facilidad. || fam. Hacer comentarios. [*Sinón.:* glosar]

comentario (al. *Kommentar*, fr. *commentaire*, ingl. *comment*, it. *commentario*). m. Escrito que sirve de explicación a una obra, para que se entienda más fácilmente. || pl. Título que se da a algunas obras escritas con brevedad. || fam. Conversación detenida sobre personas o sucesos de la vida ordinaria, generalmente con algo de murmuración. [*Sinón.:* crítica, exégesis, glosa, interpretación]

comentarista. com. Persona que escribe o pronuncia comentarios.

comenzar (al. *beginnen*, fr. *commencer*, ingl. *to begin*, it. *incominciare*). tr. Empezar, dar principio a una cosa. || intr. Empezar, tener una cosa principio. [*Sinón.:* iniciar. *Antón.:* acabar]

comer (al. *essen*, fr. *manger*, ingl. *to eat*, it. *mangiare*). m. Comida, alimento. || intr. Masticar y desmenuzar el alimento en la boca y pasarlo al estómago. Ú.t.c.tr. || Tomar alimento. || Tomar la comida principal del día. || fig. Gastar, corroer, consumir. || fig. En los juegos de ajedrez, damas, etc., ganar una pieza al contrario. || r. Al hablar o escribir, omitir alguna cosa que se indica como complemento directo.

comercial. adj. Perteneciente al comercio y a los comerciantes. || Se dice de aquello que tiene fácil aceptación en el mercado que le es propio.

comercializar. tr. Dar a un producto industrial, agrícola, etc., condiciones y organización comerciales para su venta.

comerciante (al. *Kaufmann*, fr. *marchand*, ingl. *merchant*, it. *negoziante*). adj. Que comercia. Ú.t.c.s. [*Sinón.*: negociante]

comerciar (al. *handel treiben*, fr. *faire le commerce*, ingl. *to trade*, it. *commerciare*). intr. Negociar comprando y vendiendo o permutando géneros. || fig. Tener trato y comunicación unas personas con otras. [*Sinón.*: traficar, especular]

comercio (al. *Handel*, fr. *commerce*, ingl. *trade*, it. *commercio*). m. Negociación que se hace comprando, vendiendo o permutando unas cosas con otras. || Comunicación y trato de unas gentes o pueblos con otros. || fig. Conjunto de los comerciantes, como clase. || fig. Comunicación y trato secreto, por lo común ilícito, entre dos personas de distinto sexo. || Tienda, almacén, establecimiento comercial.

comestible (al. *Essbar*, fr. *comestible*, ingl. *eatable*, it. *commestibile*). adj. Que se puede comer. || m. Cualquier género alimenticio. Ú.m. en pl.

cometa (al. *Komet*, fr. *comète*, ingl. *comet*, it. *cometa*). m. ASTR. Astro generalmente formado por un núcleo poco denso y una atmósfera luminosa que le precede, le envuelve o le sigue, según su posición respecto del Sol, y que describe una órbita muy excéntrica. || f. Armazón plana y muy ligera, por lo común de cañas y papel o tela, que, como diversión, se eleva en el aire merced al viento. [*Sinón.*: volantín]

cometer (al. *begehen*, fr. *commettre*, ingl. *to commit*, it. *commettere*). tr. Dar uno sus veces a otro, poniendo a su cargo y cuidado algún negocio. || Hablando de culpas o faltas, incurrir en ellas. || Hablando de figuras retóricas o gramaticales, usarlas. || COM. Dar comisión mercantil.

cometido. m. Comisión, encargo. || Por ext., incumbencia, obligación moral.

comezón. f. Picazón que se padece en alguna parte del cuerpo o en todo él. || fig. Desazón interior que ocasiona el deseo o apetito de una cosa mientras no se logra.

cómic. m. Historieta.

comicastro. m. Mal cómico.

comicidad. f. Calidad de cómico.

comicios. m. pl. Junta que tenían los romanos para tratar de los negocios públicos. || Reuniones y actos electorales. [*Sinón.*: asamblea; elecciones; votación]

cómico, ca (al. *komisch*, fr. *plaisant*, ingl. *funny*, it. *buffo*). adj. Perteneciente o relativo a la comedia. || Decíase del que escribía comedias. Hoy sólo se aplica al que las representa. Ú.t.c.s. || Que puede divertir o excitar la risa. [*Sinón.*: actor, artista, comediante, payaso]

comida (al. *Mahlzeit*, fr. *repas*, ingl. *meal*, it. *pranzo*). f. Alimento.. || Acción de tomar habitualmente alimentos a una u otra hora del día o de la noche. || Alimento que se toma al mediodía o a primeras horas de la tarde. || Cena. || Acción de comer. [*Sinón.*: pitanza, sustento, yantar; almuerzo]

comidilla. f. fig. y fam. Tema preferido en alguna murmuración o conversación satírica.

comido, da. adj. Se dice del que ha comido. || *comido y bebido*. expr. fam. Mantenido.

comienzo (al. *Anfang*, fr. *commencement*, ingl. *beginning*, it. *principio*). m. Principio, origen y raíz de una cosa.

comilón, na. adj. fam. Que come mucho o desordenadamente. Ú.t.c.s.

comilona. f. fam. Comida abundante con diversidad de manjares.

comilla. f. dim. de coma, signo ortográfico. || pl. Signo ortográfico («...», "...") que se pone al principio y al final de las frases incluidas como citas o ejemplos. También se emplea para poner de relieve una palabra o frase. || Signo ortográfico ('...') para ser usado dentro de un entrecomillado más extenso, y también para indicar que una palabra está usada en su valor conceptual o como definición de otra.

comino. m. BOT. Hierba de la familia de las umbelíferas, cuyas semillas se usan en medicina y para condimento. || Semilla de esta planta. || fig. Cosa insignificante.

comisar. tr. Declarar que una cosa ha caído en comiso.

comisaría (al. *Kommissariat*, fr. *commissariat*, ingl. *commissariat*, it. *commissariato*). f. Empleo del comisario. || Oficina del comisario.

comisario (al. *Kommissar*, fr. *commissaire*, ingl. *commissioner*, it. *commissario*). m. El que tiene poder y facultad de otro para ejecutar alguna orden o entender en algún negocio. || Funcionario de policía que tiene a su cargo una sección urbana.

comisión (al. *Ausschuss*, fr. *commission*, ingl. *commission*, it. *commissione*). f. Acción de cometer. || Orden y facultad que una persona da por escrito a otra para que ejecute un encargo. || Encargo que una persona da a otra para que haga algo. || Conjunto de personas encargadas para entender en un asunto. || Tanto por ciento de lo vendido que percibe el vendedor.

comisiona.. tr. Dar comisión a una o más personas para entender en algún negocio o encargo. [*Sinón.*: delegar, encomendar]

comiso. m. DER. Decomiso.

comistrajo. m. fam. Mezcla extravagante de manjares.

comisura. f. ANAT. Punto de unión de los labios, párpados, etc. || ANAT. Sutura de los huesos del cráneo por medio de dientecillos a manera de sierra.

comité. m. Junta de personas delegadas para un asunto.

comitiva (al. *Gefolge*, fr. *suite*, ingl. *retinue*, it. *comitiva*). f. Acompañamiento, séquito.

cómitre. m. MAR. Persona que en las galeras dirigía y vigilaba la boga y otras maniobras, y a cuyo cargo estaba el castigo de remeros y forzados. || Capitán de mar bajo las órdenes del almirante.

como (al. *wie*; fr. *comment*, *comme*; ingl. *how*, *as*; it. *come*). adv. m. Del modo o la manera que. || adv. m. interrogativo y exclamativo. Cómo, con acento prosódico y ortográfico. Equivale a *de qué modo o manera*. || En sentido comparativo da idea de equivalencia, semejanza o igualdad. || Según, conforme. || En calidad de. || Por qué motivo, causa o razón. || Así que. || A fin de que, o de modo que. || Se emplea lo mismo que la conjunción *que* para introducir una subordinada. || Puede equivaler a la conjunción condicional *si*. || Puede tener valor causal, soliendo preceder a la conjunción que. || Se usa a veces como sustantivo precedido del artículo *el*. || *¡como!* interj. con que se denota extrañeza o enfado.

cómoda (al. *Kommode*, fr. *commode*, ingl. *chest of drawers*, it. *canterano*). f. Mueble con tablero de mesa y tres o cuatro cajones que ocupan todo el frente y sirven para guardar ropa.

comodidad (al. *Bequemlichkeit*, fr. *commodité*, ingl. *comfortableness*, it. *comodità*). f. Calidad de cómodo. || Posesión de lo necesario para vivir a gusto. || Buena disposición de las cosas para el uso que se ha de hacer de ellas. || Ventaja, oportunidad. || Utilidad, interés. [*Sinón.*: bienestar, confort, desahogo. *Antón.*: incomodidad, estrechez]

comodín (al. *Joker,* fr. *joker,* ingl. *joker,* it. *carta di comodo*). m. En algunos juegos de naipes, carta que se puede aplicar a cualquier suerte favorable. || fig. Lo que se hace servir para fines diversos, según conviene al que lo usa. || fig. Pretexto habitual.

cómodo, da. adj. Oportuno, fácil, conveniente.

comodón, na. adj. fam. Dícese del que es amante de la comodidad.

comodoro. m. MAR. Nombre que en Inglaterra y otras naciones se da al capitán de navío cuando manda más de tres buques. || Persona que en los clubes náuticos se encarga de la inspección y buen orden de las embarcaciones y organiza las regatas.

comoquiera. adv. m. De cualquier manera.

compacto, ta (al. *dicht,* fr. *compact,* ingl. *compact,* it. *compatto*). adj. Dícese de los cuerpos de textura apretada y poco porosa. [*Sinón.*: espeso, macizo, amazacotado. *Antón.*: claro, inconsistente]

compadecer (al. *bemitleiden,* fr. *plaindre,* ingl. *to sympathize,* it. *compatire*). tr. Compartir la desgracia ajena, sentirla, dolerse de ella. || Inspirar lástima o pena a alguien la desgracia de otro. Úsase t.c.r. || r. Convenir una cosa con otra. || Conformarse. [*Sinón.*: conmover; apiadarse, condolerse]

compadrazgo. m. Conexión o afinidad que contrae con los padres de una criatura el padrino que la saca de pila o asiste a la confirmación. [*Sinón.*: compadraje]

compadre. m. Se llaman así recíprocamente el que ha sacado de pila a una criatura y el padre de ella. Por ext., dan al padrino el nombre de compadre la madre y la madrina del bautizado. || Con respecto a los padres del confirmado, el padrino de la confirmación. || En Andalucía y otras partes, se suelen llamar así los amigos o conocidos, y aun los que por casualidad se juntan en fondas o caminos.

compadreo. m. Compadrazgo, unión de personas para ayudarse mutuamente. Suele usarse con valor despectivo.

compaginación. f. Acción y efecto de compaginar o compaginarse.

compaginador. m. El que compagina.

compaginar. tr. Poner en buen orden cosas que tienen alguna conexión o relación mutua. Ú.t.c.r. || IMP. ajustar, combinar las galeradas para formar páginas. || r. fig. Corresponder bien una cosa con otra. [*Sinón.*: acoplar, organizar; montar, maquetar]

compaña. f. Compañía. || En particular, persona o personas que van o están con otras.

compañerismo. m. Vínculo que existe entre compañeros. || Armonía y buena correspondencia entre ellos. || Buena disposición para prestar ayuda a los compañeros.

compañero, ra (al. *Kamerad,* fr. *compagnon,* ingl. *companion,* it. *compagno*). s. Persona que se acompaña con otra para algún fin. || En las corporaciones, colegios, etc., cada individuo con respecto a los demás. || Cualquiera de los jugadores que en un juego se unen o ayudan contra los demás. || Persona que corre la misma suerte que otra. || fig. Cosa que hace juego o tiene correspondencia con otra u otras. [*Sinón.*: consorte, adlátere, acompañante]

compañía (al. *Gesellschaft,* fr. *compagnie,* ingl. *company,* it. *compagnia*). f. Efecto de acompañar. || Persona o personas que acompañan a otra u otras. || Asociación de varias personas para un mismo fin. || Cuerpo de actores formado para representar en un teatro. || MIL. Cierta unidad orgánica de soldados, normalmente bajo las órdenes de un capitán. || — *anónima.* COM. Sociedad anónima. || — *de Jesús.* Orden religiosa fundada por san Ignacio de Loyola.

compañón. m. Testículo.

comparación. f. Acción y efecto de comparar. || RET. Símil, semejanza de ideas. [*Sinón.*: cotejo, confrontación]

comparar. tr. Fijar la atención en dos o más objetos para descubrir sus relaciones o estimar sus diferencias o semejanzas. || Cotejar. [*Sinón.*: parangonar. *Antón.*: distinguir]

comparatista. com. Persona versada en estudios comparados de ciertas disciplinas.

comparativo, va. adj. Dícese de lo que compara o sirve para hacer comparación de una cosa con otra.

comparecencia. f. DER. Acción y efecto de comparecer.

comparecer (al. *—vor gericht— erscheinen,* fr. *comparaître,* ingl. *to appear before —a judge—,* it. *comparire*). intr. Presentarse uno en algún lugar, llamado o convocado por otra persona, o de acuerdo con ella. || DER. Parecer, presentarse uno ante otro personalmente o por poder para un acto formal, en virtud del llamamiento o intimación que se le ha hecho. [*Sinón.*: acudir, presentarse. *Antón.*: faltar, ausentarse]

comparsa (al. *Statist,* fr. *comparse,* ingl. *super,* it. *comparsa*). com. Persona que forma parte del acompañamiento en las representaciones teatrales. || Conjunto de personas que en los días de carnaval o en regocijos públicos van vestidas con trajes de una misma clase.

comparsería. f. Conjunto de comparsas que participan en las representaciones teatrales.

compartimento. m. Compartimiento.

compartimiento. m. Acción y efecto de compartir. || Cada una de las partes que resultan de dividir un espacio o local. || — *estanco.* MAR. Cada una de las secciones absolutamente independientes de un buque de hierro, para conseguir que flote aun cuando se haya anegado alguna de ellas.

compartir (al. *teilen mit,* fr. *partager,* ingl. *to share,* it. *compartire*). tr. Repartir, dividir, distribuir las cosas en partes. || Participar uno en algo.

compás (al. *Zirkel, Takt;* fr. *compas, mesure;* ingl. *—drawing— compass, measure;* it. *compasso, misura*). m. Instrumento formado por dos piernas agudas, unidas en su extremidad superior por un eje o clavillo para que puedan abrirse o cerrarse. Sirve para trazar curvas regulares y tomar distancias. || Tamaño. || fig. Regla o medida de algunas cosas, como de la vida o las acciones, etc. || MAR. y MINER. Brújula, aparato científico. || MÚS. Cada uno de los períodos de tiempo iguales en que se marca el ritmo de una frase musical. || MÚS. Ritmo o cadencia de una pieza musical.

compasar. tr. Medir con el compás. || fig. Arreglar, medir, proporcionar las cosas de modo que ni sobren ni falten. || MÚS. Dividir en tiempos iguales las composiciones musicales.

compasible. adj. Digno de compasión. || Compasivo.

compasillo. m. MÚS. Compás menor.

compasión (al. *Mitleid,* fr. *pitié,* ingl. *compassion,* it. *compassione*). f. Sentimiento de ternura y lástima que se tiene del trabajo, desgracia o mal que padece alguno. [*Sinón.*: conmiseración, lástima, piedad. *Antón.*: mofa, impiedad]

compasivo, va. adj. Que tiene compasión. [*Sinón.*: misericordioso]

compatibilidad. f. Calidad de compatible.

compatible. adj. Que tiene aptitud o proporción para unirse o concurrir en un mismo lugar o sujeto.

compatriota. com. Persona que tiene con otra una patria común.

compeler. tr. Obligar a uno, con fuerza o por autoridad, a que haga lo que no quiere.

compendiar. tr. Reducir a compendio. [*Sinón.*: resumir, abreviar. *Antón.*: alargar, ampliar]

compendio (al. *Auszug*, fr. *précis*, ingl. *summary*, it. *compendio*). m. Breve y sumaria exposición, oral o escrita, de lo más sustancial de una materia expuesta ampliamente por otro o por el mismo compendiador. [*Sinón.*: extracto, sinopsis]

compenetración. f. Acción y efecto de compenetrarse. [*Sinón.*: coincidencia, afinidad]

compenetrarse. rec. Penetrar las partículas de una sustancia entre las de otra, o recíprocamente. ‖ fig. Identificarse las personas en ideas y sentimientos. [*Sinón.*: coincidir, identificarse. *Antón.*: oponerse]

compensación. f. Acción y efecto de compensar.

compensador, ra. adj. Que compensa. ‖ m. Péndulo de reloj cuya longitud total no varía cualquiera que sea la temperatura.

compensar (al. *ausgleichen*, fr. *compenser*, ingl. *to offset*, it. *compensare*). tr. Igualar en opuesto sentido el efecto de una cosa con el de otra. Ú.t.c.r. ‖ Dar alguna cosa o hacer un beneficio en resarcimiento del daño que se ha causado. Ú.t.c.r. [*Sinón.*: contrarrestar, nivelar; remediar, indemnizar]

competencia (al. *Wettstreit*, fr. *concurrence*, ingl. *competition*, it. *concorrenza*). f. Disputa o contienda entre dos o más sujetos sobre alguna cosa. ‖ Rivalidad, oposición. ‖ Incumbencia. ‖ Aptitud, idoneidad. ‖ Der. Atribución legítima a un juez u otra autoridad para el conocimiento o resolución de un asunto. ‖ Amer. Competición deportiva.

competente. adj. Bastante, oportuno, proporcionado, adecuado, debido. ‖ Dícese de la persona a quien compete o incumbe una cosa. ‖ Apto, idóneo.

competer. intr. Pertenecer, incumbir a uno una cosa.

competición. f. Acción y efecto de competir. ‖ Competencia de quienes se disputan una misma cosa o la pretenden.

competidor, ra. adj. Que compite.

Ú.t.c.s. [*Sinón.*: rival, contrincante, antagonista]

competir (al. *werben*, fr. *concurrencer*, ingl. *to vie*, it. *concorrere*). intr. Contender dos o más personas aspirando a una misma cosa. Ú.t.c.r. ‖ Igualar una cosa a otra análoga, en la perfección o en las propiedades. [*Sinón.*: rivalizar, pugnar, porfiar]

compilación (al. *Sammelwerk*, fr. *compilation*, ingl. *digest*, it. *compilazione*). f. Colección de varias noticias, leyes o materias. [*Sinón.*: recopilación]

compilar. tr. Allegar o reunir en un solo cuerpo de obra extractos de otros libros o documentos.

compinche. com. fam. Amigo, camarada. ‖ fam. Amigote, compañero de diversiones o tratos irregulares.

complacencia. f. Satisfacción, placer y contento que resulta de una cosa.

complacer (al. *entgegenkommen*, fr. *être agréable*, ingl. *to please*, it. *compiacere*). tr. Acceder uno a lo que otro desea. ‖ r. Alegrarse y tener satisfacción por algo.

complaciente. adj. Que complace o se complace. ‖ Propenso a complacer. [*Sinón.*: Condescendiente]

complejidad. f. Calidad de complejo. [*Antón.*: sencillez, facilidad]

complejo, ja (al. *zusammengestzt*, fr. *complexe*, ingl. *complex*, it. *complesso*). adj. Dícese de lo que se compone de elementos diversos. ‖ m. Conjunto o unión de dos o más cosas. ‖ Conjunto de establecimientos de industrias básicas, bajo dirección técnica y administrativa común. ‖ En psicología, combinación de ideas, tendencias y emociones que permanecen en la subconsciencia, pero que influyen en la personalidad del sujeto y a veces determinan su conducta.

complementar. tr. Dar complemento a una cosa.

complementario, ria. adj. Que sirve para completar o mejorar una cosa.

complemento (al. *Ergänzung*, fr. *complément*, ingl. *complement*, it. *complemento*). m. Cosa, cualidad o circunstancia que se añade a otra cosa para hacerla íntegra o perfecta. ‖ Perfección, colmo de alguna cosa. ‖ Geom. Ángulo que sumado con otro completa un recto. ‖ Geom. Arco que sumado con otro completa un cuadrante. ‖ Gram. Palabra o frase en que recae o en que se aplica la acción del verbo.

completar (al. *ergänzen*, fr. *compléter*, ingl. *to complete*, it. *completare*). tr.

Integrar, hacer cabal una cosa. ‖ Hacerla perfecta en su clase. [*Sinón.*: acabar]

completo, ta (al. *vollständig*, fr. *complet*, ingl. *entire*, it. *completo*). adj. Lleno, cabal. ‖ Acabado, perfecto.

complexión. f. Fisiol. Constitución, estructura de una persona.

complicación. f. Concurrencia y encuentro de cosas diversas. ‖ Embrollo. [*Sinón.*: estorbo, agravación, lío]

complicado, da. adj. Enmarañado, de difícil comprensión. ‖ Se dice de las personas de carácter y conducta que no son fáciles de entender.

complicar (al. *verwickeln*, fr. *compliquer*, ingl. *to involve*, it. *complicare*). tr. Mezclar, unir cosas diversas entre sí. ‖ fig. Dificultar. Ú.t.c.r. ‖ r. Confundirse, enmarañarse, embrollarse.

cómplice (al. *Helfeshelfer*, fr. *complice*, ingl. *accomplice*, it. *complice*). com. Der. Participante o asociado en un delito imputable a dos o más personas.

complicidad. f. Calidad de cómplice.

complot. m. Confabulación entre dos o más personas contra otra u otras. ‖ fam. Trama, intriga. [*Sinón.*: conspiración, conjuración]

complutense. adj. Natural de Alcalá de Henares. Ú.t.c.s. ‖ Perteneciente a esta ciudad.

componedor, ra. s. Persona que compone. ‖ m. Imp. Regla de madera o hierro, con un borde a lo largo y un tope en uno de los extremos, en la cual se colocan una a una las letras y signos que han de componer un renglón.

componenda. f. Arreglo o transacción censurable o de carácter inmoral.

componente. adj. Que compone o entra en la composición de un todo. Ú.t.c.s.

componer (al. *anordnen*, fr. *composer*, ingl. *to put together*, it. *comporre*). tr. Formar una cosa de otras, juntándolas y colocándolas con cierto modo y orden. ‖ Constituir, formar, dar ser a un cuerpo o agregado de varias cosas o personas. Hablando de las partes de que consta un todo, respecto del mismo, ú.t.c.r. ‖ Ordenar, concertar, reparar lo desordenado, descompuesto o roto. ‖ Ataviar y engalanar a una persona. Ú.t.c.r. ‖ Tratándose de obras científicas o literarias y de algunas de las artísticas, hacerlas, producirlas. ‖ Amer. Restituir a su lugar los huesos dislocados. ‖ Imp. Formar las palabras, líneas y planas, juntando las letras o

FAETÓN

CALESA

LANDÓ

CAB

CORREDORA

DILIGENCIA

BERLINA

COCHE

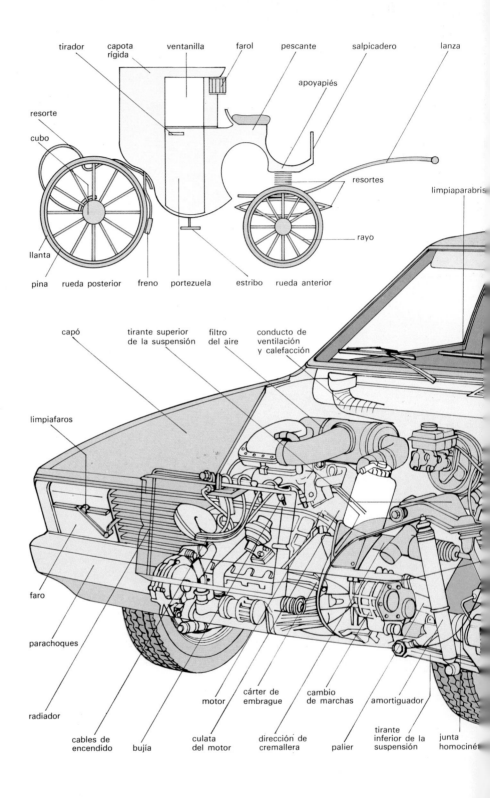

tirador   capota rígida   ventanilla   farol   pescante   salpicadero   lanza

apoyapiés

resorte

cubo

resortes

limpiaparabris

llanta

rayo

pina   rueda posterior   freno   portezuela   estribo   rueda anterior

capó   tirante superior de la suspensión   filtro del aire   conducto de ventilación y calefacción

limpiafaros

faro

parachoques

radiador

motor   cárter de embrague   cambio de marchas   amortiguador

tirante inferior de la suspensión   junta homocinét

cables de encendido   bujía   culata del motor   dirección de cremallera   palier

COCHE

PARTES PRINCIPALES DE UN AUTOMÓVIL
Y DE UN COCHE DE CABALLOS (cupé)

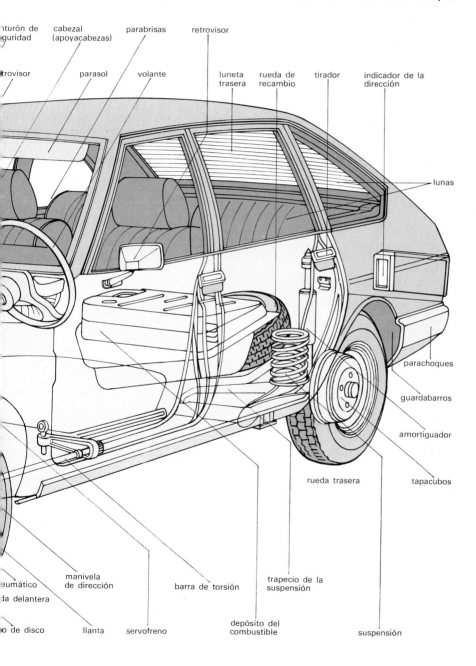

nturón de
guridad

cabezal
(apoyacabezas)

parabrisas

retrovisor

trovisor

parasol

volante

luneta
trasera

rueda de
recambio

tirador

indicador de la
dirección

lunas

parachoques

guardabarros

amortiguador

rueda trasera

tapacubos

manivela
de dirección

barra de torsión

trapecio de la
suspensión

eumático
da delantera

o de disco

llanta

servofreno

depósito del
combustible

suspensión

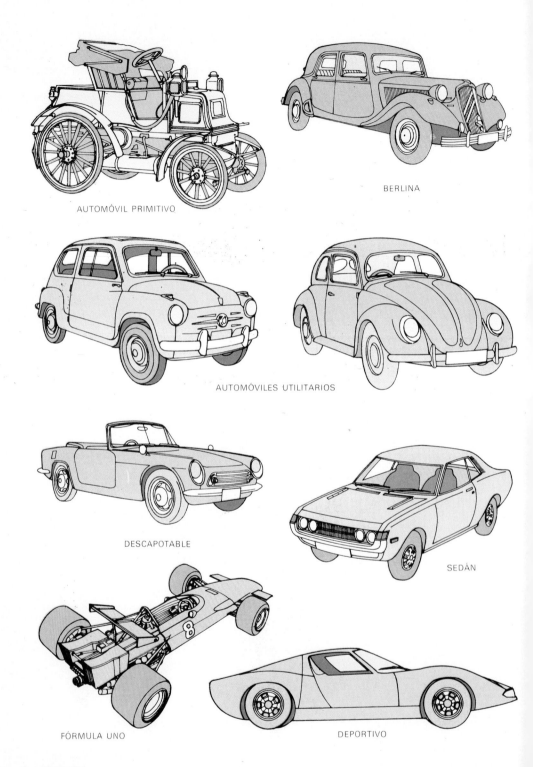

AUTOMÓVIL PRIMITIVO

BERLINA

AUTOMÓVILES UTILITARIOS

DESCAPOTABLE

SEDÁN

FÓRMULA UNO

DEPORTIVO

COCHE

caracteres. ‖ intr. Hacer versos. ‖ Producir obras musicales. ‖ componérselas. fam. Ingeniarse para salir de un apuro o lograr algún fin. [*Sinón.*: integrar. *Antón.*: descomponer]

comportamiento. m. Conducta, manera de comportarse.

comportar (al. *sich betragen*, fr. *se comporter*, ingl. *to behave*, it. *condursi*). tr. Sufrir, tolerar. ‖ r. Portarse, conducirse.

composición. f. Acción y efecto de componer. ‖ Ajuste, convenio entre dos o más personas. ‖ Compostura, circunspección. Escrito desarrollado por el alumno siguiendo instrucciones del profesor. ‖ Obra científica, literaria, musical. ‖ DER. Arreglo, generalmente con indemnización, que permitía el derecho antiguo sobre las consecuencias de un delito, entre el delincuente y la víctima o la familia de ésta. ‖ IMP. Conjunto de líneas, galeradas y páginas, antes de la imposición. ‖ MÚS. Parte de la música que enseña las reglas para la formación del canto y del acompañamiento. ‖ PINT. Arte de agrupar las figuras y elementos para conseguir el efecto deseado. ‖ QUÍM. Número de átomos de cada elemento que hay en la molécula de un cuerpo químico.

compositor, ra (al. *Komponist*, fr. *cômpositeur*, ingl. *composer*, it. *compositore*). adj. Que compone. ‖ Que hace composiciones musicales. Ú.t.c.s.

compostelano, na. adj. Natural de Compostela, hoy Santiago de Compostela. Ú.t.c.s. ‖ Perteneciente a esta ciudad.

compostura (al. *Ausbesserung*, fr. *raccommodage*, ingl. *repair*, it. *accommodatura*). f. Construcción y hechura de un todo que consta de varias partes. ‖ Reparo de una cosa descompuesta, maltratada o rota. ‖ Aseo, adorno, aliño de una persona o cosa. ‖ Modestia, mesura y circunspección.

compota (al. *Kompott*, fr. *compote*, ingl. *jam*, it. *composta*). f. Dulce de fruta cocida con agua y azúcar.

compra (al. *Kauf*, fr. *achat*, ingl. *purchase*, it. *compera*). f. Acción y efecto de comprar. ‖ Cualquier objeto comprado. [*Sinón.*: merca, adquisición]

comprador, ra. adj. Que compra. Ú.t.c.s.

comprar. tr. Adquirir algo por dinero. ‖ Sobornar, corromper. [*Sinón.*: mercar. *Antón.*: vender]

compraventa. f. Negocio de antigüedades o cosas usadas.

comprender (al. *verstehen*, fr. *comprendre*, ingl. *to understand*, it. *capire*). tr. Abrazar, ceñir, rodear por todas partes una cosa. ‖ Contener, incluir en sí alguna cosa. Ú.t.c.r. ‖ Entender, alcanzar, penetrar.

comprensión. f. Acción de comprender. ‖ Facultad, capacidad o perspicacia para entender y penetrar las cosas. ‖ Actitud comprensiva o tolerante.

comprensivo, va (al. *begreifend*, fr. *compréhensif*, ingl. *comprehensive*, it. *comprensivo*). adj. Que tiene facultad o capacidad de entender o comprender una cosa. ‖ Que comprende, contiene o incluye. ‖ Se dice de la persona, tendencia o actitud tolerante.

compresa (al. *Umschlag*, fr. *compresse*, ingl. *compress*, it. *compressa*). f. Lienzo o gasa que, doblada varias veces, y por lo común esterilizada, se usa para cohibir hemorragias, cubrir heridas, aplicar calor, frío o ciertos medicamentos.

compresión. f. Acción y efecto de comprimir. ‖ GRAM. Sinéresis.

compresor, ra. adj. Que comprime. Ú.t.c.s. ‖ s. Instrumento, aparato o máquina para comprimir.

comprimido (al. *Tablette*, fr. *comprimé*, ingl. *tablet*, it. *tabloide*). m. FARM. Pastilla pequeña que se obtiene por compresión de sus ingredientes previamente reducidos a polvo. [*Sinón.*: tableta]

comprimir (al. *zusammenpressen*, fr. *comprimer*, ingl. *to squeeze*, it. *comprimere*). tr. Oprimir, apretar, estrechar, reducir a menor volumen. Ú.t.c.r. ‖ Reprimir y contener. Ú.t.c.r. [*Antón.*: soltar, ensanchar]

comprobación. f. Acción y efecto de comprobar. [*Sinón.*: cotejo, verificación]

comprobante (al. *Belegschein*, fr. *pièce comptable*, ingl. *voucher*, it. *scontrino*). m. Documento administrativo o contable que se utiliza para justificar la entrega de una mercancía, la prestación de un servicio o la satisfacción de un débito. [*Sinón.*: justificante, recibo]

comprobar (al. *nachprüfen*, fr. *vérifier*, ingl. *to verify*, it. *verificare*). tr. Verificar, confirmar una cosa cotejándola con otra o repitiendo las demostraciones que la prueban y acreditan como cierta.

comprometer (al. *verpflichten*, fr. *compromettre*, ingl. *to engage*, it. *compromettere*). tr. Poner, de común acuerdo, en manos de un tercero, la determinación de una diferencia, pleito,

etc., sobre que se contiende. Ú.t.c.r. ‖ Exponer a uno, arriesgarlo a una acción o caso aventurado. Ú.t.c.r. ‖ Constituir a uno en una obligación; hacerle responsable de algo. Ú.m.c.r. ‖ Hacer a una cosa objeto de obligación o compromiso.

compromisario. adj. Aplícase a la persona en quien otras delegan para que concierte, resuelva o efectúe una cosa. Ú.t.c.s. ‖ m. Aquél por quien los electores se hacen representar para una elección. [*Sinón.*: representante, delegado]

compromiso (al. *Übernommene Verpflichtung*, fr. *engagement*, ingl. *engagement*, it. *impegno*). m. Delegación que, para proveer ciertos cargos eclesiásticos o civiles, hacen los electores en uno o más de ellos a fin de que designen el que haya de ser nombrado. ‖ Obligación contraída, palabra dada, fe empeñada. ‖ Dificultad, embarazo, empeño.

compuerta (al. *Schleuse*, fr. *porte éclusière*, ingl. *sluice*, it. *cateratta*). f. Media puerta, a manera de antepecho. ‖ Plancha fuerte, encajada en correderas laterales, por las que puede deslizarse verticalmente. Se coloca en los canales, diques, portillos de presa, etc. para graduar o cortar el paso del agua.

compuesto, ta. adj. Mesurado, circunspecto. ‖ BOT. Aplícase a plantas dicotiledóneas, hierbas, arbustos y algunos árboles, que se distinguen por sus hojas simples o sencillas y por sus flores reunidas en cabezuelas. Ú.t.c.s.f. ‖ GRAM. Aplícase al vocablo formado por composición de dos o más voces simples. ‖ f. pl. BOT. Familia de las plantas compuestas. ‖ QUÍM. Se aplica al cuerpo que se compone de otros de distinta naturaleza. Ú.t.c.s. ‖ m. Agregado de varias cosas. [*Sinón.*: complejo. *Antón.*: simple]

compulsar. tr. Cotejar documentos.

compulsión. f. DER. Apremio o fuerza que, por mandato de autoridad, se hace a uno, compeliéndole a que ejecute una cosa.

compunción. f. Dolor de haber pecado. ‖ Sentimiento por el dolor ajeno.

compungido, da. adj. Atribulado, dolorido.

compungir (al. *reue empfinden*, fr. *se repentir*, ingl. *to feel compunction*, it. *pentirsi*). tr. Mover a compunción. ‖ r. Contristarse a dolerse uno de una culpa o pecado propio, o de la aflicción ajena. [*Sinón.*: apenarse. *Antón.*: alegrarse, consolarse]

computador, ra. adj. Que computa. Ú.t.c.s. ‖ s. Calculador, aparato o máquina para calcular.

computar. tr. Contar o calcular una cosa por números.

cómputo. m. Cuenta o cálculo.

comulgar (al. *das heilige abendmahlnehmen*, fr. *communier*, ingl. *to communicate*, it. *comunicare*). tr. Dar la sagrada comunión. ‖ intr. Recibirla. ‖ fig. Compartir con otros ideas o sentimientos.

común (al. *gemein*, fr. *commun*, ingl. *common*, it. *comune*). adj. Dícese de lo que, no siendo privadamente de ninguno, pertenece o se extiende a varios. ‖ Corriente, recibido y admitido de todos o de la mayor parte. ‖ Ordinario, vulgar, frecuente y muy sabido. ‖ Bajo, de inferior clase y despreciable. ‖ m. Todo el pueblo de cualquier provincia, ciudad, villa o lugar. ‖ *por lo común.* m. adv. Comúnmente. [*Sinón.*: comunal, colectivo; corriente. *Antón.*: propio, personal; extraordinario, raro]

comuna. f. *Amer.* Municipio, conjunto de habitantes de un término.

comunal. adj. Común. ‖ *Amer.* Perteneciente o relativo a la comuna. ‖ m. Común, conjunto de habitantes de un pueblo.

comunero, ra. adj. Popular, afable. ‖ Perteneciente a las Comunidades de Castilla. ‖ m. El que tiene parte indivisa con otro u otros en un inmueble. ‖ El que seguía el partido de las Comunidades de Castilla. ‖ pl. Pueblos que poseen comunidad de pastos.

comunicación. f. Acción y efecto de comunicar o comunicarse. ‖ Trato, correspondencia entre dos o más personas. ‖ Unión entre ciertas cosas, como mares, pueblos, casas o habitantes, por medio de pasos, escaleras, etc. ‖ Escrito, papel en que se comunica algo. ‖ pl. Correos, teléfonos, etc.

comunicado, da. adj. Se dice de los lugares con referencia a aquellos medios de comunicación que tienen acceso a ellos. ‖ m. Nota que se comunica para conocimiento público. ‖ Escrito que se manda a uno o varios periódicos para que lo publiquen.

comunicar (al. *mitteilen*, fr. *comuniquer*, ingl. *to report*, it. *comunicare*). tr. Hacer a otro partícipe de lo que uno tiene. ‖ Descubrir, manifestar o hacer saber a uno alguna cosa. ‖ r. Tratándose de cosas inanimadas, tener correspondencia o paso unas con otras. [*Sinón.*: conferir; anunciar, participar. *Antón.*: incomunicar]

comunicativo, va. adj. Que tiene propensión o inclinación natural a franquearse con otro. [*Sinón.*: afable, expansivo. *Antón.*: callado]

comunidad. f. Calidad de común. ‖ Común de algún pueblo, provincia o Estado. ‖ Congregación de personas que viven unidas y bajo ciertas reglas. ‖ pl. Levantamientos populares, principalmente los de Castilla en tiempos de Carlos I.

comunión (al. *das heilige Abendmahl*, fr. *communion*, ingl. *communion*, it. *comunione*). f. Participación en lo común. ‖ En la Iglesia católica, acto de recibir los fieles la Eucaristía. ‖ Santísimo Sacramento del altar. ‖ Congregación de personas que profesan la misma fe religiosa. ‖ — *de los Santos.* Unión e influjo mutuo entre todos los miembros de la Iglesia.

comunismo (al. *Kommunismus*, fr. *communisme*, ingl. *communism*, it. *comunismo*). m. Doctrina política y social que tiende a la supresión de toda propiedad y a la comunidad de bienes.

comunista. adj. Relativo al comunismo. ‖ Partidario de este sistema. Ú.t.c.s.

comunitario, ria. adj. Perteneciente o relativo a la comunidad.

con (al. *mit*, fr. *avec*, ingl. *with*, it. *con*). Preposición que significa el medio, modo o instrumento que sirve para hacer alguna cosa. ‖ Juntamente y en compañía. ‖ prep. insep. que expresa reunión, cooperación o agregación. ‖ *con que.* conj. cond. Con tal que.

conato (al. *Versuch*, fr. *tentative*, ingl. *attempt*, it. *conato*). m. Empeño en la ejecución de una cosa. ‖ Propensión, propósito, tendencia. ‖ Preparación o comienzo visible de una acción o acaecimiento, especialmente si no llega a cumplirse. ‖ DER. Acto y delito que se inició pero que no llegó a consumarse. [*Sinón.*: tentativa]

concadenar. tr. fig. Enlazar unas especies con otras.

concatenación. f. Acción y efecto de concatenar.

concatenar. tr. fig. Concadenar.

concausa. f. Cosa que, juntamente con otra, es causa de algún efecto.

concavidad. f. Calidad de cóncavo. ‖ Parte o sitio cóncavo. [*Antón.*: convexidad]

cóncavo, va (al. *hohl—*, fr. *concave*, ingl. *concave*, it. *concavo*). adj. Que tiene la superficie más deprimida en el centro que por las orillas. ‖ m. Concavidad.

concebir (al. *begreifen*, fr. *concevoir*, ingl. *to conceive*, it. *concepire*). intr. Quedar preñada la hembra. Ú.t.c.tr. ‖ fig. Formar idea de algo. ‖ tr. fig. Comenzar a sentir un afecto o pasión.

conceder (al. *gewähren*, fr. *accorder*, ingl. *to grant*, it. *concedere*). tr. Otorgar, dar. ‖ Asentir, convenir en algún extremo con los argumentos que se oponen a la tesis sustentada. ‖ Atribuir una cualidad o condición.

concejal (al. *Ratsherr*, fr. *conseiller municipal*, ingl. *municipal councillor*, it. *consigliere comunale*). m. Individuo de un concejo o ayuntamiento.

concejalía. f. Cargo de concejal.

concejo. m. Ayuntamiento, casa y corporación municipales. ‖ Municipio. ‖ Sesión municipal.

concentración. f. Acción y efecto de concentrar o concentrarse. ‖ — *parcelaria.* Agrupación bajo una linde de fincas de reducida extensión para facilitar el cultivo.

concentrar (al. *konzentrieren*, fr. *concentrer*, ingl. *to concentrate*, it. *concentrare*). tr. fig. Reunir en un centro lo que estaba separado. Ú.t.c.r. ‖ Reunir bajo un solo dominio la propiedad de diversas parcelas. ‖ QUÍM. Aumentar la proporción de materia disuelta con relación al disolvente. Ú.t.c.r. ‖ r. Reconcentrarse. [*Sinón.*: juntar, agrupar, centralizar. *Antón.*: fragmentar, desperdigar]

concéntrico, ca. adj. GEOM. Dícese de las figuras y de los sólidos que tienen un mismo centro.

concepción. f. Acción y efecto de concebir. ‖ Por excelencia, la de la Virgen Madre de Dios.

conceptismo. m. Estilo literario conceptuoso, que se caracteriza por el abuso del ingenio.

conceptista. adj. Aplícase a la persona que cultiva el conceptismo. Ú.m.c.s.

concepto (al. *Begriff*, fr. *concept*, ingl. *concept*, it. *concetto*). m. Idea que concibe el entendimiento. ‖ Pensamiento expresado con palabras. ‖ Crédito que se tiene a una persona o cosa. ‖ Juicio, opinión. ‖ Aspecto, calidad.

conceptual. adj. Perteneciente o relativo al concepto.

conceptualismo. m. FIL. Sistema filosófico que defiende la realidad de las nociones universales y abstractas, en cuanto son conceptos de la mente.

conceptuar. tr. Formar concepto de una cosa. [*Sinón.*: juzgar, estimar]

conceptuoso, sa. adj. Sentencioso, agudo, lleno de conceptos.

concernir. intr. Atañer.

concertar (al. *abmachen*, fr. *convenir*, ingl. *to arrange*, it. *concordare*). tr. Componer, ordenar, arreglar una cosa. ‖ Pactar, ajustar, tratar, acordar un negocio. Ú.t.c.r. ‖ Acordar entre sí voces o instrumentos musicales. ‖ Cotejar, concordar una cosa con otra. ‖ intr. Concordar, convenir entre sí una cosa con otra. ‖ GRAM. Concordar en los accidentes gramaticales dos o más palabras variables. Ú.t.c.tr. [*Sinón.*: concordar]

concertina. f. MÚS. Especie de acordeón de figura hexagonal u octagonal, de fuelle muy largo y teclados cantantes en ambas cubiertas.

concertino. m. MÚS. Violinista primero de una orquesta, encargado de la ejecución de los solos.

concertista. com. Músico que toma parte en la ejecución de un concierto en calidad de solista.

concesión. f. Acción y efecto de conceder. ‖ Otorgamiento gubernativo exclusivo a favor de particulares o de empresas. [*Sinón.*: cesión, donación]

concesionario, ria. m. DER. Dícese de la persona o entidad a quien se hace o transfiere una concesión.

concesivo, va. adj. Que se concede o puede concederse.

conciencia (al. *Gewissen*, fr. *conscience*, ingl. *conscience*, it. *coscienza*). f. Propiedad del espíritu humano de reconocerse en sus atributos esenciales y en todas las modificaciones que en sí mismo experimenta. ‖ Conocimiento interior del bien que debemos hacer y del mal que debemos evitar. ‖ Conocimiento exacto y reflexivo de las cosas. ‖ *a conciencia.* m. adv. Dícese de las obras hechas con solidez. ‖ *en conciencia.* m. adv. Según conciencia, de conformidad con ella.

concienzudo, da. adj. Dícese del que es de estrecha y recta conciencia. ‖ Aplícase a lo que se hace según ella. ‖ Dícese de la persona que estudia o hace las cosas con mucha atención o detenimiento. [*Sinón.*: atento, meticuloso, minucioso]

concierto (al. *Konzert*, fr. *concert*, ingl. *concert*, it. *concerto*). m. Buen orden. ‖ Ajuste o convenio entre dos o más personas o entidades. ‖ Función de música en que se ejecutan composiciones sueltas. ‖ Composición musical para diversos instrumentos en que uno o varios llevan la parte principal.

conciliábulo. m. Concilio no convocado por autoridad legítima. ‖ fig. Junta para tratar de una cosa que es o se presume ilícita.

conciliación. f. Acción y efecto de conciliar. ‖ Conveniencia o semejanza de una cosa con otra. [*Sinón.*: avenencia, arreglo]

conciliar (al. *vereinigen*, fr. *concilier*, ingl. *to reconcile*, it. *conciliare*). tr. Componer y ajustar los ánimos de los que estaban opuestos entre sí. ‖ Conformar dos o más proposiciones o doctrinas contrarias. [*Sinón.*: concordar, avenir. *Antón.*: reñir, desavenirse]

conciliar. adj. Perteneciente al concilio. ‖ com. Persona que asiste a un concilio.

concilio. m. Junta o congreso para tratar algún asunto. ‖ Junta o congreso de los obispos y otros eclesiásticos de la Iglesia católica, o de parte de ella, para deliberar y decidir sobre materias de dogmas y de disciplina. ‖ — *ecuménico.* Junta de los obispos de todos los reinos y Estados de la cristiandad, convocados legítimamente.

concisión. f. Brevedad en el modo de expresar los conceptos. [*Sinón.*: laconismo. *Antón.*: prolijidad]

conciso, sa. adj. Que tiene concisión.

concitar. tr. Conmover, instigar a uno contra otro o excitar inquietudes y sediciones.

conciudadano, na. s. Cada uno de los ciudadanos de una misma ciudad respecto de los demás. ‖ Por ext., cada uno de los naturales de una misma nación con respecto de los demás.

conclave o **cónclave.** m. Lugar en donde los cardenales se juntan y se encierran para elegir Sumo Pontífice. ‖ La misma junta de los cardenales. ‖ fig. Junta o congreso de gentes que se reúnen para tratar algún asunto.

concluir (al. *beenden*, fr. *conclure*, ingl. *to conclude*, it. *concludere*). tr. Acabar o finalizar una cosa. Ú.t.c.r. ‖ Determinar y resolver sobre lo que se ha tratado. ‖ Inferir, deducir una verdad de otras que se admiten, demuestran o presuponen.

conclusión. f. Acción y efecto de concluir y concluirse. ‖ Fin y determinación de una cosa. ‖ Resolución que se ha tomado sobre una materia después de haberla debatido. ‖ DER. Cada una de las afirmaciones numeradas contenidas en el escrito de calificación penal. Ú.m. en pl.

concluso, sa. adj. DER. De dice del juicio que está para sentencia.

concluyente. adj. Que concluye o convence.
concoide. adj. Concoideo.

concoideo, a. adj. Semejante a la concha.

concomitancia. f. Acción y efecto de concomitar. [*Sinón.*: coincidencia, concordancia]

concomitar. tr. Acompañar una cosa a otra u obrar juntamente con ella. [*Sinón.*: coincidir, concordarse]

concordancia (al. *Übereinstimmung*, fr. *concordance*, ingl. *agreement*, it. *concordanza*). f. Correspondencia o conformidad de una cosa con otra. ‖ GRAM. Conformidad de accidentes entre dos o más palabras variables. ‖ MÚS. Justa proporción que guardan entre sí las voces que suenan juntas. [*Sinón.*: coordinación, combinación. *Antón.*: disconformidad, desproporción]

concordar (al. *übereinstimmen*, fr. *concorder*, ingl. *to agree*, it. *concordare*). tr. Poner de acuerdo lo que no lo está. ‖ intr. Convenir una cosa con otra. ‖ GRAM. Formar concordancia. Ú.t.c.tr. [*Sinón.*: concertar, acomodar]

concordatario, ria. adj. Perteneciente o relativo al concordato.

concordato. m. Tratado o convenio sobre asuntos eclesiásticos que el gobierno de un Estado hace con la Santa Sede.

concorde. adj. Conforme, uniforme, de un mismo sentir y parecer.

concordia (al. *Eintracht*, fr. *concorde*, ingl. *concord*, it. *concordia*). f. Conformidad, unión. ‖ Ajuste o convenio entre personas que contienden o litigan. [*Antón.*: desavenencia, desarreglo]

concreción (al. *Zusammenwachsung*, fr. *concrétion*, ingl. *concretion*, it. *concrezione*). f. Acumulación de varias partículas que se unen para formar masas generalmente arriñonadas.

concretar (al. *beschränken*, fr. *concrétiser*, ingl. *to treat of one subject only*, it. *concretare*). tr. Combinar, concordar algunas especies o cosas. ‖ Reducir a lo más esencial y seguro aquello de que se habla o escribe. ‖ r. Reducirse a tratar o hablar de una sola cosa con exclusión de otros asuntos. [*Sinón.*: ceñirse. *Antón.*: extender, alargar, desarrolar]

concreto, ta (al. *konkret*, fr. *concret*, ingl. *concrete*, it. *concreto*). adj. Dícese de cualquier objeto considerado en sí mismo, con exclusión de cuanto pueda serle extraño o accesorio. ‖ m. Concreción. ‖ *Amer.* Hormigón armado.

concubina (al. *Beischläferin*, fr. *con-*

cubine, ingl. *mistress*, it. *concubina*). f. Mujer que vive y cohabita con un hombre como si éste fuera su marido.

concubinato. m. Trato de un hombre con su concubina. [*Sinón.*: amancebamiento]

concúbito. m. Ayuntamiento carnal.

conculcar. tr. Hollar, pisotear. || Infringir. [*Antón.*: respetar, honrar]

concuñado, da. s. Cónyuge de una persona respecto del cónyuge de otra persona hermana de aquélla. || Hermano o hermana de un cónyuge respecto del hermano o la hermana del otro cónyuge.

concupiscencia. f. Apetito y deseo de los bienes terrenos. || Apetito desordenado de placeres deshonestos. [*Sinón.*: avidez, codicia; sensualidad, lujuria. *Antón.*: conformidad; castidad]

concurrencia (al. *Zulauf*, fr. *concours*, ingl. *concurrence*, it. *concorrenza*). f. Junta de varias personas en un lugar. || Acaecimiento o concurso de varios sucesos o cosas en un mismo tiempo. || Asistencia, ayuda.

concurrido, da. adj. Dícese de los lugares, espectáculos, etc., adonde concurre el público.

concurrir (al. *zusammenkommen*, fr. *concourir*, ingl. *to come together*, it. *concorrere*). intr. Juntarse en un mismo lugar o tiempo diferentes personas, sucesos, cosas. || Contribuir con una cantidad para determinado fin. || Convenir con otro en el parecer o dictamen. || Tomar parte en un concurso.

concursante. adj. Que concursa. || com. Persona que toma parte en un concurso, oposición, competencia.

concursar. tr. Tomar parte en un concurso, oposición, competencia.

concurso (al. *Wettbewerb*, fr. *concours*, ingl. *competition*, it. *concorso*). m. Reunión simultánea de sucesos, circunstancias o cosas diferentes. || Asistencia o ayuda. || Oposición que, por medio de ejercicios o alegando méritos, se hace a cátedras o premios. || Llamamiento a los que quieran encargarse de ejecutar una obra o prestar un servicio, a fin de elegir la propuesta que ofrezca mayores ventajas.

concusión. f. Conmoción violenta, sacudimiento. || Exacción arbitraria hecha por un funcionario público en provecho propio.

concha (al. *Muschelschale*, fr. *coquille*, ingl. *shell*, it. *conchiglia*). f. Zool. Cubierta que protege el cuerpo de los moluscos. Por ext., se aplica este nombre al caparazón de las tortugas y al de los cladóceros y otros pequeños crustáceos. || Carey, chapa delgada que se saca de esta clase de tortugas. || Seno, a veces poco profundo, pero muy cerrado, en la costa del mar. || fig. Cualquier cosa que tiene la forma de la concha de los animales. || Blas. Venera, insignia. || fig. y fam. *Amer.* Órgano sexual femenino. || — de peregrino. Zool. Venera, concha semicircular de dos valvas, una plana y otra muy convexa con estrías radiales.

conchabar. tr. Unir, juntar, asociar. || Mezclar la clase inferior de la lana con la superior o mediana, después de esquilada. || r. fam. Unirse dos o más personas entre sí para un fin. Tómase, por lo común, en sentido peyorativo.

conchífero, ra. adj. Geol. Se aplica al terreno secundario caracterizado por la abundancia de conchas de moluscos.

conchudo, da. adj. Dícese del animal cubierto de conchas. || fig. y fam. Astuto, cauteloso, sagaz.

conchuela. f. dim. de concha. || Fondo del mar cubierto de conchas rotas.

condado (al. *Grafschaft*, fr. *comté*, ingl. *county*, it. *contea*). m. Dignidad honorífica de conde. || Territorio o lugar a que se refiere el título nobiliario de conde y sobre el cual éste ejercía antiguamente señorío.

condal (al. *gräflich*, fr. *comtal*, ingl. *count*, it. *comitale*). adj. Perteneciente al conde o a su dignidad.

conde (al. *Graf*, fr. *comte*, ingl. *count*, it. *conte*). m. Uno de los títulos nobiliarios de que los soberanos hacen merced a ciertas personas. || Caudillo, capitán o superior que elegían los gitanos para que los gobernase. || — de Barcelona. Título del rey de España, en recuerdo de los antiguos soberanos de Cataluña, de quienes desciende.

condecoración (al. *Orden*, fr. *décoration*, ingl. *decoration*, it. *decorazione*). f. Acción y efecto de condecorar. || Cruz u otra insignia de un honor o distinción.

condecorar. tr. Conferir a alguien honores o condecoraciones.

condena (al. *Verurteilung*, fr. *condamnation*, ingl. *sentence to punishment*, it. *condanna*). f. Testimonio que da de la sentencia el escribano del juzgado. || Extensión y grado de la pena. || Sentencia judicial.

condenación. f. Acción y efecto de condenar. || Por antonomasia, la eterna.

condenar (al. *verurteilen*, fr. *condamner*, ingl. *to condemn*, it. *condannare*). tr. Pronunciar el juez sentencia, imponiendo al reo la pena correspondiente o dictando en juicio civil fallo que no se limite a absolver de la demanda. || Imponer pena al culpable una potestad distinta de la judicial. || Reprobar una doctrina u opinión, declarándola perniciosa. || Desaprobar una cosa. || Tabicar una habitación o incomunicarla de las demás, teniéndola siempre cerrada; tapiar, o cerrar permanentemente, puertas, ventanas, pasadizos, etc. || r. Incurrir en la pena eterna. [*Sinón.*: castigar. *Antón.*: absolver, salvar; perdonar]

condensación. f. Acción y efecto de condensar o condensarse.

condensador, ra. adj. Que condensa. || m. Condensador eléctrico. || — eléctrico. Fís. Sistema de dos conductores, llamados armaduras, en general de gran superficie y que están separados por una lámina dieléctrica. Sirven para almacenar cargas eléctricas.

condensar (al. *verdichten*, fr. *condenser*, ingl. *to condense*, it. *condensare*). tr. Reducir una cosa a menor volumen y darle más consistencia si es líquida. Ú.t.c.r. || espesar o apretar unas cosas con otras, haciéndolas más cerradas. || concentrar lo disperso; aumentar en intensidad o número. Ú.t.c.r. || Hablando de sombra, tinieblas, etc., aumentar su oscuridad. Ú.t.c.r. || fig. Sintetizar, resumir, compendiar. [*Sinón.*: concentrar. *Antón.*: aclarar, aflojar]

condesa. f. Mujer del conde o la que por sí heredó u obtuvo un condado.

condescendencia. f. Acción y efecto de condescender. [*Sinón.*: transigencia, indulgencia, tolerancia]

condescender. intr. Acomodarse por bondad al gusto y voluntad de otro. [*Sinón.*: transigir, tolerar. *Antón.*: negar]

condescendiente (al. *nachgiebig*, fr. *condescendant*, ingl. *condescending*, it. *condiscendente*). adj. Pronto, dispuesto a condescender. [*Sinón.*: deferente, obsequioso]

condestable. m. El que antiguamente obtenía y ejercía la primera dignidad de la milicia.

condición (al. *Bedingung*, fr. *condition*, ingl. *condition*, it. *condizione*). f. Índole, naturaleza o propiedad de las cosas. || Natural, carácter o genio de los hombres. || Estado, situación especial en que se halla una persona. || Calidad del nacimiento o estado de los hombres; como de noble, plebeyo, libre, siervo, etc. ‖ DER. Acontecimiento incierto o ignorado que influye en la perfección o resolución de ciertos actos jurídicos o de sus consecuencias. ‖ pl. Aptitud o disposición. ‖ *– sine qua non.* Aquélla sin la cual no se hará una cosa o se tendrá por no hecha.

condicionado, da. adj. Acondicionado, dicho de las personas de buena condición o genio; de buena calidad, dicho de las cosas. ‖ Condicional, que implica una condición.

condicional. adj. Que incluye o lleva consigo una condición o requisito.

condicionar (al. *abhängig machen,* fr. *conditionner,* ingl. *to condition,* it. *condizionare*). intr. Convenir una cosa con otra. ‖ tr. Hacer depender una cosa de alguna condición. [*Sinón.:* ajustar, supeditar]

cóndilo. m. ZOOL. Eminencia redondeada, en la extremidad de un hueso, que forma articulación.

condimentar. tr. Sazonar los manjares.

condimento (al. *Würze.* fr. *assaisonnement,* ingl. *seasoning,* it. *condimento*). m. Lo que sirve para sazonar la comida y darle buen sabor.

condiscípulo, la. s. Persona que estudia o ha estudiado con otra.

condolencia. f. Participación en el dolor ajeno. ‖ Pésame. [*Sinón.:* lástima, compasión]

condolerse (al. *beklagen,* fr. *plaindre,* ingl. *to sympathize,* it. *condolersi*). t. Compadecerse, sentir lástima de lo que otro siente o padece.

condón. m. Preservativo consistente en una funda que algunos utilizan para cubrir el pene en el coito. Su uso impide la fecundación y el contagio venéreo.

condonación. f. Acción y efecto de condonar.

condonar. tr. Perdonar o remitir una pena o deuda.

cóndor (al. *Kondor,* fr. *condor,* ingl. *condor,* it. *condor*). m. ZOOL. Ave rapaz diurna, especie de buitre. Habita en los Andes y es la mayor de las aves que vuelan. ‖ Nombre de varias monedas de oro de Colombia, Chile y Ecuador.

condotiero. m. Nombre del general o cabeza de soldados mercenarios italianos, aplicado luego a los de otros países. ‖ Soldado mercenario.

conducción. f. Acción y efecto de conducir, llevar o guiar alguna cosa. ‖ Conjunto de conductos dispuestos

para el paso de un fluido. [*Sinón.:* transporte, acarreo]

conducir (al. *führen,* fr. *conduire,* ingl. *to drive,* it. *condurre*). tr. Llevar, transportar de una parte a otra. ‖ Guiar o dirigir hacia un lugar. ‖ Guiar un vehículo automóvil. ‖ r. Manjarse, portarse, comportarse, proceder de esta o la otra manera, bien o mal. [*Sinón.:* trasladar; pilotar]

conducta (al. *Betragen,* fr. *comportement,* ingl. *behaviour,* it. *condotta*). f. Conducción. ‖ Gobierno, dirección. ‖ Porte o manera con que los hombres gobiernan su vida y dirigen sus acciones. [*Sinón.:* comportamiento, pauta, proceder]

conductibilidad. f. Fís. Conductividad, propiedad de transmitir el calor o la electricidad.

conductividad. f. Calidad de conductivo. ‖ Propiedad de los cuerpos para transmitir calor o electricidad.

conductivo, va. adj. Que conduce.

conducto (al. *Rinne,* fr. *conduit,* ingl. *duct,* it. *condotto*). m. Canal, comúnmente cubierto, que sirve para dar paso y salida a las aguas. ‖ Cada tubo o canal que en un cuerpo vivo sirve para las funciones fisiológicas. ‖ fig. Mediación de alguien para resolver un asunto.

conductor, ra (al. *leiter,* fr. *conducteur,* ingl. *conductor,* it. *conduttore*). adj. Que conduce, Ú.t.c.s. ‖ Fís. Aplícase a los cuerpos que conducen bien o mal el calor o la electricidad.

condumio. m. fam. Manjar que se come con pan; como cualquier cosa guisada.

conectar (al. *einschalten,* fr. *connecter,* ingl. *to couple,* it. *connettere*). tr. Poner en contacto, unir. ‖ TÉCN. Combinar el movimiento de una máquina al de un aparato dependiente de ella.

coneja. f. Hembra del conejo. ‖ *ser una coneja.* fig. y fam. Parir a menudo.

conejera. f. Madriguera, criadero de conejos. ‖ fig. y fam. Lugar donde se reúnen gentes de mal vivir. ‖ fig. y fam. Sótano o covacha donde se recogen muchas personas. [*Sinón.:* conejar, gazapera, vivar; cubil, antro]

conejo (al. *Kaninchen,* fr. *lapin,* ingl. *rabbit,* it. *coniglio*). m. ZOOL. Mamífero roedor, de pelo espeso, por lo común gris, y orejas largas. Vive en madrigueras y se domestica fácilmente. Su carne es comestible y su pelo sirve para tejer y otros usos. ‖ En sentido equívoco, órgano sexual femenino.

conexión. f. Enlace, atadura, trabazón, concatenación de una cosa con otra.

conexo, xa. adj. Relacionado.

confabulación. f. Acción y efecto de confabularse. [*Sinón.:* complot, conspiración, conjura]

confabular. intr. Tratar una cosa entre varios. ‖ r. Ponerse de acuerdo entre varios, generalmente en perjuicio de alguien. [*Sinón.:* conspirar, maquinar, tramar]

confección (al. *Anfertigung,* fr. *confection,* ingl. *ready-made clothes,* it. *confezione*). f. Acción y efecto de confeccionar. ‖ Negocio de sastrería en el que las prendas se venden hechas. ‖ pl. Estas prendas.

confeccionar (al. *anfertigen,* fr. *confectionner,* ingl. *to make,* it. *confezionare*). tr. Hacer, preparar, componer, acabar, tratándose de obras materiales. [*Sinón.:* elaborar, fabricar]

confederación (al. *Bündiss,* fr. *confédération,* ingl. *confederation,* it. *confederazione*). f. Alianza, liga, unión o pacto entre personas, grupos o Estados. ‖ Conjunto resultante de esta alianza.

confederado, da. adj. Que entra o está en una confederación. Ú.t.c.s.

confederar. tr. Hacer alianza, liga, unión o pacto entre varios. Ú.m.c.r. [*Sinón.:* asociar, coligar, federar]

conferencia (al. *Konferenz,* fr. *conférence,* ingl. *conference,* it. *conferenza*). f. Plática entre dos o más personas. ‖ Disertación en público sobre algún punto doctrinal. ‖ Reunión de representantes de gobiernos o Estados para tratar asuntos internacionales. ‖ Comunicación telefónica interurbana. [*Sinón.:* coloquio, diálogo; discurso]

conferenciante. com. Persona que diserta en público. [*Sinón.:* orador, disertante]

conferenciar. intr. Platicar una o varias personas con otras.

conferir (al. *verleihen,* fr. *conférer,* ingl. *to bestow,* it. *conferire*). tr. Conceder, asignar a uno dignidad o empleo, facultades o derechos. ‖ Tratar y examinar entre varias personas algún punto o negocio. [*Sinón.:* otorgar, adjudicar]

confesar (al. *beichten,* fr. *confesser,* ingl. *to confess,* it. *confessare*). tr. Manifestar o aseverar uno sus derechos, ideas o sentimientos. ‖ Declarar el penitente al confesor en el sacramento de la penitencia los pecados que ha cometido. Ú.t.c.r. ‖ Oír el confesor al penitente en el sacramento de la penitencia. || Der. Declarar el reo o el litigante ante el juez. [*Sinón.*: declarar, admitir]

confesión (al. *Bekenntnis*, fr. *confession*, ingl. *confession*, it. *confessione*). f. Declaración que uno hace de lo que sabe, espontáneamente o preguntado por otro. || Declaración al confesor de los pecados que uno ha cometido. || Der. Declaración del litigante o del reo en el juicio. || Credo religioso y conjunto de personas que lo profesan. || Por ext., credo político y conjunto de sus seguidores.

confesional. adj. Perteneciente a una confesión religiosa. Ú.t.c.s.

confesionario. m. Confesonario.

confeso, sa. adj. Dícese del que ha confesado su delito o culpa. || Aplícase al judío convertido. Ú.t.c.s. || m. Monje lego, donado.

confesonario. m. Mueble dentro del cual se coloca el sacerdote para oír las confesiones de los penitentes.

confesor. m. Cristiano que profesa públicamente la fe de Jesucristo. En este sentido, llama la Iglesia confesor a ciertos santos. || m. Sacerdote que confiesa a los penitentes.

confeti. m. Pedacitos de papel de color que se arrojan las personas los días de carnaval, en las fiestas de fin de año, etc.

confiado, da. adj. Crédulo, imprevisor. || Presumido, satisfecho de sí mismo. [*Sinón.*: cándido, ingenuo, confiado, incauto]

confianza (al. *Vertrauen*, fr. *confiance*, ingl. *trust*, it. *fiducia*). f. Esperanza firme que se tiene en una persona o cosa. || Ánimo, aliento y vigor para obrar. [*Sinón.*: crédito]

confiar (al. *anvertrauen*, fr. *confier*, ingl. *to trust*, it. *confidare*). intr. Esperar con firmeza y seguridad. || tr. Encargar o poner al cuidado de uno algún negocio u otra cosa. || Depositar en uno, sin más seguridad que la buena fe y la opinión que de él se tiene, la hacienda, el secreto o cualquier otra cosa. [*Sinón.*: fiar. *Antón.*: desconfiar]

confidencia (al. *Vertrauliche, Mitteilung*; fr. *confidence*; ingl. *confidence*; it. *confidenza*). f. Confianza. || Revelación secreta, noticia reservada.

confidencial. adj. Que se hace o se dice en confianza.

confidente, ta. adj. Fiel, seguro, de confianza. || s. Persona a quien otra confía sus secretos. || s. Persona que se aprovecha de su trato y confianza

para vender informes al enemigo o a la policía.

configuración. f. Disposición de las partes que componen un cuerpo dándole una forma peculiar. [*Sinón.*: conformación]

configurar. tr. Dar determinada figura a una cosa. Ú.t.c.r.

confín. adj. Confinante. || m. Término o línea que divide poblaciones o Estados, señalando los límites de cada uno. || Último término que alcanza la vista. [*Sinón.*: frontera, linde, lindero]

confinamiento. m. Acción y efecto de confinar.

confinar. intr. Lindar. || tr. Desterrar a uno, señalándole un paraje determinado de donde no puede salir en cierto tiempo. [*Sinón.*: limitar; desterrar]

confirmación. f. Acción y efecto de confirmar. || Nueva prueba de la verdad y certeza de un secreto, dictamen u otra cosa. || Uno de los siete sacramentos de la Iglesia, que administra el obispo. Por él, el bautizado se corrobora en su fe católica. [*Sinón.*: revalidación, ratificación, corroboración]

confirmar (al. *bestätigen*, fr. *confirmer*, ingl. *to confirm*, it. *confermare*). tr. Corroborar la verdad, certeza o probabilidad de una cosa. || Revalidar lo ya aprobado. || Administrar el sacramento de la confirmación.

confiscar (al. *konfiszieren*, fr. *confisquer*, ingl. *to confiscate*, it. *confiscare*). tr. Privar a uno de sus bienes y aplicarlos al fisco. [*Sinón.*: requisar, incautar]

confitar (al. *kandieren*, fr. *confire*, ingl. *to candy*, it. *confettare*). tr. Cubrir con baño de azúcar las frutas o semillas para hacerlas más agradables al paladar. || Cocer frutas en almíbar.

confite. m. Pasta hecha de azúcar y algún otro ingrediente, en forma de bolitas. Ú.m. en pl.

confitería (al. *Konditorei*, fr. *confiserie*, ingl. *confectionery*, it. *confetteria*).Tienda donde se venden confites y dulces. [*Sinón.*: dulcería, pastelería]

confitura (al. *Einremachtes*, fr. *confiture*, ingl. *sweetmeat*, it. *confettura*). f. Fruta u otra cosa confitada.

conflagración (al. *Feuersbrunst*, fr. *conflagration*, ingl. *conflagration*, it. *conflagrazione*). f. Incendio, fuego grande. || fig. Perturbación repentina y violenta de pueblos o naciones.

conflictivo, va. adj. Que origina conflicto. || Relativo o perteneciente al conflicto.

conflicto (al. *Konflikt*, fr. *conflit*, ingl. *conflict*, it. *conflitto*). m. Lo más recio de un combate. || fig. Angustia. || fig. Apuro, situación desgraciada y de difícil salida. || Lucha efectiva o temida entre dos o más Estados.

confluencia. f. Acción de confluir. || Paraje donde confluyen los ríos o los caminos. [*Sinón.*: convergencia]

confluir (al. *Zusammenfliessen*, fr. *confluer*, ingl. *to join*, it. *confluire*). intr. Juntarse dos o más ríos u otras corrientes de agua, o caminos, en un mismo paraje. || fig. Juntarse en un mismo punto mucha gente que proviene de distintas partes. [*Sinón.*: converger]

conformación. f. Colocación, distribución de las partes que forman una cosa. [*Sinón.*: configuración]

conformar (al. *anpassen*, fr. *conformer*, ingl. *to adjust*, it. *conformare*). tr. Ajustar, concordar una cosa con otra. Ú.t.c. intr. y c.r. || intr. Convenir una persona con otra. || r. Sujetarse uno voluntariamente a hacer o sufrir una cosa. [*Sinón.*: avenirse]

conforme (al. *übereinstimmend*, fr. *conforme*, ingl. *consistent with*, it. *conforme*). adj. Igual, proporcionado, correspondiente. || Acorde. || Resignado. || m. Asentimiento que se pone al pie de un escrito.

conformidad. f. Semejanza entre dos personas. || Igualdad, correspondencia de una cosa con otra. || Unión, concordia entre dos o más personas. || Proporción, simetría entre las partes de un todo. || Tolerancia y resignación en las adversidades. [*Sinón.*: parecido; concordancia]

confort (voz francesa). m. Comodidad. [*Sinón.*: bienestar]

confortable. adj. Que conforta, alienta o consuela. || Se aplica a lo que produce comodidad. [*Sinón.*: cómodo]

confortar (al. *stärken*, fr. *réconforter*, ingl. *to comfort*, it. *confortare*). tr. Dar vigor, espíritu y fuerza. Ú.t.c.r. || Animar, alentar, consolar al afligido. Ú.t.c.r. [*Sinón.*: fortalecer. *Antón.*: desalentar, desanimar]

confraternidad. f. Hermandad de parentesco o amistad.

confraternizar. intr. Fraternizar.

confrontación. f. Careo entre dos o más personas. || Cotejo de una cosa con otra. || Simpatía, conformidad natural entre personas o cosas. || Acción de confrontar. [*Sinón.*: comparación, cotejo]

confrontar. tr. Carear una persona con otra. || Cotejar una cosa con otra, y especialmente escritos. || intr. Confinar, lindar.

confundir (al. *verwechseln*, fr. *confondre*, ingl. *to confuse*, it. *confondere*). tr. Mezclar cosas o personas diversas de modo que no puedan distinguirse. Ú.t.c.r. || Barajar confusamente diversas cosas que antes estaban ordenadas. || Equivocar, desordenar alguna cosa. Ú.t.c.r. || fig. Turbar a uno de manera que no acierte a explicarse. Ú.t.c.r. || fig. Avergonzar, humillar. Ú.t.c.r.

confusión (al. *Verwirrung*, fr. *confusion*, ingl. *confusion*, it. *confusione*). f. Acción y efecto de confundir. || Falta de orden, de concierto y de claridad. || fig. Perplejidad, turbación del ánimo. || fig. Abatimiento, humillación. || fig. Afrenta, ignominia.

confusionismo. m. Confusión u oscuridad en las ideas o en el lenguaje, por lo común deliberada.

confuso, sa. adj. Mezclado, desconcertado. || Oscuro, dudoso. || Difícil de distinguir. || fig. Turbado.

conga. f. Danza popular cubana, de origen africano. || Música con que se acompaña la misma.

congelación. f. Acción y efecto de congelar o congelarse.

congelador. m. Vasija para congelar. || En las neveras, compartimiento especial donde se produce el hielo.

congelar (al. *gefrieren*, fr. *congeler*, ingl. *to freeze*, it. *congelare*). tr. Helar un líquido. Ú.m.c.r. || Someter los alimentos a muy bajas temperaturas. || ECON. Declarar inmodificables salarios o precios.

congénere. adj. Del mismo género, del mismo origen o de la propia derivación. Ú.t.c.s.

congeniar. intr. Tener dos o más personas genio, carácter o inclinaciones que concuerdan fácilmente. [*Sinón.*: avenirse]

congénito, ta. adj. Que se engendra juntamente con otra cosa. || Connatural y como nacido con uno.

congestión (al. *Blutrandang*, fr. *congestion*, ingl. *congestion*, it. *congestione*). f. Acumulación excesiva de sangre en alguna parte del cuerpo. || fig. Concurrencia o aglomeración excesiva de vehículos, personas, etc., que producen un entorpecimiento del tráfico.

congestionar. tr. Producir congestión. Ú.t.c.r.

conglomerante. adj. Se aplica al material capaz de unir fragmentos de una o varias sustancias y dar cohesión al conjunto. Ú.t.c.s.m.

conglomerar. tr. Aglomerar. || Unir fragmentos de una o varias sustancias con un conglomerante de forma que resulte una masa compacta.

conglutinar. tr. Aglutinar. Ú.t.c.r.

congoja (al. *Kummer*, fr. *angoisse*, ingl. *ananguish*, it. *angoscia*). f. Desmayo, fatiga, angustia y aflicción de ánimo. [*Sinón.*: zozobra, ansia. *Antón.*: tranquilidad]

congojar. tr. Acongojar. Ú.t.c.r.

congoleño, ña. adj. Natural del Congo. Ú.t.c.s. || Perteneciente a esta región de África.

congosto. m. Desfiladero entre montañas.

congraciar. tr. Conseguir la benevolencia o el afecto de uno. Ú.m.c.r.

congratulación. f. Acción y efecto de congratular o congratularse. [*Sinón.*: parabién, felicitación, pláceme, enhorabuena]

congratular. tr. Manifestar alegría y satisfacción a la persona a quien ha acaecido un suceso feliz. Ú.t.c.r. [*Sinón.*: felicitar]

congregación (al. *Kirchlicher Verein*, fr. *congrégation*, ingl. *congregation*, it. *congregazione*). f. Junta para tratar de uno o más negocios. || Reunión de varios monasterios de una misma orden bajo la dirección de un superior general. || Hermandad autorizada de devotos. || Cuerpo o comunidad de sacerdotes seculares. || En el Vaticano, junta compuesta de cardenales, prelados, etc., para el despacho de varios asuntos.

congregante, ta. s. Individuo de una congregación.

congregar. tr. Juntar, reunir. Ú.t.c.r.

congresista. com. Miembro de un congreso científico, económico, etc.

congreso (al. *Tagung*, fr. *congrès*, ingl. *congress*, it. *congresso*). m. Junta de varias personas para deliberar sobre algún negocio, y más generalmente para tratar asuntos políticos. || Cópula carnal. || Edificio donde los diputados a Cortes celebran sus sesiones. || En algunos países, asamblea nacional. || En otros países, nombre de una de las cámaras legislativas. || *Congreso de los Diputados*. En España, nombre de la cámara baja, cuyos componentes, los diputados, son elegidos por sufragio universal.

congrio (al. *Meeraal*, fr. *congre*, ingl. *conger-eel*, it. *grongo*). m. ZOOL. Pez malacopterigio, ápodo, de cuerpo gris oscuro, casi cilíndrico, de carne blanca y comestible pero con muchas espinas.

congruencia. f. Conveniencia, oportunidad. || MAT. Expresión algebraica que manifiesta la igualdad de los restos de las divisiones de dos números congruentes por sus módulos. [*Sinón.*: armonía. *Antón.*: incongruencia]

congruente (al. *kongruent*, fr. *congru*, ingl. *congruent*, it. *congruente*). adj. Conveniente, oportuno. || MAT. Cantidad que dividida por otra da un residuo determinado llamado módulo.

congruo, grua. adj. Congruente.

cónico, ca. adj. GEOM. Perteneciente al cono. || De forma de cono.

conífero, ra. adj. BOT. Aplícase a árboles y arbustos dicotiledóneos, de hojas lineales y persistentes y fruto cónico; como en ciprés, el pino, etc. Ú.t.c.s. || f. pl. Clase de estas plantas.

conirrostro. adj. ZOOL. Dícese del pájaro que tiene el pico corto y de forma cónica, como el gorrión. Ú.t.c.s. || m. pl. Suborden de estos pájaros.

conjetura (al. *Vermutung*, fr. *conjecture*, ingl. *conjecture*, it. *congettura*). f. Juicio que se forma por indicios o ciertas señales. [*Sinón.*: suposición, especulación]

conjugación. f. BIOL. Fusión, en uno de los núcleos, de las células reproductoras de los seres vivos. || GRAM. Acción y efecto de conjugar. || GRAM. Serie ordenada de las voces de varia terminación con que el verbo expresa sus diferentes modos, tiempos, números y personas.

conjugar. tr. Combinar varias cosas entre sí. || GRAM. Exponer ordenadamente las distintas formas que un verbo adopta para expresar sus accidentes.

conjunción (al. *Bindewort*, fr. *conjonction*, ingl. *conjunction*, it. *congiunzione*). f. Junta, unión. || ASTR. Aspecto de dos astros que ocupan una misma casa celeste. || ASTR. Situación relativa de dos o más planetas u otros cuerpos celestes cuando tienen la misma longitud. || GRAM. Parte invariable de la oración que denota la relación existente entre dos oraciones o entre miembros o vocablos de una de ellas.

conjuntiva (al. *Bindehaut*, fr. *conjonctive*, ingl. *conjunctiva*, it. *congiuntiva*). f. ANAT. Membrana mucosa que cubre la parte anterior del globo del ojo, excepto la córnea, y se extiende por la superficie interna del párpado.

conjuntivitis. f. MED. Inflamación de la conjuntiva.

conjunto, ta (al. *sammlung*, fr. *ensemble*, ingl. *aggregate*, it. *insieme*).

adj. Contiguo. || Mezclado. || m. Agregado de varias cosas. || Juego de vestir compuesto de prendas que deben combinarse entre sí y no con otras.

conjura. f. Conjuración, conspiración.

conjuración (al. *Verschwörung*, fr. *conjuration*, ingl. *complot*, it. *congiura*). f. Concierto o acuerdo hecho contra el Estado, el príncipe u otra autoridad.

conjurado, da. adj. Que entra en una conjuración. Ú.t.c.s.

conjurar. intr. Ligarse mediante juramento con otro para algún fin. Ú.t.c.r. || fig. Conspirar, maquinar el daño o pérdida de uno. || tr. Juramentar. || Exorcizar. || fig. Impedir, alejar un daño o peligro. [*Sinón*.: tramar; evitar]

conjuro (al. *Beschwörung*, fr. *exorcisme*, ingl. *exorcism*, it. *scongiuro*). m. Acción y efecto de conjurar. || Imprecación hecha con palabras e invocaciones supersticiosas en la que cree el vulgo. || Ruego encarecido. [*Sinón*.: exorcismo, sortilegio]

conllevar. tr. Ayudar a uno a llevar sus trabajos. || Sufrir el genio ajeno. || Ejercitar la paciencia. [*Sinón*.: tolerar, soportar]

conmemoración. f. Memoria o recuerdo que se hace de una persona o cosa.

conmemorar (al. *in erinnerung bringen*, fr. *commémorer*, ingl. *to commemorate*, it. *commemorare*). tr. Hacer memoria o conmemoración.

conmemorativo, va. adj. Que recuerda a una persona o cosa, o hace conmemoración de ella.

conmensurable. adj. Sujeto a medida o valuación. || MAT. Se dice de la cantidad que tiene con otra una medida común. [*Sinón*.: evaluable, medible, valorizable]

conmensurar. tr. Medir con igualdad o debida proporción.

conmigo. abl. de sing. del pronombre personal de primera persona en gén. m. y f. || Forma especial del pronombre personal *yo*, tanto en masculino como en femenino, como término de la prep. *con*.

conminar. tr. Amenazar con algún daño. || Amenazar el que tiene potestad a quien está obligado a obedecer, con penas o castigos.

conminatorio, ria. adj. Se dice de lo que contiene conminación o amenaza. Ú.t.c.s.

conmiseración. f. Compasión que uno tiene del mal de otro. [*Sinón*.: lástima]

conmoción (al. *Erschütterung*, fr. *commotion*, ingl. *excitement*, it. *commozione*). f. Perturbación violenta del ánimo o del cuerpo. || Levantamiento, tumulto, desorden. || Temblor de tierra muy perceptible. || — *cerebral*. MED. Aturdimiento o pérdida del conocimiento producidos generalmente por un fuerte golpe en la cabeza, por una descarga eléctrica o por los efectos de una explosión.

conmocionar. tr. Producir conmoción.

conmovedor, ra. adj. Que conmueve. [*Sinón*.: enternecedor]

conmover. tr. Perturbar, inquietar, alterar, mover fuertemente. Ú.t.c.r. || Enternecer, mover a compasión. [*Sinón*.: emocionar]

conmutación. f. Trueque, cambio o permuta que se hace de una cosa por otra.

conmutador, ra (al. *Schalter*, fr. *commutateur*, ingl. *commutator*, it. *commutatore*). adj. Que conmuta. || *Amer*. Centralita telefónica. || ELECTR. Pieza de los circuitos eléctricos que sirve para que una corriente cambie de conductor.

conmutar. tr. Trocar, cambiar, permutar una cosa por otra.

connatural. adj. Conforme a la naturaleza del ser viviente.

connivencia. f. Disimulo o tolerancia en el superior acerca de las transgresiones que cometen sus subordinados. || Confabulación.

connotación. f. Acción y efecto de connotar. || Parentesco remoto.

connotar. tr. Hacer relación. || GRAM. Significar la palabra dos ideas: accesoria y principal.

cono (al. *Kegel*, fr. *cône*, ingl. *cone*, it. *cono*). m. BOT. Fruto de las coníferas. || GEOM. Volumen limitado por una superficie cónica, cuya directriz es una circunferencia, y por un plano que forma su base. || GEOM. ↗ *superficie cónica*. || GEOL. Montaña o agrupación de lavas, cenizas y otras materias, de forma cónica. || ANAT. Prolongación de cada una de ciertas células de la retina de los vertebrados, que está situada en la llamada capa de los conos y bastoncillos y recibe las impresiones luminosas de color.

conocedor, ra. adj. Avezado, por práctica o estudio, a penetrar y discernir la naturaleza y las propiedades de una cosa. Ú.t.c.s.

conocer (al. *Kennen*, fr. *connaître*, ingl. *to know*, it. *conoscere*). tr. Averiguar por el ejercicio de las facultades intelectuales la naturaleza, cualidades y relaciones de las cosas. || Entender, advertir. || Tener trato o comunicación con alguno. Ú.t.c.r. || Conjeturar lo que puede ocurrir. || Entender en un asunto con facultad legítima para ello. || fig. Tener el hombre acto carnal con la mujer. || r. Juzgar justamente de sí mismo.

conocido, da. adj. Distinguido, acreditado, ilustre. || s. Persona con quien se tiene trato o comunicación, pero no amistad.

conocimiento (al. *Erkenntnis*, fr. *connaissance*, ingl. *knowledge*, it. *conoscenza*). m. Acción y efecto de conocer. || Entendimiento, inteligencia, razón natural. || Cada una de las facultades sensoriales del hombre. || pl. Noción, ciencia, sabiduría. [*Sinón*.: discernimiento. *Antón*.: ignorancia, inconsciencia]

conque. GRAM. Conj. ilat. con la cual se enuncia una consecuencia natural de lo que acaba de decirse.

conquense. adj. Natural de Cuenca. Ú.t.c.s. || Perteneciente o relativo a esta ciudad o a su provincia.

conquiforme. adj. De figura de concha.

conquista (al. *Eroberung*, fr. *conquête*, ingl. *conquest*, it. *conquista*). f. Acción y efecto de conquistar. || Cosa conquistada.

conquistador, ra. adj. Que conquista.

conquistar (al. *erobern*, fr. *conquérir*, ingl. *to conquer*, it. *conquistare*). tr. Adquirir o ganar por la fuerza de las armas un territorio, posición, etc. || Obtener alguna cosa con esfuerzo, habilidad y venciendo dificultades. || fig. Ganar la voluntad de alguien, o atraerlo con su causa. [*Sinón*.: tomar; seducir, persuadir]

conrear. tr. Preparar o adobar una cosa mediante ciertas manipulaciones.

conreo. m. Acción y efecto de conrear.

consabido, da. adj. Aplícase a aquello que ya se ha tratado anteriormente. [*Sinón*.: citado, aludido, mencionado]

consagración. f. Acción y efecto de consagrar o consagrarse.

consagrado, da. adj. fig. Renombrado, afamado.

consagrar (al. *weihen*, fr. *consacrer*, ingl. *to consecrate*, it. *consacrare*). tr.

Hacer sagrada a una persona o cosa. ‖ Pronunciar con intención el sacerdote las palabras de la consagración sobre la materia debida. ‖ Ofrecer a Dios por culto o voto una persona o cosa. Ú.t.c.r. ‖ fig. Erigir un monumento para perpetuar la memoria de una persona o suceso. ‖ fig. Dedicar con eficacia y ardor una cosa a un fin determinado. Ú.t.c.r.

consanguíneo, a (al. *blutsverwandter,* fr. *consanguin,* ingl. *akin,* it. *consanguineo*). adj. Dícese de la persona que tiene parentesco de consanguinidad con otra. Ú.t.c.s. ‖ Referido a hermanos, se dice de los que no lo son de doble vínculo, sino sólo de padre.

consanguinidad. f. Unión, por parentesco natural, de varias personas que descienden de la misma raíz o tronco. [*Sinón.:* cognación]

consciente. adj. Que siente, piensa, quiere y obra con cabal conocimiento de lo que hace. ‖ Lo que se hace en tales condiciones.

conscripción. f. *Amer.* Reclutamiento. Servicio militar.

conscripto. m. *Amer.* Recluta, mozo que hace el servicio militar.

consecución. f. Acción y efecto de conseguir.

consecuencia (al. *Folge,* fr. *conséquence,* ingl. *result,* it. *conseguenza*). f. LÓG. Proposición que se deduce de otra u otras, con enlace tan riguroso que, admitidas o negadas las premisas, es ineludible el admitirla o negarla. ‖ Hecho o acontecimiento que se deriva de otro.

consecuente. adj. Que sigue el orden respecto de una cosa. ‖ Dícese de la persona cuya conducta guarda correspondencia lógica con los principios que profesa. ‖ m. Proposición que se deduce de otra, llamada antecedente. ‖ MAT. Segundo término de una razón, ya sea por diferencia, ya por cociente, a distinción del primero, que se llama antecedente. ‖ GRAM. Segundo de los términos de la relación gramatical.

consecutivo, va. adj. Lo que se sigue o sucede sin interrupción. ‖ Que sigue inmediatamente a otra cosa, o que es su consecuencia.

conseguir. tr. Alcanzar, obtener, lograr lo que se pretende.

conseja. f. Cuento, fábula, patraña, ridículos y de sabor antiguo. ‖ Junta para tratar de cosas ilícitas.

consejero, ra (al. *Ratgeber,* fr. *conseiller,* ingl. *counsellor,* it. *consigliere*). s. Persona que aconseja o sirve para

aconsejar. ‖ El que tiene plaza en algún consejo.

consejo (al. *Rat;* fr. *conseil;* ingl. *advice, council;* it. *consiglio*). m. Parecer o dictamen que se da o acepta para hacer o no una cosa. ‖ Local donde se reunen los consejeros. ‖ — *de Estado.* Alto cuerpo consultivo que entiende en los asuntos más graves del Estado. ‖ — *de guerra.* El tribunal que entiende de asuntos militares. Lo componen generales, jefes u oficiales, asesorados por un oficial del cuerpo jurídico. ‖ — *de ministros.* El que está compuesto por los ministros del Gobierno de un país, presidido por el jefe del poder ejecutivo.

consenso. m. Asenso, consentimiento.

consentido, da. adj. Dícese del marido que tolera la infidelidad de su mujer. ‖ Mimado con exceso. [*Sinón.:* cabrón; malcriado]

consentimiento. m. Acción y efecto de consentir. ‖ DER. Conformidad de voluntades entre contratantes. [*Sinón.:* asenso, aquiescencia, condescendencia]

consentir (al. *zulassen,* fr. *consentir,* ingl. *to consent,* it. *consentire*). tr. Permitir una cosa o condescender en que se haga. Ú.t.c.r. ‖ Creeer, tener por cierto algo. ‖ Ser compatible, admitir. ‖ Mimar a sus hijos. ‖ Ser indulgente en exceso con alguien. ‖ DER. Otorgar, obligarse. ‖ r. Resentirse, desencajarse alguna cosa. [*Sinón.:* acceder, asentir; tolerar. *Antón.:* oponerse, negarse]

conserje (al. *Pförtner,* fr. *concierge,* ingl. *janitor,* it. *custode*). m. El que tiene a su cuidado la custodia, limpieza y llaves de un palacio o establecimiento público. ‖ Portero, cuidador de un edificio.

conserjería. f. Oficio y empleo de conserje. ‖ Habitación que ocupa el conserje.

conserva (al. *Konserve,* fr. *conserve,* ingl. *preserve,* it. *conserva*). f. Frutas, carnes, pescados u otras vituallas preparadas de tal modo que se conserven para su uso posterior. ‖ MAR. Compañía que se hacen varias embarcaciones para navegar juntas y auxiliarse y defenderse llegado el caso.

conservador, ra. adj. Que conserva. Ú.t.c.s. ‖ En términos políticos, el que profesa ideas tendentes a evitar cualquier reforma o evolución. Apl. a pers., ú.t.c.s. ‖ m. Encargado de la conservación de los fondos de un museo o de una sección de él.

conservadurismo. m. Actitud conservadora en política, ideología, etc.

conservar (al. *erhalten,* fr. *conserver,* ingl. *to preserve,* it. *conservare*). tr. Mantener una cosa o cuidar de su permanencia. Ú.t.c.r. ‖ Hablando de virtudes, costumbres o cosas semejantes, continuar su práctica. ‖ Guardar algo con cuidado. ‖ Hacer conservas.

conservatorio, ria (al. *Konservatorium,* fr. *conservatoire,* ingl. *conservatory,* it. *conservatorio*). adj. Que contiene y conserva algunas cosas. ‖ m. Establecimiento en el que se dan enseñanzas de música, canto, etc.

conservero, ra. adj. Perteneciente o relativo a las conservas. ‖ s. Persona que tiene por oficio hacer conservas o sabe hacerlas.

considerable. adj. Digno de consideración. ‖ Grande, cuantioso.

consideración. f. Acción y efecto de considerar. ‖ Urbanidad, respeto. [*Sinón.:* deferencia]

considerado, da. adj. Acostumbrado a obrar con reflexión. ‖ Que recibe de los demás muestras de respeto y atención. [*Sinón.:* atento, deferente; estimado, respetado]

considerando. m. DER. Cada una de las razones esenciales que preceden y sirven de apoyo a un fallo o dictamen y empiezan con dicha palabra.

considerar (al. *erwägen,* fr. *considérer,* ingl. *to considerer,* it. *considerare*). tr. Pensar, meditar, reflexionar sobre una cosa con atención y cuidado. ‖ Tratar a alguien con deferencia. ‖ Juzgar, estimar. Ú.t.c.r.

consigna. f. MIL. Órdenes que se dan al que manda un puesto, y las que éste da al centinela. ‖ Hablando de organizaciones políticas, sindicales, etc., orden que una persona u organismo dirigente da a los subordinados o afiliados. ‖ Local en que los viajeros depositan paquetes, maletas, equipajes, etc., en las estaciones de ferrocarril, marítimas, aéreas, etc.

consignación. f. Acción y efecto de consignar. ‖ Cantidad consignada para atender a ciertos gastos o servicios.

consignar (al. *hinterlegen,* fr. *consigner,* ingl. *to consign,* it. *consegnare*). tr. Señalar y destinar el rédito de una finca o efecto para el pago de una cantidad o renta que se debe o constituye. ‖ Designar la tesorería o pagaduría que ha de cubrir obligaciones determinadas. ‖ Destinar un paraje o sitio para poner o colocar en él una cosa. ‖ Depositar alguna cosa. ‖ Fijar una opinión, criterio, voto, etc., asentándolo por escrito. ‖ Com. Enviar las mercancías a manos de un corresponsal. ‖ Der. Depositar judicialmente la cantidad reclamada para evitar el embargo, aun con reserva de negar o discutir la deuda.

consignatario. m. El que recibe en depósito, por auto judicial, el dinero que otro consigna. ‖ Com. Aquél para el que va destinado en buque, un cargamento o una partida de mercancías.

consigo. abl. de sing. y pl. de la forma reflexiva *se, sí,* del pron. pers. de tercera persona en gén. m. y f.

consiguiente. adj. Que depende y se deduce de otra cosa. ‖ Dial. Proposición que, admitidas las premisas, es innegable. ‖ *por consiguiente.* m. conj. ilativa. Por consecuencia, en virtud de lo que antecede.

consistencia. f. Duración, estabilidad, solidez. ‖ Trabazón, coherencia entre las partículas de una masa.

consistir (al. *besthen,* fr. *consister,* ingl. *to consist,* it. *consistere*). intr. Estribar, estar fundada una cosa en otra. ‖ Ser efecto de una causa. ‖ Estar y criarse una cosa encerrada en otra.

consistorial. adj. Perteneciente al consistorio. Ú.t.c.s.

consistorio (al. *Kirchenrat,* fr. *consistoire,* ingl. *consistory,* it. *concistoro*). m. Junta o consejo que celebra el Papa con asistencia de los cardenales. ‖ Ayuntamiento, corporación municipal.

consola (al. *Konsole,* fr. *console,* ingl. *console,* it. *console*). f. Mesa hecha para estar arrimada a la pared y provista de un segundo tablero próximo al suelo.

consolación. f. Acción y efecto de consolar o consolarse.

consolador, ra. adj. Que consuela. ‖ m. Objeto diseñado especialmente para ser usado como instrumento de satisfacción sexual.

consolar (al. *trösten,* fr. *consoler,* ingl. *to comfort,* it. *consolare*). tr. Aliviar la pena o aflicción de alguien. Ú.t.c.r. [*Sinón.:* confortar, reanimar. *Antón.:* apenar]

consolidación. f. Acción y efecto de consolidar o consolidarse.

consolidar. tr. Dar firmeza y solidez a una cosa. ‖ fig. Asegurar, afianzar más una cosa, como la amistad, la alianza, etc. ‖ Der. Reunir en un sujeto atributos de un dominio antes disgregado. [*Sinón.:* fortalecer, reafirmar. *Antón.:* ablandar, debilitar]

consomé. m. Consumado; caldo en que se ha sacado la sustancia de la carne.

consonancia. f. Mús. Cualidad de aquellos sonidos que, oídos simultáneamente, producen efecto agradable. ‖ En poesía, identidad de sonidos en la terminación de dos palabras, desde la vocal que lleva el acento. ‖ fig. Relación de igualdad o conformidad que tienen algunas cosas entre sí.

consonante. adj. Dícese de cualquier voz con respecto a otra de su misma consonancia. Ú.t.c.s.m. ‖ Se dice de la letra en cuya pronunciación los órganos de la palabra forman en algún punto del canal vocal un contacto que interrumpe el paso del aire aspirado, o una estrechez que le hace salir con fricación. Ú.t.c.s.f. ‖ Que tiene relación de igualdad o conformidad con otra cosa.

consonantismo. m. Sistema de las consonantes de una lengua.

consonar. intr. Mús. Formar consonancia. ‖ Ser una palabra consonante de otra. ‖ fig. Tener algunas cosas igualdad, conformidad o relación entre sí.

consorcio. m. Participación y comunicación de una misma suerte con uno o varios. ‖ Unión o compañía de los que viven juntos.

consorte. com. Persona que es partícipe y compañera con otra u otras de la misma suerte. ‖ Marido respecto a la mujer, y mujer respecto al marido.

conspicuo, cua. adj. Ilustre, visible, sobresaliente. [*Sinón.:* notable, insigne. *Antón.:* vulgar, anodino]

conspiración. f. Acción de conspirar contra alguien. [*Sinón.:* conjuración, confabulación]

conspirador, ra. s. Persona que conspira. [*Sinón.:* conjurado]

conspirar (al. *sich verschwören,* fr. *comploter,* ingl. *to plot,* it. *cospirare*). intr. Unirse algunos contra su superior o soberano. ‖ Unirse contra un particular para hacerle daño. [*Sinón.:* conjurarse, intrigar]

constancia (al. *Standhaftigkeit,* fr. *constance,* ingl. *steadiness,* it. *costanza*). f. Firmeza y perseverancia del ánimo en las resoluciones y propósitos. ‖ Certeza, exactitud de algún hecho o dicho. ‖ Acción y efecto de hacer constar alguna cosa de modo fehaciente. [*Sinón.:* empeño, tenacidad, obstinación. *Antón.:* inconstancia]

constante. adj. Que tiene constancia. ‖ Dicho de las cosas persistentes y durables. [*Sinón.:* perseverante, tenaz; fijo, invariable]

constantinopolitano, na. adj. Natural de Constantinopla. Ú.t.c.s. ‖ Relativo o perteneciente a esta ciudad.

constar (al. *bestehen tus,* fr. *être composé de,* ingl. *to consist,* it. *constare*). intr. Ser cierta y manifiesta una cosa. ‖ Quedar registrada o ser notificada una cosa. ‖ Tener un todo determinadas partes.

constatar. tr. Comprobar un hecho, establecer su veracidad, dar constancia de él.

constelación. f. Cada uno de los conjuntos de estrellas en que se ha dividido la esfera celeste. ‖ Astrol. Aspecto de los astros al tiempo de levantar el horóscopo.

consternación. f. Acción y efecto de consternar o consternarse. [*Sinón.:* pesar, aflicción, conturbación]

consternar (al. *in bestürzung versetzen,* fr. *consterner,* ingl. *to amaze,* it. *costernare*). tr. Conturbar mucho y abatir el ánimo. Ú.m.c.r. [*Sinón.:* afligir, acongojar, apenar. *Antón.:* animar, consolar]

constipación. f. Constipado. ‖ *– de vientre.* Estreñimiento.

constipado. m. Catarro. ‖ Resfriado.

constipar (al. *stopfen,* fr. *constiper,* ingl. *to obstruct perspiration,* it. *costipare*). tr. Cerrar y apretar los poros impidiendo la transpiración. ‖ r. Acatarrarse, resfriarse.

constitución (al. *Staatsverfassung,* fr. *constitution,* ingl. *constitution,* it. *costituzione*). f. Acción y efecto de constituir. ‖ Esencia y calidades de una cosa que la diferencian de las demás. ‖ Forma o sistema de gobierno que tiene cada Estado. ‖ Ley fundamental de la organización política de un Estado. ‖ Cada una de las ordenanzas o estatutos con que se gobierna una corporación. ‖ Fisiol. Naturaleza y relación de los sistemas y aparatos orgánicos, cuyas funciones determinan el grado de fuerza y vitalidad de cada individuo. [*Sinón.:* naturaleza; ley; complexion]

constitucional. adj. Perteneciente a la constitución de un Estado. ‖ Adicto a ella. Ú.t.c.s. ‖ Propio de la constitución de un individuo o perteneciente a ella.

constituir (al. *gründen,* fr. *constituer,* ingl. *to constitute,* it. *costituire*). tr. Formar, componer. ‖ Establecer, ordenar. Ú.t.c.r. ‖ r. Asumir obligación, cargo o cuidado.

constitutivo, va. adj. Dícese de lo que constituye una cosa en el ser de tal y la distingue de otra. Ú.t.c.s.m.

constituyente. adj. Se dice de la asamblea que convoca y reúne para crear, establecer o reformar las bases de una organización política.

constreñimiento. m. Apremio y compulsión que hace uno a otro para que haga una cosa.

constreñir. tr. Obligar, precisar, compeler por fuerza a uno a que haga una cosa. || MED. Apretar y cerrar, como oprimiendo. [Sinón.: forzar, impeler, coaccionar]

constricción. f. Encogimiento, acción de encoger o encogerse.

constrictor, · ra. adj. Que produce constricción. || MED. Se · dice del medicamento que se emplea para constreñir. Ú.t.c.s.

construcción (al. *Bau*, fr. *construction*, ingl. *construction*, it. *costruzione*). f. Acción y efecto de construir. || Arte de construir. || Tratándose de edificios, obra construida. || GRAM. Ordenamiento y disposición sintáctica de las palabras en la oración y las oraciones en el período.

constructivo, va. adj. Dícese de lo que construye o sirve para construir.

constructor, ra. adj. Que construye. Ú.t.c.s.

construir (al. *verfertigen*, fr. *construire*, ingl. *to construct*, it. *costruire*). tr. Fabricar, erigir, edificar. || GRAM. Ordenar las palabras o unirlas entre sí con arreglo a las leyes de la construcción gramatical. [Antón.: destruir]

consubstancial. adj. Que es de la misma sustancia, individua naturaleza y esencia con otro.

consuegro, gra. s. Padre o madre de una de las dos personas unidas en matrimonio, respecto al padre o madre de la otra.

consuelo (al. *Trost*, fr. *consolation*, ingl. *comfort*, it. *consolazione*). m. Descanso y alivio de la pena, molestia o fatiga que aflige y oprime el ánimo. || Gozo, alegría.

consuetudinario, ria. adj. Dícese de lo que es de costumbre. || Se aplica al derecho que se ha formado a través de la costumbre.

cónsul (al. *Konsul*, fr. *consul*, ingl. *consul*, it. *console*). m. Cada uno de los dos magistrados que tenían en la República romana la suprema autoridad, que duraba sólo un año. || Agente diplomático que cuida de proteger en una población las personas e intereses de los nacionales del país que representa.

consulado. m. Dignidad de cónsul. || Territorio o distrito en que el cónsul ejerce sus funciones. || Edificio en que tiene el cónsul instaladas sus oficinas.

consular. adj. Perteneciente a la dignidad de cónsul. || Se dice de la jurisdicción que ejerce un cónsul.

consulta (al. *Beratschlagung*, fr. *consultation*, ingl. *consultation*, it. *consultazione*). f. Acción y efecto de consultar. || Parecer o dictamen que por escrito o de palabra se da o se pide. || Conferencia entre profesionales para resolver alguna cosa.

consultar. tr. Deliberar, tratar con una o varias personas sobre lo que se debe hacer en un negocio. || Pedir parecer, dictamen o consejo. || Someter una duda al parecer de otro. [Sinón.: conferenciar; asesorarse, aconsejarse]

consultivo, va. adj. Dícese de las juntas o corporaciones establecidas para ser oídas y consultadas por los que gobiernan.

consultor, ra. adj. Que da su opinión si se le consulta. Ú.t.c.s. || Que consulta. Ú.t.c.s.

consultorio. m. Establecimiento privado donde se despachan informes o consultas sobre materias técnicas. || Local en que el médico recibe y atiende a sus pacientes. || Sección que en las emisoras de radio o periódicos contesta las preguntas hechas por el público.

consumación. f. Acción y efecto de consumar. || Extinción, acabamiento total. || *la consumación de los siglos*. El fin del mundo.

consumado, da. adj. Perfecto. || Extremadamente hábil. || m. Caldo que se hace con toda la sustancia de diversas carnes.

consumar. tr. Llevar a cabo totalmente una cosa. || DER. Dar cumplimiento a un contrato o a otro acto jurídico.

consumición. f. Consumo, gasto.

consumidor, ra. adj. Que consume. Ú.t.c.s.

consumir (al. *verbrauchen*, fr. *consommer*, ingl. *to consume*, it. *consumare*). tr. Extinguir, destruir. Ú.t.c.r. || Gastar comestibles u otros géneros. || Recibir el sacerdote en la misa el cuerpo y la sangre de Cristo, bajo las especies del pan y del vino. Ú.t.c. intr. || fig. y fam. Apurar, afligir, Ú.t.c.r.

consumo (al. *Verbrauchen*, fr. *consommation*, ingl. *consumption*, it. *consumo*). m. Gasto de aquellas cosas que con el uso se extinguen o destruyen.

consunción. f: Acción y efecto de consumir o consumirse. || Extenuación, enflaquecimiento.

consuno (de). m. adv. Juntamente, en unión, de común acuerdo.

consuntivo, va. adj. Que tiene virtud de consumir.

consustancial. adj. TEOL. Consubstancial.

contabilidad. f. Aptitud de las cosas para poder reducirlas a cuenta o cálculo. || Orden adoptado para llevar la cuenta y razón en las oficinas públicas y particulares.

contabilizar. tr. Apuntar una partida o cantidad en los libros de cuentas.

contable (al. *Buchhalter*, fr. *comtable*, ingl. *accountant*, it. *contable*). adj. Que puede ser contado. || Relativo a la contabilidad. || m. Tenedor de libros.

contacto. m. Acción y efecto de tocarse dos o más cosas. || Conexión entre dos partes de un circuito eléctrico. || Artificio para establecer esta conexión. || fig. Relación que se establece entre dos o más personas o entidades.

contado, da. adj. Escaso, raro. || Determinado, señalado. || *al contado*. m. adv. Con dinero contante; con pago inmediato.

contador, ra (al. *Zähler*, fr. *compteur*, ingl. *meter*, it. *contatore*). adj. Que cuenta. Ú.t.c.s. || m. El que tiene por empleo, oficio o profesión llevar la cuenta y razón de la entrada y salida de caudales. || Aparato que sirve para llevar cuenta del número de revoluciones de una rueda o de los movimientos de otra pieza de una máquina. || Aparato que mide el volumen de agua o de gas que pasa por una cañería, o la electricidad que recorre un circuito en un tiempo determinado.

contaduría. f. Oficio de contador. || Oficina del contador. || En los teatros y otros espectáculos, local en que se expenden los billetes con anticipación y sobreprecio.

contagiar. tr. Comunicar a otro u otros una enfermedad contagiosa. Ú.t.c.r. || Pervertir. Ú.t.c.r.

contagio (al. *Ansteckung*, fr. *contagion*, ingl. *contagion*, it. *contagio*). m. Transmisión de una enfermedad específica por contacto mediato o inmediato. || Germen de la enfermedad contagiosa. || La misma enfermedad.

contagioso, sa. adj. Aplícase a las enfermedades que se comunican por contagio [Sinón.: infeccioso]

container (voz inglesa). m. Contenedor.

contaminación. f. Acción y efecto de contaminar o contaminarse.

contaminar. tr. Alterar la pureza de algo, como los alimentos, el aire, etc. ‖ Penetrar la suciedad en un cuerpo, causando en él manchas y mal olor. Ú.t.c.r. ‖ Contagiar. Ú.t.c.r. ‖ Alterar un vocablo o un texto. ‖ fig. Pervertir la pureza de la fe o de las costumbres.

contante. adj. Aplícase al dinero efectivo.

contar (al. *zählen*, fr. *compter*, ingl. *to reckon*, it. *contare*). tr. Numerar o computar. ‖ Referir un suceso. ‖ Poner en cuenta. ‖ Incluir a uno en la clase, número u opinión que le corresponde. ‖ Hablando de años, tenerlos. ‖ intr. Hacer, formar cuentas según las reglas de la aritmética. ‖ *contar con* uno. Tenerle en cuenta.

contemplación. f. Acción de contemplar. ‖ Atención o miramiento que se guarda a alguien. ‖ pl. Miramientos que cohíben de hacer algo.

contemplar (al. *betrachten*, fr. *contempler*, ingl. *to behold*, it. *contemplare*). tr. Poner la atención en algo material o espiritual. ‖ Juzgar, considerar. ‖ Complacer a una persona. ‖ TEOL. Ocuparse el alma en pensar en Dios y en los misterios de la religión.

contemplativo, va. adj. Perteneciente a la contemplación. ‖ Que contempla. ‖ Que acostumbra a meditar intensamente. ‖ Que acostumbra a complacer. ‖ Especulativo, en oposición a pragmático.

contemporáneamente. adv. t. Al mismo tiempo; en la misma época.

contemporáneo, a. adj. Que existe al mismo tiempo que otra persona o cosa. Ú.t.c.s.

contemporizar. intr. Acomodarse al gusto ajeno.

contención. f. Acción y efecto de contener, sujetar.

contencioso, sa. adj. Dado a putar o contradecir. ‖ DER. Se dice de las materias sobre las que se contiende en juicio, o la forma en que se le litiga. ‖ DER. Se aplica a los asuntos sometidos a la decisión de los tribunales de justicia, en contraposición a los actos gubernativos y de jurisdicción voluntaria.

contender. intr. Lidiar, pelear, batallar. ‖ fig. Disputar. ‖ Discutir, contraponer opiniones.

contendiente. adj. Que contiende. Ú.t.c.s.

contenedor, ra. adj. Que contiene. ‖ m. Embalaje metálico grande y recuperable, de tipos y dimensiones normalizados.

contener (al. *enthalten*, fr. *contenir*, ingl. *to hold*, it. *contenere*). tr. Llevar o encerrar dentro de sí una cosa a otra. Ú.t.c.r. ‖ Reprimir el movimiento o impulso de un cuerpo. Ú.t.c.r. ‖ fig. Moderar una pasión. Ú.t.c.r.

contenido, da (al. *inhalt*, fr. *contenu*, ingl. *contents*, it. *contenuto*). adj. fig. Que se conduce con moderación. ‖ m. Lo que está dentro de una cosa. [*Sinón.*: comedido; incluido, encerrado]

contentar. tr. Alegrar o satisfacer a alguien. ‖ r. Darse por contento.

contento, ta (al. *zufrieden*, fr. *content*, ingl. *pleased*, it. *contento*). adj. Alegre, satisfecho. ‖ m. Alegría, satisfacción.

contera (al. *Beschlag*, fr. *bouterolle*, ingl. *ferrule*, it. *calza*). f. Pieza metálica que cubre el extremo inferior del bastón, paraguas, etc. ‖ Cascabel, remate posterior del cañón. ‖ Estribillo.

contestación. f. Acción y efecto de contestar. ‖ Altercado o disputa. ‖ Polémica, oposición o protesta, a veces violenta, contra lo establecido.

contestar (al. *antworten*, fr. *répondre*, ingl. *to answer*, it. *rispondere*). tr. Responder a lo que se pregunta, se habla o se escribe. ‖ Declarar uno lo mismo que otros han dicho. ‖ Comprobar o confirmar. ‖ intr. Convenir una cosa con otra. ‖ *Neol.* Impugnar, protestar, negar. Ú.t.c. intr.

contestatario, ria. adj. *Neol.* Que contesta el orden establecido por considerarlo injusto. Ú.t.c.s.

contexto. m. Orden de composición o tejido de ciertas obras. ‖ fig. Hilo del discurso, tejido de la narración. ‖ LING. Palabras contiguas a otra en una situación determinada.

contextura. f. Compaginación, unión de las partes que forman un todo. ‖ Contexto. ‖ fig. Configuración física del hombre.

contienda. f. Pelea, disputa, altercado con armas o con razones. [*Sinón.*: lid, lucha, querella]

contigo. ablat. de sing. del pron. personal de segunda persona en género masculino y femenino.

contiguo, gua (al. *anstossend*, fr. *contigu*, ingl. *adjacent*, it. *contiguo*). adj. Que está tocando a otra cosa. [*Sinón.*: inmediato, adyacente]

continencia. f. Virtud que modera y refrena las pasiones y afectos del ánimo. ‖ Abstinencia sexual. ‖ Acción de contener. [*Sinón.*: moderación; castidad]

continental. adj. Perteneciente a los países de un continente.

continente. adj. Que contiene. ‖ Se dice de la persona que practica la virtud de la continencia. ‖ m. Lo que contiene a otra cosa dentro de sí. ‖ Aire del semblante y actitud y compostura del cuerpo. ‖ Cada una de las grandes extensiones de tierra separadas por los océanos.

contingencia. f. Posibilidad de que algo ocurra o no ocurra. ‖ Riesgo. [*Sinón.*: evento, eventualidad]

contingente. adj. Que puede suceder o no. ‖ m. Contingencia, cosa que puede suceder o no. ‖ Cuota, aportación. ‖ Grupo de tropa. ‖ Grupo que se distingue de otros miembros en una reunión u organismo.

continuación. f. Acción y efecto de continuar. [*Sinón.*: prosecución, prolongación, prórroga]

continuar (al. *fortsetzen*, fr. *continuer*, ingl. *to continue*, it. *continuare*). tr. Proseguir uno lo comenzado. ‖ intr. Durar, permanecer. ‖ r. Seguir, extenderse.

continuidad. f. Unión natural que tienen entre sí las partes del continuo.

continuismo. m. POLIT. Conservadurismo. [*Antón.*: reformismo]

continuo, nua (al. *stetig*, fr. *continuel*, ingl. *continuous*, it. *continuo*). adj. Que dura, obra, se hace o se extiende sin interrupción. ‖ Aplícase a lo que tiene unión entre sí. ‖ Ordinario y perseverante en aquello que se hace. ‖ MAT. Dícese de una función o de una transformación que conserva la relación matemática de proximidad. ‖ m. Compuesto de partes unidas entre sí. ‖ adv. m. De continuo. ‖ *de continuo.* m. adv. Continuamente. [*Sinón.*: incesante; constante. *Antón.*: alterno, discontinuo]

contonearse. r. Hacer al andar movimientos afectados con hombros y caderas.

contoneo. m. Acción de contonearse.

contornear. tr. Dar vueltas alrededor o en torno de un paraje o sitio. ‖ PINT. Perfilar, hacer los contornos o perfiles de una figura.

contorno (al. *Umgegend*, fr. *contour*, ingl. *outline*, it. *dintorno*). m. Territorio o conjunto de parajes que rodean un lugar o población. Ú.m. en pl. ‖ Líneas que limitan una figura o composición. [*Sinón.*: alrededores; borde, cerco]

contorsión. f. Actitud forzada, movimiento irregular y convulsivo que procede, ya de un dolor repentino, ya de otra causa física o moral. ‖ Ademán grotesco, gesticulación ridícula. [*Sinón.*: convulsión]

contorsionarse. r. Hacer contorsiones.

contorsionista. com. Persona que ejecuta contorsiones difíciles en los circos.

contra (al. *gegen*, fr. *contre*, ingl. *against*, it. *contro*). prep. con que se denota oposición o contrariedad de una cosa con otra. Se usa como prefijo en voces compuestas. ‖ Enfrente. ‖ Hacia, en dirección a. ‖ A cambio de. ‖ fam. Dificultad, inconveniente.

contraalisios. m. pl. Vientos opuestos a los alisios.

contraalmirante. m. MAR. Oficial general de la armada, inmediatamente inferior al vicealmirante.

contraatacar. tr. Efectuar un contraataque. Ú.t.c. intr.

contraataque. m. MIL. Reacción ofensiva contra el avance del enemigo.

contrabajo (al. *Kontrabass*, fr. *contrebasse*, ingl. *contrabass*, it. *contrabbasso*). m. MÚS. Instrumento de cuerda, parecido al violín, pero mucho mayor. Tiene ordinariamente cuatro cuerdas, y es el más grave de los instrumentos de esta clase. ‖ Persona que toca este instrumento. ‖ MÚS. Voz más grave y profunda que la del bajo ordinario. ‖ Persona que tiene esta voz.

contrabandista (al. *Schmuggler*, fr. *contrebandier*, ingl. *smuggler*, it. *contrabbandiere*). adj. Que practica el contrabando. Ú.t.c.s. ‖ com. Persona que se dedica a la defraudación de la renta de aduanas. [*Sinón.*: matutero]

contrabando (al. *Schmuggel*, fr. *contrebande*, ingl. *smuggling*, it. *contrabbando*). m. Comercio o producción de géneros prohibidos por las leyes a los productores y mercaderes particulares. ‖ Mercaderías o géneros prohibidos. ‖ Acción o intento de fabricar o introducir fraudulentamente dichos géneros o de exportarlos. ‖ Introducción de géneros sin pagar los derechos de aduana a que están sometidos legalmente. ‖ Géneros así introducidos. ‖ fig. Lo que tiene apariencia de ilícito aunque no lo sea. [*Sinón.*: matute]

contrabarrera. f. Segunda fila de asientos en los tendidos de las plazas de toros.

contracción. f. Acción y efecto de contraer o contraerse. ‖ GRAM. Figura de dicción que consiste en hacer una sola palabra de dos. ‖ Sinéresis.

contráctil (al. *zusammenziehbar*, fr. *contractile*, ingl. *contractile*, it. *contrat-*

tile). adj. Capaz de contraerse con facilidad.

contractual (al. *vertrags*, fr. *contractuel*, ingl. *contractual*, it. *contrattuale*). adj. Procedente del contrato o derivado de él.

contrachapado. adj. Dícese del tablero formado por varias capas de madera, encoladas de tal modo que sus fibras queden cruzadas. Ú.m.c.s.

contradanza. f. Baile de figuras que ejecutan muchas parejas a la vez.

contradecir (al. *widersprechen*, fr. *contredire*, ingl. *to gainsay*, it. *contraddire*). tr. Decir uno lo contrario de lo que otro afirma. Ú.t.c.r. [*Sinón.*: impugnar, discutir, refutar, rebatir. *Antón.*: confirmar]

contradicción. f. Acción y efecto de contradecir o contradecirse. ‖ Afirmación y negación que se oponen una a otra y recíprocamente se destruyen. ‖ Oposición, contrariedad.

contradictorio, ria. adj. Que tiene contradicción con otra cosa.

contraer (al. *zusammenziehen*, fr. *contracter*, ingl. *to draw together*, it. *contrarre*). tr. Estrechar, juntar una cosa con otra. ‖ Aplicar a un caso o proposición particular proposiciones y máximas generales. ‖ Tratándose de costumbres, vicios, resabios, etc., adquirirlos, caer en ellos. ‖ r. Encogerse. Ú.t.c.r. [*Antón.*: estirar, alargar]

contraespionaje. m. Servicio especial a cargo de la policía militar, encargado de neutralizar y perseguir el espionaje enemigo.

contraestay. m. MAR. Cabo grueso que ayuda al estay a sostener el palo, llamándolo hacia proa.

contrafoque. m. MAR. Foque, menor y de lona más gruesa que el principal, que se enverga y orienta más adentro que él, o sea, por su cara de popa.

contrafuero. m. Infracción de fuero.

contrafuerte. m. Correa, clavada a los fustes de la silla, donde se afianza la cincha. ‖ Pieza de cuero con que se refuerza el calzado en el talón. ‖ ARQ. Machón saliente en el paramento de un muro para fortalecerlo. ‖ GEOGR. Cadena secundaria de montañas.

contrahecho, cha. (al. *ungestalt*, fr. *difforme*, ingl. *misshapen*, it. *deforme*). adj. Que tiene torcido o corcovado el cuerpo. Ú.t.c.s.

contrahilo (a). m. adv. Hablando de telas, papel, madera, etc., en dirección contraria al hilo o fibra.

contraindicación. f. MED. Acción y efecto de contraindicar.

contraindicar. tr. MED. Disuadir de la utilidad de un medicamento o remedio, que por otra parte parece conveniente. ‖ MED. Señalar algo como perjudicial en ciertos casos.

contralmirante. m. Contraalmirante.

contralto. m. MÚS. Voz media entre la de tiple y la de tenor. ‖ com. Persona que tiene esta voz.

contraluz (al. *Gegenlicht*, fr. *contrejour*, ingl. *view against the light*, it. *controluce*). f. Vista o aspecto de las cosas desde el lado opuesto a la luz. ‖ m. Fotografía tomada en esas condiciones.

contramaestre. m. En algunas fábricas, vigilantes de los demás oficiales y obreros. ‖ Jefe de uno o más talleres o tajos de obra. ‖ MAR. Oficial que dirige la marinería bajo las órdenes del oficial de guerra. [*Sinón.*: encargado, capataz]

contramarcha. f. Retroceso que se hace en el camino que se lleva.

contraofensiva. f. MIL. Ofensiva para contrarrestar la del enemigo.

contraorden. f. Orden con que se revoca otra dada anteriormente.

contrapartida. f. Asiento que se hace para corregir algún error cometido en la contabilidad por partida doble.

contrapelo (a). m. adv. Contra la dirección o inclinación natural del pelo. ‖ fig. y fam. Contra el curso o modo natural de una cosa; violentamente.

contrapesar. tr. Servir de contrapeso. ‖ fig. Igualar, compensar, subsanar una cosa con otra.

contrapeso (al. *Gegengewicht*, fr. *contrepoids*, ingl. *counterpoise*, it. *contrappeso*). m. Peso que se coloca en la parte contraria de otro para que guarden equilibrio. ‖ Añadidura que se echa para completar un peso. ‖ Balancín, palo largo de los volatineros. ‖ fig. Lo que se considera suficiente para equilibrar una cosa que excede.

contraponer (al. *gegeneinenderhalten*, fr. *opposer*, ingl. *to oppose*, it. *contrapporre*). tr. Comparar una cosa con otra distinta. ‖ Poner una cosa contra otra para estorbarle su efecto. Ú.t.c.r.

contraportada. f. IMP. Página que se compone frente a la portada con el nombre de la serie del libro y otros detalles.

contraposición f. Acción y efecto de contraponer o contraponerse. [*Sinón.*: oposición]

contraproducente. adj. Se dice del dicho o acto que produce efectos opuestos a los que se pretendía.

contrapunto (al. *Kontrapunkt*, fr. *contrepoint*, ingl. *counterpoint*, it. *contrappunto*). m. Mús. Concordancia armoniosa de voces contrapuestas.

contrariar. tr. Contradecir, resistir las intenciones y propósitos de los demás; procurar que no se cumplan. || Disgustar, afligir.

contrariedad (al. *Widerwärtigkeit*, fr. *contrariété*, ingl. *hindrance*, it. *contrarietà*). f. Oposición que tiene una cosa con otra. || Accidente que impide o retarda el logro de un deseo.

contrario, ria (al. *etgegengesetzt*, fr. *contraire*, ingl. *contrary*, it. *contrario*). adj. Opuesto o repugnante a una cosa. Ú.t.c.s. || fig. Que daña o perjudica. || s. Enemigo, adversario. || *al contrario.* m. adv. De modo opuesto. || *llevar a uno la contraria.* fam. Oponerse a lo que dice.

contrarreforma. f. Conjunto de actividades intelectuales, políticas y religiosas que el catolicismo opuso a la reforma luterana.

contrarrestar. tr. Resistir, hacer frente y oposición. [*Sinón.*: afrontar]

contrarrevolución. f. Revolución opuesta a otra próximamente anterior.

contrasentido (al. *Sinnwidrigkeit*, fr. *contresens*, ingl. *nonsense*, it. *controsenso*). m. Inteligencia contraria al sentido natural de las palabras. || Deducción opuesta a la que arrojan de sí los antecedentes.

contraseña (al. *Losung*, fr. *mot d'ordre*, ingl. *watchword*, it. *contrassegno*). f. Seña reservada que se dan unas personas a otras para entenderse entre sí. || Segunda marca que se pone en animales o cosas para distinguirlos mejor.

contrastar (al. *im gegensatz stehen*, fr. *contraster*, ingl. *to contrast*, it. *contrastare*). tr. Resistir, hacer frente. || Comprobar y fijar la ley de los objetos de oro y plata y sellarlos con la marca del contraste. || Comprobar por ministerio público la exactitud de las pesas y medidas y acreditarlo sellándolas. || intr. Mostrar notable diferencia dos cosas cuando se comparan entre sí.

contraste (al. *Gegensatz*, fr. *contraste*, ingl. *contrast*, it. *contrasto*). m. Acción y efecto de contrastar. || Oposición, contraposición o diferencia notable que existe entre personas o cosas.

contrata. f. Contrato, ajuste, convenio y documento que lo asegura. || Der. Contrato que se hace con el gobierno, una corporación o un particular, para ejecutar una obra material o prestar un servico. || Entre actores y cantantes, ajuste, ocupación.

contratación. f. Acción y efecto de contratar. || Comercio y trato de géneros vendibles.

contratar (al. *vertraglich abmachen*, fr. *contracter*, ingl. *to contract*, it. *contrattare*). tr. Pactar, convenir, comerciar, hacer contratos o contratas. || Ajustar, mediante convenio, un servicio.

contratiempo. m. Acción perjudicial y por lo común inesperada. [*Sinón.*: revés, percance]

contratipo. m. Negativo impresionado sobre las imagenes de una copia positiva, que permite obtener gran número de copias de una película. || En tipografía, prueba negativa invertida, y también clisé fotográfico, positivo o negativo.

contratista. com. Com. Persona que por contrata realiza una obra material o está encargada de un servicio para el gobierno, para una corporación o para un particular.

contrato (al. *Vertrag*, fr. *contrat*, ingl. *contract*, it. *contratto*). m. Pacto o convenio entre partes que se obligan sobre materia o cosa determinada, y a cuyo cumplimiento pueden ser compelidas.

contravención. f. Acción y efecto de contravenir.

contraveneno. m. Med. Medicamento para contrarrestar los efectos del veneno.

contravenir (al. *zuwiderhandeln*, fr. *contrevenir*, ingl. *to transgress*, it. *contravvenire*). tr. Obrar en contra de lo que se ha mandado. [*Sinón.*: infringir, violar, transgredir. *Antón.*: obedecer, cumplir]

contraventana. f. Puerta que interiormente cierra sobre la vidriera. || Hoja de madera que en los países fríos se pone en la parte exterior de las ventanas.

contrayente. com. Que contrae matrimonio. Ú.m. en pl.

contribución (al. *Beitrag*, fr. *contribution*, ingl. *contribution*, it. *contributo*). f. Cuota o cantidad que se paga para algún fin y principalmente la que se impone para las cargas del Estado.

contribuir (al. *beitragen*, fr. *contribuer*, ingl. *to contribute*, it. *contribuire*). tr. Dar o pagar cada uno la cuota que le cabe por un impuesto o repartimiento. || Concurrir voluntariamente con una cantidad para determinado fin. [*Sinón.*: cotizar, pechar; tributar; cooperar]

contribuyente. adj. Que contribuye.

Ú.t.c.s. y más para designar al que paga contribución al Estado.

contrición. f. Acción y efecto de contristar o contristarse. || Dolor y pesar por haber ofendido a Dios.

contrincante (al. *Mitbewerber*, fr. *compétiteur*, ingl. *competitor*, it. *competitore*). m. Cada uno de los que forman parte de una misma trinca en las oposiciones. || El que pretende una cosa en competencia con otro u otros. [*Sinón.*: rival, competidor]

contristar. tr. Afligir, entristecer. Ú.t.c.r. [*Sinón.*: apenar. *Antón.*: consolar]

contrito, ta. adj. Que siente contrición.

control. m. Inspección, fiscalización, intervención. || Dominio, mando.

controlar. tr. Ejercer el control.

controversia. f. Discusión larga y reiterada entre dos o más personas. Especialmente se aplica a las cuestiones de religión.

controvertir. intr. Discutir extensa y detenidamente sobre una materia. Ú.t.c.r. [*Sinón.*: polemizar, debatir, disputar]

contubernio. m. Habitación con otra persona. || Cohabitación ilícita. || fig. Alianza o liga vituperable.

contumacia. f. Tenacidad y obstinación en mantener un error. || Der. Rebeldía, incomparecencia en un juicio.

contumaz (al. *hartnäckig*, fr. *contumace*, ingl. *stubborn*, it. *contumace*). adj. Rebelde, porfiado y tenaz en mantener un error. || Der. Rebelde, que no se presenta ni comparece.

contumelia. f. Oprobio, injuria u ofensa dicha a una persona cara a cara.

contundencia. f. Calidad de contundente.

contundente. adj. Aplícase al instrumento y acto que produce contusión. || fig. Que produce gran impresión en el ánimo, convenciéndolo.

conturbar. tr. Alterar, turbar, inquietar. Ú.t.c.r. || fig. Intranquilizar, alterar el ánimo. Ú.t.c.r. [*Antón.*: tranquilizar]

contusión (al. *Quetschung*, fr. *meurtrissure*, ingl. *bruise*, it. *contusione*). f. Daño que recibe alguna parte del cuerpo por golpe que no causa daño exterior. [*Sinón.*: magulladura]

contusionar. tr. Causar contusiones. Ú.t.c.r.

contuso, sa. adj. Que ha recibido contusión. Ú.t.c.s.

convalecencia (al. *Genesung*, fr. *convalescence*, ingl. *convalescence*, it. *con-*

valescenza). f. Acción y efecto de convalecer. ‖ Estado del convaleciente. ‖ Lugar destinado para convalecer los enfermos.

convalecer. intr. Recobrar las fuerzas perdidas por enfermedad.

convaleciente. adj. Que convalece. Ú.t.c.s.

convalidación. f. Acción y efecto de convalidar.

convalidar. tr. Revalidar lo ya aprobado.

convección. f. Fís. Propagación del calor por masas móviles de materia, tales como corrientes de fluidos, producidas por las diferencias de densidad.

convencer (al. *Überzeugen*, fr. *convaincre*, ingl. *to convince*, it. *convincere*). tr. Precisar a uno con razones eficaces a que mude de dictamen o abandone el que defendía. Ú.t.c.r. ‖ Probar una cosa de modo que racionalmente no se pueda negar. Ú.t.c.r.

convencimiento. m. Acción y efecto de convencer o convencerse. [*Sinón.*: convicción, persuasión. *Antón.*: duda]

convención. f. Ajuste o concierto entre dos o más personas o entidades. ‖ Conveniencia, conformidad. ‖ Asamblea de los representantes de un país, que asume todos los poderes. ‖ Reunión de representantes de varios países para acordar asuntos de interés común.

convencional. adj. Perteneciente al convenio o pacto. ‖ m. Individuo de una convención.

convencionalismo. m. Conjunto de opiniones o procedimientos basados en ideas falsas que, por comodidad o conveniencia social, se tienen como verdaderas.

conveniencia (al. *Zweckmässigkeit*, fr. *convenance*, ingl. *expediency*, it. *convenienza*). f. Correlación y conformidad entre dos cosas distintas. ‖ Utilidad, provecho. ‖ Ajuste, concierto y convenio. ‖ Acomodo de una persona para servir en una casa. ‖ pl. Haberes, rentas, bienes.

conveniente. adj. Útil, oportuno, provechoso. ‖ Conforme, concorde. ‖ Decente, proporcionado.

convenio. m. Ajuste, convención.

convenir (al. *Übereinstimmen*, fr. *convenir*, ingl. *to agree*, it. *convenire*). intr. Ser de un mismo parecer y dictamen. ‖ Corresponder, pertenecer. ‖ Importar, ser a propósito, ser conveniente. ‖ r. Ajustarse, componerse, concordarse.

convento (al. *Kloster*, fr. *couvent*,

ingl. *convent*, it. *convento*). m. Casa o monasterio en que viven los religiosos o religiosas bajo las reglas de su instituto. ‖ Comunidad de religiosos o religiosas que habitan en una misma casa. [*Sinón.*: cenobio, abadía]

conventual. adj. Perteneciente al convento.

convergencia. f. Acción y efecto de convergir.

converger. intr. Convergir.

convergir (al. *zusammenlaufen*, fr. *converger*, ingl. *to converge*, it. *convergere*). intr. Dirigirse dos o más líneas a unirse en un punto. ‖ fig. Concurrir al mismo fin los dictámenes, opiniones o ideas de dos o más personas. [*Sinón.*: coincidir, concurrir. *Antón.*: divergir]

conversación (al. *Unterhaltung*, fr. *entretien*, ingl. *conversation*, it. *conversazione*). f. Acción y efecto de hablar familiarmente una o varias personas con otra u otras. ‖ Concurrencia o compañía. [*Sinón.*: plática, coloquio, charla]

conversar (al. *sich unterhalten*, fr. *s'entretenir*, ingl. *to talk together*, it. *conversare*). intr. Hablar una o varias personas con otra u otras.

conversión. f. Acción y efecto de convertir o convertirse. ‖ Mutación de una cosa en otra. ‖ Cambio de mala vida a buena.

converso, sa (al. *bekehrter*, fr. *converti*, ingl. *convert*, it. *converso*). adj. Se aplica a la persona convertida al cristianismo. Ú.t.c.s.m. ‖ m. En algunas órdenes religiosas, lego.

convertidor. m. Tecn. Aparato para convertir la fundición de hierro en acero. Consiste en una gran caldera en que un chorro de aire inyectado quema el carbono que contiene la fundición. ‖ Aparato destinado a efectuar una transformación.

convertir (al. *bekehren*, fr. *convertir*, ingl. *to convert*, it. *convertire*). tr. Mudar o volver una cosa en otra. Ú.t.c.r. ‖ Atraer a la verdadera religión al que va errado, o habituarle a la práctica de las buenas costumbres. Ú.t.c.r.

convexidad. f. Calidad de convexo. ‖ Parte o sitio convexo. [*Antón.*: concavidad]

convexo, xa (al. *runderhaben*, fr. *convexe*, ingl. *convex*, it. *convesso*). adj. Que tiene, respecto del que mira, la superficie más prominente en el centro que en los extremos.

convicción. f. Convencimiento. ‖ Idea religiosa, política, etc., a la que uno está fuertemente adherido. Ú.m. en pl.

convicto, ta (al. *Überführt*, fr. *convaincu de culpabilité*, ingl. *convicted*, it. *convinto*). adj. Der. Se dice del reo cuyo delito se ha probado legalmente, aunque no lo haya confesado.

convidado, da (al. *Eingeladener*, fr. *convive*, ingl. *invited guest*, it. *invitato*). s. Persona que recibe un convite.

convidar (al. *einladen*, fr. *inviter*, ingl. *to invite*, it. *invitare*). tr. Rogar una persona a otra que le acompañe a comer, a una fiesta, etc. ‖ fig. Incitar, mover. ‖ r. Ofrecerse espontáneamente para alguna cosa. [*Sinón.*: invitar; excitar, inducir; brindarse]

convincente. adj. Que convence. [*Sinón.*: persuasivo, apodíctico]

convite (al. *Einladung*, fr. *invitation*, ingl. *treat*, it. *invito*). m. Acción y efecto de convidar. ‖ Comida o banquete al que es uno convidado.

convivencia. f. Acción de convivir.

convivir. intr. Vivir en compañía de otro u otros, cohabitar.

convocar (al. *einberufen*, fr. *convoquer*, ingl. *to convoke* it. *convocare*). tr. Citar a varios para que concurran a un lugar o acto determinado. ‖ Aclamar a alguien la multitud.

convocatoria (al. *Einberufung*, fr. *convocation*, ingl. *notice of meeting*, it. *convocatoria*). f. Anuncio o escrito con el que se convoca. [*Sinón.*: llamamiento, citación]

convolvuláceo, a. adj. Bot. Se dice de árboles, matas y hierbas angiospermos dicotiledóneos, que tienen hojas alternas, corola en forma de tubo y semillas con albumen mucilaginoso; como la batata. Ú.t.c.s.f. ‖ f. pl. Familia de estas plantas.

convoy. m. Escolta o guardia para llevar con seguridad alguna cosa por mar o por tierra. ‖ Conjunto de los buques o carruajes, efectos o pertrechos escoltados. ‖ Vinagreras para la mesa.

convulsión (al. *Zuckung*, fr. *convulsion*, ingl. *convulsion*, it. *convulsione*). f. Med. Contracción muscular espasmódica, violenta y repetida, debida a irritación del sistema nervioso central. ‖ fig. Agitación violenta de agrupaciones políticas o sociales, que perturba la normalidad de la vida colectiva. ‖ Geol. Sacudida producida por un terremoto.

convulsivo, va. adj. Perteneciente a la convulsión.

convulso, sa. adj. Atacado de convulsiones. ‖ fig. Dícese del que se halla muy excitado.

conyugal (al. *ehelich*, fr. *conjugal*, ingl. *conjugal*, it. *coniugale*). adj. Perteneciente a los cónyuges.

cónyuge. com. Consorte, marido y mujer respectivamente. Ú.m. en pl.

coña. f. vulg. Guasa, burla disimulada. || vulg. Cosa molesta.

coñac. m. Aguardiente de graduación alcohólica muy elevada, que se obtiene por la destilación de vinos flojos y se añeja en toneles de roble. [*Sinón.*: brandy]

coñearse. r. vulg. Burlarse disimuladamente.

coñete. adj. *Amer.* Tacaño, mezquino.

coño. m. vulg. Órgano sexual femenino. || irónico *Amer.* Español, natural de España. || *¡coño!* interj. vulg. que denota enfado o sorpresa.

coñón, na. adj. vulg. Se dice de la persona burlona o bromista. Ú.t.c.s.

cooperación. f. Acción y efecto de cooperar. [*Sinón.*: colaboración, concurso, ayuda]

cooperar (al. *mitwirken*, fr. *coopérer*, ingl. *to co-operate*, it. *cooperare*). tr. Obrar o trabajar con otro u otros para un mismo fin. [*Sinón.*: coadyuvar, colaborar, ayudar, contribuir]

cooperativa. f. Sociedad cooperativa.

cooperativismo. m. Doctrina favorable a la cooperación en el orden económico y social. || Teoría y régimen de las sociedades cooperativas.

cooperativo, va. adj. Dícese de lo que coopera o puede cooperar a alguna cosa.

coordenado, da. adj GEOM. Se dice de las líneas que determinan la posición de un punto y de los ejes o planos a que aquellas líneas se refieren. Ú.m.c.s.f.

coordinación. f. Acción y efecto de coordinar. || GRAM. Relación que hay entre oraciones de sentido independiente.

coordinado, da. adj. GEOM. Coordenado. || GRAM. Se dice de las oraciones unidas por coordinación.

coordinar (al. *beiordnen*, fr. *coordonner*, ingl. *to co-ordinare*, it. *coordinare*). tr. Disponer cosas metódicamente.

copa (al. *Trinkglas*, fr. *coupe*, ingl. *goblet*, it. *coppa*). f. Vaso con pie para beber. || Todo el líquido que cabe en una copa. || Conjunto de ramas y hojas que forman la parte superior de un árbol. || Parte hueca del sombrero, en que entra la cabeza. || Cada una de las cartas del palo de copas en los naipes. ||

Premio que se concede en algunas competiciones deportivas. || Competición deportiva para lograr este premio. || pl. Uno de los cuatro palos de la baraja española, en cuyos naipes se representan una o varias figuras de copas.

copar. tr. Hacer en los juegos de azar una apuesta equivalente a todo el dinero de la banca. || fig. Conseguir todos los puestos en una elección. || MIL. Cortar la retirada a una fuerza militar, haciéndola prisionera.

copartícipe. com. Persona que tiene participación con otra en algo.

copear. intr. Vender por copas las bebidas. || Tomar copas.

copela. f. Especie de crisol pequeño, hecho con cenizas de huesos calcinados, y donde se ensayan y purifican los minerales de oro y plata. || Suelo del interior de los hornos de copela, de arcilla apisonada.

copelación. f. Acción y efecto de copelar.

copelar. tr. METAL. Fundir minerales o metales en copela o en hornos de copela.

copeo. f. Acción y efecto de copear.

copero. m. Servidor encargado de traer la copa y servir las bebidas. || Mueble para guardar las copas en que se sirven los licores.

copero, ra. adj. Relativo a la copa deportiva o a la competición para ganarla. || Se dice del juego, jugador o equipo apto para ganar una copa deportiva.

copete. m. Cabello que se trae levantado sobre la frente. || Penacho de plumas de algunas aves en lo alto de la cabeza. || Mechón de crin sobre la frente del caballo. || Adorno en la parte superior de algunos muebles. || Parte de la pala del zapato que sale por encima de la hebilla. || En los sorbetes y bebidas heladas, colmo que tienen los vasos. || Cima, cumbre. || fig. Atrevimiento, altanería. || *de alto copete.* loc. adj. Se dice de la gente noble o linajuda, principalmente de las damas.

copetín. m. *Amer.* Aperitivo, trago de licor. || *Amer.* Cóctel.

copia (al. *Kopie*, fr. *copie*, ingl. *copy*, it. *copia*). f. Abundancia de una cosa. || Reproducción de un escrito. || Texto musical tomado de un impreso o manuscrito. || Reproducción exacta de una escultura o pintura. || Imitación servil del estilo o de las obras de escritores o artistas. || Imitación de una persona. || Pintura o efigie que representa a una persona.

copiar (al. *abschreiben*, fr. *copier*, ingl. *to copy*, it. *copiare*). tr. Escribir en una parte lo que otro dicta o dice en discurso seguido. || Reproducir una obra de arte. || Imitar la naturaleza en las obras de pintura o escultura. || Imitar el estilo o las obras de escritores o artistas. || Imitar o remedar a una persona. [*Sinón.*: plagiar; transcribir; reproducir]

copión, na. adj. despect. Que copia con disimulo de un compañero o de apuntes durante un ejercicio. Ú.t.c.s. m. Copia mala de un objeto de arte. || CINEM. Copia positiva de la película, sobre la que trabaja el montador.

copiosidad. f. Abundancia.

copioso, sa. adj. Abundante, numeroso. [*Sinón.*: escaso, exiguo]

copista. com. Copiante, que copia escritos ajenos.

copistería. f. Establecimiento donde se hacen copias.

copla (al. *Reimsatz*, fr. *couplet*, ingl. *popular song*, it. *canzone*). f. Combinación métrica de estrofa. || Composición poética breve, que por lo común sirve de letra en las canciones populares. || Pareja de personas o cosas semejantes. || pl. fam. Versos. || Cuentos, habladurías.

coplanario, ria. adj. Dícese de los puntos, líneas o figuras que están en el mismo plano.

coplero, ra. s. Persona que vende coplas, jácaras, romances y otras poesías. || fig. Mal poeta.

copo (al. *Flocke*, fr. *flocon*, ingl. *flake*, it. *flocco*). m. Mechón o porción de cáñamo, lino, algodón u otra materia que está en disposición de hilarse. || Cada una de las porciones de nieve trabada que cae cuando nieva. || Grumo o coágulo. || Acción de copar. || Bolsa o saco de red con que terminan algunas artes de pesca. || Pesca hecha con una de estas artes.

copón (al. *Hostienkelch*, fr. *ciboire*, ingl. *ciborium*, it. *pisside*). m. aum. de copa. || Por antonomasia, copa grande de metal con baño de oro por dentro, en la que, puesta en el sagrario, se guarda el Santísimo Sacramento.

copra. f. Medula del coco de la palma.

coprofagia. f. PAT. Tendencia patológica a comer excrementos.

coprófago, ga. adj. Dícese de algunos animales que se nutren de excrementos u otras inmundicias.

copto, ta. adj. Cristiano de Egipto. || Perteneciente o relativo a los coptos. ||

m. Idioma antiguo de los egipcios, que se conserva en la liturgia del rito copto.

copudo, da. adj. Que tiene mucha copa.

cópula (al. *Verknüpfung*, fr. *copule*, ingl. *copule*, it. *copula*). f. Atadura, ligamento de una cosa con otra. ‖ Acción de copularse. ‖ GRAM. Término que une el predicado con el sujeto. [*Sinón.:* trabazón; coito, ayuntamiento]

copular. tr. ant. Juntar una cosa con otra. ‖ r. Unirse o juntarse carnalmente. [*Sinón.:* coitar, yacer]

copulativo, va. adj. Que ata, liga o junta una cosa con otra.

coque (al. *Koks*, fr. *coke*, ingl. *coke*, it. *coke*). m. Combustible sólido, ligero y poroso que resulta de calcinar ciertas clases de carbón mineral. ‖ QUÍM. Residuo que se obtiene por eliminación de las materias volátiles de un combustible sólido o líquido.

coqueta. adj. Dícese de la mujer que por vanidad procura agradar a muchos hombres. Ú.t.c.s. ‖ f. Mueble de tocador con espejo, que sirve a las señoras para peinarse o darse afeites.

coquetear (al. *kokettieren*, fr. *coqueter*, ingl. *to flirt*, it. *civettare*). intr. Tratar de agradar por mera vanidad con medios estudiados. ‖ Procurar agradar a muchos a un tiempo. [*Sinón.:* galantear, flirtear]

coquetería. f. Acción y efecto de coquetear. ‖ Estudiada afectación en los modales y adornos.

coquetón, na. adj. fam. Gracioso, atractivo, agradable. ‖ Dícese del hombre que procura agradar a muchas mujeres. Ú.t.c.s. [*Sinón.:* bonito]

coquina. f. ZOOL. Molusco acéfalo, cuyas valvas son finas, ovales, muy aplastadas y de color gris blanquecino con manchas rojizas. Su carne es comestible.

coquino. m. BOT. Árbol de madera laborable y fruto comestible del cual suele hacerse compota.

coracero. m. Soldado de caballería armado de coraza.

coracoides. adj. ANAT. Dícese de la apófisis del omóplato, encorvada en forma de pico de cuervo en la parte más prominente del hombro y que contribuye a formar la cavidad de su articulación. Ú.t.c.s.

coraje (al. *Mut.* fr. *courage*, ingl. *courage*, it. *coraggio*). m. Impetuosa decisión y esfuerzo del ánimo; valor. ‖ Irritación, ira. [*Sinón.:* arrojo, bravura, valentía. *Antón.:* cobardía]

corajina. f. fam. Arrebato de ira.

corajudo, da. adj. Colérico. ‖ Valeroso.

coral. m. ZOOL. Celentéreo antozoo, octocoralario, que vive en colonias cuyos individuos están unidos entre sí por un polípero calcáreo y ramificado de color rojo o rosado. ‖ ZOOL. Polípero del coral que, después de pulimentado, se emplea en joyería. ‖ f. Corallillo, serpiente. ‖ pl. Sartas de cuentas de coral, de que usan las mujeres para adorno. ‖ Carúnculas rojas del cuello y cabeza del pavo.

coral. adj. Perteneciente al coro. ‖ MÚS. Composición vocal armonizada a cuatro voces, de ritmo lento y solemne, ajustada a un texto de carácter religioso. ‖ Composición instrumental análoga a este canto.

coralífero, ra. adj. Que tiene corales. Se aplica al fondo del mar, a las rocas, islas, etc.

coralígeno, na. adj. Que produce coral.

coralillo. m. ZOOL. Serpiente de unos siete decímetros de largo, muy delgada con anillos rojos, amarillos y negros alternativamente. Es propia de la América Meridional y muy venenosa.

coralino, na. adj. De coral o semejante a él.

corambre. f. Conjunto de cueros o pellejos, curtidos o sin curtir, de algunos animales, especialmente de toro, vaca, buey o macho cabrío. ‖ cuero, odre.

Corán. n.p.m. Libro en que se contienen las revelaciones que Mahoma supuso recibidas de Dios, y que es fundamento y fuente de derecho de la religión mahometana.

coránico, ca. adj. Perteneciente o relativo al Corán.

coraza (al. *Panzer*, fr. *blindage*, ingl. *armour-plating*, it. *corazza*). f. Armadura de hierro o acero, compuesta de peto y espaldar; se hizo primero de placas metálicas sujetas a un coleto de cuero, y más tarde se adornó cubriéndola con brocado y otras telas finas. ‖ MAR. Blindaje, planchas para blindar. ‖ ZOOL. Cubierta dura que protege el cuerpo de algunos animales.

corazón (al. *Herz*, fr. *coeur*, ingl. *heart*, it. *cuore*). m. ANAT. Órgano de naturaleza muscular, impulsor de la circulación de la sangre, que existe, aunque con caracteres morfológicos muy variados, en el cuerpo de los vertebrados, procordados, moluscos, artrópodos y algunos gusanos. El del hombre está situado en la cavidad del pecho

hacia su parte media y algo a la izquierda. Tiene, a corta diferencia, el volumen de un puño, y en su interior hay cuatro cavidades: dos superiores, llamadas aurículas, y dos inferiores, llamadas ventrículos. ‖ Uno de los cuatro palos de la baraja francesa. Ú.m. en pl. ‖ fig. Ánimo, valor, espíritu. ‖ fig. Voluntad, amor, benevolencia. ‖ fig. Medio o centro de una cosa. ‖ fig. Interior de una cosa inanimada. ‖ *con el corazón en la mano.* loc. adv. Con toda franqueza y sinceridad. ‖ *de corazón.* m. adv. Con verdad, seguridad y afecto. ‖ *no tener* uno *corazón.* fig. Ser insensible. ‖ *tocarle* a uno *el corazón.* fig. Mover su ánimo para el bien.

corazonada (al. *Ahnung*, fr. *pressentiment*, ingl. *foreboding*, it. *presentimento*). f. Impulso espontáneo con que uno se mueve o ejecuta alguna cosa arriesgada y difícil. ‖ Presentimiento. ‖ Asadura de una res.

corazoncillo. m. BOT. Hierba gutífera medicinal, de tallo ramoso, flores amarillas en manojos y frutos capsulares acorazonados y resinosos.

corbata (al. *krawatte*, fr. *cravate*, ingl. *nektie*, it. *cravatta*). f. Trozo de seda o de otra materia adecuada, generalmente en forma de tira, que como adorno se lleva alrededor del cuello. ‖ Insignia propia de las encomiendas en algunas órdenes civiles. ‖ En el juego del billar, lance consistente en que la bola del que juega pase como ciñendo la contraria, sin tocarla, entre ella y dos bandas que forman ángulo.

corbatín. m. Corbata corta que sólo da una vuelta al cuello y se ajusta por detrás con un broche, o por delante con un lazo sin caídas.

corbeta (al. *Korvette*, fr. *corvette*, ingl. *corvette*, it. *corvetta*). f. Embarcación de guerra, con tres palos y vela cuadrada, semejante a la fragata aunque más pequeña. ‖ Actualmente, cañonero de escolta.

corcel. m. Caballo ligero, de mucha alzada, que servía para los torneos y batallas. [*Sinón.:* bridón]

corcova. f. Corvadura anómala de la columna vertebral o del pecho, o de ambos a la vez.

corcovado, da. adj. Que tiene una o más corcovas. Ú.t.c.s. [*Sinón.:* jorobado, contrahecho]

corcovo. m. Salto que dan algunos animales encorvando el lomo.

corcusir. tr. fam. Tapar a fuerza de puntadas mal hechas los agujeros de la ropa.

corchea. f. Mús. Figura o nota musical cuyo valor es la mitad de una negra.

corcheta. f. Hembra en que entra el macho de un corchete.

corchete. m. Especie de broche, compuesto de macho y hembra, que sirve para abrochar una cosa. ‖ Macho del corchete. ‖ Signo ([ ]) que abraza dos o más guarismos, palabras o renglones en los manuscritos o impresos. ‖ fig. Ministro inferior de justicia que era el encargado de prender a los delincuentes.

corcho (al. *Kork*, fr. *liège*, ingl. *cork*, it. *sughero*). m. Bot. Tejido vegetal constituido por células en las que la celulosa de su membrana ha sufrido una transformación química y se ha quedado convertida en suberina. Se encuentra en la zona periférica del tronco, de las ramas y de las raíces, generalmente en forma de láminas delgadas, pero puede alcanzar un desarrollo extraordinario, hasta formar capas de varios centímetros de espesor, como en la corteza del alcornoque. ‖ Colmena. ‖ Tapón que se hace de corcho para las botellas, cántaros, etc.

¡córcholis! interj. ¡Caramba!

cordado, da. adj. Zool. Aplícase al animal que tiene notocordio o columna vertebral. ‖ m. pl. Tipo de estos animales.

cordaje. m. Mar. Jarcia de una embarcación.

cordel (al. *Schnur*, fr. *cordon*, ingl. *string*, it. *cordone*). m. Cuerda delgada. ‖ Distancia de cinco pasos.

cordelería. f. Oficio de cordelero. ‖ Sitio donde se hacen cordeles y otras obras de cáñamo. ‖ Tienda donde se venden.

cordelero, ra. s. Persona que tiene por oficio hacer o vender cordeles y otras obras de cáñamo. ‖ m. Religioso franciscano. ‖ adj. Perteneciente o relativo al cordel.

cordellate. m. Tejido de lana, cuya trama forma cordoncillo.

cordera. f. Hija de la oveja, que no pasa de un año. ‖ fig. Mujer mansa y dócil.

corderillo. m. Piel de cordero adobada con su lana.

corderina. f. Piel de cordero.

cordero (al. *Lamm*, fr. *agneau*, ingl. *lamb*, it. *agnello*). m. Hijo de la oveja, que no pasa de un año. ‖ Piel de este animal adobada. ‖ fig. Nuestro Señor Jesucristo. ‖ — *de Dios*. fig. Jesucristo. ‖ — *pascual*. El que con determinado

ritual comen los hebreos para celebrar su pascua, o sea, la salida de Egipto.

cordial. adj. Que tiene virtud para fortalecer el corazón. ‖ Afectuoso, sincero. [*Sinón.*: cariñoso, afable]

cordialidad (al. *Herzlicheit*, fr. *cordialité*, ingl. *cordiality*, it. *cordialità*). f. Calidad de cordial, afectuoso. ‖ Franqueza, sinceridad. [*Sinón.*: afabilidad, afecto; llaneza, sencillez. *Antón.*: desafecto, tirantez]

cordillera (al. *Gebirgskette*, fr. *cordillère*, ingl. *ridge*, it. *cordigliera*). f. Serie de montañas enlazadas entre sí. [*Sinón.*: cadena, sierra]

córdoba. m. Unidad monetaria de Nicaragua.

cordobán (al. *Korduanleder*, fr. *cordouan*, ingl. *cordovan*, it. *marocchino*). m. Piel curtida de macho cabrío o de cabra.

cordobés, sa. adj. Natural de Córdoba. Ú.t.c.s. ‖ Perteneciente a esta ciudad o a su provincia, de Argentina o de España.

cordón (al. *Kordel*, fr. *lacet*, ingl. *cord*, it. *cordone*). m. Cuerda, por lo común redonda, de seda, lino, lana u otra materia filiforme. ‖ Cuerda con que se ciñen el hábito los religiosos de algunas órdenes. ‖ Conjunto de puestos de tropa o gente colocados de distancia en distancia para cortar la comunicación de un territorio con otros e impedir el paso. ‖ *Amer.* Bordillo. ‖ Arq. Bocel. ‖ Raya o faja blanca que algunos caballos tienen en la cara, desde la frente a la nariz. ‖ pl. Divisa que los militares de cierto empleo y destino llevan colgando del hombro derecho, y es un cordón de plata u oro cuyas puntas cuelgan iguales y rematan en dos herretes o borlas.

cordoncillo. m. Cada una de las listas o rayas angostas y algo abultadas que forma el tejido en algunas telas. ‖ Cierta labor que se hace en el canto de las monedas para que no las falsifiquen fácilmente ni las cercenen.

cordubense. adj. Cordobés.

cordura. f. Prudencia, buen seso, juicio. [*Antón.*: locura, insensatez, indiscreción]

corea. f. Danza que por lo común se acompaña con canto. ‖ m. Pat. Enfermedad crónica o aguda del sistema nervioso central, que se manifiesta por movimientos involuntarios, desordenados y rápidos.

coreano, na. adj. Perteneciente o relativo a Corea. ‖ Natural de este país de Asia. Ú.t.c.s.

corear. tr. Componer música para ser cantada con acompañamiento de coros. ‖ Acompañar o embellecer con coros una composición musical. ‖ fig. Aclamar, aplaudir.

coreo. m. Pie de la poesía griega y latina, compuesto de dos sílabas, la primera larga y la otra breve. ‖ Enlace de los coros en la música.

coreografía. f. Arte de componer bailes. ‖ En general, arte de la danza.

coreográfico, ca. adj. Perteneciente o relativo a la coreografía.

coreógrafo. m. Compositor de baile.

coriáceo, a. adj. Perteneciente al cuero. ‖ Parecido a él.

corifeo. m. El que guiaba el coro en las antiguas tragedias griegas y romanas. ‖ fig. El que es seguido de otros en una opinión, secta o partido.

coriláceo, a. adj. Bot. Aplícase a árboles y arbustos dicotiledóneos de hojas sencillas, alternas, flores en amentos, cúpula foliácea y fruto indehiscente con semilla sin albumen; como el avellano. Ú.t.c.s.f. ‖ f. pl. Familia de estas plantas.

corimbo. m. Bot. Grupo de flores o frutos que nacen en diferentes puntos del tallo y llegan a tener casi la misma altura; como el peral.

corindón. m. Piedra preciosa, la más dura después del diamante. Es alúmina cristalizada y hay variedades de diversos colores y formas.

corintio, tia. adj. Natural de Corinto. Ú.t.c.s. ‖ Perteneciente a esta ciudad.

corinto. m. Color de pasas de Corinto, rojo oscuro, cercano a violáceo. Ú.t.c. adj. invariable.

corion. m. Biol. Envoltura del embrión de los reptiles, aves y mamíferos, situada por fuera del amnios y separada de éste por una cavidad.

corista. m. Religioso que asiste con frecuencia al coro, y más propiamente el destinado al coro desde que profesa hasta que se ordena sacerdote. ‖ com. Persona que en óperas u otras funciones musicales canta formando parte del coro.

coriza. f. Pat. Romadizo.

cormiera. m. Bot. Arbolillo pomáceo silvestre, muy abundante en España.

cormorán. m. Zool. Ave palmípeda del tamaño de un ganso, de plumaje gris, blanco y negro, piernas muy cortas y pico largo y aplastado. Nada y vuela muy bien.

cornac. m. Cornaca.

cornaca. m. Hombre que en la India

y otras regiones de Asia doma, cuida y guía un elefante.

cornada. f. Golpe dado por un animal con la punta del cuerno.

cornal. m. Coyunda del yugo.

cornalina. f. Ágata de color sangre o rojiza.

cornamenta. f. Cuernos de algunos cuadrúpedos, como el toro, vaca, venado y otros. [*Sinón.*: astas]

cornamusa. f. Mús. Trompeta larga de metal, que en medio de su longitud hace una rosca muy grande, y tiene muy ancho el pabellón. || Instrumento rústico, especie de gaita gallega. || Mar. Pieza de metal o de madera que se usa para amarrar los cabos.

córnea. f. Anat. Membrana dura, gruesa y transparente, que ocupa la parte anterior del globo ocular, inmediatamente por delante del iris.

cornear. tr. Dar cornadas.

corneja (al. *Krähe*, fr. *corneille*, ingl. *crow*, it. *cornacchia*). f. Zool. Especie de cuervo, algo mayor que la paloma, de cabeza, alas y cola negras y cuerpo de color ceniciento, que habita en las selvas del norte de Europa y emigra a España en el invierno.

cornejo. m. Bot. Arbusto muy ramoso, de hojas opuestas, aovadas, flores blancas en cima, fruto en drupa redonda y madera muy dura.

córneo, a. adj. De cuerno, o parecido a él.

córner (voz inglesa). m. Dep. En el fútbol y otros deportes, tiro que se concede a un equipo cuando el contrario impulsa fuera del campo el balón y éste sale por la línea de fondo, o sea, la que delimita el terreno transversalmente.

corneta (al. *Horn*, fr. *cornet à pistons*, ingl. *bugle*, it. *cornetta*). f. Instrumento músico de viento, semejante al clarín, pero mayor y de sonidos más graves. || Mil. Especie de clarín usado para dar los toques reglamentarios a las tropas. || m. El que se dedica a tocar este instrumento.

cornezuelo. m. Bot. Hongo, en forma de cuerno o espolón de gallo, que se cría en la espiga del centeno; si llega a mezclarse con la harina, es muy perjudicial para la salud de quien lo come. Sus preparados se usan en medicina. || Variedad de aceituna.

cornial. adj. Dispuesto en forma de cuerno.

corniforme. adj. En forma de cuerno.

cornija. f. Arq. Cornisa. || Parte superior del cornisamento.

cornijal. m. Punta, ángulo o esquina. || Liturg. Lienzo con que se enjuga los dedos el sacerdote católico al tiempo del lavatorio en la misa.

cornisa (al. *Kranzgesims*, fr. *corniche*, ingl. *cornice*, it. *cornice*). f. Arq. Coronamiento compuesto de molduras, o cuerpo voladizo con molduras que sirve de remate a otro. || Parte superior del cornisamento de un pedestal, edificio o habitación. || Faja horizontal estrecha que corre al borde de un precipicio.

cornisamento. m. Arq. Conjunto de molduras que coronan un edificio o un orden de arquitectura. Ordinariamente se compone de arquitrabe, friso y cornisa.

cornisamiento. m. Arq. Cornisamento.

corno. m. Cornejo. || Mús. Nombre común a varios instrumentos musicales de la familia del oboe. || — *inglés.* Oboe de mayor tamaño que el ordinario y de sonido más grave.

cornucopia. f. Cierto vaso de figura de cuerno que rebosa frutas y flores y era usado por los gentiles como símbolo de la abundancia. || Espejo pequeño, de marco tallado y dorado, que suele tener uno o más brazos a modo de candelabros.

cornudo, da. adj. Que tiene cuernos. || fig. Se dice del marido cuya esposa ha faltado a la fidelidad conyugal. Ú.t.c.s. || *tras de cornudo, apaleado.* expr. fig. y fam. de que se usa cuando a uno, después de haberle hecho algún agravio, se le trata mal o se le culpa.

cornúpeta. adj. Dícese del animal que embiste con los cuernos, y en especial del toro de lidia. Ú.t.c.s. || fig. y fam. Cornudo, cabrón, marido engañado.

coro (al. *Chor*, fr. *choeur*, ingl. *choir*, it. *coro*). m. Conjunto de personas reunidas para cantar, alabar o celebrar alguna cosa. || Conjunto de actores o actrices que, en los intervalos de los actos, explicaban con el canto su admiración, su temor, su deseo u otros afectos, nacidos de lo que se había representado. || Unión o conjunto de tres o cuatro voces, que son ordinariamente un primero y un segundo tiple, un contralto, un tenor y un bajo. || Conjunto de personas que en una ópera u otra función musical cantan simultáneamente una pieza concertada. || Conjunto de eclesiásticos, religiosos o religiosas congregados en el templo para rezar o cantar los oficios divinos. ||

Cierto número de espíritus angélicos que componen un orden. || *a coro.* m. adv. Cantando o diciendo varias personas simultáneamente una misma cosa.

coroides. f. Anat. Membrana delgada, de color pardo, situada entre la esclerótica y la retina de los ojos de los vertebrados.

corola. f. Bot. Segundo verticilo de las flores completas, situado entre el cáliz y los órganos sexuales, y por lo común de bellos colores.

corolario. m. Proposición que no necesita prueba particular, pues se deduce fácilmente de lo demostrado antes. [*Sinón.*: deducción, conclusión]

corona (al. *Krone*, fr. *couronne*, ingl. *crown*, it. *corona*). f. Cerco formado de flores, ramas o metal, que se ciñe a la cabeza en señal de dignidad, premio o galardón. || Aureola de las imágenes santas. || Arandela, pieza para evitar el roce entre dos partes de una máquina. || Unidad monetaria de diversos países. || fig. La cima de una colina o de alguna altura aislada. || En algunos automóviles, rueda dentada que engrana en ángulo recto con un piñón colocado en el extremo del árbol de transmisión y comunica el movimiento a las ruedas. || Zool. Parte de los dientes de los vertebrados que sobresale de la encía. || Blas. Cerco de metal, adornado de piedras preciosas, que es símbolo de dignidad real o de nobleza y se coloca en la parte superior del blasón. || fig. Dignidad real. || fig. Reino o monarquía.

coronación. f. Acto en que se corona a un soberano. || Coronamiento, fin de una obra.

coronamiento. m. fig. Fin de una obra. || Arq. Adorno que se pone en la parte superior del edificio y le sirve de remate. || Mar. Parte de la borda que corresponde a la popa del buque.

coronar (al. *krönen*, fr. *couronner*, ingl. *to crown*, it. *coronare*). tr. Poner la corona en la cabeza de los emperadores y reyes cuando entran a reinar. Ú.t.c.r. || En el juego de las damas, poner una ficha sobre otra cuando ésta llega a ser dama, para que se distinga de las demás. || fig. Perfeccionar, completar una obra. || r. Dejar ver el feto la cabeza en el momento del parto.

coronario, ria (al. *kranzader*, fr. *coronaire*, ingl. *coronary artery*, it. *coronaria*). adj. Perteneciente a la corona. || Anat. Arteria o vena que comunica con la aorta. || Bot. De figura de corona. || f. Técn. Rueda de los relojes que manda el segundero.

coronel (al. *Oberst*, fr. *colonel*, ingl. *colonel*, it. *colonnello*). m. Mil. Jefe militar que manda un regimiento. || *teniente coronel*. Mil. Inferior jerárquico del coronel. || Arq. Moldura que termina un miembro arquitectónico. || Blas. Corona heráldica.

coronilla. f. Parte más eminente de la cabeza. || *andar de coronilla*. fig y fam. Hacer una cosa con suma diligencia y afán. || *estar hasta la coronilla*. fig. y fam. Estar uno cansado y harto de sufrir alguna pretensión o exigencia.

corpiño. m. dim. de cuerpo. || Almilla o jubón sin mangas.

corporación (al. *Körperschaft*, fr. *corporation*, ingl. *corporation*, it. *corporazione*). f. Cuerpo, comunidad, colegio. || Asociación, generalmente de interés público, a la que se le reconoce personalidad jurídica.

corporal. adj. Perteneciente al cuerpo. || m. Lienzo que se extiende en el altar, encima del ara, para poner sobre él la hostia y el cáliz; suelen ser dos. Ú.m. en pl.

corporativismo. m. Sistema político, económico y social del Estado, que se funda en la reglamentación del trabajo, creando los organismos encargados de aplicarla por medio de grupos profesionales únicos y obligatorios.

corporativo, va. adj. Perteneciente o relativo a una corporación.

corporeidad. f. Calidad de corpóreo.

corpóreo, a. adj. Que tiene cuerpo. || Corporal, perteneciente al cuerpo.

corps. m. Voz introducida en España para nombrar algunos empleos destinados principalmente al servicio de la persona del rey.

corpulencia (al. *Beleibtheit*, fr. *corpulence*, ingl. *corpulence*, it. *corpulenza*). f. Grandeza y magnitud de un cuerpo natural o artificial.

corpulento, ta. adj. Que tiene mucho cuerpo.

Corpus. m. Jueves, sexagésimo día después del domingo de Pascua de Resurrección, en el cual celebra la Iglesia la festividad de la institución de la Eucaristía.

corpuscular. adj. Que tiene corpúsculos. || Aplícase al sistema filosófico que considera como materia elemental los corpúsculos.

corpúsculo (al. *Körperchen*, fr. *corpuscule*, ingl. *corpuscle*, it. *corpuscolo*). m. Cuerpo muy pequeño, célula, molécula, partícula, elemento.

corral (al. *Hofraum*, fr. *basse-cour*, ingl. *poultry-yard*, it. *cortile*). m. Sitio cerrado y descubierto donde se cierra a los animales, en las casas de campo. || Cercado que se hace en los ríos o en la costa del mar, para encerrar la pesca y cogerla. || Casa, patio o teatro donde se representaban las comedias.

correa (al. *Rieme*, fr. *courroie*, ingl. *leather strap*, it. *correggia*). f. Tira de cuero. || Flexibilidad y extensión de que es capaz una cosa correosa. || *tener correa*. fig. y fam. Sufrir chanzas sin enojarse.

correaje. m. Conjunto de correas que hay en una cosa. || Conjunto de correas que forman parte del equipo individual de un cuerpo armado.

correal. m. Piel de venado curtida y de color encendido, como el del tabaco, usada en la confección de ropas.

correazo. m. Golpe dado con una correa.

corrección (al. *Berichtigung*, fr. *correction*, ingl. *emendation*, it. *correzione*). f. Acción y efecto de corregir o de enmendar lo errado o defectuoso. || Calidad de correcto. || Reprensión de un delito, falta o defecto. || Alteración o cambio que se hace en las obras escritas o de otro género, para quitarles defectos o errores o para darles mayor perfección.

correccional. adj. Dícese de lo que conduce a la corrección. || m. Establecimiento penitenciario destinado al cumplimiento de penas de prisión y de presidio correccional.

correctivo, va. adj. Que corrige. || Por ext., se aplica a todo lo que atenúa o subsana. Ú.t.c.m. || m. Castigo o sanción, por lo general leve.

correcto, ta. adj. Libre de errores o defectos, conforme a las reglas. || Dícese de la persona cortés.

corrector, ra (al. *Korrektor*, fr. *correcteur*, ingl. *proof reader*, it. *correttore*). adj. Que corrige. Ú.t.c.s. || Imp. El encargado de corregir las pruebas.

corredentor, ra. adj. Redentor juntamente con otros. Ú.t.c.s.

corredera. f. Ranura o carril por donde resbala otra pieza que se le adapta en ciertas máquinas o artefactos. || Tabla o postiguillo de la celosía que corre de una parte a otra para abrir o cerrar. || Muela superior del molino o aceña, que es la que se mueve para moler el grano. || Mar. Cordel dividido en partes iguales, sujeto y arrollado por uno de sus extremos a un carrete, y atado por el otro a la barquilla, con la cual forma un aparato destinado a medir lo que anda la nave. || Mec. Pieza que en las máquinas abre y cierra alternativamente los agujeros por donde entra y sale el vapor en los cilindros.

corredizo, za. adj. Que se desata o corre con facilidad; como la lazada o nudo.

corredor, ra (al. *läufer*, fr. *coureur*, ingl. *racer*, it. *corridore*). adj. Que corre mucho. Ú.t.c.s. || Zool. Aplícase a las aves de gran tamaño, mandíbulas cortas y robustas, esternón de figura de escudo y sin quilla, y alas muy cortas que no les sirven para volar; como el avestruz. Ú.t.c.s. || s. Persona que practica la carrera en competiciones deportivas. || m. El que por su oficio interviene en almonedas, ajustes, compras y ventas de cualquier género de cosas. || Pasillo en el interior de las casas. || f. pl. Orden de las aves corredoras. || — *de comercio*. Funcionario que interviene, como notario, en la negociación de letras u otros valores endosables, en los contratos de compraventa de efectos comerciales, etc.

correduría. f. Oficio o ejercicio de corredor. || Corretaje, ejercicio de este oficio.

corregidor, ra. adj. Que corrige. || m. Magistrado que ejercía jurisdicción real en su territorio y conocía de las causas contenciosas y gubernativas, y del castigo de los delitos. || Alcalde que nombraba libremente el rey en poblaciones importantes y que ejercía funciones gubernativas.

corregir (al. *verbessern*, fr. *corriger*, ingl. *to correct*, it. *correggere*). tr. Enmendar lo errado. || Advertir, amonestar, reprender. || fig. Disminuir, templar, moderar la actividad de una cosa. [*Sinón*.: rectificar].

correlación (al. *Beziehung*, fr. *corrélation*, ingl. *correlation*, it. *correlazione*). f. Analogía o relación recíproca entre dos o más cosas.

correlativo, va. adj. Aplícase a personas o cosas que tienen entre sí correlación o sucesión inmediata.

correligionario, ria. adj. Que profesa la misma religión que otro. Ú.t.c.s. || Por ext., dícese del que tiene la misma opinión política que otro. Ú.t.c.s.

correntoso, sa. adj. *Amer*. Dícese del río o curso de agua muy impetuoso.

correo (al. *Post*, fr. *poste*, ingl. *mail*, it. *posta*). m. El que tiene por oficio llevar y traer la correspondencia de un lugar a otro. || Servicio público que tiene por objeto el transporte de la correspondencia oficial y privada. Ú.t. en pl. || Buque, avión u otro vehículo que transporta correspondencia. || Buzón donde se deposita la correspondencia. || Local donde se recibe y da la correspondencia. Ú.m. en pl. || Conjunto de cartas o pliegos que se despachan o reciben. || ↗ lista de correos.

correoso, sa. adj. Que fácilmente se doblega y extiende sin romperse. || fig. Dícese del pan y otros alimentos cuando se mastican con dificultad.

correr (al. *laufen*, fr. *courir*, ingl. *to run*, it. *correre*). intr. Ir de prisa. || Hacer algo con rapidez. || Moverse progresivamente de un lado a otro los fluidos. || Transcurrir el tiempo, el plazo. || Si se trata de personas, moverse con tal celeridad que en algún momento ambos pies estén en el aire. || Si se trata de noticias, circular, propalarse. Ú.t.c.tr. || Hacerse cargo de alguna responsabilidad o gestión. || Devengarse el salario. || Burlarse de alguien. || Tramitar algún documento. || Aceptar algo como normal. || MAR. Navegar al viento, sin velas, por la mucha fuerza de aquél. || tr. Tratándose de la balanza, hacer que caiga uno de los platillos por haberle puesto más peso que al otro. || Montar alguna cabalgadura. || Perseguir, acosar, lidiar. || Apartar o desplazar un mueble u objeto. || Si se trata de un cerrojo, pasarlo, cerrar. || Tender o echar una cortina, un velo. || Desatar un nudo que sujeta un saco o bolsa. || Exponerse a riesgos. || Recorrer. || fig. Avergonzar, confundir. Ú.t.c.r || r. Desleírse, derretirse, excederse, arriesgarse. || vulg. Alcanzar el orgasmo.

correría. f. Incursión guerrera en la que se arrasa o saquea un país. || Viaje, por lo común corto, a distintos lugares, regresando al de origen.

correspondencia (al. *Briefwechsel*, fr. *correspondance*, ingl. *corresponce*, it. *corrispondenza*). f. Acción y efecto de corresponder o corresponderse. || Correo, conjunto de cartas. || Significado que una palabra o frase tiene en otra lengua distinta. || MAT. Relación que existe o se establece entre los elementos de distintos conjuntos o colecciones. || Relación entre términos de distintas series o sistemas que tienen cada uno igual significado, caracteres o función. || Sinonimia. || Comunicación entre habitaciones o locales. || Nombre que reciben las conexiones entre las distintas líneas de un ferrocarril metropolitano.

corresponder. intr. Pagar con igualdad, relativa o proporcionalmente, afectos, beneficios o agasajos. || Tocar

o pertenecer. || Tener proporción una cosa con otra. Ú.t.c.r. || r. Comunicarse por escrito una persona con otra. || Atenderse y amarse recíprocamente. || Comunicarse una habitación con otra.

correspondiente. adj. Proporcionado, conveniente, oportuno. || Que tiene correspondencia con una persona o corporación. Ú.t.c.s. || Dícese de los miembros no numerarios de una corporación, que por lo general residen fuera de la sede de ésta y colaboran con ella por correspondencia, con deberes y derechos variables según los reglamentos de cada corporación.

corresponsal (al. *Korrespondent*, fr. *correspondant*, ingl. *correspondent*, it. *correspondente*). com. Persona que lleva la correspondencia de una empresa. || Periodista que desde alguna población diferente de donde se halla situada la redacción del periódico o revista en que colabora, envía a ésta crónicas u otras noticias.

corretaje. m. COM. Diligencia y trabajo que pone el vendedor en los ajustes y ventas. || Premio y estipendio que logra por su servicio. [*Sinón.:* correduría; comisión, prima]

corretear. intr. fam. Andar de calle en calle o de casa en casa. || fam. Correr los niños dentro de limitado espacio, sin más fin que entretenerse.

correvedile. m. Correveidile.

correveidile. com. fig. y fam. Persona que lleva y trae chismes. || fig. y fam. Alcahuete.

corrida. f. Acción de correr el hombre o el animal cierto espacio. || vulg. Eyaculación. || — *de toros.* Lidia de cierto número de toros en una plaza cerrada. || *de corrida.* m. adv. Con presteza, sin entorpecimientos.

corrido, da. adj. Que excede un poco del peso. || fig. Avergonzado. || fam. Se aplica a la persona de mucha experiencia y astucia. || Hablando de algunas partes de un edificio, continuo, seguido. || *de corrido.* m. adv. De corrida.

corriente (al. *Strom*, fr. *courant*, ingl. *current*, it. *corrente*). adj. Que corre. || Dícese de la semana, el mes, el año o el siglo actual o que va transcurriendo. || Que está en uso en el momento presente o lo estaba en el momento de que se habla. || Hablando de recibos, números de publicaciones periódicas, etc., el último aparecido, a diferencia de los atrasados. || Cierto, sabido. || Que no tiene impedimento. || Admitido por el uso común o por la costumbre. || Medio, común, regular, no extraordinario. || f.

Movimiento de traslación continuado, ya sea permanente, ya accidental, de una masa de fluido, en una dirección determinada. || Esa masa fluida. || Corriente eléctrica. || — *eléctrica.* FÍS. Movimiento de la electricidad a lo largo de un conductor. || *al corriente.* m. adv. Sin atraso, con exactitud. || *corriente y moliente.* expr. fig. y fam. que se aplica a las cosas llanas, usuales y no complicadas. || *dejarse llevar por la corriente.* fig. Conformarse con la opinión de los demás, aunque se sepa que no es la más acertada. || *llevarle* a uno *la corriente.* fig. y fam. Seguirle el humor, mostrarse conforme con él.

corrillo. m. Corro donde se juntan algunos a hablar, separados de los demás.

corrimiento. m. Acción y efecto de correr o correrse. || Fluxión de humores en alguna parte del cuerpo. || fig. Vergüenza, rubor. || — *de tierras.* GEOL. Movimiento horizontal del terreno que produce plegamientos y fallas.

corro. m. Cerco de varias personas para hablar, divertirse, etc. || Espacio que incluye. || Espacio circular o casi circular. || Juego de niñas que forman un círculo, cogidas de las manos, y cantan dando vueltas. || *formar corro aparte.* fig. y fam. Formar o seguir otro partido.

corroboración. f. Acción y efecto de corroborar o corroborarse. [*Sinón.:* asentimiento]

corroborar (al. *stärken*, fr. *corroborer*, ingl. *to corroborate*, it. *corroborare*). tr. Vivificar, reanimar al que está débil o abatido. Ú.t.c.r. || fig. Confirmar la razón, el argumento o la opinión, con nuevos raciocinios o datos. Ú.t.c.r. [*Sinón.:* reanimar, fortalecer; ratificar]

corroer (al. *zerfressen*, fr. *corroder*, ingl. *to corrode*, it. *corrodere*). tr. Desgastar lentamente una cosa como royéndola. Ú.t.c.r. || fig. Inquietar el ánimo o arruinar la salud el peso del remordimiento o de alguna aflicción. [*Sinón.:* consumir]

corromper (al. *verderben*, fr. *corrompre*, ingl. *to corrupt*, it. *corrompere*). tr. Alterar y trastocar la forma de alguna cosa. Ú.t.c.r. || Echar a perder, dañar, podrir. Ú.t.c.r. || Sobornar o cohechar. || fig. Pervertir o seducir a una mujer. || fig. Viciar, pervertir. Ú.t.c.r. || fig. y fam. Fastidiar, irritar. || intr. Oler mal.

corrosión. f. Acción y efecto de corroer o corroerse.

corrosivo, va. adj. Dícese de lo que corroe o tiene virtud de corroer.

corrupción (al. *Verwesung*, fr. *corrupción*, ingl. *corruptness*, it. *corruzione*). f. Acción y efecto de corromper. || Alteración o vicio en un libro o escrito. || fig. Vicio o abuso introducido en las cosas no materiales.

corruptela. f. Corrupción. || Mala costumbre o abuso.

corruptor, ra. adj. Que corrompe. Ú.t.c.s.

corrusco. m. fam. Mendrugo.

corsario, ria (al. *Korsar*, fr. *corsaire*, ingl. *privateer*, it. *corsaro*). adj. Dícese del buque que andaba al corso, con patente de su gobierno. || Dícese del capitán de un buque corsario. Por ext., se aplica también a la tripulación. Ú.t.c.s.

corsé. m. Prenda interior a modo de cotilla que usan las mujeres para ajustarse el cuerpo.

corsear. intr. MAR. Ir al corso.

corsetería. f. Fábrica de corsés. || Tienda donde se venden.

corso. m. MAR. Campaña que hacían los buques mercantes con patente de su gobierno para perseguir a los piratas o embarcaciones enemigas.

corso, sa. adj. Natural de Córcega. Ú.t.c.s. || Perteneciente a esta isla.

corta. f. Acción de cortar árboles, arbustos y otras plantas.

cortado, da. adj. Ajustado, proporcionado. || Se dice del estilo que se distingue por la brevedad de las cláusulas o períodos. || BLAS. Se dice de las piezas o del escudo que tienen la mitad superior de un esmalte y la mitad inferior de otro. || m. Taza o vaso de café con algo de leche.

cortador, ra (al. *Zuschneider*, fr. *coupeur*, ingl. *cutter*, it. *tagliatore*). adj. Que corta. || m. El que en los talleres de sastrería, zapatería, etc., corta los trajes o piezas de cada objeto que en ellos se fabrica.

cortadura. f. División hecha en un cuerpo por instrumento o cosa cortante. || Paso entre dos montañas. || Recortado, figura de papel. || pl. Recortes, desperdicios. [*Sinón.*: tajo, ablación, corte]

cortafierro. m. *Amer.* Cortafrío.

cortafrío. m. Cincel para cortar hierro frío a golpes de martillo.

cortafuego. m. AGR. Vereda ancha que se deja en los sembrados y montes para que no se propaguen los incendios. || ARQ. Pared toda de fábrica que se eleva desde la parte inferior del edificio hasta más arriba del caballete para evitar que se propaguen los incendios.

cortapisa. f. Guarnición que se cosía en una prenda con tela diferente a la de ésta. || fig. Gracia con que se dice algo. || fig. Limitación, condición con que se concede o da una cosa. [*Sinón.*: dificultad, obstáculo, traba]

cortaplumas. m. Navaja pequeña que sirve para varios usos.

cortar (al. *schneiden*, fr. *couper*, ingl. *to cut*, it. *tagliare*). tr. Dividir una cosa o separar sus partes con algún instrumento, como cuchillo, tijeras, etc. || Dar con las tijeras u otro instrumento la forma conveniente a las piezas de una prenda de vestir o calzar. || Hender un fluido. || Dividir algo en dos porciones. || En el juego de naipes, alzar o dividir la baraja. || Ser el aire o el frío muy penetrantes y sutiles. || Atajar, detener, impedir el curso o paso de una cosa. || Suprimir algo en un discurso, sermón, etc. || Castrar las colmenas. || Recortar. || Mezclar un líquido con otro para modificar su fuerza o sabor. || fig. Suspender, interrumpir una conversación. || intr. Tomar el camino más corto. || *Amer.* Tomar una dirección, echarse a andar. || r. Turbarse, faltarle a uno las palabras por causa de la turbación. || Separarse la parte mantecosa de la serosa en la leche. || Tratándose de salsas, natillas u otras preparaciones, separarse los ingredientes que debían quedar unidos. || rec. GEOM. Tratándose de dos líneas, superficies o cuerpos que tienen algún elemento común, pasar cada uno de ellos al otro lado del otro. [*Sinón.*: escindir, tajar]

corte (al. *Schnitt, Hof*; fr. *coupe, cour*; ingl. *cut, sovereign's residence or retinue*; it. *taglio, corte*). m. Filo del instrumento con que se corta y taja. || Acción y efecto de cortar. || Arte de cortar las piezas de un vestido, de un calzado u otras cosas. || Tela o cuero suficiente para hacer un vestido, calzado, etc. || Corta. || fig. Medio con que se pone fin a las diferencias de los que están discordes. || fig. Chasco. || *corte de mangas.* fig. y fam. Gesto de origen obsceno, hecho por lo general con los dos brazos, para indicar rechazo, oposición, menosprecio, etc. || *Amer.* Servicio o diligencia que se encomienda a uno y por los que se da algún pago. || ARQ. Sección de un edificio. || IMP. Superficie del canto de un libro. || f. En las monarquías, población donde reside el soberano. || Familia y séquito del rey. || Por ext., comitiva o acompañamiento. || Chancillería. || Corral. || Establo, aprisco. || *Amer.* Tribunal de justicia. || — *celestial.* Cielo, mansión divina. || pl. n.p.m. En España, parlamento, conjunto de las dos cámaras legislativas: Congreso de los Diputados y Senado. || *Cortes constituyentes.* Las que tienen poder y mandato para formar o modificar la Constitución. || *hacer la corte.* Cortejar, galantear.

cortedad. f. Pequeñez y poca extensión de una cosa. || fig. Ausencia o escasez de talento, de valor, de instrucción, etc. || fig. Poquedad de ánimo.

cortejar. tr. Galantear, requebrar, obsequiar a una mujer.

cortejo. m. Acción de cortejar. || Comitiva en una ceremonia. || Fineza, agasajo. [*Sinón.*: séquito, comitiva]

cortés. adj. Atento, afable.

cortesanía. f. Atención, agrado, urbanidad. [*Sinón.*: cortesía]

cortesano, na. adj. Perteneciente a la corte. || Cortés. || f. Puta.

cortesía (al. *Höflichkeit*, fr. *politesse*, ingl. *courtesy*, it. *gentilezza*). f. Demostración o acto que refleja la atención, respeto o afecto que tiene una persona a otra. || En las cartas, expresiones de respeto o afecto que se anteponen a la firma. || Regalo, obsequio. || Gracia, merced. || IMP. Hoja, página o parte de ella que en las obras impresas se deja en blanco entre dos capítulos o al principio de ellos.

corteza (al. *Rinde*, fr. *écorce*, ingl. *bark*, it. *corteccia*). f. BOT. Parte exterior de las raíces y tallos de las plantas fanerógamas, que está formada por varias capas de células y rodea el cilindro central. || Parte exterior y dura de algunas frutas y otras cosas. || fig. Rusticidad, falta de política y crianza en una persona.

cortical. adj. Perteneciente o relativo a la corteza.

cortijo. m. En Andalucía, posesión de tierra y casa de labor.

cortil. m. Corral.

cortina (al. *Vorhang*, fr. *rideau*, ingl. *curtain*, it. *tenda*). f. Paño grande con que se cubren y adornan las puertas, ventanas y otras cosas. || fig. Lo que está encubriendo algo.

cortinaje. m. Conjunto de cortinas.

cortinilla. f. Cortina pequeña que se coloca en la parte interior de los cristales para resguardarse del sol o de miradas ajenas.

cortisona. f. BIOL. Sustancia extraída de la corteza de las glándulas suprarrenales. Se usa para combatir el artritismo, las fiebres reumáticas, etc.

corto. m. *Neol.* Cortometraje.

corto, ta (al. *kurz*, fr. *court*, ingl. *short*, it. *corto*). adj. Dícese de las cosas que no tienen la extensión que les corresponde, y de las que son pequeñas en comparación con otras de su misma especie. || De poca duración, extensión o entidad. || Escaso o defectuoso. || fig. Tímido, encogido. || fig. De escaso talento o poca instrucción. || fig. Falto de palabras o expresiones para explicarse. || *a la corta o a la larga.* m. adv. Más tarde o más temprano; al fin y al cabo. [*Sinón.*: breve; efímero; exiguo; tímido. *Antón*: largo; extenso; despierto]

cortocircuito o **corto circuito.** ↗ *circuito.*

cortometraje. m. CINEM. Película de corta duración.

cortón. m. ZOOL. Insecto ortóptero semejante al grillo, aunque de mayor tamaño.

coruñés, sa. adj. Natural de La Coruña. Ú.t.c.s. || Perteneciente a esta ciudad o a su provincia.

corva. f. Parte inferior de la pierna, opuesta a la rodilla, por donde se dobla y encorva. [*Sinón.*: jarrete]

corvadura. f. Parte por donde se tuerce, dobla o encorva una cosa. || Curvatura. || ARQ. Parte curva o arqueada del arco o de la bóveda.

corvato. m. Pollo del cuervo.

corvejón. m. Articulación situada entre la parte inferior de la pierna y superior de la caña, y a la que se deben los principales movimientos de flexión y extensión de las extremidades posteriores de los cuadrúpedos.

corveta. f. Movimiento que se enseña al caballo, obligándole a ir sobre las patas traseras con las manos al aire.

córvido. adj. ZOOL. Se dice de los pájaros dentirrostros, bastante grandes, con pico largo y fuerte y que son necrófagos; como el cuervo. || m. pl. Familia de estos animales.

corvo, va. adj. Arqueado o combado. || m. Garfio.

corza. f. Hembra del corzo.

corzo (al. *Rehbock*, fr. *chevreuil*, ingl. *falow-deer*, it. *capriolo*). m. ZOOL. Mamífero rumiante cérvido, algo mayor que la cabra, de cola corta, pelaje gris rojizo y cuernas pequeñas rugosas y ahorquilladas hacia la punta.

cosa (al. *Sache*, fr. *chose*, ingl. *thing*, it. *cosa*). f. Todo lo que tiene entidad, ya sea corporal o espiritual, natural o artificial, real o abstracta. || Ser inanimado, en contraposición con los seres animados. || En oraciones negativas, nada. || DER. En contraposición a los sujetos o personas, objeto de las relaciones jurídicas. || DER. El objeto material en contraposición a los derechos creados sobre él y a las prestaciones personales. || fam. Órgano sexual. || *como si tal cosa.* fig. y fam. Como si no hubiera pasado nada. || *cosa de.* m. adv. fam. Cerca de, o poco más o menos.

cosaco, ca. adj. Dícese del habitante de varios distritos de Rusia. Ú.t.c.s. || m. Soldado ruso de tropa ligera.

coscoja. f. BOT. Árbol achaparrado semejante a la encina, en el que vive el quermes que produce el coscojo. || Hoja seca de la encina. || Chapa de hierro arrollada en forma de cañuto, que se coloca en los travesaños de bocados y hebillas para que pueda correr con facilidad el correaje.

coscomate. m. *Amer.* Troje cerrado hecho con barro y zacate, para conservar el maíz.

coscorrón. m. Golpe doloroso en la cabeza, que no produce herida.

cosecante. f. TRIG. Secante del complemento de un ángulo o de un arco.

cosecha (al. *Ernte*, fr. *récolte*, ingl. *crop*, it. *raccolta*). f. Conjunto de frutos que se recogen de la tierra al llegar a la sazón. || Temporada en que se recogen los frutos. || Producto que se obtiene de los frutos recogidos mediante el tratamiento adecuado. || fig. Conjunto de lo que uno obtiene como resultado de sus cualidades o de sus actos. [*Sinón.*: recolección]

cosechadora. f. AGR. Máquina que participa de las características de la segadora y la trilladora.

cosechar. intr. Hacer la cosecha. Ú.t.c.tr. || fig. Ganarse, atraerse o concitarse simpatías, odios, fracasos, éxitos, etc. [*Sinón.*: recolectar]

cosechero, ra. s. Persona que tiene cosecha.

coseno (al. *Kosinus*, fr. *cosinus*, ingl. *cosine*, it. *coseno*). m. TRIG. Seno del complemento de un ángulo o un arco.

coser (al. *nähen*, fr. *coudre*, ingl. *to sew*, it. *cucire*). tr. Unir con hilo, generalmente enhebrado en la aguja, dos o más pedazos de tela, cuero u otra materia. || Hacer labores de aguja. || fig. Unir una cosa con otra, de suerte que queden muy juntas o pegadas. || fig. Producir a uno varias heridas en el cuerpo con arma punzante.

cósico. adj. ARIT. Se dice del número que es potencia de otro.

cosido. m. Acción y efecto de coser. || Calidad de la costura.

cosificar. tr. Convertir algo en cosa. || Considerar como cosa algo que no lo es.

cosmético, ca (al. *Schönheitsmittel*, fr. *cosmétique*, ingl. *cosmetic*, it. *cosmetico*). adj. Dícese de las sustancias preparadas para hermosear el cutis y el cabello. Ú.t.c.s.m. || f. Arte de aplicar estas sustancias.

cósmico, ca (al. *kosmisch*, fr. *cosmique*, ingl. *cosmic*, it. *cosmico*). adj. Perteneciente al cosmos. || ASTR. Se aplica al orto u ocaso de un astro, que coincide con la salida del sol.

cosmódromo. m. Pista de despegue de naves espaciales.

cosmogonía. f. Ciencia que trata de la formación del universo.

cosmografía. f. Descripción astronómica del mundo o astronomía descriptiva.

cosmología. f. Conocimiento filosófico de las leyes que rigen el mundo físico.

cosmonauta. com. Tripulante de una cosmonave.

cosmonáutica. f. Ciencia o arte de navegar más allá de la atmósfera terrestre.

cosmonave. f. Vehículo capaz de navegar más allá de la atmósfera terrestre.

cosmopolita. adj. Dícese de la persona que considera todo el mundo como patria suya. Ú.t.c.s. || Dícese de lo que es común a todos los países o a los más de ellos.

cosmos. m. Mundo, todo lo creado.

coso. m. Plaza, sitio o lugar cerrado donde se corren y lidian toros y se celebran fiestas públicas. || Calle principal en algunas poblaciones.

cosquillas. f. pl. Sensación que se experimenta en algunas partes del cuerpo cuando son ligeramente tocadas por otra persona y que consiste en cierta conmoción que provoca involuntariamente la risa.

cosquillear (al. *kitzeln*, fr. *chatouiller*, ingl. *to tickle*, it. *fare il solletico*). tr. Hacer cosquillas.

cosquilleo. m. Sensación que producen las cosquillas o semejante a ella.

cosquilloso, sa. adj. Que siente mucho las cosquillas. || fig. De genio muy delicado y susceptible.

costa (al. *Gerichtskosten, Küste;* fr. *dépens, côte;* ingl. *costs, coast;* it. *spese,* costa). f. Cantidad que se da o se paga por una cosa. || Gasto de manutención del trabajador añadido al salario. || pl. Gastos judiciales. || Orilla del mar y tierra que está cerca de ella.

costado. m. Cada una de las dos partes laterales del cuerpo humano que están entre pecho, espalda, sobacos y caderas. || Lado derecho o izquierdo de un ejército. || Lado. || MAR. Cada uno de los lados del casco de un buque. || pl. En la genealogía, líneas de los abuelos paternos y maternos.

costal. adj. Perteneciente a las costillas. || m. Saco grande de tela ordinaria.

costalada. f. Golpe que uno se da al caer de espaldas o de costado. [Sinón.: costalazo]

costanera. f. Cuesta, pendiente del terreno. || pl. Maderos largos que cargan sobre la viga principal que forma el caballete de un edificio.

costanero, ra. adj. Que está en cuesta. || Perteneciente a la costa.

costar (al. kosten, fr. coûter, ingl. to cost, it. costare). intr. Comprar o adquirir una cosa por determinado precio. || Estar en venta una cosa a determinado precio. || fig. Ocasionar una cosa desvelo, cuidado, perjuicio, etc. || costarle a uno caro, o cara, una cosa. fig. y fam. Resultar perjuicio o daño de su ejecución.

costarricense. adj. Natural de Costa Rica. Ú.t.c.s. || Perteneciente a esta república americana.

costarriqueño, ña. adj. Costarricense.

coste (al. Wert, fr. coût, ingl. cost, it. costo). m. Costa, valor de algo.

costear (al. kosten bestreiten, fr. défrayer, ingl. to defray, it. spesare). tr. Pagar o satisfacer los gastos de alguna cosa. || r. Producir lo bastante para satisfacer su gasto. || tr. MAR. Ir navegando sin perder de vista la costa. || Ir por el costado de una cosa.

costeño, ña. adj. Perteneciente o relativo a la costa. || Natural de la costa de un país. Ú.t.c.s. || Costanero.

costero, ra. adj. Costanero, perteneciente o relativo a la costa, próximo a ella. || m. METAL. Cada uno de los muros que forman los costados de un horno alto. || MINER. Hastial de un criadero.

costil. adj. Se dice de lo que pertenece a las costillas.

costilla (al. Rippe, fr. côte, ingl. rib, it. costola). f. Cada uno de los huesos largos y encorvados que nacen de la

columna vertebral y acaban en el centro del pecho. || fig. y fam. Mujer propia. || MAR. Cuaderna del buque. || pl. fam. Espalda del cuerpo humano.

costillaje. m. fam. Costillar.

costillar. m. Conjunto de costillas. || Parte del cuerpo en la cual están.

costo. m. Costa, lo que cuesta una cosa.

costoso, sa. adj. Que cuesta mucho. || fig. Que acarrea daño o sentimiento.

costra (al. Kruste, fr. croûte, ingl. crust, it. crosta). f. Cubierta o corteza exterior que se endurece o seca sobre una cosa húmeda o blanda. || Postilla.

costumbre (al. Gewohnheit, fr. coutume, ingl. custom, it. costume). f. Hábito, modo habitual de conducirse. || Lo que por genio o propensión se hace más comúnmente. || Menstruo o regla de las mujeres. || pl. Conjunto de cualidades o inclinaciones y usos que forman el carácter distintivo de una nación o persona.

costumbrismo. m. En las obras literarias, pintura de las costumbres típicas de un país o región.

costumbrista. adj. Perteneciente o relativo al costumbrismo.

costura (al. Naht, fr. couture, ingl. sewing, it. cucitura). f. Acción y efecto de coser. || Toda labor que está cosiéndose y se halla sin acabar, especialmente si es de ropa blanca. || Oficio de coser. || Serie de puntadas que une dos piezas cosidas y, por extensión, unión hecha con clavos o roblones.

costurera (al. Weissnäherin, fr. couturière, ingl. seamstress, it. sarta). f. Mujer que tiene por oficio coser, o cortar y coser, ropa blanca. || La que cose de sastrería.

costurero. m. Mesita con cajón y almohadilla; de ella se sirven las mujeres para la costura.

costurón. m. aum. de costura. || despect. Costura grosera. || fig. Cicatriz o señal muy visible de una herida o llaga.

cota. f. Arma defensiva del cuerpo que se usaba antiguamente. || Cuota. || TOP. Cifra que en los planos indica la altura de un punto. || Esta misma altura.

cotangente. f. TRIG. Tangente al complemento de un ángulo o de un arco.

cotarro. m. Recinto en que se da albergue por la noche a pobres y vagabundos que no tienen posada. || Ladera de un barranco.

cotejar (al. gegeneinanderhalten, fr. collationner, ingl. to check, it. confron-

tare). Confrontar una cosa con otra u otras; compararlas teniéndolas a la vista.

cotejo. m. Acción y efecto de cotejar. [Sinón.: comparación]

cotidiano, na. adj. Diario.

cotiledón. m. BOT. Órgano de reserva del embrión de las fanerógamas, que almacena la albúmina y sustancias nutritivas.

cotiledóneo, a. adj. BOT. Perteneciente o relativo al cotiledón. || BOT. Dícese de las plantas cuyo embrión contiene uno o más cotiledones. Ú.t.c.s.f. || f. pl. BOT. Grupo de estos vegetales.

cotilla. f. Ajustador que usaban las mujeres, formado de tela o seda y de ballenas. || com. fig. Persona amiga de chismes y cuentos.

cotillear. intr. fam. Chismorrear.

cotillo. m. En algunas herramientas de corte, parte opuesta al filo.

cotillón. m. Danza con figuras, y generalmente en compás de vals, que solía ejecutarse al final de los bailes de sociedad.

cotización. f. Acción y efecto de cotizar. [Sinón.: valoración]

cotizar (al. notieren, fr. coter, ingl. to quote, it. quotare). tr. COM. Publicar en la bolsa los precios de los valores que tienen curso público. || fig. Gozar de mayor o menor estimación pública una persona en relación con determinado fin.

coto. m. Terreno acotado. || Mojón que se pone para señalar la división de los términos o de las heredades. || Término límite. || Postura, tasa. || Convención que suelen hacer entre sí los mercaderes, de no vender sino a determinado precio. || Medida lineal de medio palmo. || Amer. Bocio o papera.

cotona. f. Amer. Camiseta fuerte de algodón u otra materia según los países. || Amer. Chaqueta de gamuza.

cotorra (al. Sittich, fr. perruche, ingl. parrot, it. cocorita). f. Papagayo pequeño. || Urraca. || ZOOL. Ave prensora americana, parecida al papagayo, con plumas de varios colores, entre los que predomina el verde. Tiene la cola y las alas largas y puntiagudas. || fig. y fam. Persona muy habladora.

cotorrear. intr. fam. Hablar con exceso.

coturno. m. Calzado griego y romano que cubría el pie y la pierna hasta la pantorrilla. || Calzado de suela de corcho muy gruesa que usaban los actores antiguos para parecer más altos.

coulomb. m. Fís. Nombre del columbio en la nomenclatura internacional.

covacha. f. Cueva pequeña.

covadera. f. *Amer.* Yacimiento de guano.

coxal. adj. Perteneciente o relativo a la cadera.

coxis. m. Zool. Cóccix.

coy. m. Mar. Lona rectangular que, suspendida por sus extremos, sirve de cama a bordo.

coyote. m. Zool. Especie de lobo que se cría en México. Es de color gris amarillento y del tamaño de un perro mastín.

coyunda. f. Correa o soga con que se uncen los bueyes al yugo.

coyuntura. f. Articulación o trabazón movible de un hueso con otro. ‖ fig. Sazón, oportunidad para alguna cosa. ‖ fig. Combinación de factores y circunstancias en un momento dado.

coz (al. *Ausschlagen,* fr. *ruade,* ingl. *kick,* it. *calcio*). f. Movimiento violento que hacen las bestias con alguna de sus patas. ‖ Golpe que dan con este movimiento. ‖ Golpe que da una persona moviendo con violencia el pie hacia atrás. ‖ Retroceso de las armas de fuego. ‖ Retroceso del agua cuando encuentra algún impedimento en su camino. ‖ Culata de las armas de fuego. ‖ fig. Acción o palabra injuriosa o grosera.

crac. m. Quiebra, bancarrota.

cran. m. Imp. Muesca que tiene el carácter tipográfico y que sirve de guía al cajista para colocarlo debidamente en el componedor.

craneal. adj. Perteneciente o relativo al cráneo.

craneano, na. adj. Craneal.

cráneo (al. *Schädel,* fr. *crâne,* ingl. *skull,* it. *cranio*). m. Anat. Caja ósea en que está contenido el encéfalo.

crápula. f. Embriaguez o borrachera. ‖ fig. Disipación, libertinaje. ‖ m. Hombre de vida licenciosa.

crascitar. intr. Graznar el cuervo.

crasiento, ta. adj. Grasiento.

crasitud. f. Gordura, grasa del cuerpo.

craso, sa. adj. Grueso, gordo o espeso. ‖ Unido a los sustantivos *error, ignorancia, engaño* y otros semejantes, indisculpable.

crasuláceo, a. adj. Bot. Dícese de hierbas y arbustos dicotiledóneos de hojas carnosas, flores en cima y frutos en folículos dehiscentes. Ú.t.c.s.f. ‖ f. pl. Bot. Familia de estas plantas.

cráter (al. *Krater,* fr. *cratère,* ingl. *crater,* it. *cratere*). m. Boca por donde los volcanes arrojan humo, ceniza, lava y otras materias, según los casos. ‖ n.p.m. Astr. Copa, constelación austral.

creación (al. *Schöpfung,* fr. *création,* ingl. *creation,* it. *creazione*). f. Acto de crear o sacar Dios una cosa de la nada. ‖ Mundo, todo lo creado. ‖ Acción de instituir nuevos cargos o dignidades. ‖ Producción, obra, invención de cosa material.

creador, ra. adj. Dícese de Dios, que sacó todas las cosas de la nada. Ú.m.c.s. ‖ fig. Se aplica al que crea.

crear (al. *schaffen,* fr. *créer,* ingl. *to create,* it. *creare*). tr. Producir algo de la nada. ‖ fig. Establecer, fundar, introducir por primera vez una cosa; hacerla nacer o darle vida. ‖ fig. Instituir un nuevo empleo o dignidad. ‖ fig. Tratándose de dignidades muy elevadas, por lo común eclesiásticas y vitalicias, hacer a una persona lo que antes no era. ‖ fig. Producir una obra, imitar, formar, componer.

creatividad. f. Calidad de creativo.

creativo, va. adj. Capaz de crear algo.

crecer (al. *wachsen,* fr. *croître,* ingl. *to grow,* it. *crescere*). intr. Tomar aumento natural los seres vivientes. ‖ Aumentar una cosa por añadírsele nueva materia. ‖ Hablando de la Luna, aumentar la parte iluminada visible desde la Tierra. ‖ Hablando de la moneda, aumentar su valor. ‖ r. Tomar mayor autoridad, importancia, atrevimiento. [*Sinón.:* desarrollarse; madurar; revalorarse. *Antón.:* decrecer; devaluarse]

creces. f. pl. Aumento aparente de volumen que adquiere el trigo en la troje traspasándolo de una parte a otra. ‖ Señales que indican disposición de crecer. ‖ fig. Aumento, ventaja, exceso en algunas cosas. ‖ *con creces.* m. adv. Amplia, colmadamente.

crecida. f. Aumento del agua en los ríos y arroyos por las lluvias o la nieve derretida.

creciente. adj. Que crece. ‖ Astr. Cuarto creciente, la Luna desde su conjunción hasta el plenilunio.

crecimiento. m. Acción y efecto de crecer. ‖ Aumento del valor intrínseco de la moneda.

credencial. adj. Que acredita. ‖ f. Documento que sirve para que a un empleado se le dé posesión de su plaza. ‖ *carta credencial.* La que se da a un embajador para acreditar su condición de tal en su punto de destino. Ú.m. en pl.

crediticio, cia. adj. Perteneciente o relativo al crédito.

crédito (al. *Kredit,* fr. *crédit,* ingl. *credit,* it. *credito*). m. Asenso. ‖ Derecho que tiene uno de recibir alguna cosa de otro, generalmente dinero. ‖ Reputación, fama, autoridad. ‖ Situación económica o condiciones morales de una persona que la facultan para obtener de otros fondos o mercancías. ‖ *dar a crédito.* Prestar dinero sin otra seguridad que el crédito de quien lo recibe. ‖ *dar crédito.* Creer.

credo. m. Rel. Símbolo de la fe, enseñada por los apóstoles, en el cual se contienen los principales artículos de ella. ‖ fig. Conjunto de creencias comunes a una colectividad.

credulidad (al. *Leichtgläubigkeit,* fr. *crédulité,* ingl. *credulity,* it. *credulità*). f. Calidad de crédulo.

crédulo, la. adj. Que cree con facilidad. [*Antón.:* incrédulo]

creencia (al. *Glaube,* fr. *croyance,* ingl. *belief,* it. *credenza*). f. Firme asentimiento y conformidad con alguna cosa. ‖ Religión, secta. [*Sinón.:* convicción, fe]

creer (al. *glauben,* fr. *croire,* ingl. *to believe,* it. *credere*). tr. Aceptar como verdad una cosa que el entendimiento no alcanza o que no está comprobada. ‖ Pensar, juzgar, sospechar una cosa o estar persuadido de ella. ‖ Tener una cosa por verosímil o probable. Ú.t.c.r.

creíble. adj. Que puede o merece ser creído.

crema (al. *Rahm,* fr. *crème,* ingl. *cream,* it. *crema*). f. Sustancia grasa contenida en la leche. ‖ Natillas espesas que suelen tostarse por encima. ‖ Sopa espesa. ‖ fig. La sociedad elegante y distinguida. ‖ Confección cosmética para suavizar el cutis. ‖ Pasta untuosa para limpiar y dar brillo a las pieles curtidas, en especial a las del calzado.

cremación. f. Acción de quemar. [*Sinón.:* incineración]

cremallera (al. *Zahnradstange,* fr. *crémaillère,* ingl. *rack,* it. *cremagliera*). f. Barra metálica dentada para engranar con un piñón y convertir un movimiento circular en rectilíneo o viceversa. ‖ Cierre consistente en dos tiras flexibles guarnecidas de dientes, que se aplica a una abertura en prendas de vestir, bolsos y cosas semejantes.

crematística. f. Economía política. ‖ Interés pecuniario de un negocio.

crematístico, ca. adj. Perteneciente o relativo a la crematística.

crematorio, ria. adj. Relativo a la cremación de los cadáveres y materias deletéreas.

cremoso, sa. adj. Que tiene la naturaleza o aspecto de la crema. || Que tiene mucha crema.

crencha. f. Raya que divide el cabello en dos partes y lo echa a ambos lados de la cabeza. || Cada una de estas partes.

creolina. f. FARM. Preparación líquida negruzca, espesa, de creosota de hulla y jabones resinosos. Es desodorizante y desinfectante.

creosota. f. QUIM. Líquido incoloro y oleaginoso, mezcla de varios fenoles. Se extrae de la brea vegetal y se utiliza para la conservación de la madera.

crepitación. f. Acción y efecto de crepitar.

crepitar (al. *prasseln*, fr. *pétiller*, ingl. *to crackle*, it. *crepitare*). intr. Hacer un chasquido semejante al del ruido de la leña cuando arde.

crepuscular. adj. Concerniente al crepúsculo.

crepúsculo (al. *Dämmerung*, fr. *crépuscule*, ingl. *twilight*, it. *crepuscolo*). m. Claridad que hay desde que raya el día hasta que sale el Sol, y desde que éste se pone hasta que es de noche. || Tiempo que dura esta claridad.

creso. m. fig. El que tiene grandes riquezas.

crespo, pa. adj. Ensortijado o rizado. Se dice del cabello que naturalmente forma rizos o sortijillas. || Dícese de las hojas de algunas plantas cuando están retorcidas. || m. Rizo.

crespón. m. Gasa en que la urdimbre está más retorcida que la trama. || Gasa negra que se usa en señal de luto.

cresta (al. *Kamm*, fr. *crête*, ingl. *cockscomb*, it. *cresta*). f. Carnosidad roja que algunas aves tienen en la cabeza. || Copete, moño de plumas de ciertas aves. || Protuberancia de poca altura y extensión que poseen algunos animales, aunque no sea carnosa ni de pluma. || fig. Cumbre peñascosa de una montaña. || Cima de una ola.

crestería. f. ARQ. Adorno de labores caladas que se usó mucho en el estilo ojival. || Coronamiento de las antiguas fortificaciones.

crestomatía. f. Colección de escritos selectos para la enseñanza.

creta. f. Carbonato de cal terroso.

cretáceo, a. adj. GEOL. Se dice del terreno de formación posterior al jurá-

sico y más antiguo que el eoceno. || Perteneciente a este terreno.

cretense. adj. Natural de Creta. Ú.t.c.s. || Perteneciente a esta isla.

cretinismo (al. *Kretinismus*, fr. *crétinisme*, ingl. *cretinism*, it. *cretinismo*). PAT. Enfermedad caracterizada por un peculiar retraso de la inteligencia, acompañado, generalmente, de defectos del desarrollo orgánico.

cretino, na. adj. Que padece cretinismo. Ú.t.c.s. || fig. Estúpido, necio. Ú.t.c.s.

cretona. f. Tela de algodón, blanca o estampada.

creyente. adj. Que cree. Ú.t.c.s.

cría (al. *Wurf;* fr. *couvée, ventrée;* ingl. *brood;* it. *covata*). f. Acción y efecto de criar a los hombres y a los animales. || Niño o animal mientras se está criando. || Conjunto de hijos que tienen de un parto, o en un nido, los animales.

criadero, ra. adj. Fecundo en criar. m. Lugar adonde se transplantan los árboles silvestres o los sembrados en almáciga. || Lugar destinado a la cría de los animales. || Agregado de sustancias inorgánicas de útil explotación, que se encuentra entre la masa de un terreno.

criadilla. f. En los animales de matadero, testículo. || Patata, tubérculo.

criado, da. adj. Con los adverbios *bien* o *mal* se aplica a la persona de buena o mala crianza. || s. Persona que sirve por un salario, y especialmente la que se emplea en el servicio doméstico. [*Sinón.*: sirviente, fámulo]

criador, ra. adj. Que nutre y alimenta. || Atributo que se da a Dios, hacedor de todas las cosas. Ú.t.c.s. || s. Persona que cría animales. || Vinicultor. || f. Nodriza.

crianza. f. Acción y efecto de criar a un niño mientras dura la lactancia. || Época de la lactancia. || Atención, cortesía. Suele usarse con los adjetivos *buena* o *mala*. || *Amer.* Conjunto de animales nacidos en una hacienda y destinados a ella.

criar (al. *säugen*, fr. *allaiter*, ingl. *to suckle*, it. *allattare*). tr. Producir algo de nada. || Engendrar, crear algo con medios humanos. Ú.t.c.r. || Nutrir, alimentar la madre o la nodriza al niño. || Alimentar, cuidar y cebar animales. || Educar y dirigir. || Establecer por primera vez o fundar una cosa. || Producir, cuidar y alimentar un animal a sus hijuelos.

criatura. f. Toda cosa criada. || Niño recién nacido o de poco tiempo. || Feto antes de nacer.

criba. f. Instrumento para cribar compuesto de un cerco de madera al cual está asegurado un cuero ordenadamente agujereado o una tela metálica. || Cualquiera de los aparatos mecánicos que se usan para cribar semillas, o para limpiar minerales. [*Sinón.*: cedazo, harnero, zaranda]

cribar (al. *steben*, fr. *cribler*, ingl. *to sift*, it. *crivellare*). tr. Separar las impurezas de una semilla por medio de la criba. || Pasar un mineral por la criba.

cric. m. Gato, instrumento usado para levantar grandes pesos.

cricket (voz inglesa). Criquet.

cricoides. adj. ANAT. Se dice del cartílago anular inferior de la laringe de los mamíferos. Ú.t.c.s.m.

crimen. m. Delito grave.

criminal (al. *verbrecher*, fr. *criminel*, ingl. *criminal*, it. *criminale*). adj. Perteneciente al crimen o que de él toma origen. || Dícese de las leyes, institutos o acciones destinados a perseguir y castigar los crímenes o delitos. || Que ha cometido o intentado cometer un crimen. Ú.t.c.s.

criminalidad. f. Carácter criminal de una acción. || Estadística de los crímenes cometidos en un territorio y tiempo determinados.

criminalista. adj. Se dice del abogado que se dedica a las causas criminales. Ú.t.c.s.

criminar. tr. Acriminar. || fig. Censurar.

criminología. f. Tratado acerca del delito, sus causas y su represión.

criminoso, sa. adj. Criminal. || s. Delincuente o reo.

crin (al. *Mähnenhaar*, fr. *crin*, ingl. *mane*, it. *criniera*). f. Conjunto de cerdas que tienen algunos animales en la parte superior del cuello. Ú.m. en pl.

crinera. f. Parte superior del cuello de las caballerías, donde nace la crin.

crío (al. *Säugling*, fr. *nourrisson*, ingl. *nursing baby*, it. *bimbo lattante*). m. fam. Niño o niña que se está criando.

criollo, lla. adj. Decíase del hijo de padres europeos, nacido en cualquier otra parte del mundo. Ú.t.c.s. || Dícese del negro nacido en América. Ú.t.c.s. || Se aplica a los sudamericanos descendientes de europeos. Ú.t.c.s. || Se dice de las cosas o costumbres propias de los países sudamericanos.

cripta. f. Lugar subterráneo para sepulturas. || Piso subterráneo para el culto en una iglesia.

críptico, ca. adj. Relativo a la criptografía. ‖ Oscuro, enigmático.

criptógamo, ma. adj. BOT. Acotiledóneo. ‖ f. pl. BOT. Grupo de las plantas sin flores.

criptografía. f. Arte de escribir en clave secreta.

criptograma. m. Documento cifrado.

criptón. m. QUÍM. Gas noble, incoloro, totalmente inerte, que se halla en muy pequeña cantidad en la atmósfera terrestre. Se emplea para llenar tubos fluorescentes eléctricos.

criptorquidia. f. PAT. Falta de uno o ambos testículos en el escroto.

criquet. m. Juego de pelota que se ejecuta en campo de hierba con paletas de madera.

crisálida. f. ZOOL. Ninfa de cualquier insecto lepidóptero.

crisantemo (al. *Chrysantheme*, fr. *chrysanthème*, ingl. *chrysanthemum*, it. *crisantemo*). m. BOT. Planta perenne compuesta, con flores reunidas en cabezuelas, abundantes, pedunculadas, de colores variados aunque frecuentemente moradas. ‖ Flor de esta planta.

crisis (al. *Krise*, fr. *crise*, ingl. *crisis*, it. *crisi*). f. Mutación considerable que acaece en una enfermedad, ya sea para mejorarse, ya para agravarse el enfermo. ‖ Mutación importante en el desarrollo de otros procesos, físicos, históricos o espirituales. ‖ Situación de un asunto o proceso cuando está en duda la continuación, modificación o cese. ‖ Por ext., situación dificultosa o complicada.

crisma. amb. Aceite y bálsamo mezclados que consagran los obispos el Jueves Santo para ungir a los que se bautizan y se confirman, y también a los obispos y sacerdotes cuando se consagran u ordenan. ‖ *romper la crisma* a uno. fig. y fam. Descalabrar, herir a uno en la cabeza.

crismera. f. Vaso en que se guarda el crisma.

crismón. m. Lábaro, monograma de Cristo.

crisobalanáceo, a. adj. BOT. Dícese de plantas leñosas angiospermas, dicotiledóneas, siempre verdes, que viven en los países tropicales. Dan frutos en drupa, comestibles. Ú.t.c.s. ‖ f. pl. Familia de estas plantas.

crisol (al. *Schmelztiegel*, fr. *creuset*, ingl. *crucible*, it. *crogiolo*). m. Vaso más ancho de arriba que de abajo, que se emplea para fundir un material a temperatura muy elevada. ‖ Cavidad que en la parte inferior de los hornos sirve para recibir el metal fundido.

crisomélido. adj. ZOOL. Dícese de insectos coleópteros, tetrámeros, de aspecto variado. A veces tienen colores brillantes y de aspecto metálico. ‖ m. pl. Familia de estos insectos.

crispar. tr. Causar contracción repentina y pasajera en el tejido muscular o en cualquier otro de naturaleza contráctil. Ú.t.c.r.

cristal (al. *Kristall*, fr. *cristal*, ingl. *crystal*, it. *cristallo*). m. Vidrio incoloro y muy transparente que resulta de la mezcla y fusión de la arena silícea con potasa y minio, y que recibe colores permanentes lo mismo que el vidrio común. ‖ Espejo, utensilio para mirarse. ‖ Tela de lana delgada y con algo de lustre. ‖ FÍS. Cualquier cuerpo sólido cuyos átomos y moléculas están regularmente repetidos en el espacio. ‖ MINERAL. Cualquier cuerpo sólido que naturalmente tiene forma poliédrica más o menos regular.

cristalera. f. Armario con cristales. ‖ Ventanal, vidriera o puerta de cristales.

cristalería. f. Establecimiento donde se fabrican o venden objetos de cristal. ‖ Conjunto de estos mismos objetos. ‖ Parte de la vajilla que consiste en vasos, copas y jarras de cristal.

cristalino, na. adj. De cristal. ‖ Parecido al cristal. ‖ m. ANAT. Cuerpo de forma esférica lenticular situado detrás de la pupila del ojo de los vertebrados y cefalópodos.

cristalización. f. Acción y efecto de cristalizar o cristalizarse. ‖ Cosa cristalizada.

cristalizar. intr. Tomar ciertas sustancias forma cristalina. Ú.t.c.r. ‖ fig. Tomar forma precisa las ideas, sentimientos o deseos de una persona o colectividad. ‖ tr. Hacer tomar la forma cristalina a ciertas sustancias.

cristalografía (al. *Kristallkunde*, fr. *cristallographie*, ingl. *crystallography*, it. *cristallografia*). f. FÍS. y MINERAL. Descripción de las formas que toman los cuerpos al cristalizar.

cristaloide. m. Sustancia que, en disolución, atraviesa las láminas porosas que no dan paso a los coloides.

cristianar. tr. fam. Bautizar.

cristiandad. f. Comunidad de los fieles que profesan la religión cristiana. ‖ Observancia de la ley de Cristo.

cristianismo. m. Religión cristiana. ‖ Comunidad de los fieles cristianos. ‖ Bautizo.

cristianizar. tr. Conformar una cosa con el dogma o con el rito cristiano.

cristiano, na. adj. Perteneciente a la ley de Cristo y conforme a ella. ‖ Que profesa la fe de Cristo, que recibió el bautismo. Ú.t.c.s.

Cristo (al. *Christus*, fr. *Christ*, ingl. *Christ*, it. *Cristo*). m. El Hijo de Dios hecho hombre. ‖ Crucifijo.

criterio. m. Norma para conocer la verdad. ‖ Juicio o discernimiento. [*Sinón.*: regla, pauta; cordura]

crítica (al. *Kritik*, fr. *critique*, ingl. *criticism*, it. *critica*). f. Arte de juzgar la bondad, verdad y belleza de las cosas. ‖ Cualquier juicio formado sobre una obra de literatura o arte. ‖ Conjunto de opiniones vertidas sobre cualquier asunto. ‖ Murmuración. [*Sinón.*: análisis, apreciación; vituperio, diatriba]

criticar. tr. Juzgar de las cosas fundándose en los principios de la ciencia o en las reglas del arte. ‖ Vituperar, censurar. [*Sinón.*: analizar; reprobar]

criticismo. m. Método de investigación según el cual a todo trabajo científico debe preceder el examen de la posibilidad del conocimiento de que se trata y de las fuentes y límites de éste. ‖ Sistema filosófico de Kant.

crítico, ca. adj. Perteneciente a la crítica. ‖ Perteneciente o relativo a la crisis. ‖ Al hablar del tiempo, punto, ocasión, etc., el más oportuno. ‖ m. El que juzga según las reglas de la crítica.

criticón, na. adj. fam. Que todo lo critica, incluso las faltas o defectos más leves. Ú.t.c.s.

croar. intr. Cantar la rana.

croata. adj. Natural de Croacia. Ú.t.c.s. ‖ Perteneciente o relativo a esta región de Europa. ‖ m. Lengua croata, variedad del serviocroata.

crocante. adj. Dícese de ciertas pastas que crujen al mascarlas. ‖ m. Guirlache.

crocitar. intr. Crascitar.

croissant (voz francesa). m. Media luna, bollo en forma de media luna.

crol. m. Forma de natación en que la cabeza va sumergida salvo para respirar y el avance del cuerpo es de costado mediante el movimiento alternativo de los brazos.

cromado. m. Acción y efecto de cromar.

cromar. tr. Dar un baño de cromo a los objetos metálicos para hacerlos inoxidables.

cromático, ca (al. *chromatisch*, fr. *chromatique*, ingl. *chromatic*, it. *cromatico*). adj. MÚS. Que procede por semitonos. || ÓPT. Dícese del cristal o del instrumento óptico que hace a los objetos irisados.

cromatina. f. BIOL. Sustancia del núcleo de las células que se tiñe intensamente con los colorantes básicos durante la división nuclear. Forma la matriz del cromosoma.

cromatismo. m. Calidad de cromático.

cromlech (voz francesa). m. Crónlech.

cromo. m. QUÍM. Metal de color gris acerado, duro y quebradizo, bastante duro para rayar el vidrio, capaz de hermoso pulimento. || Cromolitografía, estampa.

cromo—. Elemento compositivo que forma parte de algunas voces españolas con significado de "color".

cromolitografía. f. Arte de litografiar en varios colores. || Estampa obtenida por medio de este arte.

cromosfera. f. ASTR. Zona superior de la envoltura gaseosa del Sol, de color rojo y constituida principalmente por hidrógeno inflamado.

cromosoma. m. BIOL. Cada uno de ciertos corpúsculos, casi siempre en forma de filamentos, que existen en el núcleo de las células, y sólo son visibles durante la mitosis.

cromotipia. f. Impresión en colores.

cromotipografía. f. Arte de imprimir en colores. || Obra hecha por este procedimiento.

crónica. f. Historia en que se observa el orden temporal de los acontecimientos. || Artículo periodístico sobre temas de actualidad.

crónico, ca (al. *chronisch*, fr. *chronique*, ingl. *chronic*, it. *cronico*). adj. Aplícase a las enfermedades largas o dolencias habituales. || Dícese de ciertos vicios inveterados. || Que viene de tiempo atrás.

cronicón. m. Breve crónica histórica.

cronista. com. Autor de una crónica, o el que tiene por oficio escribirla. || Empleo de cronista.

crónlech. m. Monumento megalítico consistente en una serie de piedras o menhires que cercan un corto espacio de terreno llano, y de figura elíptica o circular.

cronografía. f. Cronología.

cronógrafo. m. El que profesa la cronografía o tiene de ella especiales conocimientos. || Aparato que sirve para registrar gráficamente el tiempo que transcurre entre sucesos consecutivos.

|| Reloj o aparato que sirve para medir con exactitud tiempos sumamente pequeños.

cronología. f. Ciencia que tiene por objeto determinar el orden y fechas de los sucesos históricos. || Serie de personas o sucesos históricos por orden de fechas. || Manera de computar los tiempos.

cronometrador, ra. s. Técnico en cronometraje. || Persona encargada de cronometrar el tiempo en una carrera u otra competición deportiva.

cronometraje. m. Acción y efecto de cronometrar.

cronometrar. tr. Medir con el cronómetro.

cronómetro. m. Reloj de fabricación muy esmerada para conseguir la mayor regularidad en el movimiento de su máquina.

croquet (voz inglesa). m. Juego que se practica sobre césped o tierra apisonada. Cada jugador empuña una maza con la que golpea una bola que debe pasar por debajo de algunos aros, siguiendo un recorrido previamente fijado.

croqueta (al. *Krokette*, fr. *croquette*, ingl. *croquette*, it. *crocchetta*). f. Fritura que se hace en pequeños trozos, y de forma ovalada por lo regular, con carne muy picada de ternera, gallina o jamón, o de todo esto mezclado con leche y algún otro ingrediente, y rebozada con huevo y harina o pan rallado. Se hacen también con pescado.

croquis. m. Diseño. || PINT. Dibujo ligero, tanteo. [*Sinón*.: boceto, bosquejo]

croscitar. intr. Crascitar.

cross. Deporte que consiste en correr a campo traviesa.

crótalo. m. MÚS. Instrumento músico de percusión usado antiguamente y semejante a la castañuela. || ZOOL. Serpiente venenosa americana, llamada también serpiente de cascabel, que tiene en el extremo de la cola unos anillos óseos con los cuales hace al moverse un ruido particular.

crotorar. intr. Emitir la cigüeña su grito peculiar.

croupier (voz francesa). m. En las salas de juego, ayudante del banquero, o el que se encarga de dirigir las apuestas.

cruce (al. *Kreuzung*, fr. *croisée*, ingl. *crossing*, it. *incrociamento*). m. Acción de cruzar o cruzarse. || Punto donde se cortan dos líneas. || Avería producida en las líneas telefónicas, al ponerse en

contacto los hilos de diversas líneas. [*Sinón*.: cruzamiento; encuentro, encrucijada]

crucería. f. ARQ. Adorno de la arquitectura gótica compuesto de molduras que se cruzan en las bóvedas.

crucero (al. *Kreuzer*, fr. *croiseur*, ingl. *cruiser*, it. *incrociatore*). m. Encrucijada, cruce de calles y caminos. || Cruz de piedra que se coloca en el cruce de caminos. || Espacio en que se cruzan la nave mayor de una iglesia y la que atraviesa. ||Excursión marítima. || MAR. Buque de guerra de gran velocidad y radio de acción compatibles con fuerte armamento.

cruceta. f. Cada inserción de dos series de líneas paralelas. || MAR. Meseta que en la cabeza de los masteleros sirve para los mismos fines que la cofa en los palos mayores. || TÉCN. Pieza de unión en los acoplamientos de dos barras o ejes. || TÉCN. Pieza que une el vástago con la biela.

crucial. adj. Hecho en forma de cruz. || fig. Dícese del momento en que se cruzan tendencias antagónicas que pueden determinar la transformación radical de alguna cosa. [*Sinón*.: decisivo. *Antón*.: trivial]

crucífero, ra. adj. poét. Que lleva o tiene la insignia de la cruz. || BOT. Aplícase a las plantas dicotiledóneas, como el alhelí, la col, el nabo, etc. Ú.t.c.s.

crucificar. tr. Clavar en una cruz a una persona. || fig. y fam. Sacrificar, perjudicar.

crucifijo (al. *Kruzifix*, fr. *crucifix*, ingl. *crucifix*, it. *crocifisso*). m. Efigie o imagen de Cristo crucificado.

crucifixión. f. Acción y efecto de crucificar.

cruciforme. adj. De forma de cruz.

crucigrama. m. Pasatiempo que consiste en llenar un casillero con palabras, colocadas horizontal y verticalmente, guiándose por unas orientaciones determinadas.

crudeza (al. *Herbheit*, fr. *crudité*, ingl. *crudeness*, it. *crudezza*). f. Calidad de crudo. || fig. Rigor o aspereza. [*Sinón*.: dureza. *Antón*.: suavidad]

crudo, da (al. *Roh*, fr. *cru*, ingl. *raw*, it. *crudo*). adj. Dícese de los alimentos que no están preparados por medio de la acción del fuego, y también de los que no lo están hasta el punto conveniente. || Se aplica a la fruta que no está en sazón. || Dícese de algunos alimentos que son de difícil digestión. || Aplícase a algunas cosas cuando no están preparadas o curadas; como la seda, el lienzo, el cuero, etc. ‖ Dícese del color parecido al de la seda cruda y al de la lana sin blanquear. ‖ Dícese del petróleo sin refinar. Ú.t.c.s.m. ‖ fig. Cruel, áspero, despiadado. ‖ fig. Aplícase al tiempo muy frío y destemplado.

cruel (al. *grausam*, fr. *cruel*, ingl. *cruel*, it. *crudele*). adj. Que se deleita en hacer mal. ‖ fig. Insufrible, excesivo. ‖ fig. Sangriento, duro. [Sinón.: inhumano, feroz, sádico. Antón.: bondadoso]

crueldad. f. Inhumanidad, fiereza de ánimo, impiedad. ‖ Acción cruel e inhumana. [Sinón.: ferocidad, dureza; atrocidad. Antón.: humanidad, piedad]

cruento, ta. adj. Sangriento.

crujía. f. Tránsito largo de algunos edificios que da acceso a las piezas que hay a los lados. ‖ ARQ. Espacio comprendido entre dos muros de carga. ‖ MAR. Espacio de popa a proa en medio de la cubierta del buque. ‖ MAR. Pasamano de los buques.

crujido. m. Acción y efecto de crujir.

crujir (al. *krachen*, fr. *craquer*, ingl. *to crackle*, it. *cigolare*). intr. Hacer cierto ruido algunos cuerpos cuando rozan unos con otros o se rompen. ‖ r. *Amer.* Sentir gran frío.

crup. m. MED. Garrotillo, difteria.

crural. adj. ANAT. Perteneciente o relativo al muslo.

crustáceo, a. adj. Que tiene costra. ‖ ZOOL. Aplícase a los animales articulados de respiración branquial, cubiertos de un caparazón y que tienen cierto número de patas dispuestas simétricamente. Ú.t.c.s. ‖ m. pl. Clase de estos animales.

cruz (al. *Kreuz*, fr. *croix*, ingl. *cross*, it. *croce*). f. Figura formada de dos líneas que se atraviesan o cortan perpendicularmente. ‖ Insignia y señal de cristiano, en memoria de haber padecido en ella Jesucristo. ‖ Distintivo de muchas órdenes religiosas, militares y civiles, parecido a una cruz. ‖ Reverso de las monedas. ‖ La parte más alta del lomo de algunos animales. ‖ Parte del árbol donde termina el tronco y empiezan las ramas. ‖ Signo gráfico en forma de cruz que puesto en libros u otros escritos antes de un nombre de persona indica que ha muerto. ‖ fig. Peso, carga o trabajo. ‖ MAR. Unión de la caña del ancla con los brazos. ‖ n.p.f. ASTR. Constelación próxima al círculo polar antártico, compuesta de varias estrellas que forman una cruz. ‖ *cruz y raya.* expr. fig. y fam. que suele expresar el firme propósito de no volver a

entender en un asunto o de no tratar más con alguna persona.

cruzada (al. *Kreuzzug*, fr. *croisade*, ingl. *crusade*, it. *crociata*). f. Expedición militar contra los musulmanes. ‖ Tropa que iba en esta expedición. ‖ Encrucijada. ‖ fig. Campaña en pro de algún fin.

cruzado, da. adj. Dícese del que tomaba la insignia de la cruz y se alistaba para alguna cruzada. Ú.t.c.s. ‖ Que lleva la cruz. ‖ Dícese del animal nacido de padres de distintas castas.

cruzamiento. m. Acción y efecto de cruzar, poner a uno la cruz de alguna orden. ‖ Acción y efecto de cruzar los animales para mejorar la raza. ‖ Cruce.

cruzar (al. *kreuzen*, fr. *croiser*, ingl. *to cross*, it. *incrociare*). tr. Atravesar. ‖ Dar machos de distinta procedencia a las hembras de los animales de la misma especie para mejorar las castas. ‖ Investir a una persona con la cruz y el hábito de una orden militar o instituto semejante. ‖ r. Pasar por un punto o camino dos personas o cosas en dirección opuesta. ‖ Atravesarse, interponerse una cosa entre otra. ‖ GEOM. Pasar una línea a cierta distancia de otra sin cortarla ni serle paralela. ‖ VET. Caminar el animal cruzando los brazos o las piernas.

cruzeiro (voz portuguesa). m. Unidad monetaria de Brasil.

cuaderna. f. Doble pareja en el juego de tablas. ‖ MAR. Cada una de las piezas curvas que encajan en la quilla del buque y son las costillas del casco.

cuadernal. m. MAR. Conjunto de dos o más poleas paralelamente colocadas dentro de una misma armadura.

cuadernillo. m. Conjunto de cinco pliegos de papel. ‖ Añalejo.

cuaderno (al. *Keft*, fr. *cahier*, ingl. *writingbook*, it. *quaderno*). m. Conjunto o agregado de algunos pliegos de papel doblados y cosidos en forma de libro. ‖ IMP. Compuesto de cuatro pliegos metidos uno dentro de otro.

cuadra (al. *Stall*, fr. *écurie*, ingl. *stable*, it. *stalla*). f. Sala o pieza espaciosa. ‖ Caballeriza. ‖ Cuarta parte de una milla. ‖ *Amer.* Manzana de casas.

cuadrada. f. MÚS. Breve, figura o nota musical que equivale a dos compases mayores.

cuadradillo. m. Cuadrado, pieza de la camisa. ‖ Cuadrado, regla para rayar el papel. ‖ Azúcar de pilón partido en piececitas cuadradas.

cuadrado, da (al. *viereckig*, fr. *carré*, ingl. *square*, it. *quadrato*). adj. Aplícase a la figura plana cerrada por cuatro líneas rectas iguales que forman otros tantos ángulos rectos. Ú.t.c.s.m. ‖ fig. Perfecto, cabal. ‖ Por ext., dícese del cuerpo prismático de sección cuadrada. ‖ m. Regla de sección cuadrada que sirve para rayar con igualdad el papel. ‖ MAT. Producto que resulta de multiplicar una cantidad por sí misma. ‖ IMP. Cuadratín.

cuadragenario, ria. adj. De cuarenta años. Ú.t.c.s.

cuadragésima. f. Cuaresma.

cuadragésimo, ma. adj. Que sigue inmediatamente en orden al trigésimo nono. ‖ Dícese de cada una de las cuarenta partes en que se divide un todo. Ú.t.c.s.

cuadrangular. adj. Que tiene o forma cuatro ángulos.

cuadrángulo, la. adj. Que tiene cuatro ángulos. Ú.t.c.s.m.

cuadrante (al. *Quadrant*, fr. *quadrant*, ingl. *quadrant*, it. *quadrante*). m. ASTR. Instrumento compuesto de un cuarto de círculo graduado, con anteojos para medir ángulos. ‖ DER. Cuarta parte del todo de una herencia. ‖ GEOM. Cuarta parte de la circunferencia o del círculo comprendido entre dos radios perpendiculares. ‖ MAR. Cada una de las cuatro partes en que se consideran divididos el horizonte y la rosa náutica.

cuadrar. tr. Dar a una cosa figura de cuadrado. ‖ Tratándose de cuentas, hacer que coincidan el debe y el haber. ‖ MAT. Elevar un número a la segunda potencia, o sea, multiplicarlo una vez por sí mismo. ‖ r. Quedarse una persona parada con los pies en escuadra.

cuadratín. m. IMP. Espacio tipográfico cuya anchura es igual a la medida del cuerpo de las letras.

cuadratura. f. Acción y efecto de cuadrar. ‖ ASTR. Posición en que está un astro cuando las visuales dirigidas a él y al Sol desde la Tierra forman un ángulo recto, es decir, cuando el astro culmina seis horas antes o después de hacerlo el Sol. ‖ MAT. Operación consistente en transformar una figura dada en un cuadrado que tenga la misma área. ‖ — *del círculo.* expr. fam. con que se indica la imposibilidad de una cosa.

cuadrícula. f. Conjunto de los cuadrados que resultan de cortarse perpendicularmente dos series de rectas paralelas y equidistantes.

cuadricular. adj. Perteneciente a la cuadrícula. ‖ tr. trazar líneas que formen una cuadrícula.

cuadrienio. m. Tiempo y espacio de cuatro años.

cuadrifolio, lia. adj. Que tiene cuatro hojas.

cuadriga. f. Tiro de cuatro caballos. || Carro tirado por cuatro caballos de frente, y especialmente el usado en la antigüedad para las carreras del circo.

cuadril. m. Hueso que sale de la cia, de entre las dos últimas costillas, y sirve para formar el anca. || Anca de las caballerías y otros animales.

cuadrilátero, ra. adj. GEOM. Que tiene cuatro lados. || m. GEOM. Polígono de cuatro lados.

cuadrilongo, ga. adj. Rectangular, que pertenece al rectángulo. || m. Rectángulo.

cuadrilla (al. *Trupp*, fr. *troupe*, ingl. *gang*, it. *banda*). f. Reunión de personas para el desempeño de algunos oficios u para ciertos fines. || Grupo armado de la Santa Hermandad que perseguía a los malhechores en despoblado. [*Sinón.:* partida, pandilla, brigada]

cuadrivio. m. Lugar donde concurren cuatro sendas o caminos. || En la Edad Media, conjunto de las cuatro artes matemáticas: aritmética, música, geometría y astronomía.

cuadro, dra. adj. Cuadrado de superficie plana cerrada de cuatro rectas iguales que forman cuatro ángulos rectos. Ú.t.c.s.m. || m. Rectángulo, paralelogramo de cuatro ángulos rectos con los lados contiguos desiguales. || Lienzo, lámina de pintura. || Marco, cerco que guarnece algunas cosas. || Cada una de las partes de los actos de ciertas obras dramáticas. || MIL. Conjunto de los jefes, oficiales, sargentos y cabos de un batallón o regimiento. || – *clínico.* MED. Conjunto de síntomas que presenta un enfermo o que caracterizan una enfermedad.

cuadrumano, na o **cuadrúmano, na.** adj. ZOOL. Dícese de los animales mamíferos en cuyas extremidades torácicas y abdominales el pulgar es oponible a los otros dedos. Ú.t.c.s.

cuadrúpedo. adj. ZOOL. Se aplica al animal de cuatro pies. Ú.t.c.s.

cuádruple. adj. Que contiene un número cuatro veces exactamente.

cuadruplicar. tr. Multiplicar por cuatro una unidad.

cuádruplo, pla. adj. Cuádruple. Ú.t.c.s.m.

cuajada. f. Parte caseosa de la leche, que se separa del suero por la acción del calor, del cuajo o de los ácidos. || Requesón.

cuajado, da. adj. fig. y fam. Inmóvil y como paralizado por el asombro que produce alguna cosa. || m. Vianda que se hace de carne picada, hierbas o frutas, con huevos y azúcar.

cuajar. m. ZOOL. Última de las cavidades en que se divide el estómago de los rumiantes.

cuajar. tr. Unir y trabar las partes de un líquido, para convertirlo en sólido. Ú.t.c.r. || fig. y fam. Recargar de adornos una cosa. || intr. fig. y fam. Lograrse, tener efecto una cosa. || r. fig. y fam. Llenarse, poblarse.

cuajarón. m. Coágulo, porción de sangre o de otro líquido que se ha coagulado.

cuajo. m. QUÍM. Fermento que existe principalmente en la mucosa del estómago de los mamíferos lactantes y sirve para coagular la caseína de la leche. || Efecto de cuajar. || Sustancia con que se cuaja un líquido. || fig. y fam. Calma, pachorra. || *de cuajo.* m. adv. De raíz, sacando enteramente una cosa del lugar en que estaba arraigada. Ú. comúnmente con el verbo *arrancar.*

cual. pron. relat. que con esta forma conviene en singular a los géneros m., f. y n. y que en pl. hace *cuales.* || Se emplea con acento en frases interrogativas o dubitativas.

cualesquier. pron. indet. pl. de cualquier.

cualesquiera. pron. indet. pl. de cualquiera.

cualidad (al. *Eigenschaft*, fr. *qualité*, ingl. *quality*, it. *qualità*). f. Cada una de las circunstancias o caracteres que distinguen a las personas o cosas. || Calidad, manera de ser. [*Sinón.:* propiedad, atributo; naturaleza, índole]

cualificar. tr. Atribuir o apreciar cualidades.

cualitativo, va. adj. Que denota cualidad. [*Sinón.:* atributivo]

cualquier. pron. indet. Cualquiera. Sólo se emplea antepuesto al nombre.

cualquiera. pron. indet. Persona indeterminada, sea la que fuere. Se emplea antepuesto y pospuesto al nombre y al verbo.

cuan. adv. c. exclam. que se emplea para encarecer el grado o la intensidad. Tiene acento prosódico y ortográfico. || adv. correlativo de *tan*, empleado en comparaciones de equivalencia o igualdad. Carece de acento prosódico y ortográfico.

cuando. adv. t. Denota tiempo, punto u ocasión. || Se emplea en sentido interrogativo, refiriéndose al verbo

expresado con anterioridad. || Se emplea, con acento, como sustantivo precedido del artículo *el.* || Se usa como conj. advers. con la significación de *aunque.* || Se utiliza como conj. continuativa con el significado de *puesto que.*

cuantía. f. Cantidad, porción de algo. || Suma de cualidades o circunstancias que enaltecen a una persona o la distinguen de las demás.

cuántico, ca. adj. FÍS. Relativo a los cuantos.

cuantioso, sa. adj. Grande en cantidad o número. [*Sinón.:* copioso, abundante, numeroso. *Antón:* escaso]

cuantitativo, va. adj. Perteneciente o relativo a la cantidad.

cuanto. m. FÍS. Salto que experimenta la energía de un corpúsculo al emitir o absorber radiación. Es proporcional a la frecuencia de esta última.

cuanto, ta. pron. relat. pl. Todas las personas que, todos los que. Se emplea con preferencia referido a un nombre expreso o sobreentendido. || pron. correlativo de cantidad. Se usa en todas sus formas en correlación con tanto(s), tanta(s) y agrupado con más o menos. || También se emplea como interrogativo y exclamativo. || Como adv. causal en *por cuanto.*

cuáquero, ra. s. Individuo de una secta religiosa unitaria sin culto externo ni jerarquía eclesiástica.

cuarcita. f. MINERAL. Roca sílicea de textura granulosa, fractura astillosa y lustre craso.

cuarenta. adj. Cuatro veces diez. || Cuadragésimo. || m. Conjunto de signos con que se representa el número cuarenta.

cuarentena. f. Conjunto de cuarenta unidades, días, meses o años. || Espacio de tiempo en que se mantiene aislado y bajo vigilancia médica un barco, individuo o grupo de individuos que ha estado expuesto al contagio de una enfermedad infecciosa. || fig. y fam. Tiempo de suspensión del asenso de alguna noticia, para asegurarse de su veracidad.

cuarentón, na. adj. Dícese de la persona que tiene cuarenta años cumplidos. Ú.t.c.s.

cuaresma. f. Tiempo de cuarenta y seis días que precede a la festividad de la Resurrección del Señor.

cuarta. f. Cada una de las cuatro partes iguales en que se divide un todo. || Palmo, cuarta parte de la vara. ||

MAR. Cada una de las 32 partes en que está dividida la rosa náutica. || Mús. Intervalo entre una nota y la cuarta anterior o posterior de la escala, compuesto de dos tonos y un semitono mayor.

cuartago. m. Caballo de mediano cuerpo. || Jaca.

cuartana. f. Calentura, casi siempre de origen palúdico, que entra con frío de cuatro en cuatro días.

cuartear. tr. Partir o dividir una cosa en cuatro partes. || Por ext., dividir en más o menos partes. ||Descuartizar. ||r. Henderse, rajarse, agrietarse una pared, un techo, etc.

cuartel (al. *Kaserne*, fr. *caserne*, ingl. *barracks*, it. *caserma*). m. Cuarta parte de una cosa. || BLAS. Cada una de las cuatro partes de un escudo dividido en cruz. || MIL. Edificio destinado a alojamiento de la tropa.

cuartelada. f. MIL. Comisión de jefes y oficiales de un ejército en el cuartel para impedir un pronunciamiento, vigilándose unos a otros. || Pronunciamiento militar.

cuartelero, ra. adj. Perteneciente o relativo al cuartel. Ú.t.c.s. || m. MIL. Soldado encargado de cuidar del aseo y seguridad del dormitorio de su compañía.

cuartelillo. m. Lugar o edificio en el que se aloja una sección de tropa.

cuarteo. m. Acción de cuartear o cuartearse. || Esguince para evitar un golpe o atropello. [*Sinón.*: quiebro]

cuarterón, na. adj. Nacido en América de mestizo y española o de español y mestiza. Ú.t.c.s. || m. Cuarta parte de algo. || Postigo, puertecilla de algunas ventanas.

cuarteta. f. Redondilla, combinación de cuatro versos octosílabos.

cuarteto. m. Combinación métrica de cuatro versos que riman en asonantes o consonantes. || Mús. Composición para cuatro voces o instrumentos. || Mús. El conjunto de estas cuatro voces o instrumentos.

cuartilla. f. Hoja de papel para escribir, cuyo tamaño es el de la cúarta parte del pliego. || Cuarta parte de una arroba. || ZOOL. Parte que media entre los menudillos y la corona del casco.

cuartillo. m. Nombre de diversas medidas para áridos y líquidos.

cuarto, ta (al. *viertel*, fr. *quatrième*, ingl. *fourth*, it. *quarto*). adj. Que sigue en orden al o a lo tercero. || Cada una de las cuatro partes iguales en que se divide un todo. Ú.t.c.s.m. || m. Parte de

una casa destinada a una familia. || Habitación, aposento. || Cada una de las cuatro partes en que se divide la hora. || — de Luna. ASTR. Cuarta parte del tiempo que tarda desde una conjunción a otra con el Sol; especialmente la segunda y cuarta, añadiéndoles *creciente* y *menguante* para distinguirlas.

cuarzo. m. Mineral formado especialmente por bióxido de silicio, de brillo vítreo y color que varía según las sustancias con que está mezclado. Su dureza es superior a la del acero.

cuasi. adv. c. Casi.

cuate, ta. adj. *Amer*. En México, gemelo de un parto. Ú.t.c.s. || *Amer*. Igual o semejante.

cuatequil. m. *Amer*. En algunas partes, maíz.

cuaternario, ria. adj. Que consta de cuatro unidades, números o elementos. Ú.t.c.s.m. || GEOL. Del terreno sedimentario más moderno. Ú.t.c.s. || f. GEOL. Última de las grandes eras geológicas.

cuaterno, na. adj. Que consta de cuatro números.

cuatreño, ña. adj. Se dice del novillo o novilla que tiene cuatro años y no ha cumplido cinco.

cuatrero (al. *Pferdedieb*, fr. *voleur de chevaux*, ingl. *horse thief*, it. *ladro di bestiame*). adj. Dícese del ladrón de bestias. Ú.t.c.s.m.

cuatri. Voz que se usa como prefijo de vocablos compuestos, significando cuatro.

cuatrimestre. adj. Que dura cuatro meses. || m. Espacio de cuatro meses.

cuatrimotor. m. Avión impulsado por cuatro motores.

cuatrisílabo, ba. adj. De cuatro sílabas. Ú.t.c.s.

cuatro. adj. Tres y uno. ||Con ciertas voces se usa con valor indeterminado para indicar poca cantidad. || Cuarto, que sigue en orden al tercero. || m. Cifra con que se representa el número cuatro.

cuatrocentista. adj. Se dice de lo que se refiere o pertenece al siglo XV.

cuba (al. *Fass*, fr. *tonneau*, ingl. *cask*, it. *botte*). f. Recipiente de madera compuesto de duelas unidas y aseguradas con aros de hierro, madera, etc. Sirve para contener agua, vino u otros líquidos. || fig. Todo el líquido que cabe en una cuba. || fig. y fam. Persona de mucho vientre. || Parte del hueco interior de un horno alto, entre el vientre y el tragante. ||*estar como una cuba*. fig. y fam. Estar borracho.

cubano, na. adj. Natural de Cuba. Ú.t.c.s. || Perteneciente a esta república americana.

cubero. m. Persona que hace o vende cubas.

cubertura. f. Cubierta. || Cobertura, ceremonia con que tomaban su dignidad los grandes de España.

cubeta (al. *Schale*, fr. *cuvette*, ingl. *tray*, it. *vaschetta*). f. dim. de cuba. || Herrada con asa hecha de tablas endebles. || Fís. Depósito de mercurio en la parte inferior del barómetro. || Mús. Parte inferior del arpa. || Recipiente rectangular muy usado en operaciones químicas y fotográficas.

cubicación. f. Acción y efecto de cubicar.

cubicar. tr. MAT. Elevar a la tercera potencia. || GEOM. Medir el volumen de un cuerpo o la capacidad de un hueco, para apreciarlos en unidades cúbicas.

cúbico, ca. adj. GEOM. Perteneciente al cubo. || De figura de cubo geométrico o perteneciente a él.

cubículo. m. Alcoba, aposento.

cubierta (al. *Decke*, fr. *pont*, ingl. *deck*, it. *coperta*). f. Lo que se pone encima de una cosa para taparla o resguardarla. || Forro de papel del libro en rústica. || Banda de caucho vulcanizado que protege exteriormente la cámara de los neumáticos. || fig. Pretexto. || ARQ. Parte exterior de la techumbre de un edificio. || MAR. Cada uno de los suelos que dividen las estancias de un navío, y especialmente el superior.

cubierto. m. Servicio de mesa para cada comensal. || Viandas que se ponen a un mismo tiempo en la mesa. ||Comida que se sirve en los restaurantes, hoteles, etc., por un precio determinado. ||*a cubierto*. loc. adv. Resguardado, defendido, protegido.

cubil. m. Lugar en el que los animales se recogen para dormir. ||Cauce de las aguas corrientes. [*Sinón.*: guarida, manida, cubilar]

cubilete (al. *Backform*, fr. *gobelet*, ingl. *tumbler*, it. *bossolo*). m. Vaso más ancho por la boca que por la base. Dícese especialmente del que se usa para jugar a dados.

cubilote. m. Horno cilíndrico en el que se refunde el hierro colado para echarlo en los moldes.

cubismo. m. PINT. Escuela y teoría estética aplicable a las artes plásticas y del diseño, que se caracteriza por el predominio de figuras geométricas.

cubista. adj. Se dice del que practica el cubismo. Ú.t.c.s.

cubital. adj. Relativo al codo. || Que tiene un codo de longitud.

cúbito (al. *Ellbogenbein*, fr. *cubitus*, ingl. *ulna*, it. *cubito*). m. ANAT. De los dos huesos que forman el antebrazo, el más largo y grueso.

cubo (al. *Eimer*, fr. *seau*, ingl. *bucket*, it. *secchia*). m. Vaso de madera, metal, u otra materia, generalmente de figura de cono truncado, con asa en la circunferencia mayor, que es la de encima, y fondo en la menor. || Pieza central en que se encajan los rayos de las ruedas de los carruajes. || MAT. Tercera potencia. || ARQ. Adorno de figura cúbica en los techos artesonados. || GEOM. Sólido regular limitado por seis cuadrados iguales.

cuboides. adj. ANAT. Dícese del hueso del tarso situado en el borde externo del pie. Ú.t.c.s.

cubrecama. f. Sobrecama. [*Sinón.*: colcha]

cubrir (al. *bedecken*, fr. *couvrir*, ingl. *to cover*, it. *coprire*). tr. Ocultar y tapar una cosa con otra. Ú.t.c.r. || Tratándose de una distancia, recorrerla. || Disimular una cosa con arte. || Juntarse el macho con la hembra para fecundarla. || Poner el techo a la fábrica. || MIL. Defender un puesto. || r. Ponerse el sombrero, la gorra, etc. || fig. Cautelarse de cualquier perjuicio, responsabilidad o riesgo.

cuca. f. Chufa, tubérculo. || Cuco, oruga de cierta mariposa. || fam. Mujer dada al juego.

cucamonas. f. pl. fam. Carantoñas.

cucaña. f. Palo largo, untado de jabón o de grasa, por el cual se ha de trepar o andar para coger un objeto atado a un extremo. || fig. y fam. Lo que se consigue con poco trabajo. || fig. y fam. Jauja, lugar de prosperidad y regalo.

cucaracha (al. *Schwabe*, fr. *blatte*, ingl. *cockroach*, it. *blatta*). f. ZOOL. Cochinilla de humedad. || ZOOL. Insecto ortóptero, nocturno y corredor, de color negro en su parte superior y rojizo por la inferior, que se esconde en los sitios húmedos y oscuros, devora toda clase de comestibles y los infecta con su mal olor.

cuclillas (en). m. adv. con que se explica la postura o acción de doblar el cuerpo de suerte que las asentaderas se acerquen al suelo o descansen en los calcañares.

cuclillo (al. *Kuckuck*, fr. *coucou*, ingl. *cuckoo*, it. *cuculo*). m. ZOOL. Ave trepadora, con plumaje de color ceniza, azulado por encima, cola negra con pintas blancas, y alas pardas. La hembra pone sus huevos en los nidos de otras aves. || fig. Marido de la adúltera.

cuco, ca. adj. fig. y fam. Pulido, de aspecto agradable. || fig. y fam. Taimado y astuto. Ú.t.c.s. || m. Oruga o larva de cierta mariposa nocturna. || Cuclillo, ave trepadora. || Malcontento, juego de naipes. || fam. Tahúr.

cucú (voz onomatopéyica). m. Canto del cuclillo.

cucurbitáceo, a. adj. BOT. Aplícase a plantas dicotiledóneas de tallo sarmentoso, flores unisexuales de cinco sépalos y cinco estambres, fruto carnoso y semilla sin albumen; como la calabaza, el melón, el pepino, etc. Ú.t.c.s. || f. pl. Familia de estas plantas.

cucurucho. m. Papel o cartón arrollado en forma cónica.

cuchara (al. *Löffel*, fr. *cuiller*, ingl. *spoon*, it. *cucchiaio*). f. Instrumento que se compone de una palita cóncava y un mango, y que sirve para llevar a la boca las cosas líquidas, blandas o menudas. || Cualquiera de los utensilios que tienen forma semejante a la de la cuchara común. || MAR. Cucharón para achicar agua. || TÉCN. Dispositivo de que están dotadas las grúas, excavadoras, etc., y que sirve para transportar materias o para excavar y transportar simultáneamente.

cucharada. f. Porción que cabe en una cuchara. || *meter* uno *su cucharada.* fig. y fam. Introducirse inoportunamente en asuntos ajenos.

cucharilla. f. Cuchara pequeña para azúcar o para dar vueltas a un líquido en una taza o vaso. || Enfermedad del hígado en los cerdos.

cucharón (al. *Schöpflöffel*, fr. *louche*, ingl. *soup-ladle*, it. *cucchiaia*). m. Cuchara grande que se usa para servir ciertos manjares en la mesa.

cuché. adj. IMP. Se dice del papel barnizado y muy satinado.

cuchichear. intr. Hablar en voz baja al oído de uno, de modo que los otros no se enteren.

cuchicheo. m. Acción y efecto de cuchichear.

cuchilla (al. *Beil*, fr. *couperet*, ingl. *knife*, it. *lama*). f. Instrumento compuesto de una hoja muy ancha de hierro acerado, con un solo corte, con mango, para su manejo. || Hoja de cualquier arma blanca de corte. || Hoja de afeitar. || Montaña escarpada en forma de cuchilla.

cuchillada (al. *Messerstich*, fr. *coup de couteau*, ingl. *slash*, it. *coltellata*). f. Golpe de cuchillo, espada u otra arma blanca de corte. || Herida producida por el golpe de cuchillo.

cuchillo (al. *Messer*, fr. *couteau*, ingl. *knife*, it. *coltello*). m. Instrumento formado por una hoja de hierro acerado y de un solo corte, con mango. || Cada uno de los colmillos inferiores del jabalí. || ARQ. Conjunto de piezas de madera o hierro que, colocado verticalmente sobre apoyos, sostiene la cubierta de un edificio o el piso de un puente. || ZOOL. Cada una de las seis plumas del ala del halcón junto a la principal, llamada tijera.

cuchipanda. f. fam. Comida que toman juntas y regocijadamente varias personas.

cuchitril. m. Cochitril.

cuchufleta. f. fam. Dicho o palabras de zumba o chanza. [*Sinón.*: burla, mofa]

cudú. m. ZOOL. Especie de antílope africano, semejante al ciervo aunque de mayor tamaño.

cuelga. f. Acción y efecto de colgar frutos u otros comestibles para su conservación.

cuello (al. *Hals*, *Kragen*; fr. *cou*, *collet*; ingl. *neck*, *collar*, it. *collo*). m. ANAT. Parte del cuerpo más estrecha que la cabeza y que une a ésta con el tronco. || Pezón o tallo que arroja cada cabeza de ajos, cebollas, etc. || Parte superior y más angosta de una vasija. || Tira de una tela unida a la parte superior de los vestidos, para cubrir más o menos el pescuezo. || Parte más angosta y superior de un cuerpo, especialmente si es redondo.

cuenca. f. Hortera o escudilla de madera. || Cavidad en que se halla cada uno de los ojos. || Territorio rodeado de alturas. || Territorio cuyas aguas afluyen a un mismo río, lago o mar.

cuencano, na. adj. Natural de Cuenca (Ecuador). Ú.t.c.s. || Perteneciente a esta ciudad americana.

cuenco (al. *Napf*, fr. *jatte*, ingl. *bowl*, it. *concá*). m. Vaso de barro, hondo y ancho y sin borde o labio. || Concavidad.

cuenta (al. *Konto*, fr. *compte*, ingl. *account*, it. *conto*). f. Acción y efecto de contar. || Cálculo aritmético. || Documento en que está escrita una razón compuesta de varias partidas, que al fin se suman o restan. || Cuenta corriente. || Cuenta de crédito. || Razón, satisfacción de alguna cosa. || Bolilla del rosario. Por ext., cualquier bolilla ensartada. || Cuidado, incumbencia, cargo, obligación, deber. || Consideración, atención. || Beneficio, provecho, ventaja. || — *corriente.* COM. Cada una de las que, para ir asentando las partidas del debe y del haber, se llevan a las personas o entidades a cuyo nombre están abiertas y permite al titular de la cuenta retirar, a la vista o a plazo, los saldos a su favor. || — *de crédito.* COM. Cuenta corriente en la que el banco autoriza al titular para disponer, sobre su saldo favorable, de mayor cantidad que suele fijarse, con exigencia de garantía o sin ella. || *la cuenta de la vieja.* fig. y fam. La que se hace por los dedos o por cualquier otro procedimiento vulgar. || *las cuentas del Gran Capitán.* fig. y fam. Las exorbitantes, formadas arbitrariamente y sin justificación. || *ajustar cuentas.* fr. fam. que se usa por amenaza. || *caer en la cuenta.* fig. y fam. Venir en conocimiento de una cosa. || *dar cuenta de* una cosa. fig. y fam. Dar fin de ella. || *darse cuenta de* una cosa. fig. y fam. Comprenderla. || *tener en cuenta.* Tener presente, considerar.

cuentacorrentista. com. Persona que tiene una cuenta corriente en un establecimiento bancario.

cuentagotas. m. Utensilio que sirve para verter un líquido gota a gota.

cuentahílos. m. Especie de microscopio que sirve para contar el número de hilos que entran en la confección de un tejido. || IMP. Especie de lupa que permite el examen detallado de las tramas y otras características de la impresión.

cuentakilómetros. m. Aparato que registra los kilómetros recorridos por un vehículo automóvil.

cuentista. adj. fam. Chismoso. Ú.t.c.s. || com. Persona que suele narrar o escribir cuentos.

cuento (al. *Erzählung*, fr. *conte*, ingl. *tale*, it. *racconto*). m. Relación de un suceso falso o de pura invención. || Breve narración de sucesos ficticios y de carácter sencillo, hecha con fines morales o recreativos. || Cómputo. || Falsa apariencia, trápala, engaño. || fam. Chisme o enredo para indisponer a una persona con otra. || *a cuento.* m. adv. Al caso.

cuerda (al. *Strick*, fr. *corde*, ingl. *string*, it. *corda*). f. Conjunto de hilos de lino, cáñamo, cerda u otra materia semejante, que torcidos forman un solo cuerpo más o menos grueso, largo y flexible. || Resorte que se emplea para armar los relojes de escape de áncora o cilindro. || Cada una de las cuerdas o cadenas que sostienen las pesas en los relojes de este tipo, y que, por ext., dieron su nombre a los actuales resortes. || Borde de un estrato de roca que queda descubierto en la falda de una montaña. || Conjunto de penados que solían trasladarse atados o encadenados a cumplir su condena. || Cima aparente de las montañas. || En cantería, línea de arranque de una bóveda o de un arco. || GEOM. Línea recta tirada de un punto a otro de un arco o porción de curva. || MÚS. Extensión de la voz, o sea, número de notas que alcanza. || *cuerdas vocales.* ANAT. Ligamentos que van de adelante atrás de la laringe, y que son capaces de producir vibraciones.

cuerdo, da (al. *vernünftig*, fr. *sage*, ingl. *judicious*, it. *saggio*). adj. Que está en su juicio. Ú.t.c.s. || Prudente, que reflexiona antes de tomar una resolución. Ú.t.c.s. [*Sinón.*: cabal, juicioso, sensato. *Antón*: loco, insensato]

cuerna. f. Vaso rústico hecho con un cuerno. || Cuerno que algunos animales mudan todos los años. || Cornamenta. || Trompa de hechura semejante al cuerno bovino.

cuerno (al. *Horn*, fr. *corne*, ingl. *horn*, it. *corno*). m. Prolongación ósea que tienen algunos animales en la región frontal. || Antena de los animales articulados. || Instrumento musical de viento, de forma corva, que emite un sonido parecido al de trompa. || fig. Cada una de las dos puntas que se ven en la Luna antes de la primera cuadratura y después de la segunda. || — *de la abundancia.* Cornucopia, vaso en forma de cuerno que representa la abundancia. || *poner los cuernos.* fig. Faltar la mujer a la fidelidad conyugal.

cuero (al. *Leder*, fr. *cuir*, ingl. *leather*, it. *cuoio*). m. Pellejo que cubre la carne de los animales. || Este mismo pellejo después de curtido y preparado. || Odre. || — *cabelludo.* Piel donde nace el cabello. || *en cueros.* m. adv. Desnudo.

cuerpo (al. *Körper*, fr. *corps*, ingl. *body*, it. *corpo*). m. Lo que tiene extensión limitada y produce impresión en nuestros sentidos por calidades que le son propias. || En el hombre y en los animales, materia orgánica que constituye sus diferentes partes. || Parte del vestido que cubre desde los hombros hasta la cintura. || En un libro o escrito, el conjunto del texto. || Colección o conjunto de leyes referentes a un determinado tema. || En los líquidos, densidad o espesura de ellos. || Conjunto de personas que desempeñan una misma profesión. || Cadáver. || Cada una de las partes, que pueden ser independientes, cuando se las considera unidas a otra principal. || ARQ. Agregado de partes que componen una fábrica hasta una cornisa o imposta. || GEOM. Objeto material que puede considerarse en sus tres dimensiones: largo, ancho y alto. || IMP. Tamaño de los caracteres tipográficos; altura de las letras. || MIL. Cierta cantidad de hombres de tropa, adecuadamente organizados. || — *compuesto.* QUÍM. El que puede descomponerse en otros de diferente naturaleza. || — *de baile.* Conjunto de bailarines de un teatro o sala de fiestas. || — *negro.* FÍS. El que absorbe todas las radiaciones que inciden sobre él, cualquiera que sea su índole o dirección. || — *simple.* QUÍM. Sustancia constituida por átomos del mismo número de protones nucleares, sea el que sea el de sus neutrones.

cuervo (al. *Rabe*, fr. *corbeau*, ingl. *raven*, it. *corvo*). m. ZOOL. Pájaro carnívoro, mayor que la paloma, de plumaje negro con visos pavonados, alas de un metro de envergadura y cola de contorno redondeado. || n.p.m. ASTR. Pequeña constelación austral, muy cerca y al oriente del Cráter. || fig. despect. Cura.

cuesco. m. Hueso de la fruta. || fam. Pedo ruidoso.

cuesta (al. *Steige*, fr. *montée*, ingl. *slope*, it. *pendio*). f. Terreno en pendiente. || — *de enero.* Período de dificultades económicas derivado de los gastos extraordinarios verificados con motivo de las fiestas navideñas. || *a cuestas.* m. adv. Sobre los hombros o las espaldas; a cargo de uno. [*Sinón.*: rampa, repecho]

cuestación. f. Petición o demanda de limosnas por motivos piadosos o benéficos. [*Sinón.*: colecta]

cuestión (al. *Frage*, fr. *question*, ingl. *question*, it. *questione*). f. Pregunta para averiguar la verdad de una cosa controvertiéndola. || Gresca, riña. || Punto o materia dudosa o discutible. || Asunto en general. || MAT. Problema. || —*candente.* fig. Lo que apasiona o es muy actual. || — *de nombre.* La meramente accidental o de forma.

cuestionable. adj. Dudoso, problemático y sobre lo que se puede disputar o controvertir. [*Sinón.*: Discutible. *Antón.*: cierto, indiscutible]

cuestionar. tr. Controvertir un punto dudoso. [*Sinón.*: polemizar, discutir, debatir]

cuestionario (al. *Fragebogen*, fr. *questionnaire*, ingl. *questionnaire*, it. *questionario*). m. Libro que contiene cierto número de cuestiones. || Lista de cuestiones que se proponen con cualquier fin.

cueto. m. Sitio alto y defendido. || Colina de forma cónica, aislada y generalmente peñascosa.

cueva (al. *Höhle*, fr. *caverne*, ingl. *cave*, it. *cava*). f. Cavidad subterránea más o menos extensa. || Sótano. [*Sinón.*: gruta, caverna, gova]

cuezo. m. Artesilla en que amasan el yeso los albañiles.

cuica. f. *Amer.* Lombriz. || Tambor afrobrasileño que produce un sonido semejante al ronquido.

cuidado (al. *Sorgfalt*, fr. *soin*, ingl. *care*, it. *cura*). m. Solicitud y atención en hacer bien alguna cosa. || Dependencia o negocio que está a cargo de uno. || Recelo, sobresalto, temor. [*Sinón.*: esmero, celo. *Antón.*: despreocupación]

cuidadoso, sa. adj. Solícito y diligente en ejecutar con exactitud una cosa. || Atento, vigilante. [*Sinón.*: esmerado, minucioso, celoso. *Antón.*: descuidado]

cuidar (al. *pflegen*, fr. *soigner*, ingl. *to care*, it. *curare*). tr. Poner diligencia, atención y solicitud en la ejecución de una cosa. || Asistir, guardar, conservar. || Discurrir, pensar. || r. Mirar uno por su salud; darse buena vida. [*Sinón.*: esmerarse, aplicarse; atender; regalarse. *Antón.*: descuidar, desatender]

cuita. f. Trabajo, aflicción, desventura. || *Amer.* Estiércol de las aves. [*Sinón.*: congoja, pena]

cuitado, da. adj. Afligido, desventurado. || fig. Apocado, de poca resolución y ánimo. [*Sinón.*: angustiado, infeliz; pusilánime. *Antón.*: intrépido, decidido]

cuja. f. Bolsa de cuero en la que se mete el cuento de la lanza o bandera. || Anillo de hierro sujeto al estribo derecho, en el que los lanceros colocan el cuento de su arma.

culantrillo. m. BOT. Hierba del orden de los helechos. Se cría en sitios húmedos y suele usarse en infusión como medicamento pectoral y sudorífico.

culata (al. *Kolben*, fr. *crosse*, ingl. *butt*, it. *culatta*). f. Anca, parte posterior de las caballerías. || Parte posterior de la caja de un arma de fuego portátil. || MEC. Cámara situada en el fondo del cilindro de un motor de explosión, en la que se hallan las válvulas.

culatazo. m. Golpe dado con la culata de un arma. || Coz que dan las armas de fuego al dispararse.

culebra (al. *Schlange*, fr. *couleuvre*, ingl. *snake*, it. *colubro*). f. ZOOL. Reptil sin pies, de cuerpo cilíndrico, cabeza aplastada, boca grande y piel escamosa de diversos colores. || Serpentín, tubo de los alambiques. || fig. y fam. Chasco.

culebrear. intr. Andar haciendo eses y yéndose de un lado para otro. [*Sinón.*: serpentear]

culebrilla. f. PAT. Enfermedad cutánea, a modo de herpe, que suele padecerse en los países tropicales.

culebrina. f. Pieza de artillería, larga y de poco calibre, que se usó antiguamente. || Meteoro eléctrico y luminoso con apariencia de línea ondulada.

culebrón. m. fig. y fam. Hombre muy astuto y solapado. || fig. y fam. Mujer intrigante y de mala reputación.

culera. f. Señal que en las mantillas de los niños dejan las manchas excrementicias. || Remiendo en los pantalones sobre la parte que cubre las asentaderas.

culinario, ria. adj. Perteneciente o relativo a la cocina.

culminación. f. Acción y efecto de culminar. || ASTR. Momento en que un astro ocupa el punto más alto en que puede llegar sobre el horizonte.

culminante. adj. Se aplica a lo más elevado de un monte, edificio, etc. || fig. Superior, sobresaliente, principal. || ASTR. Dícese del punto más alto en que puede hallarse un astro sobre el horizonte.

culminar (al. *den höhepunkt erreichen*, fr. *culminer*, ingl. *to attain the highest point*, it. *culminare*). intr. Llegar una cosa a la posición más elevada que puede tener. || ASTR. Pasar un astro por el meridiano superior del observador.

culo (al. *Gesäs*, fr. *cul*, ingl. *rump*, it. *culo*). m. Parte inferoposterior del tronco o asentaderas de los racionales. || Ancas del animal. || Ano. || fig. Extremidad inferior o posterior de una cosa. || fig. y fam. Escasa porción de líquido que queda en el fondo de un recipiente. || – de mal asiento. fig. y fam. Persona inquieta que no está a gusto en ninguna parte. || caerse uno de culo. fig. y fam. Quedarse atónito y desconcertado ante algo inesperado. || dar, o tomar, por el culo. vulg. Practicar el coito anal. || ir de culo. fig. y fam. Ir apurado de tiempo, de trabajo atrasado, de dinero, etc. || ¡a tomar por el culo! expr. vulg. con que uno se desentiende de algo o despide a otro destempladamente.

culombio. m. FIS. Unidad de carga eléctrica en el sistema basado en el metro, el kilogramo, el segundo y el amperio. Es la carga que un amperio transporta cada segundo.

culón, na. adj. Que tiene las posaderas muy abultadas.

culpa (al. *Schuld*, fr. *faute*, ingl. *guilt*, it. *colpa*). f. Falta cometida a sabiendas y voluntariamente. || DER. Responsabilidad del que obra con negligencia, en el grado que sea.

culpabilidad. f. Calidad de culpable.

culpable (al. *schuldig*, fr. *coupable*, ingl. *guilty*, it. *colpevole*). adj. Aplícase a aquel a quien se puede echar o echa la culpa. Ú.t.c.s. || Aplícase también a las acciones y cosas que pertenecen a la persona culpable. || DER. Declarado judicialmente responsable de algún delito o falta.

culpar (al. *beschuldigen*, fr. *inculper*, ingl. *to blame*, it. *incolpare*). tr. Atribuir la culpa. Ú.t.c.r. [*Sinón.*: acusar, achacar, incriminar, imputar. *Antón.*: excusar]

culteranismo. m. LIT. Forma literaria caracterizada por sus metáforas violentas, alusiones oscuras, hipérboles extremadas, latinismos, etc., que invadió la literatura europea a finales del siglo XVI.

culterano, na. adj. Se dice de lo que adolece de los vicios del culteranismo, y del que incurre en ellos. Apl. a pers., ú.m.c.s.

cultismo. m. Culteranismo. || Cualquier voz latina que se incorpora tardiamente al idioma, requerida por necesidades culturales o poéticas.

cultivador, ra. adj. Que cultiva. Ú.t.c.s. || f. AGR. Máquina que se utiliza para ahuecar la tierra.

cultivar (al. *bebauen*, fr. *cultiver*, ingl. *to till*, it. *coltivare*). tr. Dar a la tierra y a las plantas las labores necesarias para que fructifiquen. || Ejercitarse en algún arte. || BIOL. Sembrar y reproducir, en medios apropiados, microbios o sus gérmenes.

cultivo. m. Acción y efecto de cultivar.

culto, ta (al. *gebildet*, fr. *instruit*, ingl. *learned*, it. *istruito*). adj. Se dice de las tierras y plantas cultivadas. || fig. Dotado de las calidades que provienen de la cultura y la educación. || fig. Culterano. || m. Reverente homenaje que el hombre tributa a Dios y a los bienaventurados. || Conjunto de los actos y ceremonias con que el hombre tributa este homenaje. || Por ext., admiración afectuosa de que son objeto algunas cosas.

cultura. (al. *Kultur*, fr. *culture*, ingl. *culture*, it. *cultura*). f. Cultivo. || fig. Resultado de cultivar los conocimientos humanos y de afinar las facultades intelectuales del hombre, ejercitándolas.

cultural. adj. Perteneciente o relativo a la cultura.

cumbre (al. *Gipfel*, fr. *cime*, ingl. *top*, it. *cima*). f. Cima de un monte. || fig. La mayor elevación de una cosa o último grado a que se puede llegar. [*Sinón.*: cúspide, cumbrera; culminación]

cumpleaños. m. Aniversario del nacimiento de una persona.

cumplido, da (al. *Kompliment*, fr. *compliment*, ingl. *compliment*, it. *complimento*). adj. Completo, lleno, perfecto. || Al hablar de ciertas cosas, largo, abundante. || m. Acción obsequiosa o muestra de urbanidad. [*Sinón.*: galantería, gentileza, fineza, cumplimiento]

cumplimentar. tr. Dar parabién o hacer visita de cumplimiento a uno. || DER. Poner en ejecución los despachos u órdenes superiores.

cumplimiento. m. Acción y efecto de cumplir. || Cumplido, obsequio. || Oferta que se hace por pura urbanidad o ceremonia.

cumplir (al. *erfüllen*, fr. *accomplir*, ingl. *to fulfill*, it. *compiere*). tr. Ejecutar, llevar a efecto. || remediar a uno y proveerle de lo que le falta. || intr. Hacer alguien aquello que debe o a que está obligado. || Ser el tiempo en que termina una obligación, empeño o plazo. Ú.t.c.r.

cúmulo (al. *Kumuloswolke*, fr. *cumulus*, ingl. *cumulus*, it. *cumulo*). m. Montón de cosas puestas unas sobre otras. || METEOR. Conjunto de nubes, propias del verano, que tiene apariencia de montaña nevada con bordes brillantes.

cuna (al. *Wiege*, fr. *berceau*, ingl. *cradle*, it. *culla*). f. Camita para niños. || fig. Patria o lugar de nacimiento de alguien. || fig. Estirpe, familia o linaje. || fig. Origen o principio de alguna cosa.

cundir. intr. Extenderse hacia todas partes una cosa. || Propagarse una cosa. || Dar mucho de sí una cosa;

aumentar de volumen. [*Sinón.*: dilatarse, desarrollarse; divulgarse, difundirse]

cuneiforme. adj. En forma de cuña. Aplícase con más frecuencia a ciertos caracteres que algunos pueblos de Asia usaron antiguamente en la escritura.

cuneta (al. *Strassengraben*, fr. *caniveau*, ingl. *road drain*, it. *cunetta*). f. Zanja a cada uno de los lados de un camino, destinada a canalizar las aguas de lluvia.

cunicultura. f. Arte de criar conejos para aprovechar su carne y sus productos.

cunilingo. m. *Neol.* Caricias bucogenitales en las que el hombre tiene parte activa.

cuña (al. *Keil*, fr. *coin*, ingl. *wedge*, it. *cuneo*). f. Pieza terminada en ángulo diedro, muy agudo. Sirve para hender cuerpos sólidos, para ajustar, para calzar o para llenar alguna raja o hueco. || Cualquier otro objeto que se emplee para estos mismos fines. || Piedra de empedrar labrada en forma de pirámide truncada. [*Sinón.*: calce, calza, falca]

cuñado, da. s. Hermano o hermana del marido respecto de la mujer, y hermano o hermana de la mujer respecto del marido. [*Sinón.*: hermano político]

cuño. m. Troquel con que se sellan las monedas, las medallas y otras cosas análogas. || Impresión o señal que deja este sello.

cuota. f. Cantidad asignada a cada contribuyente en el reparto o lista cobratoria. || Pago que se hace en virtud de una obligación contraida voluntariamente.

cupé. m. Berlina, coche cerrado, comúnmente de dos asientos. || Vehículo automóvil de dos plazas.

cupido. m. Hombre enamoradizo y galanteador.

cuplé. m. Canción corta y ligera que se canta en los locales de espectáculos frívolos.

cupo. m. Cuota, parte asignada o repartida a un pueblo o a un particular en cualquier impuesto, empréstito o servicio. ||*Amer.* Cabida. ||*Amer.* Plaza en un vehículo.

cupón (al. *Zinsschein*, fr. *coupon*, ingl. *coupon*, it. *cedola*). m. COM. Cada una de las partes de un documento de la deuda pública o de una sociedad de crédito, que periódicamente se van cortando para presentarlas al cobro de los intereses vencidos. || Parte que se corta de un anuncio, invitación, bono, etc., y

que da derecho a tomar parte en concursos, sorteos, a obtener una rebaja en las compras, etc.

cupresáceo, a. adj. BOT. Dícese de las plantas fanerógamas, arbustivas o arbóreas, con hojas persistentes durante varios años; flores unisexuales, monoicas, o dioicas; fruto en gálbula, y semillas con dos o más cotiledones que tienen en muchos casos dos aletas laterales; como el ciprés. Ú.t.c.s.f. || f. pl. Familia de estas plantas.

cúprico, ca. adj. QUÍM. Dícese de los compuestos de cobre en los que este metal actúa con valencia 2.

cuprífero, ra. adj. Que lleva o contiene cobre.

cúpula (al. *Kuppel*, fr. *coupole*, ingl. *dome*, it. *cupola*). f. ARQ. Bóveda en forma de media esfera u otra aproximada con que suele cubrirse todo un edificio o parte de él. || BOT. Involucro a manera de copa, foliáceo, escamoso o leñoso, que cubre más o menos el fruto de la encina, el avellano, el castaño y otras plantas. || MAR. Torre de hierro, redonda, cubierta y giratoria, que tienen algunos buques blindados, dentro de la cual llevan uno o más cañones de grueso calibre.

cupulífero, ra. adj. BOT. Dícese de las plantas de fruto dehiscente con semilla sin albumen y más o menos cubierto por la cúpula. Ú.t.c.s.f. [*Sinón.*: fagáceo]

cuquear. tr. *Amer.* Azuzar.

cura. m. Sacerdote. || f. Curación.

curación. f. Acción y efecto de curar o curarse.

curado, da. adj. fig. Endurecido, seco, fortalecido o curtido.

curador, ra. adj. Que tiene cuidado de alguna cosa. Ú.t.c.s. || Que cura. Ú.t.c.s. || s. Persona nombrada para cuidar de los bienes y negocios de un menor, o del que no está en estado de administrarlos por sí. || Persona que cura alguna cosa, como lienzos, pescados, etc.

curandero, ra. s. Persona que hace de médico sin serlo.

curar (al. *heilen*, fr. *guérir*, ingl. *to heal*, it. *guarire*). intr. Sanar, recobrar la salud. Ú.t.c.r. || Con la prep. *de*, cuidar de, poner cuidado. Ú.t.c.r. || tr. Hablando de las carnes y pescados, prepararlos por medio de la sal, el humo, etc., para que, perdiendo la humedad, se conserven por mucho tiempo. || Curtir y preparar las pieles para usos industriales. || Dicho de las maderas, tenerlas cortadas mucho tiempo antes de usar de ellas. || Hablando de hilos y lienzos, beneficiarlos para que se blanqueen. || Secar o preparar convenientemente una cosa para su conservación. || fig. Sanar las dolencias o pasiones del alma. || fig. Remediar un mal. || r. fam. *Amer.* Emborracharse.

curare (voz americana). m. Sustancia negra, resinosa y amarga que los indios de la América Meridional extraen de la raíz del maracure, y de la que se sirven para emponzoñar sus armas. También se usa en medicina como antitetánico y relajador muscular.

curasao. m. Licor fabricado con corteza de naranja y otros ingredientes.

curativo, va. adj. Dícese de lo que sirve para curar.

curato. m. Cargo espiritual del cura de almas. || Parroquía, territorio que comprende.

cúrcuma. f. BOT. Rizoma procedente de la India, parecido al jengibre, de olor similar y sabor amargo. || Sustancia resinosa y amarilla que se extrae de este rizoma.

curda. f. Borrachera. [*Sinón.*: cogorza, merluza, melopea, trompa]

curdo, da. adj. Natural de Curdistán. Ú.t.c.s. || Perteneciente a esta región de Asia.

cureña. f. Armazón o montaje del cañón. || Palo de la ballesta.

curia. f. Tribunal donde se ven los asuntos de lo contencioso. || Conjunto de abogados, escribanos, procuradores y empleados de la administración de justicia. || Cuidado, esmero. || — *pontificia* o *romana.* Conjunto de las congregaciones y tribunales que existen en la Corte del pontífice romano para el gobierno de la Iglesia católica.

curial. adj. Perteneciente a la curia y concretamente a la romana. || m. Empleado de los tribunales de justicia.

curio. m. QUIM. Elemento químico artificial, radiactivo, que se obtiene bombardeando el plutonio con partículas alfa. || FIS. Unidad para la medida de la radiactividad.

curiosear (al. *neugierig sein,* fr. *guetter,* ingl. *to pry around,* it. *curiosare*). intr. Ocuparse en averiguar lo ajeno. || Fisgonear. Ú.t.c.tr. [*Sinón.*: husmear]

curiosidad. f. Deseo de averiguar. || Vicio que nos lleva a inquirir lo que no debiera importarnos. || Aseo. || Cosa curiosa o primorosa.

curioso, sa (al. *neugierig,* fr. *curieux,* ingl. *curious,* it. *curioso*). adj. Que tiene curiosidad. Ú.t.c.s. || Que excita la curiosidad. || Limpio y aseado. || Que trata una cosa con particular cuidado y diligencia.

currículo. m. Plan de estudios. || Conjunto de estudios y prácticas destinados a que el alumno desarrolle plenamente sus posibilidades. || Currículum vitae.

curriculum vitae (expr. latina). m. Relación de los títulos, honores, cargos, trabajos realizados, datos biográficos, etc., que califican a una persona.

curruca. f. ZOOL. Pájaro canoro de diez a doce centímetros de largo, de plumaje pardo y pico recto y delgado.

currutaco, ca. adj. fam. Muy afectado en el uso de las modas. Ú.t.c.s.

cursar (al. *einreichen,* fr. *doner suite,* ingl. *to forward,* it. *dare corso*). tr. Frecuentar un paraje o hacer con frecuencia alguna cosa. || Estudiar una materia en un establecimiento de enseñanza. || Dar curso a una solicitud, instancia, expediente, etc.

cursi. adj. fam. Dícese de la persona que presume de fina y elegante sin serlo. Ú.t.c.s. || fam. Aplícase a lo que con apariencia de elegancia es ridículo y de mal gusto.

cursilería. f. Cosa cursi. || fam. Conjunto o reunión de cursis. || Calidad de cursi.

cursillista. com. Persona que interviene en un cursillo.

cursillo. m. En las universidades, curso de poca duración al que se solía asistir después de acabado el normal. || Breve serie de conferencias acerca de una materia dada.

cursivo, va. adj. Dícese del carácter y de la letra de mano que se liga mucho para escribir deprisa. || Ú.t.c.s. y f. || IMP. Tipo de letra que imita a la anterior; letra inclinada.

curso (al. *Lehrgang,* fr. *cours,* ingl. *course of lectures,* it. *corso*). m. Dirección o carrera. || En los establecimientos de enseñanza, tiempo señalado cada año para asistir a las lecciones. || Serie de lecciones que constituyen la enseñanza de una materia. || Serie o continuación. || Circulación, difusión entre las gentes.

cursor. m. MEC. Pieza pequeña que se desliza a lo largo de otra mayor.

curtido. m. Cuero curtido. Ú.m. en pl. || Corteza de algunos árboles.

curtidor (al. *Gerber,* fr. *tanneur,* ingl. *tanner,* it. *conciatore*). m. El que tiene por oficio curtir pieles.

curtiduría. f. Taller donde se trabajan y curten las pieles.

curtiente. adj. Aplícase a la sustancia que sirve para curtir. Ú.t.c.s.m.

curtir (al. *gerben,* fr. *tanner,* ingl. *to tan,* it. *conciare*). tr. Adobar, aderezar las pieles. || fig. Endurecer o tostar el sol o el aire la piel de las personas. Ú.m.c.r. || fig. Acostumbrar a uno a la vida dura. Ú.t.c.r. || fig. *Amer.* Castigar azotando.

curva (al. *Kurve,* fr. *courbe,* ingl. *curve,* it. *curva*). f. GEOM. Línea curva. || Representación esquemática de las fases sucesivas de un fenómeno por medio de una línea cuyos puntos indican valores variables. || Tramo curvo de una carretera, camino, etc. || — *abierta.* En las carreteras, caminos, etc., la que, por tener escasa curvatura, pueden tomar los vehículos sin moderar considerablemente su marcha. || — *cerrada.* La que vuelve al punto de partida. En las carreteras, caminos, etc., la que, por tener gran curvatura, deben tomar muy lentamente los vehículos. || — *de nivel.* TOP. La que resulta de la intersección del terreno con un plano horizontal. || *coger,* o *tomar, una curva.* Pasar un vehículo o su conductor de un tramo recto de carretera a un tramo curvo.

curvatura. f. Desvío de la línea recta; calidad de curvo.

curvilíneo, a. adj. GEOM. Que se dirige en línea curva.

curvo, va. (al. *krumm,* fr. *courbe,* ingl. *curved,* it. *curvo*). adj. Que constantemente se va apartando de la línea recta sin formar ángulos. Ú.t.c.s. [*Sinón.*: recto]

cusca. f. vulg. *Amer.* Masturbación.

cuscuta. f. BOT. Planta parásita de tallos filiformes, rojizos o amarillos, sin hojas y con flores sonrosadas.

cúspide (al. *Spitze,* fr. *sommet,* ingl. *summit,* it. *cuspide*). f. Cumbre puntiaguda de los montes. || Remate superior de alguna cosa que tiende a formar punta. || GEOM. Punto donde concurren las aristas de todas las caras de la pirámide, o las generatrices del cono.

custodia. f. Acción y efecto de custodiar. || Persona o escolta encargada de custodiar a un preso. || Receptáculo en el que se expone el Santísimo Sacramento a la pública veneración. || *Amer.* Consigna de equipajes.

custodiar (al. *werwahren,* fr. *garder,* ingl. *to guard,* it. *custodiare*). tr. Guardar con cuidado y vigilancia. [*Sinón.*: proteger, velar]

custodio. m. El que custodia.

cutáneo, a. adj. Perteneciente al cutis.

cúter. m. MAR. Embarcación con velas al tercio, una cangreja o mesana en un palo chico colocado hacia popa, y varios foques.

cutí. m. Tela de lienzo para cubiertas de colchones.

cutícula. f. Película, piel delgada y delicada. || ANAT. Epidermis.

cutis (al. *Oberhaut*, fr. *peau*, ingl. *skin*, it. *cute*). m. Cuero o pellejo que cubre el cuerpo humano. Se dice principalmente hablando del rostro. Ú.t.c.f. || Dermis.

cutral. adj. Dícese del buey cansado y viejo, y de la vaca que ha dejado de parir. Ú.t.c.s.

cuy. m. Zool. *Amer*. Conejillo de Indias.

cuyo, ya. pron. relat. que hace en pl. *cuyos, cuyas*. Además del carácter de relativo, tiene el de posesivo, y concierta no con su antecedente, que es el nombre del poseedor, sino con el nombre de la persona o cosa poseída. || pron. interrogativo que tiene también variación de género y número, pero lleva acento prosódico y ortográfico.

cuzco. m. Perro pequeño, gozque.

cuzcuz. m. Alcuzcuz.

CH

ch. f. Cuarta letra del abecedario castellano y tercera de sus consonantes. Es doble por su figura, pero sencilla por su sonido.

chabacanería. f. Falta de arte y buen gusto. || Dicho bajo o insustancial.

chabacano, na. adj. Grosero y de mal gusto. || m. *Amer.* Albaricoque.

chabola. f. Choza o caseta, generalmente la construida en el campo. || Casucha construida con materiales endebles.

chacal (al. *Schakal*, fr. *chacal*, ingl. *jackal*, it. *sciacallo*). m. Mamífero carnicero de un tamaño medio entre el lobo y la zorra. Se alimenta preferentemente de carroña.

chacalín. m. *Amer.* Camarón.

chacana. f. *Amer.* Camilla, parihuela.

chacanear. tr. *Amer.* Espolear con fuerza a la cabalgadura.

chácara. f. *Amer.* Chacra, granja.

chacina. f. Cecina, carne salada. || Carne de cerdo adobada con la que suelen hacerse chorizos y otros embutidos.

chacinería. f. Tienda en que se vende chacina.

chacinero, ra. s. Persona que hace o vende chacina.

chacó. m. Morrión que usaba la caballería ligera, y fue aplicado después a tropas de otras armas.

chacolí. m. Vino ligero y algo agrio propio del País Vasco y de la provincia de Santander. También se hace en Chile.

chacón. m. vulg. *Amer.* Órgano sexual femenino.

chacona. f. Baile de los siglos XVI y XVII, que se ejecutaba con acompañamiento de castañuelas y de coplas. || Música de este baile.

chacota. f. Broma, burla. || Bulla y alegría con que se celebra alguna cosa.

chacotear. intr. Burlarse, chancearse, divertirse con bulla, voces y risas.

chacra. f. *Amer.* Granja.

chacha. f. fam. Sirvienta, niñera.

chachanete. m. *Amer.* Perro ordinario, que no es de raza determinada.

cháchara. f. fam. Abundancia de palabras inútiles. || Conversación frívola.

chacho, cha. s. fam. Muchacho. Es voz de cariño.

chafalonía. f. Objetos inservibles de plata u oro que se destinan a la fundición.

chafar (al. *zerdrücken*, fr. *écraser*, ingl. *to flatten*, it. *schiacciare*). tr. Aplastar aquello que está erguido o levantado. Ú.t.c.r. || Arrugar y deslucir la ropa, maltratándola. || fig. y fam. Deslucir a uno cortándole y dejándole sin tener qué responder.

chafarote. m. Alfanje corto y ancho.

chafarrinada. f. Borrón o mancha que desluce una cosa.

chafarrinón. m. Chafarrinada.

chaflán. m. Cara que resulta en un sólido de cortar por un plano una esquina o ángulo diedro. || Plano que, en lugar de esquina, une las superficies planas que forman un ángulo.

chagolla. f. *Amer.* Moneda falsa o muy gastada.

chagorra. f. *Amer.* Mujer de clase baja.

chagra. f. *Amer.* Campesino. || adj. *Amer.* Dícese de la persona inculta o grosera.

chaira. f. Cuchilla que usan los zapateros para cortar la suela. || Cilindro de acero para afilar cuchillas.

chajá. m. ZOOL. Ave zancuda americana, fácilmente domesticable.

chal (al. *Schal*, fr. *châle*, ingl. *shawl*, it. *scialle*). m. Paño de seda o lana, más largo que ancho, y que, puesto en los hombros, usan las mujeres como abrigo o adorno.

chalado, da. adj. fam. Alelado, falto de seso o juicio. || fam. Muy enamorado.

chalán, na (al. *Pferdehändler*, fr. *maquignon*, ingl. *horse-dealer*, it. *sensale*). adj. Que trata en compras y ventas, especialmente de caballos u otras bestias, y tiene para ello maña y poder de persuasión. Ú.t.c.s.

chalana. f. Embarcación menor, de fondo plano, proa aguda y popa cuadrada, que se utiliza como medio de transporte en aguas poco profundas.

chalanear. tr. Tratar los negocios con maña y destreza propia de chalanes.

chalar. tr. Enloquecer, alelar. Ú.t.c.r. || Enamorar. Ú.t.c.r.

chalate. m. *Amer.* Caballejo, matalón.

chalaza. f. Filamento que sostiene la yema del huevo en medio de la clara.

chalchiuite. m. *Amer.* En México, especie de esmeralda basta. || *Amer.* Baratija.

chalé. m. Chalet.

chaleco (al. *Weste*, fr. *gilet*, ingl. *waist coat*, it. *panciotto*). m. Prenda de vestir sin mangas, que se abotona al cuerpo, llega hasta la cintura cubriendo el pecho y la espalda y se pone encima de la camisa.

chalet (voz francesa). m. Casa de madera y tabique a estilo suizo. || Casa de recreo de pequeñas dimensiones.

chalina (al. *Halsbinde*, fr. *cravate large*, ingl. *neck-cloth*, it. *sciarpa*). f. Corbata de caídas largas y formas diversas.

chalote. m. Planta perenne liliácea, de hojas finas, tan largas como el tallo. Se usa como condimento. Ú.t.c. adj.

chalupa (al. *Schaluppe*, fr. *chaloupe*, ingl. *sloop*, it. *scialuppa*). f. MAR. Embarcación pequeña que suele tener cubierta y dos palos para velas. || Lancha, bote. || *Amer*. Torta de maíz pequeña y ovalada, con algún condimento por encima.

chamaco, ca s. *Amer*. En México, niño, muchacho.

chamagoso, sa. adj. *Amer*. En México, mugriento, astroso, mal pergeñado, deslucido, vulgar.

chamarasca. f. Leña menuda que levanta mucha llama sin consistencia ni duración. || Esta misma llama.

chamarilero, ra. s. Persona que se dedica a comprar y vender objetos de lance y trastos viejos.

chamarillero, ra. s. Chamarilero. || m. Tahúr.

chamariz. m. ZOOL. Pajarillo algo más pequeño que el jilguero, de plumaje verdoso por encima, amarillento por el pecho y abdomen, y con algunas manchas pardas en la cabeza, alas y cola. Se acostumbra fácilmente a la cautividad.

chamba. f. fam. Chiripa.

chambelán (al. *Kammerherr*, fr. *chambellan*, ingl. *chamberlain*, it. *ciambellano*). m. Camarlengo, gentilhombre de cámara.

chambergo, ga. adj. Se dice de cierto cuerpo creado durante la menor edad de Carlos II para su guarda. || Se dice del individuo de dicho cuerpo. Ú.t.c.s. || Se aplica a ciertas prendas del uniforme de este cuerpo. Ú.t.c.s. || ↗ *sombrero chambergo*.

chambón, na. adj. fam. De escasa habilidad en el juego. Ú.t.c.s. || Poco hábil en cualquier arte o facultad. Ú.t.c.s. || Que consigue por chiripa alguna cosa. Ú.t.c.s.

chambonada. f. fam. Fallo propio del chambón. || Ventaja que se obtiene por casualidad.

chambra. f. Vestidura corta, a modo de blusa, que usaban las mujeres sobre la camisa.

chambrana. f. ARQ. Labor o adorno de madera o piedra que se pone alrededor de puertas, ventanas, chimeneas, etc.

chamiza. f. BOT. Planta herbácea que se utiliza para techumbre de algunas chozas y cabañas.

chamizo. m. Árbol medio quemado o chamuscado. || Leño medio quemado. || Choza cubierta de chamiza. || fig. y fam. Tugurio sórdido de gente de mal vivir.

chamorro, rra. adj. Que tiene la cabeza trasquilada. Ú.t.c.s.

champán. m. fam. Champaña.

champaña. m. Vino espumoso originario de Francia.

champiñón. m. BOT. Seta que se cultiva en lugares húmedos, abonados artificialmente y a cubierto de la luz solar.

champú. m. Loción para el cabello.

chamullar. intr. fam. En lenguaje caló, hablar.

chamuscar (al. *versengen*, fr. *roussir*, ingl. *to singe*, it. *abbrustolire*). tr. Quemar una cosa por la parte exterior. Ú.t.c.r.

chamusco. m. Chamusquina, acción y efecto de chamuscar.

chamusquina. f. Acción y efecto de chamuscar o chamuscarse. || fig. y fam. Camorra, riña o pendencia.

chancaca. f. *Amer*. Masa preparada con azúcar o miel. || En México, pan hecho con los residuos del azúcar.

chance (voz inglesa). f. *Amer*. Oportunidad, ocasión.

chancear. intr. Usar de chanzas. Ú.t.c.r. [*Sinón*.: burlarse]

chanciller. m. Canciller.

chancillería. f. Antiguo tribunal supremo de justicia.

chancla. f. Zapato viejo cuyo talón está ya caído o aplastado por el mucho uso. || Chancleta.

chancleta. f. Chinela sin talón, que suele usarse dentro de casa. || com. fig. y fam. Persona inepta.

chanclo (al. *Galosche*. fr. *galoche*, ingl. *galosh*, it. *caloscia*). Especie de sandalia de madera o suela gruesa, que se pone debajo del calzado y sirve para preservarse de la humedad y del lodo. || Zapato grande de goma u otra materia elástica.

chancro. m. MED. Úlcera contagiosa de origen venéreo.

chancho, cha. m. *Amer*. Cerdo. || adj. *Amer*. Sucio, deseaseado.

chanchullo. m. fam. Manejo ilícito para conseguir un fin, y especialmente para lucrarse.

chanfaina. f. Guisado hecho a base de picados ligeros.

chanflón, na. adj. Tosco, grosero, mal formado. || Dícese de la moneda falsa o estropeada.

changa. f. fam. Trabajo o negocio de poca importancia. || *Amer*. Servicio que presta el changador.

changador. m. *Amer*. Mozo de cuerda.

chango, ga. adj. *Amer*. Bromista,

guasón. U.t.c.s. || *Amer*. Niño, muchacho. Ú.t.c.s.

chanquete. m. Pez pequeño comestible, que por su tamaño y aspecto es semejante a la cría del boquerón.

chantaje (al. *Erpressung*, fr. *chantage*, ingl. *blackmail*, it. *ricatto*). m. Amenaza de difamación pública o de algo semejante que se hace contra alguien, a fin de obtener de él dinero u otro provecho.

chantajista. com. Persona que ejercita habitualmente el chantaje.

chantar. tr. Vestir o poner. || Clavar, hincar. || fam. Decir una cosa a uno sin reparo ni miramiento.

chantillí. m. Crema hecha de nata batida, muy usada en pastelería.

chantre. m. Dignidad catedralicia, cuya misión era dirigir el canto en el coro.

chanza. f. Dicho festivo y gracioso. || Hecho burlesco para recrear el ánimo o ejercitar el ingenio.

chanzoneta. f. Copla ligera y festiva, compuesta, por lo común, para que se cantase en algunas festividades. || fam. Chanza.

chapa (al. *Platte*, fr. *plaque*, ingl. *plate*, it. *piastra*). f. Hoja o lámina de metal, madera u otra materia. || Moneda estropeada que se usa como tejo. || fig. y fam. Seso, formalidad.

chapado, da. adj. Dícese de lo que está cubierto o guarnecido con chapas. || *chapado a la antigua*. Se dice de la persona muy apegada a los hábitos y costumbres de sus mayores.

chapalear. intr. Chapotear, sonar el agua agitada por los pies y las manos.

chapaleta. f. Válvula de la bomba de sacar agua.

chapar. tr. Chapear, cubrir o guarnecer con chapas. || fig. Asentar, encajar.

chaparral. m. Sitio poblado de chaparros.

chaparrear. intr. Llover fuertemente.

chaparro. m. BOT. Mata de encina o roble, de muchas ramas y poca altura. || fig. y fam. Persona rechoncha. Ú.t.c. adj.

chaparrón (al. *Platzregen*, fr. *averse*, ingl. *shower*, it. *acquazzone*). m. Lluvia intensa y de corta duración. || Copia o muchedumbre de cosas. [*Sinón*.: aguacero, chubasco]

chapeado, da. adj. Chapado.

chapear. tr. Cubrir, adornar o guarnecer con chapas.

chapeo. m. Sombrero, prenda para cubrir la cabeza.

chapera. f. ALBAÑ. Plano inclinado hecho con maderos unidos por medio de travesaños sobrepuestos y clavados, que se usa en las obras en sustitución de escaleras.

chapería. f. Adorno hecho con muchas chapas.

chapeta. f. Mancha de color encendido que suele salir en las mejillas.

chapetón, na. adj. *Amer.* Dícese del español recién llegado a América, y por extensión, del europeo en iguales condiciones. Ú.t.c.s. || Inexperto, bisoño.

chapín. m. Chanclo de corcho, forrado de cordobán.

chapín, na. adj. *Amer.* Guatemalteco. Ú.t.c.s.

chápiro. m. fam. que se emplea sólamente en expresiones de enojo o sorpresa.

chapista. m. El que trabaja la chapa.

chapistería. f. Taller donde se trabaja la chapa. || Arte de trabajar la chapa.

chapitel (al. *Spitze*, fr. *flèche*, ingl. *spire*, it. *capitello*). m. Capitel, parte superior de la columna. || Remate de las torres, que se levanta en figura piramidal. || Cono hueco de ágata u otra sustancia dura, que, encajado en el centro de la aguja imanada, sirve para que ésta se apoye y gire sobre el extremo del estilete.

chapó. m. Juego del billar en el que el centro de la mesa está ocupado por cinco palitos que debe derribar la bola, la cual ha de introducirse también en uno de los cuatro agujeros que ocupan los ángulos de la mesa.

chapodar. tr. Cortar ramas de los árboles, aclarándolos, a fin de que no se envicien. || fig. Cercenar.

chapodo. m. Trozo de la rama que se chapoda. || Acción y efecto de chapodar.

chapola. f. *Amer.* Mariposa.

chapotear. tr. Humedecer repetidas veces una cosa con una esponja o paño empapado en agua o otro líquido, sin estregarla. || intr. Sonar el agua batida por los pies o las manos.

chapoteo. m. Acción y efecto de chapotear.

chapucear. tr. Trabajar mal y deprisa.

chapucería. f. Tosquedad, imperfección en cualquier cosa. || Obra hecha sin arte ni pulidez.

chapucero, ra (al. *Stümper*, fr. gâcheur, ingl. *clumsy person*, it. *acciarpatore*). adj. Hecho tosca y groseramente. || Dícese de la persona que trabaja de este modo. Ú.t.c.s.

chapulín. m. *Amer.* Langosta, cigarrón.

chapurrado. m. Bebida compuesta de varios licores.

chapurrar. tr. Chapurrear. || Mezclar un licor con otro.

chapurrear. tr. Hablar con dificultad un idioma, pronunciándolo mal y usando en él vocablos y giros exóticos. Ú.t.c. intr.

chapuz. m. Chapuza, chapucería.

chapuza. f. Acción de chapucear. || Obra o labor de poca importancia. || Chapucería, obra mal hecha.

chapuzar. tr. Meter a uno de cabeza en el agua. Ú.t.c. intr. y r.

chapuzón (al. *Untertauchen*, fr. *plongeon*, ingl. *plunge*, it. *tuffo*). m. Acción y efecto de chapuzar o chapuzarse.

chaqué. m. Especie de levita, con los faldones abiertos y separados por delante.

chaqueta (al. *Jacke*, fr. *jaquette*, ingl. *sackcoat*, it. *giacca*). f. Prenda exterior de vestir, con mangas y sin faldones que se ajusta al cuerpo y pasa poco de la cintura. Se abotona por delante. || Americana. || *cambiar de chaqueta.* fig. y fam. Dejar el bando o partido que se seguía y adoptar el contrario.

chaquetero, ra. adj. Que cambia de chaqueta por conveniencia personal.

chaquetilla. f. Chaqueta, en general más corta que la ordinaria, de forma diferente y casi siempre con adornos.

chaquetón. m. aum. de chaqueta. || Prenda exterior de vestir, de más abrigo y algo más larga que la chaqueta.

charada (al. *Scharade*, fr. *charade*, ingl. *charade*, it. *sciarada*). f. Enigma que resulta de formar con las sílabas divididas o trastocadas de una voz, otras dos o más voces, y de dar ingeniosa y vagamente algún inicio acerca del sentido de cada una de éstas y de la principal, que se llama todo.

charamusca. f. Leña menuda con que se hace fuego en el campo. || Chispa que salta del fuego de leña. || *Amer.* Confitura en forma de tirabuzón, hecha de azúcar con otras sustancias y acaramelada.

charanga (al. *Regimentsmusik*, fr. *fanfare*, ingl. *fanfare*, it. *fanfara*). f. Banda formada por instrumentos de viento.

charango. m. Especie de bandurria de cinco cuerdas.

charanguero, ra. adj. Tosco y sin arte, chapucero. Ú.t.c.s.

charape. m. *Amer.* Bebida fermentada hecha con pulque, panocha, miel, clavo y canela.

charca (al. *Tümpel*, fr. *mare*, ingl. *pool*, it. *pozza*). f. Depósito algo considerable de agua detenida en el terreno, natural o artificialmente.

charco (al. *Pfütze*, fr. *flaque*, ingl. *puddle*, it. *pozza*). m. Agua detenida en un hoyo o cavidad de la tierra o del piso. [*Sinón.*: charca]

charcutería. f. Tienda de embutidos, salchichería, chacinería.

charla. f. Acción de charlar. || Género literario que consiste en una pieza oratoria moderadamente lírica.

charladuría. f. Charla indiscreta.

charlar (al. *schwatzen*, fr. *bavarder*, ingl. *to prattle*, it. *chiacchierare*). intr. fam. Hablar mucho, sin sustancia o fuera de propósito. || Conversar sin objeto determinado y sólo por mero pasatiempo.

charlatán, na. adj. Que habla mucho y sin sustancia. Ú.t.c.s. || Hablador indiscreto. Ú.t.c.s.

charlotada. f. Festejo taurino bufo. || Actuación pública, colectiva, grotesca o ridícula.

charlotear. intr. Charlar.

charnela. f. Bisagra. || Gozne. || ZOOL. Articulación de las dos valvas de los moluscos acéfalos.

charol (al. *Lack*, fr. *vernis*, ingl. *japan varnish*, it. *vernice*). m. Barniz muy lustroso y permanente que conserva su brillo y se adhiere perfectamente a la superficie del cuerpo a que se aplica. || Cuero con este barniz.

charolado, da. adj. Lustroso.

charqui. m. *Amer.* Tasajo.

charrada. f. Dicho o hecho propio de un charro. || Baile propio de los charros.

charrán. adj. Pillo, tunante. Ú.t.c.s.

charranear. intr. Hacer vida de charrán o conducirse como tal.

charrasca. f. fam. Arma arrastradiza, por lo común sable. || fam. Navaja de muelles.

charretera. f. Divisa militar de oro, plata u otra materia, en forma de pala, que se sujeta sobre el hombro por una presilla y de la cual pende un fleco como de un decímetro de largo. || Jarretera, condecoración.

charro, rra. adj. Aldeano de Salamanca. Ú.t.c.s. || fig. Basto y rústico. Ú.t.c.s. || m. *Amer.* En México, jinete o caballista con traje especial compuesto de chaqueta con bordados, pantalón ajustado, camisa blanca y sombrero de ala ancha y copa alta y cónica. Ú.t.c.

adj. || adj. fig. y fam. Aplícase a los objetos recargados y de mal gusto.

chasca. f. Leña menuda que procede de la limpia de los árboles y arbustos.

chascar. intr. Dar chaquidos. || Hacer ruido al masticar.

chascarrillo. m. fam. Anécdota ligera, cuentecillo agudo o frase de sentido equívoco y gracioso.

chasco. (al. *Fopperei,* fr. *duperie,* ingl. *trick,* it. *abbindolamento*). m. Burla o engaño que se hace a alguno. || Decepción que causa a veces un suceso contrario a lo que se esperaba.

chasis. m. Armazón, caja del coche. || FOTOGR. Bastidor donde se colocan las placas fotográficas para exponerlas en la cámara oscura.

chaspe. m. Señal que se hace sobre los troncos de los árboles, mediante un superficial golpe de hacha.

chasponazo. m. Señal que deja la bala al pasar rozando un cuerpo duro.

chasquear. tr. Dar chasco o zumba. || Faltar a lo prometido. || intr. Frustrar un hecho adverso las esperanzas de alguno.

chasquido. m. Sonido o estallido que se hace con el látigo o la honda cuando se sacuden al aire con violencia. || Ruido seco y súbito que se produce al romperse, rajarse o desgajarse alguna cosa, como la madera cuando se abre por sequedad o mutación del tiempo. || Ruido que se produce con la lengua al separarla súbitamente del paladar. || Cualquier ruido semejante a los mencionados.

chata. f. Bacín plano, con borde entrante y mango hueco, por donde se vacía. || Chalana.

chatarra. f. Escoria que deja el mineral de hierro. || Hierro viejo que vuelve a los hornos de fundición. || Desperdicios y sobras de cualquier metal.

chatarrero, ra. s. Persona que recoge o vende metales viejos.

chato, ta. (al. *Plattnäsig,* fr. *épaté,* ingl. *flat-nosed,* it. *camuso*). adj. Que tiene la nariz poco prominente y como aplastada. Ú.t.c.s. || Dícese también de la nariz que tiene esta forma. || Aplícase a algunas cosas que, a propósito, se hacen sin relieve o con menos elevación que la que suelen tener las de la misma especie. || m. En las tabernas, vaso bajo y ancho de vino o de otra bebida.

chatón. m. Piedra preciosa y gruesa, engastada en una alhaja.

chatria. m. En la India, individuo perteneciente a la segunda casta, o sea, noble, guerrero.

chatungo, ga. adj. fam. Chato.

chauche. m. Pintura o barniz rojo hecho con minio.

chaval, la. s. Popularmente, niño o joven. Ú. menos c.adj.

chavea. m. fam. Rapazuelo, muchacho.

chaveta. f. Clavo hendido en casi toda su longitud que, introducido por el agujero de un hierro o madero, se remacha separando las dos mitades de su punta. || Clavija o pasador que se pone en el agujero de una barra e impide que se salgan las piezas que la barra sujeta. || *perder* uno *la chaveta.* fig. y fam. Perder el juicio, volverse loco.

chavo. m. fam. Ochavo.

chavó. m. vulg. Chaval.

chayote. m. Fruto de la chayotera, en forma de pera, de corteza rugosa y espinosa, de carne parecida al pepino y con una sola pepita por semilla. Es comestible.

chayotera. f. BOT. Planta cucurbitácea americana, trepadora, de flores con cinco pétalos y cáliz acampanado.

che. f. Nombre de la letra *ch.*

¡che! En Valencia y en algunas partes de América, interjección con que se llama o se pide atención a una persona. También expresa a veces asombro o sorpresa.

checa. f. Comité de la policía secreta en la Rusia soviética. || Organismo semejante que ha funcionado en otros países. || Local en donde actuaban estos organismos.

checo, ca. adj. Bohemio de raza eslava. Ú.t.c.s. || m. Lengua de los checos.

checoslovaco, ca (al. *Tschechoslowakisch,* fr. *tchécoslovaque,* ingl. *czecho-slovak,* it. *cecoslovacco*). adj. Natural de Checoslovaquia. Ú.t.c.s. || Perteneciente a este país.

chelín. m. Moneda inglesa equivalente a la vigésima parte de la libra esterlina, hasta la adopción del sistema decimal. || Unidad monetaria básica en Austria desde 1925.

chencha. adj. *Amer.* Holgazán.

chepa. f. fam. Joroba.

cheque. m. Orden de pago escrita, para cobrar determinada cantidad de los fondos del que lo expide disponibles en un banco.

chequeo. m. MED. Reconocimiento médico general.

cherna. f. Mero, pez.

chéster. m. Queso inglés, parecido al manchego.

cheviot. m. Lana del cordero de Escocia.

chía. f. Semilla de una especie de salvia, con la que se prepara un refresco corriente en México. Molida, produce un aceite secante.

chibcha. adj. Dícese de un pueblo de la América precolombina que habitó parte de América Central y Colombia. || m. Idioma de los chibchas.

chibuquí. m. Pipa que usan los turcos para fumar y que tiene un tubo largo y recto.

chic. adj. Elegante, de moda.

chicada. f. Rebaño de corderos enfermizos que apartan los pastores del ganado para que se restablezcan.

chicalé. m. *Amer.* Pájaro muy hermoso por los colores de su plumaje.

chicano, na. adj. Ciudadano de los Estados Unidos de Norteamérica, perteneciente a la minoría mexicana. Ú.t.c.s.

chicarrón, na. adj. fam. Dícese de la persona joven muy crecida y desarrollada. Ú.t.c.s.

chicle (al. *Kaugummi,* fr. *chewing gum,* ingl. *chewing gum,* it. *chewing gum*). m. Látex que se obtiene del tronco del chicozapote, árbol muy abundante en América Central. || Goma de mascar.

chico, ca. adj. Pequeño o de poco tamaño. || Niño. Ú.t.c.s. || Muchacho. Ú.t.c.s. || m. fam. Se emplea también referido a personas adultas.

chicoleo. m. fam. Dicho o donaire que se usa con las mujeres por galantería.

chicoria. f. Achicoria.

chicotazo. m. *Amer.* Golpe dado con el chicote o látigo.

chicote, ta. s. fam. Persona de corta edad, pero robusta y bien formada. Ú. para denotar cariño. || m. fam. Cigarro puro. || m. *Amer.* Látigo. || MAR. Extremo, remate o punta de cuerda, o pedazo pequeño separado de ella.

chicotear. tr. *Amer.* Dar chicotazos.

chicozapote. m. *Amer.* Zapote.

chicha. f. fam. Carne comestible. || *no ser ni chicha ni limonada.* fig y fam. No valer para nada, ser poca cosa.

chicha. adj. Dícese de la calma completa del mar y del aire.

chicha. f. *Amer.* Bebida alcohólica obtenida por la fermentación del maíz en agua azucarada.

chícharo. m. Guisante, garbanzo, judía.

chicharra. f. Cigarra, insecto. || Juguete que produce un ruido semejante al canto de una cigarra. || fig. y fam. Persona muy habladora.

chicharro. m. Chicharrón. || Jurel.

chicharrón. m. Residuo de las pellas del cerdo, después de derretida la manteca. || Residuo del sebo de la manteca de otros animales. || Carne u otra vianda requemada.

chichear. intr. Sisear. Ú.t.c.tr.

chichilasa. f. *Amer.* Hormiga roja, pequeña, pero muy maligna. || En México, mujer hermosa de carácter arisco.

chichisbeo. m. Obsequio continuado de un hombre a una mujer.

chicho. m. fam. Rizo pequeño de cabello que cae sobre la frente.

chichón. m. Bulto que se forma en la cabeza a consecuencia de un golpe.

chichonera. f. Gorro con armadura adecuada para preservar a los niños de los golpes en la cabeza.

chifla. f. Acción y efecto de chiflar. || Especie de silbato. || Cuchilla para raspar y adelgazar las pieles.

chiflado, da. adj. fam. Dícese de la persona que tiene algo perturbada la razón. Ú.t.c.s.

chifladura. f. Acción y efecto de chiflar o chiflarse.

chiflar. intr. Silbar con la chifla, silbato, o imitar su sonido con la boca. || Mofar, hacer burla o escarnio en público. Ú.t.c.r. || tr. Raspar con la chifla. || r. fam. Perder la energía de las facultades mentales. || Tener sorbido el seso por algo o alguien.

chiflido. m. Sonido de la chifla. || Silbido que lo imita.

chiflón. m. *Amer.* Viento colado o corriente de aire muy sutil. || *Amer.* En México, canal, caño o tubo por donde sale el agua con fuerza.

chilaba. f. Vestidura con capucha que usan los moros.

chilaquil. m. *Amer.* En México, guiso compuesto de tortillas de maíz, despedazadas y cocidas en caldo o salsa de chile.

chilatole. m. *Amer.* En México, guiso de maíz entero, chile y carne de cerdo.

chile. m. *Amer.* Ají y otras especies de pimiento. || Fruto de estas plantas.

chileno, na. adj. Natural de Chile. Ú.t.c.s. || Perteneciente a este país.

chilindrina. f. fam. Cosa de poca importancia. || Anécdota ligera, equívoco picante, chiste.

chilla. f. Instrumento de los cazadores para imitar el sonido de algunos animales.

chillar (al. *kreischen*, fr. *criailler*, ingl. *to scream*, it. *sgridare*). intr. Dar chillidos. || Chirriar. || fig. En pintura y hablando de colores, destacarse con demasiada viveza o estar mal combinados.

chillido (al. *Gekrisch*, fr. *criaillement*, ingl. *scream*, it. *sgridata*). m. Sonido inarticulado de la voz, agudo y desapacible.

chillón, na. adj. fam. Que chilla mucho. Ú.t.c.s. || Dícese de todo sonido agudo y desagradable. || fig. Aplícase a los colores demasiado vivos o mal combinados.

chimango. m. *Amer.* Ave de rapiña que vive en la región del Plata.

chimenea (al. *Kamin*, fr. *cheminée*, ingl. *chimney*, it. *camino*). f. Conducto para dar salida al humo resultante de la combustión. || Hogar o fogón para guisar o calentarse, con un cañón o conducto por donde sale el humo. || —*francesa*. La que sólo sirve para calentarse y se guarnece con un marco y una repisa en su parte superior, donde suelen ponerse objetos de adorno. || GEOL. Canal de erupción de un volcán por el cual son expelidos la lava y los materiales eruptivos. || MINER. Excavación estrecha que se abre en el cielo de una labor de mina o que resulta de un hundimiento.

chimpancé (al. *Schimpanse*, fr. *chimpanzé*, ingl. *chimpanzee*, it. *scimpanze*). m. ZOOL. Mono antropomorfo de brazos largos, cabeza grande, barba y cejas prominentes y nariz aplastada. Habita en el centro de África y se domestica fácilmente.

china. f. Piedra pequeña. || Suerte que echan los muchachos metiendo en el puño una piedrecita u otra cosa semejante y, presentando las dos manos cerradas, pierde aquel que señala la mano donde está la piedra. || *tocarle* a uno *la china.* Tocarle la suerte. || Porcelana, loza fina.

chinampa. f. Terreno de corta extensión en las lagunas vecinas a la ciudad de México.

chinchar. tr. fam. Molestar, fastidiar. || Matar.

chincharrero. m. Sitio o lugar donde hay muchas chinches. || Embarcación pequeña de pesca usada en América.

chinche (al. *Wanze*, fr. *punaise*, ingl. *bedbug*, it. *cimice*). f. ZOOL. Insecto hemíptero, de color rojo oscuro, cuerpo aplastado, casi elíptico, antenas cortas y cabeza inclinada hacia abajo. || com. fig. y fam. Persona molesta y pesada.

chincheta. f. Clavito metálico de cabeza circular y chata y punta acerada, que sirve para clavar papel a un tablero o para fines semejantes.

chinchilla. f. ZOOL. Mamífero roedor, propio de América Meridional, parecido a la ardilla, pero con pelaje gris, más claro por el vientre que por el lomo. Vive en madrigueras subterráneas y su piel es muy estimada para forros y guarniciones de vestidos de abrigo.

chinchona. f. Quina, corteza del quino. || Quinina.

chinchorro. m. *Amer.* Hamaca ligera tejida con cordeles. || MAR. Red, a modo de barredera y semejante a la jábega, aunque menor. || MAR. Embarcación de remos muy pequeña y la menor de a bordo.

chinchoso, sa. adj. fig. y fam. Dícese de la persona molesta y pesada.

chiné. adj. Dícese de ciertas telas rameadas o de varios colores combinados.

chinear. tr. *Amer.* Llevar en brazos o a cuestas.

chineia. f. Calzado a modo de zapato, sin talón, de suela ligera, y que por lo común sólo se usa dentro de casa.

chinesco, ca. adj. Propio de China. || Parecido a las cosas de China.

chingana. f. *Amer.* Taberna en que suele haber canto y baile.

chinguirito. m. *Amer.* Aguardiente de caña, de calidad inferior.

chino, na (al. *chinese*, fr. *chinois*, ingl. *chinese*, it. *cinese*). adj. Natural de China. || Perteneciente a este país de Asia. || *Amer.* Dícese del descendiente de india y zambo o de indio y zamba. Ú.t.c.s. || m. Lengua china. || s. *Amer.* Designación afectiva, ora cariñosa, ora despectiva, de la persona.

chipichipi. m. *Amer.* Llovizna.

chipile. m. *Amer.* Planta herbácea, vivaz, de hojas que son comestibles después de cocidas.

chipirón. m. En las costas de Cantabria, calamar. || Calamar pequeño.

chipote. m. *Amer.* Manotada.

chipriota (al. *Zyprisch*, fr. *chypriote*, ingl. *cyprian*, it. *cipriota*). adj. Natural de Chipre. Ú.t.c.s. || Perteneciente a este país.

chiquear. tr. *Amer.* Mimar, acariciar con exceso, especialmente de palabra o por escrito.

chiquero. m. Pocilga, establo. || Toril.

chiquigüite. m. *Amer.* Cesto o canasta de mimbre sin asas.

chiquilicuatro. m. fam. Chisgarabís.

chiquilín, na. adj. dim. de chico. ‖ s. Niño o niña pequeños.

chiquillada. f. Acción propia de chiquillos.

chiquillería. f. fam. Multitud de chiquillos. ‖ Chiquillada.

chiquillo, lla. adj. Chico, niño, muchacho. Ú.t.c.s.

chiquitín, na. adj. fam. dim. de chiquito. Ú.t.c.s.

chiquito, ta. adj. dim. de chico. Aplicado a personas, ú.t.c.s.

chirapa. f. *Amer.* Andrajo, trapo o jirón de ropa.

chirca. f. BOT. Árbol euforbiáceo, propio de América Central y Meridional, de madera dura, hoja áspera, flores amarillas y fruto en almendra.

chircate. m. *Amer.* Saya de tela burda.

chiribita. f. Chispa. Ú.m. en pl. ‖ pl. fam. Partículas que, vagando en el interior de los ojos, ofuscan la visión.

chiribitil. m. Desván, rincón o escondrijo bajo y estrecho. ‖ fam. Pieza o cuarto muy pequeño.

chirigota. f. fam. Cuchufleta.

chirimbolo. m. fam. Utensilio, vasija o cosa análoga. Ú.m. en pl.

chirimía. f. Instrumento musical de viento, hecho de madera, a modo de clarinete, de unos siete centímetros de largo, con diez agujeros y boquilla con lengüeta de caña. ‖ m. El que toca este instrumento.

chirimoya. f. BOT. Fruto del chirimoyo. Es una baya verdosa con pepitas negras y pulpa blanca, de sabor muy agradable.

chirimoyo. m. BOT. Árbol de la familia de las anonáceas, originario de América Central, de unos ocho metros de altura, con tronco ramoso, copa poblada, hojas elípticas y puntiagudas, y flores fragantes, solitarias, de pétalos verdosos y casi triangulares. Su fruto es la chirimoya.

chiripa. f. En el juego del billar, suerte favorable que se gana por casualidad. ‖ fig. y fam. Casualidad favorable.

chirivía. f. BOT. Planta de la familia de las umbelíferas, con tallo acanalado, hojas parecidas a las del apio, flores pequeñas y amarillas, semilla de dos en dos y raíz fusiforme, blanca o rojiza, carnosa y comestible. ‖ Aguzanieves.

chirla. f. ZOOL. Molusco parecido a la almeja y de su misma familia.

chirlar. intr. fam. Hablar atropelladamente y metiendo ruido.

chirlata. f. Timba de ínfima especie donde sólo se juega moneda pequeña. ‖

MAR. Trozo de madera que completa otro pedazo que está corto o defectuoso.

chirle. adj. fam. Insípido, insustancial.

chirlo (al. *Schmiss,* fr. *balafre,* ingl. *scar on the face,* it. *sfregio*). m. Herida prolongada en la cara, como la que hace una cuchilla.

chirona. f. fam. Cárcel de presos.

chirriar (al. *knarren,* fr. *grincer,* ingl. *squeak,* it. *cigolare*). intr. Rechinar, ludir una cosa con otra. ‖ Ludir con ruido del cubo de las ruedas del carro contra los topes del eje, por no estar engrasado. ‖ Dar sonido agudo una sustancia al penetrarla un calor intenso, como cuando se fríe tocino o se echa pan en el aceite hirviendo. ‖ fig. y fam. Cantar desentonadamente.

chirrido. m. Voz o sonido agudo y desagradable de algunas aves u otros animales; como el grillo, la chicharra, etc. ‖ Cualquier otro sonido agudo, continuado y desagradable.

chiscar. tr. Sacar chispas del eslabón chocándolo con el pedernal.

chiscarra. f. Roca caliza de poca coherencia, que se divide fácilmente en fragmentos pequeños.

chisgarabís. m. fam. Zascandil, mequetrefe, chiquilicuatro.

chisguete. m. fam. Pequeño trago de vino.

chisme. m. Noticia verdadera o falsa con que se pretende indisponer a unas personas contra otras. ‖ Murmuración. ‖ fam. Baratija o trasto pequeño.

chismear. intr. Chismorrear.

chismorrear. intr. Contarse chismes mutuamente varias personas.

chismorreo. m. Acción y efecto de chismorrear.

chismoso, sa. adj. Que chismorrea o es dado a chismorrear. Ú.t.c.s.

chispa (al. *Funke,* fr. *étincelle,* ingl. *spark,* it. *scintilla*). f. Partícula encendida que salta de donde hay fuego. ‖ Partícula de cualquier cosa. ‖ Gota de lluvia menuda y escasa. ‖ fig. Penetración, viveza, ingenio. ‖ fam. Borrachera. ‖ — eléctrica. Descarga luminosa entre dos cuerpos conductores cargados con muy diferente potencial eléctrico. ‖ echar chispas. fig. y fam. Dar muestras de enojo y furor.

chispazo (al. *Entladung,* fr. *décharge,* ingl. *spark,* it. *scintilla*). m. Acción de saltar la chispa del fuego. ‖ fig. Suceso aislado y de poca entidad que precede o sigue como señal a otros de mayor importancia. Ú.m. en pl.

chispeante. adj. fig. Dícese del escrito o discurso rico en detalles de ingenio o agudeza.

chispear. intr. Echar chispas. ‖ Relucir o brillar mucho. ‖ Llover escasamente.

chisporrotear. intr. fam. Despedir chispas reiteradamente.

chisporroteo. m. fam. Acción de chisporrotear.

chisquero. m. Encendedor de bolsillo.

chistar. intr. Prorrumpir en alguna voz o hacer ademán de hablar. Ú.m.c.n.

chiste (al. *Witz,* fr. *plaisanterie,* ingl. *jest,* it. *barzelletta*). m. Dicho agudo y gracioso. ‖ Suceso gracioso y festivo. ‖ Burla o chanza.

chistera (al. *Zylinderhut,* fr. *haut-de-forme,* ingl. *silk hat,* it. *cilindro*). f. Cesta para jugar a la pelota. ‖ Cestilla angosta por la boca y ancha por abajo en la que los pescadores echan los peces. ‖ fig. y fam. Sombrero de copa alta.

chistoso, sa. adj. Que dice chistes. ‖ Cualquier lance o suceso que tiene chiste.

chistu. m. Flautilla de madera con tres orificios, típica del País Vasco.

chistulari. m. Músico del País Vasco que acompaña las danzas populares con el chistu y el tamboril.

chita. f. Astrágalo, hueso del pie. ‖ *Amer.* Redecilla. ‖ *a la chita callando.* Sin escándalo ni ruido para conseguir lo que se desea.

¡chito! Voz fam. que se usa para imponer silencio.

chitón. m. Quitón, molusco.

chitón. Voz fam. usada para imponer silencio.

chiva. f. *Amer.* Perilla, barba.

chivarras. f. pl. *Amer.* Calzones de cuero peludo de chivo.

chivatazo. m. Soplo, delación.

chivato, ta. s. vulg. Soplón, que acusa secretamente. Ú.t.c.s. ‖ m. Chivo que pasa de los seis meses y no llega al año.

chivo, va. s. Cría de la cabra desde que no mama hasta que llega a la edad de procrear.

chocante. adj. Que produce extrañeza. ‖ Gracioso, chocarrero. ‖ *Amer.* Fastidioso, empalagoso, antipático.

chocar (al. *zusanmmenstossen,* fr. *heurter,* ingl. *to collide,* it. *urtare*). intr. Encontrarse violentamente una cosa con otra. ‖ fig. Pelear, combatir. ‖ fig. Indisponerse o enojarse con alguno. ‖

fig. Causar extrañeza. || tr. Darse las manos en señal de saludo. Ú.t.c.intr.

chocarrería. f. Chiste grosero.

chocarrero, ra. adj. Que tiene chocarrería. || Que tiene por costumbre decir chocarrerías. Ú.t.c.s.

choclo. m. Chanclo de madera o de suela gruesa. || *Amer.* Mazorca tierna del maíz.

choco. adj. *Amer.* De color rojo oscuro. || *Amer.* Dícese de la persona de tez muy morena.

chocolate (al. *Schokolade,* fr. *chocolat,* ingl. *chocolate,* it. *cioccolata*). m. Pasta hecha de cacao y azúcar molidos a la que se suele añadir canela o vainilla. || Bebida que se hace con esta pasta, desleída y cocida en agua o leche.

chocolatera. f. Vasija en que se sirve el chocolate.

chocolatería. f. Casa donde se fabrica y vende chocolate. || Casa donde se sirve chocolate al público.

chocolatín. m. Chocolatina.

chocolatina. f. Cierta clase de tableta delgada de chocolate para tomar en crudo.

chocha. ZOOL. Ave zancuda, algo menor que la perdiz, de pico largo, recto y delgado y plumaje de color gris rojizo con manchas negras. Vive en terrenos sombríos y su carne es muy sabrosa. || vulg. *Amer.* Órgano sexual femenino.

chochear. intr. Tener debilitadas las facultades mentales por efecto de la edad.

chochera. f. Chochez.

chochez. f. Calidad del que chochea. || Dicho o hecho de persona que chochea.

chocho, cha. adj. Que chochea. || fig. y fam. Lelo de puro cariño. || m. Altramuz. || vulg. Órgano sexual femenino.

chófer o **chofer** (al. *Fahrer,* fr. *chauffeur,* ingl. *driver,* it. *austia*). m. Conductor de un vehículo automóvil.

chola. f. Cabeza, parte del cuerpo. || Juicio, entendimiento.

cholo, la. adj. *Amer.* Mestizo de europeo e india. Ú.t.c.s. || Dícese del indio que adopta usos occidentales.

choloque. m. BOT. Árbol de la familia de las sapindáceas, que vive en los países cálidos de América. || Fruto de este árbol.

cholla. f. fam. Chola.

chollo. m. *Neol.* Ganga o bicoca.

chongo. m. *Amer.* Moño de pelo. || *Amer.* Postre hecho con leche cuajada. || *Amer.* Chanza, broma.

chopa. f. ZOOL. Pez marino, semejante a la dorada, de color gris metálico, con manchas oscuras longitudinales. || MAR. Cobertizo situado en la popa, junto al asta de la bandera.

chopera. f. Sitio poblado de chopos.

chopo (al. *Erle,* fr. *aune,* ingl. *black poplartree,* it. *pioppo*). m. BOT. Nombre con el que se designan varias clases de álamos. || fam. Fusil.

choque (al. *Anprall,* fr. *choc,* ingl. *collision,* it. *scontro*). m. Encuentro violento de una cosa con otra. || fig. Contienda, disputa, riña. || Combate a pelea de corta duración || MED. Estado de profunda depresión nerviosa y circulatoria, sin pérdida de conocimiento, que se produce después de intensas conmociones. || – *eléctrico.* MED. Electrochoque.

choquezuela. f. Rótula, hueso de la rodilla.

chorizo. m. Pedazo corto de tripa relleno de carne, normalmente de cerdo, picada y adobada. || vulg. Ratero.

chorla. f. ZOOL. Ave gallinácea, parecida a la ganga, pero de mayor tamaño.

chorlito. m. ZOOL. Ave zancuda de pico recto, patas finas y negruzcas y plumaje de color verde muy oscuro. || *cabeza de chorlito.* fig. y fam. persona de poco juicio.

chorlo. m. Turmalina.

chorrada. f. Porción de líquido que se echa de gracia después de dar la medida. || fig. y fam. Tontería, dicho o hecho necio.

chorreado, da. adj. Dícese de la res vacuna que tiene el pelo con rayas oscuras.

chorrear. intr. Caer un líquido formando chorro. || Salir un líquido lentamente y goteando. || fig. y fam. Dícese de algunas cosas que van sucediendo poco a poco, con breve intermisión.

chorreo. m. Acción y efecto de chorrear. || fam. Represión.

chorrera. f. Lugar por donde cae una corta porción de líquido. || Señal que el agua deja por donde ha corrido. || Trecho corto de río en el que el agua corre con mucha velocidad. || Adorno de encaje que se ponía en la abertura de la camisola por la parte del pecho.

chorro (al. *Strahl,* fr. *jet,* ingl. *jet,* it. *getto*). m. Golpe de agua o de otro líquido o de gas que sale por una parte estrecha con alguna fuerza. || Caída sucesiva de cosas iguales y menudas. || – *de voz.* Plenitud de la voz. || *a chorros.* Copiosamente, en abundancia. || *estar* una cosa *como los chorros*

del oro. fig. y fam. Estar limpia, brillante, reluciente.

chorrón. m. Cáñamo que se saca limpio al repasar las estopas de la primera rastrillada.

chortal. m. Lagunilla que se forma por un manantial que brota del fondo de ella.

chotacabras. amb. ZOOL. Ave trepadora, de pico pequeño, fino y algo corvo en la punta, y plumaje de color variado. Es crepuscular y gusta de los insectos que se crían en los rediles.

chotear. intr. Retozar, dar muestras de alegría. || r. Burlarse o mofarse de alguno. Pitorrearse.

choteo. m. vulg. Burla, pitorreo.

chotis. m. Baile por parejas, como la mazurca, pero más lento. Fue muy popular en Madrid.

choto, ta. s. Cría de la cabra mientras mama. || m. vulg. *Amer.* Órgano sexual masculino.

chova. f. ZOOL. Especie de cuervo de plumaje negro y visos verdosos y encarnados, pico amarillo o rojizo y pies de este último color. || Corneja, especie de cuerpo.

chovinismo (del fr. *chauvinisme*). m. Fervor exagerado por las cosas de la propia patria, unido al desprecio por las extranjeras.

choza (al. *Hütte,* fr. *chaumière,* ingl. *hut,* it. *capanna*). f. Cabaña formada de estacas y cubierta de ramas o paja. || Guarida de fieras.

chubasco (al. *Regenguss,* fr. *ondée,* ingl. *squall,* it. *piovasco*). m. Chaparrón o aguacero acompañado de mucho viento. || fig. Adversidad transitoria, pero que entorpece algún designio. || MAR. Nubarrón oscuro y cargado de humedad que suele presentarse en el horizonte repentinamente, empujado por un viento fuerte, y que no siempre se resuelve en agua.

chubasquero. m. Impermeable, prenda de vestir que sirve para protegerse de la lluvia.

chúcaro, ra. adj. *Amer.* Bravío. Dícese especialmente del ganado vacuno y caballar.

chuchería. f. Cosa de poca importancia, pero pulida y delicada. || Alimento ligero, generalmente apetitoso.

chucho. m. Perro común.

chuchoca. f. *Amer.* Especie de maíz cocido y seco, que se usa para condimento.

chueca. f. Tocón, pie de un árbol. || Hueso redondeado o parte de él que encaja en el hueco de otro en una coyuntura, como la rótula en la rodilla. || Juego con dos bandos de jugadores que consiste en hacer que cruce una raya una bolita impelida por palos.

chueta. com. Nombre dado en las islas Baleares a los que se cree descendientes de los judíos conversos.

chufa (al. *Erdmandel*, fr. *châtaigne de terre*, ingl. *chufa*, it. *zizzola*). f. BOT. Nombre vulgar de una especie de juncia vivaz, de cañas triangulares, hojas aquilladas y raíces rastreras que producen unos tubérculos aovados. || Cada uno de estos tubérculos que tienen los rizomas de esta planta. Son amarillentos por fuera y blancos por dentro, carnosos y de sabor dulce y agradable, y con ellos se hace una horchata refrescante. || Burla, mofa.

chufla. f. Cuchufleta, burla.

chulada. f. Acción indecorosa, propia de gente de ruin condición o mala crianza. || Dicho o hecho gracioso que tiene cierta soltura o desenfado.

chulapo, pa. s. Chulo, individuo del pueblo bajo madrileño.

chulear. tr. Burlar a uno con gracia y chiste. Ú.t.c.r.

chulería. f. Cierta gracia en los ademanes o palabras. || Dicho o hecho que contiene jactancia.

chuleta (al. *Rippchen*, fr. *côtelette*, ingl. *chop*, it. *cotoletta*). f. Costilla de carne de carnero, ternera o puerco. || fig. y fam. Entre estudiantes, papelito con apuntes que se lleva oculto para usarlo con disimulo en los exámenes.

chulo, la. adj. Que hace y dice las cosas con chulada. Ú.t.c.s. || Gracioso, bonito. || s. Individuo del pueblo bajo de Madrid que en el modo de vestir y conducirse se distingue por cierta afectación. || m. Rufián.

chumacera. f. Pieza de metal o madera en que descansa y gira cualquier eje de maquinaria. || MAR. Tablita que se pone sobre el borde de la lancha u otra embarcación de remo, y en cuyo medio está el tolete. || MAR. Rebajo semicircular practicado en la falda de los botes en sustitución del tolete, y que sirve para que en él juegue el remo.

chumbera. f. Higuera chumba.

chumbo, ba. adj. Aplícase a la chumbera y a su fruto.

chunga. f. Burla festiva. || *tomar a chunga* una cosa. fam. Echar o tomar a chacota.

chunguearse. r. fam. Burlarse festivamente.

chupa. f. Parte del vestido que cubría el tronco del cuerpo, con faldilla de la cintura abajo y mangas ajustadas. || *poner* a uno *como chupa de dómine*. fig. y fam. Ponerle como un trapo.

chupado, da. adj. fam. Muy flaco y débil.

chupar (al. *saugen*, fr. *sucer*, ingl. *to suck*, it. *succhiare*). tr. Sacar con los labios el jugo o sustancia de una cosa. Ú.t.c.intr. || Embeber los vegetales el agua o la humedad. || fig. y fam. Absorber. || fig. y fam. Ir consumiendo la hacienda de alguien con engaños y pretextos. || r. Irse enflaqueciendo o desmedrando.

chupatintas. m. despect. Oficinista de poca categoría.

chuperretear. tr. Chupetear mucho.

chupeta. f. MAR. Pequeña cámara que algunos buques tienen a popa en la cubierta principal.

chupete (al. *Schnuller*, fr. *sucette*, ingl. *pacifier*, it. *succhioto*). m. Pieza de goma elástica en forma de pezón que se pone en el biberón. || Objeto semejante de goma o pasta que se pone a los niños de pecho en la boca para distraerlos o aliviarles las molestias de la dentición.

chupetear. tr. Chupar poco y repetidamente. Ú.t.c.intr.

chupinazo. m. Disparo hecho con una especie de mortero en los fuegos artificiales.

chupito. m. Sorbo de vino o licor.

chupón, na. adj. fig fam. Que chupa. || Que saca dinero con engaño y astucia. Ú.t.c.s. || m. Vástago o brote que chupa a los árboles la savia y les amengua el fruto. || Émbolo de las bombas de desagüe.

chupóptero. m. fam. Persona que, sin prestar servicios efectivos, disfruta de uno o más sueldos.

churlo. m. Saco de lienzo de pita, cubierto con otro de cuero, para transportar canela u otras cosas sin que pierdan sus propiedades.

churra. f. ZOOL. Ortega; ave.

churrasco. m. *Amer.* Carne asada en las brasas o en la parrilla.

churre. m. fam. Pringue sucia y espesa que despide una cosa grasa. || fig. y fam. Lo que se parece a ella.

churrería. f. Lugar en donde se hacen y venden churros.

churrero, ra. s. Persona que hace o vende churros.

churrete. m. Mancha que ensucia la cara, las manos u otra parte visible del cuerpo.

churrigueresco, ca. adj. Perteneciente o relativo al churriguerismo.

churriguerismo. m. ARQ. Estilo arquitectónico de ornamentación recargada introducido en España por Churriguera y sus seguidores a principios del siglo XVIII. || fig. despect. Estilo de ornamentación recargada.

churro. m. Fruta de sartén, de la misma masa que la de los buñuelos y de forma cilíndrica estriada. || fam. Chapuza, cosa mal hecha.

churro, rra. adj. Dícese del carnero o de la oveja que tiene las patas y la cabeza cubiertas de pelo grueso, corto y áspero, y cuya lana es más basta y áspera que la merina. Ú.t.c.s. || Dícese de esta lana.

churruscar. tr. Tostar o asar demasiado una cosa. Ú.t.c.r.

churrusco. m. Pedazo de pan demasiado tostado.

churumbel. m. Entre los gitanos, niño.

churumbela. f. Instrumento de viento parecido a la chirimía. || Bombilla que usan en América para tomar el mate.

chusco, ca. adj. Que tiene gracia, donaire y picardía. Ú.t.c.s. || m. Pedazo de pan, mendrugo. || Panecillo.

chusma. f. Conjunto de gente de ínfima categoría. || Conjunto de galeotes que servían en las galeras reales.

chut. m. Acción de chutar.

chutar. intr. En el fútbol, dar con el pie al balón para lanzarlo a distancia.

chute. m. Chut.

chuza. f. *Amer.* Lance en el juego del boliche y en el del billar, consistente en derribar de una vez todos los palos con sólo una bola.

chuzar. tr. *Amer.* Pinchar, herir.

chuzo. m. Palo armado con un pincho de hierro, que se usaba para defenderse y ofender. || *Carámbano*, pedazo de hielo. || *Amer.* Látigo hecho con cuero retorcido que va adelgazándose hacia la punta.

chuzón, na. adj. Astuto, difícil de engañar. Ú.t.c.s. || Que tiene gracia para burlarse de otros en la conversación.

d. f. Quinta letra del abecedario español y cuarta de sus consonantes. Su nombre es *de*. || Sexta letra de la numeración romana que tiene el valor de quinientos.

dable. adj. Hacedero, posible.

dacio, cia. adj. Natural de Dacia. Ú.t.c.s. || Perteneciente a este país de la antigua Europa.

dación. m. DER. Acción y efecto de dar.

dactilado, da. adj. Que tiene figura semejante a la de un dedo.

dactilar. adj. Perteneciente o relativo a los dedos. [*Sinón.*: digital]

dáctilo. m. Pie de la poesía griega y latina, compuesto por una sílaba larga y dos breves.

dactilografía. f. Mecanografía.

dactilógrafo, fa. s. Mecanógrafo. || Máquina de escribir.

dactilología. f. Arte de hablar con los dedos o con el abecedario manual.

dactiloscopia. f. Estudio de las impresiones digitales, utilizado para la identificación de las personas.

dactiloscópico, ca. adj. Perteneciente o relativo a la dactiloscopia.

dádiva (al. *Gibe*, fr. *don*, ingl. *gift*, it. *dono*). f. Cosa que se da sin interés.

dadivosidad. f. Calidad de dadivoso.

dadivoso, sa. adj. Generoso, propenso a hacer dádivas. Ú.t.c.s.

dado (al. *Würfel*, fr. *dé*, ingl. *die*, it. *dado*). m. Pieza cúbica en cuyas caras hay señalados puntos desde uno hasta seis y que sirve para varios juegos de azar. || Pieza cúbica de material resistente que se usa en las máquinas para servir de apoyo a tornillos, ejes, etc. y mantenerlos en equilibrio. || MAR. Travesaño de hierro que refuerza cada uno de los eslabones de las cadenas.

dador, ra. adj. Que da. Ú.t.c.s. || m. El que libra la letra de cambio.

daga (al. *Dolch*, fr. *poignard*, ingl. *dagger*, it. *daga*). f. Arma blanca antigua, de hoja corta y semejante a la espada, con guarnición para cubrir el puño.

daguerrotipia. f. Arte de fijar las imágenes, recogidas con la cámara oscura, en chapas metálicas convenientemente preparadas.

daguerrotipo. m. Daguerrotipia. || Aparato que se empleaba en este arte. || Retrato o vista que se obtenía por este procedimiento.

dalia (al. *Dahlie*, fr. *dahlia*, ingl. *dahlia*, it. *dalia*). f. BOT. Planta anual de la familia de las compuestas, con tallo herbáceo, ramoso, hojas opuestas y flores terminales de botón central amarillo. || Flor de esta planta.

dálmata. adj. Natural de Dalmacia. Ú.t.c.s. || Perteneciente a esta región de la actual Yugoslavia. || Dícese del perro de una raza de tamaño mediano o algo grande y pelaje blanco con numerosas manchas negras o pardo oscuras. Ú.t.c.s.

dalmática. f. Túnica blanca con mangas anchas y cortas y adornada de púrpura, que tomaron de los dálmatas los antiguos romanos. || Vestidura litúrgica que se pone encima del alba.

dalmático, ca. adj. Dálmata.

daltoniano, na. adj. Dícese del que padece daltonismo. Ú.t.c.s. || Perteneciente o relativo a esta enfermedad.

daltonismo. m. Defecto de la vista consistente en no percibir determinados colores, o en confundir algunos de los que se perciben.

dallar. tr. Segar la hierba con el dalle.

dalle. m. Guadaña.

dama (al. *Dame*, fr. *dame*, ingl. *lady*, it. *dama*). f. Mujer noble o distinguida. || Mujer galanteada o pretendida por un hombre. || Actriz de teatro que desempeña los papeles principales. || En el juego de ajedrez, reina. || En el juego de damas, pieza que, por haber llegado a la primera línea del contrario, se corona con otra pieza y puede correr toda la línea. || pl. Juego que se realiza en un tablero de 64 escaques con 24 piezas en forma de disco.

damajuana. f. Vasija en forma de castaña.

damascado, da. adj. Adamascado.

damasceno, na. adj. Natural de Damasco. Ú.t.c.s. || Perteneciente a esta ciudad de Siria. || Variedad de ciruela. Ú.t.c.s.

damasco. m. Tela fuerte de seda o lana y con dibujos formados con el tejido. || Árbol, variedad del albaricoquero. || Fruto de este árbol.

damasina. f. Tela parecida al damasco. [*Sinón.*: damasquillo]

damasquinado. m. Embutido de metales finos sobre hierro o acero.

damasquinar. tr. Hacer labores de embutido o incrustación en armas u otros objetos de hierro o acero.

damasquino, na. adj. Damasceno. || Perteneciente o relativo a Damasco. || Aplícase comúnmente a las armas blancas de fino temple y hermosas aguas. || Dícese de la ropa u objeto hecho con tela de damasco.

damería. f. Melindre, delicadeza, aire desdeñoso. || fig. Reparo, escrupulosidad.

damero. m. Tablero del juego de damas.

damisela. f. Moza de condición modesta que presume de dama.

damnificado, da. adj. Dícese de la persona o cosa que ha sufrido grave daño de carácter colectivo.

damnificar (al. *beschädigen*, fr. *endommager*, ingl. *to damage*, it. *danneggiare*). tr. Causar daño.

dandy. (voz inglesa). Hombre que viste a la moda.

danés, sa. adj. Natural de Dinamarca. Ú.t.c.s. ||m. Lengua que se habla en Dinamarca.

dantesco, ca. adj. Propio y característico de Dante. || Que inspira terror.

danubiano, na. adj. Dícese de los territorios situados a orillas del Danubio. || Perteneciente o relativo a estos territorios o al río Danubio.

danza (al. *Tanz*, fr. *danse*, ingl. *dance*, it. *danza*). f. Conjunto de movimientos y actitudes ordenadas del cuerpo realizados al compás de la música. || fig. y fam. Negocio o manejo desacertado o de mala ley.

danzar (al. *tanzen*, fr. *danser*, ingl. *to dance*, it. *danzare*). tr. Bailar las personas. || intr. Moverse una cosa con aceleración y saltando.

danzarín, na. m. y f. Persona que danza con destreza.

dañado, da. adj. Malvado, perverso. || Dícese de la fruta y algún otro comestible cuando están corroídos por un insecto o gusano.

dañar (al. *schädigen*, fr. *nuire*, ingl. *to hurt*, it. *nuocere*). tr. Causar detrimento, perjuicio, menoscabo, dolor o molestia. || Maltratar o echar a perder una cosa. Ú.t.c.r.

dañino, na (al. *schädlich*, fr. *nuisible*, ingl. *harmful*, it. *nocivo*). adj. Que daña o causa perjuicio. Dícese comúnmente de algunos animales.

daño (al. *Schaden*, fr. *dommage*, ingl. *damage*, it. *danno*). m. Efecto de dañar o dañarse.

dañoso, sa. adj. Que daña.

dar (al. *geben*, fr. *donner*, ingl. *to give*, it. *dare*). tr. Entregar. || Donar. || Proponer, indicar. || Conceder, otorgar. || Suponer, considerar. || Producir, dar fruto la tierra o rentar un capital o negocio. || En el juego de naipes, repartir las cartas a los jugadores. || Untar o bañar alguna cosa. ||Junto con algunos sustantivos, hacer, practicar, ejecutar la acción que estos significan. || Sonar en el reloj las campanadas correspondientes a la hora que sea. || Junto con algunas voces, acertar, atinar. || Estar situada una cosa hacia esta o la otra parte. || r. Entregarse, ceder en la resistencia que se hacía. || Suceder, existir alguna cosa. || *a mal dar.* Por malo que sea el resultado de una cosa. || *¡dale!* interj. fam. Indica reprobación. || *¡dale que dale!* expr. fam. con la misma significación que la anterior pero más reforzada. || *¡dale que te pego!* expr.

fam. *¡Dale!* || *dar de sí.* Extenderse, ensancharse.

dardo (al. *Speer*, fr. *dard*, ingl. *dart*, it. *dardo*). m. Arma arrojadiza, semejante a una lanza pequeña y delgada, que se tira con la mano.

dársena (al. *Binnenhafen*, fr. *darse*, ingl. *inner harbour*, it. *darsena*). f. Parte de un puerto de mar resguardada artificialmente para la carga y descarga de las embarcaciones.

darvinismo. m. Teoría biológica expuesta por el naturalista inglés Darwin, según la cual la transformación de las especies animales y vegetales se produce por una selección natural de individuos, debida a la lucha por la existencia y perpetuada por la herencia.

darvinista. adj. Perteneciente o relativo al darvinismo. || com. Partidario del darvinismo.

dasonomía. f. Ciencia que trata de la conservación, cultivo y aprovechamiento de los montes.

data. f. Nota o indicación del lugar y tiempo en que se hace o sucede una cosa, y especialmente la que se pone al final o al principio de una carta o de cualquier otro documento.

datar. tr. Poner la data. || Determinar la data de un documento, obra de arte, suceso, etc. || intr. Haber tenido principio una cosa en el tiempo que se determina.

dataría. f. Tribunal de la curia romana por donde se despachan las provisiones de ciertos beneficios y se conceden determinadas dispensas y facultades.

dátil (al. *Dattel*, fr. *datte*, ingl. *date*, it. *dattero*). m. Fruto comestible de la palmera, de forma elipsoidal, cubierto con una película amarilla y de carne blanquecina.

datilera. adj. Aplícase a la palmera que da fruto. Ú.t.c.s.

dativo. m. GRAM. Uno de los casos de la declinación. Desempeña en la oración oficio de complemento indirecto e indica la persona o cosa a la que afecta o se aplica la significación del verbo, sin ser objeto directo de ella. Lleva la preposición *a* o *para.*

dato (al. *Angabe*, fr. *indication*, ingl. *datum*, it. *dato*). m. Antecedente necesario para llegar al conocimiento exacto de una cosa o para deducir las consecuencias legítimas de un hecho.

de. f. Nombre de la letra *d.*

de (al. *von;* fr. *de;* ingl. *of, from;* it. *di, da*). prep. Denota posesión o pertenen-

cia. || Manifiesta de donde son, vienen o salen las cosas o las personas. || Sirve para denotar la materia de que está hecha una cosa. || Demuestra lo contenido en una cosa. || Indica el asunto o materia de que se trata. || Expresa la naturaleza, condición o cualidad de las personas o cosas. || Desde.

deambular. intr. Andar, pasear, caminar sin dirección determinada.

deambulatorio. m. Espacio transitable que hay en las catedrales y otras iglesias detrás de la capilla o del altar mayor. Da paso a otras capillas situadas en el ábside.

deán. m. El que hace de cabeza del cabildo después del prelado, y lo preside en las iglesias catedrales.

deanato. m. Dignidad de deán.

debajo (al. *unterhalb;* fr. *dessous;* ingl. *below, bebeath;* it. *disotto*). adv. l. En lugar o puesto inferior, respecto de otro superior. || fig. Con sumisión o sujeción a personas o cosas.

debate (al. *Wortstreit,* fr. *débat,* ingl. *argument,* it. *dibattimento*). m. Controversia sobre un asunto entre dos o más personas. ||Contienda, lucha, combate.

debatir. tr. Altercar, discutir sobre una cosa. || Combatir, guerrear. || r. Forcejear, sacudirse.

debe. m. Una de las dos partes en que se dividen las cuentas corrientes. En las columnas que están bajo este epígrafe se anotan todas las cantidades que se cargan al individuo o a la entidad a quien se abre la cuenta.

debelación. m. Acción y efecto de debelar.

debelar. tr. Someter por las armas al enemigo.

deber. m. Aquello a que está obligado el hombre por los preceptos religiosos o por las leyes naturales y positivas.

deber (al. *sollen,* fr. *devoir,* ingl. *to ought,* it. *dovere*). tr. Estar obligado a algo por la ley divina, natural o positiva. || Tener obligación de corresponder a uno en lo moral. || Tener por causa, ser consecuencia. Ú.t.c.r. || Tener obligación de satisfacer una cantidad. || Se usa con la partícula *de* para denotar que quizá ha sucedido, sucede o sucederá una cosa.

débil (al. *schwach,* fr. *faible,* ingl. *weak,* it. *fievole*). adj. De poco vigor, de escasa fuerza o resistencia física o moral. Ú.t.c.s.

debilidad. f. Falta de vigor, de fuerza física o moral.

debilitación. f. Acción y efecto de debilitar o debilitarse.

debilitar. tr. Disminuir la fuerza, el vigor o el poder de una persona o cosa. Ú.t.c.r.

débito. m. Deuda. || — *conyugal.* Recíproca obligación de los cónyuges de aceptar la unión carnal.

debut. m. Estreno, presentación por primera vez ante el público.

debutante. adj. Dícese del que debuta. Ú.t.c.s.

debutar. intr. Estrenarse.

deca. Prefijo que tiene la significación de diez.

década. f. Serie de diez. || Período de diez días. || Periodo de diez años.

decadencia (al. *Verfall*, fr. *décadence*, ingl. *decline*, it. *decadenza*). f. Declinación, principio de debilidad o de ruina.

decadentismo. m. Escuela literaria caracterizada por la tendencia a un refinamiento exagerado, el abuso de las alegorías y el sentido escéptico y pesimista de sus temas.

decaedro. m. GEOM. Sólido que tiene diez caras.

decaer (al. *verfallen*, fr. *déchoir*, ingl. *to decline*, it. *decadere*). intr. Ir a menos, perder una persona o cosa alguna parte de las condiciones o propiedades que constituían su fuerza, importancia o valor. || MAR. Separarse la embarcación del rumbo que pretende seguir, arrastrada por la marejada, el viento o la corriente.

decágono, na. adj. Aplícase al polígono de diez lados. Ú.m.c.s.m.

decagramo. m. Peso de diez gramos.

decaimiento. m. Decadencia. || Abatimiento, desaliento.

decalitro. m. Medida de capacidad que tiene diez litros.

decálogo. m. Los diez mandamientos de la ley de Dios.

decámetro. m. Medida de longitud que tiene diez metros.

decanato. m. Dignidad de decano. || Deanato. || Despacho del decano.

decano (al. *Dekan*, fr. *doyen*, ingl. *senior*, it. *decano*). m. Miembro más antiguo de una comunidad, cuerpo, junta, etc. || El que con dicho título es nombrado para presidir una corporación o una facultad universitaria, aún sin ser el más antiguo.

decantación. Acción y efecto de decantar.

decantar. tr. Inclinar suavemente una vasija para trasvasar el líquido sin que salga el poso. || r. Desviarse, apartarse de la línea por donde se va.

decapado. m. METAL. Operación de suprimir la costra de sales, óxidos y otras materias que cubren los metales.

decapitación. f. Acción y efecto de decapitar.

decapitar (al. *köpfen*, fr. *décapiter*, ingl. *to behead*, it. *decapitare*). tr. Cortar la cabeza.

decápodo, da. adj. ZOOL. Dícese de los crustáceos o moluscos que tienen cinco pares de patas.

decasílabo, ba. adj. Que tiene diez sílabas. Dicho de los versos.

decatlón. m. DEP. Competición atlética que consta de diez pruebas.

deceleración. f. FIS. Aceleración negativa, o disminución de la velocidad por unidad de tiempo en un movimiento uniformemente retardado.

decena. f. Conjunto de diez unidades. || MÚS. Octava de la tercera.

decenal. adj. Que sucede o se repite cada decenio. || Que dura un decenio.

decencia (al. *Anstand*, fr. *décence*, ingl. *decency*, it. *decenza*). f. Respeto a las buenas costumbres o a las conveniencias sociales. || Recato, honestidad, modestia. || fig. Dignidad en los actos y en las palabras.

decenio. m. Período de diez años.

decentar. tr. Empezar a contar o gastar de una cosa. || r. Ulcerarse una parte del cuerpo del enfermo, por estar echado mucho tiempo de un mismo lado en la cama. || fig. Empezar a echarse a perder lo que se había conservado sano.

decente (al. *Anständig*, fr. *décent*, ingl. *decent*, it. *decente*). adj. Honesto, justo, digno. || Adornado, aunque sin lujo, con limpieza y aseo.

decepción (al. *Enttäuschung*, fr. *déception*, ingl. *disappointment*, it. *decepzione*). f. Pesar causado por un desengaño. [*Sinón.:* desilusión]

decepcionar. tr. Causar decepción, desilusionar.

deceso. m. Muerte natural o civil.

deci. Prefijo que tiene la significación de décima parte.

decibel. m. FIS. Unidad de intensidad del sonido, equivalente a la décima parte del bel.

decidido, da. adj. Resuelto, atrevido.

decidir (al. *entschliessen*, fr. *décider*, ingl. *to decide*, it. *decidere*). tr. Formar juicio definitivo sobre algo dudoso. || Resolver, tomar determinación de algo. Ú.t.c.r. || Mover a uno la voluntad a fin de que tome cierta determinación.

decigramo. m. Peso de la décima parte de un gramo.

decilitro. m. Medida de capacidad que tiene la décima parte de un litro.

décima. f. Cada una de las diez partes iguales en que se divide un todo. || Combinación métrica de diez versos octosílabos.

decimonónico, ca. adj. Perteneciente o relativo al siglo XIX.

decir. m. Dicho, palabra. || Dicho notable por el contenido o por la oportunidad. Ú.m. en pl.

decir (al. *sagen*, fr. *dire*, ingl. *to say*, it. *dire*). tr. Manifestar con palabras el pensamiento. Ú.t.c.r. || Asegurar, sostener, opinar. || Nombrar o llamar. || *decir por decir.* Hablar sin fundamento. || *el que dirán.* El respeto a la opinión pública.

decisión (al. *Entschluss*, fr. *décision*, ingl. *decision*, it. *decisione*). f. Determinación, resolución que se toma o se da a una cosa dudosa. || Firmeza de carácter.

decisivo, va. adj. Dícese de lo que decide o resuelve.

decisorio, ria. adj. Dícese de lo que tiene fuerza para decidir.

declamación. f. Acción de declamar. || Arte de representar en el teatro.

declamar (al. *vortragen*, fr. *déclamer*, ingl. *to declaim*, it. *declamare*). intr. Recitar la prosa o el verso con la entonación, los ademanes y el gesto conveniente. Ú.t.c.tr.

declamatorio, ria. adj. Aplícase al estilo o tono enfático empleado para suplir la falta de afectos o ideas capaces de acalorar el ánimo.

declaración (al. *Erklärung*, fr. *déclaration*, ingl. *declaration*, it. *dichiarazione*). f. Acción y efecto de declarar.

declarar (al. *erklären*, fr. *déclarer*, ingl. *to declare*, it. *dichiarare*). tr. Manifestar o explicar lo que está oculto o no se entiende bien. || intr. DER. Manifestar los testigos o el reo ante el juez. || r. Manifestar el ánimo, la intención. || Producirse, formarse.

declinable. adj. GRAM. Aplícase a cada una de las partes de la oración que se declinan.

declinación (al. *Abwandlung*, fr. *déclinaison*, ingl. *declension*, it. *declinazione*). f. Caída o descenso. || fig. Decadencia o menoscabo. || ASTR. Arco del círculo meridiano de un astro, sobre el que se mide su distancia al Ecuador. || GRAM. Acción y efecto de declinar. || TOP. Ángulo que forma un plano vertical, o una alineación, con el meridiano del lugar que se considere.

declinar (al. *abwandeln*, fr. *décliner*, ingl. *to decline*, it. *declinare*). intr. Inclinarse hacia abajo o hacia un lado u otro. ‖ fig. Decaer, menguar, ir perdiendo en salud, inteligencia, riqueza, etc. ‖ fig. Aproximarse una cosa a su fin y término. ‖ tr. GRAM. Poner las palabras declinables en los casos gramaticales. ‖ Renunciar, no aceptar.

declive (al. *Abhang*, fr. *penchant*, ingl. *slope*, it. *declivo*). m. Pendiente, cuesta o inclinación del terreno o de la superficie de una cosa.

decocción. f. Acción y efecto de cocer en agua sustancias vegetales o animales. ‖ Producto líquido que se obtiene por medio de esta operación.

decoloración. f. Acción y efecto de decolorar o decolorarse.

decolorar. tr. Quitar o amortiguar el color. Ú.t.c.r.

decomisar. tr. Declarar que una cosa ha caído en comiso.

decomiso. m. DER. Pena en que incurre el que comercia en géneros prohibidos, consistente en la pérdida de los mismos. ‖ DER. Cosa decomisada.

decoración (al. *Ausschmückung*, fr. *décoration*, ingl. *decoration*, it. *decorazione*). f. Acción y efecto de decorar o adornar. ‖ Cosa que decora.

decorado. m. En un espectáculo, conjunto de lienzos y objetos que componen la escena.

decorador, ra. m. y f. Persona que tiene por oficio decorar.

decorar. tr. Adornar, hermosear una cosa o un sitio.

decorativo, va. adj. Perteneciente a la decoración.

decoro. m. Honor o respeto que se debe a una persona. ‖ Circunspección, gravedad. ‖ Pureza, honestidad, recato ‖ Honra, estimación.

decoroso, sa. adj. Dícese de la persona que tiene decoro y pundonor. ‖ Aplícase a las cosas en que hay o se manifiesta decoro.

decrecer. intr. Menguar o disminuir.

decremento. m. Disminución.

decrepitación. f. Acción y efecto de decrepitar.

decrepitar. intr. Dar estallidos por la acción del fuego, crepitar.

decrépito, ta. adj. Aplícase a la edad muy avanzada y a la persona que por su vejez tiene muy menguadas sus facultades. Ú.t.c.s. ‖ Dícese de las cosas que están en franca decadencia.

decrepitud. f. Suma vejez. ‖ fig. Decadencia extrema de las cosas.

decrescendo. m. MÚS. Debilitación gradual de la intensidad de un sonido.

decretar. tr. Decidir la persona o el organismo público que tienen autoridad para ello.

decreto (al. *Verordnung*, fr. *décret*, ingl. *decree*, it. *decreto*). m. Resolución, decisión o determinación del Jefe del Estado, de su Gobierno o de un tribunal o juez sobre cualquier materia.

decuplicar. tr. Multiplicar por diez una cantidad.

décuplo, pla. adj. Que contiene un número diez veces exactamente.

decuria. f. Cada una de las diez porciones en que se dividía la antigua curia romana. ‖ En la antigua milicia romana, escuadra de diez soldados y un cabo.

decurión. m. Jefe de una decuria.

decurrente. adj. BOT. Se aplica a las hojas cuyo limbo se extiende a lo largo del tallo, como si estuviesen adheridas a él.

decurso. m. Sucesión o continuación del tiempo.

dechado. m. Ejemplar, muestra que se tiene presente para imitar. ‖ fig. Ejemplo y modelo de virtudes y perfecciones, o de vicios o maldades.

dedal (al. *Fingerhut*, fr. *dé*, ingl. *thimble*, it. *ditale*). m. Utensilio, cilíndrico y hueco que se coloca en la extremidad de un dedo y sirve para empujar la aguja de coser.

dedicación. f. Acción y efecto de dedicar o dedicarse. ‖ Inscripción en un edificio o templo, grabada en una piedra que se coloca en la pared o fachada para conservar la memoria del que lo erigió.

dedicar (al. *widmen*, fr. *dédier*, ingl. *to devote*, it. *dedicare*). tr. Consagrar, destinar una cosa al culto, o también a un fin o uso profano. ‖ Dirigir a una persona, como obsequio, un objeto cualquiera. ‖ Escribir algo en un objeto que se regala, o firmar simplemente en él. ‖ Emplear, destinar, aplicar. Ú.t.c.r.

dedicatoria. f. Carta o nota dirigida a la persona a quien se dedica una obra.

dedil. m. Funda de cuero o de otra materia que se pone en un dedo para protegerlo.

dedo (al. *Finger*, fr. *doigt*, ingl. *finger*, it. *dito*). m. Cada uno de los cinco apéndices en que termina la mano del hombre. ‖ Órgano semejante de muchos animales. ‖ Porción de una cosa, del ancho de un dedo. ‖ — *anular*. El cuarto de la mano, menor que el de en medio y mayor que los otros tres. ‖ — *auricular*. El quinto y más pequeño de la mano. ‖ — *cordial, de en medio* o *del corazón*. El tercero de la mano y más largo de los cinco. ‖ — *índice*. El segundo de la mano, que normalmente sirve para señalar. ‖ — *pulgar*. El primero y más gordo de la mano y, por extensión, del pie.

deducción. f. Acción y efecto de deducir. ‖ Acción de sacar una parte del todo. ‖ Conclusión derivada de un hecho, principio o supuesto. ‖ Rebaja, descuento. ‖ FIL. Método por el cual se procede lógicamente de lo universal a lo particular.

deducir (al. *Ableiten*, fr. *déduire*, ingl. *to infer*, it. *dedurre*). tr. Sacar consecuencias de un principio, proposición o supuesto. ‖ Rebajar, restar, descontar alguna cantidad.

deductivo, va. adj. Que obra o procede por deducción.

defecación. f. Acción y efecto de defecar.

defecar. tr. Quitar las heces o impurezas. ‖ Expeler los excrementos.

defección. f. Acción de separarse con deslealtad uno o más individuos de la causa o del partido al que pertenecían.

defectivo, va. adj. Defectuoso. ‖ Dícese del verbo cuya conjugación no es completa. Ú.t.c.s.

defecto (al. *Fehler*, fr. *défaut*, ingl. *default*, it. *difetto*). m. Carencia o falta de las cualidades propias y naturales de una cosa. ‖ Imperfección natural o moral.

defectuoso, sa. adj. Imperfecto, falto.

defender (al. *verteidigen*, fr. *défendre*, ingl. *to defend*, it. *difendere*). tr. Amparar, proteger. ‖ Mantener, conservar, sostener una cosa contra el dictamen ajeno. ‖ Abogar, alegar en favor de uno.

defendido, da. adj. Dícese de la persona a quien defiende un abogado. Ú.t.c.s.

defenestración. f. Acción y efecto de defenestrar.

defenestrar. tr. Arrojar a alguien por la ventana.

defensa (al. *Verteidigung*, fr. *défense*, ingl. *defence*, it. *difensa*). f. Acción y efecto de defender o defenderse. ‖ Arma o instrumento con que uno se defiende. ‖ Amparo, protección, socorro. ‖ Obra de fortificación que sirve para defender una plaza, un campamento, etc. ‖ DER. Razón o motivo que se alega en juicio para contradecir o desvirtuar la acción del demandante. ‖

DER. Abogado defensor del litigante o del reo. || *legítima defensa.* DER. Circunstancia que exime de culpabilidad en ciertos delitos.

defensiva. f. Situación o estado del que sólo trata de defenderse.

defensivo, va. adj. Que sirve para la defensa. || Defensa.

defensor, ra (al. *Verteidiger,* fr. *défenseur,* ingl. *defender,* it. *difensore*). adj. Que defiende. Ú.t.c.s. || DER. Persona que en juicio está encargada de una defensa.

deferencia (al. *Ehrerbietung,* fr. *déférence,* ingl. *deference,* it. *deferenza*). Muestra de respeto o de cortesía. || Adhesión al dictamen o proceder ajeno, por respeto o por excesiva moderación.

deferente. adj. Que muestra deferencia. || Respetuoso, cortés.

deferir. intr. Adherirse al dictamen de uno por respeto, modestia o cortesía. || tr. Comunicar, dar parte de la jurisdicción o poder.

deficiencia. f. Defecto o imperfección.

deficiente. adj. Falto o incompleto.

déficit. m. En el comercio, saldo negativo que se produce cuando las salidas superan los ingresos. En la administración pública, parte que falta para levantar las cargas del Estado, reunidas todas las cantidades destinadas a cubrirlas. No admite terminación en plural.

definición (al. *Definition,* fr. *définition,* ingl. *definition,* it. *definizione*). f. Acción y efecto de definir. || Decisión o determinación de una duda, pleito o contienda por la autoridad legítima.

definir (al. *bestimmen,* fr. *définir,* ingl. *to define,* it. *definire*). tr. Fijar con claridad, exactitud y precisión la significación de una palabra o la naturaleza de una cosa. || Decidir, determinar, resolver una cosa dudosa. Ú.t.c.r.

definitivo, va. adj. Se dice de lo que decide, resuelve o concluye.

deflación. f. ECON. Reducción de la circulación fiduciaria por reducción del papel moneda y limitación de los créditos.

deflagración. f. Acción y efecto de deflagrar.

deflagrador, ra. adj. Que deflagra. || m. FÍS. Aparato eléctrico que sirve para dar fuego a los barrenos.

deflagrar. intr. Arder una sustancia súbitamente con llama y sin explosión.

deflector. m. FÍS. Sistema que, por medio de un campo eléctrico o magné-

tico, permite modificar la dirección de un haz de partículas cargadas eléctricamente.

defoliación. f. Caída prematura de las hojas de los árboles y plantas, producida por enfermedad o influjo atmosférico.

deformación. f. Variación que experimentan las dimensiones de un cuerpo bajo la acción de una fuerza exterior. || Deformidad física.

deformar (al. *Entstellen,* fr. *déformer,* ingl. *to deform,* it. *deformare*). tr. Hacer deforme una cosa. Ú.t.c.r.

deforme (al. *ungestalt,* fr. *difforme,* ingl. *disfigured,* it. *deforme*). adj. Desproporcionado o irregular en la forma.

deformidad. f. Calidad de deforme. || Cosa deforme. || fig. Error grosero.

defraudación. f. Acción y efecto de defraudar.

defraudar (al. *betrügen,* fr. *frauder,* ingl. *to cheat,* it. *defraudare*). tr. Privar a uno, abusando de su confianza, de lo que le corresponde por derecho. || Eludir o burlar el pago de los impuestos.

defunción. f. Muerte, fallecimiento.

degeneración. f. Acción y efecto de degenerar. || MED. Alteración grave de tejidos o elementos anatómicos.

degenerado, da. adj. Se dice del individuo de condición mental anormal o depravada, acompañada generalmente de estigmas físicos. Ú.t.c.s.

degenerar (al. *abarten,* fr. *dégénérer,* ingl. *to degenerate,* it. *degenerare*). intr. Decaer, declinar, no corresponder una persona o cosa a su primera calidad o estado. || fig. No corresponder uno a las virtudes de sus antepasados. || PINT. Desfigurarse una cosa hasta el punto de parecer otra.

deglución. f. Acción y efecto de deglutir.

deglutir. tr. Tragar alimentos y en general, pasar una cosa sólida o líquida de la boca al estómago.

degollación. f. Acción y efecto de degollar. [*Sinón.:* degüello]

degolladero. m. Sitio destinado para degollar las reses. || Cadalso que se levantaba para degollar a un delincuente. || *llevar a uno al degolladero.* fig. y fam. Ponerle en grave peligro.

degollar. tr. Cortar la garganta o el cuello a una persona o animal. || Matar el espada al toro con una o más estocadas mal dirigidas.

degollina. f. fig. y fam. Matanza, mortandad.

degradación. f. Acción y efecto de degradar. || Humillación, bajeza.

degradar (al. *degradieren,* fr. *dégrader,* ingl. *to degrade,* it. *degradare*). tr. Deponer a una persona de las dignidades, honores, empleos y privilegios que tiene. || Humillar, rebajar, envilecer. Ú.t.c.r. || PINT. Disminuir el tamaño y viveza del color de las figuras de un cuadro, según la distancia a que se suponen colocadas.

degüello. m. Acción de degollar. || *entrar a degüello.* Asaltar una población sin dar cuartel.

degustación. f. Acción de degustar.

degustar. tr. Probar o catar alimentos o bebidas.

dehesa (al. *Weide,* fr. *pâturage,* ingl. *pasture,* it. *pascolo*). f. Tierra, generalmente acotada, destinada a pastos.

dehiscencia. f. BOT. Acción de abrirse naturalmente las anteras de una flor o el pericarpio de un fruto, para dar salida al polen o a la semilla.

dehiscente. adj. BOT. Dícese del fruto cuyo pericarpio se abre naturalmente para que salga la semilla.

deicidio. m. Crimen de los que dieron muerte a Jesucristo.

deidad (al. *Gottheit,* fr. *divinité,* ingl. *deity,* it. *deità*). f. Ser divino o esencia divina. || Cada uno de los dioses en las religiones politeístas.

deificar. tr. Divinizar, hacer o suponer divina una persona o cosa. || fig. Ensalzar excesivamente a una persona.

deísmo. m. Doctrina que admite la existencia de un solo Dios, pero no la revelación ni el culto externo.

deísta. adj. Que profesa el deísmo. Ú.t.c.s.

deja. f. Parte que queda y sobresale entre dos muescas o cortaduras.

dejación. f. Acción y efecto de dejar.

dejadez. f. Pereza, negligencia, abandono de sí mismo o de sus cosas propias.

dejado, da. adj. Negligente, que no cuida de su conveniencia o aseo.

dejamiento. m. Dejación. || Flojedad, descuido. || Desasimiento, despego de una cosa.

dejar (al. *lassen,* fr. *laisser,* ingl. *to let,* it. *lasciare*). tr. Soltar una cosa; retirarse o apartarse de ella. || Omitir. || Consentir, permitir. || Producir ganancia. || Desamparar, abandonar. || Encargar, encomendar. || Ausentarse. || Dar una cosa a otro el que se ausenta o hace testamento. || fam. Prestar. || r. Descuidarse de sí mismo; olvidar su conveniencia o aseo. || Abandonarse, caer de ánimo por flojedad, abatimiento o pereza.

dejo. m. Dejación, acción y efecto de dejar. || Modo particular de pronunciación y de inflexión de la voz que denota la emoción del que habla. || Acento peculiar del habla de determinada región. || Gusto o sabor que deja la comida o bebida.

de jure. loc. adv. lat. Conforme a derecho.

del. Contracción de la preposición *de* y el artículo *el.*

delación. f. Acusación, denuncia.

delantal (al. *Schürze,* fr. *tablier,* ingl. *apron,* it. *grembiale*). m. Prenda de vestir que se ata a la cintura y sirve para cubrir parcialmente la delantera del cuerpo en ciertos menesteres u oficios.

delante (al. *vorn,* fr. *devant,* ingl. *before,* it. *davanti*). adv. l. Con prioridad de lugar, en la parte anterior. || Enfrente.

delantera (al. *Vorderteil,* fr. *devant,* ingl. *forefront,* it. *parte anteriore*). f. Parte anterior de una cosa. || Espacio o distancia con que uno se adelanta o anticipa a otro en el camino. || *coger, ganar* o *tomar* a uno *la delantera.* fam. Aventajarle, anticipársele en una competición o negocio.

delantero, ra. adj. Que está o va delante. || m. En algunos deportes, el que juega en primera fila.

delatar. tr. Revelar voluntariamente a la autoridad un delito, designando al autor. || Descubrir, revelar algo oculto y generalmente reprochable.

delator, ra (al. *Angeber,* fr. *délateur,* ingl. *accuser,* it. *delatore*). adj. Denunciador, acusador. Ú.t.c.s.

delco. m. En los motores de explosión, aparato distribuidor de la corriente de alto voltaje, que hace a ésta llegar por turno a cada una de las bujías.

deleble. adj. Que puede borrarse o se borra fácilmente.

delectación. f. Deleitación.

delegación (al. *Abordnung,* fr. *délégation,* ingl. *delegation,* it. *delegazione*). f. Acción y efecto de delegar. || Cargo de delegado. || Oficina del delegado. || Conjunto de delegados.

delegado, da. adj. Dícese de la persona en quien se delega una facultad o jurisdicción. Ú.t.c.s.

delegar. tr. Dar una persona a otra sus atribuciones para que haga sus veces, o conferirle su representación.

deleitación. f. Deleite.

deleitar (al. *ergötzen,* fr. *délecter,* ingl. *to delight,* it. *dilettare*). tr. Producir deleite. Ú.t.c.r. [*Sinón.:* agradar, regocijarse]

deleite. m. Placer del ánimo. || Placer sensual.

deletéreo, a. adj. Mortífero, venenoso.

deletrear (al. *buchstabieren,* fr. *épeler,* ingl. *to spell,* it. *compitare*). tr. Pronunciar o nombrar separadamente las letras de cada palabra.

deletreo. m. Acción de deletrear. || Procedimiento para enseñar a leer deletreando.

deleznable. adj. Que se rompe, disgrega o deshace fácilmente. || Que se desliza y resbala con mucha facilidad. || fig. Poco durable, inconsistente, de poca resistencia.

deleznarse. r. Deslizarse, resbalarse.

delfín (al. *Delphin,* fr. *dauphin,* ingl. *dolphin,* it. *delfino*). m. Cetáceo carnívoro, de dos y medio a tres metros de largo; es negro por encima, blanquecino por debajo, de cabeza voluminosa, ojos pequeños y boca muy grande. || ASTR. Pequeña constelación boreal situada cerca del Águila.

delgadez. f. Calidad de delgado.

delgado, da (al. *dünn,* fr. *mince,* ingl. *thin,* it. *magro*). adj. Flaco, de pocas carnes. || Delicado, suave.

deliberación. f. Acción y efecto de deliberar.

deliberar (al. *beratschlagen,* fr. *délibérer,* ingl. *to confer,* it. *deliberare*). intr. Considerar atenta y detenidamente el pro y el contra de las decisiones, antes de cumplirlas o realizarlas. || tr. Resolver una cosa con premeditación.

delicadeza (al. *Zartheit,* fr. *délicatesse,* ingl. *gentleness,* it. *delicatezza*). f. Finura. || Atención y exquisito miramiento con las personas o las cosas, en las obras o en las palabras. || Ternura, suavidad. || Escrupulosidad.

delicado, da (al. *fein,* fr. *délicat,* ingl. *gentle,* it. *delicato*). adj. Fino, atento, suave, tierno. || Débil, flaco, delgado, enfermizo. || Quebradizo, fácil de deteriorarse. || Sabroso, regalado, gustoso. || Difícil, expuesto a contingencias. || Suspicaz, fácil de resentirse o enojarse. || Que procede con escrupulosidad o miramiento.

delicia (al. *Entzücken,* fr. *délice,* ingl. *delight,* it. *delizia*). f. Placer muy intenso del ánimo. || Placer sensual muy vivo. || Lo que causa este placer.

delicioso, sa. adj. Capaz de causar delicia.

delictivo, va. adj. Perteneciente o relativo al delito. || Que implica delito. [*Sinón.:* delictuoso]

delicuescencia. f. Fenómeno por el cual determinadas sustancias absorben la humedad del aire, disolviéndose en él.

delimitación. f. Acción y efecto de delimitar.

delimitar (al. *begrenzen,* fr. *délimiter,* ingl. *to set boundaries,* it. *delimitare*). tr. Señalar con precisión los límites de una cosa.

delincuencia (al. *Strafbare Handlungen,* fr. *délinquance,* ingl. *delinquency,* it. *delinquenza*). f. Calidad de delincuente. || Comisión de un delito. || Conjunto de delitos en general o referidos a un país, época o especialidad.

delincuente (al. *Missetäter,* fr. *délinquant,* ingl. *offender,* it. *delinquente*). adj. Que delinque. Ú.t.c.s.

delineante. adj. Que delinea. || m. El que tiene por oficio trazar planos.

delinear. tr. Trazar las líneas de una figura.

delinquir (al. *Sich vergehen,* fr. *commettre un délit,* ingl. *to offend,* it. *delinquere*). intr. Cometer un delito.

delirar (al. *phantasieren,* fr. *délirer,* ingl. *to rave,* it. *delirare*). intr. Desviar, por causa de una enfermedad o pasión violenta. || fig. Decir o hacer despropósitos o disparates.

delirio (al. *Fieberwahn,* fr. *délire,* ingl. *delirium,* it. *delirio*). m. Acción y efecto de delirar. || Perturbación de la razón por una pasión violenta o enfermedad. || fig. Despropósito, disparate.

delirium tremens. m. MED. Psicosis aguda caracterizada por delirio, estado confusional, temblores y alucinaciones, sobre todo visuales, de carácter muy vívido. Se observa en los alcohólicos crónicos.

delitescencia. f. MED. Desaparición de alguna afección local. || QUÍM. Pérdida o eliminación del agua en partículas menudas, que experimenta un cuerpo al cristalizarse.

delito (al. *Vergehen,* fr. *délit,* ingl. *offense,* it. *delitto*). m. Culpa, crimen, violación de la ley. || DER. Acción u omisión voluntaria, castigada por la ley con pena grave. — *frustado.* DER. Aquel en que, hechos todos los actos necesarios, no se logra el fin, contra la voluntad del culpable.

delta. f. Cuarta letra del alfabeto griego, que corresponde a nuestra *d.* || m. Terreno comprendido entre dos de los brazos con que algunos ríos desembocan en el mar.

deltoides. adj. De figura de delta mayúscula. || ANAT. Dícese de un músculo triangular que va en el hombro desde la clavícula al omóplato y cubre la articulación de éste con el húmero. Ú.t.c.s.m.

demacración. f. Enflaquecimiento por falta de nutrición u otras causas.

demacrarse. r. Perder carnes, enflaquecer por causa física o moral.

demagogia. f. Dominación tiránica de la plebe. ‖ Actitud de aquellos que, por conquistar el favor popular, no vacilan en hacer promesas falsas o insostenibles, y en fingir la aprobación de las opiniones o prejuicios en boga.

demagógico, ca. adj. Perteneciente o relativo a la demagogia o al demagogo.

demagogo (al. *Demagoge*, fr. *démagogue*, ingl. *demagogue*, it. *demagogo*). m. El que practica la demagogia. ‖ Orador extremadamente revolucionario.

demanda (al. *Klage*, fr. *action en justice*, ingl. *claim*, it. *domanda*). f. Súplica, petición, solicitud. ‖ Pedido o encargo de mercancías. ‖ DER. Escrito en que se ejercita en juicio una o varias acciones civiles o se desenvuelve un recurso contencioso administrativo.

demandado, da. s. DER. Persona a quien se pide una cosa en juicio.

demandante. m. DER. Persona que demanda o pide una cosa en juicio.

demandar. tr. Pedir, rogar. ‖ DER. Entablar una demanda.

demarcación. f. Acción y efecto de demarcar. ‖ Terreno demarcado. ‖ En las divisiones territoriales, parte comprendida en cada jurisdicción.

demarcar. tr. Señalar los límites de un país o terreno. ‖ MAR. Señalar el rumbo con la brújula.

demás (al. *überdies*, fr. *le reste*, ingl. *the rest*, it. *altro*). adj. Precedido de los artículos *lo, la los, las*, lo otro, la otra, los otros o los restantes, las otras. En plural se usa muchas veces sin artículo. ‖ *por demás.* En vano, inútilmente. ‖ *por lo demás.* Por lo que hace relación a otras consideraciones.

demasía. f. Exceso. ‖ Atrevimiento. ‖ Insolencia, descortesía.

demasiado, da (al. *übermässig*, fr. *excessif*, ingl. *too much*, it. *eccessivo*). adj. Que es en demasía o tiene demasía.

demencia (al. *Wahnsinn*, fr. *démence*, ingl. *insanity*, it. *demenza*). f. Trastorno duradero de la memoria y el juicio, con síntomas físicos o no.

demencial. adj. Perteneciente o relativo a la demencia.

demente. adj. Loco, falto de juicio. Ú.t.c.s.

demérito. m. Falta de mérito. ‖

Acción, circunstancia o cualidad por la cual se desmerece.

demiurgo. m. Dios creador, en la doctrina de los platónicos y alejandrinos. ‖ Alma universal, principio activo del mundo, según los gnósticos.

democracia (al. *Demokratie*, fr. *démocratie*, ingl. *democracy*, it. *democrazia*). f. Doctrina o política favorable a la intervención del pueblo en el gobierno. ‖ Nación gobernada según esta doctrina.

demócrata. adj. Partidario de la democracia. Ú.t.c.s.

democrático, ca. adj. Perteneciente o relativo a la democracia.

democratización. f. Acción y efecto de democratizar.

democratizar. tr. Hacer demócratas a las personas, o democráticas las instituciones. Ú.t.c.r.

demografía. f. Estudio estadístico de una colectividad humana según su composición y estado en un determinado momento, o según su evolución histórica.

demoledor, ra. adj. Que demuele. Ú.t.c.s.

demoler. tr. Deshacer, derribar, arruinar.

demolición. f. Acción y efecto de demoler.

demoniaco, ca. adj. Perteneciente o relativo al demonio. [*Sinón.*: satánico, diabólico].

demonio (al. *Dämon*, fr. *démon*, ingl. *devil*, it. *demonio*). m. Diablo. ‖ Genio o ser sobrenatural, entre los paganos. ‖ *darse* uno *a todos los demonios.* Encolerizarse o irritarse demasiado. ‖ *tener* uno *el demonio en el cuerpo.* Ser muy inquieto o travieso.

demonolatría. f. Culto supersticioso que se rinde al diablo.

demora (al. *Verzug*, fr. *retard*, ingl. *delay*, it. *ritardo*). f. Tardanza, dilación.

demorar (al. *aufhalten*, fr. *retarder*, ingl. *to delay*, it. *ritardare*). tr. Retardar. ‖ intr. Detenerse en un lugar.

demostración. f. Acción y efecto de demostrar. ‖ Señalamiento, manifestación. ‖ Prueba de una cosa, partiendo de verdades universales y evidentes. ‖ Comprobación, por hechos ciertos, de un principio o teoría.

demostrar (al. *beweisen*, fr. *démontrer*, ingl. *to prove*, it. *dimostrare*). tr. Manifestar, declarar. ‖ Probar, sirviéndose de cualquier género de demostración. ‖ En lógica, hacer ver que una verdad particular está comprendida en

otra universal, de la que se tiene certeza.

demostrativo, va. adj. Dícese de lo que demuestra. ‖ GRAM. Cierta clase de pronombre. Ú.t.c.s.

demudación. f. Acción y efecto de demudarse.

demudar. tr. Mudar, variar. ‖ Alterar, disfrazar, desfigurar. ‖ r. Cambiarse repentinamente el color, el gesto o la expresión del semblante.

dendrita. f. Concreción mineral que en forma de ramas de árbol suele presentarse en las fisuras y juntas de las rocas. ‖ Árbol fósil. ‖ BIOL. Prolongación ramificada del protoplasma de una célula nerviosa.

denegación. f. Acción y efecto de denegar.

denegar (al. *abschlagen*, fr. *dénier*, ingl. *to deny*, it. *denegare*). tr. No conceder lo que se pide o solicita.

denegrido, da. adj. De color que tira a negro.

dengue. m. Melindre, remilgo, resistencia a hacer o tomar alguna cosa por afectada delicadeza o por hacerse rogar. ‖ MED. Enfermedad febril, epidémica y contagiosa, que se manifiesta por dolores de los miembros y un exantema semejante al de la escarlatina.

denigración. f. Acción y efecto de denigrar.

denigrar. tr. Ofender la opinión o fama de una persona. ‖ Injuriar, agraviar, ultrajar.

denodado, da. adj. Intrépido, esforzado, atrevido.

denominación. f. Nombre, título o renombre con que se distinguen las personas y las cosas.

denominador, ra (al. *Nenner*, fr. *dénominateur*, ingl. *denominator*, it. *denominatore*). adj. Que denomina. Ú.t.c.s. ‖ MAT. Número que, en los quebrados o fracciones, expresa las partes iguales en que la unidad se considera dividida.

denominar. tr. Nombrar, señalar o distinguir con un título particular a algunas personas o cosas. Ú.t.c.r.

denostar. tr. Injuriar gravemente, infamar de palabra.

denotar. tr. Indicar, anunciar, significar.

densidad (al. *Dichte*, fr. *densité*, ingl. *density*, it. *densità*). f. Calidad de denso. ‖ FIS. Relación entre la masa y el volumen de un cuerpo. ‖ *— de población.* Número de habitantes por unidad de superficie.

densificar. tr. Hacer densa una cosa. Ú.t.c.r.

densímetro. m. Areómetro, instrumento para medir la densidad.

denso, sa (al. *dicht*, fr. *dense*, ingl. *dense*, it. *denso*). adj. Compacto, apretado, unido, cerrado, en contraposición a ralo o flojo. || fig. Oscuro, confuso.

dentado, da (al. *gezahnt*, fr. *denté*, ingl. *toothed*, it. *dentato*). adj. Que tiene dientes o puntas parecidas a ellos.

dentadura (al. *Gebiss*, fr. *denture*, ingl. *set of teeth*, it. *dentatura*). f. Conjunto de dientes, muelas y colmillos que tiene en la boca una persona o un animal.

dental. adj. Perteneciente o relativo a los dientes. || Dícese de la letra cuya pronunciación requiere que la lengua toque en los dientes, especialmente en la cara interior de los incisivos superiores, como las letras *t*, y *d*.

dentar. tr. Formar dientes a una cosa, como a la hoz, sierra, etc. || intr. Empezar los niños a echar los dientes.

dentellada. f. Acción de mover la quijada con alguna fuerza sin mascar cosa alguna. || Herida que dejan los dientes en la parte en que muerden.

dentellar. intr. Dar diente con diente; batir los dientes unos contra otros rápidamente, como cuando se sufre un gran temblor o una convulsión.

dentellear. tr. Mordisquear, clavar los dientes.

dentera. f. Sensación desagradable que se experimenta en los dientes y encías al comer sustancias agrias o acerbas, oir ciertos ruidos desapacibles, tocar determinados cuerpos e incluso con sólo el recuerdo de tales sensaciones. || fig. y fam. Envidia. || Ansia.

dentición. f. Acción y efecto de endentecer. || Tiempo en que se echa la dentadura. || Dentadura.

denticular. adj. De figura de diente.

dentículo. m. ARQ. Cada uno de los adornos de figura de paralelepípedo rectángulo que, formando fila, se colocan en la parte superior del friso del orden jónico y corintio.

dentífrico, ca. adj. Dícese de los polvos, pastas, aguas, etc., que se usan para limpiar y mantener sana la dentadura. Ú.t.c.s.m.

dentina. f. Marfil de los dientes.

dentirrostro. adj. Dícese de los pájaros cuyo pico tiene un diente más o menos visible en el extremo de la mandíbula superior, como el cuervo y el tordo.

dentista (al. *Zahnarzt*, fr. *dentiste*, ingl. *dentist*, it. *dentista*). adj. Dícese del especialista dedicado a la conservación y cura de la dentadura, y a la reposición de las piezas que falten. Ú.m.c.s.

dentón, na. adj. Dentudo. Ú.t.c.s. || m. ZOOL. Pez teleósteo marino, de unos ocho decímetros de largo, dientes cónicos, color azulado y aletas rojizas. Es comestible.

dentro (al. *darin*, fr. *dedans*, ingl. *within*, it. *dentro*). adv. l. y t. A o en la parte interior de un espacio o término real o imaginario.

dentudo, da. adj. Que tiene dientes desproporcionados. Ú.t.c.s.

denudación. f. Acción y efecto de denudar o denudarse.

denudar. tr. Desnudar, despojar. || GEOL. Demoler un relieve los agentes geológicos externos.

denuedo. m. Brío, esfuerzo, valor, intrepidez.

denuesto. m. Injuria grave, de palabra o por escrito.

denuncia (al. *Anzeige*, fr. *dénonciation*, ingl. *denunciation*, it. *denuncia*). f. Acción y efecto de denunciar. || Noticia que, de palabra o por escrito, se da a la autoridad de la comisión de algún delito o falta. || Documento en que consta dicha noticia.

denunciante. com. DER. El que hace una denuncia ante los tribunales.

denunciar (al. *anklagen*, fr. *dénoncer*, ingl. *to denounce*, it. *denunciare*). tr. Noticiar, avisar. || Participar o declarar oficialmente el estado ilegal, irregular o inconveniente de una cosa. || Notificar una de las partes la rescisión de un contrato, terminación de un tratado, etc. || Delatar. || DER. Dar a la autoridad noticia de un daño hecho, designando o no al culpable.

deontología. f. Ciencia o tratado de los deberes, y particularmente de los resultantes de una determinada actividad social.

deparar. tr. Suministrar, proporcionar, conceder. || Poner delante, presentar.

departamental. adj. Perteneciente o relativo a un departamento ministerial o a una división territorial.

departamento. m. Cada una de las partes en que se divide un territorio, un edificio, un vehículo, una caja, etc. || Ministerio o ramo de la administración pública. || *Amer.* Apartamento.

departir. intr. Hablar, conversar.

depauperación. f. Acción y efecto de depauperar.

depauperar. tr. Empobrecer. || MED. Debilitar, extenuar. Ú.m.c.r.

dependencia. f. Subordinación, reconocimiento de mayor poder o autoridad. || Oficina pública o privada, dependiente de otra superior. || Conjunto de dependientes. || pl. Cosas accesorias de otra principal.

depender (al. *abhängig sein*, fr. *dépendre*, ingl. *to depend upon*, it. *dipendere*). intr. Estar supeditado a una persona o cosa; provenir de ella como de un principio, o estar conexa una cosa con otra, o seguirse de ella. || Necesitar de la ayuda o protección de otro u otros.

dependienta. f. Mujer que trabajar como depndiente de comercio.

dependiente (al. *Angestellter*, fr. *commis*, ingl. *clerk*, it. *commesso*). adj. Que depende. || com. El que sirve a uno o es subalterno de otra persona de más categoría. || Empleado de comercio encargado de atender a los clientes.

depilación. f. Acción y efecto de depilar o depilarse.

depilar (al. *enthaaren*, fr. *dépiler*, ingl. *to depilate*, it. *depilare*). tr. Arrancar el pelo o producir su caída por medio de sustancias, medicamentos depilatorios u otros procedimientos. Ú.t.c.r.

depilatorio, ria. adj. Dícese del medio que se emplea para hacer caer el pelo o el vello. Ú.t.c.s.m.

deplorable. adj. Lamentable, infeliz.

deplorar. tr. Lamentar viva y profundamente un suceso.

deponer (al. *niederlegen*, fr. *déposer*, ingl. *to depose*, it. *deporre*). tr. Dejar, separar, apartar se sí. || Privar a alguien de su empleo o degradarle de los honores o dignidad que tenía. || Afirmar, atestiguar, aseverar, declarar. || Bajar o quitar una cosa del lugar en que está. || intr. Evacuar el vientre.

deportación. f. Acción y efecto de deportar.

deportar. tr. Desterrar a una persona a un punto determinado.

deporte (al. *Sport*, fr. *sport*, ingl. *sport*, it. *sport*). m. Pasatiempo, diversión o ejercicio físico, por lo común al aire libre, practicado individualmente o por equipos.

deportista. com. Persona que practica algún deporte. Ú.t.c.adj.

deportividad. f. Proceder deportivo, que se ajusta a las normas del juego con generosidad y nobleza.

deportivo, va. adj. Perteneciente o relativo al deporte. || Que se ajusta a las normas de corrección que se considera que deben observarse en la práctica del deporte.

deposición. f. Exposición o declaración que se hace de una cosa. ‖ Privación o degradación de empleo o dignidad. ‖ Evacuación de vientre. ‖ DER. Declaración hecha verbalmente ante un juez o tribunal.

depositar (al. *hinterlegen*, fr. *déposer*, ingl. *to deposit*, it. *depositare*). tr. Poner bienes o cosas de valor bajo la custodia de persona abonada. ‖ Confiar o entregar a uno una cosa sobre su palabra. ‖ Encerrar, contener. ‖ Tratándose de un cadáver, colocarlo interinamente en lugar apropiado hasta que se le dé sepultura. ‖ Colocar algo en sitio determinado y por tiempo indefinido. ‖ Sedimentar, dejar sedimento un líquido. ‖ fig. Encomendar o confiar alguna cosa, como la fama, etc.

depositario, ria. adj. Perteneciente al depósito. ‖ s. Persona en quien se deposita una cosa.

depósito (al. *Depot*, fr. *dépôt*, ingl. *deposit*, it. *deposito*). m. Acción y efecto de depositar. ‖ Cosa depositada. ‖ Lugar o recipiente donde se deposita.

depravación. f. Acción y efecto de depravar o depravarse.

depravado, da (al. *Verderbt*, fr. *débauché*, ingl. *depraved*, it. *depravato*). adj. Libertino, de costumbres viciosas. Ú.t.c.s.

depravar. tr. Viciar, adulterar, corromper. Se dice principalmente de las cosas inmateriales. Ú.t.c.r.

deprecación. f. Ruego, súplica, petición. ‖ RET. Figura que consiste en dirigir un ruego o súplica ferviente.

deprecar. tr. Rogar, pedir, suplicar con empeño.

depreciación (al. *Entwertung*, fr. *dépréciation*, ingl. *depreciation*, it. *deprezzamento*). f. Disminución del valor o precio de una cosa, con relación al que tenía antes, o bien de otras cosas de su clase.

depreciar. tr. Rebajar o disminuir el valor o precio de una cosa. Ú.t.c.r.

depredación. f. Pillaje, robo con violencia, devastación. ‖ Malversación o exacción injusta por abuso de autoridad o de confianza.

depredar. tr. Robar, saquear con violencia y destrozo.

depresión (al. *Niedergeschlagenheit*, fr. *dépression*, ingl. *depression*, it. *depressione*). f. Acción y efecto de deprimir. ‖ Decaimiento del ánimo o la voluntad. ‖ Baja, descenso. ‖ ECON. Fase del ciclo económico que se manifiesta por una retracción general de los negocios y un descenso de la actividad productiva. ‖ GEOL. Región de tierra firme situada debajo del nivel del mar. ‖ MED. Estado psicosomático de desgana y desaliento, basado singularmente en una angustia o ansiedad.

depresivo, va. adj. Dícese de lo que deprime el ánimo.

depresor, ra. adj. Que deprime o humilla. Ú.t.e.s. ‖ m. CIR. Instrumento para deprimir o apartar, como el que se aplica a la base de la lengua para dejar libre la cavidad faríngea.

deprimido, da. adj. Que sufre decaimiento del ánimo. ‖ MED. Se dice del que padece un síndrome de depresión.

deprimir (al. *nieder drücken*, fr. *déprimer*, ingl. *to depress*, it. *deprimere*). tr. Disminuir el volumen de un cuerpo por medio de la presión. ‖ Hundir alguna parte de un cuerpo. ‖ fig. Humillar, rebajar, negar las cualidades de una persona o cosa. Ú.t.c.r. ‖ Producir decaimiento del ánimo. Ú.t.c.r. ‖ r. Aparecer baja una superficie o una línea con referencia a las inmediatas.

deprisa. adv. Con celeridad y presteza.

depuración. f. Acción y efecto de depurar o depurarse.

depurar (al. *reinigen*, fr. *épurer*, ingl. *to purify*, it. *depurare*). tr. Limpiar, purificar. Ú.t.c.r. ‖ Rehabilitar en el ejercicio de su cargo al que por razones políticas estaba separado o en suspenso. ‖ Someter a alguien a expediente por motivos políticos.

depurativo, va. adj. Dícese del medicamento que purifica la sangre. Ú.t.c.s.m.

derecha (al. *Die Rechte*, fr. *la droite*, ingl. *the right*, it. *destra*). f. Mano derecha. ‖ Hablando de colectividades políticas, la más apegada al inmovilismo y la tradición.

derechista. com. Persona amiga de la tradición y de las costumbres establecidas, sobre todo en política y otras instituciones sociales.

derecho, cha (al. *Gerade recht*, fr. *droit*, ingl. *straight*, *right*, it. *diritto*, *destro*). adj. Recto, igual, seguido, sin torcerse a un lado ni a otro. ‖ Que cae o mira hacia la mano derecha o está al lado de ella. ‖ Justo, fundado, razonable, legítimo. ‖ m. Facultad natural del hombre para hacer legítimamente lo que conduce a los fines de su vida. ‖ Facultad de hacer o exigir todo aquello que la ley o la autoridad establece en nuestro favor, o que el dueño de una cosa nos permite en ella. ‖ Justicia, razón. ‖ Conjunto de principios, preceptos y reglas a que están sometidas las relaciones humanas en toda sociedad civil y cuya observancia puede exigirse coactivamente. ‖ Exención, franquicia, privilegio. ‖ Lado de una tela, papel, tabla, etc., en la cual, por ser el que ha de verse, aparecen la labor y el color con la perfección conveniente. ‖ pl. Tanto que se paga, con arreglo a arancel, por la introducción de una mercancía o por otro hecho designado por la ley. ‖ Cantidades que se cobran en ciertas profesiones.

deriva. f. MAR. Abatimiento o desvío de la nave de su verdadero rumbo por efecto del viento, del mar o de la corriente. ‖ *a la deriva.* m. adv. Hablando de embarcaciones u objetos flotantes, a merced de la corriente o del viento. En sentido figurado, significa sin dirección o propósito fijo, a merced de las circunstancias.

derivación. f. Descendencia, deducción. ‖ Acción de sacar o separar una parte del todo, como el agua que se saca de un río para una acequia. ‖ ELECTR. Pérdida de fluido que se produce en una línea eléctrica por varias causas, y principalmente por la acción de la humedad ambiente. ‖ GRAM. Procedimiento por el cual se forman vocablos ampliando o alterando la estructura o significación de otros que se llaman primitivos. ‖ MAT. Operación consistente en hallar la derivada de una función.

derivada (al. *Ableitung*, fr. *dérivée*, ingl. *derivative*, it. *derivata*). f. MAT. Hablando de funciones matemáticas, límite hacia el cual tiende la razón entre el incremento de la función y el correspondiente a la variable, cuando este último tiende a cero.

derivado, da. adj. GRAM. Aplícase al vocablo formado por derivación. Ú.t.c.s.m. ‖ QUÍM. Dícese del producto que se obtiene de otro. Ú.t.c.s.m.

derivar (al. *ableiten*, fr. *dériver*, ingl. *to derive*, it. *derivare*). intr. Traer su origen de una cosa. Ú.t.c.r. ‖ MAR. Abatir, desviarse el buque de su rumbo. ‖ tr. Encaminar, conducir una cosa de una parte a otra. ‖ Traer una palabra de cierta raíz. ‖ MAT. Ejecutar la operación llamada derivación.

derivo. m. Origen, procedencia.

dermatitis. f. MED. Inflamación de la piel. [*Sinón.*: dermitis].

dermatoesqueleto. m. ZOOL. Piel o

parte de ella engrosada y muy endurecida, ya por acumulación de materias quitinosas o calcáreas sobre la epidermis, ya por haberse producido en la dermis piezas calcificadas u osificadas.

dermatología. f. Tratado de las enfermedades de la piel.

dermatólogo, ga. s. Médico especialista en las enfermedades de la piel.

dermatosis. f. MED. Enfermedad de la piel que se manifiesta por costras, granos u otra especie de erupción.

dermis. f. Capa inferior y más gruesa de la piel.

derogación. f. Abolición, anulación.

derogar (al. *abschaffen*, fr. *déroger*, ingl. *to make void*, it. *derogare*). tr. Abolir, anular una cosa establecida como ley o costumbre. || Destruir, reformar.

derrama. f. Repartimiento de un gasto eventual, y más señaladamente de una contribución. || Contribución temporal o extraordinaria.

derramadero. m. Vertedero.

derramamiento. m. Acción y efecto de derramar o derramarse. || Dispersión, esparcimiento de un pueblo o de una familia.

derramar (al. *ausgiessen*, fr. *verser*, ingl. *to pour out*, it. *versare*). tr. Verter, esparcir cosas líquidas o menudas. Ú.t.c.r. || Repartir, distribuir entre los vecinos de un pueblo o los miembros o socios de una comunidad los tributos y otros gastos que se deben abonar en común. || r. Esparcirse, desmandarse por varias partes con desorden y confusión. || Desaguar, desembocar un arroyo o corriente de agua.

derrame. m. Derramamiento. || Lo que se sale y pierde de las especies líquidas por defecto o rotura de los recipientes que las contienen. || Sesgo o corte oblicuo que se forma en los muros para que las puertas y ventanas abran más sus hojas o para que entre más luz. || MED. Acumulación anormal de un líquido en una cavidad, o salida del mismo fuera del cuerpo.

derredor. m. Circuito o contorno de una cosa.

derrengadura. f. Lesión que queda en el cuerpo derrengado.

derrengar. tr. Descaderar, lastimar gravemente el espinazo o los lomos de una persona o animal. Ú.t.c.r. || Torcer, inclinar a un lado más que a otro. Ú.t.c.r.

derretimiento. m. Acción y efecto de derretir o derretirse.

derretir (al. *schmelzen*, fr. *fondre*, ingl. *to melt*, it. *fondere*). tr. Licuar, fundir por medio del calor una cosa sólida, congelada o pastosa. Ú.t.c.r. || r. fig. Enardecerse en el amor divino o profano. || fig. y fam. Deshacerse, estar lleno de impaciencia o inquietud.

derribar (al. *niederreissen*, fr. *abattre*, ingl. *to pull down*, it. *demolire*). tr. Arruinar, demoler, echar a tierra casas, muros o cualesquiera edificios. || Hacer dar en el suelo a una persona, animal o cosa. || fig. Malquistar a una persona; hacerle perder el poder, cargo, estimación o dignidad adquirida. || r. Tirarse a tierra, echarse al suelo por impulso propio o por accidente involuntario.

derribo. m. Acción y efecto de derribar, echar a tierra o demoler. || Conjunto de materiales que se sacan de la demolición. || Acción de hacer caer en tierra a los toros y vacas.

derrocadero. m. Sitio peñascoso y de muchas rocas, de donde hay peligro de caer y precipitarse.

derrocamiento. m. Acción y efecto de derrocar.

derrocar (al. *niederwerfen*, fr. *renverser*, ingl. *to overthrow*, it. *abbattere*). tr. Despeñar, precipitar desde una peña o roca. || Echar por tierra, deshacer, arruinar un edificio. || fig. Derribar, arrojar a uno de la posición o fortuna que tiene.

derrochador, ra. adj. Que derrocha o malbarata el caudal. Ú.t.c.s.

derrochar (al. *verschwenden*, fr. *gaspiller*, ingl. *to squander*, it. *scialacquare*). tr. Malgastar uno su dinero o sus bienes. || Malgastar uno otras cosas que posee, como el valor, las energías, el humor, etc.

derroche. m. Acción y efecto de derrochar.

derrota (al. *Niederlage*, fr. *défaite*, ingl. *defeat*, it. *sconfitta*). f. MAR. Rumbo o dirección que llevan en su navegación las embarcaciones. || MIL. Vencimiento completo de tropas enemigas.

derrotar. tr. MIL. Vencer y hacer huir en desorden al enemigo. || Disipar, romper, destrozar hacienda, muebles o vestidos. || Destruir, arruinar a uno en la salud o en los bienes.

derrotero. m. MAR. Línea señalada en la carta de marear, para gobierno de los pilotos en los viajes. || MAR. Dirección que se da por escrito para un viaje por mar. || fig. Camino, rumbo, medio que uno toma para llegar al fin que se ha propuesto.

derrotismo. m. Tendencia a propagar el desaliento en el país propio con noticias o ideas pesimistas acerca del resultado de una guerra o de cualquier otra empresa.

derrotista. adj. Dícese de la persona que practica el derrotismo. Ú.t.c.s.

derruir. tr. Derribar, destruir, arruinar un edificio.

derrumbadero. m. Despeñadero, precipicio. || fig. Riesgo, peligro.

derrumbamiento. m. Acción y efecto de derrumbar o derrumbarse.

derrumbar (al. *hinabstürzen*, fr. *précipiter*, ingl. *to hurl*, it. *dirupare*). tr. Precipitar, despeñar. Ú.t.c.r.

derrumbe. m. Acción y efecto de derrumbar o derrumbarse. || Despeñadero, lugar en que es fácil caerse.

derviche. m. Entre los mahometanos, especie de monje.

des. prep. insep. Denota negación o inversión del significado del simple, privación, exceso o demasía.

desabarrancar. tr. Sacar de un barranco, barrizal o pantano lo que está atascado. || fig. Sacar a uno de una dificultad en la que se halla detenido.

desabastecer. tr. Desproveer o impedir que lleguen a una persona o comunidad las provisiones necesarias.

desaborido, da. adj. Sin sabor. || fig. y fam. Aplícase a la persona de carácter indiferente o sosa.

desabotonar. tr. Desasir los botones de los ojales. Ú.t.c.r.

desabrido, da. adj. Dícese de la fruta u otro manjar que carece de gusto o apenas lo tiene o lo tiene malo. || fig. Áspero y desapacible en el trato.

desabrigar. tr. Descubrir, desarropar, quitar el abrigo. Ú.t.c.r.

desabrimiento. m. Falta de sabor, sazón o buen gusto en la fruta o en otro manjar. || fig. Dureza de genio, aspereza en el trato. || fig. Disgusto, desazón interior.

desabrir. tr. Dar mal gusto a un manjar. || fig. Disgustar, desazonar el ánimo de uno. Ú.t.c.r.

desabrochar (al. *aufknöpfen*, fr. *déboutonner*, ingl. *to unfasten*, it. *sbottonare*). tr. Desasir los broches, corchetes, botones u otra cosa con que se sujeta la ropa. Ú.t.c.r.

desacatar. tr. Faltar al respeto o reverencia que se debe a una persona. Ú.t.c.r.

desacato (al. *Unehrerbietigkeit*, fr. *manque de respect*, ingl. *disrespect*, it. *mancanza di rispetto*). m. Falta del debido respeto a los superiores. || Irreverencia para con las cosas sagradas. ||

DER. Delito que se comete insultando o calumniando a una autoridad en el ejercicio de sus funciones.

desacertar. intr. No tener acierto.

desacierto. m. Acción y efecto de desacertar. || Dicho o hecho desacertado.

desaconsejar. tr. Disuadir, persuadir a uno de lo contrario de lo que tiene meditado o resuelto.

desacoplamiento. m. Acción y efecto de desacoplar.

desacoplar. tr. Separar lo que estaba acoplado.

desacordar. tr. Mús. Destemplar un instrumento musical o templarlo de modo que esté más alto o más bajo que el que da el tono. Ú.t.c.r.

desacorde. adj. Dícese de lo que no iguala, conforma o concuerda con otra cosa. Aplícase con propiedad a los instrumentos musicales destemplados.

desacostumbrado, da. adj. Fuera del uso y orden común.

desacostumbrar. tr. Hacer perder o dejar el uso o costumbre que uno tiene. Ú.t.c.r.

desacreditado, da. adj. Que ha perdido la buena opinión de que gozaba.

desacreditar (al. *in verruf bringen*, fr. *discréditer*, ingl. *to discredit*, it. *screditare*). tr. Disminuir o quitar la reputación de una persona, o el valor y la estimación de una cosa. Ú.t.c.r.

desacuerdo. m. Discordia o disconformidad en los dictámenes o acciones.

desafecto, ta. adj. Que no siente estima por una cosa o muestra hacia ella indiferencia. || Opuesto, contrario. || m. Malquerencia.

desaferrar. tr. Desasir, soltar lo que está aferrado. Ú.t.c.r. ||fig. Sacar, apartar a uno del dictamen o capricho que tenazmente defiende. Ú.t.c.r.

desafiar. tr. Retar, provocar a combate o discusión. || Contender, competir con uno en cosas que requieren fuerza, agilidad o destreza. ||fig. Competir, oponerse una cosa a otra.

desafinar (al. *sich verstimmen*, fr. *désaccorder*, ingl. *to get out tune*, it. *scordare*). intr. Mús. Desviarse algo la voz o el instrumento de la verdadera entonación. Ú.t.c.r. || fig. y fam. Decir en una conversación una cosa inoportuna o indiscreta.

desafío. m. Acción y efecto de desafiar.

desaforado, da. adj. Que actúa sin ley ni fuero, atropellándolo todo. || fig. Grande con exceso, desmedido, fuera de lo común.

desaforar. tr. Quebrantar los fueros y privilegios que corresponden a uno. || Privar a uno del fuero o exención que goza, por haber cometido algún delito de los señalados para este caso. || r. Descomponerse, atreverse, descomedirse.

desafortunado, da. adj. Sin fortuna, desdichado, desgraciado.

desafuero. m. Acto violento contra la ley. || Acción contraria a las buenas costumbres o a los consejos de la sana razón.

desagradable. adj. Que desagrada o disgusta.

desagradar (al. *missfallen*, fr. *déplaire*, ingl. *to displease*, it. *spiacere*). intr. Disgustar, fastidiar, causar desagrado. Ú.t.c.r.

desagradecer. tr. No corresponder debidamente al beneficio recibido. || Desconocer el beneficio que se recibe.

desagradecido, da. adj. Que desagradece. Ú.t.c.s.

desagradecimiento. m. Acción y efecto de desagradecer.

desagrado. m. Disgusto, descontento. || Expresión, en el trato o en el semblante, del disgusto que nos causa una persona o cosa.

desagraviar. tr. Reparar el agravio hecho, dando satisfacción al ofendido. Ú.t.c.r. || Resarcir o reparar el perjuicio causado. Ú.t.c.r.

desagravio. m. Acción y efecto de desagraviar o desagraviarse.

desagregar. tr. Separar, desunir una cosa de otra. Ú.t.c.r.

desaguadero. m. Conducto o canal de desagüe. || fig. Motivo continuo de gastar, que disminuye el caudal y empobrece al que lo sufre.

desaguar (al. *entwässern*, fr. *asséecher*, ingl. *to drain*, it. *prosciugare*). tr. Extraer, echar el agua de un sitio o lugar. || fig. Disipar, consumir. || intr. Desembocar los ríos en el mar. || r. Exonerarse por vómito o evacuación de vientre.

desagüe (al. *Abzugsrinne*, fr. *égout*, ingl. *drainage*, it. *scaricatoio*). m. Acción y efecto de desaguar o desaguarse. || Desaguadero, conducto para la salida de las aguas.

desaguisado, da. adj. Hecho contra la ley o la razón. || m. Agravio, denuesto, acción descomedida.

desahijar. tr. Apartar en el ganado a las crias de las madres. || r. Enjambrar mucho las abejas, con lo que se empobrece la colmena.

desahogado, da. adj. Descarado,

descocado. || Aplícase al sitio en que no hay demasiada reunión de cosas o personas.

desahogar. tr. Dilatar el ánimo de uno, aliviarle en sus trabajos, aflicciones o necesidades. || r. Repararse, recobrarse del calor o la fatiga, valiéndose de los medios proporcionados para ello. || Desempeñarse, salir del ahogo de las deudas contraídas. || Decir una persona a otra el sentimiento o queja que tiene de ella.

desahogo. m. Alivio de la pena, trabajo o aflicción. || Ensanche, esparcimiento, dilatación. || Desembarazo, libertad, desenvoltura. || Descaro, frescura. || *vivir* uno *con desahogo*. fig. y fam. Tener los recursos suficientes para pasarlo cómodamente.

desahuciar (al. *kündigen*, fr. *donner congé*, ingl. *to evict*, it. *dare la disdetta*). tr. Quitar a uno toda esperanza de lo que desea. Ú.t.c.r. || Desesperar los médicos de la salud de un enfermo. || Despedir al inquilino o arrendatario por que ha cumplido el arrendamiento o por otra razón.

desahucio. m. Acción y efecto de desahuciar; despedir a un inquilino.

desairado, da. adj. Que carece de gracia, garbo o donaire. || fig. Dícese del que no sale airoso de lo que pretende o en lo que tiene a su cargo. || Menospreciado, desatendido.

desairar. tr. Deslucir, desatender a una persona. || Desestimar una cosa.

desaire. m. Acción y efecto de desairar. || Falta de garbo o de gentileza.

desajustar. tr. Desigualar, desconcertar una cosa de otra. || r. Apartarse de un ajuste, desconvenirse.

desajuste. m. Acción y efecto de desajustar o desajustarse.

desalentar (al. *entmutigen*, fr. *décourager*, ingl. *to discourage*, it. *scoraggiare*). tr. Embarazar el aliento, hacerlo dificultoso por la fatiga o cansancio. || fig. Quitar el ánimo, acobardar. Ú.t.c.r.

desaliento. m. Desánimo, falta de vigor.

desalinizar. tr. Convertir en potable el agua de mar mediante procedimientos físicos o químicos.

desaliñar. tr. Descomponer, ajar el adorno, atavío o compostura. Ú.t.c.r.

desaliño. m. Desaseo, descompostura, falta de aliño. || fig. Negligencia, omisión, descuido.

desalmado, da. (al. *ruchlos*, fr. *inhumain*, ingl. *merciless*, it. *inumano*). adj.

Falto de conciencia. || Cruel, perverso.

desalojar (al. *ausziehen*, fr. *déloger*, ingl. *to oust*, it. *sloggiare*). tr. Sacar o hacer salir de un lugar a una persona o cosa. || Abandonar un puesto o un lugar. || Desplazar. || intr. Dejar un lugar voluntariamente.

desalojo. m. Acción y efecto de desalojar.

desalquilar. tr. Dejar o hacer dejar lo que se tenía alquilado. || r. Quedar sin inquilinos una vivienda u otro local.

desamor. m. Falta de amor o amistad. || Mala correspondencia de uno al afecto de otro. || Aborrecimiento.

desamortización. f. Acción y efecto de desamortizar.

desamortizar (al. *veräussern*, fr. *aliéner*, ingl. *to disentail*, it. *liberare i beni ammortizzati*). tr. Dejar libres los bienes amortizados. || Poner en estado de venta los bienes de manos muertas.

desamparar. tr. Abandonar, dejar sin amparo ni favor a la persona o cosa que lo pide o necesita. || Ausentarse, abandonar un lugar.

desamparo. m. Acción y efecto de desamparar.

desamueblar. tr. Quitar los muebles de un edificio o parte de él.

desanclar. tr. MAR. Desancorar.

desancorar. tr. MAR. Levantar las áncoras de una embarcación.

desandar. tr. Retroceder, volver atrás en el camino ya andado.

desangramiento. m. Acción y efecto de desangrar o desangrarse.

desangrar. tr. Sacar sangre a una persona o a un animal en gran cantidad. || fig. Agotar o desaguar un lago, estanque, etc. || fig. Empobrecer a uno, disipándole la hacienda insensiblemente. || r. Perder mucha sangre, o toda.

desanimación. f. Acción y efecto de desanimar o desanimarse. || Falta de animación, de concurso de gente.

desanimado, da. adj. Dícese del acto, fiesta, reunión, etc., poco concurrido. || Dícese de la persona que ha resuelto dejar de luchar por lo que quiere.

desanimar. tr. Desalentar, acobardar. Ú.t.c.r.

desánimo. m. Desaliento, falta de ánimo.

desanudar. tr. Deshacer o desatar un nudo. || fig. Aclarar lo enredado y enmarañado.

desapacible (al. *missfällig*, fr. *déplaisant*, ingl. *unpleasant*, it. *spiacevole*). adj. Que causa disgusto o enfado, o es desagradable a los sentidos.

desapañar. tr. Descomponer.

desaparear. tr. Separar las cosas que forman un par o pareja.

desaparecer (al. *verschwinden*, fr. *disparaître*, ingl. *to disappear*, it. *sparire*). tr. Ocultar, quitar de delante con presteza una cosa. Ú.t.c.r. || intr. Ocultarse, quitarse de la vista de uno con prontitud.

desaparejar. tr. Quitar el aparejo a una caballería o a una embarcación.

desaparición. f. Acción y efecto de desaparecer o desaparecerse.

desapasionar. tr. Desarraigar la pasión que se tiene a una persona o cosa. Ú.m.c.r.

desapegar. tr. Despegar una cosa de otra. Ú.t.c.r. || r. fig. Apartarse, desprenderse del afecto o afición a una persona o cosa.

desapego. m. Falta de afición o de interés, alejamiento, desvío.

desapercibido, da. adj. Desprevenido, desprovisto de lo necesario. || Inadvertido, no observado.

desaplicación. f. Falta de aplicación, ociosidad.

desaprensión. f. Falta de aprensión o miramiento.

desaprensivo, va (al. *frech*, fr. *impudent*, ingl. *unscrupulous*, it. *imprudente*) adj. Que tiene desaprensión.

desaprobación. f. Acción y efecto de desaprobar.

desaprobar (al. *missbilligen*, fr. *désaprover*, ingl. *to reprove*, it. *disapprovare*). tr. Reprobar, no asentir a una cosa.

desaprovechado, da. adj. Dícese del que no utiliza lo suficiente sus facultades para perfeccionarse. Ú.t.c.s. || Se aplica a lo que no produce lo que debería.

desaprovechamiento. m. Atraso en lo bueno. || Desperdicio de facultades u oportunidades.

desaprovechar. tr. Desperdiciar o emplear mal una cosa. || intr. Perder lo que se había adelantado.

desarbolar. tr. MAR. Destruir los palos de una embarcación.

desarmar (al. *entwaffnen*, fr. *désarmer*, ingl. *to disarm*, it. *disarmare*). tr. Quitar o hacer entregar a una persona, a un cuerpo o a una plaza las armas que tiene. || Separar las piezas de que se compone una cosa. || Reducir las fuerzas militares de un Estado o su armamento. || MAR. Quitar a un buque la artillería y el aparejo, y amarrar de firme el casco en la dársena.

desarme. m. Acción y efecto de

desarmar o desarmarse. || Disminución de los efectivos bélicos de un país.

desarraigar. tr. Arrancar de raíz un árbol o una planta. Ú.t.c.r. || fig. Extirpar enteramente una costumbre, una pasión o vicio. Ú.t.c.r. || fig. Apartar del todo a uno de su opinión. || fig. Desterrar a uno de donde vive. Ú.t.c.r.

desarraigo. m. Acción y efecto de desarraigar o desarraigarse.

desarreglar. tr. Trastornar, desordenar. Ú.t.c.r.

desarreglo. m. Falta de regla. || Desorden, trastorno.

desarrollar (al. *entwickeln*, fr. *développer*, ingl. *to develop*, it. *sviluppare*). tr. Extender lo que está arrollado. Ú.t.c.r. || fig. Acrecentar, dar incremento a una cosa de orden físico, intelectual o moral. Ú.t.c.r. || fig. Explicar una teoría, llevarla hasta sus últimas consecuencias. || MAT. Efectuar las necesarias operaciones de cálculo para cambiar la forma de una expresión algebraica. || r. fig. Suceder, ocurrir, acontecer de un modo, en un lugar, etc.

desarrollo. m. Acción y efecto de desarrollar o desarrollarse. || BIOL. Evolución de los seres vivientes desde su nacimiento hasta la fase adulta. || MAT. Conjunto de cálculos de una operación indicada.

desarrugar. tr. Estirar, quitar las arrugas a una cosa. Ú.t.c.r.

desarrumar. tr. MAR. Deshacer la estiba o remover la carga que ya estaba colocada convenientemente.

desarticular (al. *zerlegen*, fr. *démonter*, ingl. *to disarticulate*, it. *disarticolare*). tr. Separar dos o más huesos articulados entre sí. Ú.t.c.r. || Separar las piezas de una máquina o artefacto. || fig. Desorganizar la autoridad una conspiración, o una pandilla de malhechores.

desarzonar. tr. Hacer que el jinete salga violentamente de la silla.

desaseo. m. Falta de aseo.

desasimilación. f. Fenómeno fisiológico en virtud del cual ciertas sustancias que entran en la composición de los tejidos del organismo se descomponen en otras, que son eliminadas. [*Sinón.*: catabolismo]

desasir. tr. Soltar, desprender lo asido. || r. fig. Desprenderse, desapropiarse de una cosa.

desasistir. tr. Desacompañar, desamparar.

desasosegar. tr. Privar del sosiego. Ú.t.c.r.

desasosiego. m. Falta de sosiego.

desastrado, da. adj. Infausto, infeliz. || Dícese de la persona rota y desaseada. Ú.t.c.s.

desastre (al. *Unheil*, fr. *désastre*, ingl. *disaster*, it. *disastro*). m. Desgracia grande, suceso infeliz y lamentable. || En sentido hiperbólico, se dice de las cosas de mala calidad o mal preparadas.

desastroso, sa. adj. Desastrado, infausto, infeliz. || fig. Muy malo.

desatacar. tr. Desatar o soltar las agujetas, botones o corchetes con que está ajustada o atacada una cosa. Ú.t.c.r.

desatado, da. adj. Que procede sin freno y desordenadamente.

desatancar. tr. Limpiar, desembozar un conducto obstruido. || r. Desatascarse.

desatar (al. *losbinden*, fr. *détacher*, ingl. *to untie*, it. *slegare*). tr. Desenlazar una cosa de otra, soltar lo que está atado. Ú.t.c.r. || r. fig. Excederse en hablar. || fig. Proceder desordenadamente. || fig. Perder el encogimiento, temor o extrañeza.

desatascar (al. *freimachen*, fr. *désengorger*, ingl. *to unstop*, it. *sgombrare*). tr. Sacar del atascadero. Ú.t.c.r. || Desatancar, desembozar un conducto obstruido. || fig. Sacar a uno de la dificultad en que se halla y de que no puede salir por sí mismo.

desatención. f. Falta de atención, distracción. || Descortesía, falta de urbanidad o respeto.

desatender. tr. No prestar atención a lo que se dice o hace. || No hacer caso o aprecio de una persona o cosa. || No corresponder, no asistir con lo que es debido.

desatento, ta. adj. Dícese de la persona que se aparta o distrae de la atención que debería poner en una cosa. || Descortés, falto de atención y urbanidad. Ú.t.c.s.

desatinado, da. adj. Desarreglado, sin tino. || Dícese del que habla o procede sin juicio ni razón. Ú.t.c.s.

desatinar. tr. Hacer perder el tino o acierto. || intr. Decir o cometer desatinos. || Perder el tino en un sitio o lugar.

desatino (al. *Albernheit*, fr. *déraison*, ingl. *nonsense*, it. *sproposito*). m. Falta de tino, tiento o acierto. || Locura, despropósito o error.

desatollar. tr. Sacar o librar del atolladero. Ú.t.c.r.

desatornillar. tr. Destornillar, sacar un tornillo dándole vueltas.

desatracar. tr. MAR. Desasir, separar una embarcación de otra o de la parte en que se atracó. Ú.t.c.r. || intr. MAR. Separarse la nave de la costa o del varadero cuando su proximidad ofrece algún peligro.

desatrancar. tr. Quitar a la puerta la tranca u otra cosa que impide abrirla. || Desembarazar de cualquier impedimento un caño o conducto.

desautorizar. tr. Quitar a personas o cosas autoridad, poder, crédito o estimación. Ú.t.c.r.

desavenencia (al. *Uneinigkeit*, fr. *désaccord*, ingl. *disagreement*, it. *disaccordo*). f. Oposición, discordia, contrariedad. || Discrepancia, divergencia, desacuerdo.

desavenido, da. adj. Dícese del que está en desacuerdo con otro.

desavenir. tr. Desconcertar, discordar, desconvenir. Ú.t.c.r.

desaviar. tr. Apartar a uno, hacerle dejar o errar el camino o senda que debe seguir. Ú.t.c.r. || Quitar o no dar el avío o prevención que se necesita para una cosa. Ú.t.c.r.

desavío. m. Acción y efecto de desaviar o desaviarse. || Desorden, desaliño, incomodidad.

desayunarse. r. Tomar el desayuno. || fig. Hablando de un suceso o especie, tener la primera noticia de aquello que se ignoraba.

desayuno (al. *Frühstück*, fr. *petit déjeuner*, ingl. *breakfast*, it. *prima colazione*). m. Alimento que se toma por la mañana antes que otro alguno. || Acción de desayunarse.

desazón (al. *Unannehmlichkeit*, fr. *contrariété*, ingl. *uneasiness*, it. *incubo*). f. Desabrimiento, insipidez, falta de sabor y de gusto. || Falta de sazón y tempero en las tierras que se cultivan. || fig. Disgusto, pesadumbre. || fig. Malestar o inquietud interior.

desazonar. tr. Quitar la sazón, el sabor o el gusto a un manjar. || fig. Disgustar, enfadar, desabrir el ánimo. Ú.t.c.r. || r. fig. Sentirse inquieto interiormente o indispuesto en la salud.

desbancar (al. *die Bank sprengen*, fr. *débanquer*, ingl. *to break the bank*, it. *sbancare*). tr. En el juego de la banca y otros de apunte ganar al banquero, los que paran o apuntan, todo el fondo de dinero que puso de contado para jugar con ellos. || fig. Hacer perder a uno la amistad, estimación o cariño de otra persona, ganándola para sí, o la posición que ocupa, ganándola para sí.

desbandada. f. Acción y efecto de desbandarse. || *a la desbandada.* m. adv. Confusamente y sin orden; en dispersión.

desbandarse. r. Desparramarse, huir en desorden. || Apartarse de la compañía de otros.

desbarajustar. tr. Desordenar, alterar el orden de una cosa.

desbarajuste. m. Desorden, confusión y alteración del orden propio de una cosa.

desbaratado, da. adj. fig. y fam. De mala vida. Ú.t.c.s.

desbaratamiento. m. Descomposición, desconcierto.

desbaratar (al. *zugrunde richten*, fr. *troubler*, ingl. *to baffle*, it. *scialacquare*). tr. Deshacer o arruinar una cosa. || Disipar, malgastar los bienes. || fig. Hablando de cosas inmateriales, cortar, impedir, estorbar. || MIL. Desordenar, desconcertar, poner en confusión a los contrarios. || intr. Disparatar. || r. fig. Descomponerse, hablar u obrar fuera de razón.

desbarbar. tr. Cortar o quitar de una cosa las hilachas o pelos, especialmente de las plantas.

desbarrar. intr. Deslizarse, escurrirse. || fig. Discurrir fuera de razón; errar en lo que se dice o hace.

desbarro. m. Acción y efecto de desbarrar.

desbastar (al. *aus dem groben abarbeiten*, fr. *dégrossir*, ingl. *to roughhew*, it. *sgrossare*). tr. Quitar las partes más bastas a una cosa que se haya de labrar. || Gastar, disminuir, debilitar. || fig. Quitar lo basto y grosero que, por falta de educación, tienen las personas rústicas. Ú.t.c.r.

desbaste. m. Acción y efecto de desbastar. || Estado de cualquier materia destinada a ser labrada, después que se le ha despojado de las partes más bastas.

desbocado, da. adj. Dícese del cañón o pieza de artillería que tiene la boca más ancha que el resto del ánima. || Aplícase a cualquier instrumento que tiene gastada o mellada la boca. || fig. y fam. Acostumbrado a decir palabras indecentes, ofensivas o desvergonzadas. Ú.t.c.s.

desbocar. tr. Quitar o romper la boca a una cosa. || intr. Desembocar. || r. Hacerse una caballería insensible a la acción del freno y dispararse. || fig. Desvergonzarse, prorrumpir en denuestos.

desbordamiento. m. Acción y efecto de desbordar o desbordarse.

desbordar (al. *uberlaufen*, fr. *déborder*, ingl. *to overflow*, it. *traboccare*). intr. Salir de los bordes, derramarse. Ú.t.c.r. ‖ r. Exaltarse, desmandarse las pasiones o los vicios.

desbravar. tr. Amansar el ganado cerril, caballar o mular. ‖ intr. Perder o deponer parte de la braveza. Ú.t.c.r. ‖ fig. Romperse, desahogarse el ímpetu de la cólera o de la corriente. Ú.t.c.r. ‖ Perder su fuerza un licor. Ú.t.c.r.

desbridar. tr. CIR. Dividir con instrumentos cortantes tejidos fibrosos que, produciendo estrangulación, pueden originar la gangrena. ‖ CIR. Separar las fibras o filamentos que atraviesan una llaga y que entorpecen la libre salida del pus.

desbriznar. tr. Reducir a briznas, desmenuzar una cosa. ‖ Sacar los estigmas a la flor del azafrán. ‖ Quitar la brizna a las legumbres.

desbrozar. tr. Quitar la broza, desembarazar, limpiar.

desbrozo. m. Acción y efecto de desbrozar. ‖ Cantidad de broza o ramaje que produce la monda de los árboles y la limpieza de las tierras o de las acequias. [*Sinón.*: desbroce]

descabalgar. intr. Desmontar, bajar de una caballería el que va montado en ella.

descabellado, da. adj. fig. Dícese de lo que va fuera de orden, concierto o razón.

descabellar. tr. Despeinar, desgreñar. Ú.m.c.r. ‖ TAUROM. Matar instantáneamente al toro, hiriéndole en la cerviz con la punta de la espada o con la puntilla.

descabello. m. Acción y efecto de descabellar al toro de lidia.

descabezar. tr. Quitar o cortar la cabeza. ‖ fig. Cortar la parte superior o las puntas a ciertas cosas.

descabullirse. r. Escabullirse.

descaderar. tr. Hacer a uno daño grave en las caderas. Ú.t.c.r.

descaecer. intr. Ir a menos, perder poco a poco la salud, la autoridad, el crédito, el caudal, etc.

descalabradura. f. Herida recibida en la cabeza.

descalabrar. tr. Herir a uno en la cabeza. Ú.t.c.r. ‖ Por extensión, herir o maltratar aunque no sea en la cabeza. ‖ fig. Causar daño o perjuicio.

descalabro (al. *Missilingen*, fr. *échec*, ingl. *failure*, it. *scapito*). m. Contratiempo, infortunio, daño o pérdida.

descalcificación. f. MED. Desaparición o disminución anormal de la sustancia calcárea de los huesos u otros tejidos orgánicos.

descalificación. f. Acción y efecto de descalificar.

descalificar. tr. Desacreditar, desautorizar o incapacitar.

descalzar (al. *die schuhe ausziehen*, fr. *déchausser*, ingl. *to pull off the shoes*, it. *scalzare*). tr. Quitar el calzado. Ú.t.c.r. ‖ Quitar uno o más calzos. ‖ Socavar. ‖ r. Perder las caballerías una o más herraduras.

descalzo, za. adj. Que lleva desnudas las piernas o los pies, o aquellas y éstos. ‖ Dícese del fraile o de la monja de ciertos institutos religiosos. Ú.t.c.s.

descamación. f. MED. Desprendimiento de la epidermis seca en forma de escamillas, a consecuencia de exantemas o erupciones cutáneas.

descamar. tr. Escamar, quitar las escamas a los peces. ‖ r. Caerse la piel en forma de escamillas.

descaminar. tr. Sacar o apartar a uno del camino que debe seguir, hacer de modo que yerre. Ú.t.c.r. ‖ fig. Apartar a uno de un buen propósito; aconsejarle o inducirle a que haga lo que no es justo ni le conviene. Ú.t.c.r.

descamino. m. Acción y efecto de descaminar o descaminarse. ‖ Cosa que se quiere introducir de contrabando. ‖ fig. Desatino.

descamisado, da. adj. fam. Sin camisa. ‖ fig. y despect. Muy pobre, desharrapado. Ú.t.c.s.

descampado, da (al. *freies Feld*, fr. *plein champ*, ingl. *the open air*, it. *aperto*). adj. Dícese del terreno o paraje desembarazado y libre de malezas y espesuras. Ú.t.c.s.m.

descansar (al. *ausruhen*, fr. *se reposer*, ingl. *to rest*, it. *riposare*). intr. Cesar en el trabajo, reposar, reparar las fuerzas con la quietud. ‖ fig. Tener algún alivio o tregua en los males y cuidados. ‖ Desahogarse, tener alivio o consuelo comunicando a un amigo o a una persona de confianza los males o trabajos. ‖ Reposar, dormir. ‖ Estar una cosa asentada o apoyada sobre otra. ‖ Estar sin cultivo uno o más años la tierra de labor. ‖ Estar enterrado, reposar en el sepulcro. ‖ tr. Aliviar a uno en el trabajo, ayudarle en él. ‖ Asentar o apoyar una cosa sobre otra.

descansillo. m. Meseta en que terminan los tramos de una escalera.

descanso (al. *Rast*, fr. *repos*, ingl. *rest*, it. *riposo*). m. Quietud, reposo o pausa en el trabajo o fatiga. ‖ Causa de alivio en la fatiga y en los cuidados físicos y morales. ‖ Descansillo. ‖ Asiento sobre que se apoya, asegura o afirma una cosa.

descapotable. adj. Dícese del coche que tiene capota plegable.

descapotar. tr. En los coches que tienen capota, plegarla o bajarla.

descarado, da. adj. Que habla u obra con desvergüenza, sin pudor ni respeto humano. Ú.t.c.s.

descararse. r. Hablar u obrar con desvergüenza, sin pudor ni respeto humano.

descarburación. f. Acción y efecto de separar parcial o totalmente de los carburos de hierro el carbono que entra en su composición.

descarburar. tr. Sacar el carbono que contienen algunos cuerpos.

descarga. f. Acción y efecto de descargar. ‖ ARQ. Aligeramiento de un cuerpo de construcción cuando se teme que su excesivo peso lo arruine.

descargadero. m. Sitio destinado para descargar mercancías u otras cosas.

descargador (al. *Auslader*, fr. *déchargeur*, ingl. *docker*, it. *scaricatore*). m. El que tiene por oficio descargar mercancías en los puertos, ferrocarriles, etc.

descargar (al. *ausladen*, fr. *décharger*, ingl. *to unload*, it. *scaricare*). tr. Quitar o aliviar la carga. ‖ Disparar las armas de fuego. ‖ Extraer la carga a un arma de fuego o a un barreno. ‖ Anular la tensión eléctrica de un cuerpo. Ú.t.c.r. ‖ Dicho de golpes, darlos con violencia. Ú.t.c.intr. ‖ fig. Exonerar a uno de un cargo u obligación. ‖ Deshacerse una nube y caer en lluvia o granizo. ‖ r. Eximirse uno de las obligaciones de su cargo, dejando a otro lo que debía ejecutar por sí. ‖ DER. Dar satisfacción a los cargos que se hacen a los reos y purgarse de ellos.

descargo. m. Acción de descargar o quitar la carga. ‖ Satisfacción, respuesta o excusa del cargo que se hace a uno. ‖ Anotación o salida que en las cuentas se contrapone al cargo o entrada. ‖ Satisfacción de las obligaciones de justicia y desembarazo de las que gravan la conciencia.

descarnado, da. adj. fig. Dícese de los asuntos crudos o desagradables expuestos sin paliativos, y también de las expresiones de condición semejante.

descarnar. tr. Quitar al hueso la carne. Ú.t.c.r. ‖ fig. Quitar parte de una cosa o desmoronarla. Ú.t.c.r.

descaro. m. Desvergüenza, atrevimiento, insolencia, falta de respeto. [*Sinón.*: desfachatez.]

descarriar. tr. Apartar a uno del carril, echarlo fuera de él. || Apartar del rebaño cierto número de reses. Ú.t.c.r. || r. Separarse, apartarse o perderse una persona de las demás con quienes iba en compañía o de las que la cuidaban o amparaban. || fig. Apartarse de lo justo y razonable.

descarrilamiento. m. Acción y efecto de descarrilar. || fig. Desviación, descarrío.

descarrilar. intr. Salir fuera del carril los trenes, tranvías, etc.

descarrío. m. Acción y efecto de descarriar o descarriarse.

descartar. tr. fig. Desechar una cosa o apartarla de sí. || r. Dejar las cartas que se tienen en la mano y se consideran inútiles, sustituyéndolas en ciertos juegos con otras tantas de las que no se han repartido. || fig. Excusarse alguna persona de hacer alguna cosa.

descarte. m. Cartas que se desechan en varios juegos de naipes o que quedan sin repartir. || Acción de descartarse. || fig. Excusa, escape o salida.

descasar. tr. Separar, apartar a los que no están legítimamente casados, viven como tales. Ú.t.c.r. || Declarar por nulo el matrimonio. || fig. Turbar o descomponer la disposición de cosas que casaban bien. Ú.t.c.r.

descascarillar. tr. Quitar la cascarilla. Ú.t.c.r.

descasque. m. Acción de descortezar los árboles, particularmente los alcornoques.

descastado, da. adj. Que manifiesta poco cariño a los parientes. Ú.t.c.s. || Por ext., dícese del que no corresponde al cariño que le han demostrado.

descendencia (al. *Nachkommenschaft*, fr. *descendance*, ingl. *posterity*, it. *discendenza*). f. Conjunto de hijos, nietos y demás generaciones por línea recta descendente. || Casta, linaje, estirpe.

descender (al. *entstammen*, fr. *descendre*, ingl. *to descend*, it. *discendere*). intr. Bajar, pasar de un lugar alto a otro bajo. || Caer, fluir, correr una cosa líquida. || Proceder, por natural propagación, de una misma persona, que es la cabeza de familia. || Derivarse, proceder una cosa de otra. || tr. Bajar, poner bajo.

descendiente. com. Hijo, nieto o cualquier persona que desciende de otra.

descendimiento. m. Acción de descender a uno, o de bajarlo. || Por antonomasia, el que se hizo del cuerpo de Cristo, bajándole de la cruz.

descenso (al. *Abstieg*, fr. *descente*, ingl. *descent*, it. *discesa*). m. Acción y efecto de descender. || Bajada.

descentrado, da. adj. Dícese del instrumento o de la pieza de una máquina cuyo centro se halla fuera de la posición que debe ocupar.

descentralización. f. Acción y efecto de descentralizar.

descentralizar. tr. Transferir a diversas corporaciones u oficios parte de la autoridad que antes ejercía el Gobierno supremo del Estado.

descentrar. tr. Sacar una cosa de su centro. Ú.t.c.r.

descepar. tr. Arrancar de raíz los árboles o plantas que tienen cepa. || fig. Extirpar, exterminar.

descerebrar. tr. Producir la inactividad funcional del cerebro.

descerrajar (al. *aufbrechen*, fr. *fracturer la serrure*, ingl. *to break open*, it. *scassare una serratura*). tr. Arrancar o violentar la cerradura de una puerta, cofre, escritorio, etc. || fig. y fam. Disparar las armas de fuego.

descifrar (al. *entziffern*, fr. *déchiffrer*, ingl. *to decipher*, it. *decifrare*). tr. Interpretar lo que está escrito en cifras o en caracteres desconocidos, sirviéndose de claves dispuestas para ello, o sin claves, por conjeturas o reglas críticas. || fig. Penetrar y aclarar lo oscuro, intrincado y de difícil inteligencia.

desclavar. tr. Arrancar o quitar los clavos. || Desprender una cosa del clavo o clavos con que está asegurada. || fig. Desengastar las piedras preciosas de la guarnición de metal en que están incrustadas.

descoco. m. fam. Excesiva desenvoltura u osadía en palabras y acciones.

descojonar. tr. vulg. Capar, castrar. || fig. y vulg. Costarle a uno una cosa mucho trabajo. Ú.t.c.r. || r. Experimentar o demostrar vivamente algún afecto, pasión, deseo.

descolgar (al. *abnehmen*, fr. *décrocher*, ingl. *to unhang*, it. *far discendere*). tr. Bajar lo que está colgado. || Bajar o dejar caer lentamente una cosa pendiente de cuerda, cadena o cinta. || Quitar los adornos, especialmente las colgaduras de un aposento, casa, iglesia, etc. || DEP. Dejar atrás un corredor a sus competidores. || r. Deslizarse de arriba hacia abajo, escurriéndose por una cuerda u otra cosa. || fig. y fam.

Decir o hacer una cosa inesperada. || fig. y fam. Aparecer inesperadamente una persona.

descolocar. tr. Quitar o separar a alguna persona o cosa del lugar que ocupa. Ú.t.c.r.

descolorar. tr. Quitar o amortiguar el color. Ú.t.c.r. [*Sinón.*: descolorir.]

descolorido, da. adj. De color pálido o bajo en su línea.

descollar. intr. Sobresalir. Ú.t.c.r.

descombrar. tr. Desembarazar un paraje de cosas o materiales que estorban.

descomponer (al. *sich zersetzen*, fr. *décomposer*, ingl. *to decay*, it. *scomporre*). tr. Desordenar, desbaratar. Ú.t.c.r. || Separar las diversas partes que forman un compuesto. || r. Desazonarse el cuerpo. || Corromperse, entrar un cuerpo en estado de putrefacción.

descomposición (al. *Zersetzung*, fr. *décomposition*, ingl. *decay*, it. *scomposizione*). f. Acción y efecto de descomponer o descomponerse. || fam. Diarrea.

descompostura. f. Descomposición. || Desaseo, desaliño en el adorno de las personas o cosas. || fig. Descaro, falta de respeto, de modestia.

descomunal. adj. Extraordinario, monstruoso, enorme, muy distante de lo común en su línea.

desconcertado, da. adj. fig. Desbaratado, de mala conducta, sin gobierno. || Sorprendido, confuso.

desconcertar (al. *verwirren*, fr. *troubler*, ingl. *to baffle*, it. *sconcertare*). tr. Pervertir, turbar, descomponer el orden, concierto y composición de una cosa o pensamiento. Ú.t.c.r. || fig. Sorprender, suspender el ánimo. || r. Desavenirse las personas o cosas que estaban acordes.

desconcierto. m. Descomposición de las partes de un cuerpo o de una máquina. || fig. Desorden, desavenencia, descomposición. || fig. Falta de orden o medida en las acciones o palabras. || fig. Falta de gobierno y economía.

desconchar. tr. Quitar a una pared o muro parte de su enlucido o revestimiento. Ú.t.c.r.

desconectar (al. *auschalten*, fr. *déconnecter*, ingl. *to uncouple*, it. *disinnestare*). tr. Interrumpir la conexión de dos o más piezas de una máquina. || Interrumpir cualquier clase de conexión, sea en sentido propio o figurado.

desconfiado, da. adj. Que desconfía. Ú.t.c.s.

desconfianza. f. Falta de confianza.

desconfiar (al. *misstrauen*, fr. *se méfier*, ingl. *to distrust*, it. *diffidare*). intr. No confiar, tener poca seguridad o esperanza.

descongelar. tr. Hacer que cese la congelación de una cosa.

descongestión. f. Acción y efecto de descongestionar.

descongestionar. tr. Disminuir o quitar la congestión. Ú.t.c.r.

desconocer (al. *nicht kennen*, fr. *ignorer*, ingl. *to ignore*, it. *sconoscere*). tr. No conocer. ‖ Negar uno ser suya alguna cosa. ‖ Darse por desentendido de una cosa o afectar que se ignora. ‖ fig. No advertir la correspondencia entre una persona o cosa y la idea que se tiene de ella.

desconocido, da. adj. Ignorado, no conocido de antes. Ú.t.c.s.

desconocimiento. m. Acción y efecto de desconocer. ‖ Ingratitud.

desconsideración. f. Acción y efecto de desconsiderar.

desconsiderado, da. adj. Falto de consideración, de advertencia, de consejo. Ú.t.c.s.

desconsiderar. tr. No guardar la consideración debida.

desconsolado, da. adj. Que carece de consuelo. ‖ fig. Melancólico, triste y afligido.

desconsolar. tr. Privar de consuelo, afligir. Ú.t.c.r.

desconsuelo (al. *Trostlosigkeit*, fr. *désolation*, ingl. *grief*, it. *desolazione*). m. Angustia y aflicción profunda por falta de consuelo. ‖ fam. Tratándose del estómago, desfallecimiento, debilidad.

descontar (al. *in abzug bringen*, fr. *décompter*, ingl. *to rebate*, it. *scontare*). tr. Rebajar una cantidad al tiempo de pagar una cuenta, una factura, un pagaré, etc. ‖ fig. Dar por cierto o por acaecido. ‖ Com. Abonar al contado una letra u otro documento no vencido, rebajando de su valor la cantidad que se estipule como intereses.

descontento (al. *Unzufriedenheit*, fr. *mécontentement*, ingl. *dissatisfaction*, it. *scontento*). m. Disgusto, desagrado.

desconvenir. intr. No convenir en las opiniones; no concordar entre sí dos personas o cosas. Ú.t.c.r.

descorazonamiento. m. fig. Caimiento del ánimo.

descorazonar. tr. Arrancar, quitar el corazón. ‖ fig. Acobardar, desanimar, amilanar. Ú.t.c.r.

descorchador. m. El que descorcha. ‖ Sacacorchos.

descorchar (al. *entkorken*, fr. *déboucher*, ingl. *to uncork*, it. *stappare*). tr. Quitar o arrancar el corcho al alcornoque. ‖ Sacar el corcho que cierra una botella u otra vasija. ‖ Romper el corcho de la colmena para sacar la miel.

descorche. m. Acción y efecto de descorchar el alcornoque.

descorrer (al. *zurückziehen*, fr. *tirer*, ingl. *to draw*, it. *tirare*). tr. Volver uno a correr el espacio que antes había corrido. ‖ Plegar o reunir lo que antes había estado estirado, como las cortinas, el lienzo, etc. ‖ intr. Correr o escurrir una cosa líquida. Ú.t.c.r.

descortés. adj. Falto de cortesía. Ú.t.c.s.

descortesía. f. Falta de cortesía.

descortezar. tr. Quitar la corteza al árbol, al pan o a otra cosa. Ú.t.c.r. ‖ fig. y fam. Desbastar, pulir a una persona. Ú.t.c.r.

descortezo. m. Acción y efecto de descortezar los árboles.

descoser (al. *auftrennen*, fr. *découdre*, ingl. *to unstitch*, it. *scucire*). tr. Soltar, cortar, desprender las puntadas de una cosa que estaba cosida. Ú.t.c.r. ‖ r. fig. Descubrir indiscretamente lo que convenía callar.

descosido, da. adj. Dícese del que fácil e indiscretamente habla de lo que convenía tener oculto. ‖ m. Parte descosida de una prenda de vestir o de cualquier otro uso.

descostillar. tr. Golpear a uno en las costillas. ‖ r. Caerse violentamente de espaldas con riesgo de romperse o desconcertarse las costillas.

descotar. tr. Escotar. Ú.t.c.r.

descote. m. Escote.

descoyuntamiento. m. Acción y efecto de descoyuntar o descoyuntarse. ‖ fig. Desazón grande que se siente en el cuerpo.

descoyuntar. tr. Desencajar los huesos de su lugar. Ú.t.c.r.

descrédito. m. Disminución o pérdida de la reputación de las personas o del valor y estima de las cosas.

descreído, da. adj. Incrédulo, falto de fe.

descreimiento. m. Falta de fe, de creencia, especialmente religiosa.

describir (al. *beschreiben*, fr. *décrire*, ingl. *to describe*, it. *descrivere*). tr. Delinear, dibujar, figurar una cosa, representándola de modo que dé cabal idea de ella. ‖ Representar personas o cosas por medio del lenguaje, refiriendo o explicando sus distintas partes, cualidades o circunstancias. ‖ Definir, en lí-

neas generales, una cosa. ‖ Desplazarse un cuerpo siguiendo determinada trayectoria.

descripción. f. Acción y efecto de describir. ‖ Der. Inventario.

descriptivo, va. adj. Dícese de lo que describe.

descuajar. tr. Liquidar, descoagular, desunir las partes de un líquido que estaban condensadas o cuajadas. Ú.t.c.r. ‖ fig. y fam. Desanimar.

descuajo. m. Agr. Acción de arrancar de raíz.

descuartizamiento. m. Acción y efecto de descuartizar.

descuartizar (al. *vierteilen*, fr. *écarteler*, ingl. *to quarter*, it. *squartare*). tr. Dividir un cuerpo haciéndolo cuartos. ‖ fam. Hacer pedazos una cosa.

descubierta. f. Mar. Reconocimiento del horizonte, que, al salir y al ponerse el sol, se practica en una escuadra por medio de los buques ligeros, y que en un buque de guerra sólo se hace desde lo alto de los palos. ‖ Mar. Inspección matutina y vespertina del estado del aparejo de un buque. ‖ Mil. Reconocimiento que a ciertas horas hace la tropa, para observar si en las inmediaciones hay enemigos.

descubridor, ra. adj. Que descubre o halla una cosa oculta o no conocida. ‖ Por antonomasia, se dice del que ha hallado tierras y provincias desconocidas. Ú.m.c.s.

descubrimiento (al. *Entdeckung*, fr. *découverte*, ingl. *discovery*, it. *scoperta*). m. Hallazgo, encuentro, manifestación de lo que estaba oculto o secreto, o era desconocido. ‖ Por antonomasia, encuentro o hallazgo de una tierra o un mar, descubierto o ignorado. ‖ Territorio, provincia o cosa que se ha descubierto.

descubrir (al. *entdecken*, fr. *découvrir*, ingl. *to discover*, it. *scoprire*). tr. Manifestar, hacer patente. ‖ Destapar lo que está cubierto o tapado. ‖ Hallar lo que estaba ignorado o escondido. Dícese principalmente de las tierras o mares desconocidos. ‖ Alcanzar a ver. ‖ Enterarse de algo. ‖ r. Quitarse de la cabeza el sombrero, gorra, etc.

descuento (al. *Abzug*, fr. *décompte*, ingl. *discount*, it. *sconto*). m. Acción y efecto de descontar. ‖ Rebaja de una parte de deuda. ‖ Com. Operación de adquirir antes del vencimiento valores generalmente endosables. ‖ Com. Cantidad que se rebaja del importe de los valores para retribuir esta operación.

descuidado, da. adj. Omiso, negligente o que falta al cuidado que debe ponerse en las cosas. Ú.t.c.s. || Desaliñado, que cuida poco la compostura en el traje. Ú.t.c.s. || Desprevenido.

descuidar (al. *nicht beachten*, fr. *négliger*, ingl. *to neglect*, it. *negligere*). tr. Descargar a uno del cuidado u obligación que debía tener. Ú.t.c.intr. || Poner los medios para que uno deje de atender a lo que le importa; engañarle, distraer su atención para cogerle desprevenido. || intr. No cuidar de las cosas, o no poner en ellas la atención o la diligencia necesaria. Ú.t.c.r.

descuido (al. *Nachlässigkeit*, fr. *négligence*, ingl. *carelessness*, it. *negligenza*). m. Omisión, negligencia, falta de cuidado. || Olvido, inadvertencia. || Desatención que desdice de aquel que la ejecuta, o de aquel a quien ofende o perjudica. || Desliz, tropiezo vergonzoso.

desde (al. *seit*, fr. *depuis*, ingl. *since*, it. *da*). Preposición que denota el punto, el tiempo o lugar de que procede, se origina o ha de empezar a contarse una cosa, un hecho o una distancia. || Después de.

desdecir. intr. Degenerar una cosa o persona de su origen, educación o clase. || fig. No convenir, no conformar una cosa con otra. ||r. Retractarse de lo dicho.

desdén. m. Indiferencia y desapego que denotan menosprecio.

desdentado, da. adj. Que ha perdido los dientes. || ZOOL. Dícese de los animales incisivos y, a veces, también de caninos y molares. Ú.t.c.s. || m. pl. Orden de estos animales.

desdeñar (al. *verachten*, fr. *dédaigner*, ingl. *to disdain*, it. *sdegnare*). tr. Tratar con desdén a una persona o cosa. ||r. Tener a menos el hacer o decir algo.

desdeñoso, sa. adj. Que manifiesta desdén. Ú.t.c.s.

desdibujarse. r. Perder una cosa la claridad y precisión de sus perfiles o contornos.

desdicha (al. *Unglück*, fr. *malheur*, ingl. *misfortune*, it. *disgrazia*). f. Desgracia, adversidad y motivo de aflicción. || Pobreza suma, miseria, necesidad.

desdichado, da. adj. Desgraciado. Ú.t.c.s. || fig. y fam. Sin malicia, pusilánime.

desdinerar. tr. Empobrecer una economía despojándola de moneda. Ú.t.c.r.

desdoblamiento. m. Acción y efecto de desdoblar o desdoblarse.

desdoblar. tr. Extender una cosa que estaba doblada; desencogerla. Ú.t.c.r. || fig. Formar dos o más cosas por separación de los elementos que suelen estar juntos en una. Ú.t.c.r.

desdorar. tr. Quitar el oro a una cosa. Ú.t.c.r. || fig. Mancillar la virtud, reputación o fama. Ú.t.c.r.

desdoro. m. Deslustre, mancilla en la virtud, reputación o fama.

desear (al. *begehren*, fr. *désirer*, ingl. *to wish*, it. *desiderare*). tr. Aspirar con vehemencia al conocimiento, posesión o disfrute de una cosa. || Anhelar que acontezca o deje de acontecer un suceso.

desecación. f. Acción y efecto de desecar o desecarse.

desecar (al. *austrocknen*, fr. *dessécher*, ingl. *to dry*, it. *disseccare*). tr. Secar, extraer el agua o la humedad. Ú.t.c.r.

desechar. tr. Excluir, reprobar. || Menospreciar, desestimar, hacer poco caso y aprecio. || Renunciar, no admitir una cosa. || Expeler, arrojar. || Apartar de sí un pesar, temor, sospecha o mal pensamiento.

desecho (al. *Auswurf*, fr. *rebut*, ingl. *refuse*, it. *scarto*). m. Lo que queda después de haber elegido lo mejor y más útil de una cosa. || Cosa que no sirve a la persona para quien se hizo.

desembalar. tr. Deshacer los fardos; quitar las cubiertas a las mercaderías o a otros efectos.

desembarazado, da. adj. Que no se embaraza fácilmente.

desembarazar. tr. Quitar el impedimento que se opone a una cosa; dejarla libre y expedita. Ú.t.c.r. || Evacuar, desocupar. || r. fig. Apartar o separar uno de sí lo que le estorba.

desembarazo. m. Despejo, desenfado.

desembarcadero. m. Lugar destinado para desembarcar.

desembarcar (al. *ausschiffen*, fr. *débarquer*, ingl. *unship*, it. *sbarcare*). tr. Sacar de la nave y poner en tierra lo embarcado. || intr. Salir de una embarcación. Ú.t.c.r. || fig. y fam. Salir de cualquier medio de transporte. || MAR. Dejar de pertenecer a la dotación de un buque.

desembarco (al. *Landung*, fr. *débarquement*, ingl. *landing*, it. *sbarco*). m. Acción de desembarcar o salir de la embarcación. || MAR. Operación militar que realiza en tierra la dotación

de un buque o de una escuadra, o las tropas que llevan.

desembargar. tr. Quitar el impedimento a una cosa. || DER. Alzar el embargo o secuestro de una cosa.

desembarque. m. Acción y efecto de desembarcar.

desembarrancar. tr. Sacar o salir a flote la nave varada. Ú.t.c. intr.

desembocadero. m. Desembocadura de un río o canal. || Abertura o estrecho por donde se sale de un punto a otro, como calle, camino, etc.

desembocadura (al. *Mündung*, fr. *embouchure*, ingl. *mouth*, it. *foce*). f. Paraje por donde un río, canal, etc., desemboca en otro, en el mar o en un lago. || Desembocadero de una calle, camino, etc.

desembocar (al. *münden*, fr. *déboucher*, ingl. *to flow into*, it. *sboccare*). intr. Salir como por una boca o estrecho. || Entrar, desaguar un río, canal, etc., en otro, en el mar o en un lago. || Tener una calle salida a otra, a una plaza o a otro lugar.

desembolsar. tr. Sacar lo que está en una bolsa. || fig. Pagar o entregar una cantidad de dinero.

desembolso. m. fig. Entrega de una cantidad de dinero efectivo y de contado. || Dispendio, gasto, coste.

desembragar. tr. MEC. Desconectar del eje motor un mecanismo.

desembrague. m. Acción y efecto de desembragar.

desembrollar. tr. fam. Desenredar, aclarar.

desembuchar. tr. Echar o expeler las aves lo que tienen en el buche. || fig. y fam. Decir uno todo cuanto sabe y tenía callado.

desemejanza. f. Diferencia, diversidad.

desemejar. intr. No parecerse una cosa a otra de su especie; diferenciarse de ella. || tr. Desfigurar, mudar de figura.

desempacho. m. fig. Desahogo, desenfado.

desempañar. tr. Limpiar el cristal o cualquiera otra cosa lustrosa que estaba empañada. || Quitar las envolturas o pañales con que están vestidos los niños.Ú.t.c.r.

desempaquetar. tr. Desenvolver lo que estaba envuelto en uno o más paquetes.

desempatar. tr. Deshacer el empate que había entre ciertas cosas.

desempate. m. Acción y efecto de desempatar.

desempedrar. tr. Desencajar y arrancar las piedras de un empedrado. ‖ fig. Correr desenfrenadamente. ‖ fig. Pasear con mucha frecuencia por una calle u otro empedrado.

desempeñar (al. *einlösen*, fr. *dégager*, ingl. *to redeem*, it. *disimpegnare*). tr. Sacar lo que estaba en poder de otro en prenda y por seguridad de una deuda o préstamo, pagando la cantidad en que estaba empeñado. ‖ Libertar a uno de los empeños o deudas que tenía contraídos. Ú.t.c.r. ‖ Cumplir, hacer aquello a que uno está obligado; cumplir las obligaciones inherentes a una profesión, cargo u oficio. ‖ Sacar a uno airoso del empeño o lance en que se hallaba. Ú.t.c.r. ‖ Ejecutar lo ideado para una obra literaria o artística.

desempeño. m. Acción y efecto de desempeñar o desempeñarse.

desempolvar. tr. Quitar el polvo. Ú.t.c.r. ‖ Traer a la memoria o a la consideración algo que estuvo mucho tiempo olvidado.

desencadenamiento. m. Acción y efecto de desencadenar o desencadenarse.

desencadenar. tr. Quitar la cadena al que está amarrado con ella. ‖ fig. Romper o desunir el vínculo de las cosas inmateriales. ‖ Originar o producir movimientos impetuosos de fuerzas naturales. ‖ Originar, provocar o dar suelta a movimientos de ánimo, hechos o series de hechos generalmente apasionados o violentos. ‖ r. Producirse con ímpetu un fenómeno natural. ‖ Actuar sin freno pasiones o violencias que antes estaban contenidas; producirse una serie de actos violentos.

desencajar. tr. Sacar de su lugar una cosa, desunirla del encaje o trabazón que tenía con otra. Ú.t.c.r. ‖ r. Desfigurarse, descomponerse el semblante por enfermedad o pasión del ánimo.

desencaminar. tr. Apartar a uno del camino o disuadirle de sus buenos propósitos. Ú.t.c.r.

desencantar. tr. Deshacer el encanto. Ú.t.c.r.

desencanto (al. *Ernüchterung*, fr. *désillusion*, ingl. *disenchantment*, it. *delusione*). m. Acción y efecto de desencantar o desencantarse. ‖ fig. Desilusión, desengaño.

desencaprichar. tr. Disuadir a uno de un error o capricho. Ú.m.c.r.

desenchufar (al. *herausziehen*, fr. *séparer*, ingl. *to switch off*, it. *disinnestare*). tr. Separar o extender lo que estaba enchufado.

desenfadado, da. adj. Desembarazado, libre. ‖ Tratándose de un sitio o lugar, ancho, espacioso, capaz.

desenfadar. tr. Desenojar, quitar el enfado. Ú.t.c.r.

desenfado (al. *Ungeniertheit*, fr. *désinvolture*, ingl. *boldness*, it. *disinvoltura*). m. Desahogo, despejo, desembarazo. ‖ Diversión o desahogo del ánimo.

desenfrenar. tr. Quitar el freno a las caballerías. ‖ r. fig. Desmandarse, entregarse desordenadamente a los vicios y maldades. ‖ fig. Desencadenarse alguna fuerza bruta.

desenfreno (al. *Zügellosigkeit*, fr. *déchaînement*, ingl. *wantonness*, it. *sfrenatezza*). m. fig. Acción y efecto de desenfrenarse.

desenfundar. tr. Quitar la funda a una cosa.

desenganchar. tr. Soltar, desprender una cosa que está enganchada. Ú.t.c.r.

desengañar (al. *eines besseren belehren*, fr. *détromper*, ingl. *to disabuse*, it. *disingannare*). tr. Hacer conocer el engaño o el error. Ú.t.c.r. ‖ Quitar esperanzas o ilusiones. Ú.t.c.r.

desengaño (al. *Enttäuschung*, fr. *désillusion*, ingl. *disappointment*, it. *disinganno*). m. Conocimiento de la verdad, con que se sale del engaño o error en que se estaba. ‖ Efecto de ese conocimiento en el ánimo. ‖ Represión que se dirige a uno echándole en cara alguna falta. ‖ pl. Lecciones recibidas por una amarga experiencia.

desengrasar. tr. Quitar la grasa. ‖ intr. fam. Enflaquecer, perder carnes.

desenlace (al. *Ausgang*, fr. *dénouement*, ingl. *outcome*, it. *snodatura*). m. Acción y efecto de desenlazar o desenlazarse.

desenlazar. tr. Desatar los lazos; desasir y soltar lo que está atado con ellos. Ú.t.c.r. ‖ fig. Dar solución a un asunto o a una dificultad. ‖ fig. Desatar el nudo o enredo de una obra dramática o narrativa.

desenmarañar. tr. Desenredar, deshacer el enredo o maraña. ‖ fig. Poner en claro una cosa que estaba oscura y enredada.

desenmascarar (al. *entwirren*, fr. *démasquer*, ingl. *to unmask*, it. *smascherare*). tr. Quitar la máscara. Ú.t.c.r. ‖ fig. Dar a conocer a una persona tal como es moralmente, descubriendo sus sentimientos o propósitos ocultos.

desenredar. tr. Deshacer el enredo. ‖ fig. Poner en orden y sin confusión las cosas que estaban desordenadas. ‖ r.

fig. Salir de una dificultad, empeño o lance.

desenrollar. tr. Desarrollar, soltar lo que está arrollado. Ú.t.c.r.

desenroscar. tr. Extender lo que está enroscado. Ú.t.c.r. ‖ Sacar de su asiento lo que está introducido a vuelta de rosca.

desensillar. tr. Quitar la silla a una caballería.

desentenderse. r. Fingir que no se entiende una cosa; afectar ignorancia. ‖ Prescindir de un asunto o negocio; no querer tomar parte en él.

desenterrar (al. *ausgraben*, fr. *déterrer*, ingl. *to unbury*, it. *dissotterrare*). tr. Exhumar, descubrir, sacar lo que está bajo tierra. ‖ fig. Traer a la memoria lo que se tenía olvidado.

desentonar. tr. Abatir el entono de uno, humillar su orgullo. ‖ intr. Salir del tono que compete. Ú.m.c.r. ‖ Mús. Subir o bajar la entonación de la voz o de un instrumento musical inoportunamente. ‖ r. fig. Levantar la voz, faltando al respeto.

desentrañar (al. *ausweiden*, fr. *éventrer*, ingl. *to disembowel*, it. *sviscerare*). tr. Sacar, arrancar las entrañas. ‖ fig. Averiguar, penetrar lo más dificultoso y recóndito de una materia. ‖ r. fig. Desapropiarse uno de cuanto tiene, dándoselo a otro en señal de amor y cariño.

desentumecer. tr. Hacer que un miembro entorpecido recobre su agilidad y soltura. Ú.t.c.r.

desentumecimiento. m. Acción y efecto de desentumecer o desentumecerse.

desenvainar. tr. Sacar de la vaina la espada u otra arma blanca. ‖ fig. Sacar las uñas el animal que tiene garras. ‖ fig. y fam. Sacar lo que está oculto o encubierto con alguna cosa.

desenvoltura. f. fig. Desembarazo, despejo, desenfado. ‖ fig. Desvergüenza, deshonestidad. ‖ fig. Facilidad para expresarse en el decir.

desenvolver. tr. Desarrollar lo envuelto o arrollado. Ú.t.c.r. ‖ fig. Descifrar, descubrir o aclarar una cosa que estaba oscura o enredada. ‖ fig. Desarrollar, acrecentar alguna cosa. Ú.t.c.r. ‖ fig. Explicar y ampliar una teoría. Ú.t.c.r. ‖ fig. Salir de un empeño o dificultad. ‖ fig. Obrar con desparpajo y habilidad.

desenvuelto, ta. adj. fig. Que tiene desenvoltura.

deseo (al. *Wunsch*, fr. *désir*, ingl. *wish*, it. *desiderio*). m. Movimiento enérgico de la voluntad hacia el conocimiento, posesión o disfrute de una cosa. || Acción y efecto de desear.

deseoso, sa. adj. Que desea o apetece.

desequilibrado, da. adj. Falto de sensatez y cordura.

desequilibrar. tr. Hacer perder el equilibrio. Ú.t.c.r.

desequilibrio. m. Falta de equilibrio.

deserción (al. *Fahnenflucht*, fr. *désertion*, ingl. *desertion*, it. *diserzione*). f. Acción de desertar.

desertar. tr. Abandonar un soldado su puesto. Ú.t.c.intr. || fig. y fam. Abandonar las concurrencias que se solían frecuentar.

desértico, ca. adj. Desierto, despoblado, solo, inhabitado. || Dícese de lo que es propio, relativo o perteneciente al desierto.

desertor. m. Soldado que abandona su puesto. || fig. y fam. El que se retira de una opinión o causa o de la concurrencia que solía frecuentar.

desesperación (al. *Verzweiflung*, fr. *désespoir*, ingl. *despair*, it. *disperazione*). f. Pérdida total de la esperanza. || fig. Alteración extrema del ánimo causada por cólera, despecho o enojo.

desesperado, da. adj. Poseído de desesperación. Ú.t.c.s. || *a la desesperada.* m. adv. Recurriendo a remedios extremos para conseguir lo que parece imposible de otro modo.

desesperanza. f. Falta de esperanza.

desesperanzador, ra. adj. Que quita la esperanza.

desesperanzar. tr. Quitar la esperanza. || r. Quedarse sin esperanza.

desesperar (al. *verzweifeln*, fr. *désespérer*, ingl. *to despair*, it. *disperare*). tr. Desesperanzar. Ú.t.c.intr. y c.r. || fam. Impacientar, exasperar. Ú.t.c.r. || r. Despecharse, intentando quitarse la vida, o quitándosela en efecto.

desestimación. f. Acción y efecto de desestimar.

desestimar. (al. *verachten*, fr. *mépriser*, ingl. *to undervalue*, it. *desistimare*). tr. Tener en poco. || Denegar, desechar.

desfalcar. tr. Quitar parte de una cosa, descabalarla. || Tomar para sí un caudal que se tenía bajo obligación de custodia.

desfalco. m. Acción y efecto de desfalcar.

desfallecer (al. *von Kräften kommen*, fr. *s'affaiblir*, ingl. *to fall away*, it. *svenire*). tr. Causar desfallecimiento o disminuir las fuerzas. || intr. Decaer, perdiendo el aliento, vigor y fuerzas.

desfallecimiento. m. Disminución de ánimo, decaimiento de vigor y fuerzas, desmayo.

desfasado, da. adj. fig. Que no se ajusta a las corrientes, condiciones o circunstancias del momento.

desfasar. tr. Producir una diferencia de fase. || r. Quedar una persona o cosa desajustada, fuera de lugar, anacrónica.

desfavorable. adj. Poco favorable, perjudicial, contrario, adverso.

desfigurar (al. *Entstellen*, fr. *défigurer*, ingl. *to disfigure*, it. *sfigurare*). tr. Afear, ajar la composición, orden y hermosura del semblante y de las facciones. Ú.t.c.r. || Cambiar el aspecto o la forma de una cosa de modo que no se la reconoce. || Confundir, hacer imprecisa la forma de una cosa. || fig. Referir una cosa alterando sus verdaderas circunstancias. || r. Inmutarse por un accidente o por alguna pasión del ánimo.

desfiladero (al. *Engpass*, fr. *défilé*, ingl. *defile*, it. *stretta*). m. Paso estrecho por donde la tropa tiene que marchar desfilando. || Paso estrecho entre montañas.

desfilar (al. *defilieren*, fr. *défiler*, ingl. *to march*, it. *sfilare*). intr. Marchar gente en fila. || fam. Salir varios, uno tras otro, de alguna parte. || MIL. En ciertas funciones militares, como revistas y simulacros, pasar las tropas en formación ante una autoridad o monumento.

desfile (al. *Vorbeimarsch*, fr. *défilé*, ingl. *parade*, it. *sfilata*). m. Acción de desfilar.

desfloración. f. Acción y efecto de desflorar.

desflorar (al. *entjungfern*, fr. *déflorer*, ingl. *to deflower*, it. *deflorare*). tr. Ajar, quitar la flor o el lustre. || Desvirgar. || fig. Tratar superficialmente algún asunto o materia.

desfogar. tr. Dar salida al fuego. || Hablando de la cal, apagarla. || fig. Manifestar con vehemencia una pasión. Ú.t.c.r. || intr. MAR. Resolverse una tempestad, chubasco, etc., en viento, agua o ambas cosas a la vez.

desfondar. tr. Quitar o romper el fondo de un vaso o caja. Ú.t.c.r. || AGR. Dar a la tierra labores profundas a fin de hacerla más permeable, destruir las raíces perjudiciales y airear las capas inferiores. || MAR. Romper, agujerear el fondo de una nave. Ú.t.c.r.

desgaire. m. Desaliño, desaire en el manejo del cuerpo y en las acciones, que regularmente suele ser afectado. || Ademán con que se desprecia y desestima a una persona o cosa.

desgajadura. f. Rotura de la rama cuando lleva consigo parte de la corteza y aun del tronco a que está asida.

desgajar (al. *losreissen*, fr. *arracher*, ingl. *to tear off*, it. *squarciare*). tr. Desgarrar, arrancar, separar con violencia la rama del tronco de donde nace. Ú.t.c.r. || Despedazar, romper, deshacer una cosa unida y trabada. || r. fig. Apartarse, desprenderse una cosa de otra a la que está unida por alguna parte.

desgana. f. Inapetencia, falta de gana de comer. || fig. Falta de aplicación; tedio, disgusto o repugnancia a una cosa.

desganar. tr. Quitar el deseo, gusto o gana de hacer una cosa. || r. Perder el apetito a la comida. || fig. Disgustarse, cansarse, desviarse de lo que antes se hacía con gusto y por propia elección.

desgañitarse. r. fam. Esforzarse uno violentamente gritando o voceando. || Enronquecerse.

desgarbado, da. adj. Falto de garbo.

desgarrado, da. adj. Que procede licenciosamente y con escándalo. Ú.t.c.s.

desgarrar (al. *zerreissen*, fr. *déchirer* ingl. *to tear*, it. *strappare*). tr. Rasgar romper cosas de poca consistencia. Ú.t.c.r. || fig. Esgarrar.

desgarro (al. *Frechheit*, fr. *effronterie*, ingl. *impudence*, it. *strappo*). m. Rotura o rompimiento. || fig. Arrojo, desvergüenza, descáro. || fig. Afectación de valentía, fanfarronada.

desgarrón. m. Rasgón o rotura grande del vestido o cosa semejante. || Jirón o tira del vestido al desgarrarse la tela.

desgastar. tr. Quitar o consumir poco a poco por el uso o el roce parte de una cosá. Ú.t.c.r. || fig. Pervertir, viciar. || r. ffg. Perder fuerza, vigor o poder.

desgaste (al. *Abnutzung*, fr. *usure*, ingl. *attrition*, it. *usura*). m. Acción y efecto de desgastar o desgastarse.

desglosar. tr. Quitar la glosa o nota a un escrito. || Quitar algunas hojas de una pieza de autos o algún documento, dejando copia o nota de su contenido. || Por extensión, dividir un todo en sus partes.

desglose. m. Acción y efecto de desglosar.

desgobierno. m. Desorden, falta de gobierno.

desgracia (al. *Unglück*, fr. *malheur*,

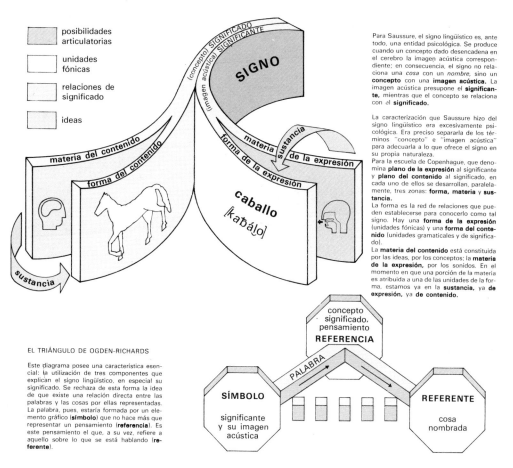

Para Saussure, el signo lingüístico es, ante todo, una entidad psicológica. Se produce cuando un concepto dado desencadena en el cerebro la imagen acústica correspondiente; en consecuencia, el signo no relaciona una *cosa* con un *nombre*, sino un **concepto** con una **imagen acústica**. La imagen acústica presupone el **significante**, mientras que el concepto se relaciona con el **significado**.

La caracterización que Saussure hizo del signo lingüístico era excesivamente psicológica. Era preciso separarla de los términos "concepto" e "imagen acústica" para adecuarla a lo que ofrece el signo en su propia naturaleza.

Para la escuela de Copenhague, que denomina **plano de la expresión** al significante y **plano del contenido** al significado, en cada uno de ellos se desarrollan, paralelamente, tres zonas: **forma, materia y sustancia.**

La forma es la red de relaciones que pueden establecerse para conocerlo como tal signo. Hay una **forma de la expresión** (unidades fónicas) y una **forma del contenido** (unidades gramaticales y de significado).

La **materia del contenido** está constituida por las ideas, por los conceptos; la **materia de la expresión,** por los sonidos. En el momento en que una porción de la materia es atribuida a una de las unidades de la forma, estamos ya en la **sustancia,** ya **de expresión,** ya de contenido.

EL TRIÁNGULO DE OGDEN-RICHARDS

Este diagrama posee una característica esencial: la utilización de tres componentes que explican el signo lingüístico, en especial su significado. Se rechaza de esta forma la idea de que existe una relación directa entre las palabras y las cosas por ellas representadas. La palabra, pues, estaría formada por un elemento gráfico (**símbolo**) que no hace más que representar un pensamiento (**referencia**). Es este pensamiento el que, a su vez, refiere a aquello sobre lo que se está hablando (**referente**).

FUNCIONES DEL LENGUAJE DETERMINADAS POR EL SIGNO LINGÜÍSTICO (Jakobson)		
funciones	el signo...	ejemplos
REFERENCIAL	**se refiere a algo**	/árbol/ /el caballo salta/
EMOTIVA	**quiere suscitar una respuesta emotiva**	/¡atención!/ /¡idiota!/
FÁCTICA (de contacto)	**subraya la continuidad de la comunicación** **(no expresa acuerdo, sino que sigue el discurso)**	en la conversación telefónica, /sí/
IMPERATIVA	**transmite un imperativo, determinando** **un comportamiento activo**	/¡lléname la copa!/
METALINGÜÍSTICA	**designa otro signo**	este mismo cuadro
ESTÉTICA	**suscita la atención sobre la forma de utilizar** **los propios signos**	/la piel de la ciudad/ por 'el asfalto'

COMUNICACIÓN LINGÜÍSTICA

En el más elemental modelo de comunicación lingüística, deben estar presentes tres factores esenciales: **hablante** *(emisor)*, **oyente** *(receptor)* y un **signo** o conjunto de signos *(mensaje)*. Estos elementos primarios están relacionados con tres operaciones básicas, denominadas **emisión**, **transmisión** y **recepción**, que se desarrollan en tres planos: psíquico, fisiológico y físico. En el acto de comunicación la iniciativa corresponde al emisor, que es movido por un **estímulo** (I), lingüístico o extralingüístico (como en el esquema), nacido en su interior o procedente del exterior, que es productor de una reacción denominada emisión. Para llegar a este punto son importantes los papeles de la percepción y el conocimiento, que facilitan el acceso del hablante al contenido del estímulo (II). La emisión se produce en dos niveles: psíquicamente, tiene lugar primero la **codificación** u organización lingüística del contenido del estímulo, recurriendo al **código** de la lengua (III) y extrayendo de él los signos necesarios (IV).

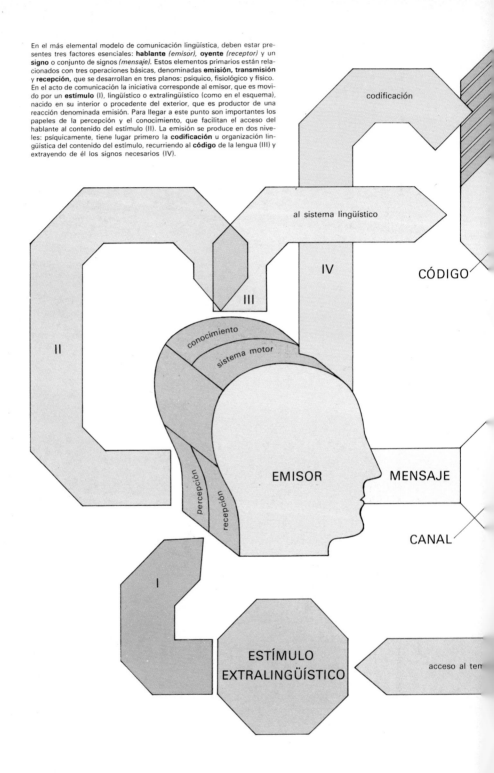

Luego se llega al nivel psicológico, consistente en la **fonación,** articulando en una **cadena sonora** los signos tomados, que se emiten (V) a través de un medio adecuado *(canal).* Comienza así la tercera fase, la **recepción,** plenamente física, en la que se realizan las mismas etapas que en la emisión, aunque en sentido inverso (VI, utilización del código; VII, mensaje descodificado; VIII, acceso al tema del estímulo), y que culmina con la interpretación del tema contenido en el estímulo. Por último, con la emisión de una respuesta lingüística, se reinicia el proceso (IX).

En el acto de comunicación pueden presentarse elementos que la dificulten, interferencias que reciben el nombre genérico de **ruido.**

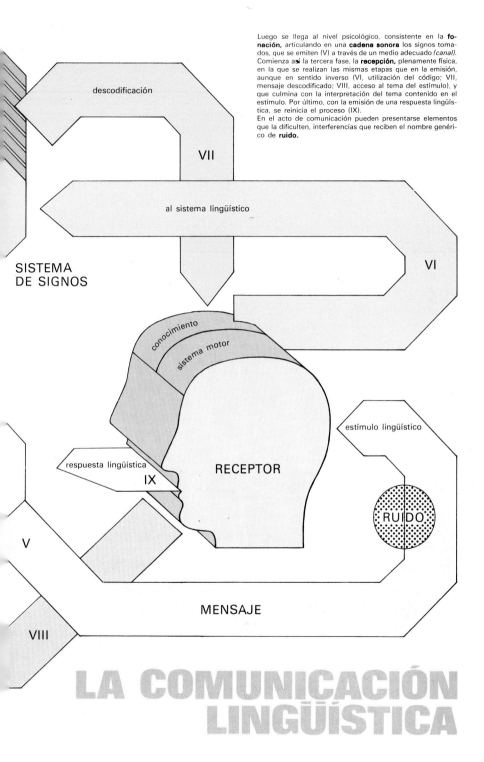

descodificación

VII

al sistema lingüístico

SISTEMA
DE SIGNOS

VI

conocimiento

sistema motor

estímulo lingüístico

respuesta lingüística

RECEPTOR

IX

RUIDO

V

MENSAJE

VIII

LA COMUNICACIÓN
LINGÜÍSTICA

LOS ESTUDIOS LINGÜÍSTICOS
(Ullmann)

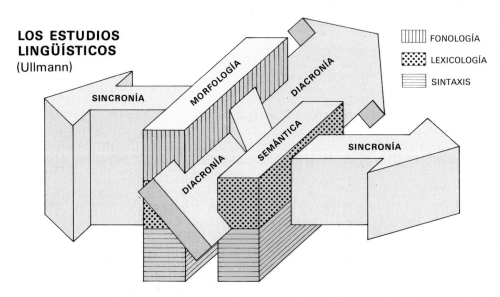

	FONOLOGÍA
	LEXICOLOGÍA
	SINTAXIS

El sistema de una lengua suele dividirse en cuatro planos: **fonología, morfología, sintaxis** y **lexicología**. La fonología no implica significaciones: concierne sólo a los fonemas. La morfología estudia las marcas: hay, pues, una morfología léxica y otra sintáctica. La oposición lexicología/sintaxis es clara: una estudia significaciones o designaciones; la otra, enunciados y relaciones expresadas en y entre ellos. Lexicología y sintaxis tienen las dos caras propias de cada signo: significante (estudio morfológico del léxico y de las marcas sintácticas de relación y entonación) y significado (que da lugar a la **semántica**). Por último, la tercera dimensión es aportada por la dicotomía **diacronía/sincronía,** que puede actuar en todos los otros planos.

ALGUNAS DICOTOMÍAS LINGÜÍSTICAS

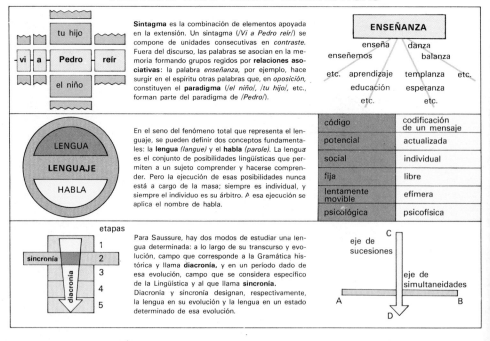

Sintagma es la combinación de elementos apoyada en la extensión. Un sintagma (/*Vi a Pedro reír*/) se compone de unidades consecutivas en *contraste.* Fuera del discurso, las palabras se asocian en la memoria formando grupos regidos por **relaciones asociativas:** la palabra *enseñanza*, por ejemplo, hace surgir en el espíritu otras palabras que, en *oposición*, constituyen el **paradigma** (/*el niño*/, /*tu hijo*/, etc., forman parte del paradigma de /*Pedro*/).

En el seno del fenómeno total que representa el lenguaje, se pueden definir dos conceptos fundamentales: la **lengua** *(langue)* y el **habla** *(parole).* La lengua es el conjunto de posibilidades lingüísticas que permiten a un sujeto comprender y hacerse comprender. Pero la ejecución de esas posibilidades nunca está a cargo de la masa; siempre es individual, y siempre el individuo es su árbitro. A esa ejecución se aplica el nombre de habla.

Para Saussure, hay dos modos de estudiar una lengua determinada: a lo largo de su transcurso y evolución, campo que corresponde a la Gramática histórica y llama **diacronía,** y en un período dado de esa evolución, campo que se considera específico de la Lingüística y al que llama **sincronía.**
Diacronía y sincronía designan, respectivamente, la lengua en su evolución y la lengua en un estado determinado de esa evolución.

COMUNICACIÓN LINGÜÍSTICA

ingl. *misfortune*, it. *disgrazia*). f. Suerte adversa. ‖ Caso o acontecimiento adverso o funesto. ‖ Pérdida de gracia, favor o valimiento. ‖ Desagrado, desabrimiento y aspereza en la consición o en el trato. ‖ Falta de gracia o de maña.

desgraciado, da (al. *unglücklich*, fr. *malheureux*, ingl. *unhappy*, it. *disgraziato*). adj. Que padece desgracias. Ú.t.c.s. ‖ Desafortunado. Ú.t.c.s. ‖ Falto de gracia y atractivo; desagradable. ‖ Que inspira compasión o menosprecio. Ú.t.c.s.

desgraciar. tr. Desazonar, disgustar, desagradar. ‖ Echar a perder a una persona o cosa, o impedir su desarrollo o perfeccionamiento. Ú.t.c.r. ‖ r. Desavenirse, desviarse, descomponerse uno del amigo o persona con quien tenía amistad y unión; perder la gracia o favor de alguien.

desgranar. tr. Sacar el grano de una cosa. Ú.t.c.r. ‖ ART. Pasar la pólvora por uno o más tamices, para clasificar sus granos. ‖ r. Soltarse las piezas ensartadas, como las cuentas de un collar, rosario, etc.

desgravación. f. Acción y efecto de desgravar.

desgravar. tr. Rebajar los derechos arancelarios o los impuestos sobre determinados objetos.

desgreñar. tr. Descomponer, desordenar los cabellos. Ú.t.c.r. ‖ r. Andar a la greña.

desguace. m. Acción y efecto de desguazar un buque.

desguarnecer. tr. Quitar la guarnición que servía de adorno. ‖ Quitar la fuerza o la fortaleza a una cosa, como a una plaza, un castillo, etc. ‖ Quitar todo aquello que es necesario para el uso de un instrumento o herramienta, como el mango al martillo, etc. ‖ Quitar las guarniciones a los animales de tiro.

desguazar. tr. Desbastar con una hacha un madero o parte de él. ‖ MAR. Desbaratar o deshacer un buque total o parcialmente.

deshabitado, da. (al. *unbewohnt*, fr. *inhabité*, ingl. *uninhabited*, it. *disabitato*). adj. Dícese del edificio o lugar que estuvo habitado y ya no lo está.

deshabitar. tr. Dejar o abandonar la habitación. ‖ Dejar sin habitantes una población o un territorio.

deshabituar. tr. Hacer perder a una persona o animal el hábito o la costumbre que tenía. Ú.t.c.r.

deshacer (al. *aufmachen*, fr. *défaire*, ingl. *to undo*, it. *disfare*). tr. Quitar la forma o figura a una cosa, descompo-

niéndola. Ú.t.c.r. ‖ Desgastar, atenuar. Ú.t.c.r. ‖ Derretir, liquidar. Ú.t.c.r. ‖ Dividir, partir, despedazar. ‖ Desleír en cosa líquida lo que no lo es. ‖ fig. Alterar, descomponer un tratado o negocio. ‖ r. Desbaratarse o destruirse una cosa. ‖ fig. Afligirse mucho, consumirse, estar sumamente impaciente o inquieto. ‖ fig. Trabajar con mucho ahinco y vehemencia. ‖ fig. Estropearse, maltratarse gravemente.

desharrapado, da. adj. Andrajoso, roto y lleno de harapos. Ú.t.c.s.

deshelar. tr. Liquidar lo que está helado. Ú.t.c.r.

desheredar. tr. Excluir a una persona de la herencia forzosa, expresamente y por causa legal.

deshidratación. f. Acción y efecto de deshidratar.

deshidratar. tr. Privar a un cuerpo o a un organismo del agua que contiene. Ú.t.c.r.

deshielo. m. Acción y efecto de deshelar o deshelarse.

deshilachar. tr. Sacar hilachas de una tela. Ú.t.c.r.

deshilar. tr. Sacar hilos de un tejido; destejer una tela por la orilla, dejando pendientes los hilos en forma de flecos. ‖ fig. Reducir a hilos una cosa.

deshilvanado, da. adj. fig. Sin enlace ni trabazón. Dícese de discursos, pensamientos, etc.

deshilvanar. tr. Quitar los hilvanes. Ú.t.c.r.

deshinchar. tr. Quitar la hinchazón. ‖ fig. Desahogar la cólera o el enojo. ‖ r. Deshacerse la hinchazón, bajarse el tumor, reduciéndose la parte a la proporción que antes tenía. ‖ fig. y fam. Deponer la presunción.

deshipotecar. tr. Cancelar o suspender una hipoteca. ‖ Levantar, en general, un gravamen.

deshojar. tr. Quitar las hojas a una planta o los pétalos a una flor. Ú.t.c.r.

deshoje. m. Caída de las hojas de las plantas.

deshollinador, ra (al. *Schornsteinfeger*, fr. *ramoneur*, ingl. *chimneysweeper*, it. *spazzacamino*). adj. Que deshollina. Ú.t.c.s. ‖ m. Utensilio para deshollinar chimeneas. ‖ Escoba de palo muy largo, que suele cubrirse con un paño, para deshollinar techos y paredes.

deshollinar. tr. Limpiar las chimeneas, quitándoles el hollín. ‖ Limpiar con el deshollinador techos y paredes.

deshonestidad (al. *Unanständigkeit*, fr. *déshonnêteté*, ingl. *indecency*, it.

disonestà). f. Calidad de deshonesto. ‖ Dicho o hecho deshonesto.

deshonesto, ta (al. *anstössig*, fr. *déshonnête*, ingl. *indecent*, it. *disonesto*). adj. Inmoral, carente de honradez u honestidad. ‖ Despreocupado, sin escrúpulos, indecoroso.

deshonra (al. *Ehrlosigkeit*, fr. *déshonneur*, ingl. *dishonour*, it. *dissonore*). f. Pérdida de la honra. ‖ Cosa deshonrosa. [*Sinón.*: deshonor]

deshonrar. tr. Quitar la honra. Ú.t.c.r. ‖ Injuriar. ‖ Escarnecer y despreciar a alguien con actos y ademanes ofensivos e indecentes.

deshonroso, sa. adj. Afrentoso, indecoroso, poco decente.

deshora. f. Tiempo inoportuno, no conveniente.

deshuesar. tr. Quitar los huesos a un animal o a la fruta.

desidia. f. Negligencia, inercia.

desierto, ta (al. *Wüste*, fr. *désert*, ingl. *wilderness*, it. *deserto*). adj. Despoblado, solo, inhabitado. ‖ Aplícase a la subasta, concurso o certamen en que nadie toma parte. ‖ m. Lugar, paraje, sitio despoblado de edificios, gentes o falto de vegetación.

designación. f. Acción y efecto de designar una persona o cosa para cierto fin.

designar (al. *bezeichnen*, fr. *désigner*, ingl. *to name*, it. *designare*). tr. Formar designio o propósito. ‖ Señalar o destinar una persona o cosa para determinado fin. ‖ Denominar, indicar.

designio. m. Pensamiento o propósito del entendimiento, aceptado por la voluntad.

desigual. adj. Que no es igual. ‖ Barrancoso, que tiene quiebras y cuestas. ‖ Cubierto de asperezas. ‖ fig. Arduo, grande, dificultoso. ‖ fig. Inconstante, vario. Dícese del tiempo, del ingenio, etc.

desigualar. tr. Hacer a una persona o cosa desigual a otra. ‖ r. Preferirse, adelantarse, aventajarse.

desigualdad (al. *Ungleichheit*, fr. *inégalité*, ingl. *inequality*, it. *disuguaglianza*). f. Calidad de desigual. ‖ Cada una de las eminencias o depresiones de un terreno o de la superficie de un cuerpo.

desilusión. f. Carencia o pérdida de ilusiones. ‖ Desengaño, conocimiento de la verdad con que se sale del engaño.

desilusionar. tr. Hacer perder a uno las ilusiones. Ú.t.c.r. ‖ r. Desengañarse.

desinencia (al. *Endung*, fr. *désinence*, ingl. *desinence*, it. *desinenza*). f.

GRAM. Terminación, dicho de las palabras.

desinfección. f. Acción y efecto de desinfectar.

desinfectante. adj. Que desinfecta o sirve para desinfectar. Ú.t.c.s.m.

desinfectar. tr. Quitar a una cosa la infección o la propiedad de causarla, destruyendo los gérmenes nocivos o evitando su desarrollo. Ú.t.c.r.

desinflar. tr. Sacar el aire u otra sustancia aeriforme del cuerpo flexible que lo contenía. Ú.t.c.r. || fig. Desanimar, desilusionar rápidamente. Ú.m.c.r.

desinsectar. tr. Limpiar de insectos. Úsase especialmente hablando de los parásitos del hombre y de los que son nocivos a la salud o a la economía.

desintegración (al. *Zertrümmerung,* fr. *désintégration,* ingl. *disintegration,* it. *disintegrazione*). f. Acción y efecto de desintegrar. || — *atómica.* FÍS. Transformación del núcleo atómico por pérdida de alguna partícula.

desintegrar. tr. Descomponer un todo por separación de los elementos que lo integran. Ú.t.c.r.

desinterés. m. Desapego y desprendimiento de todo provecho personal, próximo o remoto.

desinteresado, da. adj. Desprendido, apartado del interés.

desinteresarse. r. Perder uno el interés que tenía en alguna cosa.

desintoxicar. tr. Combatir la intoxicación o sus efectos. Ú.t.c.r.

desistimiento. m. Acción y efecto de desistir.

desistir (al. *aufgeben,* fr. *désister,* ingl. *to give up,* it. *desistere*). intr. Apartarse de una empresa o intento empezado a ejecutar. || DER. Hablando de un derecho, abdicarlo o abandonarlo.

desleal. adj. Que obra sin lealtad. Ú.t.c.s.

deslealtad. f. Falta de lealtad.

desleir. tr. Disolver y desunir las partes de algunos cuerpos por medio de un líquido. Ú.t.c.r. || fig. Tratándose de ideas, pensamientos, conceptos, etc., expresarlos con sobreabundancia de palabras, de modo que resulten desmayados y fríos.

deslenguado, da. adj. fig. Desvergonzado, desbocado, malhablado.

deslenguar. tr. Quitar o cortar la lengua. || r. fig. y fam. Desbocarse, desvergonzarse.

desliar. tr. Deshacer el lío, desatar lo liado. Ú.t.c.r.

desligar. tr. Desatar, soltar las ligaduras. Ú.t.c.r. || fig. Desenmarañar y

desenredar una cosa no material. Ú.t.c.r. || fig. Dispensar de la obligación contraída.

deslindar. tr. Señalar y distinguir los términos de un lugar, provincia o heredad. || fig. Apurar y aclarar una cosa, poniéndola en sus propios términos, para que no haya confusión ni equivocación en ella.

deslinde. m. Acción y efecto de deslindar.

desliz (al. *Ausgleiten,* fr. *glissade,* ingl. *slip,* it. *scivolata*). m. Acción y efecto de deslizar o deslizarse.

deslizamiento. m. Acción y efecto de deslizar o deslizarse.

deslizar (al. *gleiten,* fr. *glisser,* ingl. *to slide,* it. *scivolare*). tr. Pasar o mover suavemente una cosa sobre otra o entre otras. Ú.m.c.r. || fig. Decir o hacer una cosa con descuido y en forma no deliberada. Ú.t.c.r. || intr. Irse los pies sobre una superficie lisa o mojada; correrse con celeridad un cuerpo sobre otro liso o mojado. Ú.t.c.r.

deslomar. tr. Quebrantar, romper o maltratar los lomos. Ú.m.c.r. || r. fig. Trabajar o esforzarse mucho.

deslucido, da. adj. Gastado, ajado, viejo. || Que carece de lucimiento.

deslucir. tr. Quitar la gracia, atractivo o lustre a una cosa. Ú.t.c.r. || fig. Desacreditar. Ú.t.c.r.

deslumbramiento. m. Acción y efecto de deslumbrar. || Turbación de la vista a causa de un exceso de luz o de un enfoque repentino. || fig. Preocupación del entendimiento, falta de conocimiento por efecto de una pasión.

deslumbrar (al. *blenden,* fr. *éblouir,* ingl. *to dazzle,* it. *abbagliare*). tr. Ofuscar la vista o confundirla con demasiada luz. Ú.t.c.r. || fig. Dejar a uno dudoso, incierto y confuso, de suerte que no conozca el verdadero designio de otro. Ú.t.c.r. || fig. Causar impresión con estudiado exceso de lujo.

deslustrar. tr. Quitar el lustre. || fig. Deslucir, desacreditar.

deslustre. m. Deslucimiento, falta de lustre y brillantez. || Acción de quitar el lustre a una cosa. || fig. Descrédito y nota que causa una acción indecorosa.

desmadejar. tr. fig. Causar flojedad en el cuerpo. Ú.t.c.r.

desmadrar. tr. Separar de la madre las crías del ganado que no mamen.

desmán (al. *Unmass,* fr. *excés,* ingl. *misbehaviour,* it. *eccesso*). m. Exceso, desorden, demasía en obras o palabras, tropelía. || Desgracia o suceso infausto. || ZOOL. Mamífero insectívoro de unos

25 centímetros, de hocico en figura de trompa, pies palmeados y cola escamosa que despide fuerte olor a almizcle.

desmandar. tr. Revocar la orden o mandato. || Revocar la manda. || r. Descomedirse, propasarse.

desmantelar. tr. Echar por tierra y arruinar los muros y fortificaciones de una plaza. || fig. Abandonar o desamueblar una cosa. || MAR. Desarbolar. || MAR. Desarmar y desaparejar una embarcación.

desmañado, da. adj. Falto de habilidad y destreza. Ú.t.c.s.

desmarcarse. r. DEP. Desplazarse un jugador para burlar al contrario o contrarios que le marcan.

desmayado, da. adj. Aplícase al color bajo y apagado.

desmayar. intr. fig. Perder el valor, desfallecer de ánimo, acobardarse. || r. Perder el sentido y el conocimiento.

desmayo (al. *Ohnmacht,* fr. *évanouissement,* ingl. *fainting fit,* it. *deliquio*). m. Desaliento, desfallecimiento de las fuerzas, privación de sentido.

desmedido, da. adj. Desproporcionado, falto de medida.

desmedirse. r. Desmandarse, descomedirse o excederse.

desmedrar. tr. Deteriorar. Ú.t.c.r. || intr. Decaer, ir a menos.

desmejorar. tr. Hacer perder el lustre y perfección. Ú.t.c.r. || intr. Ir perdiendo la salud. Ú.t.c.r.

desmelenar. tr. Descomponer y desordenar el cabello. Ú.t.c.r.

desmembración. f. Acción y efecto de desmembrar.

desmembrar. tr. Dividir y apartar los miembros del cuerpo. || fig. Separar, dividir una cosa de otra. Ú.t.c.r.

desmemoriado, da (al. *vergesslich,* fr. *oublieux,* ingl. *forgetful,* it. *smemorato*). adj. Torpe de memoria. Ú.t.c.s. || Que conserva la memoria sólo a intervalos. Ú.t.c.s.

desmentir. tr. Decir a uno que miente. || Sostener o demostrar la falsedad de un dicho o hecho. || fig. Proceder uno distintamente de lo que se podía esperar de su educación y carácter.

desmenuzar (al. *zerkleinern,* fr. *mettre en menus morceaux,* ingl. *to crumble,* it. *spezzetare*). tr. Dividir una cosa en partes menudas. Ú.t.c.r. || fig. Examinar con minuciosidad una cosa.

desmerecer. tr. Hacerse indigno de premio, favor o alabanza. || intr. Perder una cosa parte de su mérito o valor. || Ser una cosa inferior a otra con la cual se compara.

desmerecimiento. m. Demérito.

desmesurado, da. adj. Excesivo, mayor de lo común.

desmesurar. tr. Desarreglar, desordenar o descomponer. ‖ r. Descomedirse, excederse.

desmigajar. tr. Hacer migajas una cosa. Ú.t.c.r.

desmigar. tr. Deshacer el pan para hacer migas.

desmineralización. f. MED. Pérdida de una cantidad excesiva de principios minerales del organismo, generalmente a causa de una eliminación excesiva de los mismos.

desmirriado, da. adj. fam. Flaco, extenuado, consumido.

desmochar. tr. Quitar, cortar, arrancar o desgajar la parte superior de una cosa. ‖ fig. Eliminar parte de una obra literaria o artística.

desmoche. m. Acción y efecto de desmochar. ‖ fig. y fam. Serie simultánea y numerosa de cesantías, o determinaciones análogas.

desmolado, da. adj. Que ha perdido las muelas.

desmoler. tr. Desgastar, corromper, dirigir.

desmonetizar. tr. Abolir el empleo de un metal para la acuñación de moneda.

desmontar. tr. Cortar en un monte o parte de él los árboles o matas. ‖ Deshacer un montón. ‖ Rebajar un terreno. ‖ Desarmar, desunir, separar las piezas de una cosa. ‖ En algunas armas de fuego, poner el mecanismo de disparar de modo que no funcione. ‖ Bajar a uno de una caballería o de otra cosa. Ú.t.c. intr. y c.r.

desmonte. m. Acción y efecto de desmontar. ‖ Paraje o terreno desmontado. Ú.m. en pl.

desmoralización. f. Acción y efecto de desmoralizar o desmoralizarse.

desmoralizar (al. *den mut benehmen*, fr. *démoraliser*, ingl. *to demoralize*, it. *demoralizzare*). tr. Corromper las costumbres con malos ejemplos o doctrinas perniciosas. Ú.t.c.r. ‖ Hacer perder el valor o los ánimos. Ú.t.c.r.

desmoronamiento. m. Acción y efecto de desmoronar o desmoronarse.

desmoronar (al. *einfallen*, fr. *s'ébouler*, ingl. *to moulder*, it. *rovinare*). tr. Deshacer y arruinar poco a poco los edificios, y también otros cuerpos formados por una aglomeración de sustancias. Ú.m.c.r. ‖ r. fig. Venir a menos, irse destruyendo alguna cosa.

desmotar. tr. Quitar las motas a la lana o paño o la semilla al algodón.

desmovilización. f. Acción y efecto de desmovilizar.

desmovilizar. tr. Licenciar a las personas o a las tropas movilizadas.

desnatadora. f. Máquina utilizada para quitar la nata de la leche o de otros líquidos.

desnatar. tr. Quitar la nata a la leche o a otros líquidos. ‖ fig. Escoger lo mejor de una cosa. ‖ Quitar la escoria al metal fundido cuando sale del horno.

desnaturalización. f. Acción y efecto de desnaturalizar o desnaturalizarse.

desnaturalizado, da. adj. Que falta a los deberes propios de padre, hijo, hermano, etc.

desnaturalizar. tr. Privarle a uno del derecho de naturaleza y patria. Ú.t.c.r. ‖ Cambiar la forma y propiedades de una cosa; desfigurarla, pervertirla.

desnivel. m. Falta de nivel. ‖ Diferencia de alturas entre dos o más puntos.

desnivelar. tr. Sacar de nivel. Ú.t.c.r.

desnucar. tr. Sacar de su lugar los huesos de la nuca. Ú.t.c.r. ‖ Matar de un golpe en la nuca. Ú.t.c.r.

desnudar (al. *entblössen*, fr. *dénuder*, ingl. *to strip*, it. *nudare*). tr. Quitar todo el vestido o parte de él. Ú.t.c.r. ‖ fig. Despojar una cosa de lo que la cubre o adorna. ‖ r. fig. Desprenderse y apartarse de una cosa.

desnudez. f. Calidad de desnudo.

desnudismo. m. Práctica de las personas que andan desnudas para exponer el cuerpo a los agentes naturales.

desnudo, da (al. *nackt*, fr. *nu*, ingl. *naked*, it. *nudo*). adj. Sin vestido. ‖ fig. Falto o despojado de lo que cubre o adorna. ‖ fig. Falto de recursos, sin bienes de fortuna. ‖ fig. Falto de una cosa no material. ‖ fig. Patente, claro, sin doblez. ‖ m. ESC. y PINT. Figura humana desnuda, o cuyas formas se perciben aunque esté vestida.

desnutrición. f. MED. Acción y efecto de desnutrirse.

desnutrirse. r. Depauperarse el organismo por trastornos de la digestión.

desobedecer (al. *nicht gehorchen*, fr. *désobéir*, ingl. *disobey*, it. *disobbedire*). tr. No hacer uno lo que le ordenan las leyes o los superiores.

desobediencia (al. *Ungehorsam*, fr. *désobéissance*, ingl. *disobedience*, it. *disobbedienza*). f. Acción y efecto de desobedecer.

desocupado, da. adj. Dícese del que está sin ocupación, ocioso. Ú.t.c.s.

desocupar. tr. Desembarazar un lugar, dejarlo libre y sin impedimento. ‖ Sacar lo que hay dentro de una cosa. ‖

r. Desembarazarse de un negocio u ocupación.

desodorante. adj. Que combate o elimina los olores molestos o nocivos. Ú.t.c.s.

desoír. tr. Desatender, dejar de oír.

desojar. tr. Quebrar o romper el ojo de un instrumento, como azadas, agujas, etc. ‖ r. fig. Mirar con ahínco para ver o encontrar una cosa.

desolación. f. Acción y efecto de desolar o desolarse.

desolar (al. *verwüsten*, fr. *désoler*, ingl. *to lay waste*, it. *desolare*). tr. Asolar, destruir, arrasar. ‖ r. fig. Afligirse en extremo.

desolladero. m. Lugar destinado para desollar las reses.

desollar (al. *enthäuten*, fr. *écorcher*, ingl. *to skin*, it. *scorticare*). tr. Quitar la piel de un animal. ‖ fig. Causar a uno grave daño en su persona, honra o hacienda. ‖ *desollarle* a uno vivo. fig. y fam. Hacerle pagar mucho más de lo justo por una cosa; murmurar de él acerbamente.

desorbitar. tr. Hacer que se salga una cosa de su órbita. Ú.t.c.r. ‖ fig. Exagerar.

desorden (al. *Unordnung*, fr. *désordre*, ingl. *disorder*, it. *disordine*). m. Confusión y alteración del concierto propio de una cosa. ‖ Exceso.

desordenado, da. adj. Que no tiene orden; que procede sin él. ‖ Dícese particularmente de lo que se sale del orden o ley moral.

desordenar. tr. Turbar, confundir y alterar el buen concierto de una cosa. Ú.t.c.r. ‖ r. Salir de regla, excederse.

desorganización. f. Acción y efecto de desorganizar o desorganizarse.

desorganizar (al. *auflösen*, fr. *désorganiser*, ingl. *to disorganize*, it. *disorganizzare*). tr. Desordenar en grado sumo, rompiendo las relaciones existentes entre las diferentes partes. Ú.t.c.r.

desorientación. f. Acción y efecto de desorientar o desorientarse.

desorientar (al. *irreführen*, fr. *désorienter*, ingl. *to mislead*, it. *disorientare*). tr. Hacer perder la orientación. Ú.t.c.r. ‖ fig. Confundir, extraviar. Ú.t.c.r.

desovar. intr. Soltar las hembras de los peces y las de los anfibios sus huevos o huevas.

desove. m. Acción y efecto de desovar. ‖ Época del desove.

desoxidar. tr. Eliminar el oxígeno de un cuerpo o sustancia, haciéndola reaccionar con un reductor. || Quitar la capa de óxido de un metal.

despabiladeras. f. pl. Tijeras utilizadas para despabilar.

despabilado, da. adj. Que no tiene sueño, desvelado. || fig. Vivo y despejado.

despabilar. tr. Quitar la pavesa o parte ya quemada del pabilo o mecha. || fig. Despachar brevemente o acabar con presteza. || Robar, quitar ocultamente. || fig. Avivar y ejercitar el entendimiento o el ingenio. Ú.t.c.r. || r. fig. Sacudir el sueño.

despacio (al. *langsam*, fr. *lentement*, ingl. *slowly*, it. *adagio*). adv. m. Poco a poco, lentamente. || AMER. En voz baja.

despacioso, sa. adj. Espacioso, tardo.

despachar (al. *abfertigen*, fr. *expédier*, ingl. *to dispatch*, it. *spedire*). tr. Abreviar o concluir un negocio u otra cosa. || Resolver y determinar las causas y negocios. || Enviar. || Vender los géneros o mercancías. || Despedir. || fam. Servir una tienda. || fig. y fam. Matar.

despacho (al. *Büro*, fr. *bureau*, ingl. *office*, it. *ufficio*). m. Acción y efecto de despachar. || Aposento o conjunto de aposentos de una casa que se destinan a despachar los negocios o al estudio. || Cualquiera de las comunicaciones escritas entre el Gobierno de una nación y sus representantes en las potencias extranjeras. || Cédula, título o comisión que se da a uno para un empleo o negocio. || Comunicación transmitida por telégrafo o teléfono.

despachurrar. tr. fam. Aplastar o reventar una cosa apretándola con fuerza. Ú.t.c.r. || fig. y fam. Dejar a uno cortado, sin saber qué replicar.

despampanante. adj. Que despampana, que deja atónito.

despampanar. tr. AGR. Quitar los pámpanos a las vides. || fig. fam. Desconcertar, dejar atónita a una persona.

despanzurrar. tr. fam. Romper a uno la panza. Ú.t.c.r.

desparejar. tr. Deshacer una pareja. Ú.t.c.r.

desparpajo. m. fam. Facilidad en el hablar o en las acciones. || fam. *Amer.* Desorden, desbarajuste.

desparramado, da. adj. Ancho, abierto.

desparramar (al. *umherstreuen*, fr. *éparpiller*, ingl. *to spill*, it. *spargere*). tr. Esparcir, extender por muchas partes lo que estaba junto. Ú.t.c.r. || fig. Disipar la hacienda, malgastarla.

despatarrar. tr. fam. Abrir excesivamente las piernas a uno. Ú.t.c.r. || fam. Llenar de miedo, asombro o espanto. Ú.t.c.r. || r. Caerse al suelo abierto de piernas.

despavorido, da. adj. Lleno de pavor.

despavorir. intr. Llenar de pavor. Ú.t.c.r.

despectivo, va (al. *verächtlich*, fr. *péjoratif*, ingl. *pejorative*, it. *dispregiativo*). adj. Despreciativo. || GRAM. Aplícase a la palabra que incluye en su significación idea de menosprecio.

despechar. tr. Dar pesar, causar indignación, furor o desesperación.

despecho (al. *Verdruss*, fr. *dépit*, ingl. *grudge*, it. *picca*). m. Malquerencia nacida en el ánimo por desengaños sufridos.

despechugar. tr. Quitar la pechuga a un ave. || r. fig. y fam. Mostrar el pecho, llevarlo descubierto.

despedazar (al. *zerstückeln*, fr. *dépecer*, ingl. *to tear into pieces*, it. *spezzare*). tr. Hacer pedazos un cuerpo, dividiéndolo en partes sin orden ni concierto. Ú.t.c.r. || fig. Maltratar y destruir cosas no materiales.

despedida (al. *Abschied*, fr. *adieux*, ingl. *leave–taking*, it. *addio*). f. Acción y efecto de despedir o despedirse.

despedir (al. *verabschieden*, fr. *congédier*, ingl. *to see a person off*, it. *accomiadare*). tr. Soltar, desprender, arrojar una cosa. || Quitar a uno la ocupación, empleo o servicio. || Acompañar, por deferencia, al que sale de una casa o pueblo. || fig. Apartar o arrojar de sí una cosa no material. || fig. Difundir o esparcir. || Apartar de sí a la persona que le es gravosa o molesta. || r. Emplear una expresión de afecto o cortesía para separarse una persona de otra.

despegado, da. adj. fig. y fam. Áspero o desabrido en el trato.

despegar (al. *ablösen*, fr. *décoller*, ingl. *to detatch*, it. *staccare*). tr. Apartar dos cosas que están pegadas o muy juntas. Ú.t.c.r. || intr. Separarse del suelo el avión al iniciar el vuelo. || f. fig. Apartarse del afecto que se profesa.

despegue (al. *Abfliegen*, fr. *décollage*, ingl. *take–off*, it. *decollo*). m. Acción y efecto de despegar el avión.

despeinar. tr. Deshacer el peinado. Ú.t.c.r. || Descomponer, enmarañar el cabello. Ú.t.c.r.

despejado, da (al. *geräumig*, fr. *ouvert*, ingl. *clear*, it. *svelto*). adj. Que tiene desembarazo y soltura en su tra-

to. || Aplícase al entendimiento o ingenio claro y desembarazado y a la persona que lo tiene. || Espacioso, dilatado, ancho.

despejar. tr. Desembarazar o desocupar un sitio o espacio. || fig. Aclarar, poner en claro. Ú.t.c.r. || DEP. Alejar con fuerza la pelota de la portería propia un jugador. || MAT. Separar, por medio de cálculo, una incógnita de las otras cantidades que la acompañan en una ecuación. || Aclararse, serenarse.

despeje. m. DEP. Acción y efecto de despejar.

despejo. m. Acción y efecto de despejar o depejarse. || Desembarazo, soltura. || Claro entendimiento, talento.

despeluzar. tr. Desordenar el pelo de la cabeza, de la felpa, etc. || Erizar el cabello, generalmente por miedo. Ú.m.c.r. [*Sinón.*: despeluznar]

despeluznante. adj. Que despeluzna. || Pavoroso, horrible.

despeluznar. tr. Despeluzar.

despensa (al. *Speisekammer*, fr. *garde–manger*, ingl. *pantry*, it. *dispensa*). f. Lugar o sitio de la casa, nave, etc., donde se guardan los alimentos. || Provisión de comestibles.

despeñadero. m. Precipicio, lugar o sitio alto, peñascoso y escarpado. || fig. Riesgo o peligro a que uno se expone.

despeñar. tr. Precipitar y arrojar una cosa desde un promontorio. Ú.t.c.r. || r. fig. Entregarse ciegamente y sin consideracion a las pasiones y vicios.

desperdiciar. tr. Malbaratar, emplear mal el dinero, la comida, etc. || No aprovechar debidamente una cosa inmaterial.

desperdicio. m. Malbaratamiento, derroche de la hacienda o de otra cosa. || Residuo de lo que no se puede o no se quiere aprovechar.

desperdigar. tr. Separar, desunir, esparcir. Ú.t.c.r.

desperezarse. r. Extender y estirar los miembros, para sacudir la pereza o librarse del entumecimiento.

desperfecto. m. Leve deterioro. || Falta que desvirtúa un tanto el valor y utilidad de las cosas.

despertador, ra (al. *Wecker*, fr. *reveille–matin*, ingl. *alarm–clock*, it. *sveglia*). adj. Que despierta. || m. Reloj que, a la hora que antes se dispuso, hace sonar una campana o timbre.

despertar (al. *wecken*, fr. *réveiller*, ingl. *to awake*, it. *svegliare*). tr. Interrumpir el sueño al que está durmiendo. Ú.t.c.r. || fig. Recordar o traer a la memoria una cosa ya olvidada. ||

fig. Hacer que uno vuelva sobre sí o recapacite. || fig. Mover, excitar. || intr. Dejar de dormir. || fig. Hacerse más avisado y entendido el que antes era rudo y torpe.

despiadado, da. adj. Impío, inhumano.

despido (al. *Entlassung*, fr. *congé*, ingl. *dismissal*, it. *licenza*). m. Acción y efecto de despedir a un servidor o dependiente. || Acción y efecto de despedirse.

despierto, ta. adj. fig. Avisado, vivo.

despilfarrador, ra. adj. Que despilfarra.

despilfarrar. tr. Consumir el caudal en gastos desarreglados; malgastar. || r. fam. Gastar profusamente en alguna ocasión.

despilfarro. m. Destrozo de la ropa u otras cosas, por desidia o desaseo. || Gasto excesivo y superfluo; derroche.

despintar. tr. Borrar o raer lo pintado. Ú.t.c.r. || fig. Desfigurar y desvanecer un asunto o cosa. || r. Borrarse fácilmente los colores de que están teñidas las cosas.

despistado, da. adj. Desorientado, distraído, ausente de lo que le rodea. Ú.t.c.s.

despistar. tr. Hacer perder la pista. Ú.t.c.r. || r. fig. Andar desorientado en algún asunto o materia.

despiste. m. fam. Cualidad de despistado, desorientado. || Acción y efecto de despistar o despistarse.

desplante. m. En danza y esgrima, postura irregular. || fig. Dicho o acto lleno de arrogancia o descaro.

desplazamiento. m. Acción y efecto de desplazar o desplazarse. || MAR. Espacio que ocupa en el agua el casco de un buque hasta su línea de flotación; volumen y peso del agua que desaloja.

desplazar (al. *verdrängen*, fr. *déplacer*, ingl. *to displace*, it. *spostare*). tr. Mover a una persona o cosa del lugar que ocupa. Ú.t.c.r. || MAR. Desalojar el buque un volumen de agua igual al de la parte sumergida de su casco y cuyo peso es igual al peso total del buque.

desplegar (al. *entfalten*, fr. *déplier*, ingl. *to unfold*, it. *svolgere*). tr. Extender, desdoblar. Ú.t.c.r. || Ejercitar, poner en práctica una actividad o manifestar una cualidad. || MIL. Hacer pasar las tropas del orden cerrado al abierto y extendido.

despliegue. m. Acción y efecto de desplegar. Úsase principalmente en la táctica militar.

desplomar. tr. Hacer que una cosa

pierda la posición vertical. || r. Perder la posición vertical una cosa, especialmente un edificio. || fig. Caer a plomo una cosa de gran peso. || fig. Caerse sin vida o sin conocimiento una persona. || fig. Arruinarse.

desplome. m. Acción y efecto de desplomar o desplomarse.

desplumar. tr. Quitar las plumas al ave. Ú.t.c.r. || fig. Pelear, dejar a uno sin dinero.

despoblación. f. Falta total o parcial de la gente que poblaba un lugar.

despoblado (al. *Einöde*, fr. *désert*, ingl. *uninhabited*, it. *spopolato*). m. Desierto, sitio no poblado, especialmente el que antes tuvo población.

despoblar. tr. Reducir a yermo y desierto lo que estaba habitado, o hacer que disminuya considerablemente la población de un lugar. Ú.t.c.r. || Despojar un sitio de lo que hay en él. || r. Dicho de un lugar, salirse de él gran parte del vecindario con ocasión de una diversión u otro acontecimiento.

despojar (al. *berauben*, fr. *dépouiller*, ingl. *to strip*, it. *spogliare*). tr. Privar a uno de lo que goza y tiene. || DER. Quitar jurídicamente la posesión de los bienes que uno tenía, para dársela a su legítimo dueño previa sentencia. || r. Desnudarse o quitarse las vestiduras. || Desposeerse de una cosa voluntariamente.

despojo (al. *Schlachtabfälle*, fr. *issues*, ingl. *spoils*, it. *spoglia*). m. Acción y efecto de despojar o despojarse. || Prensa, botín del vencedor. || Vientre, asadura, cabeza y manos de las reses muertas. Ú.m. en pl. || Alones, molleja, patas, pescuezo y cabeza de las aves muertas. Ú.m. en pl. || pl. Sobras o residuos. || Materiales que se pueden aprovechar de un edificio derribado. || Restos mortales, cadáver.

desportillar. tr. Deteriorar o maltratar una cosa, quitándole parte del canto o boca y haciendo portillo o abertura. Ú.t.c.r.

desposado, da. adj. Recién casado. Ú.t.c.s. || Esposado, aprisionado con esposas.

desposar (al. *trauen*, fr. *marier*, ingl. *to marry*, it. *sposare*). tr. Autorizar el párroco el matrimonio. || r. Contraer matrimonio.

desposeer. tr. Privar a uno de lo que posee. || r. Renunciar uno a lo que posee.

desposeimiento. m. Acción y efecto de desposeer o desposeerse.

desposorio. m. Promesa mutua que

el hombre y la mujer se hacen de contraer matrimonio, y en especial casamiento con palabras de presente. Ú.m. en pl.

despostar. tr. *Amer.* Descuartizar una res o una ave.

déspota (al. *Gewaltherrscher*, fr. *despote*, ingl. *despot*, it. *despota*). m. El que ejercía mando supremo en algunos pueblos antiguos. || Soberano que gobierna sin sujeción a ley alguna. || fig. Persona que trata con dureza a sus subordinados y abusa de su poder o autoridad.

despótico, ca. adj. Tiránico.

despotismo. m. Autoridad absoluta no limitada por las leyes. || Abuso de superioridad, poder o fuerza en el trato con las demás personas.

despotricar. intr. fam. Decir barbaridades, disparates o insultos contra alguien o algo, sin consideración ni reparo. Ú.t.c.r.

despreciable. adj. Digno de desprecio. || Dícese de lo que es insignificante o aparece en muy poca cantidad.

despreciar (al. *verachten*, fr. *mépriser*, ingl. *to despise*, it. *spregiare*). tr. Desestimar y tener en poco. || Desairar o desdeñar. || r. Desdeñarse.

despreciativo, va. adj. Que indica desprecio.

desprecio (al. *Verachtung*, fr. *mépris*, ingl. *contempt*, it. *spregio*). m. Desestimación, falta de aprecio. || Desaire, desdén.

desprender. tr. Desunir, desatar lo que estaba fijo o unido. Ú.t.c.r. || r. fig. Apartarse o desapropiarse de una cosa. || fig. Deducirse, inferirse.

desprendido, da. adj. Desinteresado, generoso.

desprendimiento. m. Acción de desprenderse trozos de una cosa: tierras, rocas, de un monte; gases de un cuerpo, etc. || Desapego, desasimiento, desinterés, largueza.

despreocupación. f. Estado de ánimo cuando nada hay en el que le impida juzgar recta o imparcialmente las cosas. || Descuido, falta de atención, negligencia. || Indiferencia respecto a la política, religión, etc.

despreocupado, da. adj. Que no sigue o hace alarde de no seguir las creencias, opiniones o usos generales. || Indiferente.

despreocuparse. r. Librarse de preocupaciones. || Desentenderse, apartar de una persona o cosa la atención o el cuidado.

desprestigiar. tr. Quitar el prestigio. Ú.t.c.r.

desprestigio. m. Acción y efecto de desprestigiar o desprestigiarse.

desprevenido, da (al. *unvorbereitet*, fr. *dépourvu*, ingl. *unprepared*, it. *imprevidente*). adj. Desapercibido, desproveído, falto de lo necesario.

desproporción. f. Falta de la proporción debida.

desproporcionado, da. adj. Que no tiene la proporción debida o necesaria.

desproporcionar. tr. Quitar la proporción de una cosa; sacarla de regla y medida.

despropósito. m. Dicho o hecho fuera de sazón, de sentido o de conveniencia.

desproveer. tr. Despojar a uno de sus provisiones o de lo necesario para su conservación.

desprovisto, ta. adj. Falto de lo necesario.

después (al. *nachher*, fr. *après*, ingl. *afterwards*, it. *poi*). adv. t. y l. que denota posterioridad de tiempo, lugar o situación. ‖ Denota asimismo posterioridad en el orden, jerarquía o preferencia.

despuntador. m. *Amer.* Utensilio para separar minerales. ‖ *Amer.* Martillo que se usa para romper minerales al separarlos.

despuntar (al. *anbrechen*, fr. *poindre*, ingl. *to put forth*, it. *spuntare*). tr. Quitar o gastar la punta. Ú.t.c.r. ‖ intr. Empezar a brotar y entallecer las plantas y los árboles. ‖ fig. Manifestar agudeza e ingenio. ‖ fig. Adelantarse, sobresalir. ‖ fig. Empezar a amanecer.

desquiciar. tr. Desencajar o sacar de quicio una cosa; como puerta, ventana, etc. Ú.t.c.r. ‖ fig. Descomponer una cosa quitándole la firmeza con que se mantenía. Ú.t.c.r. ‖ fig. Quitar a una persona la seguridad y apoyo que en sus actos o negocios debía tener. Ú.t.c.r. ‖ fig. Derribar a uno de la privanza, o hacerle perder la amistad o valimiento con otro.

desquitar. tr. Restaurar la pérdida; reintegrarse de lo perdido, particularmente en el juego. Ú.t.c.r. ‖ fig. Tomar satisfacción o desquite, o vengarse de un pesar, disgusto o mala obra que se ha recibido de otro. Ú.t.c.r.

desquite (al. *Vergeltung*, fr. *revanche*, ingl. *revenge*, it. *rivincita*). m. Acción y efecto de desquitar o desquitarse.

desrizar. tr. Deshacer los rizos; descomponer lo rizado. Ú.t.c.r.

destacado, da. adj. Notorio, relevante, notable.

destacamento (al. *Abgesonderte*, fr. *détachement*, ingl. *detachment*, it. *distaccamento*). m. Porción de tropa destacada.

destacar. tr. MIL. Separar del cuerpo principal una porción de tropa, para una acción, expedición, escolta, guardia u otro fin. Ú.t.c.r. ‖ fig. Poner de relieve los méritos o cualidades de una persona o cosa. ‖ intr. Sobresalir, descollar. Ú.t.c.r.

destajo (al. *Akkord*, fr. *forfait*, ingl. *job work*, it. *cottimo*). m. Obra u ocupación que se ajusta por un tanto alzado, a diferencia de la que se hace a jornal. ‖ fig. Obra o empresa que toma uno por su cuenta. ‖ *a destajo.* m. adv. Por un tanto alzado. ‖ fig. Con empeño, sin descanso y aprisa para concluir pronto.

destapar (al. *deckel abnehmen*, fr. *découvrir*, ingl. *to uncover*, it. *stappare*). tr. Quitar la tapa o tapón. ‖ fig. Descubrir lo tapado, quitando la cubierta. Ú.t.c.r.

destaponar. tr. Quitar el tapón.

destartalado, da. adj. Descompuesto, desproporcionado y sin orden.

destejer. tr. Deshacer lo tejido. ‖ fig. Desbaratar lo que estaba dispuesto o tramado. Ú.t.c.r.

destellar. tr. Despedir destellos o emitir rayos, chispazos o ráfagas de luz, generalmente intensos y de breve duración.

destello (al. *Strahl*, fr. *étincelle*, ingl. *flash*, it. *scintillio*). m. Acción de destellar. ‖ Resplandor vivo y efímero; ráfaga de luz que se enciende y apaga casi instantáneamente.

destemplado, da. adj. Falto de temple o de mesura. ‖ PINT. Dícese del cuadro en que hay disconformidad de tonos.

destemplanza. f. Intemperie, desigualdad del tiempo; exceso de calor, frío o humedad. ‖ Intemperancia en los afectos o en el uso de algo. ‖ Sensación general de malestar, acompañada a veces de escalofríos, con alguna alteración en el pulso, sin que llegue a notarse fiebre. ‖ fig. Desorden, alteración en las palabras o acciones; falta de moderación.

destemplar. tr. Alterar, desconcertar la armonía, el buen orden o concierto de una cosa. ‖ Destruir la concordancia o armonía con que están templados los instrumentos musicales. Ú.t.c.r. ‖ r. Sentir malestar, acompañado de ligera

alteración del pulso. ‖ Perder el temple el acero u otros metales. Ú.t.c.tr. ‖ fig. Descomponerse, alterarse, perder la moderación en acciones o palabras.

desteñir (al. *verschiessen*, fr. *déteindre*, ingl. *to discolour*, it. *stingere*). tr. Quitar el tinte; borrar o apagar los colores. Ú.t.c.r.

desternillarse. r. Romperse las ternillas. ‖ fig. Refiriéndose a la risa, hacerlo con muchas ganas.

desterrado, da. adj. Que sufre pena de destierro.

desterrar (al. *verbannen*, fr. *bannir*, ingl. *to banish*, it. *bandire*). tr. Echar a uno por justicia de un territorio o lugar. ‖ Quitar la tierra de las raíces a las plantas o a otras cosas. ‖ fig. Deponer, apartar de sí. ‖ r. Expatriarse.

destetar. tr. Hacer que deje de mamar el niño o las crías de los animales y que se mantengan con otro tipo de alimentación. ‖ fig. Hacer que los hijos se valgan por sí mismos. Ú.t.c.r.

destete. m. Acción y efecto de destetar o destetarse.

destiempo (a). m. adv. Fuera de tiempo, sin oportunidad.

destierro (al. *Verbannung*, fr. *bannissement*, ingl. *exile*, it. *bando*). m. Acción y efecto de desterrar o desterrarse. ‖ Pena que consiste en expulsar a una persona de un lugar o territorio determinado, para que temporal o perpetuamente resida fuera de él. ‖ Pueblo o lugar en que vive el desterrado. ‖ fig. Lugar muy distante de lo más céntrico y concurrido de una población.

destilación (al. *Destillieren*, fr. *distillation*, ingl. *distillation*, it. *distillazione*). f. Acción y efecto de destilar. ‖ Flujo de humores serosos o mucosos.

destiladera. f. Instrumento para destilar.

destilador, ra. adj. Que destila. ‖ m. Filtro para purificar el agua. ‖ Alambique.

destilar (al. *destillieren*, fr. *distiller*, ingl. *to distil*, it. *distillare*). tr. Separar por medio del calor, en alambiques u otros aparatos, una sustancia volátil de otras que lo son menos o no lo son, enfriando luego su vapor para reducirla nuevamente a líquido. ‖ Filtrar, hacer pasar un líquido por un filtro. Ú.t.c.r.

destilería. f. Lugar donde se destila. ‖ Fábrica de alcohol y aguardiente.

destinar (al. *bestimmen*, fr. *destiner*, ingl. *to destine*, it. *destinare*). tr. Ordenar, señalar o determinar alguna cosa para algún fin. ‖ Designar el punto o establecimiento en que un individuo ha de servir el empleo, cargo o comisión que se le ha conferido. ‖ Designar la ocupación o empleo en que ha de servir una persona.

destinatario, ria. s. Persona a quien va dirigida o destinada alguna cosa.

destino (al. *Geschick*, fr. *destin*, ingl. *destiny*, it. *destino*). m. Hado, suerte. ‖ Encadenamiento de los sucesos considerado como necesario y fatal. ‖ Circunstancia de serles favorable o adversa esta supuesta manera de ocurrir algo a personas o cosas. ‖ Consignación, señalamiento o aplicación de una cosa para determinado fin. ‖ Empleo, ocupación. ‖ Lugar o establecimiento en que una persona sirve su empleo.

destitución. f. Acción y efecto de destituir.

destituir (al. *absetzen*, fr. *destituer*, ingl. *to dismiss from office*, it. *destituire*). tr. Privar a uno de alguna cosa. ‖ Separar a uno de su cargo como corrección o castigo.

destornillador (al. *Schraubenzieher*, fr. *tournevis*, ingl. *screw–driver*, it. *cacciavite*). m. Instrumento de hierro o de otra materia que sirve para destornillar y atornillar.

destornillar (al. *losschrauben*, fr. *dévisser*, ingl. *to unscrew*, it. *svitare*). tr. Sacar un tornillo haciéndolo girar. ‖ r. fig. Desconcertarse obrando o hablando sin juicio ni seso.

destrabar. tr. Quitar las trabas. Ú.t.c.r. ‖ Desasir, desprender o apartar una cosa de otra. Ú.t.c.r.

destral. m. Hacha pequeña que se maneja por lo general con una sola mano.

destreza. f. Habilidad, arte, primor o propiedad con que se hace una cosa.

destripar. tr. Quitar o sacar las tripas. ‖ fig. Despachurrar, reventar. ‖ fig. y fam. Interrumpir el relato que hace otro avanzando el desenlace.

destronamiento. m. Acción y efecto de destronar.

destronar. tr. Deponer, echar del trono a un rey. ‖ fig. Quitar a uno su preponderancia.

destroncar. tr. Cortar, tronchar un árbol por el tronco. ‖ fig. Cortar o descoyuntar el cuerpo o parte de él. ‖ fig. Arruinar a uno, destruirle.

destrozar (al. *zerstören*, fr. *détruire*, ingl. *to shatter*, it. *strappare*). tr. Despedazar, destruir, hacer trozos una cosa. Ú.t.c.r. ‖ fig. Estropear, maltratar, deteriorar. ‖ fig. Aniquilar, causar gran quebranto moral.

destrozo (al. *Vernichtung*, fr. *ruine*, ingl. *brekage*, it. *spezzamento*). m. Acción y efecto de destrozar o destrozarse.

destrozón, na. adj. Que destroza o rompe mucho. Ú.t.c.s.

destrucción (al. *Zerstörung*, fr. *destruction*, ingl. *destruction*, it. *distruzione*). f. Acción y efecto de destruir. ‖ Ruina, asolamiento, pérdida grande y casi irreparable.

destructor, ra-(al. *Zerstörer*, fr. *destroyer*, ingl. *destroyer*, it. *distruttore*). adj. Que destruye. Ú.t.c.s. ‖ m. MAR. Buque de guerra de alta mar, armado de artillería de mediano calibre, que se emplea principalmente contra submarinos en la protección de convoyes.

destruir (al. *zerstören*, fr. *détruire*, ingl. *to destroy*, it. *distruggere*). tr. Deshacer, arruinar o asolar una cosa material. Ú.t.c.r. ‖ fig. Inutilizar una cosa no material, como un argumento, etc.

desuello. m. Acción y efecto de desollar o desollarse. ‖ fig. Desvergüenza, descaro, osadía.

desuncir. tr. Quitar del yugo las bestias sujetas a él.

desunión. f. Separación de las partes que componen un todo, o de las cosas que estaban unidas. ‖ fig. Discordia, desavenencia.

desunir (al. *trennen*, fr. *désunir*, ingl. *to separate*, it. *disunire*). tr. Apartar, separar lo que estaba junto o unido. Ú.t.c.r. ‖ fig. Introducir discordia entre los que estaban en buena armonía. Ú.t.c.r.

desusar. tr. Desacostumbrar, perder o dejar el uso. Ú.m.c.r.

desuso. m. Falta de uso o de ejercicio de una cosa. ‖ DER. Falta de aplicación de una ley, que no por ello lleva implicada su derogación.

desustanciar. tr. Quitar la sustancia de una cosa o desvirtuarla de algún modo. Ú.t.c.r.

desvahar. tr. AGR. Quitar lo marchito o seco de una planta.

desvaído, da. adj. Aplícase a la persona alta y desairada. ‖ Dícese del color pálido.

desvainar. tr. Sacar los granos o semillas de las vainas.

desvalido, da (al. *verlassen*, fr. *abandonné*, ingl. *helpless*, it. *abbandonato*). adj. Abandonado, desamparado, falto de ayuda y socorro. Ú.t.c.s.

desvalijador. m. El que desvalija o despoja.

desvalijar. tr. Quitar o robar el con-

tenido de una maleta, valija, etc. ‖ fig. Despojar a uno de todo o parte de sus bienes mediante robo, engaño, juego, etc.

desvalimiento. m. Desamparo, abandono, falta de ayuda.

desvalorar. tr. Despreciar, quitar valor o estimación a una cosa.

desvalorización. f. Acción y efecto de desvalorizar.

desvalorizar. tr. Quitar valor o estimación a una cosa. ‖ Desacreditar, desautorizar.

desván (al. *Dachboden*, fr. *grenier*, ingl. *garret*, it. *soffitto*). m. Parte más alta de la casa, inmediata al tejado.

desvanecer (al. *ohnmächtig werden*, fr. *s'évanouir*, ingl. *to faint*, it. *svanire*). tr. Disgregar o difundir las partículas de un cuerpo en otro. Ú.t.c.r. ‖ Inducir a presunción o vanidad. Ú.m.c.r. ‖ fig. Deshacer o anular. Ú.t.c.r. ‖ r. Evaporarse, exhalarse, perderse la parte espiritosa de una cosa. ‖ Flaquear la cabeza por un vahído; turbarse el sentido. Ú.t.c.tr.

desvanecimiento (al. *Vergehen*, fr. *évanouissement*, ingl. *fainting fit*, it. *svenimento*). m. Acción y efecto de desvanecer o desvanecerse. ‖ Flaqueza, perturbación de la cabeza o del sentido. ‖ Presunción, vanidad, altanería.

desvariar. intr. Delirar, decir locuras o despropósitos.

desvarío (al. *Irrereden*, fr. *délire*, ingl. *delirium*, it. *delirio*). m. Despropósito, dicho o hecho fuera de concierto. ‖ Accidente que sobreviene a algunos enfermos de perder la razón y delirar. ‖ fig. Monstruosidad, cosa que se sale por entero del orden regular y común de la naturaleza. ‖ fig. Desigualdad, capricho.

desvelar (al. *wecken*, fr. *éveiller*, ingl. *to keep awake*, it. *svegliare*). tr. Quitar, impedir el sueño. Ú.t.c.r. ‖ r. fig. Poner gran cuidado en lo que se está haciendo o se desea conseguir.

desvelo. m. Acción y efecto de desvelar o desvelarse.

desvencijar. tr. Aflojar, desunir, desconcertar las partes de una cosa que estaban y debían estar unidas. Ú.t.c.r.

desventaja (al. *Nachteil*, fr. *désavantage*, ingl. *disadvantage*, it. *svantaggio*). f. Circunstancia o situación menos favorable en la que se halla una persona o cosa en comparación a otra.

desventura (al. *Missgeschick*, fr. *infortune*, ingl. *misfortune*, it. *sventura*). f. Desgracia, suerte adversa, desdicha.

desventurado, da. adj. Desgraciado, desdichado. ‖ Apocado, pobre de espíritu. Ú.t.c.s. ‖ Avariento, miserable. Ú.t.c.s.

desvergonzado, da. adj. Dícese de la persona que actúa irrespetuosamente o con insolencia.

desvergonzarse. r. Descomedirse, insolentarse faltando al respeto y hablando con descortesía.

desvergüenza (al. *Unverschämtheit*, fr. *impudence*, ingl. *impudence*, it. *svergognamento*). f. Falta de vergüenza, insolencia. ‖ Dicho o hecho impúdico o insolente.

desvestir. tr. Desnudar. Ú.t.c.r.

desviación (al. *Abweichung*, fr. *déviation*, ingl. *deviation*, it. *deviazione*). f. Acción y efecto de desviar o desviarse. ‖ Separación lateral de un cuerpo de su posición media o normal. ‖ Tramo de una carretera que se aparta de la general para unirse de nuevo con ella. ‖ MED. Cambio de la posición natural de los órganos, y en especial de los huesos.

desviacionismo. m. Apartamiento o disidencia de una ortodoxia política.

desviar (al. *ablenken*, fr. *dévier*, ingl. *to deviate*, it. *deviare*). tr. Apartar, alejar, separar de su lugar o camino a una cosa. Ú.t.c.r. ‖ fig. Disuadir o apartar a uno de su intención o propósito. Ú.t.c.r.

desvinculación. f. Acción y efecto de desvincular.

desvincular. tr. Anular un vínculo, liberando lo que estaba unido a él. Ú.t.c.r.

desvío (al. *Abweichung*, fr. *déviation*, ingl. *shunt*, it. *deviazione*). m. Acción y efecto de desviar. ‖ fig. Despego, desagrado. ‖ Camino que se aparta de otro principal. ‖ *Amer.* Apartadero de una línea férrea.

desviar. tr. Dar vueltas al cilindro de los tornos y cabestrantes en el sentido contrario a las que se dieron para virar el cable o el cabo de que se tira. ‖ Recortar de la suela del zapato el cuero sobrante.

desvirgar. tr. Quitar la virginidad a una doncella.

desvirtuar. tr. Quitar la virtud, sustancia o vigor. Ú.t.c.r. ‖ fig. Presentar una cosa de modo distinto a la realidad.

desvivirse. r. Mostrar incesante y vivo interés, solicitud o amor por una persona o cosa.

detall (al). m. adv. Al por menor.

detallado, da. adj. Prolijo, abundante en detalles.

detallar. tr. Tratar, referir una cosa por menor, por partes, circunstanciadamente. ‖ Vender al por menor.

detalle (al. *Einzelheit*, fr. *détail*, ingl. *particular*, it. *detaglio*). m. Pormenor o relación, cuenta o lista circunstanciada. ‖ Aspecto concreto de una obra, problema, cuestión, etc.

detallista. com. Persona que cuida mucho de los detalles. Se aplica especialmente a los pintores. ‖ Comerciante que vende al por menor.

detección. f. Acción y efecto de detectar.

detectar. tr. Poner de manifiesto, señalar o localizar la existencia de lo que no puede ser observado directamente.

detective. m. Persona particular que realiza investigaciones no oficiales.

detector. m. Aparato que sirve para detectar.

detención. f. Acción y efecto de detener o detenerse. ‖ Dilación, tardanza, prolijidad. ‖ Privación de la libertad; arresto provisional.

detener (al. *anhalten*, fr. *arrêter*, ingl. *to arrest*, it. *fermare*). tr. Suspender una cosa, impedir que siga adelante. Ú.t.c.r. ‖ Arrestar, poner en prisión. ‖ r. Tardarse o ir despacio. ‖ Suspenderse, pararse a considerar una cosa.

detenido, da. adj. Minucioso. ‖ Embarazado, de poca resolución. Ú.t.c.s. ‖ s. Apresado por la policía.

detenimiento. m. Detención, acción y efecto de detener. ‖ Dilación, tardanza.

detentación. f. DER. Acción y efecto de detentar.

detentar. tr. DER. Retener uno sin derecho lo que no le pertenece.

detergente. adj. Que deterge. ‖ m. Sustancia o producto que limpia químicamente.

deterger. tr. Limpiar un objeto sin producir corrosión. ‖ MED. Limpiar una úlcera o herida.

deteriorar. tr. Estropear, echar a perder una cosa. Ú.t.c.r.

deterioro. m. Acción y efecto de deteriorar o deteriorarse.

determinación. f. Acción y efecto de determinar o determinarse. ‖ Valor, osadía.

determinado, da. adj. Osado, valeroso.

determinante. adj. Que determina. ‖ f. MAT. Polinomio que resulta del desarrollo de una matriz cuadrada.

determinar (al. *bestimmen*, fr. *déterminer*, ingl. *to determine*, it. *determinare*). tr. Fijar los términos de una cosa. ‖ Distinguir, discernir. ‖ Señalar, fijar una cosa para algún efecto. ‖ Tomar resolución. Ú.t.c.r. ‖ Hacer que alguien tome una resolución. ‖ DER. Sentenciar, definir.

determinativo, va. adj. Dícese de lo que determina o resuelve.

determinismo. m. FIL. Doctrina filosófica según la cual todos los procesos y realidades naturales o psíquicos están rigurosamente determinados según leyes necesarias, de tal manera que no hay contingencia, azar, ni libertad.

determinista. adj. Perteneciente o relativo al determinismo. ‖ com. Partidario del determinismo.

detersión. f. Acción y efecto de limpiar o purificar.

detersivo, va. adj. Dícese de lo que tiene la virtud de limpiar o purificar. Ú.m.c.s.m.

detersorio, ria. adj. Detersivo. Ú.m.c.s.m.

detestable. adj. Abominable, execrable, aborrecible, pésimo.

detestar (al. *verabscheuen*, fr. *détester*, ingl. *to hate*, it. *detestare*). tr. Aborrecer, odiar.

detonación (al. *Knall*, fr. *détonation*, ingl. *report*, it. *detonazione*). f. Acción y efecto de detonar. ‖ Ruido que provoca.

detonador. m. Carga muy sensible, cuya explosión sirve para provocar la de otra carga explosiva.

detonante. adj. Que detona. ‖ m. Sustancia o mezcla capaz de producir una detonación.

detonar (al. *knallen*, fr. *détoner*, ingl. *to detonate*, it. *detonare*). intr. Producir estampidos o truenos.

detorsión. f. Extensión violenta; torcedura de un músculo, nervio o ligamento.

detracción. f. Acción y efecto de detraer.

detractor, ra. adj. Maldiciente o difamador. Ú.t.c.s.

detraer. tr. Sustraer, apartar o desviar. Ú.t.c.r. ‖ fig. Denigrar la honra ajena, infamar.

detrás (al. *hinten*, fr. *derrière*, ingl. *behind*, it. *dietro*). adv. l. En la parte posterior, o con posterioridad de lugar, o en sitio delante del cual está una persona o cosa.

detrimento. m. Destrucción leve o parcial. ‖ Pérdida, quebranto de la salud o de los intereses. ‖ fig. Daño moral.

detrito. m. GEOL. Resultado de la

descomposición de una masa sólida, orgánica o inorgánica.

deuda (al. *Schuld*, fr. *dette*, ingl. *debt*, it. *debito*). f. Obligación que uno tiene de pagar, de reintegrar a otro una cosa o de cumplir un deber. || Pecado, culpa u ofensa. || *— amortizable.* La que se reembolsa a plazo fijo. || *— consolidada.* La que está reconocida públicamente y enjugada en el presupuesto. || *— pública.* La que el Estado tiene reconocida por medio de títulos que devengan interés y a veces se amortizan.

deudo, da. s. Pariente. || m. Parentesco.

deudor, ra (al. *schuldner*, fr. *débiteur*, ingl. *debtor*, it. *debitore*). adj. Que debe. Ú.t.c.s. || Dícese de la cuenta en que se ha de anotar una cantidad en el debe.

deuterio. m. QUÍM. Isóptopo del hidrógeno cuyo núcleo contiene un protón y un neutrón.

devalar. tr. MAR. Derivar, separarse la nave del rumbo.

devaluación. f. Acción y efecto de devaluar.

devaluar. tr. Rebajar el valor de la moneda o de otra cosa, depreciarla.

devanadera. f. Instrumento giratorio en que se colocan las madejas para devanarlas. || Instrumento sobre el cual se mueve un bastidor pintado por los dos lados, para hacer mutaciones rápidas en el teatro.

devanado. m. FÍS. Hilo de cobre aislado que se arrolla de forma conveniente, y que forma parte del circuito de algunos aparatos eléctricos.

devanador, ra. adj. Que devana. Ú.t.c.s. || m. Alma de cartón, madera, etc., sobre la que se arrolla el hilo para formar el ovillo.

devanar. tr. Arrollar hilo, alambre, etc., en ovillo o carrete.

devaneo. m. Delirio, desatino, desconcierto. || Distracción vana o reprensible. || Amorío pasajero.

devastación. f. Acción y efecto de devastar.

devastar. tr. Destruir un territorio, arrasando sus edificios y asolando sus campos. || fig. Destruir, arruinar una cosa material.

devengar. tr. Adquirir derecho a alguna retribución o percepción por razón de trabajo, servicio, etc. || Producir una renta.

devengo. m. Cantidad devengada.

devenir. intr. Suceder, acaecer. || FIL. Llegar a ser.

devoción (al. *Andacht*, fr. *dévotion*, ingl. *devotion*, it. *devozione*). f. Amor, veneración y fervor religiosos. || Manifestación externa de estos sentimientos. || fig. Inclinación, afición especial. || TEOL. Prontitud con que uno está dispuesto a cumplir la voluntad de Dios.

devocionario. m. Libro que contiene oraciones para los fieles.

devolución. f. Acción y efecto de devolver.

devolver (al. *zurückgeben*, fr. *rendre*, ingl. *to give back*, it. *rendere*). tr. Volver una cosa al estado o situación que tenía. || Restituir una cosa a la persona que la poseía. || Corresponder a un favor o a un agravio. || fam. Vomitar. || Dar la vuelta a quien ha hecho un pago. || r. *Amer.* Volverse, dar la vuelta.

devónico. m. GEOL. Período de la Era Primaria durante el cual empezaron a aparecer las gimnospermas y los primeros vertebrados con esqueleto óseo.

devorar (al. *verschlingen*, fr. *dévorer*, ingl. *to swallow up*, it. *divorare*). tr. Tragar con ansia y apresuradamente. || fig. Consumir, destruir. || fig. Consagrar atención ávida a una cosa.

devoto, ta. adj. Dedicado con fervor a obras de piedad. Ú.t.c.s. || Aplícase a la imagen, templo o lugar que mueve a devoción. || Afecto, aficionado a una persona. Ú.t.c.s.

dextrina. f. QUÍM. Sustancia sólida, amorfa, de color blanco amarillento, que se obtiene calentando el almidón con ácidos diluidos a la temperatura de la ebullición, y que se convierte en glucosa si la operación se prolonga mucho.

dextrismo. m. MED. Empleo preferente de la mano derecha.

deyección. f. GEOL. Conjunto de materias arrojadas por un volcán o desprendidas de una montaña. || FISIOL. Evacuación de los excrementos. || Los excrementos mismos. Ú.m. en pl.

di. Prefijo que denota oposición o contrariedad. || Prefijo que conserva su significado *dos* en la composición de varios términos científicos.

día (al. *Tag*, fr. *jour*, ingl. *day*, it. *giorno*). f. Tiempo que la Tierra emplea en dar una vuelta alrededor de su eje, o que aparentemente emplea el Sol en dar una vuelta alrededor de la Tierra. || Tiempo que dura la claridad del Sol sobre el horizonte. || Tiempo que hace durante esas horas. || Cumpleaños. || pl. fig. La vida de una persona. || *— hábil.* DER. El utilizable para las actuaciones judiciales, que es normalmente no feriado.

diabetes. f. MED. Enfermedad endocrina caracterizada por un aumento patológico de la tasa de azúcar en la sangre, que puede llevar al coma.

diabético, ca. adj. Perteneciente o relativo a la diabetes. || Que padece diabetes. Ú.t.c.s.

diablear. intr. fam. Hacer diabluras.

diablo (al. *Teufel*, fr. *diable*, ingl. *devil*, it. *diavolo*). m. Nombre general de los ángeles arrojados al abismo y de cada uno de ellos. || fig. Persona muy fea. || fig. Persona astuta y sagaz. || fig. Persona que tiene mal genio o es muy astuta y temeraria.

diablura. f. Travesura extraordinaria; acción temeraria.

diabólico, ca. adj. Perteneciente o relativo al diablo. || fig. y fam. Excesivamente malo. || fig. Enrevesado, muy difícil.

diaclasa. f. GEOL. Ruptura de las rocas sin desplazamiento relativo.

diaconado. m. Diaconato.

diaconato. m. Orden sagrada inmediata al sacerdocio.

diácono. m. Ministro eclesiástico y de grado segundo en dignidad, inmediato al sacerdocio.

diacrítico, ca. adj. GRAM. Aplícase a los signos ortográficos que sirven para dar a una letra algún valor especial; por ejemplo, la diéresis sobre la *u.* || MED. Dícese de los síntomas con que una enfermedad se distingue exactamente de otra.

diacústica. f. FÍS. Parte de la acústica que estudia la refracción de los sonidos.

diadema (al. *Diadem*, fr. *diadème*, ingl. *diadem*, it. *diadema*). f. Faja o cinta blanca que antiguamente ceñía la cabeza de los reyes como insignia de su dignidad. || Cada uno de los arcos que cierran por la parte superior algunas coronas. || Corona. || Adorno femenino de cabeza, en forma de media corona abierta por detrás.

diafanidad. f. Calidad de diáfano.

diafanizar. tr. Hacer diáfana una cosa.

diáfano, na. adj. Dícese del cuerpo a través del cual pasa la luz casi en su totalidad. || fig. Claro, limpio.

diáfisis. f. ANAT. Cuerpo o parte media de los huesos largos, que se halla entre los dos extremos o epífisis.

diafragma (al. *Zwerchfell*, fr. *diaphragme*, ingl. *diaphragm*, it. *diafram-*

ma). m. Músculo ancho que, en los mamíferos, separa la cavidad del pecho de la del vientre. || Separación, generalmente movible, que intercepta la comunicación entre dos partes de un aparato o de una máquina. || En los aparatos fonográficos, lámina flexible que recibe las vibraciones de la aguja al recorrer ésta los surcos impresos en el disco. || Fotogr. Pequeño disco horadado que sirve para regular la entrada de luz. || Bot. Membrana que forma separaciones interiores en algunos frutos. || Instrumento anticonceptivo.

diafragmar. tr. Fotogr. Graduar el diafragma.

diagnosis. f. Med. Conocimiento diferencial de los síntomas de las enfermedades. || Bot. Descripción característica y abreviada de una planta, especie, género, etc.

diagnosticar. tr. Med. Determinar el carácter de una enfermedad mediante el examen de sus síntomas.

diagnóstico (al. *Diagnose*, fr. *diagnostic*, ingl. *diagnostic*, it. *diagnostico*). m. Med. Conjunto de signos que sirven para determinar el carácter peculiar de una enfermedad. || Med. Calificación que da el médico a la enfermedad según los signos y síntomas que advierte.

diagonal. adj. Geom. Se dice de la línea recta que en un polígono va de un vértice a otro no inmediato, y en un poliedro une dos vértices situados en distinta cara. Ú.t.c.s.f. || Se dice de las calles o avenidas que cortan oblicuamente a otras paralelas entre sí. Ú.t.c.s.f.

diágrafo. m. Instrumento para seguir los contornos de un objeto o de un dibujo y transmitirlos al mismo tiempo sobre el papel separado.

diagrama. m. Dibujo geométrico que sirve para demostrar una proposición, resolver un problema o figurar de una manera gráfica la ley de variación de un fenómeno.

dial. m. Disco giratorio, generalmente con letras, números u otros símbolos en su borde, que sirve para señalar las conexiones efectuadas en radio, teléfono o televisión.

diálaga. f. Mineral pétreo constituido por un silicato de magnesia con cal, óxido de hierro y algo de alúmina.

dialectal. adj. Perteneciente o relativo a un dialecto.

dialectalismo. m. Voz o giro dialectal. || Carácter dialectal.

dialéctica. f. Fil. Ciencia filosófica que trata del raciocinio y de sus leyes, normas y modos de expresión. || Impulso del ánimo que lo guía en la investigación de la verdad. || Ordenada serie de verdades o teoremas que se desarrolla en la ciencia o en la sucesión y encadenamiento de los hechos.

dialéctico, ca. adj. Perteneciente o relativo a la dialéctica. || m. Persona que profesa o enseña la dialéctica.

dialecto. m. Cada una de las variedades de un idioma, que tiene cierto número de accidentes propios, y más comúnmente las que se usan en determinados territorios de una nación, a diferencia de la lengua general literaria. || En lingüística, cualquier lengua en cuanto se la considera con relación al grupo de las derivadas de un tronco común.

dialectología. f. Tratado o estudio de los dialectos.

dialefa. f. Hiato, encuentro de dos vocales que se pronuncian en sílabas distintas.

dialipétala. adj. Bot. Dícese de las corolas cuyos pétalos están libres, no soldados entre sí, y de la flor que tiene corola de esta clase.

dialisépalo, la. adj. Bot. Dícese de los cálices cuyos sépalos están libres y no soldados entre sí, y de las flores que tienen cálices de esta clase.

diálisis. f. Quím. Separación de los coloides y cristaloides cuando están juntamente disueltos.

dialogal. adj. Perteneciente o relativo al diálogo.

dialogar. intr. Hablar en diálogo. || tr. Escribir una cosa en forma de diálogo.

diálogo (al. *Gespräch*, fr. *dialogue*, ingl. *dialogue*, it. *dialogo*). m. Plática entre dos o más personas que alternativamente manifiestan sus ideas o afectos. || Género de obra literaria en que se finge una plática o controversia entre dos o más personas. || Discusión o trato en busca de avenencia.

dialoguista. com. Persona que escribe o compone diálogos.

diamante (al. *Diamant*, fr. *diamant*, ingl. *diamond*, it. *diamante*). m. Piedra preciosa, formada de carbono cristalizado, diáfana y de gran brillo, y tan dura que raya casi todos los cuerpos. || – *bruto* o *en bruto*. El que está aún sin labrar.

diamantífero. adj. Dícese del lugar o terreno en que existen diamantes.

diamantino, na. adj. Perteneciente o relativo al diamante. || fig. y poét. Duro, inquebrantable.

diametral. adj. Perteneciente o relativo al diámetro.

diámetro (al. *Durchmesser*, fr. *diamètre*, ingl. *diameter*, it. *diametro*). m. Geom. Línea recta que pasa por el centro del círculo y termina por ambos extremos en la circunferencia. || Geom. En otras curvas, línea recta o curva que pasa por el centro, cuando aquellas lo tienen, y se divide en dos partes iguales un sistema de cuerdas paralelas. || Geom. Eje de la esfera.

diana. f. Punto central de un blanco de tiro. || Mil. Toque militar al romper el día, para que la tropa se levante.

diandro, dra. adj. Bot. Dícese de la flor que tiene dos estambres.

diantre. m. fam. Eufemismo por diablo. || ¡*diantre*! interj. fam. ¡Diablo!

diapasón (al. *Stimmgabel*, fr. *diapason*, ingl. *diapason*, it. *diapason*). m. Mús. Intervalo que consta de cinco tonos, tres mayores y dos menores, y de dos semitonos mayores. || Mús. Regla en que están determinadas las medidas convenientes, en la cual se ordena con debida proporción el diapasón de los instrumentos. || Mús. Trozo de madera que cubre el mástil y sobre el que se pisan con los dedos las cuerdas del violín y de otros instrumentos análogos. || – *normal*. Mús. Regulador de voces e instrumentos consistente en una horquilla de acero con pie y que, por percusión, produce el sonido de *la* natural.

diapente. m. Mús. Intervalo de quinta.

diapositiva. f. Fotogr. Fotografía positiva impresionada sobre vidrio u otro material transparente; técnica que permite su proyección en una pantalla.

diaprea. f. Ciruela redonda, pequeña y muy gustosa.

diaquenio. m. Bot. Fruto compuesto de dos aquenios unidos.

diario, ria (al. *täglich*, fr. *quotidien*, ingl. *daily*, it. *quotidiano*). adj. Correspondiente a todos los días. || m. Relación histórica de lo que ha ido sucediendo por días o día por día. || Periódico que se publica todos los días.

diarquía. f. Forma de gobierno en que el poder es compartido por dos personas.

diarrea (al. *Durchfall*, fr. *diarrhée*, ingl. *diarrhea*, it. *diarrea*). f. Med. Síntoma o fenómeno morboso consistente en evacuaciones de vientre líquidas y frecuentes.

diarreico, ca. adj. Med. Perteneciente o relativo a la diarrea.

diartrosis. f. ANAT. Articulación movible.

diáspora. f. Dispersión de los judíos por el mundo. || Por extensión, dispersión de individuos humanos que anteriormente vivían juntos.

diaspro. m. Nombre de algunas variedades de jaspe.

diastasa. f. BIOL. Fermento contenido en la saliva y en muchas semillas, tubérculos, etc., que actúa sobre el almidón del alimento de los animales y, durante la germinación de la nueva planta, sobre el de las células vegetales, transformándolo en azúcar. || Por extensión, todos los fermentos naturales no organizados.

diástilo. adj. ARQ. Dícese del monumento o edificio que tiene columnata con intercolumnios de seis módulos.

diástole. f. Licencia poética que consiste en usar como larga una sílaba breve. || FISIOL. Movimiento de dilatación del corazón y de los senos del cerebro.

diatérmano, na. adj. FIS. Dícese del cuerpo que deja pasar fácilmente el calor.

diatermia. f. MED. Empleo de corrientes eléctricas especiales para elevar la temperatura en partes profundas del cuerpo humano con fines terapéuticos.

diátesis. f. MED. Predisposición orgánica a contraer una determinada enfermedad.

diatomeas. f. pl. BOT. Grupo de algas unicelulares microscópicas con innumerables especies. Son de forma muy variada y se reproducen por división y separación. Sus caparazones calizos se acumulan y constituyen grandes depósitos de trípoli o tierra de diatomeas.

diatónico, ca. adj. MÚS. Aplícase a uno de los tres géneros musicales, que procede por dos tonos y un semitono.

diatriba. f. Discurso o escrito violento e injurioso contra personas o cosas.

diatropismo. m. Tendencia de ciertos vegetales a orientarse transversalmente bajo la acción de un estímulo.

dibranquios. m. pl. ZOOL. Grupo de cefalópodos caracterizados por poseer dos branquias.

dibujante. com. Persona que hace del dibujo su profesión.

dibujar (al. *zeichnen,* fr. *dessiner,* ingl. *to draw,* it. *disegnare*). tr. Representar en una superficie la figura de una cosa por medio de un lápiz, pluma, etc. Ú.t.c.r. || fig. Describir con propiedad una pasión de ánimo o una cosa inanimada. || r. Indicarse o revelarse lo que estaba callado u oculto.

dibujo (al. *Zeichnung,* fr. *dessin,* ingl. *drawing,* it. *disegno*). m. Arte que enseña a dibujar. || Delineación, figura o imagen ejecutada en claro y oscuro, que toma nombre del material con que se hace. || En los encajes, bordados, tejidos, etc., la figura y disposición de las labores que los adornan. || — *del natural.* PINT. El que se hace copiando directamente del modelo. || — *animados.* Los que a modo de fotogramas se suceden en una película cinematográfica.

dicacidad. f. Mordacidad ingeniosa; agudeza y gracia en zaherir con palabras.

dicaz. adj. Dícese de la persona aguda y chistosamente mordaz.

dicción. f. Palabra, sonido o conjunto de sonidos articulados que expresan una idea. || Manera de hablar o escribir, considerada como buena o mala únicamente por el acertado o desacertado empleo de las palabras y construcciones. || Manera de pronunciar.

diccionario (al. *Wörterbuch,* fr. *dictionnaire,* ingl. *dictionary,* it. *dizionario*). m. Libro en que, por orden comúnmente alfabético, se contienen, explican y definen la mayor parte de las dicciones de uno o más idiomas, o las de una ciencia, facultad o materia determinada. || Catálogo numeroso de noticias importantes de un mismo género, ordenado alfabéticamente. || — *enciclopédico.* El que versa sobre los más importantes ramos del saber y utiliza el sistema de ordenación alfabético.

diciembre (al. *Dezember,* fr. *décembre,* ingl. *december,* it. *dicembre*). m. Décimo mes del año, según la cuenta de los antiguos romanos, y duodécimo del calendario que actualmente usan la Iglesia y casi todas las naciones del mundo.

diclino, na. adj. BOT. Dícese de las flores unisexuales producidas por individuos diferentes.

dicotiledón. adj. BOT. Dicotiledóneo.

dicotiledóneo, a. adj. BOT. Dícese de las plantas que tienen dos cotiledones opuestos. Ú.t.c.s. || f. pl. BOT. Una de las clases en que se dividían las plantas cotiledóneas.

dicotomía. f. HIST. NAT. Bifurcación, división en dos partes. || LÓG. Método de clasificación en que las divisiones y subdivisiones sólo tienen dos partes. || Comisión ilícita que un médico recibe de otro por haberle recomendado un paciente.

dicroísmo. m. FIS. Propiedad que tienen algunos cuerpos de variar la coloración según las condiciones en que se observen.

dicromático, ca. adj. Que tiene dos colores.

dictado (al. *Diktat,* fr. *dictée,* ingl. *dictation,* it. *dettato*). m. Acción de dictar para que otro escriba. || pl. fig. Inspiraciones o preceptos de la razón o la conciencia.

dictador (al. *Diktator,* fr. *dictateur,* ingl. *dictator,* it. *dittatore*). m. Entre los romanos, magistrado supremo que los cónsules nombraban por acuerdo del Senado en los tiempos peligrosos para la república a fin de que mandase como soberano. || En los Estados modernos, gobernante supremo con facultades extraordinarias.

dictadura. f. Dignidad y cargo de dictador. || Tiempo que dura. || Gobierno que, invocando el interés público, se ejerce fuera de las leyes constitutivas de un país.

dictáfono. m. Aparato que registra dictados, conversaciones, etc., y los reproduce cuando conviene, bien sea por un procedimiento fonográfico o magnetofónico.

dictamen. m. Opinión y juicio que se forma o emite sobre una cosa.

dictaminar. intr. Dar dictamen.

dictar (al. *diktieren,* fr. *dicter,* ingl. *to dictate,* it. *dettare*). tr. Decir uno algo con las pausas necesarias para que otro lo vaya escribiendo. || Tratándose de leyes, fallos, preceptos, etc., darlos, expedirlos, pronunciarlos. || fig. Inspirar, sugerir.

dictatorial. adj. Perteneciente a la autoridad o al cargo de dictador. || fig. Dicho del poder, facultad, etc., absoluto, arbitrario, no sujeto a leyes.

dicterio. m. Dicho denigrante que insulta y provoca.

dicha (al. *Glückseligkeit,* fr. *bonheur,* ingl. *happiness,* it. *felicità*). f. Felicidad.

dicharachero, ra. adj. fam. Propenso a prodigar dicharachos. Ú.t.c.s. || Que prodiga dichos agudos u oportunos. Ú.t.c.s.

dicharacho. m. fam. Dicho bajo, demasiado vulgar o poco decente.

dicho (al. *Sprichwörtliche,* fr. *dicton,* ingl. *saying,* it. *detto*). m. Palabra o conjunto de palabras con que se expresa oralmente un concepto cabal. ||

Ocurrencia chistosa y oportuna. ‖ fam. Expresión insultante o desvergonzada. ‖ *dicho y hecho.* Expresión con que se explica la prontitud con que se hace o se hizo una cosa.

dichoso, sa. adj. Feliz. ‖ Dícese de lo que incluye o trae consigo dicha. ‖ fam. Enfadoso, molesto. ‖ En sentido irónico, desventurado, malhadado.

didáctica. f. Arte de enseñar.

didáctico, ca. adj. Perteneciente o relativo a la enseñanza. ‖ Propio, adecuado para enseñar o instruir.

didáctilo, la. adj. Que tiene dos dedos.

didelfo, fa. adj. ZOOL. Dícese de los mamíferos caracterizados por tener las hembras una bolsa, donde están contenidas las mamas y donde permanecen encerradas las crías; como la zarigüeya y el canguro. Ú.t.c.s.

dídimo, ma. adj. BOT. Aplícase a todo órgano formado por dos lóbulos iguales y simétricamente colocados.

diecinueve. adj. Diez y nueve.

dieciochesco, ca. adj. Perteneciente o relativo al siglo XVIII.

dieciocho. adj. Diez y ocho.

dieciséis. adj. Diez y seis.

diecisiete. adj. Diez y siete.

diedro. adj. GEOM. Dícese del ángulo formado por dos planos que se cortan.

dieléctrico, ca. adj. FÍS. Aplícase al cuerpo mal conductor de la electricidad.

diencéfalo. m. ZOOL. Parte del sistema nervioso comprendida entre los dos hemisferios cerebrales, en cuyo seno se encuentra el tercer ventrículo.

diente (al. *Zahn,* fr. *dent,* ingl. *tooth,* it. *dente*). m. Cada uno de los cuerpos duros que, engastados en las mandíbulas del hombre y de muchos animales, sirven de órganos de masticación y de defensa. ‖ Cada una de las puntas que a los lados de una escotadura tienen en el pico ciertos pájaros. ‖ Cada una de las puntas o resaltos que presentan algunas cosas, en especial los que tienen ciertos instrumentos, como el peine o la sierra. ‖ *— de leche.* Cada uno de los de la primera dentición. ‖ *— de león.* BOT. Hierba de la familia de las compuestas con hojas radicales, flores amarillas y semilla menuda.

dientudo, da. adj. Dentudo.

diéresis. f. Figura de dicción y licencia poética que consiste en pronunciar separadamente las vocales que forman un diptongo haciendo de su sílaba dos.

‖ GRAM. Signo ortográfico (¨) que se pone sobre la *u* de las sílabas *gue, gui,* para indicar que esta letra debe pronunciarse, como en *vergüenza, argüir.*

diesel. m. TÉC. Motor de combustión interna, en el cual el combustible es gasoil o fueloil.

diestra. f. Mano derecha.

diestro, tra (al. *geschickt,* fr. *adroit,* ingl. *skillfull,* it. *destro*). adj. Aplícase a lo que está o se dirige a la derecha. ‖ Hábil, experto. ‖ m. Matador de toros. ‖ *a diestro y siniestro.* m. adv. fig. Sin tino, sin orden; sin miramiento ni discreción.

dieta (al. *Diät,* fr. *diète,* ingl. *diet,* it. *dieta*). f. Régimen que se manda observar a los enfermos o convalecientes en el comer y el beber; por extensión, esta comida y bebida. ‖ Junta en que ciertos Estados que forman confederación deliberan sobre negocios que le son comunes. ‖ Asignación diaria estipulada para cubrir los gastos ocasionados por un trabajo realizado fuera del lugar habitual de residencia. Ú.m. en pl. ‖ Estipendio que se da a los que ejecutan comisiones o encargos por cada día que se ocupan de ellos. Ú.m. en pl.

dietario. m. Libro en que se anotan los gastos e ingresos diarios de una casa o empresa.

dietética. f. Ciencia que se ocupa de los regímenes alimenticios y de su estudio en relación con el metabolismo y las enfermedades.

dietético, ca. adj. Perteneciente a la dieta o a la dietética.

diez. adj. Nueve y uno. ‖ Décimo, que sigue en orden al noveno. ‖ m. Signo o conjunto de signos con que se representa al número diez.

diezmar. tr. Separar, sacar de cada diez uno. ‖ Castigar de cada diez a uno. ‖ fig. Causar gran mortandad en un país las enfermedades, el hambre, la guerra o cualquier otra calamidad.

diezmilésimo, ma. adj. Dícese de cada una de las diez mil partes iguales en que se divide un todo. Ú.t.c.s.

diezmo. m. Derecho del diez por ciento que se pagaba al rey. ‖ Parte de los frutos, regularmente la décima, que entregaban los fieles a la Iglesia.

difamación. f. Acción y efecto de difamar.

difamar (al. *in verruf bringen,* fr. *diffamer,* ingl. *to defame,* it. *diffamare*). tr. Desacreditar a uno, publicando cosas contra su buena opinión y fama. ‖ Poner una cosa en baja consideración y estima.

difamatorio, ria. adj. Dícese de lo que difama.

diferencia (al. *Unterschied,* fr. *différence,* ingl. *difference,* it. *differenza*). f. Cualidad o accidente por el cual una cosa se distingue de otra. ‖ Variedad entre cosas de una misma especie. ‖ Controversia u oposición.

diferenciación. f. Acción y efecto de diferenciar. ‖ MAT. Operación por la cual se determina la diferencial de una función.

diferencial (al. *differential,* fr. *différentiel,* ingl. *differential,* it. *differenziale*). adj. Perteneciente a la diferencia de las cosas. ‖ MAT. Aplícase a la cantidad infinitamente pequeña. ‖ MAT. Diferencia infinitamente pequeña de una variable. ‖ MEC. Mecanismo que enlaza tres móviles, haciendo que uno cualquiera de los tres gire con una velocidad proporcional a la suma o diferencia de las velocidades de los otros dos. ‖ MEC. Engranaje basado en este mecanismo, que se emplea en los vehículos automóviles.

diferenciar. tr. Hacer distinción, conocer la diversidad de las cosas; dar a cada una su correspondiente y legítimo valor. ‖ MAT. Hallar la diferencial de una cantidad variable. ‖ intr. Discordar, no convenir en una misma opinión. ‖ r. Diferir, distinguirse una cosa de otra.

diferendo. m. *Amer.* Diferencia, desacuerdo, discrepancia entre personas, grupos sociales o instituciones.

diferente (al. *verschieden,* fr. *différent,* ingl. *different,* it. *differente*). adj. Diverso, distinto.

diferir. tr. Dilatar, retardar o suspender la ejecución de una cosa. ‖ intr. Distinguirse una cosa de otra o ser diferente y de distintas o contrarias cualidades.

difícil (al. *schwerig,* fr. *difficile,* ingl. *difficult,* it. *difficile*). adj. Que se logra, ejecuta o entiende con mucho trabajo y dificultad. ‖ Dícese de la persona de genio áspero, descontentadiza o quisquillosa.

dificultad (al. *Schwierigkeit,* fr. *difficulté,* ingl. *difficulty,* it. *difficoltà*). f. Embarazo, inconveniente, oposición o contrariedad que impide conseguir, ejecutar o entender pronto una cosa. ‖ Argumento y réplica propuesta contra una opinión.

dificultar. tr. Poner dificultades. ‖ Hacer difícil una cosa, introduciendo embarazos o inconvenientes que antes no tenía.

dificultoso, sa. adj. Difícil, embarazoso. ‖ fig. y fam. Dicho del semblante, la cara, la figura, etc., extraño y defectuoso.

difidencia. f. Desconfianza. ‖ Falta de fe.

difidente. adj. Que desconfía.

difilo, la. adj. BOT. Que tiene dos hojas.

difluente. adj. Que se esparce o derrama por todas partes.

difluir. intr. Difundirse, derramarse por todas partes.

difracción. f. FÍS. Desviación del rayo luminoso al rozar el borde de un cuerpo opaco.

difractar. tr. FÍS. Hacer sufrir difracción. Ú.t.c.r.

difteria. f. MED. Enfermedad específica, infecciosa y contagiosa, caracterizada por la formación de falsas membranas en las mucosas, comúnmente de la garganta, en la piel desnuda de epidermis y en toda suerte de heridas al descubierto, con síntomas generales de fiebre y postración.

diftérico, ca. adj. Perteneciente o relativo a la difteria.

difumar. tr. Esfumar.

difuminar. tr. Esfuminar.

difundir. tr. Extender, esparcir, propagar físicamente. Ú.t.c.r. ‖ Introducir en un cuerpo corpúsculos extraños con tendencia a formar una mezcla homogénea. Ú.t.c.r. ‖ Transformar los rayos procedentes de un foco luminoso en luz que se propaga en todas direcciones. Ú.t.c.r. ‖ fig. Propagar o divulgar conocimientos, noticias, actitudes, costumbres, modas, etc.

difunto, ta (al. *der Vestorbene*, fr. *défunt*, ingl. *deceased*, it. *defunto*). adj. Dícese de la persona muerta. Ú.t.c.s. ‖ m. Cadáver.

difusión. f. Acción y efecto de difundir o difundirse. ‖ Extensión, dilatación viciosa en lo hablado o escrito.

difuso, sa. adj. Ancho, dilatado. ‖ Excesivamente dilatado, superabundante en palabras.

difusor, ra. adj. Que difunde. ‖ m. Aparato usado en la extracción del jugo sacarino de la remolacha.

digerible. adj. Digestible.

digerir (al. *verdauen*, fr. *digérer*, ingl. *to digest*, it. *digerire*). tr. Convertir en el aparato digestivo los alimentos en sustancias propias para la nutrición. ‖ fig. Sufrir o llevar con paciencia una desgracia o una ofensa. Ú.m. con n. ‖ fig. Meditar cuidadosamente una cosa, para entenderla o ejecutarla. ‖ QUÍM.

Cocer algunos zumos u otras materias por medio de un calor lento.

digestible. adj. Que puede ser digerido.

digestión (al. *Verdaung*, fr. *digestion*, ingl. *digestion*, it. *digestione*). f. Acción y efecto de digerir. ‖ QUÍM. Infusión prolongada, en un líquido apropiado, de aquel cuerpo de que se quiere extraer alguna sustancia.

digestivo, va. adj. Dícese de las operaciones y de las partes del organismo que atañen a la digestión. ‖ Dícese de lo que ayuda o facilita la digestión. Ú.t.c.s.m.

digitación. f. MÚS. Arte de aplicar los dedos a un instrumento musical, de forma metódica, para que la ejecución resulte fácil, segura y limpia.

digitado, da. adj. BOT. En forma de dedos. ‖ ZOOL. Aplícase a los mamíferos que tienen separados los dedos de los cuatro pies.

digital (al. *fingerhut*, fr. *digital*, ingl. *digitalis*, it. *digitale*). adj. Perteneciente o relativo a los dedos. ‖ f. BOT. Planta escrofulariácea, de hojas alternas, flores pendientes en racimo terminal, y semilla capsular bastante vellosa. El conocimiento y extracto de las hojas se usa como medicamento cardíaco. ‖ Flor de esta planta.

digitalina. f. QUÍM. Alcaloide glucósido contenido en las hojas de la digital.

digitígrado, da. adj. ZOOL. Dícese del animal que al andar apoya sólo los dedos; como el gato.

dígito. m. ASTR. Cada una de las doce partes iguales en que se divide el diámetro aparente del Sol y de la Luna para cómputos de los eclipses.

dignación. f. Condescendencia con lo que desea o pretende el inferior.

dignarse. r. Servirse o tener la dignación de hacer una cosa.

dignatario. m. Persona investida de dignidad.

dignidad. f. Calidad de digno. ‖ Excelencia, realce. ‖ Gravedad y decoro de las personas en la manera de comportarse. ‖ Cargo o empleo honorífico y de autoridad.

dignificación. f. Acción y efecto de dignificar o dignificarse.

dignificar. tr. Hacer digna o presentar como tal a una persona o cosa. Ú.t.c.r.

digno, na (al. *würdig*, fr. *digne*, ingl. *worthy*, it. *degno*). adj. Que merece algo; en sentido favorable o adverso. ‖ Correspondiente, proporcionado al

mérito y condición de una persona o cosa.

digresión. f. Efecto de romper el hilo del discurso y de hablar en él de cosas que no tengan conexión o íntimo enlace con aquello de que se está tratando.

dije (al. *Anhänger*, fr. *pendentif*, ingl. *trinket*, it. *gingillo*). m. Cada una de las joyas, relicarios y otras alhajas pequeñas que suelen llevarse por adorno. ‖ pl. Bravatas.

dilación (al. *Aufschub*, fr. *délai*, ingl. *delay*, it. *dilazione*). f. Retardación o detención de una cosa por algún tiempo.

dilapidación. f. Acción y efecto de dilapidar.

dilapidar (al. *vergeuden*, fr. *dilapider*, ingl. *to dilapidate*, it. *dilapidare*). tr. Malgastar los bienes propios o los que uno tiene a su cargo.

dilatación (al. *Ausdehnung*, fr. *dilatation*, ingl. *dilatation*, it. *dilatazione*). f. Acción y efecto de dilatar o dilatarse. ‖ fig. Desahogo y serenidad en una pena o sentimiento grave. ‖ CIR. Procedimiento empleado para aumentar o restablecer el calibre de un conducto, de una cavidad o un orificio. ‖ FÍS. Aumento de volumen de un cuerpo por apartamiento de sus moléculas y disminución de su densidad.

dilatado, da. adj. Extenso, vasto, numeroso.

dilatar (al. *ausdhnen*, fr. *dilater*, ingl. *to expand*, it. *dilatare*). tr. Extender, alargar o hacer mayor una cosa, o que ocupe más lugar o tiempo. Ú.t.c.r. ‖ Diferir, retardar. Ú.t.c.r.

dilatorio, ria. adj. DER. Que sirve para prorrogar y extender un término judicial o la tramitación de un asunto.

dilección. f. Voluntad honesta, amor reflexivo.

dilecto, ta. adj. Amado con dilección.

dilema. m. Argumento formado de dos proposiciones contrarias disyuntivamente con tal artificio que, negada o concedida alguna de las dos, queda demostrado lo que se intenta probar.

diletante. com. Persona que cultiva un arte o una ciencia por afición y sin la preparación necesaria. Ú.t.c.adj.

diligencia (al. *Fleiss*, fr. *empressement*, ingl. *industry*, it. *diligenza*). f. Cuidado y actividad en ejecutar una cosa. ‖ Trámite de un asunto administrativo y constancia escrita de haberlo efectuado. ‖ Coche grande, dividido en dos o tres departamentos, arrastrado por caballerías, y destinado al transporte de viajeros. || fam. Negocio, solicitud.

diligenciar. tr. Poner los medios necesarios para el logro de una solicitud. || Tramitar un asunto administrativo con costancia escrita de lo que se hace.

diligente. adj. Cuidadoso, exacto y activo. || Pronto, presto, ligero en el obrar.

dilogía. f. Ambigüedad, doble sentido, equívoco.

dilucidación. f. Acción y efecto de dilucidar.

dilucidar. tr. Declarar y explicar un asunto, una proposición o una obra de ingenio.

dilución. f. Acción y efecto de diluir o diluirse.

diluir (al. *verdünnen*, fr. *diluer*, ingl. *to dilute*, it. *dilure*). tr. Desleír. Ú.t.c.r. || QUÍM. Añadir líquido en las disoluciones.

diluvial. adj. Perteneciente al diluvio. || GEOL. Dícese del terreno constituido por enormes depósitos de materias sabulosas que fueron arrastradas por grandes corrientes de agua. Ú.t.c.s. Perteneciente a este terreno.

diluviano, na. adj. Que tiene relación con el diluvio universal, o que hiperbólicamente se compara con él.

diluviar. intr. Llover a manera de diluvio.

diluvio (al. *Sinflut*, fr. *déluge*, ingl. *deluge*, it. *diluvio*). m. Inundación precedida de copiosas lluvias. || Por antonomasia, la que según la Biblia Dios envió a la Tierra para castigar a los hombres. || fig. y fam. Lluvia muy copiosa. || fig. y fam. Excesiva abundancia de una cosa.

dimanación. f. Acción de dimanar.

dimanar. intr. Proceder o venir el agua de sus manantiales. || fig. Provenir, proceder y tener origen una cosa de otra.

dimensión. f. GEOM. Longitud, extensión o volumen de una línea, una superficie o un cuerpo respectivamente. || MÚS. Medida de los compases.

dimensional. adj. Perteneciente a una dimensión.

dímero. adj. ZOOL. Dícese del insecto que sólo tiene dos artejos en todos los tarsos.

diminutivo, va. adj. Que tiene cualidad de disminuir o reducir a menos una cosa. || GRAM. Aplícase a los vocablos que disminuyen o menguan la significación de los positivos de que proceden.

diminuto, ta. adj. Defectuoso, falto

de lo que sirve para complemento o perfección. || Excesivamente pequeño.

dimisión. f. Renuncia a algo que se posee, especialmente un cargo, público o privado.

dimisionario, ria. adj. Que hace o ha hecho dimisión. Ú.t.c.s.

dimitir (al. *amt niederlegen*, fr. *démissionner*, ingl. *to resign*, it. *dimettere*). tr. Renunciar, hacer dejación de una cosa; como empleo, comisión, etc.

dimorfismo. m. BIOL. Presencia de dos formas distintas en una misma especie.

dimorfo, fa. adj. MINERAL. Aplícase a la sustancia que puede cristalizar según dos sistemas diferentes.

dina. f. FÍS. Unidad de fuerza en el sistema cegesimal que equivale a la fuerza necesaria para comunicar a la masa de un gramo la aceleración de un centímetro por segundo.

dinamarqués, sa. adj. Natural u oriundo de Dinamarca. Ú.t.c.s. || Perteneciente o relativo a este país de Europa. || m. Lengua de este país.

dinámica. f. Parte de la mecánica que trata de las leyes del movimiento en relación con las fuerzas que lo producen.

dinámico, ca. adj. Perteneciente o relativo a la fuerza cuando produce movimiento. || Perteneciente o relativo a la dinámica. || fig. y fam. Dícese de la persona notable por su energía y actividad.

dinamismo. m. Energía activa y propulsora. || FIL. Sistema que considera el mundo corpóreo como formado por agrupaciones de elementos simples, cuya esencia es la fuerza.

dinamita. f. Mezcla explosiva de nitroglicerina con un cuerpo muy poroso que la absorbe, para que, sin perder la fuerza dinámica de aquélla, se eviten los riesgos de manejo y transporte.

dinamitar. tr. Volar con dinamita alguna cosa.

dinamitero, ra. adj. Dícese del que, en una mina o cantera, se encarga de colocar y hacer estallar las cargas de dinamita. Ú.t.c.s.

dínamo o **dínamo.** f. ELECTR. Máquina destinada a transformar la energía mecánica en energía eléctrica, o viceversa, por inducción electromagnética, debida generalmente a la rotación de cuerpos conductores en un campo magnético.

dinamómetro. m. Instrumento para apreciar la resistencia de las máquinas y evaluar las fuerzas motrices.

dinar. m. Moneda árabe. || Moneda y unidad monetaria de Yugoslavia y Jordania.

dinastía. f. Serie de príncipes soberanos en un determinado país, pertenecientes a una familia. || Familia en cuyos individuos se perpetúa el poder o la influencia política, económica, cultural, etc.

dinástico, ca. adj. Perteneciente o relativo a la dinastía. || Partidario de una dinastía.

dineral. m. Cantidad grande de dinero.

dinero (al. *Geld*, fr. *argent*, ingl. *money*, it. *denaro*). m. Moneda corriente. || fig. y fam. Caudal, fortuna.

dingo. m. ZOOL. Especie de perro salvaje de Australia.

dinosaurio. m. PALEONT. Nombre genérico que se aplica a los reptiles fósiles de gran tamaño que vivieron en los períodos jurásico y cretácico.

dinoterio. m. PALEONT. Paquidermo del terreno mioceno, semejante a un elefante gigantesco.

dintel (al. *Oberschwelle*, fr. *linteau*, ingl. *lintel*, it. *architrave*). m. ARQ. Parte superior de puertas, ventanas, etc., que carga sobre las jambas.

diocesano, na. adj. Perteneciente a la diócesis. || Dícese del obispo o arzobispo que tiene diócesis. Ú.t.c.s.

diócesis. f. Distrito o territorio en que tiene y ejerce jurisdicción espiritual un prelado.

diodo. m. Válvula electrónica que consta de un ánodo frío y de un cátodo caldeado. Se usa como rectificador.

dioico, ca. adj. BOT. Aplícase a la planta que tiene las flores de cada sexo en pie separado, y también a estas mismas flores.

dionisiaco, ca. adj. Perteneciente o relativo a Baco, llamado también Dionisos.

dioptra. f. Pínula de los aparatos topográficos.

dioptría. f. ÓPT. Unidad de medida que equivale al poder de una lente cuya distancia focal es de un metro.

diorama. m. Panorama en que los lienzos que mira el espectador son transparentes y pintados por las dos caras; haciendo que la luz ilumine unas veces sólo por delante y otras por detrás, se consigue ver en el mismo sitio dos cosas distintas.

diorita. f. Roca eruptiva, granosa, formada por feldespato y un elemento oscuro, que puede ser piroxeno, anfíbol o mica negra.

Dios (al. *Gott*, fr. *Dieu*, ingl. *God*, it. *Dio*). n.p. m. Nombre sagrado del Ser Supremo. || m. Cualquiera de las deidades veneradas por los seguidores de distintas religiones.

diosa. f. Deidad del sexo femenino.

dióxido. m. QUIM. Compuesto químico que tiene dos átomos de oxígeno en la molécula y se obtiene por la combinación de un metaloide con el oxígeno.

dipétalo, la. adj. BOT. Dícese de las flores cuya corola tiene dos pétalos, y de esta misma corola.

diplococo. m. BIOL. Microorganismos de forma redondeada que se agrupan de dos en dos.

diplodoco. m. PALEONT. Reptil fósil, dinosaurio de gran tamaño, con la cabeza pequeña, el cuello y la cola muy largos y las vértebras de ésta con dos estiletes longitudinales.

diploma. f. Despacho, bula, privilegio u otro instrumento autorizado con sello de un soberano, cuyo original queda archivado. || Título o credencial que expide una corporación, una facultad, una sociedad literaria, etc., para acreditar un grado académico, un permio, etc.

diplomacia (al. *Diplomatie*, fr. *diplomatie*, ingl. *diplomacy*, it. *diplomazia*). f. Ciencia o conocimiento de los intereses y relaciones de unas naciones con otras. || Servicio de los Estados en sus relaciones internacionales. || fig. y fam. Cortesía aparente e interesada. || fig. y fam. Habilidad, sagacidad y disimulo.

diplomado, da. adj. Dícese de la persona que está en posesión de un título o diploma académico. Ú.t.c.s.

diplomar. tr. Conceder a uno un diploma facultativo o de aptitud. || r. Obtenerlo, graduarse.

diplomática. f. Estudio científico de los diplomas y otros documentos; tanto en sus caracteres internos como externos. || Diplomacia, ciencia de las relaciones internacionales.

diplomático, ca. adj. Perteneciente al diploma. || Perteneciente a la diplomacia. || s. Funcionario que interviene en las negociaciones entre Estados. || fig. y fam. Circunspecto, sagaz, disimulado.

diplopía. f. MED. Anormalidad patológica que consiste en ver dobles los objetos.

dipneo, a. adj. ZOOL. Que está dotado de respiración branquial y pulmonar. Ú.t.c.s.

dipsacáceo, a. adj. BOT. Dícese de las plantas dicotiledóneas, herbáceas, con flores en espiga o cabezuela, con involucros bien desarrollados y semillas con albumen carnoso. Ú.t.c.s.f. || f.pl. Familia de estas plantas.

dipsomanía. f. Tendencia irresistible al abuso de la bebida.

díptero. adj. ARQ. Dícese del edificio que tiene dos costados salientes. || ZOOL. Dícese del insecto que sólo tiene dos alas membranosas, que son las anteriores, con las posteriores transformadas en balancines, o que carecen de alas por adaptación a la vida parasitaria, y con aparato bucal dispuesto para chupar, como la mosca. Ú.t.c.s. || m.pl. Orden de estos insectos.

díptica. f. Tablas plegables donde, en la primitiva Iglesia, se solían anotar los nombres de los vivos y los muertos por quienes se había de orar. Ú.m. en pl.

díptico. m. Díptica, tablas plegables. Ú.m. en pl. || Cuadro o bajorrelieve formado por dos tableros que se cierran como las tapas de un libro.

diptongación. f. GRAM. Acción y efecto de diptongar.

diptongar. tr. GRAM. Unir dos vocales, formando en la pronunciación una sola sílaba. || intr. FILOL. Convertirse en diptongo una vocal, como la o de *poder* en *puedo*.

diptongo. m. GRAM. Conjunto de dos vocales diferentes que se pronuncian en una sola sílaba, especialmente las combinaciones de una vocal abierta con una de las cerradas.

diputación. f. Acción y efecto de diputar. || Conjunto de los diputados. || Edificio donde éstos se reúnen.

diputado, da (al. *Abgeordneter*, fr. *député*, ingl. *deputy*, it. *deputato*). s. Persona elegida por un cuerpo para representarlo. || Persona nombrada por elección popular como representante en una cámara legislativa, nacional o provincial.

diputar. tr. Destinar, señalar o elegir una persona o cosa para algún uso o ministerio. || Destinar y elegir un cuerpo a uno o más de sus individuos para que le representen en algún acto o solicitud.

dique (al. *Deich*, fr. *digue*, ingl. *dike*, it. *diga*). m. Muro o reparo artificial hecho para contener las aguas. || Obra, generalmente de tierra, piedra o cemento, que tiene por objeto contener las aguas marítimas o fluviales. || fig. Cosa con que otra es contenida o reprimida.

dirección (al. *Richtung*, fr. *direction*, ingl. *direction*, it. *direzione*). f. Acción y efecto de dirigir o dirigirse. || Camino o rumbo que un cuerpo sigue en su movimiento. || Consejo, enseñanza con que se encamina a uno. || Conjunto de personas encargadas de dirigir una sociedad, establecimiento, etc. || Cargo de director. || Oficina o casa en que despacha el director o los directivos. || Señas escritas sobre una carta o paquete, para indicar dónde y a quién se envía. || Mecanismo que sirve para guiar los vehículos automóviles.

directivo, va. adj. Que tiene la facultad o virtud de dirigir. Ú.t.c.s. || f. Mesa o junta de gobierno de una corporación, entidad, etc. || m. Director, persona que interviene en la dirección de una empresa, sociedad o corporación.

directo, ta (al. *direkt*, fr. *direct*, ingl. *direct*, it. *diritto*). adj. Derecho o en línea recta. || Dícese de lo que va de un lugar a otro sin detenerse en los puntos intermedios. || Aplícase a lo que se encamina derechamente a una mira u objeto.

director, ra (al. *Leiter*, fr. *directeur*, ingl. *director*, it. *direttore*). adj. Que dirige. Ú.t.c.s. || GEOM. Dícese de la línea, figura o superficie que determina las condiciones de generación de otra de su misma naturaleza. En esta acepción, la forma femenina es *directriz*. || s. Persona a cuyo cargo está el régimen o dirección de un negocio, cuerpo o establecimiento, o la realización de cualquier obra.

directorio, ria. adj. Dícese de lo que es a propósito para dirigir. || m. Junta directiva de algunos partidos, asociaciones, etc.

directriz. f. Forma femenina de director en la acepción de geometría y algunas otras. || f. Conjunto de instrucciones o normas generales para la ejecución de alguna cosa. Ú.m. en pl.

dirigente. adj. Que dirige. Ú.t.c.s.

dirigible. adj. Que puede ser dirigido. || m. Globo o aeronave fusiforme, más ligera que el aire, gobernada por uno o más grupos motores, y con un timón vertical para guiarlo.

dirigir. tr. Llevar rectamente una cosa a término o lugar señalado. Ú.t.c.r. || Guiar, indicando las señas de un camino. || Poner a una carta o cualquier otro bulto las señas que indiquen el nombre y el lugar de residencia del destinatario. || Gobernar, dar reglas para el manejo de una dependencia, empresa o propósito. || Aconsejar o gobernar la conciencia de una persona.

dirimir. tr. Deshacer, disolver, desunir. Se dice ordinariamente de las cosas inmateriales. ‖ Ajustar, acabar una controversia.

dis-. Prefijo que denota negación o contrariedad.

disartria. f. MED. Dificultad para la articulación de las palabras, provocada por algunas enfermedades nerviosas.

discar. *Amer.* Marcar un número de teléfono.

discernimiento. m. Juicio por cuyo medio percibimos y declaramos la diferencia que existe entre varias cosas.

discernir. tr. Distinguir una cosa de otra, señalando la diferencia que hay entre ellas. ‖ DER. Encargar de oficio el juez a alguien la tutela de un menor u otro cargo.

disciplina (al. *Disziplin*, fr. *discipline*, ingl. *discipline*, it. *disciplina*). f. Doctrina, instrucción de una persona, especialmente en lo moral. ‖ Arte, facultad o ciencia. ‖ Observancia de las leyes u ordenamientos de una profesión o instituto. ‖ Instrumento, hecho con varios ramales, que sirve para azotar. Ú.m. en pl. ‖ Acción y efecto de disciplinar o disciplinarse.

disciplinar. tr. Instruir, enseñar a uno su profesión. ‖ Azotar. Ú.t.c.r. ‖ Imponer, hacer guardar la disciplina.

disciplinario, ria. adj. Relativo o perteneciente a la disciplina. ‖ Aplícase al régimen que establece subordinación, así como a las penas que se imponen por vía correctiva. ‖ Dícese de los cuerpos militares formados por soldados condenados a alguna pena.

discípulo, la (al. *Anhänger*, fr. *disciple*, ingl. *disciple*, it. *discepolo*). s. Persona que aprende una doctrina, arte o ciencia bajo la dirección de un maestro. ‖ Persona que sigue la opinión de una escuela.

disco (al. *Schallplatte*, fr. *disque*, ingl. *record*, it. *disco*). m. Cuerpo cilíndrico cuya base es muy grande respecto de su altura. ‖ Pieza circular de hierro o madera que se emplea en lanzamientos atléticos. ‖ Lámina circular de materia plástica en la que, mediante un procedimiento especial, se graban sonidos, que posteriormente son reproducidos en un gramófono. ‖ fig. y fam. Discurso o explicación pesada que uno suele repetir con impertinencia.

discóbolo. m. Atleta que arroja el disco.

díscolo, la. adj. Avieso, indócil, perturbador. Ú.t.c.s.

disconforme. adj. No conforme.

disconformidad. f. Diferencia de unas cosas con otras en cuanto a su esencia, forma o fin. ‖ Oposición, desunión, contrariedad en los dictámenes o en las voluntades.

discontinuidad. f. Calidad de discontinuo.

discontinuo, nua. adj. Interrumpido, intermitente o no continuo.

discordancia. f. Contrariedad, diversidad, disconformidad.

discordar. intr. Ser opuestas, desavenidas o diferentes entre sí dos o más cosas. ‖ No convenir uno en la opinión de otro. ‖ MÚS. No estar acordes las voces o los instrumentos.

discorde. adj. Disconforme, desavenido, opuesto. ‖ MÚS. Disonante, falto de consonancia.

discordia (al. *Zwietracht*, fr. *discorde*, ingl. *disagreement*, it. *discordia*). f. Oposición, desavenencia de voluntades. ‖ Diversidad y contrariedad de opiniones.

discoteca. f. Colección de discos fonográficos. ‖ Local o mueble en que se alojan esos discos.

discreción (al. *Diskretion*, fr. *discrétion*, ingl. *discretion*, it. *discrezione*). f. Sensatez para formar juicio y tacto para hablar u obrar. ‖ Don de expresarse con agudeza, ingenio y oportunidad. ‖ *a discreción.* m. adv. Al arbitrio o buen juicio de uno; al antojo o voluntad de uno, sin tasa ni limitación.

discrecional. adj. Que se hace con libertad y prudencia. ‖ Dícese de la potestad gubernativa en las funciones de su competencia que no están regladas.

discrepancia. f. Diferencia, desigualdad que resulta de la comparación de las cosas entre sí. ‖ Disentimiento personal en opiniones o en conducta.

discrepar (al. *Abweichen*, fr. *différer*, ingl. *to disagree*, it. *discrepare*). intr. Desdecir una cosa de otra, diferenciarse, ser desigual. ‖ Disentir una persona del parecer o de la conducta de otra.

discreto, ta (al. *taktvoll*, fr. *discret*, ingl. *discreet*, it. *discreto*). adj. Dotado de discreción. Ú.t.c.s. ‖ Que incluye o denota discreción. ‖ Separado, distinto.

discriminación. f. Acción y efecto de discriminar.

discriminar. tr. Separar, distinguir, diferenciar una cosa de otra. ‖ Dar trato de inferioridad a una persona o colectividad por motivos raciales, religiosos, políticos, etc.

disculpa (al. *Entschuldigung*, fr. *excuse*, ingl. *apology*, it. *discolpa*). f. Razón que se da y causa que se alega para excusarse de una culpa.

disculpar. tr. Dar razones o pruebas que descarguen de una culpa o delito. Ú.t.c.r. ‖ fam. No tomar en cuenta o perdonar las faltas y omisiones que otro comete.

discurrir (al. *ausdenken*, fr. *réfléchir*, ingl. *to ponder*, it. *discorrere*). intr. Andar, caminar, correr por diversas partes y lugares. ‖ Correr, transcurrir el tiempo; fluir un líquido. ‖ fig. Reflexionar, pensar acerca de una cosa. ‖ tr. Inventar una cosa. ‖ Inferir, conjeturar.

discursear. intr. fam. Pronunciar discursos con frecuencia.

discursivo, va. adj. Reflexivo, muy dado a discurrir. ‖ Propio o relativo al discurso.

discurso (al. *Rede*, fr. *discours*, ingl. *speech*, it. *discorso*). m. Facultad racional con que se infieren unas cosas de otras. ‖ Acto de la facultad discursiva. ‖ Serie de palabras y frases empleadas para manifestar lo que se piensa o siente. ‖ Razonamiento de alguna extensión dirigido por una persona a otra u otras. ‖ Oración, palabra o conjunto de palabras con que se expresa un concepto cabal. ‖ Espacio, duración de tiempo.

discusión. f. Acción y efecto de discutir.

discutible. adj. Que se puede o debe discutir.

discutir (al. *erörtern*, fr. *discuter*, ingl. *to discuss*, it. *discutere*). tr. Examinar y ventilar atenta y particularmente una materia, haciendo investigaciones minuciosas sobre sus circunstancias. ‖ Contender y alegar razones contra el parecer de otro. Ú.m.c. intr.

disecar (al. *sezieren*, fr. *disséquer*, ingl. *to dissect*, it. *disseccare*). tr. Dividir en partes un vegetal o el cadáver de un animal para su examen. ‖ Preparar los animales muertos para que conserven la apariencia de cuando estaban vivos. ‖ Preparar una planta para que se conserve después de seca, a fin de ser estudiada.

disección (al. *Sezieren*, fr. *dissection*, ingl. *disection*, it. *disezione*). f. Acción y efecto de disecar.

disector. m. El que diseca y ejecuta operaciones anatómicas.

diseminación. f. Acción y efecto de diseminar o diseminarse.

diseminar. tr. Sembrar, esparcir. Ú.t.c.r.

disensión. f. Oposición o contrariedad de varios sujetos en los pareceres o en los propósitos. ‖ fig. Contienda, riña.

disenso. m. Disentimiento.

disentería (al. *Ruhr*, fr. *dysenterie*, ingl. *dysentery*, it. *dissenteria*). f. Enfermedad infecciosa y específica que tiene por síntomas característicos la aparición de procesos inflamatorios y ulcerativos en el intestino grueso.

disentérico, ca. adj. Perteneciente o relativo a la disentería.

disentimiento. m. Acción y efecto de disentir.

disentir. intr. No ajustarse al sentir o parecer de otro; opinar de distinto modo.

diseñador, ra. s. Persona que hace diseños por profesión.

diseñar. tr. Hacer diseños.

diseño (al. *Entwurf*, fr. *dessin*, ingl. *drawing*, it. *disegno*). m. Traza, delineación de un edificio o de una figura. || Descripción o bosquejo de alguna cosa, hecho por palabras.

disépalo, la. adj. BOT. Dícese del cáliz o la flor que tiene dos sépalos.

disertación. f. Acción y efecto de disertar. || Escrito en que se diserta.

disertar. intr. Razonar, discurrir detenida y metódicamente sobre alguna materia, bien para exponerla, bien para refutar opiniones ajenas.

disfagia. f. MED. Dificultad o imposibilidad para tragar.

disfasia. f. MED. Anomalía en el lenguaje, causada por lesión cerebral.

disfavor. m. Desaire o desatención usada con alguno. || Suspensión del favor. || Acción o dicho no favorable que causa alguna contrariedad o daño.

disforme. adj. Que carece de forma regular, proporción y medida en sus partes. || Feo, horroroso.

disfraz (al. *Verkleidung*, fr. *déguisement*, ingl. *disguise*, it. *travestimento*). m. Artificio con que se desfigura una cosa. || Máscara que sirve para las fiestas y saraos, especialmente en carnaval. || fig. Simulación para dar a entender cosa distinta de la que se siente.

disfrazar. tr. Desfigurar la forma natural de las personas o las cosas para que no sean conocidas. Ú.t.c.r. || fig. Disimular, desfigurar con palabras y expresiones lo que se siente.

disfrutar (al. *geniessen*, fr. *jouir*, ingl. *to enjoy*, it. *godere*). tr. Percibir o gozar los productos o utilidades de una cosa. || intr. Gozar, sentir placer.

disfrute. m. Acción y efecto de disfrutar.

disfunción. f. MED. Alteración cuantitativa o cualitativa de una función orgánica.

disgregación. f. Acción y efecto de disgregar o disgregarse.

disgregar. tr. Separar, desunir, apartar lo que estaba unido. Ú.t.c.r.

disgustado, da. adj. Desazonado, desabrido, incomodado. || Apesadumbrado, pesaroso.

disgustar. tr. Causar disgusto y desabrimiento al paladar. || fig. Causar enfado, pesadumbre o desazón. || r. Desazonarse uno con otro, o perder la amistad por desazones o contiendas.

disgusto (al. *Verdruss*, fr. *ennui*, ingl. *displeasure*, it. *disgusto*). m. Desazón, desabrimiento causado en el paladar por una comida o bebida. || fig. Encuentro enfadoso con uno, contienda o diferencia. || fig. Sentimiento, pesadumbre o inquietud causados por un accidente o una contrariedad. || fig. Fastidio, tedio o enfado que causa una persona o cosa. || *a disgusto.* m. adv. Contra la voluntad y gusto de uno.

disidencia. f. Acción y efecto de disidir. || Grave desacuerdo de opiniones.

disidente. adj. Que diside. Ú.t.c.s.

disidir. intr. Separarse de la común doctrina, creencia o conducta.

disílabo, ba. adj. Bisílabo, que consta de dos sílabas. Ú.t.c.s.m.

disímil. adj. Desemejante, diferente.

disimilar. tr. LING. Alterar un sonido para diferenciarlo de otro igual o semejante que influye sobre aquél. Ú.m.c.r.

disimulación. f. Acción y efecto de disimular. || Disimulo.

disimulado, da. adj. Que por hábito o carácter disimula o encubre lo que siente. Ú.t.c.s.

disimular (al. *verbergen*, fr. *dissimuler*, ingl. *to dissemble*, it. *dissimulare*). tr. Encubrir con astucia la intención. || Desentenderse del conocimiento de una cosa. || Ocultar, encubrir algo que uno siente y padece; como el miedo, el frío, etc. || Dispensar, permitir, perdonar.

disimulo. m. Arte con que se oculta lo que se siente, se sospecha o se sabe. || Indulgencia, tolerancia.

disipación. f. Acción y efecto de disipar o disiparse. || Conducta de una persona entregada enteramente a las diversiones.

disipado, da. adj. Disipador. Ú.t.c.s. || Distraído, entregado a diversiones. Ú.t.c.s.

disipador, ra. adj. Dícese del que disipa o malgasta su dinero. Ú.t.c.s.

disipar (al. *zerstreuen*, fr. *dissiper*, ingl. *to scatter*, it. *dissipare*). tr. Esparcir y desvanecer las partes que forman por aglomeración un cuerpo. Ú.t.c.r. || Desperdiciar, malgastar la hacienda u otra cosa. || r. Evaporarse, resolverse en vapores. || fig. Desvanecerse, quedar en nada una cosa inmaterial.

dislalia. f. MED. Dificultad en la articulación de las palabras.

dislocar. tr. Sacar una cosa de su lugar, especialmente un hueso, en una articulación. Ú.m.c.r.

dismenorrea. f. MED. Menstruación dolorosa o difícil.

disminución. f. Merma o menoscabo de una cosa, tanto en lo moral como en lo físico. || VET. Enfermedad que padecen las bestias en los cascos.

disminuir (al. *abnehmen*, fr. *diminuer*, ingl. *to decrease*, it. *diminuire*). tr. Hacer menor la extensión, la intensidad o el número de alguna cosa. Ú.t.c.intr. y c.r.

disnea. f. MED. Dificultad en la respiración.

disociación. f. Acción y efecto de disociar o disociarse.

disociar (al. *spalten*, fr. *dissocier*, ingl. *to dissociate*, it. *dissociare*). tr. Separar una cosa de otra a la que estaba unida. Ú.t.c.r. || QUÍM. Separar los diversos componentes de una sustancia. Ú.t.c.r.

disoluble. adj. Soluble, que puede disolverse.

disolución (al. *Auflösung*, fr. *dissolution*, ingl. *dissolution*, it. *dissoluzione*). f. Acción y efecto de disolver o disolverse. || Mezcla que resulta de disolver una sustancia en un líquido. || fig. Relajación de vida y costumbres. || fig. Rompimiento de los vínculos entre varias personas.

disolutivo, va. adj. Que tiene la virtud de disolver.

disoluto, ta. adj. Licencioso, entregado a los vicios. Ú.t.c.s.

disolvente. adj. Que disuelve. Ú.t.c.s.m.

disolver (al. *auflösen*, fr. *dissoudre*, ingl. *to dissolve*, it. *sciogliere*). tr. Desunir, separar las partículas de un cuerpo sólido o espeso, por medio de un líquido con el cual se incorporan. Ú.t.c.r. || Separar, desunir. Ú.t.c.r. || Destruir, aniquilar. Ú.t.c.r.

disonancia. f. Sonido desagradable. || fig. Falta de la conformidad o proporción que deben tener las cosas. || MÚS. Acorde no consonante.

disonante. adj. Que disuena. || fig. Que discrepa de aquello con lo que debía estar conforme.

disonar. intr. Sonar desapaciblemente. ‖ fig. Discrepar. ‖ fig. Parecer mal y extraña una cosa.

disparada. f. *Amer.* Acción de echar a correr con precipitación; fuga.

disparador. m. El que dispara. ‖ Pieza de las armas de fuego que, movida a su tiempo, sirve para dispararlas. ‖ Pieza que hace funcionar el obturador automático de una cámara fotográfica.

disparar (al. *abdrücken*, fr. *décharger*, ingl. *to shoot*, it. *sparare*). tr. Hacer que una máquina despida un cuerpo arrojadizo. ‖ Arrojar violentamente una cosa. Ú.t.c.r. ‖ Hacer funcionar un disparador. ‖ r. Correr precipitadamente lo que tiene movimiento artificial o natural. ‖ fig. Dirigirse precipitadamente hacia un objeto. ‖ Hablar u obrar violentamente y, por lo común, sin razón.

disparatado, da. adj. Dícese del que disparata. ‖ Contrario a la razón. ‖ fam. Desmesurado.

disparatar. intr. Decir o hacer cosas fuera de razón y regla.

disparate (al. *Unsinn*, fr. *sottise*, ingl. *nonsense*, it. *sproposito*). m. Hecho o dicho disparatado. ‖ fam. Atrocidad, demasía.

disparidad. f. Desemejanza, desigualdad de unas cosas respecto a otras.

disparo (al. *abschiessen*, fr. *décharge*, ingl. *discharge*, it. *sparo*). m. Acción y efecto de disparar o dispararse. ‖ fig. Disparate.

dispendio. m. Gasto excesivo. ‖ fig. Uso o empleo excesivo de capital, tiempo o de cualquier cosa.

dispendioso, sa. adj. Costoso.

dispensa. f. Privilegio, excepción graciosa de lo ordenado por las leyes generales. ‖ Instrumento o escrito que contiene la dispensa.

dispensar. tr. Conceder, otorgar, distribuir. ‖ Eximir de una obligación. Ú.t.c.r. ‖ Absolver o excusar de una falta leve ya cometida.

dispensario. m. Establecimiento donde se presta asistencia médica y farmacéutica a enfermos que no se alojan en él.

dispepsia. f. MED. Enfermedad crónica que se caracteriza por una digestión difícil y laboriosa.

dispersar (al. *zerstreuen*, fr. *disperser*, ingl. *to disperse*, it. *disperdere*). tr. Separar, esparcir lo que estaba o solía estar reunido. Ú.t.c.r. ‖ fig. Dividir el esfuerzo, la atención o la actividad, aplicándolos con desorden en múltiples direcciones.

dispersión. f. Acción y efecto de dispersar o dispersarse. ‖ ÓPT. Separación de los diversos colores espectrales de un rayo de luz, por medio de un prisma u otro medio adecuado.

disperso, sa. adj. Que está dispersado.

displicencia. f. Desagrado o indiferencia en el trato. ‖ Desgana en la ejecución de algo.

displicente. adj. Dícese de lo que desagrada y disgusta. ‖ Desabrido o de mal humor. Ú.t.c.s.

disponer (al. *verfügen*, fr. *disposer*, ingl. *to dispose*, it. *disporre*). tr. Colocar, poner las cosas en orden y situación conveniente. Ú.t.c.r. ‖ Determinar, ordenar lo que ha de hacerse. ‖ Preparar, prevenir. Ú.t.c.r. ‖ intr. Ejercitar en las cosas facultades de dominio. ‖ Valerse de una persona o cosa, tenerla por suya.

disponible. adj. Dícese de todo aquello de que se puede disponer libremente. ‖ Aplícase a la situación del militar o funcionario en servicio activo sin destino, pero que puede ser destinado inmediatamente.

disposición. f. Acción y efecto de disponer o disponerse. ‖ Aptitud para algún fin. ‖ Estado de la salud. ‖ Gallardía y gentileza en la persona. ‖ Precepto legal o reglamentario, deliberación, orden y mandato del superior. ‖ Cualquiera de los medios usados para realizar un propósito.

dispositivo. m. Mecanismo dispuesto para obtener un resultado automático.

dispuesto, ta. adj. Apuesto, gallardo, bien proporcionado. ‖ Hábil, despejado.

disputa (al. *Streit*, fr. *dispute*, ingl. *argument*, it. *disputa*). f. Acción y efecto de disputar.

disputar (al. *streiten*, fr. *disputer*, ingl. *to argue*, it. *disputare*). tr. Debatir. ‖ Porfiar y altercar con vehemencia. Ú.t.c. intr. ‖ Contender, emular con otro para alcanzar o defender algo.

disquisición. f. Examen riguroso que se hace de una cuestión.

distal. adj. ANAT. Dícese de la parte de un miembro o de un órgano más separada de la línea media del organismo en cuestión.

distancia (al. *Entfernung*, fr. *distance*, ingl. *distance*, it. *distanza*). f. Espacio o intervalo de lugar o de tiempo que media entre dos cosas o dos sucesos. ‖ fig. Diferencia, desemejanza notable. ‖ fig. Alejamiento, desafecto entre personas.

distanciar. tr. Separar, poner a distancia. Ú.t.c.r. ‖ Desunir o separar moralmente a las personas por desafecto, diferencias de opinión, etc. Ú.t.c.r.

distante. adj. Que dista. ‖ Apartado, lejano.

distar. intr. Estar apartada una cosa de otra cierto espacio de lugar o de tiempo. ‖ fig. Diferenciarse una cosa de otra.

distender. tr. Aflojar, relajar. ‖ MED. Causar una tensión violenta en los tejidos, membranas, etc. Ú.t.c.r.

distensión. f. Acción y efecto de distender o distenderse.

dístico. m. Composición poética que consta de dos versos, con los cuales se expresa un concepto cabal.

distinción (al. *Auszeichnung*, fr. *distinction*, ingl. *distintion*, it. *distinzione*). f. Acción y efecto de distinguir o distinguirse. ‖ Diferencia en virtud de la cual una cosa no es otra, o no es semejante a otra. ‖ Prerrogativa, excepción y honor concedido a alguien. ‖ Buen orden y precisión en las cosas. ‖ Elevación sobre lo vulgar, especialmente en elegancia y buenas maneras. ‖ Miramiento, consideración hacia una persona.

distingo. m. Distinción lógica en una proposición de dos sentidos. ‖ Reparo, limitación que se pone con cierta sutileza o malicia.

distinguido, da. adj. Ilustre, noble, esclarecido. ‖ Elegante y de buenas maneras.

distinguir (al. *unterscheiden*, fr. *distinguer*, ingl. *to distinguish*, it. *distinguere*). tr. Conocer la diferencia que hay de unas cosas a otras. ‖ Hacer que una cosa se diferencie de otra. Ú.t.c.r. ‖ Declarar la diferencia que hay entre una cosa y otra. ‖ Ver un objeto, diferenciándolo de los demás, a pesar de la lejanía o de otra dificultad. ‖ fig. Hacer particular estimación de unas personas con preferencia a otras. ‖ Otorgar a uno alguna dignidad, prerrogativa, etc. ‖ r. Sobresalir entre otros.

distintivo, va. adj. Que tiene facultad de distinguir. ‖ Dícese de la cualidad que caracteriza esencialmente una cosa. Ú.t.c.s. ‖ m. Insignia, señal.

distinto, ta. adj. Que no es lo mismo, diferente. ‖ Que no es parecido, que tiene diferentes cualidades. ‖ Claro, sin confusión.

distorsión. f. Torsión de una parte del cuerpo. ‖ Fís. Deformación de una onda durante su propagación. ‖ MED. Esguince.

distracción (al. *Unachtsamkeit*, fr.

distraction, ingl. *needlessness,* it. *distrazione).* f. Acción y efecto de distraer o distraerse. || Cosa que atrae la atención apartándola de aquello a que está aplicada. || Libertad excesiva en la vida y costumbres.

distraer (al. *amüsieren,* fr. *distraire,* ingl. *to entertain,* it. *distrarre).* tr. Divertir, apartar, desviar, alejar, entretener, recrear. Ú.t.c.r. || Apartar la atención de una persona del objeto a que la aplicaba o a que debía aplicarla. Ú.t.c.r. || Tratándose de fondos, malversarlos, defraudarlos.

distraído, da. adj. Que sufre o manifiesta distracción. Ú.t.c.s. || *Amer.* Roto, mal vestido, desaseado.

distribución (al. *Verteilung,* fr. *distribution,* ingl. *distribution,* it. *distribuzione).* f. Acción y efecto de distribuir o distribuirse.

distribuidor, ra. adj. Que distribuye. Ú.t.c.s. || f. Máquina agrícola para distribuir abonos.

distribuir (al. *verteilen,* fr. *distribuer,* ingl. *to distribute,* it. *distribuire).* tr. Dividir una cosa entre varios, designando lo que a cada uno corresponde. || Dar a cada cosa su oportuna colocación o el destino conveniente. Ú.t.c.r.

distributivo, va. adj. Que toca o atañe a la distribución.

distrito. m. Cada una de las demarcaciones en que se divide un territorio o una población con fines administrativos o jurídicos.

distrofia. f. MED. Anormalidad en la asimilación y desasimilación, que afecta a la nutrición y al crecimiento.

disturbio. m. Alteración, turbación de la paz y concordia.

disuadir (al. *abbringen,* fr. *dissuader,* ingl. *to deter,* it. *dissuadere).* tr. Inducir a uno con razones a mudar de criterio o a desistir de un propósito.

disuasión. f. Acción y efecto de disuadir.

disuasivo, va. adj. Que disuade o puede disuadir. [*Sinón.*: disuasorio.]

disuria. f. MED. Expulsión difícil, dolorosa e incompleta de la orina.

disyunción. f. Acción y efecto de separar y desunir.

disyuntiva. f. Alternativa entre dos cosas por una de las cuales hay que optar.

disyuntor. m. FIS. Interruptor que corta instantáneamente el paso de la corriente eléctrica por un circuito.

ditirámbico, ca. adj. Perteneciente o relativo al ditirambo.

ditirambo. m. Antigua composición poética en loor de Baco. || Composición poética inspirada en un arrebato de entusiasmo y escrita generalmente en variedad de metros. || fig. Alabanza exagerada, encomio excesivo.

diuresis. f. FISIOL. Secreción de la orina.

diurético, ca. adj. FARM. Dícese de lo que tiene la virtud de aumentar la secreción y excreción de orina. Ú.t.c.s.m.

diurno, na. adj. Perteneciente al día. || HIST. NAT. Aplícase a los animales que buscan el alimento durante el día, y a las plantas que sólo abren sus flores de día.

divagación. f. Acción y efecto de divagar.

divagar. intr. Vagar, andar a la aventura. || Alejarse del asunto de que se trata; hablar o escribir sin concierto ni propósito fijo.

diván (al. *Diwan,* fr. *divan,* ingl. *divan,* it. *divano).* m. Banco, por lo común sin respaldo, y con almohadones sueltos. || Colección de poesías en algunas lenguas orientales.

divergencia (al. *Auseinandergehen,* fr. *divergence,* ingl. *divergence,* it. *divergenza).* f. Acción y efecto de divergir. || fig. Diversidad de opiniones o pareceres.

divergente. adj. Que diverge.

divergir. intr. Irse apartando sucesivamente unas de otras, dos o más líneas o superficies. || fig. Discordar, discrepar.

diversidad. f. Variedad, desemejanza, diferencia. || Abundancia, concurso de varias cosas distintas.

diversificación. f. Acción y efecto de diversificar.

diversificar. tr. Hacer distinta una cosa de otra, variar. Ú.t.c.r.

diversión (al. *Vergnügen,* fr. *diversion,* ingl. *amusement,* it. *divertimento).* f. Acción y efecto de divertir o divertirse. || Recreo, pasatiempo, solaz. || MIL. Acción de distraer o desviar la atención del enemigo.

diversivo, va. adj. Perteneciente o relativo a la diversión. || MIL. Dícese de la operación militar destinada a distraer o desviar la atención o las fuerzas del enemigo.

diverso, sa. adj. De distinta naturaleza, especie, número, figura, etc. || Desemejante. || pl. Varios, muchos.

divertido, da. adj. Alegre, festivo y de buen humor. || Que divierte.

divertimiento. m. Diversión, acción de divertirse; recreo, pasatiempo. ||

Distracción momentánea de la atención.

divertir (al. *ergötzen,* fr. *divertir,* ingl. *to entertain,* it. *divertire).* tr. Apartar, desviar, alejar. Ú.t.c.r. || Entretener, recrear. Ú.t.c.r. || MIL. Llamar la atención del enemigo hacia varios puntos, para dividir sus fuerzas.

dividendo. m. MAT. Cantidad que ha de dividirse por otra. || – *activo.* COM. Cuota que, al distribuir ganancias una compañía mercantil, corresponde a cada acción. || – *pasivo.* COM. Cuota que, para allegar fondos, se toma del capital que cada acción representa.

dividir (al. *teilen,* fr. *diviser,* ingl. *to divide,* it. *dividere).* tr. Partir, separar en partes. Ú.t.c.r. || Distribuir, repartir entre varios. || fig. Desunir los ánimos y voluntades introduciendo discordia. || MAT. Averiguar cuántas veces una cantidad está contenida en otra.

divieso. m. Tumor inflamatorio, pequeño, puntiagudo y doloroso, que se forma en el espesor de la dermis.

divinidad. f. Naturaleza divina. || Dios. || fig. Persona o cosa dotada de gran belleza.

divinizar. tr. Hacer o suponer divina a una persona o cosa, o tributarle culto y honores divinos. || fig. Santificar, hacer sagrada una cosa. || fig. Ensalzar desmedidamente.

divino, na (al. *göttlich,* fr. *divin,* ingl. *divine,* it. *divino).* adj. Perteneciente a Dios o a cualquier divinidad. || fig. Muy excelente, extraordinariamente primoroso.

divisa (al. *Auslandsdevise, Wahlspruch;* fr. *devise;* ingl. *foreign exchange, motto;* it. *divisa).* f. Señal exterior que se emplea para distinguir personas, grados y otras cosas. || TAUROM. Lazo de cintas de colores con que se distinguen en la lidia los toros de cada ganadero. || Moneda, billete o efecto mercantil de cualquier país extranjero. Ú.m. en pl. || BLAS. Lema o mote que se expresa en términos sucintos o por algunas figuras.

divisar. tr. Ver, percibir, aunque confusamente, un objeto. || BLAS. Diferenciar las armas de familia.

divisibilidad. f. Calidad de divisible. || FIS. Una de las propiedades de los cuerpos, por la cual pueden fraccionarse.

divisible. adj. Que puede dividirse. || MAT. Dícese de una cantidad entera que puede dividirse exactamente por otra también entera.

división (al. *Teilung,* fr. *division,*

ingl. *division*, it. *divisione*). f. Acción y efecto de dividir, separar o repartir. ‖ fig. Discordia, desunión. ‖ MAT. Operación de dividir. ‖ MIL. Gran unidad de varios regimientos.

divisor, ra (al. *teiler*, fr. *diviseur*, ingl. *divisor*, it. *divisore*). adj. MAT. Submúltiplo. Ú.t.c.s. ‖ m. MAT. Cantidad por la cual ha de dividirse otra.

divisorio, ria. adj. Dícese de lo que sirve para dividir o separar dos vertientes de agua. ‖ GEOGR. Dícese de la línea que señala los límites entre partes de la superficie del globo terrestre. Ú.t.c.s.f.

divo, va. adj. poét. Divino. ‖ Cantante de ópera o de zarzuela, de mérito sobresaliente. Ú.t.c.s. ‖ Artista teatral o cinematográfico de calidad excepcional. Ú.t.c.s.

divorciar. tr. Separar por sentencia legal a los cónyuges. Ú.t.c.r. ‖ fig. Separar, apartar a los que deberían estar juntos. Ú.t.c.r.

divorcio (al. *Ehescheidung*, fr. *divorce*, ingl. *divorce*, it. *divorzio*). m. Acción y efecto de divorciar o divorciarse.

divulgación. f. Acción y efecto de divulgar o divulgarse.

divulgar (al. *verbreiten*, fr. *divulguer*, ingl. *to divulgate*, it. *divulgare*). tr. Publicar, extender, poner al alcance del público una cosa. Ú.t.c.r.

do. m. MÚS. Primera voz de la escala musical. ‖ — *de pecho.* Una de las notas más agudas a que alcanza el tenor.

dobladillo. m. Pliegue que, como remate, se hace a la ropa en los bordes.

doblado, da. adj. De pequeña o mediana estatura y recio y fuerte de miembros. ‖ fig. Que muestra cosa distinta a lo que piensa o siente. ‖ En el cine, se dice de la película cuyo sonido original ha sido sustituido por otro.

doblaje. m. En el cine, acción y efecto de doblar.

doblar (al. *verdoppeln*, fr. *doubler*, ingl. *to double*, it. *doppiare*). tr. Aumentar una cosa, haciéndola el doble de lo que era. ‖ Aplicar una sobre otra dos partes de una cosa flexible. ‖ Torcer una cosa encorvándola. Ú.t.c.r. ‖ Tratándose de un cabo, promontorio, etc., pasar una embarcación por delante y ponerse al otro lado. ‖ Pasar al otro lado de una esquina, cerro, etc., cambiando de dirección en el camino. Ú.t.c.intr. ‖ En el cine, cambiar las palabras del actor que aparece en la pantalla por las de otra persona. ‖ Caer el toro agonizante al final de la lidia. ‖ intr. Tocar a muerto. ‖ r. fig. Ceder a la persuasión, a la fuerza o al interés. Ú.t.c.intr.

doble (al. *doppelt*, fr. *double*, ingl. *twofold*, it. *doppio*). adj. Duplo. Ú.t.c.s.m. ‖ Dícese de la cosa que va acompañada de otra semejante y que juntas sirven para el mismo fin. ‖ fig. Simulado, artificioso, nada sincero. Ú.t.c.s. ‖ m. Toque de campanas por los muertos. ‖ Sosia, persona tan parecida a otra que puede sustituirla o pasar por ella.

doblegar. tr. Doblar o torcer encorvando. Ú.t.c.r. ‖ fig. Hacer que uno desista de su propósito y se preste a otro. Ú.t.c.r.

doblete. adj. Entre doble y sencillo. ‖ m. Piedra falsa que se hace con dos pedazos de cristal pegados.

doblez. m. Parte que se dobla o pliega en una cosa. ‖ Señal que queda en la parte por donde se dobló. ‖ amb. fig. Astucia con que uno obra, dando a entender lo contrario de lo que siente.

doblón. m. Antigua moneda de oro.

doce. adj. Diez y dos. ‖ Duodécimo, que sigue en orden al undécimo. Aplicado a los días del mes, ú.t.c.s. ‖ m. Conjunto de signos con que se representa el número doce.

docena. f. Conjunto de doce cosas.

docencia. f. Práctica y ejercicio de la enseñanza.

docente. adj. Que enseña. Ú.t.c.s. ‖ Relativo o perteneciente a la enseñanza.

dócil. adj. Suave, apacible, que recibe fácilmente la enseñanza. ‖ Obediente. ‖ Dícese de la materia que se deja labrar con facilidad.

docilidad. f. Calidad de dócil.

dock. (voz inglesa). m. Dársena con muelle provisto de grúas y de todo el equipo necesario para realizar la carga y descarga de buques y almacenar las mercancías.

docto, ta. adj. Que posee muchos conocimientos. Ú.t.c.s.

doctor, ra (al. *Doktor*, fr. *docteur*, ingl. *doctor*, it. *dottore*). s. Persona que ha obtenido el último y superior grado académico que confiere una universidad. ‖ Persona que enseña una ciencia o arte. ‖ Título que da la Iglesia católica a algunos santos y teólogos. ‖ Médico, persona que ejerce la medicina.

doctorado. m. Grado de doctor. ‖ Estudios necesarios para obtener este grado.

doctorar. tr. Graduar a uno de doctor en una universidad. Ú.t.c.r.

doctrina (al. *Lehre*, fr. *doctrine*, ingl. *doctrine*, it. *dottrina*). f. Enseñanza que se da para instrucción de alguno. ‖

Ciencia o sabiduría. ‖ Opinión de uno o varios especialistas sobre una teoría.

doctrinal. adj. Perteneciente a la doctrina. ‖ m. Libro que contiene reglas y preceptos.

doctrinar. tr. Enseñar, dar instrucción.

doctrinario, ria. adj. Relativo a una doctrina determinada, especialmente la de un partido político o una institución.

documentación (al. *Unterlagen*, fr. *documentation*, ingl. *documents*, it. *documentazione*). f. Acción y efecto de documentar. ‖ Conjunto de documentos que sirven para este fin. ‖ Documento o conjunto de documentos que sirven para la identificación personal o para acreditar alguna condición.

documentado, da. adj. Dícese del memorial, pedimento, etc., acompañado de los documentos necesarios. ‖ Dícese de la persona que posee noticias o pruebas sobre un asunto.

documental (al. *Kulturfilm*, fr. *documentaire*, ingl. *documentary*, it. *documentario*). adj. Que se funda en documentos o que se refiere a ellos. ‖ m. Género cinematográfico realista, generalmente de corto metraje, que trata de modo informativo o interpretativo un tema auténtico.

documentalista. com. Persona que tiene por oficio la elaboración de toda clase de datos sobre una materia. ‖ Persona que hace cine documental.

documentar. tr. Probar, justificar algo con documentos. ‖ Informar a uno acerca de las noticias y pruebas que atañen a un asunto. Ú.t.c.r.

documento (al. *Urkunde*, fr. *document*, ingl. *document*, it. *documento*). m. Escrito con que se prueba o acredita una cosa. ‖ fig. Cualquier cosa que sirve para ilustrar o comprobar algo.

dodecaedro. m. GEOM. Poliedro de doce caras.

dodecafonía. f. MÚS. Sistema atonal en el que se emplean indistintamente los doce intervalos cromáticos en que se divide la escala.

dodecágono, na. adj. GEOM. Aplícase al polígono de doce ángulos y doce lados. Ú.t.c.s.m.

dodecasílabo, ba. adj. De doce sílabas. ‖ m. Verso dodecasílabo.

dogal. m. Cuerda o soga en la cual se forma un lazo para atar las caballerías por el cuello. ‖ Cuerda para ahorcar a un reo o para algún otro suplicio.

dogma. m. Proposición que se asienta por firme y cierta y como principio innegable de una doctrina.

dogmático, ca. adj. Perteneciente o relativo al dogma. ‖ Aplícase a quien profesa el dogmatismo. Ú.t.c.s.

dogmatismo. m. Conjunto de todo lo que es dogmático en religión, ciencia o filosofía. ‖ Presunción de los que quieren que su doctrina o sus aseveraciones sean tenidas por verdades incuestionables.

dogmatizar. tr. Enseñar dogmas, dicho comúnmente de los opuestos a la religión católica. U.m.c.intr. ‖ Afirmar como innegables principios sujetos a examen y contradicción.

dogo, ga. adj. Dícese del perro dogo. Ú.t.c.s.

dolar. tr. Desbastar, labrar madera o piedra.

dólar. m. Unidad monetaria de los Estados Unidos de América, Canadá, Liberia y otros países.

dolencia (al. *Leiden*, fr. *souffrance*, ingl. *ailment*, it. *sofferenza*). f. Indisposición, achaque, enfermedad.

doler (al. *schmerzen*, fr. *avoir mal à*, ingl. *to ache*, it. *dolere*). intr. Padecer dolor una parte del cuerpo, por causa interior o exterior. ‖ Causar repugnancia o sentimiento el hacer una cosa o pasar por ella. ‖ r. Arrepentirse de haber hecho una cosa y tomar pesar de ello. ‖ Compadecerse del mal que otro padece. ‖ Quejarse y explicar el dolor.

dolicocéfalo, la. adj. Dícese de la persona cuyo cráneo es de figura muy oval porque su diámetro mayor excede en más de un cuarto al menor.

doliente. adj. Enfermo. ‖ Dolorido, afligido.

dolmen. m. Monumento megalítico en forma de mesa, compuesto de lajas colocadas de plano sobre piedras verticales.

dolo. m. Engaño, fraude, simulación. ‖ DER. Voluntad de engañar o defraudar.

dolomita. f. Roca formada por carbonato doble de cal y magnesia.

dolor (al. *Schmerz*, fr. *douleur*, ingl. *pain*, it. *dolore*). m. Sensación molesta y aflictiva de una parte del cuerpo por causa interior o exterior. ‖ Sentimiento, pena y congoja que se padece en el ánimo. ‖ Pesar y arrepentimiento de haber hecho u omitido una cosa.

dolora. f. Breve composición poética de espíritu dramático que encierra un pensamiento filosófico.

dolorosa. f. Imagen de la Virgen María en acción de dolerse por la muerte de Cristo.

doloroso, sa. adj. Dícese de lo que causa o implica dolor físico o moral.

doloso, sa. adj. Engañoso, fraudulento.

dom. m. Título honorífico que se da a algunos religiosos cartujos, y benedictinos. Se usa antepuesto al apellido.

doma. f. Domadura de potros u otras bestias. ‖ fig. Represión de las pasiones e inclinaciones viciosas.

domador, ra (al. *Tierbändiger*, fr. *dompteur*, ingl. *tamer*, it. *domatore*). s. Que doma. ‖ Que exhibe y maneja fieras domadas.

domadura. f. Acción y efecto de domar.

domar (al. *bändigen*, fr. *dompter*, ingl. *to tame*, it. *domare*). tr. Sujetar, amansar y hacer dócil al animal a fuerza de ejercicio y enseñanza. ‖ fig. Sujetar, reprimir.

domeñar. tr. Someter, sujetar y rendir.

domesticación. f. Acción y efecto de domesticar.

domesticar. tr. Reducir, acostumbrar a la vista y compañía del hombre al animal fiero y salvaje. ‖ fig. Hacer tratable a una persona que no lo es; moderar la aspereza de carácter. Ú.t.c.r.

domesticidad. f. Calidad o condición de doméstico.

doméstico, ca (al. *Haus*, fr. *domestique*, ingl. *home*, it. *domestico*). adj. Perteneciente o relativo a la casa u hogar. ‖ Aplícase al animal que se cría en la compañía del hombre, a diferencia del que se cría salvaje. ‖ Dícese del criado que sirve en una casa. Ú.m.c.s. ‖ m. Ciclista que, en un equipo, tiene la misión de ayudar al corredor principal.

domiciliar. tr. Dar domicilio. ‖ r. Establecer, fijar su domicilio en un lugar.

domiciliario, ria. adj. Perteneciente o relativo al domicilio. ‖ s. El que tiene domicilio o está avecindado en un lugar.

domicilio (al. *Wohnung*, fr. *domicile*, ingl. *domicile*, it. *domicilio*). m. Morada fija y permanente. ‖ Casa en que uno habita o se hospeda.

dominación. f. Acción y efecto de dominar. ‖ Señorío que tiene sobre un territorio aquél que ejerce la soberanía. ‖ pl. TEOL. Espíritus bienaventurados que componen el cuarto coro.

dominador, ra. adj. Que domina o propende a dominar. Ú.t.c.s.

dominante. adj. Que domina. ‖ Aplícase a la persona que quiere avasallar a

otras. ‖ Que sobresale, prevalece o es superior entre otras cosas de su orden y clase.

dominar (al. *beherrschen*, fr. *dominer*, ingl. *to rule over*, it. *dominare*). tr. Tener dominio sobre cosas o personas. ‖ Sujetar, contener, reprimir. ‖ fig. Poseer a fondo una ciencia o arte. ‖ intr. Sobresalir.

domingada. f. Fiesta o diversión que se celebra el domingo.

domingo (al. *Sonntag*, fr. *dimanche*, ingl. *sunday*, it. *domenica*). m. Día de la semana que en la religión católica está dedicado especialmente al Señor y su culto.

dominguero, ra. adj. fam. Que se suele usar en el domingo. ‖ Aplícase a la persona que suele componerse y divertirse solamente los domingos y días de fiesta.

dominica. f. En lenguaje y estilo eclesiástico, domingo.

dominical. adj. Perteneciente a la dominica o al domingo.

dominicano, na. adj. Dominico. ‖ Natural de Santo Domingo. Ú.t.c.s. ‖ Perteneciente o relativo a la República Dominicana.

dominico, ca. adj. Dícese del religioso de la Orden de Santo Domingo. Ú.t.c.s. ‖ Perteneciente a esta orden.

dominio (al. *Herrschaft*, fr. *pouvoir*, *domaine*, ingl. *control*, it. *dominio*). m. Poder que uno tiene de usar y disponer libremente de lo suyo. ‖ Superioridad legítima sobre las personas. ‖ Tierra que un soberano o un Estado tiene bajo su dominación. Ú.m. en pl.

dominó. m. Juego que se hace con veintiocho fichas rectangulares, divididas en dos cuadrados, cada uno de los cuales lleva marcados de ninguno a seis puntos. ‖ Conjunto de las fichas empleadas en este juego.

domo. m. ARQ. Cúpula, bóveda en forma de media esfera.

don. m. Dádiva, presente o regalo. ‖ Gracia especial o habilidad para hacer una cosa. ‖ Tratamiento de respeto, hoy generalizado, que se antepone a los nombres masculinos de pila.

donación (al. *Schenkung*, fr. *donation*, ingl. *gift*, it. *donazione*). f. Acción y efecto de donar. ‖ DER. Acto por el que una persona transmite gratuitamente una cosa que le pertenece a otra que la acepta.

donador, ra. adj. Que hace donación, un don o presente. Ú.t.c.s.

donaire. m. Gracia en lo que se dice. ‖ Chiste o dicho gracioso. ‖ Gallardía, soltura del cuerpo para andar, danzar, etc.

donante. adj. Que dona. Ú.t.c.s.

donar. tr. Traspasar uno graciosamente a otro el derecho que tiene sobre una cosa.

donatario. m. Persona a quien se hace la donación.

donativo (al. *Gabe,* fr. *don,* ingl. *donation,* it. *dono*). m. Dádiva, regalo, cesión.

doncel. m. Joven noble que aún no estaba armado caballero. ‖ Hombre que no ha conocido mujer. ‖ adj. Dicho de ciertos frutos y productos, suave, dulce.

doncella. f. Mujer que no ha conocido varón. ‖ Criada que sirve cerca de la señora, o que se ocupa en los menesteres domésticos ajenos a la cocina.

doncellez. f. Estado de doncel o de doncella, virginidad.

donde (al. *wo,* fr. *où,* ingl. *where,* it. *dove*). adv. l. En qué lugar, o en el lugar en que. ‖ Toma a veces el carácter de pronombre relativo. ‖ Adonde.

dondequiera. adv. l. En cualquier parte.

dondiego. m. Bot. Planta nictagínea, con flores fragantes, blancas y encarnadas que se abren al anochecer y se cierran al salir el sol. ‖ — de día. Bot. Planta de la familia de las convolvuláceas, con flores de corolas azules con garganta blanca y fondo amarillo, que se abren con el día y se cierran al ponerse el sol.

donjuán. m. Tenorio. ‖ Bot. Dondiego.

donostiarra. adj. Natural de San Sebastián. Ú.t.c.s. ‖ Perteneciente a esta ciudad.

doña. f. Tratamiento de respeto que se aplica a las mujeres y se antepone a su nombre propio.

doquier. adj. l. Dondequiera.

doquiera. adv. l. Dondequiera.

dorada (al. *Goldbrassen,* fr. *dorade,* ingl. *gilt—head,* it. *orata*). f. Pez marino comestible, de color negro azulado y con una mancha dorada entre los ojos.

dorado, da (al. *vergoldet,* fr. *doré,* ingl. *gilt,* it. *dorato*). adj. De color de oro o semejante a él. ‖ fig. Esplendoroso, feliz. ‖ m. Pez acantopterigio, comestible, con el cuerpo muy deprimido, cola profundamente bifurcada y colores vivos con reflejos dorados. ‖ pl. Conjunto de adornos metálicos o de objetos de latón.

doral. m. Zool. Pájaro, variedad de papamoscas, de color amarillo rojizo.

dorar (al. *vergolden,* fr. *dorer,* ingl. *to gild,* it. *dorare*). tr. Cubrir con oro la superficie de una cosa. ‖ Dar el color del oro a una cosa. ‖ fig. Encubrir con apariencia agradable las acciones malas o las noticias desagradables. ‖ fig. Tostar ligeramente una cosa de comer. ‖ r. Tomar color dorado.

dórico, ca. adj. Estilo arquitectónico de la antigua Grecia, caracterizado por la sencillez y pureza de sus líneas y la ausencia de adornos. ‖ m. Uno de los principales dialectos del griego antiguo.

dorífora. f. Zool. Insecto coleóptero originario de América del Norte, muy perjudicial para la patata y en general para las plantas solanáceas.

dormida. f. Acción de dormir. ‖ Estado por el que pasa cuatro veces el gusano de seda que nace hasta que se encierra en el capullo. ‖ *Amer.* Lugar donde se pernocta.

dormilón, na. adj. fam. Muy propenso a dormir. Ú.t.c.s.

dormilona. f. Butaca para dormir la siesta.

dormir (al. *schlafen,* fr. *dormir,* ingl. *to sleep,* it. *dormire*). intr. Hallarse en estado de reposo con suspensión de los sentidos y de todo movimiento voluntario. Ú.t.c.r. ‖ Pernoctar. ‖ fig. Sosegarse lo que estaba inquieto y alterado. ‖ r. fig. Descuidarse, obrar con poca solicitud. ‖ fig. Adormecerse un miembro.

dormitar. intr. Estar medio dormido.

dormitivo, va. adj. Farm. Dícese del medicamento que sirve para conciliar el sueño. Ú.t.c.s.m.

dormitorio. m. Habitación que se amuebla para poder dormir en ella. ‖ Conjunto de muebles que la misma incluye.

dornago. m. Especie de artesa pequeña.

dorsal. adj. Perteneciente o relativo al dorso, espalda o lomo.

dorso (al. *Rückseite,* fr. *revers,* ingl. *reverse,* it. *dorso*). m. Revés o espalda de una cosa.

dos. adj. Uno y uno. ‖ Segundo, que sigue en orden al primero. ‖ m. Signo o conjunto de signos que se representa con este número. ‖ *como dos y dos son cuatro.* expr. fig. y fam. con que se pondera la evidencia de alguna verdad.

doscientos, tas. adj. pl. Dos veces ciento. ‖ m. Conjunto de signos con que se representa este número.

dosel. m. Mueble que a cierta altura cubre o resguarda el sitial o el altar y que cae por detrás a modo de colgadura. ‖ Antepuerta o tapiz.

dosificación. f. Farm y Med. Determinación de la dosis de un medicamento.

dosificar. tr. Farm. y Med. Dividir o graduar la dosis de un medicamento. ‖ Graduar la cantidad de otras cosas.

dosis (al. *Dosis,* fr. *dose,* ingl. *dose,* it. *dosi*). f. Toma de medicina que se da al enfermo de una vez. ‖ fig. Porción de una cosa cualquiera.

dotación (al. *Ausstattung,* fr. *dotation,* ingl. *endowment,* it. *dotazione*).f. Acción y efecto de dotar. ‖ Aquello con que se dota. ‖ Conjunto de personas que tripulan un buque o se asignan a una unidad militar. ‖ Conjunto de individuos al servicio de un establecimiento público.

dotar (al. *ausstatten,* fr. *doter,* ingl. *to endow,* it. *dotare*). Constituir dote a la mujer que va a contraer matrimonio o a profesar en alguna orden religiosa. ‖ Señalar bienes para una fundación. ‖ fig. Adornar a uno la naturaleza con particulares dones. ‖ Asignar a una oficina, a un buque, etc., el número de empleados necesarios para el buen servicio.

dote (al. *Mitgift,* fr. *dot,* ingl. *dowry,* it. *dote*). amb. Caudal que con este título lleva la mujer cuando se casa. ‖ f. Prenda, cualidad apreciable de una persona.

dovela. f. Arq. Piedra labrada en forma de cuña para formar arcos, bóvedas, etc.

dracma. f. Moneda de plata de los antiguos griegos y romanos. ‖ Actual unidad monetaria de Grecia.

draconiano, na. adj. Relativo al legislador Dracón. ‖ fig. Aplícase a las leyes excesivamente severas.

draga. f. Máquina que se emplea para dragar. ‖ Barco que lleva esta máquina.

dragado. m. Acción y efecto de dragar.

dragaminas. m. Buque destinado a limpiar de minas el mar.

dragar. tr. Ahondar y limpiar con draga los puertos de mar, los ríos, etc.

dragomán. m. Intérprete.

dragón (al. *Drache,* fr. *dragon,* ingl. *drago,* it. *drago*). m. Animal fabuloso, al que se atribuye la figura de serpiente con patas y alas. ‖ Zool. Reptil del orden de los saurios que se caracteriza por las expansiones de su piel, que forma a los lados del abdomen una especie de paracaídas que ayuda a los saltos del animal. ‖ Bot. Planta perenne de jardín, de la familia de las escrofulariáceas, con flores de hermosos colores. ‖ Soldado que hacía el servicio a pie o a caballo alternativamente. ‖ n.p.m. Astr. Constelación boreal, de figura muy irregular y extensa, que rodea a la Osa Menor.

drama. m. Composición literaria en que se representa una acción de la vida con sólo el diálogo de los personajes que intervienen. ‖ Poema dramático de asunto lastimero. ‖ Género dramático. ‖ fig. Suceso de la vida real, capaz de interesar y conmover vivamente.

dramática. f. Arte que enseña a componer obras dramáticas. ‖ Poesía dramática, uno de los géneros en que se divide la poesía. [Sinón.: dramaturgia]

dramático, ca. adj. Perteneciente o relativo al drama. ‖ Propio, característico de la poesía dramática. ‖ Dícese del autor o actor de obras dramáticas. ‖ fig. Capaz de interesar y conmover vivamente.

dramatismo. m. Cualidad de dramático y especialmente el interés dramático.

dramatizar. tr. Dar forma y condiciones dramáticas. ‖ fig. Exagerar con efectos dramáticos.

dramaturgo. m. Autor dramático.

dramón. m. Drama terrorífico y de ínfima calidad.

drástico, ca. adj. Muy severo, extremado en el rigor. ‖ Farm. Dícese de los purgantes violentos.

drenaje. m. Acción y efecto de drenar.

drenar. tr. Avenar, desaguar. ‖ Med. Asegurar la salida de líquidos, generalmente anormales, de una herida, absceso o cavidad.

dríade. f. Mit. Ninfa de los bosques, cuya vida duraba lo que la del árbol a que se suponía unida.

driza. f. Mar. Cuerda o cabo con que se izan y arrían las vergas, las velas, las banderas, etc.

drizar. tr. Mar. Arriar o izar las vergas.

droga (al. Droge, fr. drogue, ingl. drug, it. droga). f. Nombre genérico de ciertas sustancias minerales, vegetales o animales que se emplean en la medicina, en la industria o en las bellas artes. ‖ Medicamento deprimente, narcótico o alucinógeno. ‖ Estupefaciente. ‖ fig. Embuste, mentira disfrazada de artificio.

drogadicto, ta. adj. Dícese de la persona habituada a las drogas. Ú.t.c.s.

drogar. tr. Administrar una droga, generalmente de manera ilícita. Ú.t.c.r.

droguería. f. Trato y comercio de drogas. ‖ Tienda en que se venden drogas.

droguero, ra. s. Persona que trata en drogas. ‖ Persona que se halla al frente de una droguería.

dromedario. m. Camélido rumiante muy parecido al camello, del cual se distingue por no tener más que una giba adiposa en el dorso.

droseráceas. f. pl. Bot. Familia de plantas fanerógamas herbáceas, con jugos ricos en pepsina, capaces de digerir insectos.

druida. m. Sacerdote de los antiguos galos y britanos.

drupa. f. Bot. Fruto de mesocarpio carnoso y endocarpio leñoso y una sola semilla, como el melocotón y la ciruela.

druso, sa. adj. Dícese del habitante de las cercanías del Líbano, que profesa una religión derivada de la mahometana. Ú.t.c.s. ‖ Perteneciente o relativo a los drusos.

dualidad. f. Condición de reunir dos caracteres distintos.

duba. f. Muro o cerca de tierra.

dubitable. adj. Dudable.

dubitación. f. Duda.

dubitativo, va. adj. Que implica o denota duda.

ducado (al. Herzogtum, fr. duché, ingl. duchy, it. ducato). m. Título o dignidad de duque. ‖ Territorio sobre que recaía este título o en que ejercía jurisdicción un duque. ‖ Moneda antigua de oro.

ducal. adj. Perteneciente o relativo al duque.

ducentésimo, ma. adj. Que sigue inmediatamente en orden al o a lo centésimo nonagésimo nono. ‖ Dícese de cada una de las doscientas partes iguales en que se divide un todo. Ú.t.c.s.

dúctil. adj. Aplícase a los metales que mecánicamente se pueden extender en alambres e hilos. ‖ Maleable. ‖ fig. Acomodaticio, condescendiente.

ductilidad. f. Calidad de dúctil.

ducha (al. Dusche, fr. douche, ingl. shower bath, it. doccia). f. Chorro de agua que se hace caer sobre el cuerpo en forma de lluvia para refrescarlo o limpiarlo. ‖ Aparato o dispositivo especial para ducharse y, por extensión, habitación o cuartito en que está instalado. ‖ Chorro de agua o de otro líquido que, con propósito medicinal, se dirige a una parte enferma del cuerpo.

duchar. tr. Dar una ducha. Ú.t.c.r.

ducho, cha. adj. Experimentado, diestro.

duda (al. Zweifel, fr. doute, ingl. doubt, it. dubbio). f. Indeterminación del ánimo entre dos juicios o dos decisiones. ‖ Cuestión que se propone para ventilarla o resolverla.

dudar (al. zweifeln, fr. douter, ingl. to doubt, it. dubitare). intr. Estar el ánimo perplejo y suspenso entre resoluciones y juicios contradictorios, sin decidirse por unos o por otros. ‖ tr. Dar poco crédito a una cosa que se oye.

dudoso, sa. adj. Que ofrece duda. ‖ Que tiene duda. ‖ Que es poco probable; que es inseguro o eventual.

duela. f. Cada una de las tablas que forman las paredes curvas de las pipas, cubas, barriles, etc. ‖ Zool. Gusano plano de forma ovalada que vive como parásito interno en los vertebrados.

duelo (al. Duell, fr. duel, ingl. duel, it. duello). m. Combate entre dos, a consecuencia de un reto o desafío. ‖ Dolor, lástima, aflicción o sentimiento. ‖ Demostraciones que se hacen para manifestar el sentimiento que se tiene por la muerte de alguien.

duende (al. Kobod, fr. lutin, ingl. elf, it. folleto). m. Espíritu que algunos creen que habita en algunas casas, molestando a los que entran en ellas. ‖ fig. Genio, cualidad de artista.

dueña. f. Mujer que tiene el dominio de una finca o de otra cosa. ‖ Nombre dado antiguamente a la señora de compañía.

dueño. m. El que tiene señorío o dominio sobre persona o cosa.

dula. f. Cada una de las porciones de tierra que por turno reciben riego de la misma acequia. ‖ Cada una de las porciones del terreno comunal o en rastrojera, donde por turno pacen los ganados de los vecinos de un pueblo.

dulcamara. f. Bot. Planta sarmentosa de la familia de las solanáceas, con tallos ramosos que crecen hasta dos o tres metros, hojas pecioladas, acorazonadas, y frutos en bayas rojas.

dulce (al. süss, fr. doux, ingl. sweet, it. dolce). adj. Que causa sensación suave y agradable al paladar, como la miel, el azúcar, etc. ‖ Que no es agrio o salobre comparado con otras cosas de la misma especie. ‖ Dícese del manjar que está insulso, falto de sal. ‖ fig. Grato, gustoso, apacible. ‖ fig. Naturalmente afable, complaciente, dócil. ‖ m. Manjar compuesto con azúcar.

dulcería. f. Confitería.

dulcificación. f. Acción y efecto de dulcificar.

dulcificar. tr. Volver dulce una cosa. Ú.t.c.r. || fig. Mitigar la acerbidad de una cosa.

dulcinea. f. fig. y fam. Mujer querida. || fig. Aspiración ideal de uno.

dulzaina. f. Instrumento musical de viento parecido a la chirimía.

dulzaino, na. adj. fam. Demasiado dulce, o que está dulce no debiendo estarlo.

dulzura. f. Calidad de dulce. || fig. Suavidad, deleite. || fig. Afabilidad, bondad.

duna (al. *Düne,* fr. *dune,* ingl. *down,* it. *duna*). f. Montículo de arena que el viento cambia de forma y de lugar en playas y desiertos.

dúo. m. Mús. Composición que se canta o se toca entre dos.

duodecimal. adj. Duodécimo. || Dícese de todo sistema aritmético cuya base es el número doce.

duodécimo, ma. adj. Que sigue inmediatamente en orden al o a lo undécimo. || Dícese de cada una de las doce partes iguales en que se divide un todo. Ú.t.c.s.

duodenal. adj. ANAT. Perteneciente o relativo al duodeno.

duodenitis. f. MED. Inflamación del duodeno.

duodeno. m. ANAT. Primera porción del intestino delgado, que comunica directamente con el estómago y remata en el yeyuno.

dúplica. f. DER. Escrito en que el demandado responde a la réplica del demandante.

duplicación. f. Acción y efecto de duplicar o duplicarse.

duplicado, da. adj. Doblado o repetido. || m. Segundo escrito que se expide del mismo tenor que el primero. || Ejemplar doble o repetido de una obra.

duplicar. tr. Hacer doble una cosa. Ú.t.c.r. || Multiplicar por dos una cantidad. || DER. Contestar el demandado a la réplica del demandante.

duplicidad. f. Calidad de doble. || Doblez, falsedad.

duplo, pla. adj. Que contiene un número dos veces exactamente. Ú.t.c.s.m.

duque (al. *Herzog,* fr. *duc,* ingl. *duke,* it. *duca*). m. Título de honor que designa a la nobleza más alta.

duquesa. f. Mujer del duque. || La que por sí posee título ducal.

duración. f. Acción y efecto de durar. || Tiempo que dura una cosa.

duradero, ra. adj. Dícese de lo que dura o puede durar mucho.

duraluminio. m. Aleación de aluminio con magnesio, cobre y manganeso, que tiene la dureza del acero.

duramadre. f. ANAT. Meninge de naturaleza fibrosa, la más extensa y gruesa de las tres que tienen los batracios, reptiles, aves y mamíferos.

duramáter. f. ANAT. Duramadre.

duramen. m. BOT. Parte más seca y compacta del tronco y ramas gruesas de un árbol.

durante. adj. Que dura. || Úsase con significado semejante al del adverbio *mientras.*

durar (al. *Dauern,* fr. *durer,* ingl. *to last,* it. *durare*). intr. Continuar siendo, obrando, sirviendo, etc. || Subsistir, permanecer.

duraznero. m. BOT. Árbol, variedad del melocotón, cuyo fruto es algo más pequeño.

durazno. m. Duraznero. || Fruto de este árbol.

dureza (al. *Härte,* fr. *dureté,* ingl. *hardness,* it. *durezza*). f. Calidad de duro. || MED. Tumor o callosidad que se hace en alguna parte del cuerpo. || MINERAL. Resistencia que opone un mineral a ser rayado por otro.

durillo. m. BOT. Arbusto de la familia de las caprifoliáceas, de flores blancas en ramilletes terminales y cuyos frutos son drupas azucaradas. || Cornejo.

durina. f. VET. Enfermedad contagiosa de las caballerías que se caracteriza por la tumefacción de los ganglios linfáticos, inflamación de los órganos genitales y parálisis general.

durmiente. m. Madero colocado horizontalmente y sobre el cual se apoyan otros. || *Amer.* Traviesa de la vía férrea. || adj. Que duerme. Ú.t.c.s.

duro, ra (al. *hart,* fr. *dur,* ingl. *hard,* it. *duro*). adj. Dícese del cuerpo que se resiste a ser labrado, cortado, comprimido o desfigurado. || fig. Fuerte, que soporta bien la fatiga. || fig. Excesivamente severo. || fig. Ofensivo y malo de tolerar. || fig. Cruel, insensible. || fig. Terco y obstinado. || fig. Tratándose del estilo, falto de suavidad, fluidez y armonía. || m. Moneda que vale cinco pesetas.

duunvirato. m. Dignidad y cargo de duunviro. || Tiempo que duraba. || Régimen político en que el gobierno estaba encomendado a duunviros.

duunviro. m. Nombre de diferentes magistrados de la antigua Roma.

dux. m. Príncipe o magistrado supremo en las antiguas repúblicas de Venecia y Génova.

e. f. Sexta letra del abecedario español y segunda de sus vocales. ‖ Dial. Signo de la proposición universal negativa. ‖ conj. copulat. Se usa en lugar de la *y* para evitar el hiato antes de las palabras que empiezan por *i* o *hi*, excepto en principio de interrogación o admiración, o cuando la palabra siguiente empieza por *y* o por la sílaba *hie*. ‖ prep. insep. que denota origen o procedencia, como en *emanar;* extensión o dilatación, como en *efundir.*

¡ea! interj. que se emplea para denotar alguna resolución de la voluntad, o para animar, estimular o excitar. Ú.t. repetida.

ebanista. (al. *Möbeltischler,* fr. *ébéniste,* ingl. *cabinetmaker,* it. *ebanista*). m. El que tiene por oficio trabajar en ébano o en otras maderas finas. [*Sinón.:* mueblista]

ebanistería. f. Taller de ebanista. ‖ Arte de ebanista. ‖ Conjunto de muebles y otras obras de ebanista.

ébano (al. *Ebenholz,* fr. *ébène,* ingl. *ebony,* it. *ebano*). m. Bot. Árbol exótico ebenáceo de tronco grueso y madera maciza, pesada y lisa, muy negra por el centro y blanquecina hacia la corteza. ‖ Madera de este árbol.

ebenáceo, a. adj. Bot. Dícese de árboles o arbustos intertropicales, angiospermos dicotiledóneos, de madera generalmente negra en el centro, dura y pesada, como el ébano. Ú.t.c.s. ‖ f. pl. Familia de estas plantas.

ebonita. f. Quím. Goma elástica vulcanizada, negra y muy dura, capaz de adquirir gran pulimento, que tiene numerosas aplicaciones en la industria.

ebriedad. f. Embriaguez.

ebrio, bria. adj. Embriagado, borracho. Ú.t.c.s. ‖ fig. Ciego, poseído con vehemencia por una pasión. [*Antón.:* sereno]

ebullición. f. Hervor, acción y efecto de hervir.

ebúrneo, a. adj. De marfil, o parecido a él.

eccehomo. m. Imagen de Jesucristo tal como fue presentado por Pilatos al pueblo. ‖ fig. Persona de aspecto lastimoso.

eccema. m. Med. Afección de la piel, caracterizada por vejiguillas muy espesas que forman manchas irregulares y rojizas, debidas a la acción de estímulos sobre tegumentos irritables.

eclampsia. f. Med. Enfermedad de carácter convulsivo.

eclecticismo. m. Fil. Escuela filosófica que procura conciliar las doctrinas que parecen mejores o más verosímiles, aunque procedan de diversos sistemas. ‖ fig. Modo de juzgar u obrar sin llegar a posiciones extremas.

ecléctico, ca. adj. Perteneciente o relativo al eclecticismo. ‖ Dícese de la persona que profesa las doctrinas de esta escuela, o que adopta un temperamento ecléctico. Ú.t.c.s.

eclesiástico, ca. adj. Perteneciente o relativo a la Iglesia. ‖ m. Clérigo, sacerdote. [*Sinón.:* cura]

eclipsar. tr. Astr. Causar un astro el eclipse de otro. ‖ fig. Oscurecer, deslucir. Ú.t.c.r. ‖ r. Astr. Ocurrir el eclipse de un astro. ‖ fig. Evadirse, ausentarse.

eclipse (al. *Verfinsterung,* fr. *éclipse,* ingl. *eclipse,* it. *eclisse*). m. Astr. Ocultación transitoria y total o parcial de un astro, o pérdida de su luz prestada, por interposición de otro cuerpo celeste. ‖ fig. Ausencia, evasión, desaparición transitoria de una persona o cosa. ‖ — *lunar.* El que ocurre por interposición de la Tierra entre la Luna y el Sol. ‖ — *solar.* El que ocurre por interposición de la Luna entre el Sol y la Tierra.

eclíptica. f. Astr. Trayectoria descrita por la Tierra en su movimiento anual de traslación alrededor del Sol. ‖ Círculo máximo de la esfera celeste sobre el cual se mueve aparentemente el Sol.

eclisa (fr. *éclisse*). f. Plancha metálica que une dos carriles sucesivos de una línea férrea.

eclosión. f. En lenguaje literario o técnico, acción de abrirse un capullo de flor o de crisálida. ‖ Fisiol. Acción de abrirse el ovario al tiempo de la ovulación para dar salida al óvulo. ‖ fig. Hablando de movimientos culturales o de otros fenómenos históricos, psicológicos, etc., aparición súbita de ellos.

eco (al. *Echo,* fr. *écho,* ingl. *echo,* it. *eco*). m. Repetición de un sonido reflejado por un cuerpo duro. ‖ Sonido que se percibe débil o confusamente. ‖ fig. El que, o lo que, imita o repite servilmente aquello que otro dice o que se dice en otra parte. ‖ fig. Lo que está notablemente influido por un antecedente o procede de él. ‖ *tener eco* una cosa. fig. Propagarse con aceptación.

ecología. f. Parte de la biología que estudia las relaciones existentes entre los organismos y el medio en que viven.

ecológico, ca. adj. Perteneciente o relativo a la ecología.

economato (al. *Konsumverein,* fr. *économat,* ingl. *cooperative store,* it. *economato*). m. Cargo de ecónomo. ‖ Almacén de artículos de primera necesidad en donde algunas personas pueden beneficiarse comprando a precios reducidos.

economía (al. *Wirtschaft,* fr. *économie,* ingl. *economy,* it. *economia*). f. Administración recta y prudente de los bienes. ‖ Riqueza pública, conjunto de ejercicios y de intereses económicos. ‖ Estructura o régimen de alguna organización o institución. ‖ Escasez o miseria. ‖ Buena distribución de fuerzas y medios para alcanzar un fin. ‖ Ahorro de trabajo, tiempo, dinero, etc. ‖ pl. Ahorros, cantidad economizada. ‖ Reducción de gastos en un presupuesto. ‖ — *política*. Ciencia que trata de la producción y distribución de riqueza. [*Sinón.*: crematística; gobierno. *Antón.*: despilfarro]

económico, ca. adj. Perteneciente o relativo a la economía. ‖ Miserable, mezquino. ‖ Poco costoso, que exige poco gasto. [*Sinón.*: crematístico, ahorrador]

economista (al. *Volkswirt*, fr. *économiste*, ingl. *economist*, it. *economista*). adj. Dícese del que está versado en economía, especialmente política. Ú.t.c.s.

economizar. tr. Ahorrar. ‖ Evitar o excusar algún trabajo, riesgo, etc. [*Antón.*: gastar]

ecónomo. adj. Dícese del cura que hace las veces del párroco. ‖ m. El que se nombra para administrar y cobrar las rentas de las piezas eclesiásticas que están vacantes o en depósito.

ectasia. f. MED. Estado de dilatación de un órgano hueco.

éctasis. f. Licencia poética que consiste en alargar la sílaba breve para la cabal medida del verso.

ectodermo. m. BIOL. Capa externa de las tres en que se disponen las células del blastodermo después de la segmentación.

ectomía. MED. Elemento compositivo que, pospuesto a otro referente a un órgano o parte de órgano, significa ablación quirúrgica o experimental de éstos.

ectoparásito, ta. adj. BIOL. Dícese del parásito que vive en la superficie de otro organismo, y del que sólo se pone en contacto con un animal o vegetal en el momento de absorber del cuerpo del huésped los jugos de que se alimenta; como el piojo y la sanguijuela. Ú.t.c.s. [*Antón.*: endoparásito]

ectopia. f. MED. Anomalía de situación de un órgano o aparato.

ectoplasma. m. Supuesta emanación material de un médium, con la que se dice que se forman apariencias de fragmentos orgánicos, seres vivos o cosas.

ecuación (al. *Gleichung*, fr. *équation*, ingl. *equation*, it. *equazione*). f. MAT. Igualdad que contiene una o más incógnitas. ‖ ASTR. Diferencia que hay entre el lugar o movimiento medio y el verdadero o aparente de un astro. ‖ — *determinada*. MAT. Aquella en que la incógnita tiene un número determinado de valores. ‖ — *indeterminada*. MAT. Aquella en que la incógnita puede tener un número ilimitado de valores. ‖ — *lineal*. MAT. La de primer grado con dos variables.

ecuador (al. *Äquator*, fr. *équateur*, ingl. *equator*, it. *equatore*). m. ASTR. Círculo máximo que se considera en la esfera celeste, perpendicular al eje de la Tierra. ‖ Círculo máximo que equidista de los polos de la Tierra. ‖ MAT. Paralelo de mayor radio en una superficie de revolución. ‖ — *galáctico*. Círculo máximo tomado en el medio de la Vía Láctea.

ecuánime. adj. Que tiene ecuanimidad. [*Sinón.*: imparcial, objetivo]

ecuanimidad (al. *Gleichmut*, fr. *égalité d'âme*, ingl. *equanimity*, it. *equanimità*). f. Igualdad y constancia de ánimo. ‖ Imparcialidad serena del juicio. [*Sinón.*: objetividad, serenidad. *Antón.*: parcialidad]

ecuatorial. adj. Perteneciente o relativo al Ecuador. ‖ ASTR. Dícese del dispositivo paraláctico con que pueden medirse coordenadas celestes. ‖ m. ASTR. Telescopio, refractor o reflector, dotado de montura ecuatorial.

ecuatoriano, na. adj. Natural del Ecuador. Ú.t.c.s. ‖ Perteneciente a esta república de América.

ecuestre (al. *ritterlich*, fr. *équestre*, ingl. *equestrian*, it. *equestre*). adj. Perteneciente o relativo al caballero, o a la orden y ejercicio de la caballería. ‖ Perteneciente o relativo al caballo. [*Sinón.*: hípico, equino]

ecuménico, ca. adj. Universal, que se extiende a todo el orbe.

eczema. m. Eccema.

echacuervos. m. fam. Alcahuete. ‖ fam. Hombre embustero y despreciable.

echar (al. *werfen*, fr. *jeter*, ingl. *to cast*, it. *gettare*). tr. Hacer que una cosa vaya a parar a alguna parte, dándole impulso. ‖ Despedir de sí una cosa. ‖ Hacer que una cosa caiga en sitio determinado. ‖ Hacer salir a uno de algún lugar; apartarle con violencia. ‖ Deponer a uno de su empleo o dignidad. ‖ Brotar y arrojar las plantas sus raíces, hojas, flores y frutos. Ú.t.c. intr. ‖ Salirle a una persona, o a un irracional, cualquier elemento natural de su cuerpo. ‖ Juntar los animales machos con las hembras para la generación. ‖ fam. Con las palabras *un bocado, un trago* y alguna otra, comer o beber alguna cosa. Ú.t.c.r. ‖ Poner, aplicar. ‖ Tratándose de llaves, cerrojos, etc., darles el movimiento necesario para cerrar. ‖ Inclinar, reclinar o recostar. ‖ Dar, entregar, repartir, en frases como *echar las cartas, echar de comer.* ‖ Tratándose de comedias u otros espectáculos, representar o ejecutar. ‖ Pronunciar, decir, proferir. ‖ Junto con las voces *abajo, en tierra* o *por tierra*, etc., derribar, arruinar, asolar. ‖ r. Arrojarse, tirarse. ‖ Tenderse a lo largo del cuerpo. ‖ *echar de menos*. Notar la falta de una persona o cosa. Tener sentimiento o pena por esa falta. ‖ *echarlo todo a rodar*. fig. y fam. Desbaratar un negocio. ‖ *echar uno por alto* una cosa. fig. Menospreciarla; malgastarla, desperdiciarla. ‖ *echarse a perder*. Perder su buen sabor una bebida, vianda, etc.; decaer una persona de las prendas y virtudes que tenía. [*Sinón.*: expulsar, arrojar; recostarse. *Antón.*: recoger; levantarse]

echarpe (fr. *écharpe*). m. Especie de chal angosto y largo que se lleva sobre los hombros.

edad (al. *Alter*, fr. *âge*, ingl. *age*, it. *età*). f. Tiempo que una persona ha vivido, desde que nació. ‖ Duración de las cosas materiales. ‖ Cada uno de los períodos en que se considera dividida la vida humana. ‖ Gran período de tiempo en que, desde diversos puntos de vista, se considera dividida la historia. ‖ Edad madura. ‖ — *adulta*. Aquella en que el organismo alcanza su completo desarrollo. ‖ — *antigua*. Época de la historia que comprende hasta el fin del Imperio romano. ‖ — *avanzada*. Ancianidad. ‖ — *contemporánea*. La edad histórica más reciente, que empieza a finales del siglo XVIII. ‖ — *crítica*. Se llama en la mujer al período de la menopausia. ‖ — *del bronce*. Período de la edad de los metales posterior a la del cobre y anterior a la del hierro. ‖ — *del cobre*. Primer período de la edad de los metales. ‖ — *del hierro*. Último período de la edad de los metales. ‖ — *de los metales*. Edad prehistórica que siguió a la edad de piedra, y en la cual el hombre empezó a hacer uso de los metales. ‖ — *del pavo*. fig. La del muchacho o muchacha que al entrar en la adolescencia muestra timidez y falta de aplomo. ‖ — *de piedra*. Período prehistórico anterior al conocimiento del uso de los metales. ‖ — *madura*. La de la persona que ha alcanzado su plenitud vital y todavía no ha llegado a la vejez. ‖ — *media*. Tiempo transcurrido desde el siglo V de

la era vulgar hasta fines del siglo xv. ||
— moderna. Tiempo posterior a la edad
media, que comprende hasta fines del
siglo XVIII. || — temprana. Juventud. ||
mayor edad. Aquella que, según la ley,
ha de tener una persona para poder disponer de sí, gobernar su hacienda, etc.

edáfico, ca. adj. Perteneciente o relativo al suelo, especialmente en lo que
respecta a la vida de las plantas.

edafología. f. Ciencia que trata de la
naturaleza y condiciones del suelo, en
su relación con las plantas.

edafólogo, ga. s. Persona que profesa la edafología.

edecán. m. MIL. Ayudante de
campo. || fig. y fam. Auxiliar, acompa-
ñante, correveidile.

edelweis (voz alemana). f. BOT.
Planta herbácea de la familia de las
compuestas. Vive en altas cumbres,
pero tiende a desaparecer.

edema. m. MED. Hinchazón blanda
ocasionada por la serosidad infiltrada
en el tejido celular.

edén. m. Paraíso terrestre. || fig.
Lugar muy ameno y delicioso.

edición (al. Auflage, Ausgabe; fr.
édition; ingl. edition; it. edizione). f.
Impresión de una obra o escrito para
su publicación. || Conjunto de ejem-
plares de una obra impresos de una
sola vez sobre el mismo molde. || —
príncipe. La primera.

edicto (al. Edikt; fr. édit; ingl. edict,
proclamation; it. edittot). m. Decreto. ||
Escritos que se fijan en lugares públicos, y en los cuales se da noticia de
alguna cosa para que sea notoria a
todos. || DER. Publicación que un juez
ordena insertar en un diario privado u
oficial con objeto de citar, emplazar o
notificar a una persona.

edículo. m. Edificio pequeño. || Tem-
plete que se utiliza como tabernáculo,
relicario, etc.

edificación. f. Acción y efecto de edificar.

edificante. p. a. de edificar. || adj.
Que edifica o incita a la virtud. [Sinón.:
ejemplar]

edificar (al. bauen, fr. édifier, ingl. to
build, it. edificare). tr. Hacer un edificio
o mandarlo construir. || fig. Infundir en
otros sentimientos de piedad o virtud.

edificio (al. Gebäude; fr. édifice; ingl.
building, edifice; it. edificio). m. Obra
construida para habitación o para
otros usos.

edil (al. Aedil, fr. édile, ingl. edile, it.
edile). m. Magistrado que en la antigua
Roma ejercía el cargo de inspector de
obras públicas y cuidaba de la policía
de la ciudad. || Concejal, miembro de
un ayuntamiento.

editar (al. herausgeben, fr. éditer,
ingl. to publish, it. stampare). tr. Publicar en la imprenta o por otro medio.

editor, ra (al. Verleger, fr. éditeur,
ingl. publisher, it. editore). adj. Que edi-
ta. || s. Persona que saca a la luz pública
una obra, por lo general ajena. || Perso-
na que prepara un texto ajeno siguiendo criterios filológicos.

editorial (al. Leitartikel, fr. éditorial,
ingl. editorial, it. editoriale). adj. Perteneciente o relativo a editores o edicio-
nes. || m. Artículo de fondo no firmado.
|| f. Empresa editora.

editorialista. com. Escritor encargado de los artículos de fondo.

edrar. tr. AGR. Binar, hacer la segunda cava o arada a las tierras.

edredón. m. Plumón de ciertas aves
septentrionales. || Almohadón, relleno
ordinariamente de esta clase de plumón, que se emplea como cobertor.

educación (al. Erziehung, fr. éduca-
tion, ingl. education, it. educazione). f.
Acción y efecto de educar. || Crianza,
enseñanza y doctrina que se da a los
niños y a los jóvenes. || Cortesía, urba-
nidad. || Desarrollo de las facultades fí-
sicas, intelectuales y morales. [Sinón.:
instrucción, formación; corrección.
Antón.: ineducación; descortesía]

educado, da. adj. Que tiene buena
educación. [Sinón.: correcto, cortés]

educador, ra. adj. Que educa.
Ú.t.c.s.

educando, da. adj. Que está recibien-
do educación, y especialmente dícese
del que se educa en un colegio. Ú.m.c.s.
[Sinón.: colegial, escolar, estudiante]

educar (al. erziehen, fr. élever, ingl.
to educate, it. educare). tr. Dirigir,
encaminar, doctrinar. || Desarrollar o
perfeccionar las facultades intelectuales y morales del niño o del joven
por medio de preceptos, ejercicios,
ejemplos, etc. || Desarrollar las fuerzas
físicas por medio del ejercicio. || Perfec-
cionar, afinar los sentidos. || Enseñar
los buenos usos de urbanidad y cortesía. [Sinón.: instruir, ilustrar]

educativo, va. adj. Perteneciente o
relativo a la educación. || Dícese de lo
que educa o sirve para educar.

educción. f. Acción y efecto de educir.

educir. tr. Sacar una cosa de otra,
deducir.

edulcoración. f. Acción y efecto de
edulcorar.

edulcorante. adj. Que edulcora. || m.
Sustancia que edulcora los alimentos o
medicamentos.

edulcorar. tr. FARM. Endulzar con
sustancias naturales o sintéticas cualquier producto de sabor desagradable
o insípido.

efe. f. Nombre de la letra f.

efebo. m. Muchacho, adolescente.

efectismo. m. Calidad de efectista. ||
Procedimiento empleado para impresionar fuertemente el ánimo.

efectista. adj. Dícese del que busca
ante todo producir fuerte efecto o
impresión en el ánimo, y también de la
obra, procedimiento o recurso en que
se manifiesta esta tendencia.

efectividad. f. Calidad de efectivo.

efectivo, va (al. wirklich, fr. effectif,
ingl. effective, it. effettivo). adj. Real y
verdadero, en oposición a lo quimérico,
dudoso o nominal. || Dícese del empleo
o cargo de plantilla, en contraposición
al interino o al honorífico. || m. Dinero
contante o dinero efectivo. || m. pl.
Fuerzas militares. [Sinón.: existente,
positivo; numerario.]

efecto (al. Wirkung, fr. effet, ingl.
effect, it. effetto). m. Lo que se sigue por
virtud de una causa. || Impresión hecha
en el ánimo. || Fin para el que se hace
una cosa. || Artículo de comercio. ||
Documento o valor mercantil. || En
algunos juegos, movimiento giratorio
que se hace tomar a la bola o esférico
golpeándolos lateralmente. || pl. Bienes,
muebles, enseres. || — públicos. Docu-
mentos de crédito emitidos por el Estado u otros organismos oficiales y que
son negociables en Bolsa. || como, o en,
efecto. m. adv. Efectivamente, en realidad, de verdad. En conclusión, así que.
|| hacer efecto. Surtir efecto. Parecer
muy bien, deslumbrar con su aspecto
o presentación. || llevar a efecto. Ejecu-
tar, poner en obra un proyecto, un pen-
samiento, etc. || surtir efecto. Dar una
cosa el resultado que se deseaba.

efectuar (al. bewirken, ausführen; fr.
effectuer; ingl. to effect, to carry out; it.
effettuare). tr. Ejecutar una cosa. || r.
Cumplirse, hacerse efectiva una cosa.
[Sinón.: hacer; realizar, consumar]

efélide. f. Peca.

efeméride. f. Acontecimiento notable que se recuerda en cualquier aniver-
sario del mismo. || Conmemoración de
dicho aniversario.

efemérides. f. pl. Libro o comentario
en que se refieren los hechos de cada
día. || Sucesos notables ocurridos en
diferentes épocas, pero un número

exacto de años antes de un día determinado.

efémero. m. Lirio hediondo.

efendi. m. Título honorífico usado entre los turcos.

eferente. adj. Que lleva. ‖ ANAT. Dícese del vaso conductor de la sangre que sale de un órgano determinado. [*Antón.*: aferente]

efervescencia. f. Desprendimiento de burbujas gaseosas a través de un líquido. ‖ Hervor de la sangre. ‖ fig. Agitación, acaloramiento de los ánimos.

efervescente. adj. Que está o puede estar en efervescencia.

efesio, sia. adj. Natural de Éfeso. Ú.t.c.s. ‖ Perteneciente a esta antigua ciudad de Asia Menor.

eficacia (al. *Wirksamkeit*, fr. *efficacité*, ingl. *efficacy*, it. *efficacia*). f. Virtud, actividad, fuerza y poder para obrar. [*Sinón.*: eficiencia. *Antón.*: ineficacia]

eficaz (al. *wirksam*, fr. *efficace*, ingl. *efficient*, it. *efficace*). adj. Activo, decidido en el obrar. ‖ Que logra hacer efectivo un intento o propósito.

eficiencia (al. *Wirksamkeit*, fr. *efficacité*, ingl. *efficiency*, it. *efficienza*). f. Virtud y facultad para lograr un efecto determinado. ‖ Acción con que se logra este efecto. [*Sinón.*: eficacia]

eficiente. adj. Que tiene eficiencia.

efigie (al. *Bildnis*, fr. *effigie*, ingl. *image*, it. *effigie*). f. Imagen, representación de una persona real y verdadera. ‖ fig. Personificación, representación viva de una cosa ideal.

efímero, ra (al. *ephemer*, fr. *éphémère*, ingl. *ephemeral*, it. *effimero*). adj. Que tiene la duración de un solo día. ‖ Pasajero, de corta duración. [*Sinón.*: fugaz. *Antón.*: duradero]

eflorecerse. r. QUIM. Ponerse en eflorescencia un cuerpo.

eflorescencia. f. MED. Erupción aguda o crónica, de color rojo subido, que se presenta en varias regiones del cuerpo y en particular en el rostro. ‖ QUIM. Destrucción del retículo cristalino de un cuerpo por pérdida de su agua de cristalización.

efluvio. m. Emisión de partículas sutilísimas. ‖ Emanación, irradiación en lo material.

efugio. m. Evasión, salida, recurso para sortear una dificultad.

efundir. tr. p. us. Verter un líquido.

efusión (al. *Ausgiessung*, fr. *effusion*, ingl. *effusion*, it. *effusione*). f. Derramamiento de un líquido, y más comúnmente de la sangre. ‖ fig. Expansión e intensidad en los afectos generosos o alegres del ánimo. [*Sinón.*: vertimiento; vehemencia, entusiasmo]

efusivo, va. adj. fig. Que siente o manifiesta efusión. [*Sinón.*: vehemente, expansivo]

egarense. adj. Natural de la antigua Egara, hoy Tarrasa. Ú.t.c.s. ‖ Perteneciente a esta comarca.

égida o **egida** (al. *Aegide*, fr. *égide*, ingl. *aegis*, it. *egida*). f. Piel de la cabra Amaltea, adornada con la cabeza de Medusa, que es atributo con que se representa a Júpiter y a Minerva. ‖ Por ext., escudo, arma defensiva. ‖ fig. Protección, defensa. [*Sinón.*: coraza, defensa; tutela]

egipcíaco, ca o **egipciaco, ca.** adj. Egipcio. Apl. a pers., Ú.t.c.s. ‖ Dícese de un ungüento de miel, cardenillo y vinagre que se usaba como cauterio.

egipcio, cia. adj. Natural u oriundo de Egipto. Ú.t.c.s. ‖ Perteneciente a este país de África. ‖ m. Idioma egipcio.

egiptología. f. Estudio de las antigüedades de Egipto.

egiptólogo, ga. s. Persona versada en egiptología.

égloga. f. Composición poética de género bucólico.

egocéntrico, ca. adj. Dícese del que practica el egocentrismo y de lo relativo a esta actitud.

egocentrismo (al. *Selbstsucht*, fr. *égocentrisme*, ingl. *egocentricity*, it. *egocentrismo*). m. Exagerada exaltación de la propia personalidad, hasta considerarla como centro de la atención y actividad generales.

egofonía. f. MED. Resonancia especial de la voz que se percibe al auscultar el tórax de los enfermos con derrame de la pleura.

egoísmo (al. *Selbstsucht*, fr. *égoïsme*, ingl. *selfishness*, it. *egoismo*). m. Inmoderado y excesivo amor que uno tiene a sí mismo y que le hace atender desmedidamente a su propio interés. ‖ Acto sugerido por esta condición personal. [*Sinón.*: egolatría]

egoísta. adj. Que tiene egoísmo. Ú.t.c.s.

ególatra. adj. Que profesa la egolatría.

egolatría. f. Culto, adoración, amor excesivo de sí mismo.

egotismo. m. Afán de hablar uno de sí mismo o de afirmar la propia personalidad.

egregio, gia. adj. Insigne, ilustre.

egresado, da. p. p. de egresar. ‖ s. *Amer.* Persona que sale de un estableci-miento docente después de haber terminado sus estudios.

egresar. tr. Salir de alguna parte.

egreso. m. Salida, partida de descargo. ‖ *Amer.* Garto. ‖ *Amer.* Acción y efecto de egresar.

¡eh! interj. que se emplea para preguntar, llamar, despreciar, reprender o advertir.

eider. m. Ave palmípeda, parecida a un pato, que pasa el invierno en las costas del norte de Europa y tiene un plumón finísimo que se emplea para rellenar almohadones.

eje (al. *Achse*; fr. *axe*; ingl. *shaft*, *axis*; it. *asse*). m. Pieza, generalmente cilíndrica, alrededor de la cual giran uno o más cuerpos que pueden ser solidarios o no con ella. ‖ Barra horizontal que, dispuesta perpendicularmente a la línea de tracción, une dos ruedas opuestas de un carruaje. ‖ Línea que divide por la mitad el ancho de una calle, camino u otra cosa semejante. ‖ fig. Idea fundamental de un raciocinio; tema predominante en un escrito o discurso; sostén principal de una empresa; designio final de una conducta. ‖ MAT. Recta alrededor de la cual se considera que gira una línea para engendrar una superficie, o una superficie para engendrar un sólido. ‖ MAT. Diámetro principal de una curva. ‖ — *celeste.* ASTR. Prolongación del eje terrestre, alrededor del cual los astros giran en su movimiento aparente. ‖ — *de simetría.* MAT. Línea que divide una figura en dos partes simétricas. ‖ — *terrestre.* Recta imaginaria que pasa por los polos y alrededor de la cual gira la Tierra.

ejecución (al. *Ausführung*, fr. *exécution*, ingl. *execution*, it. *esecuzione*). f. Acción y efecto de ejecutar. ‖ Manera de ejecutar o hacer una cosa. ‖ DER. Procedimiento judicial con embargo y venta de bienes para pago de deudas. [*Sinón.*: cumplimiento; consumación]

ejecutar (al. *ausführen*, fr. *exécuter*, ingl. *to execute*, it. *eseguire*). tr. Poner por obra una cosa. ‖ Ajusticiar. ‖ Desempeñar con arte y facilidad una cosa. ‖ DER. Reclamar una deuda por vía o procedimiento ejecutivos. [*Sinón.*: realizar, efectuar]

ejecutivo, va (al. *aussübend*, fr. *exécutif*, ingl. *executive*, it. *esecutivo*). adj. Que no da espera ni permite que se difiera el tiempo de ejecución. ‖ Que ejecuta. ‖ s. Miembro de la dirección de una empresa comercial. ‖ f. Junta directiva de una corporación o sociedad.

ejecutor, ra. adj. Que ejecuta o hace una cosa. [*Sinón.*: ejecutante]

ejecutoria. f. Título o diploma en el que consta legalmente la nobleza de una persona o familia. || fig. Timbre, acción que ennoblece. || DER. Sentencia que alcanzó la firmeza de cosa juzgada; despacho que es trasunto o comprobante de ella.

¡ejem! interj. con que se llama la atención o se deja en suspenso el discurso.

ejemplar (al. *exemplar*, fr. *exemplaire*, ingl. *exemplary*, it. *esemplare*). adj. Que sirve de ejemplo o que merece ser puesto como ejemplo. || m. Original, prototipo, norma representativa. || Cada uno de los escritos, impresos, grabados, etc., sacados de un mismo original o modelo. || Cada uno de los individuos de una especie o de un género. || Cada uno de los objetos de diverso género que forman una colección científica. [*Sinón.*: tipo, paradigma; pauta]

ejemplaridad. f. Calidad de ejemplar.

ejemplificar. tr. Demostrar, ilustrar o autorizar con ejemplos.

ejemplo (al. *Beispiel*, fr. *exemple*, ingl. *example*, it. *esempio*). m. Caso, hecho o conducta que se propone para que se imite y siga, siendo bueno, o para que se evite, siendo malo. || Acción o conducta de uno, que puede mover a otros a que la imiten. || Hecho, texto o cláusula que se cita para comprobar, ilustrar o autorizar un aserto, doctrina u opinión. || *dar ejemplo*. Excitar con las propias obras la imitación de los demás. || *por ejemplo*. expr. de que se usa cuando se va a poner un ejemplo. [*Sinón.*: modelo, paradigma]

ejercer (al. *ausüben*, fr. *exercer*, ingl. *to perform*, it. *esercitare*). tr. Practicar los actos propios de un oficio, facultad, virtud, etc. Ú.t.c.intr. [*Sinón.*: actuar]

ejercicio (al. *Übung*, fr. *exercice*, ingl. *exercise*, it. *esercizio*). m. Acción de ejercitarse u ocuparse en una cosa. || Acción y efecto de ejercer. || Paseo u otro esfuerzo corporal para conservar la salud o recobrarla. || Tiempo durante el cual rige una ley de presupuestos. || Cada una de las pruebas a que se somete el opositor a cátedras, el examinando en centros docentes, el que interviene en competiciones deportivas, etc. || Trabajo intelectual que sirve de práctica a las reglas establecidas en una lección. || MIL. Movimientos y evoluciones que realizan los soldados para adies-

trarse. || pl. Ejercicios espirituales. || *ejercicios espirituales*. REL. Los que para fortalecer el alma se practican por algunos días, retirándose de las ocupaciones del mundo y dedicándose a la oración y penitencia. [*Sinón.*: actuación, práctica; maniobra. *Antón.*: inactividad]

ejercitación. f. Acción de ejercitarse o de emplearse en hacer alguna cosa.

ejercitar (al. *ausüben*, fr. *exercer*, ingl. *to exercise*, it. *esercitare*). tr. Dedicarse al ejercicio de un arte, oficio o profesión. || Hacer que uno aprenda una cosa mediante la enseñanza, ejercicio y práctica de ella. || r. Repetir muchos actos para adiestrarse en la ejecución de una cosa. [*Sinón.*: actuar, ejercer.]

ejército (al. *Heer*, fr. *armée*, ingl. *army*, it. *esercito*). m. Multitud de soldados unida en un cuerpo a las órdenes de un general. || Conjunto de las fuerzas armadas de una nación. || Gran unidad integrada por varios cuerpos de ejército. || fig. Colectividad numerosa organizada para la realización de un fin.

ejido. m. Campo común de un pueblo donde suelen reunirse los ganados o establecerse las eras.

ejote. m. *Amer.* Vaina del fríjol cuando está tierna.

el. art. determinado en gén. m. y núm. sing.

él (al. *er*, fr. *il*, ingl. *he*, it. *egli*). pron. pers. de 3ª persona en gén. m. y núm. sing.

elaboración. f. Acción y efecto de elaborar. [*Sinón.*: realización, preparación]

elaborar (al. *ausarbeiten*, fr. *élaborer*, ingl. *to elaborate*, it. *elaborare*). tr. Preparar un producto por medio del trabajo adecuado. [*Sinón.*: fabricar, producir]

elástica. f. Prenda interior de punto. || Camiseta deportiva.

elasticidad (al. *Elastizität*, fr. *élasticité*, ingl. *elasticity*, it. *elasticità*). f. Calidad de elástico. || FIS. Propiedad general de la materia, consistente en una resistencia de la misma a los cambios, tendiendo a recuperar la forma primitiva cuando cesa la causa que producía la deformación.

elástico, ca (al. *elastisch*, fr. *élastique*, ingl. *elastic*, it. *elastico*). adj. Dícese del cuerpo que presenta notable elasticidad. || fig. Acomodaticio, que puede ajustarse a diversas circunstancias. || m. Tejido que tiene elasticidad y se pone en algunas prendas de vestir para

que ajusten o den de sí. || pl. Los tirantes para sujetar el pantalón.

elayómetro. m. Instrumento para medir la cantidad de aceite que contiene una substancia oleaginosa.

ele. f. Nombre de la letra *l*.

eleático, ca. adj. Natural de Elea. Ú.t.c.s. || Concerniente a esta ciudad de la Italia antigua.

eléboro. m. BOT. Género de plantas de la familia de las ranunculáceas. || — *negro*. BOT. Planta ranunculácea cuya raíz es fétida, amarga y muy purgante.

elección (al. *Wahl*, fr. *élection*, ingl. *election*, it. *elezione*). f. Acción y efecto de elegir. || Nombramiento de una persona, normalmente por votación, para algún cargo, comisión, etc. || Deliberación, libertad para obrar.

electivo, va. adj. Que se hace o se da por elección.

electo, ta. p. p. irreg. de elegir. || m. El elegido o nombrado para una dignidad, empleo, etc., mientras no toma posesión del cargo.

elector, ra. adj. Que elige o tiene potestad o derecho de elegir. Ú.t.c.s. || m. Cada uno de los príncipes de Alemania a quienes correspondía la elección y nombramiento del emperador.

electorado. m. Conjunto de electores.

electoral. adj. Concerniente a la dignidad de elector. || Relativo a electores o elecciones.

electricidad (al. *Elektrizität*, fr. *électricité*, ingl. *electricity*, it. *elettricità*). f. FIS. Nombre dado a una de las formas de energía debida a la separación o movimiento de ciertas partes constituyentes del átomo, llamadas electrones, y que se produce por frotamiento de dos cuerpos o por una acción mecánica, calorífica, etc.

electricista (al. *Elektriker*, fr. *électricien*, ingl. *electrician*, it. *elettricista*). adj. Perito en aplicaciones de la electricidad. Ú.t.c.s. || Obrero que construye, monta e instala los aparatos eléctricos. Ú.t.c.s.

eléctrico, ca. adj. Que tiene, comunica o se beneficia de la electricidad. || Perteneciente a ella.

electrificación. f. Acción y efecto de electrificar.

electrificar. tr. Transformar una instalación para que pueda beneficiarse de la electricidad. || Proveer de electricidad un país, una zona, etc.

electrización. f. Acción y efecto de electrizar o electrizarse.

electrizar (al. *elektrisieren*, fr. *élec-*

triser, ingl. *to electrify*, it. *elettrizzare*). tr. Comunicar o producir la electricidad en un cuerpo. Ú.t.c.r. ‖ fig. Exaltar, inflamar los ánimos. Ú.t.c.r. [*Sinón.*: electrificar; animar, entusiasmar]

electroacústica. f. Fís. Parte de la física que estudia las relaciones existentes entre los fenómenos eléctricos y los sonoros.

electrocardiografía. f. Med. Registro gráfico de las corrientes eléctricas que se producen al contraerse el músculo cardíaco.

electrocardiógrafo. m. Aparato que registra las corrientes eléctricas emanadas del músculo cardíaco.

electrocardiograma. m. Med. Gráfico obtenido en la electrocardiografía.

electrocución. f. Acción y efecto de electrocutar.

electrocutar (al. *durch Elektrizität hinrichten*, fr. *électrocuter*, ingl. *to electrocute*, it. *elettrocutare*). tr. Matar por medio de una descarga eléctrica. Ú.t.c.r.

electrodinámica. f. Parte de la física que estudia los fenómenos y las leyes de las cargas eléctricas en movimiento.

eléctrodo o **electrodo** (al. *Elektrode*, fr. *électrode*, ingl. *electrode*, it. *elettrodo*). m. Electr. Cada uno de los conductores que ponen en comunicación los polos de un electrólito con el circuito. ‖ Por ext., elemento terminal de un circuito.

electrodoméstico. m. Cualquiera de los aparatos eléctricos que se usan en el hogar, como la lavadora, el aspirador, etc. Ú.t.c. adj.

electroencefalografía. f. Med. Registro gráfico y estudio de las oscilaciones de potencial producidas en las neuronas del encéfalo.

electroencefalograma. m. Med. Gráfico obtenido en la electroencefalografía.

electrógeno, na. adj. Que engendra electricidad. ‖ m. Generador eléctrico.

electroimán (al. *Elektromagnet*, fr. *électro—aimant*, ingl. *electromagnet*, it. *elettromagnete*). m. Fís. Imán artificial constituido por un núcleo de naturaleza férrica y un material conductor, que abarca total o parcialmente el núcleo, enrollado en torno a él.

electrólisis (al. *Elektrolyse*, fr. *électrolyse*, ingl. *electrolysis*, it. *elettrolisi*). f. Quím. y Fís. Descomposición química de un cuerpo producida por la electricidad.

electrolítico, ca. adj. Perteneciente o relativo a la electrólisis.

electrólito. m. Quím. Cuerpo que se somete a electrólisis.

electrolizar. tr. Fís. Descomponer un cuerpo por electrólisis.

electromagnetismo (al. *Elektromagnetismus*, fr. *électromagnétisme*, ingl. *electromagnetism*, it. *elettromagnetismo*). m. Fís. Parte de la física que estudia las acciones mutuas entre los campos eléctricos y magnéticos.

electrometría. f. Fís. Parte de la física que estudia la medición de la intensidad eléctrica.

electrómetro. m. Fís. Instrumento que mide la cantidad de electricidad que tiene cualquier cuerpo.

electromotor, ra. adj. Fís. Dícese de toda máquina en que la energía eléctrica se transforma en trabajo mecánico. Ú.t.c.s.m.

electromotriz. adj. ↗ *fuerza electromotriz.*

electrón (al. *Elektron*, fr. *électron*, ingl. *electron*, it. *elettrone*). m. Fís. Partícula elemental que forma parte de los átomos y que contiene la mínima carga posible de electricidad negativa.

electrónica. f. Ciencia que estudia los fenómenos originados por el paso de partículas atómicas electrizadas a través de espacios vacíos o de gases más o menos enrarecidos, y técnica que aplica estos conocimientos a la industria.

electrónico, ca. adj. Perteneciente o relativo al electrón o a la electrónica.

electronvoltio. m. Unidad de energía que corresponde a la energía que gana un electrón sometido a una diferencia de potencial de un voltio.

electroquímica. f. Parte de la física que trata de las leyes referentes a la producción de electricidad por combinaciones químicas.

electroscopio. m. Fís. Aparato que sirve para determinar la carga de un cuerpo y su signo.

electrostática. f. Parte de la física que estudia los fenómenos producidos por las cargas eléctricas en reposo.

electrotecnia. f. Fís. Estudio de las aplicaciones técnicas de la electricidad.

electroterapia. f. Med. Tratamiento de determinadas enfermedades por la acción eléctrica.

electrotipia. f. Técn. Arte de reproducir los caracteres de imprenta por medio de la electricidad.

electuario. m. Farm. Preparación farmacéutica, de consistencia de miel, hecha con polvos, pulpas o extractos y jarabes.

elefancía. f. Elefantiasis.

elefanta. f. Hembra del elefante.

elefante (al. *Elefant*, fr. *éléphant*, ingl. *elephant*, it. *elefante*). m. Zool. Mamífero proboscidio, con nariz muy prolongada en forma de trompa y dos dientes incisivos, vulgarmente llamados colmillos, macizos y muy grandes. Es el mayor de los animales terrestres, vive en África y Asia, y es fácilmente domesticable. ‖ — *marino.* Morsa.

elefantiasis. f. Pat. Síndrome caracterizado por el enorme aumento de algunas partes del cuerpo, en especial de las extremidades inferiores y de los órganos genitales externos.

elegancia (al. *Eleganz*, fr. *élégance*, ingl. *elegance*, it. *eleganza*). f. Calidad de elegante. ‖ Forma bella de expresar los pensamientos. ‖ Esmero y buen gusto en el vestir. [*Sinón.*: finura, distinción]

elegante (al. *elegant*, fr. *élégant*, ingl. *elegant*, it. *elegante*). adj. Dotado de gracia, nobleza y sencillez; airoso, de buen gusto. ‖ Se dice de la persona que vive con entera sujeción a la moda, y también de los trajes o cosas adaptadas a la misma. Apl. a pers., Ú.t.c.s. [*Sinón.*: distinguido]

elegía (al. *Elegie*, fr. *élégie*, ingl. *elegy*, it. *elegia*). f. Composición poética del género lírico en que se lamenta cualquier caso o acontecimiento triste. [*Sinón.*: lamentación, endecha]

elegiaco, ca o **elegíaco, ca.** adj. Perteneciente o relativo a la elegía. ‖ Por ext., triste, lastimero.

elegible. adj. Que se puede elegir, o tiene capacidad legal para ser elegido.

elegir (al. *wählen*, fr. *élire*, ingl. *to elect*, it. *eleggere*). tr. Escoger, preferir una cosa a otra. ‖ Nombrar por elección para un cargo o dignidad. [*Sinón.*: optar; votar]

elemental (al. *grundlegend*, fr. *élémentaire*, ingl. *elementary*, it. *elementare*). adj. Perteneciente o relativo al elemento. ‖ fig. Fundamental, primordial. ‖ Referente a los elementos o principios de una ciencia o arte. ‖ Obvio, evidente.

elemento (al. *Element*, fr. *élément*, ingl. *element*, it. *elemento*). m. Principio físico o químico que entra en la composición de los cuerpos. ‖ Cuerpo simple. ‖ En filosofía natural antigua, cada uno de los cuatro principios fundamentales y constitutivos de los cuerpos: tierra, aire, agua y fuego. ‖ Fundamento, parte integrante de una cosa. ‖ Parte simple de un compuesto. ‖ Componente de una agrupación humana. ‖ Individuo valorado positiva o negativamente para una acción positiva o negativamente una pila eléctrica. ‖ *Amer.* Persona de cortos alcances. ‖ pl. Fundamentos y primeros principios de las ciencias y artes. ‖ fig. Medios, recursos.

elenco. m. Catálogo, índice. ‖ Nómina de una compañía teatral o de un circo. [*Sinón.*: repertorio, lista]

elevación (al. *Erhebung*, fr. *élévation*, ingl. *elevation*, it. *elevazione*). f. Acción y efecto de elevar o elevarse. ‖ Altura, encumbramiento en lo material o en lo moral. ‖ fig. Suspensión enajenamiento de los sentidos. ‖ fig. Exaltación a un puesto, empleo o dignidad. ‖ LITURG. Parte de la misa en la que el sacerdote, después de la consagración, eleva sucesivamente la hostia y el cáliz. [*Sinón.*: éxtasis, arrobamiento; ascenso]

elevado, da. p. p. de elevar. ‖ adj. fig. Sublime. ‖ Alto, levantado sobre un nivel.

elevador, ra. adj. Que eleva. ‖ m. *Amer.* Ascensor.

elevamiento. m. Elevación.

elevar (al. *erheben*, fr. *élever*, ingl. *to raise*, it. *elevare*). tr. Alzar o levantar una cosa. Ú.t.c.r. ‖ fig. Colocar a uno en un puesto honorífico, mejorar su condición social o política. Ú.t.c.r. ‖ fig. Tratándose de un escrito o petición, dirigirlos a una autoridad. ‖ r. fig. Enajenarse, quedar fuera de sí. ‖ fig. Envanecerse, engreírse. [*Sinón.*: izar, subir; encumbrar, ascender. *Antón.*: bajar]

elfo. m. En la mitología escandinava, genio, espíritu del aire.

elidir. tr. Frustrar, debilitar, desvanecer una cosa. ‖ GRAM. Suprimir la vocal en que acaba una palabra cuando la que sigue empieza con otra vocal.

eliminación. f. Acción y efecto de eliminar. [*Sinón.*: supresión, exclusión]

eliminar (al. *aussondern*, fr. *éliminer*, ingl. *to eliminate*, it. *eliminare*). tr. Quitar, separar una cosa; prescindir de ella. ‖ Alejar, excluir a una o varias personas de una agrupación o de un asunto. ‖ MAT. Hacer que, por medio del cálculo, desaparezca de un conjunto de ecuaciones una incógnita. ‖ MED. Expeler el organismo una sustancia. [*Sinón.*: descartar. *Antón.*: poner]

elipse (al. *Ellipse*, fr. *ellipse*, ingl. *ellipse*, it. *ellisse*). f. MAT. Curva plana cerrada, que representa el lugar geométrico de los puntos del plano cuya suma de distancia a dos puntos fijos, llamados focos, es constante.

elipsis. f. GRAM. Figura de construcción que consiste en omitir en la oración una o más palabras que no son indispensables para que resulte claro el sentido.

elipsógrafo. m. Instrumento para trazar elipses.

elipsoidal. adj. De figura de elipsoide o parecido a él.

elipsoide. m. MAT. Sólido cuyas secciones planas son elipses o círculos. ‖ — de revolución. MAT. El engendrado por la revolución de una elipse alrededor de su eje o diámetro principal.

elíptico, ca. adj. Perteneciente a la elipse. ‖ De figura de elipse o parecido a ella. ‖ GRAM. Perteneciente a la elipsis. [*Sinón.*: oval]

elíseo, a. adj. Perteneciente al Elíseo.

elisión (al. *Auslassung*, fr. *élision*, ingl. *elision*, it. *elisione*). f. GRAM. Acción y efecto de elidir.

élite (voz francesa). f. Hablando de colectividades sociales, minoría selecta.

élitro (al. *Flügeldecke*, fr. *élytre*, ingl. *elytron*, it. *elitra*). m. ZOOL. Cada una de las dos piezas córneas que cubren las alas de los coleópteros y los ortópteros.

elixir o **elíxir** (al. *Elixir*, fr. *élixir*, ingl. *elixir*, it. *elisire*). m. Piedra filosofal. ‖ FARM. Licor compuesto de diferentes sustancias medicinales disueltas por lo regular en alcohol. ‖ fig. Medicamento o remedio maravilloso.

elocución. f. Manera de hacer uso de la palabra para expresar los conceptos. ‖ Modo de elegir y distribuir las palabras y los pensamientos en el discurso.

elocuencia (al. *Rednergabe*, fr. *éloquence*, ingl. *eloquence*, it. *eloquenza*). f. Facultad de hablar o escribir de modo eficaz para deleitar, conmover o persuadir. ‖ Fuerza de expresión, eficacia para persuadir y conmover que tienen las palabras y, por extensión, los gestos, ademanes y cualquier otra acción o cosa capaz de dar a entender con viveza alguna idea. [*Sinón.*: facundia, oratoria]

elocuente. adj. Dícese del que habla o escribe con elocuencia, o de aquello que la tiene.

elogiar (al. *loben*, fr. *louer*, ingl. *to praise*, it. *lodare*). tr. Hacer elogios de una persona o cosa. [*Sinón.*: loar, ponderar]

elogio (al. *Lobrede*, fr. *éloge*, ingl. *eulogy*, it. *elogio*). m. Alabanza de las buenas prendas y méritos de una persona o cosa.

elogioso, sa. adj. Laudatorio, encomiástico.

elongación. f. ASTR. Diferencia de longitud entre un planeta y el Sol. ‖ MED. Alargamiento accidental de un miembro o de un nervio.

elote. m. *Amer.* Mazorca tierna del maíz que se consume como alimento en México y otros países.

elucidación. f. Declaración, explicación.

elucidar. tr. Poner en claro, dilucidar. [*Sinón.*: solucionar, esclarecer]

elucubración. f. Lucubración.

elucubrar. tr. Lucubrar.

eludir (al. *umgehen*, fr. *éluder*, ingl. *to elude*, it. *eludere*). tr. Huir de la dificultad; esquivarla, salir de ella con algún artificio. [*Sinón.*: esquivar, soslayar. *Antón.*: afrontar]

ella (al. *sie*, fr. *elle*, ingl. *she*, it. *ella*). pron. pers. de 3ª pers. en gén. f. y núm. sing.

elle. f. Nombre de la letra *ll*.

ello. pron. pers. de 3ª pers. en gén. n.

ellos, ellas (al. *sie*, fr. *ils*, ingl. *they*, it. *essi*, *esse*). pron. pers. de 3ª pers. en gén. m. y f. y núm. pl.

emaciación. f. MED. Adelgazamiento morboso.

emanación (al. *Ausfluss*, fr. *émanation*, ingl. *emanation*, it. *emanazione*). f. Acción y efecto de emanar. ‖ Desprendimiento de las sustancias volátiles del cuerpo que las contiene. ‖ Efluvio.

emanar (al. *ausgehen*, fr. *émaner*, ingl. *to emanate*, it. *emanare*). intr. Proceder, traer origen y principio de una cosa de cuya sustancia se participa. ‖ Desprenderse de los cuerpos las sustancias volátiles.

emancipación (al. *Emanzipierung*, fr. *émancipation*, ingl. *emancipation*, it. *emancipazione*). f. Acción y efecto de emancipar o emanciparse. [*Sinón.*: autonomía, libertad]

emancipar (al. *mündigsprechen*, fr. *émanciper*, ingl. *to emancipate*, it. *emancipare*). tr. Libertar de la patria potestad, de la tutela o de la servidumbre. Ú.t.c.r. ‖ r. fig. Salir de la sujeción en que se estaba.

emasculación. f. Castración.

emascular. tr. Castrar, capar.

embadurnar. tr. Untar, manchar, pintarrajear. Ú.t.c.r.

embaír. tr. Ofuscar, embaucar, hacer creer lo que no es.

embajada (al. *Botschaft*, fr. *ambassade*, ingl. *embassy*, it. *ambasciata*). f. Mensaje para tratar algún asunto de importancia. ‖ Cargo de embajador. ‖

Residencia del embajador. || Conjunto de empleados que tiene a sus órdenes, y otras personas de su comitiva oficial. [*Sinón.*: legación]

embajador, ra (al. *Botschafter,* fr. *ambassadeur,* ingl. *ambassador,* it. *ambasciatore*). s. Diplomático con carácter de ministro público que representa una nación en otro Estado. || fig. Emisario, mensajero enviado para indagar o tratar algo.

embalaje (al. *Verpackung,* fr. *emballage,* ingl. *packing,* it. *imballagio*). m. Acción y efecto de embalar una cosa. || Caja o cubierta con que se resguardan los objetos que han de transportarse. || Coste de esta caja o cubierta.

embalar (al. *verpacken,* fr. *emballer,* ingl. *to pack,* it. *imballare*). tr. Hacer balas o empaquetar los objetos que han de transportarse. || intr. Golpear sobre la superficie del mar para asustar la pesca y hacerla entrar en las redes. [*Sinón.*: empacar, empaquetar]

embalar. tr. Hacer que adquiera gran velocidad un motor desprovisto de regulación automática, cuando se suprime la carga. Ú.t.c.r. || intr. Hablando de un corredor o un móvil, lanzarse a gran velocidad. Ú.t.c.r. || r. fig. Dejarse llevar por un afán, deseo, sentimiento, etc.

embaldosado, da. p. p. de embaldosar. || m. Pavimento de baldosas. || Operación de embaldosar.

embaldosar. tr. Solar con baldosas.

embalsamamiento. m. Acción y efecto de embalsamar.

embalsamar (al. *einbalsamieren,* fr. *embaumer,* ingl. *to embalm,* it. *imbalsamare*). tr. Preparar un cadáver convenientemente para evitar su putrefacción, bien llenando de sustancias balsámicas las cavidades naturales, bien inyectando líquidos antisépticos en los vasos, o bien empleando otros medios. || Perfumar, aromatizar. Ú.t.c.r. [*Sinón.*: momificar]

embalsar (al. *eindammen,* fr. *endiguer,* ingl. *to dam,* it. *ristagnare*). tr. Meter una cosa en balsa, especialmente el agua. Ú.t.c.r. || Detener y reunir las aguas de una corriente fluvial en una especie de lago, para irrigación o producción de energía eléctrica.

embalse (al. *Staumauer,* fr. *digue,* ingl. *dam,* it. *ristagno*). m. Acción y efecto de embalsar o embalsarse. || Gran depósito de agua formado artificialmente, por lo común cerrando la boca de un valle mediante un dique o

presa. || Cantidad de agua así acopiada.

embancarse. r. *Amer.* Cegarse un río, lago, etc., a causa de los terrenos de aluvión. || MAR. Varar la embarcación en un banco.

embarazado, da. p. p. de embarazar. || adj. Dícese de la mujer preñada. Ú.t.c.s.f.

embarazar. tr. Impedir, estorbar, retardar una cosa. || Dejar encinta a una mujer. Ú.m.c.r. || r. Hallarse impedido con cualquier embarazo. [*Sinón.*: molestar, entorpecer; preñar. *Antón.*: desembarazar]

embarazo (al. *Schwangerschaft,* fr. *grosesse,* ingl. *pregnancy,* it. *gravidanza*). m. Impedimento, dificultad, obstáculo. || Preñez de la mujer. || Tiempo que dura la misma. || Encogimiento, falta de soltura. [*Sinón.*: molestia, entorpecimiento, obstrucción; gestación]

embarazoso, sa. adj. Que embaraza o incomoda.

embarbillar. tr. CARP. Ensamblar en un madero el extremo de otro formando ángulo. Ú.t.c. intr.

embarcación (al. *Schiff,* fr. *embarcation,* ingl. *ship,* it. *imbarcazione*). f. Barco. || Embarco. || — *menor.* Cualquiera de las de pequeño porte en los puertos, o bote de los servicios de a bordo.

embarcadero (al. *Landeplatz,* fr. *embarcadère,* ingl. *pier,* it. *imbarcatoio*). m. Lugar o construcción fija destinada a embarcar gente, mercancías, etc. || *Amer.* Andén de ferrocarril.

embarcar (al. *einschiffen,* fr. *embarquer,* ingl. *to embark,* it. *imbarcare*). tr. Dar ingreso a personas, mercancías, etc., en una embarcación. Ú.t.c.r. || MAR. Destinar a alguien a un buque. || fig. Incluir a uno en una dependencia o negocio. Ú.t.c.r. || fig. Hacer que uno intervenga en una empresa difícil o arriesgada. Ú.t.c.r.

embarco. m. Acción y efecto de embarcar o embarcarse personas. || MIL. Ingreso de tropas en un barco o tren para ser transportadas. || Embarque de provisiones o mercancías.

embargar (al. *in Beschlag nehmen,* fr. *saissir,* ingl. *to seize,* it. *pignorare*). tr. Embarazar, impedir, detener. || fig. Suspender, paralizar. || DER. Retener una cosa en virtud de mandamiento judicial.

embargo. m. Indigestión, empacho del estómago. || DER. Retención, traba o secuestro de bienes por mandamiento de juez o autoridad competente. || Prohibición del comercio o transporte

de armas u otros efectos útiles para la guerra, decretada por un gobierno. || *sin embargo.* m. adv. No obstante, sin que sirva de impedimento. [*Sinón.*: decomiso]

embarque. m. Acción de embarcar mercancías, provisiones, etc. || Embarco, acción y efecto de embarcar o embarcarse personas.

embarrada. f. *Amer.* Disparate, error muy grande.

embarrancar (al. *stranden,* fr. *échouer,* ingl. *to run aground,* it. *dare in secco*). intr. MAR. Varar con violencia, encallándose el buque en el fondo. Ú.t.c. tr. || r. Atascarse en un barranco o atolladero. Ú.t.c. intr. [*Sinón.*: encallar]

embarrar. tr. Untar o manchar con barro. Ú.t.c.r. || Embadurnar, manchar con cualquier sustancia viscosa. || *Amer.* Complicar a uno en un asunto sucio.

embarrar. tr. Introducir el extremo de una barra entre un objeto firme y otro que se quiere mover.

embarullar. tr. fam. Mezclar desordenadamente unas cosas con otras. || fam. Hacer las cosas atropellada y desordenadamente. [*Sinón.*: enredar, desordenar; resolver, embrollar. *Antón.*: ordenar]

embastar. tr. Asegurar en el bastidor la tela que se ha de bordar. || Hilvanar, unir con hilvanes. || Poner bastas a los colchones. || Poner bastos a las caballerías.

embaste. m. Acción y efecto de embastar. || Costura a puntadas largas, hilván.

embastecer. intr. Engrosar, engordar. || r. Ponerse basto o tosco.

embate (al. *Brandung,* fr. *brisement des flots,* ingl. *surf,* it. *ondata*). m. Golpe impetuoso del mar. || Acometida impetuosa. || MAR. Viento fresco y suave que sopla en verano a la orilla del mar.

embaucador, ra. adj. Que embauca. Ú.t.c.s.

embaucar (al. *betrügen,* fr. *enjoler,* ingl. *to deceive,* it. *ingannare*). tr. Engañar, alucinar, valiéndose de la inexperiencia o candor del engañado. [*Sinón.*: embair. *Antón.*: desengañar]

embaular. tr. Meter dentro de un baúl. || fig. y fam. Comer con ansia, engullir.

embazar. tr. Detener el fango u otra cosa blanda a una dura. Ú.t.c.r. || Atascar o detener una cosa en su acción. Ú.t.c.r. || fig. Pasmar, confundir.

FONDO

VELOCIDAD

testigo

RELEVOS

foso

OBSTÁCULOS

VALLAS

TRIPLE SALTO

SALTO DE LONGITUD

ESTADIO Y ATLETISMO

ESTADIO

LAS MODALIDADES DEL ATLETISMO

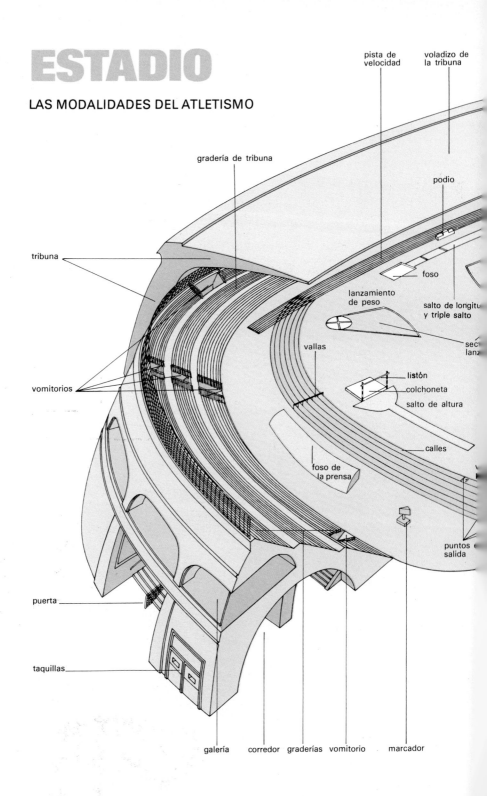

pista de velocidad

voladizo de la tribuna

gradería de tribuna

podio

tribuna

foso

lanzamiento de peso

salto de longitud y triple salto

vomitorios

vallas

sec... lanz...

listón

colchoneta

salto de altura

calles

foso de la prensa

puntos de salida

puerta

taquillas

galería   corredor   graderías   vomitorio   marcador

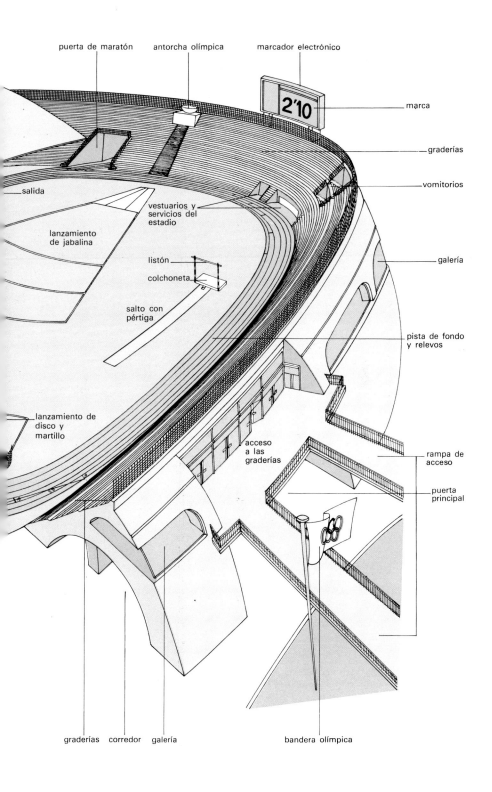

puerta de maratón   antorcha olímpica   marcador electrónico

marca

graderías

vomitorios

salida

vestuarios y
servicios del
estadio

lanzamiento
de jabalina

galería

listón

colchoneta

salto con
pértiga

pista de fondo
y relevos

lanzamiento de
disco y
martillo

acceso
a las
graderías

rampa de
acceso

puerta
principal

2'10

graderías   corredor   galería

bandera olímpica

LANZAMIENTO DE JABALINA

LANZAMIENTO DE DISCO

LANZAMIENTO DE MARTILLO

listón

SALTO DE ALTURA

SALTO CON PÉRTIGA

LANZAMIENTO DE PESO

ESTADIO Y ATLETISMO

embebecer. tr. Divertir, embelesar. ‖ r. Quedarse embelesado.

embeber (al. *einsaugen*, fr. *imbiber*, ingl. *to imbibe*, it. *imbevere*). tr. Absorber un cuerpo sólido otro en estado líquido. ‖ Empapar, llenar de un licor una cosa porosa o esponjosa. ‖ Encerrar una cosa dentro de sí a otra. ‖ intr. Encogerse, apretarse, tupirse. ‖ r. fig. Quedarse absorto. ‖ fig. Instruirse en una materia, enterarse bien de ella.

embecadura. f. ARQ. Enjuta.

embelecar. tr. Engañar con artificios y falsas apariencias.

embeleco. m. Embuste, engaño. ‖ fig. y fam. Persona o cosa molesta.

embelesamiento. m. Embeleso.

embelesar (al. *entzücken*, fr. *ravir*, ingl. *to charm*, it. *estasiare*). tr. Suspender, arrebatar, cautivar los sentidos. Ú.t.c.r. [*Sinón.*: extasiar, encantar, cautivar]

embeleso. m. Efecto de embelesar o embelesarse. ‖ Cosa que embelesa.

embellecedor, ra. adj. Que embellece. ‖ m. Cada una de las molduras cromadas de los automóviles.

embellecer (al. *verschönern*, fr. *embellir*, ingl. *to embellish*, it. *abbellire*). tr. Hacer o poner bella a una persona o cosa. Ú.t.c.r. [*Sinón.*: agraciar, acicalar]

embellecimiento. m. Acción y efecto de embellecer o embellecerse.

embero. m. BOT. Árbol meliáceo de África ecuatorial, apreciado por su madera. ‖ Madera de este árbol.

emberrenchinarse. r. fam. Emberrincharse.

emberrincharse. r. fam. Encolerizarse. Se dice comúnmente de los niños.

embestida. f. Acción y efecto de embestir. ‖ fig. y fam. Detención inoportuna que se hace a uno para hablarle. [*Sinón.*: acometida, arremetida]

embestir (al. *anfallen*, fr. *se jeter sur*, ingl. *to rush against*, it. *investire*). tr. Arrojarse con ímpetu sobre una persona o cosa. ‖ fig. y fam. Acometer a uno para pedirle algo con impertinencia. ‖ intr. fig. y fam. Arremeter, chocar a la vista alguna cosa.

embetunar. tr. Cubrir con betún.

embijado, da. p. p. de embijar. ‖ adj. *Amer.* Dispar, formado de piezas desiguales.

embijar. tr. Pintar o teñir con bija o con bermellón. Ú.t.c.r. ‖ *Amer.* Ensuciar, manchar.

emblandecer. tr. Ablandar. Ú.t.c.r. ‖ r. fig. Enternecerse.

emblanquecer. tr. Blanquear, poner blanca una cosa. ‖ r. Volverse blanco lo que era de otro color.

emblema (al. *Sinnbild*, fr. *emblème*, ingl. *emblem*, it. *emblema*). m. Símbolo con un lema que declara el concepto que encierra. Ú.t.c.f. ‖ Cualquier cosa que es representación simbólica de otra.

embobamiento. m. Suspensión, embeleso.

embobar (al. *bezaubern*, fr. *ensorceler*, ingl. *to fascinate*, it. *sbalordire*). tr. Entretener a uno; tenerle suspenso y admirado. ‖ r. Quedarse uno absorto y admirado. [*Sinón.*: pasmar, embelesar]

embocadura. f. Acción y efecto de embocar una cosa por una parte estrecha. ‖ Boquilla de un instrumento musical. ‖ Bocado del freno. ‖ Al hablar de vinos, gusto o sabor. ‖ Sitio por donde los buques pueden penetrar en un canal, río, etc. ‖ Boca del escenario de un teatro.

embocar. tr. Meter por la boca una cosa. ‖ Entrar por una parte estrecha. Ú.t.c.r. ‖ Comenzar un empeño o negocio. ‖ MÚS. Aplicar los labios a la boquilla de un instrumento de viento.

embolado, da. p. p. de embolar. ‖ m. fig. Papel teatral corto y desairado; y, por extensión, cualquier caso de deslucimiento. ‖ fig. y fam. Artificio engañoso.

embolar. tr. Poner bolas de madera en las puntas de los cuernos del toro para que no hiera con ellas.

embolia (al. *Embolie*, fr. *embolie*, ingl. *embolism*, it. *embolia*). f. MED. Enfermedad ocasionada por un coágulo que obstruye un vaso sanguíneo. [*Sinón.*: trombosis]

émbolo (al. *Kolben*, fr. *piston*, ingl. *piston*, it. *stantuffo*). m. MEC. Disco que se ajusta y mueve en el interior de un cuerpo de bomba o del cilindro de una máquina para enrarecer o comprimir un fluido o para recibir de él el movimiento. [*Sinón.*: pistón]

embolsar (al. *einstecken*, fr. *empocher*, ingl. *to pocket*, it. *imborsare*). tr. Guardar una cosa en la bolsa. ‖ Cobrar, percibir dinero.

embolso. m. Acción y efecto de embolsar.

embonar. tr. Hacer buena una cosa. ‖ *Amer.* Empalmar, unir una cosa a otra. ‖ MAR. Forrar exteriormente con tablones el casco de un buque.

emboquillado. adj. Dícese del cigarrillo provisto de boquilla. Ú.t.c.s.

emboquillar. tr. Poner boquillas a los cigarrillos. ‖ Labrar la boca de un barreno o preparar la entrada de una galería o de un túnel.

emborrachar (al. *berauschen*, fr. *enivrer*, ingl. *to intoxicate*, it. *ubbriacare*). tr. Causar embriaguez. ‖ Atontar, adormecer. Ú.t.c.r. ‖ r. Beber vino u otra bebida alcohólica hasta perder el uso de la razón. ‖ Mezclarse y confundirse los colores de una tela. [*Sinón.*: embriagar]

emborruscar. tr. Irritar, alterar. Ú.t.c.r. ‖ r. Dicho del tiempo, hacerse borrascoso. ‖ *Amer.* Tratándose de minas, empobrecerse o perderse la veta.

emborrizar. tr. Dar la primera carda a la lana para hilarla.

emborronar (al. *hinkritzeln*, fr. *griffonner*, ingl. *to scribble*, it. *sgorbiare*). tr. Llenar con borrones o rasgos un papel. ‖ fig. Escribir de prisa y desaliñadamente. [*Sinón.*: chafarrinar; garrapatear]

emboscada (al. *Hinterhalt*, fr. *embuscade*, ingl. *ambush*, it. *imboscata*). f. Ocultación de una o varias personas para atacar por sorpresa. ‖ fig. Asechanza, maquinación en perjuicio de alguno.

emboscar. tr. MIL. Poner encubierta una partida de gente para una operación militar. Ú.t.c.r. ‖ r. Esconderse entre el ramaje. ‖ fig. Mantenerse a cubierto sin hacer frente a una obligación.

embotamiento. m. Acción y efecto de embotar o embotarse.

embotar (al. *abstumpfen*, fr. *émousser*, ingl. *to blunt*, it. *smussare*). tr. Engrosar los filos y puntas de las armas y otros instrumentos cortantes. Ú.m.c.r. ‖ fig. Debilitar, hacer menos efectiva y eficaz una cosa.

embotellado, da. p. p. de embotellar. ‖ m. Acción de embotellar los vinos.

embotellamiento. m. Acción y efecto de embotellar. ‖ Congestión de vehículos.

embotellar (al. *abfüllen*, fr. *mettre en bouteilles*, ingl. *to bottle*, it. *imbottigliare*). tr. Echar vino u otro líquido en botellas. ‖ fig. Acorralar a una persona; inmovilizar un negocio, una mercancía, etc.

embovedar. tr. Abovedar, cubrir con bóveda. ‖ Poner o encerrar alguna cosa en una bóveda.

embozar (al. *verhüllen*, fr. *couvrir*, ingl. *to muffle up*, it. *coprire*). tr. Cubrir el rostro por la parte inferior hasta la nariz o los ojos. Ú.m.c.r. ‖ fig. Disfrazar, ocultar con palabras o acciones una cosa para que no se entienda fácilmente.

embozo. m. Parte de la capa u otra cosa con que uno se cubre el rostro. || Doblez de la sábana por la parte que toca al rostro. || fig. Recato artificioso con que se dice o hace alguna cosa. [*Sinón.*: tapujo, disimulo]

embragar (al. *kuppeln*, fr. *embrayer*, ingl. *to gear*, it. *innestare*). tr. Poner en conexión el eje motor con uno o más ejes o ruedas solidarios con él.

embrague (al. *Kupplung*, fr. *embrayage*, ingl. *clutch*, it. *frizione*). m. Acción de embragar. || Mecanismo que sirve para embragar.

embravecer. tr. Irritar, enfurecer. Ú.t.c.r.

embrazadura. f. Acción y efecto de embrazar. || Asa por donde se toma y embraza el escudo, pavés, etc.

embrazar. tr. Meter el brazo izquierdo por la embrazadura del escudo, adarga. etc., para cubrir el cuerpo.

embrear. tr. Untar con brea.

embriagar (al. *berauschen*, fr. *enivrer*, ingl. *to intoxicate*, it. *ubbriacare*). tr. Emborrachar. Ú.t.c.r. || fig. Enajenar, transportar. Ú.t.c.r.

embriaguez. f. Turbación pasajera de las potencias por el abuso de vino u otro licor. || Enajenamiento del ánimo. [*Sinón.*: borrachera]

embridar (al. *aufzäumen*, fr. *brider*, ingl. *to bridle*, it. *imbrigliare*). tr. Poner la brida a las caballerías. || fig. Sujetar, someter, refrenar.

embriogenia. f. BIOL. Formación y desarrollo del embrión.

embriología. f. BIOL. Ciencia que estudia la formación y vida de los embriones.

embrión (al. *Embryo*, fr. *embryon*, ingl. *embryo*, it. *embrione*). m. BIOL. Germen de un ser vivo, desde la fecundación del óvulo hasta que es capaz de vida autónoma. || En la especie humana, producto de la concepción hasta fines del tercer mes del embarazo. || fig. Principio informe de una cosa.

embrocar. tr. Vaciar una vasija en otra, volviéndola boca abajo. || *Amer.* Poner boca abajo una vasija, o un plato, y, por extensión, cualquier otra cosa. Ú.t.c.r.

embrollar (al. *verwirren*, fr. *embrouiller*, ingl. *to entangle*, it. *imbrogliare*). tr. Enredar, confundir las cosas. Ú.t.c.r. [*Sinón.*: enmarañar, revolver. *Antón.*: ordenar]

embrollo. m. Enredo, confusión,

maraña. || Embuste, mentira. || fig. Situación embarazosa de la que no se sabe cómo salir.

embromar. tr. Meter broma y gresca. || Engañar a uno con trapacerías. || Usar de chanzas con uno por diversión. [*Sinón.*: chancear, bromear]

embrujamiento. m. Acción y efecto de embrujar.

embrujar. tr. Hechizar.

embrujo. m. Acción y efecto de embrujar, hechizo. || Fascinación, atracción misteriosa y oculta.

embrutecer (al. *verdummen*, fr. *abrutir*, ingl. *to grow stupid*, it. *abbrutire*). tr. Entorpecer y casi privar a uno del uso de la razón. Ú.t.c.r. [*Sinón.*: atontar]

embrutecimiento. m. Acción y efecto de embrutecer o embrutecerse.

embuchado, da. p. p. de embuchar. || m. Tripa rellena con carne de puerco picada. || Tripa con otra clase de relleno. || fig. Introducción fraudulenta de votos en una urna electoral.

embuchar (al. *stopfen*, fr. *engloutir*, ingl. *to stuff with meat*, it. *ingozzare*). tr. Embutir carne picada en un buche o tripa de animal. || Introducir comida en el buche de un ave. || fam. Comer mucho y casi sin mascar. [*Sinón.*: tragar]

embudo (al. *Trichter*, fr. *entonnoir*, ingl. *funnel*, it. *imbuto*). m. Instrumento hueco, cónico y rematado en un canuto, que sirve para trasvasar líquidos. || Oquedad producida en la tierra por una fuerte explosión. || fig. Trampa, enredo.

emburujar. tr. fam. Hacer que en una cosa se formen burujos. || fig. Amontonar y mezclar confusamente unas cosas con otras. || r. *Amer.* Arrebujarse, cubrirse bien el cuerpo.

embuste (al. *Betrügerei*, fr. *menterie*, ingl. *lie*, it. *bugia*). m. Mentira disfrazada con artificio. [*Sinón.*: patraña, engaño. *Antón.*: verdad]

embustero, ra (al. *lügnerisch*, fr. *menteur*, ingl. *liar*, it. *bugiardo*). adj. Que dice embustes. Ú.t.c.s. [*Sinón.*: mentiroso]

embutido, da (al. *Wurst*, fr. *saucisson*, ingl. *sausage*, it. *salame*). p. p. de embutir. || m. Acción y efecto de embutir. || Obra de taracea o de mosaico. || Embuchado de cerdo. || Embuchado con otra clase de relleno. || TECN. Procedimiento para fabricar por presión o percusión objetos de metal con matriz o molde apropiados.

embutir (al. *einlegen*, fr. *faire de la*

marqueterie, ingl. *to inlay*, it. *imbottire*). tr. Hacer embutidos. || Llenar, meter una cosa dentro de otra y apretarla. || Dar a una chapa metálica la forma de un molde o matriz prensándola o golpeándola sobre ellos. || fig. Incluir, colocar una cosa dentro de otra. Ú.t.c.r. || fig. y fam. Embocar, engullir. Ú.t.c.r. [*Sinón.*: embuchar]

eme. f. Nombre de la letra m. || *mandar*, o *enviar*, una persona o cosa *a la eme*. fr. fig. y fam. de desprecio, en que *eme* es un eufemismo de *mierda*.

emergencia. f. Acción y efecto de emerger. || Ocurrencia, suceso, accidente que sobreviene.

emerger (al. *auftauchen*, fr. *émerger*, ingl. *to emerge*, it. *emergere*). intr. Brotar, salir del agua u otro líquido.

emeritense. adj. Natural de Mérida. Ú.t.c.s. || Perteneciente a esta ciudad.

emersión. f. Acción y efecto de salir total o parcialmente de un fluido un sólido que estaba sumergido en él. || ASTR. Salida de un astro por detrás de otro que lo ocultaba.

emético, ca. adj. MED. Vomitivo. Ú.t.c.s.

emetina. f. FARM. Alcaloide de la ipecacuana.

emetropía. f. Visión regular y estado normal del ojo.

emigración (al. *Auswanderung*, fr. *émigration*, ingl. *emigration*, it. *emigrazione*). f. Acción de emigrar. || Conjunto de emigrantes. [*Sinón.*: migración. *Antón.*: Inmigración]

emigrado, da. p. p. de emigrar. || s. Persona que reside fuera de su patria por razones políticas.

emigrante (al. *Auswanderer*, fr. *émigrant*, ingl. *emigrant*, it. *emigrante*). p. a. de emigrar. || adj. Que emigra. Ú.t.c.s. || El que por motivos no políticos abandona su país para residir en otro. Ú.t.c.s. [*Antón.*: inmigrante]

emigrar (al. *auswandern*, fr. *émigrer*, ingl. *to emigrate*, it. *emigrare*). intr. Dejar una persona, familia o pueblo su propio país para establecerse en otro extranjero. || Ausentarse temporalmente del propio país para hacer en otro determinados trabajos. || Por ext., abandonar la residencia habitual trasladándose a otra dentro del propio país. || Cambiar periódicamente de clima o localidad algunas especies animales. [*Antón.*: inmigrar]

eminencia (al. *Eminenz*, fr. *éminence*, ingl. *eminency*, it. *eminenza*). f. Altura o elevación del terreno. || fig. Excelencia, sublimidad de una dote del alma. ‖ Título de honor que se da a los cardenales. ‖ Persona eminente. [Sinón.: prominencia]

eminente. adj. Alto, elevado. ‖ fig. Que sobresale entre los de su clase. [Sinón.: prominente; sobresaliente, superior]

emir. m. Príncipe o caudillo árabe.

emirato. m. Dignidad de emir. ‖ Tiempo que dura el gobierno de un emir. ‖ Territorio gobernado por el emir.

emisario, ria (al. Sendbote, fr. émissaire, ingl. emissary, it. emissario). s. Mensajero que se envía para indagar algo, para comunicar a alguien una cosa, o para concertarse en secreto con tercera persona. [Sinón.: enviado]

emisión (al. Ausgabe, fr. émission, ingl. emission, it. emissione). f. Acción y efecto de emitir. ‖ Conjunto de títulos o efectos públicos que de una vez se crean para ponerlos en circulación. ‖ Programa emitido por una estación de radio. ‖ Fís. Irradiación de energía en cualquiera de sus aspectos. [Sinón.: manifestación, difusión]

emisor, ra. adj. Que emite. Ú.t.c.s. m. Fís. Aparato productor de ondas electromagnéticas. ‖ f. Estación de radio.

emitir (al. senden, emittieren; fr. émettre; ingl. to emit; it. emettere). tr. Arrojar, exhalar o echar hacia fuera una cosa. ‖ Poner en circulación papel moneda, efectos públicos, etc. ‖ Dar o manifestar por escrito o de viva voz juicios, opiniones, etc. ‖ Lanzar ondas hertzianas para transmitir señales, noticias, música, etc.

emoción (al. Gemütsbewegung, fr. émotion, ingl. emotion, it. emozione). f. Estado de ánimo caracterizado por una conmoción orgánica consiguiente a impresiones, ideas o recuerdos.

emocionar (al. rühren, fr. émouvir, ingl. to move, it. emozionare). tr. Conmover el ánimo, causar emoción. Ú.t.c.r.

emoliente. adj. MED. Se dice del medicamento que sirve para ablandar o relajar las partes inflamadas. Ú.t.c.s.m.

emolumento (al. Gehalt, fr. émolument, ingl. fee, it. emolumento). m. Gaje que corresponde a un cargo o empleo. U.m. en pl. [Sinón.: remuneración, sueldo, salario]

emotividad. f. Calidad de emotivo.

emotivo, va. adj. Relativo a la emoción. ‖ Que produce emoción. ‖ Sensible a las emociones.

empacador, ra. adj. Que empaca. ‖ f. Máquina para empacar.

empacar. tr. Empaquetar, encajonar.

empacarse. r. Emperrarse. ‖ Obstinarse. ‖ Amer. Plantarse una bestia.

empacón, na. adj. Amer. Dícese de la bestia que se empaca.

empachar. tr. Estorbar, embarazar. Ú.t.c.r. ‖ Causar indigestión. Ú.m.c.r. ‖ r. Avergonzarse, turbarse.

empacho (al. Verlegenheit, fr. embarras, ingl. surfeit, it. impaccio). m. Vergüenza, turbación. ‖ Embarazo, estorbo. ‖ Indigestión de la comida. [Sinón.: timidez; hartazgo]

empadrarse. r. Encariñarse demasiado el niño con su padre o sus padres.

empadronamiento. m. Acción y efecto de empadronar o empadronarse. ‖ Padrón de vecinos.

empadronar (al. einregistrieren, fr. recenser, ingl. to take the census, it. fare il censo). tr. Asentar o inscribir a uno en el padrón de vecinos. Ú.t.c.r.

empajar. tr. Rellenar o cubrir con paja alguna cosa. ‖ r. Amer. Echar los cereales mucha paja y poco fruto.

empalagar. tr. Hartar, causar hastío un manjar, especialmente si es dulce. Ú.t.c.r. ‖ fig. Cansar, enfadar, fastidiar. Ú.t.c.r.

empalago. m. Acción y efecto de empalagar o empalagarse.

empalagoso, sa. adj. Dícese del manjar que empalaga. ‖ fig. Dícese de la persona que causa fastidio por su zalamería o mimo. Ú.t.c.s. [Sinón.: fastidioso, cargante]

empalamiento. m. Acción y efecto de empalar.

empalar. tr. Espetar a uno en un palo.

empalizada (al. Pfahlwerk, fr. palissade, ingl. palisade, it. palizzata). f. Estacada, obra hecha de estacas.

empalmar (al. zusammenfügen, fr. embrancher, ingl. to splice, it. raccordare). tr. Juntar dos cosas por los extremos, de modo que queden en comunicación o a continuación de una otra. ‖ fig. Ligar o combinar planes, ideas, acciones, etc. ‖ intr. Unirse o combinarse un tren o un coche con otro. ‖ Seguir una cosa a continuación de otra sin interrupción.

empalme (al. Anschluss, fr. embranchement, ingl. junction, it. raccordo). m. Acción y efecto de empalmar. ‖ Punto en que se empalma. ‖ Cosa que empalma con otra. ‖ Forma de hacer el empalme. [Sinón.: ensambladura]

empalletado. m. MAR. Especie de colchón que se formaba en el costado de las embarcaciones con líos de ropa antes de entrar en combate.

empamparse. r. Amer. Extraviarse en la pampa.

empanada (al. Pastete, fr. pâté, ingl. meatpie, it. pasticcio). f. Manjar encerrado y cubierto con pan o masa, y cocido después en el horno.

empanadilla. f. Pastel pequeño, aplastado, que se hace doblando la masa sobre sí misma para cubrir con ella el relleno de dulce, carne picada u otro manjar.

empanar. tr. Encerrar una cosa en masa o pan, para cocerla al horno. ‖ Rebozar con pan rallado un manjar para freírlo. ‖ AGR. Sembrar de trigo las tierras.

empantanar. tr. Inundar un terreno, dejándolo hecho un pantano. Ú.t.c.r. ‖ Meter a uno en un pantano. Ú.t.c.r. ‖ Detener, impedir o embarazar el curso de un negocio. Ú.t.c.r. [Sinón.: atascar, paralizar]

empanzarse. r. Amer. Darse un hartazgo de comida o de bebida.

empañamiento. m. Acción y efecto de empañar.

empañar (al. trüben, fr. ternir, ingl. to dim, it. appannare). tr. Envolver a las criaturas en pañales. ‖ Quitar la tersura, brillo o diafanidad. Ú.t.c.r. ‖ fig. Manchar u oscurecer el honor, la fama, el mérito, etc. Ú.t.c.r. [Sinón.: deslucir]

empapar (al. durchtränken, fr. tremper, ingl. to soak, it. infradiciare). tr. Humedecer una cosa hasta que quede penetrada de un líquido. Ú.t.c.r. ‖ Absorber una cosa dentro de sus poros o huecos un líquido. Ú.t.c.r. ‖ Absorber un líquido en un cuerpo esponjoso o poroso. ‖ Penetrar un líquido los poros o huecos de un cuerpo. Ú.t.c.r. ‖ r. fig. Poseerse o imbuirse de un afecto, idea, etc.

empapelado, da. p. p. de empapelar. ‖ m. Acción y efecto de empapelar una habitación, pared, etc. ‖ fig. y fam. Papel que recubre la superficie de una pared, baúl, etc.

empapelador, ra. s. Persona que empapela.

empapelar (al. tapezieren, fr. tapisser, ingl. to paper, it. tappezzare). tr. Envolver en papel. ‖ Recubrir con papel una superficie. ‖ fig. y fam. Formar causa criminal a uno.

empaque. m. Acción y efecto de empacar. ‖ Materiales que forman la envoltura y armazón de los paquetes.

empaque. m. fam. Catadura, aire de una persona. || Seriedad con algo de afectación o de tiesura. || *Amer.* Descaro, desfachatez. || *Amer.* Acción y efecto de empacarse un animal. [*Sinón.*: porte, aspecto, presencia]

empaquetador, ra. s. Persona que tiene por oficio empaquetar.

empaquetar (al. *einpacken,* fr. *empaqueter,* ingl. *to pack,* it. *impacchettare*). tr. Formar paquetes. || Disponer los paquetes dentro de bultos mayores, como fardos, cajas, etc. || fig. Acomodar en un recinto un número excesivo de personas. Ú.t.c.r. [*Sinón.*: embalar, empacar]

emparamar. tr. *Amer.* Aterir, helar. Ú.t.c.r. || *Amer.* Mojar la lluvia, la humedad o el relente. Ú.t.c.r.

emparedado, da. p. p. de emparedar. || adj. Recluso por castigo, penitencia o propia voluntad. Ú.t.c.s. || m. fig. Porción pequeña de jamón u otra vianda, entre dos rebanadas de pan. [*Sinón.*: encerrado; bocadillo]

emparedar. tr. Encerrar a una persona entre paredes, sin comunicación alguna. Ú.t.c.r. || Ocultar alguna cosa entre paredes.

emparejamiento. m. Acción y efecto de emparejar.

emparejar (al. *paaren,* fr. *former la paire,* ingl. *to match,* it. *accoppiare*). tr. Formar una pareja. Ú.t.c.r. || Poner una cosa a nivel con otra. || AGR. Igualar la tierra, nivelándola. || intr. Llegar uno a ponerse al lado de otro que iba adelantado en el camino. || Ser igual o pareja una cosa con otra. || fig. Ponerse al nivel de otro más avanzado en un estudio o tarea. [*Sinón.*: aparear; nivelar. *Antón.*: desnivelar]

emparentar. intr. Contraer parentesco por vía de casamiento. || Tener una cosa relación de afinidad o semejanza con otra.

emparrado (al. *Weinlaube,* fr. *treille,* ingl. *vine arbour,* it. *pergola*). m. Conjunto de los vástagos de las parras que, sostenidas con una armazón, forman cubierta. || Armazón que sostiene la parra u otra planta trepadora. [*Sinón.*: pérgola]

emparrillado. m. Armazón de barras entrecruzadas que se usa para afirmar los cimientos en los terrenos flojos. || ARQ. Zampeado.

emparrillar. tr. Asar en parrillas. || ARQ. Zampear.

empastador, ra. adj. Que empasta. || Se dice del pintor que da buena pasta de color a sus obras. Ú.m.c.s. || m. Pin-

cel para empastar o meter tintas. || *Amer.* Encuadernador.

empastar (al. *plombieren,* fr. *plomber,* ingl. *to fill teeth,* it. *piombare*). tr. Cubrir de pasta una cosa. || Encuadernar en pasta los libros. || Rellenar con pasta el hueco producido por las caries en los dientes y muelas. || PINT. Poner el color en bastante cantidad para que no deje ver la imprimación.

empaste. m. Acción y efecto de empastar o cubrir con pasta. || Pasta con que se llena el hueco hecho por las caries en un diente. || PINT. Unión perfecta y armoniosa de los colores.

empastelamiento. m. IMP. Acción y efecto de empastelar o empastelarse.

empastelar. tr. IMP. Mezclar las letras de un molde de modo que no formen sentido; mezclar fundiciones distintas. Ú.t.c.r.

empatar (al. *unentschieden enden,* fr. *s'égaliser,* ingl. *to tie,* it. *impattare*). tr. Tratándose de una votación, hacer que en ella sean tantos los votos en pro como los votos en contra. Ú.m.c. intr. y r. || Obtener dos o más contrincantes el mismo número de votos o de puntos en un concurso, oposición o competición. || *Amer.* Empalmar, juntar una cosa con otra.

empate (al. *Unentschiedenes Spiel,* fr. *partie nulle,* ingl. *tie,* it. *patta*). m. Acción y efecto de empatar o empatarse.

empavesado, da. p. p. de empavesar. || adj. Armado o provisto de pavés. || m. Soldado que llevaba arma defensiva. MAR. Conjunto de banderas y gallardetes con que se empavesan los buques. || f. MAR. Faja de paño azul o encarnado, con franjas blancas, que sirve para adornar las bordas y las cofas de los buques en días de gran solemnidad.

empavesar (al. *beflaggen,* fr. *pavoiser,* ingl. *to dress ships,* it. *pavesare*). tr. Formar empavesados. || Rodear las obras de un monumento público en construcción con telas o lienzos hasta el momento de su inauguración. || MAR. Engalanar una embarcación con empavesadas.

empecinado, da. p. p. de empecinarse. || adj. Obstinado, terco, pertinaz.

empecinamiento. m. Acción y efecto de empecinarse.

empecinarse. r. Obstinarse, aferrarse, encapricharse.

empedernido, da. adj. fig. Insensible, duro de corazón.

empedernir. tr. Endurecer mucho. Ú.t.c.r. || r. fig. Hacerse insensible, duro de corazón.

empedrado, da. p. p. de empedrar. || m. Acción de empedrar. || Pavimento formado artificialmente de piedras.

empedrar (al. *pflastern,* fr. *paver,* ingl. *to pave with stones,* it. *lastricare*). tr. Cubrir el suelo con piedras ajustadas unas con otras. || fig. Llenar de desigualdades una superficie con objetos extraños a ella. || Por ext., se dice de otras cosas que se ponen en abundancia.

empeine (al. *Spann,* fr. *cou—de—pied,* ingl. *instep,* it. *flocca*). m. Parte inferior del vientre entre las ingles. || Parte superior del pie entre la caña de la pierna y los dedos. || Parte de la bota desde la caña a la pala.

empelechar. tr. Unir, juntar o aplicar chapas de mármol. || Chapear de mármol la superficie de una pared o de una columna.

empelotarse. r. fam. Enredarse, confundirse, especialmente a causa de riña o quimera. || *Amer.* Desnudarse, quedarse en pelota.

empella. f. Pala o parte del zapato que cubre el pie desde la punta hasta la mitad. || *Amer.* Pella o manteca del cerdo.

empellar. tr. Empujar, dar empellones.

empellón. m. Empujón fuerte que se da con el cuerpo. || *a empellones.* m. adv. fig. y fam. Con violencia, bruscamente.

empenachar. tr. Adornar con penachos.

empenta. f. Puntal o apoyo para sostener una cosa.

empeñado, da. p. p. de empeñar. || adj. Dicho de disputas o reyertas, acalorado, reñido.

empeñar (al. *verpfänden,* fr. *engager,* ingl. *to pawn,* it. *impegnare*). tr. Dar o dejar una cosa en prenda para seguridad del pago. || Precisar, obligar. Ú.t.c.r. || Poner a uno por medianero para conseguir una cosa. || r. Endeudarse, entramparse. || Insistir con tesón en una cosa. || Hacer oficio de mediador en favor de otro. || Empezar, trabarse una lucha, disputa, etc. Ú.t.c.tr. || MAR. Aventurarse o exponerse un buque a riesgos y averías sobre la costa. Ú.t.c. tr. [*Sinón.*: pignorar; emperrarse, obstinarse. *Antón.*: desempeñar]

empeño (al. *Verpfändung,* fr. *engagement,* ingl. *pawn,* it. *impegno*). m.

Acción y efecto de empeñar o empeñarse. || Obligación de pagar en que se constituye el que empeña una cosa, o se empeña. || Obligación en que uno se halla constituido por su honra, por su conciencia o por otro motivo. || Deseo vehemente de hacer o conseguir una cosa. || Objeto a que se dirige. || Tesón o constancia en seguir una cosa o un intento. || Protector, persona que se ha empeñado por alguno. [Sinón.: pignoración; ansia, anhelo; obstinación, perseverancia. Antón.: desempeño; inconstancia]

empeoramiento. m. Acción y efecto de empeorar o empeorarse.

empeorar (al. verschlimmern, fr. empirer, ingl. to grow worse, it. peggiorare). tr. Hacer que aquel o aquello que ya estaba o era malo, sea o se ponga peor. || intr. Irse haciendo o poniendo peor el que o lo que ya era o estaba malo. Ú.t.c.r. [Sinón.: desmejorar. Antón.: mejorar]

empequeñecer. tr. Minorar una cosa o amenguar su importancia.

emperador (al. Kaiser, fr. empereur, ingl. emperor, it. imperatore). m. Título de dignidad dado al jefe supremo del antiguo Imperio romano. || Título de mayor dignidad dado a ciertos soberanos.

emperatriz. f. Esposa del emperador. || Soberana de un imperio.

emperejilar. tr. fam. Adornar a una persona con profusión y esmero. Ú.m.c.r.

emperifollar. tr. Emperejilar. Ú.t.c.r.

empero. conj. advers. Pero. || Sin embargo. [Sinón.: no obstante]

emperrarse. r. fam. Obstinarse, empeñarse en no ceder.

empezar (al. beginnen, fr. commencer, ingl. to begin, it. incominciare). tr. Comenzar, dar principio a una cosa. || Iniciar el uso o consumo de ella. || intr. Tener principio una cosa. [Sinón.: principiar. Antón.: terminar, acabar]

empicarse. r. Aficionarse demasiado.

empiece. m. fam. Comienzo.

empiema. m. MED. Acumulación de pus en la pleura.

empiernarse. rec. vulg. Amer. Tener cópula carnal.

empilcharse. r. Amer. Vestirse.

empinado, da (al. steil, fr. escarpé, ingl. steep, it. erto). p. p. de empinar. || adj. Muy alto. || fig. Estirado, orgullo. [Sinón.: elevado, encumbrado]

empinar. tr. Enderezar y levantar en alto. || Inclinar mucho una vasija para beber. || fig. y fam. Beber mucho. || r. Ponerse sobre las puntas de los pies.

empingorotado, da. adj. Se dice de la persona engreída por su elevada posición social.

empíreo, a. adj. Se dice del cielo. Ú.t.c.s. || Perteneciente al cielo espiritual. || fig. Celestial, supremo, divino.

empireuma. m. Olor y sabor particulares, generalmente ingratos, que toman las sustancias animales y vegetales al someterlas a fuego violento.

empírico, ca. adj. Perteneciente o relativo al empirismo. || Que procede empíricamente. Ú.t.c.s. || Partidario del empirismo filosófico. Ú.t.c.s. [Sinón.: teórico]

empirismo (al. Empirismus, fr. empirisme, ingl. empiricism, it. empirismo). m. Sistema o procedimiento fundado en la mera práctica o rutina. || FIL. Sistema filosófico que considera la experiencia como única fuente de los conocimientos humanos.

empitonar. tr. TAUROM. Coger el toro al lidiador con los pitones.

emplastar. tr. Poner emplastos. || fig. Componer con adornos y afeites postizos. Ú.t.c.r. || r. Ensuciarse con alguna porquería.

emplasto (al. Pflaster, fr. emplâtre, ingl. plaster, it. impiastro). m. FARM. Preparado farmacéutico sólido, plástico y adhesivo, cuya base es una mezcla de materias grasas y resinas o jabón de plomo. || fig. y fam. Componenda, arreglo desmañado y poco satisfactorio. || fig. y fam. parche, pegote. || fig. Persona delicada de salud.

emplazamiento. m. Acción y efecto de emplazar. || Situación, colocación, ubicación.

emplazar (al. vorladen, fr. citer, ingl. to summon, it. citare). tr. Citar a una persona en determinado tiempo y lugar. || DER. Citar al demandado con señalamiento de plazo. || Poner una cosa en determinado lugar.

empleado, da (al. Angestellter, fr. employé, ingl. employee, it. impiegato). p. p. de emplear. || s. Persona que desempeña un destino o empleo.

emplear (al. anwenden, fr. employer, ingl. to employ, it. impiegare). tr. Ocupar a uno, encargándole un negocio, comisión o puesto. Ú.t.c.r. || Destinar a uno al servicio público. || Gastar el dinero en una compra. || Gastar, consumir, ocupar. || Usar, hacer servir las cosas para algo. [Sinón.: colocar. Antón.: despedir]

empleo (al. Anwendung, fr. emploi, ingl. employ, it. impiego). m. Acción y efecto de emplear. || Destino, ocupación, oficio. || MIL. Jerarquía o categoría personal. [Sinón.: colocación, cargo. Antón.: despido]

emplomado, da. p. p. de emplomar. || m. Conjunto de planchas de plomo que recubren una techumbre, o de plomos que sujetan los cristales de una vidriera.

emplomadura. f. Acción y efecto de emplomar. || Porción de plomo con que se emploma. || Amer. Empaste de un diente o muela.

emplomar. tr. Cubrir, asegurar o soldar una cosa con plomo. || Amer. Empastar un diente o muela.

emplumar. tr. Poner plumas a algo. || Amer. Enviar a uno a algún sitio de castigo. || intr. Emplumecer. || Amer. Fugarse, huir, alzar el vuelo.

emplumecer. intr. Echar plumas las aves.

empobrecer (al. verarmen, fr. appauvrir, ingl. to impoverish, it. impoverire). tr. Hacer que uno quede pobre. || intr. Venir a estado de pobreza una persona. Ú.t.c.r. || Decaer, venir a menos una cosa material o inmaterial. Ú.t.c.r. [Sinón.: arruinar. Antón.: enriquecer]

empobrecimiento. m. Acción y efecto de empobrecer o empobrecerse.

empolvar (al. pudern, fr. poudrer, ingl. to powder, it. impolverare). tr. Echar polvo. || Echar polvos de tocador en los cabellos o en el rostro. Ú.t.c.r. || r. Cubrirse de polvo.

empollar (al. brüten, fr. couver, ingl. to hatch, it. covare). tr. Calentar los huevos un ave para sacar los pollos. || fig. y fam. Estudiar con mucho detenimiento y dedicación. [Sinón.: incubar]

empollón, na. adj. Dícese, por lo común despectivamente, del estudiante que prepara mucho sus lecciones. Ú.t.c.s.

emponchado, da. adj. Amer. Se dice del que está cubierto con el poncho.

emponzoñamiento. m. Acción y efecto de emponzoñar o emponzoñarse.

emponzoñar (al. vergiften, fr. empoisonner, ingl. to poison, it. avvelenare). tr. Dar ponzoña a uno, o inficionar algo con ponzoña. Ú.t.c.r. || fig. Inficionar, echar a perder, dañar. Ú.t.c.r. [Sinón.: envenenar; corromper, enviciar]

emporcar. tr. Llenar de porquería. Ú.t.c.r.

emporio. m. Centro de comercio internacional. || fig. Lugar o unidad notable por el florecimiento de las ciencias, las artes, etc.

empotramiento. m. Acción y efecto de empotrar.

empotrar (al. *einlassen*, fr. *enclaver*, ingl. *to embed*, it. *incastrare*). tr. Meter una cosa en la pared o en el suelo, asegurándola con trabajos de albañilería.

empozar. tr. Meter en un pozo. Ú.t.c.r. || Poner el cáñamo o el lino en pozas o charcas para su maceración. || intr. *Amer.* Quedar el agua detenida en el terreno formando charcos.

emprendedor, ra. adj. Que emprende con resolución cosas difíciles.

emprender (al. *unternehmen*, fr. *entreprendre*, ingl. *to undertake*, it. *intraprendere*). tr. Acometer y comenzar una obra o empresa. || fam. Con nombres de personas regidos de las preposiciones *a* o *con*, acometer a uno para importunarle, reprenderle o reñir con él. [*Sinón.*: iniciar]

empreñar. tr. Hacer concebir a la hembra. || fig. y fam. Causar molestias a una persona. || r. Hacerse preñada la hembra.

empresa (al. *Unternehmung*, fr. *entreprise*, ingl. *enterprise*, it. *impresa*). f. Acción dificultosa que se comienza con resolución. || Cierto símbolo o figura enigmática que alude a lo que se intenta conseguir o denota alguna prenda de que se hace alarde. || Intento o designio de hacer una cosa. || Sociedad mercantil o industrial. || Obra o designio llevado a efecto. [*Sinón.*: compañía]

empresario, ria (al. *Unternehmer*, fr. *entrepreneur*, ingl. *contractor*, it. *impresario*). s. Persona que ejecuta una obra o explota un servicio público. || Persona que explota un espectáculo o diversión. || Patrono, persona que emplea obreros.

empréstito (al. *Anleihe*, fr. *emprunt*, ingl. *loan*, it. *prestito*). m. Préstamo que toma el Estado a una corporación o empresa. || Cantidad así prestada.

empujar (al. *stossen*, fr. *pousser*, ingl. *to push*, it. *urtare*). tr. Hacer fuerza contra una cosa para moverla, sostenerla o rechazarla. || fig. Intrigar para conseguir o para impedir algo. || fig. Estimular, activar, avivar. [*Sinón.*: impeler, impulsar]

empuje. m. Acción y efecto de empujar. || Esfuerzo producido por el peso de una bóveda o por el de las tierras de un muelle o malecón, sobre las paredes que las sostienen. || fig. Brío, arranque, resolución con que se acomete una empresa. || FÍS. Acción de una fuerza sobre un cuerpo. [*Sinón.*:

impulso. *Antón.*: irresolución, debilidad]

empujón (al. *Stoss*, fr. *poussée*, ingl. *push*, it. *urto*). m. Impulso que se da con fuerza para apartar a una persona o cosa. || Avance rápido que se da a una obra. || *a empujones.* m. adv. fig. y fam. A empellones. Con intermitencias en los impulsos o avances. [*Sinón.*: empellón]

empuñadura (al. *Griff*, fr. *poignée*, ingl. *ililt*, it. *impugnatura*). f. Guarnición o puño de la espada. || Puño del bastón o del paraguas.

empuñar (al. *ergreiffen*, fr. *empoigner*, ingl. *to grasp*, it. *impugnare*). tr. Asir por el puño una cosa. || Asir una cosa abarcándola estrechamente con la mano. || fig. Lograr un empleo o puesto. || *Amer.* Cerrar la mano para presentar el puño.

emputecer. tr. Prostituir, corromper a una mujer. Ú.t.c.r.

emú. m. Ave corredora de gran tamaño, plumaje marrón y cabeza casi desnuda.

emulación (al. *Wetteifer*, fr. *émulation*, ingl. *emulation*, it. *emulazione*). f. Imitación o superación de las acciones ajenas.

emular (al. *nacheifern*, fr. *être l'émule de*, ingl. *to emulate*, it. *emulare*). tr. Imitar las acciones de otro, procurando igualarse o excederle. Ú.t.c.r.

emulgente. adj. FARM. Emulsivo. || ANAT. Se aplica a las venas y arterias que proceden de los riñones o van a parar a ellos.

émulo, la. adj. Competidor de una persona o cosa que procura aventajarla. Ú.m.c.s.

emulsión (al. *Emulsion*, fr. *émulsion*, ingl. *emulsion*, it. *emulsione*). f. Líquido integrado por dos sustancias no miscibles, una de las cuales se halla dispersa en la otra en forma de gotas pequeñísimas. || *sensible.* FOTOGR. Compuesto sensible a la luz que se extiende en forma de capas sobre un soporte y sirve para impresionar fotografías y sacar copias.

emulsionar. tr. Hacer que una sustancia, por lo general grasa, adquiera el estado de emulsión. || FOTOGR. Aplicar la emulsión sobre su soporte.

emulsivo, va. adj. FARM. Aplícase a cualquier sustancia que sirve para hacer emulsiones.

emulsor. m. Aparato destinado a facilitar la mezcla de grasas con otras sustancias.

en (al. *in, auf;* fr. *en, dans;* ingl. *in,*

at; it. in). prep. que indica en qué lugar, tiempo o modo se determinan las acciones de los verbos a que se refiere. || Algunas veces, sobre. || Seguida de un infinitivo, por || Junta con un gerundio, luego que, después que.

en. prep. insep. que significa "dentro de".

enaceitar. tr. Untar con aceite. || r. Ponerse aceitosa o rancia una cosa.

enacerar. tr. Hacer algo como de acero. || fig. Endurecer, vigorizar.

enagua (al. *Unterrock*, fr. *jupon*, ingl. *petticoat*, it. *soltoveste*). f. Prenda de vestir de la mujer, especie de saya, que se usa debajo de la falda exterior. Ú.m. en pl.

enaguachar. tr. Llenar de agua con exceso. || Causar empacho de estómago el beber mucho o el comer mucha fruta. Ú.t.c.r.

enajenación. f. Acción y efecto de enajenar o enajenarse. || fig. Distracción, falta de atención, embelesamiento. || *mental.* Locura, demencia.

enajenado, da. p. p. de enajenar. || adj. Alienado.

enajenar (al. *veräussern*, fr. *aliéner*, ingl. *to alienate*, it. *alienare*). tr. Pasar o transmitir a otro el dominio de una cosa. || fig. Sacar a uno fuera de sí. Ú.t.c.r. || r. Desposeerse, privarse de algo. || Apartarse, retraerse del trato con alguna persona. Ú.t.c. tr. [*Sinón.*: ceder, transferir; enloquecer]

enálage. f. GRAM. Figura que consiste en mudar las partes de la oración o sus accidentes.

enalbardar. tr. Poner la alabarda a una caballería. || fig. Rebozar con huevo, harina, etc., lo que se ha de freír.

enaltecer. tr. Ensalzar. Ú.t.c.r. [*Sinón.*: elogiar, alabar]

enaltecimiento. m. Acción y efecto de enaltecer. [*Sinón.*: elogio, alabanza]

enamoradizo, za. adj. Propenso a enamorarse.

enamorado, da (al. *verliebt*, fr. *amoureux*, ingl. *in love*, it. *innamorato*). p. p. de enamorar. || adj. Que tiene amor. Ú.t.c.s.

enamoramiento. m. Acción y efecto de enamorar o enamorarse.

enamorar (al. *Liebe einflössen*, fr. *rendre amoureux*, ingl. *to excite love*, it. *innamorare*). tr. Excitar a uno la pasión del amor. || Decir amores o requiebros. || r. Prendarse de amor de una persona. || Aficionarse a una cosa.

enancarse. r. *Amer.* Montar a las ancas. || *Amer.* Meterse uno donde no le llaman.

enanismo. m. ZOOL. Trastorno del crecimiento por una talla inferior a la media propia de los individuos de la misma edad, especie y raza.

enano, na (al. *Zwerg*, fr. *nain*, ingl. *dwarf*, it. *nano*). adj. fig. Dícese de lo que es diminuto en su especie. || s. Persona muy pequeña. [*Sinón.*: pigmeo, liliputiense]

enarbolar (al. *hissen*, fr. *arborer*, ingl. *to hoist*, it. *inalberare*). tr. Levantar en alto bandera, estandarte u otra cosa semejante.

enarcar. tr. Arquear, dar figura de arco. Ú.t.c.r. || r. Encogerse.

enardecer (al. *erhitzen*, fr. *échauffer*, ingl. *to kindle*, it. *infervorare*). tr. fig. Excitar o avivar una pasión del ánimo, una pugna, etc. Ú.t.c.r. || r. Encenderse una parte del cuerpo por congestión, inflamación, etc.

enardecimiento. m. Acción y efecto de enardecer o enardecerse.

enarenar. tr. Echar arena en un sitio o cubrirlo con ella. Ú.t.c.r. || r. Encallar las embarcaciones.

enartrosis. f. ANAT. Articulación movible entre la cabeza esférica de un hueso y la cavidad correspondiente del otro.

enastado, da. p. p. de enastar. || adj. Que tiene astas o cuernos.

enastar. tr. Poner el mango o asta a un instrumento o arma.

encabestrar. tr. Poner el cabestro a los animales. || Hacer que las reses bravas sigan a los cabestros. || fig. Atraer, seducir a uno. || r. Enredar la bestia una mano en el cabestro.

encabezamiento (al. *Kopf*, fr. *entête*, ingl. *head—line*, it. *intestazione*). m. Acción de encabezar o empadronar. || Fórmula o preámbulo con que comienzan algunos escritos.

encabezar. tr. Registrar, poner en matrícula a uno. || Iniciar una suscripción o lista. || Poner el encabezamiento de un libro o escrito. || Acaudillar.

encabritarse. r. Empinarse el caballo, levantando las manos. || fig. Tratándose de aeroplanos, embarcaciones, etc., levantarse súbitamente hacia arriba la parte anterior.

encabronar. tr. *Amer.* Encolerizar. Ú.t.c.r.

encadenado, da. p. p. de encadenar. || adj. LIT. Dícese de la estrofa cuyo primer verso repite en todo o en parte el último de la precedente, y del verso que comienza con la última palabra del anterior.

encadenamiento. m. Acción y efecto de encadenar. || Conexión y trabazón de unas cosas con otras.

encadenar (al. *verketten*, fr. *enchaîner*, ingl. *to chain*, it. *incatenare*). tr. Ligar y atar con cadenas. || fig. Trabar y unir unas cosas con otras. || fig. Dejar a uno sin movimiento y sin acción.

encajar (al. *einfügen*, fr. *enchâsser*, ingl. *to fit in*, it. *incassare*). tr. Meter ajustadamente una cosa dentro de otra. || Hacer entrar ajustada y con fuerza una cosa en otra. || Unir ajustadamente una cosa con otra. Ú.t.c. intr. || Encerrar o meter en alguna parte una cosa. || fig. y fam. Decir una cosa, con oportunidad o sin ella. || fig. y fam. Disparar, dar o arrojar. || fig. y fam. Hacer tomar o recibir algo que representa algún engaño o molestia. || fig. y fam. Venir al caso. [*Sinón.*: articular, ensamblar. *Antón.*: desencajar, desarticular]

encaje (al. *Spitze*, fr. *dentelle*, ingl. *lace*, it. *merletto*). m. Acción de encajar una cosa en otra. || Sitio o hueco en que se encaja una cosa. || Ajuste de dos piezas que cierran o se adaptan entre sí. || Medida y corte que tiene una cosa para que venga justa con otra. || Cierto tejido de mallas, lazadas o calados con labores, que se hace con bolillos, agujas, etc., o bien a máquina. || pl. BLAS. Particiones del escudo en formas triangulares alternantes, de color y metal, encajadas unas en otras.

encajonamiento. m. Acción y efecto de encajonar.

encajonar. tr. Meter y guardar una cosa dentro de un cajón. || Meter en un sitio angosto. Ú.m.c.r. || TAUROM. Acción de encerrar a los toros en cajones para su traslado. || r. Correr un río o arroyo por una angostura.

encalabrinar. tr. Llenar la cabeza de un vapor o hálito que la turbe. Ú.t.c.r. || Excitar, irritar. || r. fam. Empeñarse en algo sin darse a razones.

encalambrarse. r. *Amer.* Aterirse.

encalar (al. *tünchen*, fr. *blanchir à la chaux*, ingl. *to whitewash*, it. *imbiancare*). tr. Dar cal o blanquear una cosa. Se dice principalmente de las paredes. || Meter en cal alguna cosa. [*Sinón.*: enlucir]

encalmar. tr. Tranquilizar, serenar. Ú.m.c.r. || r. Sofocarse las bestias por trabajar mucho cuando hace demasiado calor. || Tratándose del tiempo o del viento, quedar en calma. [*Sinón.*: serenarse, abonanzarse]

encalvecer. intr. Perder el pelo, quedarse calvo.

encallar (al. *stranden*, fr. *échouer*, ingl. *to run aground*, it. *incagliare*). intr. Dar la embarcación en arena o piedras, quedando en ellas sin movimiento. || fig. No poder salir adelante en un negocio o empresa. || r. Endurecerse algunos alimentos por quedar interrumpida la cocción. [*Sinón.*: embarrancar]

encallecer. intr. Criar callos o endurecerse la carne a manera de callo. Ú.t.c.r. || r. fig. Endurecerse con la costumbre en los trabajos o en los vicios. [*Sinón.*: curtirse]

encamar. tr. Tender o echar una cosa en el suelo. || r. Echarse o meterse en la cama. || Tenderse los animales en sus lugares de descanso. || vulg. *Amer.* Tener cópula carnal.

encaminar. tr. Enseñar a uno por dónde ha de ir, ponerle en camino. Ú.t.c.r. || Dirigir una cosa hacia un punto determinado. || fig. Enderezar la intención hacia un fin determinado. [*Sinón.*: orientar; encauzar, encarrilar. *Antón.*: desorientar, desencaminar]

encamotarse. r. fam. *Amer.* Enamorarse, amartelarse.

encanallar. tr. Corromper, envilecer a uno haciéndole tomar costumbres propias de canalla. Ú.t.c.r.

encandilar. tr. Deslumbrar acercando mucho a los ojos un candil u otra luz. Ú.t.c.r. || fig. Deslumbrar, alucinar con apariencias. Ú.t.c.r. || fig. Encender o avivar los ojos la bebida o la pasión. Ú.t.c.r. || Despertar o excitar el sentimiento o deseo amoroso. Ú.t.c.r. [*Sinón.*: embaucar]

encanecer. intr. Ponerse cano. || fig. Envejecer una persona.

encanijar. tr. Poner flaco y enfermizo. Dícese más comúnmente de los niños. Ú.t.c.r.

encantado, da. p. p. de encantar. || adj. fig. y fam. Distraído o embobado. || fig. y fam. Satisfecho, contento.

encantador, ra (al. *entzückend*, fr. *ravissant*, ingl. *charming*, it. *incantatore*). adj. Que encanta o hace encantamientos. Ú.t.c.s. || fig. Que hace muy viva y grata impresión. [*Sinón.*: fascinador, agradable]

encantamiento. m. Acción y efecto de encantar.

encantar (al. *entzücken*, fr. *enchanter*, ingl. *to bewitch*, it. *incantare*). tr. Obrar maravillas por medio de fórmulas y conjuros mágicos. || fig. Cautivar la atención por medio de la hermosura o el talento. [*Sinón.*: hechizar, embrujar; embelesar]

283

encante. m. Mercado de objetos usados o de poco valor. Ú.m. en pl.

encanto (al. *Entzücken*, fr. *enchantement*, ingl. *charm*, it. *incanto*). m. Encantamiento. || fig. Cosa que suspende y embelesa. || pl. Atractivos físicos.

encañado. m. Conducto hecho de caños, o de otro modo, para conducir el agua. || Enrejado de cañas para sostener las plantas.

encañar. tr. Hacer pasar el agua por encañados y conductos. || Poner cañas en las plantas para sostenerlas. || intr. AGR. Empezar a formar caña los tallos tiernos de los cereales u otras plantas. Ú.t.c.r.

encañonar. tr. Asestar o dirigir el cañón de un arma de fuego contra una persona o cosa. || Encaminar o dirigir una cosa para que entre por un cañón. || Entre cazadores, fijar, precisar la puntería. || intr. Echar cañones las aves. [*Sinón.*: apuntar]

encapirotar. tr. Poner el capirote. Ú.t.c.r.

encapotar (al. *sich bedecken*, fr. *se voiler*, ingl. *to become cloudy*, it. *rannuvolarsi*). tr. Cubrir con el capote. Ú.t.c.r. || r. fig. Poner el rostro ceñudo. || Cubrirse el cielo de nubes oscuras. [*Sinón.*: enfoscarse, nublarse. *Antón.*: despejarse]

encapricharse. r. Empeñarse uno en sostener o conseguir su capricho. || Tener capricho por una persona o cosa. [*Sinón.*: emperrarse]

encapuchado, da. p. p. de encapuchar. || adj. Dícese de la persona cubierta con una capucha. Ú.t.c.s.

encapuchar. tr. Cubrir o tapar con capucha. Ú.t.c.r.

encaramar. tr. Levantar o subir a una persona o cosa a un lugar difícil de alcanzar. Ú.t.c.r. || fig. y fam. Elevar, colocar en puestos altos y honoríficos. Ú.t.c.r. [*Sinón.*: aupar; encumbrar]

encarar. intr. Ponerse uno cara a cara, enfrente y cerca de otro. Ú.t.c.r. || tr. Apuntar, dirigir a alguna parte la puntería. || fig. Hacer frente a un problema o dificultad.

encarcelamiento. m. Acción y efecto de encarcelar.

encarcelar (al. *einkerkern*, fr. *emprisonner*, ingl. *to imprison*, it. *incarcerare*). tr. Poner a uno preso en la cárcel. [*Sinón.*: recluir, enchironar. *Antón.*: liberar, libertar]

encarecer. tr. Aumentar o subir el precio de una cosa. Ú.t.c. intr. y c.r. || fig. Ponderar, alabar mucho una cosa. || Recomendar con empeño. [*Sinón.*: ensalzar, elogiar. *Antón.*: abaratar; denigrar]

encarecimiento. m. Acción y efecto de encarecer o encarecerse.

encargado, da (al. *Beauftragter*, fr. *chargé*, ingl. *agent*, it. *incaricato*). p. p. de encargar. || adj. Que ha recibido un encargo. || s. Persona que tiene a su cargo un establecimiento, negocio, etc., en representación del dueño o interesado. [*Sinón.*: comisionado; apoderado, gerente]

encargar (al. *beauftragter*, fr. *commander*, ingl. *to order*, it. *incaricare*). tr. Encomendar, poner una cosa al cuidado de uno. Ú.t.c.r. || Recomendar, aconsejar, prevenir. || Pedir que se traiga o envíe de otro lugar una cosa. [*Sinón.*: comisionar, delegar]

encargo (al. *Auftrag*, fr. *commande*, ingl. *order*, it. *incarico*). m. Acción y efecto de encargar o encargarse. || Cosa encargada. || *como de encargo*, o *como hecho de encargo*. m. adv. para indicar que algo reúne todas las condiciones apetecibles. [*Sinón.*: comisión, cometido]

encariñar. tr. Despertar o excitar cariño. Ú.m.c.r. [*Sinón.*: enamorar]

encarnación (al. *Verkörperung*, fr. *incarnation*, ingl. *incarnation*, it. *incarnazione*). f. Acción de encarnar. Se dice especialmente del acto de encarnarse Jesús en las entrañas de la Virgen. || fig. Personificación, representación de una idea, doctrina, etc.

encarnado, da (al. *rot*, fr. *rouge*, ingl. *red*, it. *rosso*). p. p. de encarnar. || adj. De color de carne. Ú.t.c.s.m. || Colorado, rojo.

encarnadura. f. Disposición de los tejidos del cuerpo para cicatrizar o reparar sus lesiones.

encarnar (al. *verkörpern*, fr. *s'incarner*, ingl. *to incarnate*, it. *incarnare*). intr. Revestir una sustancia espiritual, una idea, etc., de un cuerpo de carne. || Criar carne cuando va sanando una herida. || tr. fig. Personificar, representar una idea, doctrina, etc. || r. Introducirse una uña, al crecer, en las partes blandas que la rodean. || fig. Mezclarse, unirse una cosa con otra.

encarnizado, da. p. p. de encarnizar. || adj. Encendido, ensangrentado, de color de sangre o carne. || Dícese de la batalla, riña, etc., muy porfiada o sangrienta.

encarnizamiento. m. Acción de encarnizarse. || fig. Crueldad con que uno se ceba en el daño de otro. [*Sinón.*: ferocidad, ensañamiento]

encarnizar (al. *grausam werden*, fr. *acharner*, ingl. *to gloat over*, it. *incrudelire*). tr. Cebar un perro en la carne de otro animal para que se haga fiero. || fig. Irritar, enfurecer. Ú.t.c.r. || r. Cebarse en la carne los animales hambrientos. || fig. Mostrarse cruel con una persona. || MIL. Batirse con furor dos cuerpos de tropas enemigas.

encaro. m. Acción de mirar a uno con atención. || Acción de encarar o apuntar un arma. || Parte de la culata de la escopeta dónde se apoya la mejilla.

encarrilar. tr. Encaminar o dirigir una cosa para que siga el camino que debe. || Colocar sobre los carriles un vehículo descarrilado. || fig. Dirigir por el rumbo acertado una pretensión o expediente que iba por mal camino. [*Sinón.*: encauzar]

encartación. f. Empadronamiento en virtud de carta de privilegio. || Reconocimiento de vasallaje que hacían al señor los pueblos, pagándole tributo. || Pueblo o lugar que reconocía este vasallaje.

encartar. tr. Proscribir a un reo constituido en rebeldía. || Incluir a uno en una dependencia, negociado o asunto. || Incluir a uno en los padrones. || En los juegos de naipes, jugar al contrario o al compañero, carta a la cual pueda servir del palo. || intr. fig. Venir a cuento, ser ocasión propicia, presentarse buena coyuntura. || r. Tomar uno cartas, o quedarse con ellas, del mismo palo que otro.

encarte. m. Acción y efecto de encartar o encartarse en los juegos de naipes.

encartonar. tr. Poner cartones. || Resguardar con cartones una cosa.

encartuchar. tr. *Amer.* Enrollar en forma de cucurucho. Ú.t.c.r.

encasillado, da. p. p. de encasillar. || m. Conjunto de casillas.

encasillar (al. *einreihen*, fr. *placer dans des cases*, ingl. *to pigeonhole*, it. *incasellare*). tr. Poner en casillas. || Clasificar personas o cosas distribuyéndolas en sus sitios correspondientes.

encasquetar. tr. Encajar bien en la cabeza el sombrero, la gorra, etc. Ú.t.c.r. || fig. Meter a uno algo en la cabeza. || fig. Hacer oir a uno algo insustancial y molesto. || r. Metérsele a uno algo en la cabeza arraigadamente.

encasquillador. m. *Amer.* Herrador.

encasquillar. tr. Poner casquillos. || *Amer.* Herrar caballerías o bueyes. || r. Atascarse un arma de fuego con el casquillo de la bala al disparar.

encastar. tr. Mejorar una raza de animales cruzándolos con los de otra mejor. ‖ intr. Procrear, hacer casta.

encastillar. tr. Fortificar con castillos un pueblo o paraje. ‖ r. Encerrarse en un castillo para defenderse. ‖ fig. Obstinarse uno en su parecer.

encausar. tr. Formar causa a uno; proceder contra él judicialmente. [*Sinón.*: procesar]

encáustico, ca. adj. PINT. Se dice de la pintura hecha al encausto. ‖ m. Preparado de cera para preservar de la humedad la piedra, la madera o las paredes, y darles brillo.

encausto m. Tinta roja con que escribían sólo los emperadores. ‖ En pintura, combustión. ‖ *pintar al encausto.* Pintar por medio del fuego.

encauzamiento. m. Acción y efecto de encauzar.

encauzar (al. *in einen Kanal leiten*, fr. *canaliser*, ingl. *to channel*, it. *incanalare*). tr. Abrir cauce a una corriente. ‖ fig. Encaminar, dirigir por buen camino un asunto, una discusión, etc. [*Sinón.*: encarrilar]

encefálico, ca. adj. Perteneciente o relativo al encéfalo.

encefalitis. f. MED. Inflamación del encéfalo. ‖ — *letárgica.* MED. Variedad infecciosa de la encefalitis, caracterizada, entre otros síntomas, por la somnolencia creciente.

encéfalo (al. *Gehirnmasse*, fr. *encéphale*, ingl. *brain*, it. *encefalo*). m. ANAT. Parte del sistema nervioso central contenida en el cráneo y que comprende el cerebro, el cerebelo y el bulbo raquídeo.

encefalografía. f. Radiografía del cráneo.

enceguecer. tr. Cegar, privar de la visión. ‖ fig. Cegar, ofuscar el entendimiento. Ú.t.c.r. ‖ intr. Sufrir ceguera, perder la vista. Ú.t.c.r.

encelar. tr. Dar celos. ‖ r. Tener celos de una persona. ‖ Estar en celo un animal.

encenagado, da. adj. Revuelto o mezclado con cieno.

encenagarse. r. Meterse en el cieno. ‖ Ensuciarse con cieno. ‖ fig. Entregarse a los vicios.

encendedor, ra (al. *Feuerzeug*, fr. *briquet*, ingl. *lighter*, it. *accenditore*). adj. Que enciende. Ú.t.c.s. ‖ m. Aparato que sirve para encender por medio de una chispa producida por una piedra o electricidad. [*Sinón.*: chisquero]

encender (al. *anzünden*, fr. *allumer*, ingl. *to light*, it. *accendere*). tr. Hacer que una cosa arda. ‖ Incendiar. ‖ Causar ardor y encendimiento. Ú.t.c.r. ‖ fig. Tratándose de guerras, suscitar, ocasionar. Ú.t.c.r. ‖ fig. Incitar, inflamar, enardecer. Ú.t.c.r. ‖ r. fig. Ruborizarse.

encendido, da p. p. de encender. ‖ adj. De color muy subido. ‖ m. TÉCN. En los motores de explosión interna, inflamación de la mezcla de gases proveniente del carburador.

encendimiento. m. Acto de estar ardiendo y abrasándose una cosa. ‖ fig. Ardor, alteración vehemente de una cosa. ‖ fig. Viveza y ardor de las pasiones humanas.

encepar. tr. Meter en el cepo. ‖ En carpintería, asegurar piezas por medio de cepos. ‖ MAR. Poner los cepos a las anclas. ‖ intr. Echar las plantas raíces profundas. Ú.t.c.r.

encerado, da (al. *Schultafel*, fr. *tableau noir*, ingl. *blackbord*, it. *lavagna*). adj. De color de cera. ‖ m. Lienzo impermeabilizado con cera u otra materia. ‖ Cuadro de hule, lienzo barnizado, madera u otra sustancia apropiada, que se usa para escribir en él con clarión. ‖ Capa tenue de cera con que se cubren los entarimados y los muebles. [*Sinón.*: pizarra]

encerar (al. *einwachsen*, fr. *cirer*, ingl. *to wax*, it. *incerare*). tr. Untar con cera alguna cosa.

encerrar (al. *einschliessen*, fr. *enfermer*, ingl. *to shut up*, it. *rinchiudere*). tr. Meter a una persona o cosa en parte de que no pueda salir. ‖ fig. Incluir, contener. ‖ r. fig. Recogerse en clausura o religión. ‖ Obstinarse uno en su parecer. [*Sinón.*: recluir. *Antón.*: libertar.]

encerrona. f. fam. Retiro voluntario de una o más personas para un fin. ‖ Situación, preparada de antemano, en que se coloca a una persona para obligarla a que haga algo. [*Sinón.*: recogimiento; trampa]

encestar. tr. Poner, recoger algo en una cesta. ‖ En baloncesto, introducir el balón en el cesto contrario.

encía (al. *Zahnfleisch*, fr. *gencive*, ingl. *gum*, it. *gengiva*). f. Carne que cubre la quijada y guarnece la dentadura.

encíclica. f. Carta o misiva que dirige el sumo pontífice a todos los obispos.

enciclopedia (al. *Enzyklopädie*, fr. *encyclopédie*, ingl. *encyclopaedia*, it. *enciclopedia*). f. Conjunto de todas las ciencias. ‖ Obra en que se trata de diversas ciencias. ‖ Conjunto de tratados pertenecientes a diversas ciencias o artes. ‖ Enciclopedismo. ‖ Diccionario enciclopédico.

enciclopédico, ca. adj. Perteneciente a la enciclopedia.

enciclopedismo. m. Conjunto de doctrinas profesadas por los autores de la Enciclopedia publicada en Francia a mediados del siglo XVIII.

enciclopedista. adj. Que profesa el enciclopedismo. Ú.t.c.s.

encierro. m. Acción y efecto de encerrar o encerrarse. ‖ Lugar donde se encierra. ‖ Clausura, recogimiento. ‖ Prisión muy estrecha. ‖ TAUROM. Acto de encerrar los toros en el toril, y conjunto de toros allí encerrados. ‖ Toril.

encima (al. *oben, obendrein, darauf;* fr. *dessus;* ingl. *above;* it. *sopra*). adv. l. En lugar opuesto superior respecto de otro inferior. ‖ Sobre sí, sobre la propia persona. ‖ Descansando o apoyándose en la parte superior de una cosa. ‖ adv. c. Además, sobre otra cosa. ‖ *echarse encima una cosa.* fig. Ocurrir antes de lo que se esperaba. ‖ *echarse encima de alguien.* fig. Asediarle, acometerle. ‖ *estar encima de una persona o cosa.* fig. y fam. Vigilarla o atenderla atentamente. ‖ *por encima.* m. adv. Superficialmente.

encina (al. *Steineiche*, fr. *chêne rouvre*, ingl. *holm-oak*, it. *quercia*). f. BOT. Árbol fagáceo, de tronco grueso y corto, hojas persistentes, dentadas, y por fruto bellotas dulces o amargas. ‖ Madera de este árbol, muy usada en ebanistería.

encinar. m. Lugar poblado de encinas.

encinta. adj. Embarazada.

encintar. tr. Adornar con cintas.

enclaustrar. tr. Encerrar en un claustro. Ú.t.c.r. ‖ fig. Meter, esconder en un lugar oculto. Ú.t.c.r.

enclavado, da. p. p. de enclavar. ‖ adj. Dícese del lugar encerrado dentro del área de otro. Ú.t.c.s.

enclavar (al. *vernageln*, fr. *clouer*, ingl. *to nail*, it. *inchiodare*). tr. Fijar, asegurar con clavos. ‖ fig. Atravesar de parte a parte. ‖ Comprender, rodear un terreno; convertirlo en enclave.

enclave m. Territorio incluido en otro mayor y de características distintas.

enclenque (al. *schwächlich*, fr. *chérif*, ingl. *sickly*, it. *malaticcio*). adj. Falto de salud, enfermizo. Ú.t.c.s. [*Sinón.*: débil, escuchimizado. *Antón.*: sano, fuerte]

énclisis. f. GRAM. Unión de una palabra enclítica a la que la precede.

enclítico, ca (al. *enklitisch*, fr. *enclitique*, ingl. *enclitic*, it. *enclítico*). adj. GRAM. Dícese de la parte de la oración que se liga con el vocablo precedente, formando con él una sola palabra, como los pronombres pospuestos al verbo. Ú.t.c.s.

enclocar. intr. Ponerse clueca un ave. Ú.m.c.r.

encobar. intr. Empollar los huevos las aves y los animales ovíparos. Ú.t.c.r.

encocorar. tr. fam. Fastidiar, importunar, Ú.t.c.r.

encofrado (al. *Einschalen*, fr. *coffrage*, ingl. *timbering*, it. *intelaiato*). m. Revestimiento de madera o chapas de metal para hacer el vaciado de una cornisa o moldura. || Revestimiento de madera para sostener las tierras en las galerías de las minas.

encofrar. tr. Colocar bastidores para contener las tierras en las galerías de las minas. || ALBAÑ. Formar un encofrado.

encoger (al. *einlaufen*, fr. *rétrécir*, ingl. *to shrink*, it. *ristringere*). tr. Retirar contrayendo. Ú.t.c.r. || fig. Apocar el ánimo. Ú.t.c.r. || intr. Disminuir lo largo y ancho de algunas telas por apretarse su tejido cuando se mojan o lavan. || Disminuir de tamaño algunas cosas al secarse. || fig. Tener cortedad, ser corto de genio.

encogido, da. p. p. de encoger. || adj. fig. Apocado, tímido. Ú.t.c.s.

encogimiento. m. Acción y efecto de encoger o encogerse. || fig. Cortedad de ánimo.

encolar (al. *leimen*, fr. *coller*, ingl. *to glue*, it. *incollare*). tr. Pegar con cola una cosa. || Dar la cola a las superficies que han de pintarse al temple.

encolerizar. tr. Hacer que uno se ponga colérico. Ú.t.c.r. [*Sinón.*: irritar, exasperar]

encomendar (al. *beauftragen*, fr. *recommander*, ingl. *to recommend*, it. *raccomandare*). tr. Encargar a uno que haga alguna cosa o que cuide de ella o de una persona. || Dar encomienda, hacer comendador a uno. || intr. Llegar a tener encomienda de orden. || r. Entregarse, confiarse al amparo de uno. || Enviar recados o memorias. [*Sinón.*: comisionar]

encomiar tr. Alabar con encarecimiento. [*Sinón.*: ponderar, ensalzar]

encomiástico, ca. adj. Que alaba o contiene alabanza. [*Sinón.*: laudatorio, ponderativo]

encomienda (al. *Auftrag*, fr. *commis-sion*, ingl. *commission*, it. *incarico*). f. Acción y efecto de encomendar. || Cosa encomendada, encargo. || Dignidad de algunos caballeros de las órdenes militares. || Dignidad de comendador. || Cruz que llevan los caballeros de las órdenes militares en la capa o vestido. || Recomendación, elogio, amparo, patrocinio, custodia. || *Amer.* Paquete postal. || pl. Recados, memorias.

encomio. m. Alabanza encarecida. [*Sinón.*: ditirambo, apología]

enconamiento. m. Inflamación de una herida o llaga. || fig. Encono.

enconar tr. Inflamar, empeorar una herida o llaga. Ú.m.c.r. || fig. Irritar, exasperar el ánimo. Ú.t.c.r.

encono. m. Animadversión, rencor arraigado en el ánimo. [*Sinón.*: resentimiento, inquina]

encontradizo, za. adj. Que se encuentra con otra persona o cosa. || *hacerse* uno *el encontradizo*. Buscar a otro para encontrarle sin que parezca que se hace de intento.

encontrado, da. p. p. de encontrar. || adj. Colocado enfrente. || Opuesto, contrario, adverso.

encontrar (al. *auffinden*, *begegnen*; fr. *trouver*, *rencontrer*; ingl. *to meet*; it. *incontrare*, *trovare*). tr. Dar con una persona o cosa que se busca. || Dar con una persona o cosa sin buscarla. || intr. Tropezar uno con otro. || r. Oponerse, enemistarse uno con otro. || Hallarse y concurrir juntas a un mismo lugar dos o más personas. || Hallarse, estar. || Hablando de opiniones, dictámenes, etc., opinar diferentemente, discordar unos de otros. || Hablando de los afectos, voluntades, etc., además del sentido recto, puede tener el contrario, o sea conformar, convenir, coincidir.

encontrón. m. Encontronazo.

encontronazo. m. Golpe que da una cosa con otra cuando una de ellas, o las dos, van impelidas y se encuentran.

encopetado, da. adj. fig. Que presume demasiado de sí. || fig. De alto copete, linajudo. [*Sinón.*: ensoberbecido, presuntuoso. *Antón.*: sencillo]

encopetar. tr. Elevar en alto o formar copete. Ú.t.c.r. || r. Engreírse, presumir demasiado.

encorajar. tr. Dar valor, ánimo y coraje. || r. Encolerizarse mucho.

encorajinarse. r. fam. Irritarse, encolerizarse.

encorar. tr. Cubrir con cuero una cosa. || Encerrar y meter una cosa dentro de un cuero. || intr. Criar cuero las llagas. Ú.t.c.r.

encorchar. tr. Poner tapones de corcho a las botellas.

encordadura. f. Conjunto de las cuerdas de los instrumentos de música.

encordar. tr. Poner cuerdas a los instrumentos de música. || Ceñir un cuerpo con una cuerda.

encordelar. tr. Poner cordeles a una cosa. || Atar algo con cordeles.

encornadura. f. Forma o disposición de los cuernos en el toro, ciervo, etc. || Cornamenta.

encornudar. tr. fig. Hacer cornudo a uno. || intr. Echar o criar cuernos.

encorsetar. tr. Poner corsé, especialmente cuando se ciñe mucho. Ú.m.c.r.

encorvadura. f. Acción y efecto de encorvar.

encorvar (al. *krümmen*, fr. *courber*, ingl. *to bend*, it. *incurvare*). tr. Doblar una cosa poniéndola curva. Ú.t.c.r. || r. fig. Inclinarse, aficionarse a una parte más que a otra. [*Sinón.*: arquear]

encrasar. tr. Poner craso o espeso un líquido. Ú.t.c.r. || Mejorar, fertilizar las tierras con abonos. Ú.t.c.r.

encrespar (al. *kräuseln*, fr. *friser*, ingl. *to curl*, it. *increspare*). tr. Ensortijar, rizar. Ú.t.c.r. || Erizar el pelo, plumaje, etc., por alguna impresión fuerte, como el miedo. Ú.m.c.r. || Enfurecer, irritar y agitar. Ú.t.c.r. || Levantar y alborotar las ondas del agua. Ú.m.c.r.

encristalar. tr. Colocar cristales o vidrios en una ventana, puerta, etc.

encrucijada (al. *Kreuzweg*, fr. *carrefour*, ingl. *cross road*, it. *crocevia*). f. Paraje en donde se cruzan dos o más calles o caminos. || fig. Ocasión que se aprovecha para hacer daño a uno; emboscada, asechanza.

encrudecer. tr. Hacer que una cosa tenga apariencia u otra condición de cruda. Ú.t.c.r. || fig. Exasperar, irritar. Ú.t.c.r.

encruelecer. tr. Instigar a uno a que piense y obre con crueldad. || r. Hacerse cruel, fiero.

encuadernación (al. *Einbinden*, fr. *reliure*, ingl. *bookbinding*, it. *rilegatura*). f. Acción y efecto de encuadernar. || Forro o cubierta que se pone a los libros para resguardo de sus hojas. || Taller donde se encuaderna.

encuadernador, ra. s. Persona que tiene por oficio encuadernar.

encuadernar (al. *einbinden*, fr. *relier*, ingl. *to bind*, it. *rilegare*). tr. Juntar y coser varios pliegos o cuadernos y ponerles cubiertas.

encuadrar. tr. Encerrar en un marco o cuadro. || fig. Encajar, ajustar una cosa dentro de otra. ‖ fig. Encerrar o incluir dentro de sí una cosa; bordearla, determinar sus límites. ‖ Alistar. ‖ Realizar el encuadre de las imágenes.

encuadre. m. En cine, fotografía y televisión, acción de orientar la cámara de forma que el visor delimite exactamente el campo que se desea abarcar.

encubridor, ra. adj. Que encubre. Ú.t.c.s. [*Sinón.*: ocultador]

encubrimiento. m. Acción y efecto de encubrir. ‖ DER. Participación en las responsabilidades de un delito, con intervención posterior al mismo, por aprovechar los efectos de él, impedir que se descubra, favorecer la ocultación o la fuga de los delincuentes, etc.

encubrir (al. *verbergen,* fr. *cacher,* ingl. *to conceal,* it. *nascondere*). tr. Ocultar una cosa o no manifestarla. Ú.t.c.r. ‖ Impedir que llegue a saberse una cosa. ‖ DER. Hacerse responsable de encubrimiento de un delito. [*Sinón.*: recatar, velar. *Antón.*: exhibir, descubrir]

encuentro (al. *Begegnung,* fr. *rencontre,* ingl. *encounter,* it. *incontro*). m. Acto de coincidir en un punto dos o más cosas, por lo común chocando una contra otra. ‖ Acto de encontrarse o hallarse dos o más personas. ‖ Oposición, contradicción. ‖ Competición deportiva. ‖ ARQ. Macizo comprendido entre un ángulo de un edificio y el vano más inmediato. ‖ MIL. Choque, por lo general inesperado, de las tropas combatientes. ‖ ANAT. Sobaco. [*Sinón.*: topetazo; pugna]

encuerar. tr. *Amer.* Desnudar, dejar en cueros a una persona. Ú.t.c.r. ‖ *Amer.* Ganar a una persona todo su dinero en el juego; despojarla de sus bienes.

encuesta (al. *Umfrage,* fr. *enquête,* ingl. *inquest,* it. *inchiesta*). f. Sondeo efectuado en la opinión pública o privada para indagar su juicio o parecer sobre una cuestión determinada.

encuestador, ra. s. Persona que lleva a cabo consultas e interrogatorios para una encuesta.

encuestar. tr. Someter a encuesta un asunto. ‖ Interrogar a alguien para una encuesta. ‖ intr. Hacer encuestas.

encumbrado, da. p. p. de encumbrar. ‖ adj. Elevado, alto.

encumbramiento. m. Acción y efecto de encumbrar o encumbrarse. ‖ Altura, elevación. ‖ fig. Exaltación.

encumbrar (al. *erhöhen,* fr. *exalter,* ingl. *to raise,* it. *innalzare*). tr. Levantar

en alto. Ú.t.c.r. ‖ fig. Ensalzar, engrandecer a uno. Ú.t.c.r. ‖ Subir la cumbre, pasarla. ‖ r. Envanecerse, ensoberbecerse. ‖ Hablando de cosas inanimadas, elevarse, subir a mucha altura.

encurtir. tr. Conservar en vinagre ciertos frutos y legumbres.

encharcar. tr. Cubrir de agua un terreno. Ú.t.c.r. ‖ Enaguachar el estómago. Ú.t.c.n. [*Sinón.*: anegar]

enchilada. f. *Amer.* Torta de maíz rellena con manjares diversos y aderezada con chile. Ú.m. en pl.

enchilar. tr. *Amer.* Aderezar con chile. ‖ fig. *Amer.* Molestar, picar. Ú.t.c.r.

enchiquerar. tr. Encerrar el toro en el chiquero. ‖ fig. y fam. Encarcelar.

enchironar. tr. fam. Meter a uno en chirona.

enchivarse. r. *Amer.* Encolerizarse.

enchuecar. tr. *Amer.* Torcer, encorvar. Ú.t.c.r.

enchufar (al. *einstecken,* fr. *emboîter,* ingl. *to plug,* it. *innestáre*). tr. Ajustar la boca de un caño en la de otro. Ú.t.c.intr. ‖ fig. Combinar, enlazar un negocio con otro. ‖ ELECTR. Establecer una conexión eléctrica mediante un enchufe. ‖ r. fam. despect. Obtener un cargo, empleo o situación ventajosos por recomendación o influencia.

enchufe (al. *Steckdose,* fr. *prise de courant,* ingl. *plug,* it. *innesto*). m. Acción y efecto de enchufar. ‖ Parte de un caño o tubo que penetra en otro. ‖ ELECTR. Aparato compuesto por dos piezas que encajan una en otra para establecer una conexión eléctrica. ‖ fig. y fam. Empleo o cargo obtenido por recomendaciones o influencia.

enchularse. r. Hacer vida de chulo o rufián. ‖ Encapricharse una mujer pública de un chulo.

ende. adv. l. ant. Allí, en aquel lugar. ‖ *por ende.* m. adv. Por tanto.

endeble (al. *schwach,* fr. *faible,* ingl. *frail,* it. *fiacco*). adj. Débil, de poca resistencia. [*Sinón.*: flojo, escuchimizado. *Antón.*: fuerte, duro]

endeblez. f. Calidad de endeble.

endecágono, na. adj. MAT. Dícese del polígono de once ángulos y once lados. Ú.m.c.s.m.

endecasílabo, ba. adj. De once sílabas. Ú.t.c.s. ‖ Compuesto de endecasílabos, o que los tiene en la combinación métrica. ‖ — *anapéstico,* o *de gaita gallega.* El que lleva los acentos en las sílabas cuarta y séptima.

endecha (al. *Klagelied,* fr. *complainte,* ingl. *dirge,* it. *compianto*). f. Can-

ción triste y lamentable. Ú.m. en pl. ‖ Combinación métrica que consta de cuatro versos de seis a siete sílabas, generalmente asonantados.

endemia (al. *Endemie,* fr. *endémie,* ingl. *endemia,* it. *endemia*). f. MED. Enfermedad que se sufre habitualmente, o en épocas fijas, en un país o región determinados.

endémico, ca (al. *endemisch,* fr. *endémique,* ingl. *endemic,* it. *endemico*). adj. fig. Dícese de los actos o los sucesos que se repiten frecuentemente en un país. ‖ MED. Perteneciente o relativo a la endemia.

endemoniado, da (al. *besessen,* fr. *possédé,* ingl. *devilish,* it. *indemoniato*). adj. Poseído del demonio. Ú.t.c.s. ‖ fig. y fam. Muy perverso, nocivo. [*Sinón.*: poseso, endiablado]

endemoniar. tr. Introducir los demonios en el cuerpo de una persona. ‖ fig. y fam. Encolerizar a uno. Ú.t.c.r.

endentar. tr. Encajar una cosa en otra, como los dientes y piñones de las ruedas. ‖ Poner dientes a una rueda.

endentecer. intr. Echar los primeros dientes.

enderezar (al. *geraderichten,* fr. *redresser,* ingl. *to set right,* it. *drizzare*). tr. Poner derecho lo que está torcido. Ú.t.c.r. ‖ Poner derecho o vertical lo que está inclinado o tendido. Ú.t.c.r. ‖ Remitir, dirigir, dedicar. ‖ fig. Gobernar bien; poner en buen estado una cosa. Ú.t.c.r. ‖ fig. Enmendar, corregir, castigar. ‖ intr. Encaminarse en derechura a un paraje o a una persona. ‖ r. fig. Disponerse, encaminarse a lograr un intento. [*Sinón.*: desencorvar; erguir. *Antón.*: encorvar]

endeudarse (al. *Schulden nachen,* fr. *s'endetter,* ingl. *to cotract debts,* it. *indebitarsi*). r. Llenarse de deudas. [*Sinón.*: empeñarse, entramparse]

endiablado, da. adj. fig. Muy feo, desproporcionado. ‖ fig. y fam. Endemoniado, perverso.

endíadis. f. RET. Figura por la cual se expresa un solo concepto con dos nombres coordinados.

endibia. f. Variedad de escarola.

endilgar. tr. Endosar a otra persona algo desagradable o molesto.

endiosamiento. m. fig. Soberbia, orgullo, altivez extremada. ‖ fig. Suspensión de los sentidos.

endiosar (al. *vergöttern,* fr. *déifier,* ingl. *to deify,* it. *deificare*). tr. Elevar a uno a la divinidad. ‖ r. fig. Ensoberbecerse. ‖ fig. Quedarse pasmado o suspenso.

endo-. Prefijo griego que indica situación interior o movimiento hacia dentro.

endocardio. m. ANAT. Membrana serosa que tapiza las cavidades del corazón.

endocarditis. f. MED. Inflamación aguda o crónica del endocardio.

endocarpio. m. BOT. Capa interna del pericarpio de los frutos.

endocrino, na. adj. FISIOL. Perteneciente o relativo a las hormonas o a las secreciones internas.

endocrinología. f. MED. Estudio de las glándulas de secreción interna.

endocrinólogo, ga. adj. Persona experta en endocrinología. Ú.t.c.s.

endodermo. m. BIOL. Capa interna de las tres en que se disponen las células del blastodermo cuando se ha efectuado la segmentación.

endoesqueleto. m. ZOOL. Esqueleto óseo cartilaginoso de los vertebrados.

endogamia. f. Matrimonio entre individuos de un mismo tronco o familia.

endogénesis. f. BIOL. Reproducción por escisión del elemento primitivo en el interior del órgano que lo engendra.

endógeno, na. adj. Que se origina o nace en el interior, como la célula que se forma dentro de otra. || Que se origina por causas internas.

endomingarse. r. Vestirse con la ropa de fiesta.

endoparásito, ta. adj. BIOL. Dícese del parásito que vive en el interior de otro organismo. Ú.t.c.s.

endorreico, ca. adj. Relativo al endorreísmo. Dícese de las cuencas fluviales que siguen este régimen.

endorreísmo. m. Afluencia de las aguas de un territorio hacia el interior de éste, sin desagüe al mar.

endosar (al. *indossieren*, fr. *endosser*, ingl. *to indorse*, it. *addossare*). tr. Ceder a favor de otro un documento de crédito, haciéndolo constar al dorso. || fig. Trasladar a uno una carga, trabajo o cosa no apetecible. [*Sinón.*: endilgar]

endoscopio. m. CIR. Aparato destinado al examen visual de las cavidades orgánicas internas.

endósmosis o **endosmosis.** f. FIS. Corriente de fuera adentro, establecida entre dos líquidos de distinta densidad separados por una membrana.

endoso (al. *Indossament*, fr. *endossement*, ingl. *indorsement*, it. *girata*). m. Acción y efecto de endosar. || Lo que para endosar un documento se escribe al dorso.

endosperma. m. BOT. Endospermo.

endospermo. m. BOT. Tejido de reserva de las semillas.

endotelio. m. ANAT. Tejido que reviste interiormente las paredes de algunas cavidades orgánicas que no comunican con el exterior.

endotérmico, ca. adj. QUÍM. Se dice del compuesto que se ha formado a partir de cuerpos simples con absorción de calor, y de la reacción que absorbe calor.

endriago. m. Monstruo fabuloso con mezcla de facciones humanas y de varias fieras.

endrina. f. Fruto del endrino.

endrino, na (al. *Schlehdorn*, fr. *prunellier*, ingl. *blackthorn*, it. *susino*). adj. De color negro azulado. || m. BOT. Ciruelo silvestre, de frutos pequeños, negros y ásperos.

endulzar (al. *versüssen*, fr. *édulcorer*, ingl. *to sweeten*, it. *addolcire*). tr. Poner dulce una cosa. Ú.t.c.r. || fig. Suavizar, hacer llevadero algo. Ú.t.c.r.

endurecer (al. *verhärten*, fr. *durcir*, ingl. *to harden*, it. *indurare*). tr. Poner dura una cosa. Ú.t.c.r. || fig. Robustecer los cuerpos; acostumbrarlos a la fatiga. Ú.t.c.r. || fig. Hacer a uno áspero, severo, exigente. || r. Negarse a la piedad, obstinarse en el rigor. [*Sinón.*: endurar; fortalecer; encallecerse; encruelecerse. *Antón.*: ablandar]

endurecimiento. m. Acción y efecto de endurecer o endurecerse. || fig. Obstinación.

ene. f. Nombre de la letra *n*.

enea. f. Anea.

eneágono, na. adj. MAT. Aplícase al polígono de nueve ángulos y nueve lados. Ú.m.c.s.m.

eneasílabo, ba. adj. De nueve sílabas. Ú.t.c.s.

enebrina. f. Fruto del enebro.

enebro (al. *Wacholder*, fr. *genévrier*, ingl. *juniper*, it. *ginepro*). m. BOT. Arbusto cupresáceo de tronco ramoso, copa espesa y madera rojiza, fuerte y olorosa. || Madera de este árbol.

eneldo. m. BOT. Hierba umbelífera de flores amarillas y semillas elípticas. Es planta aromática y medicinal.

enema (al. *Klistier*, fr. *lavement*, ingl. *clyster*, it. *clistere*). m. MED. Ayuda, lavativa.

enemigo, ga (al. *Feind*; fr. *ennemi*; ingl. *enemy*, *foe*; it. *nemico*). adj. Contrario, opuesto. || s. El que tiene mala voluntad a otro y le desea o causa daño. || m. El contrario en la guerra. || Diablo, demonio. || f. Enemistad, odio,

mala voluntad. || ser uno *enemigo de* una cosa. No gustar de ella. [*Sinón.*: adversario]

enemistad (al. *Feindschaft*, fr. *inimitié*, ingl. *enmity*, it. *inimicizia*). f. Aversión u odio entre dos o más personas. [*Sinón.*: hostilidad, antagonismo, animadversión]

enemistar (al. *entzweien*, fr. *brouiller*, ingl. *to make an enemy*, it. *inimicare*). tr. Hacer a uno enemigo de otro. Ú.t.c.r.

eneolítico, ca. adj. Relativo al período de transición entre la edad de la piedra pulimentada y la del bronce. Ú.t.c.s.m.

energético, ca. adj. Relativo a la energía. || f. FIS. Ciencia que trata de la energía.

energía (al. *Energie*, fr. *énergie*, ingl. *energy*, it. *energia*). f. Fuerza, eficacia, poder, virtud para obrar. || Fuerza de voluntad, tesón en la actividad. || FIS. Causa capaz de transformarse en trabajo mecánico. || — *atómica*. La contenida en el átomo. || — *cinética*. La que posee un cuerpo en movimiento. || — *eléctrica*. Denominación que se da a la corriente eléctrica aplicada a usos industriales. || — *nuclear*. La que se desarrolla en el curso de los procesos nucleares. || — *potencial*. La que posee un cuerpo por su posición en el espacio.

enérgico, ca. adj. Que tiene energía o relativo a ella.

energúmeno, na. s. fig. Persona furiosa e iracunda. || Antiguamente, endemoniado. [*Sinón.*: rabioso]

enero (al. *Januar*, fr. *janvier*, ingl. *january*, it. *gennaio*). m. Mes de 31 días, primero del año civil.

enervación. f. Acción y efecto de enervar o enervarse. || Afeminación. || CIR. Sección o ablación de un nervio. || MED. Agotamiento nervioso.

enervamiento. m. Enervación.

enervar (al. *entkräften*, fr. *affaiblir*, ingl. *to weaken*, it. *enervare*). tr. Debilitar, quitar las fuerzas. Ú.t.c.r. || fig. Debilitar la fuerza de las razones o argumentos. Ú.t.c.r. [*Sinón.*: postrar. *Antón.*: fortalecer]

enésimo, ma. adj. Dícese del número indeterminado de veces que se repite una cosa. || MAT. Dícese del lugar indeterminado en una serie.

enfadar (al. *verärgern*, fr. *fâcher*, ingl. *to vex*, it. *infastidire*). tr. Causar enfado. Ú.t.c.r.

enfado (al. *Unwille*, fr. *dépit*, ingl. *annoyance*, it. *arrabbiatura*). m. Impresión desagradable y molesta que hacen en el ánimo algunas cosas. ‖ Afán, trabajo. ‖ Enojo, disgusto. [*Sinón.*: desagrado; irritación]

enfaldo. m. Falda o ropa talar recogida.

enfangar. tr. Cubrir de fango una cosa o meterla en él. Ú.m.c.r. ‖ r. fig. y fam. Mezclarse en negocios sucios. ‖ fig. Entregarse con afán a los placeres sensuales.

enfardar. tr. Hacer o arreglar fardos. ‖ Empaquetar mercancías.

énfasis (al. *Emphase*, fr. *emphase*, ingl. *emphasis*, it. *enfasi*). amb. Fuerza de expresión o de entonación con que se quiere realzar la importancia de lo que se dice o se lee. Ú.m.c.m. ‖ m. Afectación en la expresión, en el tono de la voz o en el gesto.

enfático, ca. adj. Aplícase a lo dicho con énfasis, o que lo denota o implica, y las personas que hablan o escriben enfáticamente. [*Sinón.*: ampuloso, pomposo]

enfatizar. intr. Expresarse con énfasis. ‖ tr. Poner énfasis en la expresión de alguna cosa.

enfermar (al. *erkranken*, fr. *tomber malade*, ingl. *to fall ill*, it. *ammalare*). intr. Contraer una enfermedad. Ú.t.c.r. ‖ tr. Causar enfermedad. ‖ fig. Debilitar, enervar las fuerzas. [*Antón.*: sanar]

enfermedad (al. *Krankheit*, fr. *maladie*, ingl. *illness*, it. *malattia*). f. Alteración más o menos grave de la salud del cuerpo animal. ‖ fig. Alteración más o menos grave en la fisiología del cuerpo vegetal. ‖ fig. Pasión dañosa o alteración en lo moral o espiritual. ‖ fig. Anormalidad dañosa en el funcionamiento de una institución, colectividad, etc. ‖ — azul. Estado de cianosis permanente que se produce en los niños que padecen algunas enfermedades congénitas del corazón o de los grandes vasos. ‖ — específica. La causada por un agente único y constante. ‖ — profesional. La que es consecuencia de un determinado trabajo. [*Sinón.*: morbo, dolencia]

enfermería (al. *Krankensaal*, fr. *infirmerie*, ingl. *infirmary*, it. *infermeria*). f. Casa o sala destinada para los enfermos o heridos. ‖ Conjunto de los enfermos en determinado lugar o tiempo, o de una misma enfermedad.

enfermero, ra (al. *Krankenschwester*, fr. *infirmière*, ingl. *nurse*, it. *infermiere*). s. Persona que tiene por oficio asistir a los enfermos.

enfermizo, za. adj. Que tiene poca salud; que enferma con frecuencia. ‖

Capaz de ocasionar enfermedades. ‖ Propio de un enfermo. [*Sinón.*: delicado. *Antón.*: sano]

enfermo, ma (al. *krank*, fr. *malade*, ingl. *sick*, it. *infermo*). adj. Que padece enfermedad. Ú.t.c.s.

enfermoso, sa. adj. *Amer.* Enfermizo, enclenque.

enfervorizar. tr. Infundir buen ánimo, fervor o celo ardiente. Ú.t.c.r.

enfeudar. tr. Dar en feudo.

enfilar. tr. Poner en fila varias cosas. ‖ Dirigir una visual. ‖ Venir dirigida una cosa en la misma dirección que otra. ‖ Ensartar. ‖ MIL. Colocarse la artillería al flanco de un frente fortificado, de un puesto o de una tropa, para batirlos con fuego directo.

enfisema. m. MED. Tumefacción producida por aire o gas en el tejido pulmonar, en el celular o en la piel.

enfisematoso, sa. adj. Perteneciente o relativo al enfisema.

enfiteusis. f. Cesión del dominio útil de un inmueble, mediante el pago anual de un canon. Ú.t.c.m.

enflaquecer (al. *abmagern*, fr. *amaigrir*, ingl. *to make thin or lean*, it. *dimigrire*). tr. Poner flaco a uno. ‖ fig. Debilitar, enervar. ‖ intr. Ponerse flaco. Ú.t.c.r. ‖ fig. Desmayar, perder ánimo.

enflaquecimiento. m. Acción y efecto de enflaquecer o enflaquecerse.

enfocar (al. *einstellen*, fr. *mettre au point*, ingl. *to focus*, it. *mettere in fuoco*). tr. Conseguir que sea nítida la imagen real o virtual de un objeto, dada por un sistema óptico. ‖ fig. Descubrir y comprender los puntos esenciales de un problema o negocio, para tratarlo acertadamente.

enfoque. m. Acción y efecto de enfocar. ‖ Orientación que se da a una empresa o a un negocio. ‖ Punto de vista sobre una cuestión.

enfoscar. tr. ALBAÑ. Tapar los agujeros que quedan en una pared después de labrada. ‖ Guarnecer con mortero una pared. ‖ r. Ponerse una persona hosca y ceñuda. ‖ Cubrirse el cielo de nubes.

enfrascamiento. m. Acción y efecto de enfrascarse.

enfrascarse. r. Meterse en una espesura, enzarzarse. ‖ fig. Aplicarse con mucha intensidad en una cosa.

enfrenar. tr. Poner el freno al caballo. ‖ Enseñarle a que obedezca. ‖ Contenerlo y guiarlo con el freno. ‖ fig. Refrenar, reprimir. Ú.t.c.r.

enfrentamiento. m. Acción y efecto de enfrentar o enfrentarse.

enfrentar (al. *die Stirn bieten*, fr. *faire front*, ingl. *to face*, it. *affrontare*). tr. Afrontar, poner frente a frente. Ú.t.c.r. y c. intr. ‖ Afrontar, hacer frente, oponer. Ú.t.c.r.

enfrente (al. *gegenüber*, fr. *en face*, ingl. *in front of*, it. *dirimpetto*). adv. l. En la parte opuesta, en punto que mira a otro, o que está delante de otro. ‖ adv. m. En contra.

enfriamiento. m. Acción y efecto de enfriar o enfriarse. ‖ MED. Indisposición que se caracteriza por síntomas catarrales, resultado de la acción del frío atmosférico.

enfriar (al. *abkühlen*, fr. *refroidir*, ingl. *to cool*, it. *raffreddare*). tr. Poner o hacer que se ponga fría una cosa. Ú.t.c. intr. y c.r. ‖ fig. Entibiar los afectos, templar la fuerza y el ardor de las pasiones, amortiguar la eficacia en las obras. Ú.t.c.r. ‖ r. Quedarse fría una persona.

enfundar. tr. Poner una cosa dentro de su funda.

enfurecer (al. *wütend machen*, fr. *irriter*, ingl. *to rage*, it. *infuriare*). tr. Irritar a uno, o ponerle furioso. Ú.t.c.r. ‖ r. fig. Alborotarse, alterarse. Dícese del mar, del viento, etc.

enfurecimiento. m. Acción y efecto de enfurecer o enfurecerse.

enfurruñarse. r. fam. Ponerse enfadado. ‖ fam. Encapotarse el cielo.

enfurtir (al. *walken*, fr. *fouler*, ingl. *to full cloth*, it. *follare*). tr. Abatanar los paños y otros tejidos de lana. Ú.t.c.r. ‖ Apelmazar el pelo. Ú.t.c.r.

engalanar. tr. Poner galana una cosa, adornar. Ú.t.c.r. [*Sinón.*: acicalar, componer]

engallar. tr. Levantar el cuello. ‖ r. Erguirse, estirarse. ‖ fig. Comportarse con arrogancia, adoptar una actitud retadora.

enganchar (al. *anhaken, aufhängen*; fr. *accrocher*, ingl. *to hook, to clasp*; it. *agganciare*). tr. Agarrar una cosa con gancho o colgarla de él. Ú.t.c.r. y c. intr. ‖ Poner las caballerías en los carruajes. Ú.t.c. intr. ‖ fig. y fam. Atraer a uno con arte, captar su afecto y voluntad. ‖ TAUROM. Coger el toro al bulto y levantarlo con los pitones. ‖ r. MIL. Sentar plaza de soldado.

enganche. m. Acción y efecto de enganchar o engancharse. ‖ Pieza o aparato para enganchar.

engañabobos. com. fam. Persona que pretende embaucar o deslumbrar. ‖ Cosa que engaña con su apariencia. ‖

engañar (al. *betrügen*, fr. *tromper*,

ingl. *to deceive*, it. *ingannare*). tr. Dar a la mentira apariencia de verdad. ‖ Inducir a otro a creer y tener por cierto lo que no lo es. ‖ Producir ilusión, como acontece con algunos fenómenos naturales. ‖ Entretener, distraer. ‖ Hacer más apetitoso un manjar. ‖ r. Cerrar los ojos a la verdad por ser más grato el error. ‖ Equivocarse.

engañifa. f. fam. Engaño artificioso con apariencia de utilidad.

engaño (al. *Betrug*, fr. *tromperie*, ingl. *deceit*, it. *inganno*). m. Falta de verdad, falsedad. ‖ Cualquier arte o armadijo para pescar. ‖ TAUROM. Muleta o capa del torero.

engarce. m. Acción y efecto de engarzar. ‖ Metal en que se engarza alguna cosa.

engargantar. tr. Meter una cosa por la garganta o tragadero. ‖ intr. Engranar. ‖ Meter el pie en el estribo hasta la garganta. Ú.t.c.r.

engarzar (al. *einfassen*, fr. *enchâsser*, ingl. *to link*, it. *incastonare*). tr. Trabar una cosa con otra u otras, formando cadena, por medio de hilo de metal. ‖ Rizar el pelo. ‖ Engastar. ‖ r. *Amer.* Enzarzarse, enredarse unos con otros.

engastar (al. *einfassen*, fr. *monter*, ingl. *to set*, it. *incastonare*). tr. Encajar y embutir una cosa en otra, como una piedra preciosa en un metal.

engaste. m. Acción y efecto de engastar. ‖ Guarnición de metal que abraza y asegura lo que se engasta.

engatusar. tr. fam. Ganar la voluntad de uno con halagos.

engendrar (al. *zeugen*, fr. *engendrer*, ingl. *to beget*, it. *ingenerare*). tr. Procrear, propagar la propia especie. ‖ fig. Causar, ocasionar.

engendro. m. Feto. ‖ Criatura informe que nace sin la proporción debida. ‖ fig. Plan, designio u obra intelectual mal concebidos. [*Sinón.*: aborto, monstruo]

englobar (al. *einbegreifen*, fr. *englober*, ingl. *to include*, it. *conglovare*). tr. Incluir o considerar reunidas varias cosas en una sola.

engolado, da. adj. Dícese de la voz, articulación o acento que tienen resonancia en el fondo de la boca o cn la garganta. ‖ fig. Dícese del hablar afectadamente grave y enfático. ‖ Fatuo.

engolamiento. m. Acción y efecto de engolar. ‖ Afectación, énfasis en el habla o en la actitud.

engolar. tr. Dar resonancia gutural a la voz.

engolfar. tr. Meter una embarcación en el golfo. ‖ intr. Penetrar una embarcación muy adentro del mar. Ú.m.c.r. ‖ r. fig. Meterse mucho en un negocio, dejarse llevar de un pensamiento o afecto. Ú.t.c. tr.

engolosinar. tr. Excitar el deseo de uno con algún atractivo. ‖ r. Aficionarse, tomar gusto a una cosa.

engomado, da. adj. *Amer.* Peripuesto, acicalado.

engomar (al. *gummieren*, fr. *gommer*, ingl. *to glue*, it. *ingommare*). tr. Impregnar y untar de goma.

engordar (al. *dick werden*, fr. *prendre*, ingl. *to grow fat*, it. *ingrassare*). tr. Cebar, dar mucho de comer para poner gordo. ‖ intr. Ponerse gordo. ‖ fig. y fam. Hacerse rico.

engorde. m. Acción y efecto de engordar o cebar al ganado.

engorro. m. Embarazo, impedimento, molestia.

engorroso, sa. adj. Embarazoso, dificultoso, molesto.

engranaje (al. *Zahnräderwerk*, fr. *engrenage*, ingl. *gear*, it. *ingranaggio*). m. TÉCN. Sistema de transmisión formado por piezas que se engarzan por medio de dientes. ‖ fig. Enlace, trabazón de hechos, ideas o circunstancias.

engranar. intr. TÉCN. Encajar los dientes de una rueda. ‖ fig. Enlazar, trabar.

engrandecer (al. *vergrössern*, fr. *agrandir*, ingl. *to enlarge*, it. *aggrandire*). tr. Aumentar, hacer grande una cosa. ‖ Alabar, exagerar. ‖ fig. Exaltar, elevar a grado o dignidad superior. Ú.t.c.r.

engrandecimiento. m. Dilatación, aumento. ‖ Ponderación, exageración.

engrapadora. f. Máquina que sirve para engrapar papeles.

engrapar. tr. Asegurar, unir o enlazar algo con grapas.

engrasar (al. *einfetten*, fr. *graisser*, ingl. *to lubricate*, it. *ingrassare*). tr. Dar sustancia y crasitud a una cosa. ‖ Fertilizar las tierras. ‖ Untar, manchar con grasa. Ú.t.c.r. [*Sinón.*: lubrificar, lubricar]

engrase (al. *Schmieren*, fr. *graissage*, ingl. *lubrication*, it. *lubrificazione*). m. Acción y efecto de engrasar o engrasarse. ‖ Materia lubricante.

engreimiento. m. Acción y efecto de engreir o engreirse.

engreir. tr. Envanecer. Ú.t.c.r. ‖ *Amer.* Encariñar, aficionar, Ú.m.c.r. [*Antón.*: humillar]

engrescar. tr. Incitar a riña. Ú.t.c.r. ‖ Meter a otros en broma, juego u otra diversión. Ú.t.c.r.

engrosar. tr. Hacer gruesa y más corpulenta una cosa. Ú.t.c.r. ‖ fig. Aumentar el número de una colectividad. ‖ intr. Tomar carnes y hacerse más grueso y corpulento. [*Sinón.*: incrementar; engordar]

engrudo (al. *Kleister*, fr. *colle del pâte*, ingl. *paste*, it. *colla d'amido*). m. Masa gelatinosa obtenida por la cocción de una mezcla de harina o almidón con agua, que se usa para pegar.

engrumecerse. r. Hacerse grumos un líquido o una masa fluida.

engualdrapar. tr. Cubrir con la gualdrapa una bestia.

enguantar. tr. Cubrir la mano con el guante. Ú.m.c.r.

enguedejado, da. adj. Aplícase al pelo que está hecho guedejas. ‖ Dícese también de la persona que lleva así la cabellera.

enguirnaldar. tr. Adornar con guirnaldas.

enguitarrarse. r. *Amer.* Vestirse de levita u otro traje de ceremonia.

engullir (al. *schlingen*, fr. *engloutir*, ingl. *to swallow*, it. *inghiottire*). tr. Tragar la comida atropelladamente y sin mascarla. Ú.t.c. intr. [*Sinón.*: zampar]

engusgarse. r. Aterirse de frío.

enharinar. tr. Manchar de harina; cubrir con ella la superficie de una cosa. [*Sinón.*: rebozar]

enhebrar (al. *einfädeln*, fr. *enfiler*, ingl. *to thread*, it. *infilare*). tr. Pasar la hebra por el ojo de la aguja o por el agujero de las cuentas, perlas, etc.

enhestar. tr. Levantar en alto, poner derecha una cosa. Ú.t.c.r.

enhiesto, ta. p. p. irreg. de enhestar. ‖ adj. Levantado, derecho.

enhilar. tr. Enhebrar.

enhorabuena. f. Felicitación. ‖ adv. m. Con bien, con felicidad.

enhoramala. adv. m. que se emplea para denotar disgusto, enfado o desaprobación.

enigma (al. *Rätsel*, fr. *énigme*, ingl. *enigma*, it. *enigma*). m. Dicho o conjunto de palabras de sentido encubierto para que sea difícil entenderlo. ‖ Por ext., dicho o cosa que difícilmente puede entenderse o interpretarse. [*Sinón.*: misterio]

enigmático, ca. adj. Que en sí encierra o incluye enigma; de significación oscura y misteriosa. [*Sinón.*: abstruso. *Antón.*: comprensible, claro]

enjabonar. tr. Jabonar. ‖ fig. y fam.

Dar jabón, adular. || fig. Reprender a uno.

enjaezar (al. *ansehirren*, fr. *harnacher*, ingl. *to harness a horse*, it. *bardare*). tr. Poner los jaeces a las caballerías.

enjalbegar (al. *tünehen*, fr. *échauder*, ingl. *to whitewash*, it. *imbiancare muri*). tr. Blanquear las paredes. || fig. Maquillar. Ú.t.c.r.

enjalma. f. Especie de albardilla.

enjambrar. tr. Encerrar en la colmena las abejas que andan esparcidas o los enjambres que están fuera de ella. || Sacar un enjambre de una colmena. || intr. Criar la colmena un enjambre.

enjambre (al. *Schwarm*, fr. *essaim*, ingl. *swarm*, it. *sciame*). m. Muchedumbre de abejas con su reina que salen juntas de una colmena para formar otra colonia. || fig. Muchedumbre de personas o cosas. [*Sinón.*: multitud]

enjaretar. tr. Hacer pasar por una jareta un cordón o una cinta. || fig. y fam. Hacer o decir algo sin intermisión y atropelladamente. || fig. y fam. Endilgar, encajar algo molesto e inoportuno. || fam. *Amer.* Intercalar.

enjaular (al. *in einen Käfig sperren*, fr. *encager*, ingl. *to cage*, it. *ingabbiare*). tr. Encerrar o poner dentro de la jaula. || fig. y fam. Meter en la cárcel a uno.

enjoyar. tr. Adornar con joyas. Ú.t.c.r. || fig. Adornar, hermosear, enriquecer. || Engastar piedras preciosas en una joya.

enjoyelado, da. adj. Aplícase al oro o plata convertidos en joyas o joyeles. || Adornado con joyeles.

enjuagar (al. *ausspülen*, fr. *rincer*, ingl. *to rinse*, it. *sciaquare*). tr. Limpiar la boca y dentadura con agua u otro licor. Ú.m.c.r. || Aclarar con agua lo que se ha jabonado.

enjuague (al. *Spülen*, fr. *rincage*, ingl. *rinsing*, it. *sciacquatura*). m. Acción de enjuagar. || Agua u otro líquido para enjuagar o enjuagarse. || fig. Negociación oculta y artificiosa.

enjugador, ra. adj. Que enjuga. || m. Utensilio para escurrir o enjugar.

enjugar (al. *trocknen*, fr. *essuyer*, ingl. *to wipe*, it. *asciugare*). tr. Quitar la humedad a una cosa, secarla. || Limpiar la humedad que echa de sí el cuerpo, como lágrimas, sudor, etc. Ú.t.c.r. || fig. Cancelar, extinguir una deuda o un déficit. Ú.t.c.r.

enjuiciamiento. m. Acción y efecto de enjuiciar. || DER. Instrucción legal de los asuntos en que entienden los jueces y tribunales. [*Sinón.*: procedimiento, proceso]

enjuiciar. tr. fig. Someter una cuestión a examen, discusión o juicio. || DER. Instruir una causa. || DER. Juzgar, sentenciar o determinar una causa. || DER. Sujetar a uno a juicio. [*Sinón.*: procesar, encausar, incoar]

enjundia. f. Gordura que las aves tienen en la overa. || Unto y gordura de cualquier animal. || fig. Lo más sustancioso e importante de algo inmaterial. || fig. Fuerza, vigor, arrestos. || fig. Constitución o cualidad connatural de una persona.

enjundioso, sa. adj. Que tiene mucha enjundia. || fig. Sustancioso, importante, sólido.

enjuta. f. ARQ. Cada uno de los triángulos que deja en un cuadrado el círculo inscrito en él.

enjuto, ta (al. *trocken, dürr*; fr. *sec, essuyé*; ingl. *dried, lean*; it. *rascinto, secco*). p. p. irreg. de enjugar. || adj. Delgado, seco o de pocas carnes. [*Sinón.*: enteco, flaco]

enlace (al. *Verbindung*, fr. *connexion*, ingl. *connection*, it. *connessione*). m. Acción de enlazar. || Unión, conexión de una cosa con otra. || Dicho de los trenes, empalme. || fig. Parentesco, casamiento. || fig. Persona por cuya mediación se comunican otras entre sí.

enladrillar. tr. Solar, formar de ladrillos el pavimento.

enlatar. tr. Meter alguna cosa en cajas o botes de hojalata.

enlazar (al. *verknüpfen*, fr. *enlacer*, ingl. *to link*, it. *allacciare*). tr. Coger o juntar una cosa con lazos. || Dar enlace o trabazón a unas cosas con otras. Ú.t.c.r. || Aprisionar un animal arrojándole el lazo. || r. fig. Casar, unirse en matrimonio. || fig. Unirse las familias por medio de casamientos. [*Sinón.*: entrelazar, trabar; emparentar. *Antón.*: desenlazar, desunir; divorciarse]

enligar. tr. Untar con liga. || r. Enredarse el pájaro en la liga.

enlobreguecer. tr. Oscurecer, poner lóbrego. Ú.t.c.r.

enlodar. tr. Manchar, ensuciar con lodo. Ú.t.c.r. || fig. Manchar, infamar, envilecer. Ú.t.c.r.

enloquecer. tr. Hacer perder el juicio a uno. || intr. Volverse loco. || AGR. Dejar los árboles de dar fruto o darlo con irregularidad. [*Sinón.*: trastornar.]

enloquecimiento. m. Acción y efecto de enloquecer.

enlosar. tr. Cubrir el suelo con losas.

enlucido, da. p. p. de enlucir. || adj. Blanqueado. || m. Capa de yeso, estuco, etc., que se da a las paredes.

enlucir. tr. Poner una capa de yeso o mezcla a las paredes, techos o fachadas de los edificios. || Limpiar, poner tersa y brillante una superficie.

enlutar. tr. Cubrir de luto. Ú.t.c.r. || fig. Oscurecer, privar de luz y claridad. Ú.t.c.r. || fig. Entristecer, afligir.

enmaderamiento. m. Obra hecha de madera o cubierta con ella.

enmaderar. tr. Cubrir con madera. || Construir el maderaje de un edificio.

enmadrarse. r. Encariñarse excesivamente el hijo con la madre.

enmagrecer. tr. Enflaquecer, poner magro o flaco. Ú.t.c.

enmalle. m. Arte de pesca consistente en redes colocadas en posición vertical.

enmangar. tr. Poner mango a un instrumento.

enmarañar (al. *verwirren*, fr. *embrouiller*, ingl. *to tangle*, it. *imbrogliare*). tr. Enredar, revolver una cosa. Ú.t.c.r. || fig. Confundir, enredar un asunto. Ú.t.c.r. [*Sinón.*: embrollar. *Antón.*: desenredar, desembrollar]

enmararse. r. MAR. Alejarse la nave de tierra entrando en alta mar.

enmarcar. tr. Encuadrar, encerrar en un marco o cuadro.

enmascarado, da (al. *Maske*, fr. *masqué*, ingl. *smask*, it. *maschera*). p. p. de enmascarar. || s. Máscara, persona disfrazada.

enmascaramiento. m. Hablando de armas y material bélico, acción y efecto de enmascarar y encubrir.

enmascarar (al. *maskieren*, fr. *masquer*, ingl. *to mask*, it. *mascherare*). tr. Cubrir el rostro con máscara. Ú.t.c.r. || fig. Encubrir, disfrazar.

enmendar (al. *verbessern*, fr. *amender*, ingl. *to amena*, it. *emendare*). tr. Corregir, quitar defectos. Ú.t.c.r. || Resarcir, subsanar los daños. || DER. Rectificar un tribunal superior la sentencia dada por él mismo. || MAR. Variar el rumbo. [*Sinón.*: reparar]

enmienda (al. *Verbesserung*, fr. *amendement*, ingl. *amendment*, it. *ammendamento*). f. Expurgo o eliminación de un error o vicio. || Satisfacción y pago del daño hecho. || Propuesta de variante de un proyecto, informe, etc. || DER. En los escritos, rectificación perceptible de errores materiales, la cual debe salvarse al final. || pl. AGR. Sustancias que se mezclan con las tierras para mejorar sus propiedades y hacerlas más productivas. Ú.m. en pl. [Sinón.: rectificación]

enmohecer (al. *schimmeln*, fr. *moisir*, ingl. *to mould*, it. *muffare*). tr. Cubrir de moho una cosa. Ú.m.c.r. || r. fig. Inutilizarse, caer en desuso.

enmonarse. *Amer.* Pillar una mona, emborracharse.

enmudecer (al. *verstummen*, fr. *devenir muet*, ingl. *to hush*, it. *rendere muto*). tr. Hacer callar. || intr. Quedar mudo, perder el habla. || fig. Guardar uno silencio cuando pudiera o debiera hablar. [Sinón.: silenciar]

ennegrecer. tr. Teñir de negro, poner negro. Ú.t.c.r. || r. fig. Ponerse el cielo muy oscuro, nublarse.

ennegrecimiento. m. Acción y efecto de ennegrecer o ennegrecerse.

ennoblecer (al. *adeln*, fr. *anoblir*, ingl. *to ennoble*, it. *nobilitare*). tr. Hacer noble a uno. Ú.t.c.r. || fig. Adornar, enriquecer una ciudad, un templo, etc. || fig. Ilustrar, dignificar, realzar y dar esplendor.

enodio. m. Nombre que se da al ciervo de tres a cinco años.

enojar (al. *erzürnen*, fr. *fâcher*, ingl. *to make angry*, it. *annoiare*). tr. Causar enojo. U.m.c.r. || Molestar, desazonar. || r. fig. Alborotarse, enfurecerse. [Sinón.: apaciguar, tranquilizar]

enojo. m. Movimiento del ánimo que suscita ira contra una persona. || Molestia, pesar, trabajo, Ú.m. en pl.

enojoso, sa. adj. Que causa enojo, molestia o enfado.

enología. f. Conjunto de conocimientos relativos a la elaboración de vinos.

enológico, ca. adj. Perteneciente o relativo a la enología.

enólogo. m. Persona entendida en enología.

enorgullecer. tr. Llenar de orgullo. Ú.m.c.r.

enorme (al. *ungeheuer*, fr. *énorme*, ingl. *huge*, it. *enorme*). adj. Desmedido, excesivo; colosal, gigantesco. || Perverso, torpe.

enormidad. f. Exceso, tamaño desmedido. || fig. Exceso de maldad. || fig. Despropósito, destino.

enotecnia. f. Arte de elaborar los vinos.

enquistarse. r. PAT. Formarse un quiste.

enraizar. intr. Arraigar, echar raíces. Ú.t.c.r.

enramado, da. p. p. de enramar. || m. MAR. Conjunto de las cuadernas de un buque. || f. Conjunto de ramas de árboles espesas y entrelazadas. || Adorno formado de ramas de árboles. || Cobertizo hecho de ramas.

enramar. tr. Enlazar y entretejer varios ramos. || MAR. Arbolar y afirmar las cuadernas de un buque en construcción. || intr. Echar ramas un árbol. || r. Ocultarse entre ramas.

enranciar (al. *ranzig werden*, fr. *rancir*, ingl. *to grow stale*, it. *irrancidire*). tr. Poner o hacer rancia una cosa. Ú.m.c.r.

enrarecer (al. *verdünnen*, fr. *raréfier*, ingl. *to rarefy*, it. *rarefare*). tr. Dilatar un cuerpo gaseoso haciéndolo menos denso. Ú.t.c.r. || Hacer que escasee, que sea rara una cosa. Ú.t.c. intr.

enrarecimiento. m. Acción y efecto de enrarecer o enrarecerse.

enrasar. tr. En construcción, igualar una obra con otra, de manera que tengan la misma altura. Ú.t.c. intr. || Hacer que quede plana y lisa la superficie de una obra. || intr. FIS. Coincidir, alcanzar dos elementos de un aparato el mismo nivel.

enredadera (al. *Schlingpflanze*, fr. *plante grimpante*, ingl. *bindweed*, it. *pianta rampicante*). adj. Dícese de las plantas de tallo trepador que se enreda en las varas u otros objetos salientes. Ú.t.c.s. || fig. BOT. Planta perenne, convolvulácea, de tallos largos y flores en campanillas róseas. Se cultiva en los jardines. || — *de campanillas.* BOT. Planta trepadora, convolvulácea, con flores campanudas, moradas, azules o abigarradas. Suelen vestirse con esta planta paredes y enrejados.

enredar (al. *verwickeln*, fr. *embrouiller*, ingl. *to entangle*, it. *imbrogliare*). tr. Prender con red. || Tender las redes o armarlas para cazar. || Enlazar, entretejer, enmarañar una cosa con otra. Ú.t.c.r. || fig. Meter discordia o cizaña. || fig. Meter a alguien en ocasiones o asuntos comprometidos. || intr. Inquietar, revolver. || r. Complicarse un asunto al sobrevenir dificultades. || fam. Amancebarse. [Sinón.: embrollar. Antón.: desenredar]

enredo. m. Maraña que resulta de trabarse entre sí desordenadamente los hilos u otras cosas flexibles. || fig. Travesura o inquietud. || fig. Engaño, mentira que ocasiona disturbios y pleitos. || fig. Complicación difícil de salvar o remediar. || fig. En poesía, teatro y novela, conjunto de sucesos que preceden al desenlace. || fam. Amancebamiento. [Sinón.: embrollo, lío; fregado; dificultad]

enrejado, da (al. *Gitterwerk*, fr. *treillis*, ingl. *grating*, it. *graticcio*). p.p. de enrejar. || m. Conjunto de rejas. || Especie de celosia hecha de cañas o varas entretejidas. || Emparrillado. || Labor de mano que se hace formando varios dibujos.

enrejar. tr. Poner, fijar la reja en el arado. || Herir la reja del arado los pies de bueyes, caballerías, etc.

enrejar. tr. Cercar con rejas, cañas o varas los huertos, jardines, etc.; poner rejas en los huecos de un edificio. || Colocar en pila ladrillos, tablas u otras piezas, cruzándolas de modo que queden varios espacios vacíos a modo de enrejado. || *Amer.* Zurcir la ropa.

enrejar. tr. *Amer.* Poner el rejo o soga a un animal. || *Amer.* Atar el ternero a una de las patas de la vaca para ordeñarla.

enrevesado, da. adj. Intrincado, complejo.

enrielar. tr. Hacer rieles. || *Amer.* Meter en el riel, encarrilar. Ú.t.c.r. || fig. *Amer.* Encarrilar, encauzar.

enriquecer (al. *bereichern*, fr. *enrichir*, ingl. *to enrich*, it. *arricchire*). tr. Hacer rica a una persona, comarca, industria, etc. Ú.m.c.r. || fig. Adornar, engrandecer. || intr. Hacerse uno rico. || Prosperar notablemente un país, empresa, etc.

enriquecimiento. m. Acción y efecto de enriquecer o enriquecerse.

enriscado, da. p. p. de enriscar. || adj. Lleno de riscos o peñascos.

enriscar. tr. fig. Levantar, elevar. || r. Guarecerse, meterse en riscos o peñascos.

enristrar. tr. Poner la lanza en el ristre. || Poner la lanza horizontal bajo el brazo derecho, bien afianzada para acometer.

enristrar. tr. Hacer ristras con ajos, cebollas, etc.

enristre. m. Acción y efecto de enristrar.

enrocar (al. *rochieren*, fr. *roquer*, ingl. *to castle the king*, it. *arroccare*). tr. En el juego de ajedrez, mover simultáneamente el rey y la torre del mismo bando, trasladándose el rey dos casillas hacia la torre y colocándose ésta a su lado, saltando por encima del mismo.

enrojecer (al. *erröten*, fr. *rougir*, ingl. *to blush*, it. *arrossire*). tr. Poner roja una cosa con el calor o el fuego. Ú.t.c.r. || Dar color rojo. || r. Encenderse el rostro. Ú.t.c. tr. || intr. Ruborizarse. [Sinón.: sonrojarse]

enrolar (al. *anwerben*, fr. *enrôler*,

ingl. *to enroll,* it. *arruolare).* tr. MAR. Inscribir un individuo en el rol o lista de tripulantes de un barco. Ú.t.c.r. ‖ r. Alistarse, inscribirse en el ejército, en un partido político, etc.

enrollar. tr. Arrollar, envolver una cosa en forma de rollo. ‖ r. fig. y fam. Hablar de manera confusa, ininterrumpida, innecesaria o repetitiva.

enronquecer. tr. Poner ronco a uno. Ú.m.c.r.

enroque. m. Acción y efecto de enrocar en el ajedrez.

enroscar (al. *zusammenrollen,* fr. *enrouler,* ingl. *to wind,* it. *avvolgere).* tr. Torcer, doblar en redondo; poner en forma de rosca una cosa. Ú.t.c.r. ‖ Introducir una cosa a vuelta de rosca.

enrostrar. tr. *Amer.* Dar en rostro, echar en cara, reprochar.

ensabanar. tr. Cubrir, envolver con sábanas. Ú.t.c.r. ‖ ALBAÑ. Dar a una pared una mano de yeso blanco.

ensaimada. f. Bollo formado por pasta hojaldrada revuelta en espiral.

ensalada (al. *Salat,* fr. *salade,* ingl. *salad,* it. *insalata).* f. Hortaliza aderezada con sal, aceite, vinagre y otras cosas. ‖ fig. Mezcla confusa de cosas sin conexión. ‖ — *rusa.* La compuesta de patata, zanahoria, guisantes, jamón, huevo duro, etc., con salsa mayonesa.

ensaladera. f. Fuente honda en que se sirve la ensalada.

ensaladilla. f. dim. de ensalada. ‖ Manjar frío semejante a la ensalada rusa.

ensalivar. tr. Llenar o empapar de saliva. Ú.t.c.r.

ensalmar. tr. Componer los huesos dislocados o rotos. ‖ Curar con ensalmos. Ú.t.c.r.

ensalmo. m. Modo supersticioso de curar con oraciones y aplicación empírica de medicinas. ‖ *por ensalmo.* m. adv. Con prontitud extraordinaria y de modo desconocido.

ensalzar (al. *lobpreisen,* fr. *chanter les louanges,* ingl. *to extol,* it. *lodare).* tr. Engrandecer, exaltar. ‖ Alabar, elogiar. Ú.t.c.r. [*Antón.*: denigrar, humillar]

ensamblado, da. p. p. de ensamblar. ‖ m. Obra de ensamblaje.

ensambladura (al. *Einfalzung,* fr. *assemblage,* ingl. *joinery,* it. *incastratura).* f. Acción y efecto de ensamblar. [*Sinón.*: unión, enlace]

ensamblaje. m. Ensambladura.

ensamblar (al. *versammenfügen,* fr. *assembler,* ingl. *to join,* it. *incastrare).* tr. Unir, juntar.

ensanchamiento. m. Acción y efecto de ensanchar o ensancharse.

ensanchar (al. *erweitern,* fr. *élargir,* ingl. *to widen,* it. *allargare).* tr. Extender, dilatar la anchura de una cosa. ‖ r. fig. Desvanecerse, engreírse. Ú.t.c. intr.

ensanche (al. *Erweiterung,* fr. *élargissement,* ingl. *enlargement,* it. *allargamento).* m. Dilatación, extensión. ‖ Tela que se remete en la costura del vestido para poderlo ensanchar. ‖ Terreno dedicado a nuevas edificaciones en las afueras de una población y conjunto de edificios allí construidos.

ensangrentar (al. *mit Blut beflecken,* fr. *ensanglanter,* ingl. *to stain with blood,* it. *insanguinare).* tr. Manchar o teñir con sangre. Ú.t.c.r. ‖ r. fig. Encenderse, irritarse mucho en una disputa.

ensañamiento. m. Acción y efecto de ensañarse. ‖ DER. Circunstancia agravante que consiste en aumentar deliberadamente el mal del delito.

ensañar (al. *Grausam sein,* fr. *s'acharner,* ingl. *to be merciless,* it. *incrudelire).* tr. Irritar, enfurecer. ‖ r. Deleitarse en causar el mayor daño posible a quien ya no puede defenderse. [*Sinón.*: cebarse]

ensartar (al. *einfädeln,* fr. *enfiler,* ingl. *to string,* it. *infilare).* tr. Pasar por un hilo, alambre, etc., varias cosas. ‖ Enhebrar. ‖ Espetar, atravesar, introducir. ‖ fig. Decir muchas cosas sin orden ni conexión. ‖ fig. *Amer.* Hacer caer en un engaño o trampa. Ú.t.c.r. [*Sinón.*: enristrar]

ensayar (al. *versuchen, proben;* fr. *essayer, répéter;* ingl. *to essay, to try;* it. *saggiare, provare).* tr. Probar, reconocer una cosa antes de usar de ella. ‖ Hacer la prueba de una comedia u otro espectáculo antes de ejecutarlo en público. ‖ Probar la calidad de los minerales o la ley de los metales preciosos. ‖ r. Probar a hacer una cosa para ejecutarla después con más perfección. [*Sinón.*: experimentar]

ensayismo. m. Género literario constituido por el ensayo.

ensayista. com. Escritor de ensayos.

ensayo (al. *Versuch, Probe;* fr. *essai, répétition;* ingl. *essay, rehearsal;* it. *saggio, prova).* m. Acción y efecto de ensayar. ‖ Escrito, generalmente breve, sin la extensión que requiere un tratado completo sobre la misma materia. ‖ MINER. Operación química que se efectúa para determinar la composición de los minerales. ‖ — *general.* Representación completa de una obra teatral que se hace antes de presentarla al público. [*Sinón.*: prueba, experimentación]

ensebar. tr. Untar con sebo.

enseguida. m. adv. En seguida.

ensenada (al. *Bucht,* fr. *petite baie,* ingl. *cove,* it. *piccola baia).* f. Pequeño golfo que forma el mar en la tierra. [*Sinón.*: bahía, rada, cala]

enseña (al. *Banner,* fr. *enseigne,* ingl. *ensing,* it. *insegna).* f. Insignia o estandarte.

enseñanza (al. *Unterricht,* fr. *enseignement,* ingl. *teaching,* it. *insegnamento).* f. Acción y efecto de enseñar. ‖ Sistema o método de dar instrucción. ‖ Ejemplo, acción o suceso que nos sirve de experiencia o de escarmiento. [*Sinón.*: instrucción]

enseñar (al. *lehren,* fr. *enseigner,* ingl. *to teach,* it. *insegnare).* tr. Instruir, doctrinar. ‖ Dar advertencia, ejemplo o escarmiento. ‖ Indicar, dar señas de una cosa. ‖ Mostrar o exponer una cosa para que sea vista y apreciada. ‖ Dejar ver una cosa involuntariamente. ‖ r. Acostumbrarse, habituarse a una cosa. [*Sinón.*: ilustrar, disciplinar; exhibir]

enseñorearse. r. Hacerse señor y dueño de una cosa; dominarla. Ú.t.c. tr. [*Sinón.*: ocupar, adueñarse]

enseres. m. pl. Utensilios, muebles, instrumentos necesarios en una casa o para el ejercicio de una profesión. [*Sinón.*: útiles, efectos]

ensiforme. adj. En forma de espada.

ensilar. tr. Poner en silos granos y semillas.

ensillar (al. *satteln,* fr. *seller,* ingl. *to saddle,* it. *sellare).* tr. Poner la silla a la caballería.

ensimismamiento. m. Acción y efecto de ensimismarse. ‖ FIL. Recogimiento en la intimidad de uno mismo.

ensimismarse. r. Abstraerse. ‖ *Amer.* Envanecerse, engreírse.

ensoberbecer. tr. Causar o excitar soberbia en alguno. Ú.t.c.r. ‖ r. fig. Agitarse el mar.

ensombrecer. tr. Oscurecer, cubrir de sombras. Ú.t.c.r. ‖ r. fig. Entristecerse, ponerse melancólico.

ensoñación. f. Acción y efecto de ensoñar, ensueño.

ensoñar. tr. Tener ensueños.

ensordecedor, ra. adj. Que ensordece. ‖ Dícese del ruido o sonido muy intenso.

ensordecer (al. *betäuben,* fr. *assourdire,* ingl. *to deafen,* it. *assordire).* tr.

Causar sordera. ‖ GRAM. Convertir una consonante sonora en sorda. ‖ intr. Contraer sordera, quedarse sordo.

ensortijar. tr. Rizar, encrespar el cabello, hilo, etc. Ú.t.c.r.

ensuciar (al. *beschmutzen*, fr. *salir*, ingl. *to soil*, it. *sporcare*). tr. Manchar, poner sucia una cosa. Ú.t.c.r. ‖ intr. fam. Evacuar el vientre. ‖ r. Hacer las necesidades corporales en la cama, calzones, etc.

ensueño (al. *Traum*, fr. *songe*, ingl. *dream*, it. *sogno*). m. Sueño o representación fantástica del que duerme. ‖ fig. Ilusión, fantasía. [*Sinón.*: quimera]

entablado, da. p. p. de entablar. ‖ m. Conjunto de tablas dispuestas y arregladas en una armadura. ‖ Suelo de tablas. [*Sinón.*: estrado, tarima]

entablar (al. *einleiten*, fr. *entamer*, ingl. *to start*, it. *intavolare*). tr. Cubrir, cercar o asegurar con tablas una cosa. ‖ Entablillar. ‖ En los juegos de ajedrez, damas y otros análogos, colocar las piezas para empezar el juego. ‖ Disponer, preparar, emprender. ‖ Dar comienzo a una conversación, batalla, etc. ‖ r. *Amer.* Igualar, empatar.

entablillar. tr. CIR. Sujetar con tablillas y vendaje el hueso roto.

entalegar. tr. Meter una cosa en talegas o talegos.

entalladura. f. Acción y efecto de entallar. ‖ Corte que se hace en los pinos para resinarlos, o en las maderas para ensamblarlas.

entallar (al. *schnitzen, eingraben;* fr. *sculpter, entailler;* ingl. *to notch, to carve;* it. *intagliare, cesellare*). tr. Esculpir o grabar en madera, bronce, mármol, etc. ‖ Hacer una incisión en el tronco de algunos árboles para extraer la resina. ‖ Hacer cortes en una pieza de madera para ensamblarla con otra. ‖ Hacer o formar el talle. Ú.t.c.r. ‖ intr. Venir bien o mal el vestido al talle.

entapizar tr. Cubrir con tapices o forrar con telas. ‖ fig. Cubrir o revestir una superficie con alguna cosa. Ú.t.c.r.

entarimado (al. *Parkettfussboden*, fr. *parquet*, ingl. *floor boarding*, it. *tavolato*). m. Entablado del suelo.

entarimar. tr. Cubrir el suelo con tablas o tarimas.

ente (al. *Wesen*, fr. *être*, ingl. *being*, it. *ente*). m. Lo que es, existe o puede existir. ‖ fam. Sujeto ridículo.

enteco, ca. adj. Enfermizo, débil.

entelequia. f. FIL. Cosa real que lleva en si el principio de su acción y que tiende por si misma a su fin propio. ‖ fam. Ser o cosa imaginaria.

entena. f. MAR. Vara o palo encorvado y muy largo al cual va asegurada la vela latina. ‖ Madero redondo de gran longitud.

entenado, da. s. Hijastro.

entendederas. f. pl. fam. Entendimiento, inteligencia.

entender (al. *verstehen*, fr. *comprendre*, ingl. *to understand*, it. *capire*). tr. Tener idea clara de las cosas; comprenderlas. ‖ Saber con perfección una cosa, o tener nociones de una ciencia o arte. ‖ Conocer, penetrar. ‖ Discurrir, inferir, deducir. ‖ Creer, pensar, juzgar. ‖ r. Conocerse, comprenderse a si mismo. ‖ Tener un motivo o razón oculta para obrar de cierto modo. ‖ rec. Ir dos o más de conformidad en un negocio. ‖ Tener hombre y mujer alguna relación de carácter amoroso recatadamente. ‖ *a mi entender.* m. adv. Según mi juicio o modo de pensar.

entendido, da. p. p. de entender. ‖ adj. Sabio, docto, perito, diestro. Ú.t.c.s.

entendimiento (al. *Verstand*, fr. *entendement*, ingl. *understanding*, it. *intendimento*). m. Potencia del alma en virtud de la cual concibe las cosas, las compara, las juzga e induce y deduce otras de las que ya conoce. ‖ Alma, en cuanto discurre y raciocina. ‖ Razón humana. [*Sinón.*: comprensión, inteligencia]

entenebrecer. tr. Oscurecer, llenar de tinieblas. Ú.t.c.r.

entente (voz francesa). f. Inteligencia, trato secreto, convenio, pacto.

enteralgia. f. MED. Dolor intestinal agudo.

enterar. tr. Informar, instruir a alguien en un asunto. Ú.t.c.r. ‖ *Amer.* Pagar, entregar dinero.-[*Sinón.*: iniciar, orientar]

entereza (al. *Charakterfestigkeit*, fr. *intégrité*, ingl. *firmness*, it. *interezza*). f. Integridad, perfección. ‖ fig. Integridad, rectitud en la administración de justicia. ‖ fig. Fortaleza, constancia, firmeza de ánimo.

enteritis. f. MED. Inflamación de la membrana mucosa de los intestinos.

enterizo, za. adj. Entero. ‖ De una sola pieza.

enternecer (al. *rühren*, fr. *attendrir*, ingl. *to soften*, it. *intenerire*). tr. Ablandar, poner tierna y blanda una cosa. Ú.t.c.r. ‖ fig. Mover a ternura, por compasión u otro motivo. Ú.t.c.r. [*Sinón.*: conmover]

enternecimiento. m. Acción y efecto de enternecer o enternecerse.

entero, ra (al. *ganz*, fr. *entier*, ingl. *whole*, it. *intero*). adj. Íntegro, sin falta alguna. ‖ fig. Robusto, sano. ‖ fig. Recto, justo. ‖ fig. y fam. Dícese del que tiene entereza o firmeza de ánimo. ‖ Aplícase al animal no castrado. ‖ fig. Que conserva la virginidad. ‖ m. *Amer.* Entrega de dinero. ‖ *por entero.* m. adv. Enteramente, del todo. [*Sinón.*: integro, total]

enterocolitis. f. MED. Inflamación del intestino delgado, del ciego y del colon.

enterrador. (al. *Totengräber*, fr. *fossoyeur*, ingl. *grave-digger*, it. *affossatore*). m. Sepulturero. ‖ ZOOL. Nombre vulgar de los insectos coleópteros del género necróforo.

enterramiento. m. Acción y efecto de enterrar a los cadáveres. ‖ Sitio en que está enterrado un cadáver.

enterrar (al. *begraben*, fr. *enterrer*, ingl. *to bury*, it. *seppellire*). tr. Poner debajo de tierra. ‖ Dar sepultura a un cadáver. ‖ fig. Sobrevivir a alguien. ‖ fig. Hacer desaparecer una cosa debajo de otra. ‖ fig. Arrinconar, relegar al olvido. ‖ *Amer.* Clavar, meter un instrumento punzante. [*Sinón.*: inhumar, sepultar. *Antón.*: exhumar, desenterrar]

entesar. tr. Dar mayor fuerza, vigor o intención a una cosa. ‖ Poner tirante y tensa una cosa.

entibación. Acción y efecto de entibar.

entibador. m. Operario que entiba.

entibar (al. *abspreizen*, fr. *boiser*, ingl. *to prop*, it. *puntellare*). tr. En las minas, apuntalar con maderas y tablas las excavaciones.

entibiar (al. *lau machen*, fr. *attiédir*, ingl. *to tepefy*, it. *intiepidire*). tr. Poner tibio un liquido. Ú.t.c.r. ‖ fig. Templar, moderar los afectos y pasiones. Ú.t.c.r.

entidad (al. *Wesenheit*, fr. *entité*, ingl. *entity*, it. *entità*). f. FIL. Lo que constituye la esencia o la forma de una cosa. ‖ Ente o ser. ‖ Valor o importancia de una cosa. ‖ Colectividad considerada como unidad.

entierro (al. *Begräbnis*, fr. *enterrement*, ingl. *burial*, it. *seppellimento*). m. Acción y efecto de enterrar un cadáver. ‖ Sepulcro o sitio en que se ponen los difuntos. ‖ El cadáver que se lleva a enterrar y su acompañamiento. [*Sinón.*: enterramiento, inhumación, sepelio]

entimema. m. FIL. Silogismo abreviado en que se suprime una de las premisas por demasiado evidente.

entintar. tr. Manchar una cosa con tinta. || fig. Teñir, dar color.

entoldado. m. Acción de entoldar. || Toldo o conjunto de toldos para dar sombra.

entoldar. tr. Cubrir con toldos. || Cubrir con tapices, sedas o paños las paredes. || Cubrir las nubes el cielo.

entomófilo, la. adj. Aficionado a los insectos. || BOT. Dícese de las plantas cuya fecundación se realiza con la intervención de los insectos.

entomología (al. *Insektenkunde*, fr. *entomologie*, ingl. *entomology*, it. *entomologia*). f. Parte de la zoología que trata de los insectos.

entomólogo. m. El que sabe o profesa la entomología.

entonación (al. *Anstimmen*, fr. *intonation*, ingl. *intonation*, it. *intonazione*). f. Acción y efecto de entonar. || Inflexión de la voz según el sentido de lo que se dice, la emoción que se expresa y el estilo en que se habla. || fig. Arrogancia, presunción.

entonar (al. *anstimmen*, fr. *entonner*, ingl. *to intone*, it. *intonare*). tr. Cantar ajustado al tono; afinar la voz. Ú.t.c. intr. || Dar determinado tono a la voz. || Empezar uno a cantar una cosa para que los demás continúen en el mismo tono. || FISIOL. Dar tensión y vigor al organismo. || PINT. Armonizar, graduar las tintas. || r. fig. Engreírse. [*Antón.*: desafinar]

entonces (al. *damals*, fr. *alors*, ingl. *then*, it. *allora*). adv. t. En aquel tiempo u ocasión. || adv. m. En tal caso, siendo así.

entono. m. Acción y efecto de entonar la voz. || fig. Arrogancia, presunción.

entontecer. tr. Poner a uno tonto. || intr. Volverse tonto. Ú.t.c.r.

entorchado (al. *Tresse*, fr. *galon*, ingl. *bullion fringe*, it. *gallone*). m. Cuerda o hilo de seda o de metal, cubierto con otro de seda o de metal retorcido alrededor. || Bordado de oro o plata que como distintivo llevan en el uniforme ciertos militares y altos funcionarios.

entorchar. tr. Cubrir una cuerda o hilo con otro de seda o de metal en espiral.

entornar (al. *halb schliessen*, fr. *entrouvrir*, ingl. *to half-close*, it. *socchiudere*). tr. Volver la puerta o la ventana hacia donde se cierra. || Dícese también de los ojos cuando no se cierran por completo.

entorpecer (al. *lähmen*, fr. *engour-* *dir*, ingl. *to benumb*, it. *intorpidire*). tr. Poner torpe. Ú.t.c.r. || fig. Turbar, oscurecer el entendimiento. Ú.t.c.r. || fig. Retardar, dificultar. Ú.t.c.r.

entorpecimiento. m. Acción y efecto de entorpecer o entorpecerse.

entrada (al. *Eingang*, fr. *entrée*, ingl. *entrance*, it. *entrata*). f. Espacio por donde se entra a alguna parte. || Acción de entrar en alguna parte. || Acto de ser uno recibido en un consejo, comunidad, etc., o de empezar a gozar de una dignidad, empleo, etc. || Conjunto de personas que asisten a un espectáculo. || Producto de cada función. || Billete que sirve para entrar en un espectáculo. || Principio de una obra; como oración, libro, etc. || Cada uno de los manjares que se sirven después de la sopa y antes del plato principal. || Cada uno de los ángulos entrantes que forma el pelo en la parte superior de la frente. || Caudal que entra en una caja o en poder de uno. || Primeros días del año, del mes, etc. || Vocablo que encabeza cada artículo de un diccionario. || MÚS. Momento preciso en que cada voz o instrumento ha de entrar a tomar parte en la ejecución de una pieza musical. [*Sinón.*: acceso; ingreso, recaudación; boleto]

entramado. m. ARQ. Armazón de madera que se rellena con obra.

entramar. tr. ARQ. Hacer un entramado.

entrambos, bas. adj. pl. Ambos.

entrampar. tr. Hacer caer a un animal en una trampa. Ú.t.c.r. || fig. Engañar artificiosamente. || fig. y fam. Enredar un negocio. || r. Meterse en un atolladero. || fig. y fam. Empeñarse, endeudarse.

entraña (al. *Eingeweide*, fr. *entraille*, ingl. *entrails*, it. *viscere*). f. Cada uno de los órganos contenidos en las principales cavidades del cuerpo. || Lo más íntimo o esencial de una cosa o asunto. || pl. fig. Lo más oculto o escondido. || fig. El centro, lo que está en medio. || fig. Voluntad, afecto del ánimo. || fig. Índole y genio de una persona. || *no tener entrañas.* fig. y fam. Ser cruel.

entrañable. adj. Íntimo, muy afectuoso.

entrañar. tr. Introducir en lo más hondo. Ú.t.c.r. || Contener, llevar dentro de sí. || r. Estrecharse íntimamente con alguno.

entrapajar. tr. Envolver con trapos alguna parte del cuerpo. || r. Llenarse de polvo o mugre una tela, el cabello, etc.

entrar (al. *eintreten*, fr. *entrer*, ingl. *to enter*, it. *entrare*). intr. Ir o pasar de fuera adentro. Ú.t. en sent. fig. || Pasar por una parte para introducirse en otra. || Encajar, poderse meter una cosa en otra. || Penetrar o introducirse. || Acometer, arremeter. || fig. Ser admitido o tener entrada en alguna parte. || fig. Tratándose de carreras profesionales, dedicarse a ellas. || fig. Manifestarse afectos, estados de ánimo, etc. || fig. Dicho de escritos o discursos, empezar. || Tener parte en la composición de ciertas cosas. || fig. Seguido de la preposición *en* y de un nombre, empezar a sentir lo que el nombre signifique. || fig. Seguido de la preposición *en* y de un nombre, intervenir, participar. || MÚS. Empezar a cantar o tocar en el momento preciso. || tr. Introducir. || Ocupar a fuerza de armas una cosa. || r. Introducirse en alguna parte. || *entrar bien* una cosa. Venir al caso u oportunamente. || *no entrarle* a uno una cosa. fig. y fam. Repugnarle, no creerla; no poder aprenderla o comprenderla. || *no entrarle* a uno una persona o cosa. fig. y fam. Desagradarle. || *no entrar ni salir* uno *en* una cosa. fig. y fam. No tomar parte en ella. [*Sinón.*: ingresar; comenzar. *Antón.*: salir]

entre (al. *zwischen*, *unter*; fr. *entre*; ingl. *between*, *among*; it. *tra*, *fra*). Prep. que denota la situación o estado en medio de dos o más cosas o acciones. || Dentro de, en lo interior. || Expresa estado intermedio. || Denota cooperación. || En composición con otro vocablo, limita su significación o expresa situación o calidad intermedia. || *entre que.* m. adv. Mientras.

entreabierto, ta. p. p. irreg. de entreabrir.

entreabrir. tr. Abrir un poco o a medias una puerta, ventana, etc. Ú.t.c.r.

entreacto (al. *Zwischenakt*, fr. *entr'acte*, ingl. *entr'acte*, it. *intermezzo*). m. Intermedio entre dos partes de un espectáculo.

entrecano, na. adj. Dícese del cabello o barba a medio encanecer. || Aplícase a la persona que tiene así el cabello.

entrecavar. tr. Cavar ligeramente.

entrecejo. m. Espacio que hay entre las cejas. || fig. Ceño, sobrecejo.

entrecoger. tr. Coger a una persona o cosa de manera que no pueda desprenderse con facilidad. || fig. Apremiar, acorralar a uno con argumentos, insidias o amenazas.

entrecomar. tr. Poner entre comas una o varias palabras.

entrecomillas. tr. Poner entre comillas una o varias palabras.

entrecortado, da. p. p. de entrecortar. ‖ adj. Dícese de la voz o del sonido que se emite con intermitencias.

entrecortar. tr. Cortar una cosa sin acabar de dividirla.

entrecot (fr. *entrecôte*). m. En las reses de matadero, trozo de carne cortado entre dos costillas.

entrecruzar. tr. Cruzar dos o más cosas entre sí, entrelazar. Ú.t.c.r.

entrechocar. tr. Chocar una cosa con otra. Ú.t.c.r.

entredicho. m. Prohibición de hacer o decir alguna cosa. ‖ *poner en entredicho* una cosa. Juzgarla indigna de crédito o de aceptación.

entredós. m. Tira bordada o de encaje que se cose entre dos telas.

entrefino, na. adj. De una calidad media entre lo fino y lo basto.

entrega (al. *Lieferung;* fr. *remise, livraison;* ingl. *delivery;* it. *rimessa, consegna*). f. Acción y efecto de entregar. ‖ Cada uno de los cuadernos impresos en que se suele dividir y expender un libro que se publica por partes. ‖ ARQ. Parte de un sillar o madero que se introduce en la pared.

entregar (al. *übergeben,* fr. *remettre,* ingl. *to hand over,* it. *consegnare*). tr. Poner en poder de otro. ‖ ARQ. Introducir el extremo de una pieza de construcción en el asiento donde ha de fijarse. ‖ r. Ponerse en manos de uno, sometiéndose a su dirección o arbitrio; ceder a la opinión ajena. ‖ Dedicarse enteramente a una cosa, emplearse en ella. ‖ Darse a vicios o pasiones. ‖ Declararse vencido para continuar un empeño o trabajo. [*Sinón.*: dar; someterse. *Antón.*: quitar; resistir]

entrelazar. tr. Enlazar, entretejer una cosa con otra.

entrelínea. f. Lo escrito entre dos líneas.

entrelinear. tr. Escribir algo que se intercala entre dos líneas.

entremedias. adv. t. y l. Entre uno y otro tiempo, espacio, lugar o cosa.

entremés. m. Comestibles, como aceitunas, conservas, etc., que se ponen de entrada mientras se sirven los platos. Ú.m. en pl. ‖ Breve pieza dramática de carácter jocoso que se representaba entre los actos de una comedia.

entremeter (al. *sich unberufrn einmischen,* fr. *s'ingérer,* ingl. *to meddle,* it. *intromettersi*). tr. Meter una cosa

entre otras. ‖ r. Meterse uno donde no le llaman. ‖ Ponerse en medio o entre otros. [*Sinón.*: inmiscuirse]

entremetido, da. p. p. de entremeter. ‖ adj. Dícese del que acostumbra a meterse donde no le llaman. Ú.t.c.s.

entremetimiento. m. Acción y efecto de entremeter o entremeterse.

entremezclar. tr. Mezclar una cosa con otra sin confundirlas.

entrenador, ra (al. *Trainer,* fr. *entraîneur,* ingl. *trainer,* it. *allenatore*). s. El que entrena o prepara personas o animales, especialmente para la práctica de un deporte.

entrenamiento. m. Acción y efecto de entrenar o entrenarse.

entrenar (al. *trainieren,* fr. *entraîner,* ingl. *to train,* it. *allenare*). tr. Preparar, adiestrar personas o animales, especialmente para la práctica de algún deporte. Hablando de personas, ú.t.c.r.

entrenudo. m. BOT. Parte del tallo de algunas plantas comprendida entre dos nudos.

entreoír. tr. Oír una cosa sin percibirla bien o entenderla del todo.

entrepaño. m. ARQ. Parte de la pared comprendida entre dos pilastras, columnas o huecos. ‖ En carpintería, anaquel del estante o de la alacena.

entrepiernas. f. pl. Parte interior de los muslos. Ú.t. en sing. ‖ *Amer.* Taparrabos, traje de baño.

entresacar (al. *auslesen,* fr. *trier,* ingl. *to pick out,* it. *trascegliere*). tr. Sacar unas cosas de entre otras. ‖ Aclarar un monte, cortando algunos árboles, o espaciar las plantas que han nacido muy juntas en un sembrado. ‖ Cortar parte del cabello cuando éste es demasiado espeso.

entresijo. m. Mesenterio. ‖ fig. Cosa oculta, interior, escondida.

entresuelo. m. Piso de una casa comprendido entre el bajo y el principal.

entretalla. f. Media talla o bajo relieve.

entretallar. tr. Trabajar una cosa a media talla o bajo relieve. ‖ Grabar, esculpir. ‖ Hacer en una tela calados o recortados. ‖ r. Trabarse unas cosas con otras.

entretanto. adv. t. Entre tanto. Ú.t.c.s. precedido del artículo *el* o de un demostrativo.

entretejer. tr. Meter en la tela que se teje hilos diferentes para que hagan distinta labor. ‖ Trabar y enlazar una cosa con otra. ‖ fig. Incluir palabras, períodos o versos en un libro o escrito.

entretela. f. Lienzo que como refuer-

zo se pone entre la tela y el forro de un vestido. ‖ pl. fig. y fam. Lo íntimo del corazón, las entrañas.

entretener (al. *unterhalten,* fr. *amuser,* ingl. *to amuse,* it. *divertire*). tr. Tener a uno detenido y en espera. Ú.t.c.r. ‖ Hacer menos molesta y más llevadera una cosa. ‖ Divertir, recrear el ánimo de uno. ‖ Dar largas, con pretextos, a un asunto. ‖ Mantener, conservar. ‖ r. Divertirse.

entretenido, da. p. p. de entretener. ‖ adj. Chistoso, divertido.

entretenimiento. m. Acción y efecto de entretener o entretenerse. ‖ Cosa que sirve para entretener o divertir. ‖ Mantenimiento o conservación de una persona o cosa.

entretiempo. m. Tiempo de primavera y otoño.

entrever. tr. Ver confusamente una cosa. ‖ Conjeturarla, sospecharla. [*Sinón.*: columbrar, vislumbrar]

entreverado, da. p. p. de entreverar. ‖ adj. Que tiene interpoladas cosas varias y diferentes.

entreverar. tr. Mezclar, introducir una cosa en otras. ‖ r. *Amer.* Mezclarse desordenadamente personas, animales o cosas.

entrevía. f. En una vía férrea, espacio libre que queda entre los dos rieles.

entrevista (al. *Zusammenkunft,* fr. *entrevue,* ingl. *interview,* it. *intervista*). f. Concurrencia y conferencia de dos o más personas en lugar determinado. ‖ Diálogo entre un periodista u otro representante de los medios de difusión y una personalidad, en vistas a su divulgación.

entrevistar. tr. Mantener una conversación con una persona acerca de ciertos extremos para informar al público de sus respuestas. ‖ r. Tener una entrevista con una persona. [*Sinón.*: conferenciar, reunirse]

entristecer (al. *traurig machen,* fr. *attrister,* ingl. *to sadden,* it. *attristare*). tr. Causar tristeza. ‖ Poner de aspecto triste. ‖ r. Ponerse triste. [*Sinón.*: afligirse]

entristecimiento. m. Acción y efecto de entristecer o entristecerse.

entrometer. tr. Entremeter. Ú.t.c.r.

entrometido, da. adj. Entremetido. Ú.t.c.s.

entrometimiento. m. Entremetimiento.

entroncar. tr. Afirmar el parentesco de una persona con el tronco o linaje de otra. ‖ intr. Tener o contraer parentesco con un linaje o persona. ‖ *Amer.*

Empalmar dos líneas de transporte. Ú.t.c.r.

entronización. f. Acción y efecto de entronizar o entronizarse.

entronizar. tr. Colocar en el tronco. || fig. Ensalzar a uno; colocarle en alto estado. || r. fig. Engreírse, envanecerse. | Sinón.: entronar]

entronque. m. Relación de parentesco entre personas que tienen un tronco común. || Amer. Acción y efecto de entroncar o empalmar.

entropía. f. QUÍM. y FÍS. Energía inaprovechable o degradada de un sistema.

entubación. f. Acción y efecto de entubar.

entubar. tr. Poner tubos en algo.

entuerto. m. Tuerto o agravio.

entullecer. tr. fig. Suspender, detener la acción o movimiento de una cosa. || intr. Tullirse. Ú.t.c.r.

entumecer (al. lähmen, betäuben; fr. tuméfier; ingl. to benumb; it. intumedire). tr. Impedir, entorpecer el movimiento o acción de un miembro o nervio. Ú.m.c.r.

entumecimiento. m. Acción y efecto de entumecer o entumecerse.

entumirse. r. Entorpecerse un miembro o músculo por haber estado encogido o sin movimiento, o por compresión de algún nervio.

enturbiar (al. trüben, fr. troubler, ingl. to muddle, it. intorbidare). tr. Hacer o poner turbia una cosa. Ú.t.c.r. || fig. Turbar, alterar el orden; oscurecer lo que estaba claro y ordenado. Ú.t.c.r.

entusiasmar. tr. Infundir entusiasmo. Ú.t.c.r. [Sinón.: arrebatar. Antón.: desencantar]

entusiasmo (al. Begeisterung, fr. enthousiasme, ingl. enthusiasm, it. entusiasmo). m. Inspiración divina de los profetas. || Inspiración fogosa y arrebatada del escritor o del artista, y especialmente del poeta o del orador. || Exaltación y fogosidad del ánimo, excitado por algo que lo admira y cautiva. || Adhesión fervorosa a una causa o empeño.

entusiasta. adj. Que siente entusiasmo por una persona o cosa. Ú.t.c.s. || Propenso a entusiasmarse. Ú.t.c.s.

enucleación. f. Extirpación de un órgano, glándula, quiste, etc., a la manera como se saca el hueso de una fruta.

enumeración (al. Aufzählung, fr. énumération, ingl. enumeration, it., enumerazione). f. Expresión sucesiva y ordenada de las partes de un todo. ||

Cómputo o cuenta numeral de las cosas. || RET. Recapitulación breve de las razones expuestas en un discurso. || RET. Figura que consiste en enumerar rápidamente las distintas partes de un concepto o pensamiento general.

enumerar (al. aufzählen, fr. énumérer, ingl. to enumerate, it. enumerare). tr. Hacer enumeración de las cosas. [Sinón.: contar]

enunciación. f. Acción y efecto de enunciar.

enunciado. m. Enunciación.

enunciar (al. äussern, fr. énoncer, ingl. to state, it. enunciare). tr. Expresar breve y sencillamente una idea.

enuresis. f. MED. Emisión involuntaria de la orina.

envainar. tr. Meter en la vaina un arma blanca. || Envolver una cosa a otra ciñéndola a manera de vaina.

envalentonar. tr. Infundir valentía o arrogancia. || r. Cobrar valentía o dárselas de valiente. [Sinón.: animar; fanfarronear, baladronar. Antón.: acobardar]

envanecer (al. eitel werden, fr. s'enorgueillir, ingl. to become conceited, it. insuperbire). tr. Infundir soberbia o vanidad a alguien. Ú.m.c.r.

envanecimiento. m. Acción y efecto de envanecer o envanecerse.

envaramiento. m. Acción y efecto de envarar o envararse.

envarar. tr. Entorpecer, impedir el movimiento de un miembro. Ú.m.c.r. [Sinón.: entumir, entumecer]

envasar (al. einfüllen, fr. mettre dans un récipient, ingl. to fill a vessel, it. infiascare). tr. Colocar o meter algo en un recipiente o envase.

envase (al. Gefäss, Verpackung; fr. récipient; ingl. container, package; it. recipiente). m. Acción y efecto de envasar. || Recipiente en que se conservan y transportan ciertos géneros. || Todo lo que envuelve o contiene artículos de comercio u otros efectos para conservarlos o transportarlos.

envejecer (al. alt werden, fr. vieillir, ingl. to grow old, it. invecchiare). tr. Hacer vieja a una persona o cosa. || intr. Hacerse vieja o antigua una persona o cosa. Ú.t.c.r. || Durar, permanecer por mucho tiempo. [Sinón.: avejentar]

envejecido, da. p. p. de envejecer. || adj. fig. Acostumbrado, experimentado; que viene de mucho tiempo atrás.

envejecimiento. m. Acción y efecto de envejecer.

envenenamiento. m. Acción y efecto de envenenar o envenenarse.

envenenar (al. vergiften, fr. empoisonner, ingl. to poison, it. avvelenare). tr. Emponzoñar, inficionar con veneno. Ú.t.c.r. || fig. Acriminar; interpretar en mal sentido palabras o acciones. || fig. Dañar.

enverar. intr. Empezar las uvas y otras frutas a tomar color de maduras.

enverdecer. tr. Reverdecer el campo, las plantas, etc.

envergadura (al. Flügelspannweite, fr. envergure, ingl. wing-spread, it. inantennatura). f. MAR. Ancho de una vela en el grátil. || ZOOL. Distancia entre las puntas de las alas extendidas de las aves. || fig. Importancia, amplitud, alcance.

envergar. tr. MAR. Sujetar, atar las velas a las vergas.

envés. m. Parte opuesta del frente de una cosa. || BOT. Cara inferior del limbo de una hoja. [Antón.: haz]

enviado, da (al. Gesandte, fr. envoyé, ingl. envoy, it. inviato). p. p. de enviar. || m. El que va por mandato de otro con un mensaje, recado o comisión.

enviar (al. senden, fr. envoyer, ingl. to send, it. inviare). tr. Hacer que una persona vaya a alguna parte. || Hacer que una cosa se dirija o sea llevada a alguna parte. [Sinón.: mandar, expedir]

enviciar. tr. Corromper, inficionar con un vicio. || intr. Echar las plantas muchas hojas y poco fruto. || r. Aficionarse demasiado a una cosa.

envidar. tr. Hacer envite en el juego.

envidia (al. Neid, fr. envie, ingl. envy, it. invidia). f. Tristeza o pesar del bien ajeno. || Emulación, deseo honesto. || comerse uno de envidia. fig. y fam. Estar enteramente poseído de ella.

envidiar (al. beneiden, fr. envier, ingl. to envy, it. invidiare). tr. Tener envidia, sentir el bien ajeno. || fig. Desear, apetecer lo lícito y lo honesto. || no tener que envidiar, o tener poco que envidiar, una cosa a otra. fig. No ser inferior a ella. [Sinón.: Codiciar]

envidioso, sa. adj. Que tiene envidia. Ú.t.c.s. [Sinón.: celoso]

envilecer. tr. Hacer vil y despreciable una cosa. || r. Perder uno la estimación que tenía. [Sinón.: humillar, rebajar]

envilecimiento. m. Acción y efecto de envilecer o envilecerse.

envinar. tr. Echar vino al agua.

envío (al. Sendung, fr. envoi, ingl. consignment, it. invío). m. Acción y efecto de enviar. [Sinón.: remisión, remesa]

envión. m. Empujón.

ENTRONIZACIÓN-ENVIÓN

envirotado, da. adj. Dícese del sujeto entonado y tieso en demasía.

enviscar. tr. Untar con liga las ramas de las plantas para cazar pájaros. || r. Adherirse, pegarse los pájaros y los insectos con la liga.

envite (al. *Angebot im Spiel,* fr. *renvi,* ingl. *stake at cards,* it. *invito*). m. Apuesta que se hace en algunos juegos, parando cierta cantidad a un lance o suerte. || fig. Ofrecimiento de una cosa. || Envión, empujón. || *al primer envite.* m. adv. De buenas a primeras, al principio.

enviudar (al. *verwitwen,* fr. *devenir veuf,* ingl. *to become a widower,* it. *vedovare*). intr. Quedar viudo o viuda.

envoltorio. m. Lío de ropas u otras cosas.

envoltura. f. Capa exterior que cubre una cosa. [*Sinón.:* cubierta, cobertura]

envolver (al. *einwickeln,* fr. *envelopper,* ingl. *to wrap up,* it. *avviluppare*). tr. Cubrir una cosa rodeándola o ciñéndola con algo. || Arrollar o devanar un hilo, cinta, etc., en alguna cosa. || Rodear a uno, en la disputa, de argumentos, dejándolo cortado. || MIL. Rebasar por uno de los extremos la línea de combate del enemigo y acometerlo por todos los lados. || fig. Complicar a uno en un asunto. Ú.t.c.r. || r. fig. Amancebarse. | *Sinón.:* liar|

enyesar (al. *vergipsen,* fr. *plâtrer,* ingl. *to plaster,* it. *ingessare*). tr. Tapar o acomodar con yeso. || Igualar con yeso las paredes, los suelos, etc. || CIR. Escayolar.

enzarzar. tr. Poner zarzas en una cosa, o cubrirla con ellas. || fig. Enredar a algunos entre sí, sembrando discordias. Ú.t.c.r. || r. Enredarse en las zarzas, matorrales, etc. || fig. Reñir, pelearse.

enzima. f. BIOL. Cualquiera de los fermentos solubles que se forman en los organismos vegetales o animales y actúan como catalizadores en los procesos de metabolismo.

enzootia. f. VET. Cualquier enfermedad que acomete a una o más especies animales en determinado territorio.

enzunchar. tr. Asegurar y reforzar con zunchos o flejes.

eñe. f. Nombre de la letra *ñ.*

eoceno. adj. GEOL. Aplícase al primero de los cuatro períodos en que se divide la era terciaria, y a las formaciones geológicas y terrenos propios de este período. Ú.t.c.s. || Perteneciente a este período.

eólico, ca. adj. Perteneciente o relativo a la Eólida. || Dícese de uno de los cuatro dialectos principales de la lengua griega. Ú.t.c.s.m. || Perteneciente o relativo a este dialecto.

eólico, ca. adj. Perteneciente o relativo a Eolo. || Perteneciente o relativo al viento. || Producido o accionado por el viento.

eolito. m. Piedra de cuarzo usada en su forma natural como instrumento por el hombre primitivo.

eón. m. En el gnosticismo, cada una de las inteligencias eternas o entidades divinas emanadas de la divinidad suprema.

epacta. f. Número de días en que el año solar excede al lunar.

epéntesis. f. GRAM. Figura de dicción que consiste en añadir una letra en medio de un vocablo.

eperlano. m. ZOOL. Pez salmónido, muy parecido a la trucha.

epi. prep. insep. que significa sobre.

épica. f. Poesía épica.

epicarpio. m. BOT. Película que cubre el fruto de las plantas; parte externa del pericarpio.

epiceno. adj. GRAM. Dícese del género de los nombres de animales cuando con una misma terminación y artículo designan el macho y la hembra. [*Sinón.:* común]

epicentro. m. GEOL. Punto de la superficie terrestre más próximo al hipocentro de un movimiento sísmico.

epiciclo. m. ASTR. Órbita circular que se suponía describían los planetas, y cuyo centro giraba en torno a la Tierra.

epicicloide. m. MAT. Línea curva que describe un punto de una circunferencia que rueda sobre otra fija, siendo ambas tangentes exteriormente.

épico, ca (al. *episch,* fr. *épique,* ingl. *epic,* it. *epico*). adj. Perteneciente o relativo a la epopeya o a la poesía heroica. || Dícese del poeta que cultiva este género de poesía. Ú.t.c.s. || Propio y característico de la poesía épica. [*Sinón.:* heroico]

epicureísmo. m. Doctrina filosófica enseñada por Epicuro de Samos, que señala como fin máximo el goce de todos los placeres sensibles.

epicúreo, a. adj. Perteneciente a Epicuro. || Partidario del epicureísmo. Ú.t.c.s. || fig. Sensual, voluptuoso.

epidemia (al. *Epidemie,* fr. *épidémie,* ingl. *epidemic,* it. *epidemia*). f. Enfermedad que por una temporada aflige a un pueblo o comarca, afectando simul-

táneamente a gran número de personas.

epidémico, ca. adj. perteneciente a la epidemia.

epidemiología. f. MED. Tratado de las epidemias.

epidérmico, ca. adj. Perteneciente o relativo a la epidermis.

epidermis. f. ANAT. Membrana epitelial que envuelve al cuerpo de los animales. || BOT. Película delgada que cubre la superficie de las plantas. [*Sinón.:* piel]

epifanía. f. Festividad que celebra la Iglesia el 6 de enero y que también se llama de la Adoración de los Reyes. || Manifestación, aparición.

epifenómeno. m. En psicología y en patología, fenómeno accesorio que no modifica el principal, pero acompaña a los síntomas generales.

epifisis. f. ANAT. Pequeño órgano nervioso y glandular situado en el encéfalo. || ANAT. Cada una de las dos partes terminales de los huesos largos.

epifito, ta. adj. BOT. Dícese del vegetal que vive sobre otra planta, pero sin alimentarse a expensas de ésta, como los musgos y los líquenes.

epigastrio. m. ANAT. Región del abdomen que se extiende desde la punta del esternón hasta cerca del ombligo.

epiglotis. f. ANAT. Cartílago ovalado sujeto a la parte posterior de la lengua de los mamíferos, que tapa la glotis durante la deglución.

epígono. m. El que sigue las huellas de otro; especialmente se dice del que sigue una escuela o un estilo de una generación anterior.

epígrafe (al. *Inschrif,* fr. *épigraphe,* ingl. *epigraph,* it. *epigrafe*). m. Título, rótulo. || Resumen, cita o sentencia que suele ponerse a la cabeza de una obra científica o literaria, o de cada uno de sus capítulos o divisiones. || Inscripción en piedra, metal, etc. [*Sinón.:* letrero; sumario]

epigrafía. f. Ciencia cuyo objeto es conocer e interpretar las inscripciones.

epigrama (al. *Epigramm,* fr. *épigramme,* ingl. *epigram,* it. *epigramma*). m. Inscripción en piedra, metal, etc. || Composición poética breve, por lo común festiva o satírica. || fig. Pensamiento mordaz o satírico expresado con brevedad y agudeza.

epilepsia (al. *Epilepsie,* fr. *épilepsie,* ingl. *epilepsy,* it. *epilessia*). f. MED. Enfermedad general caracterizada por accesos repentinos con pérdida brusca del conocimiento y convulsiones.

epiléptico, ca. adj. MED. Que padece epilepsia. Ú.t.c.s. || Perteneciente a esta enfermedad.

epilogar. tr. Resumir, compendiar una obra o escrito.

epílogo (al. *Epilog*, fr. *épilogue*, ingl. *epilogue*, it. *epilogo*). m. Recapitulación de todo lo dicho en una composición literaria. || fig. Conjunto o compendio. ||Última parte de algunas obras dramáticas y novelas, y en la cual se representa una acción o se refieren sucesos que son consecuencia de la acción principal o están relacionados con ella. || RET. Peroración, última parte del discurso. [*Antón.*: prólogo]

epinicio. m. Canto de victoria; himno triunfal.

episcopado. m. Dignidad de obispo. || Época y duración del gobierno de un obispo. || Conjunto de obispos.

episcopal. adj. Perteneciente o relativo al obispo.

episodio (al. *Episode*, fr. *épisode*, ingl. *episode*, it. *episodio*). m. Acción secundaria respecto a la principal, pero enlazada con ella, en un poema épico o dramático, o en una novela. ||Cada una de las acciones parciales o partes integrantes de la acción principal. || Incidente, suceso enlazado con otros que forman un todo o conjunto.

epistaxis. f. MED. Hemorragia nasal.

epistemología. f. Doctrina de los fundamentos y métodos del conocimiento científico.

epistemológico, ca. adj. Perteneciente o relativo a la epistemología.

epístola (al. *Epistel*, fr. *epître*, ingl. *epistle*, it. *epistola*). f. Carta que se escribe a los ausentes. || Parte de la misa, después de las primeras oraciones y antes del gradual. || Cada una de las cartas canónicas reconocidas por la Iglesia, y especialmente las de San Pablo. || LIT. Composición poética de alguna extensión, en que el autor se dirige a una persona real o imaginaria, y cuyo fin suele ser moralizar, instruir o satirizar.

epistolario. m. Libro que contiene una colección de cartas o epístolas de un autor. || Libro que contiene las epístolas que se cantan en las misas.

epitafio. m. Inscripción que se hace en un sepulcro.

epitalamio. m. Composición poética lírica en celebración de una boda.

epitelial. adj. Referente al epitelio.

epitelio (al. *Epithel*, fr. *épithélium*, ingl. *epithelium*, it. *epitelio*). m. ANAT. Tejido que cubre la piel y las mucosas.

epitelioma. m. PAT. Tumor canceroso que se desarrolla en diferentes puntos de la piel y en el epitelio.

epítema. f. MED. Medicamento tópico que se aplica en forma de fomento, cataplasma o polvo.

epíteto (al. *Beiwort*, fr. *épithète*, ingl. *epithet*, it. *epiteto*). m. Adjetivo o participio cuyo fin principal es caracterizar al nombre.

epítome (al. *Abriss*, fr. *épitome*, ingl. *epitome*, it. *epitome*). m. Resumen o compendio de una obra extensa. ||RET. Figura que consiste, después de dichas muchas palabras, en repetir las primeras para mayor claridad.

epizoario. m. ZOOL. Ectoparásito.

epizootia. f. Enfermedad que acomete a una o varias especies animales, por una causa general y transitoria.

época (al. *Epoche*, fr. *époque*, ingl. *epoch*, it. *epoca*). f. Era, fecha histórica que se utiliza para cómputos cronológicos. || Período de tiempo que se señala por los hechos históricos durante él acaecidos. || Por ext., cualquier espacio de tiempo. || Punto fijo y determinado de tiempo, desde el cual se empiezan a enumerar los años. || Temporada de larga duración.

epodo. m. Último verso de la estancia, repetido muchas veces. || En la poesía griega y latina, combinación de un verso largo y otro corto.

epónimo, ma. adj. Aplícase al héroe o a la persona que da nombre a un pueblo, a una ciudad, a una época, etc.

epopeya. f. Poema narrativo extenso, de elevado estilo, acción grande y pública, sobre personajes heroicos o de suma importancia, y en el cual interviene lo sobrenatural o maravilloso. || fig. Conjunto de hechos gloriosos.

épsilon. f. Quinta letra del alfabeto griego, equivalente a una *e* breve.

epulón. m. El que come y se regala mucho. [*Sinón.*: comilón, glotón]

equi-. part. insep. que denota igualdad.

equiángulo, la. adj. MAT. Dícese de las figuras y cuerpos que tienen todos sus ángulos iguales.

equidad (al. *Billigkeit*, fr. *équité*, ingl. *equity*, it. *equità*). f. Igualdad de ánimo. || Bondadosa templanza habitual; propensión a dejarse guiar por el sentimiento del deber o de la conciencia. || Justicia natural, por oposición a justicia legal. || Moderación en el precio de las cosas o en las condiciones de los contratos. [*Antón.*: injusticia, parcialidad]

equidiferencia. f. MAT. Igualdad de dos razones por diferencia.

equidistancia. f. Igualdad de distancia entre varios puntos u objetos.

equidistar. intr. MAT. Hallarse uno o más puntos, líneas, planos, etc., a igual distancia de otro determinado, o entre sí.

équido. adj. ZOOL. Dícese de los maíferos perisodáctilos que, como el caballo y el asno, tienen cada extremidad terminada en un solo dedo. Ú.t.c.s. || m. pl. Familia de estos animales.

equilátero, ra. adj. MAT. Aplícase a las figuras que tienen todos sus lados iguales entre sí.

equilibrado, da. p. p. de equilibrar. || adj. fig. Ecuánime, sensato.

equilibrar. tr. Hacer que una cosa se ponga o quede en equilibrio. Ú.t.c.r. || fig. Hacer que una cosa no exceda ni supere a otra, manteniéndolas proporcionalmente iguales. [*Sinón.*: nivelar]

equilibrio (al. *Gleichgewicht*, fr. *équilibre*, ingl. *equilibrium*, it. *equilibrio*). m. Fís. y QUÍM. Estado de un cuerpo o grupo de cuerpos cuando las acciones que actúan sobre ellos se compensan mutuamente. || fig. Contrapeso, armonía entre cosas diversas. || fig. Ecuanimidad, mesura, sensatez en los actos y juicios.

equilibrismo. m. Conjunto de ejercicios que practica el equilibrista.

equilibrista. adj. Diestro en hacer ejercicios de equilibrio. Ú.m.c.s.

equimosis. f. MED. Mancha lívida, negruzca o amarillenta de la piel o de los órganos internos, que resulta de la sufusión de la sangre a consecuencia de un golpe o de otras causas.

equino, na. adj. Perteneciente o relativo al caballo. || m. ARQ. Moldura convexa más estrecha en su arranque. || ZOOL. Erizo de mar.

equinoccial. adj. Perteneciente al equinoccio.

equinoccio. m. ASTR. Época en que la duración de los días es igual a la de las noches en toda la Tierra.

equinococo. m. ZOOL. Larva de una tenia que vive en el intestino del perro y de otros carnívoros.

equinodermo. adj. ZOOL. Se dice de los animales metazoos marinos, de simetría radiada pentagonal, que tienen la piel erizada de tubérculos, puntas o espinas; como la estrella de mar. Ú.t.c.s. || m. pl. Tipo de esta clase de animales.

equipaje (al. *Gepäck*, fr. *bagage*, ingl. *luggage*, it. *bagaglio*). m. Conjunto de cosas que se llevan en los viajes. [*Sinón.*: bagaje]

equipar (al. *ausrüsten*, fr. *équiper*, ingl. *to equip*, it. *equipaggiare*). tr. Proveer a uno de las cosas necesarias para su uso particular. Ú.t.c.r. ‖ Proveer a una nave de todo lo necesario para su avio y defensa.

equiparación. f. Comparación de una persona o cosa con otra, considerándolas iguales o equivalentes entre sí.

equiparar. tr. Comparar una persona o cosa con otra, considerándolas iguales o equivalentes entre sí.

equipo (al. *Ausrüstung, Mannschaft;* fr. *équipement, équipe;* ingl. *equipment, team;* it. *equipaggiamento, squadra*). m. Acción y efecto de equipar. ‖ Conjunto de cosas necesarias para un fin. ‖ Grupo de personas organizado para un servicio determinado. ‖ Cada uno de los grupos que se disputan el triunfo en ciertos deportes. ‖ Conjunto de ropas y otras cosas para uso particular de una persona. [*Sinón.*: ajuar]

equis. f. Nombre de la letra *x*, y del signo de la incógnita en determinados cálculos.

equisetáceo, a. adj. BOT. Se dice de plantas equisetíneas, cuyo tipo es la cola de caballo. Ú.t.c.s. ‖ f. pl. Familia de estas plantas.

equisetíneo, a. adj. BOT. Se dice de plantas criptógamas, herbáceas, con tallos rectos, articulados, y fructificación en ramillete terminal semejante a un penacho. Ú.t.c.s. ‖ f. pl. Clase de estas plantas.

equitación (al. *Reitkunst*, fr. *équitation*, ingl. *horsemanship*, it. *equitazione*). f. Arte de montar y manejar bien el caballo. ‖ Acción de montar a caballo.

equitativo, va. adj. Que tiene equidad.

equivalencia (al. *Gleichwertigkeit*, fr. *équivalence*, ingl. *equivalence*, it. *equivalenza*). f. Igualdad en estimación, valor y eficacia de dos o más cosas. ‖ MAT. Igualdad de áreas y volúmenes en figuras y sólidos diferentes.

equivalente (al. *gleichwertig*, fr. *équivalent*, ingl. *equivalent*, it. *equivalente*). adj. Que equivale a otra cosa. Ú.t.c.s. ‖ MAT. Aplícase a las figuras y sólidos que tienen igual área o volumen y distinta forma.

equivaler. intr. Ser igual una cosa a otra en la estimación, valor o eficacia.

equivocación (al. *Irrtum*, fr. *méprise*, ingl. *mistake*, it. *sbaglio*). f. Acción

y efecto de equivocar o equivocarse. ‖ Error, cosa hecha equivocadamente. [*Sinón.*: yerro, desacierto. *Antón.*: acierto]

equivocar (al. *sich irren*, fr. *se méprendre*, ingl. *to be mistaken*, it. *sbagliare*). tr. Tener o tomar una cosa por otra. Ú.m.c.r. ‖intr. Usar de equivocos, hablando o escribiendo. [*Sinón.*: errar, engañar. *Antón.*: acertar]

equívoco, ca. adj. Que puede interpretarse en varios sentidos. ‖ m. Palabra cuya significación conviene a diferentes cosas. ‖ RET. Figura que consiste en emplear adrede palabras equívocas. ‖ Acción y efecto de equivocar o equivocarse.

era (al. *Zeitalter*, fr. *ére*, ingl. *era*, it. *era*). f. Punto fijo y fecha determinada de un suceso, desde el cual se empiezan a contar los años. ‖ Extenso periodo histórico caracterizado por una gran innovación en las formas de vida y de cultura. ‖ Cada uno de los grandes períodos de la evolución geológica o cósmica. ‖ — cristiana. La que se cuenta desde el nacimiento de Jesucristo.

era. f. Espacio de tierra donde se trillan las mieses. ‖ Cuadro pequeño de tierra para cultivar flores u hortalizas.

eral, la. s. Res vacuna de más de un año y que no pasa de los dos.

erario. m. Tesoro público. ‖ Lugar donde se guarda.

erasmismo. m. Doctrina filosófica de Erasmo de Rotterdam.

erbio. m. Elemento químico propio de las tierras raras.

ere. f. Nombre de la letra *r* en su sonido suave.

erebo. m. Infierno, averno.

erección (al. *Errichtung*, fr. *érection*, ingl. *erection*, it. *erezione*). f. Acción y efecto de levantar, levantarse, enderezarse o ponerse rígida una cosa. ‖ Tensión, tirantez.

eréctil. adj. Que puede levantarse, enderezarse o ponerse rígido.

erecto, ta. adj. Rígido, enderezado.

eremita. m. Ermitaño.

eretismo. m. FISIOL. Exaltación de las propiedades vitales de un órgano.

erg. m. Nombre del ergio en la nomenclatura internacional.

ergástulo. m. Cárcel que se destinaba a los esclavos.

ergio. m. Unidad de trabajo en el sistema cegesimal, equivalente al realizado por una dina cuando su punto de aplicación recorre un centímetro.

ergo. conj. lat. Por tanto, luego, pues.

ergotizar. intr. Abusar de la argumentación basada en silogismos.

erguén. m. BOT. Árbol espinoso, con hojas enteras, flores de color amarillo verdoso y madera muy dura.

erguir. tr. Levantar y poner derecha una cosa. ‖ r. Levantarse o ponerse derecho. ‖ fig. Engreirse, ensoberbecerse.

erial. adj. Aplícase a la tierra o campo sin cultivar. Ú.m.c.s.m.

ericáceo, a. adj. BOT. Dícese de plantas dicotiledóneas con hojas casi siempre alternas, flores vistosas y fruto en cápsula, baya o drupa; como el madroño. Ú.t.c.s.f. ‖ f. pl. Familia de estas plantas.

Erídano. n. p. m. ASTR. Constelación del hemisferio austral.

erigir. tr. Fundar, instituir o levantar. ‖ Constituir a una persona o cosa con un carácter que antes no tenia. Ú.t.c.r.

erisipela. f. MED. Inflamación superficial de la piel, caracterizada por su color encendido y comúnmente acompañada de fiebre.

eritema. m. MED. Inflamación superficial de la piel caracterizada por manchas rojas.

eritrita. f. MINERAL. Arseniato natural de cobalto.

eritrocito. m. Glóbulo rojo de la sangre.

eritroxiláceo, a. adj. BOT. Dícese de plantas dicotiledóneas, de estipulas agudas, hojas lampiñas, flores blanquecinas o de color amarillo verdoso y fruto en drupa. Ú.t.c.s.f. ‖ f. pl. Familia de estas plantas.

erizado, da. p. p. de erizar. ‖ adj. Cubierto de púas o espinas.

erizar (al. *borstig machen*, fr. *hérisser*, ingl. *to stand an end*, it. *arrizzare*). tr. Levantar, poner rígida y tiesa una cosa. Ú.m.c.r. ‖fig. Rodear una cosa de obstáculos, asperezas, etc. ‖ r. fig. Inquietarse, azorarse.

erizo (al. *Igel*, fr. *hérisson*, ingl. *hedgehog*, it. *riccio*). m. ZOOL. Mamífero insectivoro, con el dorso y los costados cubiertos de púas agudas, y capaz de arrollarse en forma de bola cuando se le persigue. ‖Zurrón espinoso de la castaña y otros frutos. ‖fig. y fam. Persona de carácter áspero e intratable. ‖ ZOOL. Pez teleósteo con el cuerpo erizado de púas. ‖ — de mar o marino. ZOOL. Equinodermo de figura de esfera aplanada, cubierto con una concha caliza llena de púas.

ermita (al. *Klause*, fr. *ermitage*, ingl. *hermitage*, it. *eremo*). f. Capilla o santuario situados generalmente en despoblado.

ermitaño, ña (al. *Einsiedler,* fr. *ermite,* ingl. *hermit,* it. *eremita*). s. Persona que vive en la ermita y cuida de ella. || m. El que vive en soledad. || ZOOL. Crustáceo marino de cuerpo blando que, para protegerse, se aloja en la concha vacía de un molusco.

erogación. f. Acción y efecto de erogar.

erogar. tr. Distribuir bienes o caudales.

erosión (al. *Erosion,* fr. *érosion,* ingl. *erosion,* it. *erosione*). f. Depresión o rebajamiento producido en la superficie de un cuerpo por el roce de otro. [*Sinón.*: desgaste]

erosionar. tr. Producir erosión.

erostratismo. m. Manía que lleva a cometer actos delictivos para conseguir renombre.

erótico, ca (al. *erotisch,* fr. *érotique,* ingl. *erotic,* it. *erotico*). adj. Amatorio. || Perteneciente o relativo al amor sensual.

erotismo (al. *Liebesglut,* fr. *érotisme,* ingl. *erotism,* it. *erotismo*). m. Pasión de amor. || Amor sensual exacerbado.

erotomanía. f. MED. Enajenación mental caracterizada por un delirio erótico.

erotómano, na. adj. Que padece erotomanía. Ú.t.c.s.

errabundo, da. adj. Que va de un lugar a otro sin tener asiento fijo.

erradicar. tr. Arrancar de raíz.

errante. p. a. de errar. || adj. Que yerra. || Que va de una parte a otra sin tener asiento fijo.

errar (al. *irren,* fr. *manquer,* ingl. *to err,* it. *errare*). tr. No acertar, equivocar. Ú.t.c. intr. || No cumplir con lo que se debe. || intr. Andar vagando de una parte a otra. || Divagar el pensamiento, la imaginación, etc. || r. Equivocarse.

errata (al. *Druckfehler,* fr. *erratum,* ingl. *erratum,* it. *errata*). f. Equivocación material en lo escrito o impreso.

errático, ca. adj. Vagabundo, sin domicilio cierto. || MED. Dícese de los dolores crónicos que se sienten unas veces en una parte del cuerpo y otras en otra, y también de las calenturas que se reproducen sin período fijo.

errátil. adj. Errante, incierto.

erre. f. Nombre de la letra *r* en su sonido fuerte. || *erre que erre.* m. adv. fam. Porfiadamente.

erróneo, a. adj. Que contiene error. [*Sinón.*: equivocado]

error (al. *Irrtum,* fr. *erreur,* ingl.

error, it. *errore*). m. Concepto equivocado o juicio falso. || Acción desacertada. || Cosa hecha erradamente. [*Sinón.*: equivocación, yerro]

erubescencia. f. Rubor, vergüenza.

eructar. intr. Expeler con ruido por la boca los gases del estómago. [*Sinón.*: regoldar, rotar]

eructo. m. Acción y efecto de eructar.

erudición. f. Instrucción en varias ciencias, artes y otras materias. [*Sinón.*: saber, cultura]

erudito, ta (al. *gelehrter,* fr. *érudit,* ingl. *scholar,* it. *erudito*). adj. Instruido en varias ciencias, artes y otras materias. Ú.t.c.s. [*Sinón.*: culto, docto]

erupción (al. *Hautausschlag, Ausbruch;* fr. *éruption;* ingl. *eruption;* it. *eruzione*). f. Aparición y desarrollo en la piel o las mucosas de granos, manchas o vesículas. || Estos mismos granos o manchas. || GEOL. Emisión de materias internas por aberturas o grietas de la corteza terrestre, como en los volcanes y las solfataras.

eruptivo, va. adj. Perteneciente a la erupción o procedente de ella.

es. prep. insep. que, lo mismo que *ex,* denota fuera o más allá, privación, atenuación del significado. A veces no es más que una partícula expletiva.

esbeltez. f. Estatura descollada y airosa de los cuerpos y figuras.

esbelto, ta (al. *schlank,* fr. *svelte,* ingl. *slender,* it. *svelto*). adj. Gallardo, airoso, bien formado y de gentil y descollada altura.

esbirro (al. *Häscher,* fr. *sbire,* ingl. *myrmidon,* it. *sbirro*). m. El que tiene por oficio prender a las personas. || fig. El que está al servicio de alguien que obra injustamente. [*Sinón.*: secuaz]

esbozar. tr. Bosquejar.

esbozo (al. *Skizze,* fr. *esquisse,* ingl. *sketch,* it. *sbozzo*). m. Bosquejo, boceto. || BIOL. Cualquiera de los órganos o aparatos embrionarios que aún no han adquirido su forma y estructura definitivas.

escabechar. tr. Poner en escabeche. || fig. y fam. Matar a mano airada. || fig. y fam. Suspender en un examen.

escabeche. m. Salsa o adobo que se hace con aceite frito, vinagre, hojas de laurel y otros ingredientes, para conservar los pescados y otros manjares. || Pescado escabechado.

escabechina. f. fig. Destrozo, estrago. || fam. Abundancia de suspensos en un examen.

escabel (al. *Schemel,* fr. *tabouret,*

ingl. *foot-stool,* it. *sgabello*). m. Tarima pequeña que se pone delante de la silla para que descansen los pies del que está sentado. || Asiento pequeño sin respaldo. || fig. Persona o circunstancia de que uno se vale para lograr algo.

escabiosa. f. BOT. Planta herbácea, dipsacácea, de tallo velloso, hueco, hojas ovaladas y enteras, y flores en cabezuela con corola azulada. Se empleó antiguamente en medicina.

escabrosidad. f. Cualidad de escabroso.

escabroso, sa (al. *holprig,* fr. *scabreux,* ingl. *rough,* it. *scabroso*). adj. Desigual, lleno de tropiezos y embarazos. Dícese especialmente del terreno. || fig. Áspero, duro, de mala condición. || fig. Peligroso, que está al borde de lo inconveniente o de lo inmoral. [*Sinón.*: abrupto, fragoso]

escabullir (al. *entschlüpfen,* fr. *s'esquiver,* ingl. *to sneak away,* it. *svignare*). intr. p. us. Salir de un encierro, de una enfermedad o de un peligro. || r. Irse o escaparse de entre las manos una cosa. || fig. Abandonar uno la compañía en que estaba sin que lo advierta nadie. [*Sinón.*: escurrirse; desaparecer, eclipsarse]

escachar. tr. Cascar, aplastar, despachurrar. || Hacer cachos, romper.

escacharrar. tr. Romper un cacharro. Ú.t.c.r. || fig. Malograr, estropear una cosa. Ú.t.c.r.

escafandra (al. *Taucheranzug,* fr. *scaphandre,* ingl. *scaphander,* it. *scafandro*). f. Aparato compuesto de una vestidura impermeable y un casco metálico perfectamente cerrado, con orificios y tubos para renovar el aire. Sirve para permanecer y trabajar bajo el agua.

escafoides. adj. ANAT. Dícese del hueso más externo y grueso de la primera fila del carpo y del hueso del pie situado delante del astrágalo. Ú.t.c.s.

escala (al. *Leiter, Mass-stab;* fr. *échelle;* ingl. *ladder, scale;* it. *scala*). f. Escalera de mano. || Sucesión ordenada de cosas distintas, pero de la misma especie. || Línea recta dividida en partes iguales que representan proporcionalmente determinadas unidades de medida. || Tamaño de un mapa, plano, etc., según la escala a que se ajusta. || fig. Tamaño o proporción en que se desarrolla un plan o idea. || FÍS. Graduación para medir los efectos de diversos instrumentos. || Paraje o puerto donde tocan de ordinario las embarcaciones o los aviones entre el lugar de origen y el de destino. ‖ MIL. Escalafón. ‖ MÚS. Sucesión diatónica o cromática de las notas musicales. ‖ *hacer escala.* MAR. Tocar una embarcación en algún puerto antes de llegar al término a que se dirige.

escalabrar. tr. Descalabrar. Ú.t.c.r.

escalada. f. Acción y efecto de escalar. ‖ Intensificación de una acción, especialmente de guerra.

escalador, ra. adj. Que escala. Ú.t.c.s.

escalafón. m. Lista de los individuos de una corporación, clasificados según su grado, antigüedad, etc.

escálamo. m. MAR. Estaca pequeña y redonda, fijada en el borde de la embarcación, para sujetar el remo.

escalar. tr. Entrar en una plaza u otro lugar valiéndose de escalas. ‖ Subir, trepar por una pendiente o una altura. ‖ Por ext., entrar subrepticia o violentamente en alguna parte, rompiendo una pared, un tejado, etc. ‖ fig. Alcanzar, no siempre con buenas artes, elevadas dignidades.

escaldado, da. p. p. de escaldar. ‖ adj. fig. y fam. Escarmentado, receloso.

escaldar (al. *aufbrühen,* fr. *échauder,* ingl. *to scald,* it. *scottare*). tr. Bañar con agua hirviendo una cosa. ‖ Abrasar con fuego una cosa, poniéndola al rojo. ‖ r. Escocerse una parte del cuerpo.

escaleno. adj. MAT. Dícese del triángulo que tiene los tres lados desiguales.

escalera (al. *Treppe,* fr. *escalier,* ingl. *staircase,* it. *scala*). f. Serie de peldaños que sirven para subir y bajar y para poner en comunicación los pisos de un edificio o dos terrenos de diferente nivel. ‖ Reunión de naipes de valor correlativo. ‖ fig. Trasquilón recto o línea de desigual nivel que la tijera deja en el pelo mal cortado. ‖ — *de caracol.* La de forma espiral, seguida y sin ningún descanso. ‖ — *de color.* La formada por naipes del mismo palo. ‖ — *de mano.* La portátil, por lo común de madera, compuesta de dos largueros con travesaños que sirven de escalones. [Sinón.: escalinata, escala]

escalerilla. f. Escalera de corto número de escalones. ‖ En los juegos de naipes, tres cartas en una mano, de números consecutivos. ‖ VET. Instrumento de hierro para abrir y explorar la boca de las caballerías.

escalfar. tr. Cocer en un líquido los huevos sin la cáscara.

escalinata. f. Escalera exterior de un solo tramo.

escalio. m. Tierra yerma que se pone en cultivo.

escalo. m. Acción de escalar. ‖ Trabajo de zapa o boquete practicado para salir de un lugar o entrar en él.

escalofriante. adj. Pavoroso, terrible. ‖ Asombroso, sorprendente.

escalofriar. tr. Causar escalofrío. Ú.t.c. intr. y c.r.

escalofrío (al. *Schauer,* fr. *frisson,* ingl. *shiver,* it. *brivido*). m. Sensación de frío, por lo común repentina y acompañada de contracciones musculares, que suele preceder a un ataque de fiebre. Ú.m. en pl. ‖ Sensación semejante producida por una emoción intensa, especialmente de terror.

escalón (al. *Stufe,* fr. *échelon,* ingl. *grade,* it. *scalino*). m. Peldaño. ‖ fig. Grado a que se asciende en dignidad. ‖ fig. Paso o medio con que uno adelanta sus pretensiones.

escalonamiento. m. Acción y efecto de escalonar.

escalonar. tr. Situar ordenadamente personas o cosas de trecho en trecho. Ú.t.c.r. ‖ Distribuir en tiempos sucesivos las diversas partes de una serie.

escalope. m. Loncha de vaca o de ternera empanada y frita.

escalpelo (al. *Skalpell,* fr. *scalpel,* ingl. *scalpel,* it. *scalpello*). m. CIR. Bisturí de mango fijo usado principalmente en las disecciones de cadáveres.

escama (al. *Schuppe,* fr. *écaille,* ingl. *fish-scale,* it. *squama*). f. Membrana córnea, delgada y en forma de escudete, que, imbricada con otras muchas de su clase, suele cubrir total o parcialmente la piel de algunos animales y principalmente la de los peces y reptiles. ‖ fig. Lo que tiene figura de escama. ‖ fig. Recelo, desconfianza, sospecha. ‖ BOT. Órgano escarioso o membranoso semejante a una hojita.

escamar. tr. Quitar las escamas a los peces. ‖ Labrar en forma de escamas. ‖ fig. y fam. Hacer que uno sienta recelo o desconfianza. Ú.m.c.r.

escamonda. f. Acción y efecto de escamondar.

escamondar. tr. Limpiar los árboles quitándoles las ramas inútiles y las hojas secas. ‖ fig. Limpiar una cosa quitándole lo superfluo y dañoso.

escamonea. f. Gomorresina medicinal muy purgante. ‖ BOT. Planta que produce esta gomorresina.

escamoso, sa. adj. Que tiene escamas.

escamotar. tr. Escamotear.

escamotear (al. *wegzaubern,* fr. *escamoter,* ingl. *to palm,* it. *far ghermi-nelle*). tr. Hacer el jugador de manos que desaparezcan a ojos vistas las cosas que maneja. ‖ fig. Robar una cosa con agilidad y astucia. ‖ fig. Hacer desaparecer de modo arbitrario un asunto o dificultad.

escamoteo. m. Acción y efecto de escamotear.

escampada. f. fam. Espacio de tiempo en que deja de llover un día lluvioso.

escampado, da. adj. Dícese del terreno descubierto, sin malezas ni espesuras.

escampar. tr. Despejar, desembarazar un sitio. ‖ intr. Aclararse el cielo nublado, cesar de llover. ‖ fig. Suspender el empeño con que se intenta hacer una cosa.

escampavía. f. Barco pequeño y velero que acompañaba a una embarcación mayor, sirviéndole de explorador.

escamujo. m. Rama o 'ara de olivo quitada del árbol.

escanciar (al. *wein einschenken,* fr. *servir du vin,* ingl. *to pour wine,* it. *mescere*). tr. Echar el vino; servirlo en las mesas y convites. ‖ intr. Beber vino.

escanda. f. Especie de trigo.

escandalera. f. fam. Escándalo, alboroto grande.

escandalizar (al. *skandalisieren,* fr. *scandaliser,* ingl. *to scandalize,* it. *scandalizzare*). tr. Causar escándalo. ‖ r. Mostrar indignación, real o fingida, por alguna cosa. [Sinón.: alborotar]

escándalo (al. *Skandal,* fr. *scandale,* ingl. *scandal,* it. *scandalo*). m. Acción o palabra que da lugar a que uno obre mal o piense mal de otro. ‖ Alboroto, tumulto, ruido. ‖ Desenfreno, desvergüenza, mal ejemplo. ‖ fig. Asombro, pasmo, admiración.

escandalosa. f. MAR. Vela pequeña que se orienta sobre la cangreja.

escandaloso, sa. adj. Que causa escándalo. Ú.t.c.s. ‖ Ruidoso, revoltoso, inquieto. Ú.t.c.s.

escandallar. tr. Sondear, medir el fondo del mar con el escandallo. ‖ Apreciar el valor de una mercancía por el valor de unas muestras. ‖ COM. Determinar el precio de coste o de venta de una mercancía por los factores de su producción.

escandallo. m. Parte de la sonda que sirve para reconocer la calidad del fondo del agua. ‖ COM. Procedimiento para determinar el valor, peso o calidad de un conjunto de cosas tomando al azar una de ellas como tipo. || COM. En el régimen de tasas, determinación del precio de coste o de venta de una mercancía con relación a los factores que lo integran.

escandinavo, va. adj. Natural de escandinavia. Ú.t.c.s. || Perteneciente a esta región del norte de Europa.

escandio. m. QUÍM. Elemento químico metálico que se presenta en ciertos minerales raros.

escandir. tr. Medir el verso.

escansión. f. Medida de los versos.

escantillón. m. Regla, plantilla o patrón que sirve para trazar las líneas y fijar las dimensiones en que se han de labrar las piezas en diversos oficios mecánicos.

escaño (al. *Bank mit Lehne*, fr. *banc à dossier*, ingl. *bench with a back*, it. *scanno*). m. Banco con respaldo capaz para sentarse tres o más personas. || Puesto y asiento de cada diputado en el Congreso o Parlamento.

escapada. f. Acción de escapar o salir de prisa y ocultamente.

escaparate (al. *Schaufenster*, fr. *devanture*, ingl. *show-window*, it. *vetrina*). m. Especie de estante con vidrieras. || Espacio que hay en las fachadas de algunas tiendas, resguardado con cristales en la parte exterior, y en el cual se colocan muestras de los géneros.

escapar (al. *entrinnen*, fr. *echapper*, ingl. *to run away*, it. *scappare*). tr. Librar, sacar de un trabajo, mal o peligro. || intr. Salir de un encierro o un peligro. Ú.t.c.r. || Salir uno de prisa y ocultamente. Ú.t.c.r. || r. Salirse un líquido o un gas de un depósito, cañería, etc., por algún resquicio. || Quedar fuera del dominio o influencia de una persona o cosa. Ú.t.c. intr. || *escapársele* a uno una cosa. fig. No advertirla, no caer en ella. [*Sinón.*: evadirse, fugarse, escabullirse]

escaparatista. com. Persona encargada de disponer artísticamente los objetos que se muestran en los escaparates.

escapatoria. f. Acción y efecto de escaparse. || fam. Excusa, modo de evadirse alguien del aprieto en que se halla. [*Sinón.*: evasión, fuga]

escape (al. *Entlüftungsventil*, fr. *échappement*, ingl. *exhaust*, it. *scarico*). m. Acción de escapar. || Fuga de un gas o de un líquido. || Fuga apresurada con que uno se libra del daño que le amenaza. || En los motores de explosión,

salida de los gases quemados, y tubo que los conduce al exterior. || En algunas máquinas, pieza que, separándose, deja actuar a un muelle, rueda u otra cosa que sujetaba. || *a escape*. m. adv. A todo correr, a toda prisa.

escapo. m. ARQ. Fuste de la columna. || BOT. Tallo herbáceo que sostiene la flor y el fruto.

escápula. f. ANAT. Omóplato.

escapular. adj. Referente a la escápula.

escapulario (al. *Skapulier*, fr. *scapulaire*, ingl. *scapulary*, it. *scapolare*). m. Distintivo de algunas órdenes religiosas que consiste en una tira de tela que cuelga sobre el pecho y la espalda. Se hace también de dos pedazos de tela unidos con cintas para colgarlo del cuello, y lo usan por devoción los seglares.

escaque. m. Cada una de las casillas del tablero de ajedrez o de damas. || BLAS. Cuadrito o casilla que resulta de las divisiones del escudo, cortado y partido por lo menos dos veces. || pl. Juego del ajedrez.

escaqueado, da. adj. Aplícase a la obra o labor formada en escaques, como el tablero de ajedrez.

escara. f. MED. Costra que resulta de la mortificación o desorganización de una parte viva afectada de gangrena, o profundamente quemada por la acción del fuego o una materia cáustica.

escarabajo (al. *Käfer*, fr. *scarabée*, ingl. *beetle*, it. *scarafaggio*). m. ZOOL. Insecto coleóptero de élitros lisos y cuerpo deprimido. Busca el estiércol para alimentarse y fabricar bolas, en las que deposita los huevos. || Por ext., cualquier coleóptero de cuerpo ovalado y cabeza corta. || fig. y fam. Persona pequeña de cuerpo y de mala figura.

escaramujo. m. BOT. Especie de rosal silvestre que tiene por fruto una baya aovada, carnosa, de color rojo cuando está madura. || Fruto de este arbusto. || Percebe, molusco.

escaramuza (al. *Scharmützel*, fr. *escaramouche*, ingl. *skirmish*, it. *scaramuccia*). f. Refriega de poca importancia sostenida especialmente por las avanzadas de los ejércitos. || Riña, disputa, contienda de poca importancia. [*Sinón.*: reyerta]

escarapela (al. *Kokarde*, fr. *cocarde*, ingl. *cockade*, it. *coccarda*). f. Divisa compuesta de cintas, por lo general de varios colores, fruncidas o formando lazadas alrededor de un punto. || Riña o quimera que suele acabar con golpes y

arañazos. || En el juego del tresillo, tres cartas falsas, cada cual de palo distinto de aquel a que se juega.

escarapelar. intr. Reñir, entablar cuestiones o disputas unos con otros. Ú.t.c.r. || *Amer.* Descascarar, desconchar. Ú.t.c.r. || *Amer.* Ajar, manosear. || r. *Amer.* Ponérsele a uno carne de gallina.

escarbadientes. m. Mondadientes.

escarbar (al. *scharren*, fr. *fouiller*, ingl. *to scratch*, it. *razzolare*). tr. Rayar o remover repetidamente la superficie de la tierra. || Mondar, limpiar los dientes o los oídos. || fig. Inquirir curiosamente lo que está encubierto y oculto.

escarcela. f. Especie de bolsa que se llevaba pendiente de la cintura. || Mochila del cazador. || Adorno mujeril, especie de cofia. || Parte de la armadura que cubría la cadera.

escarceo. m. Movimiento en la superficie del mar, con pequeñas olas ampolladas. || pl. fig. Rodeo, divagación.

escarcha (al. *Rauhreif*, fr. *gelée blanche*, ingl. *white frost*, it. *brina*). f. Rocío nocturno congelado.

escarchar. tr. Preparar confituras de modo que el azúcar cristalice en lo exterior como si fuese escarcha. || Preparar una bebida alcohólica haciendo que el azúcar cristalice en una rama de anís. || intr. Congelarse el rocío que cae en las noches frías.

escardar. tr. Entresacar o arrancar las hierbas nocivas de los sembrados. || fig. Separar lo malo de lo bueno para que no se confundan.

escardillo. m. Azada pequeña para escardar. || Viso o reflejo del sol producido por un espejo u otro cuerpo brillante.

escariador. m. Herramienta que sirve para escariar.

escariar. tr. Agrandar o redondear un agujero abierto en metal, o el diámetro de un tubo.

escarificación. f. MED. Producción de una escara por el empleo de hierro candente, pastas cáusticas etc. || MED. Acción y efecto de escarificar.

escarificador. m. AGR. Instrumento armado de cuchillos de acero para cortar verticalmente la tierra y las raíces. || CIR. Instrumento con varias puntas aceradas que se emplea para escarificar. [*Sinón.*: sajador]

escarificar. tr. Labrar la tierra con el escarificador. || CIR. Hacer en alguna parte del cuerpo cortaduras o incisiones muy poco profundas para facilitar la salida de ciertos líquidos o humores. ‖ CIR. Escarizar.

escarioso, sa. adj. BOT. Aplícase a los órganos vegetales que son delgados, del color de hojas secas y con aspecto de escamas.

escarizar. tr. CIR. Quitar la escara que se cría alrededor de las llagas.

escarlata (al. *Scharlach*, fr. *écarlate*, ingl. *scarlet*, it. *scarlatto*). f. Color carmesí fino, menos subido que el de la grana. ‖ Escarlatina, enfermedad.

escarlatina (al. *Scharlach*, fr. *scarlatine*, ingl. *scarlet fever*, it. *scarlattina*). f. Tela de lana de color encarnado o carmesí. ‖ PAT. Fiebre eruptiva, contagiosa, caracterizada por un exantema difuso de la piel, de color rojo subido, y mucha fiebre.

escarmentar (al. *gewitzigt werden*, fr. *apprendre à ses dépens*, ingl. *to take warning*, it. *imparare a proprie spese*). tr. Corregir con rigor al que ha errado para que se enmiende. ‖ intr. Tomar enseñanza de lo que uno ha visto y experimentado en sí o en otros, para guardarse y evitar el caer en los mismos peligros.

escarmiento. m. Desengaño y aviso adquiridos con la experiencia del daño, error o perjuicio que uno ha reconocido en sus acciones o en las ajenas. ‖ Castigo, multa, pena.

escarnecer. tr. Hacer burla de otro, zahiriéndole.

escarnio. m. Burla tenaz que se hace para causar afrenta. [*Sinón.*: befa, mofa]

escaro. m. ZOOL. Pez acantopterigio de cabeza pequeña, mandíbulas muy convexas, cuerpo ovalado cubierto de grandes escamas y de color rojo. Vive en las costas de Grecia.

escarola. f. Achicoria cultivada.

escarpa (al. *Abhang*, fr. *rampe*, ingl. *searp*, it. *scarpa*). f. Declive áspero de cualquier terreno.

escarpado, da (al. *abschüssig*, fr. *escarpé*, ingl. *steep*, it. *ripido*). adj. Que tiene gran pendiente. ‖ Dícese de las alturas de difícil acceso.

escarpar. tr. Cortar una montaña o terreno, poniéndolos en plano inclinado.

escarpia. f. Clavo con cabeza acodillada.

escarpín. m. Zapato de una suela y de una costura. ‖ Calzado interior para abrigo del pie.

escarzano. adj. ARQ. Dícese del arco menor que la semicircunferencia del mismo radio.

escasear (al. *selten werden*, fr. *manquer*, ingl. *to become scarce*, it. *scarseggiare*). tr. Dar poco y de mala gana. ‖ intr. Faltar, ir a menos una cosa.

escasez (al. *Knappheit*, fr. *disette*, ingl. *scarcity*, it. *scarsezza*). f. Cortedad, mezquindad con que se hace algo. ‖ Poquedad de una cosa. ‖ Pobreza, falta de lo necesario para subsistir. [*Antón.*: abundancia]

escaso, sa (al. *knapp*, fr. *rare*, ingl. *scanty*, it. *scarso*). adj. Corto, poco, limitado. ‖ Falto, no cabal ni entero. ‖ Mezquino, nada liberal ni dadivoso. Ú.t.c.s. [*Antón.*: abundante; generoso]

escatimar. tr. Cercenar, escasear lo que se ha de dar o hacer. [*Antón.*: prodigar]

escatofagia. f. Hábito de comer excrementos.

escatófago, ga. adj. ZOOL. Dícese de los animales que comen excrementos.

escatología. f. Conjunto de creencias y doctrinas referentes a la vida de ultratumba. ‖ Tratado de cosas excrementicias. ‖ Cualidad de escatológico.

escatológico, ca. adj. Relativo a las postrimerías de ultratumba. ‖ Referente a los excrementos y suciedades.

escayola. f. Yeso espejuelo calcinado. ‖ Estuco.

escayolar. tr. CIR. Endurecer por medio del yeso o escayola los apósitos y vendajes para sostener en posición adecuada los huesos dislocados o rotos.

escena (al. *Szene*, fr. *scène*, ingl. *scene*, it. *scena*). f. Sitio o parte del teatro en que se representa la obra dramática o cualquier otro espectáculo teatral. ‖ Cada una de las partes en que se divide el acto de la obra dramática. ‖ fig. Arte de la declamación. ‖ fig. Teatro, literatura dramática. ‖ fig. Suceso de la vida real considerado como espectáculo digno de atención. ‖ fig. Acto o manifestación que tiene algo de teatral y fingido, hecho para impresionar.

escenario (al. *Bühne*, fr. *scène*, ingl. *stage*, it. *palcoscenico*). m. Parte del teatro en que se colocan las decoraciones y se representan las obras. ‖ fig. Conjunto de circunstancias que se consideran en torno a una persona o suceso.

escenificación. f. Acción y efecto de escenificar.

escenificar. tr. Dar forma dramática a una obra literaria para ponerla en escena.

escenografía (al. *Bühnenmalerie*, fr. *scénographie*, ingl. *scenography*,, it.

scenografía). f. Arte de pintar y montar decoraciones escénicas. ‖ Total y perfecta delineación en perspectiva de un objeto.

escenógrafo. adj. Dícese del que profesa o cultiva la escenografía. Ú.t.c.s.

escepticismo (al. *Skeptizismus*, fr. *scepticisme*, ingl. *scepticism*, it. *scetticismo*). m. Doctrina filosófica que niega al entendimiento humano la posibilidad de poseer con certeza una verdad de orden general o especulativo. ‖ Incredulidad o duda acerca de la verdad o eficacia de una cosa.

escéptico, ca. adj. Que profesa el escepticismo. Apl. a pers., ú.t.c.s. ‖ fig. Que no cree o finge no creer en determinadas cosas. Ú.t.c.s.

escincido. adj. ZOOL. Dícese de reptiles saurios, generalmente de pequeño tamaño, con patas poco desarrolladas y cuerpo con escamas fuertes. Ú.t.c.s. ‖ m. pl. Familia de estos animales.

escinco. m. ZOOL. Saurio acuático, de más de un metro de longitud, con la cabeza parecida a la de la serpiente. ‖ Estinco.

escindir. tr. Cortar, dividir, separar. ‖ Fís. Romper un núcleo atómico en dos porciones aproximadamente iguales, con la consiguiente liberación de energía.

escirro. m. MED. Especie de cáncer que se produce principalmente en las glándulas, sobre todo en los pechos de las mujeres.

escisión (al. *Spaltung*, fr. *scission*, ingl. *schism*, it. *scissione*). f. Rompimiento, desavenencia. ‖ Fís. Rotura de un núcleo atómico en dos porciones casi iguales.

escita. adj. Natural de la Escitia, región del Asia antigua. Ú.t.c.s.

esclarecer (al. *aufklären*, fr. *éclairir*, ingl. *to clear*, it. *schiarare*). tr. Iluminar, poner clara y luciente una cosa. ‖ fig. Ennoblecer, hacer famoso a uno. ‖ fig. Ilustrar el entendimiento. ‖ fig. Poner en claro. ‖ intr. Empezar a amanecer. [*Antón.*: apagar; difamar]

esclarecido, da. adj. Ilustre, insigne.

esclarecimiento. m. Acción y efecto de esclarecer. ‖ Cosa que sirve para esclarecer.

esclavina. f. Vestidura, especie de capa corta, que se anuda al cuello y cubre los hombros.

esclavista. adj. Partidario de la esclavitud. Ú.t.c.s.

esclavitud (al. *Sklaverei*, fr. *esclavage*, ingl. *slavery*, it. *schiavitù*). f. Estado de esclavo. ‖ fig. Sujeción rigurosa y fuerte a las pasiones y afectos del alma. ‖ fig. Sujeción excesiva por la cual una persona se ve sometida a otra, o a un trabajo u obligación.

esclavizar. tr. Hacer esclavo a uno. ‖ fig. Tener a uno muy sujeto y dominado. [*Sinón.*: subyugar, oprimir. *Antón.*: libertar]

esclavo, va (al. *Sklave*, fr. *esclave*, ingl. *slave*, it. *schiavo*). adj. Dícese de la persona que, por estar bajo dominio de otro, carece de libertad. Ú.t.c.s. ‖ fig. Sometido rigurosa o fuertemente a un deber, trabajo, vicio, etc. Ú.t.c.s. ‖ fig. Rendido, obediente, enamorado. Ú.t.c.s. ‖ f. Pulsera que carece de adornos y no se abre. ‖ *ser* uno *un esclavo.* fig. Trabajar mucho y estar aplicado rigurosamente a sus obligaciones.

esclerodermia. f. MED. Enfermedad crónica de la piel caracterizada por el abultamiento y dureza primero, y por la retracción después.

esclerómetro. m. Aparato usado para medir la dureza de los cuerpos, en especial de los minerales. ‖ Instrumento usado por los alfareros para medir el estado de sequedad del barro.

esclerosar. tr. Producir esclerosis. ‖ r. Alterarse un órgano o tejido con producción de esclerosis.

esclerosis (al. *Sklerose*, fr. *sclérose*, ingl. *sclerosis*, it. *sclerosí*). f. MED. Endurecimiento de los tejidos. ‖ Por. ext., rigidez de una facultad anímica.

esclerótica. f. ANAT. Membrana dura, opaca, de color blanquecino, que cubre el globo del ojo, salvo donde está la córnea transparente.

esclerótico, ca. adj. Perteneciente o relativo a la esclerosis.

esclusa (al. *Schleuse*, fr. *écluse*, ingl. *sluice*, it. *chiusa*). f. Recinto de fábrica, con puertas de entrada y salida, que se construye en un canal para que los barcos puedan pasar de un tramo a otro de diferente nivel.

escoba (al. *Besen*, fr. *balai*, ingl. *broom*, it. *scopa*). f. Manojo de ramas flexibles, juntas y atadas al extremo de un palo o caña, que sirve para barrer.

escobada. f. Cada movimiento que se hace con la escoba para barrer. ‖ Barredura ligera.

escobajo. m. Escoba vieja ‖ Raspa del racimo después de quitarle las uvas.

escobar. tr. Barrer con escoba.

escobazo. m. Golpe dado con una escoba. ‖ *Amer.* Barredura ligera. ‖ *echar* a uno *a escobazos.* fig. y fam. Despedirle de mala manera.

escobén. m. MAR. Cualquiera de los agujeros a uno y otro lado de la roda de un buque por donde pasan los cables o cadenas.

escobilla. f. Cepillo para limpiar. ‖ Escobita de cerdas o de alambre que se usa para limpiar. ‖ Mazorca del cardo silvestre, que sirve para cardar la seda. ‖ Cardencha, planta. ‖ ELECTR. Haz de hilos de cobre que sirve para mantener el contacto, por frotación, entre dos partes de una máquina eléctrica, una de las cuales está fija mientras la otra se mueve. Por. ext., se da este nombre a otras piezas, de diferente forma o materia, que sirven para el mismo fin.

escobina. f. Serrín que hace la barrena al agujerear con ella alguna cosa. ‖ Limadura de un metal cualquiera.

escocedura. f. Acción y efecto de escocerse.

escocer (al. *brennen*, fr. *cuire*, ingl. *to smart*, it. *frizzare*). intr. Producirse una sensación muy desagradable, parecida a la quemadura. ‖ fig. Producirse en el ánimo una impresión molesta y amarga. ‖ r. Sentirse o dolerse. ‖ Ponerse irritadas y rubicundas algunas partes del cuerpo.

escocés, sa. adj. Natural de Escocia. Ú.t.c.s. ‖ Perteneciente a este país. ‖ Aplícase a telas de cuadros y rayas de varios colores. Ú.t.c.s. ‖ m. Dialecto céltico hablado en Escocia.

escoda. f. Instrumento de hierro, a manera de martillo, con corte en ambos lados, ensartado en un mango, para labrar piedras y picar paredes.

escofina (al. *Raspel*, fr. *râpe*, ingl. *rasp*, it. *raspa*). f. Especie de lima de dientes gruesos y triangulares usada para desbastar.

escoger (al. *auswählen*, fr. *choisir*, ingl. *to choose*, it. *scegliere*). tr. Tomar o elegir una o más cosas o personas entre otras. [*Sinón.*: optar, triar]

escogido, da. p. p. de escoger. ‖ adj. Selecto.

escolanía. f. Conjunto o corporación de escolanos.

escolano. m. Cada uno de los niños que en algunos monasterios se educan para el servicio del culto y especialmente para el canto.

escolapio, pia. adj. Perteneciente a la Orden de las Escuelas Pías. ‖ m. Clérigo regular de la Orden de las Escuelas Pías. ‖ f. Religiosa que sigue la regla de las Escuelas Pías. ‖ s. Estudiante que recibe enseñanza en las Escuelas Pías.

escolar (al. *Schüler*, fr. *scolaire*, ingl. *scholar*, it. *scolaro*). adj. Perteneciente al estudiante o a la escuela. ‖ com. Estudiante que asiste a la escuela. [*Sinón.*: alumno, colegial]

escolaridad. f. Conjunto de cursos que un estudiante sigue en un establecimiento docente.

escolástica. f. Escolasticismo.

escolasticismo. m. Sistema teológico-filosófico, surgido en las escuelas de la Edad Media, en el que domina la enseñanza de los libros de Aristóteles concertada con las respectivas doctrinas religiosas. ‖ Espíritu exclusivo de la escuela en las doctrinas, en los métodos o en el tecnicismo científico. [*Sinón.*: aristotelismo]

escolástico, ca. adj. Perteneciente a las escuelas o a los que estudian en ellas. ‖ Perteneciente al escolástico. Apl. a pers., ú.t.c.s.

escólex. m. Extremo anterior de la tenia y otros gusanos cestodos, provisto de órganos adherentes. Se llama vulgarmente cabeza.

escolio. m. Nota que se pone a un texto para explicarlo.

escoliosis. f. MED. Desviación y convexidad lateral de la columna vertebral.

escolopendra. f. ZOOL. Miriápodo con un par de pies en cada uno de los 25 anillos de su cuerpo. ‖ — *de agua.* ZOOL. Anélido marino vermiforme, de color verde irisado.

escolta (al. *Eskorte*, fr. *escorte*, ingl. *escort*, it. *scorta*). f. Persona o personas que acompañan a otra u otras. ‖ Partida de soldados o embarcación destinada a escoltar. [*Sinón.*: acompañamiento]

escoltar (al. *eskortieren, geleiten*; fr. *escorter*; ingl. *to escort*; it. *scortare*). tr. Resguardar a una persona o cosa para que vaya sin riesgo. ‖ Acompañar a una persona, a modo de escolta, en señal de honra. [*Sinón.*: proteger]

escollera (al. *Wellenbrecher*, fr. *briselames*, ingl. *breakwater*, it. *scogliera*). f. Obra hecha con piedras arrojadas al fondo del agua, para formar un dique de defensa o para resguardar el pie de otra obra de la acción de las corrientes. [*Sinón.*: rompeolas]

escollo (al. *Klippe*, fr. *écueil*, ingl. *reef*, it. *scoglio*). m. Peñasco que está a flor de agua o que no se descubre bien. ‖ fig. Peligro, riesgo. ‖ fig. Dificultad, obstáculo. [*Sinón.*: arrecife, bajo, bajío]

escombrar. tr. Desembarazar de escombros. ‖ fig. Desembarazar, limpiar.

ESCLAVIZAR-ESCOMBRAR

escombrera. f. Conjunto de escombros o desechos. ‖ Sitio donde se echan los escombros de una mina.

escómbrido. adj. ZOOL. Dícese de peces teleósteos, acantopterigios, cuyo tipo es la caballa. Ú.t.c.s. ‖ m. pl. Familia de estos peces.

escombro (al. *Schutt*, fr. *décombres*, ingl. *rubbish*, it. *rottame*). m. Desecho, broza y cascote que queda de una obra de albañilería o de un edificio derribado. ‖ Desechos de la explotación de una mina.

escombro. m. Caballa.

esconce. m. Ángulo entrante o saliente, rincón o punta que interrumpe la línea recta o la dirección que lleva una superficie cualquiera.

esconder (al. *verstecken*, fr. *cacher*, ingl. *to conceal*, it. *nascondere*). tr. Ocultar, retirar una cosa a lugar o sitio secreto. Ú.t.c.r. ‖ fig. Encerrar, contener en sí una cosa que no es manifiesta a todos. Ú.t.c.r. [*Antón*.: descubrir]

escondido, da. p. p. de esconder. ‖ m. Danza criolla del noroeste de Argentina. ‖ f. pl. *Amer.* Juego del escondite. ‖ *a escondidas.* m. adv. Ocultamente, sin ser visto.

escondite (al. *Versteckspiel*, fr. *cachette*, ingl. *hide-and-seek*, it. *rimpiattino*). m. Lugar propio para esconderse. ‖ Juego de muchachos, en el que unos se esconden y otros buscan a los escondidos.

escondrijo. m. Lugar oculto y retirado propio para esconder alguna cosa.

escopeta (al. *Flinte*, fr. *escopette*, ingl. *shotgun*, it. *schioppo*). f. Arma de fuego portátil con uno o dos cañones. ‖ Persona que caza o tira con escopeta.

escopetazo. m. Disparo hecho con escopeta. ‖ Ruido originado por el mismo. ‖ Herida o estrago producido. ‖ fig. Noticia o hecho desagradable, súbito e inesperado.

escopetero. m. Persona armada de escopeta. ‖ El que fabrica escopetas o las vende. ‖ ZOOL. Coleóptero zoófago, de cuerpo rojizo y élitros azulados, que vive debajo de las piedras y al ser molestado lanza por el ano una sustancia que, al contacto con el aire, produce una detonación.

escopladura. f. Corte o agujero hecho con el escoplo en la madera.

escoplo (al. *Meissel*, fr. *ciseau*, ingl. *chisel*, it. *scalpello*). m. Herramienta de hierro acerado, con mango de madera y boca formada por un bisel, que usan los carpinteros. ‖ MED. Instrumento quirúrgico empleado para cortar y extraer huesos. [*Sinón*.: formón, gubia]

escora (al. *Schore*, fr. *accore*, ingl. *shore*, it. *puntello*). f. MAR. Línea del fuerte. ‖ MAR. Cada uno de los puntales que sostienen los costados del buque en construcción o en varadero. ‖ MAR. Inclinación de un buque por la fuerza del viento, por ladeamiento de la carga, etc.

escorar. tr. MAR. Apuntalar con escoras. ‖ Hacer que un buque se incline de costado. ‖ intr. MAR. Inclinarse un buque por la fuerza del viento o por otras causas. Ú.t.c.r. ‖ MAR. Hablando de la marea, llegar ésta a su nivel más bajo.

escorbuto (al. *Skorbut*, fr. *scorbut*, ingl. *scurvy*, it. *scorbuto*). m. MED. Enfermedad general producida por la falta en la alimentación de ciertas vitaminas, y caracterizada por debilidad muscular notable, manchas lívidas, ulceraciones de las encías y hemorragias.

escorchar. tr. Desollar.

escordio. m. BOT. Hierba labiada, de tallos ramosos, hojas blandas y vellosas y flores de corolas azules o purpúreas. Vive en terrenos húmedos y se usa en medicina.

escoria (al. *Schlacke*, fr. *scorie*, ingl. *dross*, it. *scoria*). f. Sustancia vítrea que sobrenada en el crisol de los hornos de fundición. ‖ Materia que por efecto de los martillazos se desprende del hierro candente. ‖ GEOL. Lava esponjosa de los volcanes. ‖ fig. Lo más despreciable y vil de un conjunto de personas o cosas. [*Sinón*.: desecho]

escoriación. f. Excoriación.

escorial. m. Sitio donde se echan las escorias. ‖ Montón de escorias.

escoriar. tr. Excoriar.

escorpina. f. ZOOL. Pez teleósteo, acantopterigio, de cabeza gruesa y espinosa, y color fusco por el lomo y rojo en el resto. Vive en la costa y su carne es poco apreciada.

escorpión (al. *Skorpion*, fr. *scorpion*, ingl. *scorpion*, it. *scorpione*). m. ZOOL. Alacrán. ‖ ZOOL. Pez parecido a la escorpina, de la que se diferencia por ser enteramente rojo y vivir en alta mar. ‖ n.p.m. ASTR. Octavo signo o parte del Zodíaco, que el Sol recorre a mediados de otoño en su movimiento aparente. ‖ ASTR. Constelación zodiacal situada delante del mismo signo y un poco hacia el oriente.

escorrentía. f. Corriente de agua que se vierte al rebasar su depósito o cauce naturales o artificiales. ‖ Retorno de las aguas pluviales al mar. ‖ Aliviadero.

escorzar. tr. PINT. Representar, acortándolas, según las reglas de la perspectiva, las cosas que se extienden en sentido perpendicular u oblicuo al plano del papel o lienzo sobre el que se pinta.

escorzo. m. PINT. Acción y efecto de escorzar. ‖ Figura o parte de figura escorzada.

escorzonera. f. BOT. Hierba de la familia de las compuestas, con corteza negra que, cocida, se usa en medicina.

escota. f. MAR. Cabo que sirve para cazar las velas.

escotadura. f. Corte hecho en una prenda de vestir por la parte del cuello. ‖ En los teatros, abertura grande en el tablado, para las tramoyas. ‖ Cortadura que parece alterar la forma de una cosa.

escotar. tr. Cortar una cosa para acomodarla a la medida que se necesita. ‖ Extraer agua de un río, arroyo, etc., sangrándolos o haciendo acequias. ‖ Pagar la parte que toca a cada uno de todo el gasto hecho en común por varias personas.

escote (al. *Halsausschnitt*, fr. *décolleté*, ingl. *low neck*, it. *scollatura*). m. Escotadura de un vestido. ‖ Parte del busto que queda descubierto por estar escotado el vestido. ‖ Parte o cuota que corresponde a cada uno por razón del gasto hecho en común por varios. [*Sinón*.: descote; escotadura; derrama]

escotera. f. MAR. Abertura en el costado de una embarcación por la cual pasa la escota mayor o de trinquete.

escotilla (al. *Luke*, fr. *écoutille*, ingl. *hatchway*, it. *boccaporto*). f. MAR. Cada una de las aberturas que hay en las diversas cubiertas de un buque, para el servicio de éste.

escotillón. m. Puerta o trampa cerradiza en el suelo. ‖ Trozo del piso del escenario que puede bajarse y subirse para dejar aberturas por donde salgan a la escena o desaparezcan personas o cosas.

escotoma. m. MED. Síntoma de varias lesiones ocultas, caracterizado por una mancha oscura o centelleante que cubre parte del campo visual.

escozor (al. *Jucken*, fr. *cuisson*, ingl. *smart*, it. *bruciore*). m. Sensación dolorosa, como la que produce una quemadura. ‖ fig. Sentimiento causado en el ánimo por una pena o desazón. [*Sinón*.: desazón; disgusto]

escriba. m. Doctor e intérprete de la ley entre los hebreos. || En la antigüedad, copista, amanuense.

escribanía. f. Oficio de los escribanos públicos. || Oficina del escribano. || Papelera o escritorio. || Recado para escribir.

escribano. m. El que por oficio público está autorizado para dar fe de las escrituras y demás actos que pasan ante él. [*Sinón.:* notario]

escribiente (al. *Schreiber,* fr. *écrivain,* ingl. *clerk,* it. *scrivano*). com. Persona que tiene por oficio copiar o escribir lo que se le dicta. [*Sinón.:* amanuense, escribano, copista]

escribir (al. *schreiben,* fr. *écrire,* ingl. *to write,* it. *scrivere*). tr. Representar palabras o ideas mediante letras y otros signos. || Trazar las notas y demás signos de la música. || Componer libros, discursos, etc. || Comunicar por escrito alguna cosa. || r. Inscribirse.

escripia. f. Cesta de pescador de caña.

escrito, ta (al. *Schrift,* fr. *écrit,* ingl. *writing,* it. *scritto*). p. p. irreg. de escribir. || m. Carta o cualquier papel manuscrito. || Obra o composición científica o literaria. || DER. Alegato en pleito. || *estaba escrito.* loc. Así lo tenía dispuesto la providencia. [*Sinón.:* nota; alegato]

escritor, ra (al. *Schriftsteller,* fr. *écrivain,* ingl. *writer,* it. *scrittore*). s. Persona que escribe. || Autor de obras escritas o impresas. [*Sinón.:* literato, autor]

escritorio (al. *Schreibtisch,* fr. *bureau,* ingl. *writing-desk,* it. *scrivania*). m. Mueble cerrado, con divisiones en su interior para guardar papeles. [*Sinón.:* escribanía]

escritura (al. *Schrift, Urkunde;* fr. *écriture, acte;* ingl. *writing, deed;* it. *scrittura*). f. Acción y efecto de escribir. || Arte de escribir. || Carta, documento o cualquier papel escrito. || Documento en que se hace constar un acto o negocio jurídico. || Obra escrita. || Por antonomasia, la Sagrada Escritura o la Biblia. Ú.t. en pl.

escriturar. tr. DER. Hacer constar con escritura pública y en forma legal un otorgamiento o un hecho.

escrófula (al. *Skrofel,* fr. *scrofule,* ingl. *scrofula,* it. *scrofola*). f. PAT. Tumor frío originado por la hinzachón de los ganglios linfáticos superficiales.

escrofularia. f. BOT. Planta anual escrofulariácea, con tallo lampiño y nudoso, hojas opuestas y flores en panoja larga.

escrofulariáceo, a. adj. BOT. Dícese de plantas dicotiledóneas que tienen hojas alternas u opuestas, flores en racimo y por frutos cápsulas dehiscentes; como la escrofularia. Ú.t.c.s. || f. pl. Familia de estas plantas.

escrofulismo. m. PAT. Enfermedad que se caracteriza por la aparición de escrófulas.

escroto (al. *Hodensack,* fr. *scrotum,* ingl. *scrotum,* it. *scroto*). m. ANAT. Bolsa formada por la piel que cubre los testículos y las membranas que los envuelven.

escrúpulo (al. *Bedenken,* fr. *scrupule,* ingl. *scruple,* it. *scrupolo*). m. Duda o recelo que provoca inquietud o desasosiego en el ánimo. || Escrupulosidad. [*Sinón.:* miramiento]

escrupulosidad. f. Exactitud en el examen y averiguación de las cosas y en el estricto cumplimiento de lo que uno emprende o toma a su cargo. [*Sinón.:* miramiento, precisión, esmero]

escrupuloso, sa (al. *gewissenhaft,* fr. *scrupuleux,* ingl. *scrupulous,* it. *scruposo*). adj. Que padece o tiene escrúpulos. Ú.t.c.s. || Dícese de lo que causa escrúpulos. || fig. Exacto.

escrutar (al. *untersuchen,* fr. *scruter,* ingl. *to scrutinize,* it. *scrutare*). tr. Escudriñar, examinar cuidadosamente, explorar. || Reconocer y computar los votos que en unas elecciones se han emitido secretamente.

escrutinio m. Examen, averiguación exacta y diligente de una cosa. || Reconocimiento y regulación de los votos en las elecciones o en otro acto análogo. [*Sinón.:* recuento]

escuadra (al. *Winkel, Geschwader;* fr. *équerre, escadre;* ingl. *square, fleet;* it. *squadra*). f. Instrumento de figura de triángulo rectángulo, o compuesto de dos reglas que forman ángulo recto. || Pieza de metal con dos ramas en ángulo recto, para asegurar las ensambladuras de las maderas. || Corto número de soldados a las órdenes de un cabo. || Conjunto de buques de guerra para determinado servicio. || n. p. f. ASTR. Constelación austral situada al sur del Ara o Altar. || *— falsa,* o *falsa escuadra.* Instrumento compuesto de dos reglas movibles alrededor de un eje, con el cual se trazan ángulos de diferentes aberturas. [*Sinón.:* flota]

escuadrar. tr. Labrar o disponer un objeto de modo que sus caras planas formen entre sí ángulos rectos.

escuadrilla (al. *Fliegerstaffel,* fr. *escadrille,* ingl. *squadron,* it. *squadri-*glia*). f. Escuadra de buques de pequeño porte. || Determinado número de aviones que realizan un mismo vuelo en formación. [*Sinón.:* Flotilla]

escuadrón (al. *Schwadron,* fr. *escadron,* ingl. *squadron,* it. *squadrone*). m. MIL. Una de las partes en que se divide un regimiento de caballería. || MIL. Unidad aérea equiparable al batallón o grupo terrestre.

escualidez. f. Calidad de escuálido.

escuálido, da. adj. Sucio, asqueroso. || Flaco, macilento. || ZOOL. Dícese de peces selacios con cuerpo fusiforme, hendiduras branquiales detrás de la cabeza y cola robusta. Ú.t.c.s. || m. pl. Suborden de estos peces.

escualo (al. *Hai,* fr. *squale,* ingl. *shark,* it. *squalo*). m. ZOOL. Cualquiera de los peces selacios del suborden de los escuálidos. [*Sinón.:* tiburón]

escucha (al. *Kundschafter,* fr. *sentinelle,* ingl. *scout,* it. *sentinella avanzata*). f. Acción de escuchar. || Centinela que se adelanta de noche para observar de cerca los movimientos del enemigo. || En los conventos y colegios de religiosas, la que acompaña en el locutorio a las que reciben visitas para oír lo que se habla. [*Sinón.:* audición; oyente]

escuchar (al. *horchen,* fr. *écouter,* ingl. *to listen,* it. *ascoltare*). intr. Aplicar el oído para oír. || tr. Prestar atención a lo que se oye. || Atender a un aviso, consejo o sugerencia. || r. Hablar o recitar con pausas afectadas. [*Sinón.:* atender; sentir; auscultar.]

escuchimizado, da. adj. Muy flaco y débil.

escudar. tr. Amparar y resguardar con el escudo. Ú.t.c.r. || fig. Resguardar y defender a una persona de algún peligro. || r. fig. Valerse uno de algún medio, favor o amparo para librarse de un peligro. [*Sinón.:* cubrir, proteger, defender]

escudería. f. Servicio y ministerio del escudero. || AUTOM. Conjunto de corredores y personal técnico adscrito a una marca, a una asociación, etc.

escudero (al. *Schildknappe,* fr. *écuyer,* ingl. *squire,* it. *scudiero*). m. Paje o sirviente que llevaba el escudo al caballero. || El que servía a un señor o persona de distinción. || El que hacía escudos. || Criado que servía a una señora, acompañándola cuando salía de casa y asistiendo en su antecámara. [*Sinón.:* asistente]

escudete. m. Objeto parecido a un escudo pequeño. || Plancha de metal que guarnece la boca de la cerradura. ||

Pedazo de lienzo que sirve de refuerzo en los cortes de la ropa blanca. || Nenúfar.

escudilla (al. *Napf,* fr. *écuelle,* ingl. *bowl,* it. *scodella*). f. Vasija ancha y de forma de media esfera.

escudo (al. *Schild, Wappenschild;* fr. *bouclier, écusson;* ingl. *shield, coat of arms;* it. *scudo*). m. Arma defensiva para cubrirse y resguardarse de los ataques, que se llevaba en el brazo izquierdo. || Chapa de acero que sirve de protección a los sirvientes del cañón. || Moneda antigua de oro. || Moneda de plata que valía diez reales de vellón. || Unidad monetaria portuguesa. || Unidad monetaria chilena. || Planchuela de metal que suele ponerse delante de la cerradura. || fig. Amparo, defensa. || MAR. Espejo de popa. || MAR. Tabla vertical que en los botes forma el respaldo del asiento de popa. || Espaldilla del jabalí. || — *de armas.* BLAS. Campo, superficie o espacio de distintas figuras en que se pintan los blasones de un reino, ciudad, familia, etc. || — *de Orión.* ASTR. Fila curva de estrellas en el lado occidental de la constelación Orión. [*Sinón.:* Broquel, rodela]

escudriñar (al. *ausforschen,* fr. *scruter,* ingl. *to pry into,* it. *scrutinare*). tr. Examinar, inquirir y averiguar cuidadosamente una cosa y sus circunstancias. [*Sinón.:* investigar]

escuela (al. *Schule,* fr. *école,* ingl. *school,* it. *scuola*). f. Establecimiento público donde se da a los niños la instrucción primaria. || Establecimiento público donde se da cualquier género de instrucción. || Enseñanza que se da o que se adquiere. || Conjunto de profesores y alumnos de una misma enseñanza. || Método, estilo o gusto peculiar de cada maestro para enseñar. || Doctrina, principios y sistema de un autor. || Conjunto de discípulos, secuaces o imitadores de una persona o de su doctrina, arte, etc. || Conjunto de caracteres comunes que en literatura y en arte distingue de las demás las obras de una época, región, etc. || fig. Lo que en algún modo alecciona o da ejemplo y experiencia. || — *normal.* Aquella en que se hacen los estudios y las prácticas para obtener el título de maestro de primera enseñanza. [*Sinón.:* colegio, estudio; sistema; carácter]

escuerzo. m. Sapo. || fig. y fam. Persona flaca y desmedrada.

escueto, ta. adj. Despejado, libre, descubierto. || Sin adornos y sin ambages, seco, estricto.

escuintle. m. *Amer.* Perro callejero. || Muchacho.

esculcar. tr. Espiar, inquirir, averiguar con diligencia y cuidado. || *Amer.* Registrar para buscar algo oculto.

esculpir (al. *hauen, schnitzen;* fr. *sculpter,* ingl. *to sculpture,* it. *scolpire*). tr. Labrar a mano una obra de escultura. || Grabar algo sobre una superficie de metal, madera o piedra.

escultor, ra (al. *Bildhauer,* fr. *sculpteur,* ingl. *sculptor,* it. *scultore*). s. Persona que profesa el arte de la escultura. [*Sinón.:* cincelador, tallista, estatuario]

escultórico, ca. adj. Perteneciente o relativo a la escultura.

escultura (al. *Skulptur,* fr. *sculpture,* ingl. *sculpture,* it. *scultura*). f. Arte de modelar, tallar y esculpir en barro, piedra, metal, etc., representando figuras de personas, animales u otros objetos. || Obra hecha por el escultor. || Fundición o vaciado que se forma en los moldes de las esculturas hechas a mano. [*Sinón.:* estatuaria; estatua, imagen]

escultural. adj. Perteneciente o relativo a la escultura. || Que participa de alguno de los caracteres bellos de la escultura.

escupidera (al. *Spucknapf,* fr. *crachoir,* ingl. *spittoon,* it. *sputacchiera*). f. Pequeño recipiente destinado a escupir en él.

escupidura. f. Saliva, flema o sangre escupida.

escupir (al. *ausspucken,* fr. *cracher,* ingl. *to spit,* it. *sputare*). intr. Arrojar saliva por la boca. || tr. Arrojar por la boca algo como escupiendo. || fig. Echar de sí con desprecio una cosa. || fig. Despedir un cuerpo a la superficie otra sustancia que estaba mezclada con él. || fig. Despedir o arrojar con violencia una cosa.

escupitajo. m. fam. Escupidura.

escupitina. f. fam. Escupitajo.

escupitinajo. m. Escupitajo.

escurialense. adj. Perteneciente al pueblo y al monasterio de El Escorial.

escurreplatos. m. Mueble de cocina donde se ponen a escurrir las vasijas fregadas.

escurribanda. f. Escapatoria. || fam. Flujo de viente, diarrea. || fam. Corrimiento de un humor. || fam. Zurribanda.

escurridizo, za. adj. Que se escurre o desliza fácilmente. || Propio para hacer deslizar o escurrirse.

escurrido, da. p. p. de escurrir. || adj. Dícese de la persona estrecha de caderas.

escurridor. m. Colador de agujeros grandes. || Escurreplatos.

escurriduras. f. pl. Últimas gotas de un líquido que han quedado en el vaso, bota, etc.

escurrir (al. *abtropfen lassen,* fr. *égoutter,* ingl. *to drain off,* it. *sgocciolare*). tr. Apurar las últimas gotas de un licor que han quedado en una vasija. || Hacer que una cosa empapada en un líquido despida la parte que quedaba retenida. Ú.t.c.r. || intr. Destilar y caer gota a gota el licor que estaba en un vaso, etc. || Deslizar y correr una cosa por encima de otra. Ú.t.c.r. || r. Escapar, salir huyendo. || Correrse, decir más de lo que se debe o quiere decir.

escusa. f. Escusabaraja. || Cualquiera de los provechos y ventajas que por especial condición y pacto disfrutan algunas personas. || Derecho que el dueño de una finca concede a sus guardas, pastores, etc., para que puedan apacentar un corto número de cabezas de ganado en su propiedad. || Conjunto de las cabezas de ganado a que se aplica este derecho.

escusabaraja. f. Cesta de mimbre que sirve para poner o llevar ciertas cosas de uso común.

escusado, da. adj. Reservado o separado del uso común. || m. Retrete.

esdrújulo, la. adj. Aplícase al vocablo cuya acentuación prosódica carga en la antepenúltima silaba. Ú.t.c.s.m. [*Sinón.:* proparoxítono]

ese. f. Nombre de la letra *s.* || Eslabón que tiene la figura de una ese.

ese, esa, eso, esos, esas (al. *dieser, diese, dieses, der;* fr. *ce, cet;* ingl. *that;* it. *codesto, codesta*). Formas del pron. dem. en los tres géneros y en ambos números. Hacen oficio de adjetivos cuando van unidos al nombre.

esencia (al. *Wesen,* fr. *essence,* ingl. *essence,* it. *essenza*). f. Naturaleza de las cosas. || Lo permanente e invariable en ellas; lo que el ser es. || QUÍM. Sustancia volátil de olor intenso, extraída de ciertos vegetales. || Gasolina. || *quinta esencia.* Quinto elemento que consideraba la filosofía antigua en la composición del universo. || Entre los alquimistas, principio fundamental de la composición de los cuerpos. || fig. Lo más puro y acendrado de una cosa. [*Sinón.:* ser, sustancia; bencina, carburante]

esencial (al. *wesentlich,* fr. *essentiel,* ingl. *essential,* it. *essenziale*). adj. Perteneciente a la esencia. || Sustancial, principal, imprescindible.

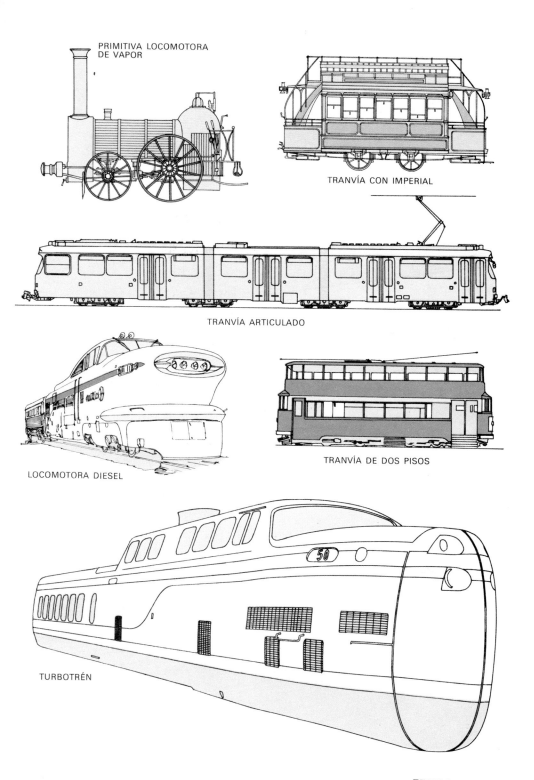

PRIMITIVA LOCOMOTORA
DE VAPOR

TRANVÍA CON IMPERIAL

TRANVÍA ARTICULADO

LOCOMOTORA DIESEL

TRANVÍA DE DOS PISOS

TURBOTRÉN

FERROCARRIL

FERROCARRIL

ARRIBA, LOCOMOTORA DE VAPOR; ABAJO, LOCOMOTORA ELÉCTRICA

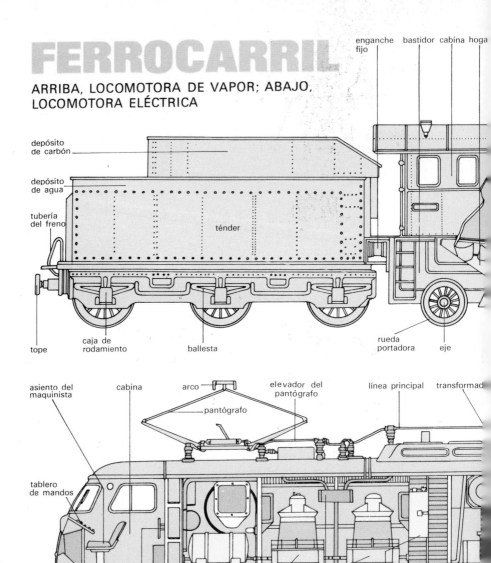

enganche fijo   bastidor   cabina   hoga

depósito de carbón

depósito de agua

tubería del freno

ténder

tope   caja de rodamiento   ballesta   rueda portadora   eje

asiento del maquinista   cabina   arco   elevador del pantógrafo   línea principal   transformad

pantógrafo

tablero de mandos

faro

volante del freno de estacionamiento

tope

tubería del freno   quitapiedras   estribo   ventiladores de enfriamiento   rectificador   condensador   zapata de fr

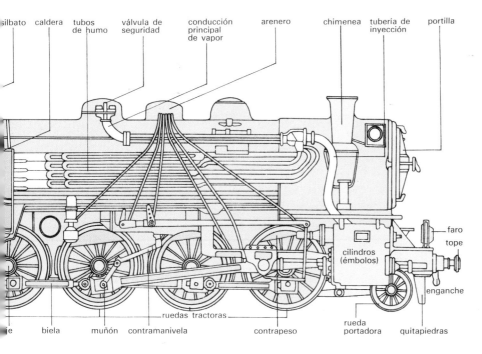

silbato — caldera — tubos de humo — válvula de seguridad — conducción principal de vapor — arenero — chimenea — tubería de inyección — portilla

faro
tope
cilindros (émbolos)
enganche

ruedas tractoras
e — biela — muñón — contramanivela — contrapeso — rueda portadora — quitapiedras

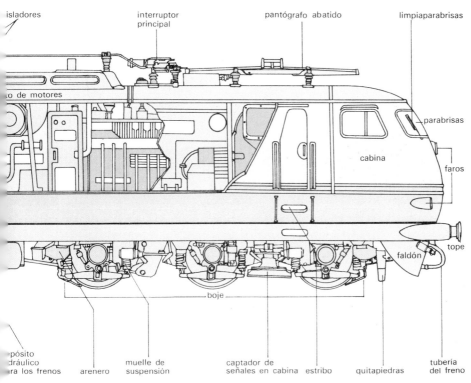

isladores — interruptor principal — pantógrafo abatido — limpiaparabrisas

o de motores

parabrisas
cabina
faros

boje
tope
faldón

pósito dráulico ra los frenos — arenero — muelle de suspensión — captador de señales en cabina — estribo — quitapiedras — tubería del freno

TREN DE GRAN VELOCIDAD

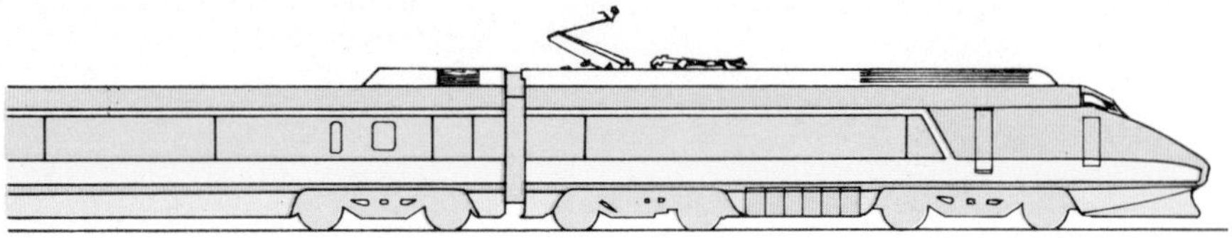

MONOCARRIL

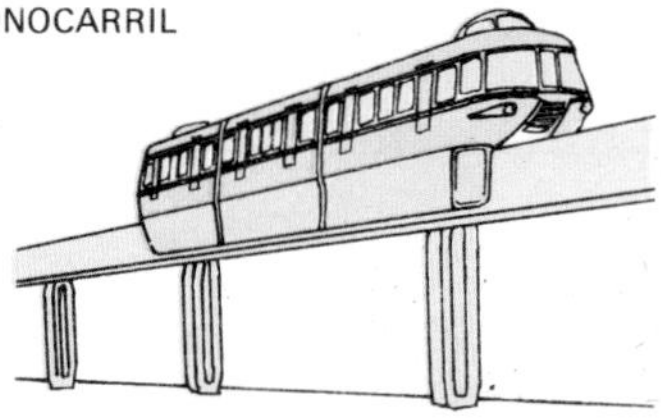

METRO LIGERO

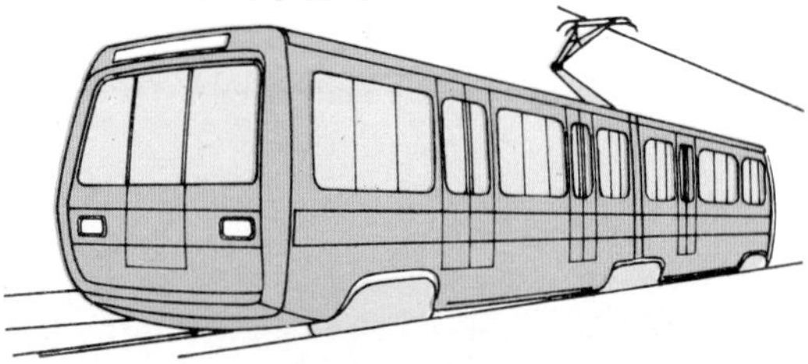

TREN DESLIZANTE
SOBRE COLCHÓN
DE AIRE

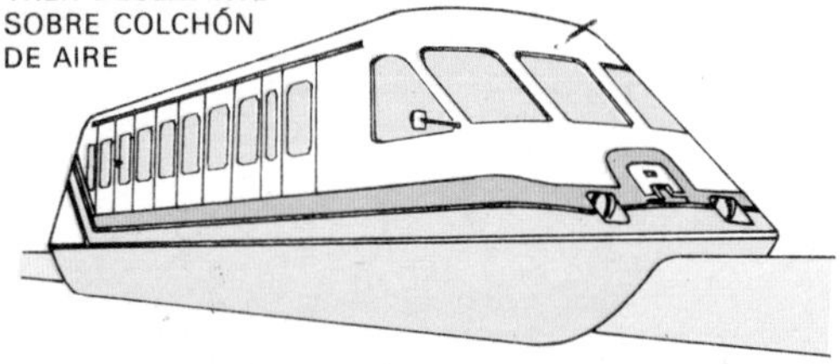

METRO

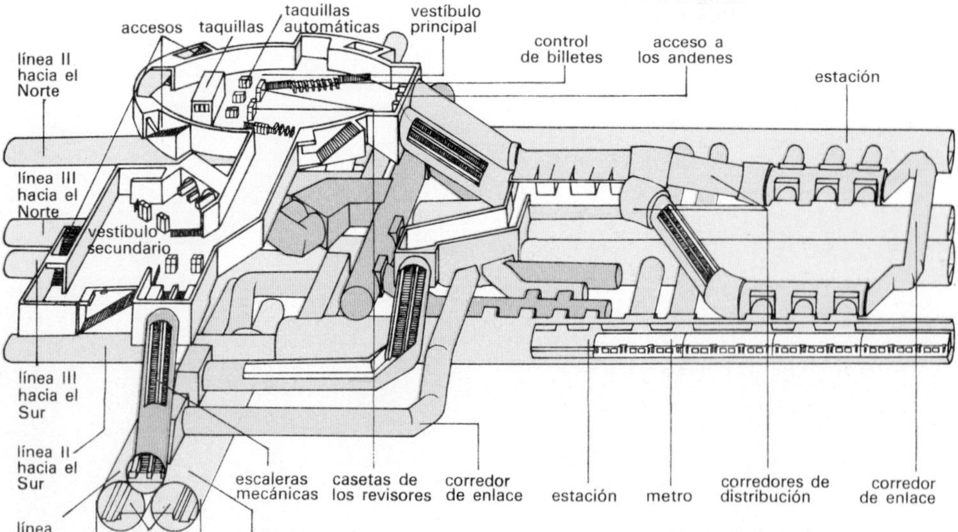

accesos taquillas taquillas
automáticas
vestíbulo
principal

control
de billetes

acceso a
los andenes

estación

línea II
hacia el
Norte

línea III
hacia el
Norte

vestíbulo
secundario

línea III
hacia el
Sur

línea II
hacia el
Sur

línea
hacia el
Oeste

andenes
estación

escaleras
mecánicas

casetas de
los revisores

corredor
de enlace

estación

metro

corredores de
distribución

corredor
de enlace

línea
hacia el Este

ESTACION DE CORRESPONDENCIA (tres líneas)
DE UN FERROCARRIL METROPOLITANO

FERROCARRIL

esencialidad. f. Calidad de esencial.

esenciero. m. Frasco para esencia.

esenio, nia. adj. Dícese del individuo de una secta de los antiguos judíos, que practicaba la comunidad de bienes. Ú.t.c.s. ‖ Perteneciente o relativo a esta secta.

esfacelarse. r. MED. Mortificarse o gangrenarse un tejido.

esfacelo. m. MED. Parte mortificada de la piel o de los tejidos profundos, que se forma en ciertas heridas o quemaduras.

esfenoides. adj. ANAT. Dícese del hueso enclavado en la base del cráneo, que concurre a formar las cavidades nasales y las órbitas. Ú.t.c.s.

esfera (al. *Kugel*, fr. *sphère*, ingl. *sphere*, it. *sfera*). f. MAT. Volumen limitado por una superficie cuyos puntos equidistan de uno interior llamado centro. ‖ Círculo en que giran las manecillas del reloj. ‖ fig. Clase o condición de una persona. ‖ fig. Ámbito, espacio a que se extiende o alcanza la acción o el influjo de una persona o cosa. ‖ — *armilar.* Aparato compuesto de varios círculos que representan los de la esfera celeste, con un pequeño globo en el centro que figura la Tierra. ‖ — *celeste.* Esfera ideal, concéntrica con la terráquea, en la que se mueven aparentemente los astros. ‖ — *de actividad.* Espacio a que se extiende o alcanza la virtud de cualquier agente. ‖ — *terráquea* o *terrestre.* Globo terráqueo, o terrestre.

esfericidad. f. Calidad de esférico.

esférico, ca. adj. MAT. Perteneciente a la esfera o que tiene su figura.

esferoide. m. MAT. Cuerpo de forma parecida a la esfera.

esferómetro. m. Aparato dispuesto para determinar la curvatura de una superficie esférica.

esfigmógrafo. m. MED. Instrumento destinado a registrar la forma de las pulsaciones arteriales.

esfigmómetro. m. MED. Instrumento para medir el pulso en el número y frecuencia de sus movimientos.

esfinge (al. *Sphinx*, fr. *sphinx*, ingl. *sphinx*, it. *sfinge*). amb. Monstruo fabuloso con cabeza, cuello y pecho de mujer, y cuerpo y patas de león. Ú.m.c.f. ‖ ZOOL. Mariposa crepuscular, en general de gran tamaño, con el cuerpo grueso y las alas menores que las diurnas.

esfíngido. adj. ZOOL. Dícese de insectos lepidópteros crepusculares, con antenas prismáticas y alas horizontales en el reposo. Ú.t.c.s. ‖ m. pl. Familia de estos insectos.

esfínter (al. *Schliessmuskel*, fr. *sphincter*, ingl. *sphincter*, it. *sfintere*). m. ANAT. Músculo en forma de anillo con que se abre y cierra el orificio de una cavidad del cuerpo.

esforzado, da. p. p. de esforzar. ‖ adj. Valiente, animoso, de gran corazón y espíritu.

esforzar (al. [*sich*] *bemühen*, fr. [*s'*] *efforcer*, ingl. *to strive*, it. *sforzar* [*si*]). tr. Dar o comunicar fuerza o vigor. ‖ Infundir ánimo o valor. ‖ intr. Tomar ánimo. ‖ r. Hacer esfuerzos, física y moralmente, con algún fin.

esfuerzo (al. *Anstrengung*, fr. *effort*, ingl. *effort*, it. *sforzo*). m. Empleo enérgico de la fuerza física. ‖ Empleo enérgico del vigor o actividad del ánimo. ‖ Ánimo, vigor, brío, valor. ‖ Empleo de elementos costosos en la consecución de algún fin. [*Sinón.*: denuedo]

esfumar. tr. PINT. Extender los trazos de lápiz restregando el papel con el esfumino para dar empaste a las sombras de un dibujo. ‖ PINT. Rebajar los tonos de una composición, logrando cierto aspecto de vaguedad y lejanía. ‖ r. fig. Disiparse, desvanecerse. [*Sinón.*: diluirse, desdibujarse]

esfuminar. tr. Esfumar los trazos de lápiz.

esfumino. m. PINT. Rollito de papel, estoposo o de piel suave, terminado en punta, que sirve para esfumar.

esgrima (al. *Fechtkunst*, fr. *escrime*, ingl. *fencing*, it. *scherma*). f. Arte de manejar la espada, el sable y otras armas blancas.

esgrimir (al. *schwingen*, fr. *faire des armes*, ingl. *to brandish*, it. *tirare di scherma*). tr. Manejar la espada, el sable y otras armas blancas, evitando y deteniendo los golpes del contrario o acometiéndole. ‖ fig. Usar de una cosa como arma para lograr algún intento.

esgucio. m. ARQ. Moldura cóncava cuyo perfil es la cuarta parte de un círculo.

esguince (al. *Verrenkung*, fr. *entorse*, ingl. *sprain*, it. *distorsione*). m. Ademán hecho con el cuerpo para evitar un golpe o caída. ‖ Movimiento o gesto con que se demuestra disgusto o desdén. ‖ Torcedura o distensión violenta de una coyuntura.

eslabón (al. *Glied*, fr. *maillon*, ingl. *link*, it. *maglia*). m. Pieza en figura de anillo o de otra curva cerrada que enlazada con otras forma una cadena. ‖ Hierro acerado con que se saca fuego de un pedernal. ‖ ZOOL. Especie de alacrán negro. [*Sinón.*: engarce]

eslavo, va. adj. Aplícase a un pueblo antiguo que se extendió principalmente por el nordeste de Europa. ‖ Perteneciente o relativo a este pueblo. ‖ Dícese de los que de él proceden. Ú.t.c.s. ‖ Aplícase a la lengua de los antiguos eslavos y a cada una de las que de ella se derivan. ‖ m. Lengua eslava.

eslinga. f. Maroma provista de ganchos para levantar grandes pesos.

eslizón. m. ZOOL. Reptil escíncido, de cuerpo largo y pies cortos, color gris y con cuatro rayas pardas en el lomo.

eslogan (ingl. *slogan*). m. Consigna, lema, estribillo. ‖ Frase o máxima publicitaria.

eslora. f. MAR. Longitud que tiene la nave desde el codaste a la roda por la parte de adentro.

eslovaco, ca. adj. Aplícase a un pueblo eslavo que habita al sudeste de Checoslovaquia. Ú.t.c.s. ‖ Perteneciente o relativo a este pueblo.

esloveno, na. adj. Aplícase al pueblo eslavo que habita al nordeste de Yugoslavia, en Eslovenia, y al sur de Austria, en Carintia. Ú.t.c.s. ‖ Perteneciente o relativo a este pueblo. ‖ m. Idioma esloveno.

esmaltar (al. *emaillieren*, fr. *émailler*, ingl. *to enamel*, it. *smaltare*). tr. Cubrir con esmalte. ‖ fig. Adornar de varios colores y matices una cosa. ‖ fig. Adornar, ilustrar, realzar.

esmalte (al. *Email*, fr. *émail*, ingl. *enamel*, it. *smalto*). m. Barniz vítreo que por medio de la fusión se adhiere a la porcelana, loza, metales, etc. ‖ Objeto cubierto o adornado de esmalte. ‖ Labor que se hace con esmalte sobre un metal. ‖ fig. Lustre, esplendor o adorno. ‖ ZOOL. Materia dura y blanca que cubre la parte de los dientes que está fuera de las encías. ‖ BLAS. Cualquiera de los colores o metales conocidos en el arte heráldico.

esmaltina. f. Mineral de color gris de acero, combinación de cobalto y arsénico, que se emplea para la fabricación de esmaltes azules.

esmeralda (al. *Smaragd*, fr. *émeraude*, ingl. *emerald*, it. *smeraldo*). f. Piedra fina, silicato de alúmina y glucina, más dura que el cuarzo y teñida de verde por el óxido de cromo. ‖ — *oriental.* Variedad del corindón.

esmerar. tr. Pulir, limpiar. ‖ r. Poner sumo cuidado en ser cabal y perfecto. ‖ Obrar con acierto y lucimiento. [*Sinón.*: afanarse. *Antón.*: descuidarse]

esmerejón. m. ZOOL. Ave rapaz diurna que en invierno es muy común en Andalucía.

esmeril (al. *Schmirgel*, fr. *émeri*, ingl. *emery*, it. *smeriglio*). m. Variedad ferruginosa del corindón, muy dura, usada en la industria como abrasivo.

esmerilar. tr. Pulir con esmeril.

esmero (al. *Sorgfalt*, fr. *soin*, ingl. *niceness*, it. *accuratezza*). m. Sumo cuidado y diligencia en hacer algo.

esmiláceo, a. adj. BOT. Aplícase a hierbas o matas monocotiledóneas, de hojas alternas, flores poco notables y fruto en baya; como el espárrago y la zarzaparrilla. Ú.t.c.s.

esmirriado, da. adj. Desmirriado.

esmoquin. m. Chaqueta de hombre, con solapas de seda, de media ceremonia.

esnob (ingl. *snob*), adj. Afectado de esnobismo. Ú.t.c.s.

esnobismo. m. Exagerada admiración hacia todo lo que está de moda.

esófago. m. ANAT. Conducto que va desde la faringe al estómago y por el cual pasan los alimentos.

esotérico, ca. adj. Oculto, reservado. [*Sinón.*: secreto]

esoterismo. m. Calidad de esotérico.

esotro, tra. pron. dem. Ese otro, esa otra. Ú.t.c. adj.

espabiladeras. f. pl. Despabiladeras.

espabilar. tr. Despabilar.

espaciador. m. En las máquinas de escribir, tecla que se pulsa para dejar espacios en blanco.

espacial (al. *raum*, fr. *spatial*, ingl. *spatial*, it. *spaziale*). adj. Perteneciente o relativo al espacio.

espaciar. tr. Poner espacio entre las cosas en el lugar o en el tiempo. || Esparcir, dilatar, difundir. Ú.t.c.r || IMP. Separar las dicciones, las letras o los renglones con espacios o regletas. || r. fig. Dilatarse en el discurso o en lo que se escribe. [*Sinón.*: separar; extenderse. *Antón.*: juntar]

espacio (al. *Raum*, fr. *espace*, ingl. *space*, it. *spazio*). m. Continente de todos los objetos sensibles que coexisten. || Parte de este continente que ocupa cada objeto sensible. || Capacidad de terreno, sitio o lugar. || Transcurso de tiempo. || Tardanza, lentitud. || IMP. Pieza de metal que sirve para espaciar. || MÚS. Separación que hay entre las rayas del pentagrama. || MAT. Conjunto de entes cualesquiera entre los que se establecen ciertos postulados.

espaciosidad. f. Anchura, capacidad.

espacioso, sa. adj. Ancho, dilatado. || Lento, pausado, flemático. [*Sinón.*: extenso, amplio]

espachurrar. tr. Despachurrar.

espada (al. *Schwert*, fr. *épée*, ingl. *sword*, it. *spada*). f. Arma blanca larga, recta, aguda y cortante, con guarnición y empuñadura. || Persona diestra en su manejo. || TAUROM. Matador de toros. Ú.m.c.m. || En el juego de naipes, cualquiera de las cartas del palo de espadas. || As de espadas. || pl. Uno de los cuatro palos de la baraja española. || — *de Damocles.* fig. Amenaza persistente de un peligro. || — *de Orión.* ASTR. Línea vertical de estrellas en el interior de la constelación Orión. || *entre la espada y la pared.* loc. fig. y fam. En trance de tener que decidirse por una cosa o por otra, sin escapatoria ni medio de eludir el conflicto.

espadachín. m. El que sabe manejar bien la espada.

espadaña. f. BOT. Hierba tifácea con tallo largo, a manera de junco, y hojas en forma casi de espada que se emplean para hacer esteras, asientos de sillas, etc. || Campanario de una sola pared.

espádice. m. BOT. Inflorescencia en forma de espiga, con eje carnoso y casi siempre envuelta en una espata.

espadilla. f. dim. de espada. || Insignia roja, en figura de espada, que llevan los caballeros de la orden de Santiago. || Pieza en figura de remo grande que hace oficio de timón en algunas embarcaciones menores.

espadín. m. Espada de hoja muy estrecha o triangular, que se usa como prenda de ciertos uniformes. || ZOOL. Pez teleósteo parecido a la sardina, pero de carne más delicada.

espadón. m. aum. de espada. || fig. y fam. Personaje de elevada jerarquía en la milicia, y, por extensión, en otras jerarquías sociales.

espadón. m. Hombre castrado que ha conservado el pene.

espagírica. f. Arte de depurar los metales.

espagueti. m. Pasta de harina de trigo en forma de cilindros macizos, largos y delgados.

espahí. m. Soldado de caballería turca. || Soldado de caballería del ejército francés en Argelia, hasta la independencia de este país.

espalda (al. *Rücken*, fr. *dos*, ingl. *back*, it. *schiena*). f. ANAT. Parte posterior del cuerpo humano, desde los hombros hasta la cintura. Ú.m. en pl. || Parte del vestido que corresponde a la espalda. || pl. Envés o parte posterior de una cosa. || *a espaldas de* uno. loc. adv. En su ausencia, sin que se entere. || *cargado de espaldas.* loc. Dícese de la persona que presenta una convexidad exagerada en la columna vertebral. [*Sinón.*: dorso]

espaldar. m. Parte de la coraza que servía para proteger la espalda. || Respaldo de una silla o banco. || Espalda, parte posterior del cuerpo. || ZOOL. Parte superior de la coraza de los reptiles quelonios.

espaldarazo. m. Golpe dado de plano con la espada o con la mano en las espaldas. || fig. Admisión de alguno como igual en un grupo o profesión. || fig. Reconocimiento de la competencia o habilidad a que ha llegado alguno en una profesión o actividad.

espaldear. tr. MAR. Romper las olas con ímpetu contra la popa de la embarcación.

espaldilla. f. dim. de espalda. || Cada hueso de la espalda en que se articulan los húmeros y las clavículas. || Cuarto delantero de algunas reses.

espalto. PINT. Color oscuro, transparente y dulce para veladuras.

espantada. f. Huida repentina de un animal. || Desistimiento súbito ocasionado por el miedo.

espantajo (al. *Vogelscheuche*, fr. *épouvantail*, ingl. *scarecrow*, it. *spauracchio*). m. Lo que se pone en un lugar para espantar. || fig. Cualquier cosa que por su representación o figura infunde vano temor. || fig. y fam. Persona estrafalaria y despreciable.

espantalobos. BOT. Arbusto papilionáceo, con ramas lampiñas y fruto en vainas que producen bastante ruido al chocar unas con otras.

espantapájaros. m. Espantajo que se pone en los sembrados y en los árboles para ahuyentar los pájaros.

espantar (al. *erschrecken*, fr. *épouvanter*, ingl. *to frighten*, it. *spaventare*). tr. Causar espanto, dar susto, infundir miedo. Ú.t.c. intr. || Echar de un lugar a una persona o animal. || Admirar, maravillar. Ú.m.c.r. || r. Sentir espanto, asustarse. [*Sinón.*: atemorizar]

espanto (al. *Schrecken*, fr. *effroi*, ingl. *fright*, it. *spavento*). m. Terror, asombro, consternación. || Amenaza o demostración con que se infunde miedo. || Enfermedad causada por el espanto. || *Amer.* Fantasma, aparecido. Ú.m. en pl. || *estar curado de espanto.* fig. y fam. Ver con impasibilidad, a causa de la costumbre, males y daños. [*Sinón.:* pánico, pavor; temor; susto]

espantoso, sa. adj. Que causa espanto. || Asombroso, pasmoso.

español, la. adj. Natural de España. Ú.t.c.s. || Perteneciente a esta nación. || m. Lengua española, originada principalmente en Castilla, y extendida posteriormente a Sudamérica y otras zonas del mundo.

españolado, da. adj. Extranjero que en el aire, traje o costumbre parece español. || f. Acción, espectáculo u obra literaria que exagera y falsea el carácter español.

españolismo. m. Amor o apego a las cosas de España. || Hispanismo. || Carácter genuinamente español.

españolizar. tr. Hacer español. || Dar forma española a un vocablo o expresión de otro idioma. || r. Tomar las costumbres españolas.

esparadrapo (al. *Heftpflaster,* fr. *sparadrap,* ingl. *court-plaster,* it. *cerotto*). m. Tira de tela, papel o tafetán, con una de sus caras recubierta de un emplasto adherente, usada para sujetar los vendajes.

esparaván. m. Gavilán. || VETER. Tumor en la parte interna e inferior del corvejón de los solípedos.

esparavel. m. Red redonda para pescar, que se arroja en los ríos y parajes de poco fondo. || ALBAÑ. Tabla de madera con mango en uno de los lados, para tener la mezcla que se ha de aplicar con la llana o la paleta.

esparcimiento. m. Acción y efecto de esparcir o esparcirse. || Desembarazo, franqueza en el trato, alegría. || Diversión, recreo.

esparcir (al. *ausstreuen,* fr. *éparpiller,* ingl. *to scatter*). tr. Separar, extender lo que está junto o amontonado; derramar extendiendo. Ú.t.c.r. || fig. Divulgar, extender una noticia. Ú.t.c.r. || Divertir, desahogar. Ú.t.c.r. [*Sinón.:* desparramar, derramar; difundir, propagar; recrear. *Antón.:* juntar; aburrirse]

espárrago (al. *Spargel,* fr. *asperge,* ingl. *asparagus,* it. *asparago*). m. BOT. Planta liliácea que en primavera produce abundantes yemas de tallo recto y blanco, y cabezuelas comestibles de color verde morado. || Yema comestible que produce la raíz de la esparraguera. || Palo largo y derecho que sirve para asegurar con otros un entoldado. || Madero atravesado por estacas que sirve de escalera. || TÉCN. Vástago metálico roscado que, pasando al través de una pieza, sujeta ésta por medio de una tuerca. || — *triguero.* Espárrago silvestre, en especial el que brota en los sembrados de trigo. || *a freír espárragos.* loc. fig. y fam. que se emplea para despedir a alguno con aspereza o sin miramientos. Ú.m. con los verbos *echar* o *mandar,* o con los imperativos de *andar* o *irse.*

esparraguera. f. Espárrago. || Campo destinado a criar espárragos. || Plato en que se sirven los espárragos.

esparraguina. f. Fosfato de cal cristalizado y de color verdoso.

esparrancarse. r. fam. Abrirse de piernas, separarlas.

espartano, na. adj. Natural de Esparta. Ú.t.c.s. || Perteneciente a esta ciudad de la Grecia antigua.

esparteína. f. MED. Alcaloide de la retama. Se usa como tónico cardíaco.

espartería. f. Oficio de espartero. || Taller para confeccionar objetos de esparto. || Tienda donde se venden.

espartero, ra. s. Persona que fabrica o vende objetos de esparto.

espartizal. m. Campo donde se cría esparto.

esparto (al. *Espartogras,* fr. *sparte,* ingl. *esparto-grass,* it. *sparto*). m. BOT. Planta gramínea de hojas radicales, muy largas, filiformes, duras y muy tenaces. || Hojas de esta planta, empleadas en la industria para hacer sogas, esteras, pasta de papel, etc.

espasmo (al. *Krampf,* fr. *spasme,* ingl. *spasm,* it. *spasmo*). m. Enfriamiento. || PAT. Contracción involuntaria de los músculos.

espasmódico, ca. adj. PAT. Perteneciente al espasmo, o acompañado de este síntoma.

espata. f. BOT. Bráctea, en ocasiones coloreada, que protege los botones florales de una planta.

espatarrarse. r. fam. Despatarrarse.

espato. m. Cualquier mineral de estructura laminosa. || — *calizo.* Caliza cristalizada en romboedros. || — *de Islandia.* Espato calizo muy transparente. || — *flúor.* Fluorina. || — *pesado.* Baritina.

espátula (al. *Spatel,* fr. *spatule,* ingl. *spatula,* it. *spatola*). f. Paleta pequeña con bordes afilados y mango largo. || ZOOL. Ave zancuda de pico plano y ensanchado por la punta.

especia (al. *Gewürz,* fr. *épice,* ingl. *spice,* it. *spezia*). f. Cualquiera de los condimentos con que se sazonan manjares y guisados; como el clavo, la pimienta, etc.

especial (al. *besonders,* fr. *spécial,* ingl. *special,* it. *speciale*). adj. Singular o particular. || Muy adecuado y propio para algún efecto. [*Sinón.:* característico. *Antón.:* vulgar, común]

especialidad. f. Particularidad, singularidad. || Rama de la ciencia o del arte a que se consagra una persona. [*Antón.:* generalidad]

especialista (al. *Fachmann,* fr. *spécialiste,* ingl. *specialist,* it. *specialista*). adj. Dícese de la persona muy versada en determinado arte, ciencia u oficio. || Aplícase sobre todo en medicina. Ú.t.c.s.

especialización. f. Acción y efecto de especializar o especializarse.

especializar. tr. Cultivar con especialidad una parte determinada de una ciencia o de un arte. Ú.t.c.r. || Limitar una cosa a uso o fin determinados.

especialmente. adv. m. Con especialidad.

especie (al. *Gattung,* fr. *espèce,* ingl. *species,* it. *specie*). f. Conjunto de cosas semejantes entre sí por tener uno o varios caracteres comunes. || Imagen o idea de un objeto. || Caso, suceso, negocio. || Tema, noticia, proposición. || BOT. y ZOOL. Cada uno de los grupos en que se dividen los géneros y que se componen de individuos dotados de los mismos caracteres esenciales. || MÚS. Cada una de las voces en la composición. || *en especie.* m. adv. En frutos o géneros y no en dinero. [*Sinón.:* clase]

especiería. f. Tienda en que se venden especias. || Conjunto de especias. || Trato y comercio de especias.

especiero, ra. s. Persona que comercia en especias. || Armarito para guardar especias.

especificación. f. Acción y efecto de especificar.

especificar. tr. Explicar, declarar con individualidad una cosa. || Determinar de modo preciso.

específico, ca (al. *Spezifikum,* fr. *spécifique,* ingl. *specific,* it. *specifico*). adj. Que caracteriza y distingue una especie de otra. || m. FARM. Medicamento especialmente apropiado para tratar una enfermedad determinada. || FARM. Medicamento fabricado al por mayor y con nombre y envase especial.

espécimen (al. *Muster,* fr. *spécimen,* ingl. *specimen,* it. *modello*). m. Muestra, modelo, señal.

espectacular. adj. Que tiene caracteres propios de espectáculo público. || Aparatoso, ostentoso.

espectacularidad. f. Calidad de espectacular.

espectáculo (al. *Schauspiel*, fr. *spectacle*, ingl. *show*, it. *spettacolo*). m. Función o diversión pública. ‖ Aquello que se ofrece a la vista o a la contemplación intelectual. ‖ Acción que causa escándalo o gran extrañeza. Ú. comúnmente con el verbo *dar*.

espectador, ra (al. *zuschauer*, fr. *spectateur*, ingl. *spectator*, it. *spettatore*). adj. Que mira atentamente un objeto. ‖ Que asiste a un espectáculo público. Ú.m.c.s.

espectral. adj. Relativo al espectro.

espectro (al. *Geist*, fr. *spectre*, ingl. *spectre*, it. *spettro*). m. Imagen, por lo común horrible, que se representa a los ojos o en la fantasía. ‖ Fís. Conjunto de vibraciones armónicas simples que integran una onda. ‖ Espectro luminoso. ‖ — *continuo*. Fís. El luminoso que presenta gradualmente y sin interrupciones la banda coloreada. ‖ — *de absorción*. Fís. El producido por un cuerpo que es atravesado por las radiaciones procedentes de un foco de espectro continuo. ‖ — *de emisión*. Fís. El originado por las radiaciones emitidas por un cuerpo. ‖ — *luminoso*. Fís. Banda matizada de los colores del iris, que resulta de la descomposición de la luz blanca a través de un prisma o de otro cuerpo refractor. ‖ — *solar*. Fís. El producido por la luz solar. [*Sinón.*: aparición]

espectrografía. f. Fís. Espectroscopia.

espectrógrafo. m. Fís. Espectroscopio dispuesto para la obtención de espectrogramas.

espectrograma. m. Fotografía o diagrama de un espectro luminoso.

espectroheliógrafo. m. Fís. Instrumento para fotografiar el Sol, con luz monocromática.

espectroscopia. f. Fís. Conjunto de conocimientos referentes al análisis espectroscópico.

espectroscopio. m. Fís. Instrumento que sirve para obtener y observar un espectro.

especulación (al. *Spekulation*, fr. *spéculation*, ingl. *speculation*, it. *speculazione*). f. Acción y efecto de especular. ‖ Com. Operación comercial que se practica con ánimo de lucro.

especulador, ra. adj. Que especula. Ú.t.c.s.

especular (al. *spekulieren*, fr. *spéculer*, ingl. *to speculate*, it. *speculare*). tr. Reconocer, examinar con atención una cosa. ‖ fig. Meditar, considerar, reflexionar. ‖ intr. Comerciar, traficar. ‖ Procurar provecho o ganancia fuera del tráfico mercantil.

especulativo, va. adj. Relativo a la especulación. ‖ Que sirve para especular. ‖ Que procede de la mera especulación o discurso. ‖ Muy pensativo y dado a la especulación.

espéculo. m. Cir. Instrumento para examinar por la reflexión luminosa ciertas cavidades del cuerpo.

espejear. intr. Relucir al modo de un espejo.

espejismo. m. Ilusión óptica, frecuente en los desiertos, motivada por la reflexión total que sufre la luz cuando atraviesa capas de aire de densidad varia, y en virtud de la cual los objetos lejanos dan imágenes engañosas respecto de su posición. ‖ fig. Ilusión de la imaginación.

espejo (al. *Spiegel*, fr. *miroir*, ingl. *looking-glass*, it. *specchio*). m. Lámina de vidrio azogada por la parte posterior para que se reflejen en él los objetos que tenga delante. ‖ fig. Aquello en que se ve una cosa como retratada. ‖ fig. Modelo digno de estudio e imitación. ‖ Arq. Adorno aovado que se entalla en las molduras huecas. ‖ pl. Remolino de pelos en la parte anterior del pecho del caballo. ‖ — *de popa*. Mar. Fachada que presenta la popa desde la bovedilla hasta el coronamiento. [*Sinón.*: luna]

espejuelo. m. Yeso cristalizado en láminas brillantes. ‖ Hoja de talco. ‖ pl. Cristales que se ponen en los anteojos y los anteojos mismos.

espeleología. f. Ciencia que estudia la naturaleza, el origen y formación de las cavernas, y su fauna y flora.

espeleólogo, ga. s. Persona que se dedica a la espeleología.

espelta. f. Variedad de escanda.

espelunca. f. Cueva, gruta.

espeluznante. p. a. de espeluznar. ‖ adj. Que hace erizarse el cabello.

espeluznar. tr. Despeluznar. Ú.t.c.r. ‖ Erizar el cabello, generalmente por causa del miedo. Ú.t.c.r.

espeluzno. m. fam. Escalofrío, estremecimiento.

espera (al. *Warten*, fr. *attente*, ingl. *wait*, it. *attesa*). f. Acción y efecto de esperar. ‖ Plazo o término señalado por el juez para ejecutar una cosa. ‖ Calma, paciencia, facultad de saberse contener. ‖ Puesto en el que se aguarda la aparición espontánea de la caza. [*Sinón.*: aguardo, expectativa; paciencia; flema; acecho]

esperantista. com. Persona que hace uso del esperanto y lo propaga.

esperanto. m. Idioma creado en 1887 por el médico ruso Zamenhof, destinado a constituirse en lengua universal.

esperanza (al. *Hoffnung*, fr. *espoir*, ingl. *hope*, it. *speranza*). f. Estado de ánimo en el que se nos presenta como posible lo que deseamos. ‖ Virtud teologal por la que se espera que Dios dará los bienes prometidos. [*Sinón.*: confianza]

esperanzar. tr. Dar o provocar esperanza.

esperar (al. *hoffen*, *warten*; fr. *attendre*, *espérer*; ingl. *to expect*, *to wait*; it. *aspettare*, *sperare*). tr. Tener esperanza en conseguir lo que se desea. ‖ Creer que ha de suceder algo, especialmente si es favorable. Ú.t.c. intr. ‖ Permanecer en el lugar donde se cree que ha de ir una persona o en donde se presume que ha de ocurrir algo. ‖ Detenerse en el obrar hasta que suceda algo. ‖ Ser inmediata o inminente una cosa. ‖ *esperar sentado*. Dícese cuando no se confía demasiado en que llegue lo esperado. [*Sinón.*: aguardar]

esperezarse. r. Estirar o extender los miembros entumecidos.

esperma (al. *Sperma*, fr. *sperme*, ingl. *sperm*, it. *sperma*). amb. Semen animal. ‖ — *de ballena*. Sustancia procedente de la materia oleosa contenida en las cavidades del cráneo del cachalote. Se emplea para hacer velas y en algunos medicamentos.

espermatorrea. f. Med. Derrame involuntario de la esperma.

espermatozoide. m. Zool. Gameto masculino de los animales, destinado a la fecundación del óvulo y a la constitución, en unión de éste, de un nuevo ser. ‖ Bot. Gameto masculino de las plantas criptógamas, que se asemeja a las células sexuales masculinas de la mayoría de los animales.

espermatozoo. m. Biol. Espermatozoide de los animales.

esperpento. m. fam. Persona o cosa notable por su fealdad o mala traza. ‖ Desatino, absurdo.

espesar. tr. Condensar lo líquido. ‖ Unir, apretar una cosa con otra, haciéndola más tupida. ‖ r. Juntarse, unirse y apretarse las cosas unas con otras.

espeso, sa (al. *dick*, fr. *épais*, ingl. *thick*, it. *spesso*). adj. Dícese de la masa o de la sustancia fluida que tiene mucha densidad o condensación. ‖ Dícese de las cosas que están muy juntas y apretadas. ‖ Grueso, corpulento, macizo. ‖ fig. Pesado, molesto. [*Sinón.*: condensado, denso; frondoso]

espesor (al. *Dicke,* fr. *épaisseur,* ingl. *thickness,* it. *spessezza*). m. Grueso de un sólido. ‖ Densidad o condensación de un fluido, un gas o una masa. [*Sinón.*: grosor]

espesura. f. Calidad de espeso. ‖ fig. Paraje muy poblado de árboles y matorrales. [*Sinón.*: espesor; bosque]

espetar. tr. Atravesar con el asador u otro instrumento puntiagudo, carne, pescados, etc., para asarlos. ‖ Atravesar, clavar, meter por un cuerpo un instrumento puntiagudo. ‖ fig. y fam. Decir a uno de palabra o por escrito alguna cosa que le cause sorpresa o molestia. ‖ r. Ponerse tieso, afectando gravedad y majestad.

espetera. f. Tabla con garfios en que se cuelgan carnes, aves y utensilios de cocina. ‖ Conjunto de los utensilios de cocina que son de metal y se cuelgan en la espetera. ‖ fig. y fam. Pecho de la mujer cuando es muy abultado.

espetón. m. Hierro largo y delgado, como el asador o el estoque. ‖ Hierro para remover las ascuas de los hornos. ‖ Alfiler grande.

espía (al. *Spion,* fr. *espion,* ingl. *spy,* it. *spia*). s. Persona que secretamente observa o escucha lo que pasa o se dice, para comunicarlo al que tiene interés en saberlo.

espiar (al. *auskundschaften,* fr. *épier,* ingl. *to spy,* it. *spiare*). tr. Acechar, observar secretamente lo que se dice o hace. [*Sinón.*: atisbar]

espicanardo. f. BOT. Hierba que se cría en la India y tiene la raíz perenne y aromática. ‖ Raíz de esta planta.

espichar. tr. Punzar con una cosa aguda. ‖ intr. fam. Morir.

espiga (al. *Ähre,* fr. *épi,* ingl. *spike,* it. *spiga*). f. BOT. Conjunto de flores o frutos dispuestos a lo largo de un tallo común, como en el trigo y el espliego. ‖ Parte de una herramienta o de otro objeto, adelgazada para introducirla en el mango. ‖ Parte superior de la espada, en donde se asegura la guarnición. ‖ Extremo de un madero cuyo espesor se ha disminuido para que encaje en un hueco. ‖ Clavo de hierro pequeño y sin cabeza. ‖ Badajo de la campana. ‖ Espoleta de bomba. ‖ MAR. Cabeza de los palos y masteleros. ‖ MAR. Una de las velas de la galera. ‖ ASTR. n. p. f. Estrella de primera magnitud en la constelación de Virgo.

espigado, da. p. p. de espigar. ‖ adj. Aplícase a algunas plantas anuales cuando se las deja crecer hasta la completa madurez de la semilla. ‖ Dícese del árbol nuevo de tronco muy elevado. ‖ En forma de espiga. ‖ fig. Alto, crecido de cuerpo.

espigar. tr. Recoger las espigas que han quedado en el rastrojo. ‖ Tomar de uno a más libros datos que a uno le interesan. Ú.t.c. intr. ‖ CARP. Hacer la espiga en las maderas que se han de ensamblar. ‖ intr. Empezar los cereales a echar la espiga. ‖ r. Crecer el cogollo de las hortalizas cuando van a echar la espiga. ‖ Crecer mucho una persona.

espigón (al. *Hafendamm,* fr. *jetée,* ingl. *pier,* it. *frangiflutti*). m. Espiga o punta de un instrumento puntiagudo. ‖ Mazorca o panoja. ‖ Cerro alto, pelado y puntiagudo. ‖ Macizo saliente que se construye a la orilla de un río o en la costa del mar.

espiguilla. f. Fleco con picos que sirve para guarniciones. ‖ Cada una de las espigas pequeñas que forman la principal en algunas plantas. ‖ Planta graminea con hojas lampiñas y flores en panoja sin aristas. ‖ Flor del álamo.

espín. m. Puerco espín.

espina (al. *Dorn,* fr. *épine,* ingl. *thorn,* it. *spina*). f. Púa que nace del tejido leñoso o vascular de algunas plantas. ‖ Astilla pequeña y puntiaguda. ‖ ZOOL. Cada una de las piezas óseas largas, delgadas y puntiagudas que forman el esqueleto de muchos peces. ‖ Espinazo de los vertebrados. ‖ fig. Escrúpulo, recelo, sospecha. ‖ fig. Pesar íntimo y duradero. ‖ ANAT. Apófisis ósea larga y delgada. ‖ — *dorsal.* Espinazo.

espinaca (al. *Spinat,* fr. *épinard,* ingl. *spinach,* it. *spinacio*). f. Planta hortense de hojas radicales, estrechas y suaves.

espinal. adj. Perteneciente a la espina o espinazo.

espinar. m. Sitio poblado de espinos. ‖ fig. Dificultad, embarazo, enredo.

espinazo (al. *Rückgrat,* fr. *épine dorsae,* ingl. *backbone,* it. *spina dorsale*). m. ZOOL. Eje del neuroesqueleto de los animales vertebrados, situado a lo largo de la línea media dorsal del cuerpo y formado por una serie de huesos cortos, o vértebras, dispuestos en fila y articulados entre sí. ‖ Clave de una bóveda o de un arco. ‖ *doblar el espinazo* fig. y fam. Humillarse para acatar servilmente. [*Sinón.*: raquis, columna vertebral]

espinela. f. Décima, composición métrica. ‖ Piedra fina, parecida por su color rojo al rubí. Se emplea en joyería.

espinescente. adj. BOT. Que se vuelve espinoso, que tiene pequeñas espinas.

espineta. f. Clavicordio pequeño de una sola cuerda en cada orden.

espingarda. f. Escopeta muy larga usada por los moros hasta épocas recientes.

espinilla (al. *Schienbein,* fr. *tibia,* ingl. *shin-bone,* it. *stinco*). f. dim. de espina. ‖ ANAT. Parte anterior de la canilla de la pierna. ‖ Barrillo que aparece en la piel debido a la obstrucción del conducto secretor de las glándulas sebáceas.

espinillera. f. Pieza de la armadura que protegía la espinilla. ‖ Pieza que preserva la espinilla de algunos operarios y deportistas.

espino. m. BOT. Arbolillo rosáceo de ramas espinosas, flores blancas, olorosas y en corimbo, y fruto ovoide. ‖ — *artificial.* Alambrada con pinchos que se usa para cercas. ‖ — *cerval.* BOT. Arbusto ramnáceo, con espinas terminales en las ramas y por fruto drupas negras cuya semilla se emplea como purgante.

espinoso, sa. adj. Que tiene espinas. ‖ fig. Arduo, difícil, intrincado. [*Sinón.*: dificultoso, peliagudo. *Antón.*: suave, fácil]

espionaje. m. Acción de espiar.

espira (al. *Schneckenlinie,* fr. *spire,* ingl. *spire,* it. *spira*). f. ARQ. Parte de la base de la columna que está encima del plinto. ‖ MAT. Línea en espiral. ‖ MAT. Cada una de las vueltas de una hélice o de una espiral.

espiración. f. Acción y efecto de espirar.

espiral (al. *Spirale,* fr. *spirale,* ingl. *spiral,* it. *spirale*). adj. Perteneciente a la espira. ‖ f. Línea curva que da indefinidamente vueltas alrededor de un punto, alejándose de él cada vez más. ‖ Muelle espiral del volante de un reloj.

espirar (al. *ausatmen,* fr. *expirer,* ingl. *to breath out,* it. *spirare*). tr. Exhalar buen o mal olor. ‖ Infundir espíritu, animar. ‖ intr. Tomar aliento, alentar. ‖ Expeler el aire aspirado. Ú.t.c. tr. [*Sinón.*: alentar]

espirilo. m. Bacteria flexenosa en forma de espiral.

espiritar. tr. Endemoniar. Ú.t.c.r. ‖ fig. y fam. Agitar, irritar. Ú.m.c.r. ‖ r. Consumirse, enflaquecer.

espiritismo (al. *Spiritismus,* fr. *spiri-*

tisme, ingl. *spiritism*, it. *spiritismo*). m. Doctrina de los que suponen que pueden ser evocados los espíritus de los muertos para conversar con ellos.

espiritista. adj. Perteneciente al espiritismo. ‖ Que profesa esta doctrina. Ú.t.c.s.

espiritoso, sa. adj. Vivo, animoso. ‖ Que contiene mucho espíritu y es fácil de exhalarse; como algunos licores.

espiritrompa. f. ZOOL. Aparato bucal de las mariposas, en forma de tubo largo y arrollable.

espíritu (al. *Geist*, fr. *esprit*, ingl. *spirit*, it. *spirito*). m. Ser inmaterial y dotado de razón. ‖ Alma racional. ‖ Don sobrenatural. ‖ Virtud, ciencia mística. ‖ Vigor natural y virtud que alienta el cuerpo para obrar. ‖ Ánimo, valor. ‖ Vivacidad, ingenio. ‖ Demonio infernal. Ú.m. en pl. ‖ En la lengua griega, cada uno de los dos signos ortográficos, *espíritu suave* y *espíritu áspero* o *rudo*, para indicar la aspiración de una u otra clase. ‖ Vapor sutilísimo que exhalan el vino y los licores. ‖ Sustancia que se extrae de ciertos cuerpos sometidos a la destilación. ‖ fig. Principio generador, esencia de una cosa. ‖ — *de contradicción*. Genio inclinado a contradecir siempre. ‖ — *de la golosina*. fam. Persona falta de nutrición o muy flaca. ‖ — *maligno*. El demonio. ‖ — *Santo*. Tercera persona de la Santísima Trinidad. ‖ *pobre de espíritu*. loc. Dícese de la persona que desprecia los bienes y honores mundanos; apocado, tímido. [*Sinón.*: ánima, alma, energía; agudeza]

espiritual (al. *geistig*, fr. *spirituel*, ingl. *spiritual*, it. *spirituale*). adj. Perteneciente o relativo al espíritu. [*Sinón.*: anímico]

espiritualidad. f. Naturaleza y condición de espiritual. ‖ Conjunto de ideas referentes a la vida espiritual.

espiritualismo. m. Doctrina filosófica que reconoce la existencia de otros seres, además de los materiales. ‖ Sistema filosófico que defiende la esencia espiritual y la inmortalidad del alma, y se contrapone al materialismo.

espiritualista. adj. Que trata de los espíritus vitales o tiene alguna opinión particular sobre ellos. Ú.t.c.s. ‖ Partidario del espiritualismo. Ú.t.c.s.

espiritualizar. tr. Hacer espiritual a uno. ‖ Considerar como espiritual lo que de suyo es corpóreo.

espirómetro. m. MED. Aparato para medir la capacidad respiratoria del pulmón.

espiroqueta. f. Flagelado del grupo de los espiroquetos, con una membrana ondulante a lo largo del cuerpo.

espiroqueto, ta. adj. ZOOL. Dícese de seres unicelulares que morfológicamente se parecen a los flagelados y tienen forma espiral. Algunos son parásitos y producen enfermedades como la sífilis y la fiebre amarilla. Ú.t.c.s. ‖ m. pl. Grupo de estos microorganismos.

espita (al. *Hahn*, fr. *cannelle*, ingl. *barreltap*, it. *cannella*). f. Medida lineal de un palmo. ‖ Tubo que se introduce en la cuba u otra vasija para que salga por él el licor.

esplender. intr. Resplandecer. Ú. m. en poesía.

esplendidez. f. Abundancia, ostentación, larguezа. [*Sinón.*: generosidad, magnificencia. *Antón.*: tacañería]

espléndido, da (al. *glänzend*, fr. *splendide*, ingl. *splendid*, it. *splendido*). adj. Magnífico, liberal, ostentoso. [*Sinón.*: generoso, suntuoso]

esplendor. m. Resplandor. ‖ fig. Lustre, nobleza.

esplenio. m. ANAT. Músculo largo y plano que une las vértebras cervicales con la cabeza.

esplenitis. f. MED. Inflamación del bazo.

espliego (al. *Lavendel*, fr. *lavande*, ingl. *lavender*, it. *spigo*). m. BOT. Mata labiada muy aromática, con flores azules en espiga. ‖ Semilla de esta planta.

esplín. m. Humor tétrico que produce tedio de la vida.

espolear (al. *anspornen*, fr. *éperonner*, ingl. *to spur*, it. *stimolare*). tr. Picar con la espuela a la cabalgadura. ‖ fig. Estimular a alguien. [*Sinón.*: incitar]

espoleta (al. *Zünder*, fr. *fusée*, ingl. *fuse*, it. *spoletta*). f. Dispositivo que se utiliza para encender la carga de las bombas, granadas y torpedos. ‖ Mecanismo que se adapta a los proyectiles de artillería para producir la explosión en un momento determinado.

espoliación. f. Expoliación.

espoliar. tr. Expoliar.

espolín. m. dim. de espuela. ‖ Espuela fija en el tacón de la bota. ‖ BOT. Planta gramínea cuyas flores sirven para hacer objetos de adorno.

espolio. m. Expolio.

espolón (al. *Sporn*, fr. *ergot*, ingl. *cock's spur*, it. *sperone*). m. Apófisis ósea que tienen en el tarso varias gallináceas. ‖ Tajamar de un puente. ‖ Malecón que suele hacerse a orillas de los ríos o del mar para contener las aguas. ‖ Punta que remata la proa de la nave. ‖ Pieza de hierro aguda y saliente en la proa de las antiguas galeras para embestir al buque enemigo. ‖ Ramal corto y escarpado de una sierra. ‖ ARQ. Contrafuerte para fortalecer un muro. ‖ *tener más espolones que un gallo*. fr. fig. y fam. que se usa para motejar a uno de viejo.

espolvorear. tr. Esparcir sobre una cosa otra hecha polvo.

espolvoreo. m. Acción y efecto de espolvorear.

espondeo. m. Pie de la poesía griega y latina, compuesto de dos sílabas largas.

espóndil. m. Vértebra.

espóndilo. m. Espóndil.

espondilosis. f. MED. Grupo de enfermedades caracterizadas por la inflamación y fusión de las vértebras, con rigidez consecutiva de la columna vertebral.

espongiario. adj. ZOOL. Dícese de animales invertebrados acuáticos, casi todos marinos, que viven reunidos en colonias fijas sobre los objetos sumergidos. Tienen las paredes del cuerpo perforadas por infinidad de poros. Ú.t.c.s. ‖ m. pl. Tipo de estos animales.

esponja (al. *Schwamm*, fr. *éponge*, ingl. *sponge*, it. *spugna*). f. ZOOL. Animal espongiario. ‖ ZOOL. Esqueleto de ciertos espongiarios, formado por fibras entrecruzadas que constituyen una masa elástica llena de huecos y agujeros que absorbe con facilidad los líquidos. ‖ Producto artificial de apariencia de esponja, que sirve como material de limpieza.

esponjar. tr. Ahuecar, hacer más poroso un cuerpo. ‖ r. fig. Engreírse, envanecerse. ‖ fam. Adquirir una persona cierta lozanía, que indica salud y bienestar.

esponjera. f. Receptáculo para colocar la esponja que se usa.

esponjosidad. f. Calidad de esponjoso.

esponjoso, sa. adj. Dícese del cuerpo muy poroso, hueco y ligero.

esponsales. m. pl. Mutua promesa de matrimonio entre el varón y la mujer. ‖ DER. Esta misma promesa cuando está hecha en alguna de las formas que la ley requiere.

espontanearse. r. Descubrir a otro voluntariamente un hecho o pensamiento propio, secreto o ignorado.

espontaneidad. f. Calidad de espontáneo. ‖ Expresión natural y fácil del pensamiento.

espontáneo, a (al. *spontan*, fr. *spontané*, ingl. *spontaneous*, it. *spontaneo*). adj. Voluntario, procedente de un movimiento interior. || Que se produce sin cultivo y sin cuidados del hombre. || Taurom. Aficionado que se lanza al ruedo con ánimo de torear, sin disponer del permiso para ello. Ú.m.c.s. || Por ext., persona que realiza una acción semejante en otros espectáculos. Ú.t.c s.

espora (al. *Spore*, fr. *spore*, ingl. *spore*, it. *spora*). f. Bot. Corpúsculo asexual, generalmente unicelular, que constituye un reproductor propio de las plantas inferiores. || Biol. Cualquiera de las células que en un momento dado de la vida de los protozoos se forman por división de éstos. || Elemento de resistencia que se forma en las bacterias cuando las condiciones del medio ambiente les son desfavorables.

esporádico, ca. adj. Med. Dícese de las enfermedades que atacan en cualquier tiempo y lugar, y que no tienen carácter epidémico ni endémico. || fig. Dícese de lo que es ocasional, sin ostensible enlace con antecedentes ni consiguientes.

esporangio. m. Bot. Órgano que contiene esporas o en el que se originan.

esporidio. m. Espora de segunda generación.

esporo. m. Bot. Espora.

esporocarpio. m. Bot. Fruto o cápsula que contiene sujetas las esporas por filamentos o cordoncillos.

esporofito, ta. adj. Bot. Se aplica a las plantas que se reproducen por esporas.

esporozoario. m. Zool. Esporozoo.

esporozoo. adj. Zool. Dícese de los protozoos parásitos que en determinado momento de su vida se reproducen por medio de esporas. Ú.t.c.s. || m. pl. Clase de estos animales.

esportilla. f. dim. de espuerta.

esportillo. m. Capacho de esparto o de palma.

esposar. tr. Sujetar a uno con esposas.

esposas (al. *Handschellen*, fr. *menottes*, ingl. *handcuffs*, it. *manette*). f. pl. Manillas de hierro con que se sujeta a los reos por las muñecas.

esposo, sa (al. *Gemahl, Gattin;* fr. *époux, épouse;* ingl. *husband, wife;* it. *sposo, sposa*). s. Persona que ha contraido esponsales. || Persona casada. || f. *Amér.* Anillo episcopal. [Sinón.: cónyuge, consorte]

espuela (al. *Sporn*, fr. *éperon*, ingl. *spur*, it. *sperone*). f. Instrumento que se ajusta al talón del calzado para picar a la cabalgadura. || fig. Aviso, estímulo. || *Amer.* Espolón de las aves.

espuerta. f. Cesta de esparto, palma u otra materia, con dos asas pequeñas, que sirve para llevar de una parte a otra escombros, tierra u otras cosas semejantes.

espulgar. tr. Limpiar de pulgas o piojos. Ú.t.c.r.

espuma (al. *Schauman*, fr. *écume*, ingl. *foam*, it. *schiuma*). f. Conjunto de burbujas que se forman en la superficie de los líquidos. || Parte del jugo y de las impurezas que sobrenadan al cocer ciertas sustancias. || fig. y fam. Nata, flor, lo más estimado.

espumadera. f. Paleta circular llena de agujeros con que se saca la espuma del caldo u otro licor.

espumajear. intr. Echar espumajos.

espumajo. m. Saliva arrojada en gran abundancia por la boca.

espumar. tr. Quitar la espuma de un licor. || intr. Hacer espuma. || fig. Crecer, aumentar rápidamente.

espumarajo. m. Saliva arrojada en abundancia por la boca. || *echar* uno *espumarajos por la boca.* fig. y fam. Estar muy descompuesto y colérico.

espumoso, sa. adj. Que tiene o hace mucha espuma. || Que se convierte en ella, como el jabón.

espurio, ria. adj. Bastardo, que degenera de su origen o naturaleza. || fig. Falso, contrahecho o adulterado.

espurrear. tr. Rociar una cosa con agua u otro líquido expelido por la boca.

esputar. tr. Expectorar.

esputo (al. *Speichel*, fr. *crachat*, ingl. *sputum*, it. *sputo*). m. Lo que se arroja de una vez en cada expectoración.

esqueje. m. Tallo o cogollo que se introduce en tierra para multiplicar la planta.

esquela. f. Carta breve. || Papel impreso en el que se dan citas, se hacen invitaciones o se comunican ciertas noticias a varias personas. || Aviso de la muerte de una persona que se publica en los periódicos con recuadro de luto.

esquelético, ca. adj. Muy flaco. || Perteneciente o relativo al esqueleto.

esqueleto (al. *Skelett*, fr *squelette*, ingl. *skeleton*, it. *scheletro*). m. Zool. Conjunto de piezas duras y resistentes, por lo regular trabadas o articuladas entre sí, que da consistencia al cuerpo de los animales, sosteniendo o prote-

giendo sus partes blandas. || Piel de algunos animales convertida en caparazón, concha, placa o escama. || fig. y fam. Sujeto muy flaco. || fig. Armadura sobre la cual se ensambla algo. || fig. *Amer.* Modelo impreso en que se dejan blancos que se rellenan a mano. [Sinón.: osamenta]

esquema (al. *Schema*, fr. *schéma*, ingl. *scheme*, it. *schema*). m. Representación gráfica y simbólica de cosas inmateriales. || Representación de una cosa atendiendo sólo a sus líneas o caracteres más significativos.

esquemático, ca. adj. Perteneciente al esquema.

esquematismo. m. Procedimiento esquemático para la exposición de doctrinas.

esquematización. f. Acción y efecto de esquematizar.

esquematizar. tr. Representar una cosa en forma esquemática.

esquí (al. *Ski*, fr. *ski*, ingl. *ski*, it. *sci*). m. Tabla estrecha y larga con la punta doblada hacia arriba, que se usa para deslizarse sobre la nieve. || Modalidad deportiva consistente en deslizarse sobre la nieve con esquís.

esquiador, ra. s. Patinador que usa esquís.

esquiar. intr. Deslizarse sobre la nieve con esquís.

esquicio. m. Apunte de dibujo.

esquifar. tr. Mar. Proveer de pertrechos y marineros una embarcación.

esquife. m. Barco pequeño que se lleva en el navío para saltar a tierra y para otros usos. || Arq. Cañón de bóveda de figura cilíndrica.

esquila. f. Cencerro en forma de campana. || Campana pequeña para convocar a los actos de comunidad en los conventos y otros lugares.

esquila. f. Acción y efecto de esquilar.

esquilador, ra. adj. Que esquila el ganado. U.t.c.s. || f. Máquina para esquilar.

esquilar (al. *scheren*, fr. *tondre*, ingl. *to shear*, it. *tosare*). tr. Cortar con la tijera el pelo o lana de los animales.

esquileo. m. Acción y efecto de esquilar animales. || Tiempo en que se esquila.

esquilmar. tr. Coger el fruto de las haciendas, heredades y ganados. || Chupar excesivamente las plantas el jugo de la tierra. || fig. Agotar una fuente de riqueza sacando de ella mayor provecho que el debido.

esquilmo. m. Frutos y provechos que se sacan de las haciendas y ganados. || *Amer.* Provechos accesorios que se obtienen del cultivo o de la ganadería.

esquimal (al. *Eskimo*, fr. *esquimau*, ingl. *eskimo*, it. *éschimese*), adj. Natural de un país situado junto a las bahías de Hudson y de Baffin. Ú.t.c.s. || Perteneciente o relativo a este país.

esquina (al. *Ecke, Strassenecke*; fr. *angle, coin*; ingl. *edge, corner*; it. *angolo, cantonata*). f. Arista, principalmente la que resulta del encuentro de las paredes de un edificio. [*Sinón.*: ángulo, chaflán]

esquinado, da. p. p. de esquinar. || adj. Dícese de la persona de trato difícil.

esquinar. tr. Hacer o formar esquina. Ú.t.c. intr. || Poner en esquina alguna cosa. || fig. Poner a mal, indisponer. Ú.m.c.r.

esquinazo. m. fam. Esquina de un edificio. || *dar esquinazo.* fam. Rehuir en la calle el encuentro de uno, doblando una esquina o variando la dirección. || Dejar a uno plantado.

esquinela. f. Pieza de la armadura que cubría la espinilla de la pierna.

esquirla (al. *Splitter*, fr. *esquille*, ingl. *splinter*, it. *scheggia*). f. Astilla desprendida de un hueso. Se dice también de las que se desprenden de la piedra, cristal, etc.

esquirol. m. despect. Obrero que sustituye a un huelguista.

esquisto. m. Pizarra, roca.

esquite. m. *Amer.* Granos de maíz tostados.

esquivar (al. *vermeiden*, fr. *esquiver*, ingl. *to avoid*, it. *schivare*). tr. Evitar, rehusar. || r. Retraerse, retirarse, excusarse. [*Sinón.*: rehuir, eludir]

esquivo, va. adj. Desdeñoso, áspero, huraño. [*Sinón.*: arisco]

esquizofrenia. f. MED. Enfermedad mental que se caracteriza por una disociación específica de las funciones psíquicas, y que conduce, en los casos graves, a una demencia incurable.

esquizofrénico, ca. adj. Que padece esquizofrenia.

estabilidad (al. *Standfestigkeit*, fr. *stabilité*, ingl. *stability*, jt. *stabilità*), f. Permanencia, duración, firmeza. || Firmeza en la posición o en el rumbo. [*Sinón.*: seguridad]

estabilizador, ra. adj. Que estabiliza. Ú.t.c.s. || m. Mecanismo que se añade a un avión, nave, etc., para aumentar su estabilidad.

estabilizar. tr. Dar a una cosa estabilidad o consistencia. || ECON. Fijar y garantizar oficialmente el valor de una moneda circulante en relación con el patrón oro o con otra moneda canjeable por el mismo metal. [*Sinón.*: consolidar]

estable (al. *fest*, fr. *stable*, ingl. *stable*, it. *stabile*). adj. Constante, firme, permanente. [*Sinón.*: duradero, invariable]

establecer (al. *errichten*, fr. *établir*, ingl. *to establish*, it. *stabilire*). tr. Fundar, instituir. || Ordenar, mandar, decretar. || r. Avecindarse. || Abrir por propia cuenta un establecimiento mercantil o industrial. [*Sinón.*: instalar, asentar; domiciliarse]

establecimiento (al. *Geschäft*; fr. *établissement*; ingl. *shop, store*; it. *stabilimento*). m. Ley, ordenanza, estatuto. || Fundación, institución o erección. || Cosa fundada o establecida. || Colocación o suerte estable de una persona. || Lugar donde habitualmente se ejerce una industria o una profesión.

establo (al. *Stall*, fr. *étable*, ingl. *stable*, it. *stalla*). m. Lugar cubierto en que se encierra ganado.

estabulación. f. Cria y mantenimiento de los ganados en el establo.

estabular. tr. Criar y mantener los ganados en establos.

estaca (al. *Pfahl*, fr. *pieu*, ingl. *stake*, it. *cavicchio*). f. Palo aguzado por un extremo para fijarlo en tierra, pared u otra parte. || Rama sin raíces que se planta para que se haga árbol. || Clavo largo para clavar vigas y maderos. || Cada una de las cuernas que aparecen en los ciervos al cumplir un año de edad.

estacada. f. Cualquier obra hecha de estacas clavadas en tierra. || Palenque o campo de batalla en los torneos. || *dejar a uno en la estacada.* fig. Abandonarlo en un peligro o mal negocio.

estacar. tr. Fijar en la tierra una estaca y atar a ella una bestia. || Señalar en el terreno con estacas una línea. || *Amer.* Sujetar, clavar con estacas. || r. fig. Quedarse inmóvil y tieso a manera de estaca.

estacazo. m. Golpe dado con estaca o garrote. || fig. Daño, quebranto.

estación (al. *Jahreszeit, Bahnhof*; fr. *saison, gare*; ingl. *season, railway-station*; it. *stagione, stazione*). f. Estado actual de una cosa. || Cada una de las cuatro partes en que se divide el año. || Tiempo, temporada. || Visita que se hace por devoción a las iglesias,

deteniéndose a orar delante del Santísimo Sacramento. || Cada uno de los lugares en que se hace alto en un viaje o paseo. || Estancia, morada, asiento. || Lugar en que habitualmente se detienen los trenes para la carga y descarga de pasaje y mercancías. || Punto u oficina donde se expiden y reciben despachos de telecomunicación. || ASTR. Detención aparente de los planetas en sus órbitas. || BIOL. Paraje de condiciones apropiadas para que viva una especie animal o vegetal. || — *de servicio.* Instalación para facilitar a los automovilistas los servicios de reposición de carburante, mantenimiento y reparaciones urgentes.

estacional. adj. Propio y peculiar de cualquiera de las estaciones del año.

estacionamiento. m. Acción y efecto de estacionar o estacionarse.

estacionar. tr. Situar en un lugar, asentar. Ú.t.c.r. || r. Quedarse estacionario, estancarse. [*Sinón.*: colocar]

estacionario, ria. adj. fig. Que permanece en el mismo estado o situación. || ASTR. Aplícase al planeta que está como parado en su órbita aparente durante cierto tiempo. [*Sinón.*: inmóvil, detenido, quieto]

estacha. f. Cuerda o cable atado al arpón que se clava a las ballenas. || MAR. Cabo que desde un buque se da a otro fondeado o a cualquier objeto fijo para practicar varias faenas.

estada. f. Mansión, detención, demora que se hace en un lugar o paraje.

estadía. f. Detención, estancia. || Tiempo que permanece el modelo ante el pintor o escultor. || COM. Cada uno de los días que transcurren después del plazo estipulado para la carga o descarga de un buque mercante, por los cuales se ha de pagar una indemnización. Ú.m. en pl. || COM. Por ext., la misma indemnización. [*Sinón.*: parada, permanencia]

estadio (al. *Stadion*, fr. *stade*, ingl. *stadium*, it. *stadio*). m. Lugar público que sirve para ejercitarse en la práctica deportiva. || Distancia de 125 pasos geométricos, que viene a ser la octava parte de una milla. || Período relativamente corto. || Etapa o fase del proceso, desarrollo o transformación.

estadista (al. *Staatsmann*, fr. *homme d'état*, ingl. *statesman*, it. *statista*). m. Descriptor de la población, riqueza y civilización de un pueblo o país. || Persona versada y práctica en negocios de Estado. [*Sinón.*: político, gobernante]

estadística (al. *Statistik*, fr. *statisti-*

que, ingl. *statistics*, it. *statistica*). f. Censo de la población, de los recursos naturales o de cualquier otra manifestación de un Estado, provincia, clase, etc. || Estudio de los hechos morales o físicos del mundo que se prestan a numeración o recuento, y comparación de las cifras a ellos referentes.

estado (al. *Stand, Staat;* fr. *état;* ingl. *standing, state;* it. *stato*). m. Situación en que está una persona o cosa, en relación con los cambios que influyen en su condición. || Orden, clase, jerarquía. || Clase o condición. || Cuerpo político de una nación. || En el régimen federativo, porción de territorio cuyos habitantes se rigen por leyes propias, aunque sometidos en ciertos asuntos al gobierno general. || Medida longitudinal tomada de la estatura ordinaria del hombre. || – *civil*. Condición de cada persona en relación con los derechos y obligaciones civiles. || – *de alarma*. Situación oficialmente declarada de grave inquietud para el orden público, que implica la suspensión de las garantías constitucionales. || – *de cosas*. Conjunto de las circunstancias que concurren en un asunto determinado. || – *de excepción*. En ciertos países, situación semejante al estado de alarma. || – *de guerra*. El de una población en tiempo de guerra, cuando la autoridad civil resigna sus funciones en la militar. || – *de sitio*. Estado de guerra. || – *mayor*. MIL. Cuerpo de oficiales encargados de informar técnicamente a los jefes superiores del ejército, distribuir las órdenes y procurar y vigilar su cumplimiento. Generales y jefes de todos los ramos que componen una división, y punto central donde deben determinarse y vigilarse todas las operaciones de la misma. [*Sinón.*: gobierno, administración; nación]

estadounidense. adj. Perteneciente o relativo a los Estados Unidos de América. || Natural de este país. Ú.t.c.s.

estafa (al. *Betrügerei,* fr. *escroquerie,* ingl. *swindle,* it. *truffa*). f. Acción y efecto de estafar. || Estribo de la montura.

estafador, ra (al. *Betrüger,* fr. *escroc,* ingl. *swindler,* it. *truffatore*). s. Persona que estafa. [*Sinón.*: timador]

estafar (al. *betrügen,* fr. *escroquer,* ingl. *to swindle,* it. *truffare*). tr. Pedir o sacar dinero o cosas de valor con artificios y engaños, y con ánimo de no pagar. || DER. Cometer alguno de los delitos que se caracterizan por el lucro como fin y el engaño o abuso de con-

fianza como medio. [*Sinón.*: timar]

estafermo. m. Muñeco giratorio al que los corredores, hiriéndole con la lanza, hacían dar la vuelta. || fig. Persona que está parada y como embobada y sin acción.

estafeta (al. *Neben-Postamt,* fr. *bureau de poste,* ingl. *post-office,* it. *ufficio postale*). f. Correo ordinario que iba de un lugar a otro. || Casa u oficina del correo.

estafilococia. f. MED. Infección producida por estafilococos.

estafilococo. m. MED. Cualquiera de las bacterias de forma redondeada que se agrupan en racimos.

estafiloma. m. MED. Tumor prominente del globo ocular.

estafisagria. f. BOT. Planta ranunculácea venenosa cuyas semillas, reducidas a polvo, sirven como insecticida.

estagirita. adj. Natural de Estagira. Ú.t.c.s. || Perteneciente a esta ciudad, patria de Aristóteles.

estalactica. f. Concreción calcárea que, por lo general en forma de cono irregular, suele hallarse pendiente del techo de las cavernas.

estalagmita. f. Estalactita invertida que se forma en el suelo.

estallar (al. *platzen,* fr. *éclater,* ingl. *to burst,* it. *scoppiare*). intr. Reventar de golpe una cosa con chasquido y estruendo. || Restallar. || fig. Sobrevenir violentamente una cosa. || fig. Manifestar repentina y violentamente una pasión o afecto del ánimo. [*Sinón.*: explotar]

estallido (al. *Krach,* fr. *éclatement,* ingl. *outburst,* it. *scopio*). m. Acción y efecto de estallar. [*Sinón.*: explosión]

estambre (al. *Kammgarn,* fr. *estame,* ingl. *worsted,* it. *stame*). amb. Parte del vellón de lana que se compone de hebras largas. Ú.m.c.m. || Hilo formado de estas hebras. || Urdimbre. || BOT. Órgano sexual masculino de las plantas fanerógamas.

estamento. m. Capa o estrato social.

estameña. f. Tejido de lana ordinario que tiene la urdimbre y la trama de estambre.

estaminífero, ra. adj. BOT. Dícese de las flores que tienen estambres y de las plantas que llevan estas flores.

estampa (al. *Bild,* fr. *gravure,* ingl. *print,* it. *stampa*). f. Efigie o figura impresa. || Papel o tarjeta con una figura grabada. || fig. Figura total de una persona o animal. || fig. Imprenta o impresión. || Huella del pie en la tierra. [*Sinón.*: ilustración, lámina]

estampación. f. Acción y efecto de estampar.

estampado, da. p. p. de estampar. || adj. Aplícase a los tejidos en que se estampan diferentes labores y dibujo. Ú.t.c.s. || m. Acción y efecto de estampar.

estampar (al. *bedrucken,* fr. *imprimer,* ingl. *to print,* it. *stampare*). tr. Imprimir, sacar en estampas una cosa. Ú.t.c. intr. || Señalar o imprimir una cosa en otra. || fam. Arrojar a una persona o cosa, o hacerla chocar con algo. || fig. Imprimir algo en el ánimo.

estampida. f. Estampido. || Resonancia, divulgación rápida y estruendosa de algún hecho. || *Amer.* Huida impetuosa que emprende una persona, animal o conjunto de ellos.

estampido. m. Ruido fuerte y seco, como el producido por el disparo de un cañón. [*Sinón.*: estampida, estallido]

estampilla (al. *Stempel,* fr. *estampille,* ingl. *stamp,* it. *stampiglia*). f. Sello que contiene en facsímil la firma y rúbrica de una persona. || Sello con un letrero para estampar en ciertos documentos. || *Amer.* Sello o timbre.

estampillar. tr. Marcar con estampilla.

estancación. f. Estancamiento.

estancamiento. m. Acción y efecto de estancar o estancarse.

estancar. tr. Detener el curso de una cosa. Ú.t.c.r. || Prohibir el curso libre de determinada mercancía, concediendo su venta a determinadas personas o entidades. || fig. Suspender la marcha de un negocio. Ú.t.c.r.

estancia. f. Mansión, habitación y asiento en un lugar. || Aposento o cuarto donde se habita ordinariamente. || Permanencia durante cierto tiempo en un lugar determinado. || Cada uno de los días que está el enfermo en el hospital. || Estrofa. || *Amer.* Hacienda dedicada a la cría de ganado. || *Amer.* Casa de campo con huerta y próxima a la ciudad; quinta.

estanciero. m. El dueño de una estancia o el que cuida de ella.

estanco, ca (al. *Tabakladen,* fr. *débit de tabac,* ingl. *tobacco store,* it. *tabaccheria*). adj. MAR. Que no hace agua por sus costuras. || m. Prohibición de venta libre de algunas cosas. || Sitio donde se venden géneros estancados, y especialmente sellos, tabaco y cerillas.

estándar. m. Tipo, modelo, patrón, nivel.

estandardización. f. Estandarización.

estandarización. f. Acción y efecto de estandarizar.

estandarizar. tr. Tipificar, ajustar a un tipo, modelo o norma.

estandarte (al. *Standarte*, fr. *étendard*, ingl. *flag*, it. *stendardo*). m. Insignia o bandera que usan los cuerpos montados y algunas corporaciones civiles o religiosas.

estanque (al. *Teich*, fr. *étang*, ingl. *pond*, it. *stagno*). m. Receptáculo de agua construido para proveer al riego, criar peces, etc.

estanquero, ra. s. Persona encargada de la venta pública de tabaco y otros géneros estancados.

estanquidad. f. Calidad de estanco.

estante (al. *Regal*, fr. *étagère*, ingl. *shelf*, it. *scaffale*). p. a. de estar. || adj. Fijo y permanente en un lugar. || m. Armario con anaqueles y sin puertas. || Cada uno de los cuatro pies derechos que sostienen la armadura de algunas máquinas. [*Sinón.*: estantería]

estantería. f. Juego de estantes o de anaqueles.

estantigua. f. Fantasma o visión que causa pavor. || fig. Persona alta, flaca y mal vestida.

estañar. tr. Cubrir o bañar con estaño. || Soldar con estaño.

estaño (al. *Zinn*, fr. *étain*, ingl. *tin*, it. *stagno*). m. Metal más duro, dúctil y brillante que el plomo, de color semejante al de la plata y que por frotación despide un olor particular.

estaquilla. f. Espiga de madera o caña para asegurar los tacones del calzado y otros usos. || Clavo pequeño de hierro, de figura piramidal y sin cabeza. || Estaca, clavo pequeño.

estar (al. *sein*, fr. *être*, ingl. *to be*, it. *stare*). intr. Existir, hallarse una persona o cosa con cierta permanencia en un lugar, situación, condición, etc. Ú.t.c.r. || Tocar o atañer. || Refiriéndose a las prendas de vestir, sentar o caer bien o mal. || Junto con algunos adjetivos, sentir o tener actualmente la calidad que ellos denotan. || Seguido de la preposición *a* y del número de un día del mes, indica que corre ese día. || Tener determinado precio una cosa en el mercado. || Junto con la preposición *con* seguida de un nombre de persona, vivir en compañía de esta persona. || Con la preposición *por*, estar a favor de una persona o cosa. || r. Detenerse o tardarse en alguna cosa o en alguna parte. || *estar a la que salta.* fam. Estar siempre dispuesto a aprovechar las ocasiones. || *estar al caer.* fam. Tratándose de horas, estar a

punto de sonar la que se indique. Si se trata de sucesos, estar a punto de sobrevenir. || *estar a oscuras.* fig. y fam. Estar completamente ignorante. || *estar bien.* Disfrutar salud y comodidades. || *estar de más.* fam. Estar de sobra; estar sin hacer nada, sin trabajo u ocupación. || *estar en mí, en tí, en sí.* Estar uno con plena advertencia en lo que se dice o hace. || *estar uno en todo.* Atender a un tiempo a muchas cosas sin embarazarse. || *estarle* a uno *bien empleada* una cosa. fam. Merecer la desgracia que le sucede. || *estar*, o *no estar,* uno *para una cosa.* fam. Estar en buena o mala disposición para ejecutarla u ocuparse de ella. || *estar una cosa por ver.* fr. con que se pone en duda su certeza o su ejecución. || *estar viendo* una cosa. fig. Prever que sucederá.

estarcido. m. Dibujo que resulta en el papel, tela, etc., del picado y pasado por medio de la brocha.

estarcir. tr. Estampar dibujos, letras o números pasando una brocha por una chapa en que previamente están recortados.

estasis. f. MED. Estancamiento de sangre o de otro líquido en alguna parte del cuerpo.

estatal. adj. Perteneciente o relativo al Estado.

estática (al. *Statik*, fr. *statique*, ingl. *statics*, it. *statica*). f. Parte de la mecánica que estudia las leyes del equilibrio. || Conjunto de estas leyes.

estático, ca. adj. Perteneciente a la estática. || Que permanece en un mismo sitio. || fig. Dícese del que queda parado de asombro o de emoción.

estatismo. m. Tendencia que exalta la plenitud del poder del Estado en todos los órdenes.

estatoscopio. m. Fís. Barómetro para medir variaciones de presión de pequeña magnitud. Se usa para medir diferencias de altura en lugar del altímetro.

estatua (al. *Statue*, fr. *statue*, ingl. *statue*, it. *statua*). f. Forma cincelada en madera, piedra u otras materias, a imitación del natural. || — *ecuestre.* La que representa una persona a caballo. || *merecer* uno *una estatua.* fr. con que se ponderan sus acciones. || *quedarse hecho una estatua.* fig. Quedarse paralizado por el espanto o la sorpresa.

estatuaria. f. Arte de hacer estatuas.

estatúder. m. Jefe supremo de la antigua república de los Países Bajos.

estatuir. tr. Establecer, ordenar,

determinar. || Demostrar, asentar como verdad una doctrina o un hecho. [*Sinón.*: instituir; probar]

estatura (al. *Wuchs*, fr. *stature*, ingl. *height of a person*, it. *statura*). f. Altura de una persona. [*Sinón.*: alzada, talla]

estatuto (al. *Satzung*, fr. *status*, ingl. *statute*, it. *statuto*). m. Establecimiento, regla que tiene fuerza de ley. || Por ext., cualquier ordenamiento eficaz para obligar. || Ley especial básica para el régimen autónomo de una región, dictada por el Estado de que forma parte.

estay. m. MAR. Cabo que sujeta la cabeza de un mástil al pie del más inmediato.

este (al. *Osten*, fr. *est*, ingl. *east*, it. *est*). m. Oriente, levante. || Viento que viene de la parte de levante.

este, esta, esto, estos, estas (al. *dieser, diese, dieses;* fr. *ce, ci, cet;* ingl. *this*, it. *questo*). Formas del pron. dem. en los tres géneros, m. f. y n., y en ambos números, sing. y pl. Designan lo que está más próximo a la persona que habla, o señalan lo que se acaba de mencionar. Las formas m. y f. se usan como adj. y como s., y en este último caso se escriben normalmente con acento.

esteárico, ca. adj. De estearina.

estearina. f. QUÍM. Sustancia blanca compuesta de ácido esteárico y glicerina. || Ácido esteárico que sirve para la fabricación de velas.

esteatita. f. Mineral de color blanco y verdoso, suave y blando, que sirve para hacer señales en las telas.

esteba. f. BOT. Hierba gramínea que sirve de pasto para las caballerías.

estefanote. m. *Amer.* Planta apocinácea de flores blancas, que se cultiva en los jardines.

estegomía. f. Mosquito transmisor de la fiebre amarilla.

estegosauro. m. PALEONT. Dinosaurio que presentaba enormes placas dérmicas dorsales, y en la cola de dos a cuatro pares de espinas.

estela (al. *Kielspur*, fr. *sillage*, ingl. *wake*, it. *scia*). f. Señal que deja en la superficie del agua una embarcación u otro cuerpo en movimiento, o la que deja en el aire un cuerpo luminoso en movimiento. || Monumento conmemorativo que se erige sobre el suelo en forma de lápida, pedestal o cipo.

estelar. adj. Perteneciente a las estrellas.

estelión. m. ZOOL. Reptil saurio que vive en Egipto, en Asia Menor y en algunas islas griegas. || Piedra que decían se hallaba en la cabeza de los sapos viejos, y que tenía virtud contra el veneno.

estelo. m. Columna, poste.

estenocardia. f. MED. Angina de pecho.

estenografía. f. Taquigrafía.

estenografiar. tr. Escribir en estenografía.

estenógrafo, fa. s. Persona que sabe o profesa la estenografía.

estenordeste. m. Punto del horizonte entre el Este y el Nordeste, a igual distancia de ambos. || Viento que sopla de esta parte.

estenosis. f. MED. Estrechez, estrechamiento.

estenotipia. f. Estenografía o taquigrafía a máquina.

estentóreo, a. adj. Muy fuerte, ruidoso o retumbante, aplicado al acento o a la voz.

estepa (al. *Steppe*, fr. *steppe*, ingl. *steppe*, it. *steppa*). f. Extensa llanura herbácea. || BOT. Mata cistácea con hojas resinosas y flores de corola grande y blanca.

estepario, ria. adj. Propio de las estepas.

éster (al. *Ester*, fr. *ester*, ingl. *ester*, it. *estere*). m. QUÍM. Compuesto orgánico cuya estructura puede considerarse derivada de un ácido sustituyendo el hidrógeno activo por un radical alcohólico.

estera (al. *Fussmatte*, fr. *natte*, ingl. *mat*, it. *stuoia*). f. Tejido grueso de esparto, juncos, palma, etc., para cubrir el suelo de las habitaciones y otros usos.

estercolar. tr. Echar estiércol en las tierras. || intr. Echar de sí la bestia el excremento o estiércol.

estercolero. m. Mozo que recoge el estiércol. || Lugar donde se recoge el estiércol. [*Sinón.*: muladar]

esterculiáceo, a. adj. BOT. Dícese de matas, arbustos y árboles angiospermos dicotiledóneos, con flores axilares y fruto casi siempre en cápsula; como el cacao. Ú.t.c.s.f. || f. pl. Familia de estas plantas.

estereofonía. f. Técnica relativa a la obtención de sonido estereofónico.

estereofónico, ca. adj. Aplícase al sonido registrado simultáneamente desde dos o más puntos.

estereografía. f. Arte de representar los sólidos en un plano.

estereográfico, ca. adj. Perteneciente a la estereografía. || MAT. Aplícase a la proyección en un plano de los círculos de la esfera por medio de rectas concurrentes en un punto de la misma.

estereometría. f. GEOM. Medida de los sólidos.

estereoquímica. f. Parte de la química que se ocupa de las disposiciones espaciales de las moléculas.

estereoscopia. f. FÍS. y FISIOL. Generación de relieve que tiene lugar en la visión binocular normal.

estereoscopio. m. FÍS. Instrumento óptico en el cual una imagen hecha por duplicado y mirada con cada ojo por distinto conducto produce la ilusión de ser una sola imagen en relieve.

estereotipado, da. p. p. de estereotipar. || adj. fig. Dícese de los gestos, expresiones, etc., que se repiten sin variación.

estereotipar. tr. IMP. Fundir en una plancha, por medio del vaciado, la composición de un molde formado con caracteres movibles. || Imprimir con esas planchas.

estereotipia (al. *Stereotypie*, fr. *stéréotypie*, ingl. *stereotyping*, it. *stereotipia*). f. IMP. Arte de imprimir que, en vez de moldes compuestos de letras sueltas, usa planchas donde cada página está fundida en una pieza. || Máquina de estereotipar. || Repetición involuntaria e intempestiva de un gesto, acción o palabra.

esterería. f. Lugar donde se hacen esteras. || Tienda donde se venden.

esterificación. f. QUÍM. Proceso de formación de un éster por reacción de un ácido orgánico sobre un alcohol.

estéril (al. *Unfruchtbar*, fr. *stérile*, ingl. *barren*, it. *sterile*). adj. Que no da fruto, o no produce nada. [*Sinón.*: infecundo, improductivo]

esterilidad (al. *Unfruchtbarkeit*, fr. *stérilité*, ingl. *unfruitfulness*, it. *sterilità*). f. Calidad de estéril. || MED. Enfermedad caracterizada por falta de aptitud de fecundar en el macho y de concebir en la hembra. [*Sinón.*: infecundidad; infructuosidad]

esterilización. f. Acción y efecto de esterilizar.

esterilizador, ra. adj. Que esteriliza. || m. Aparato que esteriliza utensilios e instrumentos destruyendo los gérmenes patógenos que hay en ellos.

esterilizar (al. *sterilisieren*, fr. *stériliser*, ingl. *to sterilize*, it. *sterilizzare*). tr. Hacer infecundo y estéril lo que antes no lo era. || MED. Destruir los gérmenes patógenos que hay o puede haber en alguna cosa. [*Sinón.*: castrar; desinfectar]

esterilla. f. dim. de estera. || Trencilla de hilo de oro o de plata. || Pleita estrecha de paja. || Tejido de paja. || *Amer.* Tela rala, especie de cañamazo.

esterlina. adj. ↗ *libra esterlina*.

esternón (al. *Brustbein*, fr. *sternum*, ingl. *sternum*, it. *sterno*). ANAT. Hueso plano en la parte anterior del pecho, con el cual se articulan las costillas verdaderas.

estero. m. Estuario. || *Amer.* Terreno bajo y pantanoso que abunda en plantas acuáticas.

esterquilinio. m. Lugar donde se juntan inmundicias o estiércol.

estertor (al. *Röcheln*, fr. *râle*, ingl. *stertor*, it. *rantolo*). m. Respiración anhelosa, con sonido ronco y silbante, propia de los moribundos.

estesiómetro. m. Instrumento para medir la sensibilidad táctil.

estesudeste. m. Punto del horizonte que se halla entre el Este y el Sudeste, a igual distancia de ambos. || Viento que sopla de esta parte.

estética (al. *Ästhetik*, fr. *esthétique*, ingl. *aesthetics*, it. *estetica*). f. Ciencia que trata de la belleza y de la teoría fundamental y filosófica del arte. [*Sinón.*: calología]

esteticismo. m. Amor y culto por la belleza.

estético, ca. adj. Perteneciente o relativo a la estética. || Perteneciente o relativo a la percepción de la belleza. || Artístico, de bello aspecto.

estetoscopia. f. MED. Exploración, por medio del estetoscopio, de los órganos contenidos en el pecho.

estetoscopio. m. MED. Instrumento que sirve para auscultar.

esteva. f. Pieza corva del arado, sobre la cual lleva la mano el que ara.

estevado, da. adj. Que tiene las piernas torcidas en arco. Ú.t.c.s.

estiaje. m. Nivel más bajo que tienen las aguas de un río, laguna, etc., en épocas de sequía. || Período que dura este nivel bajo.

estiba. f. Atacador de los cañones de artillería. || Lugar en donde se aprieta la lana en los sacos. || MAR. Colocación conveniente de los pesos de un buque, en especial de su carga.

estibador. m. El que estiba.

estibar. tr. Apretar materiales o cosas sueltas para que ocupen el menor espacio posible. || MAR. Distribuir convenientemente todos los pesos del buque.

estibio. m. Antimonio.

estiércol (al. *Mist*, fr. *fumier*, ingl.

dung, it. *sterco*). m. Excremento del animal. ‖ Materias orgánicas descompuestas que se destinan al abono de las tierras. [*Sinón.*: fiemo, guano, freza]

estigio, gia. adj. Se dice de la Estige, laguna del infierno mitológico, y de lo concerniente a ella. ‖ fig. y poét. Infernal, relativo al infierno.

estigma (al. *Stigma*, fr. *stigmate*, ingl. *stigma*, it. *stigma*). m. Marca o señal en el cuerpo. ‖ Marca hecha con hierro candente como pena infamante o como signo de esclavitud. ‖ TEOL. Huella impresa sobrenaturalmente en el cuerpo de algunos santos. ‖ BOT. Cuerpo glanduloso en la parte superior del pistilo, destinado a recibir el polen. ‖ ZOOL. Cada una de las pequeñas aberturas que tienen en el abdomen los insectos para respirar. ‖ MED. Vestigio o signo persistente de una enfermedad congénita o adquirida. [*Sinón.*: señal; baldón; llaga]

estigmatismo. m. ÓPT. Falta de aberración en un sistema óptico.

estigmatizar. tr. Marcar a uno con hierro candente. ‖ TEOL. Imprimir milagrosamente a una persona las llagas de Cristo. ‖ fig. Afrentar, infamar.

estilar. intr. Usar, acostumbrar, estar de moda. Ú.t.c. tr., y más con el pronombre *se*.

estilete (al. *Stillet*, fr. *stylet*, ingl. *stiletto*, it. *stiletto*). m. Estilo pequeño. ‖ Púa o punzón. ‖ Puñal de hoja muy estrecha y aguda.

estilista. com. Escritor que se distingue por lo esmerado y elegante de su estilo.

estilística. f. Estudio del estilo o de la expresión lingüística en general.

estilita. adj. Aplícase al anacoreta que para mayor austeridad vivía sobre una columna. Ú.t.c.s.

estilización. f. Acción y efecto de estilizar.

estilizar. tr. Interpretar convencionalmente la forma de un objeto haciendo resaltar sus rasgos más característicos.

estilo (al. *Stil*, fr. *style*, ingl. *style*, it. *stile*). m. Punzón con el cual escribían los antiguos en tablas enceradas. ‖ Modo, manera, forma. ‖ Uso, práctica, costumbre, moda. ‖ Manera de escribir o de hablar peculiar y privativa de un escritor o de un orador. ‖ Carácter propio que da a sus obras el artista. ‖ BOT. Parte del pistilo que sostiene el estigma. ‖ *Amer.* Música típica que se toca con guitarra; baile y canción que se acompañan con esta música. ‖ MAR. Púa

sobre la que está montada la aguja magnética. [*Sinón.*: púa; plectro]

estilográfico, ca (al. *Füllfeder*, fr. *stylo*, ingl. *fountain pen*, it. *stilografica*). Adj. Dícese de la pluma cuyo mango hueco va lleno de tinta, la cual, al escribir, baja automáticamente a los puntos. Ú.t.c.s.f.

estima (al. *Achtung*, fr. *estime*, ingl. *esteem*, it. *stima*). f. Consideración y aprecio. ‖ MAR. Concepto aproximado que se forma de la situación de un buque. [*Sinón.*: estimación]

estimable. adj. Que admite estima y aprecio. ‖ Digno de estimación.

estimación. f. Aprecio de una cosa o valor en que se tasa y considera. ‖ Consideración, afecto.

estimar (al. *schätzen*, fr. *estimer*, ingl. *to appraise*, it. *stimare*). tr. Apreciar, evaluar las cosas. ‖ Juzgar, creer. ‖ Hacer aprecio y estimación de una persona o cosa. Ú.t.c.r. [*Sinón.*: tasar, presumir; querer. *Antón.*: desestimar, odiar]

estimativa. f. Facultad del alma racional con que se hace juicio del aprecio que merecen las cosas. ‖ Instinto de los animales.

estimulante. p. a. de estimular. ‖ adj. Que estimula. Ú.t.c.s.

estimular (al. *anregen*, fr. *stimuler*, ingl. *to estimulate*, it. *stimolare*). tr. Aguijonear, picar, punzar. ‖ fig. Incitar, avivar.

estímulo (al. *Anreiz, Ansporn;* fr. *stimulation*, ingl. *incitement*, it. *stimolo*). m. fig. Incitamento para obrar. [*Sinón.*: instigación, provocación]

estinco. m. ZOOL. Lagarto cubierto de escamas planas, propio de los arenales del norte de África.

estío. m. Estación del año que principia en el solsticio de verano y termina en el equinoccio de otoño. [*Sinón.*: verano]

estipendio. m. Remuneración que se da a una persona por su trabajo y servicio.

estípite. m. ARQ. Pilastra en forma de pirámide truncada, con la base menor hacia abajo. ‖ BOT. Tallo largo y no ramificado de las plantas arbóreas.

estíptico, ca. adj. Que tiene sabor metálico astringente. ‖ Que padece estreñimiento de vientre. ‖ fig. Avaro, mezquino.

estípula. f. BOT. Apéndice foliáceo en los lados del pecíolo.

estipulación. f. Convenio verbal. ‖ DER. Cada una de las disposiciones de un documento público o particular.

estipular (al. *festsetzen*, fr. *stipuler*, ingl. *to stipulate*, it. *stipulare*). tr. DER. Hacer contrato verbal. ‖ Convenir, concertar, acordar. [*Sinón.*: pactar, contratar]

estique. m. Palillo que usan los escultores para modelar el barro.

estirado, da. p. p. de estirar. ‖ adj. fig. Que afecta gravedad o esmero en su traje. ‖ fig. Orgulloso.

estirar (al. *ausziehen*, fr. *étirer*, ingl. *to stretch*, it. *stirare*). tr. Alargar, dilatar una cosa. Ú.t.c.r. ‖ Planchar ligeramente la ropa. ‖ fig. Gastar el dinero procurando atender con él al mayor número de necesidades. ‖ intr. Crecer una persona. Ú.t.c.r. ‖ r. Desperezarse.

estirón. m. Acción con que uno estira con fuerza algo. ‖ Crecimiento rápido. ‖ *dar un estirón.* fig. y fam. Crecer mucho en poco tiempo.

estirpe (al. *Stamm*, fr. *extraction*, ingl. *stock*, it *stirpe*). f. Raíz y tronco de una familia o linaje. [*Sinón.*: alcurnia, ascendencia]

estival. adj. Perteneciente al estío.

estocada. f. Golpe que se tira de punta con la espada o el estoque. ‖ Herida que resulta del mismo.

estofa. f. Tela de labores, generalmente de seda. ‖ fig. Calidad, clase.

estofado (al. *Schmorbraten*, fr. *etouffée*, ingl. *stew*, it. *stufato*). p. p. de estofar. ‖ m. Guisado de carne, hecho a fuego lento y bien sazonado. [*Sinón.*: guiso]

estofar. tr. Hacer el guiso llamado estofado.

estoicismo (al. *Stoizismus*, fr. *stoïcisme*, ingl. *stoicism*, it. *stoicismo*). m. Escuela filosófica fundada por el griego Zenón. ‖ Doctrina de los estoicos. ‖ fig. Dominio sobre la sensibilidad, entereza.

estoico, ca (al. *stoisch*, fr. *stoïcien*, ingl. *stoic*, it. *stoico*). adj. Perteneciente al estoicismo. ‖ Dícese del filósofo que sigue la doctrina del estoicismo. Ú.t.c.s. ‖ fig. Fuerte, ecuánime ante la desgracia.

estola. f. Vestidura de los griegos y romanos a modo de túnica. ‖ Ornamento sagrado que consiste en una faja larga de paño adornada con tres cruces, una en el medio y otra en cada extremo. ‖ Banda larga de piel que usan las mujeres para abrigarse el cuello.

estolidez. f. Falta total de razón y discurso.

estólido, da. adj. Falto de razón y discurso. Ú.t.c.s.

estoma. m. BOT. Cada una de las

aberturas microscópicas que hay en la epidermis de los vegetales, a través de las cuales se verifican los cambios de gases entre la planta y el exterior.

estomacal. adj. Perteneciente al estómago. ‖ Que aprovecha al estómago. Ú.t.c.s.m.

estomagar. tr. Empachar. ‖ fig. y fam. Causar fastidio o enfado.

estómago (al. *Magen*, fr. *estomac*, ingl. *stomach*, it. *stomaco*). m. ANAT. Víscera hueca, situada a continuación del esófago, en la que se verifica la quimificación de los alimentos. ‖ *echarse uno algo al estómago.* loc. fam. Comer o beber alguna cosa copiosamente. ‖ *revolver el estómago.* Removerlo, alterarlo; fig., causar una cosa aversión o repugnancia. ‖ *tener buen,* o *mucho, estómago.* fig. y fam. Sufrir los desaires e injurias sin darse por sentido; fig., ser poco escrupuloso respecto a moralidad.

estomatitis. f. MED. Inflamación de la mucosa bucal.

estomatología. f. MED. Parte de la medicina que trata de las enfermedades de la boca.

estomatólogo, ga. s. Persona que profesa la estomatología.

estomatópodo. adj. ZOOL. Se dice de crustáceos marinos, zoófagos, cuyo caparazón deja sin cubrir los tres últimos segmentos torácicos a los que sigue el abdomen, ancho y bien desarrollado; como la galera. Ú.t.c. s.m. ‖ m. pl. Orden de estos animales.

estoniano, na. adj. Estonio.

estonio, nia. adj. Natural de Estonia. Ú.t.c.s. ‖ Perteneciente a este país báltico, incorporado a la Unión Soviética. ‖ m. Lengua hablada por los estonios.

estopa (al. *Werg*, fr. *étoupe*, ingl. *burlap*, it. *stoppa*). f. Parte basta o gruesa del lino o del cáñamo. ‖ Tela gruesa que se teje y fabrica con la hilaza de la estopa. ‖ Rebaba o filamento que aparece en algunas maderas al trabajarlas.

estopón. m. Lo más grueso de la estopa. ‖ Tejido que se fabrica de este hilado.

estopor. m. MAR. Aparato de hierro para detener la cadena del ancla.

estoque (al. *Rapier*, fr. *estoc*, ingl. *rapier*, it. *stocco*). m. Espada angosta con la cual sólo se puede herir de punta. ‖ Arma blanca formada por una varilla de acero aguzada en la punta que solía llevarse metida en un bastón. [*Sinón.:* espadín, florete]

estoquear. tr. Herir con la punta de una espada o estoque.

estorbar (al. *stören*, fr. *empêcher*, ingl. *to hinder*, it. *disturbare*). tr. Poner obstáculos a la ejecución de una cosa. ‖ fig. Molestar, incomodar. [*Sinón.:* dificultar, perturbar. *Antón.:* facilitar, permitir]

estorbo (al. *Störung*, fr. *empêchement*, ingl. *hindrance*, it. *disturbo*). m. Persona o cosa que estorba. [*Sinón.:* obstáculo, tropiezo; engorro]

estornino (al. *Star*, fr. *sansonnet*, ingl. *starling*, it. *storno*). m. ZOOL. Pájaro de cabeza pequeña, con plumaje negro de reflejos verdes y morados y pintas blancas. Se domestica y aprende fácilmente a reproducir sonidos.

estornudar (al. *niesen*, fr. *éternuer*, ingl. *to sneeze*, it. *starnutare*). intr. Despedir estrepitosa y violentamente el aire de los pulmones, por una espiración involuntaria y repentina.

estornudo (al. *Niesen*, fr. *éternuement*, ingl. *sneeze*, it. *starnuto*). m. Acción y efecto de estornudar.

estotro, tra. pron. dem. contracción de éste, ésta, o esto, y otro u otra.

estovaína. f. MED. Anestésico local que se emplea en oftalmología y en la raquianestesia.

estrabismo (al. *Schielen*, fr. *strabisme*, ingl. *squint*, it. *strabismo*). m. MED. Deficiente actuación de los músculos externos del ojo, que provoca una desviación más o menos acusada de la mirada de uno o ambos ojos.

estrada. f. Camino, vía por donde se transita.

estrado (al. *Estrade*, fr. *estrade*, ingl. *dais*, it. *predella*). m. Tarima cubierta con alfombra sobre la cual se pone el trono real o la mesa presidencial en actos solemnes. ‖ Sitio de honor en un salón de actos. ‖ Entablado en que se ponen los panes amasados antes de cocerlos. ‖ pl. Salas de tribunales, donde los jueces oyen y sentencian los pleitos.

estrafalario, ria. adj. fam. Desaliñado en el vestir o en el porte. Ú.t.c.s. ‖ fig. y fam. Extravagante en el modo de pensar o en las acciones. Ú.t.c.s.

estragar. tr. Viciar, corromper. Ú.t.c.r. ‖ Causar estrago. [*Sinón.:* pervertir, enviciar; dañar, arruinar]

estrago (al. *Verwüstung*, fr. *ravage*, ingl. *ravage*, it. *strage*). m. Daño, ruina, asolamiento. [*Sinón.:* devastación, destrozo]

estragón. m. BOT. Hierba compuesta que se usa como condimento.

estrambote. m. Conjunto de versos que se añade al final de una combinación métrica.

estrambótico, ca. adj. fam. Extravagante, irregular y sin orden.

estramonio. m. BOT. Planta solanácea, de flores blancas y olor penetrante y desagradable, cuyas hojas secas se emplean como medicamento para las afecciones asmáticas.

estrangulación. f. Acción y efecto de estrangular o estrangularse.

estrangular (al. *erwürgen*, fr. *étrangler*, ingl. *to throttle*, it. *strangolare*). tr. Ahogar oprimiendo el cuello hasta impedir la respiración. Ú.t.c.r. ‖ CIR. Interceptar la comunicación de los vasos de una parte del cuerpo por medio de presión o ligadura. Ú.t.c.r.

estranguria. f. MED. Micción dolorosa gota a gota con tenesmo de la vejiga.

estraperlista. com. Persona que practica el estraperlo.

estraperlo. m. fam. Comercio ilegal de artículos intervenidos por el Estado o sujetos a tasa.

estratagema (al. *Kriegslist*, fr. *stratagème*, ingl. *stratagem*, it. *stratagemma*). f. Ardid de guerra, engaño. ‖ fig. Astucia, fingimiento artificioso. [*Sinón.:* artificio, celada; trampa]

estratega. com. Persona versada en estrategia.

estrategia (al. *Strategie*, fr. *stratégie*, ingl. *strategy*, it. *strategia*). f. MIL. Arte de dirigir las operaciones militares. ‖ fig. Arte, habilidad para dirigir un asunto. [*Sinón.:* táctica, pericia]

estratégico, ca. adj. Perteneciente a la estrategia. ‖ Que posee el arte de la estrategia. Ú.t.c.s.

estratificación. f. GEOL. Acción y efecto de estratificar o estratificarse. ‖ GEOL. Disposición del terreno en capas o estratos.

estratificar. tr. GEOL. Formar estratos. Ú.m.c.r.

estratigrafía. f. GEOL. Parte de la geología que estudia la disposición y caracteres de las rocas estratificadas.

estrato (al. *Schicht, Schichtwolke*; fr. *strate, stratus*; ingl. *stratum, stratus*; it. *strato*). m. GEOL. Masa mineral en forma de capa que constituye los terrenos sedimentarios. ‖ METEOR. Nube que se presenta en forma de faja en el horizonte. ‖ Capa o nivel dentro de una sociedad.

estratosfera. f. METEOR. Zona superior de la atmósfera, desde los doce a los cien kilómetros de altura.

estrave. m. MAR. Remate de la quilla del navío.

estraza f. Trapo, pedazo de ropa basta. ↗ *papel de estraza.*

estrechamiento. m. Acción y efecto de estrechar o estrecharse.

estrechar (al. *verengen,* fr. *étrécir,* ingl. *to tighten,* it. *stringere*). tr. Reducir a menor ancho o espacio una cosa. ‖ fig. Apretar. ‖ r. Ceñirse, apretarse. ‖ fig. Disminuir uno el gasto, la habitación, etc. ‖ fig. Unirse una persona a otra en amistad o parentesco. [*Sinón.*: angostar; constreñir. *Antón.*: ensanchar]

estrechez (al. *Enge,* fr. *étroitesse,* ingl. *narrowness,* it. *strettezza*). f. Escasez de anchura. ‖ Escasez de tiempo. ‖ Efecto de estrechar o estrecharse. ‖ Unión o enlace estrecho de una cosa con otra. ‖ fig. Amistad íntima. ‖ fig. Aprieto. ‖ fig. Escasez notable; falta de lo necesario para subsistir. ‖ fig. Pobreza, limitación con referencia a alguna condición moral o intelectual. [*Sinón.*: angostura, delgadez; penuria, privación]

estrecho, cha (al. *eng,* fr. *étroit,* ingl. *narrow,* it. *stretto*). adj. Que tiene poca anchura. ‖ Ajustado, apretado. ‖ fig. Se dice del parentesco cercano y de la amistad íntima. ‖ fig. Austero, exacto. ‖ Miserable, tacaño. ‖ m. GEOGR. Paso angosto en el mar comprendido entre dos tierras. [*Sinón.*: mezquino; garganta. *Antón.*: ancho]

estregar. tr. Frotar, pasar con fuerza una cosa sobre otra para dar a ésta calor, limpieza, etc. Ú.t.c.s.

estregón. m. Roce fuerte, refregón.

estrella (al. *Stern,* fr. *étoile,* ingl. *star,* it. *stella*). f. Astro que brilla con luz propia. ‖ fam. Todo astro, excepto el Sol y la Luna. ‖ Lunar de pelos blancos que tienen algunas caballerías en medio de la frente. ‖ Objeto en figura de estrella. ‖ fig. Hado o destino. ‖ fig. Persona que sobresale en su profesión por sus dotes excepcionales. ‖ — *del Norte.* ASTR. Estrella polar. ‖ — *de mar.* Estrellamar. ‖ — *fija.* ASTR. Cada una de las que parecen guardar siempre la misma distancia sensible y tienen luz propia. ‖ — *estrella fugaz.* ASTR. Cuerpo luminoso que suele verse repentinamente en la atmósfera y se mueve con gran velocidad, apagándose pronto. ‖ — *polar.* ASTR. La que está en el extremo de la lanza de la Osa Menor. ‖ — *variable.* ASTR. La que aumenta y disminuye de claridad periódicamente. ‖ *levantarse* uno *con las estrellas.* fam.

Madrugar mucho. ‖ *Nacer* uno *con estrella.* fig. Tener estrella. ‖ *tener* uno *estrella.* fig. Ser feliz y atraerse la simpatía de las gentes. ‖ *ver* uno *las estrellas.* fig. y fam. Sentir vivo dolor físico.

estrellado, da. p. p. de estrellar. ‖ adj. De forma de estrella. ‖ Se aplica a la caballería con una estrella en la frente.

estrellamar. f. ZOOL. Equinodermo marino de cuerpo comprimido, en forma de estrella de cinco puntas.

estrellar (al. *zerschlagen,* fr. *briser,* ingl. *to dash,* it. *fracassare*). tr. Sembrar o llenar de estrellas. Ú.t.c.r. ‖ fam. Arrojar con violencia una cosa contra otra, haciéndola pedazos. Ú.t.c.r. ‖ Dicho de los huevos, freírlos. ‖ r. Quedar malparado o matarse por efecto de un choque violento. ‖ fig. Fracasar en una pretensión por tropezar contra un obstáculo insuperable.

estremecer (al. *schaudern,* fr. *frémir,* ingl. *to shudder,* it. *rabbrividire*). tr. Hacer temblar. ‖ r. Temblar con movimiento agitado y repentino. ‖ Sentir sobresalto en el ánimo.

estremecimiento (al. *Schauder,* fr. *frémissement,* ingl. *shiver,* it. *brivido*). m. Acción y efecto de estremecer o *estremecerse.* [*Sinón.*: temblor, espeluzno]

estrenar (al. *zum erstenmal gebrauchen,* fr. *étrenner,* ingl. *to handsel,* it. *usare per la prima volta*). tr. Hacer uso por primera vez de una cosa. ‖ Tratándose de ciertos espectáculos, representarlos por primera vez. ‖ Hacer un vendedor o negociante la primera transacción del día. ‖ r. Empezar uno a desempeñar un empleo, oficio, cargo, etc. [*Sinón.*: comenzar; inaugurar; debutar]

estreno. m. Acción y efecto de estrenar o estrenarse. ‖ *de estreno.* loc. adj. Dícese del local dedicado a estrenar películas.

estreñimiento. m. Acción y efecto de estreñir o estreñirse.

estreñir. tr. Retrasar el curso del contenido intestinal y dificultar su evacuación. Ú.t.c.r. [*Sinón.*: astringir. *Antón.*: laxar]

estrépito. m. Ruido considerable, estruendo. ‖ fig. Ostentación en la realización de algo. [*Sinón.*: fragor; aparato. *Antón.*: silencio]

estrepitoso, sa. adj. Que causa estrépito.

estreptococia. f. MED. Infección producida por los estreptococos.

estreptococo. m. MED. Nombre dado a microbios de forma redondeada

que se agrupan en forma de cadenita.

estreptomicina. f. FARM. Sustancia obtenida de ciertas bacterias y que posee acción antibiótica para el bacilo de la tuberculosis y otros.

estrés. m. MED. Situación de un individuo vivo, o de alguno de sus órganos, en peligro de enfermar, por exigir de ellos un rendimiento superior al normal.

estría (al. *Riefe,* fr. *strie,* ingl. *groove,* it. *stria*). f. ARQ. Medio canal que se suele labrar en algunas columnas o pilastras de arriba abajo. ‖ Por ext.; cada una de las rayas en hueco que suelen tener algunos cuerpos. [*Sinón.*: surco, hendedura]

estriar. tr. Formar estrías. ‖ r. Formar una cosa en sí surcos o canales, o salir acanalada.

estribación. f. GEOGR. Estribo.

estribar (al. *sich gründen,* fr. *s'appuyer,* ingl. *to depend on,* it. *appoggiarsi*). intr. Descansar el peso de una cosa en otra sólida y firme. ‖ fig. Fundarse, apoyarse.

estribillo (al. *Refrain,* fr. *refrain,* ingl. *refrain,* it. *ritornello*). m. Expresión en verso que se repite después de cada estrofa en algunas composiciones líricas. ‖ Bordón, muletilla.

estribo (al. *Steigbügel,* fr. *étrier,* ingl. *stirrup,* it. *staffa*). m. Pieza en que el jinete apoya el pie. ‖ Especie de escalón para subir o bajar de los carruajes. ‖ Chapa de hierro, doblada en ángulo recto por sus dos extremos, que sirve para asegurar la unión de ciertas piezas. ‖ fig. Apoyo, fundamento. ‖ ARQ. Contrafuerte. ‖ GEOGR. Ramal corto de montañas que se desprende a uno u otro lado de una cordillera. ‖ ANAT. Uno de los tres huesecillos del oído medio. ‖ *perder* uno *los estribos.* fig. Hablar u obrar fuera de razón; impacientarse mucho.

estribor (al. *Steuerbord,* fr. *tribord,* ingl. *starboard,* it. *tribordo*). m. MAR. Costado derecho del navío mirando de popa a proa.

estricnina. f. QUÍM. Alcaloide muy venenoso que se extrae de determinados vegetales.

estricto, ta (al. *streng, genau;* fr. *strict;* ingl. *strict;* it. *stretto*). adj. Estrecho, ajustado enteramente a la necesidad o a la ley. [*Sinón.*: exacto, preciso]

estridencia. f. Sonido estridente. ‖ Violencia de la expresión o de la acción.

estridente. adj. Dícese del sonido agudo, desapacible y chirriante.

estridor. m. Sonido agudo y desapacible.

estridular. intr. Producir estridor, rechinar, chirriar.

estrígido, da. adj. ZOOL. Dícese de las aves rapaces de cabeza gruesa, ojos grandes, pico corto y plumaje suave; como el mochuelo. Ú.t.c.s. ‖ m. pl. Familia de estas aves.

estro. m. Inspiración poética o artística. ‖ Período de celo de los mamíferos. ‖ ZOOL. Mosca parda vellosa.

estróbilo. m. BOT. Tipo de infrutescencia de los pinos y de otras muchas coníferas.

estrofa (al. *Strophe*, fr. *strophe*, ingl. *stanza*, it. *strofa*). f. Cualquiera de las partes de que constan algunas composiciones poéticas. [*Sinón.*: estancia]

estrofanto. m. BOT. Planta apocinácea cuyas semillas se usan en medicina como tónico cardíaco.

estrógeno. m. Sustancia que provoca el estro o celo de los mamíferos.

estronciana. f. MINERAL. Óxido de estroncio que se halla en la naturaleza combinado con los ácidos carbónico y sulfúrico.

estroncianita. f. Mineral formado por un carbonato de estronciana, que se emplea en pirotecnia por el color rojo que comunica a la llama.

estroncio (al. *Strontium*, fr. *strontium*, ingl. *strontium*, it. *stronzio*). m. QUÍM. Elemento químico de color amarillo claro, que se obtiene descomponiendo la estronciana por electrólisis.

estropajo (al. *Scheuerwisch*, fr. *torchon*, ingl. *mop*, it. *strofinaccio*). m. BOT. Planta cucurbitácea cuyo fruto desecado se usa como cepillo de aseo, para fricciones. ‖ Porción de esparto machacado que sirve para fregar. ‖ fig. Persona o cosa inútil y despreciable.

estropajoso, sa. adj. fig. y fam. Dícese de la lengua o persona que pronuncia las palabras de forma confusa. ‖ fig. y fam. Se dice de la persna andrajosa y desaseada. ‖ fig. y fam. Dícese de la carne y otros comestibles que son fibrosos y ásperos.

estropear (al. *verderben*, fr. *abîmer*, ingl. *to spoil*, it. *rovinare*). tr. Maltratar, lisiar. Ú.t.c.r. ‖ Deteriorar una cosa. Ú.t.c.r. ‖ Malograr cualquier asunto o proyecto.

estropicio. (al. *Geklirr*, fr. *dégât*, ingl. *crash*, it. *guasto*). m. Destrozo, rotura estrepitosa, por lo común impremeditada.

estructura (al. *Struktur*, fr. *structure*, ingl. *structure*, it. *struttura*). f. Distribución y orden de las partes de un edificio. ‖ Distribución de las partes del cuerpo o de otra cosa. ‖ fig. Distribución y orden con que está compuesta una obra de ingenio. ‖ ARQ. Armadura, generalmente de acero u hormigón armado, que sirve de sustentación a un edificio.

estructuración. f. Acción y efecto de estructurar.

estructuralismo. m. Teoría lingüística que concibe el lenguaje como un conjunto de elementos solidarios que constituyen una estructura.

estructurar. tr. Distribuir, ordenar las partes de una obra o de un cuerpo.

estruendo. m. Ruido grande. ‖ fig. Confusión, bullicio. ‖ fig. Aparato, pompa.

estrujar (al. *ausdrücken*, fr. *presser*, ingl. *to squeeze*, it. *spremere*). tr. Apretar una cosa para sacarle el zumo. ‖ Apretar a uno y comprimirle fuerte y violentamente. ‖ fig. y fam. Agotar, sacar todo el partido posible.

estrujón. m. Acción y efecto de estrujar.

estuario (al. *Wattenmeer*, fr. *estuaire*, ingl. *estuary*, it. *estuario*). m. Desembocadura de un río caudaloso que desagua en el mar y que se caracteriza por tener una forma semejante al corte longitudinal de un embudo.

estucado. m. Acción y efecto de estucar.

estucador. m. El que tiene por oficio hacer obras de estuco.

estucar. tr. Dar a una cosa con estuco. ‖ Colocar las piezas de estuco previamente moldeadas y desecadas.

estuco (al. *Stuck*, fr. *stuc*, ingl. *stucco*, it. *stucco*). m. Masa de yeso blanco y agua de cola para preparar los objetos que luego se doran o pintan. ‖ Pasta de cal y mármol pulverizado con que se rebozan las habitaciones. [*Sinón.*: enlucido, enyesado]

estuche (al. *Etui*, fr. *étui*, ingl. *case*, it. *astuccio*). m. Caja para guardar ordenadamente uno o varios objetos. ‖ Por ext., cualquier envoltura que protege una cosa. [*Sinón.*: cofrecillo, envase]

estudiante (al. *Student*, fr. *étudiant*, ingl. *student*, it. *studente*). p. a. de estudiar. ‖ adj. Que estudia. Ú.t.c.s.m. ‖ com. Persona que está cursando estudios en un establecimiento de enseñanza.

estudiantil. adj. fam. Perteneciente a los estudiantes.

estudiantina. f. Cuadrilla de estudiantes que salen tocando varios instrumentos por las calles.

estudiar (al. *studieren*, fr. *étudier*, ingl. *to study*, it. *studiare*). tr. Ejercitar el entendimiento para comprender una cosa. ‖ Cursar en las universidades u otros centros de enseñanza. ‖ Aprender de memoria. [*Sinón.*: investigar; instruirse]

estudio (al. *Studium*, fr. *étude*, ingl. *study*, it. *studio*). m. Esfuerzo del entendimiento para conocer alguna cosa. ‖ Obra en que un autor estudia y dilucida una cuestión. ‖ Habitación donde estudian y trabajan los que profesan las letras o las artes. ‖ Local donde el fotógrafo ejerce su oficio. ‖ Conjunto de edificios o dependencias destinado a la impresión de películas cinematográficas o a emisiones de radio o televisión. Ú.m. en pl. ‖ PINT. Dibujo o pintura que se hace como preparación para otra obra principal. ‖ *dar estudios* a uno. fr. Mantenerle dándole lo necesario para que estudie. ‖ *tener estudios.* Tener una carrera o haber cursado estudios. [*Sinón.*: análisis; ensayo; taller; esbozo]

estudioso, sa. adj. Entregado al estudio.

estufa (al. *Ofen*, fr. *poêle*, ingl. *stove*, it. *stufa*). f. Aparato de calefacción de pequeño tamaño, utilizado para caldear el ambiente de habitaciones y locales cerrados. ‖ Invernáculo. ‖ Armazón o aparato para secar, desinfectar o conservar caliente una cosa. ‖ En los baños termales, habitación destinada para sudar.

estulticia. f. Necedad, tontería.

estulto, ta. adj. Necio.

estupefacción. f. Pasmo o estupor.

estupefaciente (al. *Betäubungsmittel*, fr. *stupéfiant*, ingl. *stupefacient*, it. *stupefacente*). adj. Que produce estupefacción. ‖ m. Sustancia narcótica que hace perder o amortiguar la sensibilidad, como la morfina, la cocaína, etc. [*Sinón.*: droga, soporífero]

estupefacto, ta. adj. Atónito, pasmado.

estupendo, da. adj. Admirable, asombroso, pasmoso.

estupidez (al. *Dummheit*, fr. *stupidité*, ingl. *stupidity*, it. *stupidità*). f. Torpeza notable en comprender las cosas. ‖ Dicho o hecho propios de un estúpido. [*Sinón.*: necedad, memez, estulticia]

estúpido, da (al. *dumm*, fr. *stupide*, ingl. *stupid*, it. *stupido*). adj. Notablemente torpe para comprender las cosas. Ú.t.c.s. ‖ Aplícase a los hechos o dichos propios de un estúpido.

estupor (al. *Erstaunen,* fr. *stupeur,* ingl. *stupor,* it. *stupore*). m. MED. Disminución o paralización de las funciones intelectuales. ‖ fig. Asombro, pasmo.

estuprar. tr. Cometer estupro.

estupro (al. *Notzucht,* fr. *viol,* ingl. *constupration,* it. *stupro*). m. DER. Acceso carnal del hombre con una doncella mayor de doce años y menor de veintitrés, logrado con abuso de confianza o engaño.

estuque. m. Estuco.

esturión (al. *Stör;* fr. *esturgeon,* ingl. *sturgeon,* it. *storione*). m. ZOOL. Pez marino ganoideo, que remonta los ríos para desovar. Su carne es comestible y con sus huevas se prepara el caviar.

esvástica. f. Cruz gamada.

esviaje. m. ARQ. Oblicuidad de la superficie de un muro o del eje de una bóveda.

eta. f. Séptima letra del alfabeto griego, equivalente a una *e* larga.

etalaje. m. Parte de los hornos altos comprendida entre la obra y el vientre de la cuba, donde se completa la reducción de la mena por los gases del combustible.

etano. m. QUÍM. Hidrocarburo formado por dos átomos de carbono y seis de hidrógeno.

etapa (al. *Etappe,* fr. *étape,* ingl. *stage,* it. *tappa*). f. MIL. Ración de comida que se da a la tropa en campaña o marcha. ‖ MIL. Lugar en que hace noche la tropa cuando marcha. ‖ fig. Época o avance parcial en el desarrollo de una acción u obra.

etcétera. m. Voz que se emplea para interrumpir el discurso indicando que en él se omite lo que quedaba por decir. Su abreviatura es *etc.*

éter (al. *Äther,* fr. *éther,* ingl. *ether,* it. *etere*). m. poét. Esfera aparente que rodea la Tierra. ‖ FÍS. Fluido sutil que, según ciertas hipótesis, llena todo el espacio, y por su movimiento vibratorio transmite la luz, el calor y otras formas de energía. ‖ QUÍM. Nombre genérico de los compuestos orgánicos derivados de los alcoholes, al ser reemplazado el hidrógeno del radical hidroxilo por otro radical orgánico. ‖ *—sulfúrico.* Líquido incoloro, muy volátil e inflamable, que se emplea como anestésico. Se llama también *dietílico* o simplemente *éter.*

etéreo, a. adj. Perteneciente o relativo al éter. ‖ poét. Perteneciente al cielo.

eterizar. tr. MED. Anestesiar por medio del éter. ‖ QUÍM. Combinar con éter una sustancia.

eternidad (al. *Ewigkeit,* fr. *éternité,* ingl. *eternity,* it. *eternità*). f. Perpetuidad que no tiene principio ni tendrá fin. ‖ fig. Duración dilatada de siglos y edades. ‖ Vida del alma humana, después de la muerte.

eternizar. tr. Hacer durar una cosa demasiado. Ú.t.c.r. ‖ Perpetuar la duración de una cosa.

eterno, na (al. *ewig,* fr. *éternel,* ingl. *eternal,* it. *eterno*). adj. Que no tuvo principio ni tendrá fin. ‖ Que no tiene fin. ‖ fig. Que dura por largo tiempo. ‖ n. p. m. TEOL. Padre Eterno. [*Sinón.:* imperecedero, inmortal, perenne. *Antón.:* efímero]

ética. f. Parte de la filosofía que trata de la moral y de las obligaciones del hombre.

ético, ca. adj. Perteneciente a la ética. ‖ m. Moralista.

etílico, ca. adj. Perteneciente, relativo al etilo o que lo contiene.

etilo. m. QUÍM. Radical del etano, formado por dos átomos de carbono y cinco de hidrógeno.

etimología (al. *Etymologie,* fr. *étymologie,* ingl. *etymology,* it. *etimologia*). f. Origen de las palabras, razón de su significación y de su forma. ‖ Parte de la gramática que estudia aisladamente las palabras consideradas en dichos aspectos.

etimológico, ca. adj. Perteneciente o relativo a la etimología.

etiología. f. FIL. Estudio sobre las causas de las cosas. ‖ MED. Parte de la medicina que estudia las causas de las enfermedades.

etíope, o etiope. adj. Natural de Etiopía. Ú.t.c.s. ‖ Etiópico. [*Sinón.:* abisinio]

etiópico, ca. adj. Perteneciente a Etiopía.

etiqueta (al. *Etikette,* fr. *étiquette,* ingl. *etiquette,* it. *etichetta*). f. Ceremonial que se debe observar en las cortes reales y en los actos públicos solemnes. ‖ Por ext., ceremonia en la manera de tratarse. ‖ Marbete, rótulo que se adhiere a los equipajes.

etmoidal. adj. ANAT. Relativo al hueso etmoides.

etmoides. adj. ANAT. Dícese de un hueso pequeño encajado en la escotadura del hueso frontal, y que concurre a formar la base del cráneo, las cavidades nasales y las órbitas. Ú.t.c.s.

étnico, ca. adj. Gentil, idólatra o pagano. ‖ Perteneciente a una nación o raza. ‖ GRAM. Adjetivo gentilicio.

etnogenia. f. Parte de la etnografía que estudia el origen y primitivo régimen de los pueblos.

etnografía. f. Ciencia que estudia y describe las razas o pueblos.

etnográfico, ca. adj. Referente a la etnografía.

etnógrafo, fa. s. Persona que profesa la etnografía.

etnología. f. Ciencia que estudia las razas y los pueblos en todos sus aspectos y relaciones.

etnólogo, ga. s. Persona que profesa la etnología.

etología. f. Estudio científico de los modos de comportamiento del hombre y de los animales.

etopeya. f. RET. Descripción del carácter, acciones y costumbres de una persona.

etrusco, ca. adj. Natural de Etruria. Ú.t.c.s. ‖ Perteneciente a este país de Italia antigua. ‖ m. Lengua que hablaron los etruscos.

eubolia. f. Virtud que ayuda a hablar convenientemente.

eucalipto (al. *Eukalyptus,* fr. *eucalyptus,* ingl. *eucalyptus,* it. *eucalipto*). m. BOT. Árbol mirtáceo que llega a alcanzar los cien metros de altura. Su madera se usa para la construcción, y el cocimiento de sus hojas es febrífugo.

eucaristía (al. *Abendmahlsfeier,* fr. *eucharistie,* ingl. *eucharist,* it. *eucaristia*). f. Sacramento mediante el cual, por las palabras que el sacerdote pronuncia, se transubstancian el pan y el vino en el cuerpo y la sangre de Cristo.

eucarístico, ca. adj. Perteneciente a la eucaristía.

euclidiano, na. adj. MAT. Perteneciente a Euclides o a su método.

eudiómetro. m. FÍS. Aparato consistente en un tubo de vidrio graduado con dos electrodos en su interior, que se utiliza para el análisis de gases.

eufemismo. m. RET. Forma de expresar con suavidad y decoro ideas cuya franca exposición sería malsonante.

eufonía. f. Sonoridad agradable que resulta de la acertada combinación de los elementos acústicos de la palabra.

eufónico, ca. adj. Que tiene eufonía.

euforbiáceo, a. adj. BOT. Dícese de plantas angiospermas dicotiledóneas, muchas de ellas con abundante látex; como el ricino. Ú.t.c.s.f. ‖ f. pl. Familia de estas plantas.

euforia (al. *Wohlbefinden*, fr. *euphorie*, ingl. *euphoria*, it. *euforia*). f. Capacidad para soportar el dolor y las adversidades. || MED. Estado normal de las funciones orgánicas; estado de salud. || Jovialidad, lozanía.

eufórico, ca. adj. Perteneciente o relativo a la euforia.

eugenesia. f. Aplicación de las leyes biológicas de la herencia al perfeccionamiento de la especie humana.

eunuco (al. *Eunuch*, fr. *eunuque*, ingl. *eunuch*, it. *eunuco*). m. Hombre castrado.

eupepsia. f. FISIOL. Digestión normal.

eupético, ca. adj. FARM. Dícese de la sustancia o medicamento que favorece la digestión.

eurasiático, ca. adj. Perteneciente o relativo a Europa y Asia consideradas como un todo geográfico.

¡eureka! Exclamación atribuida a Arquímedes, y que se usa como interjección de alegría cuando se halla o descubre algo que se busca con afán.

euritmia. f. Buena disposición y correspondencia de las partes de una obra de arte. [*Sinón.*: armonía]

euro. m. poét. Uno de los cuatro vientos cardinales, que sopla de oriente.

europeidad. f. Calidad o condición de europeo. || Carácter genérico de los pueblos que componen Europa.

europeísmo. m. Predilección por las cosas de Europa. || Carácter europeo.

europeización. f. Acción y efecto de europeizar.

europeizar. tr. Dar carácter europeo. || r. Tomar este carácter.

europeo, a. adj. Natural de Europa. Ú.t.c.s. || Perteneciente a Europa.

europio. m. QUÍM. Elemento químico perteneciente a las tierras raras, cuyas sales son de color rosa pálido.

euscalduna. adj. Se aplica al lenguaje vasco. Ú.t.c.s.m.

éuscaro, ra. adj. Perteneciente al lenguaje vascuence. || m. Lengua vasca.

eutanasia. f. MED. Muerte sin dolor.

evacuación. f. Acción y efecto de evacuar.

evacuar (al. *räumen*, fr. *évacuer*, ingl. *to evacuate*, it. *evacuare*). tr. Desocupar alguna cosa. || Expeler un ser orgánico humores y excrementos. || Desempeñar un encargo, informe o cosa semejante. || DER. Cumplir un trámite. || MIL. Dejar un lugar las tropas que había allí. [*Sinón.*: abandonar; excretar]

evacuatorio. m. Retrete público.

evadir (al. *entrinnen*, fr. *s'évader*, ingl. *to escape*, it. *evadere*). tr. Evitar un daño o peligro inminente. Ú.t.c.r. || r. Fugarse, escaparse. [*Sinón.*: rehuir; zafarse. *Antón.*: afrontar]

evaluación. f. Acción y efecto de evaluar.

evaluar (al. *abschätzen*, fr. *évaluer*, ingl. *to appraise*, it. *valutare*). tr. Valorar. || Estimar, apreciar el valor de las cosas no materiales. [*Sinón.*: valuar; tasar]

evanescente. adj. Que se desvanece o esfuma.

evangélico, ca. adj. Relativo al Evangelio. || Perteneciente al protestantismo. || Se aplica particularmente a la iglesia formada por la fusión del culto luterano y del calvinista.

evangelio (al. *Evangelium*, fr. *évangile*, ingl. *gospel*, it. *vangelo*). m. Historia de la vida de Jesucristo, repetida en los cuatro volúmenes escritos por los cuatro evangelistas. || Capítulo tomado de uno de los cuatro libros de los evangelistas, que se dice en la misa. || fig. Religión cristiana. || fig. y fam. Verdad indiscutible.

evangelista. m. Cada uno de los cuatro escritores sagrados que escribieron el Evangelio. || Persona destinada a cantar el Evangelio en las iglesias.

evangelización. f. Acción y efecto de evangelizar.

evangelizar (al. *das Evangelium predigen*, fr. *évangéliser*, ingl. *to evangelize*, it. *evangelizzare*). tr. Predicar la fe de Jesucristo o las virtudes cristianas.

evaporación. f. Acción y efecto de evaporar o evaporarse.

evaporar (al. *verdunsten*, fr. *évaporer*, ingl. *to evaporate*, it. *evaporare*). tr. Convertir en vapor. Ú.t.c.r. || fig. Disipar, desvanecer. Ú.t.c.r. || r. fig. Fugarse, desaparecer sin ser notado. [*Sinón.*: vaporizar; volatilizar]

evasión (al. *Entweichung*, fr. *évasión*, ingl. *escape*, it. *evasione*). f. Evasiva. || Fuga, huida.

evasiva. f. Excusa o medio para eludir una dificultad. [*Sinón.*: subterfugio]

evasivo, va. adj. Que incluye una evasiva o la favorece.

evección. f. ASTR. Desigualdad periódica en la forma y posición de la órbita de la Luna, ocasionada por la atracción del Sol.

evento. m. Acontecimiento, suceso imprevisto. || Acaecimiento.

eventración. f. Hernia de la pared abdominal.

eventual (al. *etwaig*, fr. *éventuel*, ingl. *eventual*, it. *eventuale*). adj. Sujeto a cualquier evento o contingencia. || Aplícase a los emolumentos anejos a un empleo fuera de su dotación fija. || Dícese de los empleos o cargos que no son definitivos. [*Sinón.*: accidental, fortuito, contingente. *Antón.*: fijo]

eventualidad. f. Calidad de eventual. || Hecho o circunstancia de realización incierta o conjeturable. [*Sinón.*: posibilidad, contingencia. *Antón:* certeza, realidad]

evicción. f. DER. Pérdida de un derecho por sentencia firme y en virtud de derecho anterior ajeno.

evidencia (al. *Offenkundigkeit*, fr. *évidence*, ingl. *evidence*, it. *evidenza*). f. Certeza clara y manifiesta. || *en evidencia.* m. adv. Con los verbos *poner*, *estar*, *quedar*, etc., en ridículo, en situación desairada. [*Sinón.*: claridad. *Antón.*: inseguridad]

evidenciar. tr. Hacer patente y manifiesta la certeza de una cosa. [*Sinón.*: probar, demostrar, patentizar]

evidente. adj. Cierto, claro, patente. || Se usa como expresión de asentimiento.

evitación. f. Acción y efecto de precaver y evitar que suceda algo.

evitar (al. *meiden*, fr. *éviter*, ingl. *to avoid*, it. *evitare*). tr. Apartar, impedir algún daño, peligro o molestia. || Huir de incurrir en algo. || Huir de tratar a uno. [*Sinón.*: eludir, esquivar, soslayar]

eviterno, na. adj. Que empezó en el tiempo y no tendrá fin.

evocación. f. Acción y efecto de evocar.

evocar (al. *hervorrufen*, fr. *évoquer*, ingl. *to evoke*, it. *evocare*). tr. Invocar a las almas de los muertos o a los espíritus. || fig. Traer alguna cosa a la memoria o a la imaginación. [*Sinón.*: rememorar, recordar. *Antón.*: olvidar]

evolución (al. *Entwicklung*, fr. *évolution*, ingl. *evolution*, it. *evoluzione*). f. Acción y efecto de evolucionar. || Desarrollo de las cosas o de los organismos. || Movimiento que hacen los buques o las tropas, pasando de unas formaciones a otras. || fig. Mudanza de conducta o de actitud. || fig. Desarrollo o transformación de las ideas o de las teorías. || FIL. Hipótesis que pretende explicar todos los fenómenos por transformaciones sucesivas de una sola realidad primaria, sometida a perpetuo movimiento intrínseco. [*Sinón.*: desarrollo; cambio]

evolucionar. intr. Desarrollarse los organismos o las cosas, pasando de un estado a otro. ‖ Hacer evoluciones la tropa o los buques. ‖ Mudar de conducta o de actitud. [*Sinón.*: desarrollar; maniobrar; cambiar]

evolucionismo. m. Doctrina filosófica fundada en la hipótesis de la evolución.

evolucionista. adj. Relativo a la evolución. ‖ Partidario del evolucionismo. Ú.t.c.s.

evolutivo, va. adj. Perteneciente a la evolución.

ex. prep. insep., por regla general, que normalmente denota fuera o más allá de cierto espacio o límite de lugar o tiempo. ‖ Antepuesta a nombres de dignidades o cargos, denota que los tuvo y ya no los tiene la persona de quien se hable. También se antepone a otros nombres o adjetivos de persona para indicar que ésta ha dejado de ser lo que aquéllos significan.

exabrupto. m. Salida de tono; dicho o ademán inconveniente o inesperado, expresado bruscamente.

ex abrupto. m. adv. Que explica la viveza y calor con que uno prorrumpe a hablar de forma imprevista.

exacción. f. Acción y efecto de exigir impuestos, multas, etc. ‖ Cobro injusto y violento.

exacerbación. f. Acción y efecto de exacerbar o exacerbarse.

exacerbar (al. *verbittern*, fr. *exacerber*, ingl. *to exacerbate*, it. *esacerbare*). tr. Irritar, causar grave enojo. Ú.t.c.r. ‖ Agravar o avivar una enfermedad, una pasión, una molestia, etc. Ú.t.c.r.

exactitud (al. *Genauigkeit*, fr. *exactitude*, ingl. *accuracy*, it. *esattezza*). f. Puntualidad y fidelidad en la ejecución de una cosa. [*Sinón.*: precisión, rigor. *Antón.*: inexactitud]

exacto, ta (al. *genau*, fr. *exact*, ingl. *accurate*, it. *esatto*). adj. Puntual, fiel y cabal.

exactor. m. Recaudador de los impuestos, tributos o emolumentos.

exageración (al. *Übertreibung*, fr. *exagération*, ingl. *exaggeration*, it. *esagerazione*). f. Acción y efecto de exagerar. ‖ Concepto, hecho o cosa que traspasa los límites de lo justo, verdadero o razonable. [*Sinón.*: hipérbole, exceso]

exagerado, da. p. p. de exagerar. ‖ adj. Excesivo.

exagerar (al. *übertreiben*, fr. *exagérer*, ingl. *to exaggerate*, it. *esagerare*). tr. Encarecer, dar proporciones excesivas a una cosa; decir o hacer algo que exceda de lo verdadero, justo o conveniente.

exaltación. f. Acción y efecto de exaltar o exaltarse. ‖ Gloria que resulta de una acción muy notable.

exaltado, da. p. p. de exaltar. ‖ adj. Que se exalta. Ú.t.c.s.

exaltar (al. *erhöhen*, fr. *exalter*, ingl. *to axalt*, it. *esaltare*). tr. Elevar a mayor auge o dignidad. ‖ fig. Realzar el mérito de uno con mucho encarecimiento. ‖ r. Dejarse arrebatar de una pasión, perdiendo la moderación. [*Sinón.*: ensalzar; enaltecer; enardecer. *Antón.*: denigrar; tranquilizarse]

examen (al. *Prüfung*, fr. *examen*, ingl. *examination*, it. *esame*). m. Indagación, estudio de una cosa o de un hecho. ‖ Prueba que se hace de la idoneidad de un sujeto. ‖ — de conciencia. Recordación de las palabras, obras y pensamientos conforme a las obligaciones de cristiano. [*Sinón.*: Investigación, exploración; ejercicio, prueba]

examinador, ra. s. Persona que examina.

examinando, da. s. Persona que está pasando un examen o va a ser examinado.

examinar (al. *prüfen*, fr. *examiner*, ingl. *to examine*, it. *esaminare*). tr. Inquirir, investigar, escudriñar con diligencia una cosa. ‖ Probar o tantear la idoneidad y suficiencia de los que quieren profesar una facultad, ganar cursos, etc. Ú.t.c.r. [*Sinón.*: inspeccionar, considerar; juzgar, aquilatar]

exangüe. adj. Desangrado, falto de sangre. ‖ fig. Sin fuerzas, aniquilado. ‖ fig. Muerto, sin vida.

exánime. adj. Sin señales de vida. ‖ fig. Sumamente debilitado; desmayado.

exantema. m. PAT. Erupción cutánea, más o menos rojiza, que acompaña a ciertas enfermedades.

exantemático, ca. adj. Perteneciente al exantema o acompañado de esta erupción.

exarca. m. Gobernador que algunos emperadores de Oriente enviaban a Italia. ‖ En la iglesia griega, dignidad inmediatamente inferior a la de patriarca.

exarcado. m. Dignidad de exarca. ‖ Tiempo que duraba el gobierno de un exarca. ‖ Territorio gobernado por un exarca.

exasperación. f. Acción y efecto de exasperar o exasperarse.

exasperar (al. *zur Verzweiflung bringen*, fr. *exaspérer*, ingl. *to exasperate*, it. *esasperare*). tr. Irritar una parte dolorida o delicada. Ú.t.c.r. ‖ fig. Irritar, dar motivo de enojo grande a uno.

excarcelación. f. Acción y efecto de excarcelar.

excarcelar. tr. Poner en libertad al preso. Ú.t.c.r.

ex cátedra. m. adv. lat. Desde la cátedra de san Pedro. Dícese de las definiciones hechas por el Papa sobre puntos dogmáticos o de moral. ‖ fig. y fam. En tono magistral y decisivo.

excautivo, va. adj. Que ha padecido cautiverio. Ú.t.c.s.

excavación. f. Acción y efecto de excavar.

excavador, ra. adj. Que excava. Ú.t.c.s. ‖ f. Máquina para excavar.

excavar (al. *ausgraben*, fr. *excaver*, ingl. *to excavate*, it. *scavare*). tr. Hacer hoyo o cavidad. ‖ Hacer en el terreno hoyos, zanjas, desmontes o galerías subterráneas. ‖ AGR. Descubrir y quitar la tierra de alrededor de las plantas. [*Sinón.*: ahoyar; socavar, zapar]

excedencia. f. Condición de excedente. ‖ Haber que percibe el oficial público que está excedente.

excedente. p. a. de exceder. ‖ adj. Excesivo. ‖ Sobrante, que sobra. Ú.t.c.s.m. ‖ Se dice del oficial público que temporalmente deja de ejercer cargo. [*Sinón.*: sobreabundante; disponible]

exceder (al. *übertreffen*, fr. *surpasser*, ingl. *to surpass*, it. *eccedere*). tr. Ser una persona o cosa más grande o aventajada que otra. ‖ intr. Propasarse de lo lícito o razonable. Ú.m.c.r. [*Sinón.*: superar, sobresalir; extralimitarse]

excelencia. f. Superior calidad o bondad. ‖ Tratamiento de respeto que se da a algunas personas por su dignidad o empleo.

excelente (al. *vortrefflich*, fr. *excellent*, ingl. *excellen*, it. *eccellente*). adj. Que sobresale en bondad, mérito o estimación.

excelso, sa. adj. Muy elevado, alto, eminente. ‖ fig. De singular excelencia.

excentricidad. f. Rareza o extravagancia de carácter. ‖ Dicho o hecho raro o extravagante. ‖ MAT. Distancia que media entre el centro de la elipse y uno de sus focos.

excéntrico, ca (al. *überspannt*, fr. *excentrique*, ingl. *eccentric*, it. *eccentrico*). adj. De carácter raro, extravagante. ‖ MAT. Que está fuera del centro o que tiene un centro diferente. ‖ m.

Artista de circo que practica ejercicios originales o extraños. || f. MEC. Pieza que gira alrededor de un punto que no es su centro geométrico. Ú.t.c.s.m. [*Sinón.*: estrafalario, estrambótico. *Antón.*: normal, vulgar]

excepción (al. *Ausnahme*, fr. *exception*, ingl. *exception*, it. *eccezione*). f. Acción y efecto de exceptuar. || Cosa que se aparta de la regla o condición general de las demás de su especie. || DER. Forma tipificada por el derecho de oponerse a una acción.

excepcional. adj. Que es excepción de la regla común. || Que se aparta de lo ordinario o que ocurre rara vez. [*Sinón.*: extraño, extraordinario, insólito]

excepto. adv. m. A excepción de, fuera de, menos.

exceptuar (al. *ausschliessen*, fr. *excepter*, ingl. *to except*, it. *eccettuare*). tr. Excluir de la generalidad o de la regla común. Ú.t.c.r.

excesivo, va. (al. *übermässig*, fr. *excessif*, ingl. *excessive*, it. *eccessivo*). adj. Que excede y sale de la regla.

exceso (al. *Übermass*, fr. *excès*, ingl. *excess*, it. *eccesso*). m. Parte que excede o pasa de la medida o regla. || Lo que sale en cualquier línea de los límites de lo ordinario o de lo lícito. || Aquello en que una cosa excede a otra. || Abuso, delito o crimen. Ú.m. en pl. [*Sinón.*: sobrante; residuo; superabundancia; intemperancia, libertinaje. *Antón.*: escasez; defecto]

excipiente. m. FARM. Sustancia inerte que se mezcla con los medicamentos para darles la forma o calidad convenientes para su uso.

excitabilidad. f. Calidad de excitable.

excitable. adj. Capaz de ser excitado. || Que se excita fácilmente.

excitación. f. Acción y efecto de excitar o excitarse. || BIOL. Efecto que produce un excitante al actuar sobre una célula, un órgano o un organismo.

excitador, ra. adj. Que produce excitación. || m. FÍS. Aparato para producir la descarga eléctrica entre dos puntos de potenciales muy diferentes.

excitante. p. a. de excitar. || adj. Que excita. Ú.t.c.s.m. || BIOL. Toda excitación del medio en que se halla una célula, un organismo o un órgano.

excitar (al. *erregen*, fr. *exciter*, ingl. *to excite*, it. *eccitare*). tr. Estimular, provocar algún sentimiento, pasión o movimiento. ||r. Animarse por el enojo, la alegría, etc. [*Sinón.*: impulsar; acalorarse, alterarse. *Antón.*: tranquilizarse, desanimar]

exclamación (al. *Ausruf*, fr. *exclamation*, ingl. *exclamation*, it. *esclamazione*). f. Voz, grito o frase en que se refleja una emoción del ánimo.

exclamar (al. *ausrufen*, fr. *s'ecrier*, ingl. *to cry out*, it. *esclamare*). intr. Emitir palabras con fuerza o vehemencia. Ú.t.c. tr.

exclaustración. f. Acción y efecto de exclaustrar.

exclaustrar. tr. Permitir u ordenar a un religioso que abandone el claustro.

excluir (al. *ausschliessen*, fr. *exclure*, ingl. *to exclude*, it. *escludere*). tr. Echar a una persona o cosa fuera del lugar que ocupaba. || No admitir la entrada ni la participación de una persona en un lugar o asunto. || Descartar, rechazar o negar la posibilidad de alguna cosa. [*Sinón.*: eliminar, expulsar; desechar. *Antón.*: incluir]

exclusión. f. Acción y efecto de excluir.

exclusiva (al. *Vorzugsrecht*, fr. *privilège*, ingl. *sole right*, it. *esclusiva*). f. Repulsa para no admitir a alguien en un empleo, comunidad o cargo. || Privilegio de hacer algo prohibido a los demás. || Concesión, patente de explotación comercial.

exclusive. adv. m. Con exclusión. || Sin tener en cuenta el último número o elemento mencionado.

exclusividad. f. Calidad de exclusivo.

exclusivismo. m. Obstinada adhesión a una persona, a una cosa o a una idea, con exclusión de cualquier otra.

exclusivista. adj. Relativo al exclusivismo. || Dícese de la persona que practica el exclusivismo. Ú.t.c.s.

exclusivo, va (al. *ausschliesslich*, fr. *exclusif*, ingl. *exclusive*, it. *esclusivo*). adj. Que excluye o tiene fuerza y virtud para excluir. || Único, solo.

excluyente. adj. Que excluye, deja fuera o rechaza.

excogitar. tr. Encontrar una cosa con el discurso y la meditación.

excombatiente. adj. Que peleó bajo alguna bandera o por alguna causa política. Ú.t.c.s.

excomulgar (al. *exkommunizieren*, fr. *excommunier*, ingl. *to excommunicate*, it. *scomunicare*). tr. Apartar de la comunión de los fieles y del uso de los sacramentos.

excomunión (al. *Kirchenbann*, fr. *excommunication*, ingl. *excommunication*, it. *scomunica*). f. Acción y efecto de excomulgar. || Carta y edicto con que se intima y publica la censura.

excoriación. f. Acción y efecto de excoriar o excoriarse.

excoriar. tr. Gastar o arrancar el cutis o el epitelio. Ú.m.c.r.

excrecencia. f. Carnosidad o superfluidad que altera la superficie de animales y plantas. [*Sinón.*: carnosidad]

excreción. f. Acción y efecto de excretar.

excrementar. tr. Deponer los excrementos.

excremento (al. *Kot*, fr. *excrément*, ingl. *excrement*, it. *escremento*). m. Materia fecal, residuos de las sustancias sometidas a digestión. || El que se produce en las plantas por putrefacción. || Cualquier materia asquerosa despedida por la nariz, boca, etc.

excretar (al. *aussondern*, fr. *excréter*, ingl. *to excrete*, it. *escretare*). intr. Expeler los excrementos. || Eliminar del cuerpo las sustancias elaboradas por algunas glándulas. [*Sinón.*: excrementar; soltar]

excretor, ra. adj. ANAT. Excretorio. || Dícese del conducto por el que salen de las glándulas los productos que éstas han elaborado.

excretorio, ria. adj. ANAT. Dícese de los órganos que sirven para excretar.

exculpación. f. Acción y efecto de exculpar o exculparse. || Hecho o circunstancia que exonera de culpa.

exculpar. tr. Librar a uno de culpa. Ú.t.c.r.

excursión (al. *Ausflug*, fr. *excursion*, ingl. *excursion*, it. *escursione*). f. Correría. || Viaje a algún lugar para estudio, recreo o ejercicio físico.

excursionismo. m. Ejercicio y práctica de las excursiones como deporte o con fin científico o artístico.

excursionista. com. Persona que hace excursiones.

excusa (al. *Entschuldigung*, fr. *excuse*, ingl. *excuse*, it. *scusa*). f. Acción y efecto de excusar o excusarse. || Motivo o pretexto que se utiliza como disculpa. [*Sinón.*: subterfugio, pretexto]

excusado, da. adj. Separado del uso común. || m. retrete.

excusar (al. *entschuldigen*, fr. *s'excuser*, ingl. *to excuse one's self*, it. *scusarsi*). tr. Alegar razones para sacar a uno libre de la culpa que se le imputa. Ú.t.c.r. || Evitar que se ejecute o suceda algo perjudicial. || Rehusar a hacer una cosa. Ú.t.c.r. || Eximir del pago de tributos o de un servicio personal. [*Sinón.*: justificarse; eludir. *Antón.*: acusar]

execrable. adj. Digno de execración.

execración. f. Acción y efecto de execrar. ‖ Pérdida del carácter sagrado de un lugar por profanación o por accidente.

execrar (al. *verfluchen*, fr. *exécrer*, ingl. *to curse*, it. *esecrare*). tr. Condenar y maldecir. ‖ Aborrecer, detestar. ‖ Vituperar o reprobar severamente. [*Sinón*.: abominar. *Antón*.: bendecir]

exedra. f. ARQ. Construcción descubierta, de planta semicircular, con asientos fijos en la parte interior de la curva.

exégesis o **exegesis.** f. Explicación, interpretación, especialmente de los libros de las Sagradas Escrituras.

exegeta. m. Intérprete o expositor de las Sagradas Escrituras. ‖ Por ext., intérprete de cualquier texto.

exención (al. *Befreiung*, fr. *exemption*, ingl. *exemption*, it. *esenzione*). f. Efecto de eximir o eximirse. ‖ Libertad que uno goza para eximirse de alguna obligación. [*Sinón*.: liberación, exoneración. *Antón*.: carga]

exentar. tr. Dejar exento. Ú.t.c.r.

exento, ta. p. p. irreg. de eximir. ‖ adj. Libre de una cosa. ‖ Aplícase a personas o cosas no sometidas a la jurisdicción ordinaria.

exequátur. m. Pase que da la autoridad civil de un Estado a las bulas pontificias para su observancia. ‖ Autorización del jefe de un Estado a los agentes extranjeros para que en su territorio puedan ejercer las funciones propias de sus cargos.

exequias. f. pl. Honras fúnebres.

exergo. m. Parte de una moneda o medalla donde se pone una inscripción debajo del tipo o figura.

exfoliación. f. Acción y efecto de exfoliar o exfoliarse. ‖ MED. Pérdida o caída de la epidermis en forma de escamas.

exfoliar. tr. Dividir una cosa en láminas o escamas. Ú.t.c.r.

exhalación. f. Acción y efecto de exhalar o exhalarse. ‖ Estrella fugaz. ‖ Rayo, centella. ‖ Vapor que un cuerpo echa de sí por evaporación.

exhalar (al. *ausatmen*, fr. *exhaler*, ingl. *to breath out*, it. *esalare*). tr. Despedir gases, vapores u olores. ‖ fig. Dicho de suspiros, quejas, etc., lanzarlos, despedirlos. [*Sinón*.: emanar; emitir. *Antón*.: inhalar]

exhaustivo, va. adj. Que agota o apura por completo.

exhausto, ta. (al. *erschöpft*, fr. *épuisé*, ingl. *exhausted*, it. *esaurito*). adj. Enteramente apurado y agotado.

exhibición. f. Acción y efecto de exhibir.

exhibicionismo. m. Prurito de exhibir o exhibirse.

exhibicionista. com. Persona aficionada al exhibicionismo.

exhibir (al. *ausstellen*, fr. *exhiber*, ingl. *to display*, it. *esibere*). tr. Manifestar, mostrar en público. Ú.t.c.r. ‖ DER. Presentar documentos ante quien corresponda. [*Sinón*.: exponer, publicar. *Antón*.: ocultar]

exhortación. f. Acción de exhortar. ‖ Advertencia o aviso. ‖ Plática, sermón familiar y breve.

exhortar (al. *ermahnen*, fr. *exhorter*, ingl. *to exhort*, it. *esortare*). tr. Inducir con razones o ruegos a que se haga o deje de hacer algo. [*Sinón*.: aconsejar, sermonear]

exhorto. m. DER. Despacho que libra un juez a su igual para que mande dar cumplimiento a lo que le pide.

exhumación. f. Acción de exhumar.

exhumar (al. *ausgraben*, fr. *exhumer*, ingl. *to exhume*, it. *esumare*). tr. Desenterrar un cadáver o restos humanos. ‖ fig. Sacar a la luz lo perdido u olvidado.

exigencia (al. *Forderung*, fr. *exigence*, ingl. *exigency*, it. *esigenza*). f. Acción y efecto de exigir. ‖ Pretensión caprichosa o desmedida.

exigente. p. a. de exigir. ‖ adj. Dícese del que exige algo caprichosa o despóticamente. Ú.t.c.s.

exigir (al. *fordern*, fr. *exiger*, ingl. *to demand*, it. *esigere*). tr. Cobrar, sacar de uno por autoridad pública dinero u otra cosa. ‖ fig. Necesitar una cosa algún requisito para que se haga. ‖ fig. Demandar imperiosamente. [*Sinón*.: conminar, reclamar, requerir. *Antón*.: dispensar]

exigüidad. f. Calidad de exiguo.

exiguo, gua. adj. Insuficiente, escaso.

exiliado, da. adj. Expatriado, generalmente por motivos políticos. Ú.t.c.s.

exiliar. tr. Expulsar a uno de un territorio. ‖ r. Expatriarse, en general por motivos políticos.

exilio (al. *Landesverweisung*, fr. *exile*, ingl. *exile*, it. *esilio*). m. Expatriación, generalmente por motivos políticos. ‖ Efecto de estar exiliada una persona. ‖ Lugar en que vive el exiliado.

eximente. p. p. de eximir. ‖ adj. Que exime. Ú.t.c.s.f.

eximio, mia. adj. Muy excelente.

eximir (al. *befreien*, fr. *affranchir*, ingl. *to free from*, it. *esimere*). tr. Libertar de cargas, cuidados, culpas, etc. Ú.t.c.r. [*Sinón*.: desligar, relevar. *Antón*.: obligar, condenar]

existencia (al. *Existenz*, fr. *existence*, ingl. *existence*, it. *esistenza*). f. Acto de existir. ‖ Vida del hombre. ‖ FIL. Por oposición a esencia, la realidad concreta de un ente cualquiera. ‖ pl. Cosas que no han tenido aún la salida o empleo a que están destinadas.

existencial. adj. Perteneciente o relativo al acto de existir.

existencialismo. m. Teoría filosófica que funda el conocimiento de la realidad en la experiencia inmediata de la existencia propia.

existencialista. adj. Perteneciente al existencialismo. ‖ Partidario del existencialismo. Ú.m.c.s.

existir (al. *bestehen*, fr. *exister*, ingl. *to exist*, it. *esistere*). intr. Tener una cosa ser real y verdadero. ‖ Tener vida. ‖ Estar, hallarse. [*Sinón*.: vivir, ser. *Antón*.: inexistir, faltar]

éxito (al. *Erfolg*, fr. *succès*, ingl. *success*, it. *successo*). m. Fin o terminación de un negocio o dependencia. ‖ Resultado feliz de un negocio, actuación, etc. [*Sinón*.: triunfo, victoria. *Antón*.: fracaso]

ex libris. m. Cédula que se pone en el reverso de la tapa de los libros y en la que consta el nombre del dueño o el de la biblioteca a que pertenecen.

Éxodo (al. *Auszug*, fr. *Exode*, ingl. *Exodus*, it. *Esodo*). n. p. m. Segundo libro del Pentateuco, en el que se refiere la salida de los israelitas de Egipto. ‖ fig. Emigración.

exoftalmía. f. MED. Síntoma de varias enfermedades, que consiste en la situación saliente del globo ocular.

exogamia. f. Casamiento entre individuos de distinta tribu o familia. ‖ BIOL. Fecundación o conjugación de dos gametos no procedentes de la misma célula. [*Antón*.: endogamia]

exógeno, na. adj. Que se origina en el exterior del cuerpo; que es debido a una causa externa. [*Antón*.: endógeno]

exoneración. f. Acción y efecto de exonerar o exonerarse.

exonerar. (al. *entlasten*, fr. *exonérer*, ingl. *exonerate*, it. *esonerare*). tr. Aliviar, descargar de un peso u obligación. Ú.t.c.r. ‖ Privar o destituir de un empleo. [*Sinón*.: eximir]

exorbitante. adj. Que excede mucho del orden y término regular.

exorcismo. m. Conjuro ordenado por la Iglesia contra el maligno.

exorcista. m. El que tiene potestad para exorcizar.

exorcizar. tr. Usar de exorcismos.

exordio. m. Introducción, preámbulo de una obra literaria o de un discurso. ‖ Preámbulo de un razonamiento o conversación familiar. [Sinón.: prólogo, proemio]

exornación. f. Acción y efecto de exornar o exornarse.

exornar. tr. Adornar, hermosear. Ú.t.c.r. ‖ Embellecer el lenguaje escrito o hablado con galas retóricas.

exorno. m. Acción y efecto de exornar.

exósmosis o **exosmosis.** f. Fís. Corriente de dentro a fuera que se establece cuando dos líquidos de distinta densidad están separados por una membrana. [Antón.: endósmosis]

exotérico, ca. adj. Común, accesible para el vulgo. [Sinón.: vulgar]

exotérmico, ca. adj. Quím. Dícese de las relaciones químicas que se producen con desprendimiento de calor.

exótico, ca (al. exotisch, fr. exotique, ingl. exotic, it. esotico). adj. Extranjero, peregrino. ‖ Extraño, extravagante.

exotismo. m. Calidad de exótico.

expandir. tr. Extender, dilatar, ensanchar, difundir. Ú.t.c.r.

expansibilidad. f. Fís. Propiedad que tiene un cuerpo de poder ocupar mayor espacio del que ocupa.

expansión (al. Ausdehnung, fr. expansion, ingl. expansion, it. espansione). f. Fís. Acción y efecto de extenderse o dilatarse. ‖ fig. Acción de manifestar de modo efusivo cualquier afecto o pensamiento. ‖ Recreo, asueto, solaz. [Sinón.: extensión; efusión]

expansionarse. r. Espontanearse, desahogarse.

expansivo, va. adj. Que puede o tiende a extenderse o dilatarse. ‖ fig. Franco, comunicativo.

expatriación. f. Acción y efecto de expatriarse o ser expatriado.

expatriado, da. p. p. de expatriarse. ‖ adj. Que se expatria. Ú.t.c.s.

expatriarse. r. Abandonar uno su patria. Ú.t.c. tr.

expectación (al. Erwartung, fr. attentte, ingl. expectation, it. aspettazione). f. Intensidad con que se espera una cosa. ‖ Contemplación de lo que se expone o muestra al público.

expectante. adj. Que espera observando o está al tanto de una cosa.

expectativa. f. Esperanza de conseguir una cosa, si se depara la oportunidad que se desea.

expectoración. f. Acción y efecto de expectorar. ‖ Lo que se expectora.

expectorar. tr. Arrancar y arrojar por la boca las flemas y secreciones que se depositan en los órganos respiratorios.

expedición (al. Expedition, fr. expédition, ingl. expedition, it. spedizione). f. Acción y efecto de expedir. ‖ Desembarazo y prontitud en decir y hacer. ‖ Excursión para realizar una empresa en un punto distante. ‖ Conjunto de personas que la realizan.

expedicionario, ria. adj. Que lleva a cabo una expedición. Ú.t.c.s.

expedientar. tr. Someter a expediente a un funcionario.

expediente (al. Akten, fr. dossier, ingl. proceedings, it. incartamento). m. Dependencia o negocio que se sigue sin juicio contradictorio en los tribunales. ‖ Conjunto de todos los papeles correspondientes a un asunto o negocio. ‖ Despacho, curso en los negocios y causas. ‖ Procedimiento administrativo en que se enjuicia la actuación de un funcionario. ‖ cubrir uno el expediente. fig. y fam. Aparentar que se cumple una obligación o hacer lo menos posible para cumplirla.

expedir (al. austellen, fr. expédier, ingl. to issue, it. spedire). tr. Dar curso a las causas y negocios. ‖ Despachar, extender por escrito un documento. ‖ Remitir, enviar mercancías, telegramas, pliegos, etc.

expeditivo, va. adj. Que tiene facilidad en dar expediente o salida a un asunto sin muchos trámites ni complicaciones. ‖ Que obra con eficacia y rapidez.

expedito, ta. adj. Desembarazado; pronto a obrar.

expeler. tr. Arrojar, echar de alguna parte a una persona o cosa.

expendedor, ra. adj. Que gasta o expende. Ú.t.c.s. ‖ s. Persona que vende efectos de otro, y particularmente la que vende tabacos, sellos, etc., en los estancos, o billetes de entrada para espectáculos.

expendeduría. f. Tienda en la que se vende al por menor tabaco u otros efectos monopolizados. [Sinón.: estanco]

expender. tr. Gastar, hacer expensas. ‖ Vender efectos de propiedad ajena por encargo de su dueño. ‖ Vender al menudeo.

expensas. f. pl. Gastos, costas. ‖ a expensas. m. adv. A costa, por cuenta, a cargo.

experiencia (al. Erfahrung, fr.

expérience, ingl. experience, it. esperienza). f. Enseñanza que se adquiere con el uso o la práctica, o sólo con el vivir. ‖ Experimento.

experimentación. f. Acción y efecto de experimentar. ‖ Método científico de indagación, fundado en la producción voluntaria de los fenómenos.

experimental. adj. Fundado en la experiencia.

experimentar (al. versuche anstellen, fr. expérimenter, ingl. to test, it. sperimentare). tr. Probar y examinar prácticamente la virtud y propiedades de una cosa. ‖ Hacer operaciones destinadas a descubrir, comprobar o demostrar determinados fenómenos o principios científicos. ‖ Notar, echar de ver en sí una cosa. ‖ Hablando de impresiones, sensaciones o sentimientos, tenerlos. ‖ Recibir las cosas una modificación o cambio. [Sinón.: ensayar]

experimento. (al. Experiment, fr. essai, ingl. experiment, it. sperimento). m. Acción y efecto de experimentar.

experto, ta. adj. Práctico, hábil, experimentado. ‖ m. Perito.

expiación. f. Acción y efecto de expiar.

expiar (al. sühnen, fr. expier, ingl. to expiate, it. espiare). tr. Borrar las culpas por medio de un sacrificio. ‖ Sufrir el delincuente la pena impuesta por los tribunales. ‖ fig. Padecer las consecuencias de desaciertos o malos procederes. ‖ fig. Purificar una cosa profanada. [Sinón.: purgar; cumplir]

expiatorio, ria. adj. Que se hace por expiación, o que la produce.

expiración. f. Acción y efecto de expirar.

expirar (al. ausatmen, fr. expirer, ingl. to expire, it. spirare). intr. Morir, acabar la vida. ‖ fig. Fenecer, acabarse una cosa.

explanación. f. Acción y efecto de explanar. ‖ Acción y efecto de allanar un terreno.

explanada. f. Espacio de terreno allanado. ‖ Fort. Declive del camino cubierto hacia la campaña. ‖ Parte más elevada de la muralla.

explanar. tr. Allanar, poner llana una superficie. ‖ Dar al terreno la nivelación o el declive que se desea. ‖ fig. Declarar, explicar.

explayar. tr. Ensanchar, extender. Ú.t.c.r. ‖ r. fig. Difundirlo, dilatarse, extenderse. ‖ fig. Esparcirse, irse a divertir al campo. ‖ fig. Confiarse a una persona, comunicándole algún secreto o intimidad.

expletivo, va. adj. Aplícase a las voces o partículas que, sin ser necesarias para el sentido, se emplean para hacer más llena o armoniosa la locución.

explicación (al. *Erklärung*, fr. *explication*, ingl. *explanation*, it. *spiegazione*). f. Exposición de cualquier materia con palabras claras o ejemplos, para que se haga más perceptible. || Satisfacción que se da por una ofensa. || Manifestación o revelación de la causa o motivo de alguna cosa.

explicaderas. f. pl. fam. Manera de explicarse o darse a entender cada cual.

explicar (al. *erklären*, fr. *expliquer*, ingl. *to explain*, it. *spiegare*). tr. Declarar, dar a conocer a otro lo que uno piensa. Ú.t.c.r. || Declarar o exponer cualquier materia de manera que se haga más perceptible. || Enseñar en la cátedra. || Justificar, dar satisfacción por una ofensa. || Dar a conocer la causa o motivo de alguna cosa. || r. Llegar a comprender la razón de alguna cosa; darse cuenta de ella. [*Sinón.*: manifestar]

explícito, ta. adj. Que expresa clara y determinantemente una cosa. [*Antón.*: implícito]

explicitud. f. Calidad de explícito.

exploración. (al. *Erforschung*, fr. *exploration*, ingl. *exploration*, it. *esplorazione*). f. Acción y efecto de explorar. || MED. Examen funcional de órganos, vísceras o de todo el organismo con fines de diagnóstico.

explorador, ra (al. *forscher*, it. *explorateur*, ingl. *explorer*, it. *esploratore*). adj. Que explora. Ú.t.c.s. || m. Muchacho afiliado a cierta asociación educativa, patriótica o deportiva.

explorar (al. *erforschen*, fr. *explorer*, ingl. *to explore*, it. *esplorare*). tr. Reconocer, registrar, averiguar con diligencia una cosa o un lugar. [*Sinón.*: investigar, examinar, indagar]

explosión (al. *Explosion*, fr. *explosion*, ingl. *explosion*, it. *esplosione*). f. Acción de reventar con estruendo. || Dilatación repentina de un gas expelido del cuerpo que lo contiene, sin que éste estalle ni se rompa. || fig. Manifestación súbita y violenta de ciertos afectos del ánimo.

explosionar. intr. Hacer explosión. || tr. Provocar una explosión.

explosivo, va (al. *explosiv*, fr. *explosif*, ingl. *explosive*, it. *esplosivo*). adj. Que hace o puede hacer explosión. || QUÍM. Que se incendia con explosión, como los fulminantes. Ú.t.c.s.m.

explotación. f. Acción y efecto de explotar. || Conjunto de elementos dedicados a una industria o granjería.

explotador, ra. adj. Que explota. Ú.t.c.s.

explotar (al. *ausnützen*, fr. *exploiter*, ingl. *to exploit*, it. *sfruttare*). tr. Extraer de las minas la riqueza que contienen. || fig. Sacar utilidad de un negocio o industria en provecho propio. || fig. Aplicar en provecho propio de un modo abusivo las cualidades o sentimientos de una persona, o de un suceso o circunstancia cualquiera. || intr. Explosionar, estallar, hacer explosión.

expoliación. f. Acción y efecto de expoliar.

expoliar. tr. Despojar con violencia o iniquidad. [*Sinón.*: robar]

expolio. m. Acción y efecto de expoliar. || Botín del vencedor.

exponencial. adj. MAT. Dícese de la cantidad elevada a una potencia cuyo exponente es desconocido.

exponente (al. *Exponent*, fr. *exposant*, ingl. *exponent*, it. *esponente*). adj. Que expone. Ú.t.c.s. || m. MAT. Número o expresión algebraica que denota la potencia a que se ha de elevar otro número u otra expresión.

exponer (al. *ausstellen*, fr. *exposer*, ingl. *to show*, it. *esporre*). tr. Presentar una cosa para que sea vista, ponerla de manifiesto. || Colocar una cosa para que reciba la acción de un agente físico. || Declarar, interpretar, explicar el sentido genuino de una palabra, texto o doctrina que puede tener varios y es difícil de entender. || Arriesgar. Ú.t.c.r. [*Sinón.*: mostrar; aventurar. *Antón.*: ocultar]

exportación (al. *Ausfuhr*, fr. *exportation*, ingl. *export*, it. *esportazione*). f. Acción y efecto de exportar. || Conjunto de mercaderías que se exportan.

exportador, ra. adj. Que exporta. Ú.t.c.s.

exportar (al. *ausführen*, fr. *exporter*, ingl. *to export*, it. *esportare*). tr. Enviar géneros del propio país a otro.

exposición (al. *Ausstellung*, fr. *exposition*, ingl. *exhibition*, it. *mostra*). f. Acción y efecto de exponer o exponerse. || Representación que se hace por escrito, pidiendo o reclamando una cosa. || Manifestación pública de artículos de industria o arte. || FOTOGR. Espacio de tiempo durante el cual se expone a la luz una placa fotográfica o un papel sensible para que se impresione. [*Sinón.*: explicación]

exposímetro. m. FOTOGR. Instrumento para determinar el tiempo de exposición de acuerdo con la intensidad de la luz.

expósito, ta (al. *findling*, fr. *enfant trouvé*, ingl. *foundling*, it. *trovatello*). adj. Dícese del recién nacido abandonado por sus padres y que queda al cuidado de una institución benéfica. Ú.m.c.s.

expositor, ra. adj. Que interpreta, expone y declara una cosa. Ú.t.c.s. || s. Persona que concurre a una exposición pública con objetos de su propiedad o industria.

exprés. adj. Expreso, dicho del tren. Ú.t.c.s. || Expreso, dicho del café. Ú.t.c.s.

expresar (al. *ausdrücken*, fr. *exprimer*, ingl. *to express*, it. *esprimere*). tr. Decir, manifestar con palabras lo que uno quiere dar a entender. || Dar indicio del estado o de los movimientos del ánimo por medio de miradas, actitudes, gestos u otros medios exteriores. || r. Hacerse entender por medio de la palabra. [*Sinón.*: decir. *Antón.*: callar]

expresión (al. *Äusserung*, fr. *expression*, ingl. *statement*, it. *espressione*). f. Declaración de una cosa para darla a entender. || Palabra o locución. || Efecto de expresar algo sin palabras. || Cosa que se regala en demostración de afecto a quien se quiere obsequiar. || Acción de exprimir. || MAT. En álgebra, conjunto de términos que representan una cantidad. || pl. Memorias, recuerdos, saludos.

expresionismo. m. Tendencia artística que, como reacción contra el impresionismo, propugna la intensidad de la expresión sincera aun a costa del equilibrio formal.

expresividad. f. Calidad de expresivo.

expresivo, va. adj. Dícese de la persona que manifiesta con gran viveza lo que siente o piensa. También se aplica a la frase, ademán, acto, etc., que expresa con gran eficacia una cosa. || Cariñoso.

expreso, sa. adj. Claro, patente, especificado. || Se dice del café hecho en máquina con agua a presión. Ú.t.c.s.m. || m. Tren expreso. || adv. m. Ex profeso, con particular intento.

exprimir (al. *ausdrücken*, fr. *presser*, ingl. *to press out*, it. *spremere*). tr. Extraer el jugo de una cosa por presión o torsión. || fig. Estrujar, agotar una cosa.

ex profeso. m. adv. De propósito, con particular intención.

expropiación. f. Acción y efecto de expropiar. ‖ Cosa expropiada. Ú.m. en pl.

expropiar (al. *enteignen*, fr. *exproprier*, ingl. *to expropriate*, it. *espropiare*). tr. Despojar de una cosa a su propietario, dándole a cambio, por lo común, una indemnización.

expuesto, ta. p. p. irreg. de exponer. ‖ adj. Peligroso.

expugnación. f. Acción y efecto de expugnar.

expugnar. tr. Tomar por fuerza de armas una ciudad, un castillo, etc.

expulsar. tr. Expeler, echar fuera.

expulsión (al. *Austreibung*, fr. *expulsión*, ingl. *expulsion*, it. *espulsione*). f. Acción y efecto de expeler o de expulsar.

expulsor, ra. adj. Que expulsa. ‖ m. En algunas armas de fuego, mecanismo para expulsar los cartuchos vacíos.

expurgación. f. Acción y efecto de expurgar.

expurgar. tr. Limpiar o purificar una cosa. ‖ fig. Tachar algún pasaje de un libro o impreso por orden de la autoridad competente.

expurgo. m. Expurgación.

exquisitez. f. Calidad de exquisito.

exquisito, ta (al. *köstlich*, fr. *exquis*, ingl. *exquisite*, it. *squisito*). adj. De singular y extraordinaria calidad, primor o gusto. [*Sinón.*: delicado, fino, excelente]

extasiarse. r. Arrobarse.

éxtasis (al. *Verzükung*, fr. *extase*, ingl. *ecstasy*, it. *estasi*). m. Estado preternatural del alma. ‖ Estado del alma embargada por un sentimiento de alegría, admiración, etc.

extático, ca. adj. Que está en éxtasis o lo tiene con frecuencia.

extemporáneo, a. adj. Impropio del tiempo en que sucede o se hace. ‖ Inoportuno.

extender (al. *ausbreiten*, fr. *étendre*, ingl. *to spread*, it. *estendere*). tr. Hacer que una cosa ocupe más espacio que antes. Ú.t.c.r. ‖ Esparcir, desparramar. ‖ Desenvolver, desplegar una cosa. Ú.t.c.r. ‖ Hablando de cosas morales, darles mayor amplitud y comprensión que la que tenían. Ú.t.c.r. ‖ Hablando de escritos, documentos, etc., ponerlos por escrito en la forma acostumbrada. ‖ r. Ocupar una porción de terreno. Se aplica a pueblos, montes, etc. ‖ Durar. ‖ Dilatarse, detenerse mucho en una narración o explicación. ‖ fig. Propagarse, irse difundiendo. [*Sinón.*: distender; divulgarse. *Antón.*: encoger]

extensible. adj. Que se puede extender.

extensión (al. *Ausdehnung*, fr. *étendue*, ingl. *extension*, it. *estensione*). f. Acción y efecto de extender o extenderse. ‖ MAT. Capacidad para ocupar una parte del espacio. ‖ MAT. Medida del espacio ocupado por un cuerpo. ‖ GRAM. Tratando del significado de las palabras, ampliación del mismo a otro concepto relacionado con el originario. ‖ LÓG. Conjunto de individuos comprendidos en una idea. [*Sinón.*: desarrollo]

extensivo, va. adj. Que se extiende o se puede extender, comunicar o aplicar a más cosas o a las que ordinariamente comprende.

extenso, sa. p. p. irreg. de extender. ‖ adj. Que tiene extensión. ‖ Vasto, que tiene mucha extensión.

extensor, ra. adj. Que extiende o hace que se extienda una cosa.

extenuación. f. Debilitación de las fuerzas materiales. Ú.t. en sent. fig.

extenuar (al. *abzehren*, fr. [*s'*] *exténuer*, ingl. *to languish*, it. *estenuar* [*si*]). tr. Enflaquecer, debilitar. Ú.t.c.r. [*Sinón.*: agotar, fatigar. *Antón.*: reanimar, fortalecer]

exterior (al. *äusserlich*, fr. *extérieur*, ingl. *exterior*, it. *esteriore*). adj. Que está por la parte de afuera. ‖ Relativo a otros países. ‖ m. Superficie externa de los cuerpos. ‖ Aspecto o porte de una persona. [*Sinón.*: externo; extranjero. *Antón.*: interior, interno; nacional]

exterioridad. f. Cosa exterior o externa. ‖ Apariencia, aspecto de las cosas, conducta de una persona. ‖ Demostración fingida de un afecto del ánimo.

exteriorización. f. Acción y efecto de exteriorizar.

exteriorizar. tr. Hacer patente, mostrar algo al exterior. Ú.t.c.r.

exterminación. f. Acción y efecto de exterminar.

exterminar (al. *ausrotten*, fr. *exterminer*, ingl. *to exterminate*, it. *sterminare*). tr. fig. Acabar del todo con una cosa. ‖ fig. Desolar, devastar por la fuerza de las armas.

exterminio (al. *Vernichtung*, fr. *extermination*, ingl. *extermination*, it. *esterminio*). m. Acción y efecto de exterminar.

externado. m. Establecimiento de enseñanza donde cursan estudios alumnos externos. ‖ Estado y régimen de vida del alumnado externo.

externo, na (al. *äusserlich*, fr. *exter-ne*, ingl. *outward*, it. *esterno*). adj. Dícese de lo que obra o se manifiesta al exterior. ‖ Dícese del alumno que sólo permanece en la escuela durante las horas de clase. Ú.t.c.s. [*Antón.*: interno]

extinción. f. Acción y efecto de extinguir o extinguirse.

extinguir (al. *auslöschen*, fr. *éteindre*, ingl. *to quench*, it. *estinguere*). tr. Hacer que cese el fuego o la luz. Ú.t.c.r. ‖ fig. Hacer que cesen o se acaben del todo ciertas cosas. Ú.t.c.r. [*Sinón.*: apagar]

extinto, ta. p. p. irreg. de extinguir. ‖ adj. Muerto, difunto.

extintor, ra. adj. Que extingue. ‖ m. Aparato para extinguir incendios.

extirpación. f. Acción y efecto de extirpar.

extirpar (al. *ausrotten*, fr. *extirper*, ingl. *to root out*, it. *estirpare*). tr. Arrancar de cuajo o de raíz. ‖ fig. Acabar radicalmente con una cosa, como abusos, vicios, etc.

extorsión. f. Acción y efecto de usurpar o arrebatar por la fuerza una cosa. ‖ fig. Cualquier daño o perjuicio.

extorsionar. tr. Usurpar, arrebatar. ‖ Causar extorsión o daño.

extra. prep. insep. que significa fuera de. ‖ adj. Extraordinario, óptimo. ‖ m. fam. Gaje, plus. ‖ fam. Plato que no figura en el cubierto ordinario. ‖ Persona que presta un servicio accidental. ‖ En el cine, persona que interviene como comparsa.

extracción (al. *Ausziehen*, fr. *extraction*, ingl. *extraction*, it. *estrazione*). f. Acción y efecto de extraer. ‖ En el juego de la lotería, acto de sacar algunos números con sus respectivas suertes. ‖ Origen, linaje.

extractar. tr. Reducir a extracto una cosa. [*Sinón.*: resumir]

extracto (al. *Extrakt*, fr. *extrait*, ingl. *extract*, it. *estratto*). m. Resumen de un escrito. ‖ QUÍM. Sustancia espesa, resultante de la evaporación de jugos.

extractor, ra. s. Persona que extrae. ‖ Aparato que sirve para extraer.

extradición. f. Entrega de un reo refugiado en un país a las autoridades de otro que lo reclama.

extradós. m. Trasdós.

extraer (al. *ausziehen*, fr. *extraire*, ingl. *to draw out*, it. *estrarre*). tr. Sacar, poner una cosa fuera de donde estaba. ‖ MAT. Averiguar las raíces de una cantidad dada. ‖ QUÍM. Separar algunas de las partes de que se componen los cuerpos.

extralimitación. f. Acción y efecto de extralimitarse.

extralimitarse. r. Excederse en el uso de atribuciones. Ú.t.c. tr.

extramuros. adv. l. Fuera del recinto de una población.

extranjerismo. m. Afición desmedida a las costumbres extranjeras. || Voz, frase o giro de un idioma extranjero empleado en español.

extranjero, ra (al. *Ausländer*, fr. *étranger*, ingl. *foreigner*, it. *straniero*). adj. Que es o viene de país de otra soberanía. || Natural de una nación con respecto a los naturales de cualquier otra. Ú.m.c.s. || m. Toda nación que no es la propia.

extrañamiento. m. Acción y efecto de extrañar o extrañarse.

extrañar (al. *sich wundern*, fr. *s'étonner*, ingl. *to wonder at*, it. *stupirsi*). tr. Desterrar a país extranjero. Ú.t.c.r. || Privar a uno del trato y comunicación que se tenía con él. Ú.t.c.r. || Ver u oir con admiración o extrañeza una cosa. Ú.t.c.r. || Sentir la novedad de una cosa que se usa. || Echar de menos a una persona o cosa. [*Sinón.*: exiliar; asombrar]

extrañeza. f. Anormalidad, rareza. || Desavenencia entre los que eran amigos. || Admiración, novedad. [*Sinón.*: extravagancia]

extraño, ña (al. *seltsam*, fr. *étranger*, ingl. *queer*, it. *strano*). adj. De nación, familia o profesión distinta de la que se nombra o sobreentiende. Ú.t.c.s. || Raro, singular, extravagante. || Que es ajeno a una cosa. [*Sinón.*: extranjero]

extraoficial. adj. Oficioso, no oficial.

extraordinario, ria (al. *ungewöhnlich*, fr. *extraordinaire*, ingl. *uncommon*, it. *straordinario*). adj. Fuera del orden o regla natural o común. || m. Correo especial que se despacha con urgencia. || Plato o manjar que se añade a la comida diaria. || Número de un periódico que se publica por algún motivo extraordinario. [*Sinón.*: excepcional. *Antón.*: ordinario]

extrapolación. f. Acción y efecto de extrapolar.

extrapolar. tr. MAT. Averiguar el valor de una magnitud para valores de la variable que se hallan fuera del intervalo en que dicha magnitud ha sido medida.

extrarradio. m. Zona que rodea el casco de una población.

extrasensorial. adj. Que está u ocurre más allá o fuera de la percepción corriente de los sentidos.

extrasístole. f. MED. Latido irregular del corazón.

extraterrestre. adj. Perteneciente o relativo al espacio exterior a la atmósfera terrestre.

extraterritorial. adj. Dícese de lo que está o se considera fuera del territorio de la propia jurisdicción.

extraterritorialidad. f. Privilegio por el cual el domicilio de los agentes diplomáticos, buques de guerra, etc., se considera como si estuviese fuera del territorio donde se encuentran.

extravagancia (al. *Sonderbarkeit*, fr. *extravagance*, ingl. *extravagance*, it. *stravaganza*). f. Desarreglo en el pensar y obrar.

extravagante. adj. Que se hace o dice de un modo que se aparta totalmente del que es habitual. || Que habla, viste o procede así. Ú.t.c.s.

extravasarse. r. Salirse un líquido del vaso o recipiente que lo contiene.

extraversión. f. Movimiento del ánimo que, cesando en su primera contemplación, sale fuera de sí por medio de los sentidos.

extravertido, da. adj. Dado a la extraversión; bien adaptado al mundo exterior y a las personas que le rodean. Ú.t.c.s.

extraviado, da. p. p. de extraviar. || adj. De costumbres desordenadas. || Referido a lugares, apartado, poco transitado.

extraviar (al. *abhanden kommen*, fr. *s'égarer*, ingl. *to miscarry*, it. *smarrirsi*). tr. Hacer perder el camino. Ú.t.c.r. || Poner una cosa en otro lugar que el que debía ocupar. || Hablando de la vista o de la mirada, no fijarla en objeto determinado. || r. No encontrarse una cosa en su sitio e ignorarse su paradero.

extravío. m. Acción y efecto de extraviar o extraviarse. || fig. Desorden en las costumbres.

extremado, da. p. p. de extremar. || adj. Sumamente bueno o malo en su género.

extremar. tr. Llevar una cosa al extremo. || r. Emplearse uno con esmero en la ejecución de una cosa.

extremaunción (al. *Letzte Ölung*, fr. *extrême-onction*, ingl. *extreme unction*, it. *estrema unzione*). f. Uno de los sacramentos de la Iglesia, que consiste en la unción con óleo sagrado hecha a los fieles moribundos.

extremeño, ña. adj. Natural de Extremadura. Ú.t.c.s. || Perteneciente a esta región de España.

extremidad (al. *äusserstes Ende*, fr. *extrémité*, ingl. *extremity*, it. *estremità*). f. Parte extrema o última de una cosa. || fig. El grado último a que una cosa puede llegar. || pl. Cabeza, pies, manos y cola de los animales. || Cada brazo y cada pierna.

extremismo. m. Tendencia a adoptar ideas extremas o exageradas, especialmente en política.

extremista. adj. El que practica el extremismo. Ú.t.c.s.

extremo, ma (al. *Ende*, fr. *extrême*, ingl. *extreme*, it. *estremo*). adj. Último. || Aplicase a lo más intenso, elevado o activo de cualquier cosa. || Excesivo, sumo, mucho. || Distante. || m. Parte primera o parte última de una cosa, o principio o fin de ella. || Punto último a que puede llegar una cosa. || Esmero sumo en una operación. || pl. Manifestaciones exageradas y vehementes de un afecto del ánimo.

extremoso, sa. adj. Que no se comide. || Muy expresivo.

extrínseco, ca. adj. Externo, no esencial. [*Antón.*: intrínseco]

extrudir. tr. Dar forma a una masa haciéndola salir por una abertura especialmente dispuesta.

extrusión. f. Acción y efecto de extrudir.

exuberancia (al. *Überfülle*, fr. *exubérance*, ingl. *exuberancy*, it. *esuberanza*). f. Abundancia suma; plenitud y copia excesiva. [*Sinón.*: profusión. *Antón.*: escasez]

exuberante. adj. Abundante y copioso con exceso.

exudación. f. Acción y efecto de exudar.

exudar (al. *ausschwitzen*, fr. *exuder*, ingl. *to exude*, it. *essudare*). intr. Salir un líquido fuera de los recipientes en que está contenido. Ú.t.c. tr.

exultación. f. Acción y efecto de exultar.

exultar. intr. Saltar de alegría, transportarse de gozo.

exvoto. m. Don u ofrenda dedicada a Dios, a la Virgen o a los santos en recuerdo de un beneficio recibido.

eyaculación. f. Acción y efecto de eyacular.

eyacular (al. *ausspritzen*, fr. *éjaculer*, ingl. *to ejaculate*, it. *eiaculare*). tr. Lanzar con fuerza y rapidez el contenido de un órgano, cavidad, etc.

eyector. m. Expulsor, en las armas de fuego.

ezquerdear. intr. Torcerse a la izquierda de la visual una hilada de sillares, un muro, etc.

f. f. Séptima letra del abecedario español y quinta de sus consonantes. Su nombre es *efe*.

fa. m. MÚS. Cuarta voz de la escala musical.

fabada. f. Potaje de judías con tocino y morcilla, propio de Asturias.

fábrica (al. *Fabrik;* fr. *fabrique, usine;* ingl. *factory;* it. *fabbrica*). f. ‖ Establecimiento dotado de la maquinaria, herramientas e instalaciones necesarias para la fabricación u obtención de alguna cosa o para la transformación industrial de una fuente de energía. ‖ Edificio. ‖ Cualquier construcción o parte de ella hecha con ladrillo o piedra y argamasa. ‖ Invención, artificio de algo no material.

fabricación. f. Acción y efecto de fabricar.

fabricante. adj. Que fabrica. Ú.t.c.s. ‖ m. El que tiene por su cuenta una fábrica.

fabricar (al. *herstellen*, fr. *fabriquer*, ingl. *to manufacture*, it. *fabbricare*). tr. Producir objetos en serie, generalmente por medios mecánicos. ‖ Construir. ‖ Por ext., elaborar. ‖ fig. Hacer o disponer una cosa no material. [*Sinón.*: producir]

fabril. adj. Perteneciente a las fábricas o a sus operarios.

fábula (al. *Fabel*, fr. *fable*, ingl. *fable*, it. *favola*). f. Rumor, hablilla. ‖ Relación falsa, desprovista de todo fundamento. ‖ Ficción artificiosa con que se encubre una verdad. ‖ Suceso o acción ficticia que se narra o se representa para deleitar. ‖ Composición literaria en la que por medio de una ficción alegórica se da una enseñanza. ‖ Mitología. ‖ Objeto de murmuración irrisoria o despreciativa.

fabulista. com. Persona que compone o escribe fábulas.

fabuloso, sa (al. *fabelhaft*, fr. *fabuleux*, ingl. *fabulous*, it. *favoloso*). adj. Falso, de pura invención. ‖ fig. Excesivo, increíble.

faca. f. Cuchillo corvo. ‖ Cualquier cuchillo de grandes dimensiones y con punta.

facción (al. *Gesichtszüge;* fr. *bande, traits;* ingl. *features;* it. *fazione*). f. Parcialidad de gente amotinada o rebelada. ‖ Bando, pandilla, parcialidad o partidos violentos o desaforados en sus procederes o sus designios. ‖ Grupo, partido. ‖ Cualquiera de las partes del rostro humano. Ú.m. en pl. ‖ Acción de guerra.

faccioso, sa. adj. Perteneciente a una facción. Dícese comúnmente del rebelde armado. Ú.t.c.s. ‖ Perturbador de la quietud pública. Ú.t.c.s. [*Sinón.*: rebelde, sedicioso, insurgente]

faceta (al. *Facette*, fr. *facette*, ingl. *facet*, it. *faccetta*). f. Cada una de las caras o lados de un poliedro, cuando son pequeñas. Dícese especialmente de las caras de las piedras preciosas talladas. ‖ fig. Cada uno de los aspectos que en un asunto se pueden considerar.

facial. adj. Perteneciente al rostro. ‖ Intuitivo.

fácil (al. *leicht*, fr. *facile*, ingl. *easy*, it. *facile*). adj. Que se puede hacer sin mucho trabajo. ‖ Que puede suceder con mucha probabilidad. ‖ Dícese de la mujer liviana.

facilidad (al. *Leichtigkeit*, fr. *facilité*, ingl. *easiness*, it. *facilità*). f. Disposición para hacer una cosa sin gran trabajo. ‖ Ligereza, demasiada condescendencia. ‖ Oportunidad, ocasión propicia para hacer algo. [*Sinón.*: habilidad, aptitud]

facilitar. tr. Hacer fácil o posible la ejecución de una cosa o la consecución de un fin. ‖ Proporcionar o entregar.

facineroso, sa (al. *missetäter*, fr. *scélérat*, ingl. *outlaw*, it. *facinoroso*). adj. Delincuente habitual. Ú.t.c.s. ‖ m. Hombre malvado.

facistol. m. Atril grande de las iglesias. ‖ adj. *Amer.* Engreído.

facsímil. m. Perfecta imitación o reproducción de una firma, dibujo, escrito, etc. [*Sinón.*: facsimile]

factible (al. *möglich*, fr. *faisable*, ingl. *feasible*, it. *fattibile*). adj. Que se puede hacer.

facto (de). loc. adv. lat. De hecho.

factor (ai. *Faktor*, fr. *facteur*, ingl. *factor*, it. *fattore*). m.p.us. El que hace una cosa. ‖ Entre comerciantes, apoderado con mandato más o menos extenso para traficar en nombre y por cuenta del poderdante, o para auxiliarle en los negocios. ‖ Dependiente del comisario de guerra o del asentista para la distribución de víveres a la tropa. ‖ Empleado que en las estaciones de ferrocarriles cuida de la recepción, expedición y entrega de los equipajes, encargos, mercancías, etc. ‖ MAT. Cada una de las cantidades que se multiplican para formar un producto. ‖ MAT. Submúltiplo. ‖ fig. Elemento, concausa.

factoría. f. Empleo y encargo del factor. ‖ Lugar donde reside y trabaja el factor. ‖ Establecimiento comercial. ‖ Fábrica o complejo industrial.

factorial. f. MAT. Producto de los números naturales de la serie comprendida entre la unidad y el número al que se aplica, incluido éste.

factura (al. *Rechnung*, fr. *facture*, ingl. *invoice*, it. *fattura*). f. Acción y efecto de hacer. ‖ Cuenta que los factores dan del coste y costas de las mercaderías que compran y remiten a sus corresponsales. ‖ Relación de los objetos comprendidos en una venta, remesa u otra operación de comercio. ‖ Cuenta detallada de cada una de estas operaciones. ‖ B. ART. Ejecución, manera de realizar una cosa.

facturación. f. Acción y efecto de facturar.

facturar. tr. Extender las facturas. ‖ Comprender en ellas cada bulto, objeto, etc. ‖ Registrar en las estaciones de ferrocarriles, aeropuertos, etc., equipajes o mercancías para que sean remitidos a su destino.

facultad (al. *Fähigkeit*, fr. *faculté*, ingl. *faculty*, it. *facoltà*). f. Poder, derecho para hacer algo. ‖ Ciencia o arte. ‖ En las universidades, cuerpo de doctores o maestros de una ciencia. ‖ Cada una de las grandes divisiones de una universidad, correspondiente a una rama del saber. ‖ Local o conjunto de locales universitarios donde funciona dicha división. ‖ Licencia, permiso. ‖ FISIOL. Fuerza, resistencia.

facultar (al. *ermächtigen*, fr. *donner la faculté de*, ingl. *to empower*, it. *autorizzare*). tr. Conceder facultades a uno para hacer alguna cosa.

facultativo, va. adj. Perteneciente a una facultad. ‖ Perteneciente a la facultad o poder que uno tiene para hacer algo. ‖ Dícese del que profesa una facultad. ‖ Potestativo, que libremente se puede hacer u omitir. ‖ m. Médico o cirujano.

facundia. Afluencia, facilidad en el hablar. [*Sinón.*: elocuencia.]

facundo, da. adj. Que tiene facundia.

facha. f. fam. Traza, figura, aspecto. ‖ fam. Mamarracho, adefesio. Ú. a veces c.m. ‖ *Amer.* Fachenda. ‖ m. fam. despect. *Neol.* Fascista.

fachada (al. *Fassade*, fr. *façade*, ingl. *façade*, it. *facciata*). f. Paramento exterior de un edificio, generalmente el principal. ‖ fig. y fam. Presencia, aspecto del cuerpo humano.

fachenda. f. fam. Vanidad, jactancia. ‖ m. fam. El que tiene fachenda.

fachoso, sa. adj. fam. De mala facha, de figura ridícula.

fado. m. Cierta canción popular portuguesa.

faena (al. *Arbeit*, fr. *besogne*, ingl. *task*, it. *faccenda*). f. Trabajo corporal. ‖ fig. Trabajo mental. ‖ Quehacer. Ú.m. en pl. ‖ Mala pasada. ‖ Servicio que se hace a una persona. ‖ TAUROM. Cada una de las operaciones que en el campo se verifican con el toro. ‖ TAUROM. Las que efectúa el diestro durante la lidia en la plaza.

fagáceo, a. adj. BOT. Dícese de árboles y arbustos angiospermos, dicotiledóneos, con hojas sencillas, casi siempre alternas, flores monoicas y fruto indehiscente con semilla sin albumen, y más o menos cubierto por la cúpula; como la encina y el castaño. Ú.t. c.s.f. ‖ f. pl. Familia de estas plantas.

fagocito. m. FISIOL. Célula orgánica que engloba y digiere partículas extrañas, microbios, etc., perjudiciales al organismo.

fagocitosis. f. FISIOL. Función que desempeñan los fagocitos en el organismo.

fagot (al. *Fagott*, fr. *basson*, ingl. *bassoon*, it. *fagotto*). m. MÚS. Instrumento de viento, formado por un tubo de madera con agujeros y llaves y que se toca con una boquilla de caña puesta en un tudel. ‖ Persona que toca este instrumento.

faisán (al. *Fasan*, fr. *faisan*, ingl. *pheasant*, it. *fagiano*). m. ZOOL. Ave gallinácea de hermoso plumaje, con un penacho de plumas, la cola muy larga y tendida, y cuya carne constituye un alimento muy delicado.

faja (al. *Leibbinde*, fr. *ceinture*, ingl. *belt*, it. *fascia*). f. Tira de tela con que se rodea el cuerpo por la cintura. ‖ Cualquier lista mucho más larga que ancha. ‖ Tira de papel que se une a las cubiertas de un libro. ‖ Insignia propia de algunos cargos militares, civiles o eclesiásticos.

fajadura. f. Acción y efecto de fajar o fajarse.

fajar. tr. Rodear, ceñir con faja o venda una parte del cuerpo. Ú.t.c.r. ‖ Pegar a uno, golpearlo. Ú.t.c.r.

fajín. m. dim. de faja. ‖ Ceñidor de seda que usan los generales y ciertos funcionarios.

fajina. f. Conjunto de haces de mies que se pone en las eras. ‖ Leña ligera para encender. ‖ MIL. Toque de llamada para la comida.

fajo. m. Haz o atado.

falacia. f. Engaño, fraude o mentira con que se intenta dañar a otro. ‖ Hábito de emplear falsedades en daño ajeno.

falange. f. Cuerpo de infantería, pesadamente armada, que formaba la principal fuerza de los ejércitos griegos. ‖ Cualquier cuerpo de tropas numeroso. ‖ fig. Conjunto numeroso de personas unidas en cierto orden y para un mismo fin. ‖ ANAT. Cada uno de los huesos de los dedos.

falangeta. f. ANAT. Falange tercera de los dedos.

falangina. f. ANAT. Segunda falange de los dedos.

falangismo. m. Ideología y tendencia propias de la Falange Española.

falansterio. m. Edificio en que, según el sistema de Fourier, habitaba cada una de las falanges en que dividía la sociedad. ‖ Por ext., alojamiento colectivo para numerosa gente.

falaz. adj. Que tiene el vicio de la falacia.

falca. f. Defecto de una tabla o madero que les impide ser perfectamente lisos o rectos. ‖ Pieza de madera o metal en forma de ángulo diedro que se usa como cuña.

falcado, da. adj. Que forma una curvatura semejante a la de la hoz.

falce. f. Hoz o cuchillo curvo.

falcónido, da. adj. ZOOL. Se dice de las aves de rapiña cuyo tipo es el halcón. Ú.t.c.s. ‖ f. pl. Familia de estas aves.

falda (al. *Rock*, fr. *jupe*, ingl. *skirt*, it. *gonna*). f. Parte de la ropa talar desde la cintura abajo. Ú.m. en pl. ‖ Vestidura o parte del vestido de mujer que, con más o menos vuelo, cae desde la cintura abajo. ‖ Parte de una prenda de vestir que cae suelta. ‖ Carne de la res que cuelga de las agujas. ‖ Regazo. ‖ Ala del sombrero, que rodea la copa. ‖ fig. Parte inferior de los montes o sierras. ‖ pl. fam. Mujer o mujeres, en oposición al hombre.

faldellín. m. Falda corta.

faldero, ra. adj. Perteneciente o relativo a la falda. ‖ fig. Aficionado a estar entre mujeres. ‖ Dícese del perro pequeño. Ú.t.c.s. ‖ f. Mujer que hace faldas.

faldón. m. aum. de falda. ‖ Falda suelta al aire. ‖ Parte inferior de alguna ropa, colgadura, etc. ‖ ARQ. Vertiente triangular de un tejado. ‖ ARQ. Conjunto de los dos lienzos y del dintel que forman la boca de la chimenea.

falible. adj. Que puede engañarse o engañar. ‖ Que puede faltar o fallar. [*Antón.*: infalible]

fálico, ca. adj. Perteneciente o relativo al falo.

falo. m. Miembro viril.

falsada. f. Vuelo rápido del ave de rapiña.

falsario, ria. adj. Que falsea una cosa. Ú.t.c.s. ‖ Que suele decir o hacer falsedades y mentiras. Ú.t.c.s.

falseamiento. m. Acción y efecto de falsear.

falsear (al. *fälschen*, fr. *fausser*, ingl. *to misrepresent*, it. *falsare*). tr. Adulterar, corromper algo. ‖ intr. Perder una cosa su resistencia y firmeza. ‖ Disonar una cuerda de un instrumento.

falsedad (al. *Falschheit,* fr. *fausseté,* ingl. *falsehood,* it. *falsità*). f. Falta de verdad. ‖ Falta de conformidad entre las palabras, las ideas y las cosas. ‖ DER. Cualquier ocultación o mutación de la verdad.

falsete. m. Corcho para tapar la cuba cuando se quita la canilla. ‖ Puerta pequeña y de una hoja. ‖ MÚS. Voz más aguda que la natural.

falsía. f. Falsedad, doblez.

falsificación (al. *Fälschung,* fr. *contrefaçon,* ingl. *forgery,* it. *falsificazione*). f. Acción y efecto de falsificar.

falsificador, ra. adj. Que falsifica. Ú.t.c.s.

falsificar (al. *fälschen,* fr. *contrefaire,* ingl. *to counterfeit,* it. *falsificare*). tr. Falsear o adulterar.

falsilla. f. Hoja de papel con líneas muy señaladas, que se coloca debajo de otra en que se ha de escribir, para que aquéllas sirvan de guía.

falso, sa (al. *falsch,* fr. *faux,* ingl. *false,* it. *falso*). adj. Engañoso, fingido, falto de realidad o veracidad. ‖ Incierto y contrario a la verdad. ‖ Se aplica al que falsea o miente. ‖ Se dice de la caballería que cocea aun sin hostigarla.

falta (al. *Fehler;* fr. *faute;* ingl. *lack, fault;* it. *mancanza*). f. Privación de algo necesario o útil. ‖ Carencia o privación de alguna cosa. ‖ Defecto en el obrar. ‖ Ausencia de alguien del sitio en que debiera estar. ‖ Supresión de la regla o menstruo en la mujer. ‖ Transgresión de las normas de un juego o deporte. ‖ DER. Infracción voluntaria de la ley, ordenanza o reglamento, castigada con sanción leve. ‖ *sin falta.* m. adv. Puntualmente, con seguridad. ‖ *lanzar, sacar* o *tirar una falta.* DEP. Efectuar un jugador de un equipo, el lanzamiento de la pelota cuando el equipo contrario ha cometido una falta.

faltar (al. *fehlen,* fr. *manquer,* ingl. *to be missing,* it. *mancare*). intr. No existir algo donde debiera haberlo. ‖ Consumirse, fallecer. ‖ No corresponder una cosa al efecto que se esperaba de ella. ‖ No acudir a una cita u obligación. ‖ Hallarse ausente una persona de donde debiera estar. ‖ No cumplir uno con lo que debe. ‖ No tratar a otro con la consideración debida.

falto, ta. adj. Defectuoso o necesitado de alguna cosa. ‖ Escaso, mezquino. ‖ *Amer.* Tonto.

faltriquera. f. Bolsillo de las prendas de vestir. ‖ Bolsillo que se atan las mujeres a la cintura y que llevan colgado debajo del vestido o delantal. [*Sinón.:* faldriquera]

falúa. f. Pequeña embarcación a remo, vela o motor, provista por lo general de carroza y destinada al transporte de personas de calidad.

falucho. m. Embarcación costanera con una vela latina.

falla (al. *Gesteinsspalte,* fr. *faille,* ingl. *fault,* it. *difetto*). f. Defecto, falta. Defecto material de una cosa que merma su resistencia. ‖ Incumplimiento de una obligación. ‖ GEOL. Quiebra en un terreno debida a movimientos geológicos.

falla (voz catalana). f. En el reino de Valencia, hoguera que los vecinos encienden en las calles la víspera de San José.

fallar. tr. DER. Decidir un proceso o litigio. ‖ En algunos juegos de cartas, poner un triunfo por no tener el palo que se juega. ‖ intr. Frustrarse o salir fallida una cosa. ‖ Perder algo su resistencia.

falleba. f. Varilla de hierro acodillada en sus dos extremos, para cerrar las ventanas o puertas de dos hojas.

fallecer (al. *sterben,* fr. *décéder,* ingl. *to decease,* it. *decedere*). intr. Morir. ‖ Acabarse una cosa.

fallecimiento. m. Acción y efecto de fallecer.

fallero, ra. adj. Perteneciente o relativo a las fallas valencianas. ‖ s. Persona que toma parte en ellas.

fallido, da. adj. Frustrado. ‖ Quebrado o sin crédito. Ú.t.c.s. ‖ Se aplica a la cantidad, crédito, etc., que se considera incobrable. Ú.t.c.s.

fallo, lla. adj. En algunos juegos de naipes, falto de un palo. Ú. con el verbo *estar.* ‖ m. Falta de un palo en los naipes. ‖ Falta o error. ‖ Acción y efecto de salir fallida una cosa.

fallo (al. *Richtrspruch,* fr. *jugement,* ingl. *judgment,* it. *veredetto*). m. Sentencia definitiva del juez. ‖ Por ext., decisión de persona competente sobre un asunto disputado. ‖ Frustración, resultado de lo que falla.

fama (al. *Ruf,* fr. *renommée,* ingl. *fame,* it. *fama*). f. Noticia o voz común de una cosa. ‖ Opinión pública que se tiene de una persona. ‖ Opinión común de la excelencia de un sujeto en su profesión o arte.

famélico, ca. adj. Hambriento.

familia (al. *Familien,* fr. *famille,* ingl. *family,* it. *famiglia*). f. Personas emparentadas entre sí que viven juntas bajo la autoridad de una de ellas. ‖ Conjunto de ascendientes, descendientes, colaterales y afines de un linaje. ‖ Parentela inmediata de uno. ‖ Prole. ‖ Conjunto de individuos que tienen alguna condición común. ‖ HIST. NAT. Grupo taxonómico formado por varios géneros naturales con gran número de caracteres comunes.

familiar. adj. Perteneciente a la familia. ‖ Se dice de lo que uno tiene muy sabido. ‖ Trato llano y sin ceremonias. ‖ Dicho del lenguaje, corriente, sencillo, propio de la conversación. ‖ Dícese del coche de gran capacidad o muchos asientos. ‖ m. Deudo o pariente. ‖ El que tiene trato frecuente y de confianza con uno.

familiaridad. f. Confianza y llaneza en el trato.

familiarizar. tr. Hacer familiar o común una cosa. ‖ r. Acomodarse al trato familiar de uno. ‖ Acostumbrarse, adaptarse.

famoso, sa. adj. Que tiene fama y nombre en la acepción común, tomándose en buena o en mala parte.

fámulo, la. s. fam. Criado, doméstico.

fan (voz inglesa, apócope de *fanatical*). com. Entusiasta de alguien o de algo.

fanal. m. Farol grande que se coloca en la torre de los puertos para que su luz sirva de señal nocturna. ‖ Campana transparente, por lo común de cristal, que sirve para que el aire no apague la luz puesta dentro de ella o para atenuar y matizar el resplandor. ‖ Campana de cristal cerrada por arriba que sirve para resguardar del polvo lo que se cubre con ella.

fanático, ca (al. *fanatisch,* fr. *fanatique,* ingl. *fanatical,* it. *fanatico*). adj. Que defiende apasionadamente creencias u opiniones religiosas. Ú.t.c.s. ‖ Entusiasmado ciegamente por una cosa.

fanatismo. m. Tenaz preocupación, apasionamiento del fanático. [*Sinón.:* intolerancia]

fanatizar. tr. Provocar o sugerir el fanatismo.

fandango. m. Antiguo baile español, muy común todavía en Andalucía. ‖ Tañido y coplas con que se acompaña. ‖ fig. y fam. Bullicio.

fandanguillo. m. Baile popular parecido al fandango, y copla con que se acompaña.

fanega. f. Medida de capacidad para áridos, de cabida muy variable según las regiones. ‖ Porción que cabe en esta medida.

fanegada. f. Fanega de tierra.

fanerógamo, ma. adj. BOT. Dícese de la planta en que el conjunto de los órganos de reproducción se presenta en forma de flor, que se distingue a simple vista. En la flor se efectúa la fecundación y como consecuencia de ésta se desarrollan las semillas, que contienen los embriones de las nuevas plantas. Ú.t.c.s.f. ‖ f. pl. Tipo de estas plantas.

fanfarrear. intr. Hablar con arrogancia, echando fanfarrias.

fanfarria. f. fam. Baladronada, bravata, jactancia.

fanfarrón, na. adj. fam. Que se precia y hace alarde de lo que no es, y en particular de valiente. Ú.t.c.s. [*Sinón.:* jactancioso]

fanfarronada. f. Dicho o hecho propio de fanfarrón.

fanfarronear. intr. Hablar con arrogancia echando fanfarronadas.

fanfarronería. f. Modo de hablar y de portarse el fanfarrón.

fangal o **fangar.** m. Sitio lleno de fango.

fango (al. *Schlamm*, fr. *boue*, ingl. *mud.* it. *fango*). m. Lodo glutinoso que se forma generalmente con los sedimentos térreos en los sitios donde hay agua detenida. ‖ fig. En algunas frases metafóricas, vilipendio, degradación.

fangoso, sa. adj. Lleno de fango. ‖ fig. Que tiene la blandura y viscosidad del fango.

fantasear. intr. Dejar correr la fantasía o imaginación. ‖ Preciarse vanamente. ‖ tr. Imaginar algo fantástico.

fantasía (al. *Einbildungskraft*, fr. *fantaisie*, ingl. *fancy*, it. *fantasia*). f. Facultad que tiene el ánimo de reproducir por medio de imágenes las cosas pasadas o lejanas, de representar las ideales en forma sensible o de idealizar las reales. ‖ Imagen formada por la fantasía. ‖ Fantasmagoría, ilusión de los sentidos. ‖ Grado superior de la imaginación; la imaginación en cuanto inventa o produce. ‖ Ficción, cuento, novela o pensamiento elevado o ingenioso. ‖ fam. Presunción, entono y gravedad afectada. ‖ MÚS. Composición instrumental de forma libre o formada sobre motivos de una ópera.

fantasioso, sa. adj. Vano, presuntuoso.

fantasma (al. *Trugbild*; fr. *fantôme*; ingl. *phantom, ghost*; it. *fantasma*). m. Visión quimérica. ‖ Imagen impresa en la fantasía. ‖ fig. Persona entonada, grave y presuntuosa.

fantasmagoría. f. Arte de representar figuras por medio de una ilusión óptica. ‖ fig. Ilusión de los sentidos o figuración vana de la inteligencia, desprovista de todo fundamento. [*Sinón.:* ilusión; alucinación]

fantasmal. adj. Perteneciente o relativo al fantasma de los sueños y la imaginación.

fantástico, ca. adj. Quimérico, fingido, que no tiene realidad. ‖ Perteneciente a la fantasía.

fantoche. m. Títere, muñeco. ‖ Sujeto aniñado de figura pequeña o ridícula. ‖ Sujeto informal o vanamente presumido.

faquín. m. Ganapán, mozo de cuerda.

faquir. m. Santón mahometano que vive de limosna y practica actos de singular austeridad. ‖ Por ext., asceta de otras sectas hindúes. ‖ Artista circense que hace espectáculo de mortificaciones semejantes a las practicadas por los faquires.

faradio. m. FÍS. Unidad de capacidad eléctrica en el sistema basado en el metro, el kilogramo, el segundo y el amperio.

farándula. f. Profesión de los farsantes. ‖ Una de las varias compañías que antiguamente formaban los cómicos. ‖ fig. y fam. Charla engañosa.

farandulero, ra. s. Persona que recitaba comedias. ‖ adj. fig. y fam. Hablador, trapacero. Ú.m.c.s.

faraón. m. Cualquiera de los antiguos reyes de Egipto anteriores a la conquista de este país por los persas.

faraónico, ca. adj. Perteneciente o relativo a los faraones.

farda. f. Bulto o lío de ropa.

fardar. tr. Surtir y abastecer a uno, especialmente de ropa y vestidos. Ú.t.c.r. ‖ fig. y fam. Presumir, especialmente de vestido.

fardel. m. Saco o talega que llevan regularmente los pobres, pastores y caminantes. ‖ Fardo.

fardo (al. *Ballen*, fr. *colis*, ingl. *parcel*, it. *fardello*). m. Lío grande de ropa u otra cosa, muy apretado, para poder llevarlo de una a otra parte.

fardón, na. adj. fam. *Neol.* Dícese de las prendas de vestir elegantes o vistosas y de los objetos de adorno que se consideran bonitos. ‖ Dícese de la persona bien puesta, elegante o que lleva cosas fardonas.

farfullar. tr. fam. Hablar muy de prisa y atropelladamente. ‖ fig. y fam. Hacer una cosa con tropelía y confusión.

farináceo, a. adj. Que participa de la naturaleza de la harina o se parece a ella.

faringe. f. ANAT. Porción ensanchada del tubo digestivo de muchos animales, de paredes generalmente musculosas y situada a continuación de la boca. En el hombre y los demás mamíferos tiene varias aberturas, por las que comunica con las fosas nasales, con la trompa de Eustaquio, con la laringe y con el esófago.

faríngeo, a. adj. Perteneciente o relativo a la faringe.

faringitis. f. PAT. Inflamación de la faringe.

farisaico, ca. adj. Propio o característico de los fariseos. ‖ fig. Hipócrita. [*Sinón.:* jesuítico]

farisaísmo. m. Cuerpo, secta, costumbres o espíritu de los fariseos.

fariseísmo. m. Farisaísmo. ‖ fig. Hipocresía.

fariseo. m. Entre los judíos, miembro de una secta que afectaba rigor y austeridad, pero en realidad eludía los preceptos de la ley, y, sobre todo, su espíritu. ‖ fig. Hombre hipócrita. ‖ fig. y fam. Hombre alto, seco y de mala intención o catadura. [*Sinón.:* falso, taimado. *Antón.:* noble, sincero)

farmacéutico, ca. adj. Perteneciente a la farmacia. ‖ s. Persona que, provista del correspondiente título académico, profesa o ejerce la farmacia.

farmacia. f. Ciencia que enseña a conocer los cuerpos naturales y el modo de prepararlos y combinarlos para que sirvan de remedio en las enfermedades, o para conservar la salud. ‖ Profesión de esta ciencia. ‖ Botica, laboratorio y despacho del farmacéutico.

fármaco. m. Medicamento.

farmacología. f. Parte de la medicina que trata de los medicamentos.

farmacólogo, ga. s. Persona que profesa la farmacología o que tiene de ella especiales conocimientos.

farmacopea. f. Tratado de las sustancias medicinales más comunes y del modo de prepararlas y combinarlas.

faro (al. *Leuchtturm*, fr. *phare*, ingl. *lighthouse*, it. *faro*). m. Torre elevada en cuyo extremo superior se enciende una luz para que sirva de señal a los navegantes. ‖ Farol con potente reverbero. ‖ — *piloto*. El que llevan los vehículos automóviles en la parte posterior para indicar su posición.

farol (al. *Laterne*, fr. *lanterne*, ingl. *lantern*, it. *lanterna*). m. Caja transparente en cuyo interior se pone una luz para que alumbre. || fig. Hecho o dicho jactancioso que carece de fundamento. Ú.m. en la frase *tirarse un farol*. || En el juego, jugada o envite falso para deslumbrar o desorientar. || TAUROM. Lance de capa a la verónica en que el torero, después de echar la capa al toro, la pasa en redondo sobre su cabeza y la coloca en sus hombros.

farola (al. *Laterne*, fr. *réverbère*, ingl. *street lamp*, it. *lampione*). f. Farol grande, propio para iluminar calles, plazas y paseos.

farolero, ra. adj. fig. y fam. Vano, ostentoso, amigo de llamar la atención y de hacer lo que no le toca. Ú.t.c.s. || m. El que hace faroles o los vende. || El que cuida de los faroles del alumbrado.

farolillo. m. BOT. Planta herbácea, trepadora, de la familia de las sapindáceas, con tallos largos y ramosos, hojas lanceoladas con bordes dentados y peciolos de tres en tres, y flores axilares de color blanco amarillento y fruto globoso con tres semillas. Se cultiva en los jardines.

farra. f. *Amer.* Juerga, jarana, parranda.

fárrago. m. Conjunto de cosas superfluas y mal digeridas.

farragoso, sa. adj. Que tiene fárrago. [*Sinón.*: confuso, desordenado, prolijo]

farrista. adj. *Amer.* Aficionado a la juerga o farra. Ú.t.c.s.

farruco, ca. adj. fam. Valiente, impávido. || f. Variedad de cante flamenco. || Baile con que se acompaña este cante.

farsa. f. Nombre dado antiguamente a las comedias. || Pieza cómica, por lo común breve y sin más objeto que hacer reír. || fig. Enredo, tramoya para aparentar o engañar.

farsante, ta. s. El que tenía por oficio representar farsas; comediante. || adj. fig. y fam. Dícese del que con vanas apariencias finge lo que no siente o ser lo que no es.

fasces. f. pl. Insignia del cónsul romano que se componía de una segur en un hacecillo de varas.

fasciculado, da. adj. Dícese de lo que tiene aspecto de haz.

fascículo. m. Entrega, cuaderno. || ANAT. Haz de fibras musculares.

fascinación. f. Aojo. || fig. Engaño o alucinación.

fascinar. tr. Hacer mal de ojo. || fig. Engañar, alucinar, ofuscar.

fascismo (al. *Faschismus*, fr. *fascisme*, ingl. *fascism*, it. *fascismo*). m. Movimiento político y social, principalmente de juventudes organizadas en milicias bajo el signo de las antiguas fasces, que se produjo en Italia después de la primera Guerra Mundial. || Doctrina del partido político italiano de este nombre y de los similares de otros países.

fascista. adj. Perteneciente o relativo al fascismo. || Partidario de esta doctrina o movimiento social. Ú.t.c.s.

fase (al. *Phase*, fr. *phase*, ingl. *phase*, it. *fase*). f. ASTR. Cada una de las diversas apariencias o figuras con que se dejan ver la Luna y algunos planetas, según los ilumina el Sol. || fig. Cada uno de los distintos estados sucesivos de un fenómeno, natural o histórico, o de una doctrina, negocio, etc. || FÍS. y QUÍM. Cada una de las partes homogéneas físicamente separables en un sistema formado por uno o varios componentes. [*Sinón.*: período]

fastidiar (al. *belästigen*, fr. *ennuyer*, ingl. *to bother*, it. *fastidiare*). tr. Causar asco o hastío una cosa. Ú.t.c.r. || fig. Enfadar o ser molesto a alguien. || fam. Ocasionar daño material o moral.

fastidio. m. Disgusto o desazón que causa el manjar mal recibido en el estómago, o el olor fuerte y desagradable de una cosa. || fig. Enfado, cansancio, hastío, repugnancia.

fastidioso, sa. adj. Enfadoso, importuno, que causa disgusto, desazón y hastío.

fasto, ta. adj. Aplícase al día en que era lícito en la antigua Roma tratar los negocios públicos y administrar justicia. || Por contraposición a nefasto, dícese del día, año, etc., feliz o venturoso. || m. Fausto.

fastos. m. pl. Antiguo calendario romano de las fiestas, juegos, ceremonias y cosas memorables. || fig. Anales o series de sucesos por el orden de los tiempos.

fastuosidad. f. Calidad de fastuoso. || Ostentación, suntuosidad.

fastuoso, sa. adj. Ostentoso, amigo de fausto y pompa.

fatal (al. *verhängnisvoll*, fr. *fatal*, ingl. *fatal*, it. *fatale*). adj. Perteneciente al hado, inevitable. || Desgraciado, infeliz. || Malo. || DER. Dícese del plazo o término que es improrrogable. [*Sinón.*: fatídico, aciago, nefasto; ineludible, indefectible]

fatalidad. f. Calidad de fatal. || Desgracia, desdicha, infelicidad.

fatalismo. m. Doctrina según la cual todo sucede por determinación ineludible del hado o destino.

fatalista. adj. Que sigue la doctrina del fatalismo. Ú.t.c.s.

fatídico, ca. adj. Que anuncia o pronostica el porvenir, por lo común lleno de desgracias.

fatiga (al. *Müde*, fr. *fatigue*, ingl. *weariness*, it. *fatica*). f. Agitación, cansancio, trabajo extraordinario. || Molestia ocasionada por la respiración frecuente o difícil. || Náusea. Ú.m. en pl. || fig. Molestia, penalidad. Ú.m. en pl.

fatigar (al. *ermüden*, fr. *fatiguer*, ingl. *to tire*, it. *affaticare*). tr. Causar fatiga. Ú.t.c.r. || Vejar, molestar. [*Sinón.*: cansar; importunar]

fatigoso, sa. adj. Fatigado, agitado. || Que causa fatiga.

fatuidad. f. Falta de razón o entendimiento. || Dicho o hecho necio. || Presunción, vanidad infundada y ridícula.

fatuo, tua. adj. Falto de razón o de entendimiento. Ú.t.c.s. || Lleno de presunción o vanidad infundada y ridícula. Ú.t.c.s. || ↗ *fuego fatuo*.

faucal. adj. Relativo o perteneciente a las fauces.

fauces. f. pl. ZOOL. Parte posterior de la boca de los mamíferos, que se extiende desde el velo del paladar hasta el principio del esófago. || ANAT. Istmo de las fauces.

fauna. f. Conjunto de los animales de un país o región. || Obra que los enumera y describe.

fauno. m. MIT. Semidiós de los campos y selvas.

fausto, ta. adj. Feliz, afortunado. || m. Grande ornato y pompa exterior; lujo extraordinario. [*Sinón.*: venturoso; fasto, pompa, boato. *Antón.*: infausto, nefasto, aciago; sencillez, modestia]

favor (al. *Gefälligkeit*, fr. *faveur*, ingl. *favour*, it. *favore*). m. Ayuda, socorro que se concede a alguien. || Honra, beneficio y gracia. || Privanza. || *favor de* (más infinitivo). *Amer.* Hazme, hágame, etc., el favor.

favorable. adj. Que favorece. || Propicio, apacible, benévolo.

favorecer (al. *begünstigen*, fr. *favoriser*, ingl. *to help*, it. *favorire*). tr. Ayudar, amparar, socorrer a uno. || Apoyar un intento, empresa u opinión.

favoritismo. m. Preferencia dada a alguien por capricho, anteponiéndola al mérito o la equidad. [*Antón.*: justicia, imparcialidad]

favorito, ta (al. *lieblings-*, fr. *favori*, ingl. *favourite*, it. *favorito*). adj. Que es estimado con preferencia. || s. Persona que priva con un rey o personaje.

faz (al. *Gesicht*, fr. *visage*, ingl. *face*, it. *faccia*). f. Rostro o cara. || Vista o lado de una cosa. || Anverso de las monedas y medallas.

fe (al. *Glaube*, fr. *foi*, ingl. *faith*, it. *fede*). f. La primera de las tres virtudes teologales, por la que, sin ver, creemos las verdades de la religión. || Confianza, buen concepto que se tiene de una persona o cosa. || Palabra que se da o promesa que se hace a uno con cierta solemnidad o publicidad. || Seguridad, aseveración de que la cosa es cierta. || Documento que certifica la veracidad de algo. || Fidelidad, lealtad, observancia de la fe que se debe a uno. || – *católica*. Religión católica. || – *de erratas*. IMP. Lista de las erratas que hay en un libro debidamente enmendadas. || – *de vida*. Certificado de la existencia de una persona. || – *pública*. Autoridad legítima atribuida a notarios, escribanos, etc., para la autenticación de documentos. || *buena fe*. Rectitud, honradez. || *mala fe*. Doblez, alevosía.

fealdad (al. *Hässlichkeit*, fr. *laideur*, ingl. *ugliness*, it. *bruttezza*). f. Calidad de feo. || fig. Torpeza, deshonestidad o acción indigna y que parece mal.

feble. adj. Débil, flaco. || Hablando de monedas, y en general de aleaciones metálicas, falto de peso o de ley. Ú.t.c.s.

Febo. n.p.m. MIT. Nombre de Apolo, que en lenguaje poético se toma por el Sol.

febrero (al. *Februar*, fr. *Février*, ingl. *February*, it. *febbraio*). m. Segundo mes del año, que en los comunes tiene veintiocho días y en los bisiestos veintinueve.

febrífugo, ga. adj. FARM. Dícese del medicamento que combate la fiebre. Ú.t.c.s.

febril (al. *fieberhaft*, fr. *fébrile*, ingl. *feverish*, it. *febbrile*). adj. Perteneciente a la fiebre. || fig. Ardoroso, violento. [*Sinón.*: calenturiento; inquieto. *Antón.*: frío; sosegado]

fecal. adj. Perteneciente o relativo al excremento intestinal.

fécula (al. *Stärkemel*, fr. *fécule*, ingl. *starch*, it. *fecola*). f. QUÍM. Hidrato de carbono que se presenta en forma de granos microscópicos. Se extrae de las semillas, tubérculos y raíces de muchas plantas y se utiliza como alimento del hombre o de los animales domésticos o con fines industriales.

feculento, ta. adj. Que tiene fécula. || Que tiene heces.

fecundación. f. Acción de fecundar.

fecundar (al. *befruchten*, fr. *féconder*, ingl. *to fecundate*, it. *fecondare*). tr. Hacer productiva una cosa. || Hacer directamente fecunda una cosa por vía de generación u otra parecida. || BIOL. Unirse el elemento reproductor masculino al femenino para dar origen a un nuevo ser.

fecundidad (al. *Fruchtbarkeit*, fr. *fécondité*, ingl. *fecundity*, it. *fecondità*). f. Virtud y facultad de producir. || Calidad de fecundo. || Fertilidad. || Reproducción numerosa. [*Antón.*: esterilidad]

fecundo, da. adj. Que produce o se reproduce por los medios naturales. || Fértil, abundante.

fecha (al. *Datum*, fr. *date*, ingl. *date*, it. *data*). f. Data, nota o indicación del lugar y tiempo en que se hace o sucede una cosa, y especialmente la indicación que se pone al principio o al fin de una carta o de cualquier otro documento. || Cada día transcurrido desde uno determinado. || Tiempo actual.

fechar. tr. Poner fecha a un escrito. || Determinar la fecha de un documento, obra de arte, suceso, etc.

fechoría. f. Mala acción.

federación (al. *Bündnis*, fr. *fédération*, ingl. *federation*, it. *federazione*). f. Acción de federar. || Organismo, entidad o Estado resultante de dicha acción. || Estado federal. || Poder central del mismo.

federal. adj. Federativo. || Federalista. Apl. a pers., ú.t.c.s.

federalismo. m. Sistema de confederación entre corporaciones o Estados.

federalista. adj. Partidario del federalismo. Apl. a pers., ú.t.c.s. || Federativo.

federar. tr. Hacer alianza, liga o pacto entre varios. Ú.t.c.r.

federativo, va. adj. Perteneciente o relativo a la federación.

fehaciente. adj. DER. Que hace fe en juicio.

felación. f. *Neol*. Caricias bucogenitales en las que la mujer tiene parte activa.

feldespato (al. *Feldspat*, fr. *feldspath*, ingl. *feldspar*, it. *feldispato*). m. MINERAL. Sustancia mineral de color blanco, amarillento o rojizo, brillo resinoso o anacarado y menos dura que el cuarzo, que forma parte principal de muchas rocas.

felicidad (al. *Glück*, fr. *bonheur*, ingl. *happiness*, it. *felicità*). f. Estado del ánimo que se complace en la posesión de un bien. || Satisfacción, contento. || Suerte feliz. [*Sinón.*: dicha, bienestar. *Antón.*: infelicidad]

felicitación. f. Acción de felicitar. || Tarjeta que se manda para felicitar.

felicitar (al. *beglückwünschen*, fr. *féliciter*, ingl. *to gratulate*, it. *felicitare*). tr. Expresar a una persona buenos deseos hacia ella con motivo de algún suceso fausto que le atañe. Ú.t.c.r. || Manifestar el deseo de que una persona sea feliz.

félido. adj. ZOOL. Dícese de mamíferos carnívoros, digitígrados, de cabeza redondeada y hocico corto y dedos con uñas agudas y retráctiles; como el león y el gato. Ú.t.c.s. || m. pl. Familia de estos animales.

feligrés, sa (al. *Pfarrkind*, fr. *paroissien*, ingl. *parishioner*, it. *parrocchiano*). s. Persona que pertenece a determinada parroquia respecto de ella misma.

feligresía. f. Conjunto de feligreses de una parroquia. || Parroquia.

felino, na. adj. Perteneciente al gato. || Que parece de gato. || Félido. Ú.t.c.s.m.

feliz (al. *glücklich*, fr. *heureux*, ingl. *happy*, it. *felice*). adj. Que tiene felicidad. Ú.t. en sent. fig. || Que ocasiona felicidad. || Oportuno, acertado, eficaz. || Que sucede con felicidad. [*Sinón.*: afortunado]

felón, na. adj. Que comete felonías. Ú.t.c.s.

felonía. f. Traición; acción fea.

felpa (al. *Plüsch*, fr. *peluche*, ingl. *plush*, it. *felpa*). f. Tejido que tiene pelo por el haz.

felpudo, da. adj. Tejido en forma de felpa. || m. Esterilla afelpada. || Estera gruesa y afelpada que se usa principalmente en la entrada de las casas a modo de limpiabarros.

femenil. adj. Concerniente a la mujer.

femenino, na (al. *weiblich*; fr. *féminin*; ingl. *female-*, *feminine*; it. *femminile*). adj. Propio de mujeres. || Se aplica al ser dotado de órganos para ser fecundado. || Concerniente a este ser. || fig. Débil. || GRAM. Perteneciente al género femenino.

fémina. f. Mujer, persona del sexo femenino.

femineidad (al. *Weiblichkeit*, fr. *féminité*, ingl. *womanliness*, it. *femminilità*). f. Calidad de femenino.

feminidad. f. Calidad de femenino.

feminismo. m. Doctrina social que concede a la mujer derechos reservados a los hombres.

feminista. adj. Relativo al feminismo. ‖ com. Partidario del feminismo.

feminoide. adj. Se aplica al varón con ciertos rasgos femeninos.

femoral. adj. ANAT. Perteneciente o relativo al fémur.

fémur. m. ANAT. Hueso del muslo, el más largo del cuerpo humano.

fenecer. tr. Concluir una cosa. ‖ intr. Morir. ‖ Acabarse o tener fin una cosa.

fenicio, cia. adj. Natural de Fenicia. Ú.t.c.s. ‖ Perteneciente a este país del Asia antigua.

fénix. m. Ave fabulosa, que los antiguos creyeron que era única y que renacía de sus cenizas. Usábase también como f. ‖ fig. Lo que es único en su especie.

fenol. m. QUÍM. Cuerpo que se extrae por destilación de los aceites de alquitrán. Se usa como antiséptico en medicina.

fenomenal. adj. Perteneciente o relativo al fenómeno. ‖ Que participa de la naturaleza del fenómeno. ‖ fam. Muy grande.

fenómeno (al. *Erscheinung*, fr. *phénomène*, ingl. *phenomenon*, it. *fenomeno*). m. Toda apariencia o manifestación material o espiritual. ‖ Cosa extraordinaria y sorprendente. ‖ fam. Persona o animal monstruoso. ‖ fam. Persona que sobresale en su línea.

fenotipo. m. BIOL. Realización visible del genotipo en un determinado ambiente.

feo, a (al. *hässlich*, fr. *laid*, ingl. *ugly*, it. *brutto*). adj. Falto de belleza y hermosura. ‖ fig. De aspecto malo o desfavorable. ‖ m. fam. Desaire grosero.

feracidad. f. Fertilidad de los campos.

feraz. adj. Fértil, copioso de frutos.

féretro (al. *Bhare*, fr. *cercueil*, ingl. *coffin*, it. *bara*). m. Caja en que se llevan a enterrar los difuntos. [*Sinón.*: ataúd]

feria (al. *Messe*, fr. *foire*, ingl. *fair*, it. *fiera*). f. Cualquier día de la semana que no sea sábado o domingo. ‖ Descanso o suspensión del trabajo. ‖ Mercado más importante que el ordinario, en paraje público y días señalados, y también las fiestas que se celebran con tal ocasión. ‖ Paraje público donde se exponen las cosas para este mercado. ‖ Concurrencia de gente en un mercado de esta clase. ‖ Trato, convenio.

feriado, da. adj. Se aplica al día en que están cerrados los tribunales.

feriar. tr. Comprar en la feria. Ú.t.c.r. ‖ Vender, comprar, permutar una cosa por otra. ‖ intr. Suspender el trabajo por uno o varios días, haciéndolos como feriados o de fiesta.

fermata. f. MÚS. Sucesión de notas de adorno, por lo común en forma de cadencia, que se ejecuta suspendiendo momentáneamente el compás. ‖ MÚS. Calderón, signo que representa la suspensión de este movimiento.

fermentación (al. *Gärung*, fr. *fermentation*, ingl. *fermentation*, it. *fermentazione*). f. Acción y efecto de fermentar.

fermentar (al. *gären*, fr. *fermenter*, ingl. *to ferment*, it. *fermentare*). intr. Producirse un proceso químico por la acción de un fermento, que aparece íntegramente al final de la serie de reacciones sin haberse modificado. ‖ fig. Alterarse o agitarse los ánimos. ‖ tr. Hacer o producir la fermentación.

fermento (al. *Gärstoff*, fr. *ferment*, ingl. *yeast*, it. *fermento*). m. BIOL. Cualquiera de las sustancias coloidales, solubles en agua y elaboradas por las células, que intervienen en el desarrollo de muchos procesos bioquímicos actuando a la manera de los catalizadores inorgánicos.

fermio. m. QUÍM. Elemento radiactivo artificial.

fernandino, na. adj. Perteneciente o relativo a Fernando VII. ‖ Partidario de este rey. Ú.t.c.s.

ferocidad (al. *Wildheit*, fr. *férocité*, ingl. *ferocity*, it. *ferocia*). f. Fiereza, crueldad. ‖ Atrocidad, dicho o hecho insensato.

feroz (al. *wild*, fr. *féroce*, ingl. *ferocious*, it. *feroce*). adj. Que obra con ferocidad y dureza. [*Sinón.*: fiero, inhumano, cruel]

férreo, a. adj. De hierro o que tiene sus propiedades. ‖ fig. Duro, tenaz.

ferrería. f. Taller donde se beneficia el mineral de hierro, reduciéndolo a metal.

ferretería. f. Ferrería. ‖ Comercio de hierro. ‖ Conjunto de objetos de hierro que se venden en las ferreterías.

ferretero, ra. s. Tendero de ferretería.

férrico, ca. adj. QUÍM. Aplícase a las combinaciones de hierro en las que este metal actúa con valencia 3.

ferrocarril (al. *Eisenbahn*, fr. *chemin de fer*, ingl. *railroad*, it. *ferrovia*). m. Camino con dos barras de hierro paralelas, sobre las cuales ruedan los carruajes, arrastrados generalmente por una locomotora. ‖ Tren.

ferrocarrilero, ra. adj. *Amer.* Ferroviario.

ferroviario, ria. adj. Perteneciente o relativo a las vías férreas. ‖ m. Empleado de ferrocarriles.

ferruginoso, sa. adj. Dícese del mineral que contiene hierro visiblemente. ‖ Aplícase a las aguas minerales en cuya composición entra alguna sal de hierro.

ferroso, sa. adj. Que es de hierro o lo contiene. ‖ QUÍM. Aplícase a las combinaciones del hierro en que este metal actúa con valencia 2.

ferry-boat (voz inglesa). m. Transbordador especialmente construido para el transporte de vagones de ferrocarril y otros vehículos.

fértil (al. *fruchtbar*, fr. *fertile*, ingl. *fertile*, it. *fertile*). adj. Aplícase a la tierra muy productiva. ‖ fig. Dícese del año en que la tierra da frutos en abundancia, y, por extensión, dícese también del ingenio. [*Sinón.*: fecundo, feraz; fructífero]

fertilidad (al. *Fruchtbarkeit*, fr. *fertilité*, ingl. *fertility*, it. *fertilità*.). f. Virtud que tiene la tierra para producir copiosos frutos. [*Sinón.*: feracidad. *Antón.*: esterilidad]

fertilizar. tr. Fecundizar la tierra, disponiéndola para que dé abundantes frutos.

férula. f. Cañaheja. ‖ CIR. Tablilla flexible y resistente que se emplea en el tratamiento de fracturas. ‖ fig. Autoridad o poder despótico.

ferviente. adj. fig. Fervoroso.

fervor (al. *Inbrunst*, fr. *ferveur*, ingl. *fervency*, it. *fervore*). m. Calor intenso. ‖ fig. Celo ardiente y afectuoso hacia las cosas de piedad y religión. ‖ fig. Eficacia suma con que se hace una cosa.

fervoroso, sa. adj. fig. Que tiene fervor activo y eficaz.

festejar. tr. Organizar festejos en obsequio de alguien. ‖ Requebrar a una mujer. ‖ r. Divertirse, recrearse.

festejo (al. *Lustbarkeiten*, fr. *réjouissances*, ingl. *rejoicins*, it. *festeggio*). m. Acción y efecto de festejar. ‖ Galanteo. ‖ pl. Regocijos públicos.

festín (al. *Schmaus*, fr. *festin*, ingl. *feast*, it. *banchetto*). m. Festejo particular, con baile, música, banquete, etc. ‖ Banquete espléndido.

festival. m. Fiesta, especialmente musical. || Conjunto avanzado de exhibiciones de un determinado arte o deporte.

festividad (al. *Festtag*, fr. *fête*, ingl. *holiday*, it. *festività*). f. Fiesta o solemnidad. || Día festivo. || agudeza, donaire en el decir.

festivo, va. adj. Chistoso, agudo. || Alegre, regocijado y gozoso. || Solemne, digno de celebrarse.

festón. m. Guirnalda de flores, frutas y hojas. || Cualquier bordado, dibujo u otro adorno en forma de ondas o puntas que adorna el borde de una tela. || ARQ. Adorno a manera de festón.

fetal. adj. Perteneciente o relativo al feto.

fetiche (al. *Fetisch*, fr. *fétiche*, ingl. *fetish*, it. *feticcio*). m. Ídolo u objeto de culto supersticioso en algunos pueblos primitivos.

fetichismo. m. Culto de los fetiches. || fig. Idolatría, veneración excesiva. || Desviación sexual consistente en la obsesión por determinados objetos o prendas de vestir.

fetichista. adj. Perteneciente o relativo al fetichismo. || com. Persona que profesa este culto.

fetidez. f. Hediondez, hedor.

fétido, da. adj. Hediondo, que arroja de sí mal olor.

feto (al. *Fötus*, fr. *foetus*, ingl. *fetus*, it. *feto*). m. Producto de la concepción de una hembra vivípara desde que pasa el período embrionario hasta el momento del parto. || Este mismo producto después de abortado.

feudal (al. *Feudal*, fr. *féodal*, ingl. *feudal*, it. *feudale*). adj. Perteneciente al feudo.

feudalismo (al. *Lehnswesen*, fr. *féodalisme*, ingl. *feudalism*, it. *feudalismo*). Sistema feudal de gobierno y organización de la propiedad.

feudatario, ria. adj. Sujeto u obligado a pagar feudo. Ú.t.c.s.

feudo. m. Contrato por el cual los soberanos y los grandes señores concedían tierras o rentas en usufructo, obligándose el que las recibía a guardar fidelidad de vasallo y prestar ciertos servicios personales. || Reconocimiento o tributo con cuya condición se concede el feudo. || Dignidad o heredamiento que se concede en feudo.

fez. m. Gorro de fieltro rojo y de figura de cubilete, usado especialmente por los moros, y hasta 1925 por los turcos.

fi. f. Vigésimoprimera letra del alfabeto griego (φ), equivalente a nuestra f.

fiabilidad. f. Calidad de fiable. || Probabilidad de buen funcionamiento de una cosa.

fiable. adj. Que es de fiar.

fiador, ra (al. *Bürge*, fr. *garant*, ingl. *bondsman*, it. *garante*). s. Persona que fía a otra para la seguridad de aquello a que está obligada. || m. Cordón que llevan algunos objetos para impedir que se caigan o pierdan al usarlos. || Pieza con que se afirma una cosa para que no se mueva.

fiambre. adj. Que después de asado o cocido se ha dejado enfriar para no comerlo caliente. Ú.t.c.s.m. || fig. y fam. Cadáver. Ú.t.c.s.m.

fiambrera. f. Cestón o caja para llevar fiambres || Cacerola que sirve para llevar la comida fuera de casa.

fianza (al. *Bürgschaft*, fr. *caution*, ingl. *surety*, it. *cauzione*). f. Obligación que se contrae de hacer aquello a que otro se ha obligado si éste no lo cumple. || Prenda que da el contratante en seguridad del buen cumplimiento de su obligación. || Cosa que se sujeta a esta responsabilidad, especialmente cuando es dinero, que pasa a poder del acreedor, o se deposita y consigna. || Persona que fía a otra para la seguridad de una obligación.

fiar. tr. Asegurar uno que cumplirá lo que otro promete, o pagará lo que debe, obligándose, en caso de que no lo haga, a satisfacer por él. || Vender sin tomar el precio de contado, para recibirlo en adelante. || Confiar en una persona. || Dar o comunicar a uno una cosa en confianza. Ú.t.c.r. || intr. Esperar con firmeza o seguridad algo grato. || *ser de fiar* una persona o cosa. Merecer por sus cualidades que se confíe en ella.

fiasco. m. Mal éxito.

fibra (al. *Fiber*, fr. *fibre*, ingl. *fibre*, it. *fibra*). f. Cada uno de los filamentos que entran en la composición de los tejidos orgánicos, vegetales o animales. || Cada uno de los filamentos que presentan en su textura algunos minerales, como el amianto. || Filamento obtenido por procedimiento químico y de principal uso en la industria textil. || Raíces pequeñas y delicadas de las plantas. || fig. Vigor, energía.

fibrilación. f. Temblor muscular.

fibroma. m. PAT. Tumor formado por tejido fibroso.

fibroso, sa. adj. Que tiene muchas fibras.

ficción (al. *Erdichtung*, fr. *fiction*, ingl. *fiction*, it. *finzione*). f. Acción y efecto de fingir. || Invención literaria. [*Antón.*: realidad]

ficticio, cia. adj. Fingido o fabuloso. || Aparente, convencional.

ficha (al. *Zettel*, fr. *fiche*, ingl. *card*, it. *scheda*). f. Pieza pequeña para señalar los tantos en el juego. || Cada una de las piezas del juego de dominó. || Pieza pequeña que se usa en sustitución de la moneda, después de asignarle un valor convenido. || Cédula de cartulina o papel fuerte que puede clasificarse con otras y guardarse verticalmente en cajas.

fichaje. m. DEP. Acción de fichar. || DEP. Deportista fichado. || Por ext., persona contratada.

fichar. tr. Hacer a un individuo una ficha en la que se consignan sus medidas corporales y señales individuales. || fig. y fam. Poner a una persona entre las que miran con prevención y desconfianza. || DEP. Contratar una entidad deportiva los servicios de un jugador o técnico. || intr. DEP. Comprometerse un deportista a actuar en determinada entidad.

fichero (al. *Kartenregister*, fr. *fichier*, ingl. *file*, it. *schedario*). m. Caja o mueble donde se guardan ordenadamente las fichas o cédulas. [*Sinón.*: archivador]

fidedigno, na. adj. Digno de fe.

fideicomiso. m. DER. Disposición por la cual el testador deja bienes encomendados a alguien para que cumpla su voluntad.

fidelidad (al. *Treue*, fr. *fidélité*, ingl. *fidelity*, it. *fedeltà*). f. Lealtad. || Exactitud en la ejecución de una cosa.

fideo (al. *Nudel*, fr. *vermicelle*, ingl. *vermicelli*, it. *vermicelli*). m. Pasta de harina de trigo, en forma de cuerda delgada, que sirve para sopa. Ú.m. en pl. || fig. y fam. Persona muy delgada.

fiduciario, ria. adj. DER. Dícese de la persona encargada de un fideicomiso. Ú.t.c.s. || Que depende del crédito y confianza que merezca.

fiebre (al. *Fieber*, fr. *fièvre*, ingl. *fever*, it. *febbre*). f. Fenómeno patológico que se manifiesta por elevación de la temperatura del cuerpo y de la frecuencia del pulso. || fig. Viva y ardorosa agitación producida por una causa moral. || – *aftosa*. Glosopeda.

fiel (al. *treu*, fr. *fidèle*, ingl. *faithful*, it. *fedele*). adj. Que tiene fe. || Conforme a la verdad. || Creyente de alguna religión, especialmente de la Católica. Ú.t.c.s. || m. El encargado de que se

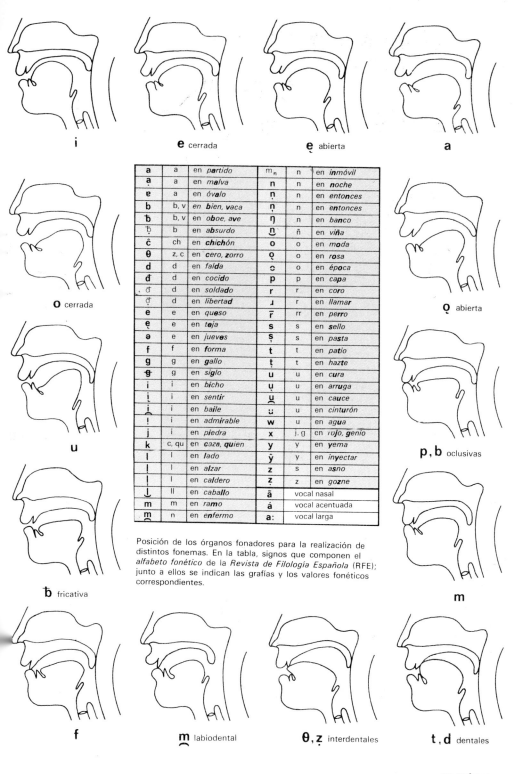

i   **e** cerrada   **ę** abierta   **a**

o cerrada   **ǫ** abierta

u   **p, b** oclusivas

ƀ fricativa   **m**

f   **m** labiodental   **θ, ẓ** interdentales   **t, d** dentales

signo	grafía	valor		signo	grafía	valor
a	a	en *partido*		ᵐn	n	en *inmóvil*
a̤	a	en *malva*		n	n	en *noche*
e̦	a	en *óvalo*		n̦	n	en *entonces*
b	b, v	en *bien, vaca*		ņ	n	en *entonces*
ƀ	b, v	en *oboe, ave*		ŋ	n	en *banco*
ƀ̣	b	en *absurdo*		n̲	ñ	en *viña*
ĉ	ch	en *chichón*		o	o	en *moda*
θ	z, c	en *cero, zorro*		ǫ	o	en *rosa*
d	d	en *falda*		ɔ	o	en *época*
đ	d	en *cocido*		p	p	en *capa*
đ̦	d	en *soldado*		r	r	en *coro*
d̦	d	en *libertad*		ɹ	r	en *llamar*
e	e	en *queso*		r̄	rr	en *perro*
ę	e	en *teja*		s	s	en *sello*
ə	e	en *jueves*		ş	s	en *pasta*
f	f	en *forma*		t	t	en *patio*
g	g	en *gallo*		ţ	t	en *hazte*
ǥ	g	en *siglo*		u	u	en *cura*
i	i	en *bicho*		ų	u	en *arruga*
i̦	i	en *sentir*		u̯	u	en *cauce*
i̭	i	en *baile*		ü	u	en *cinturón*
i̥	i	en *admirable*		w	u	en *agua*
j	i	en *piedra*		x	j, g	en *rojo, genio*
k	c, qu	en *caza, quien*		y	y	en *yema*
l	l	en *lado*		ŷ	y	en *inyectar*
ļ	l	en *alzar*		z	s	en *asno*
ḷ	l	en *caldero*		ẓ	z	en *gozne*
ḻ	ll	en *caballo*		ã		vocal nasal
m	m	en *ramo*		á		vocal acentuada
m̦	n	en *enfermo*		a:		vocal larga

Posición de los órganos fonadores para la realización de distintos fonemas. En la tabla, signos que componen el *alfabeto fonético* de la *Revista de Filología Española* (RFE); junto a ellos se indican las grafías y los valores fonéticos correspondientes.

FONÉTICA

En las figuras I, II y III se han esquematizado, en sección, las distintas posiciones de los órganos de la fonación. En I aparecen los órganos fonadores en posición de reposo: no hay emisión de sonido. En II se representa la posición de los órganos que permite el paso del aire en la producción de las vocales. Las ondas sonoras se emiten sólo a través de la cavidad bucal, ya que el acceso a las vías nasales está impedido por el paladar blando, que se levanta completamente. La pronunciación de los distintos sonidos vocálicos queda, así, determinada por la posición de la lengua y la forma en que se ponga la boca. En III, las flechas indican el paso del aire a través de la laringe, la faringe y la cavidad nasal. El paladar blando (úvula o campanilla) desciende sobre el postdorso de la lengua, que, a su vez, se eleva hacia el paladar, evitando el paso del aire por la cavidad bucal. Esta disposición de los órganos fonadores permite la pronunciación nasal.

El esquema IV es una simplificación utilizada para representar gráficamente las posiciones que toman los órganos de la fonación en la articulación de los distintos sonidos.

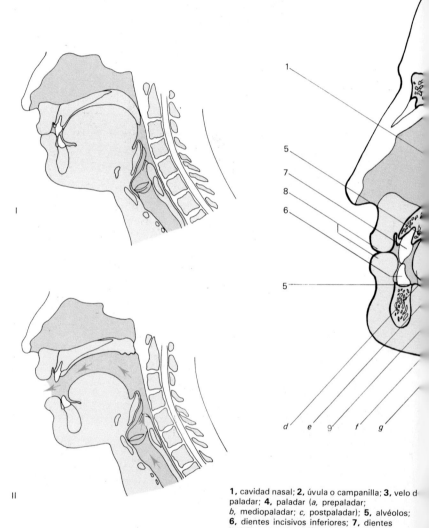

I

II

1, cavidad nasal; 2, úvula o campanilla; 3, velo d
paladar; 4, paladar (a, prepaladar;
b, mediopaladar; c, postpaladar); 5, alvéolos;
6, dientes incisivos inferiores; 7, dientes
incisivos superiores; 8, labios; 9, lengua
(d, ápice; e, predorso; f, mediodorso; g, postdorso
10, cuerdas vocales; 11, epiglotis; 12, cavidad
laríngea; 13, tiroides; 14, tráquea; 15, cricoide
16, esófago; 17, cavidad faríngea.

FONÉTICA

El significante del signo lingüístico está constituido
por una sucesión de sonidos que el hablante aísla
intuitivamente. La palabra **sonido** designa tanto
el efecto acústico causado por la vibración
de las cuerdas vocales (sonido articulado
sonoro) como, sin que ésta tenga lugar,
el producido por determinadas
posiciones de los órganos
de la boca (sonido
articulado
sordo).

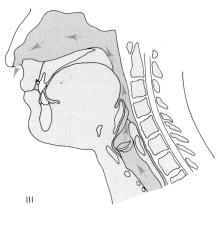

III

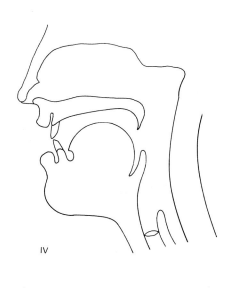

IV

a b c

4

3

2

17

11

13 10 12 14 15 16

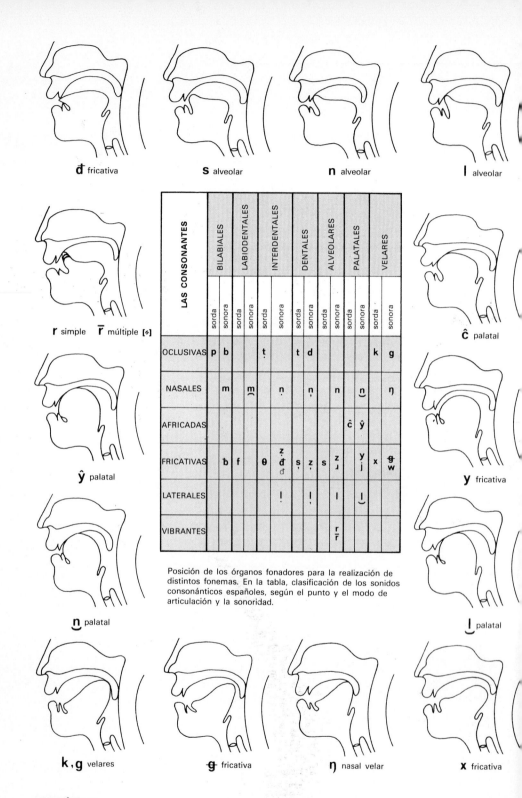

đ fricativa   s alveolar   n alveolar   l alveolar

r simple   r̄ múltiple [ɾ]

ŷ palatal

n̪ palatal

k,g velares

ĉ palatal

y fricativa

ḷ palatal

ǥ fricativa   ŋ nasal velar   x fricativa

LAS CONSONANTES	BILABIALES		LABIODENTALES		INTERDENTALES		DENTALES		ALVEOLARES		PALATALES		VELARES	
	sorda	sonora	sorda	sonora	sorda	sonora	sorda	sonora	sorda	sonora	sorda	sonora	sorda	sonora
OCLUSIVAS	p	b			t̪		t	d					k	g
NASALES		m		m̫		n̪		n̪		n		n̠		ŋ
AFRICADAS											ĉ	ŷ		
FRICATIVAS	ƀ	f			θ	z̦ đ ḏ		s̪ z̪	s	z̦ ɹ		y̦ j	x	ǥ w
LATERALES						l̪		l̪		l		ḻ		
VIBRANTES										r r̄				

Posición de los órganos fonadores para la realización de distintos fonemas. En la tabla, clasificación de los sonidos consonánticos españoles, según el punto y el modo de articulación y la sonoridad.

FONÉTICA

hagan algunas cosas con legalidad. ‖ Aguja de las balanzas y romanas.

fielato. m. Oficio de fiel. ‖ Oficina del fiel. ‖ Oficina en que se pagan los derechos de consumo.

fieltro (al. *Filz*, fr. *feutre*, ingl. *felt*, it. *feltro*). m. Especie de paño no tejido que resulta de conglomerar borra, lana o pelo.

fiera (al. *Raubtier*, fr. *bête fauve*, ingl. *wild beast*, it. *fiera*). f. Bruto indómito, cruel y carnicero. ‖ fig. Persona cruel o de carácter violento. ‖ ZOOL. Carnívoro, mamífero unguiculado con cuatro extremidades, como el tigre.

fiereza. Inhumanidad, crueldad.

fiero, ra (al. *wild*, fr. *sauvage*, ingl. *wild*, it. *spietato*). adj. Perteneciente o relativo a las fieras. ‖ Duro o intratable. ‖ Feo. ‖ Excesivo.

fierro. m. *Amer.* Hierro, marca para el ganado. ‖ *echar*, o *echarse, un fierro.* vulg. *Amer.* Realizar el hombre el acto sexual.

fiesta (al. *Fest*, fr. *fête*, ingl. *entertainment*, it. *festa*). f. Alegría o diversión. ‖ fam. Chanza, broma. ‖ Día que la Iglesia celebra con solemnidad. ‖ Día en que se celebra alguna solemnidad nacional.

fígaro. m. Barbero de oficio. ‖ Torera.

figle. m. MÚS. Instrumento músico de viento, que consiste en un tubo largo de latón doblado por la mitad, con llaves o pistones.

figón. m. Casa de comidas de poca categoría.

figura (al. *Figur*, fr. *figure*, ingl. *figure*, it. *figura*). f. Forma exterior de un cuerpo. ‖ Parte anterior de la cabeza. ‖ Estatua o pintura que representa el cuerpo de un hombre o animal. ‖ En el dibujo, la que representa el cuerpo humano. ‖ Cosa que representa o significa otra. ‖ Nota musical. ‖ Personaje de una obra dramática y actor que lo representa. ‖ Cambio de colocación de los bailarines en una danza. ‖ Gesto. ‖ Ilustración de un libro. ‖ GEOM. Línea o conjunto de líneas con que se representa un objeto o un concepto. ‖ GEOM. Espacio cerrado por líneas o superficies. ‖ RET. Cada uno de ciertos modos de hablar que se usan para dar a la expresión de los efectos o las ideas singular elevación, gracia o energía. ‖ *– de construcción.* GRAM. Cada uno de los varios modos de construcción gramatical que se apartan de la considerada normal. ‖ *– de dicción.* GRAM. Cada una de las alteraciones que experimen-

ta una palabra por adición, supresión, cambio o transposición de sonidos. ‖ *buena*, o *mala, figura*. La de partes armónicas y bien proporcionadas, o al contrario.

figuración. f. Acción y efecto de figurar o figurarse una cosa.

figurado, da (al. *sinnbildlich*, fr. *figuré*, ingl. *metaphorical*, it. *figurato*). adj. Aplícase al canto o música cuyas notas tienen diferente valor según su diverso aspecto. ‖ Que usa figuras retóricas. ‖ Se aplica al sentido en que se toman las palabras para que denoten idea diversa de la que literalmente significan. ‖ Se dice de la voz o frase en sentido figurado.

figurante, ta. Comparsa de teatro.

figurar. tr. Delinear y formar la figura de una cosa. ‖ Suponer, fingir. ‖ intr. Pertenecer al número de determinadas personas o cosas. ‖ Hacer figura. ‖ r. Fantasear, suponer uno algo que desconoce.

figurativo, va. adj. Que sirve de representación o figura de otra cosa. ‖ Se dice del arte y de los artistas que representan figuras de realidades concretas, en oposición al arte y artistas abstractos.

figurín. m. Dibujo o modelo pequeño para los trajes y adornos de moda. ‖ fig. Lechuguino.

figurón. m. aum. de figura. ‖ fig. y fam. Hombre fantástico, que aparenta más de lo que es. ‖ *– de proa.* MAR. Mascarón de proa.

fijación. f. Acción de fijar.

fijador, ra (al. *fixierbad*, fr. *fixateur*, ingl. *fixing bath*, it. *fissativo*). adj. Que fija. ‖ m. Preparación cosmética glutinosa que se emplea para asentar el cabello.

fijar (al. *befestigen*, fr. *fixer*, ingl. *to fix*, it. *fissare*). tr. Clavar, asegurar un cuerpo en otro. ‖ Pegar con engrudo, etc. ‖ Hacer estable una cosa. Ú.t.c.r. ‖ Precisar. ‖ Dirigir o aplicar intensamente. ‖ FOTOGR. Hacer que la imagen fotográfica impresionada quede inalterable a la acción de la luz. ‖ r. Determinarse, resolverse. ‖ Atender, notar.

fijeza. f. Seguridad de opinión. ‖ Persistencia, seguridad.

fijo, ja (al. *fest*, fr. *fixe*, ingl. *fixed*, it. *fisso*). adj. Firme, asegurado. ‖ Permanente, no expuesto a movimiento o alteración.

fila (al. *Reihe*, fr. *rang*, ingl. *row*, it. *schiera*). f. Orden que guardan varias personas o cosas puestas en línea. ‖ fig.

y fam. Odio, antipatía. ‖ MIL. Línea que los soldados forman de frente, hombro con hombro. ‖ *en filas.* m. adv. En servicio activo en el ejército.

filamento. m. Cuerpo filiforme.

filamentoso, sa. adj. Que tiene filamentos.

filantropía. f. Amor al género humano.

filántropo. m. El que se distingue por el amor a sus semejantes.

filarmónico, ca. adj. Apasionado por la música. Ú.t.c.s.

filatelia (al. *Philatelie*, fr. *philatélie*, ingl. *philately*, it. *filatelia*). f. Arte que trata del conocimiento de los sellos.

filatélico, ca. adj. Relativo a la filatelia. ‖ s. Coleccionista de sellos.

filatelista. com. Persona que se dedica a la filatelia.

filete. m. Miembro de moldura, a modo de lista larga y angosta. ‖ Línea o lista que sirve de adorno. ‖ Remate de hilo enlazado que se echa al canto de alguna ropa. ‖ Asador pequeño y delgado. ‖ Solomillo. ‖ Lonja delgada de carne magra o de pescado limpio de raspas. ‖ Espiral saliente del tornillo o de la tuerca. ‖ En equitación, freno que se pone a los potros para que se acostumbren a recibir el bocado.

filfa. f. fam. Mentira, engaño, noticia falsa.

filiación (al. *Abstammung*, fr. *filiation*, ingl. *filiation*, it. *filiazione*). f. Acción y efecto de filiar. ‖ Procedencia de los hijos respecto a los padres. ‖ Dependencia de algunas personas o cosas respecto de otra u otras principales. ‖ Señas personales de cualquier individuo.

filial (al. *shones, tochter;* fr. *filial;* ingl. *filial;* it. *filiale*). adj. Perteneciente al hijo. ‖ Aplícase al establecimiento, organización, entidad, etc., que depende de otro.

filiar. tr. Tomar la filiación a uno. ‖ r. Afiliarse.

filibustero (al. *Freibeuter*, fr. *flibustier*, ingl. *buccaneer*, it. *filibustiere*). m. Nombre de ciertos piratas que por el siglo XVII infestaron el mar de las Antillas.

filiforme. adj. Que tiene forma o apariencia de hilo.

filigrana. f. Obra formada de hilos de oro y plata, unidos y soldados con delicadeza. ‖ Señal o marca transparente que se hace en el papel al tiempo de fabricarlo. ‖ fig. Cosa delicada y pulida.

filipense. adj. Dícese del sacerdote

de la Congregación de San Felipe Neri. Ú.t.c.s.

filípica. f. Invectiva, censura acre. [*Sinón*.: diatriba]

filipinismo. m. Vocablo o giro propio de los filipinos que hablan castellano. || Afición a las cosas propias de Filipinas.

filipino, na. adj. Natural de las islas Filipinas. Ú.t.c.s. || Perteneciente a ellas. || Perteneciente o relativo a Felipe II de España.

filisteo, a. adj. Dícese del individuo de una pequeña nación enemiga de los israelitas, y que ocupaba la costa del Mediterráneo al norte de Egipto. Ú.t.c.s. || Perteneciente o relativo a los filisteos. || m. fig. Persona de espíritu vulgar y de cortos alcances.

film (voz inglesa). m. Filme.

filmar. tr. Realizar un filme.

filme. m. Película cinematográfica.

filmlet (voz inglesa). m. Filme publicitario de muy corta duración.

filmografía. f. Descripción o conocimiento de filmes o microfilmes. || Conjunto de la obra de un autor cinematográfico. || Conjunto de los filmes relativos a un hecho, a una época, etc.

filmoteca. f. Lugar donde se guardan ordenados los filmes. || Conjunto o colección de filmes. || Local donde se exhiben los filmes de una colección. [*Sinón*.: cinemateca]

filo (al. *Schneide*, fr. *tranchant*, ingl. *edge*, it. *taglio*). m. Artista o borde agudo de un instrumento cortante. || Punto o línea que divide una cosa en dos partes iguales.

-filo. Elemento compositivo que entra en la formación de algunas voces españolas con el significado de "amigo; amante de".

filófago, ga. adj. ZOOL. Que se alimenta de hojas. Ú.t.c.s.

filogenia. f. Historia de la evolución de un grupo de organismos.

filología (al. *Philologie*, fr. *philologie*, ingl. *philology*, it. *filologia*). f. Estudio científico de la lengua y de las manifestaciones a que ella sirve de medio de expresión.

filólogo, ga. s. Persona versada en filología.

filón (al. *Erzader*, fr. *filon*, ingl. *vein*, it. *filone*). m. MINER. Masa metalífera o pétrea que rellena una antigua quiebra de las rocas de un terreno. || fig. Materia, negocio, recurso del que se espera sacar gran provecho.

filosofar. intr. Examinar una cosa como filósofo, o discurrir acerca de ella

con razones filosóficas. || fam. Meditar, hacer soliloquios.

filosofía (al. *Philosophie*, fr. *philosophie*, ingl. *philosophy*, it. *filosofia*). f. Ciencia que trata de la esencia, propiedades, causas y efectos de las cosas naturales. || Conjunto de doctrinas que con este nombre se aprenden en los establecimientos de enseñanza. || Facultad dedicada en las universidades a la ampliación de estos conocimientos. || fig. Fortaleza y serenidad de ánimo para soportar las vicisitudes de la vida.

filosófico, ca. adj. Perteneciente o relativo a la filosofía.

filosofismo. m. Falsa filosofía. || Abuso de esta ciencia.

filósofo, fa (al. *Philosoph*, fr. *philosophe*, ingl. *philosopher*, it. *filosofo*). adj. Perteneciente o relativo a la filosofía. || Que afecta lenguaje y modos de filósofo. || s. Persona que estudia, profesa o sabe la filosofía.

filoxera. f. ZOOL. Insecto hemíptero semejante al pulgón, de color amarillento y medio milímetro de longitud, que ataca las vides. || fig. Borrachera.

filtración. f. Acción de filtrar o filtrarse.

filtrar (al. *seihen*, fr. *filtrer*, ingl. *to filter*, it. *filtrare*). tr. Hacer pasar un líquido a través de un cuerpo sólido. || Dejar un cuerpo sólido pasar un cuerpo líquido a través de sus poros, vanos o resquicios. || r. fig. Llegar al conocimiento público algo que debía permanecer en secreto.

filtro (al. *Filter*, fr. *filtre*, ingl. *filter*, it. *filtro*). m. Materia porosa o masa de cosas menudas a través de la cual se hace pasar un fluido para clarificarlo. || Manantial de agua dulce en la costa del mar y a veces hasta en parajes bañados por el mar. || Bebida que se ha fingido podía conciliar el amor de una persona.

fimosis. f. MED. Estrechez del orificio del prepucio, que impide la salida del bálano.

fin (al. *Ende*, fr. *fin*, ingl. *end*, it. *fine*). amb. Término, remate o consumación de una cosa. Ú.m.c.m. || m. Objeto o motivo con que se ejecuta una cosa.

finado, da. s. Persona muerta.

final (al. *Schluss*, fr. *final*, ingl. *final*, it. *finale*). adj. Que remata, cierra o perfecciona una cosa. || m. Fin y remate de una cosa. || f. Última y definitiva competición en un campeonato o concurso.

finalidad (al. *Zweck*, fr. *but*, ingl.

goal, it. *finalità*). f. fig. Fin con que o por que se hace una cosa. [*Sinón*.: objeto]

finalista. com. Partidario de la doctrina de las causas finales. || Cada uno de los que llegan a la prueba final de un campeonato. Ú.t.c.adj.

finalizar. tr. Concluir una obra. || intr. Extinguirse, consumirse, acabarse una cosa.

financiación. f. Acción y efecto de financiar.

financiar. tr. Aportar el dinero necesario para una empresa. || Sufragar los gastos de una actividad, obra, etc.

financiero, ra (al. *Finanzmann*, fr. *financier*, ingl. *financier*, it. *finanziere*). adj. Perteneciente o relativo a la hacienda pública, a las cuestiones bancarias o bursátiles, o a los grandes negocios mercantiles. || s. Persona versada en la teoría o práctica de esas materias.

financista. com. *Amer*. financiero.

finanzas. f. pl. Caudales, bienes. || Hacienda pública. || Negocios monetarios, bancarios, bursátiles.

finar. intr. Fallecer, morir.

finca. f. Propiedad inmueble.

finés, sa. adj. Dícese del individuo de un pueblo antiguo que dio nombre a Finlandia, poblado hoy por gente de raza finesa. Ú.t.c.s. || Perteneciente a los fineses. || Finlandés. || m. Idioma finés.

fineza (al. *Gefälligkeit*, fr. *politesse*, ingl. *kindness*, it. *gentilezza*). f. Pureza y bondad de una cosa en su línea. || Acción o dicho con que uno da a entender el amor y benevolencia que tiene a otro. || Actividad y empeño amistoso a favor de uno. || Dádiva pequeña y de cariño. || Delicadeza y primor.

fingido, da. adj. Que finge. falso.

fingimiento. m. Simulación con que se intenta hacer que una cosa parezca distinta de lo que es.

fingir (al. *vorgeben*, fr. *feindre*, ingl. *to feign*, it. *fingere*). tr. Dar a entender lo que no es cierto. Ú.t.c.r. || Dar existencia ideal a lo que realmente no la tiene. Ú.t.c.r. || Simular, aparentar.

finiquitar. tr. Saldar una cuenta.

finiquito. m. Remate de las cuentas o certificación de su ajuste.

finito, ta. adj. Que tiene fin, límite. [*Sinón*.: limitado. *Antón*.: infinito, ilimitado]

finlandés, sa. adj. Natural de Finlandia. Ú.t.c.s. || Perteneciente a este país europeo. || m. Idioma finlandés.

fino, na (al. *fein*, fr. *délicat*, ingl. *nice*,

it. *fino*). adj. Delicado y de buena calidad. || Delgado, sutil. || Esbelto y de facciones delicadas. || Cortés, urbano. || Amoroso, afectuoso. || Astuto, sagaz. || Que hace las cosas con primor. || Tratándose de metales, muy depurado.

finolis. adj. fig. Se aplica a la persona presumida y pedante. Ú.m.c.s.

finta. f. Ademán o amago que se hace para engañar a uno.

finura (al. *Wohlerzogenheit*, fr. *courtoisie*, ingl. *fine manners*, it. *cortesia*). f. Delicadeza, buena calidad. || Urbanidad, cortesía.

fiordo. m. En las costas noruegas, golfo angosto formado entre laderas de montañas abruptas.

firma (al. *Unterschrift*, fr. *signature*, ingl. *signature*, it. *firma*). f. Nombre y apellido, o título, de una persona, que ésta pone al pie de un escrito. || Conjunto de documentos que se presentan a un superior para que los firme. || Acto de firmarlos. || Razón social.

firmamento (al. *Himmelsgewölbe*, fr. *firmament*, ingl. *sky*, it. *firmamento*). m. La bóveda celeste.

firmante. adj. Que firma. Ú.t.c.s.

firmar (al. *unterschreiben*, fr. *signer*, ingl. *to sing*, it. *firmare*). tr. Poner uno su firma.

firme (al. *fest*. fr. *ferme*, ingl. *firm*, it. *fermo*). adj. Estable, fuerte. || fig. Constante, que no se deja dominar ni abatir. || m. Capa sólida de terreno sobre el que se puede cimentar. || Capa de guijo o de piedra machacada para consolidar el piso de una carretera. || adv. m. Con firmeza, con violencia. || *de firme.* m. adv. Con constancia y ardor; con solidez; violentamente. || *en firme.* m. adv. En las operaciones comerciales, con carácter definitivo.

firmeza (al. *Festigkeit*, fr. *fermeté*, ingl. *firmness*, it. *fermezza*). f. Estabilidad, estado de lo que no se mueve ni vacila. || fig. Entereza, constancia. [*Antón.*: inestabilidad; inseguridad, indecisión]

fiscal (al. *Fiskal*, fr. *procureur*, ingl. *attorney-general*, it. *fiscale*). adj. Perteneciente al fisco o al oficio de fiscal. || m. Ministro encargado de promover los intereses del fisco. || El que representa y ejerce el ministerio público en los tribunales.

fiscalía. f. Oficio y empleo del fiscal. || Oficina o despacho del fiscal.

fiscalizar (al. *bekritteln*, fr. *contrôler*, ingl. *to pry into*, it. *controllare*). tr. Ejercer el oficio de fiscal. || fig. Criticar las acciones de otro.

fisco (al. *Staatsschatz*, fr. *fisc*, ingl. *exchequer*, it. *fisco*). m. Erario público.

fisgar. tr. Husmear. || intr. Hacer burla diestramente y con disimulo. Ú.t.c.r.

fisgón, na. adj. Que hace burla. Ú.t.c.s. || Que husmea. Ú.t.c.s.

fisgonear. tr. Fisgar por costumbre.

física (al. *Physik*, fr. *physique*, ingl. *physics*, it. *fisica*). f. Ciencia que estudia las propiedades de la materia y de la energía, considerando sólo los atributos capaces de medida.

físico, ca. adj. Perteneciente a la física. || Perteneciente a la constitución y naturaleza corpórea. || s. Persona que profesa la física o tiene en ella especiales conocimientos. || m. Lo que forma la constitución y naturaleza de una persona.

fisicoquímica. f. Parte de las ciencias naturales que estudia los fenómenos comunes a la física y a la química.

fisiología. f. Ciencia que estudia las funciones de los seres orgánicos.

fisiólogo, ga. s. Persona que estudia o profesa la fisiología.

fisión. f. Fís. Escisión del núcleo de un átomo, acompañada de liberación de energía.

fisionar. tr. Fís. Producir la fisión.

fisioterapia. f. Med. Método curativo por medio de los agentes naturales: aire, agua, luz, etc.

fisípedo, da. adj. De pezuñas partidas. Ú.t.c.s.

fisirrostro, tra. adj. Zool. Se aplica al pájaro que tiene el pico corto, ancho, aplastado y profundamente hendido. || m.pl. Suborden de estos animales, al que pertenecen las golondrinas y los vencejos.

fisonomía. f. Aspecto particular del rostro de una persona. || fig. Aspecto exterior de las cosas. [*Sinón.*: expresión, rasgos]

fisonomista. adj. Se aplica al que se dedica a hacer estudio de la fisonomía. Ú.t.c.s. || Aplícase al que tiene facilidad natural para recordar a las personas por su fisonomía. Ú.t.c.s.

fisóstomo. adj. Zool. Se dice de los peces teleósteos con aletas de radios blandos y flexibles y de las que las abdominales están situadas detrás de las pectorales, o no existen. Ú.t.c.s. || m. pl. Suborden de estos animales, entre los que se cuentan la mayoría de los peces de agua dulce.

fístula (al. *Fistel*, fr. *fistule*, ingl. *fistula*, it. *fistola*). f. Cañón por donde se vierte un líquido. || Especie de flauta. ||

Med. Conducto anormal, ulcerado, que se abre en la piel o en las membranas mucosas. || — *lacrimal.* Rija.

fisura. f. Med. Fractura longitudinal de un hueso. || Med. Grieta en el ano. || Hendedura en una masa mineral.

fitófago, ga. adj. Que se alimenta de materias vegetales. Ú.t.c.s.

fitogénesis. f. Bot. Principio de la germinación de las plantas.

fitografía. f. Bot. Parte de la botánica que trata de la descripción de las plantas.

fitología. f. Ciencia que trata de los vegetales. [*Sinón.*: botánica]

flabelo. m. Abanico grande con mango largo.

flaccidez. f. Calidad de fláccido. || Debilidad muscular, flojedad.

fláccido, da (al. *schlaff*, fr. *flasque*, ingl. *flabby*, it. *flaccido*). adj. Flojo, sin consistencia.

flaco, ca (al. *mager*, fr. *maigre*, ingl. *lean*, it. *magro*). adj. Dícese de la persona o animal de pocas carnes. || fig. Flojo, sin fuerzas. || fig. Se aplica al espíritu falto de vigor y resistencia. || fig. Endeble. || m. Defecto moral o afición predominante de una persona.

flagelación. f. Acción de flagelar o flagelarse.

flagelado, da. adj. Biol. Se dice de la célula o microorganismo provisto de uno o más flagelos. Ú.t.c.s.m. || m.pl. Zool. Clase de protozoos, que comprende animales provistos de flagelos.

flagelar. tr. Azotar. Ú.t.c.r. || fig. Censurar con dureza.

flagelo (al. *Geissel*, fr. *flagellum*, ingl. *flagellum*, it. *flagello*). m. Instrumento para azotar. || Embate repetido del agua; calamidad. || Biol. Filamento contráctil que sirve de órgano de locomoción a ciertas células o seres unicelulares.

flagrancia. f. Calidad de flagrante.

flagrante (al. *frisch*, fr. *flagrant*, ingl. *actual*, it. *flagrante*). adj. Que flagra. || Que se está ejecutando actualmente.

flagrar. intr. poét. Arder o resplandecer como fuego o llamas.

flama. f. Llama. || Reflejo de la llama.

flamante (al. *nagelneu*, fr. *flambant neuf*, ingl. *brand-new*, it. *fiammante*). adj. Lúcido, resplandeciente. || Nuevo, reciente. || Aplicado a cosas, acabado de hacer o de estrenar.

flamear. intr. Despedir llamas. || Ondear las grímpolas y flámulas a la vela del buque. || fig. Ondear una bandera movida por el viento, pero sin llegar a desplegarse. ‖ MED. Quemar alcohol u otro líquido inflamable en superficies o vasijas para esterilizarlas.

flamenco, ca (al. *flämisch*, fr. *flamand*, ingl. *flemish*, it. *flammingo*). adj. Natural de Flandes. Ú.t.c.s. ‖ Perteneciente a esta región. ‖ Se aplica a lo andaluz que tiende a hacerse agitanado. ‖ Que tiene aire de chulo. Ú.t.c.s. ‖ Se dice de las personas de aspecto sano. Ú.t.c.s. ‖ m. Idioma flamenco. ‖ ZOOL. Ave zancuda, de cerca de un metro de altura, con pico, cuello y patas muy largos, plumaje en parte rojo y en parte blanco, y la punta del pico negra.

flamígero, ra (al. *flammensprühend*, fr. *flamboyant*, ingl. *flamboyant*, it. *fiammeggiante*). adj. Que arroja o despide llamas, o imita su figura.

flámula. f. Especie de grímpola.

flan (al. *Milchpudding*, fr. *flan*, ingl. *custard*, it. *flan*). m. Plato de dulce que se hace mezclando yemas de huevo, leche y azúcar y poniendo este compuesto, para que se cuaje, al baño de María, dentro de un molde bañado, generalmente, de azúcar tostada.

flanco (al. *Seite*, fr. *flanc*, ingl. *flank*, it. *flanco*). m. Cada una de las dos partes laterales de un cuerpo, considerado de frente. ‖ Lado de una fuerza militar, o zona lateral e inmediata a ella.

flanero. m. Molde en que cuaja el flan.

flanquear (al. *Flankieren*, fr. *flanquer*, ingl. *to flank*, it. *fiancheggiare*). tr. Estar colocado al flanco o lado de una cosa. ‖ FORT. Dominar una fortificación a otra con sus fuegos. ‖ MIL. Proteger los propios flancos. ‖ MIL. Amenazar los flancos del adversario.

flaquear. intr. Debilitarse, ir perdiendo la fuerza. ‖ Amenazar ruina o caída algo. ‖ fig. Decaer de ánimo. [*Antón.*: resistir]

flaqueza. f. Extenuación, mengua, falta de carnes. ‖ fig. Debilidad, falta de vigor y fuerzas. ‖ fig. Fragilidad o acción defectuosa cometida por debilidad, especialmente de la carne.

flash. m. Lámpara relámpago. ‖ Destello producido por esta lámpara.

flato (al. *Blähung*, fr. *flatuosité*, ingl. *flatus*, it. *flato*). m. Acumulación molesta de gases en el tubo digestivo.

flatulencia. f. Indisposición o molestia del flatulento.

flatulento, ta. adj. Que causa flatos. ‖ Que los padece. Ú.t.c.s.

flauta (al. *Flöte*, fr. *flûte*, ingl. *flute*,

it. *flauto*). f. Instrumento músico de viento, en forma de tubo con varios agujeros circulares que se tapan con los dedos o con llaves. ‖ m. Persona que toca la flauta.

flautín. m. Flauta pequeña, de tono agudo y penetrante. ‖ Persona que toca este instrumento.

flautista. com. Persona que ejerce o profesa el arte de tocar la flauta.

flebitis. f. PAT. Inflamación de las venas.

fleco. m. Adorno compuesto de una serie de hilos o cordoncillos colgantes de una tira de tela o pasamanería. ‖ Flequillo de pelo. ‖ fig. Borde deshilachado por el uso de una tela vieja.

flecha (al. *Pfeil*, fr. *flèche*, ingl. *arrow*, it. *freccia*). f. Saeta. ‖ GEOM. Sagita. ‖ n.p. ASTR. Constelación boreal situada al norte del Águila. ‖ *Amer*. Muchacha muy nerviosa.

flechar. tr. Estirar la cuerda del arco, colocando la flecha para arrojarla. ‖ Herir o matar a uno con flechas. ‖ fig. y fam. Inspirar amor, cautivar los sentidos repentinamente.

flechazo. m. Acción de disparar la flecha. ‖ Golpe o herida que ésta causa. ‖ fig. y fam. Amor repentino.

fleje. m. Tira de chapa de hierro con la que se hacen aros para asegurar las duelas de cubas y toneles y las balas de ciertas mercancías. ‖ Pieza alargada y curva de acero que sirve para muelles o resortes. ‖ Refuerzo perpendicular a las barras longitudinales de los elementos de hormigón armado sometidos a compresión.

flema (al. *Schleimauswurf*, fr. *flegme*, ingl. *phlegm*, it. *flemma*). f. Mucosidad pegajosa que se expele por la boca procedente de las vías respiratorias. ‖ fig. Tardanza y lentitud en las operaciones; pachorra; tranquilidad.

flemático, ca. adj. Perteneciente a la flema o que participa de ella. ‖ Tardo y lento en las acciones; frío, apático.

flemón (al. *Zahngeschlwür*, fr. *phlegmon*, ingl. *gum-boil*, it. *flemmone*). m. PAT. Tumor en las encías. ‖ PAT. Inflamación aguda del tejido celular en cualquier parte del cuerpo.

flequillo. m. dim. de fleco. ‖ Porción de cabello recortado que se deja caer sobre la frente.

fletar (al. *Chartern*, fr. *affréter*, ingl. *to freight*, it. *noleggiare*). tr. Alquilar la nave o alguna parte de ella para conducir personas o mercaderías. ‖ Embarcar mercaderías o personas en una nave para su transporte. Ú.t.c.r.

flete (al. *Fracht*, fr. *fret*, ingl. *freight*, it. *nolo*). m. Precio estipulado por el alquier de la nave o de una parte de ella. ‖ Carga de un buque.

flexibilidad. f. Calidad de flexible. [*Antón.*: rigidez]

flexible (al. *biegsam*, fr. *souple*, ingl. *pliant*, it. *flessibile*). adj. Que tiene disposición para doblarse fácilmente. ‖ fig. Dícese del ánimo, genio o índole que tienen disposición a ceder o acomodarse fácilmente al dictamen o resolución de otro.

flexión. f. Acción y efecto de doblar o doblarse. ‖ GRAM. Alteración que experimentan las voces conjugables y las declinables con el cambio de desinencias.

flexor, ra. adj. Que dobla o hace que una cosa se doble con movimiento de flexión.

flirtear. intr. Practicar el flirteo.

flirteo. m. Juego amoroso que no se formaliza ni supone compromiso.

flocadura. f. Guarnición hecha de flecos.

flogisto. m. QUÍM. Principio que se suponía formaba parte de la composición de todos los cuerpos, y que se desprendía de ellos durante la combustión.

flojear. intr. Obrar con pereza y descuido. ‖ Flaquear.

flojedad. f. Debilidad y flaqueza en una cosa. ‖ fig. Pereza, negligencia y descuido en las operaciones. [*Sinón.*: decaimiento; desánimo]

flojera. f. fam. Flojedad.

flojo, ja (al. *lose*, fr. *lâche*, ingl. *slack*, it. *floscio*). adj. Mal atado, poco apretado o poco tirante. ‖ Que no tiene mucha actividad, fortaleza o vigor. ‖ fig. Perezoso, negligente, descuidado. Ú.t.c.s. [*Sinón.*: suelto; débil]

flor (al. *Blume*, fr. *fleur*, ingl. *flower*, it. *fiore*). f. Conjunto de los órganos de la reproducción de las plantas fanerógamas, compuesto generalmente de cáliz, corola, estambres y pistilos. ‖ Lo más escogido de una cosa. ‖ Polvillo que tienen ciertas frutas en el árbol, y aún conservan recién cortadas y cuando no han sido manoseadas. ‖ Nata que hace el vino en lo alto de la vasija. ‖ Virginidad. ‖ Piropo, requiebro. Ú.m. en pl. ‖ En las pieles adobadas, parte exterior, que admite pulimento. ‖ — *de lis*. BLAS. Forma heráldica de la flor del lirio. ‖ *a flor*. m. adv. A la superficie, externamente. ‖ *echar flores*. Requebrar, galantear. ‖ *en flor*. m. adv. fig. En el estado anterior a la madurez, complemento o perfección de una cosa.

flora (al. *Flora*, fr. *flore*, ingl. *flora*, it. *flora*). f. Conjunto de plantas de un país o región. ‖ Obra que trata de ellas y las enumera y describe.

floración. f. Bot. Acción de florecer. ‖ Tiempo que duran abiertas las flores de las plantas de una misma especie.

floral. adj. Perteneciente o relativo a la flor.

florales. adj. Aplícase a las fiestas o juegos que celebraban los gentiles en honor de la diosa Flora. A su imitación se han instituido después en otras partes.

florar. intr. Dar flor.

floreal. m. Octavo mes del calendario republicano francés, del 20 de abril al 19 de mayo.

florear. tr. Adornar con flores. ‖ Tratándose de la harina, sacar la primera y más sutil por medio del cedazo más espeso. ‖ Disponer el naipe para hacer trampa. ‖ intr. Vibrar, mover la punta de la espada. ‖ Tocar dos o tres cuerdas de la guitarra con tres dedos sucesivamente sin parar, formando así un sonido continuado. ‖ fam. Echar piropos.

florecer (al. *blühen*, fr. *fleurir*, ingl. *to bloom*, it. *fiorire*). intr. Echar flor. Ú.t.c.tr. ‖ fig. Prosperar, crecer en riqueza o reputación. ‖ r. Enmohecerse.

florecimiento. m. Acción y efecto de florecer.

florentino, na. adj. Natural de Florencia. Ú.t.c.s. ‖ Perteneciente a esta ciudad italiana.

floreo. m. fig. Conversación vana y de pasatiempo. ‖ Acción de florear en la guitarra o en la esgrima.

florería. f. Tienda donde se venden flores y plantas de adorno.

florero, ra. adj. fig. Que usa de palabras lisonjeras. Ú.t.c.s. ‖ s. Persona que vende flores. ‖ m. Vaso para poner flores. ‖ Maceta o tiesto con flores.

florescencia. f. Eflorescencia. ‖ Bot. Acción de florecer. ‖ Bot. Época en que florecen las plantas.

floresta. f. Terreno frondoso y ameno poblado de árboles. ‖ fig. Conjunto de cosas agradables y de buen gusto.

florete. m. Esgrima con espadín. ‖ Este espadín.

floricultura. f. Cultivo de las flores. ‖ Arte que lo enseña.

florido, da (al. *blühend*; fr. *fleuri*, ingl. *bloomy*, it. *fiorito*). adj. Que tiene flores. ‖ fig. Dícese de lo más escogido de alguna cosa. ‖ fig. Se dice del lenguaje o estilo exornado de galas retóricas.

florín. m. Moneda de plata que se usa en algunos países.

floripondio. m. fig. despect. Flor grande en adornos de mal gusto.

florista. com. Persona que vende flores.

floristería. f. Tienda, comercio de flores.

floritura. f. Adorno en el canto, en varios ejercicios y en otras cosas diversas.

florón. m. aum. de flor. ‖ Adorno hecho a manera de flor muy grande, empleado en arquitectura, pintura y decoración.

flota (al. *Flotte*, fr. *flotte*, ingl. *fleet*, it. *flotta*). f. Conjunto de barcos mercantes de un país, compañía de navegación o línea marítima. ‖ Conjunto de embarcaciones que tienen destino común. ‖ Escuadra de buques de guerra. ‖ Conjunto de aviones para un servicio determinado. ‖ fig. *Amer.* Multitud.

flotabilidad. f. Capacidad de flotar.

flotación. f. Acción y efecto de flotar. ‖ Mar. Línea de flotación.

flotador, ra. adj. Que flota en un líquido. ‖ m. Cuerpo destinado a flotar en un líquido. ‖ Aparato para determinar el nivel de un líquido o para regular la salida del mismo.

flotar (al. *treiben, schweben;* fr. *flotter;* ingl. *to float;* it. *galleggiare*). intr. Sostenerse un cuerpo en la superficie de un líquido o en suspensión, sumergido en un líquido o gas. ‖ Ondear en el aire. [*Antón.*: hundirse]

flote. m. Flotación. ‖ *a flote.* m. adv. Manteniéndose sobre el agua. En sentido figurado, con recursos para salir de apuros.

flotilla. f. dim. de flota. ‖ Flota de buques pequeños.

fluctuación. f. Acción y efecto de fluctuar. ‖ Diferencia entre el valor instantáneo de una cantidad fluctuante y su valor normal. ‖ fig. Irresolución o duda con que vacila uno.

fluctuar (al. *hin und her schwanken,* fr. *fluctuer,* ingl. *to fluctuate,* it. *fluttuare*). intr. Oscilar un cuerpo sobre las aguas a causa del movimiento agitado de ellas. ‖ fig. Vacilar o dudar en la resolución de una cosa. ‖ fig. Oscilar, crecer y disminuir alternativamente.

fluencia. f. Lugar donde mana un líquido.

fluidez. f. Calidad de fluido.

fluido, da (al. *flüssig,* fr. *fluide,* ingl. *fluid,* it. *fluido*). adj. Dícese del cuerpo cuyas moléculas tienen poca coherencia entre sí, y toma siempre la forma del recipiente que lo contiene; como los líquidos y los gases. Ú.t.c.s. ‖ fig. Dícese del lenguaje o estilo corriente y fácil. ‖ Econ. Tratándose de factores económicos, fáciles de actuar o mover. ‖ m. Corriente eléctrica.

fluir. intr. Correr un líquido o gas.

flujo (al. *Flut;* fr. *flux;* ingl. *flux, flow;* it. *flusso*). m. Acción y efecto de fluir. ‖ Ascenso de la marea. ‖ Quím. Cada uno de los compuestos usados para fundir minerales y aislar metales.

flúor (al. *Fluor,* fr. *fluor,* ingl. *fluorine,* it. *fluoro*). m. Quím. Metaloide gaseoso, más pesado que el aire, que posee gran energía química; es irrespirable, tóxico y se extrae de la fluorita.

fluorescencia (al. *Schillern,* fr. *fluorescence,* ingl. *fluorescence,* it. *fluorescenza*). f. Propiedad que tienen algunos cuerpos de emitir luz mientras reciben ciertas radiaciones.

fluorescente. adj. Perteneciente o relativo a la fluorescencia.

fluorina o **fluorita.** f. Mineral compuesto de flúor y calcio, cristalino, compacto y de colores brillantes y variados.

fluvial. adj. Perteneciente a los ríos.

fluxión. f. Acumulación morbosa de humores en cualquier órgano. ‖ Resfriado.

fobia. Elemento que entra en algunas voces compuestas para expresar repulsión, y que se usa como s. f. para indicar aversión hacia una cosa.

-fobo. Elemento compositivo que entra en la formación de adjetivos para expresar aversión o repulsa.

foca (al. *Seehund,* fr. *phoque,* ingl. *seal,* it. *foca*). f. Zool. Mamífero carnívoro, de cuerpo en forma de huso, cabeza y cuello como de perro, y cubierto de pelo gris. Nada muy bien, pero en tierra anda con dificultad y arrastrándose.

focal. adj. Fís. y Geom. Perteneciente o relativo al foco.

foco (al. *Brennpunkt,* fr. *foyer,* ingl. *focus,* it. *fuoco*). m. Fís. Punto donde se reúnen los rayos luminosos y caloríficos reflejados por un espejo cóncavo o refractados por una lente convexa. ‖ Fís. Punto, aparato o reflector de donde parte un haz de rayos luminosos o caloríficos. ‖ Geom. Punto cuya distancia a cualquiera de los de una curva se puede expresar en función racional y entera de las coordenadas de dichos puntos. ‖ fig. Punto real o imaginario donde está como reconcentrada alguna cosa, y desde el que ejerce influencia.

fofo, fa. adj. Blando y de poca consistencia.

fogata. f. Fuego que levanta llama.

fogón (al. *Herd*, fr. *âtre*, ingl. *hearth*, it. *focolare*). m. Sitio adecuado en las cocinas para hacer fuego y guisar. ‖ Oído en las armas de fuego. ‖ En las calderas de las máquinas de vapor, sitio para contener el combustible. ‖ *Amer.* Fogata.

fogonadura. f. MAR. Agujeros en las cubiertas de la embarcación para que pasen por ellos los palos a fijarse en sus carlingas.

fogonazo. m. Llamarada que levantan algunas materias inflamables, como la pólvora, cuando prenden.

fogonero (al. *Feuermann*, fr. *chauffeur*, ingl. *stoker*, it. *fochista*). m. El que cuida del fogón, especialmente en las máquinas de vapor.

fogosidad. f. Gran ardimiento y viveza.

fogoso, sa. adj. Ardiente, demasiado vivo. [*Sinón.*: ardoroso]

foguear. tr. Limpiar con fuego una arma. ‖ MIL. Acostumbrar al fuego de la pólvora. ‖ fig. Acostumbrar a alguien a las penalidades y trabajos de una ocupación. Ú.t.c.r. ‖ VET. Cauterizar.

fogueo. m. Acción y efecto de foguear.

foja. f. ZOOL. Ave zancuda, de plumaje negro con reflejos grisáceos, pico grueso, alas anchas, cola corta y redondeada y pies con dedos largos y palmeados. Vuela mal y es nadadora. [*Sinón.*: focha]

folclor o **folclore.** m. Folklore.

folia. f. Canto popular de las islas Canarias, que se acompaña de guitarra. ‖ Cualquier música ligera, generalmente de gusto popular. ‖ pl. Baile portugués.

foliáceo, cea. adj. BOT. Perteneciente a las hojas de las plantas. ‖ De estructura laminar.

foliación. f. Acción y efecto de foliar. ‖ Serie numerada de los folios de un escrito o impreso. ‖ BOT. Acción de echar hojas las plantas. ‖ BOT. Modo de estar colocadas las hojas en una planta.

foliar. tr. IMP. Numerar los folios de un libro o cuaderno.

foliar. adj. Perteneciente o relativo a la hoja.

folicular. adj. En forma de folículo.

folículo. m. BOT. Fruto sencillo y seco, con una sola cavidad en la que se encuentran generalmente varias semillas. ‖ ANAT. Glándula sencilla, en forma de saquito, situada en el espesor de la piel o de las mucosas.

folio (al. *Blatt*, fr. *folio*, ingl. *folio*, it. *foglio*). m. Hoja del libro o cuaderno. ‖ IMP. Numeración de cada una de las páginas de un libro. ‖ IMP. Encabezamiento de las páginas de un libro. ‖ BOT. Hierba euforbiácea, de flores conglobadas y semillas casi redondas.

folíolo. m. BOT. Cada una de las hojas pequeñas que componen una hoja compuesta.

folklore (voz inglesa). m. Conjunto de las tradiciones, creencias y costumbres de las clases populares. ‖ Ciencia que estudia estas materias.

folklórico, ca. adj. Relativo al folklore.

folklorista. s. Persona versada en el folklore.

follaje. m. Conjunto de las hojas de los árboles y otras plantas. ‖ Adorno de cogollos y hojas.

follar. tr. Soplar con el fuelle. ‖ Componer en hojas alguna cosa. ‖ intr. vulg. Coitar. ‖ r. Soltar una ventosidad sin ruido.

folletín. m. dim. de folleto. ‖ Parte baja de la hoja de un periódico, en la que se publican obras literarias fragmentariamente. ‖ Por ext., obra excesivamente trágica y lacrimógena.

folletinesco, ca. adj. Perteneciente o relativo al folletín.

folleto (al. *Brochüre*, fr. *brochure*, ingl. *booklet*, it. *opuscolo*). m. Obra impresa de poca extensión.

follón, na. adj. Flojo, perezoso. Ú.t.c.s. ‖ Arrogante, cobarde y de ruin proceder. Ú.t.c.s. ‖ m. Alboroto, discusión tumultuosa. ‖ Asunto pesado y enojoso. ‖ Ventosidad sin ruido.

fomentar. tr. Dar calor natural o templado, vivificar. ‖ fig. Excitar, promover o proteger algo. ‖ fig. Dar pábulo a una cosa.

fomento. m. Calor o abrigo que se da a una cosa. ‖ Pábulo con que se ceba una cosa. ‖ fig. Auxilio. ‖ MED. Medicamento líquido que se aplica en paños exteriormente.

fon. m. Unidad de intensidad del sonido o potencia sonora.

fonación. f. Emisión de la voz o de la palabra.

fonda. f. Establecimiento público donde se sirven comidas y se da hospedaje. ‖ El servicio y conjunto de cámara, comedor y cocina de un buque mercante. ‖ *Amer.* Cantina en que se sirven comidas y bebidas.

fondeadero. m. MAR. Paraje apropiado para que fondeen las embarcaciones.

fondear (al. *ankern*, fr. *mouiller*, ingl. *to moor*, it. *ancorare*). tr. MAR. Reconocer el fondo del agua. ‖ Registrar una embarcación por si trae géneros de contrabando. ‖ intr. MAR. Asegurar una embarcación o cualquier otro cuerpo flotante por medio de anclas o grandes pesos. ‖ r. *Amer.* Enriquecerse.

fondeo. m. Acción de fondear una embarcación.

fondista. com. Persona que tiene a su cargo una fonda.

fondo (al. *Grund*, fr. *fond*, ingl. *bottom*, it. *fondo*). m. Parte inferior de una cosa hueca. ‖ Superficie sólida sobre la cual está el agua del mar, de un río, etc. ‖ Hondura. ‖ Extensión interior de un edificio. ‖ Color o dibujo que cubre una superficie y sobre el que resaltan los adornos, dibujos o manchas de otros colores. ‖ PINT. Espacio sin figuras o sobre el cual se representan. ‖ Grueso que tienen los diamantes. ‖ Caudal, conjunto de bienes. ‖ Condición o índole de uno. ‖ Porción de dinero. Ú.m. en pl. ‖ fig. Principio o esencia de algo. ‖ Colección de impresos o manuscritos de una biblioteca, de cuadros u objetos de un museo, etc. ‖ Cada uno de los dos témpanos de la cuba o del tonel. ‖ DEP. Carrera en la que se debe recorrer una gran longitud. ‖ pl. COM. Caudales, dinero, etc., del tesoro público o el haber de un negociante. ‖ MAR. La parte sumergida del casco de un buque. ‖ *a fondo.* m. adv. Entera y perfectamente.

fonema. m. LING. Cada uno de los sonidos simples del lenguaje hablado. ‖ LING. Cada una de las unidades fonológicas mínimas que en el sistema de una lengua pueden oponerse a otras en contraste significativo.

fonética (al. *Phonetik*, fr. *phonétique*, ingl. *phonetics*, it. *fonetica*). f. Conjunto de los sonidos de un idioma. ‖ Estudio acerca de los sonidos de uno o varios idiomas.

fonético, ca. adj. Perteneciente a la voz humana o al sonido en general. ‖ Aplícase al alfabeto o a la escritura cuyos elementos representan sonidos con mayor exactitud que la escritura usual.

fonetista. com. Persona versada en fonética.

fónico, ca. adj. Concerniente a la voz o al sonido.

fono- o **-fono.** Elemento que entra en la composición de muchas voces españolas con el significado de "voz, sonido".

fono. m. *Amer.* Auricular telefónico.

fonógrafo (al. *Phonograph*, fr. *phonographe*, ingl. *phonograph*, it. *fonografo*). m. ELECTR. Aparato que inscribe sobre un cilindro las vibraciones de cualquier sonido, para reproducirlas después.

fonograma. m. Sonido representado por una o más letras. ‖ Cada una de las letras del alfabeto.

fonología. f. LING. Rama de la lingüística que estudia los elementos fónicos de una lengua.

fonólogo, ga. s. Persona versada en fonología.

fonómetro. m. FÍS. Aparato para medir el sonido.

fontana. f. poét. Manantial. ‖ Aparato por el que sale el agua de la cañería. ‖ Construcción por la que sale agua.

fontanar. m. Manantial.

fontanela. f. ANAT. Cada uno de los espacios membranosos que hay en el cráneo antes de su osificación.

fontanería. f. Arte de canalizar y conducir las aguas. ‖ Conjunto de conductos por donde se dirige y distribuye el agua.

fontanero, ra. adj. Perteneciente a las fuentes. ‖ m. Artífice que encaña, distribuye y conduce las aguas.

foque (al. *Klüver*, fr. *foc*, ingl. *jib*, it. *fiocco*). m. MAR. Nombre común a todas las velas triangulares que se orientan y amuran sobre el bauprés. Por antonomasia, la mayor de ellas.

forajido, da. adj. Facineroso que anda fuera de poblado, huyendo de la justicia. Ú.t.c.s. [*Sinón.*: bandido, proscrito]

foral. adj. Perteneciente al fuero.

foraminífero. adj. ZOOL. Aplícase a protozoos rizópodos acuáticos, casi todos marinos, con un caparazón de forma y composición química variable. Ú.t.c.s. ‖ m. pl. Orden de estos animales.

foráneo, a. adj. Forastero, extraño.

forastero, ra (al. *frend*, fr. *étranger*, ingl. *stranger*, it. *forastiero*). adj. Que es o viene de fuera. ‖ Dícese del que vive en un lugar del que no es vecino y en donde no ha nacido. Ú.t.c.s. ‖ fig. Extraño, ajeno.

forcejar o **forcejear.** intr. Hacer fuerza para vencer una resistencia.

forcejo o **forcejeo.** m. Acción de forcejar o forcejear.

fórceps (al. *Geburtszange*, fr. *forceps*, ingl. *forceps*, it. *forcipe*). m. MED. Instrumento en forma de tenaza usado para la extracción de las criaturas en los partos difíciles.

forense. adj. Perteneciente al foro. ‖ Se aplica al médico oficialmente adscrito a un juzgado de instrucción. ‖ Forastero.

forero, ra. adj. Perteneciente o relativo al fuero. ‖ m. Dueño de una finca dada a foro. ‖ El que paga foro.

forestal. adj. Relativo a los bosques y a los aprovechamientos de leñas, pastos, etc.

forillo. m. En los teatros, pequeño telón que se coloca detrás del de foro en que hay puertas o aberturas.

forja (al. *Schmiede*, fr. *forge*, ingl. *forge*, it. *ferriera*). f. Fragua de platero. ‖ Lugar donde se reduce a metal el mineral de hierro. ‖ Acción y efecto de forjar. ‖ Argamasa de cal, arena y agua.

forjado. m. ARQ. Entramado.

forjar (al. *schmieden*, fr. *forger*, ingl. *to forge*, it. *forgiare*). tr. Dar forma con el martillo a cualquier pieza de metal. ‖ Fabricar, formar. Dícese entre albañiles. ‖ ALBAÑ. Revocar toscamente. ‖ fig. Inventar, fingir. Ú.t.c.r. [*Sinón.*: fraguar]

forma (al. *Form*, fr. *forme*, ingl. *shape*, it. *forma*). f. Figura exterior de la materia. ‖ Disposición o expresión de una potencialidad. ‖ Modo de proceder en una cosa. ‖ Molde en que se vacía y forma alguna cosa. ‖ Formato. ‖ Manera de hacer alguna cosa. ‖ Calidades del estilo, modo de expresar las ideas. ‖ Configuración. ‖ Pan ázimo, por lo regular cortado en figura circular, que sirve para la comunión. ‖ Palabras que constituyen el ritual de un sacramento. ‖ IMP. Molde que se pone en la prensa para imprimir una cara del pliego. ‖ FIL. Principio activo que constituye, con la materia, la esencia de los cuerpos. ‖ FIL. Principio activo que da a las cosas su entidad. ‖ DER. Requisitos externos o aspectos de expresión en los actos jurídicos. ‖ DER. Cuestiones procesales en contraposición al fondo del pleito o causa. ‖ pl. Configuración del cuerpo humano.

formación (al. *Bildung*, fr. *formation*, ingl. *formation*, it. *formazione*). f. Acción y efecto de formar o formarse. ‖ Forma, figura exterior. ‖ GEOL. Conjunto de rocas o masas minerales que presentan caracteres geológicos y paleontológicos comunes.

formal (al. *form-*, fr. *formel*, ingl. *formal*, it. *formale*). adj. Perteneciente a la forma. ‖ Que tiene formalidad. ‖ Preciso, determinado.

formalidad (al. *Formalität*, fr. *formalité*, ingl. *formality*, it. *formalità*). Exactitud, puntualidad y consecuencia en las acciones. ‖ Cada uno de los requisitos para ejecutar una cosa. ‖ Modo de ejecutar con la exactitud debida un acto público. ‖ Seriedad, compostura. [*Antón.*: informalidad]

formalismo. m. Rigurosa observancia de formas y tradiciones.

formalizar. tr. Dar la última forma a una cosa. ‖ Revestir una cosa de los requisitos legales. ‖ Concretar. ‖ Dar carácter de seriedad. ‖ Ponerse serio. [*Sinón.*: determinar; legalizar]

formar (al. *bilden*, fr. *former*, ingl. *to shape*, it. *formare*). tr. Dar forma. ‖ Juntar personas o cosas. ‖ Componer varias personas o cosas el todo del cual son partes. Ú.t.c.intr. ‖ MIL. Poner en orden. ‖ intr. Colocarse una persona en una formación, cortejo, etc. ‖ Criar, educar. ‖ r. Adquirir una persona desarrollo, aptitud o habilidad en lo físico o en lo moral.

formativo, va. adj. Que forma.

-forme. Elemento que entra pospuesto en la formación de algunas voces españolas con el significado de "forma".

formidable (al. *ungeheuer*, fr. *formidable*, ingl. *tremendous*, it. *formidabile*). adj. Muy temible y que causa asombro. ‖ Excesivamente grande en su línea, enorme. ‖ Excelente.

formol. m. QUÍM. Líquido incoloro, de olor fuerte y desagradable, usado como desinfectante y también para la conservación de preparaciones anatómicas.

formón (al. *Stemmeisen*, fr. *fermoir*, ingl. *former-chisel*, it. *scarpello*). m. Instrumento de carpintería, semejante al escoplo, pero más ancho de boca y menos grueso. ‖ Sacabocados para cortar cosas de figura circular.

fórmula (al. *Formel*, fr. *formule*, ingl. *formula*, it. *formola*). f. Modo establecido para explicar algo. ‖ Receta del médico para confeccionar algo. ‖ Expresión concreta de una avenencia o transacción entre diversos pareceres, partidos o grupos. ‖ MAT. Resultado de un cálculo, cuya expresión, reducida a sus más simples términos, sirve de regla para la resolución de todos los casos análogos. ‖ QUÍM. Representación simbólica de la composición de un cuerpo por medio de letras y signos determinados.

formulación. f. Acción y efecto de formular.

formular (al. *formulieren*, fr. *formuler*, ingl. *to formulate*, it. *formulare*). tr. Reducir a términos claros y precisos. ‖ Recetar. ‖ Manifestar.

formulario, ria. adj. Relativo a las fórmulas o al formulismo. ‖ Se aplica a lo que se hace por fórmula. ‖ m. Libro que contiene fórmulas.

formulismo. m. Excesivo apego a las fórmulas en la resolución de cualquier asunto. ‖ Tendencia a preferir la apariencia de las cosas a su esencia.

formulista. adj. Partidario del formulismo. Ú.t.c.s.

fornicación. f. Acción de fornicar.

fornicar (al. *hurerei treiben*, fr. *forniquer*, ingl. *to fornicate*, it. *fornicare*). intr. Tener cópula carnal fuera del matrimonio. Ú.t.c.tr.

fornido, da (al. *stämmig*, fr. *robuste*, ingl. *stout*, it. *robusto*). adj. Robusto y de constitución vigorosa. [*Sinón.*: fuerte, macizo]

fornitura. f. Repuesto de un reloj u otro mecanismo de precisión. ‖ Conjunto de elementos accesorios utilizados en la confección de prendas de vestir. ‖ IMP. Porción de letra que se funde para completar una fundición. ‖ MIL. Correaje y cartuchera de los soldados. Ú.m. en pl.

foro (al. *Gerichtssaal*, fr. *barreau*, ingl. *bar*, it. *foro*). m. Plaza central de las ciudades romanas, donde se trataban los negocios públicos. ‖ Por ext., sitio donde los tribunales oyen y determinan las causas. ‖ Parte del escenario opuesta a la embocadura. ‖ Contrato consensual por el cual se cede el dominio útil de una cosa mediante cierto canon. ‖ Canon que se paga en virtud de este contrato.

forraje (al. *Futter*, fr. *fourrage*, ingl. *fodder*, it. *foraggio*). m. Verde que se da al ganado. ‖ *Amer.* Pasto seco para el ganado.

forrajear. intr. Segar y recoger el forraje.

forrajero, ra. adj. Dícese de las plantas o de algunas de sus partes, que sirven de forraje.

forrar (al. *füttern*, fr. *doubler*, ingl. *to line*, it. *foderare*). tr. Poner forro a una cosa. ‖ Cubrir una cosa con forro. ‖ r. fam. Enriquecerse.

forro (al. *Futter*, fr. *doublure*, ingl. *lining*, it. *fodera*). m. Abrigo, defensa, resguardo o cubierta con que se reviste

una cosa interior o exteriormente. ‖ Cubierta del libro. ‖ vulg. Condón.

fortalecer (al. *stärken*, fr. *fortifier*, ingl. *to strengthen*, it. *fortificare*). tr. Hacer más vigoroso. Ú.t.c.r.

fortalecimiento. m. Acción y efecto de fortalecer o fortalecerse.

fortaleza (al. *Stärke*, *Befestigung*; fr. *force*, *forteresse*; ingl. *fortitude*, *fortress*; it. *fortezza*). f. Fuerza y vigor. ‖ Tercera virtud cardinal. ‖ Defensa natural de un lugar o posición. ‖ Recinto fortificado. [*Sinón.*: entereza, energía. *Antón.*: debilidad]

fortificación (al. *Befestigung*, fr. *fortification*, ingl. *fortification*, it. *fortificazione*). f. Acción de fortificar. ‖ Obra o conjunto de obras con que se fortifica un sitio. ‖ Arquitectura militar.

fortificar (al. *verstärken*, fr. *fortifier*, ingl. *to fortify*, it. *fortificare*). tr. Dar vigor y fuerza, material o moralmente. ‖ Proteger con fortificaciones. Ú.t.c.r.

fortín. m. Una de las obras que se levantan en los atrincheramientos de un ejército. ‖ Fuerte pequeño.

fortuito, ta (al. *zufällig*, fr. *fortuit*, ingl. *fortuitous*, it. *fortuito*). adj. Que sucede inopinada y casualmente. [*Antón.*: previsto]

fortuna (al. *Glückszufall*, fr. *fortune*, ingl. *fortune*, it. *fortuna*). f. Divinidad mitológica que presidía los sucesos de la vida. ‖ Suerte. ‖ Suerte favorable. ‖ Hacienda, caudal.

forúnculo. m. MED. Furúnculo.

forzado, da. adj. Retenido, ocupado por fuerza. ‖ No espontáneo. ‖ m. Galeote condenado a servir al remo en las galeras.

forzar (al. *zwingen*, fr. *forcer*, ingl. *to force*, it. *forzare*). tr. Hacer fuerza o violencia para lograr un fin que no debe ser obtenido por la fuerza. ‖ Entrar y rendir a fuerza de armas una plaza, castillo, etc. ‖ Gozar a una mujer contra su voluntad. ‖ Tomar por la fuerza una cosa. ‖ fig. Obligar a que se ejecute una cosa. Ú.t.c.r.

forzoso, sa. adj. Que no se puede excusar. [*Sinón.*: obligatorio]

forzudo, da. adj. Que tiene grandes fuerzas.

fosa (al. *Grab*, fr. *fosse*, ingl. *grave*, it. *fossa*). f. Sepultura. ‖ Hoyo en la tierra para enterrar uno o más cadáveres. ‖ Excavación profunda alrededor de una fortaleza. ‖ ZOOL. Cada una de ciertas cavidades en el cuerpo de los animales. ‖ Depresión que existe en la superficie de algunos huesos.

fosfatina. f. QUÍM. Alimento com-

puesto de fosfato de cal, azúcar, fécula y otros ingredientes. ‖ *hacer fosfatina* una cosa. fig. y fam. Hacerla polvo, destruirla.

fosfato. m. QUÍM. Sal formada por la combinación del ácido fosfórico con una o más bases.

fosforado, da. adj. Que contiene fósforo, metaloide sólido.

fosforecer. intr. Manifestar fosforescencia o luminiscencia.

fosforescencia (al. *Phosphoreszenz*, fr. *phosphorescence*, ingl. *phosphorescence*, it. *fosforescenza*). f. Luminiscencia, especialmente la del fósforo.

fósforo (al. *Phosphor*, fr. *phosphore*, ingl. *phosphorrus*, it. *fosforo*). m. Metaloide que se presenta en varias formas alotrópicas y es venenoso. Es un elemento constituyente de los organismos vegetales y animales. ‖ Trozo de cerilla, madera o cartón, con cabeza de fósforo y un cuerpo oxidante, que sirve para encender luz. ‖ El lucero del alba.

fósil (al. *Fossil*, fr. *fossile*, ingl. *fossil*, it. *fossile*). adj. Dícese de la sustancia de origen orgánico, más o menos petrificada, que por causas naturales se encuentra en las capas terrestres. Ú.t.c.s.m. ‖ Por ext., dícese también de la impresión, vestigio o molde que denota la existencia de organismos que no son de la época geológica actual. Ú.t.c.s.m. ‖ fig. y fam. Viejo, anticuado.

fosilización. f. Acción y efecto de fosilizarse.

fosilizarse. r. Convertirse en fósil un cuerpo orgánico.

foso (al. *Grube*, fr. *fossé*, ingl. *moat*, it. *fossato*). m. Hoyo. ‖ Piso inferior del escenario. ‖ FORT. Excavación profunda que circuye la fortaleza.

foto-. Elemento que entra en la composición de algunas voces españolas con el significado de "luz", o relativo a la "acción de la luz".

foto. f. apócope fam. de fotografía.

fotocomposición. f. IMP. Composición tipográfica obtenida por medios fotográficos.

fotocopia. f. Fotografía especial obtenida directamente sobre papel y empleada para reproducir páginas manuscritas o impresas.

fotocopiar. tr. Hacer fotocopia de algo.

fotocromía. f. Procedimiento para obtener fotografías con los colores naturales de las cosas.

fotoeléctrico, ca. adj. FÍS. Perteneciente o relativo a la acción de la luz sobre ciertos fenómenos eléctricos. ‖ Aplícase a los aparatos que utilizan dicha acción.

fotofobia. f. MED. Repugnancia y horror a la luz.

fotogenia. f. Calidad de fotogénico, con condiciones para ser fotografiado.

fotogénico, ca. adj. Que promueve o favorece la acción química de la luz. ‖ Dícese de lo que tiene buenas condiciones para ser reproducido fotográficamente.

fotograbado. m. IMP. Procedimiento de grabar un clisé fotográfico sobre planchas de cinc, cobre, etc., y arte de estampar estas planchas por acción química de la luz. ‖ Lámina grabada o estampada por este procedimiento.

fotografía (al. *Photographie,* fr. *photographie,* ingl. *photography,* it. *fotografía*). f. Arte de fijar y reproducir por medio de reacciones químicas, en superficies convenientemente preparadas, las imágenes recogidas por una cámara oscura. ‖ Estampa obtenida por medio de este arte.

fotografiar (al. *photographieren,* fr. *photographier,* ingl. *to photograph,* it. *fotografiare*). intr. Ejercer el arte de la fotografía. ‖ Reproducir algo por medio de la fotografía. Ú.t.c.tr.

fotográfico, ca. adj. Perteneciente o relativo a la fotografía.

fotógrafo (al. *Photograph,* fr. *photographe,* ingl. *photographer,* it. *fotografo*). m. El que ejerce la fotografía.

fotograma. f. Cualquiera de las imágenes que se suceden en una película cinematográfica en cuanto se consideran aisladamente.

fotólisis. f. BOT. Rotura de moléculas de agua en la fase luminosa de la síntesis clorofílica. ‖ QUÍM. Conjunto de fenómenos de descomposición química por efectos de la luz, en particular por los rayos ultravioleta.

fotolito. m. Sustancia que puede descomponerse por la acción de la luz. ‖ IMP. Película fotográfica portadora de la imagen que va a ser impresa.

fotolitografía. f. Arte de fijar y reproducir dibujos en piedra litográfica mediante la acción química de la luz. ‖ Estampa obtenida con este arte.

fotometría. f. Fís. Parte de la óptica que trata de las leyes relativas a la intensidad de la luz y de los métodos para medirla.

fotómetro. m. Fís. Instrumento para medir la intensidad de la luz.

fotón. m. Fís. Partícula constituyente de la luz.

fotosensible. adj. Fís. Dícese de lo que tiene sensibilidad a las radiaciones luminosas.

fotosfera. f. ASTR. Zona luminosa y más interior de la envoltura gaseosa del Sol.

fotosíntesis. f. Combinación química que se produce en los vegetales por la acción de la luz.

fototerapia. f. MED. Método curativo basado en el empleo de la luz.

fototropismo. m. BOT. Fenómeno por el que las plantas sometidas a una radiación luminosa inclinan su tallo en direccion a ésta.

frac. m. Vestidura masculina de etiqueta, que por delante llega hasta la cintura y por la espalda tiene dos faldones que llegan hasta la pantorrilla.

fracasado, da. adj. fig. Persona a la que se tiene en mal concepto debido a los fracasos que ha sufrido. Ú.t.c.s.

fracasar (al. *misslingen,* fr. *échouer,* ingl. *to fail,* it. *fracassare*). intr. Romperse, hacerse pedazos una cosa. ‖ fig. Frustrarse una petición, un proyecto o un negocio. [*Antón.:* triunfar]

fracaso (al. *Fehlschlag,* fr. *échec,* ingl. *failure,* it. *insuccesso*). m. Caída o ruina de una cosa con estrépito y destrucción. ‖ fig. Suceso lastimoso, inopinado y funesto. ‖ Malogro, resultado adverso de una empresa.

fracción. f. División de una cosa en partes. ‖ Cada una de las partes de un todo con relación a él. ‖ MAT. Número quebrado.

fraccionar. tr. Dividir una cosa en partes o fracciones. Ú.t.c.r.

fraccionario, ria. adj. MAT. Número quebrado. Ú.t.c.s. ‖ Que representa una fracción de una cosa.

fractura (al. *Bruch,* fr. *fracture,* ingl. *fracture,* it. *frattura*). f. Acción y efecto de fracturar o fracturarse.

fracturar. tr. Romper o quebrantar con esfuerzo una cosa. Ú.t.c.r.

fragancia. f. Olor suave y delicioso.

fragante. adj. Que despide fragancia.

fragata (al. *Fregatte,* fr. *frégate,* ingl. *frigate,* it. *fragate*). f. MAR. Buque de tres palos, con cofas y vergas en ellos.

frágil (al. *zerbrechlich,* fr. *fragile,* ingl. *fragile,* it. *fragile*). adj. Quebradizo. ‖ Dícese de la persona que cae fácilmente en algún pecado. ‖ fig. Caduco y perecedero.

fragilidad. f. Calidad de frágil.

fragmentación. f. Acción y efecto de fragmentar o fragmentarse.

fragmentar. tr. Fraccionar, reducir a fragmentos. Ú.t.c.r.

fragmentario, ria. adj. Perteneciente o relativo al fragmento. ‖ Incompleto, no acabado.

fragmento. m. Porción de algunas cosas quebradas o partidas. ‖ Trozo de una obra literaria o musical.

· **fragor.** m. Ruido, estruendo.

fragosidad. f. Aspereza y espesura de los montes. ‖ Camino o terreno lleno de asperezas y breñas.

fragoso, sa. adj. Áspero, intrincado. ‖ Ruidoso. [*Sinón.:* fragoroso]

fragua (al. *Esse,* fr. *forge,* ingl. *forge,* it. *fucina*). f. Fogón en el que se caldean los metales para forjarlos. [*Sinón.:* forja]

fraguado. m. Accion y efecto de fraguar.

fraguar. tr. Forjar metales. ‖ fig. Idear, discurrir y trazar la disposición de una cosa. Tómase por lo común en mala parte.

fraile (al. *Mönch,* fr. *moine,* ingl. *friar,* it. *frate*). Nombre que se da a los religiosos de ciertas órdenes.

frailía. f. Estado del clérigo regular.

frambuesa (al. *Himbeere,* fr. *framboise,* ingl. *raspberry,* it. *lampone*). f. Fruto del frambueso, semejante a la zarzamora, de color carmín, olor fragante y suave y sabor agridulce muy agradable.

frambueso. m. BOT. Planta rosácea, con tallos delgados, erguidos y espinosos; flores blancas, axilares, y cuyo fruto es la frambuesa.

francachela. f. fam. Comida de dos o más personas para divertirse o regalarse. ‖ *Amer.* Trato muy desenvuelto y franco.

francés, sa. adj. Natural de Francia. Ú.t.c.s. ‖ Perteneciente o relativo a esta nación europea. ‖ m. Lengua francesa. [*Sinón.:* galo]

franchute, ta. s. despect. Francés.

francio. m. QUÍM. Elemento químico descubierto en 1939 en los residuos de la desintegración natural del actinio. Es un metal alcalino.

franciscano, na (al. *franziskaner,* fr. *franciscain,* ingl. *franciscan,* it. *francescano*). adj. Dícese del religioso perteneciente a la orden de San Franciso. Ú.t.c.s. ‖ Perteneciente a esta orden.

francmasón, na. s. Masón.

francmasonería. f. Masonería.

franco, ca. adj. Liberal, dadivoso. ‖ Desembarazado, libre y sin impedimento alguno. ‖ Libre, exento y privilegiado. ‖ Sencillo, ingenuo, leal en su trato. ‖ Dícese de los pueblos antiguos de la Germania inferior. Apl. a pers., ú.t.c.s. ‖ Dícese de la lengua que usaron estos pueblos. ‖ m. Unidad monetaria en Francia y otros países.

francófilo, la. adj. Que simpatiza con Francia o con los franceses.

francotirador, ra. s. Combatiente que no pertenece al ejército regular.

franela. f. Tejido fino de lana ligeramente cardado por una de sus caras.

franja (al. *Streifen*, fr. *bande*, ingl. *stripe*, it. *frangia*). f. Guarnición tejida de hilo de oro, plata, seda, lino o lana, que sirve para guarnecer vestidos u otras cosas. ‖ Faja, lista o tira en general.

franquear. tr. Libertar, exceptuar a uno de una contribución o tributo. ‖ Conceder algo liberalmente y con generosidad. ‖ Desembarazar, quitar los impedimentos de una cosa; abrir camino. ‖ Pagar en sellos el porte de cualquier objeto que se remite por el correo. ‖ Dar libertad al esclavo. ‖ r. Prestarse uno fácilmente a los deseos de otro. ‖ Descubrir uno su interior a otro. [Sinón.: eximir; regalar; despejar; confiar]

franqueo. m. Acción y efecto de franquear.

franqueza. f. Libertad, exención. ‖ Liberalidad, generosidad. ‖ fig. Sinceridad, llaneza.

franquía. f. Situación en la cual un buque tiene paso franco para hacerse a la mar o tomar determinado rumbo.

franquicia. f. Libertad y exención que se concede a una persona para no pagar derechos de correo o aduanas, o por el aprovechamiento de algún servicio público.

frasca. f. Hojarasca y ramas pequeñas de los árboles.

frasco (al. *Flasche*, fr. *flacon*, ingl. *flask*, it. *fiasco*). m. Vaso angosto de cuello recogido, hecho de vidrio u otra materia, que sirve para contener líquidos, sustancias en polvo, comprimidos, etc. ‖ Contenido de un frasco.

frase (al. *Satz*, fr. *phrase*, ingl. *sentence*, it. *frase*). f. Conjunto de palabras que basta para formar sentido, y especialmente cuando no llega a constituir una oración cabal. ‖ Locución enérgica, y por lo común metafórica, con la que se significa más de lo que se expresa, u otra cosa de lo que indica la letra. ‖ — hecha. La que, con forma inalterable, es de uso vulgar y no incluye sentencia alguna.

frasear. tr. Formar frases.

fraseología. f. Modo de ordenar las frases, peculiar de cada escritor. ‖ Ver-

bosidad redundante en lo escrito o hablado.

frasquera. f. Caja hecha con diferentes divisiones, en que se guardan ajustados los frascos para transportarlos sin que se maltraten.

fratás. m. ALBAÑ. Instrumento de madera que sirve para alisar el enlucido de una pared.

fraternal. adj. Propio de hermanos.

fraternidad: f. Unión y buena correspondencia entre hermanos o entre los que se tratan como tales. [Sinón.: hermandad]

fraternizar. intr. Unirse y tratarse como hermanos.

fraterno, na. adj. Perteneciente a los hermanos.

fratricida. com. Que mata a su hermano. Ú.t.c. adj.

fratricidio. m. Muerte de una persona ejecutada por su propio hermano.

fraude (al. *Betrug*, fr. *fraude*, ingl. *fraud*, it. *frode*). m. Engaño, inexactitud consciente, abuso de confianza, que produce o prepara un daño, generalmente material.

fraudulento, ta. adj. Engañoso, falaz.

fray. m. Apócope de fraile. Se usa precediendo al nombre de los religiosos de ciertas órdenes.

frazada. f. Manta peluda que se echa sobre la cama.

freático, ca. adj. GEOL. Dícese de las aguas acumuladas en el subsuelo sobre una capa impermeable, y que pueden aprovecharse por medio de pozos. ‖ Dícese de la capa del subsuelo que contiene estas aguas.

frecuencia. f. Repetición a menudo de un acto o suceso. ‖ FÍS. En los movimientos oscilatorios y vibratorios, número de oscilaciones o de vibraciones que se producen durante cada unidad de tiempo.

frecuentación. f. Acción de frecuentar.

frecuentar. tr. Repetir un acto a menudo. ‖ Concurrir con frecuencia a un lugar.

frecuente (al. *häuflig*, fr. *fréquent*, ingl. *frequent*, it. *frequente*). adj. Repetido a menudo. ‖ Usual, común. [Sinón.: corriente]

fregadero. m. Banco donde se ponen los artesones o barreños donde se friega. Hay también fregaderos hechos de fábrica. ‖ Pila de fregar.

fregado, da. adj. *Amer.* Majadero, enfadoso, inoportuno, dicho de personas; tenaz, terco; bellaco, perverso. ‖

m. Acción y efecto de fregar. ‖ fig. y fam. Enredo, negocio o asunto poco decente. ‖ fig. y fam. Lance, discusión o contienda desordenada en que puede haber algún riesgo imprevisto.

fregar (al. *scheuern*, fr. *laver*, ingl. *to scrub*, it. *fregare*). tr. Restregar una cosa con otra. ‖ Limpiar alguna cosa restregándola con estropajo, cepillo, etc., empapado en un líquido adecuado. ‖ fig. y fam. *Amer.* Fastidiar, molestar. Ú.t.c.r.

fregona. f. Criada que sirve en la cocina y friega. Ú. generalmente en sentido despectivo. ‖ Instrumento para fregar.

fregotear. tr. fam. Fregar de prisa y mal.

freiduría. f. Tienda donde se frie pescado para la venta.

freír (al. *braten*, fr. *frire*, ingl. *to fry*, it. *friggere*). tr. Hacer que un manjar crudo llegue a poderse comer, teniéndolo el tiempo necesario en aceite o grasa hirviendo. Ú.t.c.r. ‖ fig. Mortificar, encocorar.

fréjol. m. Judía, planta. ‖ Fruto y semilla de esta planta.

frenado. m. Acción y efecto de frenar.

frenar. tr. Enfrenar. ‖ Moderar o parar con el freno el movimiento de una máquina o carruaje.

frenazo. m. Acción de frenar súbita y violentamente.

frenesí. m. Delirio furioso. ‖ fig. Violenta exaltación y perturbación del ánimo.

frenético, ca. adj. Poseído de frenesí. ‖ Furioso, rabioso.

frenillo. m. ANAT. Membrana que sujeta la lengua por la línea media de la parte inferior. ‖ ANAT. Ligamento que sujeta el prepucio al bálano. ‖ Cerco de correa o cuerda que, sujeto a la cabeza del perro, o de otro animal, se ajusta alrededor de su boca para que no muerda.

freno. m. Instrumento de hierro que se ajusta a la boca de las caballerías y sirve para ajustarlas y gobernarlas. ‖ Aparato o artificio especial que sirve en las máquinas y carruajes para moderar o detener el movimiento. ‖ fig. Sujeción que se pone a uno para moderar sus acciones.

frenópata. s. Persona que profesa la frenopatía.

frenopatía. f. Parte de la medicina que estudia las enfermedades mentales.

frente (al. *Stirn*; fr. *front*; ingl. *forehead*, *front*; it. *fronte*). f. Parte superior de la cara, comprendida entre una y otra sien, y desde encima de los ojos hasta que empieza la vuelta del cráneo. ‖ Parte delantera de una cosa. ‖ En la carta u otro documento, blanco que se deja al principio. ‖ fig. Semblante, cara. ‖ m. MIL. Primera fila de la tropa formada o acampada. ‖ MIL. Extensión o línea de territorio continuo en que combaten los ejércitos con cierta permanencia o duración. ‖ amb. Fachada o lo primero que se ofrece a la vista de alguna cosa. ‖ Cara de una moneda, o primera página de un libro. ‖ adv. l. En el lugar opuesto. ‖ adv. m. En contra, en pugna. ‖ – único. fig. Coalición de fuerzas distintas con una dirección común.

freo. m. MAR. Canal estrecho entre dos islas o entre una isla y tierra firme.

fresa (al. *Erdbeere*, fr. *fraise*, ingl. *strawberry*, it. *fragola*). f. BOT. Planta rosácea con tallos rastreros, nudosos y con estolones; hojas pecioladas, vellosas, divididas en tres segmentos aovados y con dientes gruesos en el margen; flores pedunculadas, blancas o amarillentas, y fruto casi redondo, algo apuntado, de un centímetro de largo, rojo, suculento y fragante. ‖ Fruto de esta planta. ‖ MEC. Herramienta de movimiento circular continuo, constituida por una serie de buriles o cuchillas convenientemente espaciados entre sí y que trabajan uno después de otro en la máquina de labrar metales o fresarlos.

fresado. m. Acción y efecto de fresar, agujerear con la fresa.

fresadora. f. MEC. Máquina provista de fresas que sirve para labrar metales.

fresal. m. Terreno plantado de fresas.

fresar. tr. Abrir agujeros y, en general, labrar metales por medio de la fresa.

frescachón, na. adj. Muy robusto y de color sano.

frescales. com. fam. Persona fresca, que no tiene empacho.

fresco, ca (al. *kühl*, fr. *frais*, ingl. *cool*, it. *fresco*). adj. Moderadamente frío. ‖ Reciente. ‖ fig. Abultado de carnes y blanco y colorado, aunque no de facciones delicadas. ‖ fig. Sereno y que no se inmuta en los peligros y contradicciones. ‖ fig. y fam. Desvergonzado. Ú.t.c.s. ‖ fig. Descansado, que no da muestras de fatiga. ‖ fig. Dícese de las telas delgadas y ligeras. ‖ m. Frío moderado. ‖ Frescura. ‖ Pintura hecha al fresco. ‖ *Amer.* Bebida refrescante.

frescor. m. Frescura o fresco.

frescura (al. *Frische*, fr. *fraîcheur*, ingl. *freshness*, it. *frescura*). f. Calidad de fresco. ‖ Amenidad y fertilidad de un sitio delicioso y lleno de verdor. ‖ fig. Desembarazo, desenfado. ‖ fig. Chanza, dicho picante, respuesta fuera de propósito. ‖ fig. Descuido, negligencia y poco celo. ‖ fig. Serenidad, tranquilidad de ánimo.

fresneda. f. Sitio o lugar de muchos fresnos.

fresno (al. *Esche*, fr. *frêne*, ingl. *ash-tree*, it. *frassino*). m. BOT. Árbol oleáceo, común en España, de corteza y hojas febrífugas y purgantes, y madera blanca y elástica.

fresón. m. Fruto de una fresera procedente de Chile, semejante a la fresa pero de mucho mayor volumen, de color parecido y sabor más ácido.

fresquera. f. Especie de jaula, fija o móvil, que se coloca en un sitio ventilado para conservar frescos algunos alimentos. ‖ Cierta cámara frigorífica casera.

frez. m. Freza, estiércol.

freza. f. Desove. ‖ Tiempo del desove. ‖ Huevos de los peces, y pescado menudo recién salido de ellos. ‖ Estiércol o excremento de algunos animales. ‖ Señal u hoyo que hace un animal escarbando u hozando. ‖ Tiempo en que durante cada una de las mudas come el gusano de seda.

frezar. intr. Arrojar o despedir el estiércol o excremento los animales. ‖ Desovar. ‖ Escarbar u hozar el animal haciendo freza.

frialdad. f. Sensación que proviene de la falta de calor. ‖ Ausencia de la apetencia sexual. ‖ fig. Flojedad y descuido en el obrar. ‖ fig. Indiferencia, poco interés.

fricativo, va. adj. En fonética, dícese de los sonidos cuya articulación hace que ésta salga con cierta fricción o roce en los órganos bucales; como la *f, s, z, j*, etc. ‖ Dícese de la letra que representa este sonido. Ú.t.c.s.f.

fricción (al. *Reibung*, fr. *friction*, ingl. *friction*, it. *frizione*). f. Acción y efecto de friccionar. ‖ Roce de dos cuerpos en contacto. ‖ pl. Desavenencias entre personas o colectividades.

friccionar. tr. Restregar, dar friegas.

friega. f. Remedio que se hace restregando alguna parte del cuerpo con un paño o cepillo o con las manos. ‖ *Amer.* fig. y fam. Tunda, zurra.

frigidez. f. Frialdad. ‖ MED.

Indiferencia o repulsión hacia el placer sexual.

frígido, da. adj. poét. Frío. ‖ MED. Dícese del que padece frialdad, indiferencia hacia el placer sexual.

frigio, gia. adj. Natural de Frigia. Ú.t.c.s. ‖ Perteneciente o relativo a este antiguo país de Asia Menor.

frigoría. f. FÍS. Nombre que se da a la caloría en la industria frigorífica, cuando se aplica esta unidad al calor que se sustrae de los cuerpos refrigerados.

frigorífico, ca (al. *Kälte erzeugend*, fr. *frigorifique*, ingl. *frigorific*, it. *frigorifero*). adj. Que produce artificialmente gran descenso de temperatura. ‖ Dícese de las cámaras o espacios enfriados artificialmente para conservar frutas, carnes, etc. Ú.t.c.s.m. ‖ m. Nevera.

frijol. m. Fréjol.

frijol. m. *Amer.* Fréjol.

frimario. m. Tercer mes del calendario republicano francés. Comprendía del 21 de noviembre al 20 de diciembre.

fringílido. adj. ZOOL. Dícese de pájaros del suborden de los conirrostros que en la cara posterior de los tarsos tienen dos surcos laterales; como el gorrión y el jilguero. Ú.t.c.s.m. ‖ m. pl. Familia de estos animales.

frío, a (al. *Kälte*, fr. *froid*, ingl. *cold*, it. *freddo*). adj. Aplícase a los cuerpos cuya temperatura es muy inferior a la ordinaria del ambiente. ‖ fig. Impotente o indiferente al placer sexual. ‖ fig. Que respecto de una persona o cosa muestra indiferencia, desapego, desafecto, o que no toma interés por ella. ‖ fig. Sin gracia, espíritu ni agudeza. ‖ m. Sensación que se experimenta por el contacto con cuerpos que, por estar a temperatura demasiado baja, roban calor al organismo. ‖ Sensación análoga pero producida por causas fisiológicas o morbosas. ‖ Voz que se emplea para advertir a una persona que está lejos de encontrar un objeto escondido o de acertar algo.

friolera. f. Cosa de poca monta o de poca importancia.

friolero, ra. adj. Muy sensible al frío.

frisar. tr. Levantar y rizar los pelillos de algún tejido. ‖ Refregar. ‖ intr. Congeniar, confrontar. ‖ fig. Acercarse.

frisio, sia. adj. Frisón. Apl. a pers., ú.t.c.s.

friso (al. *Fries*, fr. *frise*, ingl. *frieze*, it. *fregio*). m. ARQ. Parte del cornisamento que media entre el arquitrabe y la cornisa. ‖ Faja que suele pintarse o hacerse de otro material en la parte inferior de las paredes.

frisón, na. adj. Natural de Frisia. Ú.t.c.s. ‖ Perteneciente a esta provincia de Holanda. ‖ Dícese de los caballos de pies muy fuertes y anchos. Ú.t.c.s. ‖ m. Lengua germánica hablada por los frisones.

fritada. f. Conjunto de cosas fritas.

frito. m. Fritada. ‖ Cualquier manjar frito.

fritura. f. Fritada.

frivolidad. f. Calidad de frívolo.

frívolo, la. adj. Ligero, veleidoso, insustancial. ‖ Fútil y de poca sustancia. ‖ Dícese de los espectáculos o de las publicaciones ligeros y sensuales.

friz. f. Flor del haya.

fronda. f. Hoja de una planta. ‖ BOT. Hoja de los helechos. ‖ pl. Conjunto de hojas o ramas que forman espesura. ‖ Vendaje de lienzo de cuatro cabos y forma de honda, que se emplea en el tratamiento de las fracturas y heridas.

frondosidad. f. Abundancia de hojas y ramas. [*Sinón.*: espesura, follaje]

frondoso, sa. adj. Abundante de hojas y ramas. ‖ Abundante en árboles que forman espesura.

frontal. adj. ANAT. Perteneciente o relativo a la frente. ‖ m. ANAT. Hueso frontal.

frontera (al. *Grenze*, fr. *frontière*, ingl. *frontier*, it. *frontiera*). f. Confín de un Estado. ‖ Frontis.

fronterizo, za. adj. Que está o sirve en la frontera. ‖ Que está enfrente de otra cosa.

frontis. m. Fachada o frontispicio.

frontispicio. m. Fachada o delantera de un edificio, mueble u otra cosa. ‖ Página de un libro anterior a la portada. ‖ fig. y fam. Cara, parte anterior de la cabeza. ‖ ARQ. Frontón, remate triangular de la fachada.

frontón. m. Pared principal o frente contra el cual se lanza la pelota en ciertos juegos. ‖ Lugar dispuesto para jugar a la pelota. ‖ Parte escarpada de una cosa. ‖ ARQ. Remate triangular de una fachada o de un pórtico; se coloca también encima de puertas o ventanas.

frotación. f. Acción de frotar o frotarse.

frotamiento. m. Acción y efecto de frotar o frotarse.

frotar (al. *reiben*, fr. *frotter*, ingl. *to rub*, it. *strofinare*). tr. Pasar muchas veces una cosa sobre otra con fuerza. Ú.t.c.r.

frote. m. Frotamiento.

fructidor. m. Duodécimo mes del calendario republicano francés, entre el 18 de agosto y el 16 de septiembre.

fructífero, ra. adj. Que da fruto.

fructificación. f. Acción y efecto de fructificar.

fructificar. intr. Dar fruto los árboles y otras plantas. ‖ fig. Producir utilidad una cosa.

fructuoso, sa. adj. Que da fruto o utilidad.

frugal. adj. Parco en comer y beber. ‖ Aplícase a las cosas en que esta parquedad se manifiesta.

frugalidad. f. Templanza, moderación prudente en la comida y la bebida.

frugívoro, ra. adj. Aplícase al animal que se alimenta de frutos.

fruición. f. Goce muy vivo en el bien que uno posee.

frumentario, ria. adj. Perteneciente o relativo al trigo y otros cereales.

frunce. m. Arruga o pliegue, o serie de arrugas o pliegues menudos que se hacen en una tela frunciéndola.

fruncimiento. m. Acción de fruncir. ‖ fig. Embuste y fingimiento.

fruncir. tr. Arrugar la frente y las cejas. ‖ Recoger el paño u otras telas haciendo en ellas arrugas pequeñas. ‖ Estrechar y recoger una cosa, reduciéndola a menor extensión.

fruslería. f. Cosa de poco valor o entidad. ‖ fig. y fam. Dicho o hecho de poca sustancia.

frustración. f. Acción y efecto de frustar o frustrarse.

frustrar. tr. Privar a uno de lo que esperaba. ‖ Dejar sin efecto, malograr un intento. Ú.t.c.r. ‖ DER. Dejar sin efecto un propósito contra la intención del que procura realizarlo, Ú.t.c.r.

fruta (al. *Frücht*, fr. *fruit*, ingl. *fruit*, it. *frutta*). f. Fruto comestible de ciertas plantas cultivadas. ‖ fig. y fam. Producto de una cosa o consecuencia de ella. ‖ — del tiempo. La que se come en la misma estación en que madura y se coge.

frutal. adj. Dícese del árbol que lleva fruta. Ú.t.c.s.

frutería. f. Tienda donde se vende fruta.

frutero, ra. adj. Que sirve para llevar o para contener fruta. ‖ s. Persona que vende fruta. ‖ m. Plato hecho a propósito para servir la fruta.

frútice. m. BOT. Cualquier planta casi leñosa y de aspecto semejante al de los arbustos; como el rosal.

fruticultura. f. Cultivo de las plantas que producen frutas. ‖ Arte que enseña este cultivo.

fruto (al. *Frucht*, fr. *fruit*, ingl. *fruit*, it. *frutto*). m. BOT. Producto del desarrollo del ovario después de haberse efectuado la fecundación, en el cual están contenidas las semillas y a cuya formación cooperan con frecuencia el cáliz y otras partes de la flor. ‖ Cualquier produccción de la tierra que rinde alguna utilidad. ‖ La del ingenio o trabajo humano. ‖ fig. Utilidad y provecho. ‖ pl. Producciones de la tierra, de que se hace cosecha.

fucsina. f. Materia colorante que se emplea para teñir de rojo oscuro. Es producto de la reacción del ácido arsénico sobre la anilina.

fuego (al. *Feuer*, fr. *feu*, ingl. *fire*, it. *fuoco*). m. Calor y luz producidos por la combustión. ‖ Materia encendida. ‖ Incendio. ‖ Efecto de disparar las armas de fuego. ‖ fig. Hogar. ‖ fig. Encendimiento de la sangre con alguna picazón y señales exteriores. ‖ fig. Ardor que excitan algunas pasiones del ánimo. ‖ fig. Lo muy vivo y empeñado de una acción o disputa. ‖ VET. Cauterio. ‖ — de Santelmo. Meteoro ígneo que al hallarse muy cargada de electricidad la atmósfera, suele dejarse ver en los mástiles y vergas de las embarcaciones, especialmente después de la tempestad. ‖ — fatuo. Inflamación de ciertas materias que se elevan de las sustancias animales o vegetales en putrefacción. ‖ fuegos artificiales. Cohetes y otros artificios de pólvora que se hacen para regocijo o diversión. ‖ hacer fuego. MIL. Disparar. ‖ jugar con fuego. fig. Empeñarse imprudentemente en una cosa que pueda ocasionar sinsabores o perjuicios. ‖ pegar fuego. Incendiar.

fuel. m. Fracción del petróleo natural, obtenida por refinación y destilación, que se destina a la calefacción.

fuelle (al. *Blasebalg*, fr. *soufflet*, ingl. *bellows*, it. *mantice*). m. Instrumento para recoger aire y lanzarlo con dirección determinada. ‖ Bolsa de cuero de la gaita. ‖ Arruga del vestido, casual o hecha a propósito, o por estar mal cosido. ‖ Pieza de piel u otra materia plegable que se pone en los lados de bolsos, carteras, etc., para poder aumentar o disminuir su capacidad. ‖ fig. y fam. Persona soplona.

fuente (al. *Quelle*, fr. *fontaine*, ingl. *fountainhead*, it. *fonte*). f. Manantial de agua que brota de la tierra. ‖ Aparato o artificio con que se hace salir el agua en los jardines y en las casas, calles, etc., para diferentes usos, trayéndola encañada desde los manantiales o desde los depósitos. ‖ Cuerpo de arquitectura hecho de fábrica, piedra, hierro, etc., que sirve para que salga el agua por varios caños. ‖ Pila bautismal. ‖ Plato grande, circular u oblongo, que se usa para servir las viandas. ‖ Cantidad de viandas que cabe en este plato. ‖ Principio, fundamento u origen de una cosa. ‖ Documento, obra o materiales que sirven de información o de inspiración a un autor.

fuer. m. Apócope de fuero.

fuera (al. *draussen, weg da!*; fr. *dehors, hors d'icil*; ingl. *out, get off!*; it. *fouri, via!*). adv. l. y t. A o en la parte exterior de cualquier espacio o término real o imaginario. *¡fuera!* interj. que suele emplearse para denotar desaprobación.

fuero. m. Ley o código dados para un municipio durante la Edad Media. ‖ Jurisdicción, poder. ‖ Nombre de algunas compilaciones de leyes. ‖ Cada uno de los privilegios y exenciones que se conceden a una provincia, ciudad o persona. Ú.m. en pl. ‖ fig. Privilegio, prerrogativa o derecho moral que se reconocen a ciertas actividades, principios, virtudes, etc., por su propia naturaleza. Ú.m. en pl. ‖ DER. Competencia a la cual las partes están sometidas legalmente y por derecho les corresponden. ‖ — *interno.* Libertad de la conciencia para aprobar las buenas obras y reprobar las malas.

fuerte. (al. *stark*, fr. *fort*, ingl. *strong*, it. *forte*). adj. Que tiene fuerza y resistencia. ‖ Robusto, corpulento y que tiene grandes fuerzas. ‖ Animoso, varonil. ‖ Hablando del terreno, áspero, fragoso. ‖ Dícese del lugar resguardado con obras de defensa para resistir los ataques del enemigo. ‖ fig. Terrible, grave, excesivo. ‖ fig. Versado en alguna materia. ‖ m. Recinto fortificado. ‖ fig. Aquello a que una persona tiene más afición o en que más sobresale. ‖ adv. m. Con fuerza.

fuerza (al. *Kraft*, fr. *force*, ingl. *strength*, it. *forza*). f. Vigor, robustez y capacidad para mover una cosa que tenga peso o haga resistencia. ‖ Virtud y eficacia natural que las cosas tienen en sí. ‖ Acto de obligar a uno a que dé asenso a una cosa, o a que la haga. ‖ Grueso o parte principal, mayor y más fuerte de un todo. ‖ Estado más vigoroso de una cosa. ‖ Eficacia. ‖ FÍS. Toda causa capaz de modificar el estado de reposo o de movimiento de un cuerpo. ‖ FÍS. Resistencia que se opone al movi-

miento. ‖ pl. MIL. Gente de guerra y demás aprestos militares. ‖ — *bruta.* La material, en oposición a la que da el derecho o la razón. ‖ — *centrífuga.* FÍS. La de inercia que se manifiesta en todo cuerpo cuando se le obliga a describir una trayectoria curva. ‖ — *centrípeta.* FÍS. Aquella que es preciso aplicar a un cuerpo para que, venciendo la inercia, describa una trayectoria curva. ‖ — *de inercia.* FÍS. Resistencia que oponen los cuerpos a obedecer la acción de las fuerzas. ‖ — *electromotriz.* Magnitud física que se manifiesta por la corriente que produce un circuito cerrado. ‖ — *mayor.* DER. La que por no poderse prever ni resistir, exime del cumplimiento de una obligación. ‖ — *pública.* Agentes encargados de mantener el orden; policía. ‖ *fuerzas vivas.* Dícese de las clases y de los grupos impulsores de la actividad y prosperidad de una población o de un país. ‖ *a fuerza de.* m. adv. que seguido de un sustantivo o de un verbo indica el modo de obrar empleando con intensidad o abundancia el objeto designado por el sustantivo, o reiterando mucho la acción expresada por el verbo. ‖ *a la fuerza.* m. adv. Por fuerza; violentamente; contra la propia voluntad. Necesaria, ineludiblemente.

fuga (al. *Flucht*, fr. *fuite*, ingl. *flight*, it. *fuga*). f. Huida apresurada. ‖ La mayor fuerza o intención de una acción, ejercicio, etc. ‖ Salida de un fluido por un orificio o abertura producidos accidentalmente. MÚS. Composición que gira sobre un tema y su contrapunto, repetidos con cierto artificio por diferentes tonos.

fugacidad. f. Calidad de fugaz.

fugarse. r. Escaparse, huir.

fugaz. adj. Que con velocidad huye y desaparece. ‖ ↗ *estrella fugaz.* ‖ fig. De muy corta duración.

fugitivo, va (al. *flüchtling*, fr. *fugitif*, ingl. *runaway*, it. *fuggittivo*). adj. Que anda huyendo y escondiéndose. Ú.t.c.s. ‖ Que pasa muy aprisa y como huyendo. ‖ fig. Caduco, perecedero. [*Sinón.*: escapado, evadido, fugado; huidizo, fugaz]

fulano, na. s. Voz con que se suple el nombre de una persona, cuando se ignora o de propósito no se quiere expresar. ‖ Persona indeterminada o imaginaria. ‖ Con referencia a una persona determinada, úsase como despectivo. ‖ Amante. ‖ f. fam. Prostituta. [*Sinón.*: mengano, zutano]

fular. m. Tela fina de seda.

fulcro. m. Punto de apoyo de la palanca.

fulero, ra. adj. fam. Chapucero, poco útil. ‖ Dícese de la persona falsa, embustera o simplemente charlatana y sin seso.

fulgente. adj. Brillánte, resplandeciente.

fúlgido, da. adj. Brillante, resplandeciente.

fulgir. intr. Resplandecer.

fulgor (al. *Glanz*, fr. *éclat*, ingl. *glitter*, it. *fulgore*). m. Resplandor y brillantez con luz propia.

fulguración. f. Acción y efecto de fulgurar.

fulgurar. intr. Brillar, resplandecer, despedir rayos de luz.

fuliginoso, sa. adj. Denegrido, oscurecido, tiznado.

fulminación. f. Acción de fulminar.

fulminante. adj. Que fulmina. ‖ Dícese de las sustancias que explosionan por percusión con relativa facilidad y que sirven normalmente para disparar las armas de fuego. Ú.t.c.s.m. ‖ Súbito, inmediato y de efecto muy rápido.

fulminar. tr. Lanzar rayos eléctricos. ‖ Dar muerte los rayos eléctricos. ‖ Herir o dañar el rayo terrenos, edificios, etc. ‖ Matar o herir a uno proyectiles o armas; matar o herir con ellos. ‖ Herir o dañar a personas o cosas la luz excesiva. ‖ Causar muerte repentina una enfermedad. ‖ Dejar rendida o muy impresionada a una persona con una mirada o con la voz.

fullería. f. Trampa y engaño en el juego. ‖ fig. Astucia con que se pretende engañar.

fullero, ra. adj. Que hace fullerías. ‖ fam. Precipitado, chapucero.

fumadero. m. Local destinado a los fumadores.

fumador, ra. adj. Que tiene costumbre de fumar. Ú.t.c.s.

fumar (al. *rauchen*, fr. *fumer*, ingl. *to smoke*, it. *fumare*). intr. Echar o despedir humo. ‖ Aspirar y despedir el humo del tabaco que se hace arder en cigarros, pipa, etc. Se suele fumar también opio, anís y otras sustancias. Ú.t.c.tr.

fumaria. f. BOT. Planta papaverácea de flores purpúreas, cuyo jugo, de sabor amargo, se usa algo en medicina.

fumarola. f. En las regiones volcánicas, grieta del terreno por donde salen gases sulfurosos o vapores de agua.

fumigación. f. Acción de fumigar.

fumigar. tr. Desinfectar por medio de humos, gas o vapores adecuados. ‖

353

Combatir por estos medios, o valiéndose de polvos en suspensión, las plagas de insectos y otros organismos nocivos.

fumista. m. El que hace o arregla chimeneas, cocinas o estufas. ‖ El que vende estos aparatos.

funámbulo, la. s. Volatinero que hace ejercicios en la cuerda o el alambre.

función (al. *Verrichtung*, fr. *fonction*, ingl. *function*, it. *funzione*). f. Capacidad de acción o acción de un ser apropiada a su condición natural o al destino dado por el hombre. ‖ Capacidad de acción o acción propia de los seres vivos y sus órganos, y de las máquinas e instrumentos. ‖ Capacidad de acción o acción propia de los cargos u oficios. ‖ Acto solemne religioso. ‖ Representación de una obra teatral o cinematográfica; por ext., la obra teatral representada. ‖ Espectáculo de circo. ‖ Fiesta de toros. ‖ Acto solemne. ‖ MAT. Relación entre dos magnitudes, de modo que a cada valor de una de ellas corresponde determinado valor de la otra. ‖ *en función*, o *en funciones*. En el ejercicio propio de su cargo; en sustitución del que ejerce en propiedad el cargo.

funcional. adj. Perteneciente o relativo a las funciones. ‖ Relativo a la función o fin útil de un órgano, aparato, etc. Dícese generalmente de lo que no disimula su función con fines decorativos.

funcionamiento. m. Acción y efecto de funcionar.

funcionar. intr. Ejecutar una persona, máquina, etc., las funciones que le son propias.

funcionario, ria. s. Empleado público.

funda (al. *Hülle*, fr. *housse*, ingl. *sheath*, it. *fodera*). f. Cubierta con que se envuelve una cosa para resguardarla.

fundación. f. Acción y efecto de fundar. ‖ Principio, erección, establecimiento y origen de una cosa. ‖ Documento en que constan las cláusulas de una institución.

fundacional. adj. Perteneciente o relativo a la fundación.

fundador, ra. adj. Que funda. Ú.t.c.s.

fundamental (al. *grundlegend*, fr. *fondamental*, ingl. *fundamental*, it. *fondamentale*). adj. Que sirve de fundamento o es lo principal en una cosa. [*Sinón.*: básico, primordial, esencial. *Antón.*: accesorio]

fundamentar. tr. Echar los fundamentos o cimientos de un edificio. ‖ fig. Establecer, asegurar y hacer firme una cosa.

fundamento. m. Principio y cimiento en que estriba y sobre que se funda un edificio u otra cosa. ‖ Hablando de personas, seriedad, formalidad. ‖ Razón principal o motivo con que se pretende afianzar y asegurar una cosa. ‖ fig. Raíz, principio y origen en que estriba una cosa no material.

fundar (al. *gründen*, fr. *fonder*, ingl. *to set up*, it. *fondare*). tr. Edificar materialmente. ‖ Estribar,· apoyar, armar una cosa material sobre otra. Ú.t.c.r. ‖ Establecer, crear. ‖ fig. Apoyar con motivo y razones eficaces una cosa.

fundición. f. Acción y efecto de fundir o fundirse. ‖ Fábrica en que se funden los metales. ‖ METAL. Aleación de hierro y carbono que contiene más del 2 por ciento de éste.

fundidor. m. El que tiene por oficio fundir.

fundir (al. *schmelzen*, fr. *fondre*, ingl. *to smelt*, it. *fondere*). tr. Derretir y liquidar los metales, los minerales u otros cuerpos sólidos. ‖ Dar forma en los moldes al metal en fusión. ‖ Reducir a una sola dos o más cosas diferentes. Ú.t.c.r. ‖ r. fig. Unirse intereses, ideas o partidos. ‖ fig. y fam. *Amer.* Arruinarse, hundirse.

fundo. m. DER. Heredad o finca rústica.

fúnebre (al. *grab-*, fr. *funèbre*, ingl. *funeral*, it. *funebre*). adj. Relativo a los difuntos. ‖ fig. Muy triste, luctuoso, funesto.

funeral (al. *Lechefeier*, fr. *funérailles*, ingl. *obsequies*, it. *funerale*). adj. Perteneciente al entierro. ‖ m. Solemnidad con que se hace un entierro o unas exequias.

funerala, (a la) m. adv. que expresa la manera de llevar las armas los militares en señal de duelo, con las bocas o las puntas hacia abajo. ‖ ⌐ *ojo a la funerala.*

funeraria. f. Empresa que se encarga de proveer las cajas, coches fúnebres y demás objetos pertenecientes a los entierros.

funerario, ria. adj. Perteneciente al entierro o exequias.

funesto, ta. adj. Aciago; que es origen de pesares. ‖ Triste y desgraciado.

fungicida. adj. Se dice del agente que destruye los hongos. Ú.t.c.s.

funguicida. m. Fungicida.

funicular. adj. Aplícase al vehículo o artefacto en el cual la tracción se hace por medio de una cuerda, cable o cadena. Ú.m.c.s.m.

furcia. f. Puta.

furgón (al. *Packwagen*, fr. *fourgon*, ingl. *wagon*, it. *furgone*). m. Carro largo y fuerte, de cuatro ruedas y cubierto, que sirve para transportes.

furgoneta. f. Vehículo automóvil cubierto, más pequeño que el camión, destinado al reparto de mercancías.

furia (al. *Wut*, fr. *furie*, ingl. *fury*, it. *furia*). f. MIT. Cada una de las tres divinidades infernales en que se personificaban los remordimientos. ‖ Ira exaltada. ‖ Acceso de demencia. ‖ fig. Persona muy irritada y colérica. ‖ fig. Actividad y violenta excitación de las cosas insensibles. ‖ fig. Prisa, velocidad y vehemencia con que se ejecuta alguna cosa. ‖ fig. Momento de mayor intensidad de una moda o costumbre. [*Sinón.*: cólera, furor. *Antón.*: serenidad]

furibundo, da. adj. Airado, colérico; propenso a ofenderse. ‖ Que denota furor. ‖ Fanático.

furioso, sa. adj. Poseído de furia. ‖ fig. Violento, terrible. ‖ fig. Muy grande y excesivo.

furor (al. *Raserei*, fr. *fureur*, ingl. *wrath*, it. *furore*). m. Cólera, ira exaltada. ‖ fig. Furia. ‖ Frenesí, locura, afición extraordinaria. ‖ Prisa, vehemencia. ‖ — *uterino*. PAT. Deseo violento e insaciable en la mujer de entregarse a la cópula. ‖ *hacer furor*. m. adv. Ponerse o estar muy de moda.

furriel. m. MIL. Cabo que tiene a su cargo la distribución del pan, comida, etc., de cada compañía, escuadrón o batería, así como el nombramiento del personal destinado al servicio de la tropa correspondiente.

furtivo, va (al. *verstohlen*, fr. *furtif*, ingl. *stealthy*, it. *furtivo*). adj. Que se hace a escondidas y como a hurto. ‖ Dícese del que caza, pesca o hace leña en finca ajena, a hurto de su dueño.

furúnculo. m. MED. Divieso, tumor inflamatorio.

fusa. f. MÚS. Nota musical cuyo valor es la mitad de la semicorchea.

fuselaje. m. Cuerpo ahusado de los aviones, planeadores y, por ext., helicópteros.

fusibilidad. f. Calidad de fusible.

fusible. adj. Que puede fundirse. ‖ m. Hilo o chapa metálica, fácil de fundirse, que se coloca en algunas partes de las instalaciones eléctricas, para que cuando la corriente sea excesiva, la interrumpan fundiéndose.

fusiforme. adj. De figura de huso.

fusil (al. *Gewehr,* fr. *fusil,* ingl. *rifle,* it. *fucile).* m. Arma de fuego, portátil, usada por diversas fuerzas armadas. Consta de un cañón de hierro o de acero de ocho a diez decímetros de longitud ordinariamente, de un mecanismo con que se dispara, y de la caja a que éste y aquél van unidos. || — *ametrallador.* El automático que se puede montar sobre un pequeño bípode. || — *automático.* El que se recarga y dispara por sí solo. || — *de repetición.* El que utiliza un cargador con varios cartuchos que se disparan sucesivamente.

fusilamiento. m. Acción y efecto de fusilar.

fusilar (al. *erschiessen,* fr. *fusiller,* ingl. *to shoot,* it. *fucilare).* tr. MIL. Ejecutar a una persona con una descarga de fusilería. || fig. y fam. Plagiar, copiar obras ajenas.

fusilería. f. Conjunto de fusiles. || Conjunto de soldados fusileros. || Fuego de fusiles.

fusilero, ra. adj. Perteneciente o relativo al fusil. || m. Soldado de infantería armado con fusil y bayoneta.

fusión (al. *Einschmelzen;* fr. *fusion;* ingl. *melting, merger;* it. *fusione).* f. Efecto de fundir o fundirse. || fig. Unión de intereses, de ideas o de partidos.

fusionar. tr. fig. Producir una fusión. Ú.t.c.r.

fusta. f. Leña delgada. || Vara flexible o látigo que por el extremo superior tiene pendiente una trencilla de correa de que se usa para castigar a los caballos.

fuste (al. *Schaft,* fr. *fût —de colonne—,* ingl. *—columb— shaft,* it. *fusto).* m. Madera de los árboles. || Vara. || Armazón de la silla de montar. || fig. Fundamento de una cosa no material. || fig. Nervio, sustancia o entidad. || ARQ. Parte de la columna que media entre el capitel y la basa. || Vástago, conjunto del tallo y las hojas.

fustigar. tr. Dar azotes a uno. || fig. Vituperar, censurar con dureza.

fútbol o **futbol.** m. DEP. Juego entre dos equipos, de once jugadores cada uno, cuya finalidad es hacer entrar un balón en una portería que defiende el contrario. Gana el equipo que más veces ha realizado esta jugada. [*Sinón.:* balompié]

futbolín. m. Cierto juego en que figurillas accionadas manualmente remedan un partido de fútbol.

futbolista. com. Jugador de fútbol.

futbolístico, ca. adj. Perteneciente o relativo al fútbol.

fútil. adj. De poco aprecio o importancia.

futilidad. f. Poca o ninguna importancia de una cosa.

futura. f. Derecho de sucesión de un empleo o beneficio antes de estar vacante. || fam. Novia que tiene con su novio compromiso formal.

futurible. adj. FIL. Dícese de lo futuro condicionado, que no será con seguridad, sino que sería de cumplirse una condición determinada.

futurismo. m. Actitud orientada hacia el futuro. || Movimiento ideológico y artístico nacido a principios del siglo XX; pretendía revolucionar las ideas, las costumbres, el arte y el lenguaje.

futurista. adj. Perteneciente o relativo al futurismo. || Partidario del futurismo. Ú.t.c.s.

futuro, ra (al. *Zukünftig,* fr. *futur,* ingl. *future,* it. *futuro).* adj. Que está por venir. || m. fam. Novio que tiene con su novia compromiso formal. || — *imperfecto.* GRAM. El que manifiesta de un modo absoluto que la cosa existirá, que la acción se ejecutará o el suceso acaecerá. || — *perfecto.* GRAM. El que denota acción futura con respecto al momento en que se habla, pero pasada con respecto a otra ocasión posterior.

futurología. f. Conjunto de los estudios que se proponen predecir científicamente el futuro del hombre.

g. f. Octava letra del abecedario español y sexta de sus consonantes. Su nombre es *ge.*

gabacho, cha. adj. Dícese de los naturales de algunos pueblos de las faldas de los Pirineos. Ú.t.c.s. ‖ fam. despect. Francés. Apl. a pers., ú.t.c.s.

gabán (al. *Mantel,* fr. *pardessus,* ingl. *overcoat,* it. *cappotto*). m. Capote con mangas. ‖ Abrigo, sobretodo.

gabardina (al. *Regenmantel,* fr. *gabardine,* ingl. *raincoat,* it. *gabardina*). f. Sobretodo de tela impermeable. ‖ Tela de tejido diagonal de que se hacen esos sobretodos. [*Sinón.:* trinchera]

gabarra (al. *Leichter,* fr. *allège,* ingl. *lighter,* it. *chiatta*). f. Embarcación mayor que la lancha, con árbol y mastelero. ‖ Barco pequeño y chato destinado a la carga y descarga en los puertos y al transporte en ríos y canales. [*Sinón.:* barcaza]

gabela. f. Tributo, impuesto o contribución que se paga al Estado. ‖ fig. Carga, gravamen.

gabinete (al. *Ministerrat,* fr. *cabinet,* ingl. *cabinet,* it. *gabinetto*). m. Aposento donde se recibe a las visitas de confianza. ‖ Conjunto de muebles para tal aposento. ‖ Ministerio, cuerpo de ministros que componen el gobierno.

gacel. m. Macho de la gacela.

gacela (al. *Gazelle,* fr. *gazelle,* ingl. *gazelle,* it. *gazzella*). f. ZOOL. Antílope algo menor que el corzo.

gaceta (al. *Fachzeitschrift,* fr. *gazette,* ingl. *gazette,* it. *gazzetta*). f. Periódico dedicado a algún ramo especial de literatura, administración, etc. ‖ En España, denominación que tuvo durante muchos años, el diario oficial del gobierno. ‖ fam. Correveidile.

gacetilla. f. Parte de un periódico en la que se publican noticias cortas. ‖ Cada una de estas noticias.

gacetillero. m. Redactor de gacetillas.

gacha. f. Masa muy blanda. ‖ *Amer.* Cuenco, escudilla de loza o barro.

gachí. f. En Andalucía, entre el pueblo bajo, mujer, muchacha.

gacho, cha. adj. Encorvado, inclinado hacia la tierra. ‖ Dícese del buey o vaca que tienen uno o ambos cuernos inclinados hacia abajo. ‖ Dícese del caballo o yegua que tienen el hocico muy metido a pecho. ‖ Dícese del cuerno retorcido hacia abajo. ‖

gachón, na. adj. Que tiene gracia, atractivo y dulzura.

gachumbo. m. *Amer.* Cubierta leñosa y dura de varios frutos de los que se hacen vasijas, tazas y otros utensilios.

gachupín. m. Cachupín.

gádido. adj. ZOOL. Dícese de ciertos peces cuyas blandas aletas ocupan casi todo el cuerpo. ‖ m. pl. Familia de estos peces.

gaditano, na. adj. Natural de Cádiz. Ú.t.c.s. ‖ Perteneciente a esta ciudad.

gaélico, ca. adj. Aplícase a los dialectos de la lengua céltica que se hablan en ciertas comarcas de Irlanda y Escocia. Ú.t.c.s.

gafa (al. *Brille,* fr. *lunettes,* ingl. *spectacles,* it. *occhiali*). f. Instrumento para armar la ballesta. ‖ Grapa de metal. ‖ pl. Enganches con que se afianzan los anteojos detrás de las orejas. ‖ Anteojos con este género de armadura.

gafe. m. fam. Persona maléfica, que trae mala suerte.

gafedad. f. PAT. Contracción permanente de los dedos, que impide su movimiento. ‖ Lepra en que se mantienen fuertemente encorvados los dedos de las manos y a veces los de los pies.

gafete. m. Corchete, broche.

gafo, fa. adj. Que padece gafedad.

gaguera. f. Tartamudez.

gaita (al. *Sackpfeite,* fr. *cornemuse,* ingl. *bagpipe,* it. *cornamusa*). f. Flauta a modo de chirimía. ‖ fig. y fam. Cosa difícil, ardua o engorrosa. Se usa generalmente con el verbo *ser.*

gaitero, ra. adj. fam. Ridículamente alegre y que usa de chistes poco de acuerdo con su estado. Ú.t.c.s. ‖ m. El que tiene por oficio tocar la gaita.

gaje. m. Emolumento que corresponde a un destino o empleo. Ú.m.c.pl. ‖ *gajes del oficio, empleo,* etc. loc. irónica. Molestias que se experimentan con motivo del empleo u ocupación.

gajo (al. *Büschel,* fr. *grappillon,* ingl. *bunch,* it. *grappolo*). m. Rama de árbol. ‖ Cada uno de los grupos de uvas en que se divide el racimo. ‖ Racimo apiñado de cualquier fruta. ‖ División interior de ciertas frutas.

gala. f. Vestido elegante y lujoso. ‖ Fiesta en la que se exige vestido especial de esta clase. ‖ Gracia, garbo y bizarría. ‖ Lo más esmerado, exquisito y selecto de una cosa. ‖ *Amer.* Obsequio que se hace dando una moneda de corto valor a una persona por haber sobresalido en algo o como propina. ‖ pl. Trajes, joyas y demás artículos de lujo que se poseen y ostentan. ‖ Regalos que se hacen a los que van a contraer matrimonio. ‖ *de gala.* loc. adj. Dícese del uniforme o traje de mayor lujo y de las ceremonias, fiestas o espectáculos en que se exige vestido oficial de esta clase. ‖ *hacer gala* de una cosa. fig. Preciarse y gloriarse de ella.

galáctico, ca. adj. ASTR. Perteneciente o relativo a una galaxia.

galactita. f. Arcilla detersoria que se deshace en el agua, poniéndola de color lechoso.

galactosa. f. QUÍM. Azúcar de la lactosa.

galaico, ca. adj. Gallego.

galán (al. *Liebhaber,* fr. *galant;* ingl. *suitor,* it. *galante*). adj. Apócope de galano. ‖ m. Hombre de buen semblante y airoso. ‖ El que galantea a una mujer. ‖ El que en el teatro representa los principales papeles serios, excepto el de barba.

galano, na. adj. Bien adornado. ‖ Que viste bien.

galante (al. *galant,* fr. *galant,* ingl. *gallant,* it. *galante*). adj. Atento, cortesano, obsequioso, en especial con las damas. ‖ Aplícase a la mujer que gusta de galanteos y a la de costumbres licenciosas.

galantear. tr. Procurar captarse el amor de una mujer. ‖ Requebrarla. [*Sinón.*: cortejar, piropear]

galantería. f. Acción o expresión obsequiosa. ‖ Gracia y elegancia de algunas cosas. ‖ Liberalidad, bizarría, generosidad. [*Sinón.*: cortesía, delicadeza, gentileza, donosura. *Antón.*: descortesía, indelicadeza]

galanura. f. Adorno vistoso y gallardía que resulta de la gala. ‖ Gracia, gentileza, donosura. ‖ fig. Elegancia y gallardía en el modo de expresar los conceptos.

galápago (al. *Schildkröte,* fr. *tortue bourbeuse,* ingl. *tortoise,* it. *tartaruga*). m. ZOOL. Reptil del orden de los quelonios, parecido a la tortuga. ‖ Palo donde encaja la reja del arado. ‖ Aparato que sirve para sujetar fuertemente una pieza que se trabaja. ‖ Molde en que se hace la teja. ‖ Lingote corto de plomo, estaño o cobre. ‖ *Amer.* Silla de montar para señora.

galardón (al. *Belohnung,* fr. *prix,* ingl. *reward,* it. *guiderdone*). m. Premio o recompensa.

galardonar. tr. Premiar los servicios o méritos de uno.

galaxia. f. Galactita. ‖ ASTR. Vía Láctea. ‖ Por ext., se aplica a las formaciones estelares semejantes.

galbana. f. fam. Pereza, desidia.

gálbula. f. BOT. Fruto en forma de cono corto que producen el ciprés y algunas plantas análogas.

galena (al. *Bleiglanz,* fr. *galène,* ingl. *galena,* it. *galena*). f. MINERAL. Sulfuro de plomo, de color gris y brillo metálico. Es la mejor mena del plomo.

galeno, na. adj. MAR. Dícese del viento o brisa suave. ‖ m. fam. Médico.

galeón (al. *Galione,* fr. *galion,* ingl. *galleon,* it. *galeone*). m. Nave antigua de gran velamen y con 3 o 4 palos.

galeota. f. Galera menor de dos palos y de 16 a 20 remos por banda.

galeote (al. *Galeerensklave,* fr. *galérien,* ingl. *galley-slave,* it. *galeotto*). m. El condenado a remar en las galeras.

galera (al. *Galeere,* fr. *galère,* ingl. *galley,* it. *galea*). f. Carro grande de cuatro ruedas y toldo. ‖ Cárcel de mujeres. ‖ Embarcación de vela y remo, larga de quilla, la de menos calado entre las de vela latina. ‖ *Amer.* Cobertizo, tinglado. ‖ fam. *Amer.* Sombrero de copa redondeada y alas abarquilladas. ‖ IMP. Tabla donde se va colocando la composición tipográfica.

galerada. f. Carga de una galera de ruedas. ‖ IMP. Prueba de la composición que se saca para corregirla. ‖ IMP. Trozo de composición tipográfica que cabe en una galera.

galería (al. *Galerie,* fr. *galerie,* ingl. *gallery,* it. *galleria*). f. Pieza larga y espaciosa con muchas ventanas o sostenida por columnas o pilares. ‖ Corredor descubierto o con vidrieras. ‖ Colección de pinturas o lugar donde éstas se exponen. ‖ Estudio de un fotógrafo profesional. ‖ Camino que se hace en obras subterráneas. ‖ Paraíso del teatro. ‖ Público que concurre al paraíso de los teatros.

galerna. f. Ráfaga súbita y borrascosa en la costa septentrional de España. Suele soplar entre el Oeste y el Noroeste. ‖ Por ext., cualquier tormenta en el mar.

galés, sa. adj. Natural de Gales. Ú.t.c.s. ‖ Perteneciente a este país del Reino Unido. ‖ m. Idioma galés, uno de los célticos.

galga. f. Palo grueso y largo atado por los extremos fuertemente a la caja del carro, de modo que puede oprimir el cubo de una rueda y servir de freno.

galgo, ga (al. *Windhund,* fr. *lévrier,* ingl. *greyhound,* it. *levriere*). adj. perro —. Ú.t.c.s. ‖ Goloso, laminero. ‖ ¡*échale un galgo!* expr. fig. y fam. con que se denota la dificultad de alcanzar a una persona, o a la de comprender u obtener una cosa.

galgueño, ña. adj. Relativo o parecido al galgo.

gálibo. m. Arco de hierro en forma de U invertida, que en las estaciones de ferrocarriles sirve para comprobar si determinadas cargas máximas de los vagones pueden circular por los túneles y bajo los pasos superiores. ‖ fig. Elegancia. ‖ MAR. La figura que se da al contorno de las ligazones de un buque, y aun su forma misma después de construido.

galicismo. m. Giro propio de la lengua francesa. ‖ Empleo de vocablos o giros franceses en otro idioma.

galileo, a. adj. Natural de Galilea. ‖ m. Nombre dado por oprobio a Jesucristo y a los cristianos.

galimatías. m. fam. Lenguaje oscuro.

galipote. m. MAR. Especie de brea o alquitrán que se usa para calafatear.

galo, la. adj. Natural de la Galia. Ú.t.c.s. ‖ Perteneciente a dicho país. ‖ m. Antigua lengua céltica de las Galias.

galón (al. *Tresse,* fr. *galon,* ingl. *stripes,* it. *gallone*). m. Tejido fuerte y estrecho a manera de cinta. ‖ MIL. Distintivo de las diferentes clases de ejército. ‖ Medida inglesa para líquidos equivalente a unos cuatro litros y medio.

galop. m. Danza de origen húngaro. ‖ Música de este baile.

galopada. f. Carrera a galope.

galopar (al. *Galoppieren,* fr. *galoper,* ingl. *gallop,* it. *galoppare*). intr. Ir el caballo a galope. ‖ Cabalgar una persona en un caballo que va a galope.

galope. La más rápida marcha del caballo.

galopín. m. Cualquier muchacho sucio y desharrapado. ‖ Pícaro, bribón. ‖ fig. y fam. Hombre taimado, de talento y de mundo.

galpón. m. Departamento destinado a los esclavos en las haciendas. ‖ *Amer.* Cobertizo grande, tinglado.

galvanismo. m. FIS. Electricidad desarrollada por el contacto de dos metales diferentes con un líquido interpuesto. ‖ FIS. Propiedad de excitar, por medio de corrientes eléctricas, movimientos en los nervios y músculos de animales vivos o muertos.

galvanización. f. FIS. Acción y efecto de galvanizar.

galvanizar (al. *verzinken,* fr. *galvaniser,* ingl. *to electroplate,* it. *galvanizzare*). tr. FIS. Exponer un cuerpo a la acción del galvanismo. ‖ fig. Animar una persona o entidad que está decaída.

galvanómetro. m. FIS. Aparato destinado a medir la intensidad y determinar el sentido de una corriente eléctrica.

galvanoplastia. f. FIS. Arte de sobreponer a cualquier cuerpo sólido una capa de un metal disuelto en un líquido, valiéndose de corrientes eléctricas.

galladura. f. Pinta como de sangre que se halla en la yema del huevo y es señal de que el huevo está fecundado.

gallardear. intr. Ostentar bizarría y desenfado en hacer algunas cosas. Ú.t.c.r.

gallardete. m. MAR. Tira o faja volante cuya anchura va disminuyendo hasta rematar en punta y que se pone en lo alto de los mástiles.

gallardía. f. Bizarría, desenfado. ‖ Esfuerzo en la ejecución de acciones. [*Sinón.:* garbo]

gallardo, da (al. *stattlich*, fr. *campé*, ingl. *jaunty*, it. *leggiadro*). adj. Desembarazado, airoso. ‖ Bizarro, valiente.

gallear. tr. Cubrir el gallo a las gallinas. ‖ intr. fig. y fam. Alzar la voz con amenazas. ‖ fig. y fam. Querer sobresalir entre los otros.

gallego, ga. adj. Natural de Galicia. Ú.t.c.s. ‖ Perteneciente a esta región de España. ‖ m. Lengua hablada en Galicia. ‖ *Amer.* despect. Español que se traslada al continente americano.

galleguismo. m. Locución, giro o modo de hablar peculiar y propio de los gallegos.

galleo. m. METAL. Desigualdad que se forma en la superficie de algunos metales cuando después de fundidos se enfrían rápidamente. ‖ TAUROM. Quiebro que ayudado con la capa hace el torero ante el toro.

gallero. adj. *Amer.* Aficionado a las riñas de gallos. Ú.t.c.s. ‖ m. Individuo que se dedica a la cría de gallos de pelea.

galleta (al. *Keks*, fr. *galette*, ingl. *biscuit*, it. *biscotto*). f. Bizcocho, pan cocido dos veces. ‖ Pasta dulce y seca. ‖ fam. Cachete, bofetada. ‖ Carbón, variedad de antracita. ‖ *Amer.* Pan bazo que se amasa para los trabajadores del campo.

gallina (al. *Henne*, fr. *poule*, ingl. *hen*, it. *gallina*). f. Hembra del gallo. f. com. fig. y fam. Persona cobarde, pusilánime y tímida. ‖ — *ciega.* Juego de muchachos, en el que se vendan los ojos a uno de ellos hasta que coge a otro o le conoce cuando le toca, y entonces éste es el vendado. ‖ — *de agua.* Foja, ave zancuda. ‖ *acostarse uno con las gallinas.* fig. y fam. Acostarse muy temprano.

gallináceo, a. adj. Perteneciente a la gallina. ‖ ZOOL. Dícese de las aves que tienen dos membranas cortas entre los tres dedos anteriores y un solo dedo en la parte posterior, como el gallo, la perdiz, el faisán. Ú.t.c.s.f. ‖ f. pl. Orden de estas aves.

gallinaza. f. Aura, ave de rapiña. ‖ Excremento o estiércol de las gallinas.

gallinero, ra. s. Persona que trata en gallinas. ‖ m. Lugar donde las aves de corral se recogen. ‖ fig. Paraíso de un teatro. ‖ fig. Lugar donde hay mucha gritería y no se entienden unos con otros.

gallito. m. fig. Hombre presuntuoso o jactancioso. ‖ *Amer.* Caballito del diablo. ‖ *Amer.* Flechilla de juguete para clavarla en un blanco.

gallo (al. *Hahn*, fr. *coq*, ingl. *cock*, it. *gallo*). m. ZOOL. Ave gallinácea con cabeza adornada de una cresta roja, carnosa y ordinariamente erguida; pico corto, grueso y arqueado; plumaje abundante y lustroso y tarsos armados. ‖ ZOOL. Pez marino acantopterigio, de cabeza y aletas pequeñas, la dorsal en figura de cresta de gallo y cola redonda. ‖ Hombre fuerte, valiente. Ú.t.c. adj. ‖ Hombre que trata de imponerse a los demás por su agresividad o jactancia. ‖ fig. y fam. Nota falsa que inadvertidamente emite el que canta, perora o habla. ‖ fig. y fam. Esputo, gargajo. ‖ *Amer.* Rehilete, volante. ‖ DEP. Categoría en la que están comprendidos los boxeadores que pesan de 50,802 kg a 53,324 kg. ‖ — *silvestre.* Urogallo. ‖ *en menos que canta un gallo.* Expr. fig. y fam. En muy poco tiempo, en un instante. ‖ *otro gallo me, te, le, nos, os, les cantara.* expr. fig. y fam. Mejor sería mi, tu, su, nuestra, vuestra suerte.

gama (al. *Tonleiter*, fr. *gamme*, ingl. *gamut*, it. *gamma*). f. MÚS. Escala musical. ‖ MÚS. Tabla o escala con que se enseña la entonación de las notas de la música. ‖ fig. Escala, gradación; aplícase a los colores.

gamba. f. ZOOL. Crustáceo muy semejante al langostino aunque más pequeño. Es comestible y se encuentra en el Mediterráneo.

gamberrada. f. Acción propia del gamberro, que comete actos inciviles.

gamberrismo. m. Realización de actos inciviles, con daño o escarnio de alguien.

gamberro, rra. adj. Libertino, disoluto. Ú.t.c.s. ‖ Que comete actos de grosería o incivilidad. Ú.t.c.s.

gambeta. f. Movimiento especial que se hace con las piernas al danzar, jugándolas y cruzándolas con garbo. ‖ Corveta. ‖ *Amer.* Ademán que se hace con el cuerpo hurtándolo y torciéndolo para evitar un golpe o una caída.

gambito. m. En el juego del ajedrez,

lance por el cual un jugador entrega una pieza a fin de lograr una mejor posición estratégica.

gameto. m. BIOL. Cada uno de los elementos reproductores que se fusionan entre sí para formar el huevo. En los animales, el masculino se llama espermatozoide y el femenino, óvulo.

gamitar. intr. Dar su voz el gamo.

gamitido. m. Balido del gamo o voz que lo imita.

gamma. f. Tercera letra del alfabeto griego equivalente a nuestra *g*.

gamo (al. *Damhirsch*, fr. *daim*, ingl. *buck*, it. *daino*). m. Mamífero rumiante del grupo de los ciervos, de 90 cm de altura hasta la cruz, pelaje oscuro salpicado de pequeñas manchas blancas.

gamopétalo, la. BOT. Dícese de las corolas cuyos pétalos están soldados entre sí y de las flores que tienen esta clase de corolas.

gamosépalo, la. adj. BOT. Dícese de los cálices de una sola pieza y de las flores que tienen esta clase de cálices.

gamuza (al. *Gemse*, fr. *chamois*, ingl. *chamois*, it. *camoscio*). f. Especie de antílope del tamaño de una cabra grande. ‖ Piel de gamuza.

gana (al. *Lust*, fr. *envie*, ingl. *will*, it. *voglia*). f. Deseo, apetito, propensión natural a una cosa. ‖ *darle a uno la gana* o *la real gana.* fam. En lenguaje poco culto, querer hacer una cosa.

ganadería (al. *Viehzucht*, fr. *élevage*, ingl. *stock raising*, it. *allevamento di bestiame*). f. Abundancia de ganado. ‖ Crianza, tráfico de ganado. ‖ Raza especial de ganado, que suele llevar el nombre del ganadero.

ganadero, ra. adj. Perteneciente o relativo al ganado. ‖ s. Dueño o tratante de ganados. ‖ El que cuida del ganado.

ganado, da. adj. Dícese del que gana. ‖ m. Conjunto de bestias mansas que se apacientan y andan juntas. ‖ Conjunto de abejas que hay en una colmena. ‖ — *bravo.* El no domado o domesticado. Dícese especialmente de las ganaderías de toros de lidia. ‖ — *mayor.* El que se compone de reses o cabezas mayores, como bueyes, mulas, yeguas, etc. ‖ — *menor.* El que se compone de reses o cabezas menores, como ovejas, cabras, etc.

ganador, ra. adj. Que gana. Ú.t.c.s.

ganancia. f. Acción y efecto de ganar. ‖ Provecho que resulta de la propiedad o de acciones comerciales. ‖ *Amer.* Propina, adehala.

gananciales. adj. Dícese de los bienes que cualquiera de los cónyuges obtiene durante el matrimonio, y pasan a pertenecer al patrimonio común.

ganapán. m. Hombre que se gana la vida llevando y transportando cargas. ‖ fig. y fam. Hombre rudo y tosco.

ganar (al. *verdienen, gewinnen*; fr. *gagner*; ingl. *to earn, to win*; it. *guadagnare, vincere*). tr. Adquirir caudal o aumentarlo. ‖ Refiriéndose a juegos, batallas, pleitos, etc., obtener lo que en ellos se disputa. Ú.t.c.intr. ‖ Conquistar. ‖ Llegar al sitio o lugar que se pretende. ‖ Captar la voluntad de una persona. Ú.t.c.r. ‖ Lograr o adquirir una cosa. Ú.t.c.r. ‖ fig. Aventajar. [*Sinón.*: percibir; vencer; alcanzar. *Antón.*: perder]

ganchillo. m. Aguja de gancho. ‖ Acción de trabajar con esta aguja.

gancho (al. *Haken*, fr. *croc*, ingl. *hook*, it. *gancio*). m. Instrumento corvo y puntiagudo para prender, agarrar o colgar una cosa. ‖ Pedazo que queda en el árbol cuando se rompe una rama. ‖ fig. Compinche del que vende o rifa públicamente una cosa para animar con su ejemplo a los posibles compradores. ‖ fig. y fam. Atractivo, especialmente tratándose de personas.

ganchudo, da. adj. Que tiene forma de gancho. ‖ ANAT. Dícese de un hueso que tiene forma de garfio.

gandul, la (al. *Faulenzer*, fr. *fainéant*, ingl. *sluggard*, it. *fannullone*). adj. fam. Tunante, vagabundo, holgazán. Ú.t.c.s.

gandulear. intr. Holgazanear.

gandulería. f. Calidad de gandul.

ganga (al. *Ganglion*, fr. *ganglion*, ingl. *ganglion*, it. *ganglio*). m. ANAT. Ave gallinácea, semejante a la perdiz. ‖ MIN. Materia inútil mezclada con los minerales. ‖ fig. Cosa apreciable que se adquiere a poca costa.

ganglio (al. *Ganglion*, fr. *ganglion*, ingl. *ganglion*, it. *ganglio*). m. ANAT. Nudo o abultamiento en los nervios y en los vasos linfáticos. ‖ MED. Tumor pequeño.

ganglionar. adj. ANAT. Perteneciente o relativo a los ganglios.

gangoso, sa. adj. Que habla gangueando. Ú.t.c.s. ‖ Dícese de este modo de hablar.

gangrena (al. *Wundbrand*, fr. *gangrène*, ingl. *gangrene*, it. *cancrena*). f. MED. Desorganización y privación de la vida en ciertos tejidos del cuerpo animal. ‖ BOT. Enfermedad de los árboles que corroe los tejidos.

gangrenarse. r. Padecer gangrena una parte del cuerpo o del árbol.

gángster (voz inglesa). m. Miembro de una banda de delincuentes. ‖ Pistolero.

ganguear. intr. Hablar con resonancia nasal producida por cualquier defecto en los conductos nasales.

ganoideo. adj. ZOOL. Dícese de peces con esqueleto cartilaginoso u óseo, cola heterocerca, boca ventral y escamas con brillo de esmalte. Ú.t.c.s. ‖ m. pl. Orden de estos animales.

gansada. f. fig. y fam. Hecho o dicho propio de una persona rústica o patosa.

ganso, sa (al. *Gans*, fr. *oie*, ingl. *goose*, it. *oca*). ZOOL. Nombre de cualquier ave del orden de las anseriformes, familia de los anátidos. Es de cuello fuerte, pico alto y comprimido, sienes emplumadas y tarsos reticulados. ‖ fig. Persona rústica, perezosa y grosera. Ú.t.c. adj. ‖ fig. Persona patosa, que presume de chistosa y aguda, sin serlo. [*Sinón.*: anade]

ganzúa (al. *Dietrich*, fr. *crochet*, ingl. *picklock*, it. *grimaldello*). f. Especie de garfio con que se abren las cerraduras. ‖ fig. y fam. Ladrón que roba lo que está muy escondido. ‖ fig. y fam. Persona hábil para sonsacar a otra un secreto.

gañán. m. Mozo de labranza. ‖ fig. Hombre fuerte y rudo.

gañido. m. Aullido del perro cuando lo maltratan. ‖ Quejido de otros animales.

gañir. intr. Aullar el perro con gritos agudos y repetidos cuando lo maltratan. ‖ Quejarse algunos animales con voz semejante al gañido del perro. ‖ Graznar las aves. ‖ fig. y fam. Resollar o respirar con ruido las personas. Ú. especialmente en frases negativas.

gañote. m. fam. Gaznate.

garabatear. intr. Echar los garabatos para asir una cosa y sacarla de donde está metida. ‖ Hacer garabatos con la pluma. Ú.t.c.tr. ‖ fig. y fam. Andar con rodeos.

garabato (al. *Kritzelei*, fr. *griffonnage*, ingl. *scribble*, it. *scarabocchio*). m. Instrumento de hierro de punta curvada en semicírculo. ‖ Almocafre. ‖ Garrapato. ‖ fig. y fam. Garbo, atractivo de algunas mujeres. ‖ Garfio de hierro para sacar objetos caídos en un pozo ‖ pl. Escritura mal trazada. ‖ fig. Acciones desacompasadas con dedos y manos.

garaje. m. Lugar donde se guardan vehículos mecánicos.

garambaina. f. Adorno de mal gusto

y superfluo. ‖ pl. fam. Ademanes afectados o ridículos.

garantía (al. *Bürgschaft*, fr. *garantie*, ingl. *guaranty*, it. *garanzia*). f. Acción y efecto de afianzar lo estipulado. ‖ Fianza, prenda para asegurar el cumplimiento de un acuerdo o compromiso.

garantizar (al. *gewährleisten*, fr. *garantir*, ingl. *to guarantee*, it. *garantire*). tr. Dar garantía.

garañón. m. Asno grande que se emplea como semental. ‖ Camello padre. ‖ *Amer.* Caballo semental.

garapiña. f. Estado del líquido que se solidifica formando grumos. ‖ *Amer.* Bebida refrigerante hecha de la corteza de la piña y agua con azúcar.

garapiñar. tr. Poner un líquido en estado de garapiña. ‖ Bañar golosinas en el almíbar que forma grumos.

garbanzo (al. *Kichererbse*, fr. *poischiche*, ingl. *chickpea*, it. *cece*). m. BOT. Planta herbácea de la familia de las leguminosas papilionáceas de flores blancas y fruto en vaina inflada, con una o dos semillas globulosas, comestibles. ‖ Semilla de esta planta.

garbear. intr. Afectar garbo o bizarría en lo que se hace o dice. ‖ Trampear. ‖ tr. Robar.

garbeo. m. Paseo.

garbo. m. Gallardía, gentileza, buen parecer. ‖ fig. Gracia y perfección de las cosas. ‖ fig. Bizarría, desinterés y generosidad. [*Sinón.*: donosura, elegancia. *Antón.*: desgarbo]

garbón. m. ZOOL. Macho de la perdiz.

garboso, sa. adj. Airoso, gallardo, bizarro y bien dispuesto.

garceta. f. ZOOL. Ave del orden de las zancudas, de unos cuarenta centímetros de alto; plumaje blanco, cabeza con penacho corto, del cual salen dos plumas filiformes, pico recto, negro y largo, cuello muy delgado, y tarsos negros.

gardenia (al. *Gardenie*, fr. *gardénia*, ingl. *gardenia*, it. *gardenia*). f. BOT. Arbusto de la familia de las rubiáceas, con flores blancas y olorosas de pétalos gruesos. ‖ Flor de esta planta.

garduña (al. *Hausmarder*, fr. *fouine*, ingl. *marten*, it. *faina*). f. ZOOL. Mamífero carnívoro de la familia de los mustélidos. Es nocturno y destruye crías de animales. Mide unos treinta centímetros de largo, y tiene la cabeza pequeña, cuello largo y patas cortas.

garduño, ña. s. Ratero o ratera que hurta con maña y disimulo.

garete (ir, o **irse, al).** fr. Mar. Se aplica a la embarcación que, sin gobierno, va llevada del viento o de la corriente. ‖ A la deriva, sin dirección o propósito fijo.

garfa. f. Cada una de las uñas de las manos en los animales que las tienen corvas.

garfio (al. *Stichhaken*, fr. *crochet*, ingl. *hook*, it. *uncino*). m. Instrumento de hierro corvo y puntiagudo que sirve para aferrar objetos.

gargajear. intr. Arrojar gargajos por la boca.

gargajo. m. Flema casi coagulada que se expele por la garganta.

garganta (al. *Kehle*, fr. *gorge*, ingl. *throat*, it. *gola*). f. Parte anterior del cuello. ‖ Espacio entre el velo del paladar y la entrada del esófago y de la laringe. ‖ fig. Parte superior del pie en su unión con la pierna. ‖ fig. Cualquier angostura de montes, ríos u otros pasajes. ‖ fig. Cuello. ‖ Voz del cantante.

gargantear. intr. Cantar haciendo quiebros con la garganta.

gargantilla. f. Adorno femenino que rodea el cuello. ‖ Cada una de las cuentas que se pueden ensartar para formar un collar.

gárgara (al. *Gurgeln*, fr. *gargarisme*, ingl. *gargling*, it. *gargarismo*). f. Acción de mantener un líquido en la garganta sin tragarlo y aspirando el aire. Ú.m. en pl.

gargarismo. m. Acción de gargarizar. ‖ Licor para hacer gárgaras.

gargarizar. intr. Hacer gárgaras.

gárgola (al. *Wasserspeier*, fr. *gargouille*, ingl. *gargoyle*, it. *gronda*). f. Caño por donde se vierte el agua de los tejados o de las fuentes. [*Sinón.*: canalera]

garita (al. *Schilderhaus*, fr. *guérite*, ingl. *sentry-box*, it. *garitta*). f. Torrecilla en los puntos sobresalientes de las fortificaciones. ‖ Casilla para abrigo de los centinelas. ‖ Cuarto pequeño de los porteros. ‖ Excusado, retrete. [*Sinón.*: caseta]

garito (al. *Spielhölle*, fr. *tripot*, ingl. *gambling house*, it. *bisca*). m. Casa de juego. ‖ Ganancia habida en el juego. [*Sinón.*: antro, cubil]

garlito. m. Especie de nasa dispuesta con una red de tal forma que el pez no pueda volver a salir. ‖ fig. y fam. Celada, lazo o asechanza.

garlopa (al. *Schlichthobel*, fr. *varlope*, ingl. *jack plane*, it. *pialla*). f. Cepillo para igualar la madera y pulir su superficie.

garnacha. f. Vestidura talar de los togados. ‖ *Amer.* Carne adobada con chile y envuelta en una tortilla pequeña y abarquillada. ‖ Especie de uva roja, muy dulce, de la que se hace un vino especial. ‖ Dicho vino.

garra (al. *Kralle*, fr. *griffe*, ingl. *claw*, it. *grinfia*). f. Mano de la bestia o pie del ave armados de uñas corvas, fuertes y agudas. ‖ fig. Mano del hombre. ‖ Mar. Gancho del arpeo. ‖ pl. *Amer.* Desgarrones, harapos. ‖ *caer en las garras.* fig. Caer en las manos de uno de quien se teme o recela grave daño. ‖ *sacar a uno de las garras de otro.* fig. Libertarle de su poder.

garrafa (al. *Korgflasche*, fr. *bonbonne*, ingl. *carboy*, it. *caraffa*). f. Vasija esférica que remata en un cuello largo y angosto. ‖ Vasija cilíndrica de metal provista de una tapa con asa que, dentro de una corchera, sirve para hacer helados.

garrafal. adj. Dícese de cierta especie de guindas y cerezas, mayores y menos tiernas que las comunes y de los árboles que las producen. ‖ fig. Dícese de algunas faltas graves de la expresión y de algunas acciones.

garrafón m. aum. de garrafa. ‖ Damajuana o castaña.

garrapata. f. Zool. Arácnido hematófago del orden de los ácaros. Dispone de piezas especiales en la boca para desgarrar la piel y chupar la sangre de los mamíferos de los que es parásito.

garrapatear. intr. Hacer garrapatos. Ú.t.c.tr.

garrapato. m. Rasgo caprichoso e irregular hecho con la pluma.

garrapiña. f. Garapiña.

garrapiñar. tr. Garapiñar.

garrido, da. adj. Apuesto, galán.

garroba. f. Algarroba, fruto.

garrocha (al. *Pike*, fr. *pique*, ingl. *goadstick*, it. *picca*). f. Vara con un arponcillo en la punta. ‖ Vara larga para picar toros que tiene cuatro metros de largo, cinco centímetros de grueso y una punta de acero de tres filos, llamada puya. ‖ *Amer.* Dep. Pértiga.

garrón. m. Espolón de ave.

garrotazo. m. Golpe dado con el garrote.

garrote (al. *Knüttel*, fr. *trique*, ingl. *club*, it. *bastone*). m. Palo grueso. ‖ Estaca, plantón. ‖ Ligadura fuerte empleada algunas veces como tormento. ‖ Instrumento para ejecutar a los condenados a muerte, estrangulán-

dolos. ‖ Defecto de un dibujo que consiste en la falta de continuidad debida a una línea.

garrotín. m. Baile que gozó de mucha popularidad a fines del siglo xix.

garrucha. f. Polea.

garrudo, da. adj. Que tiene mucha garra.

gárrulo, la. adj. Aplícase al ave que canta, gorjea o chirría mucho. ‖ fig. Dícese de la persona muy habladora o charlatana. ‖ fig. Dícese de cosas que hacen ruido continuado; como el viento, un arroyo, etc.

garúa. f. *Amer.* Llovizna.

garza (al. *Fischreiher*, fr. *héron*, ingl. *heron*, it. *airone*). f. Zool. Ave zancuda de cuello largo y pico prolongado que vive a orillas de ríos y pantanos.

garzo, za. adj. De color azulado.

gas (al. *Gas*, fr. *gaz*, ingl. *gas*, it. *gas*). m. Todo fluido aeriforme a la presión y temperatura ordinarias. ‖ Carburo de hidrógeno con mezcla de otros gases, que se obtiene por la destilación en vasos cerrados del carbón de piedra y se emplea para alumbrado o calefacción y para obtener fuerza motriz.

gasa (al. *Gaze*, fr. *gaze*, ingl. *gauze*, it. *garza*). f. Tela muy clara y sutil. ‖ Banda de tejido muy ralo que, esterilizada o impregnada de sustancias medicinales, se usa en cirugía.

gascón, na. adj. Natural de Gascuña. Ú.t.c.s. ‖ Perteneciente a esta región de Francia.

gasear. tr. Hacer que un líquido, generalmente agua, absorba cierta cantidad de gas. ‖ Someter a la acción de gases asfixiantes, tóxicos o lacrimógenos.

gaseiforme. adj. Que se halla en estado de gas.

gaseosa. f. Bebida refrescante, efervescente y sin alcohol.

gaseoso, sa (al. *Gashaltig*, fr. *gazeux*, ingl. *gaseous*, it. *gassoso*). adj. Gaseiforme. ‖ Aplícase al líquido del que se desprenden gases.

gasificación. f. Transformación de un líquido en gas.

gasificar. tr. Quím. Hacer pasar un cuerpo al estado de gas. ‖ Disolver gas carbónico en un líquido.

gasoducto. m. Tubería de grueso calibre y gran longitud para conducir a distancia gas combustible, procedente —por lo general— de emanaciones naturales.

gasógeno. m. Aparato destinado a la

obtención de gases. ‖ Mezcla de bencina y alcohol que se emplea para el alumbrado y para quitar manchas.

gas-oil (voz inglesa). m. Gasóleo.

gasóleo. m. Fracción del petróleo natural obtenida por refinación y destilación y que se emplea como combustible en los motores Diesel.

gasolina (al. *Gasoline*, fr. *essence*, ingl. *gasoline*, it. *gasolina*). f. Producto ligero obtenido de la destilación fraccionada de los petróleos. Se usa como combustible en los motores de explosión.

gasolinera. f. Lancha automóvil provista de un motor de gasolina. ‖ Lugar y aparato destinados a la expedición de combustible para automóviles.

gasómetro. m. Instrumento para medir el gas. ‖ Aparato que en las fábricas de gas se emplea para que el fluido salga con uniformidad. ‖ Sitio y edificio donde está el aparato.

gastado, da. adj. Debilitado, disminuido, borrado con el uso. ‖ Dícese de la persona decaída en su vigor físico o en su prestigio.

gastador, ra. adj. Que gasta mucho dinero. Ú.t.c.s. ‖ m. En los presidios, el que va condenado a los trabajos públicos. ‖ MIL. Soldado que se aplica a los trabajos de abrir trincheras y otros semejantes.

gastar (al. *ausgeben*, fr. *dépenser*, ingl. *to spend*, it. *spendere*). tr. Emplear dinero en algo. ‖ Consumir. Ú.t.c.r. ‖ Destruir, asolar un territorio. ‖ Echar a perder. ‖ Tener habitualmente. ‖ Usar, poseer.

gasterópodo. adj. ZOOL. Se aplica a los moluscos, terrestres o acuáticos, que tienen un pie carnoso mediante el cual se arrastran. Ú.t.c.s. ‖ m. pl. Clase de estos moluscos.

gasto (al. *Ausgabe*, fr. *dépense*, ingl. *expenditure*, it. *spesa*). m. Acción de gastar. ‖ Lo que se gasta. ‖ FÍS. Cantidad que un manantial de fluido, agua, gas, electricidad, etc. proporciona en determinada unidad de tiempo. ‖ *cubrir gastos*. Producir una cosa lo bastante para resarcir de su coste.

gástrico, ca. adj. MED. Perteneciente o relativo al estómago.

gastritis. f. MED. Inflamación del estómago.

gastroenteritis. f. MED. Inflamación simultánea de la membrana mucosa del estómago y de la de los intestinos.

gastronomía (al. *Gastronomie*, fr. *gastronomie*, ingl. *gastronomy*, it. *gastronomia*). f. Arte de preparar una buena comida. ‖ Afición a comer regaladamente.

gastrónomo, ma. s. Persona entendida en gastronomía. ‖ Aficionado a las buenas comidas.

gata. f. Hembra del gato. ‖ fig. Nubecilla o vapor que se pega a los montes y sube por ellos como gateando. ‖ fig. y fam. Mujer nacida en Madrid.

gatas (a). m. adv. Modo de andar con los pies y las manos en el suelo, como los gatos.

gateado, da. adj. Semejante en algún aspecto al del gato.

gatear. intr. Trepar como los gatos. ‖ fam. Andar a gatas.

gatera. f. Agujero para que puedan pasar los gatos. ‖ fig. Burladero, escondite. ‖ com. Ratero.

gatillo (al. *Abzug*, fr. *détente*, ingl. *trigger*, it. *grilletto*). m. Percutor, aguja que hiere el cebo en las armas de fuego. ‖ Parte de la llave de una arma en que se apoya el dedo para disparar. ‖ Instrumento de hierro con que se sacan las muelas y dientes. ‖ fig. y fam. Muchacho ratero. ‖ Pieza de hierro o de madera con que se une y traba lo que se quiere asegurar.

gato (al. *Katze*, fr. *chat*, ingl. *cat*, it. *gatto*). m. ZOOL. Mamífero carnívoro doméstico, digitígrado, con dedos armados de fuertes uñas retráctiles. ‖ Bolsa o talego en que se guarda el dinero. ‖ Dinero que se guarda en él. ‖ Máquina compuesta de un engranaje de piñón y cremallera con un trinquete de seguridad, que sirve para levantar grandes pesos a poca altura. ‖ Trampa para coger ratones. ‖ fig. y fam. Ladrón que hurta con astucia y engaño. ‖ fig. y fam. Hombre astuto. ‖ Hombre nacido en Madrid. ‖ *Amer*. Danza popular. ‖ — *de angora*. ZOOL. Gato de pelo muy largo, procedente de Angora en el Asia Menor. ‖ — *montés*. ZOOL. Especie de gato poco mayor que el doméstico, con pelaje gris rojizo, rayado de bandas negras, y cola leonada, que vive en los montes del norte de España. ‖ *Cuatro gatos*. expr. despect. para indicar poca gente y sin importancia. ‖ *dar gato por liebre*. fig. y fam. Engañar en la calidad de una cosa por medio de otra inferior que se le parece. ‖ *haber gato encerrado*. fig. y fam. Haber razón oculta o secreta o manejos ocultos.

gatuperio. m. Mezcla de diversas sustancias incoherentes. ‖ fig. y fam. Embrollo, enjuague, intriga.

gauchada. f. *Amer*. Acción propia del gaucho.

gauchaje. m. *Amer*. Reunión de gauchos.

gaucho, cha. adj. Se aplica al hombre natural de las pampas del Río de la Plata en Argentina, Uruguay y Río Grande do Sul. Ú.m.c.s. para designar a los naturales de estas pampas. ‖ Concerniente a esos gauchos. *Amer*. Buen jinete, o con otras cualidades propias del gaucho. ‖ *Amer*. Grosero, zafio. *Amer*. Astuto, ducho en tretas.

gausio. m. FÍS. Unidad de inducción magnética en el sistema magnético cegesimal.

gauss. m. FÍS. Nombre del gausio en la nomenclatura internacional.

gaveta (al. *Schublade*, fr. *tiroir*, ingl. *drawer*, it. *tiretto*). f. Cajón corredizo de los escritorios. ‖ Mueble que tiene uno o varios cajones.

gavia. f. Zanja para desagüe. ‖ MAR. Vela de los masteleros.

gavilán (al. *Sperber*, fr *épervier*, ingl. *sparrow-hawk*, it. *sparviere*). m. ZOOL. Ave del orden de las rapaces. Mide unos treinta centímetros de longitud. Por su color, tamaño y costumbres se asemeja al halcón. ‖ Cada uno de los dos hierros que salen de la guarnición de la espada y forman la cruz.

gavilla (al. *Garbe*, fr. *gerbe*, ingl. *sheaf*, it. *covone*). f. Manojo grande de sarmientos, cañas, mieses, ramas, hierba, etc., menor que el haz. ‖ fig. Conjunto de personas de baja condición.

gaviota (al. *Möve*, fr. *mouette*, ingl. *sea gull*, it. *gabbiano*). f. ZOOL. Ave palmípeda de plumaje generalmente blanco, dorso anaranjado y dorso ceniciento. Vive en las costas y se alimenta de peces.

gaya. f. Lista de una tela, de diverso color que el fondo.

gayo, ya. adj. Alegre, vistoso.

gayola. f. Jaula. ‖ fig. y fam. Cárcel de presos.

gazapa. f. fam. Mentira, embuste.

gazapatón. m. fam. Disparate o yerro en el hablar. ‖ Expresión malsonante.

gazapera. f. Madriguera de conejos. ‖ fig. y fam. Junta de gentes reunidas en parajes ocultos con fines poco decorosos. ‖ fig. y fam. Riña o pendencia.

gazapo (al. *Irrtum*, fr. *lapsus*, ingl. *blunder*, it. *sproposito*). m. Conejo joven. ‖ fig. y fam. Hombre astuto. ‖ fig. y fam. Gazapa, mentira. ‖ fig. y fam. Error o dislate del que escribe o habla. [*Sinón.*: yerro]

gazmoñería. f. Afectación de modestia, devoción y escrúpulos.

gazmoño, ña. adj. Dícese del que afecta devoción, escrúpulos o virtudes que no tiene. Ú.t.c.s.

gaznápiro, ra. adj. Palurdo, torpe. Ú.m.c.s.

gaznate. m. Parte superior de la tráquea. ‖ Fruta de sartén en figura de gaznate. ‖ *Amer.* Dulce hecho de piña o coco.

gazpacho. m. Sopa fría que se hace con pan, aceite, vinagre, sal, pepino, ajo, cebolla y otros aditamentos.

gazuza. f. fam. Hambre.

ge. f. Nombre de la letra *g.*

géiser. m. Surtidor intermitente de agua caliente.

gel. m. QUÍM. Masa obtenida por precipitación y coagulación de una disolución coloidal.

gelatina. f. QUÍM. Sustancia sólida, incolora y transparente cuando pura; inodora, insípida y notable por su mucha coherencia; procede de la transformación de la colágena del tejido conjuntivo y de los huesos y cartílagos por efecto de la cocción.

gelatinoso, sa. adj. Abundante en gelatina, o parecido a ella.

gélido, da. adj. poét. Helado o muy frío.

gema (al. *Edelstein*, fr. *gemme*, ingl. *gem*, it. *gemma*). f. Nombre genérico de las piedras preciosas, principalmente de las denominadas orientales.

gemación. f. HIST. NAT. Método de reproducción asexual de los organismos unicelulares y de ciertos animales inferiores, en que una parte pequeña, llamada yema, se desarrolla hasta formar un individuo semejante al progenitor. ‖ BOT. Formación de yemas, brotes o botones en las plantas.

gemebundo, da. adj. Que gime profundamente.

gemelo, la (al. *Zwilling*, fr. *jumeau*, ingl. *twin*, it. *gemello*). adj. BIOL. Dícese de los hermanos nacidos en un mismo parto. ‖ Aplícase ordinariamente a los elementos iguales que, apareados, cooperan a un mismo fin. ‖ m. pl. Anteojos. ‖ Juego de dos piezas, iguales o no, unidas entre sí por una cadenita, que se utiliza para sujetar los puños de las camisas. ‖ n.p.m. ASTR. Constelación Géminis.

gemido. m. Acción y efecto de gemir.

geminación. f. Acción y efecto de geminar.

geminado, da. adj. Partido, dividido.

Géminis. n.p.m. ASTR. Tercer signo y constelación del Zodíaco.

gemir (al. *ächzen*, fr. *gémir*, ingl. *to groan*, it. *gemere*). Expresar con voz lastimera pena y dolor. ‖ fig. Aullar algunos animales o sonar algunas cosas inadecuadas, con semejanza al gemido del hombre.

gen. m. BIOL. Cada una de las partículas que están dispuestas en un orden fijo a lo largo de los cromosomas y que determinan la aparición de los caracteres hereditarios en las plantas y en los animales.

genciana. f. BOT. Planta gencianágea, de olor fuerte y sabor amargo.

gencianáceo, a. adj. BOT. Dícese de hierbas angiospermas, dicotiledóneas, con hojas opuestas, flores terminales o axilares, frutos capsulares y semillas con albumen carnoso. Ú.t.c.s. ‖ f. pl. Familia de estas plantas.

gendarme. m. Militar destinado en Francia y otros países a mantener el orden público.

gendarmería. f. Cuerpo de tropa de los gendarmes. ‖ Cuartel de gendarmes.

genealogía. f. Serie de progenitores y ascendientes de cada individuo. ‖ Escrito que la contiene.

genealógico, ca. adj. Perteneciente a la genealogía.

generación (al. *Generation*, fr. *génération*, ingl. *generation*, it. *generazione*). f. Acción y efecto de engendrar. ‖ Casta, género o especie. ‖ Sucesión de descendientes en línea recta. ‖ Conjunto de todos los vivientes coetáneos.

generador, ra (al. *generator*, fr. *génerateur*, ingl. *generator*, it. *generatore*). adj. Que engendra. Ú.t.c.s. ‖ GEOM. Dícese de la línea o figura que por su movimiento engendran, respectivamente, una figura o un sólido geométrico. ‖ En esta acepción el adjetivo femenino es generatriz. ‖ m. En las máquinas, aquella parte que produce la fuerza o energía.

general (al. *allgemein, General;* fr. *général;* ingl. *general;* it. *generale*). adj. Común o esencial a todos los individuos que constituyen un todo, o a muchos objetos, aunque sean de naturaleza diferente. ‖ Común, frecuente, usual. ‖ m. Jefe militar perteneciente a las jerarquías superiores del ejército, de la aviación y de algunos cuerpos de la armada. ‖ Prelado superior de una orden religiosa.

generala. f. Mujer del general. ‖ MIL. Toque de alarma.

generalato. m. Oficio o ministerio del general de la orden religiosa. ‖ MIL.

Empleo o grado de general. ‖ Conjunto de los generales de uno o varios ejércitos.

generalidad. f. Mayoría de los individuos o de los objetos que componen una clase o un todo. ‖ Vaguedad o falta de precisión en lo que se dice o escribe. ‖ n. p. Nombre que se dio antiguamente a las Cortes catalanas. ‖ Gobierno autónomo de Cataluña.

generalísimo. m. General que tiene autoridad sobre todos los generales.

generalización. f. Acción y efecto de generalizar.

generalizar. tr. Hacer pública una cosa. Ú.t.c.r. ‖ Considerar en común una cuestión. ‖ Abstraer lo que es común a muchas cosas para formar un concepto general. [*Sinón.:* difundir; divulgar; universalizar]

generar. tr. Engendrar.

generativo, va. adj. Se aplica a lo que tiene virtud de engendrar.

generatriz. f. GEOM. Línea o plano generador. Ú.t.c. adj.

genérico, ca. adj. Común a muchas especies. ‖ GRAM. Perteneciente al género.

género (al. *Geschlecht, Gattung;* fr. *genre;* ingl. *gender, genus;* it. *genere*). m. Conjunto de seres que tienen uno o varios caracteres comunes. ‖ Modo o manera de hacer una cosa. ‖ Clase. ‖ En el comercio, cualquier mercancía. ‖ Cualquier clase de tela. ‖ En literatura y bellas artes, variedades que se distinguen de las creaciones respectivas según el fin a que obedecen, la índole del asunto, etc. ‖ GRAM. Clase a la que pertenece un nombre sustantivo o un pronombre por el hecho de concertar con él una forma y, generalmente sólo una, de la flexión del adjetivo y del pronombre. En las lenguas indoeuropeas estas formas son tres en determinados adjetivos y pronombres: masculina, femenina y neutra. ‖ GRAM. Cada una de estas formas. ‖ GRAM. Forma por la que se distinguen algunas veces los nombres sustantivos según pertenezcan a una u otra de las tres clases. ‖ HIST. NAT. Conjunto de especies que tienen cierto número de caracteres comunes. ‖ — *chico.* Clase de obras teatrales modernas de menor importancia, que comprende sainetes, comedias y zarzuelas de uno o dos actos.

generosidad. f. Nobleza heredada de los mayores. ‖ Largueza, liberalidad. [*Antón.:* tacañería]

generoso, sa (al. *freigebig*, fr. *généreux*, ingl. *bountiful*, it. *generoso*).

adj. Que obra con magnanimidad y nobleza de ánimo. ‖ Liberal, dadivoso y franco. ‖ Excelente en su especie. [*Sinón.*: desinteresado, pródigo]

genésico, ca. adj. Perteneciente o relativo a la generación.

Génesis. n.p.m. Primer libro del Pentateuco de Moisés. ‖ f. Origen o principio de una cosa. ‖ Conjunto de los fenómenos que dan por resultado un hecho.

genética. f. Parte de la biología que trata de los problemas de la herencia.

genético, ca. adj. Relativo a la genética y a la génesis u origen de las cosas.

genial. adj. Propio del género de uno. ‖ Placentero; que causa deleite o alegría. ‖ Sobresaliente, extremado, que revela genio creador.

genialidad. f. Singularidad propia del genio.

genio (al. *Genie,* fr. *génie,* ingl. *genius,* it. *genio*). m. Índole o inclinación según la cual dirige uno comúnmente sus acciones. ‖ Disposición para algo. ‖ Grande ingenio o facultad capaz de crear o inventar. ‖ fig. Sujeto dotado de esta facultad. ‖ Deidad creadora según los antiguos gentiles.

genital. adj. Que sirve para la generación. ‖ m. Testículo. Ú.m. en pl.

genitivo, va. adj. Que puede engendrar y producir una cosa. ‖ m. GRAM. Caso de la declinación que denota relación de propiedad, posesión o pertenencia.

genitourinario, ria. adj. Perteneciente o relativo al aparato genital y al urinario. [*Sinón.*: urogenital]

genocidio. m. Exterminio sistemático de un pueblo, una nación o cualquier otro grupo humano.

genotipo. m. BIOL. Conjunto de las características hereditarias de un individuo. ‖ Fórmula genética hereditaria de un individuo. ‖ Grupo de individuos que poseen la misma constitución factorial hereditaria.

genovés, sa. adj. Natural de Génova. Ú.t.c.s. ‖ Perteneciente a esta ciudad de Italia.

gente (al. *Leute,* fr. *gens,* ingl. *people,* it. *gente*). f. Pluralidad de personas. ‖ Nación. ‖ Tropa de soldados. ‖ Nombre colectivo que se da a cada una de las clases que pueden distinguirse en la sociedad. ‖ fam. Familia o parentela. ‖ fam. Conjunto de personas que viven reunidas o trabajan a las órdenes de uno. ‖ *Amer.* Gente decente, bien portada. ‖ MAR. Conjunto de los soldados y marineros de un buque. ‖ *gente de bien.* La de buena intención y proceder. ‖

gente de mar. Matriculados y marineros. ‖ *gente menuda.* fam. Los niños. En sentido fam. y fig., la plebe.

gentil (al. *Niedlich,* fr. *gentil,* ingl. *genteel,* it. *gentile*). adj. Idólatra, pagano. Ú.t.c.s. ‖ Brioso, galán. [*Sinón.*: infiel]

gentileza. f. Gallardía, desembarazo y garbo. ‖ Urbanidad.

gentilhombre (al. *Edelmann,* fr. *gentilhomme,* ingl. *lord of the champer,* it. *gentiluomo*). m. Persona distinguida que acompañaba al rey en su cámara y en algunos actos públicos. Era un título honorífico que concedía el monarca. ‖ Por ext., persona de calidad.

gentilicio, cia. adj. Perteneciente a las gentes o naciones. ‖ Perteneciente al linaje o familia. ‖ ↗ adjetivo gentilicio.

gentilidad. f. Religión que profesan los gentiles o idólatras. ‖ Conjunto y agregado de todos los gentiles.

gentío. m. Afluencia de gente en un sitio. [*Sinón.*: aglomeración, muchedumbre]

gentuza. f. despect. Gente despreciable, de baja condición.

genuflexión (al. *Kniebeugung,* fr. *génuflexion,* ingl. *genuflexion,* it. *genuflessione*). f. Acción y efecto de doblar la rodilla, bajándola hacia el suelo en señal de respeto o reverencia.

genuino, na. adj. Puro, propio, natural, legítimo. [*Antón.*: postizo, falso, ilegítimo.]

geo. Elemento compositivo que entra en la formación de algunas voces españolas con el significado de "tierra, la Tierra o el suelo".

geocéntrico, ca. adj. Relativo al centro de la Tierra.

geodesia. f. Ciencia que estudia la forma y dimensiones de la Tierra, la exacta posición de puntos sobre la superficie de la misma, la forma y medida de grandes áreas y la variación de la gravedad terrestre.

geófago, ga. adj. Que come tierra. Ú.t.c.s.

geofísica. f. Parte de la Geología que estudia la física terrestre.

geografía (al. *Erdkunke,* fr. *géographie,* ingl. *geography,* it. *geografia*). f. Ciencia que trata de la descripción de la Tierra. ‖ — *astronómica.* Cosmografía. ‖ — *física.* Parte de la geografía que trata de la configuración de las tierras y los mares. ‖ — *histórica.* La que estudia la distribución de los Estados y pueblos de la Tierra, a través de distintas épocas. ‖ — *política.* Parte de la geografía que trata de la distribución y organiza-

ción de la Tierra en cuanto es morada del hombre.

geoide. m. Forma teórica de la Tierra determinada por la geodesia.

geología (al. *Geologie,* fr. *géologie,* ingl. *geology,* it. *geologia*). f. Ciencia que trata de la forma exterior e interior del globo terrestre, de la naturaleza de las materias que lo componen y de su formación; cambios o alteraciones que éstas han experimentado desde su origen, y colocación que tienen en su actual estado.

geometría (al. *Geometrie,* fr. *géométrie,* ingl. *geometry,* it. *geometria*). f. Parte de las matemáticas que trata de las propiedades y medida de la extensión. ‖ — *analítica.* La que desarrolla sus principios por medio del cálculo algebraico. ‖ — *del espacio.* La que trata de problemas de figuras de más de dos dimensiones. ‖ — *descriptiva.* La que trata de resolver los problemas geométricos del espacio reduciéndolos a problemas de la geometría plana representando las figuras de tres dimensiones en un plano. ‖ — *plana.* La que se ocupa de las figuras de dos dimensiones.

geométrico, ca. adj. Perteneciente o relativo a la geometría.

geopolítica. f. Ciencia que pretende fundar la política internacional en el estudio sistemático de los factores geográficos, económicos y raciales.

georgiano, na. adj. Natural de Georgia. Ú.t.c.s. ‖ Perteneciente a esta región de Asia.

geotectónico, ca. adj. Perteneciente o relativo a la forma, disposición y estructura de las rocas y terrenos que constituyen la corteza terrestre.

geotropismo. m. BIOL. Tropismo en el que el factor predominante es la fuerza de la gravedad.

geraniáceo, a. adj. BOT. Dícese de plantas dicotiledóneas, con ramos articulados y flores solitarias y en umbela; como el geranio. ‖ f. pl. Familia de estas plantas.

geranio (al. *Geranium,* fr. *géranium,* ingl. *geranium,* it. *geranio*). m. BOT. Planta exótica de la familia de las geraniáceas, con flores en umbela apretada. Se emplea mucho como planta decorativa.

gerencia. f. Cargo de gerente. ‖ Gestión que le incumbe. ‖ Oficina del gerente. ‖ Tiempo que una persona dura en este cargo.

gerente (al. *Geschäftsfürer,* fr. *gérant,* ingl. *manager,* it. *gerente*). m.

COM. El que dirige los negocios y lleva la firma en una sociedad o empresa mercantil.

geriatría. f. MED. Rama médica que trata de la vejez y sus enfermedades.

gerifalte. m. ZOOL. Ave rapaz, especie de halcón grande, propia del norte de Europa. ‖ fig. Persona que descuella en cualquier línea.

germanía. f. Jerga o manera de hablar de ladrones y rufianes. ‖ Amancebamiento. ‖ Hermandad formada por los gremios de Valencia a principios del s. XVI.

germánico, ca. adj. Perteneciente o relativo a la Germania o a los germanos. ‖ Dícese de algunas cosas pertenecientes a Alemania. ‖ Dícese de la lengua indoeuropea que hablaron los pueblos germanos. Ú.t.c.s.m.

germanio. m. QUÍM. Metal blanco que se oxida a temperaturas elevadas pero es resistente a los ácidos y a las bases.

germanismo. m. Giro de la lengua alemana. ‖ Vocablo o giro de esta lengua empleado en otra.

germanista. s. Persona versada en la lengua y cultura alemanas.

germano, na. adj. Natural u oriundo de la Germania. Ú.t.c.s.

germanófilo, la. adj. Dícese del simpatizante de la cultura y costumbres del pueblo alemán.

germen (al. *Keim*, fr. *germe*, ingl. *germ*, it. *germe*). m. Principio rudimental de un nuevo ser orgánico. ‖ Parte de la semilla de que se forma la planta. ‖ Primer tallo que brota de ésta. ‖ fig. Principio, origen de una cosa material o moral.

germicida. adj. BIOL. Aplícase a lo que destruye los gérmenes de las enfermedades infecciosas. Ú.t.c.s.m.

germinación. f. Acción de germinar.

germinal. adj. Perteneciente al germen. ‖ m. Séptimo mes del calendario republicano francés, que comprende desde el 21 de marzo al 19 de abril.

germinar (al. *keimen*, fr. *germer*, ingl. *to germinate*, it. *germinare*). intr. Brotar y comenzar a crecer las plantas. ‖ Comenzar a desarrollarse las semillas de los vegetales. ‖ fig. Brotar, crecer, desarrollarse cosas morales o abstractas.

gerontología. f. Ciencia que trata de la vejez.

gerundense. adj. Natural de Gerona. Ú.t.c.s. ‖ Perteneciente a esta ciudad.

gerundio. m. GRAM. Forma verbal invariable del modo infinitivo que denota la idea del verbo en abstracto.

gesta (al. *Heldentat*, fr. *geste*, ingl. *achievement*, it. *gesta*). f. Conjunto de hechos memorables de algún personaje.

gestación (al. *Schwangerschaft*, fr. *gestation*, ingl. *pregnancy*, it. *gravidanza*). f. Tiempo que dura la preñez. ‖ fig. Acción de germinar una idea o algo no material. [*Sinón.*: embarazo]

gestar. intr. Hallarse una mujer embarazada. ‖ Germinar una idea, proyecto, etc. ‖ tr. Preparar. Ú.t.c.r.

gesticulación. f. Acción y efecto de gesticular.

gesticular. intr. Hacer gestos vehementes.

gestión (al. *Geschäftshrung*, fr. *gestion*, ingl. *management*, it. *gestione*). f. Acción y efecto de gestionar o administrar.

gestionar (al. *Erledigen*, fr. *faire des démarches*, ingl. *to transact*, it. *gestire*). tr. Hacer diligencias para el logro de un negocio o de un deseo cualquiera.

gesto (al. *Gebärde*, fr. *geste*, ingl. *gesture*, it. *gesto*). m. Movimiento del rostro o de las manos para expresar los diversos afectos del ánimo. ‖ Movimiento exagerado del rostro por el hábito o enfermedad. ‖ Contorsión burlesca del rostro. ‖ Semblante, cara. ‖ Acto o hecho. ‖ Rasgo notable de carácter o de conducta.

gestor, ra. adj. Que gestiona. Ú.t.c.s. ‖ m. COM. Socio de una compañía mercantil que participa en la administración de la misma.

gestoría. f. Oficina donde despacha el gestor.

giba. f. Joroba. ‖ fig. y fam. Molestia, incomodidad.

gibón. m. ZOOL. Nombre común a varias especies de monos antropomorfos, arborícolas, de brazos largos y carentes de cola y abazones.

gibosidad. f. Cualquier protuberancia en forma de giba.

giboso, sa. adj. Que tiene giba. Ú.t.c.s.

gibraltareño, ña. adj. Natural de Gibraltar. Ú.t.c.s. ‖ Perteneciente a esta ciudad.

giganta. f. Mujer que excede mucho en estatura a la generalidad de las demás. ‖ Girasol, planta.

gigante (al. *Riese*, fr. *géant*, ingl. *giant*, it. *gigante*). adj. Gigantesco. ‖ El que excede de la estatura ordinaria. ‖ Gigantón, figura grotesca. ‖ fig. El que sobresale en cualquier virtud o vicio.

gigantesco, ca. adj. Perteneciente o relativo a los gigantes. ‖ fig. Excesivo o muy sobresaliente en su línea.

gigantez. f. Tamaño que excede mucho de lo regular.

gigantismo. m. MED. Anomalía que se caracteriza. ‖ Tamaño excesivo.

gigantón, na. s. aum. de gigante. ‖ Cada una de las figuras gigantescas que se suelen llevar en algunas procesiones. ‖ m. BOT. Planta compuesta, especie de dalia, de flores moradas.

gili. adj. fam. Tonto, lelo.

gilipolla o **gilipollas.** adj. vulg. Gilí. Ú.t.c.s. Es voz insultante.

gimnasia. f. Arte de desarrollar y dar flexibilidad al cuerpo por medio de ciertos ejercicios. ‖ Estos ejercicios.

gimnasio. m. Lugar destinado a ejercicios gimnásticos.

gimnasta. com. Persona que practica ejercicios gimnásticos.

gimnospermo, ma. adj. BOT. Se aplica a las plantas fanerógamas cuyos carpelos no constituyen una cavidad cerrada que contiene los óvulos y, por tanto, las semillas quedan al descubierto; como el pino, el ciprés y el helecho. ‖ f. pl. subtipo de estas plantas.

gimotear. intr. fam. o despect. Gemir ridículamente o sin causa justificada.

gimoteo. m. Acción y efecto de gimotear.

ginebra. f. Alcohol de semillas aromatizadas con las bayas del enebro.

gineceo. m. Departamento que destinaban los griegos para habitación de las mujeres. ‖ BOT. Pistilo.

ginecología. f. Parte de la Medicina que trata de las enfermedades genitales de la mujer.

ginecólogo, ga. s. Persona que profesa la ginecología.

ginesta. f. Hiniesta, retama.

gingivitis. f. MED. Inflamación de las encías.

gira. f. Excursión recreativa emprendida por un grupo de personas. ‖ Viaje artístico realizado por una compañía teatral o un artista.

girándula. f. Rueda llena de cohetes que gira despidiéndolos. ‖ Artificio que se pone en las fuentes para que arroje el agua con variedad de juegos.

girar (al. *Sich drehen, trassieren*; fr. *tourner*; ingl. *to revolve, to draw*; it. *girare*). intr. Moverse alrededor o circularmente. ‖ fig. Desarrollarse una conversación, negocio, trato, etc., en torno a un tema o a un interés determinado. ‖ Desviarse o torcer la dirección. ‖ COM. Expedir una letra de cambio u otras órdenes de pago. Ú.t.c. tr.

girasol (al. *Sonnenblume*, fr. *tournesol*, ingl. *sunflower*, it. *girasole*). m. BOT. Planta anual compuesta, de flores grandes y amarillas, que se cultiva como adorno. ‖ Semilla negruzca, comestible, de esta misma planta.

giratorio, ria. adj. Que gira o se mueve alrededor. ‖ fig. Mueble con estantes y divisiones que gira alrededor de un eje.

giro (al. *Drehung, Tratte;* fr. *tournure, traite;* ingl. *turn, draft;* it. *giro*). m. Movimiento circular. ‖ Acción y efecto de girar. ‖ Dirección que se da a un negocio y a sus diferentes fases. ‖ Tratándose del lenguaje o estilo, estructura especial de la frase. ‖ Amenaza, fanfarronada. ‖ Chirlo. ‖ COM. Movimiento o traslación de caudales por medio de letras, libranzas, etc.

girola. f. ARQ. Nave que rodea el ábside en la arquitectura románica y gótica.

girómetro. m. Aparato para medir la velocidad de rotación del eje de una máquina.

girondino, na. adj. Se aplica al individuo de un partido político que se formó en Francia en tiempo de la Revolución, y a este mismo partido. Aplicado a personas, ú.m.c.s.

giroscopio o **giróscopo.** m. FÍS. Aparato consistente en un disco circular que gira sobre un eje libre y demuestra la rotación del globo terrestre. ‖ FÍS. Aparato que aprecia los movimientos circulares del viento. ‖ FÍS. Giróstato.

giróstato. m. FÍS. Volante pesado que gira rápidamente y tiende a conservar el plano de rotación, reaccionando contra cualquier fuerza que le aparte de él.

gitanada. f. Acción propia de gitanos. ‖ fig. Adulación, chiste y engaños con que suele conseguirse lo que se desea.

gitanear. intr. fig. Halagar con gitanería.

gitanería. f. Caricia y halago con zalamería y gracia.

gitano, na (al. *Zigenner*, fr. *bohémien*, ingl. *gipsy*, it. *zíngaro*). adj. Dícese de cierta raza de gentes errantes que parecen proceder del norte de la India. Aplicado a personas, ú.t.c.s. ‖ Propio de los gitanos, o parecido a ellos. ‖ Natural de Egipto. ‖ fig. Que tiene gracia y arte para ganarse las voluntades de otros. Por lo común se aplica con elogio, especialmente hablando de las mujeres. Ú.t.c.s.

glabro, bra. adj. Calvo, lampiño.

glaciación. f. Formación de glaciares en una determinada región y época.

glacial (al. *eis*, fr. *glacial*, ingl. *glacial*, it. *glaciale*). adj. Helado. ‖ Que hace helar o helarse. ‖ fig. Frío, desabrido.

glaciar (al. *Gletscher*, fr. *glacier*, ingl. *glacier*, it. *ghiacciaio*). m. Masa de agua congelada que desde la región de las nieves perpetuas, donde se origina, desciende a niveles inferiores mediante un deslizamiento, formando un verdadero río de hielo.

glacis. m. FORT. Declive desde el camino cubierto hacia la campaña.

gladiador (al. *Gladiator*, fr. *gladiateur*, ingl. *gladiator*, it. *gladiatore*). m. El que en los juegos públicos de los romanos luchaba con otro o con una fiera.

gladiolo o **gladíolo.** m. BOT. Estoque, planta iridácea.

glande. m. Cabeza del miembro viril.

glándula (al. *Drüse*, fr. *glande*, ingl. *gland*, it. *ghiandola*). f. BOT. Cualquiera de los órganos unicelulares o pluricelulares que segregan sustancias nocivas o inútiles para la planta. ‖ ANAT. Cualquiera de los órganos que segregan materias inútiles o nocivas para el animal, como el riñón, o productos que el organismo usa en el ejercicio de una determinada función, como el páncreas.

glasé. m. Tafetán de mucho brillo.

glasear. tr. Dar brillo a la superficie de algunas cosas, como el papel, a algunos manjares, etc.

glauco, ca. adj. Verde claro.

glaucoma. m. MED. Enfermedad del ojo cuya característica sobresaliente es el aumento de la presión intraocular. Puede acarrear la ceguera.

gleba. f. Terrón que levanta el arado. ‖ Tierra, especialmente la cultivada.

glicerina. f. Líquido incoloro, espeso y dulce, que se encuentra en todos los cuerpos grasos como base de su composición. Se usa mucho en farmacia y perfumería, pero sobre todo para preparar la nitroglicerina, base de la dinamita.

glicina. f. BOT. Planta leguminosa de jardín, con flores azuladas en grandes racimos.

gliptoteca. f. Lugar o edificio donde se conserva una colección de piedras grabadas o esculpidas.

global. adj. Tomado o considerado en conjunto.

globo (al. *Kugel, Luftballon;* fr. *globe;* ingl. *globe, balloon,* it. *globo*). m. Esfera, sólido de superficie curva, cuyos puntos equidistan del centro. ‖ Tierra, planeta que habitamos. ‖ Globo aerostático. ‖ Receptáculo de materia flexible que, lleno de un gas menos pesado que el aire ambiente, se eleva en la atmósfera. ‖ Especie de fanal de cristal con que se cubre la luz para que no moleste a la vista o simplemente por adorno. ‖ — *cautivo*. El que está sujeto con un cable y sirve de observatorio. ‖ — *celeste*. Esfera en cuya superficie se figuran las constelaciones principales con situación semejante a la que ocupan en el espacio. ‖ — *dirigible*. Aeronave fusiforme más ligera que el aire y gobernada por uno o más grupos motores. ‖ — *sonda*. Globo pequeño, no tripulado, que lleva aparatos registradores y se eleva generalmente a gran altitud. Se utiliza para estudios meteorológicos. ‖ — *terráqueo* o *terrestre*. Tierra. Esfera en cuya superficie se figura la disposición respectiva de las tierras y los mares de nuestro planeta.

glóbulo (al. *Blutkörperchen*, fr. *globule*, ingl. *globule*, it. *globulo*). m. Pequeño cuerpo esférico. ‖ ZOOL. Célula redondeada que se encuentra en muchos líquidos del cuerpo de los animales, especialmente en la sangre. ‖ — *blanco*. Leucocito. ‖ — *rojo*. Hematíe.

gloria (al. *Herrlichkeit*, fr. *gloire*, ingl. *glory*, it. *gloria*). f. Bienaventuranza. ‖ Cielo, lugar de los bienaventurados. ‖ Reputación, fama. ‖ Gusto y placer vehemente. ‖ Lo que ennoblece o ilustra en gran manera una cosa. ‖ Majestad, esplendor, magnificencia. ‖ En los teatros, cada una de las veces que se alza el telón, al final de los actos, para que los actores y los autores reciban el aplauso del público. ‖ m. Cántico o rezo de la misa que comienza con las palabras *Gloria in excelsis Deo.*

glorieta (al. *Rundplatz*, fr. *rondpoint*, ingl. *circus*, it. *crocicchio*). f. Cenador de un jardín. ‖ Plaza donde desembocan varias calles o alamedas. ‖ Plazoleta, generalmente en un jardín. [*Sinón.*: rotonda]

glorificación. Acción y efecto de glorificar o glorificarse. ‖ Alabanza de una persona o cosa.

glorificar. tr. Hacer glorioso. ‖ Reconocer y ensalzar al que es glorioso. ‖ r. Complacerse en algo.

glorioso, sa. adj. Digno de honor y alabanza. ‖ Perteneciente a la gloria o bienaventuranza.

glosa (al. *Glosse,* fr. *glose,* ingl. *gloss,* it. *glossa*). f. Comentario o explicación de un texto oscuro o difícil. ‖ Nota en un documento o libro de cuentas. ‖ Composición poética en la que se incluyen versos de otra poesía. ‖ Mús. Variación que ejecuta el músico sobre unas mismas notas, pero sin sujetarse rigurosamente a ellas.

glosar. tr. Hacer o escribir glosas. ‖ fig. Interpretar o tomar en mala parte una palabra, proposición o acto.

glosario. m. Catálogo o vocabulario de palabras oscuras, desusadas o técnicas, con definición o explicación de cada una de ellas.

glosopeda. f. Vet. Epizootia del ganado que se manifiesta por el desarrollo de vesículas en la boca y entre las pezuñas.

glotis. f. Anat. Orificio anterior, superior en el hombre, de la laringe.

glotón, na. (al. *gefrässig,* fr. *goulu,* ingl. *gluttonous,* it. *ghiotto*). adj. Que come con exceso y ansia. Ú.t.c.s.

glotonería. f. Acción de glotonear. ‖ Calidad de glotón.

glucemia. f. Fisiol. Presencia de azúcar en la sangre y, más especialmente, cuando excede de lo normal.

glúcido. m. Quím. Compuesto de carbono, hidrógeno y oxígeno, que se halla en la materia viviente. Ú.m. en pl.

glucina. f. Óxido de berilio.

glucómetro. m. Técn. Aparato con el que se determina la cantidad de glucosa que contiene un líquido.

glucosa (al. *Glykose,* fr. *glucose,* ingl. *glucose,* it. *glucosio*). f. Quím. Azúcar de color blanco, cristalizable de sabor muy dulce, muy soluble en agua y poco en alcohol, que se halla disuelto en las células de muchos frutos maduros, como la uva, la pera, etc., en el plasma sanguíneo normal y en la orina de los diabéticos.

gluma. f. Bot. Cubierta floral de las gramíneas, que se compone de dos valvas, insertas debajo del ovario.

gluten. m. Cualquier sustancia pegajosa que sirve para unir una cosa a otra. ‖ Quím. Materia nitrogenada extraída de la harina. Está formada por la mezcla de varios principios inmediatos.

glúteo, a. adj. Perteneciente a la nalga. ‖ Dícese de los tres músculos que forman la nalga. Ú.t.c.s.

gneis. m. Roca de estructura pizarrosa e igual composición que el granito.

gnomo. m. Ser fantástico de figura de enano que guarda o trabaja los veneros de las minas o tesoros subterráneos.

gnosticismo. m. Doctrina filosófica y religiosa de los primeros siglos de la Iglesia, mezcla de la cristiana con creencias judaicas y orientales, que pretendía tener un conocimiento intuitivo de las cosas divinas.

gnóstico, ca. adj. Perteneciente o relativo al gnosticismo. ‖ Que profesa el gnosticismo. Ú.t.c.s.

gobernación. f. Gobierno. ‖ Ejercicio del Gobierno. ‖ Ministerio de la Gobernación.

gobernador, ra. adj. Que gobierna. Ú.t.c.s. ‖ m. Jefe superior de la administración de cada provincia.

gobernalle. m. Mar. Timón.

gobernanta. f. Mujer que en los grandes hoteles tiene a su cargo el servicio de un piso, en lo tocante a limpieza y conservación.

gobernante. Que gobierna. Ú.m.c.s. ‖ m. fam. El que se mete a gobernar una cosa.

gobernar (al. *regieren,* fr. *gouverner,* ingl. *to rule,* it. *gobernare*). tr. Mandar con autoridad o regir una cosa. Ú.t.c. intr. ‖ Guiar y dirigir. Ú.t.c.r.

gobierno (al. *Regierung,* fr. *gouvernement,* ingl. *government,* it. *governo*). m. Acción y efecto de gobernar. ‖ Conjunto de los ministros de un Estado. ‖ Empleo, ministerio y dignidad de gobernador. ‖ Territorio sometido al gobernador. ‖ — *absoluto.* Aquel en que todos los poderes se hallan reunidos en una sola persona o cuerpo. ‖ — *parlamentario.* Aquel en que los ministros necesitan la confianza de las cámaras para su mantenimiento.

gobio. m. Zool. Pez de río, acantopterigio, de carne comestible que se vuelve roja al cocerla.

goce (al. *Genuss,* fr. *jouissance,* ingl. *enjoyment,* it. *godimento*). m. Acción y efecto de gozar o disfrutar una cosa. [Sinón.: placer].

godo, da. adj. Dícese del individuo de un antiguo pueblo establecido en Escandinavia en el s. iii a. J.C., conquistador de varios países, expugnador de Roma y fundador de reinos en España e Italia. Ú.t.c.s. ‖ Dícese del rico y poderoso, originario de familias ibéricas, que confundido con los godos invasores formó parte de la nobleza al construirse la nación española. Ú.t.c.s. ‖ Los naturales de las Canarias llaman así a los españoles peninsulares. ‖ *Amer.* despect. Nombre con el que se designaba a los españoles durante la guerra de la Independencia.

gofio. m. Harina de maíz tostado.

gofrar. tr. Estampar a fuego papel, cintas, etc., sobre libros y telas.

gol. m. En fútbol y otros deportes, tanto que obtiene un equipo cuando el balón se introduce en la portería.

gola. f. Anat. Garganta. ‖ Pieza de la armadura antigua, que se ponía sobre el peto para cubrir y defender la garganta. ‖ Canal por donde entran los buques en ciertos puertos o rías. ‖ Arq. Moldura en forma de S.

golear. tr. En el fútbol, hacer goles.

goleta. f. Embarcación pequeña de bordas poco elevadas, dos palos y vela cangreja.

golf. m. Juego de origen escocés que consiste en impeler, con diferentes palos, una pelota pequeña para introducirla en una serie de agujeros. Gana el jugador que hace el recorrido con menos número de golpes.

golfear. intr. Vivir a la manera de un golfo.

golfería. f. Conjunto de golfos o pilluelos. ‖ Acción propia de un golfo.

golfo, fa. s. Pilluelo, vagabundo. ‖ f. Mujer de vida airada. ‖ m. Gran porción de mar que entra en la tierra.

goliardo, da. adj. Dado a la gula y a la vida irregular. ‖ Durante la Edad Media, clérigo o estudiante de vida desordenada y vagabunda.

golilla. f. dim. de gola. ‖ Adorno de cartón forrado de tafetán u otra tela negra, que usaban antiguamente los ministros togados y demás curiales. ‖ Albañ. Trozo de tubo corto que sirve para empalmar los caños de barro. ‖ *Amer.* Pañuelo que se usa alrededor del cuello y cuyas puntas se enlazan adelante o a un costado. ‖ Chalina que usa el gaucho. ‖ m. fam. Ministro togado que usaba la golilla.

golondrina. f. Zool. Pájaro muy común en España desde principio de la primavera, de cuerpo negro azulado por encima y blanco por debajo, alas puntiagudas y cola larga y muy ahorquillada.

golondrino. m. Pollo de la golondrina. ‖ Med. Infarto glandular en el sobaco.

golosina (al. *Leckerbissen,* fr. *friandise,* ingl. *sweetmeat,* it. *golosita*). f. Manjar delicado, generalmente dulce, más para el gusto que para el sustento.

goloso, sa. adj. Aficionado a comer golosinas. Ú.t.c.s. ‖ Dominado por el apetito. ‖ Apetitoso.

golpe (al. *Schlag*, fr. *coup*, ingl. *blow*, it. *colpo*). m. Acción de golpear o tener dos cuerpos un encuentro repentino y violento. ‖ Efecto del mismo encuentro. ‖ Multitud, abundancia de una cosa. ‖ Infortunio o desgracia que ocurre repentinamente. ‖ Latido del corazón. ‖ Pestillo de golpe y puerta provista de este pestillo. ‖ fig. Sorpresa. ‖ fig. En las obras de ingenio, parte que tiene más gracia u oportunidad. ‖ fig. Ocurrencia graciosa y oportuna en el curso de la conversación. ‖ *Amer.* Especie de mazo de hierro. ‖ — *de Estado.* Medida grave y violenta que toma uno de los poderes del Estado, usurpando las atribuciones de otro. ‖ — *de fortuna.* Suceso extraordinario, próspero o adverso, que sobreviene de repente. El que se da para rematar al que está gravemente herido. ‖ — *de mar.* Ola fuerte que quiebra en las embarcaciones, peñascos y costas del mar. ‖ — *de vista.* Ojo, aptitud especial para apreciar ciertas cosas. ‖ *dar golpe* o *dar el golpe.* fig. Causar sorpresa o admiración. ‖ *no dar golpe.* fig. No trabajar. ‖ *de golpe.* m. adv. fig. Prontamente, con brevedad. ‖ *de golpe y porrazo,* o *zumbido.* m. adv. fig. y fam. Precipitadamente, sin reflexión ni meditación; inesperadamente, de pronto. ‖ *de un golpe.* m. adv. fig. De una sola vez, en una sola acción. ‖ *errar el golpe.* fig. Frustrarse el efecto de una acción premeditada.

golpear (al. *schlagen*, fr. *frapper*, ingl. *to beat*, it. *colpire*). tr. Dar golpes. Ú.t.c. intr.

golpetear. tr. Golpear viva y continuadamente.

golpismo. m. Frecuencia de golpes de Estado en un país o región. ‖ Tendencia a dar golpes de Estado.

golpista. adj. Dícese del que da un golpe de Estado. Ú.t.c.s.

golpiza. f. *Amer.* Paliza, tunda.

gollería. f. Manjar exquisito y delicado. ‖ fig. y fam. Delicadeza, superfluidad, demasía.

gollete (al. *Flaschenhals*, fr. *goulot*, ingl. *bottle-neck*, it. *collo della bottiglia*). m. Parte superior de la garganta. ‖ Cuello estrecho que tienen algunas vasijas.

goma (al. *Gummi*, fr. *caoutchouc*, ingl. *rubber*, it. *gomma*). f. Sustancia viscosa, no cristalizable que fluye de diversos vegetales y después de seca es sóluble en agua y sirve para pegar o adherir cosas. ‖ Tira o banda de goma elástica. ‖ Goma elástica, caucho. ‖ vulg. Condón. ‖ — *arábiga.* La que producen ciertas acacias muy abundantes en Arabia: es amarillenta, de fractura vítrea y casi transparente. ‖ — *elástica.* Caucho. ‖ — *laca.* Laca, sustancia exudada de varios árboles de la India.

gomina. f. Fijador del pelo.

gomorresina. f. Jugo lechoso que se obtiene de determinadas plantas.

gomoso, sa. adj. Que tiene goma o se parece a ella. ‖ m. Pisaverde, lechuguino.

gónada. f. Glándula sexual masculina o femenina.

góndola. f. Pequeña embarcación de recreo, usada sobre todo en Venecia.

gondolero. m. El que tiene por oficio dirigir la góndola.

gong. m. Campana grande de barco.

gongorismo. m. Estilo literario iniciado a principios del siglo XVII por don Luis de Góngora.

goniómetro. m. Instrumento para medir ángulos.

gonococo. m. En bacteriología, microorganismo en forma de elementos ovoides, que se reúnen en parejas y, más raramente, en grupos de cuatro o más unidades.

gonorrea. f. PAT. Blenorragia.

gordiano. adj. fig. Se aplica al nudo que ataba al yugo la lanza del carro de Gordio y que estaba hecho con tal artificio que no se podían descubrir los dos cabos.

gordinflón, na. adj. fam. Que tiene muchas carnes, aunque flojas.

gordo, da (al. *dick*, fr. *gros*, ingl. *fat*, it. *grasso*). adj. De muchas carnes. ‖ Muy abultado o corpulento. ‖ Graso y mantecoso. ‖ Que excede del grosor corriente en su clase. ‖ Sebo o manteca de la carne. ‖ *Amer.* Tortilla de maíz más gruesa que la común. ‖ *armarse la gorda.* fam. Sobrevenir una pendencia ruidosa o trastorno político o social. [Sinón.: carnoso, rollizo]

gordura. f. Grasa, tejido adiposo que normalmente existe en proporciones muy variables entre los órganos y se deposita alrededor de vísceras importantes. ‖ Abundancia de carnes en las personas y animales.

gorgojo. m. ZOOL. Insecto coleóptero que vive entre las semillas de los cereales y llega a causar grandes destrozos.

gorgorito. m. fam. Quiebro que se hace con la voz en la garganta. Ú.m. en pl.

gorgotear. intr. Producir ruido un líquido o un gas al moverse en el interior de alguna cavidad. ‖ Borbotear.

gorgoteo (al. *brodeln*, fr. *gargouillement*, ingl. *gurgle*, it. *gorgoglio*). m. Ruido producido por el movimiento de un líquido o un gas en una cavidad.

gorguera (al. *Halskrause*, fr. *collerette*, ingl. *ruff*, it. *gorgiera*). f. Adorno del cuello, de lienzo plegado y alechugado.

gorila (al. *Gorilla*, fr. *gorille*, ingl. *gorilla*, it. *gorilla*). m. ZOOL. Mono antropomorfo de color pardo oscuro y de estatura igual a la del hombre, que habita en África a orillas del río Gabón.

gorja. f. Garganta. ‖ Moldura de curva compuesta, cuya sección es por arriba cóncava y luego convexa.

gorjear (al. *zwitschern*, fr. *ramager*, ingl. *to warble*, it. *gorgheggiare*). intr. Hacer quiebros con la voz en la garganta. ‖ Empezar a hablar el niño. ‖ Cantar los pájaros.

gorjeo (al. *Gezwitscher*, fr. *ramage*, ingl. *trill*, it. *gorgheggio*). m. Quiebro en la voz de los niños. ‖ Modulación del canto de las aves.

gorra (al. *Mütze*, fr. *casquette*, ingl. *cap*, it. *berretto*). f. Prenda que sirve para cubrir la parte superior de la cabeza. ‖ m. fig. Que vive o come a costa ajena. ‖ *de gorra.* m. adv. fam. A costa ajena. Úsase con los verbos *andar, comer, vivir, etc.* ‖ *pegar la gorra.* fig. y fam. Hacerse invitar para comer a costa ajena.

gorrear. intr. fam. Comer, vivir a costa ajena. ‖ vulg. *Amer.* Engañar la mujer al marido.

gorrero, ra. s. Persona que tiene por oficio hacer o vender gorras o gorros. ‖ m. Que vive o come a costa ajena.

gorrino, na. s. Cerdo pequeño. ‖ Cerdo. ‖ fig. Persona desaseada y grosera.

gorrión (al. *Spatz*, fr. *moineau*, ingl. *sparrow*, it. *passero*). m. ZOOL. Pájaro de unos 12 centímetros, de plumaje pardo, con manchas negras y rojizas.

gorrista. adj. Gorrón. Ú.t.c.s.

gorro (al. *Mütze*, fr. *bonnet*, ingl. *cap*, it. *berretta*). m. Prenda, redonda de tela o punto para cubrir la parte superior de la cabeza. ‖ — *catalán.* Gorro de lana que se usa en Cataluña, en forma de manga cerrada por un extremo, denominada barretina. ‖ — *frigio.* Gorro semejante al que usaban los antiguos griegos y que se tomó como emblema de la libertad. ‖ *llenársele a uno el* —. fig. y fam. Perder la paciencia, no aguantar más.

gorrón, na (al. *schmarotzer*, fr. *parasite*, ingl. *sponger*, it. *scroccone*). adj.

Dícese del que tiene por hábito comer, vivir o divertirse a costa ajena. Ú.t.c.s. ‖ m. Hombre perdido y enviciado que trata con las gorronas y mujeres de mal vivir. ‖ f. Ramera.

gota (al. *Tropfen*, fr. *goutte*, ingl. *drop*, it. *goccia*). f. Partecilla de agua u otro líquido. ‖ MED. Enfermedad constitucional que causa hinchazón muy dolorosa en ciertas articulaciones pequeñas y se complica, a veces, con afecciones viscerales. ‖ pl. Pequeña cantidad de ron o coñac que se mezcla con el café una vez servido éste en la taza. ‖ *gota a gota.* m. adv. Por gotas y con intermisión de una a otra.

gotear (al. *trüpfeln*, fr. *dégouter*, ingl. *to drop*, it. *gocciolare*). intr. Caer un líquido gota a gota. ‖ Comenzar a llover a gotas espaciadas.

gotera (al. *Traufe*, fr. *gouttière*, ingl. *leakage*, it. *gocciolatura*). f. Caída continua de gotas de agua en el interior de un espacio techado. ‖ Sitio en el que cae el agua de los tejados. ‖ Hendidura del techo por donde caen gotas. ‖ Señal que deja. ‖ pl. *Amer.* Afueras, contornos, alrededores.

goterón. m. Gota muy grande de agua llovediza. ‖ ARQ. Canal que se hace en la cara inferior de la corona de la cornisa.

gótico, ca (al. *gotisch*, fr. *gothique*, ingl. *gothic*, it. *gotico*). adj. Perteneciente a los godos. ‖ Aplícase a lo escrito o impreso en letra gótica. ‖ Dícese del arte que en la Europa occidental se desarrolló por evolución del románico desde el s. XII hasta el renacimiento. Ú.t.c.s. ‖ fig. Noble, ilustre. ‖ m. Lengua germánica que hablaron los godos.

gotoso, sa. adj. Que padece 'gota. Ú.t.c.s.

gouache (voz francesa) f. PINT. Técnica pictórica, consistente en aplicar los colores diluidos en agua y goma en forma de capas opacas.

gourmet (voz francesa). m. Hombre de gusto exquisito en la comida.

goyesco, ca. adj. Propio y característico de Goya, o que tiene semejanza con el estilo de este pintor.

gozar (al. *geniessen*, fr. *jouir*, ingl. *to enjoy*, it. *godere*). tr. Tener y poseer una cosa. ‖ Tener gusto, complacencia y alegría de una cosa. Ú.t.c.r. ‖ Conocer carnalmente a una mujer. ‖ intr. Sentir placer, experimentar emociones gratas.

gozne (al. *Türangel*, fr. *gond*, ingl. *hinge*, it. *cardine*). m. Herraje articulado con que se fijan las hojas de las puertas y ventanas para que giren.

gozo (al. *Freude*, fr. *joie*, ingl. *joy*, it. *gioia*). m. Movimiento del ánimo que se complace en la posesión o esperanza de bienes. ‖ Alegría, placer. ‖ pl. Composición poética en loor de la Virgen o de los santos. ‖ *el gozo en un pozo.* fr. fig. y fam. que da a entender haberse malogrado una cosa con la que se contaba. Ú.t. con un posesivo en vez del artículo inicial. [*Sinón.*: goce, gusto. *Antón.*: dolor, desagrado]

gozoso, sa. adj. Que siente gozo. ‖ Que se celebra con gozo.

grabación. f. Acción y efecto de grabar, de registrar sonidos.

grabado (al. *Bild*, fr. *gravure*, ingl. *print*, it. *incisione*). m. Arte de grabar. ‖ Procedimiento para grabar. ‖ Estampa que se produce por medio de la impresión de láminas grabadas.

grabador, ra. adj. Que graba. ‖ Concerniente al arte del grabado. ‖ s. Persona que profesa el arte del grabado. ‖ f. Aparato que se utiliza para efectuar grabaciones de sonido, magnetófono.

grabar (al. *gravieren*, fr. *graver*, ingl. *to engrave*, it. *incidere*). tr. Esculpir o señalar con incisión en una superficie de metal, madera o piedra. ‖ fig. Fijar una impresión en el ánimo. Ú.t.c.r. ‖ Registrar los sonidos en discos fonográficos, cintas magnetofónicas, etc.

gracejo. m. Gracia, atractivo.

gracia (al. *Anmut*, fr. *grace*, ingl. *grace*, it. *grazia*). f. Don recibido de Dios. ‖ Don natural que hace agradable al que lo tiene. ‖ Beneficio, concesión gratuita. ‖ Afabilidad. ‖ Benevolencia y amistad de uno. ‖ Chiste, dicho agudo. ‖ Perdón, indulto. ‖ Nombre de cada uno. ‖ pl. Divinidades mitológicas que representaban la Gracia, la Belleza y la Fertilidad.

grácil. adj. Sutil, delgado o menudo.

gracioso, sa (al. *witzig*, fr. *plaisant*, ingl. *facetious*, it. *spiritoso*). adj. Aplícase a la persona o cosa cuyo aspecto posee cierto atractivo. ‖ Chistoso, agudo, con donaire y gracia. ‖ Que se da de balde. [*Sinón.*: agraciado; simpático; gratuito]

grada (al. *Egge*, fr. *gradin*, ingl. *harrow*, it. *erpice*). f. Peldaño o escalón. ‖ Asiento a manera de escalón corrido. ‖ Conjunto de estos asientos en los teatros y otros lugares públicos. ‖ Tarima al pie de los altares. ‖ Instrumento de madera o hierro a manera de parrilla, con el cual se allana la tierra después de ararla. ‖ pl. Conjunto de escalones que tienen algunos edificios delante de su pórtico o fachada.

gradación. f. Serie de cosas ordenadas gradualmente. ‖ MÚS. Período armónico que va subiendo de grado en grado.

gradería. f. Conjunto de gradas.

gradilla. f. Escalerilla portátil.

grado (al. *Grad*, fr. *degrè*, ingl. *degree*, it. *grado*). m. Peldaño. ‖ Cada una de las generaciones que marcan el parentesco entre las personas. ‖ En las universidades, título y honor que se da al que se gradúa en una facultad o ciencia. ‖ En ciertas escuelas, cada una de las secciones en que sus alumnos se agrupan según su edad y el estado de sus conocimientos y educación. ‖ fig. Cada uno de los diversos estados, valores o calidades que, en relación de mayor a menor, puede tener una cosa. ‖ MAT. En álgebra, número de orden que expresa el de factores de la misma especie que entran en un término o en una parte de él. ‖ DER. Cada una de las diferentes instancias que puede tener un pleito. ‖ GEOM. Cada una de las partes iguales, que suelen ser 360, en que se considera dividida la circunferencia del círculo. ‖ — *centígrado.* Unidad de temperatura que resulta de imponer la condición de que la diferencia entre los puntos de fusión del hielo y la ebullición del agua, a la presión normal, valga 100. ‖ — *de Celsius.* Grado centígrado.

grado. m. Voluntad, gusto. ‖ *de buen grado,* o *de grado.* m. adv. Voluntaria y gustosamente. ‖ *de mal grado.* m. adv. Con repugnancia y a disgusto.

graduación. f. Acción y efecto de graduar. ‖ Cantidad de alcohol que proporcionadamente contiene una bebida espirituosa. ‖ MIL. Categoría de un militar en su carrera.

gradual. adj. Que está por grados. ‖ m. Parte de la misa entre la epístola y el evangelio.

graduando, da. s. Persona que recibe o está próxima a recibir un grado por la universidad.

graduar (al. *abstufen*, fr. *graduer*, ingl. *to grade*, it. *graduare*). tr. Dar a una cosa el grado o calidad que corresponde. ‖ Apreciar en una cosa el grado o calidad que tiene. ‖ Señalar en una cosa los grados en que se divide. ‖ Dividir en grados. ‖ Conferir un grado o un título en el sector de la enseñanza. Ú.t.c.s.

grafía. f. Modo de escribir o representar los sonidos, y, en especial, empleo de una letra o un signo gráfico para representar un sonido.

-grafía. Elemento compositivo que entra pospuesto en la formación de algunas voces españolas con el significado de "escrito, descripción o tratado".

gráfico, ca (al. *graphisch*, fr. *graphique*, ingl. *graphical*, it. *grafico*). adj. Perteneciente o relativo a la escritura y a la imprenta. ‖ Que se representa por figuras o signos. Ú.t.c.s. ‖ fig. Aplícase al modo de hablar que expone las cosas con la misma claridad que si estuvieran dibujadas. ‖ s. Representación, por medio de signos, de un conjunto de valores numéricos relacionados entre sí.

grafismo. m. Todas y cada una de las particularidades de la letra de una persona. ‖ Expresividad gráfica.

grafito (al. *Graphit*, fr. *graphite*, ingl. *graphite*, it. *grafite*). m. Inscripción o dibujo hecho, por los antiguos, con objeto punzante sobre pared. ‖ MINERAL. Carbono casi puro cristalizante en el sistema exagonal. Normalmente de estructura laminar. De propiedades antitéticas a las del diamante. De color negro, brillo metálico, muy blando, buen conductor del calor y de la electricidad. Se utiliza para fabricar lubrificantes, lápices y contadores eléctricos, sometidos a roces.

grafología. f. Arte que pretende averiguar por las particularidades de la escritura las cualidades psicológicas del que la ha trazado.

gragea. f. Confites muy menudos de varios colores. ‖ FARM. Pequeña porción de materia medicamentosa en forma generalmente redondeada, y recubierta de una capa de sustancia agradable al paladar.

grajo (al. *Krähe*, fr. *geai*, ingl. *crow*, it. *cornacchia*). m. ZOOL. Ave parecida al cuervo. Tiene el cuerpo negruzco y el pico y las patas rojas.

grama. f. BOT. Planta gramínea medicinal, con el tallo cilíndrico, hojas cortas y agudas, y flores en espigas.

-grama. Elemento compositivo que entra pospuesto en la formación de algunas voces españolas con el significado de "escrito, trazado, línea".

gramática. f. Arte de hablar y escribir correctamente una lengua. ‖ Ciencia que estudia los elementos de una lengua y sus combinaciones. ‖ *– parda.* fam. Habilidad que tienen algunos para manejarse.

gramatical. adj. Perteneciente a la gramática.

gramático, ca. adj. Gramatical. ‖ m.

El entendido en gramática o que escribe de ella.

gramilla. f. dim. de grama. ‖ *Amer.* Planta gramínea, utilizada como pasto.

gramíneo, a. adj. BOT. Aplícase a plantas angiospermas monocotiledóneas que tienen tallos cilíndricos, interrumpidos de trecho en trecho por nudos; hojas alternas nacidas de estos nudos; flores sencillas dispuestas en panojas, y grano seco cubierto por las escamas de la flor, como los cereales y el bambú. Ú.t.c.s.f. ‖ f. pl. Familia de estas plantas.

gramo (al. *Gramm*, fr. *gramme*, ingl. *gram*, it. *grammo*). m. Unidad métrica de masa (y peso), igual a la milésima parte de un kilogramo y aproximadamente igual a la masa (o peso) de un centímetro cúbico de agua a la temperatura de su máxima densidad (cuatro grados centígrados). ‖ Pesa de un gramo. ‖ Cantidad de alguna materia cuyo peso es un gramo.

gramófono. m. Instrumento que reproduce las vibraciones de cualquier sonido inscritas previamente sobre un disco giratorio. ⎪Sinón.: fonógrafo⎪

gramola. f. Gramófono.

gran. adj. Apócope de grande. ‖ Principal o primero en una clase.

grana. f. Acción y efecto de granar. ‖ Semilla menuda de varios vegetales. ‖ Tiempo en que se cuaja el grano. ‖ ZOOL. Cochinilla, insecto. ‖ Quermes, insecto. ‖ Excrecencia que el quermes forma en la coscoja y que produce color rojo. ‖ Color rojo obtenido de este modo.

granada (al. *Granate*, fr. *grenade*, ingl. *shell*, it. *granata*). f. BOT. Fruto del granado, de forma globosa, y coronado por un tubo corto y con dientecitos; corteza de color amarillento rojizo, que cubre multitud de granos encarnados, jugosos, y cada uno con una pepita blanquecina algo amarga. Es comestible. ‖ Proyectil hueco de metal, que contiene un explosivo y se dispara con obús u otra pieza de artillería. ‖ *– de mano.* Granada, proyectil que se arroja con la mano.

granadero. m. Soldado de infantería armado con granadas de mano. ‖ Soldado de elevada estatura perteneciente a una compañía que formaba a la cabeza del regimiento.

granadilla. f. Flor de la pasionaria. ‖ BOT. Planta originaria de la América Meridional, de la familia de las floriáceas. ‖ Fruto de esta planta.

granadino, na. adj. Natural de Granada. Ú.t.c.s. ‖ Perteneciente a esta ciudad. ‖ f. Refresco hecho con zumo de granada.

granado, da. adj. fig. Notable, principal, ilustre y escogido. ‖ fig. Maduro, experto. ‖ m. BOT. Árbol punicáceo, con flores rojas y con los pétalos algo doblados cuyo fruto es la granada.

granalla. f. Granos o porciones menudas a que se reducen los metales para favorecer su fundición.

granar (al. *Körner ansetzen*, fr. *grener*, ingl. *to ear out*, it. *granire*). intr. Formarse y crecer el grano de los frutos en algunas plantas.

granate (al. *Granatstein*, fr. *grenat*, ingl. *garnet*, it. *granato*). m. MINERAL. Silicato complejo de aluminio y hierro que se presenta siempre en cristales del sistema regular. Su color puede variar desde el rojo al negro, pasando por los tonos verde y amarillo. ‖ Color rojo oscuro.

grande (al. *gross*, fr. *grand*, ingl. *great*, it. *grande*). adj. Que excede a lo común y regular. ‖ m. Prócer, magnate. ‖ *– de España.* Cada miembro de la primera nobleza española.

grandeza (al. *Grösse*, fr. *grandeur*, ingl. *greatness*, it. *grandezza*). f. Tamaño excesivo de una cosa respecto de otra del mismo género. ‖ Majestad y poder. ‖ Tamaño, magnitud. ⎪Sinón.: enormidad; dignidad⎪

grandilocuencia. f. Elocuencia muy abundante y elevada. ‖ Estilo sublime.

grandilocuente. adj. Dícese de la persona que habla o escribe con grandilocuencia.

grandiosidad. f. Magnificencia, grandeza admirable.

grandioso, sa. adj. Sobresaliente, magnífico.

grandullón, na. adj. fam. Dícese especialmente de los muchachos muy crecidos para su edad. Ú.t.c.s.

graneado, da. adj. Reducido a grano. ‖ Salpicado de pintas.

granear. tr. Esparcir el grano o semilla en un terreno. ‖ Convertir en grano la masa preparada de que se compone la pólvora. ‖ Sacarle grano a la superficie lisa de una piedra litográfica para poder dibujar en ella con lápiz litográfico.

granel (a). m. adv. Hablando de cosas menudas, como cereales, etc., sin orden ni medida. ‖ Tratándose de géneros, sin envase, sin empaquetar. ‖ fig. En abundancia.

granero (al. *Scheune*, fr. *grenier*,

ingl. *barn*, it. *granaio*). m. Sitio donde se guarda el grano. [*Sinón.*: hórreo, silo]

granítico, ca. adj. Perteneciente al granito o semejante a esta roca.

granito (al. *Granit*, fr. *granit*, ingl. *granite*, it. *granito*). m. Roca compacta y dura, compuesta de feldespato, cuarzo y mica. Se emplea como piedra de cantería. || dim. de grano.

granívoro, ra. adj. Aplícase a los animales que se alimentan de granos.

granizada. f. Abundancia de granizo que cae de una vez. || fig. Multitud de cosas que caen o se manifiestan continua y abundantemente.

granizado. m. Refresco que se hace con hielo machacado al que se agrega alguna esencia o jugo de fruta.

granizar (al. *hageln*, fr. *grêler*, ingl. *to hail*, it. *grandinare*). intr. Caer granizo. || fig. arrojar una cosa con ímpetu. Ú.t.c.tr.

granizo (al. *Hagel*, fr. *grêle*, ingl. *hail*, it. *grandine*). m. Lluvia congelada que cae en grano de diverso tamaño. || Especie de nube que se forma en los ojos entre la úvea y la córnea.

granja (al. *Gut*, fr. *ferme*, ingl. *farm*, it. *azienda agricola*). f. Hacienda de campo en la que suele haber un caserío. [*Sinón.*: alquería, cortijo, estancia]

granjear. tr. Obtener ganancia o lucro, aumentar el caudal económico traficando o comerciando. || Adquirir, conseguir, obtener. || fig. Captar, conseguir voluntades, atraer. Ú.t.c. prnl.

granjería. f. Beneficio de las haciendas de campo o cría de ganados.

granjero, ra. s. Persona que cuida de una granja.

grano (al. *Korn, Blatter;* fr. *grain, bouton;* ingl. *grain, pimple;* it. *grano*). m. Semilla y fruto de las mieses, como del trigo, cebada, etc. || Semillas pequeñas de varias plantas. || Cada una de las semillas o frutos que, con otros iguales, forma un agregado. || Porción o parte menuda de otras cosas. || Cada una de las partecillas, como de arena, que se perciben en la masa de algunos cuerpos. || Especie de tumorcillo que nace en alguna parte del cuerpo y a veces cría pus. || Cuarta parte de un quilate. || — de arena. fig. Auxilio pequeño con que se contribuye para una obra o fin determinados. || *ir uno al grano*. fig. y fam. Atender a lo esencial cuando se trata de algo, prescindiendo de superfluidades. || *no ser grano de anís* una cosa. fig. y fam. Tener importancia.

granoso, sa. adj. Dícese de lo que en su superficie forma granos con alguna regularidad.

granuja f. Uva desgranada. || Granito interior de la uva y de otras frutas. || m. fam. Muchacho vagabundo, pilluelo. || fig. Bribón, pícaro.

granujada. f. Acción propia del granuja.

granujiento, ta. adj. Que tiene muchos granos.

granulado, da. adj. BOT. Granuloso. || m. FARM. Preparación farmacéutica en forma de gránulos.

granular. adj. Que presenta granos o granulaciones. || tr. QUÍM. Reducir a granillos. || r. Cubrirse de granos pequeños alguna parte del cuerpo.

gránulo. m. Bolita o pildorita medicamentosa. || dim. de grano.

granuloso, sa. adj. Que tiene granos o granillos.

granza. f. BOT. Rubia, planta tintórea. || pl. Residuos de paja gruesa, espigas, etc., que quedan de los granos y semillas cuando se criban. || Escoria del yeso cuando se cierne. || Superfluidades de los metales.

grao. m. Playa que sirve de desembarcadero.

grapa (al. *Krampe*, fr. *crampon*, ingl. *clamp*, it. *grappa*). f. Pieza de metal cuyos dos extremos se clavan para unir o sujetar. || *Amer.* Aguardiente obtenido del orujo.

grapadora. f. Utensilio que sirve para grapar papeles.

grapar. tr. Sujetar con una grapa de hierro u otro metal.

grasa (al. *Fett*, fr. *graisse*, ingl. *grease*, it. *grasso*). f. Manteca, unto o sebo de un animal. || Mugre o suciedad que sale de la ropa. || Lubricante graso. || pl. QUÍM. Nombre genérico de sustancias orgánicas, muy difundidas en ciertos tejidos de plantas y animales, que están formadas por la combinación de ácidos grasos con la glicerina. || pl. MINER. Escorias que produce la limpieza de un baño metálico antes de hacer la colada.

grasiento, ta. adj. Untado y lleno de grasa.

graso, sa. adj. Pingüe, manteco so.

grasoso, sa. adj. Que está impregnado de grasa.

gratificación. f. Recompensa extraordinaria de un servicio. || Remuneración fija que se concede por el desempeño de un cargo.

gratificar (al. *belohnen*, fr. *gratifier*, ingl. *to reward*, it. *gratificare*). tr. Recompensar con una gratificación. || Dar gusto, complacer.

grátil. m. MAR. Extremidad de la vela por donde se sujeta al palo.

gratis (al. *unentgeltlich*, fr. *gratuitement*, ingl. *gratis*, it. *gratis*). adv. m. De balde. [*Sinón.*: gratuitamente]

gratitud (al. *Dankbarkeit*, fr. *reconnaissance*, ingl. *gratefulness*, it. *gratitudine*). f. Sentimiento que nos obliga a agradecer el beneficio o favor recibido. [*Sinón.*: agradecimiento, reconocimiento.]

grato, ta (al. *angenehm*, fr. *agréable*, ingl. *pleasant*, it. *grato*). adj. Gustoso, agradable. || Gratuito, gracioso. [*Sinón.*: atrayente]

gratuidad. f. Calidad de gratuito.

gratuito, ta (al. *unentgeltlich*, fr. *gratuit*, ingl. *costless*, it. *gratuito*). adj. De balde o de gracia. || Arbitrario, sin fundamento.

grava (al. *Schotter*, fr. *gravillon*, ingl. *gravel*, it. *ghiaia*). f. Conjunto de guijos. || Piedra machacada con que se cubre y allana el piso de los caminos. || Mezcla de guijos, arena y a veces arcilla que se encuentra en yacimientos.

gravamen (al. *Belastung*, fr. *charge*, ingl. *charge*, it. *gravame*). m. Carga u obligación que pesa sobre alguien. || Carga impuesta sobre un inmueble o sobre un caudal.

gravar. tr. Cargar, pesar. || Imponer gravamen sobre una finca.

grave (al. *schwer*, fr. *grave*, ingl. *serious*, it. *grave*). adj. Dícese de los cuerpos pesantes. Ú.t.c.s.m. || Grande, de mucha importancia. || Aplícase al que está enfermo de cuidado. || Serio, que causa respeto. || Arduo, difícil. || Modesto, enfadoso. || Se dice del sonido bajo o de baja frecuencia. Ú.t.c.s. || GRAM. Aplícase a la palabra cuyo acento prosódico carga en su penúltima sílaba.

gravedad (al. *Schwerkraft*, fr. *gravité*, ingl. *gravity*, it. *gravità*). f. Fís. Manifestación terrestre de la gravitación universal. || Aceleración a que está sometido un cuerpo dejado caer libremente y sin rozamiento sobre la superficie terrestre. || Compostura y circunspección. || fig. Grandeza, importancia.

gravera. f. Yacimiento de grava, mezcla de guijas y arena.

gravidez. f. Preñez.

grávido, da. adj. poét. Cargado, lleno, abundante. || Dícese de la mujer embarazada.

gravímetro. m. Fís. Aparato para medir el peso específico de los sólidos y de los líquidos.

gravitación. f. Acción y efecto de gravitar. ‖ Fís. Atracción universal entre los cuerpos celestes.

gravitar (al. *gravitieren*, fr. *graviter*, ingl. *to gravitage*, it. *gravitare*). intr. Moverse un cuerpo por la atracción de otro cuerpo. ‖ Descansar un cuerpo sobre otro. ‖ fig. Ser una carga.

gravoso, sa. adj. Molesto, pesado. ‖ Que ocasiona gasto o menoscabo.

graznar. intr. Dar graznidos.

graznido (al. *Krächzen*, fr. *groassement*, ingl. *caw*, it. *gracchiamento*). m. Chillido de algunas aves, como el cuervo, el grajo, etcétera.

greca. f. Adorno formado por una faja en que se repite la misma combinación de elementos decorativos.

greco, ca. adj. Perteneciente a Grecia. Aplicado a personas, ú.t.c.s.

grecolatino, na. adj. Perteneciente o relativo a los griegos y latinos.

grecorromano, na. adj. Perteneciente o relativo a griegos y romanos o compuesto de elementos propios de uno y otro pueblo.

greda. f. Arcilla arenosa de color blanco azulado que se usa principalmente para desengrasar paños.

gredoso, sa. adj. Perteneciente a la greda o que tiene sus cualidades.

gregario, ria. adj. Dícese del que está en compañía de otros sin distinción. ‖ fig. Dícese del que sigue servilmente ideas o iniciativas ajenas.

gregarismo. m. Calidad de gregario, que sirve servilmente a otros.

gregoriano, na. adj. Dícese del canto religioso reformado por Gregorio I. ‖ Dícese del calendario y cómputo que reformó Gregorio XIII.

greguería. f. Vocerío confuso de la gente. ‖ Agudeza, idea, imagen en prosa, así denominada por el escritor Ramón Gómez de la Serna.

gremial. adj. Relativo al gremio, oficio o profesión. ‖ m. Individuo de un gremio.

gremio (al. *Zunft*, fr. *corporation*, ingl. *guild*, it. *corporazione*). m. Unión de los fieles con sus pastores. ‖ Conjunto de personas que tienen un mismo ejercicio, profesión o estado social.

grenchudo, da. adj. Que tiene crenchas o greñas.

greña (al. *Zerzauste Locke*, fr. *tignasse*, ingl. *snarl*, it. *chioma scarmigliata*). f. Cabellera revuelta. Ú.m. en pl. ‖ Lo que está enredado y no se puede desenlazar fácilmente. ‖ *andar a la greña.* fam. Reñir dos o más personas, especialmente mujeres, tirándose de los cabellos. fig. y fam. Altercar descompuesta y acaloradamente.

greñudo, da. adj. Que tiene greñas.

gres (al. *Sandstein*, fr. *gres*, ingl. *sandstone*, it. *gres*). m. Pasta de alfarería formada por arcilla poco dura y tenaz y por arenas cuarzosas. Se utiliza para la fabricación de objetos de cerámica resistentes, impermeables y refractarios.

gresca. f. Bulla, algazara. ‖ Riña.

grey. f. Rebaño de ganado menor. ‖ Por ext., ganado mayor. ‖ fig. Congregación de los fieles cristianos.

griego, ga (al. *Griechisch*, fr. *grec*, ingl. *greek*, it. *greco*). adj. Natural u oriundo de Grecia. Ú.t.c.s. ‖ Perteneciente a esta nación. ‖ m. Lengua griega.

grieta (al. *Splate*, fr. *crevasse*, ingl. *crevice*, it. *crepa*). f. Quiebra o abertura longitudinal que se hace naturalmente en la tierra o en cualquier cuerpo sólido. ‖ Hendidura poco profunda en la piel o en las membranas mucosas.

grifa. f. Cáñamo índico, mariguana o marihuana.

grifo (al. *Hahn*, fr. *robinet*, ingl. *tap*, it. *robinetto*). m. Llave de cañería. ‖ Animal fabuloso, de medio cuerpo arriba águila y de medio cuerpo abajo león.

grifo, fa. adj. Dícese de los cabellos crespos o enmarañados. ‖ *Amer.* Entonado, presuntuoso. ‖ *Amer.* Dícese de la persona intoxicada con marihuana y, a veces, del borracho. Ú.t.c.s.

grilla. f. Hembra del grillo.

grillera. f. Pequeña cueva donde se recogen los grillos. ‖ Jaula en que se les encierra. ‖ fig. y fam. Lugar donde nadie se entiende.

grillete (al. *Schakel*, fr. *manille*, ingl. *shackle*, it. *maniglia*). m. Arco de hierro semicircular con dos agujeros por los cuales pasa un perno que sirve para asegurar una cadena. [Sinón.: argolla]

grillo (al. *Grille*, fr. *grillon*, ingl. *cricket*, it. *grillo*). m. ZOOL. Insecto ortóptero, de color negro rojizo. El macho produce un sonido agudo y monótono con el roce de los élitros. ‖ Tallo que echan las semillas al germinar.

grillos. m. pl. Conjunto de dos grilletes con un perno común, que se colocan en los pies de los presos. ‖ fig. Todo lo que embaraza el movimiento.

grima. f. Desazón, horror que causa una cosa.

grimoso, sa. adj. Que da grima, horroroso.

grímpola. f. MAR. Gallardete muy corto que se usa generalmente como cataviento.

gringo, ga. adj. fam. despect. Extranjero, especialmente inglés, y en general, todo el que habla una lengua que no sea la española. Ú.t.c.s. ‖ s. fam. *Amer.* Norteamericano.

gripal. adj. MED. Referente a la gripe.

gripe (al. *Grippe*, fr. *grippe*, ingl. *influenza*, it. *grippe*). f. MED. Enfermedad epidémica con manifestaciones variadas, especialmente catarrales.

gris (al. *Grau*, fr. *gris*, ingl. *grey*, it. *grigio*). adj. Color que resulta de la mezcla del blanco y negro. Ú.t.c.s. ‖ Borroso, sin perfiles definidos. ‖ fig. Triste, lánguido, apagado. ‖ m. Variedad de ardilla que se cría en Siberia. ‖ fam. Frío y viento frío. ‖ fam. y despect. Agente de policía. Ú.m. en pl.

grisáceo, a. adj. De color que tira a gris.

griseo, a. adj. De color gris.

grisma. f. *Amer.* Brizna, pizca, miaja.

grisón, na. adj. Natural de un cantón de Suiza, situado en las fuentes del Rin. Ú.t.c.s. ‖ Perteneciente a este país. ‖ m. Lengua neolatina hablada en la mayor parte de este cantón.

grisú. m. Mezcla explosiva de metano y aire. Se forma en las minas de carbón.

gritar (al. *schreien*, fr. *crier*, ingl. *to shout*, it. *grido*). intr. Levantar la voz más de lo acostumbrado. ‖ Manifestar el público su desagrado con demostraciones ruidosas. Ú.t.c.tr.

gritería. Confusión de voces altas y desentonadas.

griterío. m. Gritería.

grito (al. *Sohrei*, fr. *cri*, ingl. *shout*, it. *grido*). m. Voz sumamente esforzada y levantada. ‖ Expresión proferida con esta voz. ‖ Manifestación vehemente de un sentimiento general. ‖ *alzar el grito.* fam. Levantar la voz con descompostura y orgullo. ‖ *poner el grito en el cielo.* fig. y fam. Clamar en voz alta, quejándose con vehemencia de alguna cosa.

gro. m. Tela de seda sin brillo y de más cuerpo que el tafetán.

groenlandés, sa. adj. Natural de Groenlandia. Ú.t.c.s. ‖ Perteneciente a esta región.

grog. m. Bebida estimulante hecha con ron o coñac, azúcar y té o agua caliente.

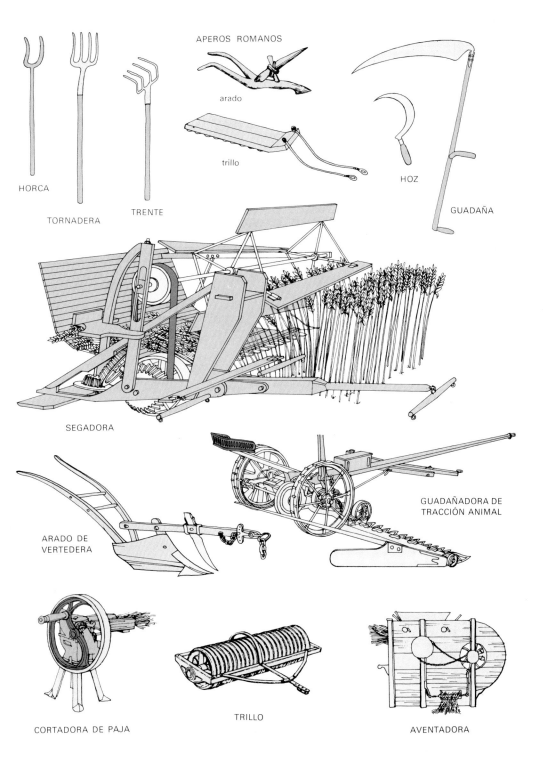

APEROS ROMANOS

arado

trillo

HORCA

TORNADERA

TRENTE

HOZ

GUADAÑA

SEGADORA

ARADO DE
VERTEDERA

GUADAÑADORA DE
TRACCIÓN ANIMAL

CORTADORA DE PAJA

TRILLO

AVENTADORA

GRANJA Y AGRICULTURA

GRANJA
Y AGRICULTURA

Abajo, distribución de los campos de cultivo en una finca
agrícola; arriba, detalle de la granja.

cobertizo _____

establos _____

alojamientos de
los trabajadores _____

vivienda _____

patio _____

cuadras y almacenes _____

frutales _____

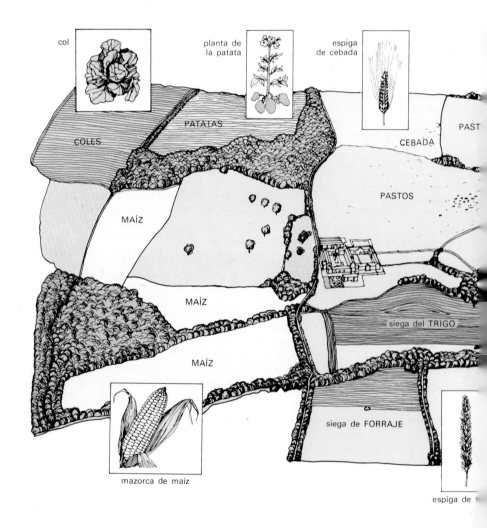

col

planta de
la patata

espiga
de cebada

PATATAS

COLES

PAST

CEBADA

PASTOS

MAÍZ

MAÍZ

siega del TRIGO

MAÍZ

siega de FORRAJE

mazorca de maíz

espiga de

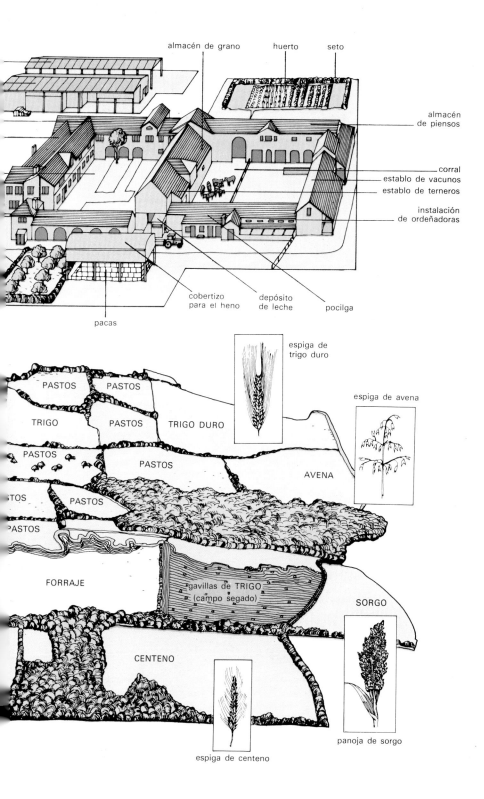

almacén de grano   huerto   seto

almacén
de piensos

corral
establo de vacunos
establo de terneros

instalación
de ordeñadoras

cobertizo
para el heno   depósito
de leche   pocilga

pacas

espiga de
trigo duro

espiga de avena

PASTOS   PASTOS

TRIGO   PASTOS   TRIGO DURO

PASTOS   PASTOS

AVENA

TOS   PASTOS

PASTOS

FORRAJE

gavillas de TRIGO
(campo segado)

SORGO

CENTENO

espiga de centeno

panoja de sorgo

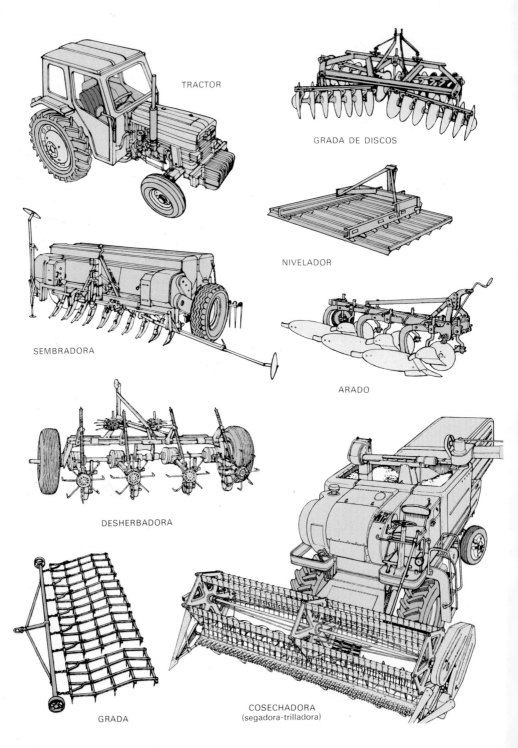

TRACTOR

GRADA DE DISCOS

NIVELADOR

SEMBRADORA

ARADO

DESHERBADORA

GRADA

COSECHADORA
(segadora-trilladora)

GRANJA Y AGRICULTURA

grogui. adj. Dícese del boxeador atontado o aturdido por los golpes.

gromo. m. Yema de los árboles.

grosella. f. BOT. Baya de color rojo, jugosa, de sabor agridulce, que se emplea en pastelería y farmacia. Es fruto del grosellero.

grosellero. m. BOT. Arbusto de la familia de las saxifragáceas, de tronco ramoso, hojas alternas, pecioladas y divididas en cinco lóbulos, flor amarilla verdosa, y cuyo fruto es la grosella.

grosería. f. Descortesía, falta de respeto. ‖ Tosquedad en el trabajo manual. ‖ Ignorancia.

grosero, ra. adj. y s. Basto, grueso, ordinario y sin arte. ‖ Descortés, que no observa decoro.

grosor. m. Grueso de un cuerpo.

grotesco, ca. adj. Ridículo y extravagante. ‖ Irregular, grosero y de mal gusto.

grúa (al. *Kran*, fr. *grue*, ingl. *crane*, it. *gru*). f. TÉCN. Artefacto destinado a levantar y trasladar cargas pesadas dentro del círculo que describe el brazo de la máquina alrededor de un eje vertical giratorio. ‖ Vehículo automóvil provisto de grúa para remolcar otro.

gruesa (al. *Gros*, fr. *grosse*, ingl. *gross*, it. *grossa*). f. Número de doce docenas. ‖ En los cabildos, renta principal de un prebendado.

grueso, sa (al. *dick*, fr. *gros*, ingl. *thick*, it. *grosso*). adj. Corpulento y abultado. ‖ Grande. ‖ m. Corpulencia o cuerpo de una cosa. ‖ Parte principal y más fuerte de un todo. ‖ Espesor de un objeto.

gruir. intr. Gritar las grullas.

grulla (al. *Kranick*, fr. *grue*, ingl. *crane*, it. *gru*). f. ZOOL. Ave zancuda de unos 13 cm de altura de pico cónico y alargado, cuello largo y negro, alas grandes y cola pequeña.

grumete (al. *Schiffsjunge*, fr. *mousse*, ingl. *cabin-boy*, it. *mozzo*). m. Muchacho que aprende el oficio de marinero en un barco.

grumo (al. *Klumpen*, fr. *grumeau*, ingl. *clot*, it. *grumo*). m. Parte coagulada de un líquido. ‖ Conjunto de cosas apiñadas y apretadas.

gruñido (al. *Grunzen*, fr. *grognement*, ingl. *grunt*, it. *grugnito*). m. Voz del cerdo. ‖ Voz ronca del perro y de otros animales cuando amenazan. ‖ fig. Sonidos inarticulados, roncos, que emite una persona como señal generalmente de mal humor. [*Sinón.*: rezongo]

gruñir (al. *grunzen*, fr. *grogner*, ingl. *to grunt*, it. *grugnire*). intr. Dar gruñi-

dos. ‖ fig. Mostrar disgusto murmurando entre dientes. ‖ Chirriar, rechinar una cosa. [*Sinón.*: refunfuñar]

gruñón, na. adj. fam. Que gruñe con frecuencia.

grupa (al. *Kruppe*, fr. *croupe*, ingl. *croup*, it. *groppa*). f. Anca, parte posterior de las caballerías.

grupo (al. *Gruppe*, fr. *groupe*, ingl. *group*, it. *gruppo*). m. Pluralidad de seres o cosas que forman un conjunto, material o mentalmente considerado. ‖ B. ART. Conjunto de figuras pintadas o esculpidas. ‖ MIL. Unidad compuesta de varios escuadrones o baterías y mandada normalmente por un comandante. ‖ QUÍM. Cada una de las columnas del sistema periódico que contiene elementos de propiedades semejantes. ‖ — *de presión.* Conjunto de personas que, en beneficio de sus propios intereses, influye en una organización, esfera o actividad social. ‖ — *electrógeno.* Acoplamiento de un motor de explosión y de un generador de electricidad que se usa en algunos establecimientos, talleres, etc. para suplir la falta de corriente de las centrales. ‖ — *sanguíneo.* MED. Cada uno de los cuatro tipos en que se diversifica la sangre del hombre, según su disposición para tolerar o no tolerar la transfusión de sangres de otros tipos.

gruta (al. *Grotte*, fr. *grotte*, ingl. *grotto*, it. *grotta*). f. Cavidad natural abierta en riscos o peñas. ‖ Estancia subterránea artificial que imita los peñascos naturales.

gua. m. Hoyito que hacen los muchachos en el suelo para jugar tirando en él bolitas o canicas. ‖ Nombre de este juego.

¡gua! interj. *Amer.* Se usa para expresar temor o admiración.

guacamayo. m. ZOOL. Ave psitaciforme americana, parecida al papagayo, pero de mayor tamaño, de pico encorvado, blanco por encima y negro por debajo, y cola muy larga y vistosamente coloreada.

guacamole. m. *Amer.* Ensalada de aguacate.

guache. m. *Amer.* Hombre de la hez, villano, bajo, canalla.

guadalajareño, ña. adj. Natural de Guadalajara. Ú.t.c.s. ‖ Concerniente a esta ciudad española o a su provincia.

guadamací o **guadamacil.** m. Guadamecí.

guadamecí o **guadamecil.** m. Cuero adobado y adornado con dibujos de pintura o relieve.

guadaña (al. *Sense*, fr. *faux*, ingl. *scythe*, it. *falce*). f. Cuchilla corva y puntiaguda enastada en un palo largo, para segar la hierba.

guadañar. tr. Segar hierba con la guadaña.

guadarnés. m. Lugar donde se guardan las sillas y guarniciones de los caballos y mulas y todo lo demás relativo a la caballeriza. ‖ Sujeto que cuida de las guarniciones, sillas y demás aderezos de la caballeriza.

guagua. f. Cosa insignificante. ‖ *Amer.* Nombre de los ómnibus y camiones que prestan servicios urbanos. También se usa en las Canarias. ‖ *Amer.* Niño de teta.

guajira. f. Canción y baile populares en Cuba.

guajiro, ra. s. Campesino blanco de la isla de Cuba.

gualda. f. BOT. Planta resedácea de flores amarillas. Mediante su cocción, se obtiene un tinte amarillo dorado.

gualdo, da. adj. De color amarillo.

gualdrapa. f. Cobertura larga para cubrir las ancas de la cabalgadura.

guampudo, da. adj. Cornudo. ‖ fig. *Amer.* Cornudo, marido engañado. Ú.t.c.s.

guanaco. m. ZOOL. Mamífero rumiante propio de Sudamérica. Pertenece a la familia de los camélidos. ‖ fig. *Amer.* Tonto, simple.

guanche. adj. Dícese del individuo de la raza que poblaba las islas Canarias en la época de su conquista. Ú.t.c.s.

guano (al. *Guano*, fr. *guano*, ingl. *guano*, it. *guano*). m. Abono formado por el excremento de aves marinas. ‖ Abono mineral fabricado a imitación del guano. ‖ *Amer.* Estiércol de cualquier animal, utilizable como abono.

guantada. f. Golpe dado con la mano abierta.

guantazo. m. Guantada.

guante (al. *Handschuh*, fr. *gant*, ingl. *glove*, it. *guante*). m. Abrigo para la mano de su misma forma. ‖ Cubiertas para proteger la mano, cirujanos o boxeadores. ‖ *arrojar el guante* a uno. Desafiarle. ‖ *echar el guante* a uno. fig. y fam. Cogerle o prenderle. ‖ *poner* a uno *como un guante*, o más *blando* o *más suave, que un guante*. fig. y fam. Volverle dócil por medio de la represión o de otro castigo. Ú.t. con otros verbos. ‖ *recoger el guante*. fig. Aceptar un desafío.

guantelete. m. Manopla, pieza de la armadura.

guantería. f. Taller donde se hacen guantes. || Tienda donde se venden. || Arte y oficio de guantero.

guantero, ra. s. Persona que hace o vende guantes. || f. Caja del salpicadero de los vehículos automóviles en la que se guardan guantes y otros objetos.

guapetón, na. adj. fam. aum. de guapo.

guapeza. f. fam. Bizarría, ánimo y resolución en los peligros. || fam. Ostentación en los vestidos.

guapo, pa (al. *schön*, fr. *beau*, ingl. *handsome*, it. *bello*). adj. fam. Bien parecido. || fam. Ostentoso en el modo de vestir. || m. Hombre pendenciero. [*Sinón.*: bello, hermoso]

guaracha. f. Baile centroamericano parecido al zapateado.

guaraní. adj. Individuo de una raza que se extiende desde el Orinoco al Río de la Plata. Ú.t.c.s. || m. Lengua guaraní.

guarapo. m. *Amer.* Jugo de la caña de azúcar.

guarda (al. *Wächter*, fr. *gardien*, ingl. *keeper*, it. *guardia*). com. Persona que tiene a su cargo y cuidado la conservación de una cosa. || f. Acción de conservar, guardar o defender. || Tutela. || Observancia y cumplimiento de un mandato o ley. || Cada una de las dos grandes varillas del abanico. Ú.m. en pl. || Cualquiera de las dos hojas de papel blanco que ponen los encuadernadores al principio y al fin de los libros. Ú.m. en pl. || Guarnición de la espada. || — *jurado.* Aquel a quien nombra la autoridad a propuesta de particulares, corporaciones o empresas cuyos intereses vigila.

guardabarrera. com. Empleado en los ferrocarriles que custodia un paso a nivel.

guardabarros. m. Parte de la carrocería de un vehículo, destinada a protegerla de las salpicaduras del barro.

guardabosque. m. Persona encargada de guardar los bosques.

guardabrisas. m. Fanal de cristal abierto por arriba y por abajo, dentro del cual se colocan las velas. || Parabrisas.

guardacantón. m. Poste de piedra para resguardar de los carruajes las esquinas de los edificios.

guardacostas (al. *Küstenwachtschiff*, fr. *garde-côte*, ingl. *revenue cutter*, it. *guardacoste*). m. Barco de poco porte destinado a la persecución de contrabando. || Buque, generalmente acorazado, para la defensa del litoral.

guardaespaldas. m. Individuo que acompaña a otro para defenderlo.

guardafrenos. m. Empleado que tiene a su cargo en los ferrocarriles el manejo de los frenos.

guardagujas. m. Empleado que en los ferrocarriles tiene a su cargo el manejo de los cambios de vía.

guardamano. m. Parte que cubre la mano en la guarnición de la espada.

guardameta. m. En fútbol, balonmano y otros deportes, el portero.

guardamonte. m. En las armas de fuego, pieza de metal que cubre el disparador. || Capote de campo.

guardamuebles. m. Local destinado a guardar muebles.

guardapelo. m. Joya en forma de caja plana para guardar pelo, retrato, etc.

guardapolvo (al. *staubmantel*, fr. *cache-poussière*, ingl. *dust-coat*, it. *spolverino*). m. Resguardo que se pone encima de una cosa para preservarla del polvo. || Gabán de tela ligera para preservar los vestidos.

guardar (al. *aufbewahren*, fr. *garder*, ingl. *keep*, it. *custodire*). tr. Cuidar, custodiar. || Observar lo que se debe por obligación. || Conservar o retener una cosa. Ú.t.c.intr. || No gastar. || Preservar una persona o cosa del daño que le puede sobrevenir. || r. Precaverse de un riesgo. || Dejar de hacer una cosa que no es conveniente. [*Sinón.*: guarecer; tener; ahorrar; proteger. *Antón.*: gastar]

guardarropa. m. Lugar destinado en las casas y en establecimientos públicos a custodiar la ropa. || Armario donde se guarda la ropa. || com. Sujeto encargado en los teatros de suministrar o custodiar los efectos de guardarropía.

guardarropía (al. *Kleiderkammer*, fr. *garde-robe*, ingl. *wardrobe*, it. *guardaroba*). f. En el teatro, conjunto de trajes y objetos necesarios para las representaciones escénicas. || Lugar en que se custodian estos trajes y objetos. [*Sinón.*: vestuario]

guardavalla. m. *Amer.* Portero, guardameta.

guardería. f. Ocupación y trabajo del guarda. || Lugar donde se vigila y cuida a los niños.

guardesa. f. Mujer encargada de custodiar una cosa. || Mujer del guarda.

guardia (al. *Wache*, fr. *garde*, ingl. *guard*, it. *guardia*). f. Conjunto de soldados o gente armada que defiende una persona o un puesto. || Defensa, custodia, protección. || Servicio especial que con este objeto se encomienda a una o más personas. || Manera de estar en defensa. || Cuerpo de tropa. || m. Individuo de uno de estos cuerpos. || — *civil.* La dedicada a mantener el orden en las zonas rurales y a vigilar las fronteras. || m. Individuo de este cuerpo. || — de *honor.* MIL. La que se pone a quien corresponde por su dignidad y empleo. || — *marina.* m. Cadete de la Escuela Naval Militar al acabar sus estudios. || — *municipal.* La que, dependiente de los ayuntamientos y a las órdenes del alcalde, se dedica a mantener el orden y los reglamentos en lo tocante a la política urbana. || m. Individuo de este cuerpo. || de *guardia.* m. adv. que con los verbos *entrar, estar, tocar, salir* y otros semejantes, se refiere al cumplimiento de este servicio. || en *guardia.* m. adv. En esgrima, actitud de defensa. Ú. con los verbos *estar* y *ponerse.* || *montar la guardia.* MIL. Entrar de guardia la tropa en un puesto para que salga y descanse la que estaba en él.

guardián, na. s. Persona que guarda una cosa y cuida de ella.

guardilla. f. Buhardilla. || Habitación contigua al tejado.

guarecer. tr. Acoger a uno y ponerle a cubierto. || r. Refugiarse, acogerse en alguna parte.

guarida (al. *Bau*, fr. *repaire*, ingl. *lair*, it. *tana*). f. Cueva o espesura donde se guarecen los animales. || Amparo o refugio.

guarismo. m. Cada uno de los signos o cifras arábigas que expresan una cantidad. || Cualquier expresión de cantidad compuesta de dos o más cifras. [*Sinón.*: cifra, número]

guarnición. f. Adorno en los vestidos, colgaduras o cosas semejantes. || Engaste de metal en el que se sientan las piedras preciosas. || Defensa que se pone en las espadas y otras zonas para preservar la mano. || Tropa que guarnece un lugar. || Aditamento, generalmente de hortalizas, legumbres, etc. que se sirve con un plato de carne o pescado. || pl. Conjunto de correajes de las caballerías.

guarnicionero. m. El que hace o vende guarniciones para caballerías.

guarrería. f. Porquería, suciedad. || Acción sucia.

guarro, rra. s. Cerdo, cochino. Ú.t.c.adj.

guasa. f. fam. Falta de gracia, sosería. || fam. Chanza, burla.

guasca. f. *Amer.* Ramal de cuero o soga que sirve de rienda o de látigo.

guasearse. r. Chancearse.

guaso, sa. adj. *Amer.* Rústico, tosco, grosero. ‖ s. Campesino de Chile.

guasón, na (al. *spassvogel*, fr. *plaisantin*, ingl. *joker*, it. *scherzoso*). adj. fam. Que tiene guasa. Ú.t.c.s. ‖ fam. Burlón, chancero. Ú.t.c.s. ‖ *Sinón.*: bromista‖

guata. f. Algodón en rama.

guatemalteco, ca. adj. Natural de Guatemala. Ú.t.c.s. ‖ Perteneciente a esta república de América.

guatepín. m. *Amer.* Puñetazo en la cabeza.

guateque. m. fam. Comida, convite, banquete. ‖ Fiesta entre amigos.

guau. Onomatopeya con que se representa la voz del perro.

guayaba. f. Fruto del guayabo. ‖ Conserva y jalea que se hace con esta fruta.

guayabera. f. Chaquetilla o camisa de hombre, de tela ligera, cuyas faldas suelen llevarse por encima del pantalón.

guayabo. m. BOT. Árbol mirtáceo de América, de hojas elípticas y gruesas, flores blancas, olorosas y cuyo fruto en forma de pera es la guayaba. ‖ m. fam. Muchacha joven y agraciada.

gubernamental. adj. Perteneciente al gobierno del Estado.

gubernativo, va. adj. Perteneciente al gobierno.

gubia (al. *Hohlmeissel*, fr. *gouge*, ingl. *gouge*, it. *sgorbia*). f. Formón de media caña, delgado.

guedeja. f. Cabellera larga. ‖ Melena del león.

guepardo. m. ZOOL. Félido carnivoro, que vive en África y Asia Meridional.

guerra (al. *Krieg*, fr. *guerre*, ingl. *war*, it. *guerra*). f. Desavenencia y rompimiento de paz entre dos o más potencias. ‖ Lucha armada entre dos o mas naciones o entre bandos de una misma nación. ‖ Pugna, disidencia entre bandos de una misma nación. ‖ Pugna, disidencia entre dos o más personas. ‖ Toda especie de lucha y combate, aunque sea en sentido moral. ‖ fig. Oposición de una cosa con otra. ‖ — *abierta*. Enemistad, hostilidad declarada. ‖ — *civil*. La que tienen entre sí los habitantes de un mismo pueblo o nación. ‖ — *fría*. Situación de hostilidad entre dos naciones o grupos de naciones en que, sin llegar al empleo declarado de las armas, cada bando intenta minar el régimen político o la fuerza del adversario por medio de propaganda, presión económica, espionaje, organizaciones secretas, etc. ‖ — *santa*. La que se hace por motivos religiosos y, especialmente, la que hacen los musulmanes a los que no lo son. ‖ *dar guerra*. fig. y fam. Causar molestia; dar que sentir.

guerrear (al. *Krieg, führen*, fr. *guerroyer*, ingl. *to carry on war*, it. *guerreggiare*). intr. Hacer guerra. ‖ fig. Resistir, contradecir.

guerrera. f. Chaqueta de uniforme, abrochada desde el cuello.

guerrero, ra. (al. *Krieger*, fr. *guerrier*, ingl. *warrior*, it. *guerriero*). adj. Perteneciente o relativo a la guerra. ‖ Que guerrea. Aplicado a personas, ú.t.c.s. ‖ Marcial e inclinado a la guerra. ‖ fig. y fam. Travieso, molesto. ‖ m. Soldado.

guerrilla. f. Línea formada por grupos poco numerosos que hostigan al enemigo. ‖ Partida de tropa ligera que hace las descubiertas. ‖ Partida de paisanos que acosa y molesta al enemigo.

guerrillero, ra. s. Paisano que sirve en una guerrilla o la manda.

gueto. m. Barrio en que vivían o eran obligados a vivir los judíos en algunas unidades de Italia y de otros países. Se usa también en sentido figurado.

guía. com. Persona que encamina, conduce y enseña a otra el camino. ‖ fig. Persona que enseña y dirige a otra para hacer o lograr lo que se propone. ‖ Persona autorizada para enseñar a los forasteros las cosas notables de una ciudad o para acompañar a los visitantes de un museo y darles alguna información sobre los objetos expuestos. ‖ MIL. m. Sargento o cabo que, según las varias evoluciones, se coloca en la posición conveniente para la mejor alineación de la tropa. ‖ Manillar de la bicicleta. ‖ Lo que en sentido figurado dirige o encamina. ‖ Poste o pilar grande de cantería que se coloca, de trecho en trecho, a los lados de un camino de montaña para señalar su dirección. ‖ Tratado en que se dan preceptos para encaminar o dirigir en cosas, ya espirituales o abstractas, ya puramente mecánicas. ‖ Lista impresa de datos o noticias referentes a determinada materia. ‖ Despacho que lleva consigo el que transporta algunos géneros para que no se los detengan ni descaminen. ‖ Sarmiento o vara que se deja en las cepas y en los árboles para dirigirlos. ‖ Pieza o cuerda que en las máquinas y otros aparatos sirve para obligar a otra pieza a que siga en su movimiento un camino determinado.

guiadera. f. Guía de las norias. ‖ Cada uno de los maderos o barrotes que sirven para dirigir el movimiento rectilíneo de un objeto.

guiar (al. *leiten*, fr. *guider*, ingl. *to lead*, it. *guidare*). tr. Ir delante, enseñando el camino. ‖ Dirigir. ‖ Conducir un carruaje. ‖ r. Dejarse uno dirigir o llevar por otro, o por indicios, señales, etc.

guija. f. Piedra pelada y chica que se encuentra en las orillas de los ríos y arroyos. ‖ Almorta.

guijarral. m. Terreno abundante en guijarros.

guijarro. m. Pequeño canto rodado.

guijo. m. Conjunto de guijas. Se usa para consolidar y rellenar los caminos.

guilladura. f. Acción y efecto de guillarse o chiflarse.

guillarse. r. fam. Irse o huirse. ‖ fam. Chiflarse, perder la cabeza.

guillotina. f. Máquina inventada en Francia para decapitar a los reos de muerte. ‖ Máquina de cortar papel, compuesta de una cuchilla vertical, guiada entre un bastidor de hierro. ‖ fig. y fam. Procedimiento autorizado por los reglamentos de varias Cámaras legislativas para contener la obstrucción, fijando plazo en que ha de terminar la discusión para proceder a la votación de un proyecto de ley. ‖ *de* — adj. Dícese de las vidrieras y persianas que se abren y cierran resbalando a lo largo de las ranuras del cerco, en vez de girar sobre bisagras.

guillotinar. tr. Cortar con la guillotina.

guimbarda. f. Cepillo de carpintero de cuchilla estrecha, que sirve para labrar el fondo de las cajas y ranuras.

guinda (al. *Weichselkirsche*, fr. *guigne*, ingl. *morello*, it. *amarasca*). f. Fruto del guindo. ‖ MAR. Altura total de la arboladura de una embarcación.

guindilla. f. Fruto del guindillo de Indias. ‖ Pimiento pequeño muy picante. ‖ fam. y despect. Agente del orden.

guindillo de Indias. m. BOT. Planta solanácea, parecida al pimiento, que se cultiva en los jardines.

guindo. m. BOT. Árbol de la familia de las rosáceas, especie de cerezo con el fruto más redondo y generalmente ácido.

guineo, a. adj. Natural de Guinea. Ú.t.c.s. ‖ Perteneciente a esta región de África.

guiñada. f. Acción de guiñar el ojo. ‖ MAR. Desvío de la proa del buque hacia un lado u otro del rumbo a que se navega.

guiñapo. m. Andrajo o trapo roto, viejo o deslucido. ‖ fig. Persona que anda con vestido andrajoso. ‖ fig. Persona envilecida.

guiñar. tr. Cerrar un ojo con disimulo, quedando el otro abierto.

guiño. m. Acción de guiñar un ojo.

guiñol. m. Teatro de títeres.

guión. adj. Dícese del perro que va delante de la jauría. Ú.t.c.s. ‖ m. Cruz que va delante del prelado o de la comunidad como insignia propia. ‖ Estandarte del rey o de cualquier otro jefe de hueste. ‖ Pendón pequeño o bandera arrollada que se lleva delante de algunas procesiones. ‖ Escrito en que, breve y ordenadamente, se han apuntado algunas especies o cosas con objeto de que sirva de guía para determinado fin. ‖ Argumento de una obra cinematográfica, expuesto con todos los pormenores necesarios para su cabal realización. ‖ Ave delantera de las bandadas que van de paso. ‖ GRAM. Signo ortográfico (–) que se pone al fin del renglón que termina con parte de una palabra cuyo resto, por no caber en él, se ha de escribir en el siguiente. Ú.t. para unir las dos partes de alguna palabra compuesta. Úsase en guiones más largos para separar las oraciones incidentales; para indicar en los diálogos cuando habla cada interlocutor y para suplir en principio de línea, en índices y otros escritos semejantes, el vocablo con que empieza otra línea anterior.

guipuzcoano, na. adj. Natural de Guipúzcoa. Ú.t.c.s. ‖ Perteneciente a esta provincia. ‖ Uno de los ocho principales dialectos del vascuence.

guirigay. m. fam. Lenguaje oscuro y de dificultosa inteligencia. ‖ Gritería y confusión.

guirlache. m. Pasta de almendras tostadas y caramelo.

guirnalda (al. *Blamenkranz,* fr. *guirlande,* ingl. *wreat,* it. *ghirlanda*). f. Corona abierta tejida de flores, hierbas o ramas.

guisa. f. Modo, manera o semejanza de una cosa.

guisado. m. Guiso, generalmente de carne, aderezado con salsa y especias.

guisante (al. *Erbse,* fr. *pois,* ingl. *pea,* it. *pisello*). m. BOT. Planta hortense leguminosa, con fruto en vaina, que contiene diversas semillas esféricas. ‖ Semilla de esta planta. [*Sinón.:* arvejo]

guisar (al. *kochen,* fr. *cuisiner,* ingl. *to cook,* it. *cucinare*). tr. Preparar los manjares sazonándolos y sometiéndolos a la acción del fuego. ‖ fig. Ordenar, componer una cosa. [*Sinón.:* cocinar]

guiso. m. Manjar guisado.

guisote. m. Guisado ordinario, hecho con poco cuidado.

guita. f. Cuerda delgada de cáñamo. ‖ fam. Dinero.

guitarra (al. *Guitarre,* fr. *guitare,* ingl. *guitar,* it. *chitarra*). f. Instrumento músico de cuerda, compuesto de una caja de madera ovalada y estrechada por el medio, con un agujero en el centro de la tapa y un mástil con trastes. Seis clavijas en el extremo del mástil sirven para templar otras tantas cuerdas, aseguradas en un puente fijo en la parte inferior de la tapa, que se pulsan con los dedos de una mano, mientras que con los de la otra se pisan para dar el tono conveniente. ‖ *Amer.* Traje de fiesta.

guitarrillo. m. Guitarra pequeña de cuatro cuerdas.

guitarrista. com. Persona diestra en el arte de tocar la guitarra.

gula (al. *Gefrässigkeit,* fr. *gourmandise,* ingl. *gluttony,* it. *gola*). f. Exceso en la comida o en la bebida. ‖ Apetito desordenado de comer y beber. [*Sinón.:* glotonería]

gules. m. pl. BLAS. Color rojo.

gulusmear. intr. Golosinear, andar oliendo lo que se guisa.

gumía. f. Daga curva que usan los moros.

gurrumino, na. adj. fam. Ruin, desmedrado, mezquino. ‖*Amer.* Niño, chiquillo, muchacho.

gusanear. intr. Hormiguear.

gusanera. f. Sitio donde se crían gusanos. ‖ Zanja que se abre cerca de los gallineros y se llena de materias orgánicas y tierra vegetal, para que al corromperse faciliten la producción de gusanos que sirvan de alimento a las gallinas.

gusano (al. *Wurm,* fr. *ver,* ingl. *worm,* it. *baco*). m. ZOOL. Cualquiera de las larvas vermiformes de insectos que tienen metamorfosis complicadas. ‖ Lombriz. ‖ Oruga, larva. ‖ fig. Hombre humilde y abatido. ‖ ZOOL. Cualquiera de los animales metazoos, invertebrados, de vida libre o parásitos, que tienen el cuerpo alargado, segmentado y con simetría bilateral, sin extremidades articuladas y tegumento blanco sin caparazón, íntimamente unido a

la capa muscular, cuyas contracciones sirven para la locomoción del animal. ‖ pl. Tipo de estos animales. ‖ *– de luz.* Luciérnaga. ‖ *– de seda* o *de la seda.* Larva de un insecto de alas blancas con bordes oscuros, que se alimenta de hojas de morera y hace un capullo de seda, dentro del cual se transforma en crisálida y luego en mariposa.

gusarapo, pa. s. Cualquiera de los animalejos de forma de gusano, que se crían en los líquidos.

gustar (al. *schmecken,* fr. *gouter,* ingl. *to tast,* it. *gustare*). tr. Sentir en el paladar el sabor de las cosas. ‖ Experimentar. ‖ intr. Agradar una cosa. ‖ Desear, complacerse en una cosa. [*Sinón.:* saborear, paladear. *Antón.:* disgustar, desagradar]

gustativo, va. adj. Perteneciente al sentido del gusto.

gustazo. m. aum. de gusto. ‖ fam. Gusto grande que uno tiene o se promete, generalmente si se trata de chasquear o hacer daño a otro.

gusto (al. *Geschmack,* fr. *goût,* ingl. *taste,* it. *gusto*). m. Uno de los cinco sentidos corporales que percibe y distingue el sabor de las cosas. ‖ Sabor que tienen las cosas. ‖ Placer o deleite. ‖ Propia voluntad o arbitrio. ‖ Manera de apreciar las cosas propias de cada persona. ‖ Capricho, antojo, diversión. ‖ *a gusto.* m. adv. Según conviene, agrada o es necesario. ‖ *despacharse uno a su gusto.* fam. Hacer o decir sin reparo lo que uno quiere. ‖ *tomar el gusto* a una cosa. Aficionarse a ella.

gustoso, sa. adj. Dícese de lo que tiene buen sabor al paladar. ‖ Que siente gusto o hace a gusto una cosa. ‖ Agradable, divertido, entretenido, que causa gusto o placer.

gutapercha. f. Goma traslúcida, flexible e insoluble en el agua, que se obtiene de cierto árbol sapotáceo de la India. Es de gran aplicación en la industria como impermeable y aislante.

gutífero, ra. adj. BOT. Aplícase a cualquier vegetal que contenga jugo resinoso. Ú.t.c.s.f. ‖ f. pl. Familia de plantas dicotiledóneas, propias de países de clima intertropical, que en su mayoría son productoras de gomorresinas que se utilizan industrialmente.

gutural (al. *kehllaut,* fr. *guttural,* ingl *guttural,* it, *gutturale*). adj. Perteneciente o relativo a la garganta. ‖ GRAM. Dícese de las consonantes que se articulan contra el velo del paladar, como la *g, j, k.* Ú.t.c.s.f.

h. f. Novena letra del abecedario español y séptima de sus consonantes. Su nombre es hache y hoy no tiene sonido.

haba (al. *Puffbohne,* fr. *fève,* ingl. *bean,* it. *fava*). f. Bot. Planta herbácea de la familia de las leguminosas con tallo erguido, hojas elípticas verdeazuladas y flores papilionáceas. Las semillas son comestibles, al igual que el fruto cuando está verde. ‖ Fruto y semilla de esta planta. ‖ Simiente de ciertos frutos; como el café, el cacao, etc. ‖ Cada una de las bolitas blancas y negras con que se hacen las votaciones secretas en algunas congregaciones. ‖ Bultillo en figura de haba en el cuerpo del animal. ‖ fig. Figurilla de porcelana escondida en una rosca o bizcocho generalmente de Pascuas. ‖ Cabeza del miembro viril. ‖ Miner. Trozo de mineral envuelto por la ganga, que suele presentarse en los filones. ‖ Tumor de las caballerías en el paladar.

habanera. f. Danza que proviene de La Habana. ‖ Música de esta danza.

habanero, ra. adj. Natural de La Habana. Ú.t.c.s ‖ Concerniente a esta ciudad. ‖ Se dice del que vuelve rico de América. Ú.t.c.s.

habano, na. adj. Perteneciente a La Habana y por ext., a la isla de Cuba. Se aplica más especialmente al tabaco. ‖ Se dice del color del tabaco claro. ‖ m. Cigarro puro hecho en la isla de cuba con hoja de la planta de aquel país.

hábeas corpus. m. Derecho de todo ciudadano, detenido o preso, a comparecer sin demora ante un juez o tribunal para que, oyéndole, resuelva si su arresto fue o no legal.

haber. m. Hacienda, caudal, posesiones de una persona. Ú.m. en pl.

haber. tr. Poseer, tener una cosa. ‖ Apoderarse uno de alguna persona o cosa. ‖ Verbo auxiliar que sirve para conjugar otros verbos en los tiempos compuestos. ‖ impers. Ocurrir, acaecer. ‖ Efectuarse. ‖ En frases de sentido afirmativo, ser necesario o conveniente aquello que expresa el verbo o cláusula a que va unido por medio de la conjunción *que.* ‖ En frases de sentido negativo, ser inútil o imposible aquello que expresa el verbo o cláusula a que va unido con la conjunción *que* o sin ella. ‖ Estar realmente en alguna parte. ‖ Existir real o figuradamente. ‖ Denotando transcurso de tiempo, hacer. ‖ r. Portarse, proceder bien o mal. ‖ *haberlas* o *haberlo con.* fam. Tratar con él y especialmente disputar con él. ‖ *habérselas con uno.* fam. Reñir con él. ‖ *¡habráse visto!* Exclamación de reproche, ante el mal proceder inesperado. ‖ *lo habido y por haber.* fr. fam. que indica que un conjunto comprende toda clase de cosas imaginables. ‖ *no haber más.* fr. que, unida a algunos verbos, significa lo sumo o excelente de lo que dice el verbo. ‖ *no haber más que pedir.* Ser perfecta una cosa; no faltarle nada para llenar el deseo.

habichuela (al. *Schminkbohne,* fr. *haricot,* ingl. *kidney bean,* it. *fagiolo*). f. Bot. Planta, fruto o semilla de la judía.

hábil (al. *geschickt,* fr. *adroit,* ingl. *capable,* it. *habile*). adj. Inteligente y dispuesto para el manejo de cualquier ejercicio, oficio o ministerio. ‖ Der. Apto para una cosa. [*Sinón.*: habilidoso, diestro; capaz. *Antón.*: inhábil, inepto; incapaz]

habilidad (al. *Geschick,* fr. *adresse,* ingl. *skill,* it. *abilità*). f. Capacidad y disposición para una cosa. ‖ Gracia y destreza en ejecutar una cosa que sirve de adorno al sujeto. [*Sinón.*: maña]

habilidoso, sa. adj. Que tiene habilidad.

habilitación. f. Acción y efecto de habilitar o habilitarse. ‖ Cer. Acción de sellar un documento, de acuerdo con ciertas disposiciones, con lo que el mismo adquiere toda su validez.

habilitado. m. Mil. Oficial encargado de agenciar y recaudar en la tesorería los intereses del regimiento o cuerpo que le nombra. ‖ Der. Auxiliar especial de los secretarios judiciales que puede sustituir al titular en la función.

habilitar (al. *befähigen,* fr. *habiliter,* ingl. *to qualify,* it. *abilitare*). tr. Hacer a una persona o cosa hábil o apto para aquello en que antes no lo era. ‖ Proveer a uno de lo que ha de menester. Ú.t.c.r. [*Sinón.*: capacitar; dotar *Antón.*: Incapacitar, inhabilitar]

habitable. adj. Que puede habitarse.

habitación (al. *Zimmer,* fr. *pièce,* ingl. *room,* it. *stanza*). f. Edificio o parte de él que se destina para habitarlo. ‖ Cualquiera de los aposentos de la casa. [*Sinón.*: cuarto; estancia]

habitáculo. m. Habitación, edificio para ser habitado. ‖ Sitio o localidad de condiciones apropiadas para que viva una especie animal o vegetal.

habitante (al. *Einwohner,* fr. *habitant,* ingl. *inhabitant,* it. *abitante*). m. Cada una de las personas que constituyen la población de un barrio, ciudad, provincia o nación. ‖ adj. Que habita.

habitar (al. *bewohnen,* fr. *habiter,* ingl. *to dwell,* it. *habitare*). tr. Vivir, morar. Ú.t.c.intr. [*Sinón.*: residir]

hábitat. m. Biol. Habitáculo, habitación o estación de una especie vegetal o animal.

hábito. m. Costumbre. ‖ Facilidad que se adquiere por larga o constante práctica en un mismo ejercicio. ‖ pl. Vestido talar de los eclesiásticos.

habitual (al. *gewöhnlich,* fr. *coutumier,* ingl. *customary,* it. *abituale*). adj. Que se hace o posee por hábito o con continuidad. [*Sinón.*: usual, corriente]

habituar. tr. Acostumbrar o hacer que uno se acostumbre a una cosa. Ú.m.c.r.

habla. f. Facultad de hablar. ‖ ·Acción de hablar. ‖ Idioma, lenguaje, dialecto.

hablador, ra. adj. Que habla demasiado. Ú.t.c.s. ‖ Que por imprudencia o malicia cuenta todo lo que ve y oye. Ú.t.c.s. [*Sinón.*: parlanchín; bocazas. *Antón.*: callado, discreto]

habladuría. f. Dicho o expresión inoportuna que desagrada. ‖ fam. Chisme, murmuración. Ú.m. en pl.

hablar (al. *sprechen,* fr. *parler,* ingl. *to speak,* it. *parlare*). intr. Articular, proferir palabras. ‖ Imitar las aves las articulaciones de la voz humana. ‖ Comunicarse las personas por medio de palabras. ‖ Pronunciar un discurso u oración. ‖ Convenir, concertar. Ú.t.c.r. ‖ Expresarse de una u otra manera. ‖ Tratar de algo por escrito. ‖ Dirigir la palabra a una persona. ‖ fig. Tener relaciones amorosas una persona con otra. ‖ Criticar. ‖ Interceder por uno. ‖ tr. Usar uno u otro idioma para darse a entender. ‖ rec. Comunicarse de palabra una persona con otra. ‖ Con negación, no tratarse una persona con otra, por haberse enemistado con ella o tenerla en menos. ‖ *hablar a tontas y a locas.* fam. Hablar sin reflexión y lo primero que se piense. ‖ *hablar por hablar.* Decir algo sin fundamento ni sustancia y sin venir al caso. ‖ *no se hable más de,* o *en, ello.* exp. usada para cortar una conversación o dar por concluido un negocio o disgusto.

hablilla. f. Cuento o mentira que corre en el vulgo.

hacedor, ra. adj. Que hace, causa o ejecuta alguna cosa. Ú.t.c.s. Aplícase únicamente a Dios.

hacendado, da. adj. Que tiene hacienda en bienes raíces. Ú.t.c.s.

hacendista. m. Hombre versado en la administración o en la teoría de la hacienda pública.

hacendoso, sa. adj. Solícito y diligente en las faenas domésticas.

hacer (al. *tun, machen;* fr. *faire;* ingl. *to do, to make;* it. *fare*). tr. Producir una cosa, darle el primer ser. ‖ Fabricar, formar una cosa dándole la figura, forma y traza que debe tener. ‖ Ejecutar, poner por obra una acción o trabajo. Ú. a veces sin determinar la acción

y, entonces, puede ser también reflexivo. ‖ Caber, contener. ‖ Cansar, ocasionar. ‖ Ejercitar los miembros, músculos, etc., para fomentar su desarrollo o agilidad. ‖ Componer, disponer. ‖ Mejorar, perfeccionar. ‖ Habituar, acostumbrar. Ú.t.c.r. ‖ Reducir una cosa a lo que significan los nombres a que va unida. Con las preposiciones *con* o *de,* facilitar, suministrar. ‖ Tratándose de comedias u otros espectáculos, representarlos. ‖ Componer un número o cantidad. ‖ Obligar a que se cumpla la acción de un infinitivo o de una oración subordinada. ‖ intr. Convenir. ‖ Concordar, venir bien una cosa con otra. ‖ Con algunos nombres de oficios y la preposición *de,* ejercerlos interina o eventualmente. ‖ Junto con la preposición *por* y los infinitivos de algunos verbos, poner cuidado y diligencia para la ejecución de lo que los verbos significan. ‖ Usado como neutro o con el pronombre *se,* y seguido en el primer caso de la partícula *de* y artículo, y en el segundo de artículo o solamente de voz expresiva de alguna cualidad, fingirse uno lo que no es. ‖ Aparentar, dar a entender lo contrario de lo cierto. ‖ Toma el significado de un verbo anterior, haciendo las veces de éste. ‖ r. Crecer, aumentarse. ‖ Transformarse. ‖ Existir, hallarse. ‖ impers. Sobrevenir una cosa o accidente, que se refiere al buen o mal tiempo. ‖ Haber transcurrido cierto tiempo. ‖ *haberla hecho buena.* fam. irón. Haber realizado algo contrario a determinado fin. ‖ *hacer alguna.* fam. Ejecutar una mala acción o travesura. ‖ *hacer* uno o la persona de quien se habla *de las suyas, las tuyas,* etc. Proceder uno según su genio y costumbres sin contar con el parecer ajeno. ‖ *hacer de menos.* Menospreciar. ‖ *hacer saber.* Poner en conocimiento de uno alguna cosa; darle parte de aquello que ignoraba. ‖ *hacerse* con una persona o cosa. fig. y fam. Dominarla. ‖ *hacerse* uno *de rogar.* No acceder a lo que otro pide hasta que se lo ruega con insistencia. ‖ *Hacerse fuerte.* Fortificarse en algún sitio para defenderse de una violencia o riesgo; mantenerse con tesón en un propósito o en una idea. ‖ *hacerse tarde.* Pasarse el tiempo oportuno para realizar una cosa. ‖ *hacerse* uno *viejo.* fig. y fam. Consumirse por todo.

hacia. Prep. que determina la dirección del movimiento con respecto al punto de su término. ‖ prep. temporal. Alrededor de, cerca de.

hacienda (al. *Landgut,* fr. *domaine,* ingl. *farm,* it. *azienda agricola*). f. Finca agrícola. ‖ Cúmulo de bienes y riquezas. ‖ *— pública.* Conjunto sistemático de haberes, bienes, rentas, impuestos, etc., correspondientes al Estado para satisfacer las necesidades de la nación.

hacina. f. Conjunto de haces apilados. ‖ fig. Montón, rimero.

hacinamiento. m. Acción o efecto de hacinar o hacinarse.

hacinar. tr. Poner los haces unos sobre otros formando una hacina. ‖ fig. Amontonar, acumular sin orden. Ú.t.c.r.

hacha. f. Vela de cera, grande y gruesa. ‖ Mecha de esparto y alquitrán que resiste al viento sin apagarse. ‖ Herramienta cortante, una de las primeras inventadas por el hombre, compuesta de rada, con filo algo curvo, ojo para enastarla, y, a veces, con peto.

hachazo. m. Golpe dado con el hacha. ‖ Golpe que el toro da lateralmente con el cuerno, produciendo contusión.

hache. f. Nombre de la letra *h.*

hachís. m. Composición de ápices floridos y otras partes de cierta variedad de cáñamo, mezclados con diversas sustancias azucaradas o aromáticas que tienen propiedades estimulantes.

hachón. m. Hacha, vela grande de cera. [*Sinón.*: antorcha]

hada (al. *Fee,* fr. *fée,* ingl. *fairy,* it. *fata*). f. Ser fantástico que se representaba bajo la forma de mujer y al cual se atribuía poder mágico y el don de adivinar lo futuro.

hado. m. Divinidad o fuerza desconocida que, según los gentiles, obraba irresistiblemente sobre las demás divinidades y sobre los hombres y los sucesos. ‖ Destino, encadenamiento fatal de los sucesos.

hafnio. m. QUIM. Metal obtenido de los minerales del circonio.

hagiografía. f. Historia de las vidas de los santos.

hagiógrafo. m. Autor de cualquiera de los libros de la Sagrada Escritura. ‖ Escritor de vidas de santos.

haitiano, na. adj. Natural de Haití. Ú.t.c.s. ‖ Perteneciente a este país de América.

¡hala! interj. Se emplea para infundir aliento o dar prisa.

halagar (al. *schmeicheln,* fr. *flatter,* ingl. *to flatter,* it. *lusingare*). tr. Dar a uno muestras de afecto. ‖ Dar motivo de satisfacción o envanecimiento. ‖ Adular. ‖ fig. Agradar, deleitar.

halago. m. Acción y efecto de halagar. ‖ Cosa que halaga.

halagüeño, ña. adj. Que halaga. ‖ Que lisonjea o adula. ‖ Que atrae con dulzura y suavidad.

halar. tr. MAR. Tirar de un cabo, de una lona o de un remo.

halcón (al. *Falke,* fr. *faucon,* ingl. *falcon,* it. *falcone*). m. ZOOL. Ave rapaz diurna; se presta con relativa facilidad a ser domesticada y se empleaba antiguamente en la caza de cetrería.

haleche. m. ZOOL. Pez marino malacopterigio semejante a la sardina.

halieto. m. ZOOL. Ave rapaz diurna que vive en las costas y se alimenta de peces.

hálito (al. *Hauch,* fr. *haleine,* ingl. *breath,* it. *alito*). m. Aliento que sale por la boca del animal. ‖ Vapor que una cosa desprende. ‖ poét. Soplo suave y apacible del aire.

halo (al. *Halo,* fr. *halo,* ingl. *halo,* it. *alone*). m. Meteoro luminoso consistente en un cerco de colores pálidos que rodea a veces al Sol y a la Luna. ‖ Círculo de luz difusa en torno de un cuerpo luminoso. ‖ Aureola, resplandor que suele figurarse detrás de la cabeza de las imágenes santas. ‖ fig. Brillo que da la fama o el prestigio.

haloideo, a. adj. QUÍM. Aplícase a las señales formadas por la combinación de un metal con un halógeno.

halógeno, na. adj. QUÍM. Aplícase a los elementos de la familia del cloro, que al combinarse con metales, forman sales haloideas.

halterofilia. f. DEP. Disciplina olímpica de levantamiento de pesos.

hall (voz inglesa). m. Vestíbulo, recibimiento.

hallar (al. *finden,* fr. *trouver,* ingl. *to find,* it. *trovare*). tr. Dar con una persona o cosa sin buscarla. ‖ Encontrar lo que se busca. ‖ Inventar. ‖ Ver, observar, notar. ‖ r. Estar presente. ‖ Estar.

hallazgo. m. Acción y efecto de hallar. ‖ Cosa hallada. [*Sinón.*: descubrimiento]

hamaca (al. *Hängematte,* fr. *hamac,* ingl. *hammock,* it. *amaca*). f. Red gruesa y de malla ancha, la cual, colgada por las extremidades, sirve de cama o columpio.

hámago. m. Sustancia correosa y amarilla de sabor amargo, que labran las abejas. ‖ fig. Fastidio o náusea.

hamaquear. tr. *Amer.* Mecer en hamaca. Ú.t.c.r.

hambre (al. *Hunger,* fr. *faim,* ingl. *hunge,* it. *fame*). f. Gana y necesidad de comer. ‖ Escasez de frutos. ‖ fig. Apetito o deseo ardiente de una cosa. ‖ *juntarse el hambre con la gana de comer.* fr. fig. que se usa para indicar que coinciden las faltas, necesidades o aficiones de dos personas. ‖ *más listo que el hambre.* loc. con que se pondera la agudeza o ingenio de una persona. ‖ *matar de hambre.* fig. Dar poco de comer. ‖ *morir o morirse de hambre.* fig. tener o padecer mucha penuria. [*Sinón.*: gazuza, carpanta, bulimia]

hambrear. tr. Causar hambre a alguien, impidiéndole la provisión de víveres. ‖ intr. Padecer hambre.

hambriento, ta (al. *hungrig,* fr. *affamé,* ingl. *famished,* it. *affamato*). adj. Que tiene mucha hambre. Ú.t.c.s. ‖ fig. Deseoso. [*Sinón.*: famélico]

hambrón, na. adj. fam. Muy hambriento. Ú.t.c.s.

hambruna. f. *Amer.* Hambre extrema.

hamburgués, sa. adj. Natural de Hamburgo. Ú.t.c.s. ‖ Perteneciente a esta ciudad de Alemania. ‖ f. Trozo de carne picada con huevo, ajo, perejil, etc., y después frita.

hampa (al. *Gesindel,* fr. *pègre,* ingl. *riffraff,* it. *malavita*). f. Vida de holgazanería picaresca y maleante. ‖ Conjunto de delincuentes.

hampón. adj. Valentón, bravo; bribón, haragán. Ú.t.c.s.

handicap (voz inglesa). m. DEP. Circunstancia inicial desventajosa con que participa un jugador. ‖ DEP. Ventaja que se concede a un jugador para compensar una supuesta deficiencia o inferioridad. ‖ Desventaja, inferioridad.

hangar. m. Cobertizo, tinglado. ‖ Barracón, especialmente el destinado a guarecer los aviones.

hansa. Asociación comercial entre diversas ciudades de Alemania, durante la Edad Media, para seguridad y fomento de su comercio.

hanseático, ca. adj. Perteneciente al hansa.

haragán, na (al. *faulenzer,* fr. *fainéant,* ingl. *sluggard,* it. *poltrone*). adj. Que rehúye el trabajo y pasa la vida en el ocio. Ú.m.c.s. [*Sinón.*: holgazán, gandul, vago. *Antón.*: diligente, trabajador, activo]

haraganear. intr. Pasar la vida en el ocio. [*Sinón.*: holgazanear, gandulear. *Antón.*: trabajar]

harapiento, ta. adj. Haraposo.

harapo (al. *Fetzen,* fr. *haillon,* ingl. *rag,* it. *straccio*). m. Andrajo.

haraposo, sa. adj. Roto, andrajoso.

haraquiri. m. Forma de suicidio ritual, particular de los japoneses, que consiste en abrirse el vientre.

harén. m. Departamento de las casas de los musulmanes en que viven las mujeres. ‖ Conjunto de todas las mujeres que viven bajo la dependencia de un jefe de familia entre los musulmanes. [*Sinón.*: serrallo]

harija. f. Polvillo que el aire levanta del grano cuando se muele, o de la harina cuando se cierne.

harina (al. *Mehl,* fr. *farine,* ingl. *flour,* it. *farina*). f. Polvo que resulta de la molienda del trigo o de otras semillas. ‖ Este mismo polvo despojado del salvado o la cascarilla. ‖ Polvo procedente de algunos tubérculos y legumbres. ‖ fig. Polvo menudo a que se reducen algunas materias sólidas. ‖ *ser una cosa harina de otro costal.* fig. y fam. Ser muy diferente de otra con que se la compara; ser una especie ajena al asunto de que se trata.

harinado. m. Harina disuelta en agua.

harinero, ra. adj. Perteneciente a la harina. ‖ m. El que trata y comercia en harina. ‖ Arcón o sitio donde se guarda la harina.

harinoso, sa. adj. Que tiene mucha harina. ‖ Parecido a la harina.

harmonía. f. Armonía.

harnero. m. Especie de criba.

harpía. f. Arpía.

harpillera. f. Arpillera.

harre. Voz con que se estimula a las bestias.

hartada. f. Acción y efecto de hartar o hartarse.

hartar (al. *ubersättigen,* fr. *rassasier,* ingl. *to glut,* it. *saziare*). tr. Saciar el apetito de comer o beber. Ú.t.c.r. ‖ fig. Satisfacer el deseo de una cosa. ‖ fig. Fastidiar, cansar. Ú.t.c.r.

hartazgo. m. Repleción incómoda que resulta de comer o beber con exceso.

harto, ta. adj. Bastante o sobrado. ‖ adv. c. Bastante o sobrado.

hartura. f. Repleción de alimento. ‖ Abundancia, copia. ‖ fig. Logro de un deseo o apetito.

hasta. prep. Sirve para expresar el término de lugares, acciones y cantidades continuas o discretas. ‖ Se usa como conjunción copulativa y entonces sirve para exagerar o ponderar una cosa y equivale a *también* o *aún.*

hastial. m. Fachada de un edificio determinada por las dos vertientes del tejado. ‖ Cara lateral de una excavación.

hastiar. tr. Causar hastio, repugnancia o disgusto. Ú.t.c.r.

hastío. m. Repugnancia a la comida. ‖ fig. Disgusto, tedio.

hatajo. m. Hato pequeño de ganado. ‖ Grupo de personas o cosas.

hatijo. m. Cubierta de esparto u otra materia, para tapar la boca de las colmenas o de otro vaso.

hatillo. m. dim. de hato. ‖ *Coger* o *tomar*, uno *el hatillo*. fr. fig. y fam. Marcharse, irse.

hato. m. Ropa y pequeño ajuar que uno tiene para el uso preciso y ordinario. ‖ Porción de ganado mayor o menor. ‖ Paraje que fuera de las poblaciones eligen los pastores para comer y dormir, mientras permanecen allí con el ganado. ‖ Provisiones y ajuar de trabajo de pastores, jornaleros y mineros. ‖ *Amer.* Hacienda de campo destinada a la cría del ganado y principalmente del mayor. ‖ fig. Junta de gente malvada o despreciable. ‖ fig. Hatajo, cocia, abundancia. ‖ fam. Junta o corrillo.

haute. m. BLAS. Escudo de armas adornado de cota, donde se pintan las armas de distintos linajes.

hawaiano, na. adj. Natural de Hawai. Ú.t.c.s. ‖ Relativo a este archipiélago.

haya (al. *Buche*, fr. *hêtre*, ingl. *beechtree*, it. *faggio*). f. BOT. Árbol de la familia de las fagáceas, que alcanza hasta treinta metros de alto; su madera es de color blanco rojizo, ligera y resistente. ‖ Madera de este árbol.

hayuco. m. Fruto del haya.

haz (al. *Bündel*, fr. *faisceau*, ingl. *fagot*, it. *fascio*). m. Porción atada de mieses, lino, leña o cosas semejantes. ‖ Conjunto de rayos luminosos procedentes de un mismo foco. ‖ Tropa formada en varias divisiones o filas. ‖ f. Cara o rostro. ‖ fig. Cara del paño, de cualquier tela y de otras cosas, opuesta al envés.

haza. f. Porción de tierra labrantía o de sembradura.

hazaña (al. *Heldentat*, fr. *prouesse*, ingl. *exploit*, it. *gesta*). f. Hecho especialmente ilustre o heroico.

hazmerreír. m. fam. Persona que por su figura ridícula y porte extravagante sirve de diversión a los demás.

he. adv. demostrativo que con los adverbios *aquí*, *allí* o los pronombres *me*, *te*, *la*, *le*, *lo*, *las*, *los*, sirve para señalar o mostrar una persona o cosa. ‖ interj. Voz con que se llama a alguien.

hebdomadario, ria. adj. Semanal. ‖ m. Semanario.

hebijón. m. Clavo o púa de la hebilla.

hebilla (al. *Schnalle*, fr. *boucle*, ingl. *buckle*, it. *fibbia*). f. Broche con una charnela y uno o más clavos en medio, que sirve para ajustar y unir las solapas de los zapatos, las correas, las cintas, etc.

hebillaje. m. Conjunto de hebillas que entran en un aderezo, vestido o adorno.

hebra. f. Porción de hilo, seda u otra materia semejante, que para coser algo suele meterse por el ojo de una aguja. ‖ En algunas partes, estigma de la flor del azafrán. ‖ Fibra de la carne. ‖ Filamento de las materias textiles. ‖ Cada partícula del tabaco picado en filamentos. ‖ En la madera, aquella parte que tiene consistencia y flexibilidad para ser labrada o torcida sin saltar ni quebrarse. ‖ Hilo que forman las materias viscosas que tienen cierto grado de concentración. ‖ Vena o filón. ‖ fig. Hilo del discurso.

hebraico, ca. adj. Hebreo.

hebraísmo. m. Profesión de la ley de Moisés. ‖ Giro o modo de hablar propio y privativo de la lengua hebrea. ‖ Empleo de tales giros o construcciones en otro idioma.

hebraísta. m. El que cultiva la lengua y literatura hebreas.

hebreo, a. adj. Aplícase al pueblo semita que consquistó y habitó Palestina y que también se llama israelita y judío. Aplicado a personas, ú.t.c.s. ‖ Relativo a este pueblo. ‖ Que profesa la ley de Moisés. Ú.t.c.s. ‖ m. Lengua de los hebreos.

hecatombe. f. Sacrificio de cien víctimas, que hacían los antiguos paganos a sus dioses. ‖ fig. Matanza, mortandad de personas.

hectárea. f. Medida de superficie que tiene cien áreas.

hectiquez. f. MED. Estado morboso crónico, caracterizado por consunción y fiebre.

hecto. Voz que se usa como prefijo de vocablos compuestos, con la significación de cien.

hectólitro. m. Medida de capacidad que tiene cien litros.

hectómetro. m. Medida de longitud equivalente a cien metros.

hechicería (al. *Zauberei*, fr. *sorcellerie*, ingl. *witchcraft*, it. *strego-neria*). f. Arte supersticioso de hechizar. ‖ Cualquiera de las cosas que usan los hechiceros para el logro de sus fines. ‖ Acto supersticioso de hechizar. [*Sinón.*: brujería, nigromancia]

hechicero, ra (al. *zauberer*, fr. *sorcier*, ingl. *wizard*, it. *fattucchiere*). adj. Que practica el arte de hechizar. Ú.t.c.s. ‖ fig. Que cautiva y atrae por su hermosura y buenas cualidades. [*Sinón.*: brujo]

hechizar (al. *bezaubern*, fr. *ensorceler*, ingl. *bewitch*, it. *affatturare*). tr. Según la credulidad del vulgo, privar uno a otro de la salud o de la vida, trastornarle el juicio, o causarle otro daño, en virtud de pacto hecho con el diablo y de ciertas confecciones y prácticas supersticiosas. ‖ fig. Despertar una persona o cosa admiración, afecto o deseo. [*Sinón.*: embrujar]

hechizo, za (al. *zauber*, fr. *sortilège*, ingl. *spell*, it. *sortilegio*). adj. Artificioso o fingido. ‖ Postizo. ‖ m. Cualquier cosa supersticiosa, como jugos de hierbas, untos, etc., de que se valen los hechiceros para el logro de sus fines. [*Sinón.*: embrujamiento, encantamiento]

hecho, cha. adj. Perfecto, maduro. ‖ Con algunos nombres, semejante a lo significado por tales nombres. ‖ m. Acción u obra. ‖ Suceso o cosa que sucede. ‖ Asunto o materia de que se trata. ‖ Aplicado a nombres de animales, con los adverbios *bien* o *mal*, significa la proporción o desproporción de sus miembros entre sí y la buena o mala formación de cada uno de ellos. ‖ En su terminación masculina, úsase para indicar aceptación o conformidad a lo que se pide o propone. ‖ *de hecho*. m. adv. Efectivamente; de veras, con eficacia y buena voluntad.

hechura. f. Acción y efecto de hacer. ‖ Cualquier cosa respecto al que la ha hecho. ‖ Figura que se da a las cosas. ‖ Lo que se paga por la realización de una obra. ‖ Referido a prendas de vestir, ú.m. en pl.

heder (al. *stinken*, fr. *puer*, ingl. *to stink*, it. *puzzare*). intr. Arrojar de sí un olor muy malo y penetrante. ‖ fig. Enfadar, cansar, ser intolerable. [*Sinón.*: apestar]

hediondez. f. Cosa hedionda. ‖ Mal olor.

hediondo, da. adj. Que arroja de sí hedor. ‖ fig. Molesto, enfadoso e insufrible. ‖ fig. Sucio y repugnante, torpe y obsceno.

hedonismo. Doctrina filosófica

según la cual el único bien es el placer y el mal supremo el dolor.

hedonista. adj. Perteneciente o relativo al hedonismo. ‖ Partidario del hedonismo. Ú.t.c.s.

hedor. m. Olor desagradable.

hegemonía. f. Supremacía que un Estado o clase social ejerce sobre otros.

hégira o **héjira.** f. Era de los mahometanos, que se cuenta desde la puesta del Sol del jueves 15 de julio de 622, día de la huida de Mahoma de La Meca a Medina.

helada. f. Congelación de los líquidos, producida por la frialdad del tiempo. ‖ — *blanca.* Escarcha.

heladería. f. Tienda en que se hacen y venden helados.

heladero, ra. adj. Abundante en heladas. ‖ s. Lugar donde hace mucho frío. ‖ Persona que fabrica y vende helados. ‖ f. Nevera, armario con refrigeración.

helado, da. adj. Muy frío. ‖ fig. Suspenso, atónito, pasmado. ‖ fig. Esquivo, desdeñoso. ‖ m. Bebida o manjar helado. ‖ Refresco o sorbete de zumos de frutas, huevos, etc., en cierto grado de congelación.

helador, ra. adj. Que hiela.

helar (al. *gefrieren;* fr. *glacer, geler;* ingl. *to freeze;* it. *gelare*). tr. Congelar, solidificar la acción del frío un líquido. Ú.m.c.intr. y c.r. ‖ fig. Dejar a uno suspenso y pasmado. ‖ fig. Desalentar, acobardar a uno. ‖ r. Ponerse una persona o cosa sumamente fría o yerta. ‖ Coagularse una cosa que se había liquidado.

helecho (al. *Farnkraut,* fr. *fougère,* ingl. *fern,* it. *felce*). m. BOT. Planta criptógama, de la clase de las filicíneas, con frondas pecioladas, cápsulas seminales y rizoma carnoso.

helénico, ca. adj. Griego, perteneciente a Grecia.

helenismo. m. Giro o modo de hablar propio y privativo de la lengua griega. ‖ Empleo de tales giros y construcciones en otro idioma. ‖ Periodo de la cultura griega anterior al reinado de Alejandro Magno. ‖ Influencia ejercida en todos los ámbitos por la cultura antigua de los griegos en la civilización moderna.

helenista. m. Persona que cultiva la lengua y literatura griegas.

heleno, na. adj. Griego.

helero. m. Masa de hielo que rodea las nieves perpetuas en las altas montañas.

helgado, da. adj. Que tiene los dientes ralos y desiguales.

hélice. f. ANAT. Parte más externa y periférica del pabellón de la oreja. ‖ GEOM. Curva de longitud indefinida que da vueltas en la superficie de un cilindro, formando ángulos iguales con todas las generatrices. ‖ MAR. Conjunto de aletas helicoidales que gira alrededor de un eje y produce una fuerza paralela al eje que se utiliza principalmente para dar impulso a las naves.

helicoidal. adj. En figura de hélice.

helicoide. m. GEOM. Superficie alabeada engendrada por una recta que se mueve apoyándose en una hélice y en el eje del cilindro que la contiene.

helicónides. f. pl. Las musas, así llamadas porque moraban, según la fábula, en el monte Helicón.

helicóptero (al. *Schraubenflieger,* fr. *hélicoptère,* ingl. *helicopter,* it. *elicottero*). m. Aparato de aviación que se mantiene en el aire por la acción directa de hélices de eje vertical.

helio. m. QUÍM. Cuerpo simple, gaseoso, incoloro y muy ligero.

helio. Elemento compositivo que entra en la formación de algunas voces españolas con el significado de "Sol".

heliograbado. m. Procedimiento para obtener, mediante la acción de la luz solar, grabados en relieve. ‖ Estampa obtenida por este procedimiento.

heliosis. f. MED. Insolación.

helioterapia. f. MED. Método curativo que consiste en exponer a la acción de los rayos solares todo el cuerpo del enfermo o parte de él.

heliotropismo. m. BOT. Movimiento de los organismos vegetales determinado por el sol.

heliotropo. m. BOT. Planta borragínea, de flores pequeñas, vueltas todas al mismo lado, y fruto compuesto de cuatro nuececillas contenidas en cada uno de los cálices. ‖ Ágata de color verde oscuro con manchas rojizas.

helipuerto. m. Aeropuerto para helicópteros.

helminto. m. ZOOL. Gusano en su estado de larva vermiforme.

helvético, ca. adj. Natural de Helvecia, hoy Suiza. Ú.t.c.s. ‖ Perteneciente a este país de Europa.

hematíe. m. ZOOL. Cualquiera de las células que en enorme cantidad se encuentran en la sangre de los vertebrados y que dan a este humor su color rojo característico.

hematites. f. Mineral de hierro oxidado, rojo y a veces pardo, que por su dureza sirve para bruñir metales.

hematófago, ga. adj. Dícese de todo animal que se alimenta de sangre, como muchos insectos chupadores o, entre los mamíferos, los quirópteros llamados vampiros.

hematoma (al. *Blutgeschwür,* fr. *hématome,* ingl. *hematoma,* it. *ematoma*). m. PAT. Tumor producido por acumulación de sangre extravasada.

hembra (al. *Weibchen,* fr. *femelle,* ingl. *female,* it. *femmina*). f. Animal de sexo femenino. ‖ Persona del sexo femenino, mujer. ‖ En plantas que tienen sexos distintos en pies diversos, individuo que da frutos. ‖ fig. En relación con corchetes, tornillos, llaves y similares, pieza que tiene un hueco o agujero por donde otra se introduce y encaja. ‖ El mismo hueco.

hemeroteca. f. Biblioteca en que principalmente se guardan y sirven al público diarios y otras publicaciones periódicas.

hemiciclo. m. La mitad de un círculo. ‖ Espacio central del salón de sesiones del Congreso de los Diputados.

hemiplejía. f. MED. Parálisis de un lado del cuerpo.

hemíptero. adj. ZOOL. Dícese de los insectos que casi siempre tienen cuatro alas, siendo las dos anteriores coriáceas. ‖ m. pl. Orden de estos insectos.

hemisferio (al. *Halbkugel,* fr. *hémisphère,* ingl. *hemisphere,* it. *emisfero*). m. GEOM. Cada una de las dos mitades de una esfera dividida por un plano que pasa por su centro.

hemistiquio. m. Mitad de un verso.

hemofilia. f. MED. Hemopatía hereditaria, caracterizada por la dificultad de coagulación de la sangre.

hemoglobina. f. Pigmento colorante de los glóbulos rojos de la sangre, por el cual puede ser transportado el oxígeno del aire al interior de los tejidos.

hemopatía. f. MED. Enfermedad de la sangre en general.

hemorragia (al. *Bluterguss,* fr. *hémorragie,* ingl. *hemorrhage,* it. *emorragia*). f. MED. Flujo de sangre de cualquier parte del cuerpo.

hemorroide. f. MED. Tumorcillo sanguíneo del ano.

hemostasis. f. MED. Detención de una hemorragia gracias a procesos fisiológicos, médicos o quirúrgicos.

hemostático, ca. adj. FARM. Dícese del medicamento que se emplea para contener hemorragias. Ú.t.c.s.m.

henchimiento. m. Acción y efecto de henchir o henchirse.

henchir. tr. Llenar, ocupar plenamente, colmar con abundancia. ‖ r. Hartarse de comida.

hendedura. f. Acción y efecto de hender o henderse.

hender (al. *spalten*, fr. *fendre*, ingl. *to split*, it. *fendere*). tr. Hacer o causar una hendidura. Ú.t.c.r. ‖ fig. Atravesar un fluido o líquido. ‖ fig. Abrirse paso entre una muchedumbre. [*Sinón.*: hendir]

hendidura. f. Hendedura.

henequén. m. Planta amarilidácea, especie de pita.

henil. m. Lugar donde se guarda el heno.

heno (al. *Heu*, fr. *foin*, ingl. *hay*, it. *fieno*). m. BOT. Planta gramínea, de cañitas delgadas de unos veinte centímetros de largo. ‖ Hierba segada, seca.

heñir. tr. Sobar la masa con los puños.

hepático, ca. adj. BOT. Dícese de plantas briofitas que viven en sitios húmedos, y son parecidas al musgo. Ú.t.c.s.f. ‖ Perteneciente al hígado. ‖ MED. Que padece del hígado. ‖ f. pl. Clase de las plantas hepáticas.

hepatitis. f. MED. Inflamación del hígado.

heptaedro. m. Sólido de siete caras.

heptágono, na. adj. GEOM. Aplícase al polígono de siete lados. Ú.t.c.s.

heptasílabo, ba. adj. Que consta de siete sílabas. Ú.t.c.s.

heráldica. f. Ciencia del blasón.

heráldico, ca. adj. Perteneciente al blasón o al que se dedica a esta ciencia. Aplicado a personas, ú.t.c.s.

heraldo. m. Enviado, mensajero.

herbáceo, a. adj. Que tiene la naturaleza o calidades de la hierba.

herbaje. m. Conjunto de hierbas que se crían en los prados y dehesas.

herbario, ria. adj. Perteneciente o relativo a las hierbas. ‖ m. Botánico. ‖ BOT. Colección de hierbas y plantas secas. ‖ ZOOL. Una de las cuatro cavidades del estómago de los rumiantes.

herbazal. m. Sitio poblado en hierbas.

herbecer. intr. Empezar a crecer la hierba.

herbívoro, ra. adj. Aplícase a todo animal que se alimenta de vegetales. Ú.t.c.s.m.

herbolario, ria. s. Persona que vende hierbas y plantas medicinales. ‖ adj. Herbario.

herboristería. f. Tienda donde se venden plantas medicinales.

herborizar. intr. BOT. Recoger o buscar para estudiarlas flores y plantas.

herciano, na. adj. ↗ onda herciana. ‖ Perteneciente o relativo a esta clase de ondas.

hercio. m. FÍS. Unidad de frecuencia. Es la frecuencia de un movimiento vibratorio que ejecuta una vibración cada segundo.

hercúleo, a. adj. Perteneciente o relativo a Hércules o a sus cualidades.

hércules. m. fig. Hombre de mucha fuerza. ‖ n.p.m. ASTR. Constelación boreal situada al occidente de la Lira.

heredad. f. Porción de terreno cultivado perteneciente a un mismo dueño. ‖ Hacienda de campo, bienes raíces o posesiones. [*Sinón.*: predio; propiedad]

heredar (al. *erben*, fr. *hériter*, ingl. *to inherit*, it. *eredare*). tr. Suceder en los bienes y acciones que tenía uno al tiempo de su muerte. ‖ Darle a uno heredades o bienes raíces. ‖ BIOL. Tener los hijos los caracteres anatómicos y fisiológicos de sus progenitores. ‖ fig. Instituir uno a otro por su heredero.

heredero, ra (al. *erbe*, fr. *héritier*, ingl. *heir*, it. *erede*). adj. Dícese de la persona a quien pertenece una herencia. Ú.t.c.s.

hereditario, ria. adj. Perteneciente a la herencia o que se adquiere por ella. ‖ fig. Aplícase a las inclinaciones, virtudes, vicios o enfermedades que se transmiten de padres a hijos.

hereje (al. *Ketzer*, fr. *hérétique*, ingl. *heretic*, it. *eretico*). com. Cristiano que en materia de fe se opone con pertinacia a la Iglesia Católica. ‖ fig. Desvergonzado, procaz.

herejía (al. *Ketzerei*, fr. *hérésie*, ingl. *heresy*, it. *eresia*). f. Error en materia de fe, sostenido con pertinacia. ‖ fig. Sentencia errónea contra los principios de una ciencia o arte. ‖ fig. Palabra gravemente injuriosa.

herencia (al. *Erbschaft*, fr. *héritage*, ingl. *inheritance*, it. *eredità*). f. Derecho de heredar. ‖ Bienes y derechos que se heredan. ‖ Inclinaciones, propiedades o temperamentos que se heredan. ‖ BIOL. Transmisión a los descendientes de los caracteres morfológicos, psicológicos y anatómicos de los progenitores. [*Sinón.*: sucesión]

heresiarca. m. Autor de una herejía.

herético, ca. adj. Perteneciente a la herejía o al hereje.

herida (al. *Wunde*, fr. *blessure*, ingl. *wound*, it. *ferita*). f. Ruptura de las condiciones fisiológicas en algún tejido por violencia exterior. ‖ fig. Ofensa, agravio. ‖ fig. Lo que aflige y atormenta el ánimo. [*Sinón.*: lesión; afrenta; tortura]

herido, da. adj. Que ha sufrido una herida. Ú.t.c.s.

herir (al. *verwunden*, fr. *blesser*, ingl. *to injure*, it. *ferire*). tr. Romper o abrir las carnes de una persona o de un animal con un arma u otro instrumento. ‖ Dañar a una persona o a un animal produciéndole una contusión. ‖ Romper un cuerpo vegetal. ‖ Dar contra una cosa, chocar con ella. ‖ Tocar instrumentos de cuerda, pulsar teclas o instrumentos metálicos. ‖ Cargar más la voz o el acento sobre alguna sílaba o nota. ‖ Alumbrar a uno o a una cosa, alcanzarle la luz, especialmente la del sol. ‖ Alcanzar o impresionar a uno de los sentidos, especialmente el del oído. ‖ Ofender, agraviar, especialmente con palabras o escritos.

herma. m. Busto sin brazos colocado sobre un estípite.

hermafrodita. adj. Que tiene los dos sexos. ‖ Dícese del individuo que tiene un ciclo de conformación de los órganos genitales, que da la apariencia de reunir los dos sexos. Ú.t.c.s. ‖ BOT. Aplícase a los vegetales cuyas flores reúnen en sí los estambres y el pistilo. ‖ ZOOL. Dícese de ciertos animales invertebrados que tienen entrambos sexos.

hermafroditismo. m. Calidad de hermafrodita.

hermanar. tr. Unir, uniformar. Ú.t.c.r. ‖ Hacer a uno hermano de otro en sentido espiritual. Ú.t.c.r.

hermanastro, tra (al. *Stiefbruder*; fr. *demi-frère, demi-soeur*; ingl. *stepbrother*; it. *fratellastro, sorellastra*). Hijo de uno de los dos consortes con respecto al hijo del otro.

hermandad (al. *Brüderschaft*; fr. *confrérie, ligue*; ingl. *fraternity*; it. *confraternità*). f. Parentesco entre hermanos. ‖ fig. Amistad íntima. ‖ fig. Correspondencia que guardan varias cosas entre sí. ‖ fig. Cofradía. ‖ Liga o confederación.

hermano, na (al. *Bruder, Schwester*; fr. *frère, soeur*; ingl. *brother, sister*; it. *fratello, sorella*) s. Persona que con respecto a otra tiene los mismos padres, o solamente idéntico padre o madre. ‖ Tratamiento que se dan los cuñados. ‖ Lego de una comunidad regular. || fig. Persona admitida por una comunidad religiosa a participar de ciertas gracias y privilegios. || fig. Individuo de una hermandad o cofradía. || fig. Una cosa respecto de otra a que es semejante. || — de leche. Hijo de una nodriza, respecto del ajeno que ésta crió y viceversa.

hermenéutica. f. Arte de interpretar textos para fijar su verdadero sentido.

hermético, ca. adj. Relativo a la filosofía de Hermes, filósofo egipcio que se supone vivió en el siglo xx a. de C. || Que cierra ajustada y permanentemente una abertura. || fig. Impenetrable, cerrado, aun tratándose de cosas inmateriales.

hermetismo. m. Calidad de hermético, cerrado, impenetrable.

hermosear. tr. Hacer o poner hermosa a una persona o cosa. Ú.t.c.r.

hermoso, sa (al. *schön*, fr. *beau*, ingl. *beautiful*, it. *bello*). adj. Dotado de hermosura. || Grandioso, excelente y perfecto en su línea. || Despejado, apacible y sereno. [*Sinón.*: guapo, maravilloso]

hermosura (al. *Schönheit*, fr. *beauté*, ingl. *beauty*, it. *bellezza*). f. Belleza de las cosas que pueden ser percibidas por el oído o por la vista. || Proporción noble y perfecta de las partes con el todo y del todo con las partes. || Mujer hermosa.

hernia (al. *Bruch*, fr. *hernie*, ingl. *hernia*, it. *ernia*). f. MED. Tumor blando, producido por la salida de una víscera fuera de su cavidad.

herniado, da. adj. Que padece hernia.

héroe (al. *Halbgott, Held*; fr. *héros*; ingl. *hero*; it. *eroe*). m. Entre los antiguos paganos, hijo de un dios o una diosa y de una persona humana. || Varón famoso por sus hazañas y virtudes. || El que lleva a cabo una acción heroica. || Personaje principal de toda obra literaria en que se representa una acción. || Cualquiera de los personajes de carácter elevado en la epopeya.

heroicidad. f. Calidad de heroico. || Acción heroica. [*Sinón.*: proeza, hazaña. *Antón.*: cobardía]

heroico, ca. adj. Aplícase a las personas famosas por sus hazañas o virtudes y, por ext., dícese también de las acciones. || Perteneciente a ellas. || Aplícase también a la poesía en que se narran o cantan hechos memorables.

heroína. f. Mujer famosa por sus grandes hechos. || La que lleva a cabo un hecho heroico. || Protagonista de una obra literaria. || f. Alcaloide derivado de la morfina, que tiene propiedades analgésicas, sedantes e hipnóticas.

heroísmo (al. *Heldenmut*, fr. *héroïsme*, ingl. *heroism*, it. *eroismo*). m. Esfuerzo de la voluntad que lleva al hombre a realizar hechos extraordinarios en servicio de Dios, del prójimo o de la patria. || Acción heroica.

herpe. amb. MED. Erupción cutánea, acompañada de escozor debido al agrupamiento de granitos que dejan rezumar, al romperse, un humor que al secarse forma costras. Ú.m. en pl.

herrada. f. Cubo de madera, con grandes aros de hierro, y más ancho por la base que por la boca.

herrador. m. El que por oficio hierra las bestias.

herradura. f. Hierro que se clava a las caballerías en los cascos. || Resguardo hecho de esparto o cáñamo, que se pone a las caballerías en pies o manos para que no se les maltraten los cascos.

herraje. m. Conjunto de piezas de hierro o acero con que se guarnece un artefacto. || Conjunto de herraduras y clavos con que éstas se aseguran.

herramienta (al. *Werkzeug*, fr. *outil*, ingl. *tool*, it. *utensile*). f. Instrumento con que trabajan los artesanos en las obras de sus oficios. || Conjunto de estos instrumentos. || fig. y fam. Cornamenta. || fig. y fam. Dentadura. [*Sinón.*: utensilio, apero]

herrar (al. *Pferde beschlagen*, fr. *ferrer*, ingl. *to shoe horses*, it. *ferrare*). tr. Ajustar y clavar las herraduras. || Marcar con un hierro candente los ganados, esclavos, etc. || Guarnecer de hierro un artefacto.

herrero. m. El que tiene por oficio labrar el hierro.

herrete. m. dim. de hierro. || Cabo de alambre, hojalata u otro metal, que se pone a las agujetas, cordones, cintas, etc., para que puedan entrar fácilmente por los ojetes.

herrumbre. f. Óxido del hierro. || Pequeño hongo de los vegetales.

herrumbroso, sa. adj. Que cría herrumbre o está tomado de ella. || De color amarillo rojizo.

hertz. FÍS. Nombre del hercio en la nomenclatura internacional.

herventar. tr. Meter una cosa en agua u otro líquido y tenerla dentro hasta que dé un hervor.

hervidero. m. Movimiento y ruido que hacen los líquidos cuando hierven. || fig. Muchedumbre de personas o animales.

hervido. m. *Amer.* Cocido u olla.

hervir (al. *hochen*, fr. *bouillir*, ingl. *to boil*, it. *bollire*). intr. Sufrir un líquido, a una temperatura constante que depende de la presión, un proceso de evaporización, visible por la formación de burbujas. || fig. Abundar en ciertas cosas. || fig. Hablando de afectos y pasiones, indica su viveza, intención y vehemencia.

hervor. m. Acción y efecto de hervir. || fig. Fogosidad, inquietud y viveza de la juventud.

hesperidio. m. BOT. Fruto carnoso de corteza gruesa, dividido en varias celdas por telillas membranosas; como la naranja y el limón.

hetera. f. En la antigua Grecia, dama cortesana de elevada condición. || Mujer pública. [*Sinón.*: hetaria]

heterocerca. adj. ZOOL. Dícese de la aleta caudal de los peces formada por dos lóbulos desiguales.

heteróclito, ta. adj. fig. Irregular, extraño.

heterodoxia. f. Disconformidad con el dogma católico. || Por ext., disconformidad con la doctrina fundamental de cualquier secta o sistema. [*Antón.*: ortodoxia]

heterodoxo, xa. adj. Hereje, no conforme con el dogma católico. || Por ext., disconforme con cualquier doctrina o sistema. Ú.t.c.s.

heterogeneidad. f. Carácter de heterogéneo. || Mezcla de partes de diversa naturaleza en un todo.

heterogéneo, a. adj. Compuesto de partes de diversa naturaleza.

heterosexualidad. f. Apetito sexual hacia el sexo opuesto.

heterosexual. adj. Relativo a la heterosexualidad.

hético, ca. adj. Tísico. Ú.t.c.s. || Perteneciente a este enfermo. || ⟋ *fiebre hética.* Ú.t.c.s. || fig. Que está muy flaco y casi en los huesos. Ú.t.c.s.

heurística. f. Arte de inventar.

hexaedro. m. GEOM. Sólido de seis caras.

hexagonal. adj. De figura de hexágono o semejante a él.

hexágono, na. adj. GEOM. Aplícase al polígono de seis ángulos y seis lados. Ú.m.c.s.m.

hexasílabo, ba. adj. De seis sílabas. Ú.t.c.s.

hez. f. Poso de un líquido. Ú.m. en pl. || fig. Lo más vil y despreciable. || pl. Excrementos.

hialino, na. adj. FÍS. Dícese de lo que tiene el aspecto o la transparencia del vidrio.

hiato. m. Cacofonía que resulta del encuentro de vocales en la pronunciación.

hibernación. f. BIOL. Estado de letargo por que pasan ciertos animales durante el invierno, disminuyendo las funciones vegetativas.

hibernar. intr. Ser tiempo de invierno. ‖ Pasar el invierno.

híbrido, da. adj. Procreado por dos individuos de distinta especie. ‖ fig. Dícese del producto de elementos de distinta naturaleza.

hidalgo, da (al. *Edler*, fr. *gentilhomme*, ingl. *gentleman*, it. *nobile*). s. Persona que por su sangre es de clase noble. ‖ fig. Dícese de la persona de ánimo generoso y noble.

hidalguía. f. Calidad de hidalgo, o en su estado y condición civil. ‖ fig. Generosidad y nobleza de ánimo.

hidra. f. ZOOL. Culebra acuática, venenosa, que suele hallarse cerca de las cosas, en el océano Pacífico y en el mar de las Indias. ‖ ZOOL. Pólipo parecido a un tubo cerrado por una extremidad y con varios tentáculos en la otra. ‖ ASTR. Constelación austral comprendida entre las del León y la Virgen.

hidrácido. m. QUÍM. Ácido compuesto de hidrógeno y otro cuerpo simple.

hidratación. f. Acción y efecto de hidratar.

hidratar. tr. QUÍM. Combinar un cuerpo con el agua. Ú.t.c.r.

hidrato. m. QUÍM. Combinación de un cuerpo con el agua.

hidráulica. f. Parte de la mecánica que estudia el equilibrio y el movimiento de los fluidos, especialmente el agua. ‖ Arte de conducir, contener, elevar y aprovechar las aguas.

hidráulico, ca. adj. Perteneciente o relativo a la hidráulica. ‖ Que se mueve por medio del agua.

hidro-. Elemento compositivo que entra en la formación de algunas voces españolas con el significado de "agua".

hidroavión (al. *Wasserflugzeug*, fr. *hydravion*, ingl. *flying boat*, it. *idrovolante*). m. Aeroplano que en lugar de ruedas lleva uno o varios flotadores para posarse sobre el agua.

hidrocarburo. m. QUÍM. Cada uno de los compuestos químicos resultantes de la combinación del carbono con el hidrógeno.

hidrocefalia. f. MED. Hidropesía del líquido cefalorraquídeo.

hidrodinámica. f. Parte de la mecánica que estudia el movimiento de los fluidos.

hidroeléctrico, ca. adj. Perteneciente a la energía eléctrica obtenida por la fuerza hidráulica.

hidrófilo, la. adj. Dícese de la sustancia que absorbe el agua con gran facilidad.

hidrofobia. f. Horror al agua que suelen tener los que han sido mordidos por animales rabiosos. ‖ Rabia, enfermedad.

hidrófugo, ga. adj. Se aplica a las sustancias que evitan la humedad o las filtraciones. Ú.t.c.s.m.

hidrógeno. m. Gas inflamable, incoloro, inodoro y catorce veces más ligero que el aire.

hidrografía. f. Parte de la geografía física que trata de la descripción de los mares y las corrientes de agua.

hidrólisis. f. QUÍM. Reacción de doble descomposición de una sustancia con el agua.

hidrología. f. Parte de las ciencias naturales, que trata de las aguas.

hidropesía. f. MED. Acumulación anormal de humor seroso en cualquier cavidad del cuerpo.

hidroplano. m. Hidroavión.

hidrosfera. f. Conjunto de las partes líquidas del globo terráqueo.

hiedra. f. BOT. Planta trepadora, siempre verde, de la familia de las araliáceas, de flores de color amarillo verdoso y fruto en bayas negras del tamaño de un guisante.

hiel (al. *Galle*, fr. *fiel*, ingl. *biele*, it. *fiele*). f. Bilis. ‖ fig. Amargura, aspereza o desabrimiento. ‖ pl. fig. Adversidades, disgustos.

hielo (al. *Eis*, fr. *glace*, ingl. *ice*, it. *ghiaccio*). m. Agua solidificada por un descenso suficiente de la temperatura. ‖ Acción de helar o helarse. ‖ fig. Frialdad en los afectos. ‖ fig. Pasmo, suspensión del ánimo. ‖ *romper el hielo*. fig. y fam. En las relaciones entre personas, romper la frialdad, reserva o recelo que por cualquier motivo exista.

hiena. f. ZOOL. Mamífero carnicero, de pelaje áspero, gris, con rayas negras o pardas atravesadas, cabeza de lobo, crines a lo largo del espinazo, cuatro dedos en cada pie, y cerca del ano una bolsa que segrega un líquido nauseabundo. Es animal nocturno y se alimenta de carroña.

hierático, ca. adj. Concerniente a las cosas sagradas o a los sacerdotes. ‖ fig. Se dice del estilo afectado muy solemne.

hierba (al. *Gras, Kraut;* fr. *herbe;* ingl. *gras, herb;* it. *erba*). f. Toda planta pequeña cuyo tallo es tierno. ‖ Conjunto de muchas hierbas que nacen en un terreno. ‖ Mancha de las esmeraldas. ‖ Veneno hecho con hierbas venenosas. Ú.m. en pl. ‖ pl. Pastos de las dehesas para los ganados. ‖ Hablando de los animales que se crían en los pastos, años.

hierbabuena. f. BOT. Planta herbácea, vivaz, de la familia de las labiadas, con tallos erguidos y poco ramosos; hojas vellosas, agudas y aserradas; flores rojizas y fruto seco con cuatro semillas.

hierra. f. *Amer.* Acción y efecto de marcar los ganados con el hierro.

hierro (al. *Eisen*, fr. *fer*, ingl. *iron*, it. *ferro*). m. Metal dúctil, maleable y muy tenaz de color gris azulado, que puede recibir gran pulimento y es el más usado en la industria y en las artes. ‖ Marca que con hierro candente se pone a los ganados. ‖ En la lanza y otros instrumentos parecidos, pieza de hierro o acero destinada a herir. ‖ pl. Prisiones de hierro; como cadenas, grillos, etc. ‖ — *albo*. El candente. ‖ — *colado*. Producto obtenido en el cubilote por fusión del arrabio. ‖ — *fundido*. Hierro colado.

higadillo. m. Hígado de los animales pequeños, particularmente de las aves.

hígado (al. *Leber*, fr. *foie*, ingl. *liver*, it. *fegato*). m. ANAT. Viscera grande en la cual se efectúa la secreción de la bilis. Desempeña un papel muy importante en el metabolismo. ‖ fig. Ánimo, valentía. Ú.m. en pl

higiene. f. Parte de la medicina que tiene por objeto la conservación de la salud, previniendo enfermedades. ‖ fig. Limpieza, aseo en las viviendas y poblaciones. [*Sinón.:* profiláctica]

higiénico, ca. adj. Perteneciente o relativo a la higiene.

higo (al. *Feige*, fr. *figue*, ingl. *fig*, it. *fico*). m. BOT. Segundo fruto o el más tardío de la higuera. ‖ Excrecencia, comúnmente de tipo venéreo, que se forma alrededor del ano y cuya figura es semejante a la de un higo. ‖ fig. Cosa insignificante, de poco o ningún valor. ‖ — *chumbo, de pala* o *de tuna*. Fruto del nopal o higuera de Indias.

higrometría. f. Parte de la física que estudia las causas productoras de la humedad atmosférica y de la medida de sus variaciones.

higrómetro. m. Instrumento que sirve para determinar la humedad del aire atmosférico.

higuera (al. *Feigenbaum*, fr. *figuier*, ingl. *fig-tree*, it. *fico*). f. Bot. Árbol móreo, de savia láctea, amarga y astringente, hojas grandes, verdes y brillantes por encima, grises y ásperas por abajo. || — *chumba*. Nopal. || — *de Indias*. Nopal. || — *infernal*. Ricino, planta.

hijastro, tra. s. Hijo o hija de uno de los cónyuges respecto del otro que no los procreó.

hijo, ja (al. *Sohn, Tochter;* fr. *fils, fille;* ingl. *son, daughter;* it. *figlio, figlia*). s. Persona o animal respecto de su padre o de su madre. || fig. Cualquier persona respecto del lugar de donde es natural. || fig. El religioso con respecto al patriarca fundador de su orden y a la casa donde tomó el hábito. || fig. Obra hecha por alguien o producto de su inteligencia. || Nombre que se suele dar al yerno o a la nuera, respecto de los suegros. || Expresión cariñosa entre personas que se estiman. || m. Lo que procede de otra cosa, por procreación; como los retoños o renuevos que echa el árbol por el pie, la caña del trigo, etc. || m. pl. Descendientes. || — *bastardo*. El nacido de unión ilícita. || — *de la tierra*. El que no tiene padres ni parientes conocidos. || — *del diablo*. El que es astuto y travieso. || — *de leche*. Cualquier persona respecto a su nodriza. || — *del hombre*. Expresión que aparece en el Antiguo Testamento y con la que Jesús se designa a sí mismo en diversos pasajes evangélicos. || — *de puta*. Expresión injuriosa y de desprecio. || — *de su madre*. Expresión que se usa con alguna viveza para llamar a uno bastardo o hijo de puta. || — *de su padre* o *de su madre*. Expresión fam. con que se denota la semejanza del hijo en las inclinaciones, cualidades o figura del padre o de la madre. || — *espurio*. Hijo ilegítimo de padre desconocido. || — *legítimo*. El nacido de legítimo matrimonio. || — *natural*. El que es habido de mujer soltera y padre libre, que podían casarse al tiempo de tenerle.

hijodalgo. m. Hidalgo.

hila. f. Hilera, hilada. || Tripa delgada. || Hebra que se va sacando de un trapo de lienzo usado, y sirve, junta con otras, para curar las llagas y heridas. Ú.m. en pl. || Acción de hilar.

hilacha. f. Pedazo de hilo que se desprende de la tela.

hilada. f. Hilera, formación en línea. || Arq. Serie horizontal de ladrillos o piedras que se van poniendo en un edificio.

hiladillo. m. Hilo que sale de la maraña de la seda y que se hila en la rueca. || Cinta estrecha de hilo o seda.

hilado. m. Acción y efecto de hilar. || Porción de lino, cáñamo, seda, etc., reducida a hilo.

hilandería (al. *Spinnerei*, fr. *filature*, ingl. *spinning mill*, it. *filanda*). f. Fábrica de hilados. || Arte de hilar.

hilandero, ra. s. Persona que tiene por oficio hilar.

hilar. tr. Reducir a hilo. || Formar algunos insectos su hilo. || fig. Discurrir, trazar o inferir unas cosas de otras. || *hilar delgado*. fig. Discurrir con sutileza o proceder con sumo cuidado y exactitud.

hilarante. adj. Que inspira alegría o mueve a risa. [*Sinón.*: regocijante]

hilaridad. f. Expresión tranquila y plácida del gozo y satisfacción del ánimo. || Risa y algazara que excita en una reunión lo que se ve o se oye. [*Sinón.*: alegría, jocosidad]

hilatura. f. Arte de hilar la lana, el algodón y otras materias análogas. || Hilandería.

hilaza. f. Hilado, porción de fibra textil reducida a hilo. || Hilo que sale gordo y desigual. || Hilo con que se teje cualquier tela.

hilera (al. *Reihe*, fr. *rangée*, ingl. *row*, it. *schiera*). f. Orden o formación en línea de un número de personas o cosas. || Zool. Poro por el cual los animales hiladores hacen salir los hilos que producen.

hilero. m. Señal que forma la dirección de las corrientes en las aguas del mar o de los ríos. || Corriente derivada de otra principal.

hilo (al. *Faden*, fr. *fil*, ingl. *yarn*, it. *filo*). m. Hebra larga y delgada. || Ropa blanca de lino o cáñamo. || Alambre delgado. || Hebra de que se forman las arañas, gusanos de seda, etc., sus telas y capullos. || Filo. || fig. Chorro muy delgado de un líquido. || fig. Continuación del discurso, de la risa, etc.

hilván. m. Costura provisional de puntadas largas.

hilvanar. tr. Unir con hilvanes lo que se ha de coser después. || fig. y fam. Hacer algo con precipitación, o trazar y proyectar una cosa. || fig. Coordinar ideas, frases o palabras. [*Sinón.*: embastar]

himen. m. Anat. Repliegue membranoso que reduce el orificio externo de la vagina en estado de virginidad.

himeneo. m. Boda o casamiento. || Epitalamio.

himenóptero, ra. adj. Zool. Dícese de los insectos con metamorfosis complicadas, como las abejas y las avispas, que son masticadoras y lamedoras a la vez, y que tienen cuatro alas membranosas. Ú.t.c.s.m. || m.pl. Orden de estos insectos.

himno (al. *Lobgesang*, fr. *hymne*, ingl. *anthem*, it. *inno*). m. Canto o composición musical en loor de alguien o de alguna cosa.

hincapié. m. Acción de hincar o afirmar el pie para sostenerse o para hacer fuerza. || *Hacer uno hincapié*. fig. y fam. Insistir con tesón en la propia opinión o en la solicitud de una cosa.

hincar. tr. Introducir una cosa en otra. || Apoyar una cosa en otra para clavarla.

hincha. f. fam. Odio o enemistad. || com. Dep. Partidario entusiasta de un determinado equipo.

hinchada. f. Dep. Partidarios de un determinado equipo deportivo considerados en su conjunto.

hinchado, da. adj. fig. Vano, presumido. || Hiperbólico y afectado.

hinchar (al. *aufpumpen, anschwellen;* fr. *enfler, s'enfler;* ingl. *to inflate, to swell;* it. *gonfiare, gonfiarsi*). tr. Hacer que aumente de volumen un objeto, llenándolo de aire u otra cosa. Ú.t.c.r. || fig. Aumentar el agua de un río, arroyo, etc. Ú.t.c.r. || fig. Exagerar una noticia o suceso. || r. Aumentar el volumen de una parte del cuerpo, por herida, inflamación, golpe, etc. || fig. Ensoberbecerse.

hinchazón. f. Efecto de hincharse. || fig. Vanidad, soberbia o engreimiento. || fig. Vicio del estilo hinchado.

hindi. m. Lengua federal oficial de la India.

hindú. adj. Relativo a los pueblos o al Estado de la India. Ú.t.c.s.

hiniesta. f. Retama.

hinojo (al. *Fenchel*, fr. *fenouil*, ingl. *fennel*, it. *finocchio*). m. Bot. Planta umbelífera, de flores pequeñas y amarillas. Es aromática, de sabor algo anisado, y se usa en medicina y como condimento. || Rodilla. Ú.m. en pl.

hinterland. m. Traspaís. || Territorio situado detrás del litoral de una posesión colonial, en que se reconoce la influencia de la metrópoli. || Tierra interior, por oposición a litoral. En geografía urbana, territorio unido a la ciudad en funciones medias o inferiores.

hioides. m. Anat. Hueso situado en la raíz de la lengua encima de la laringe. Ú.t.c. adj.

hipar. intr. Sufrir reiteradamente de hipo. ‖ Resollar los perros cuando van siguiendo la caza. ‖ Fatigarse por el mucho trabajo o angustiarse con exceso. ‖ Llorar con sollozos semejantes al hipo. ‖ fig. Desear con ansia.

hiper—. Elemento compositivo que entra en la formación de algunas voces castellanas con el significado de "superioridad o exceso".

hipérbaton. m. GRAM. Figura de construcción que consiste en invertir el orden sintáctico de las palabras.

hipérbola. f. GEOM. Lugar geométrico de los puntos del plano cuya diferencia de distancias a dos puntos fijos, llamados focos, es constante.

hipérbole. f. RET. Figura que consiste en aumentar o disminuir excesivamente la verdad de aquello de que se habla.

hiperbólico, ca. adj. Perteneciente o relativo a la hipérbola o a la hipérbole.

hiperbóreo, a. adj. Aplícase a las regiones muy septentrionales y a los pueblos, animales y plantas que viven en ellos.

heperemia. f. FISIOL. Aumento excesivo de sangre en alguna parte del cuerpo.

hiperestesia. f. FISIOL. Sensibilidad excesiva y dolorosa.

hipermétrope. adj. Que padece hipermetropía. Apl. a pers., ú.t.c.s.

hipermetropía. f. ÓPT. Defecto de la visión en el que se perciben confusamente los objetos próximos por formarse la imagen más allá de la retina.

hipertensión. f. MED. Tensión excesivamente alta de la sangre en el aparato circulatorio.

hipertrofia. f. MED. Aumento excesivo del volumen de un órgano.

hípico, ca. adj. Perteneciente o relativo al caballo.

hípido. m. Acción y efecto de hipar o gimotear.

hipnosis. f. Sueño producido por el hipnotismo.

hipnótico, ca. adj. Perteneciente o relativo al hipnotismo. Ú.t.c.s. ‖ m. Medicamento que sirve para producir el sueño.

hipnotismo (al. *Hypnotismus*, fr. *hypnotisme*, ingl. *hypnotism*, it. *ipnotismo*). m. MED. Procedimiento para inducir un estado, de características parecidas al sueño, en especial mediante fascinación, por influjo personal o métodos sensoriales.

hipnotizador, ra. adj. Que hipnotiza. Ú.t.c.s.

hipnotizar (al. *hypnotisieren*, fr. *hypnotiser*, ingl. *to hypnotize*, it. *ipnotizzare*). tr. Producir la hipnosis.

hipo (al. *Schlucken*, fr. *hoquet*, ingl. *hiccough*, it. *sinhiozzo*). m. Movimiento convulsivo del diafragma. ‖ fig. Ansia, deseo de una cosa. ‖ Encono y rabia hacia alguien. ‖ *quitar el hipo.* fig. y fam. Sorprender, asombrar una persona o cosa por su belleza o cualidades.

hipo-. Elemento compositivo que entra en la formación de algunas voces españolas con el significado de "inferioridad o subordinación".

hipocampo. m. Caballo marino, pez teleósteo.

hipocentro. m. GEOL. Zona profunda de la corteza terrestre donde se supone tiene origen un terremoto.

hipocondría. f. MED. Afección caracterizada por una gran sensibilidad del sistema nervioso, acompañada de tristeza.

hipocondríaco, ca. adj. MED. Perteneciente a la hipocondría. ‖ Que padece esta enfermedad. Ú.t.c.s.

hipocondrio. m. ANAT. Cada una de las dos partes laterales de la región epigástrica. Ú.m. en pl.

hipocresía (al. *Heuchelei*, fr. *hypocrisie*, ingl. *hypocrisy*, it. *ipocrisia*). f. Fingimiento de cualidades o sentimientos contrarios a los que verdaderamente se tienen.

hipócrita (al. *heuchler*, fr. *hypocrite*, ingl. *hypocrite*, it. *ipocrita*). adj. Que finge o aparenta lo que no es o lo que no siente. Ú.t.c.s.

hipodérmico, ca. adj. Que está o se pone debajo de la piel.

hipódromo. m. Lugar destinado para carreras de caballos y carros.

hipófisis. f. ANAT. Órgano de secreción interna situado en la excavación de la base del cráneo llamada *silla turca*. Produce hormonas que influyen en el crecimiento, desarrollo sexual, etc.

hipogastrio. m. ANAT. Parte inferior del vientre.

hipogloso, sa. adj. ANAT. Que está debajo de la lengua.

hipogrifo. m. MIT. Animal fabuloso, mitad caballo mitad águila.

hipopótamo (al. *Nilpferd*, fr. *hippopotame*, ingl. *hippopotamus*, it. *ippopotamo*). m. Paquidermo de piel gruesa, cuerpo voluminoso, con orejas y ojos pequeños. Vive en los grandes ríos de África.

hipotálamo. m. ANAT. Región del encéfalo unida por un tallo nervioso a la hipófisis.

hipoteca (al. *Hypothek*, fr. *hypothèque*, ingl. *mortgage*, it. *ipoteca*). f. Finca afectada a la seguridad del pago de un crédito.

hipotecar (al. *Mit Hypothek belasten*, fr. *hypothéquer*, ingl. *to mortgage*, it. *ipotecare*). tr. Gravar bienes inmuebles sujetándolos al cumplimiento de una obligación.

hipotensión. f. FISIOL. Tensión excesivamente baja de la sangre en el aparato circulatorio.

hipotenusa. f. GEOM. Lado opuesto al ángulo recto en un triángulo rectángulo.

hipótesis (al. *Hypothese*, fr. *hypothèse*, ingl. *hypothesis*, it. *ipotesí*). f. Suposición de una cosa, sea posible o imposible, para sacar de ella una consecuencia.

hipotético, ca. adj. Perteneciente a la hipótesis o que se funda en ella.

hirsuto, ta. adj. Dícese del pelo disperso y duro y, por ext., de lo que está cubierto de esta clase de pelo.

hisopo. m. BOT. Mata muy olorosa, de la familia de las labiadas, usada en medicina y perfumería. ‖ m. Escobilla que sirve en las iglesias para dar agua bendita o esparcirla al pueblo. ‖ Manojo de ramitas que se usa con este mismo fin.

hispalense. adj. Sevillano.

hispánico, ca. adj. Español, perteneciente a España. ‖ Perteneciente o relativo a la antigua Hispania.

hispanidad. f. Carácter genérico de todos los pueblos de lengua y cultura españolas. ‖ Conjunto y comunidad de los pueblos hispanos.

hispanismo. m. Giro o modo de hablar propio de la lengua española. ‖ Vocablo o giro de esta lengua empleado en otra. ‖ Empleo de vocablos o giros españoles en distintos idiomas.

hispanista. com. Persona versada en la lengua y literatura españolas.

hispano, na. adj. Español. Aplicado a personas. Ú.t.c.s. ‖ Hispanoamericano.

hispanoamericanismo. m. Doctrina que tiende a la unión espiritual de todos los pueblos hispanoamericanos.

hispanoamericano, na. adj. Perteneciente a españoles y americanos o compuesto de elementos propios de ambos países.

hispanófilo, la. adj. Dícese del extranjero aficionado a la cultura, historia y costumbres de España. Ú.t.c.s.

histeria. f. MED. Histerismo.

histérico, ca. adj. Perteneciente al

útero. ‖ Relativo al histerismo. ‖ m. Histerismo.

histerismo (al. *Hysterie*, fr. *hystérie*, ingl. *hysteria*, it. *isterismo*). m. MED. Enfermedad nerviosa, crónica, más frecuente en la mujer que en el hombre, caracterizada por la gran variedad de síntomas corporales, y a veces por ataques convulsivos.

histología. f. Parte de la anatomía que estudia los tejidos orgánicos.

histólogo. m. Persona entendida o versada en histología.

historia (al. *Geschichte*, fr. *histoire*, ingl. *history*, it. *storia*). f. Narración y exposición verdadera de los acontecimientos pasados y cosas memorables. En sentido absoluto, se toma por la relación de los sucesos públicos y políticos de los pueblos; pero también se da este nombre a la de sucesos, hechos o manifestaciones de la actividad humana de cualquier otra clase. ‖ Conjunto de los sucesos referidos por los historiadores. ‖ Obra histórica compuesta por un escritor. ‖ Obra histórica en que se refieren los acontecimientos o hechos de un pueblo o de un personaje. ‖ fig. Relación de cualquier género de aventura o suceso, aunque sea de carácter privado y no tenga importancia alguna. ‖ fig. Fábula, cuento o narración inventada. ‖ fig. y fam. Cuento, chisme, enredo. Ú.m. en pl. ‖ — *natural*. Descripción de las producciones de la naturaleza en sus tres reinos: animal, vegetal y mineral. ‖ — *sacra* o *sagrada*. Conjunto de narraciones históricas contenidas en el Viejo y en el Nuevo Testamento. ‖ — *universal*. La de todos los tiempos y pueblos del mundo. ‖ *dejarse* uno *de historias*. fig. y fam. Omitir rodeos e ir a lo esencial de una cosa. ‖ *pasar* una cosa *a la historia*. fig. Perder su interés y actualidad por completo.

historiador, ra. s. Persona que escribe historia.

historial. m. Reseña circunstanciada de los antecedentes de un negocio, o de los servicios o carrera de un funcionario. ‖ adj. Perteneciente a la historia.

historiar. tr. Componer, contar o escribir historias. ‖ fam. *Amer.* Complicar, confundir, enmarañar. ‖ B. ART. Pintar un suceso histórico o fabuloso.

historicismo. m. Tendencia intelectual a reducir la realidad humana a su calidad o condición histórica.

histórico, ca. adj. Perteneciente a la historia. ‖ Averiguado, comprobado, cierto, por contraposición a lo fabuloso

o legendario. ‖ Digno, por la trascendencia que se le atribuye, de figurar en la historia.

historieta. f. dim. de historia. Fábula o relación breve de aventuras o sucesos de poca importancia. ‖ Serie de dibujos que desarrollan el contenido de una narración breve, por lo general dialogada.

historiografía. f. Arte de escribir la historia.

histrión. m. Actor y, especialmente, el de la tragedia griega. ‖ Actor teatral. ‖ Persona que divertía al público con disfraces. ‖ Persona que se expresa con afectación o exageraciones propias de un actor teatral.

hito, ta (al. *neilenstein*, fr. *borne*, ingl. *milestone*, it. *pietra di confine*). adj. Unido, inmediato. ‖ Fijo, firme. ‖ m. Mojón o poste indicador. ‖ Juego que se ejecuta fijando en la tierra un clavo, tirando hacia él con tejos. ‖ fig. Punto adonde se dirige la puntería para acertar el tiro.

hobby (voz inglesa). m. Afición favorita, independiente del trabajo o la profesión de uno.

hocicar. tr. Levantar la tierra con el hocico. ‖ fig. y fam. Besar. ‖ intr. Dar de hocicos en el suelo o contra la pared, puerta, etc. ‖ fig. y fam. Tropezar con una dificultad insuperable.

hocico (al. *Schnauze*, fr. *museau*, ingl. *muzzle*, it. *muso*). m. Parte más o menos prolongada de la cabeza de algunos animales, en que están la boca y las narices. ‖ Boca de hombre cuando tiene los labios muy abultados. ‖ *meter el hocico en todo*. fr. fig. y fam. con que se moteja la nimia curiosidad de los que se meten en todas partes, queriéndolo averiguar todo.

hockey (voz inglesa) m. DEP. Juego entre dos equipos, consistente en impulsar la pelota con un palo o *stick*, con el fin de introducirla en la portería del equipo contrario, tantas veces como sea posible.

hogaño. adv. t. fam. En este año, en el año presente. ‖ Por ext., en esta época.

hogar (al. *Herd, Heim;* fr. *foyer, demeure;* ingl. *hearth, home;* it. *focolare*). m. Sitio donde se coloca la lumbre en las cocinas, chimeneas, hornos de fundición, etc. ‖ fig. Hoguera. ‖ fig. Casa o domicilio. [*Sinón.*: chimenea; morada]

hogareño, ña. adj. Amante del hogar y de la vida de familia. ‖ Perteneciente o relativo al hogar.

hogaza. f. Pan que pesa más de dos libras.

hoguera. f. Porción de materias combustibles que, encendidas, levantan muchas llamas. [*Sinón.*: pira, fogata]

hoja (al. *Blatt;* fr. *feuille;* ingl. *leaf, sheet;* it. *foglia, foglio*). f. Cada una de las partes, generalmente verdes, que nacen en la extremidad de los tallos y en las ramas de los vegetales. ‖ Conjunto de estas hojas. ‖ Las de la corola de la flor. ‖ Lámina delgada de cualquier materia, como metal, madera, papel, etc. ‖ En los libros y cuadernos, cada una de las partes iguales que resultan al doblar el papel para formar el pliego. ‖ Cuchilla de las armas blancas y herramientas. ‖ Porción de tierra labrantía o dehesa, que se siembra o pasta un año y se deja descansar otro u otros dos. ‖ En las puertas, ventanas, biombos, etc., cada una de las partes que se abren y cierran. ‖ — *de afeitar*. Laminilla muy delgada, de doble filo, que colocada en un instrumento especial sirve para afeitar la barba.

hojalata (al. *Blech*, fr. *fer-blanc*, ingl. *tinplate*, it. *latta*). f. Lámina de hierro o acero, estañada por las dos caras.

hojalatería. f. Taller en que se hacen piezas de hojalata. ‖ Tienda donde se venden.

hojalatero. m. El que tiene por oficio hacer o vender piezas de hojalata.

hojaldra. m. *Amer.* Hojaldre.

hojaldrado, da. adj. Semejante al hojaldre.

hojaldre. amb. Masa sobada con manteca que, al cocerse en el horno, forma muchas hojas delgadas superpuestas unas a otras.

hojarasca. f. Conjunto de las hojas que han caído de los árboles. ‖ Excesiva frondosidad de los árboles. ‖ fig. Cosa inútil y de poca sustancia.

hojear. tr. Mover o pasar ligeramente las hojas de un libro o cuaderno. ‖ Moverse las hojas de los árboles.

hojoso, sa. adj. De mucha hoja.

hojudo, da. adj. Hojoso.

hojuela. f. dim. de hoja. ‖ Masa frita muy extendida y delgada. ‖ Hollejo o cascarilla que queda de la aceituna molida y que, separada, la vuelven a moler. ‖ Hoja muy delgada, angosta y larga, de oro, plata u otro metal, que sirve para galones, bordados, etc. ‖ BOT. Cada una de las hojas que forman parte de otra compuesta.

¡hola! interj. Expresión familiar de saludo.

387   HISTERISMO-¡HOLA!

holanda. f. Lienzo muy fino de que se hacen camisas, sábanas y otras cosas.

holandés, sa. adj. Natural de Holanda. Ú.t.c.s. ‖ Perteneciente a esta nación. ‖ m. Idioma hablado en Holanda. ‖ f. Hoja de papel, de 28 por 22 centímetros.

holgado, da (al. *weit*, fr. *ample*, ingl. *easy*, it. *ampio*). adj. Ancho y sobrado para lo que ha de contener. ‖ Desocupado. ‖ fig. Dícese de la buena situación económica de una persona.

holganza. f. Descanso, quietud. ‖ Ociosidad. ‖ Placer, regocijo y diversión.

holgar. intr. Descansar, tomar aliento después de haberse fatigado. ‖ Estar ocioso. ‖ Alegrarse de una cosa. Ú.t.c.r. ‖ r. Divertirse, gozarse en una cosa.

holgazán, na (al. *Faulpelz*, fr. *fainéant*, ingl. *lazy fellow*, it. *fannullone*). adj. Aplícase a la persona ociosa que no quiere trabajar. Ú.t.c.s.

holgazanear. intr. Estar voluntariamente ocioso.

holgazanería. f. Haraganería, ociosidad, aversión al trabajo.

holgorio. m. fam. Regocijo, fiesta, diversión bulliciosa.

holgura. f. Anchura. ‖ Anchura excesiva. ‖ Regocijo, diversión entre muchos. ‖ Condiciones de vida desahogada, por oposición a la estrecha.

holocausto. m. Sacrificio especial entre los israelitas, en el que se quemaba una víctima. ‖ fig. Sacrificio, acto de abnegación.

holoturio. adj. ZOOL. Dícese de animales equinodermos de cuerpo alargado con tegumento blanco que tiene en su espesor gránulos calcáreos de tamaño microscópico; boca y ano en los extremos opuestos del cuerpo, tentáculos retráctiles y más o menos ramificados alrededor de la boca. Ú.t.c.s. ‖ m. pl. Clase de estos animales.

hollar. tr. Pisar con los pies. ‖ fig. Abatir, ajar, humillar.

hollejo. m. Piel delgada que cubre algunas frutas y leguminosas.

hollín (al. *Russ*, fr. *suie*, ingl. *soot*, it. *fuliggine*). m. Sustancia crasa y negra que el humo deposita en la superficie de los cuerpos a que alcanza. ‖ fam. Alboroto.

hombrada. f. Acción propia de un hombre esforzado o generoso.

hombre (al. *Mensch, Mann;* fr. *homme;* ingl. *man;* it. *uomo*). m. Ser animado racional. Bajo esta acepción se comprende todo el género humano. ‖ Varón, criatura racional del sexo masculino. ‖ El que ha llegado a la edad viril o adulta. ‖ Entre el vulgo, marido. ‖ Junto con algunos sustantivos por medio de la preposición *de*, el que posee las cualidades o cosas significadas por los sustantivos.

hombrear. intr. Querer aparentar, el joven, ser hombre mayor. ‖ Empujar o sostener algo ayudándose de los hombros. ‖ fig. Querer igualarse con los demás en saber, calidad o prendas. Ú.t.c.r.

hombrera. f. Pieza de la armadura antigua, que cubría o defendía los hombros. ‖ Adorno o relleno que llevan algunos vestidos en la parte correspondiente a los hombros.

hombría. f. Calidad de hombre. ‖ Entereza, valor. [*Sinón.:* hombradía]

hombro (al. *Schulter*, fr. *épaule*, ingl. *shoulder*, it. *spalla*). m. Parte superior y lateral del tronco, de donde nace el brazo. ‖ *arrimar el hombro.* fig. Trabajar activamente; ayudar o contribuir al logro de un fin. ‖ *encogerse de hombros.* fig. No responsabilizarse de algo, demostrar poco interés o indiferencia.

hombruno, na. adj. fam. Dícese de la mujer que se parece al hombre, y de las cosas en que estriba esta semejanza.

homenaje. m. Juramento solemne de fidelidad hecho a un rey o señor. ‖ Acto o serie de actos en honor de una persona. ‖ fig. Sumisión, veneración, respeto hacia una persona.

homenajear. tr. Rendir homenaje a una persona o a su memoria.

homeópata. adj. Que profesa la homeopatía. Ú.t.c.s.

homeopatía. f. MED. Sistema terapéutico que consiste en aplicar al paciente, en dosis mínimas, las mismas sustancias que en mayores cantidades producirían en el hombre sano los síntomas que se trata de combatir.

homeopático, ca. adj. Perteneciente o relativo a la homeopatía. ‖ fig. De tamaño muy reducido, o en muy poca cantidad.

homérico, ca. adj. Propio o característico de Homero o de sus obras.

homicida. Com. Que ocasiona la muerte de una persona. Ú.t.c. adj.

homicidio (al. *Mord*, fr. *homicide*, ingl. *homicide*, it. *omicidio*). m. Muerte causada a una persona por otra.

homilía (al. *Homilie*, fr. *homélie*, ingl. *homily*, it. *omelia*). f. Plática para explicar al pueblo materias de religión.

homiliario. m. Libro que contiene las homilías.

hominicaco. m. fam. Hombre pusilánime y de mala traza.

homínido, da. adj. Parecido al hombre. Ú.t.c.s.

homo-. Prefijo que se emplea para indicar parecido o semejanza.

homogeneidad. f. Calidad de homogéneo.

homogeneizar. tr. Transformar en homogéneo, por medios físicos o químicos, un compuesto o mezcla de elementos diversos.

homogéneo, a (al. *homogen*, fr. *homogène*, ingl. *homogeneal*, it. *omogeneo*). adj. Perteneciente a un mismo género. ‖ Dícese del compuesto cuyos elementos son de igual naturaleza o condición.

homógrafo, fa. adj. GRAM. Aplícase a las palabras de distinto significado que se escriben con la misma grafía. [*Sinón.:* homónimo]

homologación. f. Acción y efecto de homologar.

homologar. tr. Reconocer como auténtico un producto. ‖ DEP. Reconocer oficialmente la validez de una marca deportiva. ‖ DER. Confirmar el juez ciertos actos y convenios de las partes, para hacerlos más firmes.

homología. f. fig. Paralelismo. ‖ Calidad de homólogo.

homólogo, ga. adj. Que tiene homología. ‖ GEOM. Aplícase a los lados que en cada una de dos o más figuras semejantes están colocados en el mismo orden. ‖ LÓG. Dícese de los términos sinónimos.

homónimo, ma. adj. Dícese de personas o cosas que llevan un mismo nombre y de las palabras que, siendo iguales por su forma, tienen distinta significación.

homóptero, ra. adj. ZOOL. Dícese de los insectos hemípteros que tienen cuatro alas casi siempre membranosas. ‖ m. pl. Suborden de estos insectos.

homosexual. adj. Dícese del que busca los placeres carnales con personas de su mismo sexo. Ú.t.c.s.

homosexualidad. f. Atracción sexual hacia individuos del mismo sexo. ‖ Práctica homosexual.

honda. f. Tira de cuero o trenza de lana u otra materia semejante que sirve para arrojar piedras con violencia. ‖ Cuerda para suspender un objeto.

hondear. tr. Reconocer el fondo con la sonda. ‖ Sacar carga de una embarcación. ‖ intr. Disparar la honda.

hondo, da (al. *tierf*, fr. *profond*, ingl.

deep, it. *profondo*). adj. Que tiene profundidad. || Aplícase a la parte del terreno que está más baja que todo lo circundante. || m. Parte inferior de una cosa hueca o cóncava.

hondonada (al. *Niederung*, fr. *vallon*, ingl. *dale*, it. *avvallamento*). f. Espacio de terreno deprimido.

hondura. f. Profundidad de una cosa.

hondureño, ña. adj. Natural de Honduras. Ú.t.c.s. || Perteneciente a esta nación.

honestar. tr. Honrar. || Dar visos de buena a una acción, justificarla.

honestidad (al. *Sittsamkeit*, fr. *pudeur*, ingl. *modesty*, it. *onestà*). f. Decencia y moderación en la persona, acciones y palabras. || Recato, pudor. || Urbanidad, decoro, modestia. || Honradez. [*Antón.*: deshonestidad]

honesto, ta (al. *sittsam*, fr. *pudique*, ingl. *modest*, it. *onesto*). adj. Decente o decoroso. || Recatado, pudoroso. || Razonable, justo. || Honrado.

hongo (al. *Pilz*, fr. *champignon*, ingl. *mushroom*, it. *fungo*). m. BOT. Cualquiera de las plantas talofitas, de tamaño muy variado y reproducción sexual o asexual por esporas, y que carecen de clorofila, viviendo sobre materias orgánicas en descomposición o como parásitos, como el cornezuelo, etc. || Sombrero de fieltro o castor y copa baja, rígida y aproximadamente semiesférica. || MED. Excrecencia fungosa que crece en las úlceras o heridas e impide la cicatrización de las mismas. || pl. BOT. Clase de las plantas de este nombre.

honor (al. *Ehre*, fr. *honneur*, ingl. *honour*, it. *onore*). Cualidad moral que nos lleva al más severo cumplimiento de nuestros deberes. || Gloria o buena reputación. || Honestidad y recato en las mujeres. || Obsequio, aplauso o celebridad de una cosa. || Dignidad, cargo o empleo.

honorabilidad. f. Cualidad de la persona honorable.

honorable. adj. Digno de ser honrado o aceptado.

honorario, ria. adj. Que sirve para honrar. || Que tiene los honores y no la propiedad de una dignidad o empleo. || m. Gaje o sueldo de honor. || Estipendio por un trabajo. Ú.m. en pl.

honorífico, ca. adj. Que da honor.

honra (al. *Ehre*, fr. *honneur*, ingl. *good reputation*, it. *onore*). f. Estima y respeto de la dignidad propia. || Buena opinión y fama. || Demostración de aprecio. || Pudor y recato de las mujeres.

honradez (al. *Redlichkeit*, fr. *honnêteté*, ingl. *honesty*, it. *onestà*). f. Calidad de probo. || Proceder recto, propio del hombre probo. [*Sinón.*: probidad, honestidad, integridad]

honrado, da. adj. Que procede con honradez. || Ejecutado honrosamente. [*Sinón.*: probo, justo]

honrar. tr. Respetar a una persona. || Enaltecer o premiar su mérito. || Dar honor o celebridad. || Úsase en fórmulas de cortesía en que se enaltece como honor la asistencia, adhesión, etc., de otro u otras personas. || r. Tener uno a honra ser o hacer alguna cosa.

honrilla. f. dim. de honra. Tómase más por el puntillo con que se hace o deja de hacer una cosa.

honroso, sa. adj. Que da honra y estimación. || Decente, decoroso.

hontanar. m. Sitio en que nacen fuentes o manantiales.

hopear. intr. Menear la cola los animales, especialmente la zorra cuando la siguen. || fig. Corretear, andar de calle en calle o de casa en casa.

hoplita. m. En la Grecia antigua, soldado de infantería que llevaba armas pesadas.

hopo. m. Copete o mechón de pelo. || Rabo o cola que tiene mucho pelo o lana, como la de la zorra y la oveja.

hora (al. *Stunde*, fr. *heure*, ingl. *hour*, it. *ora*). f. Cada una de las 24 partes en que se divide el día solar. || Tiempo oportuno y determinado para una cosa. || Últimos instantes de la vida. Ú.m. con el verbo *llegar*. || Momento del día referido a una hora o fracción de hora. || Espacio de tiempo o momento indeterminado. || Distancia de una legua. || ASTR. Cada una de las 24 partes iguales y equivalentes a 15 grados, en que para ciertos usos consideran los astrónomos dividida la línea equinoccial. || adv. t. Ahora. || f. pl. Librito o devocionario en que se halla el Oficio de Nuestra Señora. || Este mismo Oficio. || — *suprema*. La de la muerte. || *horas canónicas*. Las diferentes partes del oficio divino que la Iglesia acostumbra a rezar en distintas horas del día, como maitines, laudes, etc. || *horas muertas*. Las muchas perdidas en una u otra ocupación.

horadación. f. Acción de horadar.

horadar (al. *durchlöchern*, fr. *perforer*, ingl. *to pierce*, it. *forare*). tr. Agujerear una cosa atravesándola de parte a parte. [*Sinón.*: perforar]

horario, ria. adj. Perteneciente a las horas. || Saeta o manecilla del reloj que señala las horas, algo más corta que el minutero. || m. Reloj. || Cuadro indicador de las horas en que han de llevarse a cabo ciertos actos.

horca (al. *Galgen*, fr. *potence*, ingl. *gallows*, it. *forca*). f. Aparato compuesto de una barra horizontal sostenida por otra u otras verticales, en el cual, a manos del verdugo, mueren colgados los condenados a esta pena. || Palo con dos puntas y otro que atravesaba, entre los cuales metían antiguamente el cuello del delincuente, paseándolo en esta forma. || Palo que remata en dos o más puntas utilizado para las faenas agrícolas. || Palo que remata en dos puntas y sirve para sostener las ramas de los árboles, armar los parrales, etc.

horcadura. f. En los árboles, parte del tronco en la cual éste se divide en ramas. || Ángulo que forman dos ramas que parten del mismo punto.

horcajadas (a). m. adv. Dícese de la postura del que va a caballo, en una persona o cosa, echando cada pierna por su lado.

horcajo. m. Horca de madera que se pone al pescuezo de las bestias de labor para trabajar. || Confluencia de dos ríos o arroyos. || Punto de unión de dos montañas o cerros.

horchata. f. Bebida que se hace de almendras, chufas, etc., machacadas y exprimidas con agua y azúcar.

horchatería. f. Establecimiento donde se produce o vende horchata.

horda (al. *Horde*, fr. *horde*, ingl. *horde*, it. *orda*). f. Reunión de salvajes que forman comunidad y viven en régimen nómada.

hordiate. m. Cebada mondada. || Bebida parecida a la tisana, que se prepara con cebada.

horizontal (al. *waagerecht*, fr. *horizontal*, ingl. *horizontal*, it. *horizzontale*). adj. Que está en el horizonte o paralelo a él. Ú.t.c.s. || *Amer.* Meretriz.

horizonte (al. *Horizont*, fr. *horizon*, ingl. *horizont*, it. *orizzonte*). m. Línea recta imaginaria que limita la superficie terrestre a que alcanza la vista del observador. || Espacio circular de la superficie del globo, encerrado en dicha línea. || fig. Conjunto de posibilidades o perspectivas que se ofrecen en un asunto o materia.

horma (al. *Leisten*, fr. *forme*, ingl. *last*, it. *forma*). f. Molde con que se fabrica o forma una cosa, principalmente zapatos y sombreros. || Pared de piedra seca. || *Amer.* Forma para elaborar los panes de azúcar. || *hallar uno la horma de su zapato.* fig. y fam. Encontrar lo que le acomoda o lo que desea; encontrarse con quien le acepte o resista.

hormiga (al. *Ameise*, fr. *fourmi*, ingl. *ant*, it. *formica*). f. ZOOL. Insecto himenóptero, de tórax y abdomen iguales, que vive en sociedad y construye hormigueros subterráneos. || Enfermedad cutánea que causa comezón. || *ser una hormiga.* fig. y fam. Ser ahorrador y laborioso.

hormigón (al. *Beton*, fr. *béton*, ingl. *concrete*, it. *calcestruzzo*). m. Mezcla de piedras menudas y mortero de cal y arena. || — *armado.* Material de construcción hecho con mezcla de piedras menudas, mortero hidráulico y arena, sobre una armadura de hierro o acero.

hormigonera. f. Aparato para la fabricación del hormigón.

hormiguear. intr. Experimentar una sensación parecida a la que producirían las hormigas corriendo por el cuerpo de uno. || fig. Bullir, ponerse en movimiento.

hormigueo. m. Acción y efecto de hormiguear.

hormiguero (al. *Ameisenhaufen*, fr. *fourmilière*, ingl. *ant hill*, it. *formicaio*). m. Lugar donde viven las hormigas. || fig. Lugar en que hay mucha gente moviéndose.

hormiguillo. m. Enfermedad que gasta los cascos de las caballerías. || Cosquilleo.

hormona. f. BIOL. Producto de la secreción de ciertos órganos del cuerpo de animales y plantas que, transportado por la sangre o por los jugos del vegetal, excita, inhibe o regula la actividad de otros órganos o sistemas.

hornablenda. f. MINERAL. Variedad del anfíbol que se presenta en masas foliadas y brillantes.

hornacina. f. ARQ. Hueco en forma de arco que se suele dejar en el grueso de una pared, a fin de colocar en él una estatua o un jarrón; o bien, un altar, en los muros de los templos.

hornada. f. Cantidad de pan u otras cosas que se cuece de una vez en el horno. || fig. y fam. Conjunto de individuos que acaban juntos una carrera.

hornaza. f. Horno de reducidas dimensiones que utilizan los plateros y fundidores de metales.

hornazo. m. Torta guarnecida de huevos que se cuecen juntamente con ella en el horno.

hornero, ra (al. *Bäcker*, fr. *fournier*, ingl. *baker*, it. *fornaio*). s. Persona que tiene por oficio cocer pan y templar para ello el horno.

hornillo (al. *Kleine, Ofen*; fr. *fourneau*; ingl. *portable, furnace*; it. *fornello*). m. Horno manual, que se emplea en cocinas y laboratorios o para usos industriales.

horno (al. *Ofen*, fr. *four*, ingl. *furnace*, it. *forno*). m. Fábrica para caldear, en general abovedada y con respiradero o chimenea y una o varias bocas por donde se introduce lo que debe ser sometido a la acción del fuego. || Montón de leña, piedra o ladrillo para la carbonización, calcinación o cochura. || Aparato de forma muy variada, con rejilla o sin ella en la parte inferior y una abertura en lo alto que hace de boca y respiradero. Sirve para trabajar y transformar con ayuda del calor las sustancias minerales. || Caja de hierro en los fogones de ciertas cocinas, para asar o calentar viandas. || Concavidad en que crían las abejas, fuera de las colmenas. || Cada uno de esos vasos. || *alto horno.* Horno metalúrgico destinado a reducir los minerales de hierro.

horóscopo. m. Observación, hecha por astrólogos, de la posición de los astros en el momento de nacer una persona, a fin de adivinar los sucesos que ocurrirán en su vida. || En general, cualquier vaticinio formulado tomando como base la situación de los astros y el signo del Zodiaco bajo el cual nació una persona.

horqueta. f. BOT. Parte del árbol donde se juntan, formando ángulo agudo, el tronco y una rama. || fig. *Amer.* Parte en que el curso de un río o arroyo forma ángulo agudo, y terreno que éste comprende.

horquilla (al. *Heugabel*, fr. *fourche*, ingl. *pitchfork*, it. *forcella*). f. Horqueta. || Enfermedad que hiende las puntas del pelo. || Pieza doblada por en medio, con dos puntas iguales, que emplean las mujeres para sujetar el pelo.

horrendo, da. adj. Que causa horror.

hórreo. m. Granero. || En Asturias y Galicia, edificio de madera sostenido en el aire por pilares, en el cual se guardan granos y otros productos agrícolas.

horrible. adj. Horrendo.

hórrido, da. adj. Horrendo.

horripilación. f. Acción y efecto de horripilar u horripilarse. || FISIOL. Estremecimiento de los que padecen ciertas enfermedades febriles.

horripilante. adj. Que horripila.

horripilar. tr. Hacer que se ericen los cabellos. Ú.t.c.r. || Causar horror y espanto. Ú.t.c.r.

horrísono, na. adj. Dícese de lo que, con su sonido, causa horror y espanto.

horro, rra. adj. Dícese del que, habiendo sido esclavo, obtiene la libertad. || Desembarazado, libre, exento. || Aplícase a la yegua, oveja, etc., que no queda preñada.

horror (al. *Entsetzen*, fr. *horreur*, ingl. *horror*, it. *orrore*). m. Movimiento del alma causado por una cosa terrible y espantosa. || fig. Atrocidad, enormidad. Ú.m. en pl.

horrorizar. tr. Causar horror. || r. Tener horror.

horroroso, sa. adj. Que causa horror. || fam. Muy feo.

hortaliza (al. *Gemüse*, fr. *plante potagère*, ingl. *vegetables*, it. *ortaggio*). f. Verduras y demás plantas comestibles que se cultivan en las huertas.

hortelano, na (al. *Gärtner*, fr. *maraîcher*, ingl. *horticulturist*, it. *ortolano*). adj. Perteneciente a la huerta. || m. El que por oficio cuida y cultiva una huerta. || ZOOL. Pájaro cantor, de los fringílidos, de plumaje gris verdoso y amarillento y pico largo.

hortense. adj. Concerniente a las huertas.

hortensia (al. *Hortensie*, fr. *hortensia*, ingl. *hydrangea*, it. *ortensia*). f. BOT. Arbusto saxifragáceo, con tallos ramosos y flores hermosas, en corimbos terminales, con corola que poco a poco va perdiendo color.

hortera. f. Escudilla de madera. || adj. fig. Vulgar.

hortícola. adj. Perteneciente o relativo a la agricultura.

horticultor, ra. s. Persona dedicada a la horticultura.

horticultura. f. Cultivo de los huertos y huertas. || Arte que lo enseña.

hosanna. m. Exclamación jubilosa usada en la liturgia católica.

hosco, ca (al. *düster*, fr. *rébarbatif*, ingl. *sullen*, it. *fosco*). adj. Dícese del color moreno muy oscuro. || Ceñudo, áspero e intratable.

hospedaje. m. Alojamiento y asistencia que se da a una persona. || Cantidad que se paga por estar de huésped.

hospedar (al. *beherbergen*, fr. *héberger*, ingl. *to board*, it. *ospitare*). tr. Acomodar huéspedes en casa de uno. Ú.t.c.r.

hospedero, ra. s. Persona que tiene a su cargo cuidar huéspedes.

hospiciano, na. s. Pobre del hospicio.

hospicio (al. *Armenhaus*, fr. *hospice*, ingl. *hospice*, it. *ospizio*). m. Casa destinada a albergar peregrinos y pobres. || Inclusa. [*Sinón.*: asilo]

hospital (al. *Krankenhaus*, fr. *hôpital*, ingl. *hospital*, it. *ospedale*). m. Establecimiento en el que se albergan y curan enfermos. || Casa para recoger pobres y peregrinos por tiempo limitado.

hospitalario, ria. adj. Que acoge con agrado a quienes recibe en su casa. || Concerniente al hospital.

hospitalidad (al. *Gatsfreundschaft*, fr. *hospitalité*, ingl. *hospitableness*, it. *ospitalità*). f. Virtud de recoger a los pobres. || Buena acogida que se hace a los extranjeros o visitantes.

hospitalizar. tr. Llevar a uno al hospital para prestarle asistencia.

hostal. m. Hostería.

hostelería. f. Profesión de hostelero. || Gremio de hosteleros.

hostelero, ra. s. Persona que tiene a su cargo una hostería. || adj. Perteneciente o relativo a la hostelería.

hostería (al. *Gasthaus*, fr. *hôtellerie*, ingl. *inn*, it. *osteria*). f. Casa donde se da hospedaje al que lo paga.

hostia (al. *Oblate*, fr. *hostie*, ingl. *host*, it. *ostia*). f. Lo que se ofrece en sacrificio. || Hoja redonda y delgada de pan ázimo usada en el sacrificio de la misa. || Forma pequeña de este mismo pan que sirve para la comunión de los fieles. || Por ext., oblea para comer, con harina, huevo y azúcar batidos en agua o leche.

hostiario. m. Caja en que se guardan hostias no consagradas. || Molde en que se hacen.

hostigar (al. *anfeinden*, fr. *harceler*, ingl. *to harass*, it. *vessare*). tr. Azotar, fustigar. || fig. Perseguir, molestar.

hostigoso, sa. adj. *Amer.* Empalagoso, fastidioso.

hostil (al. *feindlich*, fr. *hostile*, ingl. *hostile*, it. *ostile*). adj. Contrario o enemigo.

hostilidad. f. Calidad de hostil. || Acción hostil. || Agresión armada de un pueblo, ejército o tropa. || *romper las hostilidades*. MIL. Empezar la guerra, atacando al enemigo.

hostilizar. tr. Hacer daño a enemigos.

hotel. m. Establecimiento hostelero confortable o lujoso. || Casa aislada de las colindantes y habitada por una sola familia.

hotelero, ra. adj. Concerniente al hotel. || s. Persona que posee o dirige un hotel.

hotentote, ta adj. Dícese del individuo de raza negra que habita cerca del cabo de Buena Esperanza. Ú.t.c.s.

hovercraft (voz inglesa). m. Vehículo acuático que se desplaza sobre un colchón de aire. La propulsión se realiza por hélice aérea o reacción.

hoy (al. *heute*, fr. *aujourd'hui*, ingl. *today*, it. *oggi*). adv. t. En este día, en el día presente. || En el tiempo presente. || *hoy por hoy.* m. adv. En este tiempo, en la estación presente. || *por hoy.* m. adv. Por ahora.

hoya (al. *Vertiefung*, fr. *fosse*, ingl. *hole*, it. *fossa*). f. Concavidad u hondura grande formada en la tierra. || Sepultura. || Llano extenso rodeado de montañas.

hoyada. f. Terreno bajo que no se descubre hasta estar cerca de él.

hoyanca. f. fam. Fosa común que en los cementerios se emplea para enterrar a los que no pagan sepultura particular.

hoyo (al. *Grube*, fr. *trou*, ingl. *pit*, it. *fosso*). m. Concavidad formada naturalmente en la tierra o hecha a propósito. || Concavidad en una superficie. || Sepultura.

hoyuelo. m. dim. de hoyo. Hoyo en el centro de la barba, y también el que se forma en la mejilla de algunas personas, cuando se ríen. || dim. de hoyo.

hoz (al. *Sichel*, fr. *faucille*, ingl. *sickle*, it. *roncola*). f. Instrumento que sirve para segar, compuesto de una hoja acerada y curva. || Angostura de un valle profundo o la que forma un río que corre por entre dos sierras.

hozar. tr. Mover y levantar la tierra con el hocico.

huacha. f. vulg. *Amer.* Órgano sexual femenino.

huaraquear. tr. *Amer.* Hacer girar una cosa en el aire para que al soltarla salga despedida por la fuerza del impulso.

hucha (al. *Sparbüchse*, fr. *tirelire*, ingl. *saving box*, it. *salvadanaio*). f. Alcancía. || fig. Dinero que se ahorra y guarda para tenerlo de reserva.

huebra. f. Espacio que se ara en un día. || Tierra labrantía que no se siembra, aunque se are.

hueco, ca (al. *hohl*, fr. *creux*, ingl. *hollow*, it. *cavo*). adj. Cóncavo o vacío. Ú.t.c.s. || fig. Presumido, vano. || Que tiene sonido retumbante y profundo. || fig. Dícese del lenguaje, estilo, etc., con que afectadamente se expresan conceptos vanos o triviales. || Mullido y esponjoso. || m. Intervalo de tiempo o lugar. || fig. y fam. Empleo o puesto vacante. || Apócope de huecograbado.

huecograbado. m. Procedimiento para obtener fotograbados que pueden tirarse en máquinas rotativas. || Estampa obtenida por este procedimiento.

huelga (al. *Streik*, fr. *grève*, ingl. *strike*, it. *sciopero*). f. Tiempo en que uno está sin trabajar. || Cesación en el trabajo con el fin de imponer ciertas condiciones o manifestar una protesta. || Tiempo que media sin labrarse la tierra. || Recreación. || Holgura. || Espacio vacío. || *— de brazos caídos.* La que practican, sin abandonar su puesto de trabajo, quienes se abstienen de realizar su labor habitual.

huelgo. m. Aliento, respiración, resuello. || Holgura, anchura. || Espacio vacío que queda entre dos piezas que han de encajar una en otra.

huelguista. com. Persona que toma parte en una huelga.

huelveño, ña, adj. Natural de Huelva. Ú.t.c.s.

huella (al. *Spur*, fr. *trace*, ingl. *footprint*, it. *orma*). f. Señal que deja el pie allí donde pisa. || Acción de hollar. || Plano del escalón o peldaño en que se sienta el pie. || Señal que deja una lámina o forma de imprenta en el papel u otra cosa que se estampa. || Por ext., rastro que deja a su paso cualquier objeto o animal. || *— dactilar.* Impresión que dejan los dedos sobre un papel u otro objeto.

huérfano, na (al. *Waise*, fr. *orphelin*, ingl. *orphan*, it. *orfano*). adj. Menor de edad que ha perdido a sus padres o a uno de ellos. Ú.t.c.s. || fig. Falto de alguna cosa y especialmente de amparo.

huero, ra. adj. fig. Vano, vacío y sin sustancia.

huerta (al. *Siedlungsgarten*, fr. *jardin maraîcher*, ingl. *market garden*, it. *orto*). f. Terreno destinado al cultivo de legumbres y árboles frutales. || En algunas partes, toda la tierra de regadío. [*Sinón.*: huerto, vega]

huertano, na. adj. Dícese del habitante de algunas comarcas de regadío.

huerto. m. Sitio de corta extensión en que se plantan verduras, legumbres y árboles frutales.

huesa. f. Sepultura u hoyo para enterrar un cadáver. [*Sinón.*: hoya, fosa]

huesear. intr. *Amer.* Mendigar.

hueso (al. *Knochen*, fr. *os*, ingl. *bone*,

it. *osso*). m. Cada una de las partes sólidas y más duras del cuerpo del animal cuyo conjunto constituye el esqueleto. ‖ Parte dura y compacta que está en el interior de algunas frutas. ‖ fig. Lo que causa trabajo o incomodidad. ‖ fig. Lo inútil, de poco precio y mala calidad. ‖ fig. Parte ingrata y de menos lucimiento de un trabajo que se reparte entre varios. ‖ fig. y fam. Persona de carácter desagradable o de trato difícil. ‖ *dar con sus huesos en.* Ir a parar al lugar indicado. ‖ *La sin hueso.* La lengua.

huesoso, sa. adj. Perteneciente o relativo al hueso.

huésped, da (al. *Gast*, fr. *hôte*, ingl. *guest*, it. *ospite*). s. Persona alojada en casa ajena. ‖ Mesonero. ‖ Persona que hospeda en su casa a alguien. ‖ Vegetal o animal en cuyo cuerpo se aloja un parásito.

hueste. f. Ejército en campaña. Ú.m. en pl. ‖ fig. Conjunto de los seguidores de una persona o de una causa.

huesudo, da. adj. Que tiene mucho hueso.

hueva (al. *Rogen*, fr. *oeufs de poisson*, ingl. *roe*, it. *uova dei pesci*). f. Masa de huevecillos de ciertos peces encerrada en una bolsa oval.

huevería. f. Tienda donde se venden huevos.

huevero, ra. s. El que trata en huevos. ‖ f. Conducto membranoso que tienen las aves desde el ovario hasta cerca del ano, y en el que se forma la clara y la cáscara de los huevos. ‖ Utensilio de porcelana, loza, metal u otra materia en que se pone, para comerlo, el huevo pasado por agua.

huevo (al. *Ei*, fr. *oeuf*, ingl. *egg*, it. *uovo*). m. BIOL. Célula resultante de la unión del gameto masculino con el femenino en la reproducción sexual de las plantas y de los animales. ‖ BIOL. Cuerpo más o menos esférico, procedente de la segmentación de la célula huevo, que contiene el germen del nuevo individuo y, además, ciertas sustancias de que éste se alimenta durante las primeras fases de su desarrollo. ‖ Cualquiera de los óvulos de ciertos animales, como la mayoría de los peces y batracios que son fecundados por los espermatozoides del macho después de haber salido del cuerpo de la hembra y que contienen las materias nutritivas necesarias para la formación del embrión. ‖ vulg. Testículo. Ú.m. en pl. ‖ – *duro.* El cocido, con la cáscara, en agua hirviendo, hasta llegar a cuajar enteramente yema y clara. ‖ – *encera-*

do, El pasado por agua que no está duro. ‖ – *estrellado.* El que se fríe con manteca o aceite, sin batirlo antes y sin tostarlo por encima. ‖ – *huero.* El que por no estar fecundado por el macho, no produce cría aunque se eche a la hembra clueca. Por ext., se aplica también al que por enfriamiento o por otra causa se pierde en la incubación. ‖ – *pasado por agua.* El cocido ligeramente, con la cáscara, en agua hirviendo.

huevón. m. vulg. *Amer.* Bobalicón, estúpido.

hugonote, ta. adj. Dícese de los que en Francia seguían la secta de Calvino. Ú.t.c.s.

huida (al. *Flucht*, fr. *fuite*, ingl. *flight*, it. *fuggita*). f. Acción de huir. ‖ Ensanchamiento en un agujero. [*Sinón.*: fuga]

huidizo, za. adj. Que huye o tiene tendencia a huir.

huir (al. *entfliehen*, fr. *fuir*, ingl. *to flee*, it. *fuggire*). intr. Apartarse con rapidez de personas, animales o cosas, para evitar un daño, disgusto o molestia. Ú.t.c.r. ‖ Con voces que expresan idea de tiempo, transcurrir velozmente. ‖ fig. Alejarse velozmente una cosa. ‖ Apartarse de una cosa mala o perjudicial. [*Sinón.*: escapar]

hule. m. Caucho o goma elástica. ‖ Tela pintada al óleo y barnizada para que resulte impermeable.

hulla (al. *Steinkhole*, fr. *houille*, ingl. *coal*, it. *litantrace*). f. Carbón de piedra que se conglutina al arder y, calcinado en vasos cerrados, da coque. ‖ – *blanca.* fig. Corriente de agua empleada como fuerza motriz.

hullero, ra. adj. Perteneciente o relativo a la hulla.

humanidad (al. *Menschlichkeit*, fr. *humanité*, ingl. *humanity*, it. *umanità*). f. Naturaleza humana. ‖ Género humano. ‖ Fragilidad o flaqueza propia del hombre. ‖ Sensibilidad, compasión de desgracias ajenas. ‖ Benignidad, mansedumbre, afabilidad. ‖ pl. Letras humanas.

humanismo. m. Cultivo de las letras humanas. ‖ Doctrina de los humanistas del Renacimiento.

humanista. com. Persona instruida en letras humanas.

humanitario, ria (al. *menschenfreundlich*, fr. *humanitaire*, ingl. *humanitarian*, it. *umanitario*). adj. Que mira o se refiere al bien del género humano. ‖ Benigno, caritativo.

humanitarismo. m. Humanidad, compasión de las desgracias ajenas.

humanizar. tr. Hacer humano. ‖ r. Ablandarse, desenojarse. [*Antón.*: deshumanizar, endurecerse]

humano, na (al. *menschlich*, fr. *humain*, ingl. *human*, it. *umano*). adj. Perteneciente al hombre o propio de él. ‖ fig. Aplícase a la persona que se compadece de las desgracias de sus semejantes. ‖ m. Persona.

humareda. f. Abundancia de humo.

humazo. m. Humo denso, espeso y copioso.

humear (al. *rauchen*, fr. *fumer*, ingl. *to smoke*, it. *fumare*). intr. Exhalar, echar de sí humo. Ú.t.c.r. ‖ Arrojar una cosa vaho que se parezca al humo. ‖ fig. Quedar reliquias de una riña o enemistad que hubo en otro tiempo. ‖ fig. Presumir. ‖ tr. *Amer.* Fumigar.

humectar. tr. Producir o dar humedad.

humedad (al. *Feuchtigkeit*, fr. *humidité*, ingl. *humidity*, it. *umidità*). f. Calidad de húmedo. ‖ Vapor de agua existente en el medio ambiente.

humedecer. tr. Producir o causar humedad. Ú.t.c.r.

húmedo, da (al. *feucht*, fr. *humide*, ingl. *moist*, it. *umido*). adj. Acuoso o que participa de la naturaleza del agua. ‖ Ligeramente impregnado de agua o de otro líquido.

humeral. adj. ANAT. Perteneciente o relativo al húmero. ‖ m. Paño blanco que se pone sobre los hombros el sacerdote y en cuyos extremos envuelve ambas manos para coger la custodia o el copón.

húmero. m. ANAT. Hueso del brazo que se articula entre el hombro y el codo.

humero. m. Cañón de chimenea por donde sale el humo.

humildad (al. *Demut*, fr. *humilité*, ingl. *humbleness*, it. *umiltà*). f. Ausencia de orgullo y vanidad. ‖ Bajeza de nacimiento. ‖ Sumisión, rendición. [*Sinón.*: modestia. *Antón.*: soberbia]

humilde (al. *demütig*, fr. *humble*, ingl. *humble*, it. *umile*). adj. Que tiene humildad. ‖ fig. Bajo, de poca altura. ‖ fig. Que carece de nobleza. [*Sinón.*: modesto; pequeño. *Antón.*: soberbio; alto; noble]

humillación. f. Acción y efecto de humillar o humillarse.

humilladero. m. Lugar devoto que suele haber a la entrada o a la salida de los pueblos y junto a los caminos, con una cruz o imagen.

humillante. adj. Degradante, depresivo.

humillar. tr. Bajar, inclinar una parte del cuerpo, como la cabeza o rodilla, en señal de acatamiento. ‖ fig. Abatir el orgullo y altivez de uno. ‖ r. Hacer actos de humildad.

humo (al. *Rauch*, fr. *fumée*, ingl. *smoke*, it. *fumo*). m. Producto gaseoso de la combustión incompleta. ‖ Vapor que exhala cualquier cosa que fermenta. ‖ pl. Hogares o casas. ‖ fig. Vanidad, presunción, altivez.

humor (al. *Stimmung*, fr. *humeur*, ingl. *temper*, it. *umore*). m. Cualquiera de los líquidos del cuerpo del animal. ‖ fig. Genio, índole. ‖ fig. Jovialidad, agudeza. ‖ fig. Buena disposición en que uno se halla para hacer una cosa. ‖ Condición de la expresión irónica.

humorada. f. Dicho o hecho festivo, caprichoso o extravagante.

humoral. adj. Perteneciente a los humores.

humorismo (al. *Humor*, fr. *humour*, ingl. *humour*, it. *umorismo*). m. Estilo literario en el que se hermanan la gracia con la ironía y la alegría con la tristeza.

humorista. adj. Dícese del autor en cuyos escritos predomina el humorismo. Ú.t.c.s.

humorístico, ca. adj. Perteneciente o relativo al humorismo.

humoso, sa. adj. Que despide humo. ‖ Dícese del lugar donde hay humo. ‖ Que exhala o despide algún vapor.

humus. m. AGR. Mantillo o capa superior del suelo formada por la descomposición de materias orgánicas.

hundimiento. m. Acción y efecto de hundir o hundirse.

hundir (al. *versenken*, fr. *enfoncer*, ingl. *to sink*, it. *affondare*). tr. Sumir, meter en lo hondo. Ú.t.c.r. ‖ fig. Abrumar, abatir. ‖ Confundir a uno, vencerle con razones. ‖ fig. Destruir, arruinar. ‖ r. Arruinarse un edificio, sumer-

girse una cosa. ‖ fig. y fam. Esconderse y desaparecer una cosa, de forma que no se sepa dónde está ni se pueda dar con ella.

húngaro, ra. adj. Natural de Hungría. Ú.t.c.s. ‖ m. Lengua que se habla en Hungría y en parte de Transilvania.

huno, na. adj. con que se designa a un antiguo pueblo del centro de Asia, que ocupó el territorio que se extiende desde el Volga hasta el Danubio. Ú.t.c.s.

huracán (al. *Orkan*, fr. *ouragan*, ingl. *hurricane*, it. *uragano*). m. Viento sumamente impetuoso que, a modo de torbellino, gira en grandes círculos. ‖ fig. Viento de fuerza extraordinaria.

huracanado, da. adj. Que tiene la fuerza o los caracteres propios del huracán.

huraña. f. Repugnancia al trato de gentes.

huraño, ña. adj. Que huye y se esconde de las gentes. [*Sinón.*: insociable. *Antón.*: sociable]

hurgar (al. *umrühren*, fr. *remuer*, ingl. *to poke*, it. *rimovere*). tr. Menear o remover una cosa. ‖ Tocar una cosa sin asirla. ‖ fig. Incitar, conmover. [*Sinón.*: revolver]

hurí. f. Mujer bellísima del paraíso de Mahoma.

hurón (al. *frettchen*, fr. *furet*, ingl. *ferret*, it. *furetto*). m. ZOOL. Mamífero carnicero de cuerpo muy flexible y prolongado que se emplea en la caza de conejos. Tiene glándulas anales que despiden un olor muy desagradable. ‖ fig. y fam. Persona que averigua y descubre lo secreto. ‖ fig. y fam. Persona huraña. Ú.t.c. adj.

hurona. f. Hembra del hurón.

huronear. intr. Cazar con hurón. ‖ fig. y fam. Procurar saber o escudriñar lo que pasa.

¡hurra! interj. usada para expresar alegría y satisfacción o excitar al entusiasmo.

hurtadillas (a). m. adv. Furtivamente, sin que nadie lo note.

hurtar (al. *stehlen*, fr. *voler*, ingl. *to steal*, it. *rubbare*). tr. Robar sin violencia. ‖ No dar el peso o medida cabal. ‖ fig. Dícese del mar y de los ríos cuando van penetrando por las tierras, sumergiéndolas en su seno. ‖ fig. Tomar la obra ajena y usarla como propia. ‖ fig. Desviar, apartar. ‖ fig. Ocultarse, desviarse.

hurto (al. *Diebstahl*, fr. *vol*, ingl. *theft*, it. *furto*). m. Acción de hurtar. ‖ Cosa hurtada.

husada. f. Porción de lino, lana o estambre que, ya hilada, cabe en el huso.

húsar. m. Soldado de caballería ligera vestido a la húngara.

husillo. m. Tornillo de hierro o madera, muy usado para el movimiento de las prensas y otras máquinas. ‖ m. Conducto por donde se desaguan los lugares inmundos o que pueden padecer inundación.

husmear. tr. Rastrear con el olfato una cosa. ‖ fig. y fam. Andar indagando una cosa con arte y disimulo. ‖ intr. Empezar a oler mal una cosa, especialmente la carne.

husmeo. m. Acción y efecto de husmear.

huso (al. *Spindel*, fr. *fuseau*, ingl. *spindle*, it. *fuso*). m. Instrumento manual que sirve para hilar torciendo la hebra y devanando en él lo hilado. ‖ Instrumento que sirve para unir y retorcer dos o más hilos. ‖ Instrumento que sirve para devanar la seda. ‖ MIN. Cilindro de un torno.

¡huy! interj. con que se denota dolor físico agudo, o asombro pueril.

i. f. Décima letra del abecedario español y tercera de sus vocales. ‖ Letra numeral que tiene el valor del número uno en la numeración romana. ‖ — **griega.** Ye.

ibérico, ca. adj. Ibero o perteneciente a Iberia. ‖ m. Lengua de los antiguos iberos.

iberismo. m. Doctrina política que propugna la integración en un solo Estado de la península Ibérica. ‖ Amor a las cosas ibéricas.

ibero, ra o **íbero, ra.** adj. Natural de la Iberia europea, hoy España y Portugal, o de la Iberia asiática. Ú.t.c.s. ‖ Perteneciente o relativo a los iberos o a Iberia.

iberoamericano, na. adj. Referente a los pueblos de América que formaron parte de los reinos de España y Portugal.

ibicenco, ca. adj. Natural de Ibiza. Ú.t.c.s. ‖ Perteneciente a esta isla balear.

ibídem. adv. lat. que en índices, notas o citas de impresos o manuscritos, se usa con su propia significación de allí mismo o en el mismo lugar.

ibis (al. *Ibis*, fr. *ibis*, ingl. *ibis*, it. *ibis*). f. ZOOL. Ave zancuda que en la antigüedad fue objeto de la veneración de los egipcios. El plumaje es blanco, excepto en la cabeza, cola y extremidad de las alas, donde es negro.

iceberg (voz inglesa). m. Masa flotante de hielo en los mares polares.

icnografía. f. ARQ. Delineación de la planta de un edificio.

icono. m. En la Iglesia Ortodoxa, pintura o mosaico que representa a la Virgen o a los santos.

iconoclasta. adj. Dícese del hereje del siglo VIII que negaba el culto debido a las sagradas imágenes. Ú.t.c.s. ‖ Por ext., el que destroza estatuas o imágenes o combate las ideas religiosas y las opiniones recibidas.

iconografía. f. Descripción de imágenes, retratos, cuadros, estatuas o monumentos. ‖ Colección de imágenes.

iconología. f. ART. Representación de las virtudes, vicios u otras cosas morales o naturales, con la figura o apariencia de personas.

iconoscopio. m. FÍS. Tubo de rayos catódicos empleado en televisión.

icosaedro. m. GEOM. Sólido limitado por veinte caras triangulares.

ictericia. f. MED. Síndrome producido por un aumento patológico de la tasa de bilirrubina en la sangre y que se caracteriza por la pigmentación amarilla de la piel y las mucosas.

ictiófago, ga. adj. Que se alimenta de peces. Ú.t.c.s. [*Sinón.*: piscívoro]

ictiología. f. Parte de la Zoología que trata de los peces.

ictiosauro. m. PALEONT. Reptil gigantesco de la Era Secundaria, de reproducción vivípara.

ida. f. Acción de ir de un lugar a otro.

idea (al. *Begriff*, fr. *idée*, ingl. *idea*, it. *idea*). f. Concepción inmediata que el espíritu recibe o se forma de cualquier persona o cosa. ‖ Representación que del objeto percibido queda en el alma. ‖ Plan. ‖ Intención de hacer una cosa. ‖ Ingenio para intentar una cosa. ‖ pl. Convicciones, creencias, opiniones.

ideación. f. Génesis y proceso en la formación de las ideas.

ideal (al. *Wunschbild*, fr. *idéal*, ingl. *ideal*, it. *ideale*). adj. Perteneciente o relativo a la idea. ‖ Que no es físico, real y verdadero, sino que está en la fantasía. ‖ Excelente, perfecto en su línea. ‖ m. Prototipo, modelo o ejemplar de perfección.

idealismo (al. *Idealismus*, fr. *idealisme*, ingl. *idealism*, it. *idealismo*). m. Condición de los sistemas filosóficos que consideran la idea como principio del ser y del conocer. ‖ Aptitud para elevar sobre la realidad sensible las cosas que se describen o se representan. ‖ Aptitud de la inteligencia para idealizar.

idealista. adj. Dícese de la persona que profesa la doctrina del idealismo. Ú.t.c.s. ‖ Que se deja llevar por los ideales. Ú.t.c.s.

idealizar (al. *verschönern*, fr. *idéaliser*, ingl. *to idealize*, it. *idealizzare*). tr. Elevar las cosas sobre la realidad sensible por medio de la inteligencia o la fantasía.

idear (al. *ersinnen*, fr. *inventer*, ingl. *to desing*, it. *ideare*). tr. Formar idea de una cosa. ‖ Trazar, inventar. [*Sinón.*: concebir; imaginar]

ideario. m. Repertorio de las principales ideas de un autor, de una escuela o de una colectividad.

idem. pron. lat. que significa el mismo o lo mismo.

idéntico, ca (al. *identisch*, fr. *identique*, ingl. *indentical*, it. *identico*). adj. Dícese de lo que en sustancia y accidentes es lo mismo que otra cosa con la que se compara. Ú.t.c.s. ‖ Muy parecido. [*Sinón.*: igual; semejante]

identidad (al. *Identität*, fr. *identité*, ingl. *identiv*, it. *identità*). f. Calidad de idéntico. ‖ DER. Hecho de ser una persona o cosa la misma que se supone o se busca. ‖ MAT. Igualdad que se verifica siempre, sea cualquiera el valor de las variables que su expresión contenga.

identificación. f. Acción y efecto de identificar.

identificar (al. *Identifizieren*, fr. *identifier*, ingl. *to identify*, it. *identificare*). tr. Hacer que dos o más cosas distintas aparezcan y se consideren como una misma. Ú.m.c.r. || Der. Reconocer si una persona o cosa es la misma que se supone o se busca.

ideografía. f. Representación de las ideas por medio de ideoagramas.

ideograma. m. Imagen convencional o símbolo que significa un ser o una idea, pero no palabras o frases fijas que los representen. || Imagen convencional o símbolo que en la escritura de ciertas lenguas significa una palabra, morfema o frase determinados, sin representar cada una de sus sílabas o fonemas.

ideología. f. Rama de la filosofía que trata del origen y clasificación de las ideas. || Conjunto de ideas que caracterizan a una escuela o a un autor.

idílico, ca. adj. Perteneciente o relativo al idilio.

idilio (al. *Idylle*, fr. *idylle*, ingl. *idyl*, it. *idilio*). m. Composición poética que tiene por asunto la vida de los campos y los afectos amorosos de los pastores. || fig. Coloquio amoroso. || fig. Relaciones entre enamorados. [*Sinón.*: amorío]

idiocia. f. Med. Grado más profundo de la oligofrenia o deficiencia mental, que se caracteriza por la ausencia de lenguaje y la incapacidad del enfermo de valerse por sí mismo. [*Sinón.*: idiotez]

idioma (al. *Sprache*, fr. *idiome*, ingl. *language*, it. *idioma*). m. Lengua de un pueblo o nación, o común a varios.

idiomático, ca. adj. Propio y peculiar de una lengua determinada.

idiosincrasia. f. Índole del temperamento y carácter de cada individuo. [*Sinón.*: modo de ser]

idiota (al. *Dummtroff*, fr. *idiot*, ingl. *idiot*, it. *idiota*). adj. Que padece de idiocia. Ú.t.c.s. || Ayuno de toda instrucción. || fig. Persona engreída sin fundamento para ello. Ú.t.c.s.

idiotez. f. Idiocia. || Hecho o dicho propio del idiota.

idiotismo. m. Ignorancia, falta de letras e instrucción. || Gram. Forma o giro contrario a las reglas ordinarias de la gramática, pero propio de una lengua.

ido, da. adj. Dícese de la persona que está falta de juicio.

idólatra (al. *Götzendiener*, fr. *idolâtre*, ingl. *idolatrous*, it. *idolatra*). adj. Que adora ídolos o falsas deidades. Ú.t.c.s. || fig. Que ama excesivamente a una persona o cosa. [*Sinón.*: pagano; apasionado]

idolatrar (al. *vergöttern*, fr. *idolâtrer*, ingl. *to idolize*, it. *idolatrare*). tr.

Adorar ídolos. || fig. Amar excesivamente a una persona o cosa.

idolatría. f. Adoración que se da a los ídolos. || fig. Amor excesivo a una persona o cosa.

ídolo (al. *Abgott*, fr. *idole*, ingl. *idol*, it. *idolo*). m. Figura de una falsa deidad a la que se da adoración. || fig. Persona o cosa amada con exceso. [*Sinón.*: fetiche, totem]

idoneidad. f. Calidad de idóneo. [*Sinón.*: aptitud, competencia, capacidad]

idóneo (al. *Tauglich*, fr. *idoine*, ingl. *idoneus*, it. *idoneo*). adj. Que tiene suficiencia o aptitud para algo. [*Sinón.*: apto, capaz]

idus. m. pl. En el antiguo calendario romano, el día 15 de marzo, mayo, julio y octubre, y el 13 de los demás meses.

iglesia (al. *Kirche*, fr. *église*, ingl. *church*, it. *chiesa*). f. Congregación de los fieles adscritos a una religión cristiana. || Conjunto de fieles de cada una de las iglesias cristianas. || Conjunto del clero y pueblo de un país en donde el cristianismo tiene adeptos. || Estado eclesiástico que comprende a todos los ordenados. || Gobierno eclesiástico general del Sumo Pontífice, concilios y prelados. || Diócesis de la jurisdicción de los prelados. || Conjunto de sus súbditos. || Templo cristiano.

iglú (voz esquimal). m. Cabaña de hielo de los esquimales.

ignaro, ra. adj. Que no tiene noticia de las cosas.

ígneo, a. adj. De fuego o que tiene alguna de sus cualidades. || De color de fuego. || Geol. Se dice de las rocas volcánicas procedentes de la masa en fusión existente en el interior de la Tierra.

ignición (al. *Zündung*, fr. *ignition*, ingl. *ignition*, it. *accensione*). f. Acción y efecto de estar un cuerpo encendido, si es combustible, o enrojecido por un fuerte calor, si es incombustible.

ignífugo, ga. adj. Que protege contra el incendio.

ignominia. f. Afrenta pública que uno padece con causa o sin ella. [*Antón.*: honor, dignidad]

ignorancia (al. *Unwissenheit*, fr. *ignorance*, ingl. *ignorance*, it. *ignoranza*). f. Incultura. || Falta de información o conocimientos. [*Antón.*: sabiduría, cultura]

ignorante. adj. Que ignora. || Que no tiene noticia de las cosas. Ú.t.c.s.

ignorar (al. *nicht wissen*, fr. *ignorer*, ingl. *to be ignorant*, it. *ignorare*). tr.

Desconocer, no saber una o muchas cosas. [*Antón.*: conocer, saber]

ignoto, ta. adj. No conocido ni descubierto.

igual (al. *gleich*, fr. *égal*, ingl. *equal*, it. *uguale*). adj. De la misma naturaleza, cantidad o calidad que otra cosa. || Liso, que no tiene cuestas ni profundidades. || Muy parecido o semejante. || Constante, no variable. || Indiferente. || De la misma clase o condición. Ú.t.c.s. || Mat. Signo formado por dos rayas horizontales paralelas (=), que se coloca entre dos expresiones o cantidades para indicar su equivalencia. [*Sinón.*: idéntico; llano; equivalente]

igualar (al. *gleichmachen*, fr. *égaler*, ingl. *to equalize*, it. *uguagliare*). tr. Poner al igual con otra a una persona o cosa. Ú.t.c.r. || Allanar. || intr. Ser una cosa igual a otra. Ú.t.c.r. [*Antón.*: desigualar; desequilibrar]

igualdad (al. *Gleichheit*, fr. *égalité*, ingl. *equality*, it. *uguaglianza*). f. Conformidad de una cosa con otra. || Correspondencia y proporción que resulta de muchas partes que uniformemente componen un todo. || Mat. Expresión de la equivalencia de dos cantidades.

iguana (al. *Leguan*, fr. *iguane*, ingl. *iguana*, it. *iguana*). f. Zool. Reptil saurio de color verdoso con manchas amarillentas. Es propio de la América Central y Meridional, y su carne y huevos son comestibles.

iguanodonte. m. Paleont. Reptil saurio herbívoro que se encuentra en estado fósil en los terrenos secundarios inferiores al cretáceo.

ijada. f. Cualquiera de las dos cavidades simétricamente colocadas entre las costillas falsas y los huesos de las caderas. || En los peces, parte anterior e inferior del cuerpo. [*Sinón.*: ijar]

ilación. f. Acción y efecto de inferir una cosa de otra. || Conexión lógica de las partes de un discurso.

ilativo, va. adj. Que se infiere o puede inferirse.

ilegal (al. *gesetzwidrig*, fr. *illégal*, ingl. *unlawful*, it. *illegale*). adj. Que es contrario a la ley.

ilegalidad. f. Falta de legalidad.

ilegible. adj. Que no puede o no debe leerse.

ilegítimo, ma. adj. No legítimo.

íleo. m. Med. Enfermedad aguda que provoca oclusión intestinal y cólico miserere.

ileocecal. adj. Anat. Perteneciente a los intestinos íleon y ciego.

íleon m. ANAT. Tercera porción del intestino delgado.

ilerdense. adj. Natural de Lérida. Ú.t.c.s. ‖ Leridano. Aplicado a personas, ú.t.c.s.

ileso, sa. adj. Que no ha recibido lesión. [*Sinón.*: incólume, indemne]

iletrado, da. adj. Falto de cultura. [*Sinón.*: inculto]

ilíaco, ca. adj. Perteneciente o relativo al ilion.

ilicitano, na. adj. Natural de Elche. Ú.t.c.s.

ilícito, ta (al. *unerlaubt,* fr. *illicite,* ingl. *illicit,* it. *illecito*). adj. No permitido legal ni moralmente. [*Sinón.*: ilegal, inmoral]

ilimitado, da (al. *unbegrenzi,* fr. *illimité,* ingl. *boundless,* it. *illimitato*). adj. Que carece de límites. [*Sinón.*: infinito]

ilion. m. ANAT. Parte lateral del hueso coxal.

ilógico, ca. adj. Que carece de lógica o va contra sus reglas y doctrinas. [*Sinón.*: absurdo. *Antón.*: lógico, razonable]

ilota. com. Esclavo de los lacedemonios. ‖ fig. Desposeído de los derechos y goces de ciudadano.

iluminación (al. *Beleuchtung,* fr. *éclairage,* ingl. *lighting,* it. *illuminazione*). f. Acción y efecto de iluminar. ‖ Adorno de muchas luces ordenadas. ‖ Pintura al temple que se ejecuta en vitela o papel terso.

iluminar (al. *beleuchten,* fr. *illuminer,* ingl. *to illumine,* it. *illuminare*). tr. Alumbrar, dar luz. ‖ Adornar con muchas luces los templos, casas u otros sitios. ‖ Dar color a las figuras, letras, etc., de una estampa, libro, etc. ‖ fig. Ilustrar el entendimiento con ciencias o estudios.

ilusión (al. *Täuschung,* fr. *illusion,* ingl. *illusion,* it. *illusione*). f. Concepto o representación carente de verdadera realidad. ‖ Esperanza sin fundamento.

ilusionar. tr. Hacer que uno se forje determinadas ilusiones. ‖ r. Forjarse ilusiones.

ilusionismo. m. Práctica y ejercicio del ilusionista.

ilusionista. f. Artista que produce efectos ilusorios mediante juegos de manos, artificios, trucos, etc.

iluso, sa (al. *getäuscht,* fr. *abusé,* ingl. *deluded,* it. *illuso*). adj. Engañado, seducido. Ú.t.c.s. ‖ Propenso a ilusionarse, soñador.

ilusorio, ria. adj. Capaz de engañar. ‖ De ningún valor o efecto, nulo.

ilustración. f. Acción de ilustrar o

ilustrarse. ‖ Estampa, grabado o dibujo que adorna un libro ilustrado.

ilustrado, da. adj. Dícese de la persona de entendimiento e instrucción.

ilustrar (al. *aufklären,* fr. *illustrer,* ingl. *to illustrate,* it. *illustrare*). tr. Dar luz al entendimiento. Ú.t.c.r. ‖ Aclarar un punto o materia. ‖ Adornar un impreso con láminas o grabados. ‖ fig. Instruir, civilizar. Ú.t.c.r. [*Sinón.*: enseñar; esclarecer]

ilustre (al. *eraucht,* fr. *illustre,* ingl. *illustrious,* it. *illustre*). adj. De distinguida prosapia, casa, origen, etc. ‖ Insigne, célebre. ‖ Título de dignidad.

ilustrísimo, ma. adj. sup. de ilustre, que se da como tratamiento a ciertas personas por razón de su cargo.

imagen (al. *Bildnis,* fr. *image,* ingl. *image,* it. *immagine*). f. Figura, semejanza y apariencia de una cosa. ‖ Efigie o pintura de Jesucristo, de la Santísima Virgen o de un santo. ‖ FÍS. Reproducción de la figura de un objeto por la combinación de los rayos de luz. ‖ RET. Representación viva y eficaz de una cosa por medio del lenguaje.

imaginación (al. *Einbildungskraft,* fr. *imagination,* ingl. *imagination,* it. *immaginazione*). f. Facultad de representación de los objetos. ‖ Aprensión falsa de una cosa que no hay en realidad o no tiene fundamento.

imaginar. tr. Representar idealmente una cosa; crearla en la imaginación. ‖ Sospechar. [*Sinón.*: idear; suponer]

imaginaria. f. MIL. Guardia suplente. ‖ m. Soldado que por turno vela durante la noche en cada dormitorio de un cuartel.

imaginario, ria. adj. Que sólo tiene existencia en la imaginación. [*Antón.*: real, verdadero]

imaginativo, va. adj. Que continuamente imagina o piensa. ‖ Perteneciente o relativo a la imaginación. ‖ f. Potencia o facultad de imaginar.

imaginería. f. Bordado que imita a la pintura. ‖ Arte de bordar de imaginería. ‖ Talla o pintura de imágenes sagradas. ‖ Conjunto de imágenes literarias usadas por un autor, escuela o época.

imaginero. m. Estatuario o pintor de imágenes.

imam. m. El que preside la oración canónica musulmana. ‖ El guía, jefe o modelo de una sociedad de musulmanes.

imán (al. *Magnet,* fr. *aimant,* ingl. *magnet,* it. *magnete*). m. Mineral de hierro de color negruzco, opaco, casi tan duro como el vidrio, que tiene la

propiedad de atraer el hierro, el acero y en grado menor algunos otros cuerpos. ‖ fig. Gracia que atrae la voluntad.

imán. m. Imam.

imantar. tr. Dar a un cuerpo la propiedad magnética. Ú.t.c.r. [*Sinón.*: imanar]

imbécil (al. *Blöde,* fr. *imbécile,* ingl. *silly,* it. *imbecille*). adj. Persona que padece imbecilidad. Ú.t.c.s. ‖ fig. Dícese del que actúa en forma estúpida.

imbecilidad. f. Escasez de razón.

imberbe. adj. Dícese del joven que no tiene barba.

imbornal. m. Agujero por donde se vacía el agua de lluvia de los terrados. ‖ MAR. Agujero de desagüe en los buques.

imborrable. adj. Indeleble, que no se puede quitar o borrar.

imbricado, da. adj. HIST. NAT. Dícese de las hojas, semillas y escamas, que están sobrepuestas unas a otras como las tejas de un tejado.

imbuir (al. *einflössen,* fr. *influencer,* ingl. *to imbue,* it. *infondere*). tr. Infundir, persuadir.

imitación. f. Acción y efecto de imitar.

imitar (al. *nachahmen,* fr. *imiter,* ingl. *to imitate,* it. *imitare*). tr. Ejecutar una cosa a ejemplo o semejanza de otra. [*Antón.*: crear, inventar]

impaciencia (al. *Ungeduld,* fr. *impatience,* ingl. *impatience,* it. *impazienza*). f. Falta de paciencia. [*Sinón.*: desasosiego]

impacientar. tr. Hacer que uno pierda la paciencia. Ú.m.c.r.

impaciente. adj. Dícese de la persona que por temperamento no tiene paciencia para esperar.

impacto (al. *Einschlag,* fr. *impact,* ingl. *impact,* it. *urto*). m. Choque de un proyectil en el blanco. ‖ Huella o señal que deja en él.

impalpable. adj. Que no produce sensación al tacto. ‖ fig. Que apenas la produce.

impar. adj. Que no tiene par o igual.

imparcial (al. *unparteiisch,* fr. *impartial,* ingl. *unbiased,* it. *imparziale*). adj. Que juzga o procede con imparcialidad. ‖ Que no se adhiere a ningún partido. Ú.t.c.s. [*Sinón.*: justo, equitativo]

imparcialidad. f. Falta de designio anticipado o de prevención en favor o en contra de personas o cosas. [*Sinón.*: justicia, equidad. *Antón.*: parcialidad]

impartir. tr. Repartir, comunicar.

impasible (al. *empfindunglos,* fr.

impassible, ingl. *impassible*, it. *impassibile*). adj. Que no sufre ni padece. ‖ Imperturbable.

impávido, da. adj. Libre de pavor, sereno ante el peligro, impertérrito.

impecable (al. *tadellos*, fr. *impeccable*, ingl. *faultless*, it. *impeccabile*). adj. No susceptible de pecado. ‖ fig. Sin tacha. [*Sinón.*: puro, limpio. *Antón.*: impuro]

impedido, da. adj. Que no puede usar de sus miembros ni valerse para andar. Ú.t.c.s. [*Sinón.*: imposibilitado, inválido]

impedimenta. f. Bagaje que suele llevar la tropa e impide la celeridad de las operaciones.

impedimento (al. *Hindernis*, fr. *empêchement*, ingl. *hindrance*, it. *impedimento*). m. Obstáculo, estorbo para la realización de una cosa. ‖ Cualquiera de las circunstancias que hacen ilícito o nulo el matrimonio.

impedir (al. *verhindern*, fr. *empêcher*, ingl. *to hinder*, it. *impedire*). tr. Estorbar, hacer imposible la ejecución de una cosa.

impeler (al. *antreiben*, fr. *pousser*, ingl. *to impel*, it. *impellere*). tr. Dar empuje para generar movimiento. ‖ fig. Incitar, estimular. [*Sinón.*: impulsar]

impenetrable. adj. Que no se puede penetrar. ‖ fig. Difícil de entender o descifrar.

impenitente. adj. Que se obstina en el pecado; que persevera en él sin arrepentimiento. Ú.t.c.s.

impensado, da. adj. Aplícase a lo que sucede de manera imprevista.

imperar (al. *herrschen*, fr. *régner*, ingl. *to prevail*, it. *imperare*). intr. Ejercer la dignidad imperial. ‖ Mandar, dominar.

imperativo, va. adj. Que impera o manda. ‖ m. GRAM. Modo verbal usado para mandar o exhortar.

imperceptible (al. *unbemerklick*, fr. *imperceptible*, ingl. *imperceptible*, it. *impercettibile*). adj. Que no se puede percibir.

imperdible. adj. Que no puede perderse. ‖ m. Alfiler que se abrocha de modo que no pueda abrirse fácilmente.

imperecedero, ra. adj. Que no perece.

imperfección. f. Falta de perfección. ‖ Falta o defecto ligero en la moral.

imperial (al. *kaiserlich*, fr. *impérial*, ingl. *imperial*, it. *imperiale*). adj. Perteneciente al emperador o al imperio. ‖ f. Sitio con asientos que tienen ciertos carruajes encima de la cubierta.

imperialismo (al. *Imperialismus*, fr. *impérialisme*, ingl. *imperialism*, it. *imperialismo*). m. Sistema y doctrina de los imperialistas.

imperialista. com. Partidario de extender la dominación de un Estado sobre otro u otros con métodos coercitivos.

imperio (al. *Reich*, fr. *empire*, ingl. *empire*, it. *impero*). m. Acción de mandar con autoridad. ‖ Dignidad de emperador. ‖ Espacio de tiempo que dura el gobierno de un emperador. ‖ Tiempo durante el cual hubo emperadores en un determinado país. ‖ Estados sujetos a un emperador. ‖ Potencia de importancia. ‖ fig. Altanería, orgullo.

imperioso, sa. adj. Que manda autoritariamente. ‖ Que implica exigencia o necesidad.

impermeabilizar. tr. Hacer impermeable una cosa.

impermeable (al. *wasserdicht*, fr. *imperméable*, ingl. *waterproof*, it. *impermeabile*). adj. Impenetrable al agua o a otro fluido. ‖ m. Gabán confeccionado con tela impermeable.

impersonal (al. *unpersönlich*, fr. *impersonnel*, ingl. *impersonal*, it. *impersonale*). adj. Que no pertenece o no se aplica a ninguna persona en particular. ‖ Dícese del tratamiento que se da al sujeto en tercera persona. ‖ GRAM. ↗ *verbo impersonal.*

impertérrito, ta. adj. Dícese de aquel a quien nada intimida.

impertinencia (al. *Aufdringlichkeit*, fr. *impertinence*, ingl. *impertinence*, it. *impertinenza*). f. Dicho o hecho fuera de lugar. ‖ Importunidad molesta. [*Sinón.*: inoportunidad, despropósito]

impertinente. adj. Que pide o hace cosas que están fuera de lugar. Ú.t.c.s. ‖ m. pl. Anteojos con manija que solían usar las señoras.

imperturbable. adj. Que no se perturba. [*Sinón.*: impávido, impertérrito]

impétigo. m. MED. Dermatosis inflamatoria e infecciosa por la aparición de vesículas aisladas que contienen algo de pus.

impetrar. tr. Conseguir una gracia que se ha solicitado. ‖ Solicitar una gracia con ahínco.

ímpetu (al. *Ungestüm*, fr. *élan*, ingl. *impetus*, it. *impeto*). m. Movimiento acelerado y violento. ‖ La misma fuerza o violencia.

impío, a (al. *gottlos*, fr. *impie*, ingl. *ungodly*, it. *empio*). adj. Falto de piedad. ‖ fig. Irreligioso. [*Antón.*: piadoso]

implacable (al. *unversöhnlich*, fr. *implacable*, ingl. *implacable*, it. *implacabile*). adj. Que no se puede aplacar o templar.

implantar (al. *einsetzen*, fr. *implanter*, ingl. *to establish*, it. *implantare*). tr. Establecer y poner en ejecución doctrinas nuevas, instituciones, prácticas o costumbres. [*Sinón.*: instituir]

implicar. tr. Envolver, enredar. Ú.t.c.r. ‖ fig. Contener, llevar en sí, significar. ‖ intr. Obstar, envolver contradicción. Ú.m. con adverbios de negación. [*Sinón.*: entrañar, encerrar]

implícito, ta. adj. Que se entiende incluido en otra cosa sin necesidad de expresarlo. [*Sinón.*: sobrentendido. *Antón.*: excluido]

implorar (al. *enflehen*, fr. *implorer*, ingl. *to implore*, it. *implorare*). tr. Pedir con ruegos o lágrimas una cosa.

implosión. f. Acción de romperse hacia dentro una cavidad.

impoluto, ta. adj. Limpio, sin mancha. [*Antón.*: manchado]

imponderable. adj. Que no puede pesarse. ‖ fig. Que excede a toda ponderación.

imponer (al. *auferlegen*, fr. *imposer*, ingl. *to lay on*, it. *imporre*). tr. Poner carga, obligación u otra cosa. ‖ Infundir respeto. ‖ Poner dinero a rédito o en depósito. ‖ r. Hacer uno valer su decisión o pensamiento.

impopular. adj. Que no es grato a la mayoría.

importación (al. *Einfuhr*, fr. *importation*, ingl. *import*, it. *importazione*). f. Acción de importar o de introducir productos extranjeros. ‖ Conjunto de cosas importadas.

importador, ra. adj. Que introduce en un país géneros extranjeros. Ú.t.c.s.

importancia (al. *Wichtigkeit*, fr. *importance*, ingl. *importance*, it. *importanza*). f. Calidad de lo que es muy conveniente o interesante o de mucha entidad o consecuencia. ‖ Representación de una persona por su dignidad o calidades. [*Antón.*: futilidad]

importante. adj. Que es de importancia.

importar (al. *Einführen*, fr. *importer*, ingl. *to import*, it. *importare*). intr. Convenir, hacer al caso, ser de mucha entidad o consecuencia. ‖ tr. Al hablar del precio de las cosas, valer tal cantidad. ‖ Llevar consigo. ‖ Introducir en un país géneros, artículos o costumbres.

importe. m. Cuantía de un precio, crédito, deuda o saldo. [*Sinón.*: valor]

importunar. tr. Incomodar con una

pretensión o solicitud. [*Sinón.*: molestar]

importuno, na (al. *lästig*, fr. *importun*, ingl. *annoying*, it. *importuno*). adj. Inoportuno. ‖ Molesto, enfadoso. [*Antón.*: oportuno, ocurrente]

imposibilidad. f. Falta de posibilidad para existir una cosa o para hacerla.

imposibilitado, da. adj. Tullido, privado de movimiento.

imposibilitar. tr. Quitar la posibilidad de ejecutar o conseguir una cosa.

imposible (al. *unmöglich*, fr. *impossible*, ingl. *impossible*, it. *impossibile*). adj. No posible. ‖ Sumamente difícil. Ú.t.c.s.m. ‖ Inaguantable, intratable. [*Antón.*: posible]

imposición (al. *steneranflage*, fr. *imposition*, ingl. *assessement*, it. *imposizione*). f. Acción y efecto de imponer o imponerse. ‖ Exigencia desmedida con que se trata de obligar a uno. ‖ Carga, tributo u obligación que se impone. ‖ Impostura, imputación falsa. ‖ IMPR. Composición de cuadrados que separan las planas entre sí, para que, impresas, aparezcan con las márgenes correspondientes. ‖ – de manos. Ceremonia que usa la Iglesia para transmitir la gracia del Espíritu Santo a los que van a recibir ciertos sacramentos.

impositivo, va. adj. Perteneciente o relativo a los impuestos.

imposta. f. ARQ. Hilada de sillares, sobre la cual va sentado un arco.

impostor, ra (al. *Betrüger*, fr. *imposteur*, ingl. *impostor*, it. *impostore*). adj. Que atribuye falsamente a uno alguna cosa. Ú.t.c.s. ‖ Que finge o engaña con apariencia de verdad. Ú.t.c.s.

impostura. f. Imputación falsa y maliciosa. ‖ Engaño con apariencia de verdad.

impotencia (al. *Machtlosigkeit*, fr. *impuissance*, ingl. *helplessnees*, it. *impotenza*). f. Falta de poder para hacer una cosa. ‖ Incapacidad de engendrar o concebir.

impotente. adj. Que no tiene potencia. ‖ Incapaz de engendrar o concebir. Ú.t.c.s.

impracticable. adj. Que no se puede practicar. ‖ Dícese de los caminos y lugares por donde no se puede caminar o pasar sin gran incomodidad.

imprecación. f. Acción de imprecar.

imprecar. tr. Proferir palabras con las que se desea vivamente que alguien sufra mal o daño.

imprecisión. f. Falta de precisión.

impregnar (al. *durchtränken*, fr. *imprégner*, ingl. *to soak*, it. *impreg-*

nare). tr. Introducir entre las moléculas de un cuerpo, las de otro en cantidad perceptible sin que se produzca combinación. Ú.m.c.r.

imprenta (al. *Druckerei*, fr. *imprimerie*, ingl. *printing*, it. *stampa*). f. Arte de imprimir. ‖ Local o taller donde se imprime. ‖ Máquina que se utiliza para imprimir. ‖ Lo que se publica impreso.

imprescindible. adj. Dícese de aquello de lo que no se puede prescindir.

imprescriptible. adj. Que no se puede prescribir.

impresentable. adj. Que no es digno de presentarse o ser presentado.

impresión (al. *Eindruck*, fr. *impression*, ingl. *impression*, it. *impressione*). f. Acción y efecto de imprimir. ‖ Marca o señal que una cosa deja en otra apretándola, como la que deja la huella de los animales, etc. ‖ Calidad o forma de letra con que está impresa una obra. ‖ Obra impresa. ‖ Efecto o alteración que causa en un cuerpo otro extraño. ‖ fig. Movimiento que causan las cosas en el ánimo. ‖ – dactilar o digital. La que suele dejar la yema del dedo en un objeto al tocarlo, o la que se obtiene impregnándola previamente de una materia colorante.

impresionable. adj. Fácil de impresionarse o de recibir una impresión.

impresionar (al. *Eindruck machen*, fr. *impressionner*, ingl. *to impress*, it. *impressionare*). tr. Fijar en el ánimo de otro una idea, o hacer que la conciba con fuerza y viveza. Ú.t.c.r. ‖ Producir la luz alteración en la superficie de una placa fotográfica. ‖ Conmover el ánimo hondamente.

impresionismo (al. *Impressionismus*, fr. *impressionnisme*, ingl. *impressionism*, it. *impresionismo*). m. Sistema pictórico y escultórico que consiste en reproducir la naturaleza atendiendo más a la impresión que nos produce que a ella misma en realidad.

impreso. m. Obra impresa. ‖ Formulario impreso con espacios en blanco para llenar.

impresor (al. *Buchdrucker*, fr. *imprimeur*, ingl. *printer*, it. *stampatore*). m. Persona que tiene por oficio imprimir. ‖ Dueño de una imprenta.

imprevisión. f. Falta de previsión.

imprevisto, ta. adj. No previsto. ‖ m. pl. En lenguaje administrativo, gastos para los cuales no hay crédito habilitado y distinto.

imprimación. f. Acción y efecto de imprimar.

imprimar. tr. Preparar con los ingredientes necesarios las cosas que se han de pintar o teñir.

imprimátur. m. fig. Licencia que da la autoridad eclesiástica para imprimir un escrito.

imprimir (al. *drucken*, fr. *imprimer*, ingl. *to print*, it. *stampare*). tr. Señalar en el papel u otra materia las letras u otros caracteres al ser grabados en la imprenta. ‖ fig. Fijar en el ánimo algún afecto o idea. [*Sinón.*: editar]

improbable (al. *unwahrscheinlich*, fr. *improbable*, ingl. *unlikely*, it. *improbabile*). adj. No probable.

improbo, ba. adj. Falto de probidad, malvado. ‖ Aplícase al trabajo excesivo y continuado.

improcedencia. f. Falta de oportunidad, de fundamento o de derecho.

improcedente. adj. No conforme a derecho. ‖ Inadecuado, extemporáneo.

improductivo, va. adj. Dícese de lo que no produce. [*Sinón.*: infecundo, estéril]

impronta. f. Reproducción de imágenes en hueco o relieve sobre papel humedecido, cera, lacre, escayola, etc. ‖ fig. Marca que en el orden moral deja una cosa en otra.

improperio (al. *Schimpfrede*, fr. *injure*, ingl. *abuse*, it. *improperio*). m. Injuria grave proferida de palabra. [*Sinón.*: insulto, denuesto]

impropiedad. f. Falta de propiedad en el uso de las palabras.

impropio, pia. adj. Falto de las cualidades adecuadas a las circunstancias.

improvisación. f. Acción y efecto de improvisar. ‖ Obra o composición improvisada.

improvisar (al. *improvisieren*, fr. *improviser*, ingl. *to extemporize*, it. *improvvisare*). tr. Hacer una cosa de pronto, sin preparación alguna. [*Antón.*: reflexionar]

imprudencia (al. *Unvorsichtigkeit*, fr. *imprudence*, ingl. *imprudence*, it. *imprudenza*). f. Falta de prudencia.

imprudente. adj. Que no tiene prudencia. Ú.t.c.s.

impúber (al. *unmündig*, fr. *impubère*, ingl. *immature*, it. *impubere*). adj. Que no ha llegado aún a la pubertad. Ú.t.c.s. [*Sinón.*: impúbero]

impudicia. f. Deshonestidad.

impúdico, ca. adj. Deshonesto, sin pudor.

impudor. m. Falta de pudor y de honestidad. ‖ Cinismo en defender cosas vituperables.

impuesto. m. Tributo, carga.

impugnar. tr. Combatir, refutar. [*Antón.*: defender]

impulsar. tr. Impeler.

impulsivo, va. adj. Dícese de lo que impele o puede impeler. ‖ Dícese del que, llevado de la impresión del momento, habla o procede sin reflexión ni cautela.

impulso (al. *Antrieb*, fr. *impulsion*, ingl. *impulse*, it. *impulso*). m. Acción y efecto de impeler. ‖ Instigación, sugestión.

impune (al. *straflos*, fr. *impuni*, ingl. *unpunished*, it. *impune*). adj. Que queda sin castigo. [*Antón.*: castigado]

impunidad. f. Falta de castigo.

impureza (al. *Unreinheit*, fr. *impureté*, ingl. *impurity*, it. *impurità*). f. Mezcla de partículas extrañas a un cuerpo o materia. ‖ Falta de pureza o castidad.

impuro, ra (al. *Unrein*, fr. *impur*, ingl. *impure*, it. *impuro*). adj. No puro. [*Antón.*: limpio, nítido]

imputar. tr. Atribuir a otro una culpa, delito o acción. [*Sinón.*: achacar, acusar, inculpar]

inacabable. adj. Que no se puede acabar o que no se le ve el fin. [*Sinón.*: inagotable, inextinguible, interminable]

inaccesible. adj. No accesible.

inacción. f. Falta de acción, ociosidad, inercia. [*Sinón.*: inactividad. *Antón.*: actividad]

inaceptable. adj. No aceptable. [*Sinón.*: inadmisible]

inactivo, va. adj. Sin acción o movimiento. ‖ Ocioso, inerte.

inadaptable. adj. No adaptable.

inadaptación. f. No adaptación.

inadaptado, da. adj. Dícese del que no se adapta o aviene a ciertas condiciones o circunstancias. Aplicado a personas, ú.t.c.s.

inadmisible. adj. No admisible.

inadvertencia (al. *Unachtsamkeit*, fr. *inadvertance*, ingl. *inadvertence*, it. *inavvertenza*). f. Falta de advertencia. [*Antón.*: cuidado]

inagotable (al. *unerschöpflich*, fr. *inépuisable*, ingl. *inexhaustible*, it. *inesaurible*). adj. Que no se puede agotar.

inaguantable. adj. Que no se puede aguantar o sufrir. [*Sinón.*: insoportable]

inalienable. adj. Que no se puede enajenar.

inalterable. adj. Que no se puede alterar.

inamovible. adj. Que no puede moverse.

inane. adj. Vano, fútil.

inanición (al. *Entkräftung*, fr. *inanition*, ingl. *starvation*, it. *inanizione*). f. FISIOL. Notable debilidad producida por falta de alimento. [*Sinón.*: depauperación]

inanimado, da. adj. Que no tiene vida. [*Sinón.*: exánime]

inapelable. adj. Aplícase a la sentencia o fallo de que no se puede apelar. ‖ fig. Irremediable, inevitable.

inapetencia. f. Falta de apetito. [*Sinón.*: desgana, anorexia]

inaplicable. adj. Que no se puede aplicar o acomodar a una cosa, o en una ocasión determinada.

inapreciable. adj. Que no se puede apreciar, ya sea por su mucho valor o mérito, o por su extremada pequeñez u otro motivo.

inarticulado, da. adj. No articulado. ‖ Dícese de los sonidos de la voz con que no se forman palabras.

inasequible. adj. No asequible.

inaudito, ta (al. *unerhört*, fr. *inouï*, ingl. *unprecedented*, it. *inaudito*). adj. Nunca oído.

inauguración. f. Acto de inaugurar.

inaugurar (al. *einweihen*, fr. *inaugurer*, ingl. *to inaugurate*, it. *inaugurare*). tr. Dar principio a una cosa con cierta pompa. ‖ Abrir solemnemente un establecimiento público. ‖ Celebrar el estreno de una obra, edificio o monumento. [*Sinón.*: iniciar, estrenar]

inca. m. adj. Perteneciente o relativo a los aborígenes americanos que, a la llegada de los españoles, habitaban en la parte oeste de la América del Sur desde el actual Ecuador hasta Chile y el Norte de Argentina y que estaban sometidos a una monarquía cuya capital era la ciudad de Cuzco. ‖ m. Denominación que se daba al soberano que los gobernaba. ‖ Individuo comprendido en la unidad política del imperio incaico.

incaico, ca. adj. Perteneciente a los incas.

incalificable. adj. Que no se puede calificar. ‖ Muy vituperable.

incandescencia. f. Fís. Emisión de radiaciones por un cuerpo al ser calentado.

incandescente. adj. Candente.

incansable. adj. Que no puede cansarse o que es muy resistente al cansancio.

incapacidad (al. *Unfähigkeit*, fr. *incapacité*, ingl. *incapacity*, it. *incapacità*). f. Falta de capacidad. ‖ fig. Rudeza, falta de entendimiento. [*Sinón.*: ineptitud. *Antón.*: competencia]

incapacitar. tr. Decretar la falta de capacidad civil de personas mayores de edad. ‖ Ser causa de que algo o alguien sea incapaz.

incapaz (al. *unfähig*, fr. *incapable*, ingl. *unable*, it. *incapace*). adj. Que no tiene capacidad. ‖ fig. Falto de talento. ‖ DER. Que no tiene cumplida personalidad para la realización de actos civiles, o que carece de aptitud legal para una cosa determinada.

incautarse (al. *mit Beschlag belegen*, fr. *saisir*, ingl. *to attach property*, it. *impossessarsi*). r. Tomar posesión un tribunal, u otra autoridad competente, de dinero o bienes de otra clase. [*Sinón.*: confiscar]

incauto, ta. adj. Que no tiene cautela. ‖ fig. Ingenuo.

incendiar (al. *in Brand stecken*, fr. *incendier*, ingl. *to set on fire*, it. *incendiare*). tr. Prender fuego a una cosa que no está destinada a arder. Ú.t.c.r.

incendiario, ria. adj. Que, con malicia, prende fuego a cosas no destinadas a arder. Ú.t.c.s. ‖ Destinado para incendiar o que pueda causar incendio. ‖ fig. Escandaloso, subversivo.

incendio (al. *Feuersbrunst*, fr. *incendie*, ingl. *fire*, it. *incendio*). m. Fuego voraz que abrasa lo que no está destinado a arder. ‖ fig. Afecto que acalora el ánimo.

incensar. tr. Dirigir con el incensario el humo del incienso hacia una persona o cosa. ‖ fig. Lisonjear a uno.

incensario. m. Braserillo con cadenillas y tapa, que sirve para incensar.

incentivo, va (al. *reiz*, fr. *stimulant*, ingl. *incentive*, it. *incentivo*). adj. Que mueve a desear o hacer una cosa. Ú.m.c.s.m. [*Sinón.*: aliciente]

incertidumbre (al. *ungewissheit*, fr. *incertitude*, ingl. *uncertainty*, it. *incertezza*). f. Falta de certidumbre, duda.

incesante. adj. Que no cesa.

incesto (al. *Blutschande*, fr. *inceste*, ingl. *incest*, it. *incesto*). m. Ayuntamiento carnal entre parientes, dentro de los grados en que está prohibido el matrimonio.

incestuoso, sa. adj. Que comete incesto. Ú.t.c.s. ‖ Relativo a este pecado.

incidencia (al. *Zwischenfall*, fr. *incidence*, ingl. *incidence*, it. *incidenza*). f. Lo que sobreviene en el curso de un asunto y tiene con él alguna conexión. ‖ GEOM. Caída de una línea, plano, cuerpo o rayo de luz, sobre otro cuerpo, plano, línea o punto.

incidente. adj. Que sobreviene en el curso de un asunto. Ú.m.c.s. ‖ m. DER.

Cuestión distinta del asunto principal del juicio, pero con él relacionada, que se ventila y decide por separado.

incidir. intr. Caer o incurrir en una falta, error, etc. ‖ CIR. Hacer una incisión o cortadura.

incienso (al. *Weihrauch*, fr. *encens*, ingl. *incense*, it. *incenso*). m. Gomorresina que arde con olor aromático y se quema en ceremonias religiosas. ‖ fig. Alabanza.

incierto, ta. adj. No cierto o no verdadero. ‖ Inconstante, no seguro. [*Sinón.*: falso, inseguro]

incineración. f. Acción y efecto de incinerar.

incinerar (al. *einäschern*, fr. *incinérer*, ingl. *to incinerate*, it. *incinerare*). tr. Reducir una cosa a cenizas.

incipiente. adj. Que empieza.

incisión (al. *Einschnitt*, fr. *incision*, ingl. *cut*, it. *incisione*). f. Hendidura que se hace en algunos cuerpos con instrumento cortante.

incisivo, va. adj. Apto para abrir o cortar. ‖ fig. Punzante, mordaz. ‖ m. ANAT. Cada uno de los dientes anteriores, en número de cuatro en cada maxilar (dos incisivos centrales y dos laterales). Son los que cortan los alimentos.

inciso, sa. adj. Cortado, dicho del estilo.

incitar. tr. Estimular a alguien a la ejecución de una cosa. [*Sinón.*: inducir]

incivil. adj. Falto de espíritu cívico.

inclemencia. f. Falta de clemencia. ‖ fig. Rigor de la estación, especialmente en invierno. [*Sinón.*: impiedad; dureza]

inclinación (al. *Neigung, Zuneigung*; fr. *inclination, penchant*; ingl. *leaning, liking*; it. *inclinazione*). f. Acción de inclinar o inclinarse. ‖ Reverencia que se hace con la cabeza o el cuerpo. ‖ fig. Afecto, propensión.

inclinar (al. *neigen*, fr. *pencher*, ingl. *to tilt*, it. *inclinare*). tr. Apartar una cosa de la perpendicular. Ú.t.c.r. ‖ fig. Persuadir. ‖ r. Propender. [*Sinón.*: Reclinar, convencer]

incluir (al. *einschliessen*, fr. *inclure*, ingl. *to include*, it. *includere*). tr. Poner una cosa dentro de otra o dentro de sus límites. ‖ Contener una cosa a otra o llevarla implícita.

inclusa. f. Casa en donde se recogen y crían los niños expósitos.

inclusión. f. Acción y efecto de incluir. ‖ Conexión o amistad de una persona con otra.

inclusive. adv. m. Con inclusión.

incluso. adv. m. Con inclusión de. ‖ prep. y conj. Hasta, aún.

incoar. tr. Comenzar una cosa. Dícese de un proceso, pleito o alguna otra actuación oficial.

incógnita (al. *Unbekannte*, fr. *inconnue*, ingl. *unknown*, it. *incognita*). f. fig. Causa o razón oculta en un hecho que se examina. ‖ MAT. Cantidad desconocida que es preciso determinar en una ecuación.

incógnito, ta. adj. No conocido. Ú.t.c.s.m. ‖ *de incógnito*. m. adv. de que se usa para significar que una persona conocida quiere pasar inadvertida.

incoherencia. f. Falta de coherencia.

incoherente. adj. No coherente.

incoloro, ra. adj. Sin color.

incólume. adj. Sano, sin lesión. [*Sinón.*: ileso, indemne]

incombustible (al. *unverbrennbar*, fr. *incombustible*, ingl. *fireproof*, it. *incombustibile*). adj. Que no se puede quemar.

incomodar. tr. Causar incomodidad. Ú.t.c.r. [*Sinón.*: importunar]

incómodo, da. adj. Que incomoda. ‖ Que carece de comodidad. ‖ *Amer.* Incomodado, disgustado.

incomparable. adj. Que no tiene o no admite comparación.

incompatibilidad. f. Repugnancia que tiene una cosa para unirse con otra, o de dos o más personas entre sí. ‖ Imposibilidad legal para ejercer dos o más cargos a la vez.

incompatible. adj. No compatible con otra cosa.

incompetencia (al. *Unzuständigkeit*, fr. *incompétence*, ingl. *incompetence*, it. *incompetenza*). f. Falta de competencia o de jurisdicción.

incompetente. adj. No competente.

incompleto, ta. adj. No completo.

incomprensible (al. *unverständlich*, fr. *incompréhensible*, ingl. *incomprehensible*, it. *incomprensibile*). adj. Que no se puede comprender.

incomprensivo, va. adj. Dícese de la persona reacia a comprender el sentimiento o la conducta de los demás; intolerante.

incomunicar. tr. Privar de comunicación a personas o cosas. ‖ r. Aislarse, negarse al trato con otras personas.

inconcebible. adj. Que no puede concebirse. [*Sinón.*: increíble, sorprendente]

inconcluso, sa. adj. No concluido.

incondicional. adj. Absoluto, sin restricción. ‖ m. Adepto a una persona o idea, sin limitación o condición alguna.

inconexo, xa. adj. Que no tiene conexión con una cosa.

inconfesable. adj. Dícese de lo que, por ser vergonzoso, no puede confesarse.

inconfeso, sa. adj. Aplícase al presunto reo que no confiesa el delito acerca del cual se le pregunta.

inconforme. adj. Que mantiene actitud hostil a lo establecido. Ú.t.c.s. ‖ Disconforme. Ú.t.c.s.

inconformismo. m. Actitud o tendencia del inconforme.

inconformista. adj. Partidario del inconformismo. Ú.t.c.s.

inconfundible. adj. No confundible.

incongruencia. f. Falta de congruencia.

incongruente. adj. No congruente.

inconmensurable. adj. No conmensurable. [*Sinón.*: infinito, ilimitado]

inconmovible. adj. Que no se puede conmover o alterar; perenne, firme.

inconsciencia (al. *Bewusstlosigkeit*, fr. *inconscience*, ingl. *unconsciousness*, it. *incoscienza*). f. Estado en que el individuo no tiene conciencia del alcance de sus palabras o acciones.

inconsciente. adj. No consciente. ‖ m. Estrato fundamental, según Freud, de la vida anímica, donde van a parar todas las represiones y las frustraciones que el individuo rechaza.

inconsecuencia. f. Falta de consecuencia en lo que se dice o hace. [*Sinón.*: volubilidad, informalidad]

inconsecuente. adj. Que no se sigue o deduce de otra cosa. ‖ Que procede con inconsecuencia. Ú.t.c.s.

inconsistencia. f. Falta de consistencia.

inconsolable. adj. Que no puede consolarse. ‖ fig. Que muy difícilmente se consuela.

inconstancia. f. Falta de estabilidad y permanencia de una cosa. ‖ Facilidad y ligereza con que uno muda de opinión, de amigos, etc.

incontable. adj. Que no puede contarse. ‖ Numerosísimo.

incontenible. adj. Que no se puede contener o refrenar.

incontinencia. f. Falta de continencia. [*Sinón.*: liviandad]

incontinente. adj. Desenfrenado en las pasiones de la carne. ‖ Que no se contiene. [*Sinón.*: libertino, lujurioso]

incontrastable. adj. Que no se puede vencer o conquistar. ‖ Que no se puede impugnar. ‖ fig. Que no se deja reducir o convencer. [*Sinón.*: invencible; irrefutable; irreductible]

incontrovertible. adj. Que no admite duda ni disputa.

inconveniencia. f. Incomodidad. ‖ Disconformidad, inverosimilitud de una cosa. ‖ Despropósito.

inconveniente (al. *Misstand*, fr. *inconvénient*, ingl. *drawback*, it. *inconveniente*). m. Impedimento que hay para hacer una cosa. ‖ Daño que resulta de ejecutarla.

incordiar. tr. Molestar, importunar.

incordio. m. Bubón. ‖ fig. y fam. Cosa incómoda, agobiante o muy molesta.

incorporación. f. Acción y efecto de incorporar o incorporarse.

incorporar (al. *einverleiben*, fr. *incorporer*, ingl. *to embody*, it. *incorporare*). tr. Unir dos o más cosas para que formen un todo. ‖ Sentar o reclinar el cuerpo que estaba echado y tendido. Ú.t.c.r. ‖ r. Agregarse una o más personas a otras para formar un cuerpo. [*Sinón.*: juntar; reincorporarse]

incorpóreo. adj. No corpóreo.

incorrección. f. Calidad de incorrecto. ‖ Dicho o hecho incorrecto.

incorrecto, ta. adj. No correcto.

incorregible. adj. No corregible. ‖ Dícese del que por rudeza y terquedad no se quiere enmendar.

incorruptible. adj. No corruptible. ‖ fig. Que no se puede pervertir.

incorrupto, ta. adj. Que está sin corromperse. ‖ fig. No dañado ni pervertido.

incredulidad. f. Repugnancia en creer una cosa. [*Sinón.*: escepticismo]

incrédulo, la. adj. Que no cree lo que debe. Ú.t.c.s. ‖ Que no cree con facilidad.

increíble (al. *Unglaublich*, fr. *incroyable*, ingl. *incredible*, it. *incredibile*). adj. Que no puede creerse. ‖ fig. Muy difícil de creer. [*Sinón.*: inverosímil]

incrementar. tr. Dar aumento.

incremento (al. *Zuwachs*, fr. *accroissement*, ingl. *increase*, it. *incremento*). m. Aumento, acrecentamiento.

increpar. tr. Reprender con dureza y severidad.

incriminar. tr. Acriminar con fuerza o insistencia. ‖ Exagerar un delito, culpa o defecto.

incruento, ta (al. *unblutig*, fr. *non sanglant*, ingl. *bloodless*, it. *incruento*). adj. Que no es sangriento. [*Antón.*: cruento]

incrustación. f. Acción de incrustar. ‖ Cosa incrustada.

incrustar (al. *einlegen*, fr. *incruster*, ingl. *to inlay*, it. *incrostare*). tr. Embutir en una superficie lisa y dura piedras, metales, madera, etc., formando dibujos. ‖ Cubrir una superficie con una costra dura.

incubación. f. Acción y efecto de incubar.

incubadora. f. Aparato que sirve para la incubación artificial.

incubar (al. *ausbrüten*, fr. *couver*, ingl. *to hatch*, it. *covare*). intr. Encobar. ‖ tr. Empollar el ave los huevos. ‖ MED. Desarrollar el organismo una enfermedad desde que empieza la causa morbosa hasta que se manifiestan sus efectos.

incubo. adj. Dícese del demonio que, según la opinión vulgar, tiene comercio carnal con una mujer, bajo la apariencia de varón. Ú.t.c.s.

inculcar. tr. Apretar una cosa contra otra. Ú.t.c.r. ‖ fig. Repetir con empeño una cosa. ‖ fig. Infundir con ahínco en el ánimo de alguien una idea, un concepto, etc.

inculpar. tr. Acusar a alguien de una cosa. [*Sinón.*: imputar]

inculto, ta. adj. Que no tiene cultivo ni labor, referido al campo. ‖ fig. De modales rústicos y groseros o de corta instrucción.

incultura. f. Falta de cultivo o de cultura.

incumbencia. f. Obligación de hacer una cosa.

incumbir. intr. Estar a cargo de alguien una cosa. [*Sinón.*: concernir, competer]

incunable. adj. Aplícase a las ediciones hechas desde la invención de la imprenta hasta principios del siglo XVI. Ú.t.c.s.m.

incurable (al. *unheilbar*, fr. *incurable*, ingl. *incurable*, it. *incurabile*). adj. Que no se puede curar o no puede sanar. Aplicado a personas, ú.t.c.s. ‖ Muy difícil de curarse. ‖ fig. Que no tiene enmienda ni remedio.

incuria. f. Poco cuidado, negligencia.

incurrir (al. *geraten in*, fr. *encourir*, ingl. *to incur*, it. *incorrere*). intr. Caer en error o culpa. ‖ Causar o atraerse odio, ira, desprecio, etc.

incursión. f. Acción de incurrir. ‖ MIL. Ataque, asalto.

indagar (al. *untersuchen*, fr. *s'enquérir*, ingl. *to inquire*, it. *indagare*). tr. Inquirir una cosa, discurriendo, o por conjeturas y señales. [*Sinón.*: investigar, analizar]

indebido, da. adj. Que no es obligatorio ni exigible. ‖ Ilícito, falto de equidad. [*Sinón.*: ilegal, vedado]

indecencia (al. *Unanständigkeit*, fr. *indécence*, ingl. *obscenity*, it. *indecenza*). f. Falta de decencia o modestia. ‖ Acto vituperable. [*Sinón.*: obscenidad]

indecente. adj. Indecoroso, no decente.

indecisión. f. Irresolución, falta de decisión. [*Sinón.*: indeterminación, duda. *Antón.*: resolución]

indeciso, sa. adj. Dícese de la cosa sobre la cual no ha caído resolución. ‖ Perplejo, dudoso.

indecoroso, sa. adj. Que carece de decoro o lo ofende.

indefectible. adj. Que no puede faltar o dejar de ser.

indefenso, sa. adj. Que carece de defensa. [*Sinón.*: desvalido]

indefinible. adj. Que no se puede definir.

indefinido, da. adj. No definido. ‖ Que no tiene término señalado o conocido. [*Antón.*: definido, limitado]

indeleble. adj. Que no se puede borrar o quitar.

indemne. adj. Ileso, exento de daño. [*Sinón.*: incólume]

indemnización. f. Acción y efecto de indemnizar. ‖ Cosa que se da en indemnización.

indemnizar (al. *entschädigen*, fr. *dédommager*, ingl. *to make amends*, it. *indemnizzare*). tr. Resarcir de un daño o perjuicio. Ú.t.c.r.

independencia (al. *Independence*, fr. *indépendance*, ingl. *independence*, it. *independenza*). f. Falta de dependencia. ‖ Libertad, autonomía. ‖ Entereza, firmeza de carácter. [*Antón.*: esclavitud, sometimiento]

independiente. adj. Exento de dependencia. ‖ Autónomo. ‖ fig. Que mantiene su independencia.

independizar. tr. Emancipar. Ú.t.c.r. [*Antón.*: someter]

indescifrable. adj. Que no se puede descifrar.

indescriptible. adj. Que no se puede describir.

indeseable. adj. Dícese de la persona que se supone peligrosa para la tranquilidad pública o social.

indestructible. adj. Que no se puede destruir.

indeterminado, da. adj. No determinado, o que no implica determinación alguna. ‖ Dícese del que no se resuelve a una cosa.

indiano, na. adj. Natural, pero no hijo de nativos de América. Ú.t.c.s. ‖

Que regresa rico de América. Ú.t.c.s.

indicación. f. Acción y efecto de indicar. [*Sinón.*: señal]

indicador, ra. adj. Que indica o sirve para indicar. Ú.t.c.s.

indicar. tr. Dar a entender una cosa con indicios y detalles. [*Sinón.*: mostrar, enseñar, señalar]

indicativo, va. adj. Que indica o sirve para indicar. ‖ ↗ *modo indicativo.* Ú.t.c.s.

índice (al. *Inhaltsverzeichnis*, fr. *index*, ingl. *table of contents*, it. *indice*). adj. ↗ *dedo índice.* Ú.t.c.s. ‖ m. Indicio o señal de una cosa. ‖ Lista o enumeración breve, y por orden, de libros, capítulos o cosas notables. ‖ Catálogo contenido en uno o muchos volúmenes en el cual, por orden cronológico o alfabético, están relacionados los autores o materias de las obras que se conservan en una biblioteca. ‖ Cada una de las manecillas de un reloj y, en general, las agujas y otros elementos indicadores de los instrumentos graduados, tales como barómetros, termómetros, higrómetros, etc. ‖ Gnomon de un cuadrante solar. ‖ MAT. Número o letra que se coloca en la abertura del signo radical y sirve para indicar el grado de la raíz.

indicio (al. *Anzeichen*, fr. *indice*, ingl. *clue*, it. *indizio*). m. Acción o señal que da a conocer lo oculto. [*Sinón.*: detalle, pista]

índico, ca. adj. Perteneciente a las Indias Orientales.

indiferencia (al. *Gleichgültigkeit*, fr. *indifférence*, ingl. *indifference*, it. *indifferenza*). f. Estado del ánimo en que no se siente inclinación ni repugnancia por un objeto o negocio determinado. [*Antón.*: interés]

indiferente. adj. No determinado por sí a una cosa más que a otra. ‖ Que no importa que sea o se haga de una u otra forma.

indígena (al. *Eigeborener*, fr. *indigène*, ingl. *native*, it. *indigeno*). adj. Originario del país de que se trata. Aplicado a personas, ú.t.c.s. [*Sinón.*: aborigen]

indigencia. f. Falto de medios para alimentarse, vestirse, etc.

indigente. adj. Falta de los medios necesarios para vivir. Ú.t.c.s.

indigestarse. r. No sentar bien un manjar o comida. ‖ fig. y fam. No agradarle a uno alguien. [*Sinón.*: empacharse]

indigestión (al. *Unverdaulichkeit*, fr. *indigestion*, ingl. *indigestion*, it. *indigestione*). f. Falta de digestión. ‖ Indisposición que se padece por no haber digerido normalmente los alimentos. [*Sinón.*: empacho]

indigesto, ta. adj. Que no se digiere. ‖ fig. Áspero, difícil en el trato.

indignación (al. *Entrüstung*, fr. *indignation*, ingl. *anger*, it. *indignazione*). f. Enojo, enfado contra una persona o contra sus actos.

indignar. tr. Irritar, provocar el enfado de alguien. Ú.t.c.r. [*Sinón.*: enojar, molestar]

indignidad. f. Falta de mérito y disposición para una cosa. ‖ Acción reprobable. [*Sinón.*: vileza]

indigno, na. adj. Que no tiene mérito ni disposición para una cosa. ‖ Que no corresponde a las circunstancias de un sujeto, o es inferior a la calidad y mérito de la persona con quien se trata. ‖ Vil, ruin.

índigo. m. Añil, planta.

indio, dia (al. *Indier*, fr. *indien*, ingl. *indian*, it. *indiano*). adj. Natural de la India o aborigen de América. Ú.t.c.s. ‖ Dícese también de las cosas.

indirecta. f. Medio sutil de que uno se vale para no expresar una cosa con claridad y darla, sin embargo, a entender. [*Sinón.*: alusión, insinuación]

indirecto, ta. adj. Que no se dirige rectamente a un fin, aunque se encamine a él.

indisciplina (al. *Zuchtlosigkeit*, fr. *indiscipline*, ingl. *insubordination*, it. *indisciplina*). f. Falta de disciplina. [*Sinón.*: insubordinación. *Antón.*: disciplina]

indiscreción (al. *Taktlosigkeit*, fr. *indiscrétion*, ingl. *indiscretion*, it. *indiscrezione*). f. Falta de discreción. ‖ fig. Dicho o hecho indiscreto.

indiscreto, ta. adj. Que obra sin discreción. Ú.t.c.s. ‖ Que se hace sin discreción.

indiscutible. adj. Que no admite discusión.

indisoluble. adj. Que no se puede disolver o desatar.

indispensable. adj. Que no se puede dispensar ni excusar. ‖ Que es necesario que suceda. [*Sinón.*: esencial. *Antón.*: accesorio]

indisponer (al. *berfeiden*, fr. *indisposer*, ingl. *to disincline*, it. *indisporre*). tr. Malquistar. Ú.m.c.r. ‖ Causar indisposición.

indisposición (al. *Unwohlseis*, fr. *indisposition*, ingl. *slight ailment*, it. *indisposizione*). f. Falta de disposición y de preparación para una cosa. ‖ Desazón o quebranto leve de la salud.

indispuesto, ta. adj. Que se siente algo enfermo o con alguna alteración en la salud.

indistinto, ta. adj. Que no se distingue de otra cosa. ‖ Que no se percibe clara y distintamente.

individual. adj. Perteneciente o relativo al individuo. ‖ Particular, propio y característico de una cosa. [*Antón.*: colectivo; general]

individualidad. f. Calidad de una persona o cosa por la cual se da a conocer o se señala singularmente.

individualismo. m. FIL. Sistema que considera al individuo como fundamento y fin de todas las leyes y relaciones morales y políticas. ‖ Propensión a obrar según el propio albedrío.

individualista. adj. Que suele actuar aisladamente, sin pedir ni prestar consejo ni ayuda a los demás.

individuar. tr. Especificar una cosa; tratar de ella con particularidad y por menor. ‖ Determinar individuos comprendidos en la especie. [*Sinón.*: individualizar]

individuo, dua (al. *Individuum*, fr. *individu*, ingl. *individual*, it. *individuo*). adj. Individual. ‖ Indivisible. ‖ m. Cada ser organizado, sea animal o vegetal, respecto a la especie a que pertenece. ‖ s. fam. Persona cuyo nombre y condición se ignoran o no se quieren decir. [*Sinón.*: ente]

indivisible. adj. Que no puede ser dividido. [*Antón.*: divisible, fraccionable]

indiviso, sa. adj. No dividido en partes. Ú.t.c.s.

indócil. adj. Que no tiene docilidad. Ú.t.c.s.

indocumentado, da. adj. Dícese de quien no lleva documento oficial por el cual pueda identificarse, y también del que carece de él.

indochino, na. adj. Natural o perteneciente a la Indochina. Ú.t.c.s.

indoeuropeo, a. adj. Dícese de cada una de las razas y lenguas procedentes de un tronco común y extendidas desde la India hasta el occidente de Europa. ‖ Dícese también de la raza y lengua que dio origen a todas ellas. Ú.t.c.s.m. [*Sinón.*: indogermánico]

índole. f. Condición e inclinación natural propia de cada uno. ‖ Naturaleza y condición de las cosas. [*Sinón.*: carácter]

indolencia. f. Calidad de indolente.

indolente. adj. Que no se afecta o conmueve. ‖ Flojo, perezoso.

indomable. adj. Que no se puede domar. [*Sinón.*: indómito]

indómito, ta. adj. No domado. ‖ Que no se puede domar. ‖ fig. Difícil de sujetar o reprimir.

indonesio, sia. adj. Natural de Indonesia. Ú.t.c.s. ‖ Perteneciente o relativo a este país de Asia.

indostánico, ca. adj. Perteneciente o relativo al Indostán.

indubitable. adj. Indudable.

inducción (al. *Veranlassung, Induktion;* fr. *induction;* ingl. *induction;* it. *induzione*). f. Acción y efecto de inducir.

inducir. tr. Instigar, mover a uno. ‖ FIL. Ascender lógicamente el entendimiento desde el conocimiento de los fenómenos a la ley que virtualmente los contiene. ‖ FÍS. Producir un cuerpo electrizado fenómenos eléctricos en otro situado a cierta distancia de él.

inductor, ra. adj. Que induce. ‖ m. TÉCN. Pieza de las máquinas eléctricas destinada a producir la inducción magnética.

indudable. adj. Que no es susceptible de duda.

indulgencia (al. *Nachsicht,* fr. *indulgence,* ingl. *indulgence,* it. *indulgenza*). f. Facilidad en perdonar o disimular las culpas o en conceder gracias. ‖ Remisión que hace la Iglesia de las penas debidas por los pecados. [*Sinón.:* clemencia; perdón]

indulgente. adj. Fácil en perdonar y disimular los yerros o en conceder gracias. [*Sinón.:* clemente, benévolo]

indultar. tr. Perdonar o conmutar una pena.

indulto (al. *Begnadigung,* fr. *grâce,* ingl. *grace,* it. *indulto*). m. Privilegio concedido a alguien para que pueda hacer lo que sin él no podría. ‖ Gracia por la cual el superior remite el todo o parte de una pena, o la conmuta.

indumentaria. f. Vestido, conjunto de prendas de vestir. [*Sinón.:* vestimenta]

induración. f. Endurecimiento.

industria (al. *Industrie,* fr. *industrie,* ingl. *industry,* it. *industria*). f. Destreza o artificio para hacer una cosa. ‖ Conjunto de operaciones para transformar productos. ‖ Instalación destinada a estas operaciones. ‖ Suma y conjunto de las fábricas de uno o de varios géneros, de todo un país o de parte de él.

industrial. adj. Perteneciente a la industria. ‖ m. El que vive del ejercicio de una industria.

industrializar. tr. Hacer que una cosa sea objeto de industria o elaboración. ‖ Edificar industrias.

industrioso, sa. adj. Que obra con provecho. ‖ Que se aplica con ahínco al trabajo.

inédito, ta (al. *unveröffentlicht,* fr. *inédit,* ingl. *unpublished,* it. *inedito*). adj. Escrito y no publicado.

inefable. adj. Que no se puede explicar con palabras.

ineficacia (al. *Unwirksamkeit,* fr. *inefficacité,* ingl. *inefficiency,* it. *inefficacia*). f. Falta de eficacia y actividad. [*Antón.:* fructuosidad]

ineficaz. adj. No eficaz.

ineluctable. adj. Dícese de aquello contra lo cual no puede lucharse; inevitable.

ineludible. adj. Que no se puede eludir.

inenarrable. adj. Inefable. [*Sinón.:* indescriptible]

inepcia. f. Necedad. [*Sinón.:* estupidez, majadería]

ineptitud. f. Falta de habilidad o de capacidad. [*Sinón.:* incompetencia]

inepto, ta. adj. Que carece de aptitud para una cosa. ‖ Necio o incapaz. Ú.t.c.s. [*Sinón.:* inhábil, incompetente]

inequívoco, ca. adj. Que no admite duda o equivocación. [*Sinón.:* innegable, incuestionable, indudable]

inercia (al. *Trägheit,* fr. *inertie,* ingl. *inertia,* it. *inerzia*). f. Flojedad, inacción. ‖ FÍS. Incapacidad de los cuerpos para modificar su estado de reposo o de movimiento sin acción de fuerzas externas.

inerme. adj. Que está sin armas. ‖ HIST. NAT. Desprovisto de espinas, pinchos o aguijones.

inerte (al. *Träge,* fr. *inerte,* ingl. *inert,* it. *inerte*). adj. Inactivo, ineficaz, inútil. ‖ Flojo, desidioso.

inervación. f. FISIOL. Distribución de las ramificaciones nerviosas en el cuerpo del animal.

inescrutable. adj. Que no se puede saber ni averiguar.

inesperado, da. adj. Que sucede sin esperarse. [*Sinón.:* imprevisto, inopinado, fortuito]

inestable. adj. No estable. [*Sinón.:* inseguro, vacilante]

inestimable. adj. Incapaz de ser estimado como corresponde. [*Sinón.:* inapreciable, valioso]

inevitable. adj. Que no se puede evitar.

inexacto, ta. adj. Que carece de exactitud. [*Sinón.:* erróneo]

inexcusable. adj. Que no puede excusarse.

inexistente. adj. Que carece de existencia. ‖ fig. Dícese de aquello que aunque existe se considera totalmente nulo.

inexorable. adj. Que no se deja vencer por los ruegos. [*Sinón.:* inapelable, implacable]

inexperiencia. f. Falta de experiencia. [*Antón.:* veteranía]

inexperto, ta. adj. Falto de experiencia. Ú.t.c.s.

inexplicable. adj. Que no se puede explicar.

inexpresivo, va. adj. Que carece de expresión.

inexpugnable. adj. Que no se puede conquistar por la fuerza de las armas. ‖ fig. Que no se deja vencer ni persuadir. [*Sinón.:* inconquistable]

in extremis. loc. lat. En los últimos instantes de la existencia.

inextricable. adj. Difícil de desenredar; muy intrincado y confuso. [*Sinón.:* indescifrable]

infalibilidad. f. Calidad de infalible.

infalible. adj. Que no puede engañar ni engañarse. ‖ Seguro, cierto.

infamar. tr. Quitar la fama, honra y estimación a una persona o a una cosa personificada. Ú.t.c.r. [*Sinón.:* difamar, denigrar]

infame (al. *Ehrlos,* fr. *infâme,* ingl. *infamous,* it. *infame*). adj. Que carece de honra, crédito y estimación. Ú.t.c.s. ‖ Muy malo y vil en su especie. [*Sinón.:* ruin, ignominioso]

infamia. f. Descrédito, deshonra. ‖ Maldad, vileza en cualquier línea.

infancia (al. *Kindheit,* fr. *enfance,* ingl. *childhood,* it. *infanzia*). f. Período de la vida comprendido, aproximadamente, entre el nacimiento y los siete años. ‖ fig. Primer estado de una cosa después de su nacimiento. [*Antón.:* vejez]

infanta. f. Niña menor de siete años. ‖ Cualquiera de las hijas legítimas del rey, nacidas después del príncipe o de la princesa. ‖ Mujer de un infante.

infante. m. Niño menor de siete años. ‖ Cualquiera de los hijos varones y legítimos del rey, nacidos después del príncipe o de la princesa. ‖ MIL. Soldado que sirve a pie.

infantería (al. *Infanterie,* fr. *infanterie,* ingl. *infantry,* it. *fanteria*). f. Tropa que sirve a pie en el Ejército, si bien en la actualidad utiliza los modernos medios de transporte motorizado. ‖ — *de marina.* La que forma parte de la Armada y tiene como misión el asalto anfibio y la vigilancia de arsenales y departamentos marítimos.

infanticida. adj. Dícese del que mata a un niño o infante. Ú.t.c.s.

infanticidio (al. *Kindesmord*, fr. *infanticide*, ingl. *infanticide*, it. *infanticidio*). m. Muerte dada a un niño, sobre todo si es recién nacido o está próximo a nacer.

infantil (al. *kindlich*, fr. *enfantin*, ingl. *childish*, it. *infantile*). adj. Relativo a la infancia. ‖ fig. Inocente, cándido, inofensivo. [*Sinón.*: pueril]

infantilismo. m. Estado de algunas personas que conservan en la juventud y en la edad adulta caracteres morfológicos y psíquicos propios de la niñez.

infanzón, na. s. Hidalgo que en sus heredades tenía potestad y señorío limitados.

infarto. m. MED. Lesión que se produce en cualquier órgano del cuerpo humano por falta o grave deficiencia en el riego sanguíneo. ‖ — de miocardio. MED. El que se produce en el músculo cardíaco como consecuencia de la oclusión de alguna de las arterias coronarias o de sus ramas.

infatigable. adj. Incansable.

infatuar. tr. Volver a alguien fatuo o engreído. Ú.t.c.r.

infausto, ta. adj. Desgraciado, infeliz. [*Sinón.*: infortunado]

infección. f. Acción y efecto de infectar.

infeccioso, sa. adj. Que es causa de infección.

infectar. tr. Causar una afección de origen microbiano. Ú.t.c.r. ‖ fig. Corromper con malas doctrinas o ejemplos. [*Sinón.*: infeccionar]

infecto, ta. adj. Contagiado, corrompido.

infelicidad. f. Desgracia, suerte adversa.

infeliz. adj. Desgraciado. Ú.t.c.s. ‖ fam. Bondadoso y apocado. Ú.t.c.s. [*Sinón.*: desdichado, desventurado. *Antón.*: feliz]

inferencia. f. Acción y efecto de inferir. [*Sinón.*: ilación]

inferior (al. *Nieder-, Unter-;* fr. *inférieur;* ingl. *lower, inferior;* it. *inferiore*). adj. Que está debajo o más bajo. ‖ Que es menos que otro. ‖ Dícese de la persona sujeta o subordinada a otra. Ú.t.c.s.

inferioridad. f. Calidad de inferior. ‖ Situación de una cosa que está más baja que otra o debajo de ella. [*Sinón.*: subordinación]

inferir. tr. Deducir una cosa de otra. ‖ Tratándose de ofensas, heridas, etc., hacerlas o causarlas.

infernal. adj. Propio del infierno. ‖ fig. Muy malo, perjudicial en su línea.

infernillo. m. Cocinilla, aparato con lamparilla de alcohol.

infestar. tr. Inficionar, apestar. Ú.t.c.r.

inficionar. tr. Causar infección. Ú.t.c.r. ‖ fig. Corromper con malas doctrinas o ejemplos. Ú.t.c.r.

infidelidad. f. Falta de fidelidad. ‖ Carencia de la fe católica. [*Sinón.*: deslealtad, traición]

infiel. adj. Falto de fidelidad; desleal. ‖ Que no profesa la fe católica. Ú.t.c.s. ‖ Falto de exactitud. [*Sinón.*: traidor; impío; inexacto]

infiernillo. m. Infernillo.

infierno (al. *Hölle*, fr. *enfer*, ingl. *hell*, it. *inferno*). m. Lugar destinado por la divina justicia para eterno castigo de los pecadores. ‖ Tormento y castigo de los condenados. ‖ Una de las cuatro postrimerías del hombre. ‖ Lugar adonde creían los paganos que iban las almas después de la muerte. Ú.t. en pl. ‖ Lugar o cóncavo debajo de tierra, en que sienta la rueda y artificio con que se mueve la máquina de la tahona.

infiltración. f. Acción y efecto de infiltrar o infiltrarse.

infiltrar. tr. Introducir un líquido entre los poros de un sólido. Ú.t.c.r. ‖ fig. Infundir en el ánimo ideas o doctrinas. Ú.t.c.r.

ínfimo, ma (al. *niedrigst*, fr. *infime*, ingl. *least*, it. *infimo*). adj. Muy pequeño. ‖ Último y menos que los demás. ‖ Dícese de lo más vil y despreciable en cualquier línea.

infinidad. f. Calidad de infinito. ‖ fig. Gran número de cosas o personas. [*Sinón.*: inmensidad; sinnúmero. *Antón.*: pequeñez, escasez]

infinitesimal. adj. MAT. Aplícase a las cantidades infinitamente pequeñas.

infinitivo. adj. GRAM. ↗ modo infinitivo. ‖ m. GRAM. Voz que da nombre al verbo.

infinito, ta (al. *unendlich*, fr. *infini*, ingl. *endless*, it. *infinito*). adj. Que no tiene ni puede tener fin ni término. ‖ Muy numeroso y grande. ‖ m. MAT. Signo en forma de un ocho tendido (∞), que sirve para asignar un valor mayor que cualquier cantidad asignable. [*Antón.*: finito]

inflación (al. *Inflation*, fr. *inflation*, ingl. *inflation*, it. *inflazione*). f. Acción y efecto de inflar. ‖ fig. Engreimiento y vanidad. ‖ fig. Excesiva emisión de billetes en respaldo de las reservas de oro del Estado.

inflamable. adj. Fácil de inflamarse.

inflamación. f. Acción y efecto de inflamar o inflamarse. ‖ MED. Alteración patológica en una parte cualquiera del organismo, caracterizada por trastornos de la circulación sanguínea y, frecuentemente, por aumento de calor, enrojecimiento, hinchazón y dolor.

inflamar (al. *entflammen*, fr. *enflammer*, ingl. *to kindle*, it. *infiammare*). tr. Encender una cosa levantando llama. Ú.t.c.r. ‖ fig. Enardecer las pasiones y afectos del ánimo. Ú.t.c.r. ‖ Producirse inflamación en una parte del organismo. [*Antón.*: deshinchar]

inflar. tr. Hinchar una cosa de aire u otra sustancia aeriforme. Ú.t.c.r. ‖ fig. Ensoberbecer, engreír. Ú.m.c.r. ‖ fig. Exagerar hechos, noticias, etc.

inflexible (al. *unerbittlich*, fr. *inflexible*, ingl. *inflexible*, it. *inflessibile*). adj. Incapaz de torcerse o de doblarse. ‖ fig. Que por su firmeza de ánimo no se conmueve ni se doblega, ni desiste de su propósito. [*Sinón.*: inquebrantable, inconmovible]

inflexión. f. Torcimiento de una cosa que estaba recta o plana. ‖ Elevación o atenuación de la voz.

infligir. tr. Hablando de castigos y penas corporales, imponerlas, condenar a ellas.

inflorescencia. f. BOT. Forma con que aparecen colocadas las flores al brotar en las plantas.

influencia (al. *Einfluss*, fr. *influence*, ingl. *influence*, it. *influenza*). f. Acción y efecto de influir. ‖ fig. Poder, autoridad de una persona para con otra u otras. [*Sinón.*: influjo; ascendiente]

influenza. f. Gripe.

influir (al. *beeinflussen*, fr. *influer*, ingl. *to influence*, it. *influire*). tr. Producir unas cosas sobre otras ciertos efectos. ‖ fig. Ejercer predominio o fuerza moral en el ánimo. ‖ fig. Contribuir al éxito de un negocio. Ú.t.c.intr.

influjo. m. Influencia. ‖ Flujo de la marea.

infolio. m. Libro en folio.

información (al. *Untersuchung*, fr. *information*, ingl. *inquiry*, it. *informazione*). f. Acción y efecto de informar o informarse. ‖ Averiguación jurídica y legal de un hecho o delito. [*Sinón.*: indagación, investigación, encuesta]

informal. adj. Que no guarda las reglas y circunstancias prevenidas. ‖ Que no observa la conveniente gravedad y puntualidad. Ú.t.c.s. [*Antón.*: formal]

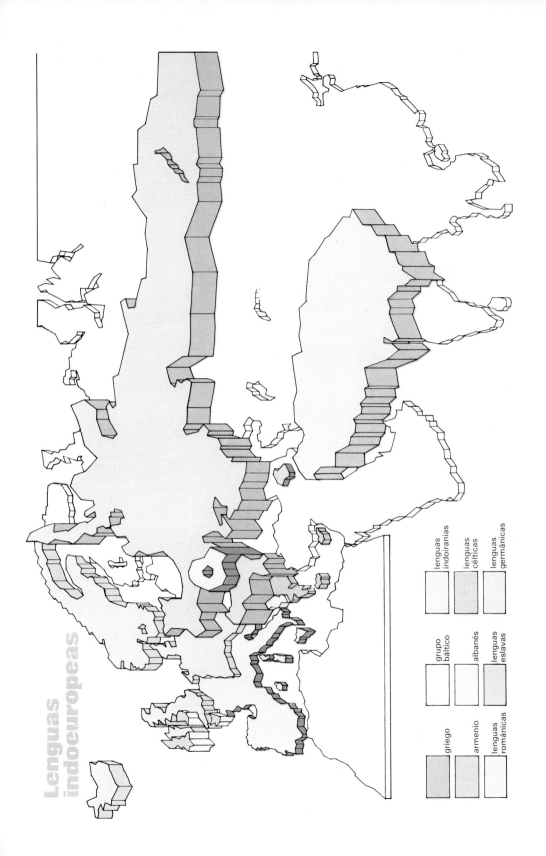

Lenguas indoeuropeas

griego

armenio

lenguas románicas

grupo báltico

albanés

lenguas eslavas

lenguas indoiranias

lenguas célticas

lenguas germánicas

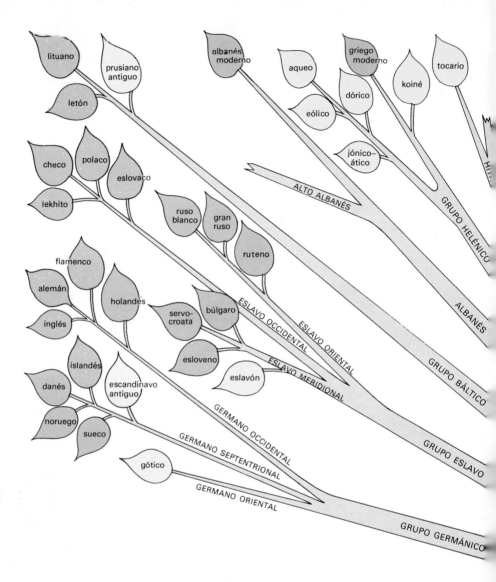

Indoeuropeo *(i.e.)*. Nombre aplicado a una lengua prehistórica hipotética
(*) cuya existencia se infiere del parecido evidente que existe entre las lenguas que se hablan, o se han hablado, en la mayor parte de Europa, en el
oeste de Asia y en América tras la colonización, llamadas por ello *lenguas
indoeuropeas*. El parentesco entre estas lenguas fue demostrado a
comienzos del siglo XIX por F. Bopp, fundador de la gramática comparada,
que permitió conocer —con la ayuda de las teorías neogramáticas— buena
parte de las estructuras de esta lengua no documentada.
La lingüística indoeuropea fue renovada luego por A. Schleicher, que la
asimiló a las ciencias naturales y formuló la *teoría del árbol genealógico*,
que explica la formación y desarrollo de las lenguas indoeuropeas a partir
de un tronco común del que se fueron derivando dialectos y subdialectos
en una continuada ramificación.

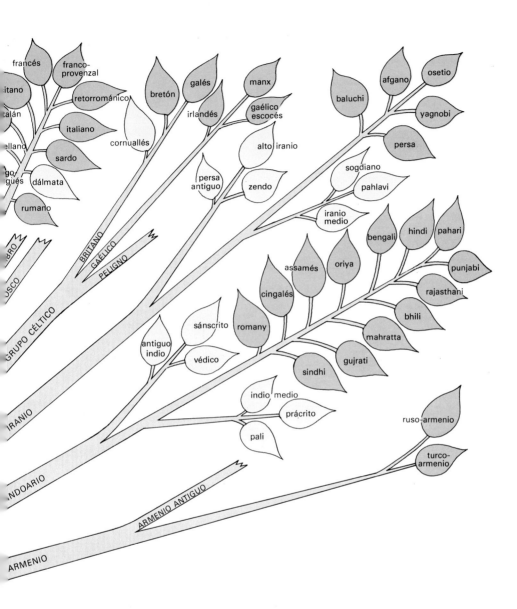

francés
franco-provenzal
itano
retorrománico
talán
italiano
ellano
sardo
go,
gués
dálmata
rumano

bretón
galés
manx
irlandés
gaélico escocés
cornuallés
alto iranio
persa antiguo
zendo

afgano
osetio
baluchi
yagnobi
persa
sogdiano
pahlavi
iranio medio

bengali
hindi
pahari
assamés
oriya
punjabi
cingalés
rajasthani
bhili
sánscrito
romany
mahratta
antiguo indio
védico
gujrati
sindhi

indio medio
prácrito
ruso-armenio
pali
turco-armenio

BRITANO
GAÉLICO
PELIGNO
BRO
USCO
GRUPO CÉLTICO
IRANIO
NDOARIO
ARMENIO ANTIGUO
ARMENIO

NDO-
PEO

LENGUAS INDOEUROPEAS

Las hojas amarillas y las ramas truncadas expresan la extinción de una lengua o de un tronco lingüístico.

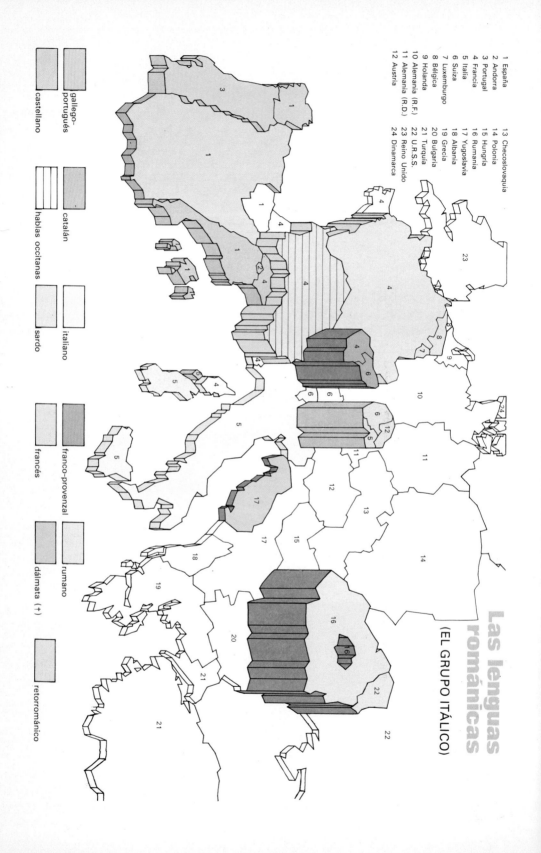

Las lenguas románicas

(EL GRUPO ITÁLICO)

1 España	13 Checoslovaquia
2 Andorra	14 Polonia
3 Portugal	15 Hungría
4 Francia	16 Rumania
5 Italia	17 Yugoslavia
6 Suiza	18 Albania
7 Luxemburgo	19 Grecia
8 Bélgica	20 Bulgaria
9 Holanda	21 Turquía
10 Alemania (R.F.)	22 U.R.S.S.
11 Alemania (R.D.)	23 Reino Unido
12 Austria	24 Dinamarca

gallego-portugués

castellano

catalán

hablas occitanas

italiano

sardo

franco-provenzal

francés

rumano

dálmata (†)

retorrománico

informar (al. *benachrichtigen*, fr. *informer*, ingl. *to inform*, it. *informare*). tr. Enterar, dar noticia. Ú.t.c.r. ‖ FIL. Dar forma sustancial a una cosa. ‖ DER. Hablar en estrados los fiscales y los abogados. [*Sinón.*: publicar; instruir, notificar]

informática. f. Conjunto de conocimientos científicos y técnicos que hacen posible el tratamiento de la información por medio de calculadoras electrónicas.

informe (al. *Bericht*, fr. *rapport*, ingl. *report*, it. *rapporto*). m. Noticia que se da de un negocio o suceso, o acerca de una persona. ‖ DER. Exposición oral que hace un letrado o el fiscal ante el tribunal. ‖ adj. Que no tiene la forma, figura y perfección que le corresponde. ‖ De forma vaga e indeterminada.

infortunado, da. adj. Desafortunado. Ú.t.c.s.

infortunio. m. Suerte desdichada. ‖ Hecho desgraciado.

infra- prep. insep. que indica inferioridad.

infracción (al. *Ubertrelung*, fr. *infraction*, ingl. *infringement*, it. *infrazione*). f. Quebrantamiento de una ley o tratado, o de una norma moral, lógica o doctrinal. [*Sinón.*: transgresión, contravención. *Antón.*: observancia]

infractor, ra. adj. Transgresor. Ú.t.c.s.

infraestructura. f. Parte de una construcción que está bajo el nivel del suelo. ‖ Conjunto de trabajos relativos a los cimientos de las construcciones, el lecho de las carreteras, los puentes, terraplenes, etc., de las líneas de ferrocarril, las instalaciones terrestres de una línea aérea y, en general, todos los trabajos e instalaciones que constituyen el elemento previo y fundamental de una obra o servicio.

in fraganti. m. adv. En flagrante realización de un acto determinado.

infrarrojo, ja. adj. FÍS. Radiación luminosa más allá del rojo visible. Se caracteriza por sus efectos caloríficos.

infrascrito, ta. adj. Que firma al fin de un escrito. Ú.t.c.s. ‖ Dicho abajo o después de un escrito.

infringir (al. *zuwiderhandeln*, fr. *enfreindre*, ingl. *infringe*, it. *infrangere*). tr. Quebrantar leyes, órdenes, etc. [*Sinón.*: transgredir. *Antón.*: respetar]

infructuoso, sa. adj. Ineficaz, inútil para algún fin.

infrutescencia. f. BOT. Fructificación formada por agrupación de va-

rios frutillos con apariencia de unidad, como la mora o el higo.

ínfulas. f. pl. fig. Presunción o vanidad.

infundado, da. adj. Que carece de fundamento real o racional.

infundio. m. fam. Mentira, patraña, embuste.

infundir. tr. fig. Causar en el ánimo un impulso moral o afectivo. [*Sinón.*: inculcar, inspirar]

infusible. adj. Que no puede fundirse o derretirse.

infusión (al. *Aufguss*, fr. *infusion*, ingl. *infusion*, it. *infusione*). f. Acción y efecto de infundir. ‖ En el sacramento del bautismo, acción de echar el agua sobre el que se bautiza. ‖ FARM. Acción de extraer de las sustancias orgánicas las partes solubles en agua, a una temperatura mayor que la del ambiente y menor que la del agua hirviendo. ‖ FARM. Producto líquido así obtenido.

infusorio. m. ZOOL. Animal unicelular provisto de cilios vibrátiles que vive en el agua.

ingeniar. tr. Inventar ingeniosamente. ‖ r. Discurrir la manera de conseguir una cosa o ejecutarla. [*Sinón.*: idear]

ingeniería. f. TÉCN. Arte de aplicar los conocimientos científicos a la invención, perfeccionamiento o utilización de la técnica industrial en todas sus determinaciones.

ingeniero, ra (al. *Ingenieur*, fr. *ingénieur*, ingl. *engineer*, it. *ingegnere*). s. El que profesa la ingeniería.

ingenio (al. *Geist*, fr. *esprit*, ingl. *wit*, it. *ingegno*). m. Facultad para discurrir o inventar con prontitud y facilidad. ‖ Sujeto dotado de esta facultad. ‖ Intuición, facultades poéticas y creadoras. ‖ Maña y artificio de uno para conseguir lo que desea. ‖ Máquina o artificio mecánico. ‖ Cualquier máquina o artificio de guerra.

ingenioso, sa. adj. Que tiene ingenio. ‖ Hecho o dicho con ingenio.

ingénito, ta. adj. No engendrado. ‖ Connatural y como nacido con uno.

ingente. adj. Muy grande. [*Sinón.*: enorme. *Antón.*: diminuto]

ingenuidad. f. Sinceridad, candor en lo que se hace o se dice. ‖ DER. Condición personal de haber nacido libre. [*Sinón.*: candidez. *Antón.*: picardía]

ingenuo, nua (al. *Naiv*, fr. *naïf*, ingl. *candid*, it. *ingenuo*). adj. Candoroso, sin doblez. [*Sinón.*: cándido, inocente]

ingerir. tr. Introducir por la boca la comida, bebida o medicamentos.

ingestión. f. Acción de ingerir.

ingle (al. *Leiste*, fr. *aine*, ingl. *groin*, it. *inguine*). f. ANAT. Parte del cuerpo en que se juntan los muslos con el vientre.

inglés, sa. adj. Natural de Inglaterra. Ú.t.c.s. ‖ Perteneciente a este país y, por extensión, al Reino Unido. ‖ m. Lengua inglesa. [*Sinón.*: británico]

ingratitud. f. Desagradecimiento, olvido de los beneficios recibidos.

ingrato, ta (al. *undankbar*, fr. *ingrat*, ingl. *ungrateful*, it. *ingrato*). adj. Desagradecido, que olvida los beneficios recibidos. ‖ Desapacible, desagradable. ‖ Dícese de lo que no corresponde al trabajo que cuesta labrarlo, conservarlo o mejorarlo.

ingravidez. f. Calidad de ingrávido.

ingrávido, da. adj. Ligero, tenue, como la gasa o la niebla. ‖ Que no está sujeto a la acción de la gravedad.

ingrediente. m. Cualquier cosa que entra a formar parte de un compuesto.

ingresar. intr. Entrar; dícese, por lo común, del dinero. Ú.t.c.tr. ‖ Entrar a formar parte de una corporación. [*Antón.*: salir]

ingreso (al. *Eintritt*, fr. *entrée*, ingl. *entrance*, it. *ingreso*). m. Acción de ingresar. ‖ Entrada. ‖ Caudal que entra en poder de uno.

inguinal. adj. Perteneciente a las ingles.

ingurgitar. tr. FISIOL. Engullir.

inhábil (al. *untauglich*, fr. *inhabile*, ingl. *unable*, it. *inabile*). adj. Falto de habilidad. ‖ Inepto, incapaz. ‖ DER. Dícese del día feriado y también de las horas en que está puesto el Sol, durante las cuales no deben practicarse actuaciones. [*Sinón.*: torpe]

inhabilitar. tr. Declarar a uno inhábil para ejercer cargos públicos, o para ejercitar derechos civiles o políticos. ‖ Imposibilitar para una cosa. Ú.t.c.r.

inhabitable. adj. No habitable.

inhalación. f. Acción de inhalar.

inhalador. m. MED. Aparato para efectuar inhalaciones.

inhalar (al. *einatmen*, fr. *inhaler*, ingl. *to inhale*, it. *inalare*). tr. MED. Aspirar, con un fin terapéutico, ciertos gases o líquidos pulverizados.

inherencia. f. Unión de cosas inseparables por su naturaleza o que sólo se pueden separar mentalmente y por abstracción.

inherente. adj. Que por su naturaleza está de tal manera unido a otra cosa que no se puede separar. [*Sinón.*: inmanente, inseparable]

inhibición. f. Acción y efecto de inhibir o inhibirse.

inhibirse (al. *sich fernhalten,* fr. *se désintéresser,* ingl. *to keep oneself from,* it. *inibire*). r. Apartarse de un asunto o abstenerse de entrar en él.

inhospitalario, ria (al. *unwirtlich,* fr. *inhospitalier,* ingl. *inhospitable,* it. *inospite*). adj. Falto de hospitalidad. || Poco humano para con los extraños. || Dícese de lo que no ofrece seguridad ni abrigo.

inhóspito, ta. adj. Inhospitalario.

inhumanidad. f. Falta de humanidad, crueldad.

inhumano, na (al. *unmenschlich,* fr. *inhumain,* ingl. *inhuman,* it. *inumano*). adj. Falto de humanidad, cruel. [*Sinón.*: despiadado]

inhumar. tr. Enterrar un cadáver. [*Sinón.*: sepultar, soterrar]

iniciación. f. Acción y efecto de iniciar o iniciarse.

inicial (al. *anfangsbuchstabe,* fr. *initial,* ingl. *initial,* it. *iniziale*). adj. Perteneciente al origen de las cosas. || Dícese de la primera letra de una palabra. Ú.t.c.s. [*Sinón.*: primero]

iniciar (al. *einführen,* fr. *initier,* ingl. *to initiate,* it. *iniziare*). tr. Admitir a uno a la participación de una cosa secreta; enterarle de ella. || fig. Instruir en cosas abstractas. Ú.t.c.r. || Comenzar o promover una cosa. || r. Recibir las órdenes menores. [*Sinón.*: instruir, enseñar]

iniciativa. f. Derecho de hacer una propuesta. || Acto de ejercerla. || Acción de adelantarse a los demás en hablar u obrar. || Cualidad personal que inclina a esta acción. [*Sinón.*: proposición]

inicio. m. Comienzo, principio.

inicuo, cua. adj. Contrario a la equidad. || Malvado, injusto. [*Antón.*: justo, moral]

in illo témpore. loc. lat. En aquel tiempo. Se usa en el sentido de en otros tiempos o hace mucho tiempo.

inimaginable. adj. No imaginable.

ininteligible. adj. No inteligible.

ininterrumpido, da. adj. Continuado, sin interrupción.

iniquidad. f. Maldad, injusticia grande. [*Sinón.*: ignominia. *Antón.*: justicia, bondad]

injerencia. f. Acción y efecto de injerirse. [*Sinón.*: entrometimiento, intromisión]

injerir. tr. Introducir una cosa en otra. || r. Entrometerse en una dependencia o asunto.

injertar. tr. Bot. Aplicar un injerto a un árbol. || Med. Aplicar un tejido vivo a una parte lesionada del cuerpo.

injerto (al. *Pfropfen,* fr. *greffe,* ingl. *graft.* it. *innesto*). m. Bot. Parte de una planta con una o más yemas, que aplicada al patrón se suelda con él. || Acción de injertar. || Planta injertada. || Cir. Colgajo de tejido destinado a la implantación.

injuria (al. *Beleidigung,* fr. *injure,* ingl. *outrage,* it. *ingiuria*). f. Ultraje de obra o de palabra. || Hecho o dicho contra razón y justicia. [*Sinón.*: ofensa]

injuriar. tr. Ultrajar con obras o palabras. || Dañar o menoscabar.

injusticia (al. *Ungerechtigkeit,* fr. *injustice,* ingl. *injustice,* it. *ingiustizia*). f. Acción contraria a la justicia. || Falta de justicia.

injusto, ta. adj. No justo.

inmaculado, da. adj. Que no tiene mancha. [*Sinón.*: impoluto]

inmanente. adj. Fil. Dícese de lo que es inherente a un ser o va unido de un modo inseparable a su esencia.

inmarcesible. adj. Que no se puede marchitar.

inmaturo, ra. adj. No maduro, o que no está en sazón.

inmediación. f. Calidad de inmediato. || pl. Contorno o parajes que rodean un lugar. [*Sinón.*: proximidad; vecindad]

inmediato, ta. adj. Contiguo o muy cercano. || Que sucede en seguida, sin tardanza.

inmejorable. adj. Que no se puede mejorar. [*Sinón.*: insuperable]

inmemorial. adj. Tan antiguo que no hay memoria de cuándo comenzó. [*Sinón.*: remoto]

inmensidad. f. Infinidad en la extensión. || fig. Muchedumbre, número o extensión grande. [*Antón.*: escasez]

inmenso, sa (al. *unermesslich,* fr. *immense,* ingl. *immense,* it. *immenso*). adj. Que no tiene medida. || fig. Muy grande o muy difícil de medirse o contarse. [*Sinón.*: incontable, inconmensurable]

inmerecido, da. adj. No merecido.

inmersión (al. *Eintauchen,* fr. *immersion,* ingl. *immersion,* it. *immersione*). f. Acción de introducir o introducirse una cosa en un líquido. || Astr. Entrada de un astro en el cono de la sombra que proyecta otro. [*Sinón.*: sumersión]

inmerso, sa. adj. Sumergido, abismado.

inmigración. f. Acción y efecto de inmigrar. [*Antón.*: emigración]

inmigrante. adj. Que inmigra. Ú.t.c.s.

inmigrar. intr. Llegar a un país para establecerse en él.

inminencia. f. Calidad de inminente, en especial hablando de un riesgo.

inminente. adj. Que amenaza o está para suceder prontamente. [*Antón.*: lejano, remoto]

inmiscuir. tr. Poner una sustancia en otra para que resulte una mezcla. || r. fig. Entremeterse en un asunto o negocio.

inmobiliario, ria. adj. Perteneciente a cosas inmuebles.

inmolación. f. Acción y efecto de inmolar. [*Sinón.*: sacrificio.]

inmolar. tr. Sacrificar, degollando una victima. || r. fig. Dar la vida, la hacienda, etc., en provecho u honor de una persona o cosa. [*Sinón.*: ofrendar]

inmoral (al. *unsittlich,* fr. *immoral,* ingl. *immoral,* it. *immorale*). adj. Contrario a la moral.

inmoralidad. f. Falta de moralidad, desarreglo en las costumbres. || Acción inmoral.

inmortal (al. *unsterblich,* fr. *immortel,* ingl. *immortal,* it. *immortale*). adj. No mortal. || fig. Que dura tiempo indefinido. [*Sinón.*: imperecedero, perpetuo]

inmortalidad. f. Calidad de inmortal. || fig. Duración indefinida de una cosa en la memoria de los hombres.

inmortalizar. tr. Hacer perpetua una cosa en la memoria de los hombres. Ú.t.c.r.

inmóvil (al. *unbeweglich,* fr. *immobile,* ingl. *motionless,* it. *immobile*). adj. Que no puede ser movido. || Que no se mueve. [*Sinón.*: inamovible; quieto, estático]

inmovilidad. f. Calidad de inmóvil.

inmovilismo. m. Tendencia a mantener sin cambios una situación política, económica, etc., establecida.

inmovilista. adj. Partidario del inmovilismo. Ú.t.c.s.

inmovilizar. tr. Hacer que una cosa quede inmóvil. || r. Quedarse o permanecer inmóvil. [*Sinón.*: parar, detener. *Antón.*: mover]

inmueble. adj. ⟋ *bienes inmuebles.* || m. Edificio.

inmundicia. f. Suciedad, basura. || fig. Impureza, deshonestidad.

inmundo, da. adj. Sucio y asqueroso. || fig. No puro.

inmune. adj. Exento de ciertos ofi-

cios, cargos, gravámenes o penas. ||
MED. No atacable por ciertas enfermedades.

inmunidad (al. *Immunität*, fr. *immunité*, ingl. *immunity*, it. *immunità*). f. Calidad de inmune. || MED. Estado del organismo que le impide contraer una enfermedad. Puede ser espontáneo o provocado principalmente por medio de vacunas. || – *parlamentaria*. Prerrogativa de los senadores y diputados a cortes, que los exime de ser detenidos o presos, salvo en los casos que determinan las leyes, y procesados o juzgados sin autorización del respectivo cuerpo colegislador.

inmunizar (al. *immunisieren*, fr. *immuniser*, ingl. *to immunize*, it. *immunizzare*). tr. Hacer inmune.

inmutable. adj. No mudable.

inmutar. tr. Alterar un cosa. || r. fig. Sentir cierta conmoción repentina del ánimo, manifestándola por un ademán o por la alteración del semblante o de la voz.

innato, ta. adj. Connatural y como nacido con el mismo sujeto.

innecesario, ria. adj. No necesario. |*Sinón*.: superfluo]

innegable. adj. Que no se puede negar.

innoble. adj. Que no es noble. || Dícese de lo que es vil y abyecto.

innovación. f. Acción y efecto de innovar. [*Sinón*.: novedad]

innovar. tr. Mudar o alterar las cosas, introduciendo novedades.

innumerable. adj. Que no se puede reducir a número.

inobservancia. f. Falta de observación.

inocencia (al. *Unschuld*, fr. *innocence*, ingl. *innocence*, it. *innocenza*). f. Estado del alma que está limpia de culpa. || Exención de toda culpa. || Candor, simplicidad.

inocentada. f. Broma que se da el día de los santos inocentes. || fam. Acción o palabra candorosa o simple. || fam. Engaño ridículo en que uno cae por descuido o por falta de malicia.

inocente (al. *Einfältig*, fr. *innocent*, ingl. *innocent*, it. *innocente*). adj. Libre de culpa. Ú.t.c.s. || Aplícase también a las acciones y cosas de la persona inocente. || Cándido, fácil de engañar. Ú.t.c.s. || Que no daña o no es nocivo. [*Sinón*.: candoroso, inocuo, inofensivo. *Antón*.: reo, culpable]

inocular. tr. fig. Pervertir a uno con el mal ejemplo o una falsa doctrina. Ú.t.c.r. || MED. Comunicar por medios artificiales los gérmenes de una enfermedad contagiosa. Ú.t.c.r.

inocuo, cua, adj. Que no hace daño. |*Sinón*.: innocuo]

inodoro, ra (al. *geruchlos*, fr. *inodore*, ingl. *odourless*, it. *inodoro*). adj. Que no tiene olor. || Aplícase especialmente a los aparatos, de forma muy variada, que se colocan en los excusados para evitar el mal olor. Ú.t.c.s.

inofensivo, va (al. *harmlos*, fr. *inoffensif*, ingl. *harmless*, it. *inoffensivo*). adj. Incapaz de ofender. || fig. Que no puede causar daño ni molestia. [*Sinón*.: inocuo]

inolvidable adj. Que no puede o no debe olvidarse.

inopia. f. Indigencia, pobreza, escasez. || *estar en la inopia*. fig. y fam. Ignorar algo que todos conocen, estar en la luna.

inopinado, da. adj. Que sucede sin haber pensado en ello, o sin esperarlo. [*Sinón*.: impensado, casual. *Antón*.: esperado]

inoportuno, na. adj. Fuera de tiempo o de propósito.

inorgánico, ca. adj. Dícese de cualquier cuerpo sin órganos para la vida, como los minerales. || fig. Dícese también de lo mal concertado por faltar al conjunto la conveniente ordenación de las partes. [*Antón*.: orgánico]

inoxidable. adj. Que no se puede oxidar.

inquebrantable. adj. Que persiste sin quebranto, o no puede quebrantarse.

inquietar (al. *beunruhigen*, fr. *inquiéter*, ingl. *to disturb*, it. *inquietare*). tr. Quitar el sosiego. Ú.t.c.r. [*Sinón*.: turbar. *Antón*.: tranquilizar.]

inquieto, ta (al. *unruhig*, fr. *inquiet*, ingl. *restless*, it. *inquieto*). adj. Que no está quieto, o es de índole bulliciosa. || fig. Desasosegado por una agitación del ánimo. || fig. Dícese de aquellas cosas en que no se ha tenido o gozado quietud. [*Sinón*.: activo; intranquilo]

inquietud. f. Falta de quietud, desasosiego, desazón. || Alboroto, conmoción.

inquilinato. m. Arriendo de una casa o parte de ella. || Derecho que adquiere el inquilino en la casa arrendada. || Tributo de cuantía relacionada con la de los alquileres.

inquilino, na (al. *Mieter*, fr. *locataire*, ingl. *tenant*, it. *inquilino*). s. Persona que ha tomado una casa o parte de ella en alquiler para habitarla. || DER. Arrendatario.

inquina. f. Aversión, mala voluntad.

inquirir (al. *untersuchen*, fr. *rechercher*, ingl. *to inquire*, it. *inquisire*). tr. Indagar o examinar cuidadosamente una cosa. [*Sinón*.: investigar]

inquisición. f. Acción y efecto de inquirir. || Tribunal eclesiástico establecido para inquirir y castigar los delitos contra la fe. || Casa donde se reunía el tribunal de la Inquisición. || Cárcel destinada para los reos pertenecientes a este tribunal.

inquisidor, ra. adj. Que inquiere. Ú.t.c.s. || m. Juez eclesiástico que conocía las causas de fe.

inquisitivo, va. adj. Perteneciente a la indagación o averiguación.

insaciable. adj. Que no se puede saciar o hartar.

insalivar. tr. Mezclar los alimentos con la saliva en la cavidad bucal. [*Sinón*.: salivar]

insalubre. adj. Malsano, dañoso a la salud.

insania. f. Locura.

insano, na. adj. Loco, furioso. [*Sinón*.: demente]

inscribir. tr. Grabar letreros. || Apuntar el nombre de una persona entre los de otras. Ú.t.c.r. || GEOM. Trazar una figura dentro de otra, de modo que estén ambas en contacto en varios de los puntos de sus perímetros.

inscripción (al. *Einschreibung*, fr. *inscription*, ingl. *inscription*, it. *inscrizione*). f. Acción de inscribir o inscribirse. || Escrito sucinto grabado en piedra, metal u otra materia.

insecticida (al. *Insektenpulver*, fr. *insecticide*, ingl. *insecticide*, it. *insetticida*). adj. Que sirve para matar insectos. Ú.t.c.s.m.

insectívoro, ra. adj. Que se alimenta de insectos. Ú.t.c.s.

insecto (al. *Insekt*, fr. *insecte*, ingl. *insect*, it. *insetto*). adj. ZOOL. Dícese del artrópodo de respiración traqueal, con el cuerpo dividido distintamente en cabeza, tórax y abdomen, con un par de antenas y tres de patas. La mayor parte tienen uno u dos pares de alas y sufren metamorfosis. Ú.t.c.s.m. || m. pl. Clase de estos animales.

inseguridad. f. Falta de seguridad.

inseguro, ra. adj. Falto de seguridad.

inseminación. f. Depósito de semen por parte del macho en las vías genitales femeninas.

insensatez. f. Necedad, falta de sentido o de razón. || fig. Dicho o hecho insensato.

insensato, ta. adj. Tonto, fatuo, sin sentido. Ú.t.c.s.

insensibilidad. f. Falta de sensibilidad. ‖ fig. Dureza de corazón.

insensibilizar. tr. Quitar la sensibilidad. Ú.t.c.r.

insensible (al. *Unempfindlich*, fr. *insensible*, ingl. *insensible*, it. *insensibile*). adj. Que carece de facultad sensitiva. ‖ Privado de sentido. ‖ Imperceptible. ‖ fig. Que no siente las cosas que causan dolor o mueven a lástima.

inseparable. adj. Que no se puede separar. ‖ fig. Dícese de las cosas que se separan con dificultad. ‖ fig. Dícese de las personas estrechamente unidas con vínculos de amistad o de amor. Ú.t.c.s.

insepulto, ta. adj. No sepultado.

inserción. f. Acción y efecto de inserir o de insertar.

inserir. tr. Insertar. ‖ Injerir. ‖ Injertar plantas.

insertar (al. *einfügen*, fr. *insérer*, ingl. *to insert*, it. *inserire*). tr. Incluir, introducir una cosa en otra.

inservible. adj. No servible o que no está en estado de servir.

insidia. f. Asechanza para hacer daño a otro.

insidioso, sa. adj. Que urde asechanzas. Ú.t.c.s. ‖ Que se hace con asechanzas.

insigne. adj. Célebre, famoso.

insignia (al. *Abzeichen*, fr. *insigne*, ingl. *badge*, it. *insegna*). f. Señal honorífica. ‖ Pendón, imagen o medalla de una hermandad o cofradía. ‖ MAR. Bandera que, colocada en lo alto de uno de los palos del buque, denota la graduación del jefe que lo manda. [Sinón.: distintivo, emblema]

insignificancia. f. Pequeñez, insuficiencia, inutilidad.

insignificante. adj. Baladí, despreciable.

insinuación. f. Acción y efecto de insinuar o insinuarse. ‖ RET. Parte del exordio en que el orador trata de captarse la benevolencia de los oyentes. [Sinón.: indirecta]

insinuar (al. *andeuten*, fr. *insinuer*, ingl. *to hint*, it. *insinuare*). tr. Dar a entender una cosa con sólo indicarla ligeramente. ‖ r. Introducirse mañosamente en el ánimo de uno, ganando su afecto. [Sinón.: sugerir, apuntar]

insipidez. f. Calidad de insípido.

insípido, da (al. *geschmaklos*, fr. *insipide*, ingl. *tasteless*, it. *insipido*). adj. Falto de sabor. ‖ Que no tiene el grado de sabor que debiera tener. ‖ fig. Falto de espíritu, gracia o sal. [Sinón.: insustancial, insulso]

insistencia. f. Reiteración y porfía acerca de una cosa.

insistir (al. *beharren*, fr. *insister*, ingl. *to insist*, it. *insistere*). intr. Descansar una cosa sobre otra. ‖ Instar reiteradamente; mantenerse firme en una cosa.

insociable. adj. Huraño o intratable en la sociedad. [Sinón.: hosco, esquivo]

insolación (al. *Sonnestich*, fr. *insolation*, ingl. *sunstroke*, it. *insolazione*). f. Efecto de insolarse. ‖ METEOR. Tiempo que durante el día luce el sol sin nubes.

insolar. tr. Poner al sol una cosa para su fermentación o secado. ‖ FOTOGR . Exponer a la luz una emulsión fotográfica. ‖ r. Enfermar por el ardor del sol.

insolencia (al. *Frechheit*, fr. *insolence*, ingl. *insolence*, it. *insolenza*). f. Acción desusada y temeraria. ‖ Atrevimiento, descaro. ‖ Dicho o hecho ofensivo e insultante.

insolentar. tr. Hacer a uno insolente y atrevido. Ú.m.c.r.

insolente. adj. Que comete insolencias. Ú.t.c.s. ‖ Orgulloso, desvergonzado. [Sinón.: insultante, ofensivo]

insólito, ta (al. *ungewöhnlich*, fr. *insolite*, ingl. *unwonted*, it. *insolito*). adj. No común ni ordinario; desacostumbrado. [Antón.: habitual]

insoluble. adj. Que no puede disolverse ni diluirse. ‖ Que no se puede resolver o desatar.

insolvencia (al. *Lahlungsunfähigkeit*, fr. *insolvabilité*, ingl. *insolvency*, it. *insolvenza*). f. Incapacidad de pagar una deuda.

insolvente. adj. Que no tiene con qué pagar. Ú.t.c.s.

insomnio (al. *Schlaflosigkeit*, fr. *insomnie*, ingl. *insomnia*, it. *insonnia*). m. Vigilia, desvelo.

insondable. adj. Que no se puede sondear. ‖ fig. Que no se puede averiguar o saber a fondo. [Sinón.: inescrutable. Antón.: comprensible, claro]

insoportable (al. *Vnerträglich*, fr. *insupportable*, ingl. *insupportable*, it. *insopportevole*). adj. Insufrible, intolerable. ‖ fig. Muy incómodo y enfadoso.

insospechable. adj. Que no puede sospecharse.

insospechado, da. adj. No sospechado.

insostenible. adj. Que no se puede sostener. ‖ fig. Que no se puede defender con razones.

inspección (al. *Aufsicht*, fr. *inspection*, ingl. *inspection*, it. *ispezione*). f. Acción y efecto de inspeccionar. ‖ Cargo de velar sobre una cosa. ‖ Casa u oficina del inspector. [Sinón.: investigación]

inspeccionar. tr. Examinar, reconocer atentamente una cosa.

inspector, ra. adj. Que reconoce o examina. Ú.t.c.s. ‖ s. Empleado que tiene a su cargo la inspección y vigilancia en el ramo a que pertenece, y del cual toma título especial el destino que desempeña.

inspiración (al. *Eingebung*, fr. *inspiration*, ingl. *inspiration*, it. *ispirazione*). f. Acción y efecto de inspirar. ‖ fig. Cosa inspirada, en cualquiera de las acepciones de inspirar.

inspirar (al. *eingeben*, fr. *inspirer*, ingl. *to inspire*, it. *ispirare*). tr. Aspirar, atraer el aire exterior a los pulmones. ‖ fig. Infundir en el ánimo afectos, ideas, designios, etc. ‖ r. fig. Enardecerse el genio del orador, literato o artista con el recuerdo o la presencia de una persona o cosa.

instalación (al. *Einrichtung*, fr. *installation*, ingl. *installation*, it. *istallazione*). f. Acción y efecto de instalar o instalarse. ‖ Conjunto de cosas instaladas.

instalar (al. *einrichten*, fr. *installer*, ingl. *to install*, it. *istallare*). tr. Poner en posesión de un empleo o beneficio. Ú.t.c.r. ‖ Colocar en su debido lugar. Ú.t.c.r. ‖ Colocar en un lugar o edificio los enseres y servicios que en él se hayan de utilizar. ‖ r. Establecerse.

instancia. f. Acción y efecto de instar. ‖ Memorial, solicitud. ‖ DER. Cada uno de los grados jurisdiccionales que la ley tiene establecidos para ventilar y sentenciar juicios y pleitos.

instantánea. f. Impresión fotográfica que se obtiene instantáneamente. ‖ Prueba positiva de esta impresión.

instantáneo, ea. adj. Que sólo dura un instante.

instante (al. *Augenblick*, fr. *instant*, ingl. *instant*, it. *istante*). m. Tiempo brevísimo. [Sinón.: momento, soplo]

instar (al. *innständiglitten*, fr. *presser*, ingl. *to press*, it. *instare*). tr. Repetir la súplica o petición. ‖ intr. Urgir la pronta ejecución de una cosa. [Sinón.: insistir; apurar]

instauración. f. Acción y efecto de instaurar.

instaurar (al. *errichten*, fr. *instaurer*, ingl. *to establish*, it. *instaurare*). tr. Establecer, fundar, instituir. ‖ Renovar, restaurar.

instigar (al. *anstiften*, fr. *pousser*,

ingl. *to incite,* it. *istigare*). tr. Incitar, inducir a uno a que haga una cosa. [*Sinón.*: impulsar, impeler, estimular]

instilar. tr. Echar gota a gota. ‖ fig. Infundir insensiblemente en el ánimo una cosa.

instintivo, va. adj. Que es obra o efecto del instinto.

instinto (al. *Naturtrieb,* fr. *instinct,* ingl. *instinct,* it. *istinto*). m. Disposición natural, interior y automática, independiente de la educación, de la reflexión y de la imitación que determina ciertas acciones de los animales.

institución (al. *Anstalt,* fr. *institution,* ingl. *institution,* it. *istituzione*). f. Establecimiento o fundación. ‖ Cosa establecida o fundada. ‖ Instrucción, educación. ‖ pl. Colección metódica de los principios de una ciencia, arte, etc. ‖ Órganos constitucionales del poder soberano en la nación.

institucional. adj. Perteneciente o relativo a la institución.

instituir (al. *stiften,* fr. *instituer,* ingl. *to set up,* it. *istituire*). tr. Fundar, establecer algo nuevo.

instituto (al. *Institut,* fr. *institut,* ingl. *institute,* it. *istituto*). m. Regla, estatuto de un cuerpo o colectividad. ‖ Corporación científica, literaria, benéfica, etc. ‖ Edificio que alberga alguna de estas corporaciones.

institutriz. f. Maestra encargada de la educación de uno o varios niños en el hogar doméstico.

instrucción (al. *Unterricht,* fr. *instruction,* ingl. *education,* it. *istruzione*). f. Acción de instruir o instruirse. ‖ Caudal de conocimientos adquiridos. ‖ Curso de un proceso. ‖ Conjunto de reglas para algún fin. ‖ pl. Órdenes.

instructor, ra. adj. Que instruye. Ú.t.c.s. [*Sinón.*: monitor]

instruido, da. adj. Que tiene bastante caudal de conocimientos adquiridos.

instruir (al. *unterrichten,* fr. *instruire,* ingl. *to teach,* it. *istruire*). tr. Enseñar. ‖ Informar acerca de una cosa. Ú.t.c.r. ‖ Formalizar un proceso.

instrumental. adj. Perteneciente o relativo al instrumento. ‖ DER. Perteneciente a los instrumentos o escrituras públicas. ‖ m. Conjunto de instrumentos destinados a determinado fin.

instrumentar. tr. MÚS. Arreglar una composición musical para varios instrumentos.

instrumentista. m. Músico de instrumento. ‖ Fabricante de instrumentos músicos, quirúrgicos, etc.

instrumento (al. *Instrument,* fr. *instrument,* ingl. *instrument,* it. *strumento*). m. Útil, herramienta, máquina, etc., que sirve para efectuar algún trabajo. ‖ Aquello de que nos servimos para hacer una cosa. ‖ Escritura o documento con que se justifica una cosa. ‖ — *músico.* Conjunto de piezas dispuestas de modo que sirvan para producir sonidos musicales. Pueden ser de viento, de percusión o de cuerda, según que su sonido se deba al aire impelido en su interior, a la sonoridad que producen al golpearlos o a la vibración de cuerdas de tripa o de metal. [*Sinón.*: utensilio, aparato]

insubordinación. f. Falta de subordinación.

insubordinar. tr. Introducir la insubordinación. ‖ r. Quebrantar la subordinación, sublevarse.

insuficiencia (al. *Unzulänglichkeit,* fr. *insuffisance,* ingl. *insufficiency,* it. *insufficienza*). f. Falta de suficiencia. ‖ Escasez de una cosa. [*Sinón.*: deficiencia, cortedad]

insuficiente. adj. No suficiente.

insuflar. tr. MED. Introducir a soplos en un órgano o en una cavidad un fluido o una sustancia pulverulenta.

insufrible. adj. Que no se puede sufrir. ‖ fig. Muy difícil de sufrir.

ínsula. f. Isla.

insular. adj. Isleño. Aplicado a personas, ú.t.c.s.

insulina. f. BIOL. Hormona endocrina que segrega el páncreas y que vertida en la sangre regula la cantidad de glucosa de ésta. Sus preparados farmacológicos se utilizan en el tratamiento de la diabetes.

insulso, sa (al. *schal,* fr. *fade,* ingl. *flat,* it. *insulso*). adj. Insípido, soso. ‖ fig. Falto de gracia y viveza. [*Sinón.*: desabrido; simple. *Antón.*: gustoso; ingenioso]

insultar (al. *beleidigen,* fr. *insulter,* ingl. *to abuse,* it. *insultare*). tr. Ofender a uno provocándole con palabras o acciones. ‖ r. Accidentarse.

insulto (al. *Beleidigung,* fr. *injure,* ingl. *affront,* it. *insulto*). m. Acción y efecto de insultar. ‖ Acometimiento repentino y violento. ‖ Accidente, desmayo, síncope. [*Sinón.*: afrenta, agravio]

insumiso, sa. adj. Desobediente.

insuperable. adj. No superable.

insurgente (al. *Aufständischer,* fr. *insurgé,* ingl. *insurgent,* it. *insorgente*). adj. Levantado o sublevado. Ú.t.c.s. [*Sinón.*: insurrecto]

insurrección (al. *Aufstand,* fr. *insurrection,* ingl. *revolt,* it. *insurrezione*). f. Sublevación o rebelión de un pueblo, nación, etc.

insurrecto, ta. adj. Levantado contra la autoridad pública; rebelde. Ú.m.c.s.

insustancial. adj. De poca o ninguna sustancia.

insustituible. adj. Que no puede sustituirse.

intacto, ta (al. *unberührt,* fr. *intact,* ingl. *intact,* it. *intatto*). adj. No tocado o palpado. ‖ fig. Que no ha padecido alteración o deterioro. ‖ fig. Puro, sin mezcla. [*Sinón.*: indemne, incólume; virgen. *Antón.*: alterado; impuro]

intachable (al. *tadellos,* fr. *irréprochable,* ingl. *blameless,* it. *inappuntabile*). adj. Que no admite tacha. [*Sinón.*: irreprochable. *Antón.*: despreciable]

intangible. adj. Que no debe o no puede tocarse.

integración. f. Acción y efecto de integrar.

integral (al. *Integral,* fr. *intégrale,* ingl. *integral,* it. *integrale*). adj. FIL. Aplícase a las partes que entran en la composición de un todo. ‖ MAT. Aplícase al signo ($\int$) con que se indica la integración. ‖ f. MAT. Resultado de integrar una expresión diferencial.

integrar. tr. Componer un todo con sus partes integrantes. ‖ MAT. Determinar una cantidad de la que sólo se conoce la expresión diferencial.

integridad (al. *Vollständigkeit,* fr. *intégrité,* ingl. *integrity,* it. *integrità*). f. Calidad de íntegro. ‖ Pureza de las vírgenes. [*Sinón.*: totalidad; virginidad]

íntegro, gra (al. *redlich,* fr. *intègre,* ingl. *upright,* it. *integro*). adj. Aquello a que no falta ninguna de sus partes. ‖ fig. Desinteresado, probo. [*Sinón.*: completo, entero; incorruptible, recto]

intelectivo, va. adj. Que tiene la virtud de entender.

intelecto. m. Entendimiento, potencia cognoscitiva racional del hombre.

intelectual. adj. Relativo al entendimiento. ‖ Espiritual, sin cuerpo. ‖ Dedicado preferentemente al cultivo de las ciencias y letras. Ú.t.c.s. [*Sinón.*: intelectivo; estudioso]

inteligencia (al. *Verstand,* fr. *intelligence,* ingl. *intellect,* it. *intelligenza*). f. Facultad de conocimiento, de adaptación, de síntesis y de unidad. ‖ Trato y correspondencia secreta. [*Sinón.*: entendimiento]

inteligente (al. *Klug,* fr. *intelligent,* ingl. *clever,* it. *intelligente*). adj. Sabio, instruido. Ú.t.c.s. || Dotado de facultad intelectiva. [*Sinón.*: listo. *Antón.*: tonto]

inteligible (al. *bregeiflich*, fr. *intelligible*, ingl. *intelligible*, it. *intelligibile*). adj. Que puede ser entendido.

intemperancia. f. Falta de templanza.

intemperie. f. Inclemencia del tiempo.

intempestivo, va. adj. Que es fuera de tiempo y razón. [*Sinón.*: extemporáneo, inconveniente]

intemporal. adj. Independiente del tiempo.

intención (al. *Absicht*, fr. *intention*, ingl. *purpose*, it. *intenzione*). f. Determinación de la voluntad en orden a un fin. || fig. Instinto dañino de algunos animales. || Cautelosa advertencia con que uno habla o procede. [*Sinón.*: designio, propósito, decisión]

intencional. adj. Deliberado, hecho a sabiendas.

intencionalidad. f. FIL. Carácter intencional.

intendencia (al. *Intendenz*, fr. *intendance*, ingl. *administration*, it. *intendenza*). f. Dirección y gobierno de una cosa. || Jurisdicción del intendente. || Empleo, casa u oficina del intendente. || MIL. Cuerpo que se encarga del suministro y avituallamiento del Ejército.

intendente. m. Jefe superior económico. || — *mercantil*. Grado superior en los estudios comerciales.

intensar. tr. Intensificar. Ú.t.c.r.

intensidad (al. *Nachdruck*, fr. *intensité*, ingl. *intensity*, it. *intensità*). f. Grado de energía de un agente natural o mecánico, de una cualidad, de una expresión, etc. || fig. Vehemencia de los afectos y operaciones del ánimo.

intensificar. tr. Hacer que una cosa adquiera mayor intensidad de la que tenía. Ú.t.c.r.

intensión. f. Intensidad.

intensivo, va. adj. Que hace o es más intenso.

intenso, sa. adj. Que tiene intensidad. || fig. Muy vehemente y vivo.

intentar (al. *versuchen*, fr. *intenter*, ingl. *to attempt*, it. *tentare*). tr. Tener ánimo de hacer una cosa. || Iniciar la ejecución de la misma. || Procurar, pretender. [*Sinón.*: emprender, abordar]

intento (al. *Absehen*, fr. *intention*, ingl. *aim*, it. *intento*). m. Propósito, designio. || Cosa intentada. [*Sinón.*: tentativa]

intentona. f. fam. Intento temerario, y especialmente si se ha frustrado.

inter. adv. t. Entretanto. Ú.t.c.s. con el artículo *el*.

inter-. Elemento compositivo que entra en la formación de algunas voces españolas con el significado de "entre o en medio" como en *intermuscular*, o "entre varios", como en *interministerial*.

interacción. f. Acción que se ejerce recíprocamente entre dos o más objetos, agentes, fuerzas, etc.

intercalar. adj. Que está interpuesto o añadido. || tr. Interponer o poner una cosa entre otras.

intercambiable. adj. Dícese de cada una de las piezas similares pertenecientes a objetos fabricados con perfecta igualdad, y que pueden ser utilizados en cualquiera de ellos.

intercambiar. tr. Cambiar mutuamente dos o más personas o entidades, ideas, proyectos, informes, etc.

intercambio (al. *Austausch*, fr. *échange*, ingl. *interchange*, it. *intercambio*). m. Acción y efecto de intercambiar. || Reciprocidad de consideraciones y servicios entre corporaciones análogas de diversos países.

interceder (al. *fürbitte*, fr. *intercéder*, ingl. *to advocate*, it. *intercedere*). intr. Mediar por otro para alcanzarle una gracia o librarle de un mal. [*Sinón.*: abogar]

intercelular. adj. BIOL. Que está situado entre las células.

interceptar (al. *versperren*, fr. *intercepter*, ingl. *to cut off*, it. *intercettare*). tr. Apoderarse de una cosa antes que llegue al lugar o a la persona a que se destina. || Detener una cosa en su camino. || Obstruir una vía de comunicación.

interceptor. m. *Amer.* Interruptor.

intercesión. f. Acción y efecto de interceder.

intercesor, ra. adj. Que intercede. Ú.t.c.s.

intercomunicación. f. Comunicación recíproca.

intercontinental. adj. Que une dos continentes.

intercostal. adj. ANAT. Que está entre las costillas.

interdecir. tr. Vedar o prohibir.

interdicción. f. Acción y efecto de interdecir. [*Sinón.*: prohibición]

interdicto. m. Entredicho. || DER. Juicio posesorio, sumario o sumarísimo.

interés (al. *Zings, Interesse*; fr. *intérêt*; ingl. *interest, concern*; it. *interesse*). m. Provecho, utilidad. ||

Valor que en sí tiene una cosa. || Lucro producido por el capital. || Inclinación del ánimo. || Conveniencia o necesidad de carácter colectivo en el orden moral o material. || pl. Bienes de fortuna. [*Sinón.*: rendimiento, renta. *Antón.*: desinterés]

interesado, da. adj. Que tiene interés en una cosa. Ú.t.c.s. || Que se deja llevar del interés o sólo se mueve por él. Ú.t.c.s.

interesante. adj. Que interesa.

interesar (al. *anteil nehmen*, fr. *intéresser*, ingl. *to be interested*, it. *interessare*). intr. Tener interés en una cosa. Ú.t.c.r. || tr. Dar participación a alguien en un negocio o comercio. || Cautivar la atención y el ánimo con lo que se dice o escribe. || Inspirar afecto. || Afectar algún órgano del cuerpo. [*Sinón.*: importar]

interestelar. adj. Dícese del espacio comprendido entre dos o más astros.

interfecto, ta. adj. DER. Dícese de la persona muerta violentamente. Ú.m.c.s.

interferencia (al. *Interferenz*, fr. *interférence*, ingl. *interference*, it. *interferenza*). f. FÍS. Interacción de las ondas, en un punto del espacio, que provoca aumento, disminución o neutralización de las ondas.

interferir. tr. Causar interferencia. Ú.t.c.intr.

ínterin. m. Interinidad. || adv. t. Entretanto, mientras.

interinidad. f. Calidad de interino. || Tiempo que dura el desempeño interino de un cargo.

interino, na (al. *einstweiling*, fr. *intérimaire*, ingl. *temporary*, it. *interino*). adj. Que sirve por algún tiempo supliendo la falta de otra persona o cosa. Aplicado a personas, ú.t.c.s. [*Sinón.*: provisional]

interior. adj. Que está de la parte de adentro. || Dícese de la habitación que no tiene vistas a la calle. || fig. Perteneciente a la nación de que se habla en contraposición a lo extranjero. || Ánimo o espíritu. || pl. Entrañas.

interioridad. f. Calidad de interior. || pl. Cosas privativas de las personas, familias o corporaciones. [*Sinón.*: intimidad]

interjección (al. *Empfindungswort*, fr. *interjection*, ingl. *interjection*, it. *interiezione*). f. GRAM. Voz que expresa alguna impresión súbita, estado de ánimo, sentimiento, etc.

interlínea. f. IMPR. Lámina de metal, más baja que las letras, que se coloca entre las líneas para mantener una separación entre ellas.

interlinear. tr. Escribir entre dos renglones. ‖ Impr. Espaciar la composición poniendo regletas entre los renglones.

interlocución. f. Diálogo entre dos o más personas.

interlocutor, ra (al. *Wortführer*, fr. *interlocuteur*, ingl. *interlocutor*, it. *interlocutore*). s. Cada una de las personas que toman parte de un diálogo.

interludio. m. Mús. Breve composición que se ejecuta a modo de intermedio.

intermediar. intr. Mediar.

intermediario, ria (al. *Zwischen*, fr. *intermédiaire*, ingl. *intermediate*, it. *intermedio*). adj. Que media entre dos o más personas. Ú.t.c.s.

intermedio, dia. adj. Que está en medio de los extremos de lugar, tiempo, tamaño, etc. ‖ m. Espacio de tiempo que media entre dos acciones o entre las partes de un mismo espectáculo.

interminable. adj. Que no tiene término o fin. [*Sinón.*: inacabable]

intermisión. f. Interrupción o cesación de una labor o de otra cosa cualquiera por algún tiempo.

intermitencia. f. Calidad de intermitente. ‖ Med. Discontinuidad de la fiebre o de otro síntoma que cesa y vuelve. [*Antón.*: continuidad]

intermitente (al. *absatzweise*, fr. *intermittent*, ingl. *intermittent*, it. *intermittente*). adj. Que se interrumpe o cesa y prosigue o se repite.

intermitir. tr. Suspender por un tiempo una cosa; interrumpir su continuación.

internación. f. Acción y efecto de internar o internarse.

internacional (al. *International*, fr. *international*, ingl. *international*, it. *internazionale*). adj. Relativo a dos o más naciones. ‖ f. Nombre de varias organizaciones políticas internacionales de la clase obrera, basadas en programas socialistas.

internacionalismo. m. Sistema que preconiza la unión internacional de los obreros para obtener ciertas reivindicaciones.

internacionalizar. tr. Someter a la autoridad conjunta de varias naciones o de un organismo que las represente, territorios o asuntos que dependían de la autoridad de un solo Estado.

internado. m. Estado y régimen del alumno interno. ‖ Conjunto de alumnos internos. ‖ Estado y régimen de

personas que viven internas en establecimientos sanitarios o benéficos. ‖ Establecimiento donde viven alumnos u otras personas internas.

internar. tr. Conducir o mandar trasladar tierra adentro a una persona o cosa. ‖ intr. Penetrar, introducirse. ‖ Hacer que alguien ingrese en un asilo, hospital, etc. ‖ r. fig. Introducirse en los secretos y amistad de uno o profundizar una materia.

interno, na (al. *Interner*, fr. *interne*, ingl. *boarding pupil*, it. *interno*). adj. Interior. ‖ Dícese del alumno que vive en un establecimiento de enseñanza. Ú.t.c.s. ‖ s. Alumno de medicina o médico que presta sus servicios en un hospital o sanatorio, viviendo en el mismo.

interoceánico, ca. adj. Que pone en comunicación dos océanos.

interpelación. f. Acción y efecto de interpelar.

interpelar. tr. Recurrir a uno solicitando su amparo y protección. ‖ Compeler a uno para que dé explicaciones sobre un hecho cualquiera.

interplanetario, ria. adj. Entre dos o más planetas.

interpolación. f. Acción y efecto de interpolar.

interpolar. tr. Poner una cosa entre otras. ‖ Introducir palabras o frases en obras y escritos ajenos. ‖ Interrumpir la continuación de una cosa, volviendo luego a proseguirla.

interponer. tr. Interpolar. ‖ fig. Poner por intercesor a alguien. Ú.t.c.r. ‖ Der. Formalizar por medio de un pedimento alguno de los recursos legales.

interpretación. f. Acción y efecto de interpretar. ‖ — *auténtica.* Der. La que de una ley da el mismo legislador.

interpretar (al. *auslegen*, fr. *interpréter*, ingl. *to interpret*, it. *interpretare*). tr. Explicar el sentido de una cosa. ‖ Traducir. ‖ Atribuir una acción a determindo fin o causa. ‖ Comprender o expresar bien o mal el asunto o materia de que se trata. ‖ Dícese de la actuación de los artistas.

intérprete (al. *Dolmetscher*, fr. *interprète*, ingl. *interpreter*, it. *interprete*). com. Persona que interpreta. ‖ Persona que se ocupa de explicar a otras, en idioma que entienden, lo dicho en lengua que les es desconocida.

interregno. m. Espacio de tiempo en que un Estado no tiene soberano.

interrogación. f. Pregunta. ‖ Signo ortográfico (¿ ?) que se coloca al principio y al final de una palabra o cláusula interrogativa.

interrogante. adj. Que interroga. ‖ m. Signo de la interrogación.

interrogar. tr. Preguntar.

interrogativo, va. adj. Gram. Que implica o denota interrogación.

interrogatorio (al. *Verhör*, fr. *interrogatoire*, ingl. *examination*, it. *interrogatorio*). m. Der. Serie de preguntas que se hacen a los testigos para averiguar la verdad de los hechos. ‖ Dícese también de las preguntas formuladas por la policía a los detenidos.

interrumpir (al. *unterbrechen*, fr. *interrompre*, ingl. *to interrupt*, it. *interrompere*). tr. Impedir la continuación de una cosa. ‖ Suspender o parar por algún tiempo una obra. ‖ Hablar una persona cuando otra todavía no ha dejado de hacerlo. [*Sinón.*: detener. *Antón.*: continuar]

interrupción. f. Acción y efecto de interrumpir.

interruptor. (al. *Schalter*, fr. *interrupteur*, ingl. *switch*, it. *interrutore*). m. Mecanismo que interrumpe o establece un circuito eléctrico. ‖ adj. Que interrumpe.

intersección. f. Geom. Punto común a dos líneas que se cortan. ‖ Geom. Encuentro de dos líneas, dos superficies o dos sólidos que recíprocamente se cortan.

intersticio (al. *Zwischnraum*, fr. *interstice*, ingl. *chink*, it. *interstizio*). m. Pequeño espacio que media entre dos cuerpos o entre dos partes de un mismo cuerpo. ‖ Intervalo de lugar o de tiempo. [*Sinón.*: resquicio]

intervalo (al. *Zwischenzeit*, fr. *intervalle*, ingl. *interval*, it. *intervallo*). m. Espacio o distancia que hay de un tiempo a otro o de un lugar a otro. ‖ Fís. Tiempo transcurrido o espacio existente entre dos aspectos de un mismo fenómeno. ‖ Mús. Diferencia de tono entre los sonidos de dos notas musicales. [*Sinón.*: lapso]

intervención. f. Acción y efecto de intervenir. ‖ Oficina del interventor.

intervencionismo. m. Ejercicio reiterado o habitual de la intervención en asuntos internacionales. ‖ Sistema intermedio entre el individualismo y el colectivismo que confía a la acción del Estado el dirigir o suplir, en la vida del país, la iniciativa privada.

intervenir (al. *dazwischenkommen*, fr. *intervenir*, ingl. *to come between*, it. *intervenire*). intr. Tomar parte en un asunto. ‖ Interponer uno su autoridad. ‖ Mediar, interceder. ‖ Sobrevenir, acontecer. ‖ tr. Com. Tratándose de cuentas, examinarlas con autoridad suficiente para ello. ‖ En las relaciones internacionales, dirigir temporalmente una o varias potencias algunos asuntos interiores de otra. ‖ CIR. Operar.

interventor, ra. adj. Que interviene. Ú.t.c.s. ‖ m. Empleado que autoriza y fiscaliza ciertas operaciones a fin de que se hagan con legalidad.

intestado, da. adj. DER. Que muere sin hacer testamento válido. Ú.t.c.s. ‖ m. DER. Caudal sucesorio acerca del cual no existen o no rigen disposiciones testamentarias.

intestinal. adj. Perteneciente a los intestinos.

intestino, na (al. *Darm*, fr. *intestin*, ingl. *bowels*, it. *intestino*). adj. Interno, interior. ‖ fig. Civil, doméstico. ‖ m. ANAT. Conducto membranoso y muscular, plegado en muchas vueltas en el interior del abdomen; sirve para terminar la digestión, realizar la absorción de los alimentos y preparar la defecación. ‖ — *delgado*. El que se extiende desde el píloro hasta la válvula ileocecal. Tiene de seis a ocho metros de longitud, y para su estudio se divide en duodeno, yeyuno e íleon. ‖ — *grueso*. El que comienza en la válvula ileocecal y termina en el ano. Se considera dividido en tres partes: ciego, colon y recto.

intimación. f. Acción y efecto de intimar.

intimar. tr. Notificar, hacer saber una cosa. ‖ r. Introducirse una cosa material por las porosidades o espacios huecos de otra. ‖ fig. Introducirse en el afecto o ánimo de uno. Ú.t.c.intr.

intimidación. f. Acción y efecto de intimidar.

intimidad (al. *Intimität*, fr. *intimité*, ingl. *intimacy*, it. *intimità*). f. Amistad íntima. ‖ Parte personalísima de los asuntos, designios o afecciones de un sujeto o de un grupo.

intimidar (al. *einschüchtern*, ingl. *to intimidate*, it. *intimidire*). tr. Causar o infundir miedo. Ú.t.c.r. [*Sinón.*: atemorizar, asustar]

íntimo, ma (al. *innerst*, fr. *intime*, ingl. *intimate*, it. *intimo*). adj. Más interior o interno. ‖ Aplícase a la amistad muy estrecha y al amigo de confianza.

intitular. tr. Poner título a un libro o escrito. ‖ Dar un título particular a una persona o cosa. Ú.t.c.r.

intolerable. adj. Que no se puede tolerar. [*Sinón.*: insufrible, insoportable. *Antón.*: tolerable]

intolerancia. f. Falta de tolerancia.

intoxicación. f. Acción y efecto de intoxicar.

intoxicar (al. *vergiften*, fr. *intoxiquer*, ingl. *to poison*, it. *intossicare*). tr. Envenenar, inficionar con tóxico. Ú.t.c.r.

intra-. prep. insep. que significa interioridad.

intradós. m. ARQ. Superficie interior visible de un arco o bóveda.

intramuscular. adj. ANAT. Dícese de lo que está o se pone dentro de los músculos.

intranquilidad (al. *Unruhe*, fr. *inquiétude*, ingl. *uneasiness*, it. *inquietudine*). f. Falta de tranquilidad; inquietud.

intranquilizar. tr. Quitar la tranquilidad, desasosegar. [*Sinón.*: inquietar. *Antón.*: serenar]

intranquilo, la. adj. Falto de tranquilidad.

intransferible. adj. No transferible.

intransigencia. f. Condición del que no transige.

intransigente (al. *Unversöhnlich*, fr. *intransigeant*, ingl. *uncompromising*, it. *intransigente*). adj. Que no transige. ‖ Que no se presta a transigir.

intransitable. adj. Aplícase al lugar o sitio por donde no se puede transitar.

intransitivo, va (al. *intransitiv*, fr. *intransitif*, ingl. *intransitive*, it. *intransitivo*). adj. GRAM. Dícese del verbo cuya significación no pasa o se transmite de una persona o cosa a otra.

intrascendente. adj. Sin trascendencia, poco importante.

intratable. adj. No tratable ni manejable. ‖ fig. Insociable o de genio áspero.

intravenoso, sa. adj. Dícese de lo que está o se pone en el interior de las venas.

intrepidez (al. *Kühnheit*, fr. *intrépidité*, ingl. *boldness*, it. *intrepidezza*). f. Arrojo, valor ante el peligro. ‖ fig. Osadía o falta de reflexión.

intrépido, da (al. *furchtlos*, fr. *intrépide*, ingl. *intrepid*, it. *intrepido*). adj. Que no teme el peligro. ‖ fig. Que obra o habla sin reflexión. [*Sinón.*: osado, valeroso. *Antón.*: temeroso]

intriga (al. *Rank*, fr. *intrigue*, ingl. *scheme*, it. *intriga*). f. Acción que se ejecuta con astucia y ocultamente, para conseguir un fin. ‖ Enredo, embrollo. [*Sinón.*: maquinación]

intrigante. adj. Que intriga o suele intrigar. Ú.t.c.s.

intrigar. intr. Valerse de intrigas. ‖ tr. Inspirar viva curiosidad.

intrincado, da. adj. Enredado, confuso.

intrincar. tr. Enredar o enmarañar una cosa. Ú.t.c.r. ‖ fig. Confundir los pensamientos o conceptos. [*Sinón.*: embrollar, embarullar]

intríngulis. m. fam. Intención solapada que se entrevé o supone en una persona o acción.

intrínseco, ca. adj. Íntimo, esencial. [*Antón.*: extrínseco]

introducción (al. *Einleitung*, fr. *introduction*, ingl. *introduction*, it. *introduzione*). f. Acción y efecto de introducir o introducirse. ‖ Preparación, disposición para un determinado fin. ‖ Exordio de una composición literaria. ‖ MÚS. Parte inicial de una obra instrumental. [*Sinón.*: prólogo]

introducir (al. *einführen*, fr. *introduire*, ingl. *to introduce*, it. *introdurre*). tr. Dar entrada a una persona en un lugar. ‖ Meter una cosa en otra. ‖ fig. Hacer adoptar, poner en uso.

introductor, ra. adj. Que introduce. Ú.t.c.s.

introito (al. *Introitus*, fr. *introït*, ingl. *introit*, it. *introito*). m. Principio de un escrito u oración. ‖ Parte variable de la misa.

intromisión (al. *Einmischung*, fr. *ingérence*, ingl. *intermeddling*, it. *intromissione*). f. Acción y efecto de entrometer o entrometerse. [*Sinón.*: intrusión]

introspección (al. *Selbstbeobachtung*, fr. *introspection*, ingl. *introspection*, it. *introspezione*). f. Reflexión interna del sujeto sobre sus actos y motivaciones.

introversión. f. Acción y efecto de penetrar el alma humana dentro de sí misma, abstrayéndose de los sentidos.

introvertido, da. adj. Dícese del sujeto dado a la introversión y que habla difícilmente de sí mismo.

intrusión. f. Acción de introducirse sin derecho en una dignidad, jurisdicción, oficio, etc. [*Sinón.*: intrusismo]

intruso, sa (al. *Eindringlig*, fr. *intrus*, ingl. *intruder*, it. *intruso*). adj. Que se ha introducido sin derecho. ‖ Detentador de alguna cosa alcanzada por intrusión. Ú.t.c.s.

intuición (al. *Anschauung*, fr. *intuition*, ingl. *intuition*, it. *intuizione*). f. FIL. Percepción inmediata y directa, sin la ayuda de otros conocimientos. [*Sinón.*: clarividencia]

intuir (al. *anschauen*, fr. *avoir l'intuition*, ingl. *to know by intuition*, it. *intuire*). tr. Percibir clara e instantáneamente una idea o verdad, sin que medie un razonamiento.

intuitivo, va. adj. Perteneciente a la intuición.

intumescencia. f. Hinchazón, efecto de hincharse.

inundación (al. *Uberschwemmung*, fr. *inondation*, ingl. *inundation*, it. *inondazione*). f. Acción y efecto de inundar o inundarse. ‖ fig. Abundancia excesiva de una cosa.

inundar (al. *uberschwemmen*, fr. *inonder*, ingl. *to overflow*, it. *inondare*). tr. Cubrir el agua los terrenos y a veces las poblaciones. Ú.t.c.r. ‖ fig. Llenar un país de gentes extrañas o de otras cosas. Ú.t.c.r. [*Sinón.*: anegar]

inusitado, da (al. *ungebräuchlich*, fr. *inusité*, ingl. *unusual*, it. *inusitato*). adj. No usado.

inútil (al. *nutzlos*, fr. *inutile*, ingl. *useless*, it. *inutile*). adj. No útil. Ú.t.c.s.

inutilidad. f. Calidad de inútil.

inutilizar (al. *entwerten*, fr. *inutiliser*, ingl. *to make useless*, it. *inutizzare*). tr. Hacer inútil o nula una cosa. Ú.t.c.r. [*Sinón.*: anular, invalidar]

invadir (al. *einfallen*, fr. *envahir*, ingl. *to invade*, it. *invadere*). tr. Acometer, entrar por la fuerza en una parte. ‖ fig. Entrar injustificadamente en funciones ajenas. [*Sinón.*: irrumpir, asaltar]

invalidar (al. *entkräften*, fr. *invalider*, ingl. *to invalidate*, it. *invalidare*). tr. Dejar sin valor y efecto una cosa. [*Sinón.*: anular, inutilizar]

invalidez. f. Calidad de inválido.

inválido, da (al. *Invalide*, fr. *invalide*, ingl. *invalid*, it. *invalido*). adj. Que no tiene fuerza ni vigor. Ú.t.c.s. ‖ Tullido. ‖ DER. Nulo por no tener las condiciones que exigen las leyes.

invariable (al. *unveränderlich*, fr. *invariable*, ingl. *invariable*, it. *invariabile*). adj. Que no padece variación. [*Sinón.*: inalterable]

invasión (al. *Einfall*, fr. *invasion*, ingl. *invasion*, it. *invasione*). f. Acción y efecto de invadir. [*Sinón.*: ocupación]

invasor, ra. adj. Que invade. Ú.t.c.s.

invectiva. f. Discurso o escrito acre y violento contra personas o cosas. [*Sinón.*: diatriba, filípica]

invencible. adj. Que no puede ser vencido. [*Sinón.*: imbatible]

invención (al. *Erfindung*, fr. *invention*, ingl. *invention*, it. *invenzione*). f. Acción y efecto de inventar. ‖ Cosa inventada. ‖ Hallazgo, acción de hallar. ‖ Engaño, ficción. [*Sinón.*: invento, descubrimiento]

inventar (al. *erfinden*, fr. *inventer*, ingl. *to invent*, it. *inventare*). tr. Hallar a fuerza de ingenio y meditación o por mera casualidad, una cosa nueva o no conocida. ‖ Crear su obra el poeta o el artista. ‖ Fingir hechos falsos. [*Sinón.*: idear]

inventariar. tr. Hacer inventario.

inventario (al. *Inventar*, fr. *inventaire*, ingl. *inventory*, it. *inventario*). m. Asiento de los bienes y demás cosas pertenecientes a una persona o comunidad. [*Sinón.*: lista, relación]

inventiva. f. Facultad y disposición para inventar. [*Sinón.*: inspiración]

invento (al. *Erfindung*, fr. *invention*, ingl. *invention*, it. *invenzione*). m. Invención.

inventor, ra (al. *Erfinder*, fr. *inventeur*, ingl. *inventor*, it. *inventore*). adj. Que inventa. Ú.t.c.s.

invernáculo. m. Invernadero.

invernada. f. Estación de invierno. ‖ *Amer.* Invernadero para el ganado.

invernadero (al. *Treibhaus*, fr. *serre*, ingl. *greenhouse*, it. *serra*). m. Sitio a propósito para pasar el invierno. ‖ Lugar abrigado artificialmente para defender las plantas de la acción del frío. [*Sinón.*: invernáculo]

invernal. adj. Perteneciente al invierno.

invernar (al. *Uberwintern*, fr. *hiverner*, ingl. *to winter*, it. *svernare*). intr. Pasar el invierno en una parte. ‖ Ser tiempo de invierno.

inverosímil (al. *unwahrscheinlich*, fr. *invraisemblable*, ingl. *unlikely*, it. *inverosimile*). adj. Que no tiene apariencia de verdad. [*Sinón.*: increíble]

inversión. f. Acción y efecto de invertir. ‖ Homosexualidad.

inversionista. adj. Dícese de la persona o entidad que realiza inversiones de capital. Ú.t.c.s.

inverso, sa. adj. Alterado, trastornado. ‖ *a o por la inversa.* m. adv. Al contrario.

invertebrado, da. adj. ZOOL. Dícese de los animales que no tienen columna vertebral. Ú.t.c.s. [*Antón.*: vertebrado]

invertido, da. adj. Sodomita, homosexual. Ú.t.c.s.m.

invertir (al. *umkehren, anlegen*; fr. *inverser, investir*; ingl. *to reverse, to invest*; it. *invertire*). tr. Trastornar las cosas o su orden. ‖ ECON. Hablando de caudales, emplearlos, gastarlos o colocarlos. ‖ MAT. Cambiar los lugares que en una proporción ocupan, respectivamente, los dos términos de cada razón.

investidura. f. Acción y efecto de investir. ‖ Carácter que se adquiere con la toma de posesión de ciertos cargos o dignidades.

investigación. f. Acción y efecto de investigar. [*Sinón.*: indagación]

investigador, ra. adj. Persona que se dedica a la investigación. Ú.t.c.s.

investigar (al. *erforschen*, fr. *rechercher*, ingl. *to search*, it. *investigare*). tr. Hacer diligencias para descubrir una cosa. [*Sinón.*: indagar]

investir. tr. Conferir una dignidad o cargo importante.

inveterado, da. adj. Antiguo, arraigado. [*Sinón.*: añejo, habitual]

invicto, ta (al. *Unbesiegt*, fr. *invaincu*, ingl. *invanquished*, it. *invitto*). adj. Que no ha conocido la derrota; siempre victorioso.

invidencia. f. Falta de vista. ‖ Envidia.

invierno (al. *Winter*, fr. *hiver*, ingl. *winter*, it. *inverno*). m. Estación del año que astronómicamente empieza en el solsticio del mismo nombre y termina en el equinoccio de primavera.

inviolabilidad. f. Calidad de inviolable.

inviolable. adj. Que no se debe o no se puede violar o profanar.

invisible (al. *unsichtbar*, fr. *invisible*, ingl. *invisible*, it. *invisibile*). adj. Que no puede ser visto.

invitación (al. *Einladung*, fr. *invitation*, ingl. *invitation*, it. *invito*). f. Acción y efecto de invitar. ‖ Tarjeta con que la que se invita.

invitado, da (al. *Eingeladener*, fr. *invité*, ingl. *guest*, it. *invitato*). s. Persona que ha recibido invitación. ‖ adj. Que ha recibido invitación.

invitar (al. *einladen*, fr. *inviter*, ingl. *to invite*, it. *invitare*). tr. Convidar. ‖ Incitar a algo. [*Sinón.*: agasajar; instigar]

invocación. f. Acción y efecto de invocar. ‖ Parte del poema en que el poeta invoca a un ser divino. [*Sinón.*: imploración, impetración]

invocar (al. *anrufen*, fr. *invoquer*, ingl. *to invoke*, it. *invocare*). tr. Llamar uno a otro en su auxilio. ‖ Acogerse a una ley, costumbre o razón, exponerla, alegarla. [*Sinón.*: implorar, rogar]

involucrar. tr. Injerir en los discursos o escritos cuestiones o asuntos ajenos al objeto de aquéllos. ‖ Abarcar.

involucro. m. BOT. Verticilo de brácteas, situado en la base de una flor o de una inflorescencia.

involuntario, ria. adj. No voluntario.

invulnerable. adj. Que no puede ser herido.

inyección. f. Acción y efecto de inyectar. ‖ Líquido que se inyecta.

inyectable. adj. Aplícase a la sustancia o medicamento preparados para ser inyectados.

inyectar (al. *einspritzen*, fr. *injecter*, ingl. *to inject*, it. *iniettare*). tr. Introducir un fluido en un cuerpo con un instrumento adecuado.

inyector. m. TÉCN. Aparato que sirve para inyectar agua en la caldera de una máquina de vapor.

ion. m. FÍS. Átomo o molécula que posee una carga eléctrica positiva o negativa por haber perdido o ganado electrones. ‖ QUÍM. Radical simple o compuesto que se disocia de las sustancias al disolverse éstas y da a las disoluciones el carácter de conductibilidad eléctrica.

ionizar. tr. FÍS. y QUÍM. Disociar una molécula en iones o convertir un átomo en ion. Ú.t.c.r.

ionosfera. f. Conjunto de las altas capas atmosféricas donde el aire está ionizado.

iota. f. Novena letra del alfabeto griego, que corresponde a nuestra vocal *i*.

ípsilon. f. Vigésima letra del alfabeto griego, que corresponde a la que en el nuestro se llama *i griega* o *y*.

ipso facto. loc. lat. Inmediatamente, en el acto.

ir (al. *hingehen*, fr. *aller*, ingl. *to go*, it. *andare*). intr. Moverse de un lugar hacia otro. Ú.t.c.r. ‖ Venir bien o mal, acomodarse o no una cosa con otra. ‖ Caminar de acá para allá. ‖ Úsase para significar hacia adonde se dirige un camino. ‖ Extenderse una cosa, ocupar, comprender desde un punto a otro. ‖ Obrar, proceder. ‖ En varios juegos de naipes, entrar, tomar sobre sí el empeño de ganar la apuesta. ‖ Junto con los gerundios de algunos verbos, denota la acción de ellos y da a entender la actual ejecución de lo que dichos verbos significan o que la acción empieza a verificarse. ‖ Junto con la preposición *a* y un infinitivo, disponerse para la acción del verbo con que se junta. ‖ Junto con la misma preposición y algunos sustantivos con artículo o sin él, concurrir habitualmente. ‖ Junto con la preposición *contra*, perseguir, y también sentir y pensar lo contrario de lo que significa el nombre a que se aplica. ‖ Con la preposición *por*, seguir una carrera o ir a

traer una cosa. ‖ r. Morirse o estarse muriendo. ‖ Salirse un líquido insensiblemente del vaso o cosa en donde está. Aplícase también al mismo vaso o cosa que lo contiene. ‖ Deslizarse, perder el equilibrio. ‖ Ventosear o hacer uno sus necesidades sin sentir o involuntariamente. ‖ fam. Eyacular el semen. ‖ *estar ido.* fig. y fam. Estar loco, alelado, o profundamente distraido. ‖ *ir tirando.* fam. Sobrellevar las adversidades y trabajos que se presentan en la vida. [*Sinón.*: dirigirse, trasladarse; morirse; derramarse]

ira (al. *Zorn*, fr. *colère*, ingl. *anger*, it. *ira*). f. Pasión que mueve a indignación y enojo. ‖ fig. Furia o violencia de los elementos. [*Sinón.*: cólera, furor. *Antón.*: templanza]

iracundia. f. Propensión a la ira. ‖ Cólera o enojo.

iracundo, da. adj. Propenso a la ira. Ú.t.c.s. ‖ fig. y fam. Aplícase a los elementos alterados.

iranio, nia (al. *Iranier*, fr. *iranien*, ingl. *iranian*, it. *iranico*). adj. Natural del Irán. Ú.t.c.s. ‖ Perteneciente o relativo a este país de Asia. [*Sinón.*: iraní]

iraquí. adj. Natural del Irak. Ú.t.c.s. ‖ Perteneciente o relativo a este país asiático.

irascible (al. *Jähzornig*, fr. *irascible*, ingl. *irascible*, it. *irascibile*). adj. Dado a la ira.

iridáceo, a. adj. BOT. Dícese de hierbas angiospermas monocotiledóneas, con rizomas, tubérculos o bulbos, hojas estrechas y enteras, flores actinomorfas o cigomorfas, fruto capsular y semillas con albumen córneo o carnoso; como el lirio cárdeno, el lirio hediondo y el azafrán. Ú.t.c.s. ‖ f. pl. Familia de estas plantas.

iridiscente. adj. Que muestra o refleja los colores del iris.

iris (al. *Regenbogen*, fr. *arc-en-ciel*, ingl. *rainbow*, it. *arcobaleno*). m. Arco de colores que a veces se ofrece a la vista cuando el sol, a espaldas del espectador, refracta y refleja su luz en la lluvia. ‖ Ópalo noble. ‖ ANAT. Disco membranoso en cuyo centro está la pupila del ojo.

irisación. f. Acción y efecto de irisar. ‖ pl. Vislumbre que se produce en las láminas delgadas de los metales, cuando, candentes, son introducidas en medio acuático.

irisar. intr. Presentar un cuerpo fajas variadas o reflejos de luz, con los colores del arco iris.

irlandés, sa. adj. Natural de Irlanda.

Ú.t.c.s. ‖ Perteneciente a esta isla. ‖ m. Lengua de Irlanda.

ironía (al. *Ironie*, fr. *ironie*, ingl. *irony*, it. *ironia*). f. Burla fina y disimulada. ‖ Figura retórica que consiste en dar a entender lo contrario de lo que se dice.

irónico, ca. adj. Que denota o implica ironía, o concerniente a ella.

iroqués, sa. adj. Dícese del invididuo de una raza indígena de Norteamérica. Ú.t.c.s. ‖ Perteneciente a esta raza. ‖ m. Lengua iroquesa.

irracional (al. *unvernünftig*, fr. *irrationnel*, ingl. *irrational*, it. *irrazionale*). adj. Contrario o irreductible a la razón. ‖ MAT. Aplícase a las cantidades radicales que no pueden expresarse exactamente con números enteros ni fraccionarios.

irradiar (al. *ausstrahlen*, fr. *irradier*, ingl. *to beam*, it. *irradiare*). tr. Despedir un cuerpo rayos de luz, calor u otra energía en todas direcciones.

irrazonable. adj. No razonable. [*Sinón.*: irracional, insensato]

irreal (al. *unwirklich*, fr. *irréel*, ingl. *unreal*, it. *irreale*). adj. No real; falto de realidad. [*Sinón.*: inexistente, ilusorio, imaginario]

irrealizable. adj. Que no se puede realizar.

irrebatible. adj. Que no se puede rebatir o refutar. [*Sinón.*: indiscutible, irrefutable. *Antón.*: refutable, conciliable]

irreconciliable. adj. Aplícase al que no quiere volver a la paz y amistad con otro.

irredentismo. m. Actitud política que propugna la anexión de un territorio irredento.

irredento, ta. adj. Que permanece sin redimir. Dícese especialmente del territorio que una nación pretende anexionarse por razones históricas, de lengua, raza, etc.

irreflexión. f. Falta de reflexión.

irreflexivo, va. adj. Que no reflexiona. ‖ Que se dice o hace sin reflexionar.

irrefutable. adj. Que no se puede refutar.

irregular (al. *unregelmässig*, fr. *irrégulier*, ingl. *irregular*, it. *irregolare*). adj. Que va fuera de regla; contrario a ella. ‖ Que no sucede común y ordinariamente.

irregularidad. f. Calidad de irregular. ‖ Impedimento canónico para recibir las órdenes o ejercerlas.

irreligioso, sa. adj. Falto de religión. Ú.t.c.s. ‖ Que se opone al espíritu de la religión. [*Sinón*.: impío. *Antón*.: religioso]

irremediable (al. *unvermeidlich*, fr. *irrémédiable*, ingl. *irretrievable*, it. *irrimediabile*). adj. Que no se puede remediar o evitar. [*Sinón*.: irreparable]

irremisible. adj. Que no se puede remitir o perdonar. [*Sinón*.: imperdonable]

irreparable (al. *unwiederbringlich*, fr. *irréparable*, ingl. *irretrievable*, it. *irreparabile*). adj. Que no se puede reparar.

irreprochable. adj. Que no puede ser reprochado.

irresistible (al. *unwiderstlich*, fr. *irrésistible*, ingl. *irresistible*, it. *irrestibile*). adj. Que no se puede resistir. [*Sinón*.: insoportable]

irresoluble. adj. Dícese de lo que no se puede resolver o determinar. [*Sinón*.: insoluble]

irresolución. f. Falta de resolución. [*Sinón*.: indecisión, vacilación]

irresoluto, ta. adj. Que carece de resolución. Ú.t.c.s. [*Sinón*.: indeciso. *Antón*.: decidido]

irrespetuoso, sa. adj. No respetuoso.

irrespirable. adj. Que no puede respirarse. ‖ Que difícilmente puede respirarse.

irresponsabilidad (al. *Unverantwortlichkeit*, fr. *irresponsabilité*, ingl. *irresponsability*, it. *irresponsabilità*). f. Calidad de irresponsable. ‖ Impunidad que resulta de no ser exigible responsabilidad a los autores del delito.

irresponsable. adj. Dícese de la persona a quien no se puede exigir responsabilidad. ‖ Dícese de la persona que adopta decisiones importantes sin la debida meditación.

irreverencia (al. *Unehrerbietigkeit*, fr. *irrévérence*, ingl. *irreverence*, it. *irriverenza*). f. Falta de reverencia. ‖ Dicho o hecho irreverente. [*Sinón*.: irrespetuosidad, desconsideración]

irreverente. adj. Contrario a la reverencia o respeto debido. Ú.t.c.s.

irreversible. adj. Dícese de los procesos físicos que se dan en un solo sentido.

irrevocable. adj. Que no se puede revocar.

irrigación. f. Acción y efecto de irrigar.

irrigador. m. MED. Instrumento que sirve para irrigar.

irrigar (al. *bespülen*, fr. *irriguer*, ingl. *to irrigate*, it. *irrigazione*). tr. Regar un terreno. ‖ MED. Rociar con un líquido alguna parte del cuerpo.

irrisión. f. Burla con la que se hace reír a costa de una persona o cosa. ‖ fam. Persona o cosa que es o puede ser objeto de esta burla. [*Sinón*.: mofa]

irrisorio, ria (al. *Lächerlich*, fr. *dérisoire*, ingl. *derisory*, it. *irrisorio*). adj. Que mueve o provoca a risa y burla. [*Sinón*.: ridículo, risible, grotesco]

irritabilidad. f. Propensión a irritarse con violencia o facilidad.

irritable. adj. Capaz de irritación o irritabilidad.

irritación. f. Acción y efecto de irritar o irritarse.

irritar (al. *aufreizen*, fr. *irriter*, ingl. *to irritate*, it. *irritare*). tr. Provocar la ira. Ú.t.c.r. ‖ Excitar vivamente otros afectos. Ú.t.c.r. ‖ MED. Causar excitación morbosa en un órgano o parte del cuerpo. Ú.t.c.r.

irrompible. adj. Que no se puede romper.

irrumpir (al. *eindringen*, fr. *faire irruption*, ingl. *to rush*, it. *irrompere*). intr. Entrar violentamente en un lugar.

irrupción. f. Acometimiento impetuoso e impensado. ‖ Invasión.

isabelino, na. adj. Aplícase a la moneda que lleva el busto de Isabel II. ‖ Con el mismo epíteto se distinguió a las tropas que defendieron su corona contra los carlistas. Ú.t.c.s. ‖ Se llama así la interpretación española del estilo decorativo del Imperio francés, bajo el reinado de Isabel II. Ú.t.c.s.m.

isba. f. Vivienda de madera que construyen algunos pueblos septentrionales del viejo continente.

isla (al. *Insel*, fr. *île*, ingl. *island*, it. *isola*). f. Porción de tierra rodeada de agua por todas partes. ‖ Manzana de casas. ‖ fig. Conjunto de árboles o monte de corta extensión, aislado y que no esté junto a un río.

islam. m. Islamismo. ‖ Conjunto de los pueblos que profesan esta religión.

islámico, ca. adj. Perteneciente o relativo al Islam.

islamismo. m. Conjunto de dogmas y preceptos morales que constituyen la religión de Mahoma.

islamita. adj. Que profesa el islamismo.

islandés, sa. adj. Natural de Islandia. Ú.t.c.s. ‖ Perteneciente o relativo a este país insular del Norte de Europa. ‖ m. Idioma hablado en Islandia.

isleño, ña (al. *Inselbewohner*, fr. *insulaire*, ingl. *islander*, it. *isolano*). adj. Natural de una isla. Ú.t.c.s. ‖ Perteneciente a una isla. [*Sinón*.: insular]

islote (al. *Eiland*, fr. *îlot*, ingl. *islet*, it. *isolotto*). m. Isla pequeña y despoblada. ‖ Peñasco muy grande, rodeado de mar.

ismaelita. adj. Descendiente de Ismael. Dícese de los árabes. Ú.t.c.s.

iso-. Elemento compositivo que entra en la formación de algunas voces españolas con el significado de "igual" o denotando "uniformidad o semejanza".

isobara. f. METEOR. En una gráfica termodinámica o en un mapa meteorológico, línea que une los puntos de igual presión.

isobárico, ca. adj. FÍS. Aplícase a los lugares de igual presión atmosférica y a la línea que los une en un mapa.

isocromático, ca. adj. Que tiene el mismo color.

isócrono, na. adj. FÍS. Aplícase a los movimientos que se hacen en tiempos de igual duración.

isógono, na. adj. FÍS. Aplícase a los cuerpos cristalizados, de ángulos iguales.

isómero, ra. adj. FÍS. y QUÍM. Aplícase a los cuerpos que, teniendo igual composición química, presentan distintas propiedades físicas.

isomorfo, fa. adj. MINERAL. Aplícase a los cuerpos de diferente composición química e igual forma cristalina y que pueden cristalizar asociados.

isópodo, da. adj. ZOOL. Que tiene las patas iguales. ‖ m. pl. Orden de crustáceos, de cuerpo deprimido, dorso ventralmente formado por siete anillos torácicos, cada uno con un par de patas, y el abdomen corto. La mayoría de las especies son parásitas de peces y crustáceos, y otras terrestres como la cochinilla de humedad.

isósceles. adj. GEOM. Dícese del triángulo que tiene dos lados iguales.

isotermo, ma. adj. FÍS. De igual temperatura. ‖ METEOR. Dícese de la línea que pasa por todos los puntos de la Tierra de igual temperatura media anual.

isótopo. m. FÍS. Elemento que posee el mismo número atómico y del cual únicamente difiere en el número de neutrones que existen en su núcleo. Así, por ejemplo, el deuterio y el tritio son isótopos del hidrógeno.

isótropo. adj. FÍS. Dícese de un cuerpo cuando tiene las mismas propiedades en todas las direcciones.

isquión. m. ANAT. Porción posterior e inferior del hueso coxal.

israelí. adj. Natural o ciudadano del

Estado de Israel. Ú.t.c.s. ‖ Perteneciente a dicho Estado.

israelita (al. *Israelit*, fr. *israélite*, ingl. *iṣraelite*, it. *israelita*). adj. Hebreo. Aplicado a personas, ú.t.c.s. ‖ Natural de Israel. Ú.t.c.s. ‖ Perteneciente a este país.

istmo (al. *Landenge*, fr. *isthme*, ingl. *isthmus*, it. *istmo*). m. Lengua de tierra que une dos continentes, o una península con un continente. ‖ — *de las fauces*. ANAT. Abertura entre la cavidad de la boca y la faringe.

italianismo. m. Giro o modo de hablar de la lengua italiana. ‖ Vocablo o giro de esta lengua empleado en otra.

italiano, na. adj. Natural de Italia. Ú.t.c.s. ‖ Perteneciente o relativo a esta nación de Europa. ‖ m. Lengua italiana.

itálico, ca. adj. Perteneciente a Italia. Dícese en particular de lo perteneciente a Italia antigua. ‖ Natural de Itálica. Ú.t.c.s. ‖ Perteneciente a Itálica.

ítalo, la. adj. Natural de Italia. ‖ Perteneciente a Italia.

ítem. adv. lat. que se usa para hacer distinción de artículos o capítulos en una escritura u otro instrumento, y también por señal de adición. Se dice también *ítem más*. ‖ m. fig. Cada uno de dichos artículos o capítulos. ‖ fig. Aditamento, añadidura.

iteración. f. Acción y efecto de iterar.

iterar. tr. Repetir.

iterativo, va. adj. Que tiene la condición de repetirse. [*Sinón.*: reiterativo]

itinerario, ria (al. *Reiseplan*, fr. *itinéraire*, ingl. *itinerary*, it. *itinerario*). adj. Perteneciente a caminos. ‖ m. Descripción de la vía a seguir para realizar un trayecto.

-itis. Elemento compositivo que entra pospuesto en la formación de algunas voces españolas con el significado de "inflamación".

ivierno. m. Invierno.

izar (al. *aufhissen*, fr. *hisser*, ingl. *to hoist*, it. *issare*). tr. MAR. Hacer subir algo tirando de un cabo que se halle en un punto más elevado. [*Sinón.*: alzar]

izquierda (al. *Die Linke*, fr. *gauche*, ingl. *left*, it. *sinistra*). f. Mano izquierda. ‖ Sector político de ideas progresivas. [*Antón.*: derecha]

izquierdista. adj. Perteneciente o relativo a las doctrinas políticas de izquierda. ‖ com. En política, partidario de la izquierda.

izquierdo, da. adj. Dícese de lo que está en la mitad longitudinal del cuerpo humano que aloja el corazón. ‖ Dícese de lo que está situado hacia esa parte del cuerpo. ‖ fig. Torcido. [*Sinón.*: zurdo, levógiro]

J

j. f. Undécima letra del abecedario español y octava de sus consonantes. Su nombre es *jota* y su sonido una fuerte aspiración velar.

jaba. f. *Amer.* Especie de cajón de forma enrejada en que se transporta loza.

jabalí (al. *Wildschwein*, fr. *sanglier*, ingl. *wild boar*, it. *cinghiale*). m. ZOOL. Mamífero considerado vulgarmente como cerdo salvaje. Tiene el hocico alargado y la mandíbula superior provista de seis incisivos y dos caninos muy desarrollados y retorcidos hacia arriba. Vive en estado salvaje en zonas boscosas de Europa, Asia y África.

jabalina (al. *Speer*, fr. *javelot*, ingl. *javelin*, it. *giavellotto*). f. Antigua arma arrojadiza, a modo de pica corta o venablo. ‖ DEP. Vara larga y delgada, rematada en una punta de hierro, que el atleta arroja lo más lejos posible, realizando dicho lanzamiento según unas normas fijas, de validez internacional. ‖ ZOOL. Hembra del jabalí.

jabardillo. m. Bandada grande e inquieta de insectos o avecillas. ‖ fig. y fam. Remolino de mucha gente que mueve confusión y ruido.

jabardo. m. Enjambre pequeño producido por una colmena como segunda cría del año.

jabato. m. Cachorro de la jabalina. ‖ adj. fam. Valiente, osado, atrevido. Ú.t.c.s.

jabear. tr. *Amer.* Robar.

jábega. f. Red muy larga, compuesta de un copo y dos bandas, que se usa para pescar. ‖ Embarcación menor que el jabeque y que sirve para pescar.

jabeque. m. Embarcación de tres palos, con velas latinas. ‖ fig. y fam. Herida en el rostro hecha con arma blanca corta.

jabón (al. *Seife*, fr. *savon*, ingl. *soap*, it. *sapone*). m. QUIM. Sal sódica o potásica de un ácido graso. Por su gran poder detergente se utiliza en todas las tareas de limpieza, tanto domésticas como industriales. Los jabones sódicos son duros, blancos y de mucha consistencia; los potásicos son blandos. Ambos son solubles en agua. Se obtienen descomponiendo con sosa o potasa cáusticas los glicéridos que forman las grasas (saponificación). ‖ — *de sastre*. Esteatita blanca empleada por los sastres para señalar en la tela el sitio donde han de cortar o coser.

jabonadura. f. Acción y efecto de jabonar. ‖ pl. Agua que queda mezclada con el jabón y su espuma. ‖ Espuma que se forma al jabonar. [*Sinón.*: enjabonado, enjabonadura]

jabonar (al. *einseifen*, fr. *savonner*, ingl. *to soap*, it. *insaponare*). tr. Fregar la ropa u otras cosas con jabón y agua. ‖ Humedecer la barba con agua jabonosa para afeitarla. [*Sinón.*: enjabonar, lavar]

jaboncillo. m. Pastilla de jabón aromatizada. ‖ BOT. Árbol sapindáceo de América, de fruto carnoso, cuya pulpa produce con el agua una especie de jabón que sirve para lavar la ropa.

jabonera (al. *Seifenbüchse*, fr. *étui à savon*, ingl. *soap-can*, it. *portasapone*). f. Cajita para el jabón. ‖ Por ext., parte del lavabo en que se deposita la pastilla de jabón.

jabonero, ra. adj. Dícese del toro cuya piel es de color blanco sucio que tira a amarillento. ‖ Perteneciente o relativo al jabón. ‖ m. El que fabrica o vende jabón.

jabonoso, sa. adj. Que es de jabón o de naturaleza de jabón.

jabuco. m. *Amer.* Cesto redondo de boca estrecha.

jaca. f. Caballo cuya alzada no llega a siete cuartas. ‖ Yegua, hembra del caballo. ‖ *Amer.* En el Perú, yegua de poca alzada.

jacal. m. *Amer.* Choza.

jácara. f. Romance alegre. ‖ Cierta música para cantar o bailar. ‖ Gente alegre que de noche anda cantando por las calles. ‖ fig. y fam. Molestia, enfado. ‖ fig. y fam. Mentira, patraña. [*Sinón.*: parranda, bullanga]

jacarandoso, sa. adj. fam. Alegre, desenvuelto.

jácena. f. ARQ. Viga maestra.

jacinto (al. *Hyazinthe*, fr. *jacinthe*, ingl. *hyacinth*, it. *giacinto*). m. BOT. Planta liliácea de flores olorosas, blancas, azules, róseas o amarillentas, en espiga. Es originaria de Asia Menor. ‖ MINERAL. Circón.

jaco. m. Cota de malla de manga corta. ‖ Jubón de tela tosca que antiguamente usaron los soldados. ‖ Caballo pequeño y ruin. [*Sinón.*: jamelgo, penco]

jacobeo, a. adj. Perteneciente o relativo al apóstol Santiago.

jacobino, na. adj. Dícese del individuo afecto a una corriente de la Revolución Francesa, partidaria del centralismo y de un Estado fuerte. Aplicado a personas, ú.t.c.s.

jactancia. f. Alabanza propia, desordenada y presuntuosa. [*Sinón.*: vanagloria, vanidad, fatuidad. *Antón.*: modestia]

jactancioso, sa. adj. Dícese de quien se jacta. Ú.t.c.s.

jactarse (al. *prahlen*, fr. *se vanter*, ingl. *to boast*, it. *vantarsi*). r. Alabarse con presunción.

jaculatoria. f. Oración breve y ferviente.

jade (al. *Nierenstein*, fr. *jade*, ingl. *jade*, it. *giada*). m. MINERAL. Piedra muy dura y tenaz compuesta principalmente por silicatos de magnesia y calcio, con escasas porciones de alúmina y óxidos de hierro y manganeso. Su color oscila entre blanquecino o verdoso, con manchas rojizas o moradas. [*Sinón.*: lemanita]

jadear (al. *schnauben*, fr. *haleter*, ingl. *to pant*, it. *ansare*). intr. Respirar anhelosamente por algún trabajo impetuoso.

jadeo. m. Acción de jadear.

jaenés, sa. adj. Natural de Jaén. Ú.t.c.s. || Perteneciente o relativo a esta ciudad o provincia.

jaez (al. *Pferdegeschirr*, fr. *harnais*, ingl. *harness*, it. *finimento*). m. Adorno que se pone a las caballerías. Ú.m. en pl. || fig. Calidad de una cosa. [*Sinón.*: guarnición; índole]

jaezar. tr. Enjaezar.

jaguar. m. ZOOL. Mamífero félido propio de América. Alcanza hasta 1,70 m de longitud, excluida la cola. Su color varía desde el bayo oscuro hasta el amarillo nápoles. Sobre este fondo, existen numerosas manchas, casi siempre grandes e irregulares.

jaguarzo. m. BOT. Arbusto cistáceo, de unos dos metros de altura, de flores blancas y fruto capsular. Abunda en el centro de España.

jaharrar. tr. Cubrir con una capa de yeso o mortero el paramento de una pared.

jaiba. f. *Amer.* Nombre que se da a muchos crustáceos decápodos, braquiuros, cangrejos de río y cangrejos de mar.

jaique. m. Capa árabe con capucha.

¡ja, ja, ja! interj. con que se manifiesta la risa.

jalar. tr. fam. Halar. || fam. Tirar, atraer. || fam. Comer con mucho apetito.

jalbegar. tr. Enjalbegar. || fig. Componer el rostro con afeites, ú.t.c.r.

jalbegue. m. Blanqueo hecho con cal o arcilla blanca.

jalde. adj. Amarillo subido.

jalea (al. *Obstgelee*, fr. *gelée*, ingl. *jelly*, it. *gelatina di frutta*). f. Conserva transparente, hecha del zumo de algunas frutas. || FARM. Cualquier medicamento muy azucarado, de los que tienen por base una materia vegetal o animal, y que al enfriarse toman consistencia gelatinosa.

jalear. tr. Llamar a los perros a voces para seguir la caza. || Animar con palmadas y expresiones a los que bailan, cantan, etc.

jaleo (al. *Wirrwarr*, fr. *vacarme*, ingl. *scuffle*, it. *baldoria*). m. Acción y efecto de jalear. || Cierto baile popular andaluz. || fam. Jarana. [*Sinón.*: bulla, alboroto, follón]

jalisciense. adj. Natural de Jalisco. Ú.t.c.s. || Perteneciente a este Estado de la república mexicana.

jalón (al. *Nivellierlatte*, fr. *jalon*, ingl. *leveling rod*, it. *picchetto*). m. Vara con regatón de hierro para clavarla en tierra y determinar puntos fijos cuando se levanta el plano de un terreno.

jalonar. tr. Alinear por medio de jalones. || intr. fig. *Amer.* Avanzar por etapas. [*Sinón.*: señalar]

jaloque. m. Viento sudeste.

jamaicano, na. adj. Jamaiquino.

jamaiquino, na. adj. Natural de Jamaica. Ú.t.c.s. || Perteneciente a esta isla de América.

jamar. tr. fam. Comer con exceso. [*Sinón.*: yantar]

jamás (al. *niemals*, fr. *jamais*, ingl. *never*, it. *mai*). adv. t. Nunca. Pospuesto a este adverbio y a *siempre* refuerza el sentido de una y otra voz. [*Sinón.*: nunca. *Antón.*: siempre]

jamba (al. *Türpfosten*, fr. *jambage*, ingl. *jamb*, it. *stipite*). f. ARQ. Cualquiera de las dos piezas que afirman el dintel en puertas y ventanas.

jamelgo. m. fam. Caballo flaco y desgarbado. [*Sinón.*: rocín, penco]

jamerdar. tr. Limpiar los vientres de las reses. || fam. Lavar mal y de prisa.

jamón (al. *Schinken*, fr. *jambon*, ingl. *ham*, it. *prosciutto*). m. Carne curada de la pierna del cerdo. || — *en dulce*. El que se cuece en vino blanco y se come fiambre.

jamona. adj. fam. Aplícase a la mujer que ha pasado de la juventud, especialmente si es gruesa. Ú.m.c.s.

jamugas. f. pl. Silla de tijera que se coloca sobre el aparejo de las caballerías para montar cómodamente a mujeriegas.

jamurar. tr. MAR. Achicar el agua.

janano, na. adj. *Amer.* Dícese de la persona que tiene el labio leporino.

jangada. f. fam. Salida o idea necia y fuera de lugar. || fam. Trastada. || Balsa.

jansenismo. m. Doctrina de Cornelio Jansen, heresiarca holandés del siglo XVII, que exageraba las ideas de San Agustín acerca de la influencia de la gracia divina para obrar el bien, con mengua de la libertad humana. || En el siglo XVIII, tendencia que propugnaba la autoridad de los obispos, las regalías de la Corona y la limitación de la intervención papal; solía favorecer la disciplina eclesiástica y las reformas ilustradas.

japonés, sa. adj. Natural del Japón. Ú.t.c.s. || Perteneciente a este país. || m. Idioma japonés. [*Sinón.*: nipón]

jaque (al. *Schach*, fr. *échec*, ingl. *check*, it. *scacco*). m. Lance del ajedrez en el que el rey o la reina de un jugador están amenazados por alguna pieza del otro. || Palabra con que se avisa esta jugada. || fig. Ataque, amenaza, acción que perturba o inquieta a otro, o le impide realizar sus propósitos. Úsase especialmente con el verbo *dar* o en las frases *poner, tener, traer en jaque...* || fam. Valentón, perdonavidas. || — *mate*. Mate en el juego del ajedrez.

jaqueca (al. *Migräne*, fr. *migraine*, ingl. *migraine*, it. *emicrania*). f. Dolor de cabeza que ataca solamente en un lado o en parte de la misma. [*Sinón.*: migraña, cefalalgia]

jaquetón. m. ZOOL. Tiburón semejante al marrajo, que puede alcanzar más de seis metros de longitud, con dientes planos, triangulares y aserrados en sus bordes.

jáquima. f. Cabezada de cordel. || *Amer.* Estafa. || Chasco grave.

jara. f. Palo puntiagudo y endurecido al fuego que se emplea como arma arrojadiza. || BOT. Arbusto cistáceo y abundantísimo en los montes del centro y mediodía de España.

jarabe (al. *Sirup*, fr. *sirop*, ingl. *syrup*, it. *sciroppo*). m. Bebida dulce hecha de azúcar, agua y zumos refrescantes o sustancias medicinales. || fig. Cualquier bebida excesivamente dulce. [*Sinón.*: jarope, sirope]

jaral. m. Sitio poblado de jaras. || fig. Lo que está muy enredado.

jaramago. m. BOT. Planta crucífera de flores amarillas. Es muy común entre los escombros. [*Sinón.*: raqueta, balsamita]

jaramugo. m. Pececillo que sirve de cebo.

jarana. f. fam. Diversión bulliciosa de gente ordinaria. || fam. Pendencia, tumulto. [*Sinón.*: jaleo, jolgorio, bulla, riña]

jaranear. intr. fam. Andar en jaranas. || tr. *Amer.* Estafar.

jaranero, ra. adj. Aficionado a jaranas.

jarcia (al. *Takelwerk*, fr. *gréement*, ingl. *rigging*, it. *sartia*). f. Carga de muchas cosas distintas. || MAR. Conjunto de poleas y cabos de un buque. Ú.m. en pl. || Conjunto de instrumentos y redes de pesca.

jardín (al. *Garten*, fr. *jardin*, ingl. *garden*, it. *giardino*). m. Terreno en donde se cultivan plantas deleitosas por sus flores, matices o fragancia. ‖ En los buques, retrete. ‖ Mancha que deslustra y afea la esmeralda. ‖ – *botánico*. Terreno destinado a cultivar plantas, con el fin de efectuar en ellas estudios botánicos. ‖ – *de infancia*. Colegio de párvulos.

jardinera. f. La que cuida y cultiva un jardín. ‖ Mujer del jardinero. ‖ Carruaje de cuatro ruedas y cuatro asientos, descubierto y cuya caja es de mimbres. ‖ Dícese del tranvía descubierto que se pone en servicio durante el verano.

jardinería. f. Arte de cultivar los jardines.

jardinero (al. *Gärtner*, fr. *jardinier*, ingl. *gardener*, it. *giardiniere*). m. El que por oficio cuida y cultiva un jardín.

jareta. f. Costura que se hace en la ropa doblando sus bordes y cosiéndola por un lado. ‖ MAR. Cabo especial.

jaretón. m. Dobladillo muy ancho.

jarifo, fa. adj. Rozagante, bien compuesto o adornado. [*Sinón.*: acicalado]

jaro, ra. adj. Dícese del animal que tiene el pelo rojizo. Ú.t.c.s. ‖ m. Aro, planta aroidea. ‖ Mancha espesa de los montes bajos.

jarocho, cha. adj. Natural u originario de la ciudad mexicana de Veracruz. Ú.t.c.s. ‖ s. En algunas provincias, persona de modales bruscos, descompuestos y algo insolentes. Ú.t.c. adj.

jarra (al. *Krug*, fr. *pot*, ingl. *jug*, it. *giara*). f. Vasija con cuello y boca anchos y una o más asas. ‖ *de jarras*, o *en jarra*, o *en jarras*. m. adv. Con los brazos encorvados y las manos apoyadas en la cintura.

jarretar. tr. fig. Enervar, quitar las fuerzas o el ánimo. Ú.t.c.r. [*Sinón.*: debilitar, desanimar]

jarrete. m. Corva de la pierna. ‖ Corvejón de los cuadrúpedos. ‖ Parte alta y carnosa de la pantorrilla, próxima a la corva.

jarretera. f. Liga con la que se ata la media o el calzón por el jarrete. ‖ Orden de caballería, la más alta condecoración inglesa.

jarro. m. Vasija a manera de jarra con un asa solamente.

jarrón (al. *Vase*, fr. *vase*, ingl. *vase*, it. *vaso*). m. Pieza arquitectónica en forma de jarro. ‖ Vaso artísticamente labrado que se utiliza como objeto de adorno.

jaspe (al. *Jaspis*, fr. *jaspe*, ingl. *jasper*, it. *diaspro*). m. Piedra silícea de grano fino, textura homogénea, opaca, y de colores variados, según contenga porciones de alúmina y hierro oxidado o carbono. ‖ Mármol veteado.

jaspeado, da. adj. Veteado o salpicado de pintas como el jaspe. ‖ m. Acción y efecto de jaspear.

jaspear. tr. Pintar imitando las vetas y salpicaduras del jaspe.

jaspón. m. Mármol de grano grueso.

jauja. f. Nombre con que se expresa todo lo que quiere presentarse como ejemplo de prosperidad y abundancia.

jaula (al. *Käfig*, fr. *cage*, ingl. *cage*, it. *gabbia*). f. Caja hecha con listones de madera o alambre, mimbres, etc., para encerrar animales de pequeño tamaño. ‖ Encierro con rejas de hierro para asegurar las fieras. ‖ Embalaje de madera formado con tablas o listones, colocados a cierta distancia unos de otros. ‖ MINER. Armazón generalmente de hierro, que, colgada del cintero y sujeta entre guías, se emplea en los pozos de las minas para subir y bajar los operarios y los materiales.

jauría (al. *Meute*, fr. *meute*, ingl. *pack of hounds*, it. *muta*). f. Conjunto de perros que cazan mandados por un mismo perrero.

javanés, sa. adj. Natural de Java. Ú.t.c.s. ‖ Perteneciente a esta isla de Oceanía. ‖ m. Lengua hablada por los javaneses.

jayán, na. s. Persona de elevada estatura y gran fuerza.

jazmín (al. *Jasmin*, fr. *jasmin*, ingl. *jasmine*, it. *gelsomino*). m. BOT. Arbusto jazmíneo, cultivado en los jardines por el excelente olor de sus flores, usado en perfumería. ‖ Flor de este arbusto.

jazmíneo, a. adj. BOT. Dícese de matas y arbustos dicotiledóneos, derechos o trepadores, con flores hermafroditas y regulares, cáliz persistente y fruto en baya con dos semillas; como el jazmín. Ú.t.c.s.f. ‖ f. pl. Familia de estas plantas.

jazz (voz inglesa). m. Género de música derivado de los cantos y melodías de los negros norteamericanos.

jedive. m. Título que se daba tan sólo al virrey de Egipto.

jeep (voz inglesa). m. Coche muy resistente, provisto de un motor potente y adecuado para circular por terrenos accidentados.

jefa. f. Superiora de un cuerpo u oficio. ‖ Mujer del jefe.

jefatura (al. *Vorsteheramt*, fr. *charge de chef*, ingl. *leadership*, it. *comando*). f. Cargo de jefe. ‖ Puesto de policía bajo las órdenes de un oficial superior. [*Sinón.*: caudillaje, mando]

jefe (al. *Oberhaupt*, fr. *chef*, ingl. *leader*, it. *capo*). m. Superior de un cuerpo u oficio. ‖ Adalid de un partido o corporación. ‖ BLAS. Parte alta del escudo de armas.

jején. m. ZOOL. Insecto díptero, más pequeño que el mosquito y de picadas más irritantes.

jeme. m. Distancia desde la extremidad del dedo pulgar a la del índice, separando el uno del otro todo lo posible.

jenabe. m. BOT. Mostaza, planta. ‖ Semilla de esta planta.

jengibre (al. *Ingwer*, fr. *gimgembre*, ingl. *ginger*, it. *zenzero*). m. BOT. Planta cingiberácea de la India cuyo rizoma se usa en Medicina y como especia. ‖ Rizoma de esta planta.

jenízaro, ra. adj. fig. Mezclado de dos especies de cosas. ‖ m. Soldado de infantería de la antigua guardia del emperador de los turcos.

jeque (al. *Scheik*, fr. *cheik*, ingl. *sheik*, it. *sceicco*). m. Entre los musulmanes y ciertos pueblos de Oriente, jefe de tribu o de un territorio.

jerarca. m. Superior en la jerarquía.

jerarquía. f. Estructuración de un conjunto de valores o de un grupo humano ordenados según la preeminencia que les ha sido otorgada en relación a la función que desempeñan.

jerarquizar. tr. Organizar jerárquicamente alguna cosa.

jeremías. com. fig. Persona que continuamente se está lamentando. [*Sinón.*: quejica, gemebundo]

jerez. m. fig. Vino blanco y de fina calidad que se elabora en la ciudad de Jerez de la Frontera; y por ext., vino de análoga calidad al de Jerez.

jerezano, na. adj. Natural de Jerez. Ú.t.c.s. ‖ Perteneciente a una de las poblaciones de este nombre.

jerga. f. Tela gruesa y tosca. ‖ Jergón, colchón. ‖ Lenguaje especial que usan los individuos de ciertas profesiones y oficios. ‖ Jerigonza, lenguaje difícil de entender.

jergón (al. *Bettsack*, fr. *paillasse*, ingl. *strawbed*, it. *pagliericcio*). m. Colchón de paja, esparto o hierba y sin bastas. [*Sinón.*: jerga, marragón]

jerigonza. f. fam. Lenguaje difícil de entender. ‖ fig. y fam. Acción extraña y ridícula.

jeringa (al. *Spritze*, fr. *seringue*, ingl. *syringe*, it. *siringa*). f. Tubo que termina en un cañoncito por su parte anterior y dentro del cual juega un émbolo. Sirve para administrar inyecciones. ‖ Instrumento semejante dispuesto para impeler materias blandas, como embutidos.

jeringar. tr. Inyectar un líquido con jeringa. Ú.t.c.r. ‖ fig. y fam. Molestar, enfadar.Ú.t.c.r.

jeringazo. m. Acción de arrojar el líquido introducido en la jeringa. ‖ Licor así arrojado.

jeringuilla. f. BOT. Arbusto saxifragáceo de flores muy fragantes. ‖ Flor de esta planta. ‖ MED. Jeringa pequeña a la que se aplica una aguja hueca de punta aguda cortada a bisel, y sirve para inyectar sustancias medicinales en el interior de tejidos y órganos.

jeroglífico, ca (al. *Hieroglyphe*, fr. *hiéroglyphe*, ingl. *hieroglyph*, it. *geroglífico*). adj. Aplícase a la escritura en la que no se representan las palabras con signos fonéticos sino el significado de las palabras con figuras o símbolos. ‖ m. Cada uno de los caracteres usados en esta escritura. ‖ Conjunto de signos y figuras con que se expresa una frase que hay que adivinar.

jerónimo, ma. adj. Dícese del religioso de la Orden de San Jerónimo. Monje jerónimo. Ú.t.c.s.

jerosolimitano, na. adj. Natural de Jerusalén. Ú.t.c.s. ‖ Perteneciente a esta ciudad de Palestina.

jersey (voz inglesa). m. Lana tejida en forma de malla elástica. ‖ Especie de chaqueta de tejido de punto.

jesuita (al. *Jesuit*, fr. *jésuite*, ingl. *jesuit*, it. *gesuita*). adj. Dícese del religioso del orden de clérigos regulares de la Compañía de Jesús, fundada por San Ignacio de Loyola. Ú.t.c.s. ‖ fig. Taimado, hipócrita.

jesuítico, ca. adj. Perteneciente a la Compañía de Jesús. ‖ fig. Dícese del comportamiento disimulado o hipócrita.

jet (voz inglesa). m. Avión de reacción, reactor.

jeta. f. Boca saliente. ‖ fam. Cara o parte anterior de la cabeza. ‖ Hocico de cerdo. ‖ Grifo, espita. [*Sinón.*: morro]

ji. f. Vigesimasegunda letra del alfabeto griego.

jíbaro, ra. adj. *Amer.* Campesino, silvestre. Dícese de las personas, los animales, las costumbres, las prendas de vestir y de algunas otras cosas. Aplicado a personas, ú.t.c.s.

jibia (al. *Tintenfisch*, fr. *seiche*, ingl. *cuttlefish*, it. *seppia*). f. ZOOL. Molusco cefalópodo de la familia de los séptidos, con cuerpo oval y una aleta a cada lado. Tiene diez tentáculos, dos de ellos más largos y con ventosas en los extremos, y los ocho restantes, cortos, con ventosas en toda su extensión. La concha, caliza, blanca y de poco peso, está incluida en el tegumento. Es comestible.

jibión. m. Pieza caliza de la jibia.

jícara (al. *Schokoladenschale*, fr. *petite tasse*, ingl. *chocolate-cup*, it. *chicchera*). f. Vasija pequeña que suele emplearse para tomar chocolate. [*Sinón.*: pocillo]

jienense. adj. Jaenés. Aplicado a personas, ú.t.c.s.

jifa. f. Desperdicio que se tira en el matadero al descuartizar las reses.

jifero, ra. adj. Perteneciente al matadero. ‖ fig. y fam. Sucio, soez. ‖ m. Cuchillo con que se matan las reses. ‖ Oficial que mata las reses.

jijona. m. Turrón fino que se fabrica en la ciudad de este nombre. ‖ f. Variedad de trigo álaga.

jilguera. f. Hembra del jilguero.

jilguero (al. *Distelfink*, fr. *chardonneret*, ingl. *goldfinch*, it. *cardellino*). m. ZOOL. Pájaro de la familia de los fringílidos, de unos 12 cm de longitud; tiene pico cónico y plumaje pardo en el lomo y blanco con una mancha roja en la cabeza. Se domestica con facilidad y es apreciado por su canto.

jilote. m. *Amer.* Mazorca de maíz tierno.

jineta. f. Arte de montar a caballo que consiste en llevar los estribos cortos y las piernas dobladas. ‖ MIL. Lanza corta que antiguamente era la enseña de los capitanes de infantería. ‖ ZOOL. Mamífero carnicero de cuerpo esbelto, cabeza pequeña, hocico prolongado, cuello largo y patas cortas.

jinete (al. *Reiter*, fr. *cavalier*, ingl. *horse-man*, it. *cavaliere*). m. Soldado de a caballo. ‖ El que cabalga.

jinetear. intr. Andar a caballo, alardeando de gala y primor. ‖ tr. *Amer.* Domar caballos cerriles.

jinglar. intr. Moverse de una parte a otra colgado, como en el columpio.

jingoísmo. m. Patriotería exaltada contra las demás naciones.

jipijapa. f. Tira fina, flexible y muy recia que se saca de las hojas del bombonaje, y se emplea para tejer sombreros, petacas y otros objetos. ‖ m. Sombrero que se hace con estas tiras.

jira. f. Pedazo largo y estrecho de una tela. ‖ Comida o merienda campestre y bulliciosa.

jirafa (al. *Giraffe*, fr. *girafe*, ingl. *giraffe*, it. *giraffa*). f. ZOOL. Mamífero rumiante africano de la familia de los jiráfidos, caracterizado por su largo cuello y patas que le dan una altura de hasta seis metros. Tiene la cabeza pequeña y rematada por dos cuernos recubiertos por la piel. Vive en manadas y se alimenta de hojas. Se cree que carece de voz. ‖ n.p. ASTR. Constelación del hemisferio boreal.

jirón (al. *Fetzen*, fr. *lambeau*, ingl. *tatter*, it. *straccio*). m. Faja que se echa en el ruedo del sayo o saya. ‖ Pedazo desgarrado del vestido o de otra ropa. ‖ Pendón o guión que remata en punta. ‖ fig. Parte o porción pequeña de un todo. ‖ BLAS. Figura triangular que va desde el borde hasta el centro del escudo.

jironado, da. adj. Roto, hecho jirones. ‖ Guarnecido con jirones. ‖ BLAS. Dícese del escudo dividido en ocho jirones.

jiu-jitsu. m. Arte de ataque y defensa sin armas, frente a un adversario que puede o no estar armado.

jo. m. Moneda de México que vale tres centavos de peso.

¡jo! interj. Voz para detener las caballerías, ¡so!

jobo. m. *Amer.* BOT. Árbol terebintáceo de fruto amarillo parecido a la ciruela.

jockey (voz inglesa). m. Jinete que participa en las carreras de caballos.

jocoserio, ria. adj. Que participa de lo serio y de lo jocoso.

jocosidad. f. Calidad de jocoso. ‖ Chiste, donaire.

jocoso, sa (al. *spasshaft*, fr.*plaidisant*, ingl. *jocose*, it. *giocoso*). adj. Gracioso, chistoso, festivo.

jocundidad. f. Alegría, apacibilidad.

jocundo, da. adj. Plácido, alegre, agradable.

joder. intr. vulg. Realizar el coito. Ú.t.c.tr. ‖ vulg. Jorobar, fastidiar. Ú.t.c.r.

jofaina (al. *Waschbecken*, fr. *cuvette*, ingl. *wash-bowl*, it *catinella*). f. Vasija de gran diámetro y poca profundidad que se utiliza comúnmente para lavarse la cara y las manos. [*Sinón.*: aljofaina]

jolgorio. m. fam. Regocijo, fiesta, diversión bulliciosa. [*Sinón.*: jarana]

jónico, ca. adj. Natural de Jonia. Ú.t.c.s. ‖ Perteneciente o relativo a las regiones de este nombre de Grecia y Asia antigua. ‖ ARQ. Dícese de un orden arquitectónico griego, originario de las colonias griegas en Asia Menor. [Sinón.: jonio]

jora. f. *Amer.* Maíz preparado para hacer chicha.

jordano, na. adj. Natural de Jordania. Ú.t.c.s. ‖ Perteneciente a esta nación del Oriente Medio.

jorfe. m. Muro de sostenimiento de tierras. ‖ Peñasco tajado que forma despeñadero.

jorguín, na. s. Persona que hace hechicerías.

jorguinería. f. Hechicería.

jornada (al. *Arbeitszeit*, fr. *journée*, ingl. *workday*, it. *gionata*). f. Camino que se recorre en un día. ‖ Todo el camino o viaje aunque pase de un día. ‖ Tiempo de un día dedicado a una actividad determinada. ‖ Expedición militar. ‖ Tiempo de duración del trabajo diario de los obreros. ‖ fig. Tiempo que dura la vida del hombre. ‖ fig. En el poema dramático español, acto de una obra escénica.

jornal (al. *tagelohn*, fr. *salaire*, ingl. *day-wages*, it. *salario*). m. Estipendio que gana el trabajador por cada día de trabajo. ‖ Este mismo trabajo. [Sinón.: paga, salario]

jornalero, ra (al. *Tagelöhner*, fr. *journalier*, ingl. *journeyman*, it. *giornalero*). s. Persona que trabaja a jornal.

joroba (al. *Buckel*, fr. *bosse*, ingl. *humpback*, it. *gobba*). f. Corcova. ‖ fig. y fam. Impertinencia y molestia enfadosa. [Sinón.: giba, chepa, pejiguera]

jorobado, da. adj. Corcovado, cheposo. Ú.t.c.s.

jorobar. tr. fig. Molestar. Ú.t.c.r.

jorobeta. m. fam. Jorobado, corcovado.

jota. f. Nombre de la letra *j*. ‖ Baile popular de Aragón, Navarra y parte de Levante. ‖ Potaje de bledos y otras verduras, rehogado todo en caldo de olla.

joto. m. *Amer.* Hombre afeminado; homosexual. Ú.t.c.adj.

joven (al. *Jung*, fr. *jeune*, ingl. *young*, it. *giovane*). adj. De poca edad. Ú.t.c.s.

jovial. adj. Perteneciente a Jove o Júpiter. ‖ Alegre, festivo, apacible.

jovialidad. f. Alegría y apacibilidad de genio.

joya (al. *Schmuck*, fr. *bijou*, ingl. *jewel*, it. *gioiello*). f. Pieza de oro, plata o platino, con o sin piedras preciosas engarzadas, que se usa como adorno. ‖ fig. Persona o cosa ponderada, de mucha valía. [Sinón.: alhaja]

joyel. m. Joya pequeña.

joyería. f. Trato y comercio de joyas. ‖ Tienda donde se venden. ‖ Taller en que se construyen. [Sinón.: orfebrería]

joyero (al. *Juwelier*, fr. *bijoutier*, ingl. *jeweler*, it. *gioielliere*). m. El que tiene tienda de joyería. ‖ Estuche o armario para guardar joyas. ‖ Artífice que trabaja en labores de joyería.

juanete. m. Pómulo muy abultado. ‖ Hueso del nacimiento del dedo grueso del pie, cuando sobresale demasiado. ‖ MAR. Cada una de las vergas que se cruzan sobre las gavias y las velas que en aquéllas se envergan.

jubilación (al. *Rubestan*, fr. *retraite*, ingl. *retirement*, it. *giubilazione*). f. Acción y efecto de jubilar o jubilarse. ‖ Haber pasivo que disfruta la persona jubilada. [Sinón.: retiro]

jubilado, da. adj. Dícese de la persona a que se ha concedido la jubilación. Ú.t.c.s.

jubilar (al. *pensionieren*, fr. *mettre à la retraite*, ingl. *to pension*, it. *mettere in pensione*). tr. Relevar a alguien de su empleo, conservándole una pensión. ‖ fig. y fam. Desechar por inútil una cosa. ‖ intr. Alegrarse, regocijarse. Ú.t.c.r.

jubileo (al. *Jubelfest*, fr. *jubilé*, ingl. *jubilee*, it. *giubileo*). m. Fiesta pública que celebraban los israelitas cada cincuenta años. ‖ Entre los católicos, indulgencia plenaria, solemne y universal, concedida por el Papa en ciertos tiempos y en algunas ocasiones. ‖ Espacio de tiempo que contaban los judíos de un jubileo a otro. ‖ fig. Entrada y salida frecuente de muchas personas en una casa u otro sitio.

júbilo (al. *Jubel*, fr. *réjouissance*, ingl. *rejoicing*, it. *giubbilo*). m. Viva alegría, y especialmente la que se manifiesta con signos exteriores. [Sinón.: entusiasmo]

jubiloso, sa. adj. Alegre, lleno de júbilo. [Sinón.: alborozado, radiante]

jubón. m. Vestidura que cubre desde los hombros hasta la cintura, ceñida y ajustada al cuerpo.

judaico, ca. adj. Perteneciente a los judíos.

judaísmo. m. Hebraísmo o profesión de la ley de Moisés.

judaizante. adj. Que judaíza. Ú.t.c.s.

judas. m. fig. Hombre alevoso, traidor. ‖ fig. Muñeco de paja que en ciertos lugares se pone en la calle durante la Semana Santa, para quemarlo después.

judía (al. *Schminkbohne*, fr. *haricot*, ingl. *kidney-bean*, it. *fagiolo*). f. BOT. Planta leguminosa de la familia de las papilionáceas que se cultiva en las huertas por su fruto, comestible lo mismo seco que verde. Hay diversas especies, que se diferencian por el tamaño de la planta y el volumen, color y forma de las vainas y semillas.

judiada. f. Acción propia de judíos.

judicatura. f. Ejercicio de juzgar. ‖ Dignidad o empleo del juez. ‖ Tiempo que dura. ‖ Cuerpo constituido por los jueces de un país.

judicial. adj. Perteneciente al juicio, a la administración de justicia o a la judicatura.

judío, a (al. *Jüdisch, Jude*; fr. *juif*; ingl. *jew*; it. *giudeo*). adj. Hebreo. Aplicado a personas, ú.t.c.s. ‖ Natural de Judea. Ú.t.c.s. ‖ Perteneciente a este país del Asia antigua. ‖ fig. Avaro, usurero. [Sinón.: israelita, chueta]

judo. m. Yudo.

juego (al. *Spiel*; fr. *jeu*; ingl. *play, game*; it. *gioco*). m. Acción y efecto de jugar. ‖ Ejercicio recreativo sometido a reglas, y en el cual se gana o se pierde. ‖ En sentido absoluto, juego de naipes. ‖ En los juegos de naipes, conjunto de cartas que se reparten a cada jugador. ‖ Disposición con que están unidas dos cosas, de suerte que sin separarse puedan tener movimiento; como las coyunturas, los goznes, etc. ‖ El mismo movimiento. ‖ Determinado número de cosas relacionadas entre sí y que sirven al mismo fin. ‖ Visos y cambiantes que resultan de la caprichosa mezcla o disposición particular de algunas cosas. ‖ Habilidad y arte para conseguir una cosa o para estorbarla. ‖ pl. Fiestas y espectáculos públicos que se usaban en lo antiguo. ‖ — de manos. El de agilidad que practican los prestidigitadores para engañar a los espectadores con varios géneros de entretenimientos. ‖ — de palabras. Artificio que consiste en usar palabras, por donaire o alarde de ingenio, en sentido equívoco o en varias de sus acepciones o en emplear dos o más que sólo se diferencian en alguna o algunas de sus letras. ‖ *juegos florales*. Antiguo concurso poético, celebrado todavía en muchas partes, presidido por una reina de la fiesta, y cuyo premio simbólico para el poeta vencedor son flores. ‖ — malabares. Ejercicios de agilidad y destreza que se practican generalmente como espectáculo, manteniendo diversos objetos en equilibrio inestable, lanzándolos en el aire y recogiéndolos, etc. ‖*fuera de jue-*

go. Posición antirreglamentaria en que se encuentra un jugador, en el fútbol o en otros juegos, y que se sanciona con falta contra el equipo al cual pertenece dicho jugador. [*Sinón.:* diversión, entretenimiento, conexión.]

juerga (al. *Lärmendes Vergnügen,* fr. *amusement bruyant,* ingl. *carouse,* it. *gozzoviglia*). f. fam. Diversión bulliciosa de varias personas. || En Andalucía, diversión alegre y bulliciosa de varias personas, acompañada, por lo común, de cante y baile flamencos.

juerguista. adj. Aficionado a la juerga. Ú.t.c.s.

jueves (al. *Donnerstag,* fr. *jeudi,* ingl. *thursday,* it. *giovedì*). m. Quinto día de la semana.

juez (al. *Richter,* fr. *juge,* ingl. *judge,* it. *giudice*). com. Persona que tiene autoridad y potestad para juzgar y sentenciar. || En las juntas públicas y certámenes literarios, el que cuida de que se observen las leyes impuestas en los mismos. || El que es nombrado para resolver una duda. || — *de línea.* DEP. En el fútbol, cada uno de los dos colaboradores del árbitro que, moviéndose a lo largo de cada línea de banda, le indican mediante un banderín las infracciones cometidas por los jugadores. || — *de primera instancia.* Aquel que dicta sentencia en primera vista. || — *municipal.* Aquel que con carácter temporal, y sin que sea necesariamente letrado, entiende en un municipio de la jurisdicción penal sobre faltas, y civil en los asuntos de menor cuantía o conciliación.

jugada. f. Acción de jugar el jugador cada vez que le corresponda hacerlo. || Lance de juego que de este acto se origina. || fig. Acción mala e inesperada contra uno. [*Sinón.:* mano; jugarreta]

jugador, ra (al. *Spieler,* fr. *joueur,* ingl. *player,* it. *giocatore*). adj. Que juega. Ú.t.c.s. || Que tiene el vicio de jugar. Ú.t.c.s.

jugar (al. *spielen,* fr. *jouer,* ingl. *to play,* it. *giocare*). intr. Hacer algo con el solo fin de entretenerse o divertirse. || Travesear, retozar. || Tomar parte en uno de los juegos sometidos a reglas, medie o no medie interés en él. || Llevar a cabo el jugador un acto propio del juego cada vez que le toca intervenir en él. || En ciertos juegos de naipes, entrar o tomar sobre sí el empeño de ganar la apuesta. || Hacer juego o convenir una cosa con otra. || Tratándose de las cartas o piezas que se emplean en ciertos juegos, hacer uso de ellas. || Tratándose

de los miembros corporales, usar de ellos dándoles el movimiento que les es natural. || Tratándose de armas, saberlas manejar. || Arriesgar, aventurar.

jugarreta. f. fam. Jugada mal hecha. || fig. y fam. Truhanada, mala pasada.

juglar (al. *Possenreisser,* fr. *jongleur,* ingl. *juggler,* it. *giullare*). m. El que por dinero y ante el pueblo cantaba, bailaba o hacía juegos y truhanerías. || El que por estipendio o dádivas recitaba o cantaba poesías de los trovadores. [*Sinón.:* bardo]

juglería. f. Arte de los juglares.

jugo (al. *Saft,* fr. *jus,* ingl. *juice,* it. *succo*). m. Zumo de las sustancias animales o vegetales. || fig. Lo útil y sustancial de cualquier cosa. || MED. Secreción líquida fisiológica.

jugoso, sa. adj. Que tiene jugo.

juguete (al. *Spielzeug,* fr. *jouet,* ingl. *toy,* it. *giocattolo*). m. Objeto con que se entretienen los niños. || Composición musical o pieza teatral breve y ligera. || Persona o cosa dominada por cualquier fuerza material o moral que la mueve a su arbitrio.

juguetear. intr. Entretenerse jugando y retozando.

jugueteo. m. Acción de juguetear.

juguetería. f. Tienda donde se venden juguetes.

juguetón, na. adj. Dícese de la persona o animal que retoza o juguetea a menudo.

juicio (al. *Urteilskraft, Rechsverfahren;* fr. *jugement, procès;* ingl. *discernment, trial;* it. *giudizio, processo*). m. Facultad en virtud de la cual el hombre puede distinguir el bien del mal y lo verdadero de lo falso. || Estado de la sana razón como opuesto a locura o delirio. || Opinión, parecer, dictamen. || fig. Seso, cordura. || DER. Conocimiento de una causa, en la cual el juez ha de pronunciar la sentencia.

juicioso, sa. adj. Dícese de la persona que obra en forma sensata, con buen acuerdo. Ú.t.c.s. || Hecho con juicio. [*Sinón.:* reflexivo, prudente]

julepe. m. Poción compuesta de aguas destiladas, jarabes y otras materias medicinales. || Juego de naipes en que se pone un fondo y se señala triunfo volviendo una carta, después de repartir tres a cada jugador. || Esfuerzo o trabajo excesivo de una persona; desgaste o uso excesivo de una cosa. || fig. y fam. Reprimenda, castigo. || fig. y fam. Golpe, tunda, paliza. || fig. y fam. Susto, miedo.

julio (al. *Juli,* fr. *juillet,* ingl. *july,* it. *luglio*). m. Séptimo mes del año; consta de treinta y un días. || FÍS. Unidad de trabajo en el sistema basado en el metro, el kilogramo, el segundo y el amperio.

juma. f. fam. Borrachera.

jumento. m. Asno.

jumo, ma. adj. *Amer.* Borracho.

juncáceo, a. adj. BOT. Dícese de hierbas angiospermas monocotiledóneas, semejantes a las gramíneas, propias de terrenos húmedos, generalmente vivaces, con rizoma, tallos largos, hojas alternas, flores poco aparentes y fruto en cápsula, que contiene semillas de albumen amiláceo; como el junco de esteras. Ú.t.c.s.f. || f. pl. Familia de estas plantas.

juncal. adj. Perteneciente o relativo al junco.

juncar. m. Sitio poblado de juncos.

juncia. f. BOT. Planta herbácea de la familia de las ciperáceas. Es medicinal y olorosa. Abunda en los sitios húmedos.

junco (al. *Binse,* fr. *jonc,* ingl. *rush,* it. *giunco*). m. BOT. Planta funcácea, propia de parajes húmedos, con tallos lisos, flexibles y puntiagudos, hojas radicales, flores en cabezuelas verdosas y fruto capsular. || Cada uno de los tallos de esta planta. || MAR. Embarcación pequeña que se usa en China y en las Indias Orientales.

jungla. f. Bosque espeso y de vegetación intrincada, propio de ciertas regiones tropicales de países asiáticos y americanos.

junio (al. *Juni,* fr. *juin,* ingl. *june,* it. *giugno*). m. Sexto mes del año; consta de treinta días.

junior. m. Religioso joven que después de haber profesado está aún sujeto a la enseñanza y obediencia del maestro de novicios. || adj. Más joven, novato. Ú.t.c.s. || Aplícase a la categoría que abarca a los deportistas comprendidos entre los dieciocho y los veinte años.

junquillo. m. BOT. Planta de jardinería, especie de narciso, de flores muy olorosas.

junta (al. *Ausschuss,* fr. *comité,* ingl. *council,* it. *giunta*). f. Reunión de varias personas para tratar de un asunto. || Cada una de las sesiones que celebran. || Todo que forman varias cosas unidas o agregadas unas a otras. || Unión de dos o más cosas. || Conjunto de los individuos nombrados para dirigir los asuntos de una colectividad. || Parte en que se juntan dos o más cosas, juntura. || ARQ. Espacio que queda entre las superficies de las piedras o ladrillos contiguos de una pared. || MAR. Empalme, costura.

juntar (al. *verbinden*, fr. *assembler*, ingl. *to join*, it. *congiungere*). tr. Unir unas cosas con otras. || Acopiar. || Tratándose de puertas o ventanas, entornar. || r. Acercarse mucho a uno. || Acompañarse, andar con uno. || Tener acto carnal.

junto, ta. adj. Unido, cercano. || adv. l. Seguido de la preposición *a*, cerca de.

juntura (al. *Fuge*, fr. *joint*, ingl. *joint*, it. *giuntura*). f. Parte o lugar en que se juntan y unen dos o más cosas.

Júpiter. n.p.m. ASTR. Quinto planeta del sistema solar, y el más grande del mismo. Se presenta a simple vista como una estrella blanca de gran luminosidad.

jura. f. Juramento. || Acción de jurar. || — *de bandera.* Acto solemne en que cada individuo de las unidades o de los remplazos militares jura obediencia y fidelidad en el servicio de la patria.

jurado, da (al. *Geschworenengericht*, fr. *jury*, ingl. *jury*, it. *giurato*). adj. Que ha prestado juramento al encargarse del desempeño de su función u oficio. || m. Tribunal cuya misión es determinar y declarar el hecho justiciable o la culpabilidad del acusado. || Cada uno de los individuos que componen dicho tribunal. || Cada uno de los individuos que constituyen el tribunal examinador en exposiciones, concursos, etc. || Conjunto de estos individuos.

juramentar. tr. Tomar juramento a uno. || r. Obligarse con juramento.

juramento (al. *Eid*, fr. *serment*, ingl. *oath*, it. *giuramento*). m. Afirmación o negación de una cosa, poniendo por testigo a Dios, o en sí mismo o en sus criaturas. || Voto o reniego.

jurar (al. *schwören*, fr. *jurer*, ingl. *to swear*, it. *giurare*). tr. Afirmar o negar una cosa poniendo por testigo a Dios. || Reconocer solemnemente la soberanía de un príncipe. || Someterse solemnemente a los preceptos constitucionales de un país, estatutos de las Órdenes religiosas, etc. || intr. Echar votos y reniegos.

jurásico, ca. adj. GEOL. Dícese del terreno sedimentario que en la región del Jura, en Francia, donde ha sido bien estudiado, sigue en edad al liásico. Ú.t.c.s. || Perteneciente a este terreno.

jurel. m. ZOOL. Pez marino acantopterigio; tiene dos aletas de grandes espinas en el lomo, y cola extensa y muy ahorquillada.

juridicidad. f. Tendencia o criterio favorable al predominio de las soluciones de estricto derecho en los asuntos políticos y sociales.

jurídico, ca. adj. Que atañe al derecho o se ajusta a él.

jurisdicción (al. *Gerichtsbarkeit*, fr. *jurisdiction*, ingl. *jurisdiction*, it. *giurisdizione*). f. Autoridad que tiene alguien para gobernar y poner en vigor las leyes. || Término de un lugar o provincia. || Territorio en que un juez ejerce sus facultades de tal. || Autoridad o dominio sobre otro.

jurisdiccional. adj. Perteneciente a la jurisdicción.

jurisperito. m. El que conoce el derecho civil y canónico, aunque no desempeñe las tareas del foro.

jurisprudencia (al. *Jurisprudenz*, fr. *jurisprudence*, ingl. *jurisprudence*, it. *giurisprudenza*). f. Ciencia del Derecho. || Enseñanza doctrinal que dimana de las decisiones de autoridades gubernativas o judiciales. || Norma de juicio que suple omisiones de la ley, y que se funda en las prácticas seguidas en casos análogos.

jurista. com. Persona que estudia o profesa la ciencia del Derecho. |Sinón.: jurisconsulto|

justa. f. Pelea o combate singular, a caballo y con lanza. || Torneo en que acreditaban los caballeros su destreza en el manejo de las armas. || fig. Certamen en un ramo del saber.

justar. intr. Pelear o combatir en las justas. |Sinón.: luchar|

justicia (al. *Gerechtigkeit*, fr. *justice*, ingl. *justice*, it. *giustizia*). f. Virtud que inclina a dar a cada uno lo que le pertenece. || Derecho, razón, equidad. || Conjunto de todas las virtudes que constituye bueno al que las tiene. || Lo que debe hacerse según derecho o razón. || Pena o castigo público. || Ministro o tribunal que ejerce justicia. || Poder judicial. || fam. Castigo de muerte. |Sinón.: ley. Antón.: injusticia|

justiciero, ra. adj. Que observa y hace justicia.

justificación (al. *Rechtfertigung*, fr. *justification*, ingl. *justification*, it. *giustificazione*). f. Conformidad con lo justo. || Probanza que se hace de la inocencia o bondad de una persona, un acto o una cosa. || Prueba convincente de una cosa. || IMP. Justa medida del largo que han de tener los renglones que se ponen en el componedor.

justificado, da. adj. Conforme a la justicia. || Que obra según justicia o razón. [Sinón.: razonable. Antón.: arbitrario, injustificado]

justificar (al. *rechtfertigen*, fr. *justifier*, ingl. *to justify*, it. *giustificare*). tr. Hacer Dios justo a uno dándole la gracia. || Probar una cosa con razones, testigos y documentos. || Probar la inocencia de uno. Ú.t.c.r. || IMP. Igualar el largo de las líneas según la medida exacta que se ha puesto en el componedor. |Sinón.: santificar, acreditar, verificar, defender|

justificativo, va. adj. Que sirve para justificar una cosa.

justipreciar. tr. Apreciar o tasar una cosa. |Sinón.: valorar. Antón.: desestimar, despreciar|

justo, ta (al. *gerecht*, fr. *juste*, ingl. *righteous*, it. *giusto*). adj. Que obra según justicia y razón. || Arreglado a justicia y razón. || Que vive según la ley de Dios. Ú.t.c.s. || Exacto, que no tiene ni más ni menos de lo que debe tener. || Apretado o que ajusta bien con otra cosa. |Sinón.: imparcial, ecuánime|

juvenil. adj. Perteneciente o relativo a la juventud. |Sinón.: juvenal. Antón.: senil|

juventud (al. *Jugend;* fr. *jeunesse;* ingl. *youth;* it. *gioventù, giovinezza*). f. Edad que media entre la niñez y la edad viril. || Conjunto de jóvenes. [Antón.: vejez]

juzgado (al. *Gericht*, fr. *tribunal*, ingl. *court of justice*, it. *pretura*). m. Junta de jueces que concurren a dar sentencia. || Tribunal compuesto por un juez único. || Término o territorio de su jurisdicción. || Local o sala en la que se celebran los juicios.

juzgar (al. *richten*, fr. *juger*, ingl. *to give judgment*, it. *giudicare*). tr. Deliberar, quien tiene autoridad para ello, acerca de la culpabilidad de alguien, o de la razón que le asiste en cualquier asunto, y sentenciar lo procedente. || Persuadirse de una cosa, creerla. || FIL. Afirmar, previa la comparación de dos o más ideas, las relaciones que existen entre ellas. |Sinón.: sentenciar, fallar|

k. f. Duodécima letra del abecedario español y novena de sus consonantes. Su nombre es *ka*. No se emplea sino en voces de procedencia extranjera.

ka. f. Nombre de la letra *k*.

káiser (voz alemana). m. Título de algunos emperadores de Alemania.

kan. m. Príncipe o jefe, entre los tártaros.

kantiano, na. adj. Perteneciente o relativo al kantismo. Aplicado a personas, ú.t.c.s.

kantismo. Corriente filosófica basada en la doctrina kantiana del conocimiento. Se funda en la crítica del conocimiento y de la sensibilidad.

kappa. f. Décima letra del alfabeto griego, equivalente a la española *k*.

kart (voz inglesa). m. Pequeño coche deportivo de estructura muy simple y con motor de dos tiempos.

karting (voz inglesa). m. Especialidad deportiva consistente en la conducción de vehículos de tipo kart, en competición de velocidad, habilidad, etc. || Práctica de dicho deporte.

kayak. m. Embarcación de origen esquimal, individual y muy ligera, formada por una estructura de madera forrada de tela por todas partes excepto por la abertura que da paso al cuerpo del tripulante. Es de uso deportivo.

kéfir. m. Leche fermentada artificialmente y que contiene ácido láctico, alcohol y ácido carbónico.

kermes. m. ZOOL. Quermes.

kermesse (voz francesa). f. Nombre dado en Países Bajos y en Flandes a fiestas parroquiales y a ferias anuales, celebradas con gran regocijo. || Por ext., fiesta pública al aire libre. [*Sinón.*: verbena]

kilo-. Voz que significa mil y se usa como prefijo de vocablos compuestos. || m. Unidad de masa en el sistema Giorgi. Es la masa de un decímetro cúbico de agua destilada a la temperatura de 4 ºC.

kilocaloría. f. Fís. Unidad calorífica equivalente a mil calorías.

kilociclo. m. Fís. Unidad de frecuencia equivalente a mil oscilaciones por segundo.

kilográmetro. m. Fís. Unidad de trabajo correspondiente al esfuerzo efectuado por un kilogramo al desplazar su punto de aplicación de un metro.

kilogramo (al. *Kilogramm*, fr. *kilogramme*, ingl. *kilogram(me)*, it. *chilogrammo*). m. Peso de mil gramos.

kilolitro. m. Medida de capacidad que tiene mil litros, o sea un metro cúbico.

kilometraje. m. En los transportes, relación de la tarifa de pasajeros o carga con el número de kilómetros del trayecto. || Distancia medida en kilómetros.

kilométrico, ca. adj. Perteneciente o relativo al kilómetro. || m. Tarjeta de bonos que permite viajar un cierto número de kilómetros con tarifa rebajada.

kilómetro (al. *Kilometer*, fr. *kilomètre*, ingl. *kilometer*, it. *chilometro*). m. Medida de longitud, que tiene mil metros. || — *cuadrado*. Medida de superficie, que es un cuadrado de un kilómetro de lado.

kilopondio. m. Fís. Kilogramo fuerza.

kilovatio. m. Fís. Unidad de potencia equivalente a mil vatios.

kimono. m. Quimono.

kinesiterapia. f. MED. Método curativo basado en el ejercicio corporal.

kiosco. m. Quiosco.

kirie. m. Deprecación que se hace al Señor llamándole con esta palabra griega, al principio de la misa, tras el introito. Ú.m. en pl.

kirieleisón. m. Kirie. || fam. Canto de los entierros y oficio de difuntos.

kirsch (voz alemana). m. Licor de cerezas.

kiwi. m. ZOOL. Nombre genérico de las aves apterigiformes del género *Apteryx*. Carecen de alas y de plumas en la cola. Son corredoras y nocturnas. Se alimentan de gusanos y larvas, que capturan con su largo pico. Existen especies fósiles. [*Sinón.*: bivi]

koto. m. Instrumento músico japonés.

krausismo. m. Sistema filosófico ideado por el alemán Krause, colaborador de Schelling, a principios del siglo XIX. Es una conciliación del teísmo y el panteísmo.

krausista. adj. Perteneciente o relativo al krausismo.

kurdo, da. adj. Curdo. Aplicado a personas, ú.t.c.s.

l. f. Decimotercera letra del abecedario español y décima de sus consonantes. Su nombre es *ele*. ‖ Letra que tiene el valor del número cincuenta en la numeración romana.

la (al. *Die*, fr. *la*, ingl. *the*, it. *la*). GRAM. Artículo determinado en género femenino y número singular. Suele anteponerse a nombres propios de persona de este mismo género. ‖ Acusativo del pronombre personal de tercera persona en género femenino y número singular. No admite preposición y puede usarse como sufijo. ‖ m. MÚS. Sexta voz de la escala musical. En ella se afinan los instrumentos.

laberíntico, ca. adj. Perteneciente o relativo al laberinto. ‖ Enmarañado, confuso.

laberinto (al. *Labyrinthf*, fr. *labyrinthe*, ingl. *labyrinth*, it. *labirinto*). m. Lugar artificiosamente formado por calles, encrucijadas y plazuelas, para que, confundiéndose el que se halla en él, no pueda acertar con la salida. ‖ fig. Cosa confusa y enredada. ‖ ZOOL. Parte interna del oído de los vertebrados. [*Sinón.*: dédalo, confusión]

labia. f. fam. Verbosidad persuasiva y gracia en el hablar. [*Sinón.*: oratoria]

labiado, da. adj. BOT. Aplícase a plantas angiospermas dicotiledóneas, hierbas, matas y arbustos, que se distinguen por sus hojas opuestas, cáliz persistente y corola en forma de labio. Sus especies más conocidas son: albahaca, espliego, orégano, tomillo, salvia y romero. ‖ f. pl. Familia de estas plantas.

labial. adj. Perteneciente o relativo a los labios.

labializar. tr. Dar carácter labial a un sonido.

labihendido, da. adj. Que tiene hendido o partido el labio superior.

lábil (al. *Labil*, fr. *labile*, ingl. *labile*, it. *labile*). adj. Que resbala o se desliza fácilmente. ‖ Frágil, caduco, débil. ‖ BOT. Dícese de las partes de una planta que se desprenden fácilmente. ‖ QUÍM. Dícese del compuesto fácil de transformar en otro más estable.

labio (al. *Lippe*, fr. *lèvre*, ingl. *lip*, it. *labro*). m. Cada una de las dos partes exteriores, carnosas y movibles de la boca, que cubren la dentadura. ‖ fig. Borde de ciertas cosas. ‖ fig. Órgano del habla. ‖ — *leporino*. El superior del hombre, cuando, por defecto congénito, está hundido en la forma que se observa en la liebre.

labiodental. adj. Dícese de la consonante cuya articulación se forma aplicando o acercando el labio inferior a los bordes de los dientes incisivos superiores, como la *f*. ‖ Dícese de la letra que representa este sonido. Ú.t.c.s.f.

labioso, sa. adj. *Amer.* Que tiene labia.

labor (al. *Arbeit*, fr. *travail*, ingl. *work*, it. *lavoro*). f. Trabajo. ‖ Adorno tejido o hecho a mano en la tela, o ejecutado de distinto modo en otras materias. Ú. con frecuencia en pl. ‖ Obra de coser, bordar, etc., en que se ocupan las mujeres. ‖ Labranza, en especial la de las tierras que se siembran. ‖ Cada uno de los grupos de productos que se confeccionan en las fábricas de tabacos. ‖ En minería, excavación. Ú.m. en pl. [*Antón.*: holganza]

laborable. adj. Que se puede labrar o trabajar.

laboral. adj. Perteneciente o relativo al trabajo, en el aspecto económico, jurídico y social.

laborar. tr. Labrar. ‖ intr. Gestionar o intrigar con algún designio. [*Sinón.*: cultivar]

laboratorio (al. *Laboratorium*, fr. *laboratoire*, ingl. *laboratory*, it. *laboratorio*). m. Lugar en que los químicos hacen sus experimentos y los farmacéuticos componen sus medicinas. ‖ Por ext., lugar donde se realizan trabajos de índole técnica o investigaciones científicas.

laboreo (al. *Ackerbau*, fr. *labourage*, ingl. *tillage*, it. *lavoro*). m. Cultivo del campo. ‖ MINER. Arte de explotar las minas haciendo en ellas las labores necesarias.

laboriosidad. f. Aplicación, inclinación o afición al trabajo.

laborioso, sa (al. *arbeitsam*, fr. *laborieux*, ingl. *laborious*, it. *laborioso*). adj. Trabajador aficionado al trabajo. ‖ Trabajoso, penoso. [*Sinón.*: activo; difícil. *Antón.*: perezoso; fácil]

labra. f. Acción y efecto de labrar piedra, madera, etc.

labrado, da. adj. Aplícase a las telas o géneros que tienen alguna labor, en contraposición de los lisos. ‖ m. Campo labrado. Ú.m. en pl.

labrador, ra (al. *Bauer*, f. *laboureur*, ingl. *farmer*, it. *agricoltore*). adj. Que labra la tierra. Ú.t.c.s. ‖ s. Persona que tiene una propiedad rústica y la cultiva por su cuenta. ‖ m. *Amer.* El que labra la madera sacando la corteza de los árboles cortados para convertirlos en rollizos. [*Sinón.*: agricultor, campesino]

labrantín. m. Labrador de poco caudal.

labrantío, a. adj. Aplícase al campo o tierra de labor. Ú.t.c.s.m. [*Sinón.*: sembradío]

labranza (al. *Feldarbeit*, fr. *labourage*, ingl. *ploughing*, it. *coltura*). f. Cultivo de los campos. ‖ Labor de cualquier arte u oficio. [*Sinón.*: agricultura, laboreo]

labrar (al. *bearbeiten*, fr. *façonner*, ingl. *to shape*, it. *laborare*). tr. Trabajar una materia, reduciéndola al estado o forma conveniente para su uso. ‖ Cultivar la tierra. ‖ Arar. ‖ Llevar una tierra en arrendamiento. ‖ fig. Hacer, causar. [*Sinón.*: laborar]

labriego, ga. s. Labrador rústico. [*Sinón.*: agricultor]

labro. m. ZOOL. Labio superior de la boca de los insectos.

labrusca. f. BOT. Vid silvestre.

laca (al. *Lack*, fr. *laque*, ingl. *lacquer*, it. *lacca*). f. Sustancia resinosa que se forma en las ramas de varios árboles de la India con la exudación que producen las picaduras de unos insectos, y los restos de estos mismos animales que mueren envueltos en el líquido que hacen fluir. ‖ Barniz duro y brillante hecho con esta sustancia. ‖ Por ext., objeto barnizado con laca. ‖ Color rojo que se saca de la cochinilla, de la raíz de la rubia o del palo de Pernambuco. ‖ Sustancia luminosa de color que se usa en la fabricación de pintura. [*Sinón.*: maque]

lacayo. m. Criado de librea.

laceador. m. *Amer.* Hombre que tiene por oficio lazar o mangonear.

lacear. tr. Adornar con lazos. ‖ Atar con lazos. ‖ Coger con lazos la caza menor. [*Sinón.*: lazar]

lacedemonio, nia. adj. Natural de Lacedemonia. Ú.t.c.s. ‖ Perteneciente a este país de la antigua Grecia.

laceración. f. Acción y efecto de lacerar. [*Sinón.*: herida]

lacerado, da. adj. Herido, dolido. ‖ Infeliz, desdichado.

lacerar (al. *zerreisen*, fr. *lacérer*, ingl. *to lacerate*, it. *lacerare*). tr. Lastimar, magullar, herir. Ú.t.c.r. ‖ fig. Dañar, vulnerar. ‖ intr. Padecer, pasar trabajos. [*Sinón.*: desgarrar]

lacero. m. Persona diestra en manejar el lazo para apresar toros, caballos, etc. ‖ El que se dedica a coger con lazos la caza menor. ‖ Empleado municipal encargado de recoger perros vagabundos.

lacio, cia. adj. Marchito, ajado. ‖ Flojo, sin vigor. ‖ Dícese del cabello que cae sin formar ondas ni rizos.

lacón. m. Brazuelo del cerdo, y especialmente su carne curada.

lacónico, ca (al. *lakonisch*, fr. *laconique*, ingl. *laconic*, it. *laconico*). adj. Breve, conciso. ‖ Que habla o escribe de esta manera. [*Sinón.*: sucinto]

laconismo. m. Calidad de lacónico. [*Sinón.*: brevedad]

lacra. f. Vestigio de una enfermedad o achaque. ‖ Defecto o vicio de una cosa.

lacerar. tr. Dañar a uno en su salud; contagiarle una enfermedad. Ú.t.c.r. ‖ fig. Dañar o perjudicar a uno en sus intereses. ‖ Cerrar con lacre. [*Sinón.*: inficionar]

lacre (al. *Siegellack*, fr. *cire à cacheter*, ingl. *sealing-wax*, it. *ceralacca*). m. Pasta compuesta de goma, laca y trementina, con añadidura de bermellón o de otro color. Empléase, derretido, para cerrar y sellar cartas, y para usos análogos.

lacrimal. adj. Perteneciente a las lágrimas.

lacrimógeno, na. adj. Que produce lagrimeo.

lacrimoso, sa. adj. Que tiene lágrimas. ‖ Que mueve a llanto.

lactación. f. Acción de mamar.

lactancia. f. Período de la vida en que la criatura mama. [*Sinón.*: crianza]

lactante. adj. Que lacta, que se nutre con leche. ‖ com. Criatura que lacta.

lactar (al. *säugen*, fr. *allaiter*, ingl. *to suckle*, it. *allattare*). tr. Amamantar. ‖ Criar con leche. ‖ intr. Nutrirse con leche.

lácteo, a (al. *milch*, fr. *lacté*, ingl. *milky*, it. *latteo*). adj. Perteneciente a la leche o parecido a ella. [*Sinón.*: lechoso, láctico]

láctico. adj. QUÍM. perteneciente o relativo a la leche.

lactosa. f. QUÍM. Azúcar que contiene la leche.

lacustre. adj. Perteneciente a los lagos. ‖ HIST. NAT. Dícese de las plantas y de los animales que viven en las aguas de los lagos.

lacha. f. fam. Vergüenza, pundonor.

lacho. m. *Amer.* Amante, galán, hombre enamoradizo.

ladeado, da. adj. BOT. Dícese de las hojas, flores, espigas y demás partes de una planta cuando todas miran a un lado únicamente.

ladear (al. *zur Seite neigen*, fr. *pencher*, ingl. *to incline*, it. *inclinare*). tr. Inclinar y torcer una cosa hacia un lado. Ú.t.c. intr. y c.r. ‖ r. fig. Inclinarse a una cosa. ‖ fig. Estar una persona o cosa al igual de otra. ‖ fig. y fam. *Amer.* Enamorarse.

ladeo. m. Acción y efecto de ladear o ladearse.

ladera (al. *Bergabhang*, fr. *versant*, ingl. *hillside*, it. *falda*). f. Declive de un monte o de una altura.

ladilla. f. ZOOL. Insecto anopluro de unos dos milímetros de largo. Vive parásito en las partes vellosas del cuerpo humano. Produce prurito y eczema.

ladillo. m. Parte de la caja del coche a cada uno de los lados de las portezuelas. ‖ IMP. Blanco que se deja en las circulares, salvando el membrete o su equivalencia.

ladino, na. adj. Que habla con facilidad alguna o algunas lenguas, además de la propia. ‖ fig. Astuto, sagaz, taimado.

lado (al. *Seite*, fr. *côté*, ingl. *side*, it. *lato*). m. Parte del cuerpo de la persona o del animal comprendida entre el brazo y el hueso de la cadera. ‖ Lo que está a la derecha o a la izquierda de un todo. ‖ Mitad del cuerpo del animal desde el pie hasta la cabeza. ‖ Cualquiera de los parajes que están alrededor de un cuerpo. ‖ Anverso o reverso de una medalla. ‖ Cada una de las dos caras de una tela o de otra cosa que las tenga. ‖ Sitio, lugar. ‖ Línea genealógica. ‖ fig. Cada uno de los aspectos por que se puede considerar una persona o cosa. ‖ GEOM. Cada una de las dos líneas que forman un ángulo. ‖ Cada una de las líneas que limitan un polígono. ‖ Arista de los poliedros regulares. ‖ Generatriz de la superficie lateral del cono y del cilindro. ‖ *dar de lado* a uno. fig. y fam. Dejar su trato o su compañía, huir de él con disimulo. ‖ *dejar a un lado* una cosa. fig. Omitirla en la conversación. ‖ *hacerse* uno *a un lado*. Apartarse, quitarse de en medio. ‖ *Mirar de lado*, o *de medio lado*. fig. Mirar con ceño y desprecio; mirar con disimulo.

ladra. f. Acción de ladrar.

ladrador, ra. adj. Que ladra.

ladrar (al. *bellen*, fr. *aboyer*, ingl. *to bark*, it. *abbaiare*). intr. Dar ladridos el perro. ‖ fig. y fam. Amenazar sin acometer. ‖ fig. y fam. Impugnar, motejar.

ladrido. m. Voz que forma el perro, parecida a la onomatopeya *guau*. ‖ fig. y fam. Murmuración, censura, calumnia con que se zahiere a uno.

ladrillador. m. Enladrillador.

ladrillar. tr. Enladrillar. ‖ m. Sitio donde se fabrican ladrillos.

ladrillo (al. *Backstein*, fr. *brique*, ingl. *brick*, it. *mattone*). m. Masa de arcilla, en forma de paralelepípedo rectangular, que, después de cocida, sirve para construir muros, solar habitaciones, etc. ‖ fig. Labor en forma de ladrillo que tienen algunos tejidos.

ladrón, na (al. *Dieb,* fr. *voleur,* ingl. *thief,* it. *ladro*). adj. Que hurta o roba. Ú.m.c.s. ‖ m. Cualquier dispositivo utilizado para sustraer o desviar el caudal de un fluido.

ladronera. f. Guarida de ladrones. ‖ Ladrón de un río o acequia. ‖ Acción de defraudar en los intereses. ‖ Hucha de barro, alcancía. ‖ Matacán.

ladronicio. m. Latrocinio.

lagaña. f. Legaña.

lagañoso, sa. adj. Legañoso.

lagar (al. *Kelter,* fr. *pressoir,* ingl. *wine-press,* it. *torchio*). m. Recipiente donde se pisa la uva para obtener el mosto. ‖ Sitio donde se prensa la aceituna para obtener el aceite, o donde se machaca la manzana para preparar la sidra. ‖ Edificio donde hay un lagar. ‖ En las fábricas de salazón, depósito para conservar el pescado en salmuera. ‖ Suerte de tierra de poca extensión, plantada de olivar, y en la cual hay edificios y artefactos para extraer el aceite.

lagarta. f. Hembra del lagarto. ‖ fig. y fam. Mujer pícara, taimada. Ú.t.c.adj.

lagartera. f. Madriguera del lagarto.

lagartija (al. *Eidechse,* fr. *lézard,* ingl. *lizard,* it. *lucertola muraiola*). f. ZOOL. Especie de lagarto muy común en España. Ligero y espantadizo, se alimenta de insectos y vive entre los escombros y en los huecos de las paredes.

lagarto (al. *Eidechse,* fr. *lézard,* ingl. *lizard,* it. *ramarro*). m. ZOOL. Reptil saurio, sumamente ágil, inofensivo y muy útil para la agricultura por la gran cantidad de insectos que devora. ‖ fig. y fam. Hombre pícaro, taimado. Ú.t.c.adj.

lago (al. *See,* fr. *lac,* ingl. *lake,* it. *lago*). m. Gran masa de agua acumulada en hondonadas del terreno, con comunicación al mar o sin ella.

lagotear. intr. fam. Hacer lagoterías. Ú.t.c.tr.

lagotería. f. fam. Zalamería para congraciarse con una persona o lograr una cosa. [*Sinón.:* adulación, carantoña]

lagotero, ra. adj. fam. Que hace lagoterías. Ú.t.c.s.

lágrima (al. *Träne,* fr. *larme,* ingl. *tear,* it. *lacrima*). f. Cada una de las gotas del humor que segrega la glándula lagrimal y que vierten los ojos debido a razones morales o físicas. Ú.m. en pl. ‖ fig. Escasa cantidad de cualquier licor. ‖ fig. Adorno de cristal tallado que cuelga de algunas lámparas. ‖ *lágrimas de cocodrilo.* fig. Las que vierte una persona aparentando un dolor que no siente. ‖ *— de David,* o *de Job.* BOT. Planta graminácea que tiene flores monoicas en espiga, y fruto globoso y duro.

lagrimal. adj. Aplícase a los órganos de secreción y excreción de las lágrimas. ‖ m. ANAT. Extremidad del ojo próxima a la nariz.

lagrimear. intr. Secretar con frecuencia lágrimas la persona que llora fácil o involuntariamente.

lagrimeo. m. Acción de lagrimear. ‖ Flujo independiente de toda emoción del ánimo, por no poder pasar las lágrimas desde el lagrimal a las fosas nasales, o ser su secreción muy abundante por irritación del ojo.

lagrimoso, sa. adj. Aplícase a los ojos tiernos y húmedos y a la persona o animal que los tiene así. ‖ Que mueve a llanto. ‖ Que destila lágrimas, dicho de un árbol, planta, etc.

laguna (al. *Lagune,* fr. *lagune,* ingl. *lagoon,* it. *laguna*). f. Depósito natural de agua, de menores dimensiones que un lago. ‖ fig. En lo manuscrito o impreso, hueco en que se dejó de poner algo o en que algo ha desaparecido por la acción del tiempo o por otra causa. ‖ Vacío o solución de continuidad en un conjunto o serie.

lagunar. m. Charco. ‖ ARQ. Hueco que dejan entre sí los maderos con que se forma un artesonado.

laical. adj. Perteneciente a los legos.

laicismo. m. Doctrina que defiende la independencia del hombre o de la sociedad de toda influencia religiosa.

laicización. f. Acción y efecto de laicizar.

laicizar. tr. Hacer laico o independiente de toda influencia religiosa.

laico, ca (al. *Weltlich,* fr. *laïc,* ingl. *laic,* it. *laico*). adj. Que no tiene órdenes clericales. Ú.t.c.s. ‖ Dícese de la escuela o enseñanza en que se prescinde de la instrucción religiosa, o del Estado que no tiene religión oficial. [*Sinón.:* seglar]

laísmo. m. GRAM. Vicio que consiste en decir siempre *la* y *las,* tanto en el dativo como en el acusativo del pronombre *ella.*

laísta. adj. GRAM. Aplícase a los que cometen laísmos. Ú.t.c.s.

laja. f. Lancha de piedra lisa.

lama. f. Cieno blando que se halla en el fondo del mar o de los ríos y en el de los vasos o lugares donde hay o ha habido agua durante mucho tiempo. ‖ Prado, pradería. ‖ Alga u ova de los lamedales o charcales. ‖ MINER. Lodo de mineral muy molido, que se deposita en el fondo de los canales por donde corren las aguas que salen de los aparatos de trituración de las menas. ‖ Amer. Capa de plantas criptógamas que se cría en las aguas dulces. ‖ Amer. Musgo, planta briofita. ‖ Amer. Moho, cardenillo. ‖ Tela de oro o plata en que los hilos de estos metales forman el tejido y brillan por su haz sin pasar al envés. ‖ Plancha de metal, lámina.

lama. m. Sacerdote de los tártaros occidentales, cercanos a la China.

lamaísmo. m. Nombre que se da al budismo tibetano.

lambda. f. Undécima letra del alfabeto griego, que corresponde a nuestra *l.*

lambido, da. adj. *Amer.* Relamido.

lambisquear. tr. *Amer.* Buscar los muchachos migajas o golosinas para comérselas.

lambón, na. adj. *Amer.* Adulador, bajo, soplón.

lambrequín. m. BLAS. Adorno, generalmente en forma de hojas de acanto, que baja de lo alto del casco y rodea el escudo. Ú.m. en pl.

lambrija. f. Lombriz. ‖ fam. Persona muy flaca.

lameculos. m. vulg. Adulón, persona servil.

lamedal. m. Sitio o lugar donde hay mucha lama o cieno. [*Sinón.:* cenagal, lodazal]

lamedor, ra. adj. Que lame. Ú.t.c.s.

lamedura. f. Acción y efecto de lamer. [*Sinón.:* lamida, lametón]

lamelibranquio. adj. ZOOL. Dícese del molusco marino o de agua dulce, que tiene simetría bilateral, región cefálica rudimentaria, branquias foliáceas y pie ventral en forma de hacha, y está provisto de una concha bivalva; como la almeja y el mejillón. Ú.t.c.s.m. ‖ m. pl. Clase de estos animales.

lamentable. adj. Que es digno de llorarse. ‖ Que infunde tristeza y horror. [*Sinón.:* deplorable]

lamentación (al. *Wehklage,* fr. *plainte,* ingl. *lament,* it. *lamentazione*). f. Queja con llantos, suspiros u otra muestra de dolor. ‖ Cada una de las partes del canto de Jeremías, llamadas trenos. [*Sinón.:* lamento, plañido]

lamentar (al. *bedauern,* fr. *regretter,* ingl. *to regret,* it. *lamentare*). tr. Sentir una cosa con llanto u otra demostración de dolor. Ú.t.c.intr. y c.r. [*Sinón.:* deplorar, plañir]

lamento. m. Lamentación, queja. [*Sinón.*: gemido]

lameplatos. com. fig. y fam. El que se alimenta de sobras. || Goloso.

lamer (al. *lecken*, fr. *lécher*, ingl. *to lick*, it. *leccare*). tr. Pasar repetidas veces la lengua por una cosa. Ú.t.c.r. || fig. Tocar blanda y suavemente una cosa. [*Sinón.*: relamer, lengüetear]

lametón. m. Acción de lamer con ansia.

lamia. f. Monstruo fabuloso que tenía rostro de mujer y cuerpo de dragón. || Zool. Especie de tiburón.

lamido, da. adj. fig. Dícese de la persona flaca, y de la muy pulida y limpia. || fig. Gastado con el uso o con el roce continuo. || Pint. Que tiene aspecto muy terso y liso, por sobra de trabajo.

lámina (al. *Metallplatte*, fr. *lame*, ingl. *plate*, it. *piastra*). f. Plancha delgada de un metal. || Plancha de cobre o de otro metal en la que está grabado un dibujo para estamparlo. || Figura que se traslada al papel u otra materia, estampa. || Figura total de una persona o animal. || Pintura hecha sobre cobre. || fig. Plancha delgada de cualquier materia. || Bot. Parte ensanchada de las hojas, pétalos y sépalos. || Zool. Parte delgada y plana de los huesos, cartilagos, tejidos y membranas de los seres orgánicos.

laminado, da. adj. Guarnecido con láminas o planchas de metal. || m. Acción y efecto de laminar.

laminador, ra. adj. Dícese de la máquina compuesta esencialmente de dos cilindros que girando en sentido contrario y comprimiendo masas de metales maleables, los estiran en láminas o planchas. A veces los cilindros están acanalados para formar entre sus estrías barras, carriles, etc. Ú.t.c.s. || m. El que tiene por oficio hacer láminas de metal.

laminar. adj. Que tiene forma de lámina. || Aplícase a la estructura de un cuerpo cuando sus láminas u hojas están sobrepuestas y paralelamente colocadas. || tr. Tirar láminas, planchas o barras con el laminador. || Guarnecer con láminas.

laminero, ra. adj. Goloso. Ú.t.c.s.

lampa. f. *Amer.* Azada.

lampadario. m. Soporte dispuesto para suspender varias lámparas.

lámpara (al. *Lampe*, fr. *lampe*, ingl. *lamp*, it. *lampada*). f. Utensilio para dar luz, que consta de uno o varios mecheros con un depósito para la materia combustible, cuando es líquida; de una boquilla en que se quema un gas que llega a ella desde el depósito en que se produce; o de un globo de cristal, abierto unas veces y herméticamente cerrado otras, dentro del cual hay unos carbones o un hilo metálico que se ponen candentes al pasar por ellos una corriente eléctrica. || Elemento de los aparatos de radio, parecido en su origen a una lámpara eléctrica de incandescencia, y que en su forma más simple consta de tres electrodos metálicos: un filamento, una rejilla y una placa. || Cuerpo que despide luz. || Mancha grande de aceite o grasa que cae en la ropa.

lamparilla. f. dim. de lámpara. || Candelilla nocturna en una vasija con aceite. || Plato, vaso o vasija en que ésta se pone. || Álamo de hoja temblona.

lamparón. m. Mancha que cae en la ropa y especialmente la de grasa. || Med. Escrófula en el cuello. || En veterinaria, enfermedad de los solípedos, acompañada de erupción de tumores linfáticos en varios sitios.

lampazo. m. Bot. Planta compuesta de tallo grueso y flores purpúreas cuyo cáliz tiene escamas con espinas en anzuelo.

lampiño, ña (al. *bartlos*, fr. *imberbe*, ingl. *beardless*, it. *imberbe*). adj. Dícese del hombre que no tiene barba. || Que tiene poco pelo o vello.

lampión. m. Farol.

lampista. com. Persona que hace lámparas, o que las cuida. || Fontanero y electricista, dícese en Cataluña.

lampistería. f. Taller en que se hacen lámparas. || Lugar donde se venden o se arreglan. [*Sinón.*: lamparería]

lamprea (al. *Lamprete*, fr. *lamproie*, ingl. *lamprey*, it. *lampreda*). f. Zool. Pez marino ciclóstomo, de un metro o algo más de largo, que vive asido a las peñas, a las que se agarra fuertemente con la boca. Su carne es muy estimada. || Zool. Pez de río, semejante a la lamprea de mar, que vive por lo común en aguas estancadas y en los ríos de poca corriente. Es comestible.

lana (al. *Wolle*, fr. *laine*, ingl. *wool*, it. *lana*). f. Pelo de las ovejas y carneros, que se hila y sirve para hacer paño y otros tejidos. || Pelo de otros animales parecido a la lana. || Tejido de lana y vestido que de él se hace. || m. *Amer.* Persona de la ínfima plebe.

lanar. adj. Dícese del ganado o de la res que tiene lana.

lance (al. *Abenteuer*, fr. *aventure*, ingl. *adventure*, it. *evento*). m. Acción y efecto de lanzar. || Acción de echar la red para pescar. || Trance u ocasión crítica. || En el poema dramático o en la novela, suceso, situación interesante o notable. || Encuentro, riña. || En el juego, cada uno de los accidentes algo notables que ocurren en él. [*Sinón.*: acontecimiento, suceso, querella]

lanceolado, da. adj. Bot. De figura semejante al hierro de la lanza. Dícese de las hojas y de los lóbulos de ellas.

lancero (al. *Lanzenreiter*, fr. *lancier*, ingl. *lancer*, it. *lanciere*). m. Soldado que va armado de lanza. || El que usa o lleva lanza, como los vaqueros y picadores. || El que hace o labra lanzas.

lanceta. f. Med. Instrumento que sirve para sangrar, y también para abrir tumores y abscesos.

lancinar. tr. Punzar, desgarrar la carne. Ú.t.c.r.

lancha (al. *Boot*, fr. *chaloupe*, ingl. *boat*, it. *lancia*). f. Piedra naturalmente lisa, plana y de poco grosor. || Bote grande, propio para ayudar en las faenas que se ejecutan en los buques, y para transportar carga y pasajeros en el interior de los puertos. || La mayor de las embarcaciones menores que llevan a bordo los grandes buques para su servicio. || Bote, barco pequeño.

lanchero. m. Conductor o patrón de una lancha.

landa. f. Gran extensión de tierra llana en que sólo se crían plantas silvestres. [*Sinón.*: páramo]

landó. m. Coche de cuatro ruedas, con capotas delantera y trasera.

landre. f. Fisiol. Tumor del tamaño de una bellota, que se forma en el cuello, los sobacos y las ingles. || Bolsa escondida que se hace en la capa o vestido para llevar oculto el dinero.

lanería. f. Casa o tienda donde se vende lana.

lanero, ra. adj. Relativo a la lana. || m. El que trata en lanas.

langa. f. Truchuela, bacalao curado.

langosta (al. *Heuschrecke*, *Hummer*; fr. *criquet*, *langouste*; ingl. *locust*, *lobster*; it. *cavalletta*, *aragosta*). f. Zool. Insecto ortóptero que vive de vegetales y se multiplica extraordinariamente, formando espesas nubes que arrasan comarcas enteras. || Zool. Crustáceo marino de color oscuro con sus patas terminadas en pinzas, cuatro antenas, cuerpo cilíndrico y cola larga. Se vuelve rojo por la cocción. Vive en alta mar y su carne se considera un manjar delicado.

langostino (al. *Garnele*, fr. *crevette*,

ingl. *prawn*, it. *gambero*). m. ZOOL. Crustáceo marino macruro, de 12 a 14 centímetros, de cuerpo comprimido, cola muy prolongada, caparazón poco consistente y de color rosado. Su carne es muy apreciada.

languidecer. intr. Adolecer de languidez. [*Antón.*: fortalecer, animar]

languidez. f. Flaqueza, debilidad. || Falta de espíritu, valor o energía. [*Sinón.*: abatimiento, desaliento]

lánguido, da (al. *matt*, fr. *languissant*, ingl. *languishing*, it. *languido*). adj. Flaco, débil, fatigado. || De poco espíritu, valor y energía.

lanificio. m. Arte de labrar la lana. || Obra de lana.

lanilla. f. Pelillo que le queda al paño por el haz. || Tejido de poca consistencia hecho con lana fina.

lanolina. f. QUÍM. Sustancia de aspecto graso y consistencia de manteca, que se extrae de la lana de oveja. Se emplea para la preparación de pomadas y cremas de tocador.

lanoso, sa. adj. Lanudo.

lantánidos. m. pl. QUÍM. Nombre genérico de los quince elementos del grupo de las tierras raras y dotados de propiedades químicas similares.

lanudo, da. adj. Que tiene mucha lana o vello. || *Amer.* Dícese de la persona tosca y grosera.

lanza (al. *Lanze*, fr. *lance*, ingl. *lance*, it. *lancia*). f. Arma ofensiva compuesta de un asta al extremo de la cual se ha fijado un hierro puntiagudo y cortante a manera de cuchilla. || Soldado que usaba el arma del mismo nombre. || Boquilla metálica con que rematan las mangas de riego.

lanzada. f. Golpe con que se da con la lanza. || Herida que se infiere con ella. [*Sinón.*: lanzazo]

lanzadera (al. *Schiffchen*, fr. *navette*, ingl. *shuttle*, it. *navetta*). f. Instrumento en forma de barquichuelo, con una canilla dentro, que usan los tejedores para tramar. || Pieza de forma semejante que tienen las máquinas de coser. || Caña de pescar que permite lanzar el anzuelo a gran distancia.

lanzado, da. adj. Dícese de lo muy veloz o emprendido con mucho ánimo. || Impetuoso, fogoso, decidido, arrojado.

lanzador, ra. adj. Que lanza o arroja. Ú.t.c.s.

lanzallamas. m. Aparato bélico que lanza a corta distancia un chorro de líquido que se inflama al entrar en contacto con el aire.

lanzamiento. m. Acción de lanzar o arrojar una cosa. || DEP. Acción de lanzar la pelota para castigar una falta. || DER. Despojo de una posesión o tenencia por fuerza judicial. || MAR. Proyección que tiene el codaste por la popa, y la roda por la proa, sobre la longitud de la quilla. [*Sinón.*: emisión, expulsión]

lanzar (al. *schleudern*, fr. *lancer*, ingl. *to fling*, it. *lanciare*). tr. Arrojar. Ú.t.c.r. || Soltar, dejar libre. || DER. Despojar a una persona de la posesión o tenencia de alguna cosa.

laña. f. Grapa que sirve para unir dos piezas. || Coco verde.

lañar. tr. Unir o trabar una cosa utilizando lañas, y, por extensión, por cualquier otro medio.

laosiano, na. adj. Natural de Laos. Ú.t.c.s. || Perteneciente o relativo a este país de Asia.

lapa. f. ZOOL. Molusco gasterópodo que vive asido fuertemente a las piedras de las costas. Hay muchas especies, todas comestibles. || Telilla o nata que diversos vegetales criptógamos forman en la superficie de algunos líquidos. || fig. Persona excesivamente insistente e inoportuna.

lapachar. m. Terreno cenagoso o excesivamente húmedo. [*Sinón.*: cenagal]

laparotomía. f. CIR. Operación que consiste en abrir las paredes abdominales y el peritoneo.

lapicera. f. *Amer.* Lapicero. || Portaplumas.

lapicero. m. Instrumento en que se pone el lápiz para servirse de él. || Lápiz.

lápida. f. Piedra llana en la que suele grabarse una inscripción.

lapidación. f. Acción y efecto de lapidar. [*Sinón.*: apedreamiento.]

lapidar. tr. Apedrear, matar a pedradas.

lapidario, ria. adj. Perteneciente a las piedras preciosas. || Perteneciente a las inscripciones en lápidas. || Dícese del estilo literario caracterizado por su sobriedad y concisión. || m. El que tiene por oficio labrar piedras preciosas.

lapídeo, a. adj. De piedra o perteneciente a ella.

lapislázuli. m. Mineral de color azul intenso, muy duro, formado por silicato de alúmina, sulfato de cal y sosa.

lápiz (al. *Bleistift*, fr. *crayon*, ingl. *pencil*, it. *matita*). m. Nombre genérico de varias sustancias minerales que usan para dibujar. || Barrita de grafito

encerrada en un cilindro o prisma de madera y que sirve para escribir o dibujar.

lapo. m. fam. Cintarazo, bastonazo o varazo. || *Amer.* Bofetada. || fig. Trago. || fig. y fam. Coito.

lapón, na. adj. Natural de Laponia. Ú.t.c.s. || Concerniente a este país de Europa. || m. Lengua hablada por los lapones.

lapso. m. Curso de un espacio de tiempo. || Caída en una culpa o error.

lapsus (voz latina). m. Lapso, caída en una culpa o error. [*Sinón.*: desliz]

lapsus linguae. Expresión latina que se usa con su propia significación de error cometido al hablar.

laquear. tr. Cubrir una superficie con laca.

lar. m. MIT. Cada uno de los dioses de la casa u hogar. Ú.m. en pl. || Hogar. || pl. fig. Casa propia u hogar.

lardáceo, a. adj. Semejante o parecido al lardo.

lardear. tr. Untar con lardo o grasa lo que se está asando.

lardo. m. Parte grasa del tocino. || Grasa de los animales.

lardoso, sa. adj. Grasiento, pringoso.

larga. f. Pedazo de suela o fieltro que los zapateros ponen en la horma para que salga más largo el zapato. || El más largo de los tacos del billar. || Dilación. Ú.m. en las expresiones *dar largas*, *traer en largas*.

largar. tr. Soltar, dejar libre. || Aflojar, ir soltando poco a poco. || MAR. Desplegar, soltar una cosa; como la bandera o las velas. || r. fam. Irse uno con presteza o disimulo. || MAR. Hacerse la nave a la mar.

largo, ga (al. *Lang*, fr. *long*, ingl. *long*, it. *lungo*). adj. Que tiene más o menos largor. || Que tiene largor excesivo. || fig. Liberal, dadivoso. || fig. Abundante, excesivo. || fig. Dilatado, extenso. || fig. Pronto, expedito. || fig. y fam. Astuto, listo. || fig. Aplicado en plural a cualquier división del tiempo, como horas, años, etc., suele tomarse por muchos. || MAR. Arriado, suelto. || Largor. || MÚS. Uno de los movimientos fundamentales de la música, que equivale a despacio o lento. || Composición, o parte de ella, escrita en este movimiento. || adv. m. Con abundancia. || *a la larga.* m. adv. Según el largo de una cosa; pasado mucho tiempo; lentamente; con extensión. || *a lo largo.* m. adv. En sentido de la longitud de una cosa, a lo lejos, a la larga, difusamente. Seguido de la prep. *de*, equivale a durante. ‖ *de largo.* m. adv. Con hábitos o vestiduras talares. ‖ *¡largo!* o *¡largo de ahí,* o *de aquí!* expr. con que se expulsa a uno. ‖ *largo y tendido.* expr. fam. Con profusión.

largometraje. m. En cinematografía, película larga.

largor. m. Longitud.

larguero. adj. *Amer.* Abundante, copioso. ‖ m. Cada uno de los dos palos que se ponen a lo largo de una obra de carpintería. ‖ Cabezal, almohada larga. ‖ DEP. Travesaño de las porterías de fútbol, hockey, balonmano, etc.

largueza. f. Liberalidad. [*Sinón.*: esplendidez, desprendimiento]

larguirucho, cha. adj. fam. Aplícase a las personas y cosas desproporcionadamente largas. [*Sinón.*: desgalichado]

largura. f. Largor. [*Antón.*: anchura]

laringe (al. *Kehlkopf*, fr. *larynx*, ingl. *larynx*, it. *laringe*). f. ANAT. Conducto que hay en las fauces delante del esófago. Comunica por una abertura con el fondo de la boca, y se une interiormente con la tráquea. Es el órgano de la fonación.

laringitis. f. MED. Inflamación de la laringe.

laringología. f. MED. Parte de la patología que estudia las enfermedades de la laringe.

laringólogo. m. Médico especialista en la laringe.

laringoscopia. f. MED. Exploración de la laringe.

laringoscopio. m. MED. Instrumento que sirve para la laringoscopia.

larva (al. *Larve*, fr. *larve*, ingl. *grub*, it. *larva*). f. ZOOL. Primera forma en que aparecen los animales que sufren metamorfosis, después de salir del huevo y antes de su primera transformación. Las de muchos insectos se conocen vulgarmente con el nombre de gusanos.

larvado, da. adj. MED. Aplícase a las enfermedades que se presentan con síntomas que ocultan su verdadera naturaleza.

larval. adj. Perteneciente a la larva.

las. GRAM. Artículo determinado en género femenino y número plural. ‖ GRAM. Acusativo del pronombre personal de tercera persona en género femenino y número plural.

lasca. f. Partícula pequeña y delgada desprendida de una piedra.

lascivia (al. *Unzucht*, fr. *lasciveté*, ingl. *lewness*, it. *lascivia*). f. Propensión a los deleites carnales. [*Sinón.*: lujuria]

lascivo, va. adj. Relativo a la lascivia. ‖ Que tiene este vicio. Ú.t.c.s. ‖ Errático, juguetón, alegre. [*Sinón.*: libidinoso, lujurioso]

laser (sigla inglesa). m. FÍS. Dispositivo electrónico que, basado en la emisión inducida, amplifica de manera extraordinaria un haz de luz monocromático y coherente.

lasitud. f. Cansancio, falta de vigor y de fuerzas. [*Sinón.*: agobio, agotamiento]

laso, sa. adj. Cansado, falto de fuerzas. ‖ Flojo y macilento. ‖ Dícese del hilo sin retorcer.

lástima (al. *Mitleid*, fr. *pitié*, ingl. *pity*, it. *pietà*). f. Sentimiento compasivo que produce la visión de males ajenos. ‖ Objeto que mueve a compasión. ‖ Quejido, expresión lastimera. ‖ Cualquier cosa que cause disgusto, aunque sea ligero. [*Sinón.*: compasión, piedad; lamento]

lastimar (al. *versehren*, fr. *blesser*, ingl. *to hurt*, it. *ferire*). tr. Herir o hacer daño. Ú.t.c.r. ‖ fig. Agraviar, ofender. ‖ r. Dolerse del daño sufrido por alguien. ‖ Quejarse, dar muestras de dolor y sentimiento. [*Sinón.*: lesionar; compadecerse, lamentarse]

lastimero, ra. adj. Aplícase a las quejas, lágrimas y demostraciones de dolor que mueven a lástima.

lastimoso, sa. adj. Que mueve a compasión y lástima.

lastra. f. Lancha, piedra plana y delgada.

lastrar. tr. Poner lastre a la embarcación, aeronave o vehículo. [*Antón.*: aligerar]

lastre (al. *Ballast*, fr. *lest*, ingl. *ballast*, it. *zavorra*). m. Piedra, arena u otra materia pesada que se coloca en el fondo de una embarcación, aeronave o vehículo, con el fin de regular su peso y facilitar su desplazamiento. ‖ fig. Juicio, madurez.

lata (al. *Blechbüchse*; fr. *bidon*; ingl. *tin, can*; it. *latta*). f. Envase hecho de hojalata, con su contenido o sin él. ‖ Tabla delgada sobre la que se aseguran las tejas. ‖ fam. Discurso o conversación fastidiosa y, en general, todo lo que causa hastío por excesivo.

latencia. f. Cualidad o condición de latente.

latente. adj. Dícese de lo que se halla oculto y escondido.

lateral (al. *seiten*, fr. *latéral*, ingl. *side*, it. *laterale*). adj. Perteneciente o que está al lado de una cosa. ‖ fig. Lo que no viene en línea recta.

latería. f. Conjunto de latas de conserva. ‖ *Amer.* Hojalatería.

latero, ra. s. *Amer.* Hojalatero. ‖ adj. Latoso.

látex. m. BOT. Jugo propio de muchos vegetales, que circula por los vasos laticíferos; es de composición muy compleja y de él se obtienen sustancias tan diversas como el caucho, la gutapercha, etc.

laticífero. adj. BOT. Dícese de los vasos de los vegetales que contienen látex.

latido (al. *Herzklopfen*, fr. *battement*, ingl. *heart-beat*, it. *battuta*). m. Movimiento alternativo de contracción y dilatación del corazón, que se propaga a las arterias. ‖ Golpe producido por aquel movimiento en el mismo corazón, y el que se siente en las arterias de las partes del cuerpo inflamadas en exceso. [*Sinón.*: pulsación]

latifundio (al. *Grossgrundbesitz*, fr. *latifundium*, ingl. *latifundium*, it. *latifondo*). m. Finca rústica muy extensa.

latifundista. com. Persona que posee uno o varios latifundios.

latigazo (al. *Peitschenhieb*, fr. *coup de fouet*, ingl. *whip*, it. *fustata*). m. Golpe dado con el látigo. ‖ fig. Golpe semejante al latigazo. ‖ Chasquido del látigo. ‖ fig. Represión áspera e inesperada. [*Sinón.*: trallazo, zurriagazo]

látigo (al. *Peitsche*, fr. *fouet*, ingl. *whip*, it. *fusta*). m. Azote largo, delgado y flexible, de cuero, cuerda u otra materia, que sirve principalmente para avivar las caballerías. ‖ Cordel para afianzar al peso lo que se va a pesar. ‖ Cuerda o correa para apretar y asegurar la cincha. ‖ BIOL. Flagelo.

latiguillo. m. Estolón, vástago que nace en la base del tallo. ‖ fig. y fam. Exceso declamatorio del actor o del orador.

latín (al. *Latein*, fr. *latin*, ingl. *latin*, it. *latino*). m. Lengua del Lacio hablada por los antiguos romanos, de la cual se deriva, entre otras, el castellano. ‖ Voz o frase latina empleada en castellano. Ú.m. en pl.

latinajo. m. fam. Latín malo y macarrónico. ‖ fam. Voz o frase latina usada en castellano. Ú.m. en pl.

latinismo. m. Giro o modo de hablar propio y privativo de la lengua latina. ‖ Empleo de tales giros o construcciones en otro idioma.

latinista. com. Persona muy versada en la lengua y literatura latinas.

latinizar. tr. Dar forma latina a voces de otra lengua.

latino, na. adj. Natural del Lacio o de cualquiera de los pueblos italianos de los que era metrópoli la antigua Roma. Ú.t.c.s. || Perteneciente a ellos. || Perteneciente a la lengua latina o propio de ella. || Aplícase a la Iglesia de Occidente y a lo perteneciente a ella. || Suele decirse de los naturales de pueblos de Europa en los que se hablan lenguas derivadas del latín, y de lo perteneciente a los mismos. || MAR. Dícese de las embarcaciones y aparejos de vela triangular.

latinoamericano, na. adj. Perteneciente o relativo a los países de América que fueron colonizados por naciones latinas, esto es, por España, Portugal o Francia.

latir (al. *pochen*, fr. *battre*, ingl. *to pulsate*, it. *battere*). intr. Dar latidos o moverse acelerada y sensiblemente algunas partes internas del animal, como el corazón y las arterias. [*Sinón.*: pulsar, palpitar]

latitud (al. *Breite*, fr. *latitude*, ingl. *latitude*, it. *latitudine*). f. La menor de las dos dimensiones que tienen las cosas o figuras planas. || Extensión de un reino, provincia o distrito. || ASTR. Distancia contada en grados, que hay desde la Eclíptica al punto cuya latitud se busca. || GEOGR. Arco de meridiano comprendido entre un punto cualquiera de la superficie terrestre y el Ecuador. [*Sinón.*: anchura]

latitudinal. adj. Que se extiende a lo ancho.

lato, ta (al. *weit*, fr. *étendu*, ingl. *large*, it. *lato*). adj. Dilatado, extendido. || fig. Aplícase al sentido que por extensión se da a las palabras. [*Sinón.*: amplio]

latón (al. *Messing*, fr. *laiton*, ingl. *brass*, it. *ottone*). m. Aleación de cobre y cinc, de color que oscila entre el amarillo y rojo, según la composición de la mezcla.

latoso, sa. adj. Fastidioso, pesado.

latrocinio. m. Hurto o costumbre de hurtar. [*Sinón.*: robo]

laucar. tr. *Amer.* Quitar o perder el pelo o la lana.

laúd (al. *Laute*, fr. *luth*, ingl. *lute*, it. *liuto*). m. Embarcación pequeña del Mediterráneo, de un palo con vela latina y una mesana a popa. || MÚS. Instrumento musical de cuerda de procedencia árabe. Su forma es aproximadamente la de una gran mandolina cuyo teclado está en ángulo recto con el mango y cuya caja posee una abertura central. || ZOOL. Tortuga marina de concha coriácea que vive en el Atlántico y aparece ocasionalmente en el Mediterráneo.

laudable. adj. Digno de alabanza.

láudano. m. Preparación compuesta de vino blanco, opio, azafrán y otras sustancias. || Extracto de opio.

laudar. tr. DER. Fallar el juez, árbitro o el amigable componedor.

laudatorio, ria. adj. Que alaba o contiene alabanza.

laude. f. Lápida sepulcral.

laudes. f. pl. Parte del oficio divino, que se dice después de maitines.

laudo. m. DER. Fallo que dictan los árbitros. [*Sinón.*: sentencia]

lauráceo, a. adj. Parecido al laurel. || BOT. Aplícase a plantas angiospermas dicotiledóneas de hojas alternas y a veces opuestas, como el laurel común y el árbol de la canela. Ú.t.c.s.f. || f.pl. Familia de estas plantas.

laureado, da. adj. Que ha sido recompensado con honor y gloria. Ú.t.c.s. [*Sinón.*: premiado]

laurear. tr. Coronar con laurel. || fig. Premiar, honrar. [*Sinón.*: enaltecer. *Antón.*: despreciar]

lauredal. m. Sitio poblado de laureles.

laurel (al. *Lorbeerbaum*, fr. *laurier*, ingl. *laurel tree*, it. *lauro*). m. BOT. Árbol siempre verde, de la familia de las lauráceas, de hojas coriáceas, persistentes, aromáticas, pecioladas, usadas para condimento. || fig. Corona, premio. || *dormirse* uno *sobre los laureles.* fig. y fam. Abandonarse o cesar en un esfuerzo, confiando en los éxitos que se han logrado.

laureola o **lauréola.** f. Corona de laurel con que en la antigüedad se premiaban las acciones heroicas. || Aureola.

lauro. m. Laurel, árbol. || fig. Gloria, alabanza, triunfo.

lava. f. Materias en fusión que salen de los volcanes al tiempo de la erupción. || MINER. Operación de lavar los metales.

lavable. adj. Que puede lavarse.

lavabo. m. Pila instalada en el cuarto de baño para el aseo personal, provista de agua corriente y jaboneras. || Cuarto en el que se halla instalado.

lavadero (al. *Waschplatz*, fr. *lavoir*, ingl. *laundry*, it. *lavatoio*). m. Lugar en que se lava. || *Amer.* Paraje del lecho de un río donde se recogen arenas auríferas, que se lavan en el mismo lugar, agitándolas en una batea. [*Sinón.*: fregadero]

lavado. m. Acción y efecto de lavar o lavarse. || PINT. Pintura a la aguada hecha con un solo color.

lavador, ra. adj. Que lava. Ú.t.c.s. || m. Instrumento de hierro para limpiar las armas de fuego. || f. Máquina para lavar la ropa.

lavamanos. m. Depósito de agua con grifo y pila para lavarse las manos.

lavamiento. m. Acción de lavar o lavarse.

lavanco. m. Pato bravío.

lavanda. f. Voz que se usa en la locución "agua de lavanda", en lugar de agua de espliego o de alhucema.

lavandería (al. *Waschküche*, fr. *buanderie*, ingl. *laundry*, it. *lavanderia*). f. Establecimiento público donde se lava la ropa.

lavandero, ra. s. Persona que tiene por oficio lavar la ropa.

lavándula. f. BOT. Espliego.

lavaojos. m. Copita de cristal cuyo borde tiene la forma adecuada para adaptarse a la órbita del ojo, con el fin de aplicar a éste un líquido medicamentoso.

lavaplatos. com. Persona que en un hotel, restaurante, etc., lava los platos.

lavar (al. *waschen*, fr. *laver*, ingl. *to wash*, it. *lavare*). tr. Limpiar una cosa con agua u otro líquido. Ú.t.c.r. || Dar los albañiles la última mano al blanqueo con un paño mojado. || fig. Purificar, quitar un defecto o mancha. || MINER. Purificar los minerales por medio del agua. [*Antón.*: ensuciar]

lavativa (al. *Klistier*, fr. *lavement*, ingl. *clyster*, it. *lavativo*). f. Líquido que se introduce por el ano con fines terapéuticos. || Aparato utilizado para tales fines. [*Sinón.*: enema]

lavatorio. m. Acción de lavar o lavarse. || Ceremonia de lavar los pies a algunos pobres que se hace el Jueves Santo. || Ceremonia que cumple el sacerdote en la misa al lavarse los dedos. || Cocimiento medicinal. || Lavamanos. || *Amer.* Jofaina, palangana. || *Amer.* Lavabo, mueble especial donde se pone la palangana. || *Amer.* Lavabo, pieza de la casa dispuesta para el aseo.

laxante (al. *Abführmittel*, fr. *laxatif*, ingl. *laxative*, it. *lassativo*). m. Medicamento que actúa como purgante. || adj. Que laxa.

laxar (al. *abspannen*, fr. *laxer*, ingl. *to loosen*, it. *lassare*). tr. Aflojar, disminuir la tensión de una cosa. || fig. Purgar. [*Sinón.*: relajar, suavizar. *Antón.*: fortalecer, endurecer]

laxativo, va. adj. Que laxa o tiene la

virtud de laxar. Ú.t.c.s.m. [*Sinón.*: purgante, depurativo]

laxismo. m. Sistema o doctrina en el que domina la moral laxa o relajada.

laxista. com. Partidario del laxismo.

laxitud. f. Calidad de laxo.

laxo, xa (al. *schlaff*, fr. *lâche*, ingl. *slack*, it. *lasso*). adj. Flojo o que no tiene la tensión que naturalmente debe tener. ‖ fig. Aplícase a la moral relajada. [*Sinón.*: relajado, distendido]

lazada. f. Atadura o nudo que se hace con hilo, cinta o cosa semejante, de manera que tirando de uno de los cabos pueda desatarse con facilidad. ‖ Lazo de adorno.

lazar. tr. Coger o sujetar con lazo. [*Sinón.*: enlazar]

lazareto. m. Lugar alejado de las poblaciones, que se destinaba a cuarentena para los que venían de lugares infestados de enfermedad contagiosa. ‖ Hospital de leprosos.

lazarillo. m. Muchacho que guía y dirige al ciego.

lazarista. m. El que pertenece a la Orden hospitalaria de San Lázaro, dedicada al cuidado de los leprosos.

lázaro. m. Pobre andrajoso.

lazo (al. *Schlinge*, fr. *lacs*, ingl. *slipknot*, it. *laccio*). m. Atadura o nudo de cintas o cosa semejante que sirve de adorno. ‖ Lazada. ‖ Cuerda con una lazada corrediza en uno de sus extremos que sirve para sujetar toros, caballos, etc. ‖ fig. Ardid o artificio engañoso. ‖ fig. Vínculo, obligación. ‖ *caer* uno *en el lazo.* fig. y fam. Ser engañado por un ardid.

lazulita. f. Lapislázuli.

le. Dativo del pronombre personal de tercera persona en género masculino o femenino y número singular. ‖ Acusativo del mismo pronombre en igual número y sólo en masculino.

leal (al. *Treu*, fr. *loyal*, ingl. *faithful*, it. *leale*). adj. Que guarda fidelidad. Ú.t.c.s. ‖ Se dice de las acciones de un hombre fiel. ‖ Se dice de algunos animales domésticos que muestran al hombre fidelidad y reconocimiento. ‖ Se dice de las caballerías que no son falsas. ‖ Verídico, legal y fiel, en el trato o en el desempeño de un cargo. [*Sinón.*: fiel. *Antón.*: infiel, desleal]

lealtad (al. *Loyalität*, fr. *loyauté*, ingl. *loyalty*, it. *lealtà*). f. Cumplimiento de lo que exigen las leyes de la fidelidad y del honor. ‖ Amor o gratitud de ciertos animales al hombre. ‖ Legalidad, verdad. [*Sinón.*: nobleza. *Antón.*: traición]

lebeche. m. En el litoral del Mediterráneo, viento sudeste.

lebrato. m. Cría de la liebre.

lebrel, la (al. *Windhund*, fr. *lévrier*, ingl. *greyhound*, it. *levriere*). adj. Dícese del perro que tiene el labio superior y las orejas caídos, el hocico recio, el lomo recto, el cuerpo largo y las piernas echadas hacia atrás. Ú.t.c.s. [*Sinón.*: lebrero]

lebrillo. m. Vasija más ancha por el borde que por el fondo, que sirve para lavar ropa, para baños de pies y usos diversos.

lección (al. *Stunde*, fr. *leçon*, ingl. *lesson*, it. *lezione*). f. Lectura. ‖ Lo que enseña a los discípulos el maestro de una ciencia, arte o habilidad. ‖ Cada uno de los capítulos en que se dividen algunos escritos. ‖ Lo que en cada vez señala el maestro al discípulo para que lo estudie. ‖ fig. Amonestación, ejemplo o acción ajena que nos enseña el modo de conducirnos.

lectivo, va. adj. Aplícase al tiempo y días destinados para dar lección en los centros de enseñanza.

lector, ra (al. *Leser*, fr. *lecteur*, ingl. *reader*, it. *lettore*). adj. Que lee. Ú.t.c.s. ‖ m. El que en las comunidades religiosas enseña filosofía, teología o moral. ‖ Profesor auxiliar que imparte clases de idiomas modernos en algún centro de enseñanza extranjero. [*Sinón.*: leyente]

lectorado. m. Orden de lector, que es la segunda de las menores. ‖ Empleo o cargo de lector de idiomas.

lectura (al. *Lesestück*, fr. *lecture*, ingl. *reading*, it. *lettura*). f. Acción de leer. ‖ Obra o cosa leída. ‖ Interpretación de un texto.

lecha. f. ZOOL. Líquido seminal de los peces. ‖ Cada una de las dos bolsas que lo contienen.

lechada. f. Masa fina de cal o yeso, o de cal mezclada con arena, o de yeso con tierra, que sirve para blanquear paredes y para unir piedras o hiladas de ladrillo.

lechal (al. *saugend*, fr. *de lait*, ingl. *sucking*, it. *lattante*). adj. Aplícase al animal de cría que mama. Ú.t.c.s.m. ‖ Se dice de las plantas y frutos que tienen un zumo blanco. ‖ m. Este mismo zumo.

leche (al. *Milch*, fr. *lait*, ingl. *milk*, it. *latte*). f. Líquido que segregan las glándulas mamarias de las hembras de los mamíferos. Sirve de alimento a las crías durante sus primeros meses. ‖ Zumo blanco de algunas plantas o fru-

tos. ‖ Jugo blanco que se extrae de algunas semillas. ‖ BOT. Látex. ‖ fig. Primera educación o enseñanza. ‖ fig. y vulg. Semen. ‖ fig. y vulg. Suerte. ‖ *tener* uno *mala leche.* fr. fig. y fam. Tener mala suerte.

lechecillas. f. pl. Mollejas de algunos animales. ‖ Entrañas del animal, asadura.

lechera. f. La que vende leche. ‖ Vasija en que se tiene la leche. ‖ Vasija en que se sirve.

lechería (al. *Milchgeschäft*, fr. *crémerie*, ingl. *dairy*, it. *latteria*). f. Sitio o puesto donde se vende leche. [*Sinón.*: vaquería]

lechero, ra. adj. Que contiene leche o tiene alguna de sus propiedades. ‖ Aplícase a las hembras de animales que se tienen para que den leche. ‖ m. El que vende leche.

lechigada. f. Conjunto de animalillos que han nacido de un parto y se crían juntos en un mismo lugar. ‖ fig. y fam. Cuadrilla de personas, por lo común gente picaresca, de una misma profesión o género de vida. [*Sinón.*: camada; pandilla]

lecho (al. *Bett*, fr. *lit*, ingl. *bed*, it. *letto*). m. Cama con colchones, sábanas, etc. ‖ Especie de escaño en que los orientales y romanos se reclinaban para comer. ‖ GEOL. Estrato o sedimento que forma el fondo de un yacimiento. ‖ Fondo de un mar o lago. ‖ Cauce de un río, terreno por el que corren sus aguas. [*Sinón.*: catre]

lechón. m. Cachorrillo de cerdo que todavía mama.

lechoso, sa. adj. Que tiene apariencia de leche. ‖ Aplícase a las plantas y frutos que tienen en su interior un jugo blanco semejante a la leche.

lechuga (al. *Lattich*, fr. *laitue*, ingl. *lettuce*, it. *lattuga*). f. BOT. Planta compuesta, originaria de la India. Se cultiva en las huertas y hay de ella muchas variedades; como la repollada, la de oreja de mula, la rizada, la flamenca, etc.

lechuguilla. f. *Amer.* Planta acuática de agua dulce. ‖ BOT. Lechuga silvestre.

lechuguino. m. fig. y fam. Muchacho imberbe que hombrea metiéndose a galanteador. Ú.t.c. adj. ‖ fig. y fam. Hombre joven que se compone mucho y sigue la moda. Ú.t.c. adj. [*Sinón.*: caballerete, petimetre]

lechuza (al. *Eule*, fr. *effraie*, ingl. *owl*, it. *civetta*). f. ZOOL. Ave rapaz y nocturna, frecuente en España, de cabeza redonda, pico corto y encorvado en la punta y ojos grandes; resopla con fuerza cuando está quieta y emite un graznido estridente y lúgubre cuando vuela. [*Sinón.*: curuja, oliva]

leer (al. *lesen*, fr. *lire*, ingl. *to read*, it. *leggere*). tr. Pasar la vista por lo escrito o impreso, haciéndose cargo del valor y significación de los caracteres empleados. || Interpretar un texto. || Explicar un profesor una materia sobre un texto. || Decir en público la lección de las oposiciones.

lega. f. Monja profesa, que sirve a la comunidad en las faenas caseras.

legacía. f. Cargo de legado. || Asunto encargado a un legado. || Territorio en el que ejerce sus funciones un legado y tiempo que dura su cargo.

legación (al. *Legation*, fr. *légation*, ingl. *legation*, it. *legazione*). f. Cargo que da un Gobierno a un individuo para que le represente cerca de otro Gobierno extranjero, como plenipotenciario o encargado de negocios. || Conjunto de los empleados que el legado tiene a sus órdenes. || Casa u oficina del legado. [*Sinón.*: delegación]

legado (al. *Nachlass*, fr. *legs*, ingl. *legacy*, it. *legato*). m. Manda que se hace en un testamento. || Por ext., lo que se deja o se transmite a los sucesores, sea cosa material o inmaterial. || Sujeto que una suprema potestad eclesiástica o civil envía a otra para tratar un negocio. || Persona eclesiástica que por disposición del Papa hace sus veces en un concilio, o ejerce sus facultades en un país. [*Sinón.*: herencia; nuncio]

legajo (al. *Faszikel*, fr. *liasse*, ingl. *file*, it. *fascio*). m. Atado de papeles.

legal (al. *gesetzmässig*, fr. *légal*, ingl. *legal*, it. *legale*). adj. Prescrito por ley y conforme a ella. || Verídico, puntual y fiel en el cumplimiento de las funciones de su cargo. [*Sinón.*: legítimo; exacto]

legalidad. f. Calidad de legal. || Régimen político estatuido por la ley fundamental del Estado. [*Sinón.*: legitimidad. *Antón.*: ilicitud]

legalista. adj. Que antepone a cualquier otra consideración la aplicación literal de las leyes.

legalización. f. Acción y efecto de legalizar. || Certificado que acredita la autenticidad de un documento o una firma.

legalizar (al. *beglaubigen*, fr. *légaliser*, ingl. *to legalise*, it. *legalizzare*). tr. Dar estado legal. || Certificar la autenticidad de un documento o una firma. [*Sinón.*: legitimar]

légamo (al. *Schlamm*, fr. *vase*, ingl. *mud*, it. *limaccio*). m. Sedimento arcilloso con restos orgánicos. || Porción arcillosa de las tierras cultivadas. [*Sinón.*: legano]

legaña (al. *Augenbutter*, fr. *chassie*, ingl. *blearness*, it. *cispa*). f. Humor procedente de la mucosa y glándulas de los párpados.

legañoso, sa. adj. Que tiene muchas legañas. Ú.t.c.s.

legar (al. *hinterlassen*, fr. *léguer*, ingl. *to bequeath*, it. *legare*). tr. Dejar una persona a otra alguna manda en su testamento. || Enviar a alguien de legado. || Transmitir ideas, costumbres, etc.

legatario, ria. s. Persona favorecida por el testador con una o varias mandas. [*Sinón.*: heredero]

legendario, ria (al. *sagenhaft*, fr. *légendaire*, ingl. *legendary*, it. *leggendario*). adj. Perteneciente o relativo a las leyendas. [*Sinón.*: fabuloso]

legible. adj. Que se puede leer.

legión (al. *Legion*, fr. *légion*, ingl. *legion*, it. *legione*). f. Cuerpo de tropa romana compuesto de infantería y caballería, que se dividía en diez cohortes. || fig. Número indeterminado y copioso de personas. || MIL. Nombre que suele darse a ciertos cuerpos de tropa.

legionario, ria. adj. Perteneciente a la Legión. || m. Soldado que sirve en la Legión.

legislación (al. *Gesetzgebung*, fr. *législation*, ingl. *legislation*, it. *legislazione*). f. Conjunto de leyes por las cuales se gobierna un Estado o una materia determinada. || Ciencia de las leyes.

legislador, ra. adj. Que legisla. Ú.t.c.s.

legislar. intr. Dictar o establecer leyes.

legislativo, va (al. *gesetzgebend*, fr. *législatif*, ingl. *legislative*, it. *legislativo*). adj. Aplícase al derecho de dictar leyes. || Aplícase al cuerpo o código de leyes. || Autorizado por una ley.

legislatura (al. *Legislaturperiode*, fr. *législature*, ingl. *legislatorial term*, it. *legislatura*). f. Tiempo durante el cual funcionan los cuerpos legislativos. || Período de sesiones de Cortes.

legista. com. Profesor de jurisprudencia. || Persona que estudia jurisprudencia o leyes. [*Sinón.*: jurisconsulto]

legitimar (al. *Für rechtmässig erklären*, fr. *légitimer*, ingl. *to legitimate*, it. *legittimare*). tr. Justificar la verdad de una cosa o la calidad de una persona o cosa conforme a las leyes. ||

Hacer legítimo al hijo que no lo era. || Habilitar a una persona para un oficio o empleo.

legitimista. adj. Partidario de un príncipe o dinastía en la creencia de que tiene derecho a reclamar el trono. Ú.t.c.s.

legítimo, ma (al. *echt*, fr. *légitime*, ingl. *genuine*, it. *legítimo*). adj. Conforme a las leyes. || Genuino y verdadero en cualquier línea. [*Sinón.*: auténtico]

lego, ga (al. *Laienbruder*, fr. *frère lai*, ingl. *lay brother*, it. *laico*). adj. Que no tiene órdenes clericales. Ú.t.c.s. || Falto de noticias. || m. El que siendo profesor no tiene opción a las sagradas órdenes.

legua (al. *Meile*, fr. *lieue*, ingl. *league*, it. *lega*). f. Medida itineraria equivalente a 5.572,7 m.

leguleyo. m. El que trata de leyes conociéndolas poco. [*Sinón.*: picapleitos]

legumbre (al. *Hülsenfrucht*, fr. *légume*, ingl. *legume*, it. *legume*). f. Todo género de fruto o semilla que se cría en vainas. || Por ext., hortaliza.

leguminoso, sa. adj. BOT. Dícese de hierbas, matas, arbustos y árboles angiospermos dicotiledóneos y fruto en legumbre con varias semillas sin albumen. Ú.t.c.s.f. || f.pl. Familia de estas plantas.

leíble. adj. Legible.

leído, da. adj. Dícese del que ha leído mucho y es hombre de erudición. [*Sinón.*: instruido, erudito]

leísmo. m. GRAM. Empleo de la forma *le* del pronombre, como única en el acusativo masculino singular.

leísta. adj. GRAM. Dícese de quienes sostienen que *le* debe ser el único acusativo masculino del pronombre *él*. Ú.t.c.s.

leitmotiv (voz alemana). m. Motivo central que se repite en una obra musical o literaria, o en la totalidad de la obra de un autor. || Tema dominante.

lejanía. f. Parte remota o distante de un lugar. [*Sinón.*: lontananza]

lejano, na (al. *entfernit*, fr. *lointain*, ingl. *distant*, it. *lontano*). adj. Distante, apartado. [*Antón.*: próximo, cercano]

lejía (al. *Lauge*, fr. *eau de Javel*, ingl. *lye*, it. *lisciva*). f. Agua en que se han disuelto álcalis o sus carbonatos. || fig. y fam. Represión fuerte o satírica.

lejos (al. *fern*, fr. *loin*, ingl. *far away*, it. *lontano*). adv. l. y t. A gran distancia; en lugar o tiempo remoto.

lelo, la (al. *Albern*, fr. *niais*, ingl. *stupid*, it. *sciocco*). adj. Fatuo, simple y como pasmado. Ú.t.c.s. [*Sinón.*: bobo]

lema (al. *Wahlspruch*, fr. *devise*, ingl. *motto*, it. *lemma*). m. Argumento que precede a ciertas composiciones literarias. || Letra o mote que se pone en los emblemas y empresas. || Tema de un discurso. || Palabra o palabras de contraseña en oposiciones y certámenes.

lemosín, na. adj. Natural de Limoges o de su antigua provincia, Ú.t.c.s. || Concerniente a ellas. || m. Lengua provenzal, lengua de oc.

lencería (al. *Leinwaren*, fr. *lingerie*, ingl. *linen goods*, it. *teleria*). f. Dícese de la ropa fina y trabajada, especialmente las prendas interiores femeninas y las piezas de cama y mesa.

lenco, ca. adj. *Amer*. Tartamudo. Ú.t.c.s.

lendrera. f. Peine de púas finas y espesas.

lene. adj. Suave o blando al tacto. || Dulce, agradable, benévolo. || Leve, ligero.

lengua (al. *Zunge, Sprache*; fr. *langue*; ingl. *tongue, language*; it. *lingua*). f. ANAT. Órgano movible situado en la cavidad de la boca de los vertebrados, que sirve para gustar, deglutir y articular los sonidos de la voz. || Sistema de comunicación y expresión verbal propio de un pueblo o nación, o común a varios. || La tira dorsal de la larda de una ballena. || Lengüeta, fiel de la balanza. || *tener* uno una cosa *en la lengua*. fig. y fam. Estar a punto de decirla. || *tirar de la lengua* a uno. fig. y fam. Provocarle para que diga lo que debe callar.

lenguado (al. *Seezunge*, fr. *sole*, ingl. *sole*, it. *sogliola*). m. ZOOL. Pez acantopterigio subranquial que vive en el fondo del mar, nadando siempre del mismo lado, y cuya carne es muy estimada. [*Sinón.*: suela]

lenguaje (al. *Sprache*, fr. *langage*, ingl. *language*, it. *lenguaggio*). m. Conjunto de sonidos articulados con que el hombre manifiesta lo que piensa o siente. || Facultad de expresarse por medio de estos sonidos. || Idioma hablado por un pueblo o nación. || Manera de expresarse. || fig. Conjunto de señales que dan a entender una cosa. [*Sinón.*: habla, elocución, lengua]

lenguaraz. adj. Hábil, inteligente en dos o más lenguas. || Deslenguado, atrevido en el hablar.

lenguazo. m. *Amer*. Calumnia, enredo.

lengüeta. f. Tira de piel que suelen tener los zapatos en la parte del cierre por debajo de los cordones. || Espiga a lo largo del canto de una tabla, con objeto de encajarla en una ranura de otra pieza. || MÚS. Laminilla movible de metal que tienen algunos instrumentos musicales de viento y ciertas máquinas hidráulicas o de aire.

lenidad. f. Blandura en exigir el cumplimiento de los deberes o en castigar las faltas. [*Sinón.*: benignidad, benevolencia]

lenificar. tr. Suavizar.

lenitivo, va. adj. Que tiene la virtud de ablandar y suavizar. Ú.t.c.s. || m. fig. Medio para mitigar los sufrimientos del ánimo. [*Sinón.*: calmante]

lenocinio. m. Alcahuetería, acción del alcahuete y su oficio. [*Sinón.*: rufianería]

lente (al. *Glaslinse*, fr. *lentille*, ingl. *lens*, it. *lente*). amb. Cristal con caras cóncavas o convexas, que se usa en varios instrumentos ópticos. Ú.m.c.m. || Cristal para miopes o présbitas. || pl. Cristales de igual clase, con armadura para colocarlos ante los ojos.

lenteja (al. *Linse*, fr. *lentille*, ingl. *lentil*, it. *lenticchia*). f. BOT. Planta herbácea, anual, de la familia de las papilionáceas, cuyas semillas son alimenticias y muy nutritivas. || Fruto de esta planta. || Pesa, en forma de lenteja, de la péndola del reloj.

lentejuela (al. *Flimmerblättchen*, fr. *paillette*, ingl. *spangle*, it. *lustrino*). f. Planchita redonda de plata u otra materia brillante, que se pone como adorno en los trajes.

lenticular. adj. Parecido en la forma a la semilla de la lenteja. || Perteneciente o relativo a las lentes. || m. ANAT. Hueso, el más pequeño de los cuatro que se hallan detrás del tímpano. Ú.t.c.adj.

lentigo. m. Peca, lunar.

lentilla. f. Lente muy pequeña que se adapta por contacto a la córnea del ojo.

lentisco. m. BOT. Mata o arbusto siempre verde, de la familia de las terebintáceas, de madera rojiza dura, aromática y útil para ciertas obras de ebanistería.

lentitud (al. *Langsamkeit*, fr. *lenteur*, ingl. *slowness*, it. *lentezza*). f. Tardanza con que se ejecuta una cosa. [*Antón.*: prontitud]

lento, ta (al. *langsam*, fr. *lent*, ingl. *slow*, it. *lento*). adj. Tardo o pausado en el movimiento o en la operación. || Poco vigoroso y eficaz.

leña (al. *Brennholz*, fr. *bois à brûler*, ingl. *firewood*, it. *legna*). f. Parte de los árboles y matas que, cortada y hecha trozos, se destina a lumbre. || fig. y fam. Castigo, paliza. || *echar leña al fuego*. fig. Poner medios para acrecentar un mal, dar incentivo a un efecto, inclinación o vicio.

leñador, ra (al. *Holzhacker*, fr. *bûcheron*, ingl. *woodman*, it. *boscaiuolo*). s. Persona que se emplea en cortar leña. || El que la vende.

leñazo. m. fam. Garrotazo.

leño (al. *Holzscheit*, fr. *bûche*, ingl. *log*, it. *legno*). m. Trozo de árbol después de cortado y limpio de ramas. || BOT. Duramen. || fig. y fam. Persona de escaso talento.

leñoso, sa. adj. Dícese de la parte más consistente de los vegetales. || Que tiene durezas y consistencia.

Leo. n. p. m. ASTR. León, signo del Zodíaco y constelación.

león (al. *Löwe*, fr. *lion*, ingl. *lion*, it. *leone*). m. ZOOL. Mamífero félido, carnicero, de pelaje entre amarillo y rojo, de un metro de altura aproximadamente; tiene la cabeza grande, los dientes y las uñas muy fuertes y la cola larga. El macho se distingue por una larga melena que le cubre la nuca y el cuello, y que crece con los años. || fig. Hombre audaz, imperioso y valiente. || ASTR. Quinto signo del Zodíaco, de treinta grados de amplitud, que el Sol recorre aparentemente al mediar el verano. || Constelación zodiacal que se halla delante del signo del mismo nombre y un poco hacia el Oriente. || — *marino*. ZOOL. Mamífero pinnípedo de cerca de tres metros de longitud.

leona. f. Hembra del león. || fig. Mujer audaz, imperiosa y valiente.

leonado, da. adj. De color rubio oscuro semejante al del pelo del león.

leonera. f. Lugar en que se tienen encerrados los leones. || fig. y fam. Aposento habitualmente desarreglado que suele haber en las casas. || fig y fam. Casa de juego.

leonés, sa. adj. Natural de León. Ú.t.c.s. || Perteneciente a esta región, provincia o ciudad de España. || Perteneciente al antiguo reino de León. || Natural de alguna de las ciudades, distritos, etc., que en América tienen el nombre de León; concerniente a ellos. Ú.t.c.s.

leónidas. f. pl. ASTR. Enjambre de estrellas fugaces; su centro de irradiación se halla en Leo.

leonino, na. adj. Perteneciente o relativo al león. ‖ DER. Dícese del contrato en que toda la ventaja se atribuye a una de las partes sin equitativa conmutación entre éstas.

leopardo (al. *Leopard*, fr. *léopard*, ingl. *leopard*, it. *leopardo*). m. ZOOL. Mamífero carnicero cuyo aspecto general es el de un gato grande, de pelaje blanco en pecho y vientre, y rojizo con manchas negras y redondas regularmente distribuídas por todo el resto del cuerpo.

leotardo. m. Prenda a modo de braga que se prolonga por dos medias que cubre y ciñe el cuerpo desde la cintura hasta los pies. Ú.t. en pl.

leperada. f. *Amer.* Acción o dicho de lépero.

lépero, ra. adj. Aplícase al individuo grosero y soez. Ú.t.c.s.

lepidóptero. adj. ZOOL. Dícese de los insectos que tienen cabeza pequeña con grandes antenas y una especie de trompa para chupar los jugos de las flores, dos pares de alas anchas que se tocan por los bordes y cubiertas de escamas muy tenues, y las patas muy delgadas y con cinco artejos en los tarsos; como la mariposa. Ú.t.c.s.m. ‖ m. pl. Orden de estos insectos.

leporino, na. adj. Perteneciente a la liebre.

lepra (al. *Aussatz*, fr. *lèpre*, ingl. *leprosy*, it. *lebbra*). f. MED. Enfermedad infecciosa crónica, que se caracteriza por síntomas cutáneos y nerviosos. ‖ Enfermedad, principalmente de los cerdos, producida por el cisticerco de la tenia común, y que aparece en los músculos de aquellos animales en forma de pequeños puntos blancos.

leprosería. f. Lazareto u hospital de leprosos.

leproso, sa. adj. Que padece lepra. Ú.t.c.s.

lercha. f. Junquillo para ensartar aves o peces muertos.

lerdo, da. adj. Pesado y torpe en el andar. ‖ fig. Tardo y torpe para comprender o ejecutar una cosa. [*Sinón.*: patoso, necio]

leridano, na. adj. Natural de Lérida. Ú.t.c.s. ‖ Perteneciente a esta provincia y ciudad de España.

les. Dativo del pronombre personal de tercera persona en género masculino o femenino y número plural.

lesbiano, na. adj. Lesbio. Aplicado a personas. Ú.t.c.s. ‖ f. Mujer homosexual.

lésbico, ca. adj. Se dice del amor homosexual entre mujeres. ‖ Concerniente al amor lésbico.

lesbio, bia. adj. Natural de Lesbos. Ú.t.c.s. ‖ Perteneciente a esta isla mediterránea.

lesión (al. *Verletzung*, fr. *lésion*, ingl. *injury*, it. *lesione*). f. Daño corporal causado por una herida, golpe o enfermedad. ‖ fig. Cualquier daño o perjuicio. [*Sinón.*: contusión, traumatismo]

lesionar. tr. Causar lesión. Ú.t.c.r. [*Sinón.*: lastimar]

lesivo, va. adj. Que causa o puede causar lesión.

letal (al. *tödlich*, fr. *mortel*, ingl. *deadly*, it. *letale*). adj. Mortífero, capaz de ocasionar la muerte. [*Sinón.*: mortal]

letanía (al. *Litanei*, fr. *litanie*, ingl. *litany*, it. *litania*). f. Súplica que se hace a Dios, invocando la Santísima Trinidad y poniendo por medianeros a Jesucristo, la Virgen y los santos. Ú.t. en pl. ‖ fig. y fam. Lista, retahíla de muchos nombres o frases.

letárgico, ca. adj. MED. Que padece letargo. ‖ Perteneciente a esta enfermedad.

letargo (al. *Lethargie*, fr. *léthargie*, ingl. *lethargy*, it. *letargo*). m. fig. Modorra, enajenamiento del ánimo. ‖ MED. Estado de somnolencia profundo y prolongado.

letón, na. adj. Dícese del individuo de un pueblo de raza lituana, al cual pertenecen en su mayoría los habitantes de Letonia o Latvia. ‖ m. Lengua hablada en Letonia; es un dialecto del lituano.

letra (al. *Buchstabe, Wechsel;* fr. *lettre, traite;* ingl. *letter, bill of exchange;* it. *lettera*). f. Cada uno de los signos con que se representan los sonidos de un idioma. ‖ Cada uno de estos mismos sonidos. ‖ Forma de la letra, o sea, modo particular de escribir propio de una persona, país o tiempo determinados. ‖ Sentido propio y exacto de las palabras usadas en un texto. ‖ Especie de romance corto. ‖ Conjunto de las palabras puestas en música para que se canten, a diferencia de la misma música. ‖ pl. Los diversos ramos de la cultura humanística. ‖ Conjunto de ciencias humanísticas. ‖ — *cursiva.* La de mano, que se liga mucho para escribir de prisa. ‖ — *de cambio.* Documento mercantil que comprende el giro de cantidad cierta en efectivo que hace el librador a la orden del tomador, al plazo que se expresa y a cargo del pagador, con indicación de la procedencia del valor y del lugar en que ha de ejecu-

tarse el pago. ‖ — *de molde.* La impresa. ‖ — *negrilla* o *negrita.* Letra especial gruesa que se destaca de los tipos ordinarios, resaltando en el texto. Ú.t.c.s. ‖ — *redonda.* La de mano o imprenta que es vertical o circular.

letrado, da. adj. Docto e instruido. ‖ fam. Que presume de discreto y habla mucho sin fundamento. ‖ m. Abogado, perito en Derecho.

letrero (al. *Aufschrift*, fr. *écriteau*, ingl. *notice*, it. *cartello*). m. Palabra o conjunto de palabras escritas para hacer saber o publicar una cosa. [*Sinón.*: rótulo]

letrilla. f. Composición poética de versos cortos. ‖ Composición poética, amorosa, festiva o satírica, dividida en estrofas con estribillo.

letrina (al. *Abort*, fr. *latrines*, ingl. *water-closet*, it. *latrina*). f. Lugar destinado para expeler los excrementos. [*Sinón.*: retrete, excusado]

leucemia. f. MED. Enfermedad muy grave de la sangre que se caracteriza por presentarse alteraciones de la maduración y proliferación de los leucocitos o glóbulos blancos. [*Sinón.*: leucosis]

leucocito. m. ZOOL. Glóbulo blanco de la sangre.

leucoma. f. MED. Manchita blanca en la córnea transparente del ojo, que le da opacidad.

leucorrea. f. MED. Flujo mucoso de las vías genitales femeninas.

leva. f. Partida de las embarcaciones del puerto. ‖ Recluta de gente para el servicio de un Estado. ‖ Acción de levarse o irse. [*Sinón.*: reclutamiento, alistamiento]

levadizo, za. adj. Que se puede levantar.

levadura (al. *Sauereig*, fr. *levure*, ingl. *yeast*, it. *lievito*). f. BOT. Masa formada principalmente por microorganismos capaces de actuar como fermentos. ‖ Por ext., cualquier sustancia que hace fermentar el cuerpo con que se la mezcla.

levantamiento. m. Acción y efecto de levantar o levantarse. ‖ Sedición, alboroto popular. ‖ Sublimidad, elevación. [*Sinón.*: alzamiento]

levantar (al. *erheben*, fr. *lever*, ingl. *to raise*, it. *alzare*). tr. Mover de abajo hacia arriba una cosa. Ú.t.c.r. ‖ Poner una cosa en lugar más alto que el que antes ocupaba. Ú.t.c.r. ‖ Poner derecha a persona o cosa que esté inclinada, tendida, etc. Ú.t.c.r. ‖ Tratándose de los ojos, la mirada, la puntería, etc., dirigirlos hacia arriba. || Quitar una cosa de donde está. || Alzar la cosecha. || Abandonar un lugar, llevándose lo que hay en él para trasladarlo a otro sitio. || Construir, edificar. || Hacer que salte la caza del sitio en que estaba. Ú.t.c.r. || fig. Erigir, instituir. || fig. Tratándose de la voz, darle mayor fuerza, hacer que suene más. || fig. Hacer que cesen ciertas penas impuestas por la autoridad competente. || fig. Rebelar, sublevar. Ú.t.c.r. || fig. Imputar maliciosamente algo falso. || r. Sobresalir.

levante (al. *Osten*, fr. *levant*, ingl. *orient*, it. *levante*). m. Oriente o punto por donde sale el Sol. || Viento que sopla desde Oriente. || Países de la parte oriental del mediterráneo. || Nombre genérico de las comarcas mediterráneas de España y especialmente las correspondientes a los antiguos reinos de Valencia y Murcia. |*Antón.*: poniente|

levantino, na. adj. Natural de Levante. Ú.t.c.s. || Perteneciente a la parte oriental del Mediterráneo.

levantisco, ca. adj. De genio inquieto y turbulento. [*Sinón.*: díscolo, indócil]

levar. tr. MAR. Al hablar de las anclas, arrancar y suspender la que está fondeada. [*Sinón.*: zarpar]

leve (al. *leicht*, fr. *léger*, ingl. *light*, it. *lieve*). adj. Ligero, de poco peso. || fig. De poca importancia, venial. [*Sinón.*: liviano, insignificante]

levedad. f. Calidad de leve. || Inconstancia.

levigar. tr. Desleír en agua una materia en polvo para separar la parte más tenue de la más gruesa.

levita (al. *Uberrock*, fr. *redingote*, ingl. *frock coat*, it. *sapràbito*). f. Vestidura masculina cuyos faldones, a diferencia de los del frac, llegan a cruzarse por delante.

levitación. f. Sensación alucinatoria de elevarse uno en el aire o flotar en él. || Suspensión en el aire de un cuerpo o de un objeto, sin intervención de agentes físicos conocidos.

levitón. m. Levita más larga y de paño más grueso que la corriente.

léxico, ca. adj. Concerniente al léxico o vocabulario de una lengua o región. || m. Diccionario de la lengua griega. || Por ext., diccionario de otra lengua. || Caudal de voces, modismos y giros de un autor.

lexicografía. f. Técnica de componer léxicos o diccionarios.

lexicología. f. Tratado de lo relativo a la analogía, significación y etimolo-gía de los vocablos que han de entrar en un léxico.

ley (al. *Gesetz*, fr. *loi*, ingl. *law*, it. *legge*). f. Regla y norma constante e invariable de las cosas, nacida de la causa primera o de sus cualidades y condiciones. || Precepto de la suprema autoridad. || En el régimen constitucional, disposición votada por las Cortes y sancionada por el Jefe del Estado. || Religión. || Fidelidad, lealtad. || Calidad, peso o medida de los géneros, según las leyes. || Cantidad de oro o plata que deben tener las monedas u otros objetos de esos metales. || Cantidad de metal contenida en una mena. || Condición establecida para un acto particular. || Conjunto de las leyes, o cuerpo del derecho civil. || FÍS. Cada una de las relaciones existentes entre las diversas magnitudes que intervienen en un fenómeno. || — *del embudo.* fig. y fam. La que se usa con desigualdad. || — *marcial.* DER. La de orden público, una vez declarado el estado de guerra. || *con todas las de la ley.* m. adv. Con todos los requisitos indispensables para el buen acabamiento. || *de buena ley.* loc. fig. De perfectas condiciones morales o materiales.

leyenda (al. *Sage*, fr. *légende*, ingl. *legend*, it. *leggenda*). f. Acción de leer. || Relación de sucesos que tienen más de maravillosos que de verdaderos. || Composición poética de alguna extensión en que se narra un suceso de esta clase.

lezna (al. *Ahle*, fr. *alène*, ingl. *awl*, it. *lèsina*). f. Instrumento que usan los zapateros y otros artesanos para agujerear, coser y pespuntar.

lía. f. Soga de esparto para atar y asegurar fardos y cargas. || Heces. Ú.m. comúnmente en pl.

liana. f. Bejuco.

liar (al. *einpacken*, fr. *envelopper*, ingl. *to tie up*, it. *legare*). tr. Atar y asegurar los fardos y cargas con lías. || Envolver una cosa sujetándola con papeles, cuerdas, etc. || Formar los cigarrillos envolviendo la picadura en el papel de fumar. || fig. y fam. Engañar a alguien, envolverle en un compromiso. Ú.t.c.r. || r. Amancebarse. || r. Mezclarse y meterse entre otros.

liásico, ca. adj. GEOL. Dícese del terreno sedimentario que sigue inmediatamente en edad al triásico. Ú.t.c.s.

libación. f. Acción de libar. || Ceremonia pagana que consistía en llenar un vaso de vino o de otro licor y derramarlo una vez probado.

libanés, sa. adj. Natural del Líbano. Ú.t.c.s. || Perteneciente o relativo a este país de Asia.

libar (al. *saugen*, fr. *sucer*, ingl. *to suck*, it. *libare*). tr. Chupar suavemente el jugo de una cosa. || Hacer la libación para el sacrificio. || Probar o gustar un licor. [*Sinón.*: beber, catar]

libelista. m. Autor de uno o varios libelos.

libelo (al. *Schmähschrift*, fr. *libelle*, ingl. *libel*, it. *libello*). m. Escrito en que se denigra o se infama a personas o cosas. Lleva ordinariamente el calificativo de infamatorio. [*Sinón.*: panfleto]

libélula (al. *Libelle*, fr. *libellule*, ingl. *dragon*, it. *libellula*). f. ZOOL. Insecto odonato de cabeza grande, ojos de gran tamaño, cuerpo alargado y cuatro alas largas muy nerviadas. Se alimenta de larvas e insectos. Sus larvas son acuáticas. Se le llama también caballito del diablo.

liberación. f. Acción de poner en libertad. || Cancelación de la carga que grava un inmueble. || Recibo entregado al deudor cuando paga.

liberal (al. *Liberal*, fr. *libéral*, ingl. *liberal*, it. *liberale*). adj. Que obra con liberalidad. || Dícese de todo lo hecho con ella. || Expedito, pronto para ejecutar cualquier cosa. || Partidario del liberalismo. Ú.t.c.s.

liberalidad. f. Virtud que consiste en distribuir alguien generosamente sus bienes sin esperar recompensa. || Generosidad, desprendimiento. [*Sinón.*: magnanimidad. *Antón.*: tacañería]

liberalismo (al. *Liberalismus*, fr. *libéralisme*, ingl. *liberalism*, it. *liberalismo*). m. Orden e ideas que profesan los partidarios del sistema liberal. || Partido político que forman sus partidarios. || Sistema que proclama la absoluta independencia del Estado, en su organización y funciones, de todas las religiones positivas.

liberar. tr. Libertar, eximir a alguien de una obligación. [*Sinón.*: librar]

liberiano, na. adj. Natural de Liberia. Ú.t.c.s. || Perteneciente o relativo a este país de África.

libertad (al. *Freiheit*, fr. *liberté*, ingl. *freedom*, it. *libertà*). f. Facultad natural que tiene el hombre de obrar de una manera o de otra, y de no obrar. || Estado del que no es esclavo o del que no está preso. || Falta de sujeción y subordinación. || Facultad de hacer o decir cuanto no se oponga a las leyes ni a las buenas costumbres. || Prerrogativa,

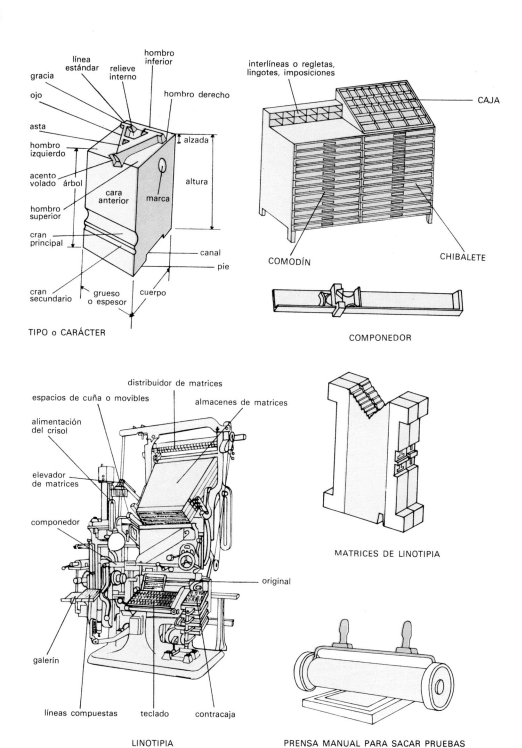

línea estándar
relieve interno
hombro inferior
gracia
ojo
asta
hombro izquierdo
acento volado
árbol
hombro superior
cran principal
cran secundario
grueso o espesor
cuerpo
hombro derecho
alzada
altura
cara anterior
marca
canal
pie

TIPO o CARÁCTER

interlíneas o regletas, lingotes, imposiciones
CAJA
COMODÍN
CHIBALETE

COMPONEDOR

distribuidor de matrices
espacios de cuña o movibles
almacenes de matrices
alimentación del crisol
elevador de matrices
componedor
original
galerín
líneas compuestas
teclado
contracaja

LINOTIPIA

MATRICES DE LINOTIPIA

PRENSA MANUAL PARA SACAR PRUEBAS

LIBRO

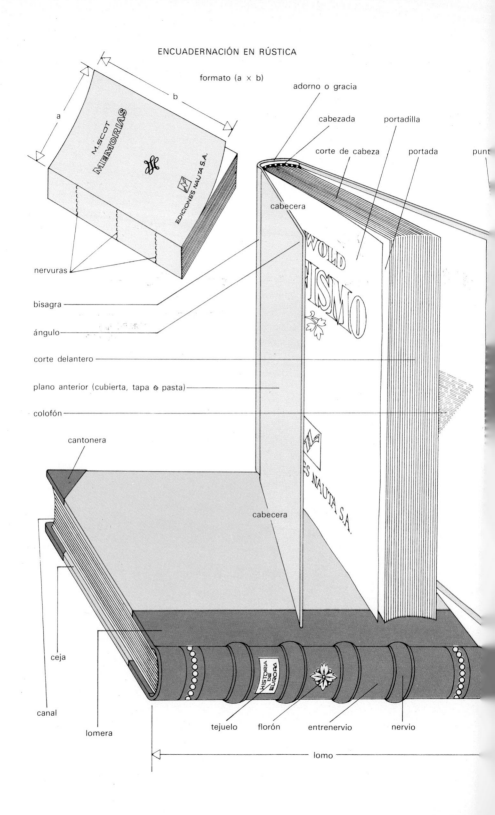

ENCUADERNACIÓN EN RÚSTICA

formato (a × b)

a

b

MEMORIAS
M. SCOT
EDICIONES NAUTA S.A.

nervuras

bisagra

ángulo

corte delantero

plano anterior (cubierta, tapa o pasta)

colofón

cantonera

ceja

canal

lomera

adorno o gracia

cabezada

portadilla

corte de cabeza

portada

punt

cabecera

WOLD
FISMO

ES NAUTA S.A.

cabecera

HISTORIA
DE
EUROPA

tejuelo   florón   entrenervio   nervio

lomo

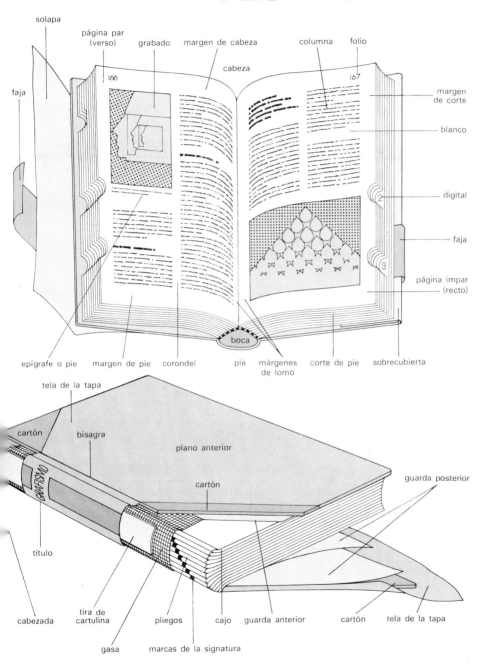

solapa

página par (verso)

grabado

margen de cabeza

cabeza

columna

folio

faja

166

167

margen de corte

blanco

digital

faja

página impar (recto)

boca

epígrafe o pie

margen de pie

corondel

pie

márgenes de lomo

corte de pie

sobrecubierta

tela de la tapa

cartón

bisagra

plano anterior

GRAFISMO

cartón

guarda posterior

título

cabezada

tira de cartulina

gasa

pliegos

marcas de la signatura

cajo

guarda anterior

cartón

tela de la tapa

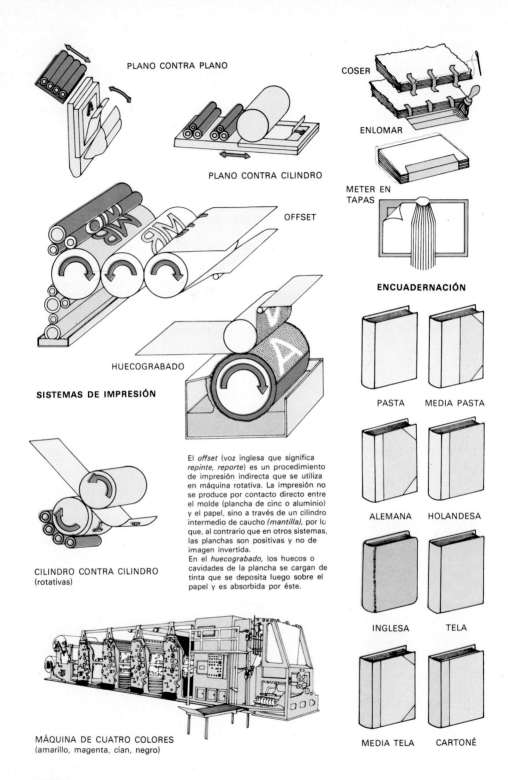

PLANO CONTRA PLANO

PLANO CONTRA CILINDRO

OFFSET

HUECOGRABADO

SISTEMAS DE IMPRESIÓN

CILINDRO CONTRA CILINDRO
(rotativas)

El *offset* (voz inglesa que significa
repinte, reporte) es un procedimiento
de impresión indirecta que se utiliza
en máquina rotativa. La impresión no
se produce por contacto directo entre
el molde (plancha de cinc o aluminio)
y el papel, sino a través de un cilindro
intermedio de caucho *(mantilla),* por lo
que, al contrario que en otros sistemas,
las planchas son positivas y no de
imagen invertida.
En el *huecograbado,* los huecos o
cavidades de la plancha se cargan de
tinta que se deposita luego sobre el
papel y es absorbida por éste.

MÁQUINA DE CUATRO COLORES
(amarillo, magenta, cian, negro)

COSER

ENLOMAR

METER EN
TAPAS

ENCUADERNACIÓN

PASTA   MEDIA PASTA

ALEMANA   HOLANDESA

INGLESA   TELA

MEDIA TELA   CARTONÉ

LIBRO

licencia. Ú.m. en pl. ‖ Desenfrenada contravención a las leyes y buenas costumbres. Ú.t. en pl. ‖ Licencia u osada familiaridad. ‖ Desembarazo, despejo. ‖ Soltura, habilidad natural para hacer algo con destreza. ‖ — *condicional.* Libertad que se concede con ciertas condiciones a los penados próximos al fin de su condena. ‖ — *provisional.* Situación o beneficio de que pueden gozar los procesados mientras se sigue el proceso.

libertar (al. *befreien,* fr. *libérer,* ingl. *to free,* it. *liberare*). tr. Poner a alguien en libertad; sustraerle de la esclavitud y sujeción. Ú.t.c.r. ‖ Eximir a alguien de cierta obligación. Ú.t.c.r.

libertario, ria. adj. Que defiende la libertad absoluta, la supresión de todo gobierno y de toda ley.

liberticida. adj. Que anula la libertad.

libertinaje (al. *Ausschweifung,* fr. *libertinage,* ingl. *debanchery,* it. *libertinaggio*). m. Desenfreno en las obras o en las palabras. ‖ Falta de respeto a la religión.

libertino, na. adj. Aplícase a la persona entregada al libertinaje. Ú.t.c.s. [*Sinón.:* vicioso, depravado]

liberto, ta (al. *Freigelassene,* fr. *affranchi,* ingl. *freed,* it. *affrancato*). s. Esclavo a quien se ha dado la libertad. [*Sinón.:* manumiso]

libidinoso, sa. adj. Lujurioso, lascivo.

libido. f. Término psíquico, usado por Freud y Jung para designar el factor sexual entendido como factor determinante de toda la vida humana.

libio, bia. adj. Natural de Libia. Ú.t.c.s. ‖ Concerniente a esta nación africana.

libra (al. *Pfund,* fr. *livre,* ingl. *pound,* it. *libbra*). f. Peso antiguo, variable según las regiones, que en Castilla tenía 16 onzas y equivalía a 460 gramos. ‖ Moneda cuyo valor varía según los países. ‖ Medida de capacidad, que contiene una libra de un líquido. ‖ n.p.f. Astr. Séptimo signo del Zodíaco. ‖ Astr. Constelación zodiacal que en otro tiempo debió de coincidir con el signo de este nombre, pero que hoy se halla delante de dicho signo y un poco hacia el oriente. ‖ — *esterlina.* Unidad monetaria de Inglaterra.

librado, da. s. Com. Persona contra la que se gira una letra de cambio.

librador, ra. adj. Que libra. Ú.t.c.s. ‖ Com. Persona que gira una letra de cambio. Ú.t.c.s.

libramiento. m. Com. Orden que se da por escrito para que alguien abone una cantidad de dinero u otro género.

libranza (al. *Geldanweisung,* fr. *mandat,* ingl. *draft,* it. *mandato di pagamento*). f. Com. Orden de pago que se da, ordinariamente por carta, contra alguien que tiene fondos a disposición del que la expide. ‖ Libramiento, orden de pago.

librar (al. *retten,* fr. *délivrer,* ingl. *to deliver,* it. *scampare*). tr. Preservar o sacar de un trabajo, mal, etc. Ú.t.c.r. ‖ Confiar en una persona o cosa. ‖ Construido con ciertos sustantivos, expedir o dar lo que éstos significan. ‖ Com. Expedir letras de cambio o documentos parecidos. ‖ intr. Parir la mujer. ‖ fam. Disfrutar de su día de descanso los empleados y obreros.

libre (al. *frei,* fr. *libre,* ingl. *free,* it. *libero*). adj. Que tiene facultad para obrar o no obrar. ‖ Que no es esclavo; que no está preso. ‖ Licencioso, insubordinado. ‖ Atrevido, desenfrenado. ‖ Exento, dispensado. ‖ Aplícase a los sentidos y a los miembros del cuerpo que tiene expedito el ejercicio de sus funciones. ‖ Soltero.

librea (al. *Livree,* fr. *livrée,* ingl. *livery,* it. *livrea*). f. Traje que los príncipes, señores y algunas otras personas o entidades dan a sus criados; por lo común, se trata de un uniforme y distintivo.

librecambio. m. Sistema económico que favorece el comercio, principalmente el internacional, mediante la supresión de aranceles aduaneros, y la libertad de transacciones comerciales.

librecambismo. m. Doctrina económica que defiende el librecambio.

librepensador, ra. adj. Partidario del librepensamiento. Ú.t.c.s.

librepensamiento. m. Fil. Doctrina que reclama para la razón individual, independencia absoluta de todo dogma religioso.

librería (al. *Buchhandlung,* fr. *librairie,* ingl. *bookstore,* it. *libreria*). f. Biblioteca. ‖ Tienda donde se venden libros. ‖ Mueble con estantes para colocar libros.

librero, ra. (al. *Buchhändler,* fr. *libraire,* ingl. *bookseller,* it. *libraio*). s. El que tiene por oficio vender libros en los establecimientos del ramo.

libresco, ca. adj. Concerniente al libro. ‖ Se aplica al autor que se inspira en la lectura de los libros y no en la realidad de la vida ni en la naturaleza.

libreta. f. Cuaderno destinado a

escribir en él anotaciones o cuentas. ‖ La que expide una caja de ahorros.

libretista. com. Autor de libretos.

libreto. m. Obra dramática escrita para ser puesta en música.

libro (al. *Buch,* fr. *livre,* ingl. *book,* it. *libro*). m. Reunión de muchas hojas de papel, vitela, etc., impresas y cosidas o encuadernadas en un mismo volumen. ‖ Obra científica o literaria de bastante extensión para formar volumen. ‖ Cada una de ciertas partes en que suele dividirse la obra científica o literaria y los códigos de gran extensión. ‖ Libreto. ‖ fig. Impuesto. ‖ Zool. Tercera de las cuatro cavidades en que se divide el estómago de los rumiantes. ‖ Legalmente, todo impreso no periódico de 200 páginas o más. ‖ — *de caja.* El que tienen los hombres de negocios para anotar la entrada y salida del dinero. ‖ — *de horas.* El que tiene las horas canónicas. ‖ — *de texto.* El utilizado por los alumnos de un centro de enseñanza. ‖ *hablar como un libro.* fig. Hablar con elegancia y autoridad.

licantropía. f. Med. Manía en la cual el enfermo se imagina estar transformado en lobo.

licántropo. m. Enfermo que padece licantropía.

licencia (al. *Lizenz,* fr. *licence,* ingl. *license,* it. *licenza*). f. Facultad o permiso para hacer una cosa. ‖ Documento en que consta la licencia. ‖ Libertad abusiva para expresarse u obrar. ‖ — *absoluta.* Mil. La que se concede a los militares, eximiéndolos completamente del servicio.

licenciado, da (al. *Lizentiat,* fr. *licencié,* ingl. *licentiate,* it. *laureato*). s. Persona que ha obtenido en una facultad el grado que le habilita para el ejercicio de cierta profesión. ‖ m. Tratamiento que se da a los abogados. ‖ Soldado que ha recibido su licencia absoluta.

licenciamiento. m. Licenciatura, acto de recibir el grado de licenciado. ‖ Acción de licenciar a los soldados.

licenciar. tr. Dar permiso o licencia. ‖ Despedir a uno. ‖ Conferir el grado de licenciado. ‖ Dar al soldado la licencia absoluta. ‖ r. Tomar el grado de licenciado. [*Sinón.:* permitir; graduar]

licenciatura. f. Grado de licenciado. ‖ Acto de recibirlo. ‖ Estudios necesarios para obtener este grado. [*Sinón.:* carrera]

licencioso, sa. adj. Libre, atrevido, disoluto.

liceo. m. Uno de los tres antiguos gimnasios de Atenas, donde enseñó

Aristóteles. ‖ Escuela aristotélica. ‖ Nombre de algunas sociedades literarias o de recreo. ‖ En algunos países, instituto de enseñanza media.

licitación. f. DER. Acción y efecto de licitar.

licitar. tr. Ofrecer precio por una cosa en subasta.

lícito, ta (al. *Zulässig,* fr. *licite,* ingl. *licit,* it. *lecito*). adj. Según justicia y razón. ‖ Que es de la ley o calidad que se manda. [*Sinón.*: justo, permitido]

licitud. f. Calidad de lícito.

licor (al. *Likör,* fr. *liqueur,* ingl. *liquor,* it. *liquore*). m. Cuerpo líquido. ‖ Bebida espiritosa obtenida por destilación, maceración o mezcla de diversas sustancias, y compuestas de alcohol, agua, azúcar y esencias aromáticas variadas.

licorera. f. Utensilio de mesa donde se colocan las botellas de licor y, a veces, las copas en que se sirve.

licorista. com. Persona que elabora o vende licores.

licuación. f. Acción y efecto de licuar o licuarse. [*Sinón.*: licuefacción]

licuar (al. *verflüssigen,* fr. *liquéfier,* ingl. *to liquefy,* it. *liquefare*). tr. Fís. Convertir en líquido una cosa sólida o gaseosa. Ú.t.c.r. ‖ MINER. Fundir un metal sin que se derritan las demás materias con que se encuentra combinado.

lid (al. *Kampf,* fr. *combat,* ingl. *fight,* it. *combattimento*). f. Combate, pelea. ‖ fig. Disputa, contienda de razones y argumentos. [*Sinón.*: lucha, polémica]

líder. m. Jefe de grupo o partido político. ‖ DEP. El que marcha en cabeza de una competición.

liderato. m. Condición de líder o ejercicio de sus actividades.

liderazgo. m. Liderato.

lidia. f. Acción y efecto de lidiar.

lidiar. intr. Batallar, pelear. ‖ fig. Hacer frente a alguien, oponérsele. ‖ fig. Tratar con una o más personas que causan molestia. ‖ tr. TAUROM. Burlar al toro luchando con él y esquivando sus acometidas hasta darle muerte.

liebre (al. *Hase,* fr. *lièvre,* ingl. *hare,* it. *lepre*). f. ZOOL. Mamífero roedor, muy tímido, solitario y de veloz carrera, que abunda en España. Vive al raso en las llanuras, sin hacer madrigueras; su carne es muy apreciada y su piel más estimada que la del conejo. ‖ fig. y fam. Hombre tímido y cobarde. ‖ n.p.f ASTR. Pequeña constelación meridional debajo de Orión y al occidente del Can Mayor.

liendre. f. ZOOL. Huevecillo del piojo.

lienzo (al. *Leinwand,* fr. *toile,* ingl. *linen cloth,* it. *tela*). m. Tela que se fabrica de lino, cáñamo o algodón. ‖ Pintura hecha sobre esta tela. ‖ Fachada o pared del edificio.

liga (al. *Strumpfband, Bund;* fr. *jarretière, ligue;* ingl. *garter, league;* it. *giarrettiera, lega*). f. Cinta elástica con que se aseguran las medias. ‖ Unión o mezcla. ‖ Aleación. ‖ Confederación que hacen entre sí los Estados para defenderse de sus enemigos o para ofenderlos. ‖ Por ext., agrupación de individuos o colectividades humanas con algún designio que les es común. ‖ DEP. Competición en la que se enfrentan entre sí todos los equipos participantes en la misma.

ligadura (al. *Binde,* fr. *ligature,* ingl. *ligature,* it. *bendatura*). f. Vuelta que se da apretando una cosa con liga u otra atadura. ‖ Acción y efecto de ligar o unir. ‖ fig. Atadura con que una cosa está unida a otra. ‖ CIR. Venda o hilo que se emplea para ligar los cabos seccionados de un vaso o para fijar o estrangular una parte del organismo. ‖ Acto de aplicar este medio quirúrgico. ‖ MÚS. Línea curva usada en la notación musical.

ligamen. m. Impedimento dirimente que para un nuevo matrimonio supone el anterior no disuelto legalmente.

ligamento (al. *Knochenband,* fr. *ligament,* ingl. *ligament,* it. *legamento*). m. ANAT. Cordón fibroso que liga los huesos de las articulaciones. ‖ ANAT. Pliegue membranoso que enlaza en la debida posición cualquier órgano.

ligar (al. *binden,* fr. *lier,* ingl. *to tie,* it. *legare*). tr. Atar. ‖ Alear metales. ‖ Unir o enlazar. ‖ intr. En ciertos juegos de naipes, juntar dos o más cartas adecuadas al lance. ‖ Establecer relaciones de tipo erótico. ‖ Iniciar un flirteo. ‖ r. Confederarse, unirse para algún fin.

ligazón. f. Unión. enlace de una cosa con otra. ‖ MAR. Cualquiera de los maderos que se enlazan para componer las cuadernas de un buque. [*Sinón.*: enlace, encadenamiento]

ligereza. f. Presteza, agilidad. ‖ Levedad. ‖ fig. Inconstancia, inestabilidad. ‖ fig. Hecho o dicho irreflexivo. [*Sinón.*: prontitud, versatilidad, imprudencia]

ligero, ra (al. *leicht, schnell;* fr. *léger, vite;* ingl. *light, quick;* it. *leggero, veloce*). adj. Que pesa poco. ‖ Ágil, veloz, pronto. ‖ Aplícase al sueño que se interrumpe fácilmente con cualquier ruido. ‖ Leve, de poca importancia y consideración. ‖ fig. Hablando de alimentos, que se digieren pronto y fácilmente. ‖ fig. Inconstante, que muda fácilmente de opinión. ‖ *a la ligera.* m. adv. De prisa o rápida, superficial y brevemente.

lignito. m. Carbón fósil leñoso, de color pardo y textura terrosa, más reciente que la hulla y menos rico que ella en carbono.

ligón. m. Especie de azada.

ligón, na. adj. Que flirtea mucho.

ligue. m. Acción de ligar, flirtear.

liguero, ra. adj. Perteneciente o relativo a una liga deportiva. ‖ m. Especie de cinturón o faja estrecha a que se sujeta el extremo superior de las ligas de las mujeres.

lija (al. *Engelhai,* fr. *chien de mer,* ingl. *dogfish,* it. *pescecane*). f. ZOOL. Pez marino selacio de piel cubierta de una especie de granillos córneos muy duros que la hacen sumamente áspera. Es muy voraz. ‖ Piel seca de este pez o de otro selacio, que se usa para pulir y limpiar metales y maderas. ‖ Papel con polvos o arenillas de vidrio o esmeril adheridos para pulir.

lijar. tr. Alisar y pulir una cosa con lija.

lila. f. BOT. Arbusto oleáceo, de flores pequeñas de color morado claro y olorosas, originario de Persia. ‖ Flor de este arbusto. ‖ Color morado claro. ‖ adj. fam. Tonto, fatuo. Ú.t.c.s.

liliáceo, a. adj. BOT. Dícese de plantas angiospermas monocotiledóneas, por lo general herbáceas, bulbosas o tuberculosas, hojas radicales y a veces sobre el tallo, enteras y sentadas; generalmente con flores al extremo de un tallo herbáceo y fruto capsular, con muchas semillas de albumen carnoso. Ú.t.c.s.f. ‖ f. pl. Familia de estas plantas.

liliputiense. adj. fig. Dícese de la persona extremadamente pequeña. [*Sinón.*: enano, pigmeo]

lima (al. *Feile,* fr. *lime,* ingl. *file,* it. *lima*). f. Instrumento de acero templado, con la superficie finamente estriada en uno o en dos sentidos para desgastar y alisar los metales y otras materias duras. ‖ fig. Lo que imperceptiblemente va consumiendo una cosa. ‖ ARQ. Madero que se coloca en un ángulo que forman dos vertientes de una cubierta. ‖ ARQ. Este mismo ángulo. ‖ BOT. Fruto del limero, de forma esferoidal, corteza amarilla y pulpa jugosa de sabor algo dulce.

limadura. f. Acción y efecto de limar. || pl. Partecillas menudas que se arrancan al limar.

limalla. f. Conjunto de limaduras.

limar. tr. Cortar o alisar los metales, la madera, etc., con la lima. || fig. Pulir una obra.

limatón. m. Lima gruesa y áspera, de figura redonda.

limazo. m. Viscosidad o babaza.

limbo (al. *Vorhölle*, fr. *limbes*, ingl. *limbo*, it. *limbo*). m. Lugar donde las almas de los santos y patriarcas antiguos esperaban la redención del género humano. || Lugar adonde van las almas de los que, antes del uso de la razón, mueren sin el bautismo. || Borde de una cosa; orla o extremidad de la vestidura. || ASTR. Contorno aparente de un astro. || BOT. Lámina de las hojas, sépalos o pétalos. || *estar* uno *en el limbo.* fig. y fam. Estar distraído o atontado, no enterarse de lo que se dice o de las cosas que pasan.

limen. m. poét. Umbral.

limeño, ña. adj. Natural de Lima. Ú.t.c.s. || Perteneciente a esta ciudad.

limero. m. BOT. Árbol rutáceo originario de Persia, de flores blancas, pequeñas y olorosas, cuyo fruto es la lima.

limitación. f. Acción y efecto de limitar.

limitado, da (al. *beschränkt*, fr. *borné*, ingl. *limited*, it. *limitato*). adj. Dícese del que es de corto entendimiento. || Que tiene límite.

limitar (al. *begrenzen*, fr. *limiter*, ingl. *to limit*, it. *limitare*). tr. Poner límites a un terreno. || fig. Acortar, ceñir. Ú.t.c.r. || fig. Fijar la mayor extensión que pueden tener la jurisdicción, autoridad o derechos y facultades de uno. || intr. Estar contiguos dos terrenos, lindar. [*Sinón.*: delimitar]

límite (al. *Grenze*, fr. *limite*, ingl. *limit*, it. *limite*). m. Término o lindero de reinos, provincias, etc. || fig. Fin, término. || MAT. Término que no puede ser sobrepasado por el valor de una cantidad.

limítrofe. adj. Confinante, aledaño.

limo (al. *Kot*, fr. *boue*, ingl. *slime*, it. *limaccio*). m. Lodo o légamo.

limón (al. *Zitrone*, fr. *citron*, ingl. *lemon*, it. *limone*). m. BOT. Fruto del limonero, de color amarillo, pulpa dividida en gajos comestibles, jugosa y de sabor ácido agradable. || Árbol que da este fruto.

limonada (al. *Limonade*, fr. *limonade*, ingl. *lemonade*, it. *limonata*). f. Bebida compuesta de agua, azúcar y zumo de limón.

limonar. m. Lugar o paraje donde se cultivan limoneros.

limonero (al. *Zitronenbaum*, fr. *citronnier*, ingl. *lemon-tree*, it. *limone*). m. BOT. Árbol rutáceo de flores olorosas, rosáceas por fuera y blancas por dentro. Su fruto es el limón.

limosna (al. *Almosen*, fr. *aumône*, ingl. *alms*, it. *elemosina*). f. Lo que se da por caridad para socorrer una necesidad. [*Sinón.*: óbolo]

limosnero, ra. adj. Caritativo, que da limosna con frecuencia. || *Amer.* Mendigo. || m. Encargado de recoger y distribuir limosnas. || Escarcela o bolsa con dinero para dar limosnas.

limpia. f. Acción y efecto de limpiar.

limpiabarros. m. Utensilio que suele ponerse a la entrada de las casas para que los que llegan de fuera se limpien el barro del calzado.

limpiabotas (al. *Schuhputzer*, fr. *cireur*, ingl. *boot-black*, it. *lustrascarpe*). m. El que por oficio limpia y lustra botas y zapatos.

limpiaparabrisas (al. *Scheibenwischer*, fr. *essuie-glace*, ingl. *windscreen wiper*, it. *tergicristallo*). m. Accesorio del automóvil que sirve para limpiar automáticamente el parabrisas del agua, polvo, etc.

limpiar (al. *reinigen*, fr. *nettoyer*, ingl. *to clean*, it. *pulire*). tr. Quitar la suciedad de una cosa. Ú.t.c.r. || fig. Ahuyentar de algún sitio a los que dañan o perjudican su condición. || fig. Quitar a los árboles las ramas pequeñas que se dañan entre sí. || fig. y fam. Hurtar. [*Sinón.*: asear, librar, podar]

limpidez. f. Calidad de límpido.

límpido, da. adj. poét. Limpio, puro, sin mancha. [*Antón.*: sucio]

limpieza (al. *Sauberkeit*, fr. *propreté*, ingl. *cleanliness*, it. *pulizia*). f. Calidad de limpio. || Acción y efecto de limpiar o limpiarse. || fig. Pureza, castidad. || fig. Integridad con que se procede en los negocios. || fig. Precisión, perfección con que se ejecutan ciertas cosas. || fig. En los juegos, observación estricta de las reglas. [*Antón.*: suciedad]

limpio, pia (al. *sauber*, fr. *propre*, ingl. *clean*, it. *pulito*). adj. Que no tiene mancha o suciedad. || Que tiene el hábito del aseo y la pulcritud. || fig. Exento de cosa que dañe. || fig. y fam. Se aplica al que ha perdido todo su dinero. [*Sinón.*: aseado, puro. *Antón.*: sucio; manchado]

lináceo, a. adj. BOT. Dícese de plantas angiospermas dicotiledóneas de hojas estrechas, flores regulares pentámeras y fruto seco capsular; como el lino. Ú.t.c.s.f. || f. pl. Familia de estas plantas.

linaje (al. *Abstammung*, fr. *famille*, ingl. *lineage*, it. *lignaggio*). m. Ascendencia o descendencia de cualquier familia. || fig. Clase o condición de una cosa. [*Sinón.*: estirpe]

linajudo, da. adj. Aplícase al que es o se precia de ser de gran linaje. Ú.t.c.s. [*Sinón.*: aristocrático. *Antón.*: plebeyo]

linaza. f. BOT. Simiente del lino. Molida, se utiliza en medicina aplicándola como cataplasma emoliente. Su aceite, resultante del prensado, se utiliza como secante en la fabricación de pinturas y barnices, y mezclado con agua da un mucílago de mucha aplicación en la industria.

lince (al. *Luchs*, fr. *lynx*, ingl. *lynx*, it. *lince*). m. ZOOL. Mamífero carnicero muy parecido al gato cerval, pero mayor, con el pelaje que tira a bermejo, y las orejas puntiagudas terminadas en un pincel de pelos negros. Vive principalmente en el centro y norte de Europa. || fig. El que tiene una vista aguda. Ú.t.c.adj. || fig. Persona aguda, sagaz. Ú.t.c.adj.

linchamiento. m. Acción de linchar.

linchar. tr. Ejecutar a un criminal, verdadero o supuesto, sin formación de proceso y tumultuariamente.

lindar (al. *angrenzen*, fr. *être contigu*, ingl. *to be contiguous*, it. *essere contiguo*). intr. Estar contiguos dos territorios, terrenos o fincas. [*Sinón.*: limitar, tocar]

linde (al. *Grenze*, fr. *limite*, ingl. *boundary*, it. *limite*). amb. Límite, término o línea que divide unas heredades de otras. [*Sinón.*: lindero]

lindera. f. Linde o conjunto de los lindes de un terreno.

lindero, ra. adj. Que linda con una cosa. || m. Linde, lindera.

lindeza. f. Calidad de lindo. || Hecho o dicho gracioso. || pl. fam. Insultos o improperios. [*Sinón.*: hermosura]

lindo, da (al. *hübsch*, fr. *joli*, ingl. *pretty*, it. *carino*). adj. Hermoso, apacible y grato a la vista. || fig. Bueno, primoroso y exquisito. || *de lo lindo.* m. adv. Con gran primor, mucho o con exceso. [*Sinón.*: bello, precioso]

línea (al. *Linie*, fr. *ligne*, ingl. *line*, it. *linea*). f. GEOM. Extensión considerada en una sola de sus tres dimensiones. || Serie de personas o cosas situadas una detrás de otra o una al lado de la otra. ‖ Vía terrestre, marítima o aérea. ‖ Serie de personas unidas por parentesco. ‖ Frente, territorio donde combaten dos ejércitos. ‖ MIL. Formación de tropas en orden de batalla. ‖ – *de flotación*, o *de agua*. MAR. La que separa la parte sumergida del casco de un buque de la que no lo está. ‖ – *equinoccial*. GEOGR. Ecuador terrestre. ‖ – *férrea*. Vía férrea. ‖ – *recta*. GEOM. La más corta entre un punto y otro. ‖ – *telefónica* o *telegráfica*. Conjunto de los aparatos e hilos conductores del teléfono o del telégrafo. [*Sinón.*: trazo, camino, linaje, hilera]

lineal. adj. Perteneciente a la línea. ‖ Se dice del dibujo representado sólo por líneas.

linfa (al. *Lymphe*, fr. *lymphe*, ingl. *lymph*, it. *linfa*). f. FISIOL. Parte del plasma sanguíneo que atraviesa las paredes de los vasos capilares, se difunde por los tejidos, recoge las sustancias producidas por la actividad de las células y entra en los vasos linfáticos, por los que circula hasta incorporarse a la sangre venosa. ‖ Vacuna. ‖ poét. Agua.

linfático, ca. adj. Que abunda en linfa. Ú.t.c.s. ‖ Perteneciente a este humor. ‖ MED. Aplicado a personas, apático, flemático.

lingote. m. Trozo o barra de metal en bruto.

lingual. adj. Concerniente a la lengua. ‖ FON. Dícese de las consonantes que se pronuncian con la punta de la lengua, como la *l*. Ú.t.c.s.f.

lingüista. m. El versado en lingüística.

lingüística. f. Ciencia del lenguaje. ‖ Estudio teórico del lenguaje.

lingüístico, ca. adj. Perteneciente o relativo a la lingüística o al lenguaje.

linimento (al. *Einreibemittel*, fr. *liniment*, ingl. *liniment*, it. *linimento*). m. FARM. Preparación menos espesa que el ungüento y que se aplica exteriormente en fricciones. [*Sinón.*: linimiento]

lino (al. *Flachs*, fr. *lin*, ingl. *flax*, it. *lino*). m. BOT. Planta linácea, con tallo recto y hueco de un metro de alto aproximadamente y ramoso en su extremidad. ‖ Materia textil que se saca de los tallos de esta planta. ‖ Tela hecha de lino.

linóleo. m. Tela fuerte e impermeable, formada por un tejido de yute recubierto con una capa de corcho en polvo amasado con aceite de linaza.

linotipia (al. *Setzmaschine*, fr. *linotype*, ingl. *linotype*, it. *linotipia*). f. IMP. Máquina de componer dotada de matrices y de un teclado parecido al de la máquina de escribir; de ella salen las líneas fundidas en una sola pieza.

linotipista (al. *Linotypist*, fr. *linotypiste*,· ingl. *linotyper*, it. *linotipista*). com. Persona que maneja una linotipia.

linterna (al. *Laterne*, fr. *lanterne*, ingl. *lantern*, it. *lanterna*). f. Farol fácil de llevar en la mano, con una sola cara de vidrio y un asa en la opuesta. ‖ ARQ. Pieza con ventanas que se pone como remate en algunos edificios. ‖ MAR. Faro de las costas.

lío (al. *Bündel*, fr. *paquet*, ingl. *bundle*, it. *pacco*). m. Porción de ropa o de otras cosas atadas. ‖ fig. y fam. Embrollo. ‖ fig. y fam. Barullo desorden. ‖ fig. y fam. Relación amorosa irregular. ‖*Antón.*: orden, claridad]

liofilizar. tr. Desecar mediante el vacío productos o elementos orgánicos a fin de conservarlos.

lionés, sa. adj. Natural de Lyon. Ú.t.c.s. ‖ Perteneciente a esta ciudad de Francia.

lioso, sa. adj. fam. Embrollador. Se dice también de las cosas.

lípido. m. QUÍM. Nombre genérico de todo cuerpo graso Ú.m. en pl.

lipotimia. f. MED. Pérdida súbita y pasajera del sentido y del movimiento. [*Sinón.*: desmayo]

liquen (al. *Flechte*, fr. *lichen*, ingl. *lichen*, it. *lichene*). m. BOT. Planta criptógama constituida por la asociación de un hongo y un alga.

liquidación. f. Acción y efecto de liquidar. ‖ COM. Venta por menor y con gran rebaja de precios que hace un establecimiento comercial.

liquidar. tr. Transformar en líquida una cosa sólida o gaseosa. Ú.t.c.r. ‖ fig. Hacer el ajuste de una cuenta. ‖ fig. Poner término a una cosa. ‖ COM. Hacer ajuste final de cuentas un establecimiento comercial por cesar en el negocio. ‖ Vender con rebaja hasta agotar las existencias. [*Sinón.*: licuar; saldar; concluir]

liquidez. f. Calidad de líquido. ‖ COM. Calidad del activo de un banco que puede fácilmente transformarse en dinero efectivo. ‖ COM. Relación entre el conjunto de dinero en caja y de bienes fácilmente convertibles en dinero, y el total del activo, de un banco u otra entidad.

líquido, da (al. *flüssigkeit*, fr. *liquide*, ingl. *liquid*, it. *liquido*). adj. Se dice de todo cuerpo cuyas moléculas se adaptan a la cavidad que las contiene, y tienden siempre a ponerse a nivel; como el agua, el vino, el azogue, etc. Ú.t.c.s.m. ‖ Se dice del saldo que resulta de la comparación del cargo con la data. Ú.t.c.s.m.

lira (al. *Leier*, fr. *lyre*, ingl. *lyre*, it. *lira*). f. Instrumento músico de cuerda usado antiguamente. ‖ Combinación métrica de cinco versos: tres heptasílabos y dos endecasílabos; o de seis versos de distinta medida, y en la cual riman los cuatro primeros alternadamente y los dos últimos entre sí. ‖ Unidad monetaria italiana. ‖ ASTR. Pequeña constelación septentrional, cerca al sur de la cabeza del Dragón y al occidente del Cisne.

lírico, ca (al. *Lyrisch*, fr. *lyrique*, ingl. *lyric*, it. *lirico*). adj. Perteneciente a la lira o a la poesía propia para el canto. ‖ Aplícase al género de poesía en que el poeta canta sus propios afectos e ideas, y, por regla general, a todas las obras en verso que no son épicas o dramáticas.

lirio (al. *Lilie*, fr. *lis*, ingl. *lily*, it. *giglio*). m. BOT. Planta irídea de flores terminales, grandes, con seis flores azules, moradas o blancas. ‖ – *blanco*. Azucena, planta. ‖ – *de agua*. Cala, planta acuática aroidea.

lirismo. m. Cualidad de lírico, inspiración lírica. ‖ Abuso de las características de la lírica.

lirón. m. ZOOL. Mamífero roedor muy parecido al ratón. Se alimenta de los frutos de los árboles, por los que trepa con extraordinaria agilidad. Pasa todo el invierno adormecido y oculto. ‖ fig. Persona dormilona.

lis. m. BLAS. Dibujo esquemático cuya forma recuerda el lirio. ‖ BOT. Lirio.

lisboeta. adj. Natural de Lisboa. Ú.t.c.s. ‖ Concerniente a esta ciudad de Portugal.

lisiado, da. adj. Dícese de la persona que tiene alguna imperfección orgánica. Ú.t.c.s.

lisiar. tr. Producir lesión en alguna parte del cuerpo. Ú.t.c.r.

liso, sa (al. *Glatt*, fr. *uni*, ingl. *smooth*, it. *liscio*). adj. Igual, sin aspereza; sin adornos, sin realces. ‖ Se dice de las telas sin labrar y de los vestidos sin adornos. ‖ *Amer.* Desvergonzado. ‖ fam. *Amer.* Insolente, respondón. ‖ m. Cara plana y extensa de una roca. [*Sinón.*: suave]

lisonja. f. Alabanza afectada. ‖ BLAS. Losange. [*Sinón.*: adulación]

lisonjear. tr. Adular. ‖ Dar motivo de envanecimiento. Ú.t.c.r.

lisonjero, ra. adj. Que lisonjea. Ú.t.c.s. ‖ fig. Que agrada. [*Sinón.*: adulador]

lista (al. *Verzeichnis,* fr. *liste,* ingl. *list,* it. *elenco*). f. Índice o relación escrita de una serie de cosas. ‖ Tira de tela, papel, etc. ‖ Línea que por combinación de un color con otro, se forma en un cuerpo cualquiera y especialmente en telas o tejidos. ‖ — *de correos.* Oficina de correos a la cual se dirigen las cartas y paquetes cuyos destinatarios han de ir a ella a recogerlos. ‖ — *negra.* Relación secreta en la que uno inscribe los nombres de las personas o entidades que considera nefandos. ‖ *pasar lista.* Llamar en voz alta para que respondan las personas aludidas.

listado, da. adj. Que forma o tiene listas. ‖ Lista.

listín. m. Lista pequeña o extractada de otra más extensa. ‖ Guía telefónica.

listo, ta (al. *klug,* fr. *dégourdi,* ingl. *clever,* it. *svelto*). adj. Diligente, expedito. ‖ Apercibido, dispuesto para hacer una cosa. ‖ Sagaz, avisado. [*Sinón.*: ligero, despabilado. *Antón.*: torpe, simple]

listón. m. Cinta de seda estrecha. ‖ Pedazo de tabla largo y estrecha.

lisura. f. Igualdad y tersura de la superficie de una cosa. ‖ fig. *Amer.* Palabra o acción grosera. ‖ fig. *Amer.* Atrevimiento, desparpajo. ‖ fig. *Amer.* Gracia, donaire. [*Sinón.*: lustre, pulimento]

litera (al. *Schlafkoje,* fr. *couchette,* ingl. *berth,* it. *cuccetta*). f. Cada una de las camas fijas de los camarotes de los buques, de los compartimientos de los ferrocarriles, etc.

literal (al. *Buchstäblich,* fr. *littéral,* ingl. *literal,* it. *letterale*). adj. Conforme a la letra del texto o al sentido exacto y propio. ‖ Aplícase a la traducción en que se vierten todas y por su orden, en cuanto es posible, las palabras del original. [*Sinón.*: exacto, textual]

literario, ria. adj. Perteneciente o relativo a la literatura.

literato, ta (al. *Schriftsteller,* fr. *homme de lettres,* ingl. *literary man,* it. *letterato*). adj. Aplícase a la persona versada en literatura y a quien la profesa o cultiva. Ú.t.c.s.

literatura (al. *Literatur,* fr. *littérature,* ingl. *literature,* it. *letteratura*). f. Arte que usa como medio de expresión la palabra. ‖ Teoría de las composiciones literarias. ‖ Conjunto de producciones literarias de una nación, de una época o de un género. ‖ Por ext., conjunto de obras que versan sobre un arte o ciencia.

litiasis. f. MED. Mal de piedra.

litigar. tr. Pleitear, disputar en juicio sobre una cosa. ‖ intr. fig. Altercar, contender. [*Sinón.*: disputar]

litigio. m. Pleito. ‖ fig. Disputa, contienda. [*Sinón.*: altercado]

litio. m. QUÍM. Elemento metálico, alcalino, blando, blanco plateado.

litografía (al. *Steindruck,* fr. *lithographie,* ingl. *lithography,* it. *litografía*). f. Arte de dibujar o grabar en piedra preparada al efecto para multiplicar los ejemplares de un dibujo o escrito. ‖ Cada uno de estos ejemplares.

litógrafo, fa. s. Persona que se dedica a la litografía.

litoral (al. *Seeküste,* fr. *littoral,* ingl. *littoral,* it. *litorale*). adj. Perteneciente a la orilla o costa del mar. ‖ m. Costa de un mar, país o territorio. [*Sinón.*: ribereño]

litosfera. f. GEOL. Corteza o parte sólida de la esfera terrestre.

litro (al. *Liter,* fr. *litre,* ingl. *liter,* it. *litro*). m. Unidad de capacidad del sistema métrico decimal que equivale a un decímetro cúbico.

lituano, na. adj. Natural de Lituania. Ú.t.c.s. ‖ Perteneciente a este país. ‖ m. Lengua eslava hablada en Lituania.

liturgia. f. Orden y forma que han aprobado las iglesias cristianas para celebrar los oficios divinos y, especialmente, para la misa o ceremonia equivalente. ‖ Rito, forma local de celebrarse la misa y otros actos litúrgicos.

litúrgico, ca. adj. Perteneciente a la liturgia.

liviandad. f. Calidad de liviano.

liviano, na (al. *leicht,* fr. *léger,* ingl. *light,* it. *lieve*). adj. Ligero, de poco peso. ‖ fig. Fácil, inconstante. ‖ fig. Leve, de poca importancia.

lividez. f. Calidad de lívido.

lívido, da. adj. Amoratado, que tira a morado.

living. m. Cuarto de estar.

lixiviar. tr. QUÍM. Tratar una sustancia compleja por el disolvente adecuado para obtener la parte soluble de la misma.

liza (al. *Ringplatz,* fr. *lice,* ingl. *lists,* it. *lizza*). f. Campo dispuesto para que lidien dos o más personas. [*Sinón.*: palestra]

lo. Artículo determinado, en género neutro. ‖ Acusativo del pronombre personal de tercera persona, en género masculino o neutro y número singular.

loa (al. *Lob,* fr. *louange,* ingl. *praise,* it. *lode*). f. Acción de loar. ‖ Poema dramático de breve extensión en que se celebra, alegóricamente por lo común, a una persona ilustre o a un acontecimiento fausto. [*Sinón.*: alabanza]

loable. adj. Laudable.

loanda. f. Especie de escorbuto.

loar. tr. Alabar.

loba. f. Hembra del lobo. ‖ AGR. Lomo entre surco y surco, no removido por el arado.

lobanillo. m. MED. Tumor superficial y por lo común indoloro que se forma en algunas partes del cuerpo. ‖ Excrecencia leñosa cubierta de corteza que se forma en el tronco o ramas de un árbol.

lobato. m. Cachorro de lobo.

lobezno. m. Lobo pequeño. ‖ Lobato.

lobo (al. *Wolf,* fr. *loup,* ingl. *wolf,* it. *lupo*). m. ZOOL. Mamífero carnicero muy voraz, con aspecto de perro mastín, de pelo gris oscuro, orejas tiesas y cola larga. Es animal salvaje, frecuente en España y enemigo terrible del ganado. ‖ ZOOL. Locha pequeña de color verdoso en el lomo, amarillento en los costados y blanquecino en el vientre, con manchas y listas parduscas por todo el cuerpo. ‖ Garfio fuerte de hierro que usaban los sitiados para defenderse. ‖ n.p.m. ASTR. Constelación austral debajo de Libra y al occidente de Escorpión. ‖ — *de mar.* fig. y fam. Marino viejo y experimentado. ‖ — *marino.* Foca. ‖ m. ANAT. Perilla de la oreja. ‖ HIST. NAT. Lóbulo.

lóbrego, ga. adj. Oscuro, tenebroso. ‖ fig. Triste, melancólico. [*Sinón.*: sombrío]

lobreguez. f. Oscuridad.

lóbulo (al. *Läppchen,* fr. *lobe,* ingl. *lobe,* it. *lobo*). m. Cada una de las partes, a manera de ondas, que sobresalen en el borde de una cosa. ‖ ANAT. Extremo inferior de la oreja. ‖ HIST. NAT. Porción redondeada y saliente de un órgano cualquiera.

locación. f. DER. Arrendamiento.

locador, ra. s. *Amer.* Arrendador.

local (al. *Orts, Raum;* fr. *local;* ingl. *local, premises;* it. *locale*). adj. Perteneciente al lugar. ‖ Municipal o provincial, por oposición a general o nacional. ‖ m. Sitio o lugar cercado o cerrado y cubierto.

localidad (al. *Örtlichkeit,* fr. *localité,*

ingl. *locality*, it. *località*). f. Calidad de las cosas que las vincula a un determinado lugar. ‖ Lugar o pueblo. ‖ Asiento en los locales destinados a espectáculos públicos. ‖ Billete que da derecho a entrar en dichos espectáculos.

localismo. m. Excesivo amor al lugar o pueblo en que uno ha nacido. ‖ Vocablo o locución que sólo tiene uso en determinada localidad.

localización. f. Acción y efecto de localizar o localizarse.

localizar. tr. Fijar, encerrar en límites determinados. Ú.t.c.r. ‖ Determinar el lugar en que se halla una persona o cosa. [*Sinón.*: emplazar]

locatario, ria. s. Arrendatario.

locativo, va. adj. Relativo al contrato de locación o arriendo. ‖ Caso de la declinación que expresa la relación de lugar en donde. Ú.t.c.s.m.

loción (al. *Haarwasser*, fr. *lotion*, ingl. *lotion*, it. *lozione*). f. Producto preparado para la limpieza del cabello. ‖ Lavadura de la piel o de parte de ésta con agua o con algún líquido medicamentoso. ‖ Líquido que se emplea para este lavado.

lock-out (voz inglesa). m. Paro forzoso impuesto por los patronos en contra de las reivindicaciones obreras.

loco, ca (al. *Verrückt(er)*, fr. *fou*, ingl. *mad*, it. *pazzo*). adj. Que ha perdido la razón. Ú.t.c.s. ‖ De poco juicio, disparatado e imprudente. Ú.t.c.s. [*Sinón.*: demente, alocado. *Antón.*: cuerdo, moderado]

locomoción. f. Traslación de un punto a otro.

locomotor, ra. adj. Propio para la locomoción. ‖ f. Máquina que arrastra los vagones de un tren.

locomóvil. adj. Que puede llevarse de un sitio a otro. Ú.t.c.s.f.

locuacidad. f. Calidad de locuaz.

locuaz (al. *geschwätzig*, fr. *loquace*, ingl. *talkative*, it. *loquace*). adj. Que habla mucho o demasiado. [*Sinón.*: verborreo, charlatán. *Antón.*: silencioso, callado]

locución (al. *Ausdruck*, fr. *locution*, ingl. *expression*, it. *locuzione*). f. Modo de hablar. ‖ GRAM. Conjunto de dos o más palabras que tienen el valor de una sola y no forman oración cabal.

locura (al. *Wahnsinn*, fr. *folie*, ingl. *madness*, it. *pazzia*). f. Privación del juicio o del uso de la razón. ‖ Acción inconsiderada o gran desacierto. ‖ fig. Exaltación del ánimo producida por algún afecto u otro incentivo. [*Sinón.*: alienación. *Antón.*: cordura]

locutor, ra. s. Persona que habla ante el micrófono en las estaciones de radio para dar avisos o noticias, presentar programas, etc.

locutorio (al. *Fensprechzelle*, fr. *parloir*, ingl. *locutory*, it. *locutorio*). m. Departamento que, dividido comúnmente por una reja, se destina en los conventos y en las cárceles para que los visitantes puedan hablar con las monjas o los penados. ‖ En las estaciones telefónicas, departamento destinado al uso individual del teléfono por el público.

locha. f. ZOOL. Pez malacopterigio de cuerpo casi cilíndrico. Habita en los lagos y ríos de agua fría.

lodazal. m. Lugar lleno de lodo.

lodo (al. *Schlamm*, fr. *boue*, ingl. *mud*, it. *fango*). m. Mezcla de tierra y agua. [*Sinón.*: barro, cieno]

loess. m. Material sedimentario arcilloso, formado por polvo de roca muy fino, de origen eólico y color amarillo.

logaritmo (al. *Logarithmus*, fr. *logarithme*, ingl. *logarithm*, it. *logaritmo*). m. MAT. Exponente al que se ha de elevar la base de una potencia para obtener un número dado.

logia (al. *Freimauerloge*, fr. *loge*, ingl. *lodge*, it. *loggia*). f. Local donde se celebran asambleas de masones. ‖ Asamblea de masones.

-logía. Elemento compositivo que entra pospuesto en la formación de algunas voces españolas con el significado de "discurso, doctrina, ciencia".

lógica (al. *Logik*, fr. *logique*, ingl. *logic*, it. *logica*). f. Ciencia que expone las leyes, modos y formas del conocimiento científico.

lógico, ca (al. *folgerichtig*, fr. *logique*, ingl. *logical*, it. *logico*). adj. Perteneciente a la lógica. ‖ Dícese comúnmente de toda consecuencia natural y legítima. [*Sinón.*: racional. *Antón.*: irracional]

logística. f. FIL. Lógica presentada bajo forma de algoritmos. ‖ MIL. Parte del arte militar que comprende lo relativo a la ejecución de las operaciones de guerra.

logos. m. FIL. y REL. Palabra, razón, discurso o argumento.

logotipo. m. IMP. Grupo de letras muy usuales, fundidas en un solo bloque para facilitar la composición tipográfica. ‖ Forma característica que distingue una marca.

lograr (al. *erlangen*, fr. *obtenir*, ingl. *to obtain*, it. *ottenere*). tr. Conseguir lo que se intenta o desea. ‖ Gozar o disfrutar de una cosa. ‖ r. Llegar a su perfección una cosa. [*Sinón.*: alcanzar]

logrero, ra. s. Persona que presta con usura. ‖ Persona que compra o guarda y retiene los frutos para venderlos después a precio excesivo.

logro (al. *Gelingen*, fr. *réussite*, ingl. *attainment*, it. *riuscita*). m. Acción y efecto de lograr. ‖ Lucro. ‖ Usura.

logroñés, sa. adj. Natural de Logroño. Ú.t.c.s. ‖ Perteneciente a esta provincia y ciudad de España.

loísmo. m. GRAM. Vicio de emplear la forma *lo* del pronombre de tercera persona en función de dativo.

loísta. adj. GRAM. Aplícase al que usa siempre el *lo* para el acusativo masculino del pronombre *él*. Ú.t.c.s.

loma (al. *Hügelchen*, fr. *coteau*, ingl. *hillock*, it. *colle*). f. Altura pequeña y prolongada.

lombarda. f. Bombarda, máquina militar. ‖ Variedad de berza, semejante al repollo, pero de color morado.

lombardo, da. adj. Natural de Lombardía. Ú.t.c.s. ‖ Perteneciente a esta región de Italia.

lombriz (al. *Wurm*, fr. *lombric*, ingl. *earth-worm*, it. *lombrico*). f. ZOOL. Gusano anélido, de color blanco o rojizo, con cuerpo blanco y cilíndrico, que vive en lugares húmedos y es muy beneficioso para la agricultura. ‖ — *intestinal*. Gusano nematelminto, de forma de lombriz, que vive parásito en el intestino del hombre y de algunos animales. ‖ — *solitaria*. Tenia.

lomera. f. Correa que se acomoda en el lomo de las caballerías, para que mantenga en su lugar las demás piezas de la guarnición. ‖ Trozo de piel o de tela que se coloca en el lomo del libro encuadernado en media pasta. ‖ Caballete de un tejado.

lomo (al. *Rücken (der Tiere)*, fr. *dos (des animaux)*, ingl. *back (of an animal)*, it. *lombo*). m. Parte interior y central de la espalda. ‖ En los cuadrúpedos, todo el espinazo. ‖ Carne de cerdo que forma esta parte del animal. ‖ Parte del libro opuesta al corte de las hojas. ‖ Tierra que levanta el arado entre surco y surco. ‖ En los instrumentos cortantes, parte opuesta al filo. ‖ pl. Las costillas. ‖ *agachar el lomo.* fig. y fam. Trabajar duramente; humillarse. [*Sinón.*: dorso, caballón]

lona (al. *Segeltuch*, fr. *canevas*, ingl. *canvas*, it. *olona*). f. Tela fuerte de algodón o cáñamo para velas de navío, toldos y otros usos.

loncha. f. Lancha, piedra lisa y plana. ‖ Lonja, cosa larga y ancha.

lonche. m. *Amer.* Comida de mediodía, almuerzo.

lonchería. f. *Amer.* Restaurante o tienda donde se sirven comidas ligeras.

londinense. adj. Natural de Londres. Ú.t.c.s. ‖ Perteneciente a esta ciudad de Inglaterra.

longanimidad. f. Grandeza y constancia de ánimo en las adversidades.

longaniza (al. *Schlackwurst*, fr. *cervelas*, ingl. *kind of sausage*, it. *luganica*). f. Pedazo de tripa estrecha y alargada rellena de carne de cerdo, picada y adobada.

longevidad. f. Calidad de todo lo que alcanza larga vida.

longevo, va. adj. Muy anciano.

longitud (al. *Länge*, fr. *longueur*, ingl. *length*, it. *lunghezza*). f. La mayor de las dos dimensiones de una figura plana. ‖ ASTR. Arco de la Eclíptica contando de Occidente a Oriente y comprendido entre el punto equinoccial de Aries y el círculo perpendicular a ella, que pasa por un punto de la esfera. ‖ GEOGR. Distancia de un lugar respecto al primer meridiano, contada en grados sobre el ecuador. ‖ — *de onda*. FÍS. Distancia entre dos puntos correspondientes a una misma fase en dos ondas consecutivas.

longitudinal. adj. Perteneciente a la longitud; hecho o colocado en el sentido o dirección de ella.

lonja (al. *Scheibe, Handelsbörse;* fr. *tranche, bourse;* ingl. *slice, exchange;* it. *fetta, borsa*). f. Porción larga, ancha y poco gruesa que se corta o separa de otra. ‖ Edificio público donde se reúnen algunos comerciantes para realizar operaciones propias de su profesión.

lontananza. f. PINT. Términos de un cuadro más distante del plano principal. ‖ *en lontananza.* m. adv. A lo lejos.

loor. m. Alabanza, elogio.

loquear. intr. Decir o hacer locuras. ‖ fig. Regocijarse con demasiada bulla y alboroto.

loquera. f. La que por oficio cuida y guarda locas. ‖ Jaula de locos. ‖ *Amer.* Locura.

loquería. f. *Amer.* Manicomio.

loquero (al. *Irrenwärter*, fr. *gardien de fous*, ingl. *keeper of a mad house*, it. *infermiere del manicomio*). m. El que por oficio cuida y guarda locos.

loquios. m. pl. Líquido que sale por los órganos genitales de la mujer durante el puerperio.

lora. f. *Amer.* Loro. ‖ *Amer.* Hembra del loro.

lord (voz inglesa). m. Título de honor concedido en Inglaterra a los individuos de la primera nobleza y a los que desempeñan algunos altos cargos. En pl., *lores*.

lordosis. f. MED. Corcova con prominencia hacia adelante.

loriga. f. Especie de coraza hecha de láminas pequeñas e imbricadas, por lo común de acero.

loro (al. *Papagei*, fr. *perroquet*, ingl. *parrot*, it. *pappagallo*). m. ZOOL. Papagayo, ave, y más particularmente el de plumaje con fondo rojo.

los. GRAM. Artículo determinado en género masculino y número plural. ‖ Acusativo del pronombre personal de tercera persona en género masculino y número plural.

losa (al. *Steinplatte*, fr. *dalle*, ingl. *slab*, it. *lastra*). f. Piedra llana y de poco grueso. ‖ Trampa formada con losas pequeñas, para coger aves o ratones. ‖ fig. Sepulcro de cadáver.

losange. m. BLAS. Figura de rombo colocado de suerte que uno de los ángulos agudos quede por pie y su opuesto por cabeza.

loseta. f. dim. de losa. ‖ Losa, trampa. ‖ Baldosa.

lote (al. *Posten Waren*, fr. *lot*, ingl. *lot*, it. *lotte*). m. Cada una de las partes en que se divide un todo para su distribución entre varias personas. ‖ Lo que toca en la lotería o en otros juegos. ‖ Cada una de las parcelas en que se divide un terreno destinado a la edificación. ‖ En las exposiciones y ferias de ganados, grupo de animales con caracteres comunes o análogos. ‖ Conjunto de objetos similares que se agrupan con un fin determinado. ‖ fig. y vulg. Magreo.

lotería (al. *Lotterie*, fr. *loterie*, ingl. *lottery*, it. *lotteria*). f. Especie de rifa efectuada con autoridad pública. ‖ Juego público en que se premian con diversas cantidades varios billetes sacados a la suerte. ‖ Juego casero en que se imita la lotería primitiva con números puestos en cartones. ‖ Sitio en que se despachan los billetes de lotería. ‖ Negocio o lance en que interviene la suerte.

lotero, ra. s. Persona que tiene a su cargo un despacho de billetes de la lotería.

loto (al. *Lotus*, fr. *lotus*, ingl. *lotus*, it. *loto*). m. BOT. Planta ninfácea de hojas muy grandes y fruto globoso parecido al de la adormidera, con semillas que se comen después de tostadas y molidas. ‖ Flor de esta planta.

loza (al. *Töpferware*, fr. *faïence*, ingl. *faïence*, it. *stoviglie*). f. Barro fino cocido y barnizado, de que están hechos platos, tazas, vasijas, etc. ‖ Conjunto de estos objetos destinados al ajuar doméstico. [*Sinón.*: porcelana, cerámica]

lozanía (al. *Rüstigkeit*, fr. *vigueur*, ingl. *bloom*, it. *vigore*). f. Abundancia de verdor y frondosidad en las plantas. ‖ En los hombres y animales, viveza nacida de su vigor y robustez. ‖ Orgullo, altivez. [*Sinón.*: frescura; altanería]

lozano, na. adj. Que tiene lozanía.

lúa. f. Especie de guante de esparto y sin separaciones para los dedos, que sirve para limpiar las caballerías.

lubina. f. ZOOL. Pez perciforme, llamado también róbalo. Llega a pesar unos 15 kg y mide aproximadamente 70 cm de longitud. Habita en el Mediterráneo y en el Atlántico.

lubricante. adj. Que lubrica. Aplícase a cualquier sustancia útil para lubricar. Ú.t.c.s.m.

lubricar (al. *einschmieren*, fr. *lubrifier*, ingl. *to lubricate*, it. *lubrificare*). tr. Hacer resbaladiza una cosa. [*Sinón.*: lubrificar]

lubricidad. f. Calidad de lúbrico.

lúbrico, ca. adj. Resbaladizo. ‖ fig. Propenso a la lujuria. ‖ fig. Libidinoso, lascivo. [*Sinón.*: deslizante; impúdico]

lucense. adj. Natural de Lugo. Ú.t.c.s. ‖ Perteneciente a esta provincia o ciudad de España.

lucera. f. Ventana o claraboya en la parte alta de los edificios. [*Sinón.*: lumbrera]

lucero (al. *Helleuchtender Stern*, fr. *étoile très brillante*, ingl. *bright star*, it. *stella splendente*). m. Cualquier astro de los que aparecen más grandes y brillantes. ‖ El planeta Venus. ‖ Postigo de las ventanas, por donde entra la luz. ‖ Lunar blanco y grande que tienen en la frente algunos cuadrúpedos. ‖ fig. Lustre, esplendor. ‖ fig. y poét. Cada uno de los ojos de la cara. Ú.m. en pl. ‖ — *del alba, de la mañana,* o *de la tarde.* Lucero.

lucidez. f. Calidad de lúcido.

lucido, da. adj. Que hace o desempeña las cosas con gracia, liberalidad y esplendor. ‖ Claro en el razonamiento o expresiones.

luciérnaga (al. *Leuchtkäfer*, fr. *ver luisant*, ingl. *glow-worm*, it. *lucciola*). f. ZOOL. Coleóptero de unos doce mili-

443

metros de largo, cuya hembra se asemeja a un gusano por carecer de alas y élitros, ser cortas sus patas y el abdomen muy prolongado y formado por anillos negruzcos de borde amarillo que despiden, particularmente los tres últimos, una luz fosforescente de color blanco verdoso [*Sinón.*: lucerna]

Lucifer. n.p.m. El príncipe de los ángeles rebeldes. [*Sinón.*: diablo]

lucimiento. m. Acción y efecto de lucir o lucirse.

lucio (al. *Hecht*, fr. *brochet*, ingl. *pike*, it. *luccio*). m. ZOOL. Pez acantopterigio, semejante a la perca. Vive en los ríos y lagos, se alimenta de peces y batracios y su carne es grasa, blanca y muy estimada.

lucir (al. *leuchten*, fr. *luire*, ingl. *to shine*, it. *lucere*). intr. Brillar, resplandecer. || fig. Sobresalir, aventajar. Ú.t.c.r. || fig. Corresponder el provecho al trabajo. || tr. Iluminar, comunicar luz y claridad. || Manifestar el adelantamiento, la riqueza, la autoridad, etc. || r. Vestirse y adornarse con esmero. [*Sinón.*: destacar, presumir. *Antón.*: apagarse, humillarse]

lucrar. tr. Lograr lo que se desea. || r. Sacar provecho de un negocio o encargo.

lucrativo, va. adj. Que produce utilidad y ganancia.

lucro (al. *Gewinn*, fr. *profit*, ingl. *gain*, it. *lucro*). m. Ganancia o provecho que se saca de una cosa. [*Sinón.*: beneficio]

luctuoso, sa (al. *trauring*, fr. *triste*, ingl. *sad*, it. *luttuoso*). adj. Triste y digno de llanto.

lucubración. f. Acción y efecto de lucubrar. || Vigilia y tarea consagrada al estudio. || Producto de este trabajo. [*Antón.*: irreflexión]

lucubrar. tr. Trabajar velando y con aplicación en obras de ingenio.

lucha (al. *Kampf*, fr. *lutte*, ingl. *struggle*, it. *lotta*). f. Pelea entre dos. || Lid, combate. || fig. Contienda, disputa.

luchador, ra. s. Persona que lucha.

luchar (al. *kämpfen*, fr. *lutter*, ingl. *to fight*, it. *lottare*). intr. Contender dos personas a brazo partido. || Pelear, combatir. || fig. Disputar, bregar.

ludibrio. m. Escarnio, desprecio, mofa.

lúdico, ca. adj. Perteneciente o relativo al juego.

ludir. tr. Frotar, rozar una cosa con otra.

luego (al. *nachher*, fr. *ensuite*, ingl. *later*, it. *poi*). adv. t. Prontamente, sin dilación. || Después. || conj. ilat. con que se denota la consecuencia inferida de un antecedente. || *desde luego.* m. adv. Sin tardanza; de conformidad, sin duda.

luengo, ga. adj. Largo.

lugar (al. *Platz, Stelle*; fr. *lieu*; ingl. *place*; it. *luogo*). m. Espacio ocupado o que puede ser ocupado por un cuerpo. || Sitio o paraje. || Ciudad, villa o aldea. || Población pequeña. || Pasaje, texto; expresión o conjunto de expresiones de un autor, o de un libro o escrito. || Tiempo, oportunidad. || Puesto, empleo, oficio. || Motivo para hacer o no hacer una cosa. || Sitio que en una serie ordenada de nombres ocupa cada uno de ellos. || — *común.* Expresión trivial. || *en lugar de.* m. adv. En vez de. || *en primer lugar.* m. adv. Primeramente. || *tener lugar.* Tener cabida; disponer del tiempo necesario para hacer algo. || *tener lugar* una cosa. Suceder, efectuarse.

lugareño, ña. adj. Natural o relativo a un lugar o población pequeña. Ú.t.c.s.

lugarteniente. m. El que tiene autoridad y poder para hacer las veces de otro en un cargo.

lúgubre (al. *traurig*, fr. *lugubre*, ingl. *mournful*, it. *lugubre*). adj. Triste, funesto.

lugués, sa. adj. Natural de Lugo. Ú.t.c.s. || Concerniente a esta ciudad o a su provincia.

luisa. f. BOT. Planta verbenácea, originaria del Perú. Se cultiva en los jardines, tiene olor muy agradable, y sus hojas suelen usarse en infusión apreciada como tónica, estomacal y antiespasmódica.

lujar. tr. *Amer.* Bruñir, alisar, especialmente la suela del calzado.

lujo (al. *Luxus*, fr. *luxe*, ingl. *luxury*, it. *lusso*). m. Fausto, boato, suntuosidad en las personas o cosas. [*Antón.*: sencillez]

lujoso, sa. adj. Que tiene o gasta lujo. || Dícese de las cosas con que se ostenta el lujo.

lujuria (al. *Wollust*, fr. *luxure*, ingl. *lewness*, it. *lussuria*). f. Vicio que consiste en el uso ilícito o apetito desordenado de los deleites carnales. || Exceso o demasía en ciertas cosas. [*Sinón.*: lascivia. *Antón.*: castidad]

lujuriante. adj. Muy lozano, con demasiada abundancia. || Que lujuria.

lujurioso, sa. adj. Entregado a la lujuria. Ú.t.c.s.

lumbago. m. MED. Dolor reumático que se siente en la región lumbar.

lumbar. adj. ANAT. Relativo a la zona inferior de la espalda.

lumbre (al. *Feuer*, fr. *feu*, ingl. *fire*, it. *fuoco*). f. Materia combustible encendida. || Espacio que una puerta claraboya, tronera, etc., deja libre a la entrada de la luz. || Luz de los cuerpos en combustión. || Esplendor, lucimiento. [*Sinón.*: fuego]

lumbrera (al. *Genie*, fr. *lumière*, ingl. *luminary*, it. *luminare*). f. Cuerpo que despide luz. || Abertura, tronera o caño que desde el techo de una habitación o desde la bóveda de una galería comunica con el exterior y proporciona luz o ventilación. || fig. Persona que con su virtud y doctrina enseña y admira a otros. [*Sinón.*: lucífero, claraboya; sabio]

lumia. f. Ramera.

luminaria (al. *Festbeleuchtung*, fr. *lampion*, ingl. *festival lights*, it. *luminaria*). f. Luz que se pone en ventanas, balcones, torres y calles en señal de fiesta popular. Ú.m. en pl. || Luz que arde continuamente en las iglesias del Santísimo Sacramento. [*Sinón.*: iluminaria]

luminiscencia (al. *Nachleuchten*, fr. *luminescence*, ingl. *luminiscence*, it. *luminiscenza*). f. Propiedad de despedir luz sin elevación de temperatura y visible casi sólo en la oscuridad.

luminosidad. f. Calidad de luminoso.

luminoso, sa (al. *glänzend*, fr. *lumineux*, ingl. *luminous*, it. *luminoso*). adj. Que despide luz.

luminotecnia. f. Arte de la iluminación con luz artificial para fines industriales o artísticos.

Luna (al. *Mond*, fr. *lune*, ingl. *moon*, it. *luna*). n.p.f. Astro, satélite de la Tierra. || Luz nocturna que este satélite nos refleja de la que recibe del Sol. || Lunación. || f. Satélite del espacio. || Tabla de cristal o de vidrio cristalino de un espejo, vidriera o escaparate. || Cristal de los anteojos. || — *creciente.* ASTR. La Luna desde su conjunción hasta el plenilunio. || — *de miel.* fig. Temporada de intimidad conyugal subsiguiente al matrimonio. || — *llena.* ASTR. La Luna en el tiempo de su oposición con el Sol. || — *menguante.* ASTR. La Luna desde el plenilunio hasta su conjunción. || — *nueva.* ASTR. La Luna en el tiempo de su conjunción con el Sol. || *media luna.* Figura que representa la Luna al empezar a crecer y al fin del cuarto menguante. || fig. Islamismo. || *estar* uno *de buena*, o *de mala luna.* Estar de buen, o mal humor. || *estar en la luna.* fig. y fam. Estar distraído, no enterarse de lo que se está tratando; estar fuera de la realidad. ‖ *pedir la Luna.* fam. Pedir algo casi imposible.

lunación. f. ASTR. Tiempo que invierte la Luna desde una conjunción con el Sol hasta la siguiente.

lunado, da. adj. Que tiene figura de media luna.

lunar (al. *Muttermal, Mond;* fr. *grain de beauté, lunaire;* ingl. *mole, lunar;* it. *lentiggine, lunares*). m. Pequeña mancha en el rostro u otra parte del cuerpo. ‖ adj. Perteneciente a la Luna. [*Sinón.:* peca]

lunático, ca (al. *Lunatisch,* fr. *lunatique,* ingl. *moon-struch,* it. *lunatico*). adj. Que padece ataques de locura, periódicamente. Ú.t.c.s. [*Sinón.:* maníaco]

lunch (voz inglesa). m. Comida que suele tomarse de pie, en fiestas, reuniones, etc., a partir del mediodía. ‖ Por ext., merienda, almuerzo.

lunes (al. *Montag,* fr. *lundi,* ingl. *monday,* it. *lunedí*). m. Segundo día de la semana.

luneta. f. Cristal de los anteojos. ‖ En los teatros, asiento con respaldo y brazos, frente al escenario, en la planta inferior. ‖ Sitio del teatro en que estaban colocadas las lunetas.

lunfardo. m. *Amer.* Ladrón. ‖ *Amer.* Chulo, rufián. ‖ Lenguaje popular, propio de Buenos Aires y sus alrededores.

lúnula. f. Espacio blanquecino semilunar en la raíz de las uñas. ‖ GEOM. Figura formada por la intersección de dos arcos de circunferencia que presentan concavidad hacia el mismo lado.

lupa (al. *Vergrösserungsglas,* fr. *loupe,* ingl. *loupe,* it. *lente*). f. Lente de aumento con montura.

lupanar (al. *Bordell,* fr. *lupanar,* ingl. *brothel,* it. *lupanare*). m. Mancebía. [*Sinón.:* burdel, prostíbulo]

lúpulo (al. *Hopfen,* fr. *houblon,* ingl. *hops,* it. *luppolo*). m. BOT. Planta trepadora cannabácea, con hojas parecidas a las de la vid y fruto en forma de piña globosa. Los frutos, desecados, se usan para aromatizar y dar sabor amargo a la cerveza.

lupus. m. Enfermedad de la piel o de las mucosas, producida por tubérculos, que ulceran y destruyen las partes atacadas.

lusitano, na. adj. Natural de Lusitania, región que comprendía el Portugal actual y parte de las actuales provincias de Cáceres y Badajoz. Ú.t.c.s. ‖ Perteneciente a esta región de España antigua. ‖ Portugués.

luso, sa. adj. Lusitano. Aplicado a personas, ú.t.c.s.

lustrar (al. *polieren,* fr. *lustrer,* ingl. *to polish,* it. *lustrare*). tr. Purificar los gentiles con sacrificios y ceremonias las cosas que creían impuras. ‖ Dar lustre a una cosa. ‖ Andar, peregrinar por un país.

lustre (al. *Glanz,* fr. *lustre,* ingl. *luster,* it. *lustro*). m. Brillo de las cosas tersas o bruñidas. ‖ fig. Esplendor, gloria. [*Sinón.:* pulimento, fama]

lustro (al. *Lustrum,* fr. *lustre,* ingl. *luster,* it. *lustro*). m. Tiempo de cinco años de duración.

luteranismo. m. Secta de Lutero. ‖ Comunidad de los seguidores de Lutero.

luterano, na. adj. Que profesa la doctrina de Lutero. Ú.t.c.s. ‖ Perteneciente o relativo a Lutero.

luto (al. *Trauer,* fr. *deuil,* ingl. *mourning,* it. *lutto*). m. Signo exterior de duelo por la muerte de una persona. ‖ Vestido negro que se usa por la muerte de alguien. ‖ Duelo, aflicción. ‖ pl. Paños negros y otros indumentos fúnebres.

luxación (al. *Verrenkung,* fr. *luxation,* ingl. *dislocation,* it. *lussazione*). f. MED. Dislocación de un hueso.

luxemburgués, sa. adj. Natural de Luxemburgo. Ú.t.c.s. ‖ Perteneciente o relativo a esta nación de Europa.

luz (al. *Licht,* fr. *lumière,* ingl. *light,* it. *luce*). f. Agente físico que hace visibles los objetos. ‖ Claridad que irradian los cuerpos en combustión o incandescencia. ‖ Utensilio para alumbrar. ‖ Área interior de la sección transversal de un tubo. ‖ Claridad de la inteligencia. ‖ fig. Día. ‖ ARQ. Cada una de las ventanas por donde se da luz a un edificio. ‖ PINT. Punto desde donde se iluminan todos los objetos pintados en un lienzo. ‖ pl. fig. Ilustración, cultura. ‖ *dar a luz.* Publicar una obra; parir la mujer. ‖ *entre dos luces.* m. adv. fig. Al amanecer o al anochecer. ‖ *ver la luz.* Hablando de personas, nacer.

ll. f. Decimocuarta letra del abecedario castellano, y undécima de sus consonantes. ‖ Su nombre es *elle*.

llaga (al. *Geschwür*, fr. *plaie*, ingl. *ulcer*, it. *piaga*). f. Úlcera, en el cuerpo del hombre o de los animales. ‖ fig. Daño o infortunio que causa pena, dolor y pesadumbre.

llagar. tr. Hacer o causar llagas. [*Sinón.*: ulcerar]

llama (al. *Flamme*, fr. *flamme*, ingl. *flame*, it. *fiamma*). f. Masa gaseosa en combustión. ‖ fig. Fuerza de una pasión o deseo vehemente. ‖ f. ZOOL. Mamífero rumiante, variedad del guanaco, del cual sólo se diferencia en ser algo menor. Es propio de la América Meridional, donde aprovechan su leche, cuero, carne y pelo, y, domesticado, sirve como bestia de carga. Ú.t.c.m., principalmente en América.

llamada (al. *Anruf*, fr. *appel*, ingl. *call*, it. *chiamata*). f. Llamamiento o acción de llamar. ‖ Señal que en impresos o manuscritos sirve para llamar la atención desde un lugar hacia otro en que hay una nota o advertencia. ‖ MIL. Toque para que forme la tropa. [*Sinón.*: apelación]

llamador. m. Aldaba. ‖ Aparato de aviso. ‖ Botón del timbre eléctrico. [*Sinón.*: picaporte, pulsador]

llamamiento. m. Acción de llamar. ‖ Inspiración con que Dios mueve los corazones. ‖ DER. Designación legítima de personas para una sucesión. [*Sinón.*: convocatoria, reclamo]

llamar (al. *anrufen*, fr. *appeler*, ingl. *to call*, it. *chiamare*). tr. Dar voces a alguien o hacer ademanes para que venga. ‖ Invocar, pedir. ‖ Convocar, citar. ‖ Nombrar, apellidar. ‖ Atraer una cosa hacia una parte. ‖ Hacer sonar la aldaba, un timbre, etc. ‖ r. Tener tal o cual nombre o apellido. ‖

MAR. Tratándose del viento, cambiar de dirección.

llamarada. f. Llama que se levanta del fuego y se apaga casi instantáneamente. ‖ fig. Encendimiento repentino y momentáneo del color del rostro. ‖ fig. Movimiento repentino del ánimo, de poca duración.

llamativo, va. adj. Aplícase al manjar que llama o excita el hambre o la sed. Ú.m.c.s.m. ‖ fig. Que llama la atención exageradamente. [*Sinón.*: provocativo, excéntrico]

llamear. intr. Echar llamas. [*Sinón.*. flamear]

llana (al. *Mauerkelle*, fr. *truelle*, ingl. *trowel*, it. *cazzuola*). f. Herramienta que usan los albañiles para extender y allanar el yeso o la argamasa. ‖ Plana de una hoja de papel. ‖ Llanada.

llanada. f. Llanura, campo llano.

llaneador. m. Especialista en carreras sobre terreno llano.

llanero, ra. s. Habitante de las llanuras.

llaneza. f. fig. Sencillez. ‖ fig. Familiaridad en el trato de unos con otros. [*Sinón.*: naturalidad, campechanía. *Antón.*: soberbia, presunción]

llano, na (al. *eben*, fr. *plat*, ingl. *even*, it. *piano*). adj. Igual y extendido sin altos ni bajos. ‖ Allanado, conforme. ‖ fig. Accesible, sencillo, sin presunción. ‖ fig. Libre, franco. ‖ fig. Claro, evidente. ‖ fig. Plebeyo. ‖ fig. Aplícase al estilo sencillo y sin ornato. ‖ fig. Aplicado a las palabras, grave. ‖ m. Llanada. ‖ pl. En las medias y calcetas de aguja, puntos en que no se crece ni se mengua. [*Sinón.*: plano]

llanta (al. *Radschiene*, fr. *jante*, ingl. *tire*, it. *cerchio della ruota*). f. Berza que se va arrancando a medida que crece la planta. ‖ Pieza de hierro mucho más ancha que gruesa. ‖ El más

exterior de los cercos metálicos de las ruedas de los vehículos. [*Sinón.*: calce]

llantén. m. BOT. Planta herbácea, plantaginácea, muy común en los sitios húmedos; el cocimiento de sus hojas se usa en medicina.

llantera. f. fam. Llorera.

llanto (al. *Weinen*, fr. *pleurs*, ingl. *weeping*, it. *pianto*). m. Efusión de lágrimas acompañada frecuentemente de lamentos y sollozos. [*Sinón.*: lloro]

llanura (al. *Ebene*, fr. *plaine*, ingl. *plain*, it. *pianura*). f. Igualdad de la superficie de una cosa. ‖ Campo o terreno igual y dilatado, sin altos ni bajos. [*Sinón.*: llano]

llave (al. *Schlüssel*, fr. *clef*, ingl. *key*, it. *chiave*). f. Instrumento metálico para abrir o cerrar una cerradura. ‖ Instrumento para apretar o aflojar las tuercas. ‖ Instrumento que abre o cierra un conducto. ‖ Mecanismo de las armas portátiles que sirve para dispararlas. ‖ Instrumento para dar cuerda a los relojes. ‖ Corchete, en los manuscritos o impresos. ‖ fig. Medio para descubrir lo oculto o secreto. ‖ fig. Cosa que sirve de resguardo o defensa a otra u otras. ‖ fig. Medio para quitar los estorbos que se oponen a la consecución de un fin. ‖ MÚS. Clave del pentagrama. ‖ En términos deportivos, presa. ‖ — *de paso*. La que se intercala en una tubería para cerrar, abrir o regular el curso de un fluido. ‖ — *inglesa*. Instrumento de hierro de figura de martillo, para apretar y aflojar tuercas. ‖ — *maestra*. La que abre y cierra todas las cerraduras.

llavero. m. Anillo de metal para llevar las llaves.

llavín. m. Llave pequeña con que se abre el picaporte.

llegada. f. Acción y efecto de llegar a un sitio. ‖ Meta, en una competición deportiva. [*Sinón.*: arribada]

llegar (al. *enkommen*, fr. *arriver*, ingl. *to arrive*, it. *arrivare*). intr. Venir, arribar de un sitio a otro. || Tocar en su turno. || Conseguir el fin a que se aspira. || Ascender, importar. || r. Acercarse una cosa a otra. || Ir a un lugar determinado que esté cercano. || Unirse, adherirse.

llena. f. Crecida que hace salir de madre a un rio o arroyo.

llenar (al. *anfüllen*, fr. *emplir*, ingl. *to fill*, it. *riempire*). tr. Ocupar con algo un espacio vacío. Ú.t.c.r. || fig. Ocupar un lugar o empleo. || fig. Parecer bien, satisfacer una cosa. || fig. Fecundar el macho a la hembra. || fig. Colmar abundantemente. || intr. Tratándose de la Luna, llegar al plenilunio. || r. fam. Hartarse de comida o bebida. [*Sinón.*: meter, atestar; atiborrarse. *Antón.*: vaciar, sacar]

lleno, na. adj. Ocupado o henchido de otra cosa. || m. Hablando de la Luna, plenilunio. || Concurrencia que ocupa todas las localidades de un espectáculo público. [*Sinón.*: pleno, repleto]

llevadero, ra. adj. Fácil de sufrir, tolerable. [*Sinón.*: sufrible, soportable. *Antón.*: pesado, insufrible]

llevar (al. *tragen*, fr. *porter*, ingl. *to carry*, it. *portare*). tr. Transportar una cosa de una parte a otra. || Cobrar el precio o los derechos de una cosa. || Producir los terrenos o árboles. || Separar violentamente una cosa de otra. || Tolerar, sufrir. || Persuadir. || Guiar, dirigir. || Tener puesto el vestido, la ropa, etc. o en los bolsillos dinero, papeles u otra cosa. || *llevar las de perder*. fam. Estar en desventaja. || *llevar uno por delante* una cosa. fig. Tenerla presente para dirigir sus operaciones. || *llevarse bien*, o *mal*. fam. Congeniar o no. [*Sinón.*: trasladar; percibir; frutecer; soportar; convencer; conducir; vestir]

llorar (al. *weinen*, fr. *pleurer*, ingl. *to weep*, it. *piangere*). intr. Derramar lágrimas. Ú.t.c.tr. || fig. Caer un líquido gota a gota. Ú.t.c.tr. || tr. fig. Sentir vivamente una cosa. || fig. Encarecer necesidades o lástimas. [*Sinón.*: lagrimar, gotear; dolerse. *Antón.*: reir]

llorera. f. Lloro fuerte y continuado.

lloriquear. intr. Gimotear.

lloriqueo. m. Gimoteo.

lloro. m. Acción de llorar. || Llanto.

llorón, na. adj. Perteneciente o relativo al llanto. || Que llora mucho o fácilmente. Ú.t.c.s. || f. Plañidera. || f. pl. *Amer.* Nazarenas, espuelas grandes usadas por los gauchos. [*Sinón.*: lacrimoso. *Antón.*: risueño, alegre]

lloroso, sa. adj. Que presenta señales de haber llorado. || Aplícase a las cosas que causan llanto y tristeza.

llovedizo, za. adj. Dícese de las bóvedas, techos o cubiertas que, por defecto, dan fácil acceso al agua de lluvia.

llover (al. *regnen*, fr. *pleuvoir*, ingl. *to rain*, it. *piovere*). intr. Caer agua de las nubes. Ú. alguna vez como tr. || fig. Caer algo en abundancia. || *llover sobre mojado*. fig. Venir trabajos sobre trabajos. Ú. alguna vez como tr.

llovizna (al. *Sprühregen*, fr. *bruine*, ingl. *drizzle*, it. *acquerugiola*). f. Lluvia menuda que cae blandamente.

lloviznar. intr. Caer llovizna.

llueca. adj. Clueca. Ú.t.c.s.

lluvia (al. *Regen*, fr. *pluie*, ingl. *rain*, it. *pioggia*). f. Acción de llover. || Agua de lluvia. || fig. Abundancia. || *Amer.* Chorro de agua para lavarse, ducha. || – *de estrellas*. Aparición de muchas estrellas fugaces en determinada parte del cielo.

lluvioso, sa. adj. Aplícase al tiempo o al país en que llueve mucho.

m. f. Décimoquinta letra del alfabeto castellano y duodécima de sus consonantes. Su nombre es *eme*. ‖ Cifra romana equivalente al número 1 000.

maca. f. Señal, en la fruta, de golpe o presión. ‖ Daño ligero en una tela, lienzo, cuerda, etc.

macabro, bra. adj. Se dice de lo que participa de la fealdad de la muerte y de la repulsión que ésta causa. [*Sinón.*: lúgubre]

macaco. m. ZOOL. Mono catirrino con cola y hocico saliente.

macadam. m. Madacán.

macadán. m. Pavimento de grava prensada por medio del rodillo.

macanudo, da. adj. fam. *Amer.* Muy bueno, excelente, extraordinario, en sentido material y moral.

macar. r. Comenzar a pudrirse la fruta por golpes y magullamientos.

macarra. m. Macarrón, chulo.

macarrón (al. *Röhrennudeln*, fr. *macaroni*, ingl. *macaroni*, it. *maccherone*). m. Pasta de harina de trigo en forma de tubo. Ú.m. en pl. ‖ Hombre que vive de las ganancias de las prostitutas. ‖MAR. Extremo de las cuadernas que sobresale de las bordas del buque. Ú.m. en pl.

macarrónico, ca. adj. Se dice del latín muy defectuoso y del lenguaje vulgar y gramaticalmente incorrecto.

macear. tr. Dar golpes con el mazo o la maza. ‖intr. fig. Machacar, molestar a uno.

macedonio, nia. adj. Natural de Macedonia. Ú.t.c.s. ‖ Perteneciente a aquel reino de la Grecia antigua. ‖ f. Ensalada de frutas.

maceración. f. Acción y efecto de macerar o macerarse.

macerar (al. *einweichen*, fr. *macérer*, ingl. *to digest*, it. *macerare*). tr. Ablandar una cosa, estrujándola o sumergiéndola por algún tiempo en un líquido. ‖ fig. Mortificar la carne con penitencias. Ú.t.c.r. ‖ FARM. Sumergir en un líquido, a la temperatura normal, cualquier sustancia, para extraer de ella las partes solubles.

maceta. f. dim. de maza. ‖ Martillo con cabeza de dos bocas usado por los canteros. ‖ Vaso de barro cocido para criar plantas. ‖ Pie para ramilletes de flores artificiales. ‖BOT. Corimbo.

macetero. m. Aparato para colocar macetas de flores.

macilento, ta. adj. Flaco, descolorido, triste. [*Antón.*: sano]

macizo, za (al. *massiv*, fr. *massif*, ingl. *massive*, it. *massiccio*). adj. Lleno, sin huecos, sólido. Ú.t.c.s.m. ‖fig. Sólido y bien fundado. ‖ m. Prominencia del terreno, por lo común rocosa, o grupo de alturas o montañas. ‖ Agrupación de plantas con que se decoran los cuadros de los jardines. ‖ ARQ. Espacio de una pared entre dos vanos.

macla. f. MINERAL. Asociación de dos o más cristales.

macro- Prefijo de origen griego, que entra en la composición de algunas voces españolas con el significado de "grande".

macrocéfalo, la. adj. De cabeza muy grande o desproporcionada. Ú.t.c.s.

macruro, ra. adj. ZOOL. Dícese de los crustáceos decápodos de abdomen alargado a manera de cola. Ú.t.c.s. ‖m. pl. Suborden de estos animales.

mácula. f. Mancha que ensucia un cuerpo. ‖ Cosa que deslustra y desdora [*Sinón.*: tacha]

macuto. m. Mochila de soldado.

mach. m. FÍS. Unidad de velocidad igual a la de propagación de las ondas sonoras en el aire.

machacar (al. *stampfen*, fr. *concasser*, ingl. *to pound*, it. *pestare*). tr. Golpear una cosa para quebrantarla. ‖intr. fig. Porfiar pesadamente en algo. [*Sinón.*: macear, insistir, obstinarse]

machacón, na. adj. Importuno, pesado, que repite las cosas. Ú.t.c.s. [*Sinón.*: insistente, tozudo]

machaconería. f. fam. Insistencia, pesadez.

machete (al. *Baummesser*, fr. *coutelas*, ingl. *cane-knife*, it. *coltellaccio*). m. Arma más corta que la espada, ancha, pesada y de un solo filo.

machetero. m. El que desmonta con machete los pasos embarazados con árboles. ‖ El que corta las cañas en las plantaciones de azúcar.

machihembrar. tr. CARP. Ensamblar dos piezas de madera a caja y espiga o a ranura y lengüeta.

macho (al. *Männchen*, fr. *mâle*, ingl. *male*, it. *maschio*). m. Animal de sexo masculino. ‖ Mulo. ‖ Planta que fecunda a otra de su especie. ‖ Parte del cohete que se engancha en la hembra. ‖ En muchos objetos, pieza que entra dentro de otra. ‖ fig. Hombre necio. Ú.t.c.adj. ‖ adj. fig. Vigoroso, valiente.

machorra. f. Hembra estéril. ‖*Amer.* Mujer homosexual.

machote. m. fam. Hombre vigoroso, recio, valiente.

madama. f. fam. *Amer.* Mujer que regenta un prostíbulo.

madeja (al. *Strähne*, fr. *échevette*, ingl. *skein*, it. *matassa*). f. Hilo recogido en vueltas iguales. ‖*enredar*, o *enredarse, la madeja.* fig. Complicar o complicarse un estado de cosas. [*Sinón.*: ovillo, bobina]

madera (al. *Holtz*, fr. *bois*, ingl. *wood*, it. *legno*). f. Parte sólida de los árboles que se halla bajo su corteza. ‖ Pieza de madera trabajada. ‖ Materia de que se compone el casco de las caballerías.

maderable. adj. Aplícase al árbol que da madera útil para la construcción.

maderaje. m. Conjunto de maderas que sirven para un edificio o una construcción determinados. [*Sinón.*: maderamen]

maderero, ra. adj. Perteneciente o relativo a la industria de la madera. ‖ m. El que trata en madera.

madero (al. *Holtzstück*, fr. *poutre*, ingl. *beam*, it. *legno*). m. Pieza larga de madera escuadrada o rolliza. ‖ Pieza de madera destinada a la construcción. ‖ fig. y fam. Persona necia.

madrastra. f. Mujer del padre respecto de los hijos tenidos por éste en matrimonio anterior.

madraza. f. fam. Madre que mima mucho a sus hijos.

madre (al. *Mutter*, fr. *mère*, ingl. *mother*, it. *madre*). f. Hembra que ha parido. ‖ Hembra respecto de sus hijos. ‖ Título dado a algunas religiosas. ‖ Encargada del gobierno de un asilo, hospital, etc. ‖ fam. Mujer vieja del pueblo. ‖ Matriz en que se desarrolla el feto. ‖ fig. Causa, origen de una cosa. ‖ fig. Aquello en que concurren circunstancias de maternidad. ‖ Lecho de un río o arroyo. ‖ Acequia principal. ‖ Heces del mosto, vino o vinagre. ‖ *— de familia*, o *de familias*. Mujer cabeza de su casa. ‖ *— de leche*. Nodriza. ‖ *— política*. Suegra. ‖ *sacar de madre* a uno. fig. Hacerle perder la paciencia. ‖ *salir*, o *salirse, de madre*. fig. Exceder mucho de lo ordinario, propasar.

madreña. f. Zueco, almadreña.

madreperla (al. *Perlmutter*, fr. *huître perlière*, ingl. *mother-ofpearls*, it. *madreperla*). f. ZOOL. Lamelibranquio marino de concha casi circular, de color pardo oscuro, muy rugosa, pero lisa y nacarada en su interior. Es muy apreciada por producir perlas y también por el nácar que de ella se extrae.

madrépora. f. ZOOL. Celentéreo antozoo, hexacoralario, que vive en los mares intertropicales y forma un polipero arborescente y calcáreo. ‖ Este mismo polipero, que llega a formar escollos e islas.

madreselva. f. BOT. Mata caprifoliácea de flores olorosas en cabezuelas terminales con largo pedúnculo y fruto en baya pequeña y carnosa.

madrigal. m. Composición poética breve en la que se expresa un afecto delicado. ‖ Pieza musical para varias voces sin acompañamiento.

madriguera (al. *Wildlager*, fr. *terrier*, ingl. *burrow*, it. *tana*). f. Cuevecilla en que habitan ciertos animales. ‖ Lugar donde se oculta gente de mal vivir. [*Sinón.*: nido, escondrijo]

madrileño, ña. adj. Natural de Madrid. Ú.t.c.s. ‖ Perteneciente a esta villa o su provincia.

madrina (al. *Patin*, fr. *marraine*, ingl. *godmother*, it. *madrina*). f. Mujer que presenta o asiste a alguien que recibe un sacramento. ‖ La que acompaña o presenta a alguien que recibe un honor, título, etc. ‖ fig. La que favorece o protege a otra persona en sus pretensiones. ‖ fig. La que es designada para romper una botella de vino o champaña contra el casco de una embarcación en la ceremonia de su botadura. ‖ *Amer.* Manada pequeña de ganado manso que guía o reúne al bravío. ‖ *— de guerra*. Mujer que, sin parentesco ni relaciones amorosas con un soldado en campaña, se escribe con él y lo atiende de algún modo.

madrinazgo. m. Acto de asistir como madrina. ‖ Cargo o título de madrina.

madroñal. m. Sitio poblado de madroños.

madroño (al. *Erdbeerbaum*, fr. *arbousier*, ingl. *strawberry-tree*, it. *corbezzolo*). m. BOT. Arbusto ericáceo, de flores blanquecinas, de fruto esférico, comestible, rojo y de superficie granulosa. ‖ Fruto de este arbusto.

madrugada (al. *Früher*, fr. *point du jour*, ingl. *small hours*, it. *alba*). f. Alba, principio del día. ‖ Acción de madrugar. [*Sinón.*: aurora]

madrugar. intr. Levantarse al amanecer o muy temprano. ‖ fig. Ganar tiempo en una empresa.

maduración. f. Acción y efecto de madurar o madurarse.

madurar (al. *reifwerden*, fr. *mûrir*, ingl. *to ripen*, it. *maturare*). tr. Dar sazón a los frutos. ‖ fig. Meditar un proyecto. ‖ CIR. Activar la supuración en un abceso. ‖ intr. Ir sazonándose los frutos. ‖ fig. Crecer en edad y juicio.

madurez. f. Sazón de los frutos. ‖ fig. Buen juicio con que la persona se gobierna. ‖ Edad que sigue a la juventud y precede a la vejez.

maduro, ra. adj. Que está en sazón. ‖ fig. Prudente, sesudo. ‖ Dicho de personas, entrado en años. [*Sinón.*: juicioso; granado]

maestra (al. *Lehrerin*, fr. *institutrice*, ingl. *female schoolteacher*, it. *maestra*). f. Mujer que enseña o instruye. ‖ ALBAÑ. Listón de madera que se coloca a plomo para servir de guía al construir una pared. ‖ adj. MAR. Vela que se iza en el palo mayor de las embarcaciones latinas. [*Sinón.*: profesora]

maestranza. f. Sociedad cuyos miembros practican la equitación. ‖ Conjunto de talleres de piezas de artillería. ‖ Local ocupado por estos talleres. ‖ Conjunto de operarios que trabajan en ellos.

maestrazgo. m. Dignidad de maestre.

maestre. m. Superior de una de las órdenes militares.

maestría. f. Arte y destreza en enseñar o hacer una cosa. ‖ Dignidad o grado de maestro.

maestril. m. Celdilla donde se transforma en insecto adulto la larva de la abeja reina.

maestro, tra. adj. Dícese de la obra de mérito relevante. ‖ m. El que enseña una ciencia, arte u oficio, o tiene título para hacerlo. ‖ El que sabe mucho de una materia. ‖ El que está aprobado en un oficio mecánico o lo ejerce públicamente. ‖ Compositor de música. ‖ MAR. Palo mayor de una embarcación. ‖ *—de obras*. Profesor que cuida de la construcción de un edificio bajo las órdenes del arquitecto.

mafia. f. Organización de bandidos sicilianos. ‖ Por extensión, cualquier organización de criminales.

magaña. f. Ardid, astucia, engaño, artificio.

magdalena. f. Mujer penitente o muy arrepentida de sus pecados. ‖ Bollo pequeño. ‖ *estar hecha una Magdalena*. fam. Estar desconsolada y llorosa.

magenta. m. Color rojo violáceo. ‖ Fucsina.

magia (al. *Zauberkunst*, fr. *magie*, ingl. *magic*, it. *magia*). f. Ciencia de las cosas extraordinarias y portentosas. ‖ fig. Encanto, atractivo con que una cosa deleita o encandila. ‖ *—blanca*. La que obra con medios naturales. ‖ *—negra*. La que tiene el auxilio del demonio. [*Sinón.*: hechicería, brujería; sugestión, fascinación]

magiar. adj. Húngaro. ‖ m. Lengua húngara.

mágico, ca (al. *zauber*, fr. *magique*, ingl. *magic*, it. *magico*). adj. Perteneciente a la magia. ‖ Maravilloso. ‖ m. El que profesa y ejerce la magia. ‖ Encantador. [*Sinón.*: mago, brujo, hechichero]

magisterio. m. Enseñanza que el maestro ejerce para con sus discípulos.

‖ Grado de maestro que se confería en una facultad. ‖ Cargo o profesión de maestro. ‖ Conjunto de los maestros de una nación, provincia, etc. ‖ Estudios que cursan los maestros para obtener el título correspondiente. [*Sinón.*: docencia]

magistrado (al. *Magistrat,* fr. *magistrat,* ingl. *magistrate,* it. *magistrato*). m. Superior en el orden civil. ‖ Dignidad o cargo de juez o ministro superior. ‖ Miembro de una sala de audiencia territorial o provincial, o del Tribunal Supremo de Justicia.

magistral (al. *meister,* fr. *magistral,* ingl. *masterly,* it. *magistrale*). adj. Dícese de lo que se hace con maestría.

magistratura. f. Oficio y dignidad de magistrado. ‖ Tiempo que dura. ‖ Conjunto de los magistrados.

magma. m. Residuo que deja una sustancia al ser exprimida. ‖ GEOL. Masa ígnea en fusión del interior de la Tierra, que se solidifica al enfriarse.

magnanimidad. f. Grandeza y elevación de ánimo. [*Sinón.*: generosidad. *Antón.*: bajeza]

magnánimo, ma. adj. Que tiene magnanimidad.

magnate. m. Persona importante por su cargo, poder o fortuna.

magnesia (al. *Bittererde, fr. magnésie,* ingl. *magnesia,* it. *magnesia*). f. Óxido de magnesio, usado como purgante.

magnesio (al. *Magnesium,* fr. *magnésium,* ingl. *magnesium,* it. *magnesio*). m. QUÍM. Metal de color y brillo semejantes a los de la plata, maleable, poco tenaz y más pesado que el agua.

magnético, ca. adj. Perteneciente a la piedra imán. ‖ Que tiene las propiedades del imán. ‖ Perteneciente o relativo al magnetismo.

magnetismo (al. *Magnetismus,* fr. *magnétisme,* ingl. *magnetism,* it. *magnetismo*). m. Virtud atractiva de la piedra imán. ‖ Agente físico por cuya virtud los imanes y las corrientes eléctricas ejercen acciones a distancia. ‖ —terrestre. Acción que ejerce la Tierra sobre las agujas imanadas, que las fuerza a tomar una dirección próxima al norte.

magnetizar. tr. Comunicar a un cuerpo la propiedad magnética. ‖ Hipnotizar.

magneto. f. Generador electromagnético, usado principalmente en los motores de explosión.

magnetófono. m. Aparato que registra y reproduce sonidos, basado en la imantación de una cinta recubierta de óxido de hierro que pasa por los polos de un electroimán. [*Sinón.*: magnetofón]

magnicidio. m. Muerte violenta dada a un personaje ilustre, generalmente por motivos políticos o religiosos.

magnificar. tr. Engrandecer, ensalzar. Ú.t.c.r.

magníficat. m. Cántico de la Virgen al Señor, en la visitación a su prima Santa Isabel, y que se reza o canta al final de las vísperas.

magnificencia. f. Liberalidad en emprender grandes gastos y disposición para grandes empresas. ‖ Ostentación, grandeza. [*Sinón.*: esplendor; suntuosidad]

magnífico, ca (al. *herrlich,* fr. *magnifique,* ingl. *magnificent,* it. *magnifico*). adj. Espléndido, suntuoso. ‖ Excelente, admirable. ‖ Título honorífico que se da a ciertas personas ilustres.

magnitud. f. Tamaño de un cuerpo. ‖ fig. Grandeza o importancia de una cosa. ‖ ASTR. Número que indica el brillo aparente de una estrella. ‖ Cualquier propiedad medible de un cuerpo. [*Sinón.*: dimensión]

magno, na (al. *grossartig,* fr. *grand,* ingl. *grand,* it. *magno*). adj. Grande. [*Sinón.*: extenso, extraordinario. *Antón.*: pequeño]

magnolia (al. *Magnolie,* fr. *magnolia,* ingl. *magnolia,* it. *magnolia*). f. BOT. Árbol americano magnoliáceo, de tronco liso, follaje perenne, hojas grandes, lanceoladas y coriáceas, y flores blancas, globosas y aromáticas. ‖ Flor o fruto de dicho árbol.

magnoliáceo, a. adj. BOT. Dícese de árboles y arbustos angiospermos dicotiledóneos con hojas alternas coriáceas, flores grandes y olorosas, y frutos capsulares. Ú.t.c.s.f. ‖ f.pl. Familia de estas plantas.

mago, ga (al. *magier,* fr. *mage,* ingl. *magician,* it. *mago*). adj. Dícese del sacerdote en la religión de Zoroastro. Ú.t.c.s. ‖ Que ejerce la magia. Ú.t.c.s. ‖ Dícese de los tres reyes de Oriente que fueron a adorar a Jesús recién nacido. Ú.t.c.s. [*Sinón.*: brujo, hechicero]

magrear. tr. fig. vulg. Palpar, sobar lascivamente una persona a otra.

magreo. m. fig. vulg. Acción de magrear.

magrez. f. Calidad de magro.

magro, gra. adj. Flaco, enjuto. ‖ m. fam. Carne magra del cerdo próxima al lomo. [*Sinón.*: seco, delgado]

magüey. m. *Amer.* Pita, planta.

magullamiento. m. Acción y efecto de magullar o magullarse.

magullar. tr. Causar a un cuerpo contusión, pero no herida. Ú.t.c.r. [*Sinón.*: contusionar]

maharajá. m. Príncipe, antiguo soberano feudatario de la India.

mahometano, na. adj. Que profesa la religión fundada por Mahoma. Ú.t.c.s. [*Sinón.*: musulmán]

mahonés, sa. adj. Natural de Mahón. Ú.t.c.s. ‖ Aplícase a la salsa hecha con yema de huevo y aceite. Ú.t.c.s.f.

maicena. f. Harina fina de maíz.

maitines. m. pl. Primera de las horas canónicas, que se reza antes de amanecer.

maíz (al. *Mais,* fr. *maïs,* ingl. *corn,* it. *grannòturco*). m. BOT. Planta gramínea, originaria de la América tropical; se cultiva en Europa y produce mazorcas de granos gruesos y amarillos muy nutritivos. ‖ Grano de esta planta.

maizal. m. Tierra sembrada de maíz.

majada. f. Lugar donde se recogen, de noche, el ganado y los pastores. ‖ Estiércol de los animales. ‖ Excremento humano. ‖ *Amer.* Hato de ganado lanar. [*Sinón.*: aprisco]

majadería. f. Dicho o hecho necio, imprudente y molesto. [*Sinón.*: sandez, bobería]

majadero, ra. adj. fig. Necio y porfiado. Ú.t.c.s. [*Sinón.*: imbécil]

majar. tr. Machacar. ‖ fig. fam. Importunar, molestar.

majareta. com. fam. Individuo algo chiflado.

majestad (al. *Herrlichkeit,* fr. *majesté,* ingl. *majesty,* it. *maestà*). f. Grandeza, magnificencia. ‖ Título o tratamiento que se da a Dios, los emperadores y los reyes. [*Sinón.*: majestuosidad]

majestuoso, sa. adj. Que tiene majestad.

majo, ja. adj. Que afecta libertad y guapeza propia de la gente ordinaria. Ú.t.c.s. ‖ fam. Ataviado, lujoso. [*Sinón.*: chulo, guapo]

mal (al. *Übel,* fr. *mal,* ingl. *evil,* it. *male*). adj. Apócope de malo. ‖ m. Negación del bien; lo que se aparta de lo lícito y honesto. ‖ Daño u ofensa. ‖ Desgracia, calamidad. ‖ Enfermedad. ‖ —de ojo. Influjo maléfico que se atribuye a la mirada de ciertas personas.

mal. adv. m. Contrariamente a lo debido; de mala manera. ‖ Contrariamente a lo requerido. ‖ Con dificultad. ‖ Poco, insuficientemente. ‖ *de mal en*

peor. m. adv. Cada vez más desacertadamente. ‖ *mal que bien*. loc. adv. Venciendo toda clase de dificultades.

malabarismo. m. fig. Juegos malabares. ‖ Habilidad en manejar conceptos o palabras para deslumbrar al oyente o al lector.

malabarista (al. *Gaukler*, fr. *jongleur*, ingl. *juggler*, it. *giocoliere*). com. Persona que hace juegos malabares. ‖ *Amer*. El que roba algo con astucia.

malacitano, na. adj. Malagueño. Aplicado a personas, ú.t.c.s.

malacología. f. Parte de la zoología que estudia a los moluscos.

malacopterigio. adj. ZOOL. Dícese de los peces teleósteos que tienen sus aletas provistas de radios blancos, flexibles y articulados. Ú.t.c.s.m. ‖ m.pl. Orden de estos peces.

málaga. m. fig. Vino dulce que se elabora con la uva de la tierra de Málaga.

malagueña. f. Cante o baile popular propio de la provincia de Málaga.

malagueño, ña. adj. Natural de Málaga. Ú.t.c.s. ‖ Perteneciente a esta ciudad o provincia.

malandanza. f. Mala fortuna, desgracia.

malandrín, na. adj. Maligno, perverso. Ú.t.c.s.

malaquita. f. Carbonato de cobre, de tonos verdosos, duro como el mármol, que se usa en objetos de lujo.

malar. adj. ANAT. Perteneciente a la mejilla. ‖ m. ANAT. Pómulo.

malaria. f. MED. Fiebre palúdica. |*Sinón*.: paludismo|

malayo, ya (al. *malaie*, fr. *malais*, ingl. *malay*, it. *malese*). adj. Dícese del individuo de raza mongoloide y piel muy morena que vive en la península de Malaca, en las islas del archipiélago de la Sonda y en Oceanía Occidental. Ú.t.c.s. ‖ Perteneciente o relativo a los malayos. ‖ Natural de la Federación Malaya. Ú.t.c.s. ‖ m. Lengua malaya.

malbaratar. tr. Vender la hacienda a bajo precio. ‖ Disiparla.

malcarado, da. adj. Que tiene mala cara o aspecto repulsivo.

malcasar. tr. Casar sin las circunstancias que se requieren para la felicidad del matrimonio. Ú.t.c.intr. y c.r.

malcriadez. f. *Amer*. Grosería, indecencia.

malcriado, da. adj. Falto de educación, descortés.

malcriar. tr. Educar a los hijos condescendiendo demasiado con sus gustos y caprichos.

maldad (al. *Bosheit*, fr. *méchanceté*, ingl. *wichedness*, it. *cattiveria*). f. Calidad de malo. ‖ Acción mala. ‖ |*Sinón*.: malignidad. *Antón*.: bondad|

maldecir (al. *verfluchen*, fr. *maudire*, ingl. *to curse*, it. *maledire*). tr. Echar maldiciones contra una persona o cosa. ‖ intr. Hablar con mordacidad en perjuicio de alguien, denigrándole.

maldiciente. adj. Detractor por hábito. Ú.t.c.s.

maldición (al. *Fluch*, fr. *malédiction*, ingl. *curse*, it. *maledizione*). f. Imprecación contra una persona o cosa, manifestando enojo y aversión hacia ella.

maldito, ta (al. *verdammt*, fr. *maudit*, ingl. *damned*, it. *maledetto*). adj. Perverso, de malas costumbres. ‖ Condenado por la justicia divina. Ú.t.c.s. ‖ De mala calidad, miserable. [*Sinón*.: ruin]

maleable. adj. Aplícase a los metales que pueden batirse y extenderse en planchas o láminas.

maleante. m. Persona de mala conducta o que tiene antecedentes penales. |*Sinón*.: delincuente, malhechor|

malear (al. *verderben*, fr. *pervertir*, ingl. *to pervert*, it. *pervertire*). tr. Dañar, echar a perder una cosa. Ú.t.c.r. ‖ fig. Pervertir uno a otro. Ú.t.c.r.

malecón. m. Murallón que protege de los daños que pueda causar la acción de las aguas. |*Sinón*.: dique|

maledicencia. f. Acción de maldecir o denigrar.

maleficencia. f. Hábito de hacer mal.

maleficio (al. *Hexerei*, fr. *maléfice*, ingl. *witchcraft*, it. *maleficio*). m. Daño causado por arte de hechicería. ‖ Hechizo empleado para causarlo.

maléfico, ca. adj. Que perjudica y hace daño a otro. ‖ Que ocasiona daño. ‖ m. Que practica hechicerías.

malentendido. m. Error o mala interpretación inadvertidos en el entendimiento de una cosa.

maléolo. m. ANAT. Tobillo.

malestar. m. Desazón, incomodidad indefinible. |*Sinón*.: molestia. *Antón*.: bienestar|

maleta (al. *Handkoffer*, fr. *valise*, ingl. *travelling case*, it. *valigia*). f. Recipiente que sirve para transportar efectos personales u otras cosas, y se puede llevar a mano. ‖ m. fam. El que practica con torpeza o desacierto su profesión.

maletero. m. El que hace o vende maletas. ‖ Mozo de estación que las lleva.

malevo, va. adj. *Amer*. Malvado, malhechor; malévolo.

malevolencia. f. Mala voluntad.

malévolo, la. adj. Inclinado a hacer mal. Ú.t.c.s.

maleza (al. *Unkraut*, fr. *broussailles*, ingl. *overgrowth of weeds*, it. *macchia*). f. Abundancia de hierbas malas. ‖ Espesura de arbustos.

malformación. f. FISIOL. Deformidad o defecto congénito en alguna parte del organismo.

malgache. adj. Natural de Madagascar. Ú.t.c.s. ‖ Perteneciente a este país insular.

malgastar (al. *vergeuden*, fr. *gaspiller*, ingl. *to misspend*, it. *sprecare*). tr. Disipar en cosas malas o inútiles, el dinero, la paciencia, etc. |*Sinón*.: derrochar, dilapidar. *Antón*.: ahorrar|

malhablado, da. adj. Deslenguado, desvergonzado en el hablar.

malhadado, da. adj. Infeliz, desventurado.

malhechor, ra. adj. Que comete un delito, y en especial, que los comete habitualmente. Ú.t.c.s. |*Sinón*.: maleante, delincuente|

malhumorado, da. adj. Que tiene malos humores. ‖ Que está de mal humor.

malicia (al. *Boshaftigkeit*, fr. *malice*, ingl. *malice*, it. *malizia*). f. Maldad, calidad de malo. ‖ Inclinación a lo malo. ‖ Perversidad.

malicioso, sa. adj. Que interpreta las cosas con malicia. Ú.t.c.s. ‖ Que lleva malicia.

malignidad. f. Calidad de maligno. |*Sinón*.: malicia, perversidad|

maligno, na. adj. Propenso a pensar u obrar mal. Ú.t.c.s. ‖ De índole perniciosa. |*Sinón*.: malo, dañino|

malintencionado, da. adj. fam. Que tiene mala intención. Ú.t.c.s.

malmaridada. adj. Se aplica a la mujer que falta a los deberes conyugales. Ú.t.c.s.

malmirado, da. adj. Malquisto. ‖ Descortés.

malo, la (al. *böse, schlecht*; fr. *mauvais, méchant*; ingl. *bad, evil*; it. *cattivo*). adj. Que no es bueno. ‖ Nocivo para la salud. ‖ Que se opone a la razón o a la ley. ‖ Que lleva mala vida y costumbres. Ú.t.c.s. ‖ Enfermo. ‖ Dificultoso. ‖ Desagradable, molesto. ‖ Bellaco, malicioso. ‖ Deslucido, deteriorado. ‖ *a malas*. m. adv. Con enemistad. Suele usarse con el verbo *andar*. |*Sinón*.: pérfido, perverso. *Antón*.: bueno|

malograr (al. *vereiteln*, fr. *manquer*, ingl. *to miss*, it. *non riuscire*). tr. No aprovechar una cosa. ‖ r. Frustrarse lo que se pretendía conseguir. ‖ No llegar a su natural desarrollo. [*Sinón.*: fracasar. *Antón.*: lograr]

malogro. m. Efecto de malograrse una cosa.

maloliente. adj. Que huele mal.

malón. m. *Amer.* Irrupción inesperada de indios. ‖ fig. Felonía inesperada; mala partida.

malparado, da. adj. Que ha sufrido notable menoscabo.

malparar. tr. Maltratar, poner en mal estado.

malparir. intr. Abortar, parir prematuramente.

malpensado, da. adj. Dícese de la persona que piensa mal, suspicaz. Ú.t.c.s.

malquerencia. f. Mala voluntad hacia una persona o cosa.

malquerer. tr. Tener mala voluntad.

malquistar. tr. Poner mal a una persona con otra u otras.

malquisto, ta. adj. Que está mal con una o varias personas.

malsano, na. adj. Perjudicial para la salud. ‖ Enfermizo.

malsonante. adj. Se dice de lo que ofende los oídos de buen gusto.

malta (al. *Malz*, fr. *malt*, ingl. *malt*, it. *malto*). f. Cebada germinada artificialmente y tostada que se usa en la fabricación de la cerveza.

maltés, sa. adj. Natural de Malta. Ú.t.c.s. ‖ Perteneciente o relativo a esta isla del Mediterráneo.

maltraer. tr. Maltratar, injuriar.

maltratar (al. *misshandeln*, fr. *malmener*, ingl. *to mishandle*, it. *maltrattare*). tr. Tratar mal a alguien. Ú.t.c.r. ‖ Menoscabar, echar a perder.

maltrecho, cha. adj. Maltratado.

malucho, cha. adj. fam. Que está algo malo.

malva (al. *Malve*, fr. *mauve*, ingl. *mallow*, it. *malva*). f. BOT. Planta herbácea de tallo áspero, hojas de peciolo largo, flores axilares moradas y fruto con semillas secas. ‖ adj. Dícese de lo que es de color morado claro tirando a rosa. ‖ m. Color malva.

malvado, da (al. *rachlos*, fr. *pervers*, ingl. *wicked*, it. *malvagio*). adj. Muy malo, perverso. Ú.t.c.s.

malvasía. f. Uva muy dulce y fragante. ‖ Vino que se hace con esta uva.

malvavisco. m. BOT. Planta malvácea cuya raíz se usa como emoliente. [*Sinón.*: altea]

malvender. tr. Vender a bajo precio.

malversación. f. Acción y efecto de malversar.

malversar (al. *veruntreuen*, fr. *détourner (des fonds)*, ingl. *to misappropiate*, it. *malversare*). tr. Invertir ilícitamente los caudales ajenos que alguien tiene a su cargo.

malla (al. *Masche*, fr. *maille*, ingl. *mesh*, it. *maglia*). f. Cada uno de los cuadriláteros que forman el tejido de una red. ‖ Tejido de pequeños eslabones metálicos enlazados entre sí. ‖ Cada uno de estos eslabones. ‖ Por ext., tejido parecido al de la malla de red.

mallorquín, na. adj. Natural de Mallorca. Ú.t.c.s. ‖ Concerniente a esta isla. ‖ m. Dialecto catalán que se habla en Mallorca.

mama. f. fam. Madre. ‖ ANAT. Teta.

mamá. f. fam. Mama, madre.

mamada. f. fam. Acción de mamar. ‖ Cantidad de leche que mama la criatura cada vez que se pone al pecho.

mamadera. f. Instrumento para descargar de leche los pechos de las mujeres. ‖ *Amer.* Biberón.

mamado, da. adj. vulg. Borracho.

mamar (al. *saugen*, fr. *téter*, ingl. *to suckle*, it. *poppare*). tr. Sorber, con los labios y la lengua, la leche de los pechos. ‖ fig. Aprender algo en la infancia. ‖ fig. y fam. Obtener o alcanzar algo sin merecerlo. ‖ fig. y fam. Beber mucho.

mamario, ria. adj. ZOOL. Perteneciente a las mamas o a las tetas.

mamarrachada. f. fam. Acción desconcertada y ridícula.

mamarracho. m. fam. Figura o adorno defectuoso y ridículo. ‖ fam. Hombre informal.

mamelón. m. Pequeña colina en forma de pezón. ‖ CIR. Abultamiento carnoso en el tejido cicatrizal de heridas y úlceras.

mamífero (al. *Säugetiere*, fr. *mammifère*, ingl. *mammal*, it. *mammifero*). adj. Dícese de los animales que alimentan a sus crías con la leche de las mamas de sus hembras. Ú.t.c.s. ‖ m. pl. Clase de estos animales.

mamila. f. ANAT. Parte principal de la teta de la hembra, exceptuando el pezón. ‖ ANAT. Tetilla del hombre.

mamola. f. Burla que se hace acariciando a uno debajo de la barba. ‖ Interjección de burla o negación.

mamón, na. adj. Que todavía mama. ‖ Que mama mucho, o más tiempo del debido. Ú.t.c.s. ‖ fig. vulg. Bobo, lelo.

mamotreto. m. fig. y fam. Libro o legajo muy abultado. ‖ fam. Armatoste.

mampara (al. *Wandschirm*, fr. *paravent*, ingl. *screen*, it. *paravento*). f. Cancel movible hecho con un bastidor de madera cubierto de piel o tela. [*Sinón.*: biombo]

mamparo. m. MAR. Tabique con que se divide en compartimentos el interior de un barco.

mamporro. m. fam. Puñetazo.

mampostería (al. *Findlingsmauerwerk*, fr. *maçonnerie en blocage*, ingl. *rubblework*, it. *muratura*). f. Obra hecha con mampuestos.

mamut. m. ZOOL. Mamífero fósil de gran tamaño del orden de los proboscídeos, afín al elefante, que vivió durante la era cuaternaria en las regiones frías.

maná. m. Manjar milagroso enviado por Dios al pueblo de Israel en el desierto. ‖ Sustancia gomosa y sacarina que fluye de una especie de fresno y se usa como purgante.

manada (al. *Herde*, fr. *troupeau*, ingl. *flock*, it. *branco*). f. Hato de ganado al cuidado de un pastor. ‖ Conjunto de animales de una misma especie que viven en colectividad. [*Sinón.*: rebaño]

manager (voz inglesa). m. Director del entrenamiento de un deportista, administrador, empresario.

manantial (al. *Quelle*, fr. *source*, ingl. *spring*, it. *sorgente*). adj. Dícese del agua que mana. ‖ m. Nacimiento de las aguas. ‖ fig. Principio y origen.

manar (al. *entspringen*, fr. *sourdre*, ingl. *to spring*, it. *sorgere*). intr. Brotar un líquido. Ú.t.c.r. ‖ Abundar, tener abundancia de una cosa. [*Sinón.*: surgir]

manatí. m. Mamífero de cinco metros de longitud, cabeza redonda, piel velluda y muy espesa; tiene los miembros torácicos en forma de aletas terminadas por manos.

manceba. f. Concubina.

mancebía (al. *Bordell*, fr. *maison de tolérance*, ingl. *brothel*, it. *lupanare*). f. Casa pública de mujeres que se prostituyen.

mancebo (al. *Jüngling*, fr. *jeune homme*, ingl. *youth*, it. *giovanotto*). m. Mozo de pocos años. ‖ Hombre soltero. ‖ Dependiente u oficial. [*Sinón.*: muchacho]

mancilla. f. fig. Mancha, desdoro, deshonra.

mancillar. tr. Manchar, deshonrar. ‖ Deslucir, afear, ajar. Ú.t.c.r.

manco, ca (al. *einhändig*, fr. *manchot*, ingl. *one-handed*, it. *monco*). adj. Falto de un brazo o mano, o imposibilitado para su uso. Ú.t.c.s. ‖ fig. Defectuoso, privado de una parte necesaria. |Sinón.: mutilado, incompleto|

mancomunar (al. *vereinigen*, fr. *associer*, ingl. *to unite*, it. *accomunare*). tr. Unir personas, fuerzas o caudales para un fin. Ú.t.c.r. || DER. Obligar a dos o más personas de mancomún. || r. Asociarse.

mancomunidad (al. *Gemeinschaftlichkeit*, fr. *communauté*, ingl. *comunity*, it. *accomunamento*). f. Acción y efecto de mancomunar o mancomunarse. || Corporación de municipios o provincias. || Comunidad.

mancornar. tr. Poner a un novillo con los cuernos en tierra. || Atar dos reses por los cuernos.

mancha (al. *Fleck*, fr. *tache*, ingl. *stain*, it. *macchia*). f. Señal que una cosa hace en un cuerpo, ensuciándolo. || Parte de una cosa con distinto color del dominante. || fig. Deshonra.

manchar (al. *beschmutzen*, fr. *souiller*, ingl. *to stain*, it. *macchiare*). tr. Ensuciar una cosa. Ú.t.c.r. || fig. Deslustrar la buena fama de una persona o cosa. Ú.t.c.r.

manchego, ga. adj. Natural de La Mancha. Ú.t.c.s. || Concerniente a esta región de España.

manchón. m. aúm., de mancha. || Parte de una tierra de labor que, para servir de pasto al ganado, se deja un año sin cultivar.

manchú. adj. De Manchuria. Ú.t.c.s. || Concerniente a esta región asiática.

manda. f. Legado en testamento.

mandado. m. Orden, precepto, mandamiento.

mandamás. com. Nombre irónico que se da a una persona que desempeña una función de mando.

mandamiento (al. *Gebot*, fr. *commandement*, ingl. *commandment*, it. *comandamento*). m. Orden de un superior a un inferior. || Cada uno de los preceptos del Decálogo y de la Iglesia. || DER. Despacho del juez, por escrito, mandando ejecutar algo.

mandanga. f. Flema, indolencia.

mandar (al. *befehlen*, fr. *commander*, ingl. *to command*, it. *comandare*). tr. Ordenar, imponer, el superior al inferior. || Legar a otro algo en el testamento. || Enviar. || Encargar.

mandarín. m. El que en la China tenía a su cargo el gobierno de una ciudad o la administración de justicia. || fig. Persona influyente.

mandarín, na. adj. Se dice de la persona mandona. || f. Fruto del mandarino.

mandarino. m. BOT. Árbol originario de China cuyo fruto es la mandarina.

mandatario. m. DER. Persona que recibe de otra el poder de representarla, o la gestión de uno o más negocios.

mandato (al. *Vollmacht*, fr. *mandat*, ingl. *mandate*, it. *mandato*). m. Orden, precepto. || DER. Contrato concensual por el que una de las partes encomienda la gestión de un negocio a la otra. || Representación que se confiere al que es elegido para un cargo.

mandíbula (al. *Kiefer*, fr. *máchoire*, ingl. *jaw*, it. *mascella*). f. ANAT. Cada una de las partes óseas o cartilaginosas que forman la boca de los vertebrados y en las cuales están inseridos los dientes. || ZOOL. Cada una de las dos piezas córneas del pico de las aves. || ZOOL. Cada una de las dos piezas duras que forman la boca de los insectos masticadores.

mandil. m. Prenda de cuero o tela fuerte que, colgada al cuello, cubre hasta por debajo de las rodillas. || Delantal.

mandinga. m. *Amer*. Diablo. || Etnia del Sudán Occidental. Ú.t.c.s.

mandioca. f. BOT. Arbusto euforbiáceo de las regiones cálidas de América, de cuya raíz se extrae almidón, harina y tapioca. || Harina fina extraída de la raíz de este arbusto.

mando (al. *Herrschaft*, fr. *commendament*, ingl. *command*, it. *comando*). m. Autoridad del superior sobre sus súbditos. || TÉCN. Botón, palanca u otro artificio por el que se regula un mecanismo.

mandoble. m. Cuchillada que se da esgrimiendo el arma con ambas manos. || fig. Amonestación.

mandolina. f. MÚS. Instrumento de cuerda en forma almendrada, con mango largo y cuatro cuerdas, que se toca con un plectro.

mandón, na. adj. Que ostenta demasiado su autoridad o manda más de lo debido. Ú.t.c.s.

mandril. m. ZOOL. Mono primate que habita en las costas africanas occidentales. || CIR. Vástago que se introduce en ciertos instrumentos huecos para facilitar su penetración en ciertas cavidades.

manecilla. f. dim. de mano. || Broche que cierra algunas cosas, especialmente los libros de devoción. || Saetilla del reloj u otros instrumentos que señala las horas, los minutos, los grados, etc. || BOT. Zarcillo de las plantas trepadoras.

manejar (al. *handhaben*, fr. *manier*, ingl. *to handle*, it. *maneggiare*). tr. Traer entre las manos una cosa. || fig. Gobernar, dirigir. || *Amer*. Guiar un coche.

manejo. m. Acción y efecto de manejar o manejarse. || fig. Maquinación, intriga.

manera (al. *Weise*, fr. *manière*, ingl. *manner*, *way*; it. *maniera*). f. Modo con que se ejecuta o acaece una cosa. || Porte, modales de una persona. Ú.m. en pl. || Calidad o clase de las personas. || Astucia. || PINT. Carácter que un artista da a sus obras.

manes. m. pl. MIT. Dioses infernales que purificaban las almas. || fig. Sombras o almas de los muertos.

manga (al. *Ärmel*, fr. *manche*, ingl. *sleeve*, it. *manica*). f. Parte del vestido en la que se introduce el brazo. || Parte del eje de un carruaje donde entra y voltea la rueda. || Tubo flexible que se adapta a las bocas de riego. || Esparavel. || — *ancha*. fig. Excesiva indulgencia. || Columna de agua que se eleva girando por efecto de un torbellino atmosférico. || MAR. Anchura mayor de un buque. || *—ancha*. fig. Excesiva indulgencia. Ú.m. en la loc. *ser de* o *tener manga ancha*. || *—de viento*. Torbellino.

manganeso. m. QUÍM. Metal de color gris, quebradizo y más duro que el hierro, que se encuentra sumergido en nafta o petróleo.

mangante. adj. fam. Dícese de la persona sinvergüenza o que roba.

mangar. tr. fam. Quitar, robar.

mango (al. *Stiel*, fr. *manche*, ingl. *handle*, it. *manico*). m. Parte por donde se coge con la mano un instrumento o utensilio. || BOT. Árbol terebintáceo, de fruto oval, de corteza delgada y correosa, aromático y de sabor agradable. || Fruto de este árbol.

mangonear. intr. fam. Andar uno vagabundeando sin objetivo. || fam. Entremeterse uno en una cosa.

mangosta. f. ZOOL. Mamífero carnívoro, del tamaño de un hurón, pelaje gris pardo, hocico alargado y cola larga.

manguera (al. *Schlauch*, fr. *tuyau d'arrosage*, ingl. *hose*, it. *manica*). f. Tubo largo de pequeño diámetro, de goma o plástico, que se usa para regar. || MAR. Tubo de ventilación.

manguito (al. *Muff*, fr. *manchon*, ingl. *muff*, it. *manicotto*). m. Rollo de piel abierto por sus extremos en el que se meten las manos para tenerlas abrigadas. || Manga postiza que usan los oficinistas. || MEC. Cilindro hueco que se usa para empalmar dos piezas cilíndricas.

maní. m. BOT. Cacahuete.

manía (al. *Manie,* fr. *manie,* ingl. *mania,* it. *mania*). f. Forma de locura caracterizada por fuerte agitación y arranques de cólera. || Extravagancia, capricho. || Afecto o deseo desordenado. || fam. Ojeriza.

maniaco, ca o **maníaco, ca.** adj. Enajenado, que padece manía. Ú.t.c.s. [*Sinón.:* lunático, extraviado]

maniatar. tr. Atar las manos.

maniático, ca. adj. Que tiene manías. Ú.t.c.s.

manicomio (al. *Irrenhaus,* fr. *asile d'aliénés,* ingl. *madhouse,* it. *manicomio*). m. MED. Hospital destinado al internamiento y asistencia de enfermos mentales.

manicuro, ra. s. Persona que por oficio cuida las manos, y principalmente las uñas.

manido, da (al. *abgedroschen,* fr. *rebattu,* ingl. *trite,* it. *ribattuto*). adj. Sobado, pasado de sazón. [*Sinón.:* usado]

manifestación (al. *Demonstration,* fr. *manifestation,* ingl. *demonstration,* it. *manifestazione*). f. Acción de manifestar o manifestarse. || Reunión pública en la que los asistentes dan a conocer sus deseos o sentimientos. [*Sinón.:* expresión]

manifestante. com. Persona que toma parte en una manifestación pública.

manifestar (al. *erklären,* fr. *manifester,* ingl. *to state,* it. *manifestare*). tr. Declarar, dar a conocer. Ú.t.c.r. || Descubrir, poner a la vista. Ú.t.c.r. || Participar a una manifestación. Ú.t.c.r.

manifiesto, ta. adj. Descubierto, patente, claro. || m. Escrito en que se hace pública declaración de doctrinas o propósitos de interés general.

manija (al. *Hebel,* fr. *manette,* ingl. *lever,* it. *maniglia*). f. Mango o manubrio de ciertos utensilios y herramientas. || Abrazadera de metal. || Manilla de presos.

manilla. f. Pulsera. || Anillo de hierro con el que se atenaza la muñeca de los presos. [*Sinón.:* argolla, esposa]

manillar. m. Pieza de la bicicleta que sirve para dar dirección a la máquina.

maniobra (al. *Manöver,* fr. *manoeuvre,* ingl. *maneuver,* it. *manovra*). f. Operación material que se ejecuta con las manos. || fig. Artificio en los negocios. || MAR. Arte de gobernar las embarcaciones. || MIL. Evolución en que se ejercita la tropa. || pl. Operaciones que se hacen en ciertos vehículos para que cambien de rumbo. [*Sinón.:* manipulación; intriga, ardid]

maniobrar. intr. Hacer maniobras.

manipulación. f. Acción y efecto de manipular.

manipular. tr. Operar con las manos. || fig. fam. Manejar alguien los negocios a su modo, o meterse en los ajenos. [*Sinón.:* maniobrar]

manípulo. m. Ornamento sagrado que se sujeta al antebrazo izquierdo sobre la manga del alba. || Enseña primitiva de los soldados romanos.

maniqueísmo. m. Secta de Maniqueo o Manes, quien admitía dos principios creadores, el del bien y el del mal. || Actitud inspirada por esta concepción dualista.

maniqueo, a. adj. Se dice de la persona partidaria del maniqueísmo, o que adopta tal actitud. Ú.t.c.s.

maniquí. (al. *Modellpuppe,* fr. *mannequin,* ingl. *manikin,* it. *manichino*). m. Figura movible que puede ser colocada en diversas actitudes. || Armazón en forma de ser humano que se usa para probar y arreglar prendas de ropa. || Persona que luce los vestidos de última moda. || fig. y fam. Persona muy dócil que se deja gobernar por los demás. [*Sinón.:* muñeco, modelo]

manir. tr. Hacer que las carnes y algunos manjares se ablanden antes de condimentarlos o comerlos.

manirroto, ta. adj. Pródigo. Ú.t.c.s. [*Sinón.:* derrochador, despilfarrador]

manivela. f. Manubrio, cigüeñal.

manjar (al. *Gericht,* fr. *mets,* ingl. *food,* it. *cibo*). m. Cualquier comestible. [*Sinón.:* alimento]

mano (al. *Hand,* fr. *main,* ingl. *hand,* it. *mano*). f. Parte terminal del brazo humano, desde la muñeca inclusive hasta la punta de los dedos. || Extremidad de los animales cuyo dedo pulgar puede oponerse a los otros. || Pie delantero de los cuadrúpedos. || Trompa del elefante. || Lado derecho e izquierdo en que está una cosa respecto de la situación de otra. || Manecilla del reloj. || Instrumento de madera u otra materia que sirve para desmenuzar alguna cosa. || Rodillo de piedra para quebrantar algo. || Capa de color, barniz, etc. || Conjunto de cinco cuadernillos de papel. || En el juego, el primero en orden de los que juegan. || fig. Persona que hace una cosa. || fig. Destreza, habilidad. || fig. Mando, poder. || fig. Favor, piedad. || fig. Auxilio. || fig. Castigo. || MÚS. Escala de notas. || pl. Trabajo manual empleado en una obra. || *—de obra.* Trabajo manual de los obreros; precio que se paga por él. || *—oculta.* Persona que interviene secretamente en algún asunto. || *buena mano.* fig. Acierto. || *mala mano.* fig. Falta de habilidad; desgracia. || *manos largas.* Persona que pretende golpear a otra. || *—muertas.* DER. Poseedores de bienes en quienes se perpetúa el dominio por no poder enajenarlo. || *a manos llenas.* m. adv. fig. Generosamente, en abundancia. || *bajo mano.* m. adv. fig. Oculta o secretamente. || *cargar la mano.* Insistir con empeño sobre algo; tener un rigor exagerado con uno. || *cargar uno la mano en una cosa.* fig. fam. Echar con exceso algo en comidas, medicamentos, etc. || *con las manos en la masa.* loc. adv. fig. fam. En el acto de estar haciendo algo. U.m. con los verbos *coger* y *estar.* || *dejar de la mano* una cosa. fig. Abandonarla. || *de primera mano.* loc. fig. Del primer vendedor; tomado o aprendido del original. || *de segunda mano.* loc. fig. Del segundo vendedor; tomado de un trabajo de primera mano. || *echar una mano a una cosa.* fig. Ayudar a su ejecución. || *ensuciar* o *ensuciarse uno las manos.* fig. fam. Robar con disimulo; dejarse sobornar. || *ganar a uno por la mano.* fig. Anticipársele en lograr algo. || *írsele a uno la mano.* fig. Hacer con ella algo sin querer; excederse en algo. || *lavarse uno las manos.* fig. Justificarse al echarse fuera de un negocio. || *llegar a las manos.* fig. Pelear. || *mano a mano.* m. adv. fig. Con otra persona, con familiaridad. || *meter mano.* fig. Acariciar, con fines eróticos. || *traer entre manos* una cosa. fig. Dirigirla, hacerla, proyectarla.

manojo (al. *Bündel,* fr. *faisceau,* ingl. *bundle,* it. *mazzo*). m. Hacecillo que se puede coger con la mano.

manopla (al. *Panzerhandschuh,* fr. *gantelet,* ingl. *gauntlet,* it. *manopola*). f. Pieza de la armadura antigua con que se guarnecía la mano. [*Sinón.:* manota, guantelete]

manosear (al. *betasten,* fr. *tripoter,* ingl. *to finger,* it. *palpegiare*). tr. Tocar mucho una cosa, llegando a veces a ajarla. [*Sinón.:* sobar, palpar]

manotazo. m. Golpe dado con la mano. [*Sinón.:* manotada]

manotear. tr. Dar golpes con la mano. || intr. Mover las manos al hablar. [*Sinón.:* gesticular]

mansalva (a). m. adv. Sin peligro; sobre seguro.

mansarda. f. ARQ. Tejado con vertiente quebrada, con la parte inferior de mayor pendiente que la superior. || *Amer.* Buhardilla.

mansedumbre. f. Condición de manso.

mansión (al. *Wohnung*, fr. *demeure*, ingl. *dwelling*, it. *magione*). f. Morada, albergue.

manso, sa (al. *zahm*, fr. *doux*, ingl. *tame*, it. *mansueto*). adj. Benigno y suave en la condición. || Se dice de los animales que no son bravos. || fig. Apacible, sosegado. || m. En el ganado, macho que sirve de guía a los demás.

manta (al. *Bettdecke*, fr. *couverture*, ingl. *blanket*, it. *coperta*). f. Prenda suelta de lana o algodón que sirve para abrigo. || Pieza, generalmente de lana, para abrigarse fuera de la cama. || Cubierta de abrigo para las caballerías. || *Amer.* Tela ordinaria de algodón. || *a manta.* loc. adv. En Abundancia. || *tirar de la manta.* fig. y fam. Descubrir lo que había interés en mantener oculto.

mantear. tr. Lanzar al aire a alguien tirando varias personas a un tiempo de los bordes de una manta.

manteca (al. *Fett*, fr. *saindoux*, ingl. *lard*, it. *grasso*). f. Grasa de los animales. || Sustancia grasa de la leche.

mantecada. f. Rebanada de pan untada con manteca y azúcar. || Bollo de harina de flor, azúcar, huevos y manteca de vaca.

mantecado. m. Bollo amasado con manteca de cerdo. || Sorbete de leche, huevos y azúcar.

mantecoso, sa. adj. Que tiene mucha manteca o se asemeja a ella.

mantel (al. *Tischtuch*, fr. *nappe*, ingl. *tablecloth*, it. *tovaglia*). m. Lienzo con que se cubre la mesa.

mantelería. f. Juego de mantel y servilletas.

mantenedor, ra. s. En los juegos florales, miembro del jurado. || m. El caballero encargado de sostener y dar continuidad al torneo, justa, etc.

mantener (al. *beköstigen*, fr. *entretenir*, ingl. *to support*, it. *mantenere*). tr. Proveer a uno de alimento necesario. Ú.t.c.r. || Conservar. || Sostener. || Proseguir en lo que se está ejecutando. || DER. Amparar a uno en la posesión o goce de una cosa. || r. No variar de estado o de resolución. || fig. Fomentarse, alimentarse. [*Sinón.:* sustentar, perseverar]

mantenido. m. *Amer.* El que vive a expensas del trabajo de su mujer.

mantenimiento. m. Acción de mantener o mantenerse. || pl. Víveres.

mantequera. f. La que hace o vende mantequilla. || Vasija en que se hace o guarda la mantequilla.

mantequería. f. Lugar donde se hace o vende manteca. || Por ext., tienda de ultramarinos de solera.

mantequilla (al. *Butter*, fr. *beurre*, ingl. *butter*, it. *burro*). f. Manteca de vaca. || Pasta blanda y suave que se obtiene batiendo manteca de vaca.

mantilla (al. *Mantilla*, fr. *mantille*, ingl. *mantilla*, it. *mantiglia*). f. Prenda que usan las mujeres para cubrirse la cabeza. || Pieza con que se abriga y envuelve por encima de los pañales a los niños. Ú.m. en pl.

mantillo. m. Capa superior del suelo, formada en gran parte por la descomposición de materias orgánicas. || Abono que resulta de la fermentación del estiércol. [*Sinón.:* humus]

manto (al. *Mantel*, fr. *manteau*, ingl. *mantle*, it. *manto*). m. Ropa suelta, a modo de capa, con que las mujeres se cubrían todo el cuerpo. || Especie de mantilla grande. || Capa que visten algunos religiosos sobre la túnica. || Rica vestidura de ceremonia que cubre todo el cuerpo y se arrastra por tierra. || Grasa en que nace envuelto el niño. || fig. Lo que encubre y oculta una cosa. || ARQ. Fachada de la campana de una chimenea. || MINER. Capa de mineral de poco espesor. || ZOOL. Repliegue cutáneo del cuerpo de los moluscos que segrega la concha.

mantón. m. Pañuelo grande de abrigo. || *— de Manila.* fam. El de seda, bordado, que originariamente procedía de China. [*Sinón.:* chal]

manual (al. *hand-, Handbuch;* fr. *manuel;* ingl. *manual, handbook;* it. *manuale*). adj. Que se ejecuta con las manos. || Casero, de fácil ejecución. || fig. Fácil de entender. || m. Libro en que se compendia lo más sustancial de una materia. [*Sinón.:* manuable; breviario]

manubrio (al. *Kurbel*, fr. *manivelle*, ingl. *crank*, it. *manubrio*). m. MEC. Empuñadura que tienen algunos mecanismos, por medio de la cual se los hace girar. [*Sinón.:* manija, manivela]

manufactura (al. *Manufakturartikel*, fr. *manufacture*, ingl. *manufacture*, it. *manifattura*). f. Obra hecha a mano o con auxilio de máquina. || Lugar donde se fabrica cualquier producto o género.

manufacturar. tr. Fabricar.

manu militari. loc. lat. En forma violenta, empleando la fuerza armada.

manumisión. f. Acción y efecto de manumitir.

manumitir. tr. DER. Dar libertad al esclavo. [*Sinón.:* emancipar]

manuscrito, ta (al. *Handschrift*, fr. *manuscrit*, ingl. *manuscript*, it. *manoscrito*). adj. Escrito a mano. || m. Papel o libro escrito a mano, particularmente el que tiene algún valor o antigüedad.

manutención. f. Acción de mantener o mantenerse. || Conservación, amparo.

manzana (al. *Apfel*, fr. *pomme*, ingl. *apple*, it. *mela*). f. BOT. Fruto del manzano, de forma globosa, corteza delgada y lisa, pulpa carnosa, de sabor acídulo o ligeramente dulce, y semillas pequeñas de color de caoba. || En las poblaciones, conjunto aislado de varias casas contiguas. || *Amer.* Nuez de la garganta. || *— de la discordia.* fig. Lo que da lugar a discrepancia.

manzanar. m. Terreno plantado de manzanos. [*Sinón.:* manzanal]

manzanero. m. *Amer.* BOT. Manzano.

manzanilla (al. *Kamille*, fr. *camomille*, ingl. *chamomile*, it. *camomilla*). f. Especie de aceituna pequeña. || Vino blanco que se elabora en algunas zonas de Andalucía. || Infusión de la flor de la manzanilla, muy usada como estomacal y antiespasmódica. || BOT. Hierba compuesta, de flores olorosas en cabezuelas solitarias con centro amarillo y circunferencia blanca. || Flor de esta planta.

manzano (al. *Apfelbaum*, fr. *pommier*, ingl. *apple-tree*, it. *melo*). m. BOT. Árbol rosáceo de flores en umbela, blancas, sonrosadas por fuera y olorosas, y cuyo fruto es la manzana.

maña (al. *Geschicklichkeit*, fr. *dextérité*, ingl. *skill*, it. *destrezza*). f. Destreza, habilidad. || Artificio, astucia. || Vicio o mala costumbre. Ú.m. en pl.

mañana (al. *Morgen*, fr. *matin*, *demain;* ingl. *morning, tomorrow;* it. *mattina, domani*). f. Tiempo desde que amanece hasta el mediodía. || Espacio de tiempo desde la medianoche hasta el mediodía. || m. Tiempo futuro próximo a nosotros. || adv. t. En el día que seguirá inmediatamente al de hoy. || fig. En tiempo venidero. || Presto o próximamente. || *De mañana.* m. adv. En las primeras horas del día. || *pasado mañana.* m. adv. En el día que seguirá inmediatamente al de mañana.

mañanero, ra. adj. Madrugador. || Concerniente a la mañana.

maño, ña. s. fig. y fam. Aragonés. || Concerniente a esta región.

mañoso, sa. adj. Que tiene maña. || Que se hace con maña. || Que tiene mañas o vicios.

mapa (al. *Karte*, fr. *carte*, ingl. *map*, it. *carta*). m. Representación geográfica de la Tierra o parte de ella en una superficie plana.

mapamundi (al. *Erdkarte*, fr. *mappemonde*, ingl. *map of the world*, it. *mappamondo*). m. Mapa de toda la superficie de la Tierra dividida en dos hemisferios.

mapuche. adj. Araucano.

maqueta. f. Bosquejo reducido de una escultura, de un cuadro o de una obra de construcción. || Modelo reducido de una decoración de teatro, de un edificio, etc. || Modelo de un libro, con el papel en blanco para apreciar sus características.

maquiavélico, ca. adj. Concerniente al maquiavelismo.

maquiavelismo. m. Doctrina de Maquiavelo, italiano del siglo XVI, que afirma que en política el fin justifica los medios, y que la realidad cuenta más que las teorías, y que la razón de Estado está por encima de toda moral y religión. || fig. Modo de proceder con astucia y perfidia.

maquillaje. m. Acción y efecto de maquillar o maquillarse. || Conjunto de productos que se utilizan para maquillar o maquillarse.

maquillar. tr. Aplicar al rostro cremas u otros cosméticos, para embellecerlo o caracterizarlo. Ú.t.c.r.

máquina (al. *Maschine*, fr. *machine*, ingl. *machine*, it. *macchina*). f. Dispositivo que regula, dirige, aprovecha o aplica la acción de una fuerza. || Conjunto de aparatos que transforman la energía de un tipo en otro, o que producen un efecto determinado. || Por antonomasia, locomotora del tren. || Tramoya de los teatros. || *—herramienta.* La que hace funcionar, por procedimientos mecánicos, una herramienta.

maquinación. f. Asechanza artificiosa y oculta, generalmente con mal fin. [*Sinón.*: ardid, engaño]

maquinal. adj. fig. Se dice de los actos y movimientos ejecutados sin deliberación. [*Sinón.*: involuntario. *Antón.*: reflexivo]

maquinar. tr. Urdir, tramar algo oculta y maliciosamente. [*Sinón.*: conspirar, intrigar]

maquinaria (al. *Maschinerie*, fr. *machinerie*, ingl. *machinery*, it. *macchinario*). f. Conjunto de máquinas para un fin determinado. || Mecanismo que da movimiento a un artefacto.

maquinilla. f. Máquina de afeitar constituida por un mango en uno de cuyos extremos se aloja una cuchilla.

maquinismo. m. Predominio de las máquinas en la industria moderna.

maquinista. com. Persona que dirige o gobierna máquinas.

maquis. m. Movimiento de resistencia organizado en Francia contra la ocupación alemana. || Integrante de este movimiento. || Por ext., miembro de cualquier organización secreta de resistencia.

mar (al. *Meer, See;* fr. *mer*, ingl. *sea*, it. *mare*). amb. Masa de agua salada que cubre la mayor parte de la superficie de la Tierra. || Cada una de las partes en que se considera dividida. || fig. Llámanse así algunos grandes lagos, como el Caspio, el Muerto. || Abundancia extraordinaria de alguna cosa. || *—ancha.* Alta mar. || *—de fondo.* Gran agitación de las aguas en alta mar. || *alta—.* Parte del mar bastante alejada de la costa. || *A mares.* m. adv. fig. Copiosamente, en gran cantidad. || *Hacerse a la mar.* MAR. Salir del puerto, alejarse de la costa. || *La mar de.* loc. adv. Mucho.

marabú (al. *Marabu*, fr. *marabout*, ingl. *marabou*, it. *marabù*). Adorno hecho con la pluma del ave del mismo nombre. || ZOOL. Ave zancuda de África, semejante a la cigüeña, cuyas plumas blancas son muy apreciadas para adorno.

maraca. f. MÚS. Instrumento de origen tupi, que consiste en una calabaza seca u otro receptáculo de forma ovoide provisto de un mango, en cuyo interior se colocan granos de maíz o piedrecillas. || *Amer.* Juego de azar con tres dados. || fig. *Amer.* Prostituta.

maraña (al. *Verwirrung*, fr. *embrouillement*, ingl. *tangle*, it. *imbroglio*). f. Maleza o espesura de arbustos. || Conjunto de hebras bastas enredadas que forman la parte exterior de los capullos de seda. || Tejido hecho con esta maraña. || fig. Enredo de los hilos o de los cabellos. || Embuste inventado para enredar o descomponer un negocio. || fig. Lance intrincado y difícil. [*Sinón.*: broza, espesura; embrollo]

marasmo. m. fig. Suspensión, inmovilidad, en lo moral o en lo físico. || MED. Extremado enflaquecimiento del cuerpo humano. [*Sinón.*: atonía. *Antón.*: actividad, fervor]

maratón. m. DEP. Carrera pedestre de resistencia practicada en una longitud que hoy está fijada en 42,195 km. || Por ext., algunas otras competiciones deportivas de resistencia.

maravedí. m. Moneda española antigua que tuvo diferentes valores y calificativos.

maravilla (al. *Wunder*, fr. *merveille*, ingl. *wonder*, it. *meraviglia*). f. Suceso o cosa extraordinaria que causa admiración. || Admiración, acción de admirar. || BOT. Especie de enredadera, originaria de América, que se cultiva en los jardines. || *a las mil maravillas* o *a las maravillas.* m. avd. fig. De un modo perfecto, exquisito. || *decir*, o *hacer, maravillas.* fig. fam. Exponer algún concepto o hacer algo con gran primor. [*Sinón.*: prodigio]

maravillar. tr. Admirar. Ú.t.c.r.

maravilloso, sa. adj. Extraordinario, admirable.

marbete. m. Cédula que se adhiere a las mercancías, que lleva la marca de fábrica. || En los ferrocarriles, cédula que se adhiere a los bultos facturados y en la cual van anotados el punto de destino y el número de registro. [*Sinón.*: marchamo]

marca (al. *Kennzeichen*, fr. *marque*, ingl. *mark*, it. *marca*). f. Provincia, distrito fronterizo. || Instrumento para medir la estatura. || Medida cierta del tamaño que debe tener una cosa. || Acción de marcar. || Señal hecha en una persona, animal o cosa. || En un deporte, resultado homologado mejor que todos los precedentes. || MAR. Punto fijo de la costa que sirve de referencia para saber la situación de la nave. || *—de fábrica.* Distintivo exclusivo que el fabricante coloca en sus productos.

marcador, ra. adj. Que marca. Ú.t.c.s. || El que contrasta monedas, pesos y medidas. || IMP. Operario que coloca los pliegos de papel en las máquinas. || m. En deportes, tablón donde se señalan los resultados.

marcaje. m. DEP. Acción y efecto de marcar a un jugador del equipo contrario.

marcar (al. *aufzeichnen*, fr. *marquer*, ingl. *to mark*, it. *marchiare*). tr. Poner la marca a una cosa o persona. || Bordar en la ropa las iniciales de su dueño. || fig. Señalar a alguien una calidad digna de notarse. || fig. Aplicar, destinar. || DEP. Hacer tantos. || IMP.

Ajustar el pliego a los tacones al imprimir el blanco y apuntarlo para la retiración. || intr. DEP. En ciertos deportes, contrarrestar eficazmente un jugador el juego de su contrario respectivo.

marcial (al. *martialisch*, fr. *martial*, ingl. *martial*, it. *marziale*). adj. Perteneciente a la guerra. || fig. Bizarro, varonil, franco.

marcialidad. f. Calidad de marcial.

marciano, na. adj. Relativo o perteneciente al planeta Marte. || s. Habitante supuesto de dicho planeta.

marco. m. Patrón por el cual deben contrastarse las pesas y medidas. || Unidad monetaria alemana y finlandesa. || Cerco que rodea, ciñe o guarnece algunas cosas.

marcha (al. *Gang, Abreise, March*; fr. *marche*, ingl. *speed, march*; it. *marcia*). f. Acción de marchar. || Grado de celeridad en el andar de un buque, locomotora, etc. || Curso regular de una cosa o asunto. || MIL. Toque de caja o de clarín para que marche la tropa o para que rinda honores militares. || MÚS. Pieza destinada a indicar el paso de una tropa o de un cortejo. || fig. y fam. Vida desenfrenada. || —*atrás*. MEC. Mecanismo que permite a un vehículo marchar en retroceso. || *a marchas forzadas.* m. adv. MIL. Caminando con mayor celeridad de lo acostumbrado. || *dar marcha atrás.* loc. fig. y fam. Desistir de un empeño, reducir su participación en él. || *poner en marcha.* loc. Hacer que algo se ponga a funcionar, actuar, realizarse, etc. || *sobre la marcha.* m. adv. De prisa, en el acto; a medida que se va haciendo otra cosa. [Sinón.: partida, velocidad. *Antón.*: permanencia]

marchamar. tr. Marcar los géneros o fardos en la aduana.

marchamo (al. *Zollsiegel*, fr. *marque de douane*, ingl. *custom-house mark*, it. *marchio*). m. Marca que se pone en los fardos en las aduanas. || Plomo de marchamar, de forma regularmente aplanada. [Sinón.: marbete]

marchante. m. Traficante.

marchar (al. *fortgehen*, fr. *partir*, ingl. *to leave*, it. *partire*). intr. Caminar, hacer viaje, ir o partir de un lugar. Ú.t.c.r. || Andar, moverse un artefacto. || fig. Funcionar o desenvolverse una cosa. || MIL. Ir o caminar la tropa con cierto orden.

marchitar (al. *verwelken*, fr. *flétrir*, ingl. *to wither*, it. *appaisre*). tr. Ajar, quitar el jugo y frescura de las hierbas, flores u otras cosas. Ú.t.c.r. || fig. Enfla-

quecer, quitar el vigor, la robustez. Ú.t.c.r.

marchito, ta. adj. Ajado, carente de vigor y lozanía.

marea (al. *Gezeit*, fr. *marée*, ingl. *tide*, it. *marea*). f. Movimiento periódico y alternativo de ascenso y descenso de las aguas del mar. || Parte de la ribera que ocupan las aguas del mar en el flujo o pleamar. || Viento que sopla del mar, de las cuencas de los ríos o de los barrancos. || Rocío, llovizna. || Inmundicia que se barre y se arrastra con agua por las calles. || Cantidad de pesca capturada por una embarcación en una jornada.

marear. tr. Gobernar o dirigir una embarcación. || fig. y fam. Enfadar, molestar. Ú.t.c. intr. || r. Desazonarse alguien, turbársele la cabeza, revolviéndosele el estómago. [Sinón.: agobiar, fastidiar]

marejada (al. *hoher Seegang*, fr. *houle*, ingl. *sea-swell*, it. *mareggiata*). f. Movimiento tumultuoso de grandes olas, aunque no haya borrasca. [Sinón.: oleaje]

mare mágnum. expr. lat. fig. y fam. Abundancia, grandeza o confusión.

maremoto. m. Agitación violenta de las aguas del mar producida por una sacudida sísmica del fondo.

mareo (al. *Seekrankheit*, fr. *mal de mer*, ingl. *seasickness*, it. *mareggio*). m. Efecto de marearse. || fig. y fam. Molestia, enfado, ajetreo.

marfil (al. *Elfenbein*, fr. *ivoire*, ingl. *ivory*, it. *avorio*). m. Materia de la que están formados los colmillos de los elefantes. || ZOOL. Parte dura de los dientes cubierta por el esmalte.

marfileño, ña. adj. De marfil, o parecido a él.

marga. f. GEOL. Roca sedimentaria formada por arcillas cargadas de sales, de color gris claro o blanco, que se usa como abono.

margarina. f. QUÍM. Sustancia grasa y comestible que se obtiene de ciertas grasas animales o vegetales y que se usa como sustitutivo de la mantequilla.

margarita (al. *Gänseblumchen*, fr. *marguerite*, ingl. *daisy*, it. *margherita*). f. Perla de las conchas. || BOT. Planta herbácea compuesta, con flores terminales de centro amarillo y pétalos blancos. || ZOOL. Caracol marino casi plano, rayado finamente al través.

margen (al. *Rand*, fr. *marge*, ingl. *margin*, it. *margine*). amb. Extremidad y orilla de una cosa. || Espacio en blanco a los cuatro lados de un escrito. ||

Apostilla. || COM. Cuantía del beneficio de un negocio. || *al margen.* loc. Que se queda sin intervención en el asunto de que se trata. [Sinón.: borde]

marginal. adj. Perteneciente al margen.

marginar. tr. Hacer o dejar márgenes en lo que se imprime o escribe. || fig. Dejar al margen, prescindir de una persona o cosa.

marguera. f. Veta de marga.

mariachi. m. MÚS. Conjunto instrumental propio de México. || Música popular ejecutada por ese conjunto.

mariano, na. adj. Relativo a la Virgen María.

marica. f. Urraca. || m. Hombre afeminado.

Maricastaña. n. p. Personaje proverbial que simboliza la antigüedad muy remota.

maricón. m. fig. y fam. Hombre afeminado. Ú.t.c. adj. || Invertido, sodomita.

mariconada. f. Acción propia del maricón. || fig. y fam. Acción indigna contra uno, mala pasada.

mariconera. f. fam. Bolso de mano que usan los hombres.

maridaje. m. Unión y conformidad de los casados. || Conformidad entre varias cosas.

maridar. intr. Hacer vida de matrimonio. || tr. fig. Unir o enlazar. [Sinón.: casar]

marido (al. *Ehemann*, fr. *mari*, ingl. *husband*, it. *marito*). m. Hombre casado, con respecto a su mujer. [Sinón.: esposo]

mariguana o **marihuana.** f. BOT. Cáñamo índico, planta canabácea, cuyas hojas, fumadas, producen un efecto narcótico.

marimacho. m. fam. Mujer que por su corpulencia o acciones parece un hombre. || Mujer homosexual.

marimorena. f. fam. Camorra, pendencia.

marina. f. Parte de tierra junto al mar. || Pintura que representa el mar. || Conjunto de los buques de una nación.

marinar. tr. Sazonar el pescado para conservarlo.

marinería. f. Profesión de hombre de mar. || Conjunto de marineros.

marinero, ra (al. *Matrose*, fr. *matelot*, ingl. *sailor*, it. *marinaio*). adj. Dícese del buque que obedece a las maniobras con facilidad y seguridad. || m. Hombre de mar. || Argonauta, molusco. [Sinón.: marino, navegante]

marino, na. adj. Concerniente al

mar. || m. El que sirve en la marina. [*Sinón.*: marinero]

marioneta. f. Titere, figurilla que se mueve por medio de hilos.

mariposa (al. *Schmetterling*, fr. *papillon*, ingl. *butterfly*, it. *farfalla*). f. Candelilla que, en un vaso con aceite, conserva la luz nocturna. || Luz encendida a este efecto. || ZOOL. Insecto lepidóptero con cuatro alas membranosas cubiertas de escamas y aparato bucal modificado en sifón o espiritrompa.

mariposear. intr. fig. Variar con frecuencia de aficiones y caprichos. || Andar o vagar insistentemente en torno de alguien.

mariquita (al. *Marienkäfer*, fr. *coccinelle*, ingl. *ladybug*, it. *coccinella*). f. ZOOL. Insecto coleóptero de cuerpo globoso por encima y plano por debajo, de color rojo o anaranjado con manchas oscuras. || m. fam. Hombre afeminado.

marisabidilla. f. fam. Mujer que presume de sabia.

mariscal (al. *Feldmarschall*, fr. *maréchal*, ingl. *marshal*, it. *maresciallo*). m. Grado máximo en algunos ejércitos. || — de campo. Nombre que se daba en España al actual general de división.

marisco (al. *essbare Seemuschel*, fr. *fruit de mer*, ingl. *edible seamollusc*, it. *mollusco*). m. Cualquier animal marino invertebrado, en especial los crustáceos y algunos moluscos comestibles.

marisma (al. *Marschand*, fr. *marais*, ingl. *marsh*, it. *maremma*). f. Terreno bajo al que inundan las aguas del mar.

marismeño, ña. adj. Relativo a la marisma.

marital. adj. Perteneciente a la vida conyugal.

marítimo, ma. adj. Perteneciente al mar.

marjal. m. Terreno bajo y pantanoso.

marmita. f. Olla de metal con tapadera ajustada y una o dos asas.

marmitón. m. Pinche de cocina.

mármol (al. *Mamor*, fr. *marbre*, ingl. *marble*, it. *marmo*). m. Piedra caliza metamórfica, compacta y cristalina, susceptible de pulimento, que puede adquirir diversos colores, en vetas o manchas, al ser mezcladas con otras sustancias. || fig. Obra artística de mármol.

marmolería. f. Conjunto de mármoles de un edificio. || Obra de mármol. || Taller de marmolista.

marmolista. m. El que trabaja en mármoles, o los vende.

marmóreo, a. adj. De mármol. || Semejante en alguna cualidad al mármol.

marmota (al. *Murmeltier*, fr. *marmotte*, ingl. *marmot*, it. *marmotta*). f. ZOOL. Roedor herbívoro que pasa el invierno dormido en su madriguera y es fácilmente domesticable. || fig. Persona que duerme mucho.

maroma (al. *Seil*, fr. *corde*, ingl. *rope*, it. *cavo*). f. Cuerda gruesa de esparto o cáñamo. || *Amer.* Pirueta de un acróbata. || *Amer.* Función de circo en que se hacen ejercicios de acrobacia. || *Amer.* fig. En política, cambio oportunista de opinión o partido.

maromear. tr. *Amer.* Dudar.

maromero, ra. s. *Amer.* Volatinero. || *Amer.* Político inconstante y versátil.

marqués, sa (al. *Markgraf*, fr. *marquis*, ingl. *marquis*, it. *marchese*). s. Título nobiliario inferior al de duque y superior al de conde. || Persona investida de esta dignidad.

marquesina (al. *Sonnendach*, fr. *marquise*, ingl. *awning*, it. *pensilina*). f. Cubierta que se pone sobre la tienda de campaña para protegerla de la lluvia. || Cobertizo que cubre una puerta, escalinata o andén.

marquetería. f. Ebanistería. || Taracea.

marrajo, ja. adj. Dícese del toro malicioso. || fig. Cauto, astuto, taimado. || m. Especie de tiburón.

marrana. f. Hembra del marrano. || fig y fam. Mujer sucia y desaseada. Ú.t.c. adj. [*Sinón.*: guarra]

marranada. f. fig. y fam. Acción ruin, indecorosa o grosera.

marrano. m. Cerdo. || fig. y fam. Hombre sucio y desaseado. Ú.t.c. adj. || fig y fam. El que procede o se porta bajamente. Ú.t.c. adj.

marrar. intr. Faltar, errar. Ú.t.c.tr. || fig. Desviarse de lo recto.

marras (de). loc. que, precedida de un sustantivo o del artículo neutro *lo*, denota que lo significado por éstos ocurrió en tiempo u ocasión anterior a la que se alude.

marrasquino. m. Licor de cerezas amargas y azúcar.

marrón (al. *kastanienbraun*, fr. *marron*, ingl. *brown*, it. *marrone*). adj. Castaño, de color de castaña. Ú.t.c.s. || — glacé. Castaña confitada.

marroquí. adj. Natural de Marruecos. Ú.t.c.s. || Perteneciente o relativo a este país. || m. Tafilete.

marroquinería. f. Tafiletería. || *Amer.* Taller de tapicería.

marrullería. f. Malas artes o astucia con las que se trata de lograr algo.

marrullero, ra. adj. Que usa de marrullerías. Ú.t.c.s.

marsellés, sa. adj. Natural de Marsella. Ú.t.c.s. || Perteneciente a esta ciudad de Francia.

marsopa (al. *Meerschwein*, fr. *marsouin*, ingl. *porpoise*, it. *porco marino*). f. ZOOL. Cetáceo parecido al delfín pero más pequeño y con el hocico obtuso.

marsupial. s. ZOOL. Mamífero cuya hembra tiene una bolsa abdominal donde guarda las crías. Ú.t.c.adj.

marta (al. *Marder*, fr. *martre*, ingl. *marten*, it. *martora*). f. ZOOL. Mamífero carnicero de piel muy estimada. || Piel de este animal.

Marte. n.p.m. ASTR. Cuarto planeta del sistema solar.

martes (al. *Dienstag*, fr. *mardi*, ingl. *tuesday*, it. *martedì*). m. Tercer día de la semana.

martillar. tr. Batir con el martillo. || fig. Atormentar. Ú.t.c.r.

martillazo. m. Golpe que se da con el martillo.

martillear. tr. Golpear repetidamente con el martillo.

martillo (al. *Hammer*, fr. *marteau*, ingl. *hammer*, it. *martello*). m. Herramienta de percusión que consta de una masa pesada de hierro u otro metal encastada en un mango. || fig. El que persigue algo para sofocarlo o acabar con ello. || DEP. Bola de metal sujeta a un alambre, cuyo lanzamiento constituye una de las pruebas atléticas del programa olímpico. || ANAT. Huesecillo del oído medio de los mamíferos, situado entre el tímpano y el yunque. || — pilón. El de gran tamaño, que se usa para la forja de metales. || *a macha martillo.* m. adv. fig. con que se expresa que una cosa está hecha con más solidez que primor.

martinete. m. ZOOL. Ave zancuda que vive junto a los ríos y lagos, alimentándose de peces y sabandijas. || Penacho de plumas de esta ave. || Macillo del piano. || Mazo o martillo movido mecánicamente.

mártir (al. *Märtyrer*, fr. *martyr*, ingl. *martyr*, it. *martire*). com. Persona que padece tormentos o muere en defensa de su religión o sus ideas. || fig. Persona que padece grandes afanes y trabajos.

martirio (al. *Märtyrertum*, fr. *martyre*, ingl. *martyrdom*, it. *martirio*). m.

Tormentos padecidos por el mártir. ||
fig. Sufrimiento intenso. || fig. Trabajo
largo y penoso. |*Sinón.*: suplicio|

martirizar. tr. Dar martirio. || fig.
Afligir, atormentar. Ú.t.c.r.

martirologio. m. Libro o catálogo
de los mártires.

marxismo. m. Conjunto de las
teorías de Marx y Engels. || Movimien-
to político-social basado en ellas.

marxista. adj. Partidario del marxis-
mo. Ú.t.c.s. || Perteneciente o relativo al
marxismo.

marzo (al. *März*, fr. *mars*, ingl.
march, it. *marzo*). m. Tercer mes del
año.

mas (al. *aber*, fr. *mais*, ingl. *but*, it.
ma). conj. advers. Pero. |*Sinón.*:
empero|

más (al. *mehr*; fr. *plus*, *davantage*;
ingl. *more*; it. *più*). adv. comp. que
denota idea de exceso, aumento o
superioridad en comparación expresa
o sobrentendida. || Denota también
aumento indeterminado de cantidad
expresa. || Denota asimismo idea de
preferencia. || Úsase como sustantivo. ||
m. MAT. Signo de la suma, que se
representa por una crucecita (+). || *ni
más ni menos.* loc. adv. En el mismo
grado; precisamente. || *sin más ni más.*
m. adv. fam. Sin consideración; preci-
pitadamente. || *sus más y sus menos.*
loc. fam. Dificultades o altercados que
resultan de un asunto. Suele usarse con
los verbos *haber*, *tener*, etcétera.

masa (al. *Masse*, fr. *masse*, ingl.
mass, it. *massa*). f. Mezcla que proviene de la unión de un líquido con una
materia pulverizada. || La de harina con
agua y levadura para hacer el pan. ||
Volumen, conjunto, reunión. || fig.
Muchedumbre. || — *coral.* Orfeón. || *en
masa.* loc. adv. En conjunto, totalmente; con intervención de la mayoría de
los componentes de una colectividad.
Ú.t.c. loc. adj.

masacrar. tr. Asesinar en masa.

masacre. f. Matanza, asesinato en
masa.

masaje. m. Acción de amasar o friccionar alguna parte del cuerpo con
fines terapéuticos.

masajista. com. Persona que se dedica a hacer masajes.

masar. tr. Amasar.

mascar. tr. Partir y desmenuzar el
manjar con la dentadura. || fig. y fam.
Mascullar. || *Amer.* Masticar el tabaco.
|| r. fig. Sentirse como inminente un
hecho importante. |*Sinón.*: masticar|

máscara (al. *Maske*, fr. *masque*, ingl.
mask, it. *maschera*). f. Figura de cartón, tela, etc., con que una persona pue-
de taparse el rostro. || Disfraz. || Careta
que se usa para impedir la entrada de
gases nocivos en las vías respiratorias.
|| com. fig. Persona enmascarada. || pl.
Reunión de gentes vestidas de máscara
y lugar en que se reúnen. || Mascarada.
|| *quitar* a uno *la máscara.* fig. Desen-
mascarar. || *quitarse* uno *la máscara.*
fig. Dejar de disimular y mostrarse uno
tal como es.

mascarada. f. Festín de personas
enmascaradas. || Comparsa de más-
caras.

mascarilla. f. Máscara que sólo
cubre el rostro desde la frente hasta el
labio superior. || Vaciado que se saca
sobre el rostro de una persona o escultura.

mascarón (al. *Galionsfigur*, fr. *mas-
caron d'étrave*, ingl. *figurehead*, it.
mascherone). m. aum. de máscara. ||
Cara disforme o fantástica que se usa
como adorno en algunas obras de
arquitectura. || — *de proa.* Figura de
adorno en lo alto del tajamar de los
barcos.

mascota. f. Persona, animal o cosa
que trae suerte o felicidad.

masculino, na (al. *männlich*, fr. *mas-
culin*, ingl. *masculine*, it. *maschile*). adj.
Que está dotado de órganos para
fecundar. || Perteneciente o relativo a
este ser. || fig. Varonil, enérgico. |*Si-
nón.*: viril|

mascullar. tr. fam. Hablar entre
dientes o pronunciar mal las palabras. ||
fam. Mascar torpemente.

masetero. m. ANAT. Músculo que
eleva la mandíbula inferior. Ú.t.c.s.

masilla. f. Pasta formada por polvo
de tiza amasado con aceite de linaza
que se usa para la sujeción de cristales.

masivo, va. adj. MED. Dícese de la
dosis de un medicamento que se acerca
al límite de tolerancia del cuerpo. || fig.
Se dice de lo que se aplica en gran can-
tidad. || Relativo a las masas humanas;
hecho por ellas.

masón, na. s. Persona que pertene-
ce a la masonería. |*Sinón.*: francmasón|

masonería. f. Asociación secreta de
personas, divididas en grupos llamados
logias, y cuyo principio es la fraternidad mutua.

masónico, ca. adj. Perteneciente a la
masonería.

masoquismo. m. MED. Perversión
psicosexual del que para gozar precisa
verse humillado o maltratado físicamente por la persona amada.

masoquista. com. Que practica el
masoquismo.

mastelero (al. *Stenge*, fr. *mât de
hune*, ingl. *topmast*, it. *alberetto*). m.
MAR. Palo menor que se coloca sobre
cada uno de los mayores. |*Sinón.*: más-
til|

masticación. f. Acción y efecto de
masticar.

masticar. tr. Mascar.

mástil (al. *Mastbaum*, fr. *mât*, ingl.
mast, it. *albero*). m. Palo de una embar-
cación. || Mastelero. || Palo derecho que
sirve para mantener una cosa. || Parte
más estrecha de algunos instrumentos
de cuerda. |*Sinón.*: puntal|

mastín (al. *haushund*, fr. *mâtin*, ingl.
mastiff, it. *mastino*). adj. Dícese de un
perro grande, muy valiente y leal.
Ú.t.c.s.

mástique. m. Pasta de yeso mate y
agua que sirve para igualar las superficies que se han de pintar.

mastitis. f. MED. Inflamación de la
glándula mamaria.

mastodonte (al. *Mastodon*, fr. *mastodonte*, ingl. *mastodon*, it. *mastodonte*). m. PALEON. Mamífero fósil del
orden de los proboscídeos, afín al elefante, del que difería por poseer varios
mamelones en sus molares.

mastuerzo. m. BOT. Planta crucífera
de sabor picante que se come en ensala-
da. || fig. Hombre necio y majadero.
Ú.t.c.adj.

masturbación. f. Acción y efecto de
masturbarse.

masturbarse. r. Procurarse solitaria-
mente goce sexual. Ú.t.c.tr.

mata (al. *Strauch*, fr. *arbuste*, ingl.
bush, it. *arbusto*). f. BOT. Planta que
vive varios años y tiene tallo bajo,
ramificado y leñoso. || Ramito de una
hierba. || Porción de terreno poblado de
árboles de una misma especie. || Lentis-
co.

matacán. m. Veneno para matar
perros, estricnina. || Nuez vómica. || En
fortificación, obra voladiza con parapeto y suelo aspillerado.

matacandelas. m. Instrumento que,
fijo en el extremo de una caña, sirve
para apagar las velas.

matachín. m. El que mata las reses. ||
fig. y fam. Hombre pendenciero, camorrista.

matadero (al. *Schlachthaus*, fr.
abattoir, ingl. *slaughterhouse*, it.
ammazzatoio). m. Sitio donde se mata
el ganado para el abasto público. || fig.
y fam. Trabajo o afán de grave incomodidad.

matador. m. TAUROM. Espada, torero.

matalón, na. adj. Dícese de la caballería flaca, débil y con mataduras. Ú.t.c.s.

matamoros. adj. Valentón.

matamoscas. m. Instrumento para matar moscas.

matanza (al. *Blutbad*, fr. *massacre*, ingl. *massacre*, it. *massacro*). f. Acción y efecto de matar. || Conjunto de cosas del cerdo muerto y adobado para el consumo doméstico.

matar (al. *töten*, fr. *tuer*, ingl. *to kill*, it. *uccidere*). tr. Quitar la vida. Ú.t.c.r. || Apagar el fuego o la luz. || Referido a la cal o el yeso, quitarles la fuerza echándoles agua. || En los juegos de cartas, jugar una superior a la del contrario. || Apagar el brillo de los metales. || Inutilizar, en las oficinas de correos, los sellos de las cartas u otros envíos. || En pintura, rebajar un color. || fig. Incomodar a uno con pesadeces o necedades. || intr. Hacer la matanza del cerdo. || r. fig. Acongojarse por no poder lograr algo. || fig. Trabajar con mucho afán. || *matarlas callando*. fig. fam. Cometer malas acciones aparentando bondad.

matarife. m. El que mata las reses. [Sinón.: matachín]

matarratas. m. fam. Aguardiente de ínfima calidad y muy fuerte.

matasanos. m. fig. y fam. Curandero. || Mal médico.

matasellos. m. Estampilla con que se inutilizan los sellos de las cartas.

match (voz inglesa). m. Partido, competición deportiva.

mate. m. Lance que pone término al juego de ajedrez. || En algunos juegos de naipes, cualquiera de las tres cartas del estuche. || adj. Sin brillo.

mate. m. *Amer.* Calabaza que se usa como vasija doméstica. || fig. Infusión de hierba del Paraguay, estomacal, excitante y nutritiva, que se toma en el cono Sur de Sudamérica.

matemática. f. Ciencia que trata de la cantidad. Ú.m. en pl.

matemático, ca. adj. Relativo a las matemáticas. || fig. Exacto, preciso. || s. Persona que profesa las matemáticas o es experta en ellas.

materia (al. *Stoff*, fr. *matière*, ingl. *matter*, it. *materia*). f. Sustancia que compone los cuerpos físicos. Se caracteriza por tener las propiedades de extensión, inercia y deformación del espacio (gravitación). Se compone de partículas elementales. || Sustancia de las cosas, consideradas respecto a un agente determinado. || Modelo de letra que en la escuela copian los niños. || Pus. || fig. Cuestión de que se trata. || Asunto de una obra literaria, científica, etc. || — *prima*, o *primera materia*. El elemento principal de una industria. || *entrar en materia*. Empezar a tratar un asunto.

material (al. *stofflich, Material*; fr. *matériel, matériau*; ingl. *material*; it. *materiale*). adj. Perteneciente o relativo a la materia. || Opuesto a lo espiritual. || Opuesto a la forma. || fig. Grosero, sin ingenio ni agudeza. || m. Ingrediente. || Cualquiera de las materias que se necesitan para una obra, o el conjunto de ella. Ú.m. en pl. || Conjunto de máquinas, herramientas, etc., necesarias para desempeñar un servicio o ejercer una profesión. [Sinón.: utillaje]

materialidad. f. Calidad de material. || Apariencia de las cosas.

materialismo (al. *Materialismus*, fr. *matérialisme*, ingl. *materialism*, it. *materialismo*). m. FIL. Doctrina según la cual la materia es la única sustancia de la realidad.

materialista. adj. Dícese del que profesa el materialismo. Ú.t.c.s.

materialización. f. Acción y efecto de materializar o materializarse. || Fís. Transformación de energía en materia.

materializar. tr. Considerar como material una cosa que no lo es. || Realizar o llevar a efecto un proyecto o una idea. Ú.t.c.r.

maternal. adj. Perteneciente a la madre. [Sinón.: materno]

maternidad. f. Estado o calidad de madre. || Establecimiento médico donde se asiste a las parturientas.

materno, na. adj. Maternal.

matinal. adj. De la mañana.

matiz (al. *Färbung*, fr. *nuance*, ingl. *hue*, it. *sfumatura*). m. Unión de diversos colores mezclados con proporción. || Cada una de las gradaciones de un color o de un sonido musical. || Rasgos y tonos diversos en las obras literarias o artísticas.

matizar. tr. Armonizar diversos colores. || Dar a un color determinado matiz. || fig. Graduar con delicadeza sonidos o expresiones de conceptos.

matojo. m. BOT. Mata barrillera, salsolácea, de flores solitarias en espiga terminal. || Matorral.

matón. m. fig. y fam. Bravucón, pendenciero. [Sinón.: matasiete]

matorral. m. Campo inculto lleno de matas y malezas.

matraca. f. Instrumento hecho de tablas fijas en forma de aspa, entre las que cuelgan mazos que al girar aquél producen un ruido desagradable. || fig. y fam. Insistencia molesta en un tema o pretensión.

matraz. m. Vasija de vidrio esférica y terminada en un tubo cilíndrico.

matriarcado. m. SOCIOL. Sistema de organización social, basado en la primacía del parentesco por línea materna.

matricidio. m. Delito de matar uno a su madre.

matrícula (al. *Matrikel*, fr. *matricule*, ingl. *register*, it. *matricola*). f. Lista de los nombres de las personas que se asientan para un fin determinado por las leyes o reglamentos. || Documento en que se acredita este asiento. || Inscripción de un alumno en un centro docente. || Importe de esta inscripción. || Número que se da administrativamente a cada vehículo. || Placa metálica o de plástico en que se indica este número. || — *de buques*. Registro que se lleva en las oficinas de la comandancia de marina, en el cual constan todos los datos relativos a las embarcaciones mercantes adscritas a cada una de ellas. || — *de honor*. La nota más alta en los exámenes.

matricular. tr. Inscribir en lista o matrícula. Ú.t.c.r.

matrimonial. adj. Perteneciente o relativo al matrimonio. [Sinón.: conyugal]

matrimonio (al. *Ehe*, fr. *mariage*, ingl. *marriage*, it. *matrimonio*). m. Unión de un hombre y una mujer, con arreglo a derecho. || Sacramento que instituye esta unión. || fam. Marido y mujer. || — *civil*. El celebrado según la ley vigente en cada Estado. || *consumar el matrimonio*. Tener los legítimamente casados el primer acto carnal.

matritense. adj. Madrileño. Aplicado a personas, ú.t.c.s.

matriz (al. *Gebärmutter*, fr. *utérus*, ingl. *womb*, it. *matrice*). f. Órgano femenino en el que se desarrolla el feto. || Molde en el que se funden objetos de metal que han de ser idénticos. || Tuerca. || Parte del libro talonario que queda encuadernada al separar los talones, cheques, etc., que lo forman. || MAT. Operador constituido por filas y columnas de elementos en forma rectangular o cuadrada.

matrona. f. Madre de familia, noble y virtuosa. || Comadre legalmente autorizada para asistir a las parturientas.

matusalén. m. fig. Hombre de mucha edad.

matutino, na. adj. Relativo a la mañana.

maullar (al. *miauen*, fr. *miauler*, ingl. *to mew*, it. *miagolare*). intr. Dar maullidos el gato.

maullido m. Voz del gato, parecida al sonido *miau*.

mauritano, na. adj. Natural de Mauritania. Ú.t.c.s. ‖ Perteneciente o relativo a este país africano.

máuser. m. Fusil de repetición inventado por el alemán Guillermo Mauser.

mausoleo (al. *Mausoleum*, fr. *mausolée*, ingl. *mausoleum*, it. *mausoleo*). m. Sepulcro muy suntuoso.

maxilar. adj. Perteneciente o relativo a la quijada o mandíbula.

máxima (al. *Lebensregel*, fr. *maxime*, ingl. *aphorism*, it. *massima*). f. Regla o proposición admitida por los que profesan una facultad o ciencia. ‖ Sentencia para dirección de las acciones morales. [*Sinón.*: aforismo]

maximalismo. m. Extremismo.

maximalista. adj. Extremista. Ú.t.c.s.

máxime. adv. m. Principalmente.

máximo, ma. adj. sup. de grande. ‖ Dícese de lo más grande en su especie. ‖ m. Límite superior a que puede llegar algo, extremo.

máximum. m. Máximo, límite de algo.

maya. adj. Se aplica a los indios del Yucatán y otras regiones adyacentes. Ú.t.c.s. ‖ Concerniente a estas tribus. ‖ m. Lengua hablada por los mayas.

mayo (al. *Mai*, fr. *mai*, ingl. *may*, it. *maggio*). m. Quinto mes del año.

mayólica. f. Loza común con esmalte metálico.

mayonesa. f. Salsa mahonesa.

mayor (al. *grosser*, fr. *plus grand*, ingl. *greater*, it. *maggiore*). adj. comp. de grande. Que excede en cantidad o calidad. ‖ m. Superior o jefe de una comunidad o cuerpo. ‖ Oficial primero de una secretaría u oficina. ‖ pl. Abuelos, antepasados. ‖ f. LÓG. Primera proposición del silogismo. ‖ *al por mayor*. m. adv. Sumariamente, sin especificar; en gran cantidad. [*Antón.*: menor]

mayoral. m. Pastor principal que cuida de los rebaños. ‖ En las diligencias, el que gobernaba el tiro de mulas o caballos. ‖ En las cuadrillas de cavadores o de segadores, el que hace de cabeza o capataz. [*Sinón.*: conductor]

mayorazgo. m. Institución antigua del derecho civil que tiene por objeto perpetuar en la familia la propiedad de ciertos bienes. ‖ Conjunto de estos bienes vinculados. ‖ Poseedor de ellos. ‖ Hijo mayor de una persona que posee mayorazgo. ‖ fam. Hijo mayor de cualquier persona. ‖ fam. Primogenitura.

mayordomo (al. *Hausverwalter*, fr. *intendant*, ingl. *stewart*, it. *maggiordomo*). m. Criado principal de una casa o hacienda. ‖ Oficial que se nombra en las cofradías para satisfacción de los gastos y cuidado y gobierno de las funciones pertinentes.

mayoría (al. *Mehrheit*, fr. *majorité*, ingl. *majority*, it. *maggioranza*). f. Calidad de mayor. ‖ Edad que fija la ley para alcanzar uno la plenitud de derechos, mayor edad. ‖ Mayor número de sufragios conformes en una votación. ‖ Parte mayor de los individuos que componen una nación, ciudad, etc. ‖ *— absoluta*. La que consta de más de la mitad de los votos.

mayorista. m. Comerciante que vende al por mayor.

mayoritario, ria. adj. Concerniente a la mayoría.

mayúsculo, la (al. *grosser anfangsbuchtabe*, fr. *majuscule*, ingl. *capital letter*, it. *maiuscola*). adj. Algo mayor que lo ordinario en su especie. ‖ Dícese de la letra de mayor tamaño y distinta figura que la minúscula. Ú.t.c.s.f.

maza (al. *Streitkolben*, fr. *massue*, ingl. *club*, it. *mazza*). f. Arma antigua de palo guarnecido de hierro, o toda de hierro, con la cabeza gruesa. ‖ Insignia de los maceros. ‖ Instrumento para machacar. ‖ Pelota con mango para tocar el bombo. ‖ Extremo más grueso de los tacos de billar.

mazacote. m. Hormigón. ‖ fig. y fam. Guisado u otra vianda seca, dura y pegajosa. ‖ fig. y fam. Hombre molesto y pesado.

mazapán. m. Pasta cocida al horno, hecha de almendras molidas y azúcar.

mazmorra. f. Prisión subterránea, calabozo.

mazo. m. Martillo grande de madera. ‖ Porción de mercaderías u otras cosas atadas formando grupo.

mazorca (al. *Maiskolbe*, fr. *épi de maïs*, ingl. *cob*, it. *pannocchia*). f. Espiga que, como la del maíz, es grande y produce granos muy juntos. ‖ Panoja de cacao. ‖ fig. *Amer.* Junta de personas que gobiernan despóticamente.

mazurca. f. Especie de polca que se baila al compás de tres por cuatro. ‖ Música de este baile.

me. Dativo o acusativo del pronombre personal, masculino o femenino singular, de primera persona.

meada. f. Porción de orina que se expele de una vez. ‖ Sitio que moja o señal que deja una meada.

meandro. m. ARQ. Adorno formado por enlaces sinuosos y rebuscados. ‖ Recoveco de un río.

mear. intr. Orinar. Ú.t.c.tr. y c.r.

meato. m. ZOOL. Cada uno de ciertos orificios o conductos del cuerpo. ‖ BOT. Cada espacio intercelular del tejido parenquimatoso de las plantas.

mecánica. (al. *Mechanik*, fr. *mécanique*, ingl. *mechanics*, it. *mecanica*). f. FIS. Parte de la física que estudia el equilibrio y movimiento de los cuerpos, las causas que lo producen y las leyes que los rigen. ‖ Aparato o resorte interior de un artefacto. ‖ MIL. Policía interna y gestión de los asuntos del cuartel. ‖ *— celeste*. ASTR. Ciencia que estudia los movimientos de los astros.

mecánico, ca. adj. Concerniente a la mecánica. ‖ m. El que profesa la mecánica. ‖ Obrero dedicado al manejo y arreglo de las máquinas.

mecanismo. m. Estructura de un cuerpo natural o artificial y combinación de sus partes constituyentes. ‖ Medios prácticos que se emplean en las artes.

mecanización. f. Acción y efecto de mecanizar.

mecanizar. tr. Reemplazar cualquier trabajo manual por el uso intensivo de máquinas. ‖ fig. Dar a los actos humanos la regularidad de la máquina.

mecanografía. f. Arte de escribir con máquina.

mecanografiar. tr. Escribir con máquina.

mecanógrafo, fa. s. Persona diestra en la mecanografía, o que la tiene por oficio.

mecedora (al. *Schaukel*, fr. *berceuse*, ingl. *rocking-chair*, it. *sedia a dondolo*). f. Silla de brazos cuyos pies descansan sobre dos arcos o terminan en forma circular y en la cual puede mecerse el que se sienta. [*Sinón.*: balancín]

mecenas (al. *Mäzen*, fr. *mécène*, ingl. *maecenas*, it. *mecenate*). m. fig. Persona importante y poderosa que patrocina a los artistas.

mecenazgo. m. Calidad de mecenas. ‖ Protección dispensada por una persona a un artista.

mecer. tr. Menear y mover un líquido de una parte a otra. ‖ Mover una cosa acompasadamente de un lado a otro sin que mude de lugar. Ú.t.c.r. [Sinón.: balancear]

mecha (al. *Docht*, fr. *mèche*, ingl. *wick*, it. *lucignolo*). f. Cuerda o cinta que se pone en los mecheros de algunos aparatos del alumbrado y dentro de velas y bujías. ‖ Cordón de papel o algodón impregnado en pólvora para dar fuego a minas y barrenos. ‖ Porción de hilas que se emplea en las operaciones quirúrgicas. ‖ Lonjilla de tocino gordo. ‖ Mechón de pelos. ‖ *aguantar* uno *la mecha*. fig. y fam. Sufrir con paciencia un contratiempo, una reprimenda, etc. ‖ *a toda mecha*. loc. adv. fig. y fam. Con rapidez.

mechar. tr. Introducir mechas de tocino en la carne u otras viandas.

mechero. m. Boquilla de los aparatos de alumbrado. ‖ Encendedor de bolsillo.

mechón. m. Porción de pelos, hebras o hilos, separada de un conjunto de la misma clase. [Sinón.: guedeja]

medalla (al. *Medaille*, fr. *médaille*, ingl. *medal*, it. *medaglia*). f. Pedazo de metal acuñado con algún emblema. ‖ Medallón, bajorrelieve.

medallón. m. Bajorrelieve de figura redonda o elíptica. ‖ Joya en forma de caja pequeña donde se colocan retratos u otros objetos de recuerdo. [Sinón.: medalla]

medanal. m. *Amer*. Cenagal.

media. f. Mitad, en especial de unidades de medida. ‖ Promedio, media aritmética. ‖ — *aritmética*. MAT. Resultado de dividir la suma de varios elementos por el número de ellos. ‖ Prenda de punto que cubre pie y pierna. ‖ *Amer*. Calcetín.

mediación. f. Acción y efecto de mediar.

mediado, da. adj. Dícese de lo que sólo contiene la mitad, poco más o menos, de su cabida.

mediador, ra. adj. Que media. Ú.t.c.s. [Sinón.: intercesor]

medial. adj. GRAM. Dícese de la consonante interior de una palabra.

mediana. f. Taco de billar algo mayor que los comunes. ‖ Correa con que se ata el barzón al yugo de las yuntas.

medianería. f. Pared común a dos casas contiguas. ‖ Cerca, vallado o seto vivo común a dos predios rústicos que deslinda.

medianero, ra. adj. Dícese de la cosa que está en medio de otras dos. ‖ Dícese de la persona que intercede para que

otra consiga algo o para un arreglo o trato. Ú.m.c.s. [Sinón.: intermedio; mediador]

medianía. f. Término medio entre dos extremos. ‖ fig. Persona que carece de prendas relevantes.

mediano, na (al. *mittelmässig*, fr. *moyen*, ingl. *mean*, it. *mezzano*). adj. De calidad intermedia. ‖ Moderado, ni muy grande ni muy pequeño. [Sinón.: mediocre, regular]

medianoche (al. *Mitternacht*, fr. *minuit*, ingl. *midnight*, it. *mezzanotte*). f. Hora en que el sol está en el punto opuesto al del mediodía. ‖ fig. Bollito relleno de jamón, carne, etc.

mediante. adj. Que media. ‖ adv. m. Respecto, en atención, por razón.

mediar (al. *vermitteln*, fr. *intercéder*, ingl. *to intercede*, it. *intercedere*). intr. Llegar a la mitad de una cosa. ‖ Interceder por uno. ‖ Interponerse entre dos o más que riñen para reconciliarlos. ‖ Existir o estar una cosa en medio de otras. [Sinón.: abogar]

mediatizar. tr. Asumir un Estado la autoridad de otro, pero conservando el segundo la soberanía nominal. ‖ Influir en la actuación de un individuo o grupo según las propias conveniencias.

mediato, ta. adj. Dícese de lo que en tiempo, lugar o grado está próximo a una cosa, mediando otra entre las dos.

mediatriz. f. GEOM. Recta perpendicular a un segmento y que pasa por su punto medio.

médica. f. Mujer que profesa la medicina. ‖ Esposa del médico.

medicación. f. Administración de medicamentos con un fin terapéutico. ‖ MED. Conjunto de medicamentos y medios curativos que tienden a un mismo fin. [Sinón.: tratamiento]

medicamento (al. *Arzeimittel*, fr. *médicament*, ingl. *medicament*, it. *medicamento*). m. Sustancia que, aplicada interior o exteriormente al cuerpo del hombre o del animal, puede producir un efecto curativo. [Sinón.: medicina]

medicina (al. *Heilkunde*, fr. *médecine*, ingl. *medicine*, it. *medicina*). f. Ciencia y arte de prever y curar las enfermedades del cuerpo humano. ‖ Medicamento.

medicinal. adj. Perteneciente a la medicina. [Sinón.: médico]

medicinar. tr. Administrar medicinas al enfermo. Ú.t.c.r.

medición. f. Acción y efecto de medir.

médico, ca (al. *ärzlich*, *arzt*; fr. *médical*, *médecin*; ingl. *physician*, it. *medi-*

co). adj. Perteneciente o relativo a la medicina. ‖ m. El que profesa o ejerce la medicina. ‖ — *de cabecera*. El que asiste habitualmente al enfermo. ‖ — *forense* ⟋ forense. [Sinón.: medicinal, facultativo, galeno]

medida (al. *Mass*, fr. *mesure*, ingl. *measure*, it. *misura*). f. Acción y efecto de medir. ‖ Unidad para medir. ‖ Número y clase de sílabas del verso. ‖ Proporción. ‖ Prevención, disposición. Ú.m. en pl. y con los verbos *tomar, adoptar*, etc. ‖ Grado, intensidad. ‖ Cordura, circunspección. ‖ *a medida*. Se dice de la prenda que se hace adaptándola a la persona que ha de usarla. ‖ *a medida que*. loc. Según. ‖ *tomarle* a uno *las medidas*. fig. Hacerse una idea completa de lo que es uno. ‖ *tomar* uno *sus medidas*. fig. Preparar lo necesario para lograr un asunto.

medieval (al. *mittelalterlich*, fr. *médiéval*, ingl. *medieval*, it. *medievale*). adj. Perteneciente o relativo a la Edad Media.

medievo. m. Medioevo.

medio, dia (al. *halb*, *Mittel*; fr. *demi*, *moyen*; ingl. *half*, *means*; it. *mezzo*). adj. Igual a la mitad. ‖ Dícese de lo que está entre dos cosas o extremos en el centro de algo, en lugar, tiempo, grado, etc. ‖ Que tiene los caracteres más generales de un grupo, pueblo, época, etc. ‖ m. Parte de una cosa equidistante de sus extremos. ‖ DEP. Cada uno de los jugadores que se sitúan entre los defensas y los delanteros. ‖ Lo que sirve para un fin determinado. ‖ Diligencia o acción conveniente para lograr algo. ‖ Médium. ‖ Elemento en que vive o se mueve un ser. ‖ Sustancia en que se desarrolla un fenómeno determinado. ‖ LÓG. En el silogismo, razón con que se prueba una cosa. ‖ pl. Caudal, rentas o hacienda. ‖ TAUROM. Tercio correspondiente al centro del ruedo. ‖ BIOL. Conjunto de condiciones físicas y químicas exteriores a un ser vivo y que influyen en el comportamiento fisiológico del mismo. ‖ adv. m. No del todo. ‖ *a medias*. m. adv. Por mitad. ‖ *corto de medios*. loc. Escaso de caudal. ‖ *de medio a medio*. loc. adv. En el centro o en la mitad; del todo. ‖ *meterse de por medio* o *en medio*. Interponerse. ‖ *por medio de*. loc. prep. Valiéndose de persona o cosa que se expresa por intermedio de ella. ‖ *quitar de en medio* a uno. fig. y fam. Apartarlo de delante; alejarlo; matarlo. ‖ *quitarse* uno *de en medio*. fig. y fam. Apartarse de un lugar o dejar un asunto.

mediocre. adj. Mediano, de calidad intermedia.

mediocridad. f. Calidad de mediocre.

mediodía (al. *Mittag*, fr. *midi*, ingl. *noon*, it. *mezzogiorno*). m. Hora en que el sol está en el punto más alto de su elevación sobre el horizonte. || GEOGR. Sur.

medioevo. m. Edad Media.

mediopelo. adj. *Amer.* Mulato.

medir (al. *abmessen*, fr. *mesurer*, ingl. *to measure*, it. *misurare*). tr. Determinar la longitud, extensión, volumen o medida de alguna cosa. || Tratándose de versos, examinar si tienen la medida que les corresponde. || fig. Igualar y comparar una cosa no material con otra. ||r. fig. Moderarse en decir o hacer una cosa. [*Sinón.*: mensurar]

meditabundo, da. adj. Que medita o reflexiona en silencio. [*Sinón.*: pensativo]

meditación. f. Acción y efecto de meditar. [*Sinón.*: reflexión.]

meditar (al. *betrachten (nach) sinnen*, fr. *méditer*, ingl. *to meditate*, it. *meditare*). tr. Aplicar con atención el pensamiento a la consideración de una cosa. [*Sinón.*: reflexionar, discurrir]

mediterráneo, a. adj. Concerniente al mar Mediterráneo, o a los territorios que baña.

médium. com. Persona a la que se considera dotada de facultades paranormales que le permiten comunicaciones con los espíritus. [*Sinón.*: medio]

medra. f. Aumento, mejora o adelantamiento de una cosa. [*Sinón.*: medro]

medrar (al. *gedeihen*, fr. *prospérer*, ingl. *to thrive*, it. *prosperare*). intr. Crecer los animales y plantas. || fig. Mejorar uno de fortuna aumentando sus bienes, reputación, etc. [*Sinón.*: prosperar]

medroso, sa. adj. Temeroso, pusilánime. Ú.t.c.s. || Que infunde o causa miedo. [*Antón.*: valiente]

medula o **médula** al. *Mark*, fr. *moelle*, ingl. *marrow*, it. *midollo*). f. Sustancia grasa contenida dentro de algunos huesos de los animales. || Parte esencial de algo no material. || BOT. Parénquima o sustancia esponjosa que se halla en el tallo de algunos vegetales. || – espinal. ANAT. Segmento del sistema nervioso central que ocupa el canal vertebral. [*Sinón.*: tuétano]

medular. adj. Relativo a la medula.

medusa (al. *Meduse*, fr. *méduse*, ingl.

jelly fish, it. *medusa*). f. ZOOL. Celentéreo cuyo cuerpo tiene la forma de una sombrilla con tentáculos en los bordes.

mega-. Elemento compositivo que, con el significado de «un millón», se antepone a diversas voces españolas.

megáfono. m. Artefacto usado para reforzar la voz cuando hay que hablar a gran distancia.

megalítico, ca. adj. Relativo al megalito.

megalito. m. Monumento prehistórico hecho con piedras grandes sin labrar.

megalomanía. f. Manía o delirio de grandeza.

megalómano, na. adj. Que padece megalomanía. Ú.t.c.s.

megaterio. m. ZOOL. Mamífero fósil del orden de los desdentados, del tamaño de un mastodonte herbívoro, de cabeza pequeña, que vivía en las pampas sudamericanas a principios del Cuaternario.

megatón. m. FÍS. Unidad de energía equivalente a la de un millón de toneladas de trilita, y que se usa para medir la potencia de los ingenios nucleares.

mejicano, na. adj. Mexicano.

mejilla (al. *Backe*, fr. *joue*, ingl. *cheek*, it. *gota*). f. ANAT. Cada una de las dos prominencias que hay en el rostro humano, debajo de los ojos. || Carrillo.

mejillón (al. *Miesmuschel*, fr. *moule*, ingl. *mussel*, it. *mitilo*). m. ZOOL. Molusco lamelibranquio marino, comestible, con dos valvas simétricas y convexas de color negro azulado, que vive asido a las rocas.

mejor. adj. comp. de bueno. Superior a otra cosa en alguna cualidad. || adv. comp. de bien. || Antes o más, denotando idea de preferencia. ||*a lo mejor.* loc. adv. fam. para anunciar un hecho o dicho imprevisto.

mejora (al. *Verbesserung*, fr. *amélioration*, ingl. *improvement*, it. *miglioramento*). f. Medra, adelantamiento y aumento de una cosa. || DER. Porción de sus bienes que el testador deja a alguno de sus hijos o nietos además de la legítima. [*Sinón.*: mejoría, adelanto]

mejorana. f. BOT. Planta herbácea de la familia de las labiadas, de tallo algo leñoso, hojas enteras, blanquecinas y afelpadas, flores blancas y pequeñas en su espiga y fruto seco. Es una planta aromática de jardín.

mejorar. tr. Hacer pasar una cosa de

un estado a otro mejor. || DER. Dejar en el testamento mejora a uno o varios hijos o nietos. || intr. Restablecerse el enfermo. Ú.t.c.r. || Ponerse el tiempo más benigno. Ú.t.c.r. || Ponerse en lugar o grado ventajoso respecto del que antes se tenía. Ú.t.c.r. [*Sinón.*: prosperar; subir. *Antón.*: empeorar]

mejoría. f. Mejora, medra. || Alivio en una dolencia o enfermedad. || Ventaja o superioridad de una cosa respecto de otra. [*Antón.*: empeoramiento]

mejunje. m. Cosmético o medicamento formado por varios ingredientes.

melada. f. Rebanada de pan tostado empanada en miel. || Pedazos de mermelada seca.

melado, da. adj. De color de miel. || m. *Amer.* Jarabe que se obtiene del jugo de la caña de azúcar. || Torta hecha con miel y cañamones.

melancolía. f. Tristeza vaga, profunda, sosegada y permanente. || Monomanía en la que dominan las afecciones morales tristes. [*Sinón.*: aflicción, languidez]

melancólico, ca. adj. Relativo a la melancolía. || Que tiene melancolía. Ú.t.c.s.

melanina. f. FISIOL. Sustancia de naturaleza proteica que confiere a la piel de los vertebrados los distintos grados de color.

melar. intr. En los ingenios de azúcar, dar al zumo de la caña consistencia de miel. || Hacer las abejas la miel. Ú.t.c.r.

melaza (al. *Melasse*, fr. *mélasse*, ingl. *molasses*, it. *melassa*). f. QUÍM. Líquido viscoso, no cristalizable, de sabor dulce, que se obtiene como residuo en la fabricación del azúcar.

melena (al. *Mähne*, fr. *crinière*, ingl. *mane*, it. *criniera*). f. Cabello largo que cubre parte del rostro o la zona posterior del cuello. || Cabello suelto. || Crin del león. || MED. Fenómeno morboso que consiste en arrojar sangre negra junto con las heces.

melenudo, da. adj. De pelo largo y abundante.

meliáceo, a. adj. BOT. Aplícase a árboles y arbustos angiospermos dicotiledóneos de climas cálidos, de hojas alternas, flores en panojas y fruto capsular. Ú.t.c.s.f. || f. pl. Familia de estas plantas.

mélico, ca. adj. Perteneciente al canto o a la poesía lírica.

melificar. tr. Hacer las abejas la miel. Ú.t.c.intr.

melifluo, flua. adj. Que tiene miel o es parecido a ella en sus propiedades. ‖ fig. Dulce y tierno en el trato o expresión.

melindre. m. Labor de repostería hecha con miel y harina. ‖ Dulce de pasta de mazapán. ‖ fig. Afectada delicadeza en palabras, acciones y ademanes.

melindroso, sa. adj. Que hace melindres. [*Sinón.*: melindrero]

melisa. f. Toronjil, planta.

melocotón (al. *Pfirsich*, fr. *pêche*, ingl. *peach*, it. *pesca*). m. Bot. Melocotonero. ‖ Fruto de este árbol. Es una drupa esférica y amarillenta de carne olorosa y sabor agradable, con hueso duro y rugoso que contiene una almendra amarga.

melocotonero. m. Bot. Árbol frutal dicotiledóneo de la familia de las rosáceas, monocarpelar, y cuyo fruto es el melocotón.

melodía (al. *Melodik*, fr. *mélodie*, ingl. *melody*, it. *melodia*). f. Dulzura y suavidad de la voz o del sonido de un instrumento. ‖ Mús. Parte de la música que trata del tiempo con relación al canto y de la elección y número de sones con que han de formarse los períodos musicales. ‖ Mús. Desarrollo de una idea musical sin tener en cuenta su acompañamiento. ‖ Cualidad del canto bien compuesto que resulta agradable al oído.

melódico, ca. adj. Relativo a la melodía.

melodioso, sa. adj. Dulce y agradable al oído.

melodrama (al. *Lustspiel*, fr. *mélodrame*, ingl. *melodrama*, it. *melodramma*). m. Drama puesto en música; ópera. ‖ Letra de la ópera. ‖ Drama exageradamente patético y sentimental.

melodramático, ca. adj. Relativo al melodrama. ‖ Que participa de las malas cualidades del melodrama.

melomanía. f. Afición extremada a la música.

melómano, na. s. Que tiene melomanía.

melón (al. *Melone*, fr. *melon*, ingl. *melon*, it. *melone*). m. Bot. Planta cucurbitácea, originaria de Oriente y muy estimada por su fruto. ‖ Fruto de esta planta.

melonar. m. Terreno sembrado de melones.

melosidad. f. Calidad de meloso. ‖ fig. Suavidad y blandura de una cosa no material.

meloso, sa. adj. De calidad o naturaleza de miel. ‖ fig. Blando y suave. Aplicado a personas, tiene un sentido peyorativo.

mella (al. *Scharte*, fr. *brèche*, ingl. *indent*, it. *tacca*). f. Rotura o hendedura en el filo de un arma o herramienta, o en el borde de otra cosa. ‖ fig. Menoscabo, merma. ‖ *hacer mella.* fig. Causar efecto en el ánimo; ocasionar menoscabo o merma.

mellado, da. adj. Falto de uno o más dientes. Ú.t.c.s.

mellar. tr. Hacer mellas. Ú.t.c.r. ‖ fig. Menoscabar, minorar una cosa no material. Ú.t.c.r.

mellizo, za (al. *zwilling*, fr. *jumeau*, ingl. *twin*, it. *gemello*). adj. Gemelo, hablando de hermanos. Ú.t.c.s.

membrana (al. *Häutchen*, fr. *membrane*, ingl. *membrane*, it. *membrana*). f. Piel delgada o túnica, a modo de pergamino. ‖ Hist. Nat. Tejido flexible, elástico, delgado, que cubre vísceras o bien absorbe o segrega humores.

membrete (al. *Briefkopf*, fr. *en-tête*, ingl. *letterhead*, it. *intestazione*). m. Nombre o título de una persona o corporación puesto a la cabeza o al final del escrito que a ella se dirige. ‖ Nombre o título de una persona, oficina, corporación, etc., estampado en el papel de escribir.

membrillate. m. Dulce o carne de membrillo.

membrillo (al. *Quitte*, fr. *coing*, ingl. *quince*, it. *cotogna*). m. Bot. Arbusto rosáceo, de fruto amarillo y aromático, de carne áspera y granujienta. ‖ Fruto de este arbusto. ‖ Dulce de este fruto.

membrudo, da. adj. Robusto de miembros.

memez. f. Mentecatez, simpleza.

memo, ma. adj. Tonto, simple, mentecato. Ú.t.c.s. [*Antón.*: listo]

memorable. adj. Digno de memoria. ‖ Glorioso, notable.

memorándum. m. Informe. ‖ Comunicación diplomática en la que se recapitulan hechos y razones para que se tengan presentes en un asunto grave. [*Sinón.*: memorando]

memoria (al. *Gedächtnis*, fr. *mémoire*, ingl. *memory*, it. *memoria*). f. Facultad de recordar lo pasado. ‖ Recuerdo o aviso de algo pasado. ‖ Monumento que queda para recuerdo o gloria de una cosa. ‖ Relación de gastos, inventario. ‖ Estudio o disertación escrita sobre alguna materia. ‖ Técn. Dispositivo electrónico que almacena información para emplearla en el momento oportuno. ‖ pl. Obra en la que se evocan vivencias del autor, autobiografía. ‖ *de memoria.* Reteniendo en ella puntualmente lo leído u oído. [*Sinón.*: retentiva; exposición. *Antón.*: amnesia]

memorial. m. Escrito en que se pide una merced o gracia. ‖ Boletín o publicación oficial de algunas colectividades. ‖ Libro en que se apunta algo para un determinado fin.

memorizar. tr. Fijar en la memoria alguna cosa.

mena (al. *Erz*, fr. *minéral*, ingl. *ore*, it. *greggio*). f. Mineral. Mineral metalífero del que se extrae el metal en condiciones rentables de explotación.

menaje. m. Muebles de una casa. ‖ Material pedagógico de una escuela.

mención. f. Recuerdo o memoria de una persona o cosa, que se hace nombrándola, contándola o refiriéndola.

mencionar. tr. Hacer mención de una persona o un hecho. ‖ Referir o recordar algo para que se sepa. [*Sinón.*: nombrar. *Antón.*: omitir]

mendicante. adj. Que mendiga de puerta en puerta. Ú.t.c.s. ‖ Dícese de las órdenes religiosas que viven de limosnas.

mendicidad (al. *Bettelei*, fr. *mendicité*, ingl. *mendicity*, it. *mendicità*). f. Estado y situación de mendigo. ‖ Acción de mendigar.

mendigar. tr. Pedir limosna. Ú.t.c.intr. ‖ fig. Solicitar el favor de uno importunamente y con humillación.

mendigo, ga (al. *Bettler*, fr. *mendiant*, ingl. *beggar*, it. *mendicante*). s. Persona que habitualmente pide limosna.

mendrugo (al. *Bröckel*, fr. *morceau de pain*, ingl. *piece of stale bread*, it. *tozzo*). m. Pedazo de pan duro o desechado. ‖ fig. y fam. Tonto, necio, zoquete. Ú.t.c.adj.

menear. tr. Mover una cosa de una parte a otra. Ú.t.c.r. ‖ fig. Dirigir una dependencia o negocio. ‖ r. fig. y fam. Hacer con prontitud y diligencia una cosa. ‖ *meneársela.* vulg. Masturbarse. [*Sinón.*: trasladar; gobernar]

meneo. m. Acción de menear o menearse. ‖ fig. y fam. Vapuleo.

menester. m. Falta o necesidad de una cosa. ‖ pl. Necesidades corporales precisas a la naturaleza.

menesteroso, sa. adj. Necesitado, pobre, mendigo.

menestra. f. Guisado de hortalizas y carne o jamón.

menestral, la. s. Persona que se gana

la vida con oficios manuales o mecánicos.

mengano, na. s. Voz que se usa en la misma acepción que fulano y zutano, pero siempre después del primero, y antes o después del segundo.

mengua. f. Acción y efecto de menguar. || Falta que padece una cosa para estar cabal y perfecta. || Pobreza, escasez que se padece de una cosa. || fig. Descrédito, deshonra. [*Sinón.*: merma; defecto; carencia; afrenta. *Antón.*: aumento; perfección; honor]

menguado, da. adj. Cobarde, pusilánime. Ú.t.c.s. || Tonto, falto de juicio. Ú.t.c.s. || Miserable, mezquino. Ú.t.c.s. || m. Cada uno de los puntos que van disminuyendo las mujeres que hacen media, reduciendo cada dos de ellos a uno.

menguante. f. Mengua del caudal de los ríos. || Descenso del agua del mar por efecto de la marea.

menguar. intr. Disminuir o irse consumiendo. || Al hablar de la luna, disminuir la parte iluminada del astro, visible desde la Tierra. [*Antón.*: aumentar, crecer]

menhir. m. Monumento megalítico que consiste en una piedra larga hincada verticalmente en el suelo.

menina. f. Joven que entraba al servicio de la reina o de las infantas niñas.

meninge. f. ANAT. Cada una de las tres membranas que envuelven el encéfalo y la medula espinal.

meningitis. f. MED. Inflamación de las meninges.

menisco (al. *Meniskus*, fr. *ménisque*, ingl. *meniscus*, it. *menisco*). m. Vidrio cóncavo por una cara y convexo por la otra. || ANAT. Nombre dado a varios cartílagos interarticulares por su forma semilunar, y especialmente los situados en la rodilla.

menopausia (al. *Menopause*, fr. *ménopause*, ingl. *menopause*, it. *menopausa*). f. BIOL. Cesación natural de la menstruación en la mujer. || Época en que se produce.

menor (al. *Kleiner*, fr. *plus petit*, ingl. *smaller*, it. *minore*). adj. Que tiene menos cantidad que otra cosa de la misma especie. || Menor de edad. Ú.t.c.s. || m. Religioso de la Orden de San Francisco. || f. LÓG. Segunda proposición de un silogismo. || — *que* MAT. Signo matemático (<) que se coloca entre dos expresiones para indicar que la primera es menor que la segunda. || *por menor.* m. adv. En cortas cantidades, menudamente; por

partes, circunstancialmente. [*Antón.*: mayor]

menoría. f. Subordinación con que uno está sujeto a otro, e inferioridad respecto a él. || Menor edad. || Tiempo de la menor edad de una persona.

menorquín, na. adj. Natural de Menorca. Ú.t.c.s. || Perteneciente a esta isla.

menos. adv. comp. Denota la idea de menor cantidad, de inferior cualidad, de falta o disminución. || A veces denota indeterminada limitación de una cantidad expresa. || adv. m. Excepto, salvo. || m. MAT. Signo de sustracción o resta que se representa por una rayita horizontal (–) entre el minuendo y el sustraendo. || *al, a lo, o por lo, menos.* loc. conj. con que se denota excepción o salvedad. || *a menos que.* loc. conj. A no ser que.

menoscabar. tr. Disminuir las cosas quitándoles una parte. Ú.t.c.r. || fig. Deteriorar y deslustrar una cosa. [*Sinón.*: acortar; dañar]

menoscabo. m. Efecto de menoscabar o menoscabarse.

menospreciar (al. *verachten*, fr. *déprécier*, ingl. *to despise*, it. *sprezzare*). tr. Tener a una persona o cosa en menos de lo que se merece. || Despreciar. [*Sinón.*: desdeñar]

menosprecio. m. Poco aprecio o estima. || Desprecio, desdén.

mensaje (al. *Botschaft*, fr. *message*, ingl. *message*, it. *messaggio*). m. Comunicación que envía una persona a otra. [*Sinón.*: misiva, nota]

mensajero, ra. s. Persona que lleva un recado, despacho o noticia a otra. Ú.t.c.adj.

menstruación (al. *monatliche Regel*, fr. *menstruation*, ingl. *menses*, it. *menstruazione*). f. Acción de menstruar. || Menstruo de las mujeres.

menstruo. m. Acción de menstruar, menstruación. || Sangre evacuada naturalmente por las mujeres y las hembras de ciertos animales todos los meses.

mensual. adj. Que sucede o se repite cada mes. || Que dura un mes.

mensualidad (al. *Monatsgehalt*, fr. *mensualité*, ingl. *monthly*, it. *mensola*). f. Sueldo o salario de un mes. [*Sinón.*: mes]

ménsula. f. ARQ. Elemento que sobresale de la vertical para sostener o recibir alguna cosa.

mensurable. adj. Que se puede medir.

menta. f. Hierbabuena, planta.

mental. adj. Perteneciente o relativo a la mente.

mentalidad (al. *Denkart*, fr. *mentalité*, ingl. *way of thinking*, it. *mentalità*). f. Capacidad, actividad mental. || Cultura y modo de pensar que caracteriza a una persona, a un pueblo, a una generación, etc.

mentar (al. *erwähnen*, fr. *mentionner*, ingl. *to mention*, it. *menzionare*). tr. Nombrar o mencionar una cosa. [*Sinón.*: citar, recordar]

mente (al. *Verstand*, fr. *esprit*, ingl. *mind*, it. *mente*). f. Potencia intelectual del alma. || Designio, pensamiento, propósito, voluntad. [*Sinón.*: entendimiento; intención]

mentecatez. f. Tontería, falta de juicio. || Dicho o hecho propio de un mentecato.

mentecato, ta. adj. Tonto, falto de juicio. Ú.t.c.s. [*Sinón.*: imbécil]

mentidero. m. fam. Sitio donde se junta la gente ociosa para conversar.

mentir (al. *lügen*, fr. *mentir*, ingl. *to lie*, it. *mentire*). intr. Decir o manifestar lo contrario de lo que se sabe, cree o piensa.

mentira (al. *Lüge*, fr. *mensonge*, ingl. *lie*, it. *bugia*). f. Expresión contraria a lo que se sabe, cree o piensa. || Errata material en escritos o impresos. [*Sinón.*: embuste]

mentirijillas (de). m. adv. No de veras.

mentiroso, sa (al. *lügenhaft*, fr. *menteur*, ingl. *liar*, it. *bugiardo*). adj. Que tiene por costumbre mentir. Ú.t.c.s. || Engañoso, fingido y falso. [*Sinón.*: cuentista, embustero. *Antón.*: sincero]

mentís. m. Voz injuriosa con que se desmiente a una persona. || Hecho o demostración que contradice categóricamente un aserto. [*Sinón.*: denegación]

mentol. m. QUÍM. Parte sólida de la esencia de menta, que es un alcohol secundario.

mentón. m. Barbilla.

mentor. m. fig. Consejero o guía de otro. || fig. El que sirve de ayo.

menú. m. Carta o lista de platos de un restaurante.

menudear. tr. Hacer una cosa muchas veces. || intr. Caer o suceder una cosa con frecuencia.

menudencia. f. Pequeñez, cosa de poco valor o estimación. [*Sinón.*: minucia, bagatela]

menudillo. m. En los cuadrúpedos, articulación entre la caña y la cuartilla. || pl. Entrañas de las aves.

menudo, da. adj. Pequeño, chico. ‖ Despreciable, sin importancia. ‖ Dícese del dinero en monedas de poco valor, pequeñas. ‖ Que examina las cosas con todo detalle. ‖ m. pl. Vientre, manos y sangre de las reses que se matan. ‖ En las aves, pescuezo, alones, pies, etc. ‖ *a menudo.* m. adv. Muchas veces, con frecuencia.

meñique. adj. Dícese del dedo más pequeño de la mano. Ú.t.c.s. ‖ fam. Muy pequeño.

meollo. m. Seso, masa nerviosa de la cavidad del cráneo. ‖ Médula. ‖ fig. Sustancia o parte fundamental de una cosa. ‖ fig. Juicio o entendimiento.

meón, na. adj. Que mea mucho. ‖ f. fam. Mujer, especialmente niña recién nacida.

mequetrefe. m. fam. Hombre entremetido, bullicioso y de poco provecho. [*Sinón.*: enredador, títere]

mercachifle. m. Buhonero. ‖ despect. Mercader de poca importancia.

mercader (al. *Kaufmann*, fr. *marchand*, ingl. *merchant*, it. *mercante*). m. El que trata o comercia con géneros vendibles.

mercadería. f. Mercancía.

mercado (al. *Markt*, fr. *marché*, ingl. *market*, it. *mercato*). m. Contratación pública en lugar y días destinados al efecto. ‖ Sitios en que se celebra y gente que acude a él. ‖ Población o país de importancia comercial. ‖ — *negro.* Tráfico clandestino de mercancías a precios superiores a los legales.

mercancía (al. *Ware*, fr. *marchandise*, ingl. *goods*, it. *merce*). f. Trato por el que se compran o venden géneros. ‖ Cualquier género vendible. ‖ Cosa que se hace objeto de trato o venta. [*Sinón.*: mercadería; efecto]

mercante. adj. Mercantil. ‖ Se aplica al buque destinado a transportar mercancías. Ú.t.c.s.

mercantil .adj. Perteneciente o relativo al mercader o a la mercancía. [*Sinón.*: comercial]

mercantilismo. m. Espíritu mercantil aplicado a cosas no comerciables. ‖ Sistema económico que da la primacía al desarrollo comercial.

mercantilista. adj. Partidario del mercantilismo. ‖ Experto en derecho mercantil. Ú.t.c.s.

mercar. tr. Comprar. Ú.t.c.r.

merced (al. *Gabe*, fr. *grâce*, ingl. *grant*, it. *mercè*). f. Premio que se da por el trabajo. ‖ Dádiva. ‖ Voluntad o arbitrio de uno. ‖ Tratamiento de cortesía. ‖ Orden religiosa y militar fundada para redimir cautivos. [*Sinón.*: galardón; gracia]

mercedario, ria. adj. Dícese del religioso de la orden de la Merced. Ú.t.c.s.

mercenario, ria. adj. Que presta sus servicios por un estipendio acordado. Ú.t.c.s. ‖ Asalariado. Ú.t.c.s.

mercería. f. Trato y comercio de alfileres, hilos, cintas, etc. ‖ Conjunto de artículos de esta clase. ‖ Tienda en la que se venden.

mercero, ra. s. Persona que comercia en artículos de mercería.

mercurio (al. *Quecksilber*, fr. *mercure*, ingl. *mercury*, it. *mercurio*). n. p. m. ASTR. Planeta más cercano al sol que presenta fases y brilla algunas veces como lucero del alba y de la tarde. ‖ m. QUÍM. Metal blanco y brillante, muy pesado y líquido a la temperatura ordinaria. [*Sinón.*: azogue]

merecedor, ra. adj. Que merece.

merecer (al. *verdienen*, fr. *mériter*, ingl. *to deserve*, it. *meritare*). tr. Hacerse uno digno de premio o castigo. ‖ Tener cierto grado de estimación una persona o cosa. ‖ intr. Hacer méritos, buenas obras, ser digno de premio. [*Antón.*: desmerecer, malograr]

merecido. m. Castigo o premio de que se juzga digno a uno.

merecimiento. m. Mérito.

merendar (al. *jausen*, fr. *goûter*, ingl. *to lunch*, it. *merendare*). intr. Tomar la merienda.

merendero. m. Sitio en que se merienda.

merengue (al. *Meringel*, fr. *meringue*, ingl. *meringue*, it. *meringa*). m. Dulce de claras de huevo y azúcar. ‖ *Amer.* Persona de complexión delicada.

meretriz. f. Ramera, prostituta.

meridiano, na (al. *Meridian*, fr. *méridien*, ingl. *meridian*, it. *meridiano*). adj. Relativo a la hora del mediodía. ‖ fig. Clarísimo, luminosísimo. ‖ m. ASTR. Círculo máximo de la esfera celeste, que pasa por los polos del mundo y por el cénit y nadir del punto de la Tierra a que se refiere. ‖ GEOGR. Círculo máximo de la esfera terrestre que pasa por los polos.

meridional. adj. Perteneciente o relativo al Sur o mediodía. ‖ Aplicado a personas, ú.t.c.s. [*Sinón.*: austral]

merienda (al. *Vesperbrot*, fr. *goûter*, ingl. *lunch*, it. *merenda*). f. Comida ligera que se hace por la tarde. ‖ *merienda de negros.* fig. y fam. Confusión y desbarajuste grandes.

merino, na (al. *merinoschaf*, fr. *mérinos*, ingl. *merino*, it. *merino*). adj. Dícese de los carneros y ovejas de lana muy fina, corta y rizada. Ú.t.c.s.

mérito (al. *Verdienst*, fr. *mérite*, ingl. *merit*, it. *merito*). m. Acción digna de premio o de castigo. [*Sinón.*: merecimiento]

meritorio, ria. adj. Digno de premio o galardón. ‖ m. Aspirante administrativo. [*Sinón.*: laudable]

merluza. f. ZOOL. Pez marino de la familia de los gálidos, de cuerpo alargado, boca grande y cerca de un metro de longitud, muy común en las costas españolas. Es uno de los peces de carne blanca más apreciados. ‖ fig. y fam. Borrachera.

merma. f. Acción y efecto de mermar. ‖ Porción que se consume naturalmente o se sustrae de una cosa.

mermar. intr. Bajar o disminuir una cosa o consumirse una parte de lo que antes tenía. Ú.t.c.r. ‖ tr. Quitar a uno parte de cierta cantidad que le corresponde. [*Sinón.*: menguar; sisar]

mermelada (al. *Mermelade*, fr. *marmelade*, ingl. *marmalade*, it. *marmellata*). f. Conserva de frutas con miel o azúcar. [*Sinón.*: confitura]

mero (al. *Heilbutt*, fr. *mérou*, ingl. *jewfish*, it. *cernia*). m. ZOOL. Pez marino acantopterigio, de cuerpo casi oval, oscuro, de fuertes mandíbulas bien provistas de dientes y que alcanza un metro de longitud. Propio del Mediterráneo, su carne es muy apreciada.

mero, ra. adj. Puro, simple y sin mezcla de otra cosa.

merodear. intr. Vagar por el campo, viviendo de lo que se coge o roba. ‖ MIL. Apartarse algunos soldados del cuerpo en que marchan para robar en los caseríos. [*Sinón.*: vagabundear]

mes (al. *Monat*, fr. *mois*, ingl. *month*, it. *mese*). m. Cada una de las doce partes en que se divide el año. ‖ Número de días consecutivos desde uno señalado hasta otro de igual fecha en el mes siguiente. ‖ Menstruo de las mujeres.

mesa (al. *Tisch*, fr. *table*, ingl. *table*, it. *tavola*). f. Mueble formado por una tabla lisa sostenida por uno o varios pies. ‖ En las asambleas políticas y otras corporaciones, conjunto de las personas que las dirigen. ‖ Conjunto de negocios de un oficial, secretario, etc. ‖ Terreno llano, elevado y extenso rodeado de valles o barrancos. ‖ Rellano de la escalera de un edificio. ‖ Plano principal del labrado de las piedras preciosas. ‖ Cualquiera de los planos que tienen las hojas de las armas blancas. ‖

Partida del juego de trucos o billar. || — de noche. Mueble pequeño que se coloca al lado de la cama.

mesana. f. MAR. Mástil que está más a popa en el buque de tres palos. || MAR. Vela que se pone en él.

mesar. tr. Tirarse de los cabellos o barbas con las manos. Ú.m.c.r.

mesenterio. m. ANAT. Repliegue del peritoneo que une el estómago y el intestino con las paredes abdominales.

meseta (al. *Hochebene*, fr. *plateau*, ingl. *plateau*, it. *altopiano*). f. Porción de piso horizontal en que termina un tramo de escalera. || Terreno elevado, llano y de gran extensión.

mesiánico, ca. adj. Perteneciente o relativo al mesianismo.

mesianismo. m. Doctrina relativa al Mesías. || Confianza inmotivada en un agente bienhechor que se espera tenga efectos de larga duración.

Mesías. n. p. m. El hijo de Dios, prometido por los profetas. || m. Sujeto en cuyo advenimiento hay puesta una confianza desmedida.

mesilla. f. dim. de mesa. || ⟋ *mesa de noche.*

mesnada. f. Compañía de gente de armas, que antiguamente servía a un señor feudal o al rey. || fig. Congregación.

mesocarpio. m. BOT. Parte intermedia del pericarpio en los frutos carnosos como el melocotón.

mesocéfalo. adj. Aplícase a la persona cuyo cráneo tiene las proporciones intermedias entre la dolicocefalia y la braquicefalia.

mesocracia. f. Forma de gobierno en que la clase media tiene preponderancia. || fig. Burguesía.

mesón. m. Establecimiento público donde se sirven comidas y se da hospedaje. || FÍS. Partícula elemental que forma parte del núcleo atómico.

mesonero, ra. adj. Relativo al mesón. || s. Dueño de un mesón.

mesotórax. m. ANAT. Parte media del pecho. || ZOOL. Segmento medio del coselete de los insectos.

mestizaje. m. Cruzamiento de razas. || Conjunto de mestizos.

mestizo, za (al. *mischling*, fr. *métis*, ingl. *half-breed*, it. *meticcio*). adj. Aplícase a la persona nacida de padre y madre de raza diferente. Ú.t.c.s. || Aplícase al animal o vegetal resultante del cruce de dos razas distintas. [*Sinón.*: cruzado, híbrido]

mesura. f. Gravedad y compostura. || Moderación, comedimiento. [*Sinón.*:

circunspección, prudencia. *Antón.*: imprudencia]

mesurado, da. adj. Moderado, modesto, circunspecto. || Parco, templado.

meta (al. *Ziel*, fr. *but*, ingl. *goal*, it. *meta*). f. Término señalado a una carrera. || Portería de fútbol y otros deportes. || fig. Fin a que se dirigen las acciones o deseos de una persona.

metabólico, ca. adj. BIOL. Perteneciente o relativo al metabolismo.

metabolismo. m. BIOL. Conjunto de transformaciones químicas que se efectúan constantemente en las células del organismo. Consta de dos fases: anabolismo o producción de sustancia asimilable, y catabolismo o disgregación de los compuestos orgánicos.

metacarpo. m. ANAT. Parte de la mano comprendida entre el carpo y los dedos.

metafísica. f. Parte de la filosofía que trata del ser y de sus atributos, principios y causas primeras.

metáfora (al. *Wortbild*, fr. *métaphore*, ingl. *metaphor*, it. *metafora*). f. RET. Tropo que consiste en transformar el sentido recto de las voces en otro figurado, en virtud de una comparación tácita. || Imagen.

metal (al. *Metall*, fr. *métal*, ingl. *metal*, it. *metallo*). m. Cuerpo simple, buen conductor de la electricidad y el calor, que posee, en el estado sólido, un brillo especial. || Azófar o latón. || fig. Timbre de voz. || fig. Calidad o condición de una cosa. || BLAS. Oro o plata, que se suelen representar en amarillo y blanco, respectivamente. || — *precioso.* Oro o plata.

metálico, ca. adj. De metal o perteneciente a él. || m. Dinero.

metalífero, ra. adj. Que contiene metal.

metaloide. m. QUÍM. Cuerpo simple, mal conductor térmico y eléctrico.

metalurgia. f. Ciencia de extraer los metales de sus menas, preparar aleaciones, preparar su elaboración, etc.

metalúrgico, ca. adj. Perteneciente a la metalurgia. || m. Que profesa este arte.

metamorfosear. tr. Transformar. Ú.t.c.r.

metamorfosis. f. Transformación de una cosa en otra. || fig. Mudanza, cambio de un estado a otro. || ZOOL. Cambio experimentado por algunos animales durante su desarrollo y que se manifiesta por una variación de las formas, funciones y género de vida.

metano. m. QUÍM. Hidrocarburo saturado que se forma en la descomposición de la materia orgánica fuera del contacto del aire. Se utiliza como combustible y como materia prima en la fabricación de numerosos productos químicos.

metaplasmo. m. GRAM. Nombre genérico de las figuras de dicción.

metapsíquica. f. FIL. Estudio de los fenómenos que exceden de los límites de la conciencia normal y de los cuales no se ha dado hasta ahora una explicación satisfactoria. Hoy se prefiere el nombre de *parapsicología*.

metatarso. m. ANAT. Parte del pie comprendida entre el tarso y los dedos.

metatórax. m. ZOOL. Parte posterior del coselete, situado entre el mesotórax y el abdomen de los insectos.

metazoo. adj. ZOOL. Dícese de los animales que tienen el cuerpo constituido por un número variable de células diferenciales agrupadas en forma de tejidos, órganos y aparatos. Ú.t.c.s.m. || m. pl. Subreino de estos animales.

metedura. f. fam. Acción y efecto de meter. || — *de pata.* vulg. Dicho o hecho inoportuno.

meteorismo. m. MED. Acumulación de gases en el tubo digestivo.

meteorito. m. Fragmento de un bólido que cae sobre la Tierra.

meteoro o **metéoro.** m. FÍS. Fenómeno que tiene lugar en la atmósfera.

meteorología. f. Ciencia que estudia la atmósfera y los fenómenos que se producen en ella.

meteorólogo, ga. s. Persona que profesa la meteorología. [*Sinón.*: meteorologista]

meter (al. *hineinstecken*, fr. *mettre*, ingl. *to put in*, it. *ficcare*). tr. Introducir o incluir una cosa dentro de otra o en alguna parte. Ú.t.c.r. || Con voces como *miedo, ruido*, etc., ocasionar. || Introducir en las costuras de una prenda la tela que sobra. || Estrechar las cosas para hacer caber más en el mismo espacio. || Emplear a una persona, colocarla. || fam. Dar puñetazos, bofetadas, etc. || r. Introducirse en una parte sin ser llamado. || Dejarse llevar con pasión de una cosa. || Junto con un nombre de oficio o estado, seguirlo. || Con la prep. *a*, arrogarse alguna capacidad o facultades que no se tiene.

meticulosidad. f. Calidad de meticuloso.

meticuloso, sa. adj. Temeroso. Ú.t.c.s. || Minucioso, concienzudo.

metido, da. adj. Abundante en ciertas cosas. ‖ *Amer.* Entrometido. Ú.t.c.s. |*Sinón.:* exuberante|

metilo. m. QUÍM. Radical monovalente formado por un átomo de carbono y tres de hidrógeno.

metodismo. m. Doctrina de una secta protestante que preconiza unos principios muy rígidos.

metodista. adj. Que profesa el metodismo. Ú.t.c.s. ‖ Perteneciente a él.

método (al. *Methode*, fr. *méthode*, ingl. *method*, it. *metodo*). m. Procedimiento para llevar a cabo un fin, o camino que sigue el espíritu para llegar a un determinado resultado. ‖ Modo de obrar y proceder de cada uno. |*Sinón.:* regla; costumbre, hábito|

metodología. f. Ciencia del método.

metomentodo. com. Persona entremetida.

metonimia. f. RET. Tropo que consiste en designar una cosa con el nombre de otra, tomando el efecto por la causa o viceversa.

metraje. m. Longitud medida en metros. ‖ Longitud o duración de una película cinematográfica.

metralla (al. *Kartätsche*, fr. *mitraille*, ingl. *shrapnel*, it. *mitraglia*). f. Munición menuda con que se cargan las piezas de artillería. ‖ Pedazos metálicos que saltan de una granada al estallar.

metralleta. f. Arma de fuego ligera de repetición.

métrica. f. Arte que trata de la medida de los versos, de sus especies y combinaciones.

métrico, ca. adj. Perteneciente o relativo al metro o medida. ‖ Perteneciente al metro o medida del verso.

metritis. f. MED. Inflamación de la matriz.

metro (al. *Meter*, fr. *mètre*, ingl. *metre*, it. *metro*). m. Verso, con relación a la medida de a cada especie corresponde. ‖ Unidad de longitud, base del sistema métrico decimal, que se define en función de la longitud de onda de una determinada raya espectral del criptón. ‖ Instrumento de medida que tiene marcada la longitud del metro y sus divisiones. ‖ Cantidad de algunas materias que tiene la longitud de un metro. ‖ — *cuadrado.* Unidad de superficie igual a la de un cuadrado cuyo lado es un metro. ‖ — *cúbico.* Unidad de volumen igual al de un cubo cuya arista es un metro.

metro. m. Apócope de metropolitano, ferrocarril subterráneo.

metrología. f. Ciencia que tiene por objeto el estudio de los sistemas de pesas y medidas.

metrónomo. m. Cronómetro que mide el tiempo y la velocidad de una composición musical.

metrópoli. f. Ciudad principal, cabeza de provincia o Estado. ‖ La nación, respecto de sus colonias.

metropolitano, na. adj. Perteneciente o relativo a la metrópoli. ‖ Arzobispal. ‖ m. Ferrocarril subterráneo de las grandes ciudades.

meublé (voz francesa). m. Casa de citas.

mexicanismo. m. Palabra, locución o modo de hablar propio de los mexicanos.

mexicano, na (al. *mexicaner*, fr. *mexicain*, ingl. *mexican*, it. *messicano*). adj. Natural de México. Ú.t.c.s. ‖ Perteneciente o relativo a este país.

mezcal. m. Variedad de pita. ‖ Aguardiente obtenido de dicha planta. ‖ Fibra de magüey.

mezcalina. f. Alcaloide del mezcal, narcótico, que produce alucinaciones.

mezcla (al. *Mischung*, fr. *mélange*, ingl. *mixture*, it. *mescolanza*). f. Acción y efecto de mezclar o mezclarse. ‖ Reunión de sustancias que no actúan químicamente entre sí. ‖ ALBAÑ. Mortero de cemento o cal, arena y agua.

mezclar (al. *vermischen*, fr. *mélanger*, ingl. *to mix*, it. *mescolare*). tr. Juntar, incorporar una cosa a otra. Ú.t.c.r. ‖ r. Introducirse o meterse uno entre otros. ‖ Referido a familias o linajes, enlazarse unos con otros.

mezcolanza. f. fam. Mezcla extraña y confusa, a veces ridícula.

mezquindad. f. Calidad de mezquino. ‖ Cosa mezquina.

mezquino, na. adj. Pobre, falto de lo necesario. ‖ Avaro, miserable. Pequeño, diminuto. ‖ Desdichado, infeliz.

mezquita (al. *Moschee*, fr. *mosquée*, ingl. *mosque*, it. *moschea*). f. Edificio en que los mahometanos practican sus ceremonias religiosas.

mi. m. MÚS. Tercera nota de la escala musical.

mi. Forma del genitivo, dativo y acusativo del pronombre personal de primera persona en género masculino o femenino y número singular.

mi, mis. pron. pos. Apócope de *mío, mía, míos, mías.* Sólo se emplea antepuesto al nombre.

miaja. f. Migaja.

mialgia. f. MED. Dolor muscular.

miasma. m. Efluvio maligno que se desprende de los cuerpos enfermos, materias corruptas o aguas estancadas. Ú.m. en pl.

miau. Onomatopeya del maullido del gato. ‖ m. Maullido.

mica (al. *Glimmer*, fr. *mica*, ingl. *mica*, it. *mica*). f. MINERAL. Silicato mineral múltiple que se exfolia fácilmente en láminas de gran brillo y que forma parte de varias rocas.

micción. f. Acción de mear.

mico. m. ZOOL. Mono de cola larga. ‖ fig. y fam. Hombre lujurioso. ‖ fig. y fam. *Amer.* Órgano sexual femenino.

micología. f. BOT. Ciencia que trata de los hongos.

micosis. f. MED. Enfermedad provocada por los hongos.

microbio (al. *Mikrobe*, fr. *microbe*, ingl. *microbe*, it. *microbio*). m. BIOL. Nombre genérico de los seres vivos sólo visibles con el microscopio.

microfilm (voz inglesa). m. Microfilme.

microfilme. m. Película fotográfica muy pequeña utilizada para reproducir libros, documentos, etc.

micrófono. m. Aparato que registra, produce y amplía sonidos transformando las vibraciones acústicas en oscilaciones eléctricas y viceversa.

micrón. m. FÍS. Milésima parte de un milímetro.

microorganismo. m. Microbio.

microscopia. f. FÍS. Arte o técnica para la fabricación y utilización del microscopio.

microscópico, ca. adj. Perteneciente o relativo al microscopio. ‖ Hecho con ayuda del microscopio. ‖ Tan pequeño que no puede verse sino con el microscopio. ‖ Dícese, por extensión, de lo extremadamente pequeño.

microscopio (al. *Mikroskop*, fr. *microscope*, ingl. *microscope*, it. *microscopio*). m. FÍS. Instrumento óptico que se usa para observar objetos muy pequeños. ‖ — *electrónico.* El que utiliza, en lugar de rayos luminosos, haces de electrones producidos por tubos de rayos catódicos.

microsurco. adj. Dícese del disco de gramófono. Ú.t.c.s.m.

miedo (al. *Furcht*, fr. *peur*, ingl. *fear*, it. *paura*). m. Perturbación angustiosa del ánimo causada por la amenaza, real o no, de un peligro. ‖ — *cerval.* fig. El muy grande, o excesivo. |*Sinón.:* temor. *Antón.:* valor|

miedoso, sa. adj. fam. Medroso, temeroso. Ú.t.c.s.

miel (al. *Honig*, fr. *miel*, ingl. *honey*,

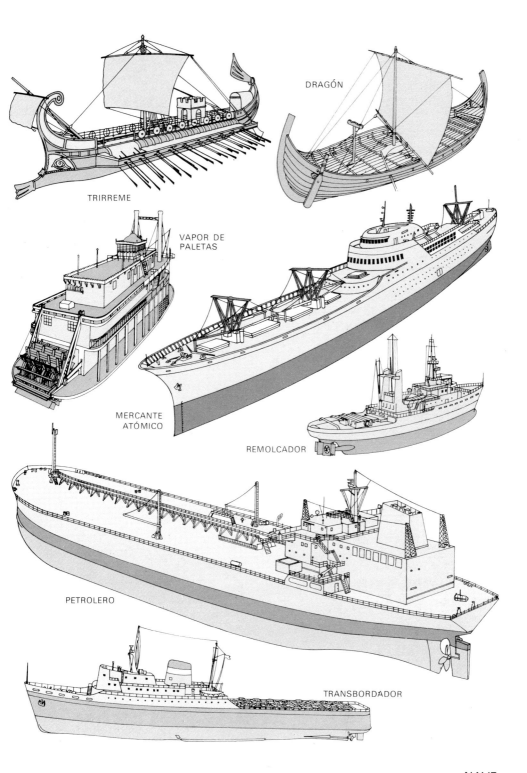

TRIRREME

DRAGÓN

VAPOR DE
PALETAS

MERCANTE
ATÓMICO

REMOLCADOR

PETROLERO

TRANSBORDADOR

NAVE

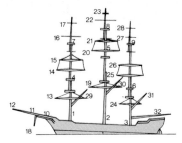

PALOS Y VERGAS. Palos: 1, 2, 3. Macho de trinquete, mayor y de mesana. *Masteleros:* 4, 5, 6. De velacho o de proa, de gavia o mayor y de mesana o de popa. *Mastelerillos:* 7. De proa; 8. Mayor; 9. De popa o de perico. 10. Bauprés. 11. Botalón de foque. 12. Botalón de petifoque. **Vergas:** 13. De trinquete; 14. De velacho bajo; 15. De velacho alto; 16. De juanete; 17. De sobrejuanete; 18. Moco; 19. De mayor; 20. De gavia baja; 21. De gavia alta; 22. De juanete mayor; 23. De sobrejuanete mayor; 24. Seca; 25. De sobremesana baja; 26. De sobremesana alta; 27. De perico; 28. De sobreperico. *Picos:* 29. Del cangrejo trinquete; 30. Del cangrejo mayor; 31. De la cangreja. 32. Botavara de la cangreja.

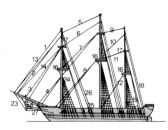

JARCIAS FIRME Y DE LABOR. *Estayes:* 1. De galop; 2. De juanete de proa; 3. De velacho (y contraestay); 4. De trinquete (y contraestay); 5. De sobrejuanete; 6. De juanete; 7. De gavia (y contraestay); 8. De mayor (y contraestay); 9. De sobreperico; 10. De perico; 11. De sobremesana; 12. De mesana. *Nervios:* 13. Del petifoque; 14. Del foque. *Tablas de jarcia:* 15. De trinquete, mayor y mesana; 16. De velacho, gavia y sobremesana. 17. Obenquillos de juanete, de juanete mayor y de perico; 18, 19, 20. Burdas de sobreperico, de perico y de sobremesana; 21. Mostachos del bauprés; 22. Barbiquejo del bauprés; 23. Viento del botalón; 24, 25, 26. Burdas de velacho, de juanete y de sobre de proa; 27. Viento del moco.

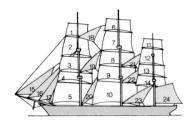

VELAS. 1. Sobrejuanete de proa; 2. Juanete de proa; 3. Velacho alto; 4. Velacho bajo; 5. Trinquete; 6. Sobrejuanete mayor; 7. Juanete mayor; 8. Gavia alta; 9. Gavia baja; 10. Mayor; 11. Sobreperico; 12. Perico; 13. Sobremesana alta; 14. Sobremesana baja; 15. Contrafoque; 16. Foque; 17. Trinquetilla. **Velas de estay:** 18. De sobremayor; 19. De juanete mayor; 20. De gavia; 21. De perico; 22. De sobremesana; 23. De mesana. 24. Cangreja.

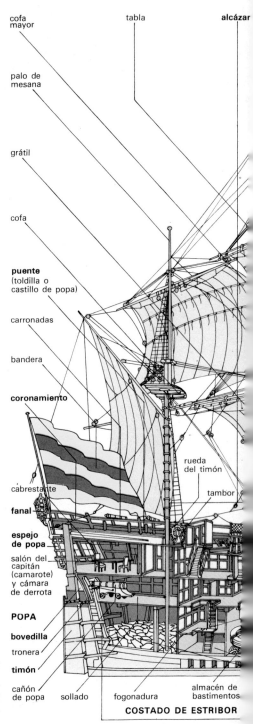

cofa
mayor

tabla

alcázar

palo de
mesana

grátil

cofa

puente
(toldilla o
castillo de popa)

carronadas

bandera

coronamiento

rueda
del timón

tambor

cabrestante

fanal

**espejo
de popa**

salón del
capitán
(camarote)
y cámara
de derrota

POPA

bovedilla

tronera

timón

cañón
de popa

sollado

fogonadura

almacén de
bastimentos

COSTADO DE ESTRIBOR

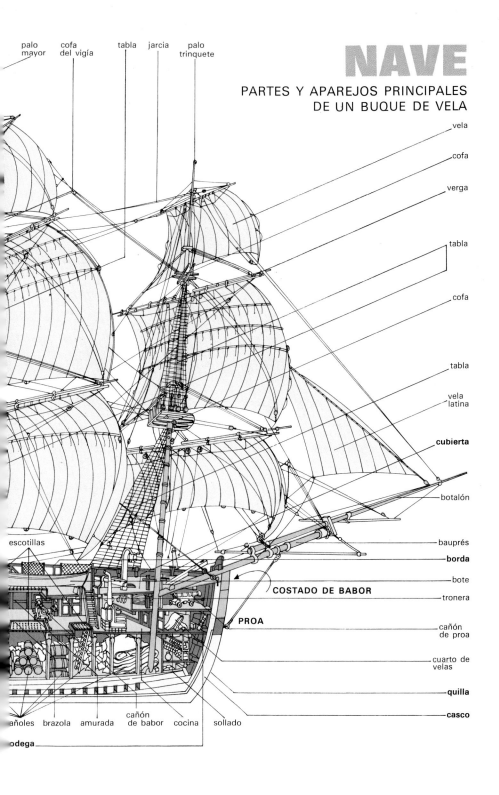

palo mayor · cofa del vigía · tabla · jarcia · palo trinquete

NAVE

PARTES Y APAREJOS PRINCIPALES DE UN BUQUE DE VELA

vela

cofa

verga

tabla

cofa

tabla

vela latina

cubierta

botalón

bauprés

borda

bote

tronera

cañón de proa

cuarto de velas

quilla

casco

COSTADO DE BABOR

PROA

escotillas

añoles · brazola · amurada · cañón de babor · cocina · sollado

odega

TRASATLÁNTICO

SUBMARINO

ACORAZADO

FRAGATA

PORTAAVIONES

YATE

HIDROALA

NAVE

it. *miele*). f. Sustancia muy dulce, viscosa y amarillenta que producen las abejas, transformando en su estómago el néctar de las flores.

miembro (al. *Glied*, fr. *membre*, ingl. *limb, member*, it. *membro*). m. Cualquiera de las extremidades del hombre o de los animales, articuladas con el tronco. || Órgano de la generación en el hombre y en algunos animales. || Individuo de una comunidad. || Parte de un todo.

miente. f. ant. Facultad de pensar, pensamiento. Úsase hoy en pl. en algunas frases. || *parar*, o *poner*, *mientes en una cosa*. Pensar en ella y considerarla con atención y cuidado particulares.

mientras (al. *während*, fr. *tandis que*, ingl. *while*, it. *mentre*). adv. t. Durante el tiempo en que. Ú.t. antepuesto a la conjunción *que*.

miércoles (al. *Mittwoch*, fr. *mercredi*, ingl. *wednesday*, it. *mercoledi*). m. Cuarto día de la semana.

mierda (al. *Kot*, fr. *merde*, ingl. *excrement*, it. *merda*). f. Excremento humano. || Por ext., el de algunos animales. || fig. y fam. Cosa o hecho, material o no, que se caracteriza por su extrema suciedad o bajeza. || fig. Hachís o marihuana.

mies (al. *Getreide*, fr. *céréale*, ingl. *cereal plant*, it. *mese*). f. Planta madura de cuya semilla se hace el pan. || pl. Los sembrados. |*Sinón.*: trigo; cereal|

miga (al. *Krume*, fr. *mie*, ingl. *crumb*, it. *mollica*). f. Migaja, porción pequeña de cualquier cosa. || Parte más blanca del pan. || fig. y fam. Sustancia y virtud interior de las cosas físicas o morales. || pl. Pan desmenuzado, mojado en agua salada y frito en aceite, sazonado con ajo y pimentón. || *hacer buenas*, o *malas, migas* dos o más personas. fig. y fam. Avenirse bien, o mal, en su trato.

migaja. f. Parte pequeña y menuda del pan que suele saltar o desmenuzarse al partirlo. || Porción pequeña de cualquier cosa. || fig. Nada o casi nada.

migar. tr. Desmenuzar el pan en pedazos muy pequeños.

migración. f. Emigración. || Acción y efecto de pasar de un país a otro para establecerse en él. || Viaje periódico de las aves de paso.

migraña. f. Jaqueca.

migratorio, ria. adj. Perteneciente o relativo a las migraciones.

miguelete. m. Antiguo fusilero de montaña catalán. || Individuo de la antigua milicia foral guipuzcoana.

mijo (al. *Hirse*, fr. *millet*, ingl. *mi-llet*, it. *miglio*). m. BOT. Planta graminea, originaria del Asia, de hasta un metro y medio de altura, con tallos robustos y hojas estrechas y pubescentes y flores dispuestas en panoja larga y colgante. || Semilla de esta planta.

mil (al. *tausend*, fr. *mille*, ingl. *thousand*, it. *mille*). adj. Diez veces ciento. |*Sinón.*: millar|

milagro (al. *Wunder*, fr. *miracle*, ingl. *wonder*, it. *miracolo*). m. Acto del poder divino, superior al orden natural. || Cualquier suceso o cosa rara, extraordinaria y maravillosa. |*Sinón.*: prodigio|

milagroso, sa. adj. Que excede a las fuerzas de la naturaleza. || Que obra o hace milagros. || Maravilloso, asombroso, pasmoso.

milanés, sa. adj. Natural de Milán. Ú.t.c.s. || Perteneciente a esta ciudad de Italia. || *Amer.* Filete de carne empanado.

milano (al. *Milan*, fr. *milan*, ingl. *kite*, it. *nibbio*). m. ZOOL. Ave rapaz diurna, sedentaria en España, de unos setenta centímetros de longitud y metro y medio de envergadura, que le permite un vuelo fácil y continuado. || Azor, ave. || ZOOL. Pez marino teleósteo, con aletas pectorales muy desarrolladas, que puede dar revuelos fuera del agua. || Apéndice piloso de algunos frutos. || Flor del cardo.

mildiu (al. *Meltau*, fr. *mildiou*, ingl. *mildew*, it. *mildiu*). m. AGR. Enfermedad de la vid, producida por un hongo que vive parásito en el interior de las hojas, en el tallo y en los frutos.

milenario, ria. adj. Perteneciente al número mil y al millar. || Dícese de los que creían que el fin del mundo acaecería en el año mil de la era cristiana. Ú.t.c.s. || m. Espacio de mil años. || Milésimo aniversario de un acontecimiento notable.

milenio (al. *Jahrtausend*, fr. *millénaire*, ingl. *millennium*, it. *millennio*). m. Período de mil años.

milenrama. f. BOT. Planta compuesta común en España, cuyas flores se han usado como tónico y astringente.

milésimo, ma. adj. Dícese de cada una de las mil partes iguales en que se divide un todo. Ú.t.c.s.

mili-. Voz que se usa sólo como prefijo de vocablos compuestos, con la significación de milésima parte.

mili. f. fam. Servicio militar.

milicia (al. *Miliz*, fr. *milice*, ingl. *militia*, it. *milizia*). f. Arte de hacer la guerra y de disciplinar a los soldados para ella. || Servicio o profesión militar. || Cuerpo de tropa no permanente. |*Sinón.*: ejército|

miliciano, na. adj. Perteneciente a la milicia. || m. Individuo de la milicia.

miligramo. m. Milésima parte del gramo.

mililitro. m. Milésima parte de un litro.

milimetrar. tr. Dividir o graduar en milímetros.

milímetro. m. Milésima parte de un metro.

militante. adj. Que milita. Ú.t.c.s.

militar (al. *militärisch, Berufsoldat*; fr. *militaire*, ingl. *military, soldier*; it. *militare*). adj. Relativo a la milicia o a la guerra. || m. El que profesa la milicia.

militar. intr. Servir en la guerra o profesar la milicia. || fig. Formar parte de un partido o colectividad.

militarismo. m. Predominio del elemento militar en el gobierno del Estado.

militarizar. tr. Someter a la disciplina militar.

milonga. f. MÚS. Danza del Río de la Plata y danza que se ejecuta con ella.

milpa. f. *Amer.* Tierra donde se cultiva maíz y a veces otras semillas.

milla (al. *Meile*, fr. *mille*, ingl. *mile*, it. *miglio*). f. Medida de longitud, usada especialmente por los marinos, equivalente a 1 852 metros.

millar (al. *Tausend*, fr. *millier*, ingl. *thousand*, it. *migliaio*). m. Conjunto de mil unidades.

millón (al. *Million*, fr. *million*, ingl. *million*. it. *milione*). m. Mil millares.

millonada. f. Cantidad como de un millón, cantidad enorme.

millonario, ria (al. *millionär*, fr. *millionnaire*, ingl. *millionaire*, it. *milionario*). adj. Muy rico, que atesora muchos caudales. |*Sinón.*: acaudalado, potentado, creso|

millonésimo, ma. adj. Dícese de cada una del millón de partes iguales en que se divide un todo. Ú.t.c.s.

mimar (al. *verwöhnen*, fr. *choyer*, ingl. *to pet*, it. *viziare*). tr. Hacer caricias y halagos. || Tratar con excesiva condescendencia a alguien. |*Sinón.*: acariciar|

mimbre (al. *Korbweide*, fr. *osier*, ingl. *willow*, it. *vimine*). m. BOT. Arbusto salicáceo de ramas largas y flexibles, hojas lanceoladas y estrechas, flores amarillas y fruto capsular. || Rama de este arbusto, que se usa para fabricar cestos y muebles. |*Sinón.*: mimbrera|

mimetismo. m. Propiedad de algunos animales y plantas de asemejarse, principalmente en el color, al medio que les rodea.

mímica (al. *Mimik*, fr. *mimique*, ingl. *mimicry*, it. *mimica*). f. Arte de imitar, representar o explicarse por medio de gestos, ademanes o actitudes.

mimo. m. Farsante, hábil en gesticular y en imitar a otras personas. || Cariño, demostración expresiva de ternura o condescendencia. || Actor teatral que se vale exclusiva o preferentemente de gestos y de movimientos corporales.

mimosa (al. *Mimose*, fr. *mimosa*, ingl. *mimosa*, it. *mimosa*). f. Bot. Planta arborescente propia de países cálidos, de flores compuestas y hojas palmadocompuestas que se repliegan cuando se las toca o al caer la noche.

mimoso, sa. adj. Melindroso, delicado, muy dado a las caricias.

mina (al. *Bergwerk*, fr. *mine*, ingl. *mine*, it. *miniera*). f. Lugar donde hay minerales de explotación útil. || Excavación subterránea o a cielo abierto, para extraer un mineral. || Paso subterráneo artificial para alumbramiento de aguas u otros fines. || Barrita de grafito de los lápices. || fig. Oficio o negocio de que se obtiene mucha ganancia con poco esfuerzo. || Mil. Galería subterránea destinada a facilitar la voladura de una fortificación. || Mil. Artefacto enterrado u oculto dispuesto para hacer explosión cuando el enemigo se le acerque. || — *submarina*. Torpedo fijo para la defensa de radas, puertos, etc. [*Sinón.:* filón]

minador. m. Buque destinado a colocar minas marinas o submarinas.

minar (al. *untergraben*, fr. *miner*, ingl. *to undermine*, it. *minare*). tr. Abrir caminos o galerías bajo tierra. || fig. Consumir, destruir poco a poco. || Mil. Hacer minas cavando la tierra. [*Sinón.:* excavar; arruinar]

minarete. m. Alminar.

mineral (al. *mineralisch, Gestein;* fr. *minéral;* ingl. *mineral;* it. *minerale*). adj. Perteneciente al grupo de las sustancias inorgánicas o a alguna de sus partes. || m. Sustancia inorgánica terrestre que puede ser explotada. || Origen y principio de las fuentes. || Parte útil de una explotación minera.

mineralogía. f. Parte de la Historia Natural que trata de los minerales.

minería (al. *Bergbau,* fr. *exploitation des mines,* ingl. *mining,* it. *arte mineraria*). f. Técnica para la explota-

ción de las minas. || Conjunto de individuos que se dedican a este trabajo. || Conjunto de minas.

minero, ra. adj. Perteneciente a la minería. || m. El que trabaja en las minas. || El que las beneficia por su cuenta o especula en ellas.

minerva. f. Máquina de imprimir prospectos, facturas y demás impresos pequeños.

mingitorio, ria. adj. Perteneciente o relativo a la micción. || m. Urinario.

mini-. Elemento compositivo que entra en la formación de algunas voces con el significado de "pequeño, breve, corto, etc.".

miniatura (al. *Miniatur,* fr. *miniature,* ingl. *miniature,* it. *miniatura*). f. Ilustración de manuscritos con temas figurativos, generalmente a la aguada o acuarela. || Cuadro muy pequeño, u objeto de arte de reducidas dimensiones y delicadamente trabajado. || fig. Cosa bonita, pequeña y delicada.

miniaturista. com. Pintor de miniaturas.

minifundio. m. Finca rústica de reducida extensión, que no resulta económicamente rentable.

minimizar. tr. Dar menos valor, quitar importancia.

mínimo, ma. adj. sup. de pequeño. || Dícese de lo menor en su especie. || Minucioso. || m. Límite o extremo inferior a que puede reducirse una cosa. [*Sinón.:* ínfimo, minúsculo. *Antón.:* máximo]

mínimum. m. Mínimo, límite extremo.

minino. m. fam. Gato, animal.

minio. m. Óxido de plomo, a veces nativo, de color rojo, que se usa en pintura como agente antioxidante.

ministerial. adj. Perteneciente al ministerio o a los ministros.

ministerio (al. *Ministerium,* fr. *ministère,* ingl. *ministry,* it. *ministero*). m. Gobierno del Estado, considerado en el conjunto de sus varios departamentos. || Empleo de ministro. || Tiempo que dura el ejercicio de un ministro. || Cuerpo de ministros del Estado. || Cada uno de los departamentos en que se divide la administración del Estado. || Edificio de las oficinas de estos departamentos. || Empleo, oficio u ocupación. || — *público*. Representación de la ley, atribuida al fiscal, en los tribunales de justicia. [*Sinón.:* gabinete; función, empleo]

ministro (al. *Staatminister,* fr. *ministre,* ingl. *minister,* it. *ministro*). m. Juez

que se emplea en la administración de justicia. || Jefe de cada uno de los departamentos en que se divide la administración del Estado. || Enviado, comisionado. || Cualquier representante o agente diplomático. || Alguacil que ejecuta los mandatos y autos de los jueces. || Sacerdote, cuando dice al misa. || — *plenipotenciario*. El que ocupa la segunda de las categorías del derecho internacional moderno, a continuación de los embajadores, legados y nuncios. || — *sin cartera*. El que participa del Gobierno sin dirigir ningún departamento ministerial. || *primer ministro*. Jefe del Gobierno, presidente del Consejo de Ministros.

minorar. tr. Reducir a menos alguna cosa. Ú.t.c.r.

minoría (al. *Minderheit,* fr. *minorité,* ingl. *minority,* it. *minoranza*). f. En las juntas, asambleas, etc., conjunto de votos emitidos en contra de lo que opina el mayor número de los votantes. || Fracción de un cuerpo deliberante que de ordinario vota contra el mayor número de sus individuos. || Menoría, menor edad. || Parte de la población de un Estado que difiere de la mayoría de dicha población por su raza, lengua, religión, etc.

minorista. m. Comerciante al por menor.

minucia (al. *Kleinigkeit,* fr. *minutie,* ingl. *minutia,* it. *minuzia*). f. Menudencia, cosa de poco valor y entidad.

minuciosidad. f. Calidad de minucioso.

minucioso, sa. adj. Que se detiene en las cosas más pequeñas.

minúsculo, la (al. *winzig,* fr. *minuscule,* ingl. *tiny,* it. *minuscolo*). adj. Muy pequeño. || Dícese de la letra de menor tamaño que la mayúscula, es decir, la que se emplea corrientemente en la escritura. Ú.t.c.s.f. [*Sinón.:* ínfimo]

minusválido, da. adj. Dícese de la persona parcialmente inválida. Ú.t.c.s.

minuta (al. *Gebührenrechnung,* fr. *compte d'honoraires,* ingl. *bill of fees,* it. *minuta*). f. Cuenta de honorarios. || Lista o catálogo.

minutero. m. Manecilla que señala los minutos en el reloj. [*Sinón.:* saeta]

minuto, ta (al. *Minute,* fr. *minute,* ingl. *minute,* it. *minuto*). adj. Menudo. || m. Cada una de las sesenta partes iguales en que se divide un grado de circunferencia. || Cada una de las sesenta partes iguales en que se divide una hora.

mío, mía, míos, mías. Pronombre

posesivo de primera persona en género masculino y femenino, números singular y plural.

miocardio. m. ANAT. Capa muscular del corazón de los vertebrados.

mioceno. adj. GEOL. Dícese del terreno del terciario posterior al oligoceno y anterior al plioceno. Ú.t.c.s. || Perteneciente a este terreno.

miope (al. *Kurzsichtig*, fr. *myope*, ingl. *nearsighted*, it. *miope*). adj. Dícese de la persona afectada de miopía. Ú.t.c.s.

miopía. f. MED. Defecto visual en que la imagen se forma delante de la retina y es borrosa. Se corrige con el uso de lentes divergentes.

mira (al. *Visier*, fr. *mire*, ingl. *sight*, it. *mirino*). f. Pieza que en ciertos instrumentos sirve para dirigir visuales. || En las armas de fuego, pieza para asegurar la puntería. || En las fortalezas, obra avanzada o elevada para poder observar el terreno, el mar, etc. || fig. Intención, generalmente concreta. Ú.t. en pl. || *con miras a.* Con propósito de. [*Sinón.:* intención, propósito]

mirabel. m. BOT. Planta salsolácea de jardín, de forma piramidal. || Girasol, planta compuesta.

mirada. f. Acción y efecto de mirar. || Modo de mirar. [*Sinón.:* ojeada, vistazo]

mirado, da. adj. Dícese de la persona que obra con miramientos y de la persona cauta y reflexiva. || Merecedor de buen o mal concepto.

mirador (al. *Erker*, fr. *véranda*, ingl. *bay-window*, it. *belvedere*). m. Corredor, galería o terrado para explayar la vista. || Balcón cerrado de cristales o persianas, cubierto con un tejadillo. [*Sinón.:* tribuna, veranda]

miramiento. m. Acción de mirar o considerar una cosa. || Respeto y circunspección que se debe observar en la ejecución de una cosa.

mirar (al. *anblicken*, fr. *regarder*, ingl. *to look at*, it. *guardare*). tr. Fijar la vista en un objeto con atención. || Observar las acciones de alguien. || Apreciar, estimar una cosa. || Estar situada una cosa enfrente de otra. || Pertenecer, concernir. || fig. Pensar, juzgar. || fig. Proteger o cuidar. || fig. Inquirir, informarse de algo. || Considerar un asunto antes de resolver nada acerca de él.

miria-. Prefijo de origen griego que significa *diez mil* o *muchos.*

miríada. f. Cantidad muy grande, pero indefinida.

miriápodo. adj. ZOOL. Miriópodo. Ú.t.c.s.

mirilla (al. *Guckloch*, fr. *judas*, ingl. *eyehole*, it. *feritoia*). f. Abertura para atisbar al que llama a la puerta. || Pequeña abertura, en algunos instrumentos topográficos, para dirigir visuales.

miriñaque. m. Refajo interior de tela almidonada y a veces con aros, que antiguamente usaban las mujeres.

miriópodo. m. ZOOL. Dícese de animales artrópodos terrestres de respiración traqueal, dos antenas, cuerpo alargado dividido en anillos y gran número de patas, como el ciempiés. Ú.t.c.s. || m. pl. Clase de estos animales.

mirística. f. BOT. Árbol lauráceo de la India, cuya semilla es la nuez moscada.

mirlo (al. *Amsel*, fr. *merle*, ingl. *blackbird*, it. *merlo*). m. ZOOL. Pájaro cantor dentirrostro, de unos 25 centímetros de longitud, fácilmente domesticable. El macho es negro y la hembra de color pardo oscuro, con el pecho rojizo. || *ser un mirlo blanco.* Ser muy raro.

mirón, na. adj. Que mira mucho o demasiado. Ú.m.c.s.

mirra (al. *Myrrhe*, fr. *myrrhe*, ingl. *myrrh*, it. *mirra*). f. BOT. Gomorresina aromática y amarga, roja, traslúcida y brillante, destilada en forma de lágrimas por un árbol terebintáceo de Oriente Medio, usada en medicina como tónico.

mirtáceo, a. adj. BOT. Dícese de árboles y arbustos angiospermos dicotiledóneos, casi todos tropicales, con hojas opuestas, flores blancas o encarnadas y fruto en cápsula. Ú.t.c.s.f. || f. pl. BOT. Familia de estas plantas.

mirto. m. BOT. Planta arbustácea de flores blancas aromáticas y fruto en baya.

misa (al. *Messopfer*, fr. *messe*, ingl. *mass*, it. *messa*). f. Sacrificio incruento en el que ofrece el sacerdote al Padre Eterno el cuerpo y la sangre de Jesucristo. || Orden del presbiterado. || *cantar misa.* Decir la primera misa un nuevo sacerdote. [*Sinón.:* ofrenda]

misal. adj. Aplícase al libro que contiene el orden y modo de celebrar la misa. Ú.t.c.s.m.

misantropía. f. Calidad de misántropo.

misántropo (al. *Menschenfein*, fr. *misanthrope*, ingl. *misanthrope*, it. *misantropo*). m. El que manifiesta o siente aversión al trato humano. [*Sinón.:* insociable, huraño]

miscelánea. f. Obra en que se tratan muchas materias, de manera inconexa y desordenada. [*Sinón.:* revoltillo]

miscible. adj. Que puede mezclarse.

miserable (al. *elend*, fr. *misérable*, ingl. *wretched*, it. *miserabile*). adj. Desdichado, infeliz. Ú.t.c.s. || Abatido. || Avariento, mezquino. || Perverso, canalla. Ú.t.c.s.

miserere. m. Salmo cincuenta que empieza con esta palabra. || Canto solemne de dicho salmo.

miseria (al. *Elend*, fr. *misère*, ingl. *misery*, it. *miseria*). f. Desgracia, infortunio. || Pobreza extremada. || Avaricia, mezquindad. || Plaga pedicular producida por el sumo desaseo de la persona que la sufre. || fig. y fam. Cosa corta. [*Antón.:* ventura; generosidad]

misericordia (al. *Barmherzigkeit*, fr. *miséricorde*, ingl. *mercy*, it. *misericordia*). f. Virtud que inclina el ánimo a compadecerse de los trabajos y miserias ajenos. [*Sinón.:* piedad, compasión. *Antón.:* impiedad, indiferencia, crueldad]

misericordioso, sa. adj. Dícese del que se conduele de los trabajos y miserias ajenos. Ú.t.c.s.

mísero, ra. adj. Miserable.

misión (al. *Sendung*, fr. *mission*, ingl. *mission*, it. *missione*). f. Acción de enviar. || Poder que se da a una persona para ir a desempeñar un cometido. || Cometido. || Peregrinación evangélica que hacen los religiosos. || Territorio en que predican los misioneros. || Lo asignado a los segadores en víveres durante cierto tiempo o cantidad de trabajo.

misionero, ra (al. *Missionar*, fr. *missionaire*, ingl. *missionary*, it. *missionario*). m. Predicador evangélico que va a misiones. || s. Eclesiástico que en tierra de infieles enseña y predica la religión. [*Sinón.:* evangelizador]

misiva. f. Billete o carta que se envía a alguien. [*Sinón.:* nota]

mismo, ma (al. *selber*, fr. *même*, ingl. *same*, it. *stesso*). adj. que denota ser una persona o cosa la que se ha visto o que se menciona y no otra. || Semejante o igual. || Se añade a los pronombres personales y a algunos adverbios para dar más energía a lo que se dice. [*Antón.:* distinto, desigual]

misógino, na. adj. Que odia o siente aversión a las mujeres. Ú.t.c.s.

mistela. f. Bebida que se hace con aguardiente, agua, azúcar y algo de canela.

misterio (al. *Geheimnis*, fr. *mystère*, ingl. *mystery*, it. *mistero*). m. Cosa arcana o muy recóndita. || Negocio secreto o muy reservado. || Cada uno de los pasos de la vida, pasión y muerte de Jesucristo.

misterioso, sa. adj. Que contiene o incluye misterio. || Que da a entender misterios inexistentes.

mística (al. *Mystik*, fr. *mistique*, ingl. *mystics*, it. *mistica*). f. Doctrina de base emocional e independiente a los principios lógicos, que acepta la existencia de fuerzas no percibidas por los sentidos.

misticismo. m. Doctrina filosófica irracionalista que tiende a la perfección y felicidad mediante la unión íntima y misteriosa con Dios.

místico, ca. adj. Perteneciente a la mística. || Que se dedica a la vida espiritual. Ú.t.c.s. || Que escribe o trata de mística. Ú.t.c.s.

mistral. m. Viento del Mediterráneo entre poniente y tramontana.

mitad (al. *Hälfte*, fr. *moitié*, ingl. *half*, it. *metà*). f. Cada una de las dos partes iguales en que se divide un todo. || Punto de una cosa equidistante de sus extremos.

mítico, ca. adj. Perteneciente o relativo al mito. [*Sinón.*: mitológico, fabuloso]

mitigación. f. Acción y efecto de mitigar o mitigarse.

mitigar (al. *lindern*, fr. *adoucir*, ingl. *to mitigate*, it. *mitigare*). tr. Moderar, disminuir o suavizar una cosa rigurosa o áspera. [*Sinón.*: atenuar, aminorar. *Antón.*: empeorar]

mitin. m. Reunión pública sobre asuntos políticos o sociales.

mito (al. *Mythos*, fr. *mythe*, ingl. *myth*, it. *mito*). m. Fábula, ficción alegórica de carácter universal.

mitología. f. Conjunto de mitos y leyendas en que participan dioses, héroes o fuerzas naturales formando un esquema coherente.

mitológico, ca. adj. Perteneciente o relativo a la mitología.

mitón. m. Guante que deja los dedos al descubierto.

mitosis. f. BIOL. Proceso de división indirecta del núcleo de las células.

mitra (al. *Bischofsmütze*, fr. *mitre*, ingl. *miter*, it. *mitra*). f. Toca alta con que en ciertas ocasiones se cubren la cabeza los obispos. || fig. Dignidad de arzobispo u obispo.

mixto, ta (al. *vermischt*, fr. *mixte*, ingl. *mixed*, it. *misto*). adj. Mezclado con algo. || Compuesto de varios simples. Ú.m.c.s.m. || m. Fósforo, cerilla. || Dícese del número compuesto de entero y fraccionario. [*Sinón.*: combinado, compuesto]

mixtura. f. Mezcla o incorporación de varias sustancias. || Pan de varias semillas. [*Sinón.*: mixtión, pócima]

mízcalo. m. BOT. Hongo basidiomiceto comestible, muy jugoso, de sabor almizclado.

mnemotecnia. f. Arte de cultivar la memoria, mediante diversas reglas.

mobiliario, ria. adj. Mueble. Se aplica a los efectos públicos transferibles. || m. Conjunto de muebles de una casa.

mocar. tr. Sonar, limpiar los mocos. Ú.m.c.r.

mocasín. m. Zapato de piel que usan los indios de América. || Calzado que imita el anterior.

mocedad. f. Época de la vida humana que comprende desde la pubertad hasta la edad adulta. [*Sinón.*: adolescencia]

mocetón, na. s. Persona joven, alta, corpulenta y membruda.

moción. f. Proposición que se hace en una junta que delibera. || Acción y efecto de moverse o ser movido.

moco (al. *Schleim*, fr. *morve*, ingl. *mocus*, it. *muco*). m. Humor que segregan las membranas mucosas, y especialmente el que fluye por la nariz. || Materia viscosa y pegajosa que forma grumos en un líquido. || Dilatación candente del pabilo en una luz encendida. || Escoria del hierro candente cuando es martillado en la fragua. || Porción de las velas que se derrite, se corre y se cuaja a lo largo de ellas. || *no ser* una cosa *moco de pavo.* fig. y fam. No ser despreciable.

mocoso, sa. adj. Que tiene las narices llenas de mocos. || fig. Aplícase, despectivamente, al niño atrevido y al mozo poco experimentado. Ú.m.c.s. || Insignificante, sin importancia.

mochales. adj. fam. Dícese de la persona medio loca, chiflada.

mochila (al. *Tornister*, fr. *havresac*, ingl. *knapsack*, it. *bisaccia*). f. Bolsa de lona que se fija a la espalda mediante correas, usada por soldados, excursionistas, etc.

mocho, cha. adj. Dícese de todo aquello a que falta la punta o la terminación. || fig. y fam. Pelado o con el pelo cortado.

mochuelo. m. ZOOL. Ave rapaz y nocturna que se alimenta de roedores y reptiles. || fig. y fam. Asunto enojoso del que nadie quiere encargarse. || IMP.

Omisión de una o más palabras que al componer comete el cajista.

moda (al. *Mode*, fr. *mode*, ingl. *fashion*, it. *moda*). f. Uso pasajero que durante algún tiempo o en determinado país regula el modo de vestirse, adornarse, o cualquier otro aspecto de la vida social. [*Sinón.*: boga, novedad. *Antón.*: desuso]

modal. adj. Que comprende o incluye modo o determinación particular. || m. pl. Acciones externas con que cada persona se singulariza.

modalidad. f. Modo de ser o de manifestarse una cosa. [*Sinón.*: particularidad, característica]

modelado. m. Acción y efecto de modelar.

modelar (al. *gesalten*, fr. *modeler*, ingl. *to shape*, it. *modellare*). tr. Formar con cera, barro u otra materia una figura o adorno. || PINT. Presentar con exactitud el relieve de las figuras. || r. Ajustarse a un modelo.

modelo (al. *Modell*, fr. *modèle*, ingl. *model*, it. *modello*). m. Ejemplar que uno se propone y sigue en la ejecución de una obra o tarea. || Ejemplar que por su perfección se debe seguir e imitar. || Representación en pequeño de alguna cosa. || B. ART. Figura de barro, yeso o cera que se ha de reproducir en madera, mármol o metal. || f. Maniquí. || — *vivo*. Persona que posa para escultura, pintura, etc. [*Sinón.*: arquetipo, ideal, parangón; maqueta]

moderación. f. Acción y efecto de moderar o moderarse. || Cordura, templanza. [*Sinón.*: mesura. *Antón.*: abuso]

moderado, da. adj. Que tiene moderación. || Que guarda el medio entre los extremos.

moderador. adj. Que modera. Ú.t.c.s. || Persona que dirige una asamblea, debate, etc.

moderar. tr. Templar, arreglar una cosa, evitando el exceso. Ú.t.c.r. [*Antón.*: abusar, descomedir]

modernismo. m. Gusto por lo moderno. || Movimiento artístico y literario de fines del siglo XIX y principios del XX que rompía con el estilo tradicional.

modernista. adj. Relativo al modernismo. Aplicado a personas, ú.t.c.s.

modernizar. tr. Dar forma o aspecto modernos a cosas antiguas. [*Sinón.*: renovar, actualizar]

moderno, na (al. *modern*, fr. *moderne*, ingl. *modern*, it. *moderno*). adj. Que existe desde hace poco tiempo. || Que ha sucedido recientemente. ‖ pl. Los que viven en la actualidad, o cuya existencia está aún reciente. |Sinón.: nuevo, actual|

modestia (al. *Bescheidenheit*, fr. *modestie*, ingl. *modesty*, it. *modestia*). f. Virtud que modera y regula las acciones, manteniendo al hombre en los límites de su estado. ‖ Recato, honestidad. |Sinón.: pudor, comedimiento. Antón.: presunción, ostentación|

modesto, ta. adj. Que tiene modestia. Ú.t.c.s.

módico, ca. adj. Moderado. limitado.

modificación. f. Acción y efecto de modificar o modificarse.

modificar (al. *ändern*, fr. *modifier*, ingl. *to modify*, it. *modificare*). tr. Limitar las cosas a cierto estado o calidad que las distinga. Ú.t.c.r. ‖ Transformar.

modismo. m. Modo particular de hablar propio y privativo de una lengua. |Sinón.: giro|

modista. com. Persona que tiene por oficio confeccionar prendas de vestir para señoras.

modistilla. f. fam. Modista poco hábil en su oficio. ‖ fam. Oficiala o aprendiza de modista.

modo (al. *Weise*, fr. *mode*, ingl. *mode*, it. *modo*). m. Forma variable que puede recibir un ser sin que cambie su esencia. ‖ Templanza en acciones o palabras. ‖ Educación, urbanidad en el porte o trato. Ú.m. en pl. ‖ Forma o manera particular de hacer una cosa. ‖ GRAM. Cada una de las maneras de manifestarse la significación de un verbo. ‖ MÚS. Disposición de los sonidos en una escala musical. ‖ — *imperativo*. GRAM. El del verbo, con que se manda, exhorta, etc. ‖ — *indicativo*. GRAM. El del verbo, con que se afirma sencilla y absolutamente. ‖ — *infinitivo*. GRAM. El del verbo, que no expresa números ni personas ni tiempo determinado sin juntarse a otro verbo. ‖ — *potencial*. GRAM. El que expresa la acción del verbo como posible. ‖ — *subjuntivo*. GRAM. El del verbo, que generalmente necesita juntarse a otro verbo para tener significación determinada. |Sinón.: guisa, manera; moderación, templanza|

modorra. f. Sopor, somnolencia.

modoso, sa. adj. Que guarda modo y compostura en su conducta.

modulación. f. MÚS. Acción y efecto de modular. ‖ FÍS. Modificación de la frecuencia de las ondas electromagnéticas.

modular. intr. Variar de modos en el habla o en el canto, dando los tonos apropiados. ‖ ELECTR. Efectuar la modulación. |Sinón.: afinar, armonizar|

módulo (al. *Modul*, fr. *module*, ingl. *module*, it. *modulo*). m. ANTROP. Medida comparativa de las partes del cuerpo humano en los tipos étnicos de cada raza. ‖ Pieza o conjunto unitario de piezas que se repiten en una construcción de cualquier tipo, para hacerla más fácil, regular y económica. ‖ ARQ. Medida de las proporciones de los cuerpos arquitectónicos, que suele ser el radio de la base de la columna. ‖ MAT. Cantidad que sirve de medida o comparación en el cálculo. ‖ Divisor entero de dos números, que si tienen el mismo resto se llaman congruentes. ‖ Valor absoluto de una magnitud vectorial. ‖ MÚS. Modulación. ‖ Cada uno de los cuerpos de un vehículo espacial.

modus vivendi. loc. latina. Modo de vivir, arreglo o transacción entre dos partes.

mofa (al. *Hohn*, fr. *moquerie*, ingl. *scorn*, it. *burla*). f. Burla y escarnio que se hace de una persona o cosa. |Sinón.: chanza, befa|

mofar. intr. Hacer mofa. Ú.m.c.r.

mofeta (al. *Stinktier*, fr. *mouffette*, ingl. *skunk*, it. *moffetta*). f. Cualquiera de los gases perniciosos de las minas, subterráneos, etc. ‖ ZOOL. Mamífero carnicero mustélido que desprende olor pestilente al ser perseguido.

moflete. m. fam. Carrillo desmedidamente grueso y carnoso.

mofletudo, da. adj. Que tiene mofletes.

mogolla. f. Amer. Acto de conseguir gratis un servicio estimable.

mogote. m. Montículo aislado, cónico y con la punta roma. ‖ Cuerna poco crecida de los gamos y venados.

moharra. f. Punta de la lanza.

moharracho. m. Persona que se disfraza ridículamente en una función para entretener a las demás, haciendo gestos y ademanes ridículos. ‖ fig. y fam. Figura mal hecha. ‖ Persona de ningún valor o mérito.

moheda. f. Monte alto con jarales y maleza.

mohín. m. Mueca o gesto.

mohína. f. Encono contra uno.

mohíno, na. adj. Triste, disgustado. ‖ Dícese del macho o mula hijos de caballo y burra.

moho (al. *Schimmel*, fr. *moisissure*, ingl. *mold*, it. *muffa*). m. BOT. Cualquiera de los hongos pequeños, provistos de micelio filamentoso, que viven en medios orgánicos ricos en materias nutritivas. ‖ Capa que se forma en la superficie de los cuerpos metálicos por alteración química de su materia. ‖ fig. Desgana de trabajar producida por el exceso de ocio. |Sinón.: herrumbre|

mohoso, sa. adj. Cubierto de moho.

moisés. m. Cesta ligera que se utiliza como cuna para los niños.

mojada. f. Acción y efecto de mojar o mojarse.

mojado, da. adj. Humedecido por el agua u otro líquido. ‖ GRAM. Se dice del sonido que se pronuncia con un contacto amplio de la lengua con el paladar.

mojadura. f. Acción y efecto de mojar o mojarse.

mojama. f. Cecina de atún.

mojar (al. *nässen*, fr. *mouiller*, ingl. *to wet*, it. *bagnare*). tr. Humedecer con agua u otro líquido. Ú.t.c.r. ‖ intr. fig. Tener parte en una dependencia o negocio.

moje. m. Caldo de cualquier guisado.

mojiganga. f. Fiesta pública que se hace con disfraces ridículos. ‖ fig. Cosa ridícula de burla.

mojigatería. f. Calidad o acción de mojigato.

mojigato, ta. adj. Que afecta humildad o cobardía para lograr su intento. Ú.t.c.s. ‖ Beato que tiene escrúpulos de cualquier cosa. Ú.t.c.s.

mojo. m. Moje. ‖ Remojo.

mojón (al. *Grenzstein*, fr. *borne*, ingl. *landmark*, it. *pietra limitare*). m. Señal permanente que se pone para fijar los linderos en las heredades, fronteras, etc. ‖ Señal que se coloca en despoblado para que sirva de guía.

moka. m. Café de excelente calidad, originario del sur de Arabia.

mol. m. Molécula gramo.

molar. adj. Referente a la muela. ‖ Propio para moler.

molde (al. *Giessform*, fr. *moule*, ingl. *mould*, it. *stampo*). m. Pieza hueca para amoldar. ‖ Instrumento para dar forma o cuerpo a una cosa. ‖ IMP. Conjunto de letras o forma ya dispuesta para imprimir. ‖ *de molde*. loc. adj. Se aplica a lo impreso para distinguirlo de lo manuscrito. |Sinón.: matriz|

moldear. tr. Sacar el molde de una figura. ‖ Vaciar por medio de un molde.

moldura. f. Parte saliente, de perfil uniforme, que adorna obras de arquitectura, carpintería, etc.

mole. f. Cosa de gran bulto o corpulencia. |*Sinón.*: masa, balumba|

molécula (al. *Molekül*, fr. *molécule*, irgl. *molecule*, it. *molecola*). f. QUÍM. En los fluidos, cada una de las partículas que se mueven con independencia de las restantes, y en los sólidos, agrupación de átomos ligados entre sí con más fuerza que con el resto de la masa.

molecular. adj. Relativo a las moléculas.

moler (al. *mahlen*, fr. *moudre*, ingl. *to mill*, it. *macinare*). tr. Quebrantar un cuerpo, reduciéndolo a menudísimas partes o a polvo. || fig. Cansar o fatigar mucho. || fig. Destruir, maltratar.

molestar (al. *belästigen*, fr. *importuner*, ingl. *to disturb*, it. *disturbare*). tr. Causar molestia. Ú.t.c.r.

molestia (al. *Belästigung*, fr. *peine*, ingl. *annoyance*, it. *molestia*). f. Fatiga, extorsión. || Fastidio, inquietud del ánimo. || Desazón causada por un leve daño físico o falta de salud. || Falta de comodidad para los movimientos del cuerpo.

molesto, ta. adj. Que causa o siente molestia.

molicie. f. Blandura, calidad de blando. || fig. Afición al regalo, afeminación.

molienda. f. Acción de moler. || Porción que se muele de una vez. || El mismo molino. || Temporada que dura la operación de moler.

molinería. f. Conjunto de molinos. || Industria molinera.

molinero, ra (al. *müller*, fr. *meunier*, ingl. *miller*, it. *mugnaio*). adj. Perteneciente al molino o a la industria molinera. || s. El que tiene a su cargo un molino. || El que trabaja en él.

molinete. m. dim. de molino. || Pequeña hélice que se pone en las vidrieras de una habitación para renovar el aire. || Juguete consistente en una estrella de papel que gira con el viento. || Movimiento que se hace con un arma alrededor de la cabeza para defenderse.

molinillo (al. *Handmühle*, fr. *moulin à café*, ingl. *hand-mill*, it. *macinino*). m. Instrumento pequeño para moler.

molino (al. *Mühle*, fr. *moulin*, ingl. *mill*, it. *mulino*). m. Máquina para moler. || Artefacto con que se machaca, quebranta, lamina, estruja una cosa. || Casa o edificio en que hay un molino.

moltura. f. Molienda.

molusco (al. *Weichtier*, fr. *mollusque*, ingl. *mollusk*, it. *mollusco*). adj. ZOOL. Se aplica a los animales metazoos con tegumentos blandos, de cuerpo desnudo o revestido de una concha, y con simetría bilateral no siempre perfecta. Ú.t.c.s.m. || m. pl. Tipo de estos animales.

mollar. adj. Blando y fácil de partir o quebrantar. || fig. Dícese de las cosas que dan mucha utilidad sin carga considerable. || fig. y fam. Dícese de la persona fácilmente engañable.

molleja. f. ZOOL. Estómago potente y robusto, de paredes musculares, propio de las aves. || Apéndice carnoso formado ordinariamente por infarto de las glándulas.

mollera. f. Caletre, seso.

momentáneo, a. adj. Que no dura o no tiene permanencia. || Que se ejecuta con rapidez.

momento (al. *Augenblick, Moment*; fr. *moment*; ingl. *moment*; it. *momento*). m. Espacio de tiempo muy breve, en relación a otro. || Instante, mínima fracción de tiempo. || Porción de tiempo singularizada por cualquier circunstancia. || Ocasión propicia para alguna cosa. || Situación actual o presente. || *de momento*, o *por el momento*. m. adv. Por ahora, en el tiempo actual.

momia (al. *Mumie*, fr. *momie*, ingl. *mummy*, it. *mummia*). f. Cadáver que se deseca por el paso del tiempo sin entrar en putrefacción. || fig. Persona muy seca y morena.

momificar. tr. Convertir un cadáver en momia. Ú.m.c.r. |*Sinón.*: embalsamar|

momio. m. fig. Lo que se da u obtiene sobre lo que corresponde legítimamente. || fig. Ganga, cosa que se adquiere a poca costa. |*Sinón.*: propina, prima|

mona (al. *Äffin*, fr. *guenon*, ingl. *female monkey*, it. *scimmia*). f. Hembra del mono. || ZOOL. Mamífero cuadrumano de pelaje amarillento, nalgas callosas y cola corta, natural de África y el peñón de Gibraltar. || fig. y fam. Persona que hace las cosas por imitar a otra. || fig. y fam. Borrachera, embriaguez. || fig. y fam. Persona ebria. || Cierto juego de naipes. || Rosca con huevos, hornazo. || — *de Pascua*. La que se suele comer en ciertos pueblos en la Pascua de Resurrección. || *a freír monas*. loc. fig. y fam. A freír espárragos.

monacal. adj. Perteneciente o relativo a los monjes o a las monjas.

monacato. m. Estado o profesión de monje. || Institución monástica.

mónada. f. Gesto o figura afectada. || Cosa pequeña, delicada y primorosa. || fig. Acción impropia de persona cuerda y formal. || fig. Halago, zalamería. || fig. Monería.

monaguillo. m. Niño que ayuda a misa y en otros servicios de la iglesia.

monarca. m. Soberano de un Estado. |*Sinón.*: rey|

monarquía (al. *Monarchie*, fr. *monarchie*, ingl. *monarchy*, it. *monarchia*). f. Estado regido por un monarca. || Forma de gobierno en el que el poder supremo reside en el rey. || fig. Tiempo durante el cual ha perdurado este sistema político en un país.

monárquico, ca. adj. Perteneciente o relativo al monarca o a la monarquía. || Partidario de la monarquía. Ú.t.c.s.

monasterio (al. *Kloster*, fr. *monastère*, ingl. *monastery*, it. *monastero*). m. Casa o convento donde viven en comunidad los monjes. || Por ext., cualquier casa de religiosos o religiosas. |*Sinón.*: abadía, cenobio|

monástico, ca. adj. Perteneciente al estado de los monjes o al monasterio.

monda. f. Acción y efecto de mondar. || Tiempo de la limpia de los árboles. || Cáscara o mondadura de frutos y otras cosas. || Exhumación periódica de los huesos de un cementerio.

mondadientes. m. Palillo para limpiar los dientes.

mondadura. f. Acción y efecto de mondar. || Despojo o desperdicio de las cosas que se mondan. Ú.m. en pl.

mondar. tr. Limpiar una cosa quitándole lo superfluo o extraño. || Limpiar un cauce. || Podar. || Quitar la cáscara a las frutas, la vaina a las legumbres o la piel a los tubérculos. |*Sinón.*: pelar|

mondo, da. adj. Limpio y libre de cosas superfluas o añadidas. || *mondo y lirondo*. loc. fig. y fam. Limpio y sin añadiduras.

mondongo. m. Intestino y panza de las reses, especialmente los del cerdo. || fam. Los del hombre.

moneda (al. *Münze*, fr. *monnaie*, ingl. *coin*, it. *moneta*). f. Signo representativo de valor para satisfacer un precio y hacer efectivos los contratos y cambios. || Pieza de metal acuñada con el busto del soberano o el sello del estado que tiene la prerrogativa de fabricarla, y que sirve de medida común para el precio de las cosas y para facilitar los cambios. || — *Fraccionaria*. La de menor valor en relación con otra u otras del mismo sistema.

monedero (al. *Handtasche*, fr. *porte-monnaie*, ingl. *purse*, it. *portamonete*). m. Bolsita que se usa para llevar monedas. ‖ — *falso*. El que acuña moneda falsa o subrepticia, o le da curso a sabiendas.

monegasco, ca. adj. Natural de Mónaco. Ú.t.c.s. ‖ Perteneciente o relativo a este principado europeo.

monería. f. Acción de mono, monada. ‖ fig. Gesto o acción graciosa de los niños. ‖ fig. Cualquier cosa fútil y de poca importancia. [*Sinón.*: zalamería, melindre]

monetario, ria. adj. Relativo a la moneda.

mongol, la. adj. Natural de Mongolia. Ú.t.c.s. ‖ Relativo a este país de Asia. ‖ m. Lengua de los mongoles. [*Sinón.*: mogol]

mongólico, ca. adj. Mongol. ‖ Perteneciente o relativo al mongolismo.

mongolismo. m. MED. Forma de idiocia congénita, caracterizada por los rasgos faciales parecidos a los de los mongoles, sin pertenecer la persona a esta raza.

moniato. m. Boniato.

monigote. m. Persona ignorante y despreciable. ‖ fig. y fam. Muñeco o pelele. ‖ fig. y fam. Pintura o estatua mal hecha.

monitor. m. Barco de guerra artillado, acorazado y con espolón de acero a proa. ‖ En el deporte, instructor o entrenador. ‖ TÉCN. Dispositivo que permite comprobar el funcionamiento de un aparato. ‖ En televisión, aparato receptor que toma las imágenes directamente de las instalaciones filmadoras y sirve para controlar la transmisión.

monja (al. *Nonne*, fr. *religieuse*, ingl. *nun*, it. *monaca*). f. Religiosa de alguna de las órdenes aprobadas por la iglesia.

monje (al. *Mönch*, fr. *moine*, ingl. *monk*, it. *monaco*). m. Solitario o anacoreta. ‖ Religioso de una de las órdenes monacales.

mono-. Prefijo para la formación de palabras con el significado de "único" o "uno solo".

mono, na (al. *Affe*, fr. *singe*, ingl. *monkey*, it. *scimmia*). adj. fig. y fam. Pulido, delicado o gracioso. ‖ m. ZOOL. Animal cuadrumano del orden de los simios. ‖ fig. Persona que hace gestos parecidos a los del mono. ‖ fig. Joven afectado en sus modales. ‖ Figura humana o de animal hecha de cualquier materia, pintada o dibujada. ‖ fig. Traje de faena propio de mecánicos, motoristas, etc. ‖ *último mono*. fig. Persona muy poco considerada por los demás.

monocotiledóneo, a. adj. BOT. Dícese del vegetal o planta cuyo embrión posee un solo cotiledón. Ú.t.c.s.f. ‖ f. pl. BOT. Grupo constituido por las plantas angiospermas cuyo embrión tiene un solo cotiledón.

monóculo. m. Lente o vendaje para un solo ojo.

monodia. f. MÚS. Canto para una sola voz, con acompañamiento instrumental.

monofásico, ca. adj. Dícese de la corriente eléctrica alterna simple.

monofisista. adj. Dícese de los herejes que sólo admitían en Jesucristo la naturaleza divina. Ú.t.c.s.

monogamia. f. Calidad de monógamo. ‖ Régimen familiar en que sólo se puede tener una esposa.

monógamo, ma. adj. Casado con una sola mujer. Ú.t.c.s. ‖ Que se ha casado una sola vez. Ú.t.c.s. ‖ ZOOL. Dícese de los animales en que el macho sólo se aparea con una hembra.

monografía. f. Tratado especial de determinada parte de una ciencia o de algún asunto particular.

monograma. m. Cifra que como abreviatura se emplea en sellos, marcas, etc.

monoico, ca. adj. BOT. Dícese de las plantas que tienen separadas las flores de cada sexo, pero en un mismo pie.

monolítico, ca. adj. Perteneciente o relativo al monolito. ‖ ARQ. Que está hecho de una sola piedra. ‖ fig. Aplícase a la persona o al sistema que no admite matices.

monolito (al. *Monolith*, fr. *monolithe*, ingl. *monolith*, it. *monolito*). m. Monumento de piedra de una sola pieza.

monólogo (al. *Selbstgespräch*, fr. *monologue*, ingl. *monologue*, it. *monologo*). m. Soliloquio. ‖ Especie de obra dramática en que habla un solo personaje.

monomanía. f. Locura parcial sobre una sola idea o un solo orden de ideas. ‖ Preocupación excesiva por una cosa en personas de juicio cabal. [*Sinón.*: obsesión]

monoplano. m. Aeroplano con un solo par de alas que forman un mismo plano.

monopolio (al. *Mónopol*, fr. *monopole*, ingl. *monopoly*, it. *monopolio*). m. ECON. Concesión otorgada por la autoridad competente a una empresa para que ésta aproveche con carácter exclusivo alguna industria o comercio. ‖ En ciertos casos, acaparamiento. ‖ Ejercicio exclusivo de una actividad.

monopolizar. tr. Adquirir, atribuirse o tener uno el exclusivo aprovechamiento de una industria, facultad o negocio.

monorraíl. m. Ferrocarril que corre sobre un solo carril aéreo o suspendido de él. [*Sinón.*: monocarril, monorriel]

monosabio. m. TAUROM. Mozo que, en la plaza, ayuda al picador.

monosílabo, ba. adj. GRAM. Se dice de la palabra de un sola sílaba. Ú.t.c.s.m.

monospermo, ma. adj. BOT. Aplícase al fruto que sólo contiene una semilla.

monoteísmo. m. Doctrina teológica de los que reconocen un solo dios.

monotipia. f. IMP. Procedimiento de composición tipográfica que funde los caracteres uno a uno.

monotonía. f. Uniformidad, igualdad de tono. ‖ fig. Falta de variedad. [*Sinón.*: pesadez]

monótono, na. adj. Que adolece de monotonía.

monovalente. adj. QUÍM. Dícese del cuerpo que en un compuesto químico actúa con una sola valencia.

monseñor. m. Título honorífico que concede el Papa a algunos eclesiásticos. ‖ En algunos lugares, y por extensión, se aplica a los prelados.

monserga. f. fam. Lenguaje confuso y embrollado.

monstruo (al. *Ungeheuer*, fr. *monstre*, ingl. *monster*, it. *mostro*). m. Producción contra el orden regular de la naturaleza. ‖ Cosa excesivamente grande o extraordinaria. ‖ Persona o cosa muy fea. ‖ Persona muy cruel y perversa.

monstruosidad. f. Desorden grave en la proporción que deben tener las cosas, según lo natural o regular. ‖ Suma fealdad física o moral.

monstruoso, sa. adj. Que es contrario al orden de la naturaleza. ‖ Enormemente grande o execrable.

monta. f. Acción y efecto de montar. ‖ Valor y estimación intrínseca de una cosa.

montacargas. m. Ascensor que se usa para transportar objetos pesados o voluminosos.

montador (al. *Monteur*, fr. *monteur*, ingl. *fitter*, it. *montatore*). m. El que monta. ‖ Operario especializado en montaje.

montaje. m. Acción y efecto de montar un aparato o máquina. ‖ CINEM. Acción de ajustar los distintos planos del filme y de sincronizarlos con las bandas sonoras.

montante. p. a. de montar. ‖ adj. Que importa, monta o tiene determinada cuantía. ‖ m. ARQ. Listón o columnita que divide el vano de una ventana. ‖ ARQ. Ventana sobre la puerta de una habitación. ‖ f. MAR. Flujo o pleamar. ‖ Saldo, total.

montaña (al. *Berg,* fr. *montagne,* ingl. *mountain,* it. *montagna*). f. Monte, elevación natural del terreno. ‖ Territorio cubierto de montes. ‖ — *rusa.* Vía férrea estrecha y con altibajos pronunciados, para deslizarse por ella en carritos como diversión.

montañero, ra. s. Persona que practica el montañismo.

montañés, sa. adj. Natural de una montaña. Ú.t.c.s. ‖ Relativo a ella. ‖ Santanderino.

montañismo. m. Alpinismo.

montañoso, sa. adj. Perteneciente a las montañas. ‖ Abundante en ellas.

montar (al. *montieren,* fr. *monter,* ingl. *to assemble,* it. *montare*). intr. Ponerse encima de una cosa. Ú.t.c.r. ‖ Subir en una cabalgadura. Ú.t.c.tr. y c.r. ‖ Cabalgar. Ú.t.c.tr. ‖ tr. Cubrir el caballo o el burro a la yegua. ‖ En las cuentas, importar una cantidad total, las partidas diversas, unidas y juntas. ‖ Armar las piezas de cualquier aparato o máquina. ‖ Tratándose de piedras preciosas, engastar. ‖ Amartillar un arma de fuego. ‖ Instalar una industria, etc. ‖ Efectuar el montaje de un filme.

montaraz. adj. Criado en los montes. ‖ fig. Se dice del genio y propiedades agrestes y feroces. ‖Sinón.: montés‖

monte. m. Considerable elevación natural del terreno. ‖ Tierra inculta cubierta de árboles, arbustos o matas. ‖ fig. Grave estorbo, inconveniente difícil de superar. ‖ Banca, juego. ‖ — *de piedad.* Establecimiento público que hace préstamos contra la garantía prendaria de alhajas, ropas, muebles, etc. ‖ — *de Venus.* Pubis de la mujer.

montear. tr. Buscar y perseguir la caza en los montes, u ojearla hacia un paraje.

montepío. m. Depósito de dinero formado de los descuentos hechos a los individuos de un cuerpo para socorrer a ellos o a sus viudas o huérfanos.

montera. f. Prenda para abrigo de la cabeza, que suele ser de paño.

montería. f. Cacería de jabalíes y otros animales de caza mayor. ‖ Arte de cazar. ‖Sinón.: cinegética‖

montero, ra. s. Persona que busca y persigue la caza en el monte.

montés. adj. Que vive o se cría en el monte.

montículo. m. Monte pequeño y aislado. ‖Sinón.: colina‖

montilla. m. Vino de calidad que se cría y elabora en la villa cordobesa de Montilla.

monto. m. Suma de varias partidas, monta.

montón (al. *Haufe,* fr. *tas,* ingl. *heap,* it. *mucchio*). m. Conjunto de cosas puestas unas encima de otras. ‖ fig. y fam. Número considerable. ‖ *ser* uno *del montón.* fig. y fam. No destacar en nada, ser adocenado. ‖Sinón.: cúmulo‖

montura (al. *Reittier,* fr. *monture,* ingl. *riding horse,* it. *cavalcatura*). f. Cabalgadura. ‖ Armadura para los cristales de las gafas.

monumental. adj. Perteneciente o relativo al monumento. ‖ fig. fam. Muy excelente o señalado en su línea. ‖Sinón.: enorme‖

monumento (al. *Denkmal,* fr. *monument,* ingl. *monument,* it. *monumento*). m. Obra escultórica o arquitectónica conmemorativa. ‖ Túmulo o altar que el Jueves Santo se forma en las iglesias. ‖ Objeto o documento de utilidad para la historia. ‖ Obra artística, científica, etc., que se hace memorable por su mérito excepcional. ‖ — *nacional.* Edificio u obra artística protegido por el Estado.

monzón. amb. Viento periódico de las regiones tropicales, causado por la diferencia de temperatura entre los océanos y la tierra firme.

moña. f. Lazo con que suelen adornarse la cabeza las mujeres. ‖ Adorno de cintas o flores que se coloca en lo alto de la divisa de los toros. ‖ Lazo de cintas negras que se sujetan los toreros a la coleta.

moño. m. Rodete que se hace con el cabello para tenerlo recogido o por adorno. ‖ Lazo de cintas. ‖ Grupo de plumas que sobresale en la cabeza de algunas aves. ‖Sinón.: copete, penacho‖

moqueta. f. Tela de lana, cuya trama es de cáñamo, y de la cual se hacen alfombras y tapices.

moquete. m. Puñada dada en el rostro, especialmente en las narices.

moquillo. m. Enfermedad catarral de algunos animales.

mora. f. DER. Tardanza en cumplir una obligación. ‖ BOT. Fruto del moral, que está formado por la agregación de globulillos carnosos, agridulces, de color morado. ‖ Fruto de la morera, muy parecido al anterior. ‖ Zarzamora, fruto de la zarza.

moráceo, a. adj. BOT. Se aplica a los árboles y arbustos angiospermos dicotiledóneos, que tienen flores unisexuales, frutos pequeños y agrupados en una masa carnosa y hojas alternas. Ú.t.c.s.f. ‖ f. pl. Familia de estas plantas.

morada. f. Casa o habitación. ‖ Residencia algo continuada en un lugar. ‖Sinón.: domicilio‖

morado, da (al. *violett,* fr. *violet,* ingl. *purple,* it. *violetto*). adj. De color entre carmín y azul. Ú.t.c.s. ‖ *pasarlas moradas.* loc. fig. y fam. Pasarlo muy mal. ‖Sinón.: cárdeno‖

moral (al. *sittlich, Sittenlehre;* fr. *moral, morale;* ingl. *moral, ethics;* it. *morale*). adj. Relativo a la moral. ‖ Que es de la apreciación del entendimiento o de la conciencia. ‖ Que no concierne al orden jurídico sino al fuero interno o al respeto humano. ‖ f. Ciencia que trata del bien y de las acciones humanas en orden a su bondad o malicia. ‖ Conjunto de facultades del espíritu. ‖ Estado de ánimo, individual o colectivo. ‖ Ánimos, arrestos. ‖ m. BOT. Árbol moráceo de unos seis metros de altura, tronco grueso y recto, hojas ásperas y afelpadas y flores unisexuales, y cuyo fruto es la mora.

moraleja (al. *Nutzanwendung,* fr. *morale,* ingl. *moral,* it. *morale*). f. Enseñanza que se deduce de un cuento, fábula, etc.

moralidad. f. Conformidad de una acción o doctrina con los preceptos de la moral. ‖ Moraleja.

moralina. f. Moralidad inoportuna, superficial o falsa.

moralista. m. Profesor de moral. ‖ Autor de obras de moral. ‖ El que estudia moral.

moralizar. tr. Reformar las malas costumbres y enseñar las buenas. Ú.t.c.r. ‖ intr. Discurrir sobre un asunto con aplicación a la enseñanza de las buenas costumbres.

morapio. m. fam. Vino tinto.

morar. intr. Residir en un lugar.

moratoria. f. Plazo que se otorga para solventar una deuda vencida. ‖Sinón.: prórroga‖

morbidez. f. Calidad de mórbido, blando o suave.

mórbido, da. adj. Que padece enfermedad o la ocasiona. || Blando, delicado, suave.

morbo. m. Enfermedad.

morbosidad. f. Calidad de morboso. || Conjunto de estados patológicos que caracterizan el estado sanitario de un país.

morboso, sa (al. *ungesund*, fr. *morbide*, ingl. *morbid*, it. *morboso*). adj. Enfermo. || Que causa enfermedad o concerniente a ella.

morcilla. f. Tripa rellena de sangre cocida y condimentada con cebolla y especias. || fig. y fam. Añadidura que un actor hace a su papel.

mordacidad. f. Calidad de mordaz.

mordaz. adj. Que corroe o tiene actividad corrosiva. || Áspero, picante al paladar. |*Sinón.*: sarcástico|

mordaza (al. *Knebel*, fr. *bâllon*, ingl. *gag*, it. *bavaglio*). f. Instrumento que se pone en la boca para impedir el habla. || MIL. Dispositivo que disminuye el retroceso de las piezas de artillería. || MAR. Dispositivo que impide la salida de la cadena del ancla.

mordedura (al. *Bisswunde*, fr. *morsure*, ingl. *bite*, it. *morsicatura*). f. Acción de morder. || Daño que ocasiona. |*Sinón.*: mordisco|

morder (al. *beissen*, fr. *mordre*, ingl. *to bite*, it. *mordere*). tr. Asir y apretar con los dientes una cosa clavándolos en ella. || Asir una cosa a otra, haciendo presa en ella. || Gastar poco a poco. || fig. Murmurar con ofensa para la fama o crédito. || fig. y fam. Manifestar uno de algún modo su ira o enojo extremos.

mordiscar. tr. Mordisquear.

mordisco. m. Mordedura. || Pedazo que se arranca de una cosa mordiéndola.

mordisquear. tr. Morder frecuente o ligeramente, sin hacer presa.

morena (al. *Muräne*, fr. *murène*, ingl. *moray*, it. *murena*). f. ZOOL. Pez teleósteo marino, de forma alargada, con dientes fuertes y puntiagudos y piel amarilla con manchas oscuras, y cuya mordedura es venenosa. || Hogaza o pan de la harina que hace el pan moreno. || Montón de mieses en las tierras. || Acumulación de piedras arrastradas por un glaciar.

moreno, na (al. *braun*, fr. *brun*, ingl. *brown*, it. *bruno*). adj. Dícese del color oscuro que tira a negro. || Al hablar del color del cuerpo, el menos claro en la raza blanca. || fig. y fam. Negro, o que tiene la piel de este color. Ú.m.c.s. || *Amer.* fam. Mulato. Ú.t.c.s.

morera (al. *Maulbeerbaum*, fr. *mûrier*, ingl. *mulberry*, it. *gelso*). f. BOT. Árbol moráceo, de tronco recto de unos cinco metros de altura, hojas ovaladas y flores verdosas, y cuyo fruto es la mora. Sus hojas sirven de alimento al gusano de seda.

moretón. m. fam. Parte pequeña del cuerpo, de color violeta por acción de un golpe.

morfema. m. GRAM. Término empleado en lingüística moderna con varia significación según las escuelas. Puede ser una palabra, prefijo, sufijo, desinencia, etc.; un fonema en oposición con otro; un rasgo acentual, etc.

morfina (al. *Morphin*, fr. *morphine*, ingl. *morphine*, it. *morfina*). f. Alcaloide sólido que se extrae del opio, que se usa como narcótico y, en dosis pequeñas, como anestésico.

morfinomanía. f. Uso persistente e indebido de la morfina o del opio.

morfinómano, na. adj. Que tiene el hábito de abusar de la morfina. Ú.t.c.s.

morfo- o **-morfo.** Elemento compositivo que antepuesto o pospuesto a otro expresa la idea de forma.

morfología (al. *Formenlehre*, fr. *morphologie*, ingl. *morphology*, it. *morfología*). f. Parte de la biología que trata de la forma de los seres orgánicos y de sus modificaciones. || GRAM. Tratado de las formas de las palabras.

morganático, ca. adj. Dícese del matrimonio celebrado entre un príncipe y una mujer de linaje inferior o viceversa, en el cual cada cónyuge conserva su condición.

moribundo, da (al. *sterbend*, fr. *moribond*, ingl. *dying*, it. *moribondo*). adj. Que está muriendo o muy cercano a morir. Aplicado a personas, ú.t.c.s.

morigeración. f. Templanza en las costumbres y modo de vida.

morigerar. tr. Templar los excesos de los afectos y acciones. Ú.t.c.r.

moriles. m. Vino que se elabora en el pueblo cordobés de Moriles.

morillo. m. Caballete de hierro que sostiene la leña en los hogares.

morir (al. *sterben*, fr. *mourir*, ingl. *to die*, it. *morire*). intr. Acabar la vida. Ú.t.c.r. || fig. Acabar un cosa, aunque no sea viviente o material. || fig. Padecer violentamente un afecto, pasión, etc. |*Sinón.*: fallecer, expirar, matarse|

morisco, ca. adj. Moruno. || Dícese de los moros que en tiempos de los Reyes Católicos permanecieron en España y abrazaron el cristianismo. Ú.t.c.s. || *Amer.* Dícese del descen-

diente de mulato y europea o viceversa. Ú.t.c.s.

morlaco, ca. adj. Que finge tontería o ignorancia. Ú.t.c.s. || m. Toro de lidia de gran tamaño.

mormón, na. s. Persona que profesa el mormonismo.

mormonismo. m. Secta religiosa que se originó en Norteamérica, basada en la Biblia y el Libro de Mormón, y que acepta la poligamia.

moro, ra (al. *maurisch, maure*; fr. *maure*; ingl. *moor*; it. *moro*). adj. Natural de la parte de África Septentrional cercana a España, y por ext., mahometano. Ú.t.c.s. || *haber moros en la costa.* fr. fig. y fam. con que se recomienda precaución y cautela. |*Sinón.*: musulmán|

morosidad. f. Lentitud, demora. || Falta de actividad o puntualidad. |*Antón.*: rapidez|

moroso, sa. adj. Que incurre en morosidad. || Que la denota o implica.

morra. f. Parte superior de la cabeza.

morrada. f. Golpe dado con la cabeza, especialmente cuando topan dos, una con otra.

morral (al. *Fressbeutel*, fr. *musette*, ingl. *feedbag*, it. *borsa*). m. Talego que contiene el pienso y se cuelga a la cabeza de las bestias para que coman cuando no están en el pesebre. || Saco que usan los cazadores para echar la caza y llevar provisiones. || fig. y fam. Hombre zote y grosero.

morralla. f. Pescado menudo. || fig. Multitud de gente o de cosas de escaso valer.

morrena. f. GEOL. Depósito de materiales de procedencia glaciar.

morriña. f. fig. y fam. Tristeza, melancolía, especialmente la nostalgia de la tierra natal.

morrión. m. Armadura de la parte superior de la cabeza. || Prenda del uniforme militar que se ha usado para cubrir la cabeza.

morro (al. *Maul*, fr. *museau*, ingl. *snout*, it. *muso*). m. Cualquier cosa redonda de figura semejante a la de la cabeza. || Monte o peñasco pequeño y redondeado. || Guijarro pequeño y redondo. || Saliente que forman los labios abultados y gruesos. |*Sinón.*: hocico|

morrocotudo, da. adj. fam. De mucha importancia o dificultad.

morrón. adj. Dícese de una variedad de pimiento. || m. fam. Golpe.

morsa (al. *Walross*, fr. *morse*, ingl. *walrus*, it. *tricheco*). f. ZOOL. Mamífero carnívoro marino, parecido a la foca, pero con dos grandes colmillos que sobresalen de la mandíbula superior.

morse. m. Alfabeto a base de puntos y rayas empleado en telegrafía. ‖ Sistema telegráfico que utiliza este alfabeto.

mortadela. f. Especie de salchichón muy grueso cocido.

mortaja (al. *Leichentuch,* fr. *linceul,* ingl. *shroud,* it. *lenzuolo mortuorio*). f. Vestidura en que se envuelve el cadáver para ser enterrado. ‖ Muesca. ‖ fig. *Amer.* Hoja de papel que se usa para liar un cigarrillo. [*Sinón.:* sudario]

mortal (al. *sterblich,* fr. *mortel,* ingl. *mortal,* it. *mortale*). adj. Que ha de morir. ‖ Por antonomasia, dícese del hombre. Ú.t.c.s. ‖ Que ocasiona o puede ocasionar la muerte. ‖ Aplícase a las pasiones que mueven a desear a alguien la muerte. ‖ Que tiene apariencias de muerto. ‖ Muy próximo a morir. ‖ fig. Fatigoso, abrumador.

mortalidad. f. Calidad de mortal. ‖ Número proporcional de defunciones en población y tiempo determinados.

mortandad. f. Multitud de muertes causadas por epidemia, cataclismo, peste, guerra, etc.

mortecino, na. adj. Apagado y sin vigor. ‖ fig. Que está casi muriendo o apagándose. [*Sinón.:* agonizante; débil]

mortero (al. *Mörser,* fr. *mortier,* ingl. *mortar,* it. *mortaio*). m. Utensilio a manera de vaso que sirve para machacar en él especias, semillas, drogas, etc. ‖ Pieza de artillería más corta que un cañón del mismo calibre, destinada a lanzar explosivos. ‖ ALBAÑ. Argamasa o mezcla. [*Sinón.:* almirez, molcajete]

mortífero, ra. adj. Que ocasiona o puede ocasionar la muerte.

mortificación. f. Acción y efecto de mortificar o mortificarse. ‖ Lo que mortifica.

mortificar. tr. MED. Privar de vitalidad alguna parte del cuerpo. Ú.t.c.r. ‖ fig. Domar las pasiones, castigando el cuerpo y refrenando la voluntad. Ú.t.c.r. ‖ fig. Afligir, causar pesadumbre o molestia. Ú.t.c.r.

mortuorio, ria. adj. Perteneciente o relativo al muerto o a las honras que por él se hacen.

morucho. m. TAUROM. Novillo embolado para su lidia por aficionados.

morueco. m. Carnero padre o que ha servido para la reproducción.

moruno, na. adj. Moro.

mosaico, ca. adj. Perteneciente a Moisés. ‖ Aplícase a la obra artística taraceada de varios colores, hecha con fragmentos pequeños de piedra, mármol o vidrio, unidos entre sí con masilla. Ú.t.c.s.m. ‖ m. BOT. Enfermedad producida en las plantas por virus filtrables, que forma manchas en las hojas.

mosca (al. *Fliege,* fr. *mouche,* ingl. *fly,* it. *mosca*). f. ZOOL. Insecto díptero muy común, de cuerpo negro, cabeza elíptica, ojos salientes, alas transparentes y cruzadas de nervios, patas con uñas y ventosas, y boca en forma de trompa para chupar con ella las sustancias de que se alimenta. ‖ Bienes de cualquiera especie. ‖ fig. y fam. Persona impertinente y pesada. ‖ ZOOL. Cualquiera de los insectos dípteros braquídeos. ‖ n. p. f. Constelación celeste cerca del polo antártico. ‖ pl. fig. y fam. Chispas que saltan de la lumbre. ‖ adj. Receloso, amoscado. ‖ — *muerta.* fig. y fam. Persona de ánimo aparentemente apagado pero que no pierde ocasión de hacer lo que le interesa. ‖ *con la mosca en la oreja.* fr. fig. y fam. que se aplica al que está receloso o al que desconfía sobre alguna cosa. ‖ *papar moscas.* fig. fam. Estar embelesado. ‖ *por si las moscas.* fig. y fam. Por si acaso.

moscardón (al. *Schmeissfliege,* fr. *grosse mouche,* ingl. *large fly,* it. *moscone*). m. ZOOL. Nombre de varios insectos dípteros, de casi 2 centímetros de longitud, cuerpo velloso y color pardo oscuro. ‖ fig. y fam. Hombre impertinente que molesta con pesadez.

moscatel. adj. Dícese de una variedad de uva de grano redondo y dulce. Ú.t.c.s. ‖ Dícese del viñedo que la produce y del vino que se hace con ella. Ú.t.c.s.m.

moscón. m. ZOOL. Díptero afín a la mosca pero más grande y con las alas manchadas de rojo. ‖ ZOOL. Díptero afín a la mosca, de cabeza leonada y cuerpo de color azul metálico.

mosconear. tr. Molestar con impertinencia y pesadez. ‖ intr. Porfiar para lograr algo, fingiendo ignorancia.

moscovita. adj. Natural de Moscú. Ú.t.c.s. ‖ Perteneciente a esta ciudad.

mosén o **mosen.** m. Título que se da a los clérigos en la antigua corona de Aragón.

mosquear. tr. Ahuyentar las moscas. ‖ fig. Responder uno resentido y como picado de alguna especie. ‖ r. Resentirse de algo.

mosqueo. m. Acción de mosquear o mosquearse.

mosquete. m. Arma de fuego antigua que se disparaba apoyándola sobre una horquilla.

mosquetero. m. Antiguamente, soldado armado de mosquete.

mosquetón. m. Carabina corta que todavía usan algunos ejércitos.

mosquitero. m. Colgadura de cama hecha de gasa para preservar de la molestia de los mosquitos.

mosquito (al. *Mücke,* fr. *moustique,* ingl. *mosquito,* it. *zanzara*). m. ZOOL. Insecto díptero de cuerpo cilíndrico y alargado, color pardo, antenas largas, palpos plumiformes y una trompa recta con un estilete en su interior, patas largas y finas y dos alas largas y transparentes que al ser agitadas producen un zumbido agudo. Las larvas viven en aguas estancadas, los machos viven de jugos vegetales y las hembras se alimentan de sangre que chupan de las personas y otros animales de piel fina.

mostacho. m. Bigote del hombre. ‖ fig. y fam. Mancha o chafarrinada en el rostro.

mostaza (al. *Senf,* fr. *moutarde,* ingl. *mustard,* it. *mostarda*). f. BOT. Planta crucífera de tallo recto y ramificado, hojas grandes y afelpadas, flores amarillas reunidas en espiga y fruto en silicua con varias semillas negras muy picantes. La harina de las semillas se usa como condimento y en la preparación de salsas, y en medicina como revulsivo y estimulante. ‖ Semilla de dicha planta. ‖ Salsa preparada con la semilla.

mostear. intr. Soltar, destilar las uvas el mosto. ‖ Echar el mosto en las cubas, tinajas, etc.

mosto. m. Zumo exprimido de la uva antes de fermentar y hacerse vino.

mostrador. m. Mesa o mueble en que los comerciantes instalan sus mercancías, los camareros sirven las consumiciones, etc.

mostrar (al. *vorzeigen,* fr. *montrer,* ingl. *to show,* it. *mostrare*). tr. Exponer a la vista una cosa. ‖ Explicar una cosa o convencer de su certidumbre. ‖ Hacer patente un afecto. ‖ Dar a entender o conocer con las acciones una calidad del ánimo. ‖ r. Portarse uno como corresponde a su dignidad, o darse a conocer de alguna manera. [*Sinón.:* enseñar, presentar. *Antón.:* ocultar]

mostrenco, ca. adj. Dícese de los bienes que carecen de dueño conocido. ‖ fig. y fam. Ignorante y tardo en el discurrir o aprender. Ú.t.c.s. ‖ Dícese del sujeto gordo y pesado. Ú.t.c.s.

mota. f. Nudillo que se forma en el

paño. ‖ Partícula de hilo o cosa semejante que se pega a los vestidos. ‖ fig. Defecto de poca entidad que se halla en las cosas inmateriales. ‖ Eminencia de poca altura que se levanta sola en un llano. ‖ *Amer.* Puñado de lana suelta.

mote (al. *Spitzname,* fr. *sobriquet,* ingl. *nickname,* it. *nomignolo*). m. Apodo que se da a las personas. |*Sinón.*: alias|

motear. tr. Salpicar de motas una tela.

motejar. tr. Censurar las acciones de alguien con motes o apodos.

motel. m. Establecimiento hotelero, situado generalmente fuera de los núcleos urbanos y en las proximidades de las carreteras, con alojamiento en departamentos con entradas independientes desde el exterior.

motete. m. Breve composición musical que se canta en las iglesias. ‖ Apodo, denuesto.

motilón, na. adj. Que no tiene casi pelo. Ú.t.c.s. ‖ m. pl. ANTROP. Tribu de indios que viven al noroeste de Colombia.

motín. m. Movimiento de una muchedumbre que ataca desordenadamente a la autoridad constituida.

motivar. tr. Dar motivo para una cosa. ‖ Explicar la razón o motivo que se ha tenido para hacer algo.

motivo, va (al. *Grund,* fr. *motif,* ingl. *motive,* it. *motivo*). adj. Que mueve o puede mover. ‖ m. Causa o razón que mueve para una cosa. ‖ MÚS. Tema o asunto de una composición.

moto. f. Motocicleta.

moto-. Elemento compositivo que se antepone a una palabra para indicar que lo designado con ella se mueve por medio de un motor.

motocicleta (al. *Motorrad,* fr. *motocyclette,* ingl. *motorcycle,* it. *motocicletta*). f. Vehículo de forma semejante a una bicicleta pero más recio, con ruedas anchas y propulsado por un motor de explosión.

motociclismo. m. Deporte de la motocicleta y afición a ella.

motociclista. com. Persona que conduce una motocicleta.

motocross. m. Carrera de motocicletas por un terreno accidentado.

motonave. f. Nave de motor.

motor, ra (al. *Motor,* fr. *moteur,* ingl. *engine,* it. *motore*). adj. Que produce movimiento. Ú.t.c.s.m. ‖ f. Embarcación pequeña provista de motor. ‖ m. Máquina que transforma cualquier tipo de energía en energía mecánica.

motorismo. m. Deporte de los aficionados a las carreras de motocicletas.

motorista. com. Persona que conduce una motocicleta.

motorización. f. Acción y efecto de motorizar o motorizarse.

motorizar. tr. Dotar de medios mecánicos de tracción o transporte a un ejército, industria, etc. Ú.t.c.r.

motriz. adj. f. Motora.

motu propio. m. adv. lat. que significa voluntariamente, de propia voluntad. ‖ m. Bula pontificia.

movedizo, za. adj. Fácil de ser movido. ‖ Inseguro, que no está firme. ‖ fig. Inconstante o fácil de mudar de dictamen o intento.

mover (al. *bewegen,* fr. *mouvoir,* ingl. *to move,* it. *muovere*). tr. Trasladar de lugar un cuerpo. Ú.t.c.r. ‖ Menear alguna cosa o parte de algún cuerpo. ‖ Dar motivo para alguna cosa, persuadir, inducir o incitar a ella. ‖ fig. Seguido de la preposición «a», causar u ocasionar. ‖ fig. Alterar, conmover. ‖ fig. Dar principio a una cosa en lo moral.

movible. adj. Que puede moverse o ser movido. ‖ fig. Variable, voluble.

móvil (al. *beweglich,* fr. *mobile,* ingl. *movable,* it. *mobile*). adj. Movible. ‖ Que no tiene estabilidad o permanencia. ‖ m. Lo que mueve material o moralmente una cosa. ‖ B. ART. Escultura articulada que se mueve por impulso del aire.

movilidad. f. Calidad de movible.

movilización. f. Acción y efecto de movilizar.

movilizar. tr. Poner en actividad o en movimiento a las tropas. ‖ Poner en pie de guerra tropas u otros efectivos militares. |*Sinón.*: reclutar, militarizar|

movimiento (al. *Bewegung,* fr. *mouvement,* ingl. *motion,* it. *movimento*). m. Acción de mover o moverse. ‖ Estado de los cuerpos que cambian de posición o lugar. ‖ fig. Alteración, inquietud o conmoción. ‖ fig. Primera manifestación de un afecto. ‖ Alteración numérica en el estado o cuenta de un cómputo mercantil, estadística, etc., durante un tiempo determinado. ‖ Desarrollo y propagación de una tendencia innovadora. ‖ Conjunto de alteraciones ocurridas en un campo de la actividad humana durante un cierto tiempo. ‖ MÚS. Velocidad del compás.

moviola. f. Máquina para examinar las secuencias de un filme durante el montaje.

mozalbete. m. dim. de mozo. ‖ Mozo de pocos años, mozuelo.

mozárabe. adj. Dícese del cristiano que vivía entre los moros españoles. Ú.t.c.s. ‖ Perteneciente o relativo a los mozárabes. ‖ Dícese de los dialectos romances hablados por los mozárabes. Ú.t.c.s. m. sing.

mozo, za. adj. Joven. Ú.t.c.s. ‖ Soltero, célibe. Ú.t.c.s. ‖ m. Hombre que sirve en las casas o al público en oficios humildes. ‖ Individuo sometido a servicio militar desde que es alistado hasta que ingresa en la caja de reclutamiento. ‖ – *de cordel* o *de cuerda.* El que se dedica a transportar bultos. ‖ *buen mozo.* Hombre de buena presencia y alto. |*Sinón.*: muchacho; criado|

muaré. m. Tela labrada o tejida de manera que forma aguas.

mucamo, ma. s. *Amer.* Sirviente.

mucílago o **mucílago.** m. BOT. Sustancia viscosa y traslúcida producida por los vegetales, que se prepara por medio de una disolución acuosa de sustancias resinosas.

mucosidad. f. Materia glutinosa de la misma naturaleza que el moco.

mucoso, sa. adj. Semejante al moco. ‖ Que tiene mucosidad o la produce. Ú.t.c.s.f. ‖ f. ANAT. Membrana de revestimiento de los órganos huecos que comunican con el exterior.

muchachada. f. Acción propia de muchachos. ‖ Conjunto de muchachos.

muchacho, cha (al. *Knabe, Mädchen;* fr. *garçon, fille;* ingl. *boy, girl;* it. *ragazzo*). s. Niño o niña que no ha llegado a la adolescencia. ‖ Mozo o moza que sirve de criado. ‖ fam. Persona que se halla en la mocedad. Ú.t.c.adj. |*Sinón.*: joven, chico|

muchedumbre. f. Abundancia, copia y multitud de personas o cosas. |*Sinón.*: tropel|

mucho, cha (al. *viel,* fr. *beaucoup,* ingl. *much,* it. *molto*). adj. Abundante, numeroso o que excede a lo ordinario o preciso. ‖ adv. c. Con abundancia, en gran cantidad, más de lo regular. ‖ Antepuesto a otros adverbios denota idea de comparación. ‖ Con el verbo *ser,* precedido o seguido de la partícula *que,* da idea de dificultad o extrañeza. ‖ *ni con mucho.* loc. conj. que expresa una gran diferencia entre dos cosas. ‖ *ni mucho menos.* loc. conj. con que se niega una cosa o se muestra su inconveniencia. |*Antón.*: poco|

muda (al. *Mauser,* fr. *mue,* ingl. *molt,* it. *muta*). f. Acción de mudar una cosa. ‖ Conjunto de ropa que se muda de una vez. ‖ Variación de timbre de voz que experimentan los muchachos al entrar en la pubertad. ‖ Tiempo o acto de mudar las aves sus plumas o la piel algunos animales. [*Sinón.*: cambio]

mudanza (al. *Umzug,* fr. *déménagement,* ingl. *removal,* it. *trasloco*). f. Acción y efecto de mudar o mudarse. ‖ Traslación que se hace de una casa o de una habitación a otra. ‖ Inconstancia de los afectos o de los dictámenes. [*Sinón.*: muda]

mudar (al. *ändern,* fr. *changer,* ingl. *to change,* it. *mutare*). tr. Dar o tomar otro ser o naturaleza, otro estado, figura, lugar, etc. ‖ Dejar una cosa y tomar otra en su lugar. ‖ Remover de un sitio o empleo. ‖ Efectuar un ave la muda de la pluma. ‖ Soltar la piel y producir otra nueva las serpientes y otros animales. ‖ Efectuar un muchacho la muda de la voz. ‖ fig. Variar, cambiar. ‖ Tomar otra ropa o vestido, dejando el que se usaba antes. ‖ Dejar la casa que se habita y pasar a vivir en otra. [*Sinón.*: trastocar. *Antón.*: ratificar]

mudéjar. adj. Dícese del mahometano que, sin mudar de religión, era vasallo de los reyes cristianos. Ú.t.c.s. ‖ Relativo a los mudéjares. ‖ Dícese del estilo arquitectónico propio de los siglos XIII al XVI, en el que perduran elementos cristianos en una ornamentación árabe.

mudez. f. Imposibilidad física de hablar. ‖ fig. Silencio deliberado y persistente.

mudo, da (al. *stumm,* fr. *muet,* ingl. *dumb,* it. *muto*). adj. Privado físicamente de la facultad de hablar. Ú.t.c.s. ‖ Muy silencioso o callado.

mueble (al. *Möbel,* fr. *meuble,* ingl. *piece of furniture,* it. *mobile*). adj. Dícese de los bienes que se pueden trasladar o llevar de una parte a otra. ‖ m. Cada uno de los enseres, efectos o alhajas que sirven para la comodidad o adorno en las casas.

mueca (al. *Gesichtsverzerrung,* fr. *grimace,* ingl. *grimace,* it. *smorfia*). f. Contorsión del rostro, generalmente burlesca.

muecín. m. Almuecín.

muela (al. *Backenzahn,* fr. *molaire,* ingl. *molar,* it. *molare*). f. Disco de piedra para moler. ‖ Piedra circular de asperón que se usa para afilar. ‖ Cada uno de los dientes posteriores a los caninos. ‖ Cerro escarpado y de cima plana. ‖ Cerro artificial. ‖ Almorta, guija, tito. ‖ Cantidad de agua suficiente para hacer andar una rueda de molino.

‖ — *cordal* o *del juicio.* La que nace, en la edad viril, en la extremidad de la mandíbula.

muelle (al. *Springfeder, Kai;* fr. *ressort, quai;* ingl. *spring, wharf,* it. *molla, molo*). adj. Delicado, suave, blando. ‖ Dado a los placeres sensuales. ‖ m. Pieza elástica colocada de modo que pueda utilizarse la fuerza que hace para recobrar su posición natural cuando ha sido separada de ella. ‖ Obra construida en la orilla del mar o de un río navegable, que sirve para facilitar el embarque y desembarque de cosas y personas. ‖ Andén alto que en las estaciones de ferrocarril se destina a la carga y descarga de mercancías. [*Sinón.*: dique, escollera]

muérdago (al. *Mistel,* fr. *gui,* ingl. *mistletoe,* it. *vischio*). m. BOT. Planta lorantácea que vive parásita en los troncos y ramas de los árboles.

muermo. m. VET. Enfermedad de las caballerías, caracterizada por ulceración y flujo de la mucosa nasal e infarto de los ganglios linfáticos próximos. Es transmisible al hombre. ‖ fam. Abatimiento.

muerte (al. *Tod,* fr. *mort,* ingl. *death,* it. *morte*). f. Fin o cesación de la vida. ‖ Muerte causada a otra persona con violencia. ‖ Figura del esqueleto humano que simboliza a la muerte. ‖ Destrucción, ruina, aniquilación. [*Sinón.*: fallecimiento, defunción, óbito]

muerto, ta (al. *tot,* fr. *mort,* ingl. *dead,* it. *morto*). adj. Que está sin vida. Aplicado a personas, ú.t.c.s. ‖ Se dice del yeso o de la cal apagados con agua. ‖ Apagado, poco activo o marchito. ‖ *desenterrar los muertos.* fig. y fam. Murmurar de ellos, sacar a relucir sus faltas y defectos. ‖ *echarle a uno el muerto.* fig. Atribuirle la culpa o la responsabilidad de algo. [*Sinón.*: difunto, finado]

muesca. f. Hueco que hay o se hace en una cosa para encajar en ella otra. ‖ Melladura que se practica en una cosa para indicar algo.

muestra (al. *Muster,* fr. *échantillon,* ingl. *sample,* it. *campione*). f. Rótulo que anuncia alguna cosa. ‖ Signo que denota lo que se vende en una tienda. ‖ Porción de una mercancía que sirve para conocer la calidad del género. ‖ Modelo que se ha de copiar o imitar. ‖ Porte, apostura. ‖ Esfera del reloj. ‖ En algunos juegos de naipes, carta que se enseña para indicar el palo del triunfo. ‖ fig. Señal, demostración o prueba de una cosa. [*Sinón.*: modelo, espécimen]

muestrario. m. Colección de muestras de mercaderías.

muestreo. m. Acción de escoger las muestras representativas de la calidad y condiciones medias de un todo. ‖ Técnica empleada para ello.

mufla. f. Hornillo que se coloca dentro de un horno para reconcentrar el calor y conseguir la fusión de ciertos cuerpos.

muga. f. Desove. ‖ Fecundación de las huevas en los peces y anfibios. ‖ Mojón que señala un límite. ‖ fig. Frontera.

mugido. m. Voz del toro y de la vaca.

mugir. intr. Dar bramidos la res vacuna. ‖ fig. Producir gran ruido el viento o el mar.

mugre. f. Grasa o suciedad en algún cuerpo.

mugriento, ta. adj. Lleno de mugre.

mugrón. m. Sarmiento que sin cortarlo de la vid se entierra para que arraigue. ‖ Vástago de otras plantas.

muguete. m. BOT. Planta liliácea, utilizada en infusión como tónico cardíaco.

mujer (al. *Frau,* fr. *femme,* ingl. *woman,* it. *donna*). f. Persona del sexo femenino. ‖ La que ha llegado a la edad de la pubertad. ‖ La casada con relación al marido. ‖ — *del arte, de la vida, del partido, de mala vida, de mal vivir, de punto, mundana, perdida,* o *pública.* Ramera. ‖ — *de su casa.* La que cuida su hogar.

mujeriego, ga. adj. Perteneciente o relativo a la mujer. ‖ m. Hombre muy dado a las mujeres.

mujerío. m. Conjunto de mujeres.

mujerzuela. f. dim. de mujer. Mujer de poca estimación. ‖ Mujer perdida, de mala vida.

mújol. m. ZOOL. Pez acantopterigio, de cuerpo cilíndrico y cabeza aplastada, de color pardusco con rayas oscuras en los costados, y vientre plateado. Abunda en el Mediterráneo y su carne y sus huevas son muy estimadas.

mula. f. Hija de asno y yegua o de caballo y burra. ‖ *hacer la mula.* fig. y fam. Remolonear.

muladar. m. Estercolero.

muladí. adj. Dícese del cristiano español que abrazaba el islamismo y vivía en España entre los mahometanos. Ú.t.c.s.

mular. adj. Perteneciente o relativo al mulo o a la mula.

mulato, ta. adj. Dícese de la persona que ha nacido de negra y blanco, o viceversa. Ú.t.c.s. ‖ De color moreno. Por ext., lo que es moreno en su línea.

muleta (al. *Krücke*, fr. *béquille*, ingl. *crutch*, it. *gruccia*). f. Palo con un travesaño en uno de sus extremos que sirve para apoyarse el que tiene dificultad de andar. ‖ TAUROM. Palo que lleva pendiente a lo largo una capa de que se sirve el torero para engañar al toro cuando va a matar.

muletilla. f. Muleta de torero. ‖ fig. Frase que repite alguien con frecuencia en la conversación.

mulo. m. ZOOL. Animal híbrido de asno y yegua, fuerte, robusto y muy sufrido. Macho y hembra suelen ser infecundos.

multa. f. Pena pecuniaria. [*Sinón.*: sanción]

multar. tr. Poner multa.

multi-. Prefijo de origen latino que expresa multiplicidad.

multicolor. adj. De muchos colores.

multicopista. f. Instrumento para obtener copias.

multimillonario, ria. adj. Dícese de la persona cuya fortuna asciende a muchos millones. Ú.t.c.s.

multípara. adj. Dícese de las hembras que tienen varios hijos de un solo parto. ‖ Dícese de la mujer que ha tenido más de un parto.

múltiple. adj. Vario, de muchas maneras; opuesto a simple.

multiplicación. f. Acción y efecto de multiplicar o multiplicarse. ‖ MAT. Operación de multiplicar.

multiplicador, ra. adj. Que multiplica. Ú.t.c.s. ‖ MAT. Dícese del factor que indica las veces que el multiplicando debe tomarse como sumando. Ú.m.c.s.

multiplicando. m. MAT. Factor que debe ser multiplicado por el multiplicador.

multiplicar (al. *vermehren, multiplizieren;* fr. *multiplier;* ingl. *to multiply;* it. *moltiplicare*). tr. Aumentar en número considerable los individuos de una especie. Ú.t.c.r. ‖ MAT. Hallar el producto de dos números mediante su multiplicación. [*Sinón.*: crecer, reproducir. *Antón.*: disminuir; dividir]

multiplicidad. f. Calidad de múltiple. ‖ Muchedumbre o abundancia excesiva de hechos o especies.

múltiplo, pla. adj. MAT. Dícese del número o cantidad que contiene a otro u otra varias veces exactamente. Ú.t.c.s.

multitud (al. *Menge*, fr. *foule*, ingl. *crowd*, it. *folla*). f. Número grande de personas o cosas. ‖ fig. Vulgo. [*Sinón.*: muchedumbre, gentío. *Antón.*: escasez, individualidad]

multitudinario, ria. adj. Propio o característico de las multitudes.

mullir. tr. Esponjar una cosa para que esté blanda y suave. ‖ AGR. Cavar la tierra alrededor de las cepas. [*Sinón.*: ahuecar]

mundanal. adj. Perteneciente o relativo al mundo humano.

mundano, na (al. *weltlich*, fr. *mondain*, ingl. *worldly*, it. *mondano*). adj. Perteneciente o relativo al mundo. ‖ Dícese de la persona acostumbrada al trato social, y que gusta de él. [*Sinón.*: frívolo]

mundial. adj. Perteneciente o relativo a todo el mundo. [*Sinón.*: internacional]

mundillo. m. fig. Círculo, a menudo excluyente, de personas afines.

mundo (al. *Welt*, fr. *monde*, ingl. *world*, it. *mondo*). m. Conjunto de todas las cosas. ‖ La tierra. ‖ Totalidad del género humano. ‖ Sociedad humana. ‖ Parte de la sociedad humana que se distingue por alguna particularidad común a todos sus individuos. ‖ Vida secular, en contraposición a la monástica. ‖ En el sentido religioso, uno de los enemigos del alma. ‖ Esfera representativa del globo terráqueo. ‖ Experiencia de la vida y del trato social. ‖ *el otro mundo.* La otra vida, donde van las almas de los que mueren. ‖ *medio mundo.* loc. fig. y fam. Mucha gente. ‖ *todo el mundo.* loc. fig. y fam. La generalidad de las personas. ‖ *hundirse el mundo.* fig. Ocurrir un cataclismo. ‖ *venir al mundo.* Nacer. ‖ *ver mundo.* Viajar por varias tierras y países. [*Sinón.*: orbe, universo]

mundología. f. Experiencia del que tiene mundo.

munición (al. *Munition*, fr. *munition*, ingl. *ammunition*, it. *munizione*). f. Pertrechos y bastimentos necesarios en un ejército o en una plaza de guerra. ‖ Perdigones con que se cargan las escopetas para la caza menor. ‖ Carga que se pone en las armas de fuego.

municionar. tr. Proveer de municiones. [*Sinón.*: pertrechar]

municipal. adj. Perteneciente o relativo al municipio. ‖ m. Individuo de la guardia municipal.

municipalidad. f. Municipio, ayuntamiento de una población. [*Sinón.*: consejo]

municipalizar. tr. Asignar al municipio un servicio público.

municipio (al. *Gemeinde*, fr. *commune*, ingl. *municipality*, it. *comune*). m. Conjunto de habitantes de un término jurisdiccional, regido por un ayuntamiento. ‖ El mismo ayuntamiento. ‖ El término municipal. [*Sinón.*: municipalidad]

munificencia. f. Generosidad espléndida. ‖ Larguea, liberalidad. [*Antón.*: tacañería]

muñeca (al. *Handgelenk*, fr. *poignet*, ingl. *wrist*, it. *polso*). f. Parte del cuerpo humano en donde se articula la mano con el antebrazo. ‖ Figurilla de mujer que sirve de juguete. ‖ Trapo con que se envuelve una sustancia para que no se mezcle con el líquido en que se sumerge. ‖ Lío de trapo redondeado que se embebe de un líquido para algún fin. ‖ Hito, mojón. ‖ fig. y fam. Mozuela frívola y presumida. ‖ *Amer.* Habilidad o influencia para obtener algo. Suele usarse con el verbo *tener*.

muñeco (al. *Puppe*, fr. *poupée*, ingl. *doll*, it. *bambolotto*). m. Figurilla de hombre. ‖ fig. y fam. Mozuelo afeminado e insustancial. [*Sinón.*: juguete; titere]

muñeira. f. Baile popular gallego.

muñequear. tr. *Amer.* Mover influencias para obtener algo.

muñequera. f. Pulsera de reloj. ‖ Tira de cuero, tela, etc., con que se ajusta la muñeca que ha sufrido una distorsión.

muñidor. m. Persona que gestiona para concertar tratos o intrigas.

muñir. tr. Convocar. ‖ Concertar o manejar voluntades de otros.

muñón. m. Parte de un miembro cortado que permanece adherida al cuerpo. ‖ MIL. Cada una de las dos piezas cilíndricas que a ambos lados tiene el cañón. [*Sinón.*: tocón]

mural. adj. Relativo al muro. ‖ Dícese de las láminas, dibujos, etc., que, extendidos, ocupan una parte de una pared o muro. Ú.m.c.s.m.

muralla (al. *Stadtmauer*, fr. *rempart*, ingl. *wall*, it. *muraglia*). f. Pared fortificada que rodea una plaza o recinto para su defensa y protección. ‖ Muro, pared.

murciano, na. adj. Natural de Murcia. Ú.t.c.s. ‖ Perteneciente a esta región y ciudad.

murciélago (al. *Fledermaus*, fr. *chauve-souris*, ingl. *bat*, it. *pipistrello*). m. ZOOL. Quiróptero insectívoro nocturno que pasa el día durmiendo colgado cabeza abajo de las garras de las extremidades posteriores en lugares oscuros y escondidos; tiene fuertes caninos y los molares cónicos.

murga. f. fam. Compañía de músicos que va tocando de casa en casa para recibir alguna dádiva. ‖ Por ext., orquesta de poca calidad.

murmullo. m. Ruido que se hace hablando, cuando no se percibe lo que se dice. [*Sinón.*: susurro]

murmuración. f. Conversación en la que se habla mal de un ausente. [*Sinón.*: crítica]

murmurar (al. *murmeln,* fr. *murmurer,* ingl. *to mutter,* it. *biasimare*). intr. Hacer ruido suave y apacible la corriente de las aguas, el viento, etc. ‖ fig. Hablar entre dientes, quejándose de alguna cosa. Ú.t.c.tr. ‖ fig. fam. Conversar en perjuicio de un ausente. Ú.t.c.tr. [*Sinón.*: susurrar; refunfuñar]

muro. m. Pared o tapia. ‖ Muralla.

murria. f. fam. Especie de tristeza y abatimiento.

mus. m. Cierto juego de naipes y de envite.

musa (al. *Muse,* fr. *muse,* ingl. *muse,* it. *musa*). f. Cada una de las nueve deidades que, en la mitología griega, protegían las ciencias y las artes liberales. ‖ fig. Numen o inspiración del poeta. ‖ fig. Estilo propio y peculiar de cada poeta. ‖ fig. Poesía. ‖ pl. fig. Ciencias y artes liberales, especialmente humanidades y poesía.

muscular. adj. Perteneciente a los músculos.

musculatura. f. Conjunto y disposición de los músculos.

músculo (al. *Muskel,* fr. *muscle,* ingl. *muscle,* it. *muscolo*). m. ZOOL. Órgano o tejido fibroso dotado de la propiedad de contraerse bajo la influencia de un estímulo.

musculoso, sa. adj. Dícese de la parte del cuerpo que tiene músculos. ‖ Que tiene los músculos muy abultados y visibles.

muselina. f. Tela fina y poco tupida.

museo (al. *Museum,* fr. *musée,* ingl. *museum,* it. *museo*). m. Lugar en que se guardan objetos notables y pertenecientes a las ciencias y artes.

muserola. f. Correa de la brida, que da vuelta al hocico del caballo por encima de la nariz.

musgo (al. *Moos,* fr. *mousse,* ingl. *moss,* it. *muschio*). m. BOT. Planta briofita, con hojas provistas de pelos rizoides o absorbentes, que crece en lugares sombríos sobre las piedras, cortezas de árboles, etc. ‖ Conjunto de estas plantas que cubren una superficie determinada. ‖ pl. Clase de estas plantas.

música (al. *Musik,* fr. *musique,* ingl. *music,* it. *musica*). f. Melodía, armonía y su combinación. ‖ Serie de sonidos modulados que se suceden para recrear el oído. ‖ Concierto de instrumentos, o voces, o ambos a la vez, y arte de combinarlos para conmover la sensibilidad. ‖ Compañía de músicos que tocan o cantan juntos. ‖ Composición musical. ‖ Papeles en que están escritas las composiciones musicales. ‖ Por antífrasis, ruido desagradable. ‖ fig. Expresión sin sentido ni utilidad. ‖ — *celestial.* fig. fam. Palabras elegantes y promesas vanas, sin sustancia ninguna. ‖ *con la música a otra parte.* expr. fig. y fam. con la que se despide y reprende al que viene a incomodar o con impertinencias.

musical. adj. Perteneciente o relativo a la música.

músico, ca. adj. Musical. ‖ s. Persona que profesa o sabe el arte de la música. ‖ La que toca algún instrumento. ‖ — *mayor.* El director y jefe de una música militar.

musicología. f. Estudio científico de la teoría y de la historia de la música.

musicólogo, ga. s. Persona versada en la musicología.

musitar. intr. Susurrar entre dientes.

muslo (al. *Oberschenkel,* fr. *cuisse,* ingl. *thigh,* it. *coscia*). m. Parte de la pierna desde la juntura de las caderas hasta la rodilla.

mustela. f. ZOOL. Pez marino selacio, parecido al tiburón, cuya carne es comestible. Su piel se utiliza como lija.

mustio, tia (al. *welk,* fr. *flétri,* ingl. *withered,* it. *appassito*). adj. Melancólico, triste. ‖ Lánguido, marchito.

musulmán, na (al. *moslem,* fr. *musulman,* ingl. *moslem,* it. *musulmano*). adj. Mahometano. Aplicado a personas, ú.t.c.s.

mutación. f. Mudanza, acción de mudar. ‖ Cada una de las diversas perspectivas que se forman en el teatro, variando el telón y los bastidores. ‖ Destemple de la estación en determinada época del año. ‖ BIOL. Cualquiera de las alteraciones producidas en la estructura o en el número de los genes o de los cromosomas de un organismo vivo, que se transmiten a los descendientes por herencia. ‖ BIOL. Fenotipo producido por dichas alteraciones.

mutante. adj. Que muta. ‖ m. BIOL. Nuevo gen, cromosoma o genoma que ha surgido por mutación de otro preexistente. ‖ BIOL. Organismo producido por mutación.

mutar. tr. Mudar, transformar. Ú.t.c.r. ‖ Mudar, remover o apartar de un puesto o empleo.

mutilación. f. Acción y efecto de mutilar o mutilarse.

mutilado, da. adj. Que ha sufrido mutilaciones. Aplicado a personas, ú.t.c.s.

mutilar (al. *verstümmeln,* fr. *mutiler,* ingl. *to mutilate,* it. *mutilare*). tr. Cortar una parte del cuerpo, y más particularmente del cuerpo viviente. Ú.t.c.r. ‖ Quitar una parte o porción de cualquier cosa.

mutis. m. Voz que emplea el apuntador en la representación teatral, o el autor en sus acotaciones, para indicar que un actor debe retirarse de la escena. ‖ Acto de retirarse de la escena, y por ext., de otros lugares. ‖ fam. Voz que se emplea para imponer silencio o para indicar que una persona queda callada. ‖ *hacer mutis.* loc. Salir de la escena o de otro lugar. ‖ Callar.

mutismo. m. Silencio voluntario o impuesto.

mutualidad. f. Calidad de mutual. ‖ Régimen de prestaciones mutuas que sirve de base a determinadas asociaciones. ‖ Denominación de algunas de estas asociaciones.

mutualismo. m. Asociación que tiene por base la mutualidad.

mutualista. adj. Perteneciente o relativo a la mutualidad. ‖ com. Miembro de una mutualidad.

mutuo, tua (al. *gegenseitig,* fr. *mutuel,* ingl. *mutual,* it. *mutuo*). adj. Aplícase a todo aquello que recíprocamente se hace entre dos o más personas, animales o cosas. Ú.t.c.s.

muy. adv. con que se denota grado sumo o superlativo de significación.

n. Decimosexta letra del abecedario español. Su nombre es *ene*. ‖ Signo que suple en la escritura el nombre de una persona que se ignora o no se quiere expresar. ‖ Mat. Exponente de una potencia indeterminada.

naba. f. Bot. Planta crucífera de hojas grandes; flores amarillas y en espiga; raíz carnosa, amarillenta o rojiza, que se emplea para alimentación humana y del ganado. ‖ Raíz de dicha planta.

nabab. m. Gobernador de una provincia en la India mahometana. ‖ fig. Hombre sumamente rico.

nabo (al. *Weisse Rübe*, fr. *navet*, ingl. *turnip*, it. *rapa*). m. Bot. Planta anual crucífera, de hojas grandes, flores amarillas y raíz gruesa, carnosa, de color blanco amarillento y comestible. ‖ Raíz gruesa y principal de cualquier planta. ‖ fig. Tronco de la cola de las caballerías.

nácar (al. *Perlmutter*, fr. *nacre*, ingl. *mother-of-pearl*, it. *madreperla*). m. Capa interna de las tres que forman la concha de los moluscos. Está constituida por la mezcla de carbonato cálcico y una sustancia orgánica. Es blanca, brillante y con reflejos irisados.

nacarado, da. adj. Del color y brillo del nácar. ‖ Adornado con nácar.

nacarino, na. adj. Propio del nácar.

nacela. f. Arq. Moldura cóncava.

nacer (al. *geboren werde*, fr. *naître*, ingl. *to be born*, it. *nascere*). intr. Salir el animal del vientre materno. ‖ Salir del huevo un animal ovíparo. ‖ Empezar a salir un vegetal de su semilla. ‖ Salir el vello, pelo o pluma en el cuerpo del animal, o aparecer las hojas, flores, frutos o brotes en la planta. ‖ Descender de una familia o linaje. ‖ fig. Empezar a dejarse ver un astro en el horizonte. ‖ fig. Tomar principio una cosa de otra. ‖

fig. Prorrumpir o brotar. [*Antón*.: morir]

nacido, da. adj. Connatural y propio de una cosa. ‖ Apto y a propósito para una cosa. ‖ Dícese de cualquiera de los seres humanos que han existido o existen. Ú.m.c.s. y en pl.

naciente. adj. Que nace. ‖ fig. Muy reciente. ‖ m. Este, Oriente, punto cardinal.

nacimiento (al. *Geburt*, fr. *naissance*, ingl. *birth*, it. *nascita*). m. Acción de nacer. ‖ Sitio donde brota un manantial. ‖ El propio manantial. ‖ Lugar donde alguien tiene su origen. ‖ Principio de una cosa o tiempo en que empieza. ‖ Representación del de Jesucristo en el portal de Belén. ‖ *de nacimiento*. expr. adv. que indica que un defecto se padece porque se nació con él. [*Antón*.: muerte]

nación (al. *Nation*, fr. *nation*, ingl. *nation*, it. *nazione*). f. Conjunto de los habitantes de un país regido por el mismo gobierno. ‖ Territorio de ese mismo país. ‖ Conjunto de personas de un mismo origen étnico que poseen una tradición común y hablan generalmente un mismo idioma.

nacional. adj. Perteneciente o relativo a la nación. ‖ Natural de una nación, en contraposición a extranjero. Ú.t.c.s. ‖ m. Individuo de la milicia nacional.

nacionalidad (al. *Staatsangehörigkeit*, fr. *nationalité*, ingl. *nationality*, it. *nazionalità*). f. Condición y carácter peculiar de los pueblos e individuos de una nación. ‖ Estado propio de la persona nacida o naturalizada en una nación.

nacionalismo. m. Apego de los naturales de una nación a ésta y a cuanto le pertenece. ‖ Doctrina que exalta en todos los órdenes la personalidad nacional. ‖ Aspiración de un

pueblo a convertirse en Estado soberano.

nacionalista. com. Partidario del nacionalismo. Ú.t.c.adj.

nacionalización. f. Acción y efecto de nacionalizar.

nacionalizar (al. *eibürgen*, fr. *nationaliser*, ingl. *to nationalize*, it. *nazionalizzare*). tr. Naturalizar en un país personas o cosas que lo están en otro. Ú.t.c.r. ‖ Atribuir al Estado bienes o empresas de personas individuales o colectivas.

nacionalsocialismo. m. Doctrina totalitaria y racista del partido nacionalsocialista fundado en Alemania por Adolfo Hitler.

nada (al. *nichts*, fr. *rien*, ingl. *nothing*, it. *niente*). f. El no ser, o la carencia de todo ser. ‖ Cosa mínima. ‖ Poco o muy poco. ‖ pron. indet. Ninguna cosa. ‖ adv. neg. De ninguna manera. ‖ *como si nada*. loc. Sin dar la menor importancia. ‖ *de nada*. loc. adj. De escaso valor, sin importancia. ‖ *por nada*. loc. Por ninguna cosa, fig., por cualquier cosa. [*Antón*.: todo]

nadador, ra. adj. Que nada. Ú.t.c.s. ‖ s. Persona diestra en nadar.

nadar (al. *schwimmen*, fr. *nager*, ingl. *to swim*, it. *nuotare*). intr. Mantenerse una persona o animal sobre el agua. ‖ Flotar en un líquido cualquiera. ‖ fig. Abundar en cualquier cosa.

nadería. f. Cosa de poca importancia. [*Sinón*.: bagatela, fruslería]

nadie (al. *niemand*, fr. *personne*, ingl. *nobody*, it. *nessuno*). pron. indet. Ninguna persona. ‖ m. fig. Persona insignificante. [*Antón*.: alguien]

nadir. m. Astr. Punto de la esfera celeste diametralmente opuesto al cenit.

nado (a). m. adv. Nadando.

nafta (al. *Naphtha*, fr. *naphte*, ingl.

naphtha, it. *nafta*). f. QUÍM. Hidrocarburo líquido muy combustible, obtenido de la destilación del petróleo. Se utiliza como disolvente del caucho.

naftalina. f. QUÍM. Hidrocarburo sólido, procedente del alquitrán de la hulla, usado como desinfectante.

nagual. m. *Amer.* Animal que una persona tiene de compañero inseparable. ‖ *Amer.* Brujo.

nailon. m. Material sintético nitrogenado, muy resistente. Se utiliza en la fabricación de tejidos y géneros de punto.

naipe (al. *Spielkarte*, fr. *carte à jouer*, ingl. *playing-card*, it. *carta da gioco*). m. Cada una de las cartulinas que componen la baraja.

naja. ZOOL. Género de ofidios venenosos al que pertenecen la cobra y el áspid de Egipto.

nalga (al. *Hinterbacke*, fr. *fesse*, ingl. *buttock*, it. *natica*). f. ANAT. Cada una de las dos porciones carnosas que constituyen el trasero.

nana. f. Canto con que se arrulla a los niños. ‖ *Amer.* Niñera o nodriza.

nao. f. Nave.

napalm. m. QUÍM. Nombre de un derivado del fósforo utilizado en ciertas bombas incendiarias.

napias. f. pl. fam. Narices.

napoleón. m. Moneda francesa de oro con la efigie de Napoleón. ‖ Moneda francesa de plata que tuvo curso en España.

napolitano, na. adj. Natural de Nápoles. Ú.t.c.s. ‖ Perteneciente a esta ciudad y antiguo reino de Italia.

naranja (al. *Apfelsine*, fr. *orange*, ingl. *orange*, it. *arancia*). f. BOT. Fruto del naranjo, de forma esférica, corteza rugosa y color rojo-amarillento. La pulpa, dividida en gajos, es comestible, jugosa y de sabor muy agradable. ‖ m. Color anaranjado. ‖ *media naranja.* El marido o la mujer, el uno respecto del otro.

naranjada (al. *Orangeade*, fr. *orangeade*, ingl. *orangeade*, it. *aranciata*). f. Refresco que se prepara con zumo de naranja.

naranjal. m. Sitio plantado de naranjos.

naranjero, ra. adj. Perteneciente o relativo a la naranja. ‖ s. Persona que vende naranjas. ‖ m. Tipo de fusil ametrallador.

naranjo (al. *Orange*, fr. *oranger*, ingl. *orange-tree*, it. *arancio*). m. BOT. Árbol originario de Asia, de la familia de las rutáceas, de follaje perenne, tronco liso, hojas alternas de color verde brillante, y flores blancas o rosáceas, muy olorosas (azahar). Su fruto es la naranja.

narcisismo. m. Amor excesivo por la propia persona, en especial físicamente. ‖ Término que aplican los psicoanalistas a toda forma de actividad sexual en la que el individuo se toma a sí mismo como objeto de esta actividad.

narciso (al. *Narzisse*, fr. *narcise*, ingl. *narcissus*, it. *narciso*). m. BOT. Planta herbácea de la familia de las amarilidáceas, de hojas largas y estrechas, flores aromáticas blancas o amarillas y raíz bulbosa. ‖ Flor de dicha planta. ‖ fig. El que cuida en exceso de su persona o se precia de hermoso.

narcosis. f. MED. Anestesia general provocada por el empleo de narcóticos.

narcótico, ca (al. *Betäubend*, fr. *narcotique*, ingl. *narcotic*, it. *narcotico*). adj. FARM. Dícese de las sustancias que producen sopor o embotamiento de la sensibilidad. Ú.t.c.s.m.

narcotizar. tr. Producir narcosis. Ú.t.c.r.

nardo (al. *Narde*, fr. *nard*, ingl. *nard*, it. *nardo*). m. BOT. Planta de la familia de las amarilidáceas, de tallo derecho, hojas radicales, flores blancas y muy aromáticas, y raíz tuberosa. Se utiliza en perfumería.

narguile. m. Pipa oriental, de tubo largo y flexible, provista de un recipiente de agua perfumada, por el que pasa el humo.

narigudo, da. adj. Que tiene grandes las narices. Ú.t.c.s. ‖ De figura de nariz. [*Sinón.*: narigón]

nariguera. f. Pendiente que llevan algunos indios en la ternilla de la nariz.

nariz (al. *Nase*, fr. *nez*, ingl. *noise*, it. *naso*). f. ANAT. Parte saliente del rostro humano, entre la frente y la boca, con dos orificios que comunican con la pituitaria y el aparato respiratorio. Ú. frecuentemente en pl. ‖ Parte de la cabeza de muchos animales vertebrados que tiene igual situación y oficio que la nariz del hombre. ‖ Cada uno de los orificios que hay en la base de la nariz. ‖ fig. Sentido del olfato. ‖ — *aguileña.* La que es fina y algo corva. ‖ — *perfilada.* La que es perfecta y bien formada. ‖ — *respingona.* Aquella cuya punta tira hacia arriba. ‖ *darle* a uno *en la nariz* una cosa. fig. y fam. Sospecharla. ‖ *hinchársele* a uno *las narices.* fig. y fam. Enojarse. ‖ *meter las narices* en una cosa. fig. y fam. Entremeterse sin ser llamado.

narración (al. *Erzählung*, fr. *narration*, ingl. *story*, it. *narrazione*). f. Acción de narrar.

narrador, ra. adj. Que narra. Ú.t.c.s.

narrar. tr. Contar, referir un suceso o unos acontecimientos.

narrativa. f. Acción y efecto de narrar. ‖ Habilidad en narrar.

nártex. m. ARQ. En las basílicas cristianas primitivas, lugar donde los catecúmenos celebraban el culto.

narval (al. *Narwal*, fr. *narval*, ingl. *narwhal*, it. *narvalo*). m. ZOOL. Mamífero cetáceo marino de la familia de los delfínidos, de unos seis metros de longitud, con cabeza muy grande y boca pequeña. El macho tiene dos incisivos superiores, uno de los cuales alcanza una longitud de tres metros.

nasa (al. *Fischreuse*, fr. *nasse*, ingl. *fish-trap*, it. *nassa*). f. Red en forma de manga. ‖ Cesta de boca estrecha que llevan los pescadores para echar la pesca. ‖ Cesto o vasija para guardar pan, harina y otros alimentos.

nasal. adj. Relativo a la nariz. ‖ GRAM. Dícese del sonido en cuya pronunciación el aire aspirado sale total o parcialmente por la nariz. ‖ Aplícase a las consonantes que representan este sonido con la *n.* Ú.t.c.s.f.

nasalizar. tr. GRAM. Pronunciar como nasal un sonido que no lo es.

naso. m. fam. Nariz grande.

nata (al. *Sahne*, fr. *crème*, ingl. *cream*, it. *panna*). f. Sustancia espesa y untuosa, blanca o amarilla, que forma una capa sobre la leche que se deja en reposo. ‖ Sustancia espesa de algunos licores que sobrenada en su superficie. ‖ fig. Lo principal y más estimado en cualquier línea.

natación (al. *Schwimmkunst*, fr. *natation*, ingl. *swimming*, it. *nuoto*). f. Arte de nadar. ‖ Práctica deportiva basada en este arte.

natal. adj. Perteneciente al nacimiento o al lugar en que uno ha nacido. ‖ m. Nacimiento.

natalicio, cia. adj. Relativo al día del nacimiento. Ú.t.c.s.m.

natalidad (al. *Geburtenziffer*, fr. *natalité*, ingl. *birth-rate*, it. *natalità*). f. Número proporcional de nacimientos en población y tiempo determinados.

natatorio, ria. adj. Perteneciente a la natación. ‖ Que sirve para nadar.

natillas (al. *Creme*, fr. *creme*, ingl. *custard*, it. *zalaione*). f. pl. Dulce que se hace con yemas de huevo, leche y azúcar.

natividad. f. Nacimiento, y especialmente el de Jesucristo, el de la Virgen María y el de San Juan Bautista. || Tiempo inmediato al día de Navidad.

nativo, va (al. *gebürtig*, fr. *natif*, ingl. *native*, it. *nativo*). adj. Que nace naturalmente. || Perteneciente al país o lugar en que se ha nacido. || Natural, nacido. || Innato, conforme a la naturaleza de cada cosa. || Dícese de los minerales que se encuentran en sus menas exentos de toda combinación. [*Sinón.*: nato. *Antón.*: extranjero]

natura. f. Naturaleza de cada ser. || Partes genitales.

natural (al. *natürlich*, fr. *naturel*, ingl. *natural*, it. *naturale*). adj. Perteneciente a la naturaleza. || Originario de un pueblo o nación. Ú.t.c.s. || Ingenuo y sin doblez. || Dícese de las cosas que imitan a la naturaleza. || Hecho con verdad. || Regular y que sucede comúnmente. || Que se produce por las fuerzas de la naturaleza; no milagroso. [*Sinón.*: oriundo; espontáneo. *Antón.*: artificial]

naturaleza (al. *Natur*, fr. *nature*, ingl. *nature*, it. *natura*). f. Esencia y propiedad característica de cada ser. || En teología, estado natural del hombre, por oposición al estado de gracia. || Virtud, calidad o propiedad de las cosas. || Fuerza o actividad natural, por contraposición a sobrenatural o milagrosa. || Conjunto, orden y disposición de todas las entidades que constituyen el universo. || Sexo. || Índole, temperamento. || Especie, género, clase. || Parentesco, linaje. || — *muerta.* PINT. Cuadro' que representa cosas inanimadas o animales muertos. [*Sinón.*: natura]

naturalidad (al. *Einfachheit*, fr. *naïveté*, ingl. *unaffectedness*, it. *naturalità*). f. Calidad de natural. || Ingenuidad, sencillez en el modo de proceder. || Conformidad de las cosas con las leyes ordinarias. [*Antón.*: artificio]

naturalismo. FIL. Doctrina según la cual nada existe fuera de la naturaleza. || LIT. Corriente literaria surgida en Francia en el siglo XIX, opuesta al romanticismo e influenciada por el positivismo.

naturalista. adj. Perteneciente o relativo al naturalismo. || Que profesa este sistema filosófico. Ú.t.c.s. || com. Persona especializada en historia natural.

naturalizar (al. *die Staatsangehörigkeit verleihen*, fr. *naturaliser*, ingl. *to naturalize*, it. *naturalizzare*). tr. Admitir en un país a una persona extranjera como si fuera natural de dicho país. || Aclimatar una especie. Ú.t.c.r. || r. Adquirir los derechos y privilegios de los naturales de un país. [*Sinón.*: nacionalizar]

naturismo. m. Doctrina que preconiza el empleo de los agentes naturales para conservar la salud y curar las enfermedades.

naturista. adj. Perteneciente o relativo al naturismo. || com. Partidario de esta doctrina.

naufragar (al. *Schiffbruch*, fr. *naufrager*, ingl. *to wreck*, it. *naufragare*). intr. Irse a pique o perderse la embarcación. || fig. Salir mal un intento o negocio. [*Sinón.*: zozobrar]

naufragio (al. *Schiffbruch*, fr. *naufrage*, ingl. *shipwreck*, it. *naufragio*). m. Pérdida o ruina de la embarcación. || fig. Pérdida grande; desgracia.

náufrago, ga. adj. Que ha padecido un naufragio o tormenta. Aplicado a personas, ú.t.c.s.

naumaquia. f. Combate naval que entre los antiguos romanos se daba como espectáculo. || Lugar en que se representaba.

náusea (al. *Brechreiz*, fr. *nausée*, ingl. *nausea*, it. *nausea*). f. Basca, ansia de vomitar. Ú.m. en pl. || fig. Repugnancia que produce una cosa. Ú.m. en pl.

nauseabundo, da. adj. Que produce náuseas. || Propenso a vómito.

náutica (al. *Seewesen*, fr. *navigation*, ingl. *seamanship*, it. *nautica*). f. Ciencia o arte de navegar.

náutico, ca. adj. Perteneciente o relativo a la navegación.

nava. f. Tierra baja y llana, situada generalmente entre montañas.

navaja (al. *Taschenmesser*, fr. *couteau de poche*, ingl. *jackknife*, it. *rasoio*). f. Cuchillo cuya hoja puede doblarse sobre el mango. || ZOOL. Molusco lamelibranquio marino, con dos conchas simétricas que, unidas por uno de sus lados, semejan las cachas de una navaja. Su carne es comestible. || fig. Colmillo de jabalí y de otros animales. || fig. Aguijón cortante de algunos insectos.

navajazo. m. Golpe que se da con la navaja. || Herida que produce. [*Sinón.*: navajada]

navajero. m. Estuche en que se guardan las navajas de afeitar. || Paño en que se limpian las navajas. || Especie de taza con el borde de goma que sirve para este mismo fin. || fig. adj. Dícese del ladrón, que en las calles, hurta sirviéndose de una navaja para intimidar. Ú.t.c.s.

naval (al. *see-schiffs*, fr. *naval*, ingl. *naval*, it. *navale*). adj. Perteneciente o relativo a las naves o a la navegación. [*Sinón.*: marítimo]

navarro, rra. adj. Natural de Navarra. Ú.t.c.s. || Perteneciente a esta provincia española.

nave (al. *Schiff*, fr. *bateau*, ingl. *ship*, it. *nave*). f. Barco, embarcación. || ARQ. Cada uno de los espacios que entre muros o filas de arcadas se extienden a lo largo de las iglesias u otros edificios.

navegable. adj. Dícese del río, canal, lago, etc., donde se puede navegar. || Que puede navegar.

navegación (al. *Schiffahrt*, fr. *navigation*, ingl. *navigation*, it. *navigazione*). f. Acción de navegar. || Viaje que se hace en una nave. || Tiempo que éste dura. || — *aérea.* Acción de navegar por el aire.

navegante. m. Marino. Ú.t.c.adj.

navegar (al. *schiffen*, fr. *naviguer*, ingl. *to sail*, it. *navigare*). intr. Hacerse a la mar en embarcación o nave. Ú.t.c.tr. || Avanzar al buque o embarcación. || Viajar por el aire. || fig. Transitar o trajinar de una parte a otra.

Navidad (al. *Weihnachen*, fr. *Noël*, ingl. *Christmas*, it. *Natale*). n.p.f. Natividad de Jesucristo. || Día en que se celebra. || Tiempo inmediato a este día. Ú.t. en pl.

navideño, ña. adj. Perteneciente al tiempo de Navidad.

naviero, ra (al. *Teeder*, fr. *armateur*, ingl. *shipowner*, it. *armatore*). adj. Concerniente a las naves o la navegación. || m. El que avitualla un buque mercante. || Dueño de un navío o de una flota.

navío (al. *Schiff*, fr. *navire*, ingl. *ship*, it. *bastimento*). m. Buque de gran calado.

náyade. f. MIT. Ninfa de los ríos y de las fuentes.

nazareno, na. adj. Natural de Nazaret. Ú.t.c.s. || Imagen de Jesucristo vistiendo un ropón morado. || m. Penitente que en las procesiones de Semana Santa va vestido con túnica, por lo común morada. || f.pl. *Amer.* Espuelas grandes usadas por los gauchos. || *el Nazareno.* Jesucristo. || *estar hecho un nazareno.* fr. que se dice de la persona lacerada.

nazi. adj. Perteneciente o relativo al nazismo. || Partidario del nazismo. Ú.t.c.s.

nazismo. m. Nombre abreviado del nacionalsocialismo.

neblina (al. *Dichter Nebel,* fr. *brume,* ingl. *fog,* it. *nebbia bassa*). f. Niebla espesa y baja. [*Sinón.:* bruma]

nebulizador. m. Aparato que se emplea para nebulizar.

nebulizar. tr. Convertir un líquido en partículas pequeñas hasta que adquiere un aspecto de niebla.

nebulosa (al. *Nebel,* fr. *nébuleuse,* ingl. *nebula,* it. *nebulosa*). f. Astr. Materia cósmica, luminosa, difusa y de contorno impreciso.

nebulosidad. f. Calidad de nebuloso. ‖ Ligera oscuridad. ‖ Nubosidad.

nebuloso, sa. adj. Que abunda en nieblas o está cubierto por ellas. ‖ Oscurecido por las nubes. ‖ fig. Falto de claridad. ‖ fig. Difícil de comprender. [*Sinón.:* brumoso, nublado]

necedad (al. *Albernheit,* fr. *sotisse,* ingl. *foolishness,* it. *sciochezza*). f. Calidad de necio. ‖ Dicho o hecho necio. [*Sinón.:* simpleza, memez]

necesario, ria (al. *nötig,* fr. *nécessaire,* ingl. *necessary,* it. *necesario*). adj. Que inevitablemente ha de ser o suceder. ‖ Dícese de lo que se hace o ejecuta como obligado por cualquier otra cosa. ‖ Que es indispensable, o hace falta para un fin. [*Sinón.:* forzoso, preciso, imperioso. *Antón.:* superfluo, innecesario]

neceser (al. *Reisekästchen,* fr. *nécesaire,* ingl. *dressing-case,* it *astuccio da viaggio*). m. Estuche con diversos objetos de tocador, costura, etc.

necesidad (al. *Bedürfnis,* fr. *nécessité,* ingl. *need,* it. *necessità*). f. Impulso irresistible. ‖ Aquello a lo cual es imposible sustraerse, faltar o resistir. ‖ Falta de las cosas que son menester para la conservación de la vida. ‖ Falta continuada de alimento que hace desfallecer. ‖ Peligro que se padece y en que se necesita rápido auxilio. ‖ Evacuación corporal. [*Sinón.:* precisión; hambre; urgencia]

necesitado, da adj. Pobre, que carece de lo necesario. Ú.t.c.s.

necesitar (al. *benötigen,* fr. *avoir besoin,* ingl. *to need,* it. *necessitare*). intr. Obligar a ejecutar una cosa. ‖ tr. Haber menester de una persona o cosa. [*Sinón.:* carecer]

necio, cia (al. *dumm,* fr. *sot,* ingl. *fool,* it. *sciocco*). adj. Dícese de la persona ignorante y que no sabe lo que podía o debía saber. Ú.t.c.s. ‖ Imprudente, terco en lo que hace o dice. Ú.t.c.s. [*Sinón.:* bobo, memo]

nécora. f. Zool. Decápodo braquiuro, cangrejo de mar, de cuerpo liso y elíptico.

necro-. Elemento compositivo que se antepone a algunas palabras para relacionarlas con la idea de la muerte.

necrófago, ga. adj. Dícese del animal que se alimenta de cadáveres.

necrofilia. f. Afición por la muerte o por alguno de sus aspectos. ‖ Perversión sexual de quien trata de obtener el placer erótico con cadáveres.

necrófilo, la. adj. Perteneciente o relativo a la necrofilia. Ú.t.c.s.

necróforo, ra. adj. Bot. Dícese de los insectos coleópteros que depositan sus huevos en los cadáveres de otros animales. Ú.t.c.s.

necrolatría. f. Adoración tributada a los muertos.

necrología (al. *Nekrologie,* fr. *nécrologie,* ingl. *necrology,* it. *necrologia*). f. Lista o noticia de aquellos que han fallecido.

necromancia o **necromancía.** f. Nigromancia.

necrópolis. f. Cementerio de gran extensión en el que abundan los monumentos fúnebres.

necropsia. f. Autopsia o examen de los cadáveres.

necrosis. f. Med. Muerte de las células de un tejido, de un órgano o de parte del mismo. Generalmente se produce por la interrupción del riego sanguíneo de los tejidos.

néctar (al. *Nektar,* fr. *nectar,* ingl. *nectar,* it. *nettare*). m. Bot. Jugo azucarado segregado por ciertas glándulas vegetales, ordinariamente situadas en la flor, que liban los insectos. ‖ Mit. Bebida de dioses. ‖ fig. Cualquier líquido deliciosamente suave y gustoso.

nectario. m. Bot. Glándula de algunas plantas que segrega néctar.

neerlandés, sa. adj. Holandés. Aplicado a personas, ú.t.c.s.

nefando, da. adj. Dícese de aquello de que no se puede hablar sin repugnancia u horror.

nefasto, ta. adj. Aplicado a día o a cualquier otra división del tiempo, triste, funesto, ominoso.

nefrítico, ca. adj. Perteneciente o relativo a ios riñones. ‖ Que padece de nefritis. Ú.t.c.s. [*Sinón.:* renal]

nefritis (al. *Nierenentzündung,* fr. *néphrite,* ingl. *nephritis,* it. *nefrite*). f. Med. Inflamación total o parcial de los riñones.

nefrología. f. Rama de la medicina que se ocupa del riñón y de sus enfermedades.

nefrólogo, ga. s. Persona especializada en nefrología.

negación (al. *Verneinung,* fr. *négation,* ingl. *denial,* it. *negazione*). f. Acción y efecto de negar. ‖ Carencia o falta total de una cosa. [*Sinón.:* negativa. *Antón.:* afirmación]

negado, da. adj. Incapaz, inepto para una cosa. Ú.t.c.s.

negar (al. *verneinen,* fr. *nier,* ingl. *to deny,* it. *negare*). tr. Decir que no es verdad una cosa acerca de la cual se ha hecho una pregunta. ‖ No conceder. ‖ Prohibir o vedar. ‖ Desdeñar una cosa o no reconocerla como propia. ‖ Ocultar, disimular. ‖ r. Excusarse de hacer algo. [*Sinón.:* denegar]

negativa. f. Negación o denegación. ‖ Repulsa a lo que se pide.

negativo, va (al. *negativ,* fr. *négatif,* ingl. *negative,* it. *negativo*). adj. Que incluye o contiene negación o contradicción. ‖ Perteneciente a la negación. ‖ Placa fotográfica revelada en la que las superficies oscuras corresponden a las partes brillantes del objeto y viceversa. [*Sinón.:* contradictorio. *Antón.:* afirmativo]

negligencia (al. *Nachlässigkeit,* fr. *négligence,* ingl. *negligence,* it. *negligenza*). f. Descuido, omisión. ‖ Falta de aplicación. [*Sinón.:* inadvertencia. *Antón.:* aplicación]

negligente. adj. Descuidado, omiso. Ú.t.c.s. ‖ Poco aplicado. Ú.t.c.s.

negociación. f. Acción y efecto de negociar. [*Sinón.:* trato]

negociado. m. Cada una de las dependencias que, en una organización administrativa, está destinada a resolver determinados asuntos. ‖ Negocio. ‖ *Amer.* Negocio ilegítimo.

negociador, ra. adj. Que negocia. Ú.t.c.s. ‖ Dícese del que gestiona asuntos diplomáticos. Ú.t.c.s.

negociante. m. Comerciante.

negociar (al. *begeben,* fr. *négocier,* ingl. *to negotiate,* it. *negoziare*). intr. Comerciar. ‖ Ajustar el traspaso, cesión o endoso de un vale, efecto o letra. ‖ Tratándose de valores, descontarlos. ‖ Tratar asuntos procurando su mejor logro. ‖ Tratar por la vía diplomática, de potencia a potencia, un asunto. [*Sinón.:* traficar, tratar]

negocio (al. *Geschäft,* fr. *affaire,* ingl. *business,* it. *affare*). m. Cualquier ocupación, empleo o trabajo. ‖ Dependencia, profesión, tratado o agencia. ‖ Todo lo que es objeto de una ocupación lucrativa o de interés. ‖ Negociación. ‖ Utilidad que se logra en lo que se trata, comercia o pretende. ‖ Local en que se negocia o comercia. ‖ — redondo. fig. y fam. El muy ventajoso y que sale a medida del deseo.

negra. f. Mús. Semínima, nota musical.

negrear. intr. Mostrar color negro o negruzco. ‖ Ennegrecerse, tirar a negro.

negrecer. intr. Ponerse negro. Ú.t.c.r. [Sinón.: ennegrecer]

negrero, ra. adj. Antiguamente, individuo dedicado a la trata de negros. Ú.t.c.s. ‖ m. fig. Persona que trata con dureza a sus subordinados.

negro, gra (al. schwarz, fr. noir, ingl. black, it. nero). adj. De color totalmente oscuro. Ú.t.c.s. ‖ Dícese del individuo cuya piel es de color negro. Ú.t.c.s. ‖ Moreno, o que no tiene la blancura que le corresponde. ‖ Oscurecido, deslucido. ‖ fig. Sumamente triste. ‖ fig. Infeliz, infausto, desventurado. ‖ la negra. fig. y fam. Mala suerte. ‖ pasarlas negras. loc. fig. Encontrarse en una situación difícil, comprometida o dolorosa. [Antón.: albo, blanco]

negroide. adj. Parecido a la raza negra. Ú.t.c.s.

negrura. f. Calidad de negro.

negruzco, ca. adj. De color moreno, algo negro.

neguijón. m. MED. Enfermedad que ataca los dientes.

negus. Nombre que recibían los emperadores de Etiopía.

neis. m. Granito pizarroso, gneis.

neja. f. Amer. Tortilla hecha con maíz cocido.

nematelminto. adj. Zool. Dícese de unos gusanos de cuerpo fusiforme o cilíndrico, sin segmentos ni apéndices locomotores y con tegumentos impregnados de quitina, generalmente parásitos de otros animales; como la lombriz intestinal. Ú.m.c.s. ‖ m. pl. Clase de estos gusanos.

nematodo. adj. Zool. Dícese de los nematelmintos que tienen aparato digestivo, formado por un tubo recto que se extiende desde la boca al ano. Ú.m.c.s. ‖ m. pl. Orden de estos nematelmintos.

nemotecnia. f. Arte de la memoria.

nene, na. s. fam. Niño pequeño.

nenúfar (al. Seerose, fr. nénuphar, ingl. water-lily, it. ninfea). m. BOT. Planta acuática de la familia de las ninfáceas, de rizoma largo y nudoso, hojas casi circulares que flotan sobre la superficie y flores blancas muy grandes. Se cultiva en los estanques de los jardines. [Sinón.: ninfea]

neo-. Elemento compositivo que entra en la formación de algunas voces españolas con el significado "reciente o nuevo".

neoclasicismo. m. Movimiento artístico y literario que se desarrolló en Europa en la segunda mitad del siglo XVIII, y que aspiraba a restaurar las normas del clasicismo.

neoclásico, ca. adj. Partidario del neoclasicismo. Ú.t.c.s. ‖ Dícese del estilo moderno que trata de imitar al antiguo arte de Grecia y Roma.

neófito, ta (al. Neuling, fr. néophyte, ingl. neophyte, it. neòfito). s. Persona recién convertida a una religión. ‖ Persona recientemente adherida a una causa, o incorporada a una actividad.

neogótico, ca. adj. Dícese del estilo arquitectónico nacido en el siglo XIX, que se inspiraba en las formas del gótico medieval.

neolatino, na. adj. Que procede o se deriva de los latinos o de la lengua latina.

neolítico, ca (al. neolitisch, fr. neolithique, ingl. neolitic, it. neolitico). adj. Perteneciente o relativo a la edad de piedra pulimentada.

neologismo (al. Neologismus, fr. néologisme, ingl. neologism, it. neologismo). m. Vocablo o giro nuevo en una lengua.

neón (al. Neon, fr. néon, ingl. neon, it. neon). m. QUÍM. Elemento inerte perteneciente a la familia de los gases nobles. Se emplea en la fabricación de fluorescentes y lámparas.

neoplasia. f. MED. Formación de tejidos, generalmente cancerosos, que sustituyen a los tejidos normales.

neoyorquino, na. adj. Natural de Nueva York. Ú.t.c.s. ‖ Perteneciente a esta ciudad y estado de Estados Unidos.

neozelandés, sa. adj. Natural de Nueva Zelanda, cuyos aborígenes se llaman maories. Ú.t.c.s. ‖ Perteneciente a dicho país.

nepalés, sa. adj. Natural de Nepal. Ú.t.c.s. ‖ Perteneciente a este país de Asia.

nepote. m. Pariente y privado del Papa.

nepotismo (al. Nepotismus, fr. népotisme, ingl. nepotism, it. nepotismo). m. Desmedida preferencia que algunos hombres de Estado dan a sus parientes para ocupar los cargos públicos.

neptunio. m. QUÍM. Elemento radiactivo transuránico, derivado del uranio.

Neptuno. n. p. m. ASTRON. Octavo planeta del sistema solar, cuya distancia media al Sol es de cuatro mil quinientos millones de kilómetros, con revolución sidérea de casi ciento sesenta y cinco años. ‖ Dios romano del mar. ‖ m. poét. El mar.

nereida. f. MIT. Cualquiera de las cincuenta hijas de Nereo y Doris que habitaban en el fondo de los mares interiores y salvaban de los peligros a los marineros.

nerita. f. ZOOL. Molusco gasterópodo marino tropical, comestible.

nerón. m. fig. Hombre muy cruel.

nervado, da. adj. BOT. Que tiene nervaduras.

nervadura (al. Rippe, fr. nervure, ingl. nervure, it. nervatura). f. ARQ. Moldura saliente. ‖ BOT. Conjunto de los nervios de una hoja.

nervio (al. Nerv, fr. nerf, ingl. nerve, it. nervo). m. ANAT. Cada uno de los cordones blanquecinos que partiendo del cerebro, la medula espinal u otros centros, se distribuyen por todas las partes del cuerpo y son los conductores de los impulsos nerviosos. ‖ Aponeurosis o cualquier tejido o tendón blanco, duro y resistente. ‖ Haz fibroso que corre a lo largo de las hojas de las plantas por su envés. ‖ Cuerda de los instrumentos musicales. ‖ Cada una de las cuerdas que se colocan al través en el lomo de un libro para encuadernarlo. ‖ fig. Fuerza, vigor. ‖ ARQ. Arco saliente en el intradós de una bóveda, característico del estilo gótico.

nerviosidad. f. Nerviosismo.

nerviosismo. m. Estado pasajero de excitación nerviosa.

nervioso, sa (al. nervös, fr. nerveux, ingl. nervous, it. nervoso). adj. Que tiene nervios. ‖ Perteneciente o relativo a los nervios. ‖ Aplícase a la persona cuyos nervios se excitan fácilmente. ‖ fig. Fuerte, vigoroso. [Sinón.: excitable]

nervosidad. f. Fuerza y actividad de los nervios. ‖ Propiedad de algunos metales de dejarse doblar sin romperse.

nervudo, da. adj. De nervios robustos.

nesga. f. Pieza de tela de forma triangular que se añade a un vestido para darle vuelo. ‖ Cualquier pieza de forma triangular que se une a otras.

nesgar. tr. Cortar una tela en sentido oblicuo al de sus hilos.

neto, ta (al. *netto*, fr. *net*, ingl. *netto*, it. *netto*). adj. Limpio y puro. ‖ Dícese de la liquidez de una cuenta en una fecha determinada o del valor monetario de una mercancía o emolumento, deducidos los gastos.

neumático, ca (al. *Luftreifen*, fr. *pneu*, ingl. *rubber-tire*, it. *pneumatico*). adj. FÍS. Aplícase a varios aparatos destinados a operar con el aire. ‖ m. Tubo de goma lleno de aire comprimido que sirve de llanta a las ruedas de muchos vehículos.

neumococo. m. BIOL. Microorganismo de forma lanceolada, agente patógeno de ciertas pulmonías.

neumoconiosis. f. PAT. Género de enfermedades crónicas producidas por la infiltración en el aparato respiratorio del polvo de diversas sustancias minerales, como el carbón, hierro y calcio.

neumología. f. MED. Estudio de las enfermedades de las vías respiratorias.

neumólogo, ga. s. Persona especializada en neumología.

neumonía (al. *Lungenentzündung*, fr. *pneumonie*, ingl. *pneumonia*, it. *pneumonia*). f. MED. Pulmonía.

neumotórax. m. MED. Nombre que recibe la presencia de aire en la cavidad pleural.

neuralgia (al. *Neuralgie*, fr. *névralgie*, ingl. *neuralgia*, it. *nevralgia*). f. MED. Dolor vivo a lo largo de un nervio y sus ramificaciones.

neurastenia (al. *Neurasthenie*, fr. *néurasthénie*, ingl. *neurasthenia*, it. *neurastenia*). f. MED. Enfermedad nerviosa que se manifiesta con muy diversos síntomas, entre ellos cansancio, tristeza y temor.

neurasténico, ca. adj. MED. Relativo a la neurastenia. ‖ Que padece esta enfermedad. Ú.t.c.s.

neuritis (al. *Nervenentzündung*, fr. *névrite*, ingl. *neuritis*, it. *nevrite*). f. MED. Lesión inflamatoria o degenerativa que afecta a un nervio.

neuroesqueleto. m. ZOOL. Esqueleto interno, formado por piezas óseas y cartilaginosas, de los animales vertebrados.

neurología (al. *Neurologie*, fr. *neurologie*, ingl. *neurology*, it. *neurologia*). f. Parte de la medicina que trata de los nervios.

neurólogo, ga. m. Persona especializada en neurología.

neurona. f. ANAT. Célula nerviosa formada por un cuerpo y un conjunto de prolongaciones protoplasmáticas.

neurópata. com. MED. Persona que padece neurosis o que se halla afectada por una enfermedad nerviosa.

neurosis (al. *Nervenkramkheit*, fr. *névrose*, ingl. *neurosis*, it. *nevrosi*). f. MED. Trastorno psíquico que puede presentar una persona sin que existan lesiones del sistema nervioso.

neurótico, ca. adj. Que padece neurosis. Ú.t.c.s. ‖ Perteneciente o relativo a la neurosis.

neutral (al. *neutral*, fr. *neutre*, ingl. *neutral*, it. *neutrale*). adj. Que no es ni de uno ni de otro; que entre dos partes que contienden, no se inclina hacia ninguna de ellas. Aplicado a personas, ú.t.c.s. ‖ Si se trata de un Estado, que no participa en la guerra mantenida por otros. Ú.t.c.s. [*Sinón.*: imparcial]

neutralidad. f. Calidad de neutral.

neutralismo. m. Tendencia a permanecer neutral, sobre todo en contiendas internacionales.

neutralización. f. Acción y efecto de neutralizar o neutralizarse.

neutralizar. tr. Hacer neutral. Ú.t.c.r. ‖ QUÍM. Realizar el proceso mediante el cual se hace reaccionar un ácido con una base, dando la sal correspondiente a estos compuestos y agua. ‖ fig. Debilitar el efecto de una causa por la concurrencia de otra diferente u opuesta. Ú.t.c.r.

neutro, tra (al. *sächlich*, fr. *neutre*, ingl. *neuter*, it. *neutro*). adj. GRAM. Dícese del género que no es masculino ni femenino. ‖ QUÍM. Dícese del compuesto en que no predominan las propiedades de ninguno de sus elementos. ‖ ZOOL. Aplícase a ciertos animales que no tienen sexo.

neutrón. m. FÍS. Partícula fundamental que forma parte del núcleo de los átomos. Posee una masa aproximadamente igual a la del protón y no tiene carga eléctrica.

nevada. f. Acción y efecto de nevar. ‖ Cantidad de nieve caída de una vez y sin interrupción sobre la tierra.

nevadilla. f. BOT. Planta herbácea anual, de tallos vellosos, hojas elípticas, flores pequeñas y verdosas, y fruto seco con una semilla.

nevado, da. adj. Cubierto de nieve. ‖ fig. Blanco como la nieve. ‖ m. *Amer.* Nombre que designa cualquier cumbre cubierta por nieves perpetuas.

nevar (al. *schneien*, fr. *neiger*, ingl. *to snow*, it. *nevicare*). intr. Caer nieve.

nevera (al. *Kühlschrank*, fr. *glacière*, ingl. *ice-box*, it. *ghiacciaia*). f. Armario aislado y provisto de hielo para enfriar y conservar alimentos y bebidas. ‖ fig. Habitación sumamente fría. ‖ — *eléctrica*. La que en lugar de hielo tiene un aparato frigorífico movido por electricidad.

nevero. m. Lugar de las montañas elevadas, donde se conserva la nieve todo el año. ‖ Esta misma nieve.

nevisca. f. Pequeña nevada de copos menudos.

newton. m. FÍS. Unidad de fuerza en el sistema basado en el metro, el kilogramo, el segundo y el amperio.

nexo. m. Nudo, unión o vínculo de una cosa con otra.

ni. conj. copulat. que enlaza palabras o frases, y denota negación, precedida o seguida de otra. ‖ *ni que*. loc. fam. que en algunas frases exclamativas equivale a negar un supuesto.

nicaragüense. adj. Nicaragüeño.

nicaragüeño, ña. adj. Natural de Nicaragua. Ú.t.c.s. ‖ Perteneciente a dicha república centroamericana.

nicotina (al. *Nikotin*, fr. *nicotine*, ingl. *nicotine*, it. *nicotina*). f. QUÍM. Alcaloide del grupo de la piridina. Se extrae del tabaco, es soluble en agua y muy tóxica.

nicotismo. m. MED. Denominación genérica del cuadro de trastornos causados por el abuso del tabaco.

nictálope. adj. Dícese de la persona o del animal que ve mejor de noche que de día. Ú.t.c.s.

nictalopía. f. MED. Defecto del nictálope.

nicho. m. Concavidad en el espesor de un muro, para colocar dentro una estatua, un jarrón u otra cosa. ‖ Cualquier concavidad formada para colocar una cosa; como en los cementerios, un cadáver. [*Sinón.*: oquedad]

nidada. f. Conjunto de los pajarillos que están en el nido. ‖ Conjunto de los huevos puestos en el nido.

nidal. m. Lugar donde las aves domésticas ponen sus huevos. ‖ Huevo que se deja en un lugar señalado para que la gallina vaya a poner allí.

nidificar. intr. Hacer nidos las aves.

nido (al. *Nest*, fr. *nid*, ingl. *nest*, it. *nido*). m. Especie de lecho que hacen las aves con plumas, pajas, hierbas u otros materiales blandos, para poner los huevos y criar los pollos. ‖ Por ext., agujero, cavidad o celdillas donde procrean distintos animales. ‖ fig. Casa, patria o habitación de alguien. ‖ fig. Lugar donde se juntan gentes.

niebla (al. *Nebel*, fr. *brouillard*, ingl. *mist*, it. *nebbia*). f. Nube en contacto con la tierra y que oscurece más o menos la atmósfera. ‖ Mancha en la córnea.

niel. m. Labor en hueco sobre metales preciosos, rellena con un esmalte negro compuesto por sulfuro de plata, cobre y plomo.

nieto, ta (al. *Enkel,* fr. *petit-fills,* ingl. *grand-son,* it. *nipote*). s. Respecto de una persona, hijo o hija de su hijo o de su hija.

nieve (al. *Schnee,* fr. *neige,* ingl. *snow,* it. *neve*). f. Precipitación de agua helada en forma de cristales de hielo muy pequeños y de forma hexagonal, que se agrupan al caer y forman copos. ‖ fig. Suma blancura de cualquier cosa. ‖ — *carbónica.* Anhídrido carbónico sólido, llamado también hielo seco.

nigeriano, na. adj. Natural de Nigeria. Ú.t.c.s. ‖ Perteneciente a este país de África Occidental.

nigromancia o nigromancía. f. Arte supersticioso de adivinar el futuro evocando a los muertos. ‖ fam. Magia negra. [*Sinón.:* hechicería]

nigromante. m. El que ejerce la nigromancia.

nigua. f. ZOOL. Insecto díptero originario de América, parecido a la pulga, aunque más pequeño.

niguérrimo, ma. adj. sup. Negrísimo, muy negro.

nihilismo. m. FIL. Negación de toda creencia, o de todo principio religioso, político y social.

nihilista. adj. Que profesa el nihilismo. Ú.t.c.s. ‖ Perteneciente al nihilismo.

nilón. m. Nailon.

nimbo. m. Aureola de las imágenes. ‖ METEOR. Capa de nubes casi uniforme formada por cúmulos unidos.

nimiedad. f. Prolijidad, minuciosidad. ‖ Pequeñez, insignificancia.

nimio, mia. adj. Excesivo, exagerado. ‖ Prolijo, minucioso. ‖ Insignificante.

ninfa (al. *Nymphe,* fr. *nymphe,* ingl. *nymph,* it. *ninfa*). f. MIT. Cualquiera de las fabulosas deidades de las aguas, bosques, selvas, etc. ‖ fig. Joven hermosa. ‖ ZOOL. Insecto en la fase preparatoria de su última metamorfosis. ‖ pl. Labios pequeños de la vulva.

ninfáceo, a. adj. Dícese de plantas dicotiledóneas acuáticas, de hojas flotantes, flores con muchos pétalos, de colores brillantes, dispuestos en series concéntricas, y fruto globoso; como el nenúfar y el loto. Ú.t.c.s. ‖ f. pl. Familia de estas plantas.

ninfomanía (al. *Mutterwut,* fr. *nymphomanie,* ingl. *nymphomania,* it. *ninfomania*). f. MED. Exacerbación del apetito sexual en la mujer, que la lleva a experimentar un violento deseo de entregarse al coito.

ningún. adj. Apócope de ninguno. Sólo se emplea antepuesto a nombres masculinos.

ninguno, na (al. *kein,* fr. *aucun,* ingl. *not any,* it. *nessuno*). adj. Ni uno solo. ‖ pron. indet. Nulo y sin valor. ‖ Nadie.

niña. f. Pupila del ojo. ‖ fig. y fam. Persona o cosa muy estimada.

niñada. f. Hecho o dicho impropio de la edad varonil, y semejante a lo que hacen los niños.

niñera. f. Criada que cuida niños.

niñería. f. Acción de niños o propia de ellos. ‖ fig. Hecho o dicho de poca sustancia.

niñero, ra. adj. Que gusta de niños o niñerías.

niñez (al. *Kindheit,* fr. *enfance,* ingl. *childhjood,* it. *fanciullezza*). f. Infancia. ‖ fig. Niñería.

niño, ña (al. *Kind,* fr. *enfant,* ingl. *child,* it. *bambino*). adj. Que se halla en la niñez. Ú.t.c.s. ‖ Por ext., que tiene pocos años. Ú.t.c.s. ‖ fig. Que tiene poca experiencia. Ú.t.c.s. ‖ *Amer.* Persona soltera, aunque tenga muchos años.

nipón, na. adj. Japonés. Aplicado a personas, ú.t.c.s.

níquel (al. *Nickel,* fr. *nickel,* ingl. *nickel,* it. *nichel*). m. QUÍM. Metal muy duro, de color semejante al de la plata, magnético, algo más pesado que el hierro y que entra en muchas aleaciones. ‖ *Amer.* Dinero.

niquelado. m. Acción y efecto de niquelar.

niquelar. tr. Cubrir con un baño de níquel otro metal.

nirvana. m. En el budismo, bienaventuranza obtenida por la absorción e incorporación del individuo en la esencia divina.

níscalo. m. BOT. Hongo comestible, muy jugoso, de sabor almizclado.

níspero (al. *Mispel,* fr. *nèfle,* ingl. *medlar,* it. *nespola*). m. BOT. Árbol rosáceo de tronco tortuoso, hojas grandes, flores blancas y por fruto la níspola. ‖ Níspola.

níspola. f. Fruto del níspero. Es aovado, rojizo y duro cuando cae del árbol; dulce y comestible cuando está pasado.

nitidez. f. Calidad de nítido. [*Antón.:* opacidad]

nítido, da. adj. Limpio, terso, claro, puro.

nitrato (al. *Salpetersaures,* fr. *nitrate,* ingl. *nitrato,* it. *nitrato*). m. QUÍM. Sal del ácido nítrico. ‖ — *de Chile.* Abono nitrogenado natural. Se obtiene del caliche de las minas situadas en el norte de Chile.

nítrico, ca. adj. Perteneciente o relativo al nitro o al nitrógeno.

nitro. m. MINERAL. Nitrato potásico. Llamado también salitre o nitro de Bengala.

nitrogenado, da. adj. QUÍM. Que contiene nitrógeno.

nitrógeno (al. *Stickstoff,* fr. *azote,* ingl. *nitrogen,* it. *nitrogeno*). m. QUÍM. Gas diatómico, incoloro, inodoro e insípido, algo más ligero que el aire. Constituye el 78% del volumen de la atmósfera y es un elemento esencial en compuestos orgánicos.

nitroglicerina. f. Líquido aceitoso, inodoro, que resulta de la acción del ácido nítrico sobre la glicerina, y es un explosivo inestable de gran potencia. Mezclada con un cuerpo absorbente forma la dinamita.

nivel (al. *Niveau,* fr. *niveau,* ingl. *level,* it. *livello*). m. Instrumento para averiguar la diferencia de altura entre dos puntos. ‖ Horizontalidad. ‖ Altura a que llega la superficie de un líquido. ‖ Igualdad en cualquier línea o especie. ‖ Grado que alcanzan ciertos aspectos de la vida social. ‖ — *de vida.* Grado de bienestar que han alcanzado los miembros de un determinado grupo social.

nivelación. f. Acción y efecto de nivelar.

nivelar (al. *nivellieren,* fr. *niveler,* ingl. *to level,* it. *livellare*). tr. Examinar una superficie para reconocer si existe o falta la horizontalidad. ‖ Poner un plano en la posición horizontal justa. ‖ Poner a igual altura dos o más cosas materiales.

níveo, a. adj. poét. De nieve o semejante a ella.

nivoso, sa. adj. Nevoso, que tiene nieve.

no. adv. que con sentido negativo se emplea principalmente respondiendo a una pregunta. ‖ En sentido interrogativo, se emplea pidiendo una afirmación. ‖ *no bien.* m. adv. Tan pronto como. ‖ *no más.* Solamente. En giros elípticos equivale a "basta de". ‖ *no ya.* m. adv. No solamente.

nobiliario, ria. adj. Perteneciente o relativo a la nobleza.

noble (al. *Edelmütig, Edelmann;* fr.

noble; ingl. *noble, nobleman;* it. *nobile.* adj. Preclaro, ilustre, generoso. ‖ Principal en cualquier línea. ‖ Honroso, estimable, en contraposición a deshonrado y vil. ‖ m. Persona que usa un título nobiliario. ‖ Quím. Dícese de ciertos gases químicamente inactivos. [*Sinón.:* caballeroso. *Antón.:* vil]

nobleza (al. *Edelmut, Adel;* fr. *noblesse;* ingl. *nobility;* it. *nobilità*). f. Calidad de noble. ‖ Conjunto de nobles.

noca. f. Zool. Crustáceo marino parecido a la centolla. Es comestible.

noción (al. *Begriff,* fr. *notion,* ingl. *notion,* it. *nozione*). f. Conocimiento o idea que se tiene de una cosa. ‖ Conocimiento elemental. Ú.m. en pl. [*Sinón.:* concepto]

nocivo, va. adj. Dañoso, pernicioso, perjudicial u ofensivo.

noctámbulo, la. adj. Que gusta salir de noche. Ú.t.c.s. [*Sinón.:* trasnochador]

noctíluca. f. Luciérnaga. ‖ Zool. Protozoo flagelado fosforescente que habita en el mar.

nocturnidad. f. Calidad o condición de nocturno. ‖ Der. Circunstancia agravante que se da al ejecutarse de noche ciertos delitos.

nocturno, na. adj. Perteneciente a la noche, o que se hace durante ella. ‖ m. Cada una de las tres partes del oficio de maitines. ‖ Mús. Pieza de música vocal o instrumental, de melodía dulce y apacible.

noche (al. *Nacht,* fr. *nuit,* ingl. *night,* it. *notte*). f. Tiempo en que falta sobre el horizonte la claridad del sol. ‖ Tiempo que hace durante la noche o parte de ella. ‖ fig. Oscuridad, confusión o tristeza en cualquier línea. ‖ *— buena.* Nochebuena. ‖ *— vieja.* La última del año. ‖ *cerrar la noche.* Pasar del crepúsculo vespertino cuando falta ya la luz del día. ‖ *hacer* uno *noche* en alguna parte. Parar en algún sitio para dormir. ‖ *noche y día.* expr. fig. Siempre.

nochebuena (al. *Heilige Nacht,* fr. *nuit de Noël,* ingl. *Christmas Eve,* it. *notte di Natale*). f. Noche de la vigilia de Navidad.

nodación. f. Med. Impedimento ocasionado por un nodo en el juego de una articulación o en la movilidad de los tendones o los ligamentos.

nodo. m. Astr. Cada uno de los dos puntos opuestos en que un astro corta la eclíptica. ‖ Fís. En una onda estacionaria, cada uno de los puntos que no vibran. ‖ Med. Tumor que se forma sobre los huesos, tendones o ligamentos y dificulta su juego.

nodriza (al. *Amme,* fr. *nourrice,* ingl. *wet nurse,* it. *balia*). f. Ama de cría. ‖ *avión nodriza.* Avión especialmente acondicionado para repostar.

nódulo. m. Concreción de poco volumen.

nogal (al. *Nussbaum,* fr. *noyer,* ingl. *walnut-tree,* it. *noce*). m. Bot. Árbol yuglandáceo, de tronco robusto, ramas gruesas y copa grande y redondeada; hojas aromáticas, flores blanquecinas, y por fruto la nuez. Su madera, dura y homogénea, es muy apreciada en ebanistería. ‖ Madera de este árbol.

noguera. f. Nogal, árbol.

nolición. Fil. Acto de no querer.

nómada (al. *nomadisch,* fr. *nomade,* ingl. *nomadic,* it. *nómade*). adj. Aplícase a la familia o pueblo que anda vagando sin domicilio fijo, y a la persona en quien concurren estas circunstancias. [*Antón.:* sedentario]

nomadismo. m. Estado social de las épocas o de los pueblos primitivos, consistente en cambiar a menudo de lugar.

nombradía. f. Fama, reputación.

nombrado, da. adj. Célebre, famoso.

nombramiento. m. Acción y efecto de nombrar. ‖ Cédula o despacho en que se designa a uno para un cargo.

nombrar (al. *ernennen,* fr. *nommer,* ingl. *to name,* it. *nominare*). tr. Decir el nombre de una persona o cosa. ‖ Hacer mención particular, generalmente honorífica, de una persona o cosa. ‖ Elegir a uno para un cargo, empleo u otra cosa. [*Sinón.:* nominar]

nombre (al. *Name,* fr. *nom,* ingl. *name,* it. *nome*). m. Palabra que se apropia o se aplica a los objetos o personas para hacerlos conocer o distinguirlos de otros. ‖ Título de una cosa por el cual es conocida. ‖ Fama, opinión, reputación o crédito. ‖ Apodo, mote. ‖ Gram. Categoría de palabras que comprende el sustantivo y el adjetivo. ‖ *— comercial.* El registrado como propiedad industrial. ‖ *— de pila.* El que recibe la criatura cuando se bautiza. Por ext., se dice del que se inscribe en el registro civil. ‖ *en nombre de* uno. En representación suya. ‖ *no tener nombre* una cosa. fam. Ser tan vituperable que no se puede calificar. [*Sinón.:* denominación; sustantivo]

nomenclátor. m. Catálogo de nombres de un orden determinado. ‖ El que contiene la nomenclatura de una ciencia. [*Sinón.:* nomenclador, índice]

nomenclatura. f. Lista de nombres de personas o cosas. ‖ Conjunto de las voces técnicas y propias de una ciencia.

nómina (al. *Namensverzeichnis,* fr. *liste,* ingl. *list,* it. *lista*). f. Lista de nombres. ‖ Relación nominal de los individuos que en una oficina pública o privada han de percibir haberes. ‖ Estos haberes.

nominal. adj. Perteneciente al nombre. ‖ Que tiene nombre de una cosa y le falta la realidad de ella.

nominativo, va. adj. Com. Aplícase a los títulos e inscripciones que han de extenderse a nombre o a favor de uno. ‖ m. Gram. Caso de la declinación que designa el sujeto de la significación del verbo y no lleva preposición.

nomografía. f. Rama de las matemáticas que estudia la teoría y aplicaciones de los ábacos o nomogramas.

nomograma. m. Representación gráfica que permite realizar con rapidez cálculos numéricos aproximados.

non. adj. Impar. Ú.t.c.s. ‖ m. pl. Negación repetida de una cosa.

nonada. f. Cosa de insignificante valor.

nonagenario, ria. adj. Que ha cumplido los noventa años y no llega a los cien. Ú.t.c.s.

nonagésimo, ma. adj. Que sigue immediatamente en orden al o a lo octogésimo nono.

nonato, ta. adj. No nacido naturalmente, sino sacado del claustro materno mediante cesárea. ‖ fig. Dícese de la cosa no acaecida o no existente aún.

nonio. m. Pieza que se aplica contra una regla o un limbo graduados, para apreciar fracciones pequeñas de las divisiones menores.

nono, na. adj. Noveno.

non plus ultra. expr. latina usada en castellano como sustantivo masculino para ponderar las cosas, exagerándolas al máximo.

noosfera. f. Conjunto que forman los seres inteligentes con el medio en que viven.

nopal (al. *Nopal-kaktus,* fr. *nopal,* ingl. *nopal,* it. *nopale*). m. Bot. Planta cactácea de unos tres metros de altura, originaria de México, de tallos aplastados en forma de pala, carnosos y cuajados de espinas, que son hojas transformadas; flores multipétalas, de color rojo amarillento. Su fruto es el higo chumbo, de pulpa comestible y dulce.

noquear. tr. En boxeo, poner al adversario fuera de combate.

nordeste (al. *Nordost*, fr. *nord-est*, ingl. *northeast*, it. *nordest*). m. Punto del horizonte situado entre el Norte y el Este, a igual distancia de ambos. || Viento que sopla de esta parte.

nórdico, ca. adj. Dícese del grupo de lenguas germánicas al que pertenecen el islandés, el noruego, el sueco y el danés. Ú.t.c.s. || Perteneciente o relativo al Norte. [*Sinón.*: septentrional. *Antón.*: meridional]

noria (al. *Paternosterwerk*, fr. *noria*, ingl. *noria*, it. *bindolo*). f. Máquina compuesta por dos grandes ruedas, una horizontal y otra vertical que engrana en la primera y lleva colgada una maroma con arcaduces para sacar agua. || Pozo donde se ha colocado esta máquina para sacar agua.

norma. f. Regla que se debe seguir o a la que deben ajustarse los actos u operaciones. [*Sinón.*: principio]

normal (al. *normal*, fr. *normal*, ingl. *normal*, it. *normale*). adj. Dícese de lo que se halla en su estado natural. || Que, por su naturaleza, forma o magnitud, se ajusta a ciertas normas fijadas de antemano. || MAT. Aplícase a la recta o plano perpendicular a la tangente o plano tangente en el punto de contacto. [*Sinón.*: usual, regular]

normalidad. f. Calidad o condición de normal.

normalización. f. Acción y efecto de normalizar.

normalizar. tr. Regularizar o poner en buen orden lo que no lo estaba. || Hacer que una cosa sea normal. || En política, restablecer el orden favorable al grupo dominante.

normando, da. adj. Dícese de algunos pueblos del norte de Europa que desde el siglo IX hicieron incursiones contra varios pueblos del antiguo imperio romano y se establecieron en ellos. Ú.t.c.s. || Natural de Normandía. Ú.t.c.s. || Perteneciente a esta provincia de Francia.

normativo, va. adj. Que sirve de norma.

noroeste (al. *Nordwest*, fr. *nordouest*, ingl. *northwest*, it. *nord-ovest*). m. Punto del horizonte situado entre el Norte y el Oeste, a igual distancia de ambos. || Viento que sopla de esta parte.

nortada. f. Continuación de viento norte fresco que sopla por algún tiempo seguido.

norte (al. *Norden*, fr. *nord*, ingl. *north*, it. *nord*). m. Polo ártico. || Lugar de la Tierra o de la esfera celeste, que cae del lado del polo ártico, respecto de otro con el cual se compara. || Punto cardinal del horizonte, que cae frente a un observador a cuya derecha esté el Oriente. || Estrella polar. || Viento que sopla de esta parte. || fig. Dirección, guía.

norteamericano, na. adj. Natural de un país de América del Norte, especialmente de los Estados Unidos. Ú.t.c.s. || Perteneciente a América del Norte.

norteño, ña. adj. Perteneciente o relativo a gentes o tierras situadas hacia el Norte. [*Antón.*: sureño]

noruego, ga. adj. Natural de Noruega. Ú.t.c.s. || Perteneciente o relativo a este país de Europa. || m. Lengua noruega.

nos. Una de las dos formas del dativo y el acusativo del pronombre personal de primera persona en género masculino y femenino y número plural. || Forma anticuada con que se designan a sí mismos personas de alto rango.

nosocomio. m. MED. Hospital.

nosomanía. f. MED. Convencimiento morboso de padecer alguna enfermedad.

nosotros, tras (al. *wir*, fr. *nous*, ingl. *we*, it. *noi*). Nominativos masculino y femenino del pronombre personal de primera persona en plural.

nostalgia. f. Pena de hallarse ausente de la patria o de los deudos o amigos. || Pesar que causa el recuerdo de un bien perdido. [*Sinón.*: añoranza, morriña]

nostálgico, ca. adj. Perteneciente o relativo a la nostalgia. || Que padece nostalgia. Ú.t.c.s.

nota (al. *Anmerkung*, fr. *remarque*, ingl. *notice*, it. *nota*). f. Marca o señal que se pone en una cosa para darla a conocer. || Reparo, observación. || Advertencia, comentario. || Fama, concepto. || Calificación de un tribunal de examen. || Comunicación diplomática de un Gobierno a otro. || MÚS. Cualquiera de los signos que se usan para representar los sonidos. || Cualquiera de estos sonidos. || *tomar nota.* Apuntar, o retener en la memoria, algo que debe ser recordado. [*Sinón.*: anotación]

notabilidad. f. Calidad de notable. || Persona muy notable por sus cualidades o sus méritos.

notable (al. *merkwürdig*, fr. *remarquable*, ingl. *remarkable*, it. *notabile*). adj. Digno de nota, reparo o atención. || Dícese de lo que es grande y excesivo. || Una de las calificaciones empleadas en los centros de enseñanza. || m. pl. Personas principales de una colectividad. [*Sinón.*: considerable]

notación. f. Anotación. || Escritura musical. || MAT. Sistema de signos convencionales adoptados en matemáticas.

notar (al. *wahrnehmen*, fr. *remarquer*, ingl. *to notice*, it. *notare*). tr. Reparar, observar, advertir. || Señalar una cosa para que se conozca o se advierta. || Poner notas, advertencias o reparos a un escrito o libro. || Censurar las acciones de uno. || Causar descrédito o infamia.

notaría. f. Oficio de notario. || Oficina donde despacha sus asuntos el notario.

notariado, da. adj. Dícese de lo que está autorizado ante notario. || m. Carrera, profesión de notario. || Colectividad de notarios.

notarial. adj. Perteneciente o relativo al notario. || Hecho o autorizado por notario.

notario (al. *Notar*, fr. *notaire*, ingl. *public notary*, it. *notaio*). m. Funcionario público autorizado para dar fe de los contratos, testamentos y otros actos extrajudiciales conforme a las leyes.

noticia. f. Suceso o novedad que se comunica. || Noción, conocimiento.

noticiario. m. Emisión de radio o de televisión en la que se retransmiten noticias. || Cinta cinematográfica sobre sucesos de actualidad.

noticiero, ra. adj. Que da noticias. || s. Persona que da noticias como por oficio.

notición. m. aum. de noticia. || fam. Noticia extraordinaria o poco digna de crédito.

notificación. f. Acción y efecto de notificar. || Documento en que se hace constar. [*Sinón.*: comunicación]

notificar. tr. Hacer saber una cosa. [*Sinón.*: comunicar]

noto, ta. adj. Sabido, notorio.

notoriedad. f. Calidad de notorio. || Nombradía, fama.

notorio, ria (al. *offenbar*, fr. *notoire*, ingl. *notorius*, it. *notorio*). adj. Público y sabido de todos. [*Sinón.*: manifiesto, célebre]

nova. f. ASTR. Estrella que adquiere temporalmente un brillo superior al normal para decrecer luego con fluctuaciones.

novar. tr. DER. Sustituir una obligación a otra otorgada anteriormente que, a su vez, queda anulada con este acto.

novatada. f. Broma molesta hecha por los alumnos de ciertos colegios y academias a sus compañeros recién ingresados. ‖ Por ext., contrariedad o tropiezo que proviene de inexperiencia. Ú.m. en ia expr. *pagar la novatada.*

novato, ta (al. *Anfänger*, fr. *novice*, ingl. *tyro*, it. *novizio*). adj. Nuevo o principiante en cualquier facultad o materia. Ú.t.c.s. [*Sinón.*: bisoño]

novecientos, tas. adj. Nueve veces ciento. ‖ Noningentésimo.

novedad (al. *Neuheit*, fr. *nouveauté*, ingl. *novelty*, it. *novità*). f. Estado de las cosas recién hechas o discurridas. ‖ Ocurrencia reciente, noticia. ‖ fig. Extrañeza o admiración que causan las cosas desconocidas. ‖ pl. Géneros o mercaderías que están de moda. [*Sinón.*: innovación. *Antón.*: antigüedad]

novedoso, sa. adj. *Amer.* Que implica novedad.

novel. adj. Nuevo, inexperto. ‖ Se dice de la persona que empieza o tiene poca experiencia en un arte o profesión. Ú.t.c.s. com.

novela (al. *Roman*, fr. *roman*, ingl. *novel*, it. *romanzo*). f. Obra literaria en prosa en que se narra una acción total o parcialmente fingida. ‖ fig. Hechos reales que parecen ficción.

novelar. tr. Dar a un suceso forma o apariencia de novela. ‖ intr. Componer novelas. ‖ fig. Publicar cuentos o mentiras.

novelero, ra. adj. Amigo de novedades y cuentos. Ú.t.c.s. ‖ Inconstante en su modo de proceder. Ú.t.c.s. ‖ Aficionado a propagar novedades. Ú.t.c.s.

novelesco, ca. adj. Propio o característico de las novelas. ‖ Fingido.

novelista (al. *Romanschriftsteller*, fr. *romancier*, ingl. *novelist*, it. *novelliere*). com. Persona que escribe novelas.

novelística. f. Preceptiva referente a la novela. ‖ Literatura novelesca.

novelón. m. Novela extensa, dramática y mal escrita.

novena (al. *Neuntägige, Andacht;* fr. *neuvaine;* ingl. *novena;* it. *novena*). f. Ejercicio devoto que se practica durante nueve días. ‖ Libro que contiene las oraciones de la novena. ‖ Sufragios por los difuntos.

noveno, na. adj. Que sigue inmediatamente en orden al o a lo octavo. ‖ Dícese de cada una de las nueve partes iguales en que se divide un todo. Ú.t.c.s.

noventa. adj. Nueve veces diez.

noviazgo (al. *Brautzeit*, fr. *fiançailles*, ingl. *engagement*, it. *fidanza-*

mento). m. Condición o estado de novio o novia. ‖ Tiempo que dura dicho estado.

noviciado. Tiempo de prueba que pasan los religiosos antes de profesar. ‖ Casa en que habitan los novicios. ‖ Conjunto de novicios.

novicio, cia (al. *Novize*, fr. *novice*, ingl. *novice*, it. *novizio*). s. Religioso que está en el noviciado. ‖ fig. Principiante en cualquier arte o facultad. Ú.t.c. adj.

noviembre (al. *November*, fr. *novembre*, ingl. *november*, it. *novembre*). m. Noveno mes del año según el antiguo calendario romano y undécimo del actual.

novilunio. m. Conjunción de la Luna con el Sol.

novillada. f. Conjunto de novillos. ‖ Lidia o corrida de novillos.

novillero. m. El que cuida de los novillos cuando se separan de la vaca. ‖ TAUROM. Lidiador de novillos. ‖ Corral donde encierran y separan los novillos.

novillo, lla. s. Toro o vaca de dos o tres años. ‖ *Amer.* Ternero castrado. ‖ m. fig. Sujeto a quien traiciona su mujer. ‖ *hacer novillos.* fr. fam. Faltar los escolares a clase, o dejar de acudir a algún sitio donde se tiene obligación de ir.

novio, via (al. *Bräutigam*, fr. *fiancé*, ingl. *bridegroom*, it. *fidanzato*). s. Persona recién casada. ‖ La que está a punto de casarse. ‖ La que mantiene relaciones amorosas en expectativa de matrimonio. |*Sinón.*: prometido]

nubada. f. Golpe de agua que cae de una nube en un lugar determinado. ‖ Consumo abundante de algunas cosas.

nubarrón. m. Nube grande y densa, separada de las otras.

nube (al. *Wolke*, fr. *nuage*, ingl. *cloud*, it. *nuvola*). f. Masa de vapor acuoso suspendida en la atmósfera y que por la acción de la luz toma distintas coloraciones. ‖ Agrupación de cosas, como humo, polvo, insectos, aves, que oscurece el Sol. ‖ Mancha blanquecina en la córnea del ojo. ‖ Sombra que oscurece el brillo de las piedras preciosas. ‖ fig. Multitud de una cosa. ‖ fig. Cualquier cosa que oscurece u oculta otra. ‖ *poner en o sobre las nubes* a una persona o cosa. fig. Alabarla hasta más no poder. ‖ *subir* una cosa *a las nubes.* fig. Aumentar mucho de precio.

núbil. adj. Dícese de la persona que ha llegado a la edad en que es apta para contraer matrimonio, y más propiamente de la mujer.

nubilidad. f. Calidad de núbil.

nublado. m. Nube, generalmente la que amenaza tempestad. ‖ fig. Suceso que produce riesgo de adversidad o daño.

nublar. tr. Ocultar las nubes el cielo o parte de él. Ú.t.c.r.

nublo, bla. adj. Nubloso.

nubloso, sa. adj. Cubierto de nubes.

nubosidad. f. Estado o condición de nubloso.

nuboso, sa. adj. Nubloso.

nuca (al. *Genich*, fr. *nuque*, ingl. *nape*, it. *nuca*). f. ANAT. Parte alta de la cerviz, correspondiente al lugar en que se une el espinazo con la cabeza. [*Sinón.*: cogote, testuz]

nuclear. adj. Perteneciente o relativo al núcleo.

nucleico, ca. adj. QUÍM. Dícese de los ácidos fosforados que forman parte de las células animales y vegetales.

núcleo (al. *Kern*, fr. *noyau*, ingl. *nucleus*, it. *nucleo*). m. Almendra o parte mollar de los frutos de cáscara dura. ‖ Hueso de las frutas. ‖ fig. Parte o punto central de una cosa. ‖ fig. Elemento primordial al cual se van agregando otros para formar un todo. ‖ BIOL. Corpúsculo contenido en el citoplasma de las células que actúa como órgano receptor en la nutrición y reproducción de las mismas. ‖ FÍS. Parte central del átomo que contiene la mayor parte de su masa y posee una carga eléctrica positiva.

nudillo (al. *Fingerknöchel*, fr. *noeud*, ingl. *knuckle*, it. *nodello*). m. ANAT. Parte exterior de cualquiera de las junturas de los dedos.

nudismo. m. Doctrina que defiende el desarrollo parcial de la actividad humana en estado de desnudez.

nudista. adj. Dícese de la persona que practica el nudismo. Ú.t.c.s.

nudo (al. *Knoten*, fr. *noeud*, ingl. *knot*, it. *nodo*). m. Lazo que se estrecha y cierra, y es difícil de soltar o deshacer. ‖ En los árboles y plantas, parte del tronco por donde salen las ramas, y en éstas, lugar por donde nacen los vástagos. ‖ En algunas plantas y raíces, parte que sobresale; como en las cañas y bejucos. ‖ En los animales, unión de unas partes con otras, especialmente de los huesos. ‖ Tumor que aparece en los tendones o en los huesos cuando se vuelven a unir tras de una enfermedad o rotura. ‖ Encadenamiento de los sucesos que conducen al desenlace en un poema épico, el teatro o la novela. ‖ fig. Unión, vínculo, lazo. ‖ fig. Principal dificultad en cualquier materia. ‖ GEOGR. Lugar en que se cruzan o unen dos o más sistemas montañosos. ‖ Lugar donde se cruzan varias vías de comunicación. ‖ MAR. Cada uno de los puntos de división de la corredera. ‖ MAR. Trayecto de navegación que se mide en cada una de estas divisiones. ‖ MAR. Con respecto a la velocidad de una nave, equivalente a una milla por hora. ‖ — gordiano. fig. El que es casi imposible de desatar.

nudoso, sa. adj. Que tiene nudos.

nuera (al. *Schwiegertochter*, fr. *belle-fille*, ingl. *daughter-in-law*, it. *nuora*). f. Mujer del hijo, respecto de los padres de éste.

nuestro, tra, tros, tras. Pronombre posesivo de primera persona en género masculino y femenino. Con la terminación del primero de estos dos géneros en singular, empléase también como neutro.

nueva. f. Noticia de una cosa que no se ha dicho o no se ha oído anteriormente. ‖ *hacerse* uno *de nuevas*. fam. Fingir ignorancia de lo que se dice.

nueve. adj. Ocho y uno. ‖ Noveno, ordinal. ‖ m. Signo con que se representa el número nueve. ‖ Naipe que tiene nueve señales.

nuevo, va (al. *neu*, fr. *neuf*, ingl. *new*, it. *nuovo*). adj. Recién hecho o fabricado. ‖ Que se ve o se oye por primera vez. ‖ Repetido o reiterado para renovarlo. ‖ Distinto de lo antes aprendido. ‖ Que se añade a una cosa que había antes. ‖ fig. En oposición a viejo, se dice de lo que está poco o nada usado. [*Sinón.: reciente*]

nuez (al. *Nuss*, fr. *noix*, ingl. *walnut*, it. *noce*). f. BOT. Fruto en drupa bicarpelar. ‖ Fruto del nogal. ‖ ANAT. Prominencia que forma la laringe en la garganta. ‖ — *moscada*. Fruto de la mirística, que se utiliza como condimento y para extraer su aceite.

nugatorio, ria. adj. Engañoso, frustráneo; que burla la esperanza que se había concebido o el juicio que se tenía formado.

nulidad. f. Calidad de nulo. ‖ Vicio que anula o disminuye la estimación de una cosa. ‖ Incapacidad, ineptitud. ‖ Persona inepta. [*Antón.: validación*]

nulo, la (al. *ungültig*, fr. *nul*, ingl. *null*, it. *nullo*). adj. Falto de valor legal. ‖ Incapaz, física o moralmente, para una cosa. ‖ Ni uno solo. [*Sinón.: inválido; impotente*]

numantino, na. adj. Natural de

Numancia. Ú.t.c.s. ‖ Perteneciente a esta ciudad de la España Citerior.

numen. m. Cualquiera de los dioses fabulosos adorados por los gentiles. ‖ Inspiración del escritor o artista.

numeración (al. *Beztfferung*, fr. *numération*, ingl. *numeration*, it. *numerazione*). f. Acción y efecto de numerar. ‖ MAT. Arte de expresar todos los números, de palabra o por escrito, con una cantidad limitada de voces y de cifras o guarismos. ‖ — *arábiga* o *decimal*. Sistema introducido en Europa por los árabes, hoy casi universal, que con el valor absoluto y la posición relativa de sus diez signos puede expresar cualquier cantidad. ‖ — *romana*. La que emplearon los romanos y que expresa los números por medio de siete letras del alfabeto latino, que son I, V, X, L, C, D, M.

numerador (al. *Numerale*, fr. *numérateur*, ingl. *numerator*, it. *numeratore*). m. MAT. En las fracciones, número que indica las partes que se toman de un todo. ‖ Aparato con el que se marca la numeración correlativa.

numeral. adj. Perteneciente o relativo al número. [*Sinón.: numérico*]

numerar. tr. Contar por el orden de los números. ‖ Marcar con números.

numérico, ca. adj. Perteneciente o relativo a los números. ‖ Compuesto o ejecutado con ellos.

número (al. *Zahl*, fr. *nombre*, ingl. *number*, it. *numero*). m. MAT. Expresión de la cantidad computada con relación a una unidad. ‖ Cantidad de personas o cosas de determinada especie. ‖ Signo con que se representa el número. ‖ Si se trata de publicaciones periódicas, cada una de las hojas o cuadernos correspondientes a distinta fecha de edición. ‖ GRAM. Accidente gramatical que expresa si las palabras se refieren a una sola persona o cosa o más de una. ‖ Individuo raso de la guardia civil. Por ext., individuo sin graduación en la policía armada. ‖ — *atómico*. FÍS. Número de cargas elementales positivas del núcleo de un átomo. ‖ — *cardinal*. Cada uno de los enteros en abstracto. ‖ — *compuesto*. MAT. El que se expresa con dos o más guarismos. ‖ — *entero*. MAT. El que consta exclusivamente de una o más unidades. ‖ — *fraccionario*. MAT. Número quebrado. ‖ — *impar*. MAT. El que no es exactamente divisible por dos. ‖ — *mixto*. MAT. El compuesto de

entero y quebrado. ‖ — *ordinal*. MAT. El que expresa idea de orden o sucesión. ‖ — *par*. MAT. Aquel que es exactamente divisible por dos. ‖ — *plural*. GRAM. El de la palabra que se refiere a dos o más personas o cosas. ‖ — *primo*. MAT. El que sólo es divisible por sí mismo o por la unidad. ‖ — *quebrado*. MAT. El que expresa una o varias partes alícuotas de la unidad. ‖ — *singular*. GRAM. El de la palabra que se refiere a una sola persona o cosa.

numeroso, sa. adj. Que incluye gran número de cosas. ‖ Armonioso, que tiene cadencia, proporción o medida.

numismática (al. *Münzkunde*, fr. *numismatique*, ingl. *numismatics*, it. *numismàtica*). f. Ciencia que trata del conocimiento de monedas y medallas, especialmente de las antiguas.

numismático, ca. adj. Perteneciente o relativo a la numismática. ‖ m. El que profesa esta ciencia o tiene en ella especiales conocimientos.

nunca (al. *nie*, fr. *jamais*, ingl. *never*, it. *mai*). adv. t. En ningún tiempo. ‖ Ninguna vez. [*Sinón.: jamás. Antón.: siempre*]

nunciatura. f. Cargo o dignidad de nuncio. ‖ Tribunal de la Rota de la nunciatura apostólica en España. ‖ Casa en que vive el nuncio y está su tribunal.

nuncio (al. *Nuntius*, fr. *nonce*, ingl. *nuncio*, it. *nunzio*). m. Representante diplomático del Papa que, como legado, ejerce ciertas facultades pontificias. ‖ fig. Anuncio o señal.

nupcial (al. *hochzeits*, fr. *nuptial*, ingl. *nuptial*, it. *nuziale*). adj. Perteneciente o relativo a las bodas. [*Sinón.: matrimonial*]

nupcias. f. pl. Casamiento, boda.

nutria (al. *Fischetter*, fr. *loutre*, ingl. *otter*, it. *nutria*). ZOOL. Mamífero carnicero que vive a orillas de los ríos. Se alimenta de peces, y su piel es muy apreciada. ‖ Piel de este animal.

nutrición (al. *Ernährung*, fr. *nutrition*, ingl. *nutrition*, it. *nutrizione*). f. Acción y efecto de nutrir o nutrirse. [*Sinón.: alimentación*]

nutrir (al. *Ernähren*, fr. *nourrir*, ingl. *to nourish*, it. *nutrire*). tr. Reparar, mediante absorción de alimento, las pérdidas sufridas por el cuerpo a causa de las acciones catabólicas. Ú.t.c.r. ‖ fig. Aumentar o dar nuevas fuerzas en cualquier línea, especialmente en lo moral. [*Sinón.: alimentar*]

nutritivo, va. adj. Capaz de nutrir.

nylon. m. Nailon.

Ñ-O

ñ. f. Decimoséptima letra del abecedario español. Su nombre es *eñe*.

ñame (voz congoleña). m. BOT. Planta dioscórea, con tallos endebles, hojas grandes, flores verdosas y raíz tuberculosa, de corteza casi negra y carne parecida a la de la batata. ‖ Raíz de esta planta.

ñandú (al. *nandu*, fr. *nandou*, ingl. *rhea*, it. *struzzo americano*). m. ZOOL. Avestruz sudamericano, caracterizado por poseer tres dedos en cada pata, ser de menor tamaño que el avestruz africano y estar cubierto de un plumaje gris poco fino.

ñandubay. m. BOT. Árbol americano de las mimosáceas, de madera dura, que se aplica a muchos usos.

ñangotado, da. adj. *Amer*. Adulador, servil. Ú.t.c.s. ‖ Desanimado, sin ambiciones. Ú.t.c.s.

ñaña. f. *Amer*. Niñera. ‖ *Amer*. Hermana mayor.

ñaño, ña. adj. *Amer*. Mimado, consentido. ‖ Unido por amistad íntima. ‖ Hermano, hermana.

ñapango, ga. adj. En Colombia, mestizo o mulato.

ñapo. m. *Amer*. Especie de junco con el que se tejen canastos.

ñaque: m. Montón de cosas inútiles y ridículas.

ñato, ta. adj. *Amer*. De nariz corta y aplastada, chato. Ú.t.c.s.

ñeque. adj. *Amer*. Fuerte, vigoroso.

ñiquiñaque. m. fam. Sujeto o cosa muy despreciable.

ñisñil. m. *Amer*. Especie de enea que crece en los pantanos; sus hojas .se usan para hacer canastillos.

ño. m. fam. *Amer*. Señor, tratamiento.

ñoclo. m. Especie de melindre hecho de masa de harina, azúcar, manteca de vaca, huevo, vino y anís, con el que se forman unos panecitos del tamaño de nueces que se cuecen en el horno.

ñoña. f. *Amer*. Estiércol.

ñoñería. f. Acción o dicho propio de persona ñoña.

ñoñez. f. Calidad de ñoño. ‖ Ñoñería.

ñoño, ña. adj. fam. Dícese de la persona sumamente apocada, asustadiza y quejumbrosa. Ú.t.c.s. ‖ Dicho de las cosas, soso.

ñora. f. Pimiento muy picante, guindilla.

ñu. m. ZOOL. Antílope africano, de cabeza grande, cuernos curvados y crin corta. Su carrera es muy veloz.

ñuto, ta. adj. *Amer*. Dícese de lo que está molido o convertido en polvo.

---

o. f. Decimoctava letra del abecedario español. ‖ DIAL. Signo de la proposición particular negativa. ‖ conj. disyunt. que denota diferencia, separación, alternativa entre dos o más personas, cosas o ideas, o equivalencia.

oasis (al. *Oase*, fr. *oasis*, ingl. *oasis*, it. *oasi*). m. Paraje en el que crece la vegetación, y se encuentra aislado en los desiertos. ‖ fig. Tregua, descanso.

obcecación. f. Ofuscación tenaz y persistente.

obcecar. tr. Cegar, deslumbrar, ofuscar. Ú.t.c.r.

obduración. f. Obstinación.

obedecer (al. *Gehorchen*, fr. *obéir*, ingl. *to obey*, it. *ubbidire*). tr. Cumplir la voluntad de quien manda. ‖ Ceder un animal con docilidad a la dirección que se le marca. ‖ fig. Ceder una cosa al esfuerzo que se hace para cambiar su forma o estado. ‖ intr. fig. Dimanar, proceder. [*Sinón*.: asentir, acatar]

obediencia (al. *Gehorsam*, fr. *obéissance*, ingl. *obedience*, it. *ubbidienza*). f. Acción de obedecer. ‖ Precepto del superior, especialmente en las órdenes regulares. ‖ Permiso que da el superior para ir a predicar, desempeñar otro cargo o hacer un viaje. [*Sinón*.: acatamiento, docilidad.]

obediente. adj. Que obedece. ‖ Propenso a obedecer. [*Antón*.: desobediente, rebelde]

obelisco (al. *Obelisk*, fr. *obélisque*, ingl. *obelisk*, it. *obelisco*). m. Pilar muy alto, de cuatro caras iguales y terminado en una punta piramidal achatada.

obenque. m. MAR. Cada uno de los cabos gruesos que sujetan la cabeza de un palo a la mesa de guarnición o a la cofa correspondiente.

obertura (al. *Ouvertüre*, fr. *ouverture*, ingl. *overture*, it. *preludio*). f. MÚS. Pieza de música instrumental con que se inicia una composición lírica.

obesidad. f. Calidad de obeso.

obeso, sa (al. *Fottleibig*, fr. *obèse*, ingl. *fat*, it. *obeso*). adj. Dícese de la persona que está excesivamente gorda.

óbice. m. Obstáculo, estorbo.

obispado. m. Dignidad de obispo. ‖ Territorio asignado a un obispo.

obispo (al. *Bischof*, fr. *évêque*, ingl. *bishop*, it. *vescovo*). m. Prelado superior de una diócesis.

óbito (al. *Tod*, fr. *décès*, ingl. *decease*, it. *obito*). m. Fallecimiento de una persona. [*Sinón*.: defunción, muerte]

obituario. m. Libro parroquial en

que se anotan las partidas de defunción y de entierro.

objeción (al. *Einwand*, fr. *objection*, ingl. *objection*, it. *obiezone*). f. Razón que se propone o dificultad que se presenta en contra de una opinión o designio. [*Sinón.*: impugnación]

objetar. tr. Oponer reparo a una opinión o designio; proponer una razón contraria a lo que se ha dicho o intentado. [*Sinón.*: impugnar]

objetivar. tr. Dar carácter objetivo a una idea o sentimiento.

objetividad. f. Calidad de objetivo. [*Antón.*: parcialidad, subjetividad]

objetivo, va (al. *sachlich*, fr. *objectif*, ingl. *objective*, it. *oggettivo*). adj. Perteneciente o relativo al objeto. || Desapasionado, desinteresado. || FIL. Dícese de lo que existe realmente, fuera del sujeto que lo conoce. || m. FÍS. Lente o sistema de lentes que se coloca en los aparatos ópticos en la parte dirigida hacia los objetos. || Objeto, fin o intento. || MIL. Blanco al que se dirige un arma de fuego. [*Sinón.*: imparcial; meta, blanco]

objeto (al. *Gegenstand*, fr. *objet*, ingl. *object*, it. *oggetto*). m. Todo lo que puede ser materia de conocimiento o sensibilidad. || Lo que sirve de materia al ejercicio de las facultades mentales. || Fin a que se dirige una acción u operación. || Cosa.

objetor de conciencia. m. El que por razones religiosas o morales se opone a cumplir el servicio militar.

oblación. f. Ofrenda y sacrificio que se hace a Dios.

oblata. f. Dinero que se entrega a la iglesia para el gasto de vino, hostias, cera y ornamentos para decir las misas. || En la misa, la hostia y el vino ofrecidos antes de ser consagrados.

oblato, ta (al. *oblat*, fr. *oblat*, ingl. *oblate*, it. *oblato*). adj. Dícese de la persona que abraza el estado monástico y hace donación de sus bienes a la comunidad. Ú.t.c.s. || Religioso, lego.

oblea (al. *Oblate*, fr. *pain à cacheter*, ingl. *wafer*, it. *oblata*). f. Hoja muy delgada de masa de harina y agua, cocida en molde que, partida en trozos, servía para pegar sobre o cubiertas de oficios o cartas. || Hoja delgada de pan ázimo de la que se sacan las hostias. || Cada uno de los trozos de esta hoja.

oblicuidad. f. Dirección al sesgo, al través, con inclinación. || GEOM. Inclinación que aparta del ángulo recto a un plano o a una recta respecto de otro plano o recta.

oblicuo, cua (al. *Schräg*, fr. *oblique*, ingl. *oblique*, it. *obliquo*). adj. Sesgado, inclinado al través o desviado de la horizontal. || GEOM. Dícese de la recta o plano que en su intersección con otra u otro forma un ángulo no recto.

obligación (al. *Pflicht, Schuldverschreibung;* fr. *obligation;* ingl. *duty, bond;* it. *obligazione*). f. Imposición o exigencia moral que debe regir la voluntad libre. || Correspondencia que uno debe al beneficio que ha recibido de otro. || Documento notarial o privado en que se reconoce una deuda o se promete su pago u otra prestación o entrega. || Título al portador y con interés fijo, que representa una suma exigible a la persona que lo emitió. || Miramiento, carga o incumbencia inherentes al estado o a la dignidad de una persona. || pl. Familia que cada uno tiene que mantener. [*Sinón.*: deber; necesidad; deuda]

obligado, da. adj. Forzoso, inexcusable.

obligar (al. *verpflichten*, fr. *obliger*, ingl. *to compel*, it. *obbligare*). tr. Mover e impulsar a hacer o cumplir una cosa; compeler, ligar. || Ganar la voluntad de uno con beneficios u obsequios. || r. Comprometerse a cumplir una cosa. [*Sinón.*: exigir, imponer]

obligatoriedad. f. Calidad de obligatorio.

obligatorio, ria. adj. Dícese de lo que obliga a su cumplimiento o ejecución. [*Sinón.*: imperativo, impuesto]

obliteración. f. MED. Acción y efecto de obliterar u obliterarse.

obliterar. tr. MED. Obstruir o cerrar un conducto o una cavidad de un cuerpo organizado. [*Sinón.*: alargado]

oblongo, ga (al. *länglich*, fr. *oblong*, ingl. *oblong*, it. *oblungo*). adj. Más largo que ancho. [*Sinón.*: alargado]

obnubilación. f. Ofuscamiento. || MED. Visión de los objetos como a través de una nube.

oboe (al. *Oboe*, fr. *haut-bois*, ingl. *oboe*, it. *oboe*). m. MÚS. Instrumento de viento, semejante a la dulzaina; con dos agujeros y de dos a trece llaves.

óbolo. m. Peso usado en la antigua Grecia, equivalente a unos seis decigramos. || Moneda de plata de los antiguos griegos. || fig. Cantidad exigua con que se contribuye para un fin determinado.

obra (al. *Werk*, fr. *oeuvre*, ingl. *work*, it. *opera*). f. Cosa hecha o producida por un agente. || Cualquier producción del entendimiento. || Edificio en construcción. || Medio, virtud o poder. ||

Labor que tiene que hacer un artesano. || Tratándose de libros, volumen o volúmenes que contienen un trabajo completo. || Acción moral, especialmente la encaminada al provecho o daño del alma. || —*muerta.* MAR. Parte del casco de un barco que está por encima de la línea de flotación. || —*viva.* MAR. Parte de un barco que está debajo del agua.

obrador. m. Taller, local en que se realiza una obra manual.

obraje. m. Manufactura. || Local donde se labran paños y otros géneros para el uso común.

obrar (al. *wirken*, fr. *oeuvrer*, ingl. *to work*, it. *operare*). tr. Ejecutar o practicar una cosa no material. || Causar, producir o hacer efecto una cosa. || Construir, hacer una obra. || Existir una cosa en sitio determinado. [*Sinón.*: operar, realizar, efectuar]

obrerismo. m. Régimen económico o ideología social fundado en el predominio del trabajo obrero como elemento de producción y creador de riqueza.

obrerista. adj. Perteneciente o relativo al obrerismo. Ú.t.c.s.

obrero, ra (al. *Arbeiter*, fr. *ouvrier*, ingl. *workman*, it. *operario*). s. Trabajador manual retribuido. [*Sinón.*: operario]

obscenidad. f. Calidad de obsceno. || Cosa obscena. [*Sinón.*: indecencia]

obsceno, na (al. *unanständig*, fr. *obscène*, ingl. *obscene*, it. *osceno*). adj. Impúdico, torpe, ofensivo al pudor. [*Sinón.*: lascivo, lujurioso, lúbrico]

obsequiar (al. *bewirten*, fr. *faire cadeau*, ingl. *to treat*, it. *ossequiare*). tr. Agasajar a uno con atenciones, servicios o regalos. || Galantear, enamorar. [*Sinón.*: regalar]

obsequio (al. *Geschenk*, fr. *cadeau*, ingl. *present*, it. *ossequio*). m. Acción de obsequiar. || Regalo, dádiva. || Deferencia, afabilidad. [*Sinón.*: don]

obsequioso, sa. adj. Rendido, dispuesto a hacer la voluntad de alguien. [*Sinón.*: amable, galante, cortés]

observación. f. Acción y efecto de observar. [*Sinón.*: atención, advertencia]

observador, ra. adj. Que observa. Ú.t.c.s.

observancia. f. Cumplimiento exacto de lo que se manda ejecutar. || Reverencia, honor, acatamiento.

observar (al. *beobachten*, fr. *observer*, ingl. *to observe*, it. *osservare*). tr. Examinar con atención. || Cumplir exactamente lo que se ordena. || Advertir, reparar. || Atisbar.

observatorio (al. *Sternwarte*, fr. *observatoire*, ingl. *observatory*, it. *osservatorio*). m. Lugar o posición que sirve para hacer observaciones. ‖ Edificio que dispone de los aparatos necesarios para realizar observaciones meteorológicas, astronómicas, etc.

obsesión (al. *Besessenheit*, fr. *obsession*, ingl. *obsession*, it. *ossessione*). f. Idea fija que influye moralmente en una persona coartando su libertad. [*Sinón.*: manía]

obsesionar. tr. Causar obsesión.

obsesivo, va. adj. Relativo a la obsesión.

obseso, sa. adj. Que padece obsesión.

obsidiana (al. *Obsidian*, fr. *obsidienne*, ingl. *obsidian*, it. *ossidiana*). f. Roca volcánica vítrea, de color negro o verde oscuro.

obsoleto, ta. adj. Anticuado, inadecuado a las circunstancias actuales.

obstaculizar. tr. Poner obstáculos [*Antón.*: facilitar, allanar]

obstáculo (al. *Hindernis*, fr. *obstacle*, ingl. *hindrance*, it. *ostacolo*). m. Impedimento, inconveniente.

obstante. adj. Que obsta. ‖ *no obstante.* m. adv. Sin embargo, sin que estorbe para algo.

obstar. intr. Impedir, estorbar, ponerse en contradicción a algo. ‖ impers. Oponerse o ser contraria una cosa a otra.

obstetricia (al. *Geburtshilfe*, fr. *obstétrique*, ingl. *obstetrics*, it. *ostetricia*). f. MED. Parte de la medicina que trata de la gestación, el parto y el puerperio.

obstinación. f. Pertinacia, porfía, terquedad. [*Antón.*: transigencia]

obstinarse (al. *sich versteifen*, fr. *s'obstiner*, ingl. *to be obstinate*, it. *ostinarsi*). r. Porfiar con pertinacia, sin dejarse vencer por ruegos razonables ni por obstáculos o reveses. [*Sinón.*: empeñarse, emperrarse]

obstrucción (al. *Obstruktion*, fr. *obstruction*, ingl. *obstruction*, it. *ostruzione*). f. Acción y efecto de obstruir u obstruirse. ‖ En asambleas políticas o cuerpos deliberantes, táctica encaminada a impedir o retardar los acuerdos. [*Sinón.*: atasco]

obstruccionismo. m. Ejercicio de la obstrucción en asambleas deliberantes.

obstruir (al. *versperren*, fr. *obstruer*, ingl. *to block up*, it. *ostruire*). tr. Estorbar el paso, cerrar un conducto o camino. ‖ Impedir la acción. ‖ r. Cerrarse o taparse un agujero, conducto, etc. [*Sinón.*: atascar]

obtemperar. tr. Obedecer, asentir.

obtención. f. Acción y efecto de obtener. [*Sinón.*: logro, consecución]

obtener (al. *erlangen*, fr. *obtenir*, ingl. *to obtain*, it. *ottenere*). tr. Alcanzar lo que se pretende. [*Sinón.*: conseguir, lograr. *Antón.*: fracasar]

obturación. f. Acción y efecto de obturar. [*Sinón.*: atasco, oclusión]

obturador (al. *Verschluss*, fr. *obturateur*, ingl. *shutter*, it. *otturatore*). adj. Que sirve para obturar.

obturar. tr. Tapar o cerrar una abertura o conducto. [*Sinón.*: taponar, ocluir, obstruir. *Antón.*: abrir]

obtuso, sa (al. *stumpf*, fr. *obtus*, ingl. *blunt*, it. *ottuso*). adj. Romo, sin punta. ‖ fig. Torpe, tardo de comprensión. ‖ GEOM. Dícese del ángulo mayor que uno recto. [*Antón.*: agudo; listo]

obús (al. *Haubitze*, fr. *obus*, ingl. *howitzer*, it. *obice*). m. MIL. Pieza de artillería de menor longitud que el cañón en relación a su calibre. Erróneamente se da también este nombre a los modernos proyectiles de artillería.

obviar. tr. Evitar, rehuir, apartar y quitar obstáculos. ‖ intr. Obstar, oponerse.

obvio, via (al. *einleuchtend*, fr. *évident*, ingl. *obvious*, it. *ovvio*). adj. Que se encuentra y pone delante de los ojos. ‖ fig. Muy claro o que no tiene dificultad. [*Sinón.*: evidente]

oca (al. *Gans*, fr. *oie*, ingl. *goose*, it. *oca*). f. ZOOL. Ánsar, o ganso. ‖ Juego que consiste en sesenta y tres casillas, pintadas en espiral sobre un cartón o tabla. Se juega con dados.

ocarina (al. *Okarine*, fr. *ocarina*, ingl. *ocarina*, it. *ocarina*). f. MÚS. Instrumento musical de forma ovoide, con ocho agujeros que modifican el sonido al ser tapados con los dedos. Es de timbre muy dulce.

ocasión (al. *Gelegenheit*, fr. *occasion*, ingl. *occasion*, it. *occasione*). f. Oportunidad o comodidad de tiempo o lugar. ‖ Causa por la que se hace o acaece una cosa. ‖ Peligro o riesgo. ‖ *de ocasión.* m. adv. De lance. [*Sinón.*: coyuntura, circunstancia]

ocasional. adj. Dícese de lo que ocasiona. ‖ Que sobreviene accidentalmente. [*Antón.*: habitual]

ocasionar (al. *veranlassen*, fr. *occasionner*, ingl. *to occasion*, it. *occasionare*). tr. Ser causa o motivo para que suceda una cosa. ‖ Mover o excitar. ‖ Poner en peligro. [*Sinón.*: originar, causar, motivar]

ocaso (al. *Sonnenuntergang*, fr. *coucher du soleil*, ingl. *sunset*, it. *occaso*). m. ASTR. Puesta de un astro al transponer el horizonte. ‖ Occidente, punto cardinal. ‖ fig. Decadencia, declinación, acabamiento. [*Sinón.*: poniente, crepúsculo; postrimería]

occidental (al. *abendländisch*, fr. *occidental*, ingl. *occidental*, it. *occidentale*). adj. Perteneciente al occidente. ‖ ASTR. Dícese del planeta que se pone después del ocaso del Sol. [*Antón.*: oriental]

occidente (al. *Westen*, fr. *occident*, ingl. *west*, it. *occidente*). m. Punto cardinal del horizonte por donde se pone el Sol. ‖ fig. Conjunto de naciones de Europa occidental y pueblos afines.

occipital. adj. Perteneciente o relativo al occipucio.

occipucio (al. *Hinterhaupt*, fr. *occiput*, ingl. *occiput*, it. *occipite*). m. ANAT. Parte de la cabeza por donde ésta se une con las vértebras del cuello.

occiso, sa. adj. Muerto violentamente. [*Sinón.*: interfecto]

occitano, na. adj. Natural de Occitania. Ú.t.c.s. ‖ Perteneciente a esta región de Francia.

oceánico, ca. adj. Relativo al océano.

océano (al. *Ozean*, fr. *océan*, ingl. *ocean*, it. *oceano*). m. Mar grande y dilatado que cubre la mayor parte de la Tierra. ‖ Cada una de las cinco grandes subdivisiones de este mar. ‖ fig. Inmensidad de algunas cosas.

oceanografía. f. Ciencia que estudia los mares y sus fenómenos, así como la flora y fauna marinas.

oceanográfico, ca. adj. Relativo a la oceanografía.

ocelote. m. ZOOL. Mamífero carnívoro de las selvas sudamericanas. Es domesticable, de pequeño tamaño, y pelaje suave y brillante, con manchas de distintos matices.

ocio (al. *Musse*, fr. *loisir*, ingl. *leisure*, it. *ozio*). m. Cesación del trabajo, descanso. ‖ Diversión u ocupación reposada. ‖ pl. Obras de ingenio que uno realiza en sus ratos libres.

ociosidad. f. Vicio de no trabajar, de perder el tiempo. ‖ Efecto del ocio. [*Sinón.*: inactividad]

ocioso, sa. adj. Dícese de la persona que está sin trabajar o sin hacer nada. Ú.t.c.s. ‖ Que no tiene uso ni ejercicio en aquello a que está destinado. ‖ Inútil, sin provecho.

ocluir (al. *vertopfen*, fr. *occlure*, ingl. *to occlude*, it. *occludere*). tr. MED. Cerrar un conducto o un orificio con algo que lo obstruya, de modo que no se pueda abrir naturalmente. Ú.t.c.r. [*Sinón.*: obturar]

oclusión. f. Acción y efecto de ocluir u ocluirse.

oclusivo, va. adj. Relativo a la oclusión. || Que la produce. || GRAM. Dícese del sonido para cuya articulación se interrumpe la salida del aire espirado. || GRAM. Dícese de la letra que representa este sonido; como *k, p, t.* Ú.t.c.s.f.

ocre (al. *Ocker,* fr. *ocre,* ingl. *ochre,* it. *ocra*). m. Mineral de hierro, frecuentemente mezclado con arcilla. Se utiliza en pintura. || Cualquier mineral terroso de color amarillo.

octaedro. m. GEOM. Poliedro regular de ocho caras triangulares.

octagonal. adj. Perteneciente al octágono.

octágono. m. Octógono.

octanaje. m. Número de octanos de un carburante.

octano. m. Unidad en que se expresa el poder antidetonante de la gasolina o de otros carburantes en relación con cierta mezcla base de hidrocarburos.

octava. f. Espacio de ocho días durante los cuales la Iglesia celebra una fiesta. || Combinación métrica de ocho versos. || MÚS. Sonido que forma consonancia con otro y es producido por un número de vibraciones doble que éste. || MÚS. Serie diatónica en que se incluyen los siete sonidos constitutivos de una escala y la repetición del primero de ellos.

octavilla. f. Octava parte de un pliego de papel. || Volante de propaganda política o social. || Composición poética de ocho versos cortos.

octavo, va. adj. Que sigue inmediatamente en orden al o a lo séptimo. || Dícese de las ocho partes iguales en que se divide un todo. Ú.t.c.s.

octeto. m. MÚS. Composición para ocho instrumentos u ocho voces. || MÚS. Conjunto de estos ocho instrumentos o voces.

octingentésimo, ma. adj. Que sigue inmediatamente en orden al o a lo septingentésimo nonagésimo nono. || Cada una de las ochocientas partes iguales en que se divide un todo. Ú.t.c.s.

octogenario, ria. adj. Que ha cumplido la edad de ochenta años y no llega a la de noventa. Ú.t.c.s.

octogésimo, ma. adj. Que sigue inmediatamente en orden al o a lo septuagésimo nono. || Cada una de las ochenta partes iguales en que se divide un todo. Ú.t.c.s.

octogonal. adj. GEOM. Relativo al octógono.

octógono. m. GEOM. Polígono de ocho ángulos y ocho lados.

octópodo, da. adj. ZOOL. Que tiene ocho extremidades. Aplícase especialmente a los arácnidos. || m. pl. Suborden de moluscos cefalópodos dibranquiales, que tienen ocho tentáculos de igual tamaño, provistos de ventosas.

octosílabo. m. Verso que tiene ocho sílabas.

octubre (al. *Oktober,* fr. *octobre,* ingl. *october,* it. *ottobre*). m. Octavo mes del año según el antiguo calendario romano y décimo del actual.

óctuple. adj. Que contiene ocho veces una cantidad. [*Sinón.*: óctuplo]

ocular (al. *augen,* fr. *oculaire,* ingl. *ocular,* it. *oculare*). adj. Perteneciente a los ojos o que se hace por medio de ellos. || m. Fís. Lente o combinación de lentes que los aparatos ópticos tienen en la parte por donde mira o aplica el ojo el observador.

oculista (al. *Augernartz,* fr. *oculiste,* ingl. *oculist,* it. *oculista*). com. Médico que se dedica especialmente a las enfermedades de los ojos.

ocultación. f. Acción y efecto de ocultar u ocultarse.

ocultar (al. *verbergen,* fr. *cacher,* ingl. *to conceal,* it. *occultare*). tr. Esconder, tapar, encubrir a la vista. Ú.t.c.r. || Callar o disfrazar la verdad.

ocultismo. m. Conjunto de doctrinas y prácticas relativas a fenómenos que no se explican por la ley natural.

oculto, ta (al. *versteckt,* fr. *occulte,* ingl. *hidden,* it. *occulto*). adj. Escondido, ignorado, que no se da a conocer ni se deja ver ni sentir. [*Antón.*: visible, aparente]

ocupación. f. Acción y efecto de ocupar. || Trabajo o cuidado que impide emplear el tiempo en otra cosa. || Empleo, oficio, dignidad, etc. || DER. Modo natural de adquirir la propiedad de ciertas cosas que carecen de dueño. [*Sinón.*: labor, faena, tarea]

ocupante. adj. Que ocupa. Ú.t.c.s.

ocupar (al. *(platz) einnehmen,* fr. *occuper,* ingl. *to occupy,* it. *occupare*). tr. Hablando de territorios, lugares, edificios, etc., tomar posesión o apoderarse de ellos; invadirlos o instalarse en ellos. || Obtener, gozar un empleo, dignidad, etc. || Llenar un espacio. || Dar qué hacer o en qué trabajar. || r. Emplearse en un trabajo. || Poner la consideración en un asunto. [*Sinón.*: apropiarse; ejercer]

ocurrencia. f. Encuentro, suceso casual. || Pensamiento, dicho agudo y original. [*Sinón.*: caso; salida]

ocurrente. adj. Que tiene ocurrencias.

ocurrir (al. *geschehen,* fr. *survenir,* ingl. *to happen,* it. *capitare*). intr. Acaecer, acontecer. || r. Acudir una idea a la mente. [*Sinón.*: suceder]

ochenta. adj. Ocho veces diez.

ocho. adj. Siete y uno. || Octavo.

ochocientos, tas. adj. Ocho veces ciento. || Octingentésimo. || m. Conjunto de signos con que se representa el número ochocientos.

oda (al. *Ode,* fr. *ode,* ingl. *ode,* it. *ode*). f. Composición poética lírica, que se divide frecuentemente en estrofas y suele tener un tono elevado.

odalisca. f. Esclava dedicada al servicio del harén del gran turco.

odeón. m. ARQUEOL. Teatro o lugar destinado en Grecia a los espectáculos musicales.

odiar (al. *hassen,* fr. *haïr,* ingl. *to hate,* it. *odiare*). tr. Sentir odio. [*Sinón.*: aborrecer, detestar]

odio. m. Antipatía, aversión hacia una cosa o persona a la que se desea algún daño. [*Antón.*: amor]

odioso, sa. adj. Digno de odio.

odisea. f. fig. Viaje largo y lleno de aventuras.

odontología (al. *Zahnkunde,* fr. *odontologie,* ingl. *odontology,* it. *odontologia*). f. MED. Estudio de los dientes y del tratamiento de sus dolencias.

odontólogo, ga. s. Especialista en odontología.

odorífero. adj. Que huele bien. [*Sinón.*: oloroso, fragante]

odre (al. *Schlauch,* fr. *outre,* ingl. *wineskin,* it. *otre*). m. Cuero cosido y empegado que sirve para contener líquidos. || fig. y fam. Persona borracha.

oeste (al. *Westen,* fr. *ouest,* ingl. *west,* it. *ovest*). m. Occidente, punto cardinal. || Viento que sopla de esta parte. [*Antón.*: este]

ofender (al. *beleidigen,* fr. *offenser,* ingl. *to offend,* it. *offendere*). tr. Injuriar, denostar. || Fastidiar, enfadar. || r. Enfadarse por un dicho o hecho. [*Sinón.*: agraviar; ultrajar]

ofensa (al. *Beleidigung,* fr. *offense,* ingl. *offense,* it. *offesa*). f. Acción y efecto de ofender u ofenderse. [*Sinón.*: injuria, agravio, afrenta]

ofensiva. f. Situación o estado del que trata de ofender o atacar.

ofensivo, va. adj. Que ofende o puede ofender.

ofensor, ra. adj. Que ofende. Ú.t.c.s.

oferente. adj. Que ofrece. Ú.m.c.s.

oferta (al. *Angebot,* fr. *offre,* ingl. *offer,* it. *offerta*). f. Promesa que se hace de dar, cumplir o ejecutar una cosa. || Don que se presenta a uno para que lo acepte. || Propuesta para contratar. || Com. Presentación de mercancías en solicitud de venta.

ofertar. tr. Com. Ofrecer en venta un producto. || *Amer.* Ofrecer.

ofertorio (al. *Ovnnrtorium,* fr. *offertoire,* ingl. *offertory,* it. *offertorio*). m. Parte de la misa, en la cual el sacerdote ofrece a Dios la hostia y el vino del cáliz. || Antífona que dice el sacerdote.

oficial (al. *amtlich, Offizier;* fr. *official, officier;* ingl. *official, officer;* it. *ufficiale*). adj. Que es de oficio, y no particular o privado. || m. El que trabaja en un oficio. || El que en un oficio manual ha terminado el aprendizaje y no es todavía maestro. || Mil. Militar, desde alférez o segundo teniente hasta capitán inclusive. || Der. Auxiliar de los tribunales colegiados, de grado inferior al de secretario. [*Antón.:* oficioso]

oficialidad. f. Conjunto de oficiales del ejército o parte de él. || Carácter o calidad de lo que es oficial.

oficiante. m. El que oficia en las iglesias.

oficiar (al. *amtlich mitteilen,* fr. *officier,* ingl. *to officiate,* it. *ufficiare*). tr. Celebrar los oficios divinos. || Comunicar una cosa oficialmente y por escrito.

oficina (al. *Büro,* fr. *bureau,* ingl. *office,* it. *ufficio*). f. Sitio donde se hace, se ordena o trabaja una cosa. || Departamento donde trabajan los empleados.

oficinista. com. Persona que está empleada en una oficina.

oficio (al. *Handwerk,* fr. *métier,* ingl. *trade,* it. *ufficio*). m. Ocupación habitual. || Cargo, ministerio. || Función propia de una cosa. || Profesión de algún arte mecánica. || Acción o gestión en beneficio o en daño de alguno. || Comunicación escrita referente a los asuntos del servicio público, y por ext., la que media entre individuos de varias corporaciones particulares sobre asuntos concernientes a ellas. || *Santo Oficio.* Inquisición, tribunal. || *buenos oficios.* Diligencias eficaces en favor de otro. || *de oficio.* m. adv. Con carácter oficial. || Der. Dícese de las diligencias que se practican judicialmente sin instancia de parte, y de las costas que, de acuerdo con lo sentenciado, nadie debe pagar. || *no tener* uno *oficio ni beneficio.* No tener carrera ni ocupación.

oficiosidad. f. Diligencia, aplicación en el trabajo. || Importunidad del que se entremete en asunto que no le incumbe.

oficioso, sa (al. *halbamtlich,* fr. *officieux,* ingl. *semi-official,* it. *ufficioso*). adj. Que no tiene carácter oficial. || Que se entremete en asunto que no le incumbe.

ofidio. adj. Zool. Dícese de los reptiles que carecen de extremidades, tienen boca dilatable, y cuerpo largo y estrecho, recubierto de piel escamosa que mudan anualmente. Ú.t.c.s.m.

ofrecer (al. *anbieten,* fr. *offrir,* ingl. *to offer,* it. *offrire*). tr. Prometer, obligarse. || Presentar y dar voluntariamente una cosa. || Decir o exponer qué cantidad se está dispuesto a pagar por algo. || r. Ocurrir o sobrevenir. || Entregarse voluntariamente a alguien para ejecutar una cosa. [*Sinón.:* ofrendar, brindar]

ofrecimiento. m. Acción y efecto de ofrecer u ofrecerse.

ofrenda (al. *Opfergabe,* fr. *offrande,* ingl. *offering,* it. *oblazione*). f. Don que se entrega a Dios o a los santos. || Dádiva o servicio en muestra de gratitud o amor.

ofrendar. tr. Ofrecer dones y sacrificios a Dios. || Contribuir con dinero u otros dones a algún fin.

oftalmía. f. Med. Inflamación de los ojos.

oftalmología. f. Med. Parte de la patología que trata de las enfermedades de los ojos.

oftalmólogo, ga. s. Especialista en oftalmología.

ofuscación. f. Ofuscamiento.

ofuscamiento. m. Turbación que padece la vista. || fig. Oscuridad de la razón, que confunde las ideas.

ofuscar. tr. Deslumbrar, turbar la vista. Ú.t.c.r. || Oscurecer y hacer sombra. || fig. Trastornar o confundir las ideas; alucinar. Ú.t.c.r. [*Sinón.:* obcecar, obnubilar]

ogro (al. *Werwolf,* fr. *ogre,* ingl. *ogre,* it. *orco*). m. Gigante que, según las mitologías de los pueblos del norte de Europa, se alimentaba de carne humana, especialmente de niños.

¡oh! interj. que expresa asombro, pena o alegría.

ohm. m. Fís. Nombre del ohmio en la nomenclatura internacional.

ohmio. m. Fís. Unidad de resistencia eléctrica en el sistema basado en el metro, el kilogramo, el segundo y el amperio. Es la resistencia eléctrica de un conductor que acusa entre sus extremos una diferencia de potencial de un voltio cuando la corriente que circula por él es de un amperio.

oida. f. Acción y efecto de oir. || *de o por oídas.* m. adv. que se usa para hablar de cosas que uno conoce solamente por noticias.

-oide. Elemento que se pospone a algunas voces españolas y significa "parecido a, en forma de".

oídio. m. Hongo parásito de las hojas de la vid.

oído (al. *Gehör,* fr. *ouïe,* ingl. *hearing,* it. *udito*). m. Sentido que permite percibir los sonidos. || Anat. Cada uno de los órganos de la audición. || fig. Aptitud para percibir y reproducir los sonidos musicales. || *dar oídos.* Dar crédito a lo que se dice. || *entrar,* o *entrarle,* a uno una cosa *por un oído* y *salir,* o *salirle, por el otro.* fig. No hacer caso de lo que le dicen. || *regalar* a uno *el oído.* fig. y fam. Lisonjearle.

oil. adj. Dícese de la lengua hablada antiguamente al norte del Loira y que ha dado lugar al francés actual. Ú.t.c.s.

oir (al. *hören,* fr. *entendre,* ingl. *to hear,* it. *udire*). tr. Percibir los sonidos. || Atender los ruegos o avisos de alguien. || Asistir a la explicación que el maestro da de una facultad, para aprenderla. || Der. Admitir la autoridad peticiones o pruebas de las partes antes de resolver.

ojal. (al. *Knopfloch,* fr. *boutonnière,* ingl. *buttonhole,* it. *occhiello*). m. Hendidura a propósito para abrochar un botón. || Agujero que atraviesa de parte a parte algunas cosas.

¡ojalá! interj. que expresa deseo de que suceda una cosa.

ojeada. f. Mirada pronta y ligera.

ojeador. m. El que ojea o espanta con voces la caza.

ojear. tr. Dirigir los ojos y mirar con atención a determinada parte. || Espantar la caza, acosándola. || Aojar, hacer mal de ojo.

ojeo. m. Acción y efecto de ojear la caza.

ojera. f. Mancha lívida alrededor de la base del párpado inferior. Ú.m. en pl.

ojeriza. f. Enojo y mala voluntad contra alguien.

ojete. m. dim. de ojo. || Abertura pequeña y redonda para meter un cordón u otra cosa. || fam. Ano.

ojiva. f. Figura formada por dos arcos de círculos iguales que se cortan en uno de sus extremos, volviéndose la concavidad del uno hacia la del otro. ||

ARQ. Arco que tiene esta figura. || Parte superior de un proyectil cuyo corte longitudinal tiene forma ojival. || Ingenio que se desprende de los grandes cohetes, cápsula, cabeza.

ojival. (al. *spitzbogenförmig*, fr. *ogival*, ingl. *ogival*, it. *ogivale*). adj. En forma de ojiva. || ARQ. Aplícase al estilo que dominó en Europa durante los últimos siglos de la Edad Media, caracterizado por el empleo de ojivas.

ojo (al. *Auge*, fr. *oeil*, ingl. *eye*, it. *occhio*). m. ANAT. Órgano de la vista en los hombres y en los animales. || Agujero de la aguja para que pase el hilo. || Agujero por donde se mete la llave en una cerradura. || Abertura o agujero que atraviesa de parte a parte alguna cosa. || Cada una de las gotas de aceite o grasa que sobrenadan en otro líquido. || Manantial que brota en un llano. || Palabra que se pone como señal al margen de los escritos. || Cada uno de los huecos que tienen en su interior el pan, el queso y otras cosas esponjosas. || IMPR. Grueso de los caracteres tipográficos. || – *a la funerala.* fig. y fam. El amoratado a consecuencia de un golpe. || – *de la tempestad.* Rotura de las nubes que cubren el vórtice de los ciclones. || – *del culo.* Ano. || *abrir los ojos* a uno. fig. Desengañarle. || *a ojo.* Sin medida, a bulto. || *a ojo de buen cubero.* fig. y fam. Sin peso, sin medida. || *costar* una cosa *un ojo de la cara.* fig. y fam. Tener un precio excesivo. || *echar el ojo* a una cosa. Mirarla con atención y desearla. || *en un abrir y cerrar de ojos.* fig. y fam. En un instante. || *no pegar ojo.* fig. y fam. No dormir. || *írsele* a uno *los ojos tras* una cosa. fig. y fam. Desearla ardientemente. || *ojo avizor.* Alerta, con cuidado. || ¡*ojo!* interj. para llamar la atención sobre alguna cosa.

ola (al. *Welle*, fr. *vague*, ingl. *wave*, it. *onda*). f. Onda de gran amplitud que se forma sobre la superficie de las aguas. || Fenómeno atmosférico que produce variaciones en la temperatura. || fig. Multitud de gente, oleada.

¡**olé!** interj. con que se aplaude y anima.

oleada. f. Ola grande. || Embate y golpe de la ola. || fig. Movimiento impetuoso de mucha gente apiñada.

oleaginoso, sa. adj. Aceitoso.

oleaje. m. Movimiento continuado de las olas.

olear. tr. Dar a un enfermo el sacramento de la extremaunción. || intr. Producir olas, como el mar.

oleicultura. f. Arte de cultivar el olivo y mejorar la producción de aceite.

oleífero, ra. adj. Que produce aceite.

óleo. m. Aceite de oliva. || Por antonomasia, el que usa la Iglesia en los sacramentos y otras ceremonias. Ú.m. en pl. || Acción de olear.

oleoducto (al. *Ölleitung*, fr. *oléoduct*, ingl. *pipe line*, it. *oliodotto*). m. Gran tubería para la conducción de petróleo a largas distancias.

oleografía. f. Cromo que imita la pintura al óleo.

oleorresina. f. Producto líquido, o casi líquido, procedente de varias plantas, formado por resina disuelta en aceite volátil.

oleoso, sa. adj. Aceitoso.

oler (al. *riechen*, fr. *sentir*, ingl. *to smell*, it. *odorare*). tr. Percibir los olores. || fig. Conocer o adivinar una cosa. || intr. Exhalar algún olor. || fig. Parecerse, dar señales de una cosa. || *no oler bien* una cosa. fig. Dar indicios de algo malo. [*Sinón.*: husmear, olfatear.]

olfatear. tr. Oler con persistencia. || fig. y fam. Indagar, averiguar con curiosidad. [*Sinón.*: oliscar]

olfativo, va. adj. Perteneciente o relativo al sentido del olfato.

olfato (al. *Geruchssinn*, fr. *odorat*, ingl. *smell*, it. *olfatto*). m. ZOOL. Sentido corporal con el que se perciben los olores. || fig. Sagacidad para descubrir lo disimulado o encubierto.

olfatorio, ria. adj. Olfativo.

oligarca. com. El que forma parte de una oligarquía.

oligarquía (al. *Oligarchie*, fr. *oligarchie*, ingl. *oligarchy*, it. *oligarchia*). f. Gobierno de unos pocos, en el que los poderosos se aúnan para que todos los negocios dependan de su arbitrio.

oligo-. Elemento compositivo que, antepuesto a otro, entra en la formación de algunas palabras con el significado de "poco" o "suficiente".

oligoceno. adj. GEOL. Dícese del terreno que en la base del terciario sigue inmediatamente al eoceno. Ú.t.c.s. || Perteneciente a dicho terreno.

oligofrenia. f. MED. Deficiencia mental.

oligofrénico, ca. adj. MED. Que padece oligofrenia. || Perteneciente o relativo a la oligofrenia.

oligopolio. m. ECON. Aprovechamiento de alguna industria o comercio por pocas empresas.

olimpiada u **olimpíada** (al. *Olympiade*, fr. *olympiade*, ingl. *olympiad*, it.

olimpiade). f. Fiesta o juego que tenía lugar cada cuatro años en la antigua ciudad de Olimpia. || Período de cuatro años, comprendido entre dos celebraciones consecutivas de juegos olímpicos. || Juegos deportivos que, con igual periodicidad que las olimpiadas clásicas, se celebran modernamente.

olímpico, ca. adj. Perteneciente al Olimpo. || Perteneciente a los juegos olímpicos. || fig. Altanero, soberbio.

olimpo. m. Morada de los dioses del paganismo.

olisquear. tr. Oler una persona o un animal una cosa. || fig. Curiosear, husmear.

oliva. f. Olivo. || Aceituna. || Lechuza, ave.

olivar. m. Terreno plantado de olivos.

olivarero, ra. adj. Relacionado con el cultivo del olivo. Ú.t.c.s.

olivicultor, ra. s. Persona que se dedica a la olivicultura.

olivo (al. *Olbaoum*, fr. *olivier*, ingl. *olive-tree*, it. *olivo*). m. BOT. Árbol de la familia de las oleáceas, de tronco corto, grueso y torcido, hojas perennes, coriáceas, blancas por el envés y verdes por el haz, flores pequeñas y blancas y fruto en drupa llamado aceituna, ácido y de color verde amarillento o morado, del que se extrae el aceite comestible de mayor calidad. || Madera de este árbol.

olmeda. f. Sitio plantado de olmos.

olmedo. m. Olmeda.

olmo (al. *Ulme*, fr. *orme*, ingl. *elm-tree*, it. *olmo*). m. BOT. Árbol ulmáceo de tronco fuerte y recto, corteza agrietada, hojas elípticas, algo pilosas por el envés, y flores rojizas que forman haces sobre las ramas. Da un fruto seco, monospermo. Su madera es de excelente calidad.

ológrafo, fa. adj. Aplícase al testamento o a la memoria testamentaria de puño y letra del testador. Ú.t.c.s.m. || Autógrafo.

olopopo. m. *Amer.* Especie de búho.

olor (al. *Geruch*, fr. *odeur*, ingl. *odour*, it. *odore*). m. Impresión que los efluvios de los cuerpos producen en el olfato. || Lo que es capaz de producir esa impresión. || fig. Fama, opinión, reputación. || fig. Esperanza o promesa de una cosa. || fig. Lo que motiva la sospecha de que hay algo oculto.

oloroso, sa. adj. Que exhala de sí fragancia. || m. Vino de Jerez de tono dorado oscuro y fuerte aroma. [*Sinón.*: aromático. *Antón.*: inodoro]

olvidadizo, za. adj. Que con facilidad se olvida de las cosas. || fig. Desagradecido. [*Sinón.*: desmemoriado, olvidado]

olvidar (al. *vergessen*, fr. *oublier*, ingl. *to forget*, it. *dimenticare*). tr. Perder la memoria de una cosa. Ú.t.c.r. || Dejar el cariño que antes se tenía. || No tener en cuenta alguna cosa. Ú.t.c.r. [*Antón.*: recordar]

olvido. m. Acción de olvidar. || Descuido de una cosa que debía tenerse presente.

olla (al. *Kochtopf*, fr. *marmite*, ingl. *kettle*, it. *pentola*). f. Vasija redonda, con una o dos asas. || Vianda preparada con carne, tocino, legumbres y hortalizas. || *—podrida*. La que, además de la carne, tocino y legumbres, lleva también jamón, embutidos, aves, etc. [*Sinón.*: marmita, puchero, cocido]

ollar. m. Cada uno de los dos orificios de la nariz de las caballerías.

-oma. Sufijo que entra en la formación de algunas voces con el significado de "tumor" o de otras alteraciones patológicas.

ombligo (al. *Nabel*, fr. *nombril*, ingl. *navel*, it. *ombelico*). m. Cicatriz que se forma en medio del vientre, después de romperse y secarse el cordón umbilical. || fig. Medio o centro de cualquier cosa.

omega. f. Vigesimotercera y última letra del alfabeto griego; (Ω, ω) corresponde a una *o* larga.

omento. m. ANAT. Redaño.

ómicron. f. Decimoquinta letra del alfabeto griego (Θ, θ); corresponde a la *o* breve.

ominoso, sa. adj. Azaroso, de mal agüero. [*Sinón.*: calamitoso]

omisión (al. *Unterlassung*, fr. *omission*, ingl. *omission*, it. *omissione*). f. Abstención de hacer o decir. || Falta por haber dejado de hacer algo en la ejecución de una cosa o por no haberla ejecutado. || Flojedad o descuido del encargado de un asunto.

omiso, sa. adj. Flojo, descuidado.

omitir. tr. Pasar en silencio una cosa. Ú.t.c.r. || Dejar de hacer una cosa.

ómnibus. m. Vehículo automóvil de gran capacidad que sirve para transportar personas. [*Sinón.*: autobús]

omnímodo, da. adj. Que lo abraza y comprende todo. [*Sinón.*: universal]

omnipotencia. f. Poder onmímodo, atributo exclusivo de Dios. || fig. Poder muy grande.

omnipotente. adj. Que posee omnipotencia.

omnipresencia. f. Ubicuidad.

omnipresente. adj. Ubicuo.

omnisapiente. adj. Que tiene omnisciencia.

omnisciencia. f. Atributo exclusivo de Dios, que consiste en el conocimiento de todas las cosas. || fig. Conocimiento de muchas ciencias.

omnívoro, ra. adj. ZOOL. Aplícase a los animales que se alimentan de toda clase de sustancias orgánicas. Ú.t.c.s.

omóplato u **omoplato** (al. *Schulterblatt*, fr. *omoplate*, ingl. *omoplate*, it. *omoplata*). m. ANAT. Cada uno de los dos huesos anchos, casi planos, situados a uno y otro lado de la espalda, donde se articulan los húmeros y las clavículas.

onagro. m. Asno silvestre.

onanismo. m. Masturbación.

once. adj. Diez y uno. || Undécimo, que sigue a lo décimo. Aplicado a los días del mes, ú.t.c.s. || m. Conjunto de signos que representan el número once. || Equipo de jugadores de fútbol.

oncología. f. MED. Estudio médico de los tumores.

onda (al. *Welle*, fr. *onde*, ingl. *wave*, it. *onda*). f. Cada una de las elevaciones que se producen en la superficie de un líquido, mar, río, lago, etc., por la acción del aire u otra causa. || Cada una de las curvas que, a manera de eses, se forman en algunas cosas flexibles, como el pelo, las telas, etc. Ú.m. en pl. || Movimiento que se propaga en un fluido. || *— electromagnética*. Forma de propagarse a través del espacio los campos eléctricos y magnéticos producidos por las cargas eléctricas en movimiento. || *— herciana*. Onda que transporta energía electromagnética y que se propaga en el vacío a la velocidad de la luz. || *captar la onda*. fig. Entender una indirecta. [*Sinón.*: ola, ondulación]

ondear (al. *flattern*, fr. *ondoyer*, ingl. *to wave*, it. *ondeggiare*). intr. Hacer ondas el agua impelida por el aire. || Ondular. || fig. Formar ondas los dobleces que se hacen en una cosa.

ondeo. m. Acción de ondear.

ondina. f. Ninfa, espíritu mitológico de las aguas.

ondulación (al. *Wellung*, fr. *ondulation*, ingl. *wave*, it. *ondulazione*). f. Acción y efecto de ondular. || Movimiento ondulatorio producido en un fluido por un agente externo. || Formación en ondas de una cosa. || *—periódica*. Fís. La producida por perturbaciones regulares.

ondulado, da. adj. Aplícase a los cuerpos cuya superficie o perímetro forma ondas pequeñas.

ondular (al. *ondulieren*, fr. *onduler*, ingl. *to wave*, it. *ondulare*). intr. Moverse una cosa formando giros en forma de eses. || tr. Hacer ondas en el pelo.

ondulatorio, ria. adj. Que se extiende en forma de ondulaciones. || Relativo a las ondas.

oneroso, sa (al. *beschwerlich*, fr. *onéreux*, ingl. *onerous*, it. *oneroso*). adj. Pesado, molesto o gravoso. || DER. Que incluye gravamen.

ónice (al. *Onyx*, fr. *onyx*, ingl. *onyx*, it. *onice*). m. Ágata listada de varios colores que suele emplearse para hacer camafeos.

onírico, ca. adj. Perteneciente o relativo a los sueños.

oniromancia u **oniromancía.** f. Arte de adivinar el porvenir interpretando los sueños.

ónix. f. Ónice.

onomástico, ca. adj. Perteneciente o relativo a los nombres. || f. Ciencia que trata del estudio de los nombres propios. [*Sinón.*: patronímico]

onomatopeya (al. *Wortbildung*, fr. *onomatopée*, ingl. *onomatopoeia*, it. *onomatopea*). f. Imitación del sonido de una cosa por la palabra que la representa. || Vocablo que imita el sonido de la cosa nombrada por él.

onomatopéyico, ca. adj. Relativo a la onomatopeya; formado por onomatopeya.

ontogenia. f. FISIOL. Formación y desarrollo del individuo considerado con independencia de la especie.

ontología. f. Parte de la metafísica que trata del ser en general y de sus propiedades trascendentales.

ontológico, ca. adj. Perteneciente a la ontología.

onubense. adj. Natural de la antigua Onuba, hoy Huelva. Ú.t.c.s. || Perteneciente a esta ciudad.

onza. f. Dieciseisava parte del peso de la libra castellana. || Duodécima parte de varias medidas antiguas. || ZOOL. Mamífero carnívoro, semejante a la pantera, y de pelaje manchado como el leopardo. Vive en el sur de Asia y en África, y es domesticable.

onzavo, va. adj. Undécimo. Ú.t.-c.s.m.

opacidad. f. Calidad de opaco.

opaco, ca (al. *undurchsichtich*, fr. *opaque*, ingl. *opaque*, it. *opaco*). adj. Que impide el paso de la luz. || Oscuro, sombrío. || fig. Melancólico, triste. [*Antón.*: diáfano, traslúcido]

opalescencia. f. Reflejos de ópalo.

opalino, na. adj. Perteneciente o

relativo al ópalo. || De color entre blanco y azulado con reflejos irisados.

ópalo (al. *Opal,* fr. *opale,* ingl. *opal,* it. *opale*). m. Mineral silíceo con algo de agua, duro, pero quebradizo, de lustre resinoso y colores diversos.

opción (al. *Option,* fr. *option,* ingl. *option,* it. *opzione*). f. Libertad o facultad de elegir. || La elección misma. || Derecho que se tiene a un oficio, dignidad, etc. || DER. Convenio en que, bajo condiciones, se deja al arbitrio de una de las partes ejercitar un derecho o adquirir una cosa.

ópera (al. *Oper,* fr. *opéra,* ingl. *opera,* it. *opera*). f. Poema dramático puesto en música. || Letra de la ópera. || Música de la ópera.

operación (al. *Operation,* fr. *opération,* ingl. *operation,* it. *operazione*). f. Acción y efecto de operar. || Ejecución de una cosa. || COM. Negociación sobre valores o mercaderías. || MAT. Proceso que se sigue para obtener magnitudes o expresiones a partir de otras dadas y de acuerdo con determinadas reglas.

operador, ra. adj. Que opera. Ú.t.c.s. || s. CINEM. Técnico que maneja la cámara cinematográfica. || CINEM. Persona encargada de la proyección en la sala cinematográfica. || m. MAT. Símbolo que denota un conjunto de operaciones que han de realizarse.

operar (al. *operieren,* fr. *opérer,* ingl. *to operate,* it. *operare*). tr. Realizar o llevar a cabo algo. Ú.t.c.r. || CIR. Ejecutar un trabajo, mediante instrumentos cortantes, sobre el cuerpo animal vivo para curar una enfermedad o corregir un defecto. Ú.t.c.r. || intr. Producir las cosas el efecto para que se destinan. || Obrar, trabajar; ejecutar diversos menesteres u ocupaciones. || Negociar, realizar tratos comerciales. || Maniobrar un ejército. || Realizar operaciones matemáticas.

operario, ria (al. *Handwerker,* fr. *ouvrier,* ingl. *workman,* it. *operaio*). s. Trabajador manual. [*Sinón.:* obrero]

operativo, va. adj. Dícese de lo que obra y hace su efecto.

operatorio, ria. adj. Que puede operar. || MED. Relativo a las operaciones quirúrgicas.

opereta. f. Especie de ópera alegre y frívola, de origen francés.

opinar. intr. Formar o tener opinión. || Expresarla de palabra o por escrito. [*Sinón.:* enjuiciar]

opinión (al. *Meinung,* fr. *opinion,* ingl. *opinion,* it. *opinione*). f. Concepto que se forma de una cosa cuestionable.

|| Fama o concepto en que se tiene a una persona o cosa. || *—pública.* Sentir en que coincide la mayoría de las personas sobre determinados asuntos. [*Sinón.:* juicio, idea]

opio (al. *Opium,* fr. *opium,* ingl. *opium,* it. *oppio*). m. Jugo desecado que se obtiene de las cabezas de adormideras verdes. Es pardo, amargo, de olor fuerte característico.

opíparo, ra. adj. Copioso y espléndido, al hablar de comidas.

oponer (al. *einwenden,* fr. *opposer,* ingl. *to object,* it. *opporre*). tr. Poner una cosa contra otra para estorbarla o impedir su efecto. Ú.t.c.r. || Proponer una razón contra lo que otro dice. || r. Ser una cosa contraria a otra. [*Sinón.:* contraponer; enfrentar]

oporto. m. Vino tinto fabricado principalmente en Oporto, Portugal.

oportunidad (al. *Gelegenheit,* fr. *conjoncture,* ingl. *opportunity,* it. *opportunità*). f. Sazón, coyuntura, conveniencia de tiempo y de lugar. [*Sinón.:* ocasión]

oportuno, na. adj. Que se hace o sucede en tiempo a propósito y cuando conviene. || Dícese del que es ocurrente en la conversación. [*Antón.:* inoportuno, importuno]

oposición. f. Acción y efecto de oponer u oponerse. || Disposición de algunas cosas, de modo que estén unas frente a otras. || Contrariedad o repugnancia de una cosa con otra. || Contradicción o resistencia a lo que uno hace o dice. || Minoría en los cuerpos deliberantes. || Concurso de los aspirantes a una cátedra u otro empleo. || ASTR. Situación relativa de dos o más cuerpos celestes cuando sus longitudes difieren en dos ángulos rectos. [*Sinón.:* impedimento, disconformidad]

oposicionista. adj. Perteneciente o relativo a la oposición. || m. Persona que pertenece a la oposición política.

opositar. intr. Tomar parte en unas oposiciones.

opositor, ra. s. Pretendiente a un empleo que se ha de proveer por oposición. || Persona que se opone a otra u otras.

opresión. f. Acción y efecto de oprimir.

opresor, ra. adj. Que violenta u obliga a alguno con vejación o molestia. Ú.t.c.s.

oprimir (al. *unterdrücken,* fr. *opprimer,* ingl. *to oppress,* it. *opprimere*). tr. Ejercer presión sobre una cosa. || fig. Hacer violencia a alguien, vejándolo,

afligiéndolo o tiranizándolo. [*Sinón.:* apretar; subyugar]

oprobio. m. Ignominia, afrenta, deshonra.

optar (al. *sich entscheiden,* fr. *opter,* ingl. *to choose,* it. *optare*). tr. Escoger una cosa entre varias. || Entrar en la dignidad, empleo u otra cosa a que se tiene derecho. [*Sinón.:* elegir]

optativo, va. adj. Que admite opción o pende de ella.

óptica (al. *Optik,* fr. *optique,* ingl. *optics,* it. *ottica*). f. Fís. Parte de la física que estudia los fenómenos relacionados con la luz.

óptico, ca. adj. Perteneciente o relativo a la óptica. || m. Comerciante de objetos de óptica.

optimismo (al. *Optimismus,* fr. *optimisme,* ingl. *optimism,* it. *ottimismo*). m. Propensión a ver y juzgar las cosas en su aspecto más favorable. [*Antón.:* pesimismo]

optimista. adj. Que profesa el optimismo. Ú.t.c.s. || Que tiende a ver y juzgar las cosas con optimismo. Ú.t.c.s.

óptimo, ma. adj. Muy bueno; que no puede ser mejor. [*Antón.:* pésimo]

opuesto, ta (al. *entgegengesetz,* fr. *opposé,* ingl. *opposite,* it. *opposto*). adj. Enemigo o contrario. || BOT. Dícese de las hojas, flores, ramas y otras partes de la planta, cuando las unas nacen enfrente de las otras. [*Sinón.:* antagónico]

opulencia. f. Abundancia, riqueza y sobra de bienes. [*Sinón.:* copiosidad, fortuna]

opulento, ta. adj. Que tiene opulencia.

opúsculo. m. Obra científica o literaria de poca extensión.

oquedad (al. *Höhlung,* fr. *creux,* ingl. *hollow,* it. *vuoto*). f. En un cuerpo sólido, espacio que queda vacío, natural o artificialmente. || fig. Carácter vacío de un escrito o discurso.

ora. conj. distrib., aféresis de ahora.

oración (al. *Gebet,* fr. *prière,* ingl. *prayer,* it. *preghiera*). f. Discurso, razonamiento pronunciado en público. || Ruego, súplica que se hace a Dios y a los santos. || GRAM. Palabra o conjunto de palabras con que se expresa un concepto. [*Sinón.:* rezo; frase]

oráculo (al. *Orakel,* fr. *oracle,* ingl. *oracle,* it. *oracolo*). m. Contestación que las pitonisas y sacerdotes pronunciaban, como dada por los dioses, a las consultas que se hacían ante sus ídolos. || Lugar, estatua o simulacro que representaba la deidad cuyas respuestas se

501

pedían. || fig. Persona a quien todos escuchan por su sabiduría.

orador, ra (al. *Redner*, fr. *orateur*, ingl. *orator*, it. *oratore*). s. Persona que ejerce la oratoria, que habla en público. || Persona que pide y ruega.

oral (al. *mündlich*, fr. *oral*, ingl. *oral*, it. *orale*). adj. Expresado con la boca o con la palabra. [*Sinón.*: verbal]

orangután (al. *Orang Utan*, fr. *orang-outan*, ingl. *orang-utan*, it. *orangutano*). m. ZOOL. Mono antropomorfo de un metro y medio de estatura, cabeza gruesa, cuerpo robusto y brazos larguísimos que le llegan hasta los tobillos. Vive en las selvas de Sumatra y Borneo.

orar. intr. Hablar en público para persuadir a los oyentes o mover su ánimo. || Hacer oración a Dios, oral o mentalmente. || tr. Rogar, pedir. [*Sinón.*: rezar]

orate. com. Persona que ha perdido el juicio. [*Sinón.*: loco]

oratoria. f. Arte de hablar en forma elocuente; de deleitar, persuadir y conmover por medio de la palabra. [*Sinón.*: elocuencia]

oratorio. m. Lugar destinado a la oración. || Composición dramática y musical sobre asunto sagrado que solía cantarse en cuaresma.

oratorio, ria. adj. Perteneciente o relativo a la oratoria o al orador.

orbe (al. *Erdkugel*, fr. *globe*, ingl. *globe*, it. *orbe*). m. Redondez o círculo. || Conjunto de todas las cosas creadas, mundo. || Esfera celeste o terrestre.

órbita (al. *Planetenbahn*, fr. *orbite*, ingl. *orbit*, it. *orbita*). f. ANAT. Cuenca del ojo. || ASTR. Trayectoria seguida por un cuerpo celeste al moverse alrededor de otro siguiendo las leyes de la gravitación universal. || fig. Ámbito, esfera, espacio.

orca. f. ZOOL. Cetáceo de color azul oscuro por el lomo y blanco por el vientre, de unos 10 m de longitud, con 20 o 25 dientes en cada mandíbula.

órdago. m. Envite del resto en el juego del mus. || *de órdago*. loc. fam. Excelente, de superior calidad.

ordalías. f. pl. Pruebas que en la Edad Media se realizaban para averiguar la culpabilidad o inocencia del acusado; juicios de Dios.

orden (al. *Ordnung*, fr. *ordre*, ingl. *order*, it. *ordine*). amb. Colocación de las cosas en el lugar que les corresponde. || Concierto, buena disposición de las cosas entre sí. || Regla o modo que se observa para hacer las cosas. || Serie o sucesión de las cosas. || Sexto de los siete sacramentos de la Iglesia, por el cual son instituidos los sacerdotes y los ministros del culto. || Instituto religioso cuyos miembros viven bajo las reglas establecidas por su fundador. || HIST. NAT. Cada uno de los grupos en que se dividen las clases que, a su vez, se subdividen en familias. || f. Mandato que se debe obedecer, observar y ejecutar. || Institutos civiles o militares creados para premiar a las personas beneméritas. || MAT. Calificación de una curva o superficie por el grado de la ecuación que la representa. || *—de batalla*. Situación de las tropas o de una escuadra de la forma más favorable para hacer fuego contra el enemigo. || *a la orden*. COM. expr. que denota ser transferible por endoso, un valor comercial. || *en orden a*. loc. adv. Tocante a, respecto a. || *estar a la orden del día*. Estar de moda. || *llamar a uno al orden*. Advertirle que se comporte debidamente.

ordenación. f. Acción y efecto de ordenar u ordenarse. || Colocación de las cosas en el lugar que les corresponde. || Disposición, prevención. || Parte de la arquitectura que determina la capacidad que ha de tener cada pieza del edificio según su destino.

ordenada (al. *Ordinate*, fr. *ordonnée*, ingl. *ordinate*, it. *ordinata*). f. MAT. Nombre de la coordenada vertical en el sistema de coordenadas cartesianas.

ordenado, da. adj. Dícese de la persona que sigue un método en sus acciones.

ordenador, ra. adj. Que ordena. Ú.t.c.s. || m. Jefe de una oficina de ordenación de pagos. || Computador electrónico.

ordenamiento. m. Acción y efecto de ordenar. || Ley, pragmática, ordenanza. || Breve colección de disposiciones o leyes promulgadas al mismo tiempo.

ordenanza (al. *Anordnung*, fr. *ordonnance*, ingl. *ordinance*, it. *ordinanza*). f. Conjunto de preceptos referentes a una materia. Ú.m. en pl. || MIL. Soldado que está a las órdenes de un oficial para los asuntos del servicio. Ú.m.c.s.m. || Empleado subalterno de ciertas oficinas. [*Sinón.*: reglamento; asistente, bedel]

ordenar (al. *in Ordnung bringen*, *befehlen*; fr. *ordonner*; ingl. *to arrange*, *to command*; it. *ordinare*, *comandare*). tr. Poner en orden. || Mandar que se haga una cosa. || Dirigir a un fin. || r. Recibir la tonsura o las órdenes sagradas. [*Sinón.*: disponer; arreglar; preceptuar. *Antón.*: desordenar]

ordeñar (al. *melken*, fr. *traire*, ingl. *to milk*, it. *mungere*). tr. Extraer la leche exprimiendo la ubre.

ordeño. m. Acción y efecto de ordeñar.

ordinal. adj. Perteneciente o relativo al orden. Ú.t.c.s.

ordinariez. f. Falta de urbanidad y cultura. [*Sinón.*: vulgaridad]

ordinario, ria (al. *gewöhnlich*, fr. *ordinaire*, ingl. *ordinary*, it. *ordinario*). adj. Común, regular y que acontece la mayor parte de las veces. || Basto, vulgar. || Dícese del juez de primera instancia y del obispo diocesano. Ú.t.c.s. || m. Mensajero, recadero. || *de ordinario*. m. adv. Normalmente, con frecuencia.

orear (al. *auslüften*, fr. *aérer*, ingl. *to air*, it. *aerare*). tr. Dar el viento en una cosa, refrescándola. || r. Salir alguien a tomar el aire. [*Sinón.*: ventilar, airear]

orégano (al. *Dost*, fr. *marjolaine*, ingl. *wild marjoram*, it. *origano*). m. BOT. Planta herbácea vivaz, con flores purpúreas en espiga y fruto seco. Abunda en España, es aromático, y sus hojas y flores se usan en condimentos.

oreja (al. *Ohr*, fr. *oreille*, ingl. *ear*, it. *orecchio*). f. Órgano y sentido de la audición. || Ternilla que forma la parte externa del órgano del oído. || Parte del zapato que sobresale a un lado y otro, y sirve para ajustarlo al pie mediante cintas, botones o hebillas. || Cada una de las dos partes iguales que llevan en la punta algunas armas o herramientas. || *bajar uno las orejas*. Humillarse ante una réplica. || *calentar a uno las orejas*. fig. Reprenderle. || *con las orejas caídas o gachas*. fig. y fam. Sin conseguir lo que se quería. || *taparse las orejas*. fig. No darse por enterado de una cosa. || *ver uno las orejas al lobo*. fig. Encontrarse ante un riesgo próximo.

orejera. f. Cada una de las dos piezas de la gorra que cubren las orejas. || Cada una de las dos piezas que el arado lleva a uno y otro lado del dental para ensanchar el surco. || Cada una de las dos piezas que tenían algunos cascos antiguos para proteger las orejas.

orejón. m. Pedazo de melocotón o de otra fruta, secado al aire y al sol. || Tirón de orejas. || Sabanero de Bogotá, y por ext. persona tosca. || FORT. Cuerpo que sobresale de un baluarte.

orejudo, da. adj. Que tiene orejas grandes. || m. ZOOL. Murciélago insectívoro, caracterizado por el gran desarrollo de sus orejas.

orensano, na. adj. Natural de Orense. Ú.t.c.s. || Perteneciente a esta ciudad o provincia de España.

oreo. m. Soplo del aire que da suavemente en una cosa.

orfanato. m. Asilo de huérfanos.

orfandad (al. *Waisenstand*, fr. *orphelinage*, ingl. *orphanage*, it. *orfanità*). f. Estado en que quedan los hijos por la muerte de sus padres, o de uno de ellos. || Pensión que disfrutan algunos huérfanos. || fig. Falta de ayuda.

orfebre. m. El que labra objetos artísticos de oro o plata.

orfebrería. f. Arte del orfebre.

orfeón. m. Conjunto de cantantes en coro, que no se acompañan con ningún instrumento.

organdí. m. Tela de algodón muy fina y transparente, con un apresto que le proporciona rigidez.

orgánico, ca (al. *organisch*, fr. *organique*, ingl. *organic*, it. *organico*). adj. Aplícase al cuerpo que está con disposición para vivir. || Que tiene armonía y consonancia. || fig. Dícese de lo que atañe a la constitución de corporaciones o entidades colectivas. || QUÍM. Dícese de la sustancia cuyo componente constante es el carbono en combinación con otros elementos. || MED. Dícese de las lesiones duraderas que afectan el buen funcionamiento de un órgano.

organigrama. m. Esquema de la organización de una entidad o empresa.

organillero, ra. s. Persona que tiene por ocupación tocar el organillo.

organillo (al. *Drehorgel*, fr. *orgue de barbarie*, ingl. *regal*, it. *organino*). m. Piano pequeño que suena por medio de un rodillo con púas movido por un manubrio.

organismo (al. *Organismus*, fr. *organisme*, ingl. *organism*, it. *organismo*). m. Conjunto de órganos del cuerpo animal o vegetal y de las leyes por que se rige. || fig. Conjunto de leyes y usos por que se rige una institución social || fig. Conjunto de oficinas que forman una institución.

organista. com. Persona que toca el órgano.

organización (al. *Organisation*, fr. *organisation*, ingl. *organization*, it. *organizzazione*). f. Acción y efecto de organizar u organizarse. || Disposición de los órganos de la vida en el cuerpo animal o vegetal. || fig. Disposición, arreglo, orden. [*Sinón.*: ordenación]

organizado, da. adj. Orgánico. || BIOL. Dícese de la sustancia que tiene la estructura peculiar de los seres vivientes.

organizador, ra. adj. Que organiza o es hábil para organizar.

organizar (al. *organisieren*, fr. *organiser*, ingl. *to organize*, it. *organizare*). tr. Establecer o reformar una cosa, sujetando a reglas el número, orden y dependencia de las partes que la componen. Ú.t.c.r.

órgano (al. *Orgel*; fr. *orgue, organe*; ingl. *organ*; it. *organo*). m. BIOL. Parte diferenciada del cuerpo de un ser vivo que ejerce una función. || MÚS. Instrumento de viento, compuesto de tubos de distinta longitud y fuelles que impulsan el aire. Tiene uno o varios teclados y distintos registros para modificar el timbre de las voces. || fig. Medio o conducto que pone en comunicación dos cosas. || fig. Persona o cosa que sirve para ejecutar un acto.

orgasmo (al. *Nervenerregung*, fr. *orgasme*, ingl. *orgasm*, it. *orgasmo*). m. Momento de máximo placer sexual. || Exaltación de la vitalidad de un órgano.

orgía (al. *Orgie*, fr. *orgie*, ingl. *orgy*, it. *orgia*). f. Festín en que se come y bebe inmoderadamente y se cometen otros excesos. || fig. Satisfacción viciosa de pasiones desordenadas. [*Sinón.*: bacanal]

orgiástico, ca. adj. Perteneciente o relativo a la orgía.

orgullo. m. Arrogancia, exceso de estimación propia. [*Sinón.*: soberbia. *Antón.*: humildad]

orgulloso, sa. adj. Que tiene orgullo. Ú.t.c.s. [*Sinón.*: soberbio]

orientación. f. Acción y efecto de orientar u orientarse. || Posición o dirección de una cosa respecto a un punto cardinal.

oriental (al. *orientalisch*, fr. *oriental*, ingl. *oriental*, it. *orientale*). ajd. Perteneciente al Oriente. || Natural de Oriente. Ú.t.c.s. || ASTR. Aplícase al planeta Venus, porque sale antes de nacer el Sol.

orientar (al. *orientieren*, fr. *orienter*, ingl. *to orient*, it. *orientare*). tr. Colocar una cosa era posición determinada respecto a los puntos cardinales. || Determinar la posición o dirección de una cosa respecto a un punto cardinal. || Informar a uno de lo que ignora para que pueda manejarse en algún asunto. Ú.t.c.r. || fig. Dirigir una cosa hacia un fin determinado. || GEOGR. Señalar en un mapa el Norte, para que se conozca la situación de los demás puntos. || MAR. Disponer las velas del barco para que reciban bien el viento. [*Sinón.*: guiar. *Antón.*: desorientar]

oriente (al. *Osten*, fr. *orient*, ingl. *orient*, it. *oriente*). m. Punto cardinal del horizonte por donde sale el Sol. || Lugar de la Tierra o de la esfera celeste que, respecto a otro con el que se compara, cae hacia donde sale el Sol. [*Sinón.*: levante. *Antón.*: occidente, poniente.

orificio. m. Boca o agujero. || ZOOL. Abertura de ciertos conductos.

oriflama. f. Estandarte de la abadía de San Dionisio, que usaban como pendón guerrero los antiguos reyes de Francia. || Por ext., cualquier estandarte o bandera de colores.

origen (al. *Ursprung*, fr. *origine*, ingl. *orígin*, it. *origine*). m. Principio, nacimiento, raíz y causa de una cosa. || País donde uno ha nacido o tuvo principio la familia. || Ascendencia o familia. [*Sinón.*: procedencia]

original. adj. Perteneciente al origen. || Dícese de la obra artística producida directamente por su autor sin ser copia, imitación o traducción de otra. Ú.t.c.s. || Singular, contrario a lo común. || m. Manuscrito que se da a la imprenta. [*Sinón.*: inédito; modelo, ejemplar]

originalidad. f. Calidad de original.

originar (al. *veranlassen*, fr. *causer*, ingl. *to originate*, it. *originare*). tr. Ser instrumento, motivo, principio u origen de una cosa. || r. Traer una cosa su principio u origen de otra. [*Sinón.*: causar, acarrear]

originario, ria. adj. Que da origen a una persona o cosa. || Que tiene su origen en algún lugar, persona o cosa.

orilla (al. *Ufer*, fr. *rivage*, ingl. *shore*, it. *riva*). f. Término, límite, extremo de la extensión superficial de algunas cosas. || Parte de la tierra inmediata al mar, río, lago, etc. || Borde de una tela o vestido. || *Amer.* Arrabales de una ciudad. [*Sinón.*: borde]

orillar. tr. fig. Dejar a un lado una dificultad. || Guarnecer el borde de una tela. || intr. Arrimarse a las orillas [*Sinón.*: bordear]

orillo. m. Orilla del paño, que suele hacerse de lana más basta.

orín (al. *Rost*, fr. *rouille*, ingl. *rust*, it. *ruggine*). m. Óxido rojizo que se forma en la superficie del hierro. || Orina.

orina (al. *Harnen*, fr. *urine*, ingl. *urine*, it. *urina*). f. Líquido excrementicio secretado por los riñones, que pasa a la vejiga, desde donde se expele.

503

orinal. m. Vaso de vidrio, loza o metal, que sirve para recoger la orina.

orinar (al. *harnen*, fr. *uriner*, ingl. *to urinate*, it. *urinare*). intr. Expeler naturalmente la orina. Ú.t.c.r. ‖ Expeler por la uretra algún otro líquido.

oriundo, da. adj. Originario de algún lugar.

orla (al. *Randverzierung*, fr. *bordure*, ingl. *border*, it. *orlo*). f. Orilla adornada de las telas. ‖ Adorno que rodea un impreso, retrato, etc. ‖ BLAS. Adorno en forma de filete que rodea el escudo.

orlar. tr. Adornar un vestido u otra cosa con orlas. ‖ BLAS. Poner la orla en el escudo.

ornamentación. f. Acción y efecto de ornamentar.

ornamental. adj. Perteneciente o relativo a la ornamentación o adorno.

ornamentar. tr. Adornar, engalanar.

ornamento (al. *Verzierung*, fr. *ornement*, ingl. *ornament*, it. *ornamento*). m. Adorno, atavío. ‖ pl. Vestiduras que usan los sacerdotes cuando celebran. ‖ Adornos del altar.

ornar. tr. Adornar. Ú.t.c.r.

ornato. m. Adorno, atavío, aparato.

ornitología (al. *Vogelkunde*, fr. *ornithologie*, ingl. *ornithology*, it. *ornitologia*). f. ZOOL. Parte de la zoología que estudia las aves.

ornitólogo. m. El que profesa la ornitología o tiene en ella especiales conocimientos.

ornitorrinco. m. ZOOL. Mamífero del tamaño de un conejo, de cabeza redonda y mandíbulas ensanchadas, que recuerdan el pico de un pato; pies palmeados, cola plana y cubierta como el cuerpo de pelo gris fino. Vive en Australia.

oro (al. *Gold*, fr. *or*, ingl. *gold*, it. *oro*). m. Metal amarillo, el más dúctil y maleable, y uno de los más pesados. Se encuentra siempre nativo en la Naturaleza; es uno de los metales preciosos, y es sólo atacable por el cloro, el bromo y el agua regia. ‖ Monedas, joyas de este metal. ‖ fig. Riquezas. BLAS. Uno de los dos metales heráldicos. ‖ pl. Uno de los cuatro palos de la baraja española. ‖ *el oro y el moro*. loc. fig. y fam. con la que se alude a una oferta ilusoria. ‖ *hacerse* uno *de oro*. fig. Enriquecerse.

orografía (al. *Gebirgsleschreibung*, fr. *orographie*, ingl. *orography*, it. *orografía*). f. Parte de la geografía física que describe las montañas.

orondo, da. adj. Aplícase a las vasijas de mucha concavidad o barriga. ‖ fam. Hueco, hinchado. ‖ fig. y fam. Presuntuoso, satisfecho de sí mismo.

oropel. m. Lámina de latón, batida y adelgazada, que imita al oro. ‖ fig. Cosa de poco valor y mucha apariencia. ‖ fig. Adorno de una persona.

oropéndola (al. *Goldamsel*, fr. *loriot*, ingl. *golden oriole*, it. *rigogolo*). f. ZOOL. Ave de plumaje amarillo, con alas, pico, patas y cola de color negro. Se alimenta de insectos y frutas, y construye sus nidos colgando de las ramas. Es ave canora.

orozuz. m. BOT. Planta herbácea vivaz, con tallos casi leñosos, llamada también regaliz. Sus rizomas tienen un jugo dulce y mucilaginoso usado en medicina como pectoral y emoliente.

orquesta (al. *Orchester*, fr. *orchestre*, ingl. *orchestra*, it. *orchestra*). f. Conjunto de músicos que tocan a un tiempo. ‖ Lugar destinado a los músicos. ‖ Conjunto de instrumentos, especialmente de cuerda y viento, que tocan unidos en un teatro u otro lugar.

orquestación. f. Acción y efecto de orquestar.

orquestar. tr. Instrumentar para orquesta.

orquestina. f. Orquesta de pocos instrumentos que ejecuta generalmente música moderna bailable.

orquídea (al. *Orchidee*, fr. *orchidée*, ingl. *orchidaceous*, it. *orchidea*). f. BOT. Planta angiosperma monocotiledónea, de hojas radicales, fruto capsular, semillas sin albumen. ‖ f. pl. Familia de estas plantas.

orquitis (al. *Hodenentzündung*, fr. *orchite*, ingl. *orchitis*, it. *orchite*). f. MED. Inflamación del testículo.

ortega. f. ZOOL. Ave gallinácea, de alas cortas, plumaje rojizo en el dorso, negro en el abdomen, y con un collar blanco en la garganta. Es algo mayor que la perdiz, y su carne es muy apreciada.

ortiga (al. *Nessel*, fr. *ortie*, ingl. *nettle*, it. *ortica*). f. BOT. Planta urticácea, con tallos prismáticos, hojas agudas, flores verdosas en racimos colgantes y fruto seco y comprimido.

orto. m. ASTR. Paso del punto medio de un astro por la línea del horizonte a la salida de dicho astro.

ortodoxia (al. *Rechtäubigkeit*, fr. *orthodoxie*, ingl. *orthodoxy*, it. *ortodossia*). f. Rectitud dogmática o conformidad con la doctrina fundamental de cualquier religión o sistema. ‖ Designa también comúnmente el conjunto de las Iglesias cristianas ortodoxas. [*Antón.*: heterodoxia]

ortodoxo, xa. adj. Conforme con la doctrina fundamental de cualquier secta o sistema. ‖ Calificativo que sus adeptos dan a la religión cismática griega y a la rumana. Ú.t.c.s.

ortogonal. adj. Dícese de los elementos perpendiculares entre sí.

ortografía (al. *Rechtbeschreibung*, fr. *orthographie*, ingl. *orthography*, it. *ortografía*). f. GRAM. Parte de la gramática que enseña a escribir correctamente.

ortográfico, ca. adj. Perteneciente o relativo a la ortografía.

ortopedia (al. *Orthopädie*, fr. *orthopédie*, ingl. *orthopedics*, it. *ortopedia*). f. MED. Conjunto de métodos destinados a corregir o evitar las deformaciones o mutilaciones del cuerpo humano por medio de ciertos aparatos.

ortopédico, ca. adj. Concerniente a la ortopedia. ‖ s. Ortopedista.

ortopedista. com. Persona que ejerce o profesa la ortopedia.

ortóptero. adj. ZOOL. Aplícase a los insectos de boca masticadora, que tienen un par de élitros y otro de alas membranosas; como los saltamontes. ‖ m. pl. Orden de estos insectos.

oruga (al. *Rauper*, fr. *chenille*, ingl. *caterpillar*, it. *bruco*). f. BOT. Planta herbácea anual, de las crucíferas. Sus hojas se emplean como condimento. ‖ ZOOL. Larva vermiforme de los lepidópteros, dotada de fuertes mandíbulas con las que tritura los alimentos, especialmente hojas vegetales. ‖ Llanta articulada que se aplica a las ruedas de los vehículos para avanzar por terrenos accidentados.

orujo (al. *Weintrester*, fr. *marc*, ingl. *marc*, it. *vinaccia*). m. Hollejo de la uva, después de exprimida y sacada toda la sustancia. ‖ Residuo de la aceituna molida y prensada.

orza. f. Vasija vidriada de barro, alta y sin asas. ‖ MAR. Pieza suplementaria, metálica y de forma triangular, que se asegura exteriormente a la quilla de los balandros, a fin de aumentar su calado y mejorar su estabilidad. ‖ MAR. Acción y efecto de orzar.

orzar. intr. MAR. Inclinar la proa hacia la parte de donde viene el viento.

orzuelo (al. *Gesternkorn*, fr. *orgelet*, ingl. *sty*, it. *orzaiolo*). m. Divieso pequeño que nace en el borde de uno de los párpados.

os. Dativo y acusativo del pronombre de segunda persona, en plural. Sirve para ambos géneros, no admite preposición, y suele usarse como sufijo.

osa. f. Hembra del oso. || *Osa Mayor.* Astr. Constelación siempre visible en el hemisferio boreal y fácil de conocer por el brillo de siete estrellas que forman un cuadrilátero y un arco. || *Osa Menor.* Astr. Constelación boreal de forma semejante a la de la Osa Mayor, pero menor y con disposición inversa. Una de sus estrellas es la polar.

osadía. f. Atrevimiento, audacia.

osado, da (al. *verwegen,* fr. *audacieux,* ingl. *bold,* it. *audace*). adj. Que tiene osadía. [*Sinón.:* atrevido, audaz]

osamenta. f. Esqueleto, armazón ósea. || Conjunto de huesos de que se compone el esqueleto.

osar. intr. Atreverse, emprender alguna cosa con audacia.

osario. m. En los cementerios, lugar destinado a reunir los huesos que se sacan de las sepulturas. || Cualquier lugar en que haya huesos.

oscense. adj. Natural de Huesca. Ú.t.c.s. || Perteneciente a esta ciudad o provincia de España.

oscilación (al. *Schwingung,* fr. *oscillation,* ingl. *oscillation,* it. *oscillazione*). f. Acción y efecto de oscilar. || Cada uno de los vaivenes que produce un movimiento oscilatorio.

oscilar. intr. Moverse alternativamente de un lado para otro. || fig. Crecer o disminuir alternativamente la intensidad de ciertas manifestaciones o fenómenos. || fig. Vacilar, titubear. [*Sinón.:* fluctuar, bandearse. *Antón.:* aquietar, parar, permanecer]

oscilatorio, ria. adj. Dícese del movimiento de los cuerpos que oscilan o pueden oscilar.

osco, ca. adj. Dícese del individuo de uno de los antiguos pueblos de la Italia central. Ú.t.c.s. || Perteneciente a estos pueblos. || m. Lengua osca.

ósculo. m. Beso. || Abertura u orificio pequeño.

oscurantismo. m. Oposición sistemática a la difusión del saber y a la investigación científica.

oscurecer. tr. Privar de la luz y claridad. || fig. Disminuir la estimación y esplendor de las cosas. || fig. Ofuscar la razón. || Pint. Dar sombra a una parte del cuadro para que resalten las otras. || intr. Anochecer. || r. Aplicado al día, el cielo, etc., nublarse. [*Antón.:* iluminar]

oscuridad. f. Falta de luz y claridad. [*Antón.:* luminosidad]

oscuro, ra (al. *dunkel,* fr. *obscur,* ingl. *dark,* it. *scuro*). adj. Que carece de luz o claridad. || Dícese del color casi negro, y del que se compara con otro más claro de su misma clase. Ú.t.c.s. || fig. Humilde, poco conocido. || fig. Confuso, poco inteligible. || *a oscuras.* m. adv. Sin luz. || fig. Sin saber, sin comprender alguna cosa. [*Sinón.:* obscuro, tenebroso, lóbrego]

óseo, a. adj. De hueso. || De la naturaleza del hueso.

osera. f. Cueva donde se recoge el oso para abrigarse y criar sus hijos.

osezno. m. Cachorro del oso.

osificación. f. Acción y efecto de osificarse.

osificarse. r. Convertirse en hueso o adquirir la consistencia de tal una materia orgánica.

osmio. m. Quím. Metal semejante al platino.

ósmosis u osmosis (al. *Osmose,* fr. *osmose,* ingl. *osmosis,* it. *osmosi*). f. Fís. Paso recíproco de líquidos de distinta densidad a través de una membrana que los separa.

oso (al. *Bär,* fr. *ours,* ingl. *bear,* it. *orso*). m. Zool. Mamífero carnicero plantígrado, de pelaje pardo y abundante, cabeza grande, ojos pequeños y extremidades gruesas y fuertes. Alcanza un metro de altura en la cruz, vive en los bosques y se alimenta normalmente de vegetales. || — *blanco.* Especie mayor que la común, de pelaje blanco y liso. Vive cerca del mar y sólo en los países más septentrionales. || — *hormiguero.* Mamífero desdentado de América que se alimenta de hormigas, recogiéndolas con su lengua larga, viscosa y casi cilíndrica. || — *pardo.* Es el común en España. || *hacer* uno *el oso.* fig. y fam. Hacer tonterías.

ososo, sa. adj. Perteneciente al hueso. || Óseo. || Que tiene hueso.

osteítis. f. Med. Inflamación de los huesos.

ostensible. adj. Que puede mostrarse o manifestarse. || Manifiesto, claro, patente.

ostensorio. m. Parte superior de la custodia donde se coloca la hostia.

ostentación. f. Acción y efecto de ostentar. || Jactancia, vanagloria. || Magnificencia exterior y visible.

ostentar (al. *zeigen,* fr. *montrer,* ingl. *to exhibit,* it. *ostentare*). tr. Hacer gala de grandeza, lucimiento y boato. [*Sinón.:* alardear]

ostentoso, sa. adj. Magnífico, suntuoso, digno de verse.

osteología. f. Med. Parte de la anatomía que trata de los huesos.

osteólogo, ga. s. Persona especializada en osteología.

ostra (al. *Auster,* fr. *huître,* ingl. *oyster,* it. *ostrica*). f. Zool. Molusco lamelibranquio marino, de concha blanca y nacarada por dentro, y parda y rugosa por fuera. Se hallan en el fondo del mar o adheridas a las rocas. Es muy apreciada como alimento y se cría en viveros. || Zool. Concha de la madreperla.

ostracismo. m. Forma de destierro político practicada por los atenienses. || fig. Exclusión voluntaria o forzosa de los oficios públicos, a la cual suelen dar ocasión los trastornos políticos. [*Sinón.:* proscripción]

ostricultura. f. Arte de criar ostras.

ostrogodo, da. adj. Dícese del individuo de la parte del pueblo godo que, después de abandonar Escandinavia, se estableció al oriente del Dnieper, y fundó un reino en Italia. Ú.t.c.s. || Perteneciente o relativo a los ostrogodos.

osuno, na. adj. Perteneciente al oso.

otalgia. f. Med. Dolor de oídos.

otear. tr. Registrar desde un lugar alto lo que está abajo. || Escudriñar.

otero. m. Cerro aislado que domina un llano. [*Sinón.:* altozano]

otitis. f. Med. Inflamación del órgano del oído.

otología. f. Med. Parte de la patología que estudia las enfermedades del oído.

otólogo. m. Médico especialista en enfermedades del oído.

otomano, na. adj. Turco. Ú.t.c.s. || f. Sofá al estilo de los que usan los turcos.

otoñal. adj. Propio del otoño. || fig. Aplícase a personas de edad madura.

otoño (al. *Herbst;* fr. *automme;* ingl. *automn, fall;* it. *autunno*). m. Estación del año que empieza en el equinoccio del mismo nombre y termina en el solsticio de invierno. || fig. Período de la vida humana declina hacia la vejez.

otorgamiento. m. Permiso, consentimiento, parecer favorable. || Acción de otorgar un instrumento; como poder, testamento, etc. || Escritura de contrato o de última voluntad.

otorgar (al. *bewilligen,* fr. *octroyer,* ingl. *to consent,* it. *conferire*). tr. Conceder o consentir una cosa que se pide. || Der. Disponer, estipular o prometer una cosa formalmente.

otorrinolaringología. f. Med. Parte de la patología que trata de las enfermedades del oído, nariz y garganta.

otorrinolaringólogo, ga. s. Especialista en otorrinolaringología.

otro, tra. adj. Aplícase a la persona o cosa distinta de aquella de que se habla. Ú.t.c.s. ‖ Se usa muchas veces para expresar la semejanza entre dos cosas o personas. ‖ Con artículo y ante sustantivos como *día, noche,* etc., los sitúa en un pasado cercano. ‖ Con *a* y artículo, ante sustantivos como *día, mes, año,* etc., equivale a siguiente.

otrora. adv. t. En otro tiempo.

otrosí. adv. c. Demás de esto, además. Ú. por lo común en lenguaje forense.

ova. f. BOT. Planta de la clase de las algas, formada por fibras filamentosas. Viven en aguas corrientes o estancadas, flotando o fijas al fondo por un apéndice en forma de raíz.

ovación (al. *Beifallssturm,* fr. *ovation,* ingl. *shouting,* it. *ovazione*). f. Aplauso ruidoso que colectivamente se tributa a una persona o cosa. [*Antón.:* pitada, silba]

ovacionar. intr. Tributar una ovación.

ovado, da. adj. Aplícase al ave después de la fecundación de sus huevos por el macho. ‖ Aovado. ‖ Ovalado.

oval. adj. De figura de óvalo.

ovalar. tr. Dar a una cosa figura de óvalo.

óvalo (al. *Oval,* fr. *ovale,* ingl. *oval,* it. *ovale*). m. GEOM. Cualquier curva cerrada convexa y simétrica respecto de uno o dos ejes.

ovar. intr. Poner huevos.

ovario (al. *Eierstock,* fr. *ovaire,* ingl. *ovary,* it. *ovario*). m. BOT. Parte interior del pistilo que contiene los óvulos. ‖ ANAT. Glándula sexual femenina, ovoidea, par, y situada a cada lado del útero. ‖ ARQ. Moldura adornada con óvalos.

oveja (al. *Schaf,* fr. *brebis,* ingl. *ewe,*

it. *pecora*). f. Hembra del carnero. ‖ *Amer.* Llama, animal. ‖ — *negra.* fig. Persona que en una familia se diferencia desfavorablemente de las demás.

ovejero, ra. adj. Que cuida de las ovejas. Ú.t.c.s.

overa. f. Ovario de las aves.

overo, ra. adj. Aplícase a los animales de color parecido al del melocotón. Ú.t.c.s. ‖ *Amer.* Dícese de las caballerías de color pío.

overol. m. *Amer.* Mono, traje de faena de una pieza.

ovetense. adj. Natural de Oviedo. Ú.t.c.s. ‖ Perteneciente a esta ciudad y provincia.

óvido. adj. ZOOL. Dícese de varios mamíferos rumiantes, con abundante lana y cuernos retorcidos o encorvados; como los carneros. Ú.t.c.s.m.

oviducto. m. ZOOL. Canal eferente del ovario, por el que el óvulo pasa al exterior del útero. En la especie humana se llama trompa de Falopio.

ovillar. intr. Hacer ovillos. ‖ r. Encogerse haciéndose un ovillo.

ovillo (al. *Knäuel,* fr. *pelote,* ingl. *clew,* it. *gomitolo*). m. Bola o lío que se forma devanando hilo. ‖ fig. Cosa enredada y de forma redonda. ‖ *hacerse uno un ovillo.* fig. y fam. Acurrucarse; embrollarse al hablar.

ovino, na. adj. Dícese del ganado lanar. ‖ m. Animal ovino.

ovíparo, ra. adj. ZOOL. Dícese de los animales cuyas hembras ponen huevos. Ú.t.c.s.

ovoide. adj. En forma de huevo. ‖ m. Conglomerado que tiene dicha forma. [*Sinón.:* ovoideo]

ovovivíparo, ra. adj. ZOOL. Dícese del animal cuya generación se realiza por medio de huevos, pero abriéndose éstos en el trayecto de los conduc-

tos uterinos; como la víbora. Ú.t.c.s.

ovulación. f. FISIOL. Desprendimiento natural de un óvulo en el ovario.

óvulo (al. *Eikeim,* fr. *ovule,* ingl. *ovum,* it. *ovulo*). m. BIOL. Gameto femenino de los metazoos. Tiene forma esferoidal, elipsoidea u ovoidea. ‖ BOT. Cada uno de los cuerpos esferoidales en el ovario de la flor.

oxear. tr. Espantar las aves domésticas y la caza.

oxidación (al. *Oxydierung,* fr. *oxydation,* ingl. *oxidation,* it. *ossidazione*). f. Acción y efecto de oxidar u oxidarse. ‖ QUÍM. Transformación de un cuerpo por la acción del oxígeno o de un oxidante.

oxidante. m. QUÍM. Sustancia que cede oxígeno a otras.

oxidar. tr. Producir oxidación. Ú.t.c.r.

óxido. m. QUÍM. Combinación del oxígeno con un metal, generalmente, y en casos excepcionales, con un no metal.

oxigenar. tr. QUÍM. Combinar el oxígeno formando óxidos. Ú.t.c.r. ‖ fig. Airearse, respirar aire libre.

oxígeno (al. *Sauerstoff,* fr. *oxygène,* ingl. *oxygen,* it. *ossigeno*). m. QUÍM. Metaloide gaseoso, algo más pesado que el aire, y parte integrante de él, del agua, de casi todos los ácidos, de los óxidos, y de la mayoría de los compuestos orgánicos. Es esencial a la respiración.

oyente. adj. Que oye. Ú.t.c.s. ‖ s. Asistente a un aula, pero no matriculado como alumno.

ozono (al. *Ozon,* fr. *ozone,* ingl. *ozone,* it. *ozono*). m. QUÍM. Estado alotrópico del oxígeno. Es un gas muy oxidante, de fuerte olor a marisco.

p. f. Decimonona letra del abecedario español. Su nombre es *pe*.

pabellón. m. Tienda de campaña generalmente en forma de cono. ‖ Ensanche cónico en que terminan algunos instrumentos de viento. ‖ Bandera nacional. ‖ Edificio, comúnmente aislado, pero formando parte de otro o contiguo a él. ‖ fig. Nación a que pertenecen los buques mercantes. ‖ *— de la oreja*. Oreja, parte externa del oído.

pabilo o **pábilo.** m. Cordón de la vela o antorcha, para que, encendida, alumbre. ‖ Parte carbonizada de este cordón. [*Sinón.*: mecha]

pábulo. m. Pasto, comida, alimento para subsistencia o conservación. ‖ fig. Cualquier sustento o mantenimiento en las cosas materiales.

paca. f. Fardo o lío, especialmente de lana o de algodón en rama.

pacense. adj. Natural de Badajoz. Ú.t.c.s. ‖ Perteneciente a esta ciudad o a su provincia.

pacer (al. *abweiden*, fr. *paître*, ingl. *to graze*, it. *pascere*). intr. Comer el ganado la hierba en los campos. Ú.t.c.tr. ‖ tr. Apacentar, dar pasto a los ganados. [*Sinón.*: pastar, herbajar]

paciencia (al. *Geduld*, fr. *patience*, ingl. *patience*, it. *pazienza*). f. Virtud que consiste en sufrir sin perturbación del ánimo los infortunios y trabajos. ‖ Espera y sosiego en las cosas que se desean mucho. [*Sinón.*: conformidad, flema, resignación. *Antón.*: ira]

paciente. adj. Que sufre y tolera los trabajos y adversidades con paciencia. ‖ m. Sujeto que recibe o padece la acción del agente. ‖ com. El enfermo.

pacienzudo, da. adj. Que tiene mucha paciencia.

pacificación. f. Acción y efecto de pacificar. ‖ Tranquilidad pública, en contraposición a la guerra.

pacificar (al. *Bedrieden*, fr. *pacifier*, ingl. *to pacify*, it. *pacificare*). tr. Establecer la paz donde había guerra o discordia, reconciliar a los que están en desacuerdo. ‖ r. fig. Sosegarse y aquietarse las cosas turbadas o alteradas.

pacífico, ca (al. *friedlich*, fr. *pacifique*, ingl. *pacific*, it. *pacifico*). adj. Quieto, sosegado y amigo de la paz. ‖ Que no tiene o no halla oposición, contradicción o alteración en su estado. [*Sinón.*: tranquilo. *Antón.*: belicoso]

pacifismo. m. Doctrina que aspira a la paz universal.

pacifista. adj. Dícese del partidario del pacifismo. Ú.t.c.s.

pacotilla. f. Porción de géneros que los marineros y oficiales de un barco pueden embarcar por su cuenta libres de flete. ‖ *ser de pacotilla* una cosa. fig. Ser de inferior calidad, estar hecha sin esmero.

pactar. tr. Asentar pactos. ‖ Convenir dos o más personas en un negocio. [*Sinón.*: negociar]

pacto (al. *Pakt*, fr. *pacte*, ingl. *pact*, it. *patto*). m. Concierto o asiento en que convienen dos o más personas o entidades que se obligan a su observancia. ‖ Lo estudiado en tal concierto.

pachá. m. Bajá. ‖ *vivir como un pachá*. loc. Vivir con regalo y opulencia.

pachorra. f. fam. Flema, tardanza, indolencia.

pachucho, cha. adj. Pasado de puro maduro. ‖ fig. Flojo, alicaído, desmadejado.

padecer (al. *erleiden*, fr. *souffrir*, ingl. *to suffer*, it. *patire*). tr. Sentir física y corporalmente un daño, dolor, enfermedad, pena o castigo. ‖ Sentir los agravios, injurias, pesares, etc., que se experimentan. ‖ Soportar, tolerar, sufrir.

padecimiento. m. Acción de padecer o sufrir daño, injuria, enfermedad, etc.

padrastro (al. *Stiefvater*, fr. *beau-père*, ingl. *stepfather*, it. *patrigno*). m. Marido de la madre, respecto de los hijos que ella tuvo anteriormente. ‖ fig. Mal padre.

padrazo. m. fam. Padre muy indulgente con sus hijos.

padre (al. *Vater*, fr. *père*, ingl. *father*, it. *padre*). m. Varón o macho que ha engendrado. ‖ n.p.m. TEOL. Primera persona de la Santísima Trinidad. ‖ m. Varón o macho respecto de sus hijos. ‖ Principal y cabeza de una descendencia, familia o pueblo. ‖ Religioso o sacerdote, en señal de veneración y respeto. ‖ *— de familia*. Jefe o cabeza de una casa o familia, tenga o no tenga hijos. ‖ *— espiritual*. Confesor que cuida y dirige el espíritu del penitente. ‖ *— nuestro*. Oración dominical que empieza por dichas palabras. ‖ *— Santo*. El Sumo Pontífice.

padrenuestro. m. Padre nuestro.

padrinazgo. m. Acto de asistir como padrino a un bautizo o a una función pública. ‖ Título o cargo de padrino.

padrino (al. *Pate*, fr. *parrain*, ingl. *godfather*, it. *padrino*). m. El que tiene, presenta o asiste a otra persona que recibe el sacramento del bautismo, de la confirmación, del matrimonio o del orden. ‖ fig. El que favorece o protege a otro en sus designios.

padrón (al. *Einwhnerverzeichnis*, fr. *recensement*, ingl. *poll*, it. *anágrafe*). m. Nómina de los vecinos de un pueblo. ‖ Patrón o dechado. [*Sinón.*: empadronamiento, censo]

paella. f. Plato de arroz seco, con carne, legumbres, etc., muy común en la región valenciana. ‖ Sartén con que se prepara.

paellera. f. Recipiente de hierro o

tartera de barro, a modo de sartén, en que se prepara la paella.

¡paf! Onomatopeya del ruido producido por una caída o un choque.

paga (al. *Bezahlung*, fr. *paye*, ingl. *pay*, it. *stipendio*). f. Acción de pagar. ‖ Cantidad de dinero que se da en pago de un trabajo o unos servicios. ‖ Sueldo de un mes o una semana. [*Sinón.*: honorarios, retribución]

pagadero, ra. adj. Que se ha de pagar o satisfacer a cierto tiempo señalado. ‖ Que puede pagarse fácilmente.

pagador, ra. adj. Que paga. Ú.t.c.s.

paganismo. m. Religión de los gentiles o paganos. ‖ Conjunto de los gentiles.

pagano, na (al. *Heide*, fr. *païen*, ingl. *heathen*, it. *pagano*). adj. Aplícase a los idólatras y politeístas, y aun a todo infiel no bautizado. Ú.t.c.s.

pagano. m. fam. El que paga. Suele darse este nombre al que paga abusos ajenos o sufre perjuicios por culpa ajena, aun sin pagar.

pagar (al. *bezahlen*, fr. *payer*, ingl. *to pay*, it. *pagare*). tr. Satisfacer lo que se debe. ‖ fig. Satisfacer el delito por medio de la pena correspondiente. ‖ Corresponder al afecto, cariño u otro beneficio. ‖ r. Ufanarse de una cosa. [*Sinón.*: abonar, retribuir]

pagaré. m. COM. Documento privado que obliga al pago de una cantidad determinada de dinero.

pagel. m. ZOOL. Pez acantopterigio, con cabeza y ojos grandes, rojizo por el lomo, plateado por el vientre, y con las aletas y cola encarnadas. Su carne, comestible, es apreciada.

página (al. *Seite*, fr. *page*, ingl. *page*, it. *pagina*). f. Cada una de las dos planas de la hoja de un libro o cuaderno.

pago. m. Entrega de un dinero o especie que se debe. ‖ Satisfacción, premio o recompensa. [*Sinón.*: paga, retribución]

pagoda (al. *Pagode*, fr. *pagode*, ingl. *pagoda*, it. *pagoda*). f. Templo de los ídolos en algunos pueblos de Oriente.

paila. f. Vasija grande, redonda y poco profunda. ‖ *Amer.* Sartén, vasija.

pairar. intr. MAR. Estar quieta la nave con las velas tendidas y largas las escotas.

pairo. m. Acción de pairar la nave. Úsase comúnmente en el m. adv. *al pairo.*

país (al. *Land*, fr. *pays*, ingl. *country*, it. *paese*). m. Nación, región, provincia o territorio.

paisaje (al. *Landschaft*, fr. *paysage*, ingl. *landscape*, it. *paesaggio*). m. Dibujo o pintura que representa cierta extensión de terreno. ‖ Porción de terreno considerada en su aspecto artístico.

paisajista. adj. Dícese del pintor de paisajes. Ú.t.c.s.

paisanaje. m. Conjunto de paisanos. ‖ Circunstancia de ser de un mismo país dos o más personas, y especie de conexión o vínculo que de ella procede.

paisano, na (al. *Landsmann*, fr. *compatriote*, ingl. *fellow-country-man*, it. *compatriota*). adj. Que es del mismo país, provincia o lugar que otro. Ú.t.c.s. ‖ m. El que no es militar. ‖ *de paisano.* loc. adv. Se dice de los militares o los eclesiásticos cuando no visten uniforme o hábito. [*Sinón.*: compatriota, conciudadano, civil]

paja (al. *Stroh*, fr. *paille*, ingl. *straw*, it. *paglia*). f. Caña de trigo, cebada, centeno y otras gramíneas, después de seca y separada del grano. ‖ Pajilla para sorber líquidos, especialmente refrescos. ‖ fig. Cosa ligera, de poca consistencia o identidad. ‖ fig. Lo inútil y desechado en cualquier materia. ‖ fig. y vulg. Masturbación. Ú.m. en la expr. *hacerse una paja*, masturbarse.

pajar. m. Sitio donde se guarda y conserva la paja.

pájara. f. Pájaro, ave pequeña. ‖ Cometa, juguete infantil. ‖ fig. Mujer astuta, sagaz y cautelosa. Ú.t.c. adj.

pajarera. f. Jaula grande donde se crían pájaros.

pajarería. f. Abundancia de pájaros. ‖ Tienda donde se venden pájaros.

pajarero, ra. adj. Relativo o perteneciente a los pájaros. ‖ m. El que se dedica a cazar, criar o vender pájaros.

pajarita. f. Pájara de papel.

pájaro (al. *Vogel*, fr. *oiseau*, ingl. *bird*, it. *ucello*). m. Nombre genérico de las aves, aunque suele referirse a las pequeñas. ‖ fig. Hombre astuto, sagaz y cauteloso. Ú.t.c. adj. ‖ ZOOL. Cualquiera de las aves terrestres, voladoras, con pico recto, no muy fuerte, tarsos cortos y delgados, tres dedos rígidos hacia adelante y uno hacia atrás, y tamaño generalmente pequeño; como el tordo, la golondrina y la abubilla. ‖ pl. Orden de estas aves. ‖ *— bobo.* ZOOL. Ave palmípeda de lomo y pico negros y pecho y vientre blancos, anida en las costas y, por su mal andar y volar, se deja coger fácilmente. ‖ *— carpintero.* ZOOL. Ave trepadora de plumaje negro manchado de blanco,

pico largo, delgado y lengua llena de aguijones en su extremidad. Anida en agujeros que practica en los troncos viejos y dañados y se alimenta de insectos. ‖ *— de cuenta.* fig. y fam. Hombre al que por sus condiciones o por su valer hay que tratar con cautela y respeto. ‖ *— mosca.* ZOOL. Pájaro de la América intertropical, de tres centímetros de longitud y cinco de envergadura, colores cambiantes y vivos. Se alimenta del néctar de las flores. ‖ *matar dos pájaros de un tiro.* fig. y fam. Hacer o lograr dos cosas con una sola diligencia.

pajarraco. m. despect. Pájaro grande desconocido o cuyo nombre se ignora. ‖ fig. Hombre disimulado y astuto.

paje (al. *Page*, fr. *page*, ingl. *page*, it. *paggio*). m. Criado cuyo ejercicio consistía en acompañar a sus amos, asistir en las antesalas, servir a la mesa y otros menesteres domésticos.

pajero, ra. adj. fig. y vulg. Se dice de la persona que se hace muchas pajas, que se masturba mucho. Ú.t.c.s.

pajilla. f. Cigarrillo hecho de una hoja de maíz. ‖ Caña delgada o tubo artificial que sirve para sorber líquidos.

pajillera. f. Puta que hace pajas.

pajizo, za. adj. Hecho o cubierto de paja. ‖ De color de paja.

pala (al. *Schaufel*, fr. *pelle*, ingl. *shovel*, it. *pala*). f. Tabla de madera o plancha de hierro con un mango grueso, cilíndrico, de longitud variable según los usos a que se destina. ‖ Hoja de hierro de azadones, azadas y otras herramientas. ‖ Tabla de madera fuerte, de figura elíptica, con un mango por donde se empuña para jugar a la pelota. ‖ Parte ancha del remo. ‖ Parte superior del calzado que abraza al pie por su parte superior.

palabra (al. *Wort*, fr. *mot*, ingl. *word*, it. *parola*). f. Sonido o conjunto de sonidos articulados que expresan una idea. ‖ Representación gráfica de estos sonidos. ‖ Facultad de hablar. ‖ pl. Dichos vanos, que no responden a ninguna realidad. ‖ *— de Dios.* El Evangelio, la Escritura, los sermones y la doctrina de los predicadores evangélicos. ‖ *— de honor.* Empeño que hace uno de su fe. ‖ *— gruesa.* Dicho inconveniente u obsceno. ‖ *palabras mayores.* Las injuriosas y ofensivas. ‖ *medias palabras.* Las que insinúan lo que no se dice del todo, sino confusamente. ‖ *cruzar la palabra con* una persona. Tener trato con ella. ‖ *cuatro* palabras. Conversación corta. ‖ *decir uno la última palabra.* Resolver un asunto definitivamente. ‖ *dejar* a uno *con la palabra en la boca.* Volverle la espalda sin escuchar lo que va a decir. ‖ *dar* uno *palabra* o *su palabra.* Prometer hacer una cosa. ‖ *medir* uno *las palabras.* fig. Hablar con cuidado de no decir sino lo que convenga. ‖ *no tener* uno *palabra.* fig. Faltar fácilmente a lo ofrecido o contratado. ‖ *pedir la palabra.* fr. que se usa como fórmula para solicitar el que la dice que se le permita hablar. [*Sinón.*: vocablo, voz]

palabrería. f. Abundancia de palabras vanas y ociosas. [*Sinón.*: charla, verborrea]

palabrero, ra. adj. Que habla mucho. Ú.t.c.s. ‖ Que ofrece fácilmente, no cumpliendo nada. Ú.t.c.s.

palabrota. f. despect. Palabra o dicho ofensivo, indecente o grosero.

palacete. m. Casa de recreo construida como un palacio, pero de menores dimensiones.

palaciego, ga. adj. Pertenenciente o relativo a palacio. ‖ Dícese del que sirve o asiste en palacio y conoce sus estilos y modas. Ú.t.c.s. ‖ fig. Cortesano. Ú.t.c.s.

palacio (al. *Palast,* fr. *palais,* ingl. *palace,* it. *palazzo*). m. Casa destinada a residencia real. ‖ Cualquier casa suntuosa. ‖ Casa solariega de una familia noble.

palada. f. Porción que la pala puede coger de una vez. ‖ Golpe dado al agua con la pala del remo.

paladar (al. *Gaumen,* fr. *palais,* ingl. *palate,* it. *palato*). m. ANAT. Parte interior y superior de la boca, del animal. ‖ fig. Gusto y sabor que se percibe en los manjares. ‖ fig. Gusto, sensibilidad para discernir alguna cosa en lo inmaterial o espiritual.

paladear. tr. Apreciar poco a poco el gusto de una cosa. Ú.t.c.r. [*Sinón.*: degustar, saborear]

paladeo. m. Acción de paladear o paladearse.

paladín. m. Caballero que en la guerra se distingue por sus hazañas. ‖ fig. Defensor denodado de alguna persona o cosa. [*Sinón.*: héroe]

palafito. m. Vivienda primitiva, generalmente lacustre, construida sobre estacas o troncos en posición vertical.

palafrén. m. Caballo en que va montado el lacayo o criado que acompaña a su amo.

palafrenero (al. *Reitknech,* fr. *pale-frenier,* ingl. *groom,* it. *palafreniere*). m. Criado que lleva el freno de las caballerías. ‖ Mozo de caballos.

palanca (al. *Herbel,* fr. *levier,* ingl. *lever,* it. *leva*). f. Barra rígida que se apoya y puede girar sobre un punto, y sirve para transmitir la fuerza.

palangana. f. Jofaina.

palangre. m. Cordel del cual penden a trechos ramales con anzuelos en sus extremos.

palanquín (al. *Tragsänfte,* fr. *chaise à porteur,* ingl. *palanquin,* it. *parlanchino*). m. Especie de andas usadas antiguamente para llevar en ellas a los personajes.

palastro. m. Hierro o acero laminado. ‖ Chapa de hierro que soporta el pestillo de una cerradura.

palatal. adj. Pertenenciente o relativo al paladar.

palatino, na. adj. Pertenenciente al paladar. ‖ Pertenenciente a palacio o propio de los palacios. Ú.t.c.s.

palco (al. *Loge,* fr. *loge,* ingl. *box,* it. *palco*). m. Localidad independiente con balcón, en los teatros y otros lugares de recreo. ‖ Tabladillo o palenque en que se pone la gente para ver una función. ‖ — *escénico.* Lugar del teatro en que se representa la escena.

palenque. m. Valla o estacada con que se defiende o cierra un paraje. ‖ Camino de tablas que desde el suelo se eleva hasta el tablado del teatro.

palentino, na. adj. Natural de Palencia. Ú.t.c.s. ‖ Pertenenciente a esta ciudad o a su provincia.

paleografía (al. *Paläographie,* fr. *paléographie,* ingl. *paleography,* it. *paleografía*). f. Arte de leer e interpretar la escritura y signos de los libros y documentos antiguos.

paleógrafo, fa. s. Persona que profesa la paleografía.

paleolítico, ca (al. *Pälaolitisch,* fr. *paléolithique,* ingl. *paleolithic,* it. *paleolitico*). adj. GEOL. Pertenenciente o relativo a la edad de piedra tallada. Ú.t.c.s.

paleólogo, ga. adj. Que conoce los idiomas antiguos. Ú.t.c.s.

paleontología. f. Estudio de los seres orgánicos cuyos restos se encuentran en estado fósil.

paleontólogo, ga. s. Persona que profesa la paleontología.

paleozoico, ca (al. *Paläozoisch,* fr. *paléozoïque,* ingl. *paleozic,* it. *paleozoico*). adj. GEOL. Dícese del segundo de los períodos de la Tierra, o sea, el más antiguo de los sedimentarios.

palestino, na. adj. Natural de Palestina. Ú.t.c.s. ‖ Pertenenciente a esta región de Asia.

palestra. f. Sitio o lugar donde se lidia o lucha. ‖ fig. poét. La misma lucha. ‖ fig. Lugar en que se celebran ejercicios literarios públicos. [*Sinón.*: liza, palenque]

paleta (al. *Farbenbrett,* fr. *palette,* ingl. *palette,* it. *paletta*). f. Tabla con un agujero para el dedo pulgar en que los pintores colocan y disponen los colores. ‖ Omóplato, paletilla. ‖ MAR. Cada una de las piezas que, unidas a un núcleo central, constituyen la hélice marina. ‖ Utensilio de palastro de figura triangular y mango de madera que usan los albañiles para manejar la mezcla o mortero. [*Sinón.*: espátula]

paletada. f. Porción que la paleta puede coger de una vez.

paletilla. f. Omóplato.

paleto. m. Gamo. ‖ fig. Persona rústica e inculta.

palia. f. Lienzo con que se cubre el cáliz para el sacrificio de la misa.

paliación. f. Acción y efecto de paliar.

paliar (al. *bemänteln,* fr. *pallier,* ingl. *to palliate,* it. *palliare*). tr. Encubrir, disimular, cohonestar. ‖ Mitigar la violencia de ciertas enfermedades, haciéndolas más llevaderas.

paliativo, va. adj. Dícese de todo lo que alivia pero no cura. Ú.t.c.s.m.

palidecer. intr. Ponerse pálido.

palidez (al. *Blässe,* fr. *pâleur,* ingl. *paleness,* it. *pallidezza*). f. Pérdida del color natural.

pálido, da (al. *bleich,* fr. *pâle,* ingl. *pale,* it. *pallido*). adj. Desvaído, descolorido. ‖ fig. Desanimado, falto de expresión y colorido.

paliducho, cha. adj. Dícese de la persona de color quebrado.

palillero. m. Pieza donde se colocan los mondadientes para ponerlos a la mesa.

palillo (al. *Zanstocher,* fr. *curedents,* ingl. *toothpick,* it. *stuzzicadenti*). m. Varilla donde se encaja la aguja para hacer media. ‖ Mondadientes. ‖ Cualquiera de las dos varitas que sirven para tocar el tambor.

palimpsesto. m. Manuscrito antiguo que conserva huellas de una escritura anterior borrada artificialmente.

palio (al. *Traghimmel,* fr. *dais,* ingl. *baldachin,* it. *pallio*). m. Dosel colocado sobre varas largas que se usa en ciertas solemnidades. ‖ Insignia pontifical, faja blanca con cruces negras que pende de los hombros sobre el pecho. [*Sinón.*: baldaquin]

palique. m. fam. Conversación de poca importancia.

palisandro. m. Madera del guayabo, de color rojo obscuro, usada en ebanistería.

paliza (al. *Tracht, Prügel;* fr. *raclée;* ingl. *beating;* it. *bastonatura*). f. Zurra de golpes. || fig. y fam. Disputa en que uno queda confundido o maltrecho. || com. fig. y fam. Persona muy pesada. [*Sinón.*: tunda, vapuleo]

palizada. f. Sitio cercado de estacas.

palma (al. *Palme,* fr. *palmier,* ingl. *palm,* it. *palma*). f. BOT. Palmera. || Hoja de la palmera. || Parte inferior y algo cóncava de la mano, desde la muñeca hasta los dedos. || fig. Gloria, triunfo. || BOT. Cualquiera de las plantas monocotiledóneas, de tallo leñoso, recto y coronado por un penacho de grandes hojas, como la palmera, cocotero, etc. || pl. Palmadas de aplauso.

palmada (al. *Klaps,* fr. *tape,* ingl. *slap,* it. *palmata*). f. Golpe dado con la palma de la mano. || Ruido que se hace golpeando una con otra las palmas de las manos. Ú.m. en pl.

palmar. adj. Perteneciente a la palma de la mano y a la palma del casco de los animales. || m. Sitio o lugar donde se crían palmas.

palmar. intr. fam. Morir una persona.

palmario, ria. adj. Claro, patente.

palmatoria. f. Palmeta. || Candelero bajo, con mango y pie, generalmente en forma de platillo.

palmeado, da. adj. De figura de palma. || ZOOL. Dícese de los dedos de aquellos animales que los tienen ligados entre sí por una membrana. || BOT. Aplícase a las hojas, raíces, etc., que semejan una mano abierta.

palmear. intr. Dar palmadas, especialmente en señal de regocijo o aplauso.

palmera. f. BOT. Árbol de la familia de las palmas, con tronco áspero, cilíndrico, copa sin ramas y formada por hojas duras, correosas y puntiagudas; su fruto es el dátil.

palmeral. m. Bosque de palmeras.

palmero, ra. adj. Natural de La Palma. Ú.t.c.s. || Perteneciente a esta isla canaria.

palmesano, na. adj. Natural de Palma de Mallorca. Ú.t.c.s. || Perteneciente a esta ciudad balear.

palmeta. f. Instrumento con que los maestros castigaban a los muchachos golpeándolos en las palmas de las manos.

palmetazo. m. Golpe dado con la palmeta.

palmípedo, da. adj. ZOOL. Dícese de las aves que tienen los dedos palmeados, a propósito para nadar, como el ganso y la gaviota. Ú.t.c.s. || f. pl. Orden de estas aves.

palmito. m. fig. y fam. Cara de mujer. || fig. y fam. Talle esbelto de mujer.

palmo (al. *Spanne,* fr. *empan,* ingl. *span,* it. *palmo*). m. Medida de longitud, cuarta parte de la vara equivalente a unos 21 cm; se supone que equivale a la lontigud de la mano de un hombre abierta y extendida desde el extremo del pulgar hasta el meñique. || *palmo a palmo.* m. adv. fig. con que se expresa la dificultad y lentitud en la consecución de una cosa.

palmotear. intr. Palmear.

palo (al. *Stock,* fr. *bâton,* ingl. *stick,* it. *palo*). m. Vara gruesa y larga. || Cualquiera de los mástiles de un buque. || Golpe que se da con un palo. || Cada una de las cuatro series en que se divide la baraja de naipes. || Trazo de algunas letras que sobresale de las demás. || fig. y fam. Daño o perjuicio. || *Amer.* Árbol o arbusto. || *— de ciego.* fig. Golpe que se da desatentadamente, como lo daría quien no viese. || *— grueso. Amer.* Persona influyente. || *— mayor.* MAR. El más alto del buque y que sostiene la vela principal. || *a palo seco.* m. adv. MAR. Dícese de una embarcación cuando camina con las velas recogidas. || *echar un palo.* vulg. Coitar. [*Sinón.*: bastón, tranca, mástil, puntal]

paloma (al. *Taube,* fr. *pigeon,* ingl. *pigeon,* it. *piccione*). f. Ave domesticada que provino de la paloma silvestre. || fig. Persona de genio apacible. || ZOOL. Cualquiera de las aves que tiene la mandíbula superior abovedada en la punta y los dedos libres. || ZOOL. Orden de las palomas. || *—silvestre.* Especie de paloma con plumaje general apizarrado muy común en España, y se considera como origen de las castas domésticas.

palomar (al. *Taubenhaus,* fr. *colombier,* ingl. *pigeon-house,* it. *colombaia*). m. Edificio donde se recogen y crían las palomas campesinas.

palometa. f. ZOOL. Pez comestible, parecido al jurel, aunque algo mayor. || Roseta de maíz tostado.

palomilla. f. Mariposa muy pequeña.

|| Parte anterior de la grupa de las caballerías. || Pieza con una muesca en que descansa y gira un eje, chumacera. || Grano de maíz tostado.

palomino. m. Pollo de la paloma silvestre.

palomita. f. Roseta de maíz tostado o reventado.

palomo. m. Macho de la paloma. || Paloma torcaz. || vulg. Hombre necio.

palote. m. Palo mediano. || Cada uno de los primeros trazos que hace quien aprende a escribir.

palpable. adj. Que puede tocarse con las manos. || fig. Patente, evidente y tan claro que parece que se puede tocar.

palpar (al. *betasten,* fr. *tâter,* ingl. *to grope,* it. *tastare*). tr. Tocar una cosa con las manos para reconocerla por el tacto. || Andar a tientas, valiéndose de las manos para no tropezar. [*Sinón.*: sobar, tentar]

palpitación. f. Acción y efecto de palpitar. || FISIOL. Movimiento interior, involuntario y trémulo de algunas partes del cuerpo. || FISIOL. Latido del corazón, sensible e incómodo para el enfermo, y más frecuente que el normal.

palpitar (al. *pochen,* fr. *palpiter,* ingl. *to throb,* it. *palpitare*). intr. Contraerse y dilatarse alternativamente el corazón. || Aumentar la palpitación natural del corazón. || Moverse o agitarse una parte del cuerpo interiormente. [*Sinón.*: latir; estremecerse]

pálpito. m. Presentimiento, corazonada.

palpo. m. ZOOL. Cada uno de los apéndices articulados y móviles que tienen los artrópodos.

palúdico, ca. adj. Palustre. || Por ext., perteneciente a terreno pantanoso. || Dícese de cualquier trastorno producido por el paludismo. || Persona que padece esta enfermedad. Ú.t.c.s.

paludismo (al. *Sumffieber,* fr. *paludisme,* ingl. *paludism,* it. *paludismo*). m. MED. Enfermedad febril producida por un protozoo, y transmitida al hombre por la picadura de mosquitos anofeles.

palurdo, da. adj. Tosco, grosero. Ú.t.c.s. [*Antón.*: refinado]

palustre. adj. Perteneciente a las lagunas o pantanos.

pamela. f. Sombrero de paja, bajo de copa y ancho de alas, que usan las mujeres, especialmente en verano.

pampa (al. *Steppe,* fr. *pampa,* ingl. *pampa,* it. *pampa*). f. Cualquiera de las llanuras extensas de la América Meridional que carecen de vegetación arbórea.

pámpana. f. Hoja de la vid.

pámpano. m. Sarmiento verde, tierno y delgado, o pimpollo de la vid. || Hoja de la vid.

pampeano, na. adj. Perteneciente o relativo a la región argentina de las pampas. || Pampero.

pampear. intr. *Amer.* Recorrer la pampa.

pampero, ra. adj. Relativo a las pampas. || Natural de las pampas. Ú.t.c.s. || Dícese del viento procedente de la pampa.

pamplina. f. Bot. Planta herbácea, papaverácea, con tallos de dos a tres decímetros, hojas partidas en lacinias muy estrechas y agudas, flores amarillas en panojas pequeñas, y fruto seco en vainillas con muchas simientes. || fig. y fam. Dicho o cosa de poca entidad, fundamento o utilidad.

pamplinoso, sa. adj. Propenso a decir pamplinas. [*Sinón.:* pamplinero]

pamplonés, sa. adj. Natural de Pamplona. Ú.t.c.s. || Perteneciente a esta ciudad.

pampón. m. *Amer.* Corral grande.

pan (al. *Brot,* fr. *pain,* ingl. *bread,* it. *pane*). m. Porción de masa de harina y agua, que después de fermentada y cocida al horno sirve de principal alimento al hombre, entendiéndose que es de trigo cuando no se expresa otro grano. || fig. Todo lo que en general sirve para el sustento diario. || — *ázimo.* El hecho sin levadura. || — *integral.* El fabricado con harina que conserva todos los componentes del trigo. || *a pan y agua.* Sin otro alimento que pan y agua. Aplícase a ayunos y castigos. || *contigo pan y cebolla.* expr. fig. con que se ponderan su interés los enamorados. || *ser una cosa el pan nuestro de cada día.* fig. y fam. Ocurrir cada día o frecuentemente.

pana. f. Tela gruesa semejante en el tejido al terciopelo.

panacea. f. Medicamento al que se le atribuye eficacia para curar diversas enfermedades. || — *universal.* Remedio que buscaban los antiguos alquimistas para curar todas las enfermedades.

panadería (al. *Bäckerei,* fr. *boulangerie,* ingl. *baker's shop,* it. *panetteria*). f. Establecimiento comercial dedicado a la venta o cocción del pan.

panadero, ra (al. *Bäcker,* fr. *boulanger,* ingl. *baker,* it. *panattiere*). s. El que hace o vende pan.

panal (al. *Wabe,* fr. *rayon,* ingl. *comb,* it. *favo*). m. Conjunto de celdillas exagonales de cera que las abejas forman dentro de la colmena para depositar la miel.

panamá. m. Sombrero de pita, con el ala recogida o encorvada.

panameño, ña. adj. Natural de Panamá. Ú.t.c.s. || Perteneciente o relativo a esta república de América Central.

panamericanismo. m. Movimiento político encaminado a fomentar la colaboración entre los países americanos.

panamericano, na. adj. Relativo al panamericanismo.

panarabismo. m. Moderna tendencia de los pueblos musulmanes a lograr, mediante la unión, su independencia política, religiosa y cultural respecto de las demás naciones.

panca. f. *Amer.* Hoja que cubre la mazorca del maíz.

pancarta (al. *Spruchband,* fr. *pancarte,* ingl. *banner,* it. *cartellone*). f. Pergamino que contiene copiados varios documentos. || Cartel de lienzo o cartón en el que se han escrito una o más frases de oposición o apoyo hacia una postura política, organización o persona determinada. [*Sinón.:* cartelón]

pancreático, ca. adj. Relativo al páncreas.

pancromático, ca. adj. Fotogr. Dícese de las placas y películas fotográficas sensibles a todos los colores por igual.

páncreas (al. *Bauchspeicheldrüse,* fr. *pancreas,* ingl. *pancreas,* it. *pancreas*). m. Anat. Glándula digestiva situada en la cavidad abdominal, delante de la columna vertebral y detrás del estómago. Su conducto excretorio desemboca en el duodeno, donde vierte el jugo pancreático, que desempeña un notable papel en la digestión intestinal. Es también una importante glándula endocrina que elabora la insulina.

pancho, cha. adj. Tranquilo. || Satisfecho con algo.

panda. f. Pandilla que forman algunos para hacer daño. || Reunión de gente para divertirse.

panda. m. Zool. Mamífero úrsido carnicero propio del Tibet y el Himalaya.

pandemia. f. Med. Enfermedad epidémica que se extiende a muchos países o que ataca a casi todos los individuos de una región.

pandemónium. m. Capital imaginaria del reino infernal. || fig. y fam. Lugar en que hay mucho ruido y confusión.

pandereta. f. Pandero de menor tamaño.

pandero. m. Instrumento formado por uno o dos aros superpuestos, provistos de sonajas o cascabeles y cuyo vano está cubierto por uno de sus cantos o por los dos con piel muy lisa y estirada. [*Sinón.:* pandera]

pandilla. f. Liga o unión. || La que forman algunos para engañar a otros o hacerles daño. || Grupo de amigos que suele reunirse para conversar o solazarse, o con fines menos lícitos.

pandorga. f. Cometa que se sube en el aire. || Vientre, barriga, panza.

panecillo. m. Pan pequeño. || Lo que tiene forma de pan pequeño.

panegírico. m. Discurso oratorio en alabanza de una persona. || Elogio de una persona hecha por escrito. [*Sinón.:* apología. *Antón.:* diatriba]

panel (al. *Füllung,* fr. *panneau,* ingl. *panel,* it. *riquadro*). m. Cada uno de los compartimientos en que para su ornamentación se dividen los lienzos de la pared, las hojas de las puertas, etc. || Elemento prefabricado que se utiliza para construir divisiones verticales en el interior o exterior de las viviendas y otros edificios. || Especie de cartelera de diversas materias y grandes dimensiones que sirve para hacer propaganda en edificios, carreteras, etc.

panera. f. Cesta grande sin asa que sirve para transportar pan. || Nasa, cesto.

pánfilo, la. adj. Muy pausado, flojo y tardo en obrar. Ú.t.c.s.

panfletario, ria. adj. Dícese del estilo propio de los panfletos. || s. Panfletista.

planfletista. com. Autor de un panfleto o de panfletos.

panfleto. m. Libelo difamatorio. || Opúsculo de carácter agresivo.

pánico, ca (al. *Panik,* fr. *panique,* ingl. *panic,* it. *panico*). adj. Aplícase al miedo grande o temor excesivo, sin causa justificada. Ú.t.c.s.m. || Aplícase a un movimiento artístico encabezado por Arrabal y Joclorowski, en la segunda mitad del siglo XX.

panícula. f. Bot. Panoja o espiga de flores.

paniculo. m. Anat. Capa de tejido adiposo que se halla bajo la piel de los vertebrados.

paniego, ga. adj. Que come mucho pan, o es muy aficionado a él. || Dícese del terreno que rinde y lleva panes, o sea trigo.

panificación. f. Acción y efecto de panificar.

panificar. tr. Hacer pan. ‖ Hacer productivas tierras eriales.

panizo. m. Bot. Planta gramínea, originaria de Oriente, de hojas largas, estrechas y ásperas y flores en panoja grande, terminales y apretadas. ‖ Grano de esta planta. ‖ Maíz.

panocha. f. Panoja. ‖ vulg. *Amer.* Órgano sexual femenino.

panoja. f. Mazorca del maíz, del panizo o del mijo. ‖ Colgajo, racimo de uvas u otra fruta. ‖ Bot. Conjunto de espigas que nacen de un eje o pedúnculo común.

panoli. adj. vulg. Persona simple y sin voluntad. Ú.t.c.s.

panoplia (al. *Waffensammlung*, fr. *panoplie*, ingl. *panoply*, it. *panoplia*). f. Tabla, generalmente en forma de escudo, donde se colocan floretes, sables y otras armas de esgrima.

panorama. m. Vista pintada en un gran cilindro hueco en cuyo centro hay una plataforma circular, aislada, para los espectadores. ‖ Vista de un horizonte muy dilatado. [*Sinón.*: paisaje, vista]

panorámico, ca. adj. Perteneciente o relativo al panorama.

pantagruélico, ca. adj. Dícese de las comidas en que hay cantidades excesivas de manjares.

pantalán (voz filipina). m. Muelle o embarcadero para barcos de poco tonelaje que avanza algo en el mar.

pantalón (al. *Hose*, fr. *pantalon*, ingl. *trousers*, it. *pantaloni*). m. Prenda de vestir que se ciñe al cuerpo en la cintura y baja cubriendo cada pierna hasta los tobillos. Ú. m. en pl.

pantalla (al. *Schirm, Bilwand;* fr. *abat-jour, écran;* ingl. *shade, screen;* it. *paralume, schermo*). f. Lámina de cualquier forma y material, que se coloca delante o alrededor de la luz artificial. ‖ Superficie a propósito para proyectar sobre ella imágenes fotográficas o cinematográficas. ‖ En un aparato de televisión, superficie cóncava en que aparece la imagen. ‖ fig. Persona o cosa que llama hacia sí la atención en tanto que otra hace o logra secretamente una cosa. Ú.m. en la fr. *servir de pantalla.*

pantano (al. *Sumpf*, fr. *marécage*, ingl. *swamp*, it. *pantano*). m. Hondonada donde se recogen las aguas, con fondo más o menos cenagoso. ‖ Gran depósito artificial de agua. [*Sinón.*: embalse]

pantanoso, sa. adj. Dícese del terreno donde hay pantanos, o donde abundan charcos y cenagales. ‖ fig. Lleno de inconvenientes o dificultades.

panteísmo. m. Doctrina que identifica a Dios y el mundo en una única sustancia.

panteísta. adj. Que sigue la doctrina del panteísmo. Ú.t.c.s.

panteón (al. *Gruft*, fr. *panthéon*, ingl. *pantheon*, it. *panteon*). m. Monumento funerario destinado al entierro de varias personas. ‖ *Amer.* Cementerio.

pantera (al. *Panther*, fr. *panthère*, ingl. *panther*, it. *pantera*). f. Animal parecido al leopardo.

pantógrafo. m. Instrumento que sirve para copiar, ampliar o reducir un plano o dibujo.

pantomima (al. *Pantomime*, fr. *pantomime*, ingl. *pantomime*, it. *pantomima*). f. Representación por figuras y gestos, sin que intervengan las palabras. [*Sinón.*: mímica]

pantoque. m. Mar. Parte casi plana del casco de un barco, que forma el fondo junto con la quilla.

pantorrilla (al. *Wade*, fr. *mollet*, ingl. *calf*, it. *polpaccio*). f. Anat. Parte carnosa y abultada de la pierna, por debajo de la corva.

pantufla o **pantuflo** (al. *Hausschuh*, fr. *pantoufle*, ingl. *slipper*, it. *pantofola*). f. Calzado, especie de chinela o zapato, sin orejas ni talón, de uso casero. [*Sinón.*: zapatilla, babucha]

panza (al. *Bauch*, fr. *bedaine*, ingl. *belly*, it. *pancia*.) f. Barriga o vientre. Aplícase comúnmente al muy abultado. ‖ Zool. Primera de las cuatro cavidades en que se divide el estómago de los rumiantes.

panzada. f. Golpe que se da con la panza. ‖ fam. Hartazgo o atracón.

panzudo, da. adj. Que tiene mucha panza.

pañal (al. *Windel*, fr. *lange*, ingl. *baby-linen*, it. *pannolino*). m. Sabanilla o pedazo de lienzo en que se envuelve a los niños de teta. ‖ Principio de cualquier cosa. ‖ *estar* uno *en pañales.* fig. y fam. Tener poco o ningún conocimiento de una cosa.

pañería. f. Comercio o tienda de paños.

paño (al. *Tuch*, fr. *drap*, ingl. *cloth*, it. *panno*). m. Tela de lana muy tupida y con pelo corto. ‖ Ancho de una tela cuando varias piezas de ella se cosen unas al lado de otras. ‖ Tapiz u otra colgadura. ‖ Accidente que disminuye el brillo o la transparencia de algunas

cosas. ‖ Membrana que se forma sobre la córnea e interrumpe la vista. ‖ Mar. Velas desplegadas del navío. ‖ pl. Cualquier género de vestiduras. ‖ *paños calientes.* fig. y fam. Buenos oficios para templar el rigor o aspereza con que se ha de proceder en una materia. ‖ — *menores.* *conocer* uno *el paño.* fig. y fam. Estar bien enterado del asunto de que se trata.

pañol. m. Mar. Cualquiera de los compartimentos del buque para guardar víveres, municiones, pertrechos, herramientas, etcétera.

pañoleta. f. Prenda triangular a modo de medio pañuelo, que como adorno o abrigo usan las mujeres sobre los hombros.

pañuelo (al. *Taschentuch*, fr. *mouchoir*, ingl. *handkerchief*, it. *fazzoletto*). m. Pedazo cuadrado de tela de seda, hilo, algodón, etc., para diferentes usos. ‖ El usado para limpiarse el sudor y las narices.

papa (al. *Papst*, fr. *pape*, ingl. *pope*, it. *papa*). m. Sumo pontífice romano, cabeza de la Iglesia católica. ‖ f. Patata.

papá. m. fam. Padre.

papada (al. *Doppelkinn*, fr. *double menton*, ingl. *double chin*, it. *pappagorgia*). f. Abultamiento carnoso anormal que se forma debajo de la barbilla o entre ella y el cuello.

papado. m. Dignidad de papa. ‖ Tiempo que dura.

papagayo (al. *Papagei*, fr. *perroquet*, ingl. *parrot*, it. *papagallo*). m. Zool. Ave prensora de pico fuerte, grueso y muy encorvado, patas de tarsos delgados y dedos muy largos, y plumaje de colores vivos. Es tropical, pero se adapta a la vida doméstica y aprende a repetir palabras y aun frases enteras.

papahígo. m. Especie de montera que puede cubrir la cabeza hasta el cuello, salvo dos ojos y nariz, para defenderse del frío.

papal. adj. Perteneciente o relativo al papa. ‖ m. *Amer.* Terreno sembrado de papas.

papamoscas. m. Zool. Ave paseriforme, insectívora, de color pardo, fácilmente domesticable. ‖ fig. y fam. Hombre simple y crédulo.

papanatas. m. fig. y fam. Hombre simple y crédulo, o demasiado cándido y fácil de engañar.

papar. tr. Comer cosas blandas sin mascar, como sopas, papas y otras semejantes. ‖ fam. Comer.

paparrucha. f. fam. Noticia falsa y

desatinada de un suceso, esparcida entre el vulgo. || fam. Dicho insustancial.

papaveráceo, a. adj. BOT. Dícese de plantas angiospermas, dicotiledóneas, con jugo acre y olor fétido, hojas alternas sin estipulas, flores regulares, nunca azules y fruto capsular con muchas semillas menudas, oleaginosas y de albumen carnoso, como la adormidera y la amapola. Ú.t.c.s. || f. pl. Orden de estas plantas.

papaya. f. Fruto del papayo. || vulg. *Amer.* Partes sexuales femeninas.

papayo. m. BOT. Árbol tropical de tronco fibroso y hojas grandes y palmeadas. Su látex contiene un fermento parecido a la pepsina.

papel (al. *Papier*, fr. *papier*, ingl. *paper*, it. *carta*). m. Hoja delgada consistente en fibras de celulosa reducidas a pasta por procedimientos quimicos y mecánicos, y obtenida de trapos, madera, esparto, etc. || Pliego, hoja o pedazo de papel en blanco, manuscrito o impreso. || Impreso que no llega a formar un libro. || Parte de la obra dramática que ha de representar cada actor. || COM. Documento que contiene libranza, billete de banco, pagaré, etc. || – *blanco.* El que no está escrito o impreso. || Papel de calcar. || – *cuché.* El muy satinado y barnizado, empleado en revistas y obras con fotografías. || – *de barba.* El de tina, no recortado por los bordes. || – *de calcar* o *de calco.* Hoja de papel fino, entintada por una de sus caras, que, introducida entre dos hojas de papel, reproduce en una de ellas lo que se escribe o dibuja en la otra. || – *de Estado.* Documentos emitidos por el Estado reconociendo créditos a favor de sus tenedores. || – *de estaño.* Lámina muy delgada de estaño usada para envolver productos que conviene preservar del aire. || – *de estraza.* Papel muy basto, áspero, sin cola y sin blanquear. || – *de lija.* El que encolado por una de sus caras, contiene polvos de vidrio, arena cuarzosa o esmeril. || – *de seda.* El muy fino, transparente y flexible. || – *mojado.* fig. El de poca importancia o que prueba poco para un asunto. || fig. y fam. Cosa inútil o inconsistente. || *hacer* uno *buen* o *mal papel.* fig. Salir lucida o desairadamente en algún acto o negocio. || *hacer un papel.* fig. Fingir hábilmente una cosa. || *hacer* uno *su papel.* Cumplir con su cargo o ministerio o ser de provecho para alguna cosa.

papeleo. m. Exceso de trámites en la resolución de un asunto.

papelera. f. Fábrica de papel. || Cesto de los papeles.

papelería. f. Tienda en que se vende papel y objetos de escritorio.

papelero, ra. adj. Dícese de la persona vana, ostentosa y amiga de hacer lo que no le corresponde. Ú.t.c.s. || Persona que fabrica o vende papel. Ú.t.c. adj.

papeleta. f. fig. y fam. Asunto difícil de resolver. || Cédula, documento.

papelón, na. adj. fam. Dícese de la persona que ostenta y aparenta más que es. Ú.t.c.s. || m. Papel en que se ha escrito acerca de algún asunto o negocio, y que se desprecia por algún motivo. || *Amer.* Meladura ya cuajada en una horma cónica. || *Amer.* Papel desairado o ridículo.

papera (al. *Numps*, fr. *goître*, ingl. *goiter*, it. *gozzo*). f. Inflamación del tiroides, bocio.

papila (al. *Hautwärzchen*, fr. *papille*, ingl. *papilla*, it. *papilla*). f. ANAT. Prominencia cónica que se forma en la piel o mucosas a nivel de las ramificaciones vasculonerviosas. || BOT. Prominencia cónica de algunos órganos vegetales.

papilar. adj. Perteneciente o relativo a las papilas.

papilionáceo, a. adj. De figura de mariposa. || BOT. Dícese de las plantas angiospermas dicotiledóneas, con frutos casi siempre en legumbre, flores amariposadas en inflorescencia de racimo o espiga, como el guisante, la retama, etc. || f. pl. Familia de estas plantas.

papilla (al. *Brei*, fr. *bouillie*, ingl. *pap*, it. *pappa*). f. Papas que se dan a los niños, sazonadas por lo común con azúcar.

papiro (al. *Papyrus*, fr. *papyrus*, ingl. *papyrus*, it. *papiro*). m. BOT. Planta vivaz, indígena de Oriente, de las ciperáceas con hojas largas, muy estrechas, cañas de dos o tres metros de altura. || Lámina obtenida del tallo de esta planta y que los antiguos empleaban para escribir en ella.

papista. adj. fam. Partidario de la rigurosa observación de las disposiciones del Sumo Pontífice. Ú.t.c.s.

papo. m. Parte carnosa y abultada que tiene el animal entre la barba y el cuello. || vulg. *Amer.* Órgano sexual femenino.

papú. adj. Natural de Papuasia, región de Nueva Guinea. Ú.t.c.s. || Perteneciente a esta raza.

pápula. f. MED. Tumorillo de la piel, sin pus ni serosidad.

paquebote (al. *Paketboot*, fr. *paquebot*, ingl. *packet-boat*, it. *pachebotto*). m. Embarcación que lleva la correspondencia pública y generalmente pasajeros también, de un puerto a otro. [*Sinón.*: buque]

paquete (al. *Pack*, fr. *paquet*, ingl. *parcel*, it. *pacchetto*). m. Lío o envoltorio de cosas de una misma o distinta clase.

paquete, ta. adj. *Amer.* Dícese de la persona bien vestida y de las casas o locales bien puestos. Ú.t.c.s.

paquidermo (al. *Dickhäuter*, fr. *pachyderme*, ingl. *pachyderm*, it. *pachiderma*). adj. ZOOL. Dícese del mamífero artiodáctilo, omnívoro o herbívoro, de piel muy gruesa y dura, como el jabalí o el hipopótamo. Ú.t.c.s.m. || m. pl. Suborden de estos animales.

par (al. *Paar*, fr. *paire*, ingl. *pair*, it. *paio*). adj. Igual o semejante en su totalidad. || ZOOL. Dícese del órgano que corresponde simétricamente a otro igual. || m. Conjunto de dos personas o dos cosas de una misma especie. || Título de alta dignidad en algunos estados. || FIS. Conjunto de dos cuerpos heterogéneos que en condiciones determinadas producen una corriente eléctrica. || *a la par.* m. adv. Juntamente o a un tiempo. || *sin par.* loc. adj. fig. Singular, que no tiene igual o semejante.

para (al. *für, um zu;* fr. *pour afin de;* ingl. *for, in order to;* it. *per*). prep. con que se denota el fin o término a que se encamina una acción. || Hacia, denotando el lugar que es el término de un viaje o movimiento o la situación de aquél. || Se usa también determinando el uso que conviene o puede darse a una cosa. || Como partícula adversativa significa el estado en que se halla actualmente una cosa. || Denota la relación de una cosa con otra, o lo que le es propio o le toca respecto de sí misma.

para- o **pará.** prep. insep. que significa junto a, a un lado.

parabién. m. Felicitación.

parábola (al. *Gleichnis, Parabel;* fr. *parabole;* ingl. *parable, parabola;* it. *parabola*). f. Narración de un suceso fingido, del que se deduce, por comparación o semejanza, una verdad importante o una enseñanza moral. || GEOM. Lugar geométrico de los puntos de un plano que equidista de un punto fijo (foco), y de una recta dada llamada directriz.

parabólico, ca. adj. Perteneciente o relativo a la parábola o que incluye ficción doctrinal. ‖ Geom. Perteneciente a la parábola. ‖ Geom. En forma de parábola.

parabrisas (al. *Windschutzscheibe*, fr. *pare-brise*, ingl. *windshield*, it. *parabrezza*). m. Placa de vidrio o plástico destinada a proteger del viento y del polvo al conductor de un vehículo automóvil.

paracaídas. m. Artefacto hecho de tela resistente que, al extenderse en el aire, toma la forma de una sombrilla grande. Se usa para moderar la velocidad de caída de los cuerpos que se arrojan desde las aeronaves.

peracaidismo. m. Arte de descender en paracaídas desde aviones en vuelo.

paracaidista (al. *Fallschirmspringer*, fr. *parachutiste*, ingl. *parachutist*, it. *paracadutista*). s. Persona diestra en paracaidismo.

parachoques (al. *Stosstange*, fr. *parechocs*, ingl. *bumper*, it. *paraurti*). m. Pieza o aparato que llevan en su parte anterior y posterior los vehículos para amortiguar los efectos de un choque.

parada (al. *Aufenthalt*, fr. *halte*, ingl. *stop*, it. *fermata*). f. Acción de parar o detenerse. ‖ Lugar o sitio donde se para. ‖ Fin o término del movimiento de una cosa. ‖ Suspensión o pausa. ‖ Mil. Formación de tropas para pasarles revista. [*Sinón.*: detención, alto]

paradero. m. Lugar o sitio donde se para o se va a parar. ‖ fig. Fin o término de una cosa.

paradigma. m. Ejemplo o ejemplar. ‖ Ling. Cada uno de los esquemas formales a que se ajustan las palabras nominales y verbales para sus respectivas flexiones. ‖ Ling. Conjunto virtual de elementos de una misma clase gramatical, que pueden aparecer en un mismo contexto.

paradigmático, ca. adj. Perteneciente o relativo al paradigma. ‖ Ejemplar. ‖ Ling. Dícese de las relaciones que existen entre los elementos de un paradigma.

paradisiaco o **paradisíaco, ca.** adj. Perteneciente o relativo al paraíso.

parado, da. adj. Remiso, tímido o descuidado. ‖ Desocupado, o sin ejercicio o empleo. Ú.t.c.s.m. ‖ *Amer.* Derecho, en pie.

paradoja (al. *Paradoxon*, fr. *paradoxe*, ingl. *paradox*, it. *paradosso*). f. Especie extraña u opuesta a la común

opinión y al sentir de los hombres. ‖ Aserción inverosímil y absurda que se presenta con apariencias de verdadera.

paradójico, ca. adj. Que incluye paradoja o que usa de ella.

parador. m. Hotel o restaurante localizado en un lugar notable por su historia o belleza.

paraestatal. adj. Dícese de la gestión, función, misión, etc., que por delegación del Estado realizan entidades no adscritas a él.

parafernales. adj. pl. Der. Dícese de los bienes que aporta la mujer al matrimonio fuera de la dote, y de los que adquiere durante él por título lucrativo, como herencia o donación.

parafina (al. *Paraffin*, fr. *parafine*, ingl. *paraffin*, it. *paraffina*). f. Quím. Sustancia sólida, blanca, translúcida, muy ligera, que se obtiene de la destilación fraccionada del petróleo o del alquitrán.

parafrasear. tr. Hacer la paráfrasis de un texto o escrito.

paráfrasis. f. Explicación o interpretación amplificativa de un texto para ilustrarlo o hacerlo más claro e inteligible.

paraguas (al. *Regenscirm*, fr. *parapluie*, ingl. *umbrella*, it. *ombrello*). m. Utensilio portátil para resguardarse de la lluvia, compuesto de un bastón y un varillaje cubierto de tela que puede extenderse o plegarse.

paraguayo, ya. adj. Natural de Paraguay, Ú.t.c.s. ‖ Perteneciente al Paraguay. ‖ f. Fruta semejante al pérsico.

paragüero, ra. s. Persona que hace, vende o arregla paraguas. ‖ m. Mueble dispuesto para el acomodo de paraguas y bastones.

paraíso (al. *Paradies*, fr. *paradis*, ingl. *paradise*, it. *paradiso*). m. Lugar en donde Dios puso a Adán después que lo hubo creado. ‖ Cielo, mansión de los ángeles, etc. ‖ fig. Cualquier sitio o lugar muy agradable. ‖ Piso más alto de algunos teatros.

paraje (al. *Ort*, fr. *endroit*, ingl. *place*, it. *sito*). m. Estado, ocasión o disposición de una cosa.

paralela. f. pl. Barras en las que se realizan ejercicios gimnásticos.

paraláctico, ca. adj. Astr. Relativo a la paralaje.

paralaje. f. Astr. Diferencia entre las posiciones de un astro en la bóveda celeste observado desde puntos distintos.

paralelepípedo. m. Geom. Sólido limitado por seis paralelogramos, sien-

do iguales y paralelos cada dos opuestos entre sí.

paralelismo (al. *Parallelismus*, fr. *parallélisme*, ingl. *parallelism*, it. *parallelismo*). m. Calidad de paralelo entre líneas o planos.

paralelo, la (al. *Gleichlaufend*, fr. *parallele*, ingl. *parallel*, it. *parallelo*). adj. Geom. Aplícase a las líneas o planos que conservan igual distancia entre sí. ‖ Cada uno de los círculos paralelos al Ecuador, que sirven para determinar la latitud de cualquiera de los puntos de la Tierra. Ú.t.c.s.m.

paralelogramo. m. Geom. Cuadrilátero determinado por dos pares de rectas paralelas.

parálisis (al. *Lähmung*, fr. *paralysie*, ingl. *palsy*, it. *paralisi*). f. Med. Privación o disminución de la sensibilidad y del movimiento de una o varias partes del cuerpo.

paralítico, ca (al. *paralytiker*, fr. *paralytique*, ingl. *paralytic*, it. *paralitico*). adj. Enfermo de parálisis. Ú.t.c.s.

paralización. f. fig. Detención de una acción o movimiento.

paralizar. tr. Causar parálisis. Ú.t.c.r. ‖ fig. Detener, entorpecer, impedir la acción y movimiento de una cosa. Ú.t.c.r.

paralogismo. m. Razonamiento falso.

paramento. m. Adorno o atavío con que se cubre una cosa. ‖ Arq. Cualquiera de las dos caras de una pared. [*Sinón.*: ornato]

paramera. f. Región o territorio donde abundan los páramos.

parámetro. m. Mat. Variable auxiliar en función de la cual se expresan las coordenadas de los puntos de una función.

páramo (al. *Odland*, fr. *lande*, ingl. *paramo*, it. *landa*). m. Terreno yermo, raso y desabrigado. ‖ fig. Lugar sumamente frío. ‖ *Amer.* Llovizna.

parangón. m. Comparación o semejanza.

parangonar. tr. Establecer comparación entre una cosa y otra. [*Sinón.*: comparar, cotejar]

paraninfo (al. *Aula*, fr. *paranymphe*, ingl. *paranymph*, it. *paraninfo*). m. Salón de actos académicos en algunas universidades.

paranoia. f. Perturbación mental fijada en una idea o en un orden de ideas.

paranoico, ca. adj. Med. Dícese del enfermo mental afecto por la paranoia. Ú.t.c.s.

paranormal. adj. Dícese de los fenómenos y problemas que estudia la parapsicología.

parapetarse. r. MIL. Resguardarse con parapetos u otra cosa que los supla. Ú.t.c.tr. [*Sinón.*: preservarse, cubrirse]

parapeto (al. *Brüstung*, fr. *parapet*, ingl. *parapet*, it. *parapetto*). m. ARQ. Pared o baranda que se pone para evitar caídas en los puentes, escaleras, etc. || MIL. Terraplén corto formado sobre el principal para protegerse de los tiros.

paraplejía. f. MED. Parálisis de la mitad inferior del cuerpo.

parapsicología. f. Rama de la psicología dedicada al estudio de las anomalías del conocimiento, como la percepción de sucesos pasados o futuros, sin justificación aparente.

parapsicólogo, ga. s. Que cultiva la parapsicología.

parar (al. *anhalten*, fr. *s'arrêter*, ingl. *to stop*, it. *fermarsi*). intr. Cesar en el movimiento o en la acción, no pasar adelante en ella. Ú.t.c.r. || Llegar al fin o término de una cosa u obra. || Reducirse o convertirse una cosa en otra distinta de la que se juzgaba o esperaba. || Habitar, hospedarse. || tr. Detener e impedir el movimiento o acción de uno. || En el deporte, detener el golpe o lanzamiento del contrario. || r. *Amer.* Estar de pie. [*Antón.*: mover]

pararrayos (al. *Blitzableiter*, fr. *paratonerre*, ingl. *lighting rod*, it. *parafulmine*). m. Aparato destinado a proteger del rayo un edificio, monumento, navío, etc. Consiste en una barra vertical conductora, terminada en una o varias puntas, que se conecta con el agua o la tierra.

parasíntesis. f. GRAM. Formación de vocablos por composición o derivación.

parasiticida. adj. Destructor de parásitos.

parasitismo. m. fig. Hábito del parásito.

parásito, ta o **parasito, ta.** adj. BIOL. Dícese del animal o planta que se alimenta a costa de las sustancias orgánicas contenidas en el cuerpo de otro ser vivo, en cuyo contacto vive temporal o permanentemente. Ú.t.c.s. || m. fig. El que se arrima a otro para vivir o comer a costa ajena.

parasol. m. Quitasol, sombrilla.

parca. fig. poét. La muerte.

parcela (al. *Parzelle*, fr. *parcelle*, ingl. *plot*, it. *particella catastale*). f. Porción pequeña de terreno, de ordi-

nario sobrante de otra mayor que se ha comprado, expropiado o adjudicado. || Parte pequeña de alguna cosa.

parcelación. f. Acción y efecto de parcelar.

parcelar. tr. Medir, señalar las parcelas para el catastro.

parcial (al. *teil*, *parteiisch*; fr. *partiel*, *partisan*; ingl. *partial*, *biased*; it. *parziale*). adj. Relativo a una parte del todo. || No cabal o completo. || Que juzga o procede con parcialidad. || Que siempre está de parte de otro. Ú.t.c.s. [*Sinón.*: partidario, fragmentario.]

parcialidad (al. *Parteilichkeit*, fr. *partialité*, ingl. *partiality*, it. *parzialità*). f. Designio anticipado o prevención en favor o en contra de personas o cosas, de lo que resulta falta de naturalidad y de rectitud de juicio. [*Sinón.*: favoritismo, prejuicio. *Antón.*: imparcialidad]

parco, ca (al. *sparsam*, fr. *sobre*, ingl. *sparing*, it. *parco*). adj. Corto, escaso o moderado en el uso o concesión de las cosas. || Sobrio, templado y moderado en la comida o bebida.

parche (al. *Pflaster*, fr. *emplâtre*, ingl. *plaster*, it. *cerotto*). m. Pedazo de tela, papel, piel, goma, etc., que por medio de un aglutinante se pega sobre una cosa. || fig. Pegote o retoque mal hecho.

parchís. m. Juego practicado en un tablero con 4 salidas. Cada jugador, provisto de 4 fichas del mismo color, trata de hacerlas llegar a la casilla central, recorriéndose en cada jugada, tantas casillas como indiquen los dados.

pardal. adj. Aplícase a la gente de las aldeas vestidas de pardo. || Gorrión. || Pardillo, ave. || fig. y fam. Hombre bellaco y astuto.

¡pardiez! interj. fam. ¡Por Dios!

pardillo, lla. adj. Aldeano, palurdo. Ú.t.c.s. || m. ZOOL. Pájaro de vivos colores, que canta bien y se domestica fácilmente.

pardo, da (al. *braun*, fr. *brun*, ingl. *brown*, it. *bruno*). adj. Del color de la tierra, intermedio entre el blanco y el negro con tinte rojo amarillento. || *Amer.* Mulato. Ú.m.c.s.

pardusco, ca. adj. De color que tira a pardo.

pareado, da. adj. Dícese de los dos versos que van unidos y riman en consonante. Ú.t.c.s.

parear. tr. Juntar, igualar dos cosas. || Formar pares de las cosas.

parecer. m. Opinión, juicio o dictamen. || Orden de las facciones del rostro

y disposición del cuerpo. || intr. Opinar, creer. Ú.m.c.impers. || Tener determinada apariencia o aspecto. || r. Asemejarse.

parecido, da. adj. Dícese de lo que se parece a otro u otra cosa. || Con los adverbios *bien* o *mal*, que tiene buena o mala disposición de facciones o figura. [*Sinón.*: semejante, similar]

pared (al. *Wand*, fr. *mur*, ingl. *wall*, it. *parete*). f. Obra de fábrica levantada a plomo, para cerrar un espacio o sostener una techumbre. || Tabique. || FIS. Cara o superficie lateral de un cuerpo. || *entre cuatro paredes.* m. adv. fig. con que se explica que uno está encerrado en su casa o cuarto.

paredón. m. Dícese de la pared frente a la cual se fusila a alguien.

pareja (al. *Paar*, fr. *couple*, ingl. *couple*, it. *coppia*). f. Conjunto de dos personas o cosas que tienen alguna correlación o semejanza. || Cada una de estas dos personas o cosas considerada en relación con la otra. || Compañero o compañera de baile. [*Sinón.*: par, dúo]

parejo, ja. adj. Igual o semejante. || Liso, llano.

parénquima. m. BOT. Cualquiera de los tejidos vegetales constituidos por células de forma aproximadamente esférica o cúbica y separadas entre sí por meatos. || ZOOL. Tejido de los órganos glandulares.

parentela. f. Conjunto de los parientes.

parentesco (al. *Verwandschaft*, fr. *parenté*, ingl. *kindred*, it. *vinculo*). m. Vínculo, conexión, enlace por consanguinidad o afinidad. || fig. Unión, vínculo o ligamen que tienen las cosas.

paréntesis (al. *Klammern*, fr. *parenthèse*, ingl. *parenthesis*, it. *parentesi*). m. Oración o frase incidental, sin enlace necesario con los demás miembros del periodo, cuyo sentido interrumpe y no altera. || Signo ortográfico ( ) en que suele encerrarse esta oración o frase. || fig. Suspensión o interrupción. [*Sinón.*: inciso]

paria. m. Individuo de la casta ínfima de los indios que siguen la ley de Brahma. Esta casta está privada de todos los derechos religiosos y sociales. || Por ext., hombre miserable, despreciado por todos.

parias. f. pl. Placenta del útero.

parida. adj. Dícese de la hembra que hace poco tiempo que parió. || f. fam. Dicho o escrito algo tonto.

paridad. f. Comparación de una

cosa con otra puesta como ejemplo o símil. ‖ Igualdad de las cosas entre sí. |Sinón.: similitud]

paridera. adj. Dícese de la hembra fecunda. ‖ Acción de parir el ganado. ‖ Tiempo en que pare.

pariente, ta (al. *Verwandter*, fr. *parent*, ingl. *relative*, it. *parente*). adj. Respecto de una persona, dícese de cada uno de los ascendientes, descendientes y colaterales de su misma familia por consanguinidad o afinidad. Ú.m.c.s. ‖ fig. y fam. Allegado, semejante o parecido. [Sinón.: deudo, familiar]

parietal (al. *Scheitelbein*, fr. *pariétal*, ingl. *parietal bone*, it. *parietale*). adj. Perteneciente a la pared. ‖ ZOOL. Dícese de cada uno de los dos huesos situados en las partes media y laterales de la cabeza.

parihuela (al. *Trag-bahre*, fr. *brancard*, ingl. *hand-barrow*, it. *barella*). f. Artefacto para llevar cargas entre dos personas, compuesto de dos varas gruesas con unas tablas atravesadas. Ú.m. en pl. ‖ Camilla.

parir (al. *gebären*, fr. *accoucher*, ingl. *to bear*, it. *partorire*). intr. Expeler la hembra de cualquier especie vivípara, en tiempo oportuno, el feto que tenía concebido. Ú.t.c.tr. ‖ fig. Producir o causar una cosa otra, de cualquier modo que sea. [Sinón.: alumbrar, dar a luz]

parisién. adj. sing. Parisiense. Ú.t.c.s. común sing.

parisiense. adj. Natural de París. Ú.t.c.s. ‖ Perteneciente a esta ciudad.

parisino, na. adj. Parisiense.

paritario, ria. adj. Dícese de los organismos de carácter social constituidos por representantes de patronos y obreros en número igual y con los mismos derechos.

parla. f. Acción de parlar, o hablar mucho. ‖ Labia.

parlamentar. intr. Hablar o conversar unos con otros. ‖ Tratar de ajustes. |Sinón.: dialogar]

parlamentario, ria (al. *Parlamentarisch*, fr. *parlamentaire*, ingl. *parliamentary*, it. *parlamentario*). adj. Perteneciente al parlamento judicial o político. ‖ m. Persona que va a parlamentar. ‖ Miembro de un parlamento.

parlamentarismo. m. Doctrina, sistema parlamentario.

parlamento (al. *Parlament*, fr. *parlement*, ingl. *parliament*, it. *parlamento*). m. Razonamiento u oración que se dirigía a un congreso o junta. ‖ Órgano político de carácter representativo con funciones legislativas soberanas y de control del poder ejecutivo. ‖ Acción de parlamentar.

parlanchín, na. adj. fam. Que habla mucho y sin oportunidad o que dice lo que no debía. Ú.t.c.s.

parlar. intr. Hablar con desembarazo. ‖ Hablar mucho y sin sustancia. ‖ Cantar las aves.

parlotear. intr. fam. Hablar mucho y sin sustancia unos con otros, por diversión.

parloteo. m. Acción y efecto de parlotear.

parmesano, na. adj. Natural de Parma. Ú.t.c.s. ‖ Perteneciente a la ciudad y antiguo ducado italiano de Parma.

parné. m. vulg. Moneda, dinero. ‖ Hacienda, caudal, bienes de cualquier clase.

paro. m. Suspensión o término de la jornada industrial o agrícola. ‖ Interrupción de un ejercicio o de una explotación industrial o agrícola por parte de los empleados o patronos en contraposición a la huelga de operarios. ‖ Huelga. ‖ — forzoso. Carencia de trabajo por causas independientes de la voluntad del obrero y del patrono.

parodia. f. Imitación burlesca de una obra literaria seria. ‖ Cualquier imitación burlesca de una cosa seria. [Sinón.: caricatura]

parodiar. tr. Hacer una parodia.

parónimo, ma. adj. Aplícase a cada uno de dos o más vocablos que tienen entre sí relación o semejanza, o por su etimología o por su forma o sonidos.

parótida. f. ANAT. Cada una de las dos glándulas salivales situadas detrás de la maxila inferior. ‖ MED. Tumor de esta glándula.

paroxismo. m. MED. Exacerbación o acceso violento de una enfermedad. ‖ fig. Exaltación extrema de los afectos y pasiones.

parpadear. intr. Mover los párpados o abrir y cerrar los ojos. ‖ Vacilar la luminosidad de un cuerpo o imagen.

parpadeo. m. Acción de parpadear. ‖ Vacilación de la luminosidad.

párpado (al. *Augenlid*, fr. *paupière*, ingl. *eyelid*, it. *palpebra*). m. Cada una de las membranas movibles cartilaginosas que cubren y resguardan los ojos de los hombres y numerosos animales.

parpar. intr. Gritar el pato.

parque (al. *Park*, fr. *parc*, ingl. *park*, it. *parco*). m. Terreno o sitio cercado y con plantas, para caza o para recreo, generalmente inmediato a una población. ‖ Conjunto de aparatos o materiales destinados a un servicio público. ‖ — nacional. Paraje acotado por el Estado para la conservación de su flora y fauna y para evitar la destrucción de sus bellezas naturales. ‖ — zoológico. Lugar donde se conservan, crían y exhiben diversos animales, para su estudio y recreo.

parqué. m. Entarimado de maderas finas, convenientemente ensambladas, formando dibujos geométricos.

parquedad. f. Moderación económica y prudente en el uso de las cosas. ‖ Parsimonia, circunspección.

parquet (voz francesa). m. Parqué.

parquímetro. m. NEOL. Contador automático utilizado para regular el tiempo de aparcamiento autorizado de un vehículo.

parra (al. *Rebstock*, fr. *vigne*, ingl. *vine*, it. *vite*). f. Vid, y en especial la que está levantada artificialmente y extiende mucho sus vástagos. ‖ *Amer.* Especie de bejuco que destila un agua que beben los caminantes. ‖ *subirse uno a la parra*. fig. y fam. Encolerizarse. ‖ Darse importancia, enorgullecerse. ‖ Tomarse atribuciones que no le corresponden.

parrafada. f. fam. Conversación detenida y confidencial entre dos o más personas. ‖ Párrafo largo en discurso, conversación, etc. Ú.m. con sent. despect.

párrafo (al. *Absatz*, fr. *paragraphe*, ingl. *paragraph*, it. *paragrafo*). m. Cada una de las divisiones de un escrito señaladas por letra mayúscula al principio del renglón y punto y aparte al final del trozo de escritura.

parral (al. *Weinlaube*, fr. *treille*, ingl. *vinery*, it. *pergolato*). m. Conjunto de parras sostenidas por un armazón de madera u otro artificio. ‖ Sitio donde hay parras.

parranda. f. fam. Jolgorio, fiesta, jarana.

parricida (al. *Vatermörder*, fr. *parricide*, ingl. *parricide*, it. *parricida*). com. Persona que mata a su padre o a su madre, o a su cónyuge. Ú.t.c. adj.

parricidio. m. Crimen que comete el parricida.

parrilla (al. *Rost*, fr. *grille*, ingl. *gridiron*, it. *gratella*). f. Utensilio de hierro en forma de rejilla, con mango y pies, para poner a la lumbre lo que se ha de asar o tostar. Ú.m. en pl. ‖ Comedor público en que se preparan asados a la vista de la clientela.

parrillada. f. Plato compuesto de diversos pescados o mariscos, asados a la parrilla.

párroco (al. *Pfarrer*, fr. *curé de paroisse*, ingl. *parson*, it. *parroco*). m. Cura sacerdote encargado de una feligresía. Ú.t.c. adj.

parroquia (al. *Plarrbezik*, fr. *paroisse*, ingl. *parish*, it. *parrocchia*). f. Iglesia en que se administran los sacramentos y se atiende espiritualmente a los fieles de una feligresía. ‖ Conjunto de feligreses. ‖ Territorio que está bajo la jurisdicción espiritual del cura párroco. ‖ Conjunto de clientes habituales de una misma tienda, de un mismo sastre, etc. [*Sinón.*: curato, clientela]

parroquial. adj. Perteneciente o relativo a la parroquia.

parroquiano, na (al. *Kunde*, fr. *chaland*, ingl. *customer*, it. *avventore*). adj. Perteneciente a una determinada parroquia. Ú.t.c.s. ‖ s. Persona que acostumbra a comprar en una misma tienda o servirse siempre de un artesano, oficial, etc., con preferencia a otros.

parsimonia. f. Frugalidad y moderación en los gastos. ‖ Circunspección.

parte (al. *Teil*, fr. *partie*, ingl. *part*, it. *parte*). f. Porción indeterminada de un todo. ‖ Cantidad o porción especial o determinada de un agregado numeroso. ‖ Sitio o lugar. ‖ Cada uno de los ejércitos, facciones, etc., que luchan o contienden. ‖ Cada una de las personas que contratan o participan en un negocio. ‖ Escrito breve enviado por correo u otro medio para dar un aviso o nota urgente a una persona. ‖ *de parte a parte.* m. adv. Desde un lado al extremo opuesto, o de una cara a la otra opuesta. ‖ *de parte de.* m. adv. En nombre de o por orden de. ‖ *en parte.* m. adv. En algo de lo que pertenece a un todo. ‖ *hacer* uno *de su parte.* Aplicar los medios que están a su posibilidad o comprensión para el logro de un fin. ‖ *llevar* uno *la mejor* o *la peor parte.* Estar próximo a vencer o ser vencido. ‖ *por mi parte.* m. adv. Por lo que a mí toca o puedo hacer. ‖ *tener* uno *de su parte a uno.* Contar con su favor.

partenogénesis. f. BIOL. Modificación de la reproducción sexual en la que el gameto femenino puede desarrollarse sin el concurso del espermatozoide.

partera. f. Mujer que tiene por oficio asistir a la que está de parto. [*Sinón.*: comadrona, comadre]

parterre. m. Jardín o parte de él con césped, flores y paseos.

partición. f. División o repartimiento de una hacienda, herencia, etc.

participación (al. *Teilnahme*, fr. *participation*, ingl. *participation*, it. *partecipazione*). f. Aviso, parte o noticia que se da de un acontecimiento. ‖ Acción y efecto de participar.

participar (al. *teilnehmen*, fr. *partager*, ingl. *to share*, it. *partecipare*). tr. Dar parte, comunicar. ‖ intr. Tener alguien parte en un juego, concurso o negocio. [*Sinón.*: notificar, intervenir]

partícipe. adj. Que tiene parte en una cosa, o entra con otros a la parte en la distribución de ella. Ú.t.c.s.

participio (al. *Partizip*, fr. *participe*, ingl. *participle*, it. *participio*). m. GRAM. Forma del verbo llamada así porque en sus varias aplicaciones participa de la índole del verbo o de la del adjetivo.

partícula (al. *Partikel*, fr. *particule*, ingl. *particle*, it. *particola*). f. Parte pequeña. ‖ GRAM. Término de diversa amplitud con que suelen designarse las partes invariables de la oración. ‖ FÍS. Cualquiera de los elementos indivisibles que constituyen el átomo.

particular (al. *privat-*, fr. *particulier*, ingl. *private*, it. *particolare*). adj. Propio y privativo de una cosa. ‖ Especial, extraordinario, o pocas veces visto en su línea. ‖ Singular o individual, como contrapuesto a universal o general. ‖ Dícese de lo privado, de lo que no es de propiedad o uso públicos. ‖ *sin otro particular.* m. adv. Sin más cosas que decir o añadir. ‖ Con el exclusivo objeto de. [*Sinón.*: peculiar, específico, raro. *Antón.*: común]

particularidad. f. Singularidad, especialidad, individualidad. ‖ Cada una de las circunstancias o partes menudas de una cosa.

particularismo. m. Preferencia excesiva que se da al interés particular sobre el general. ‖ Individualismo.

particularizar. tr. Expresar una cosa con todas sus circunstancias y particularidades. ‖ Hacer distinción especial de una persona en el afecto, atención o correspondencia. ‖ r. Distinguirse, singularizarse en una cosa.

partida (al. *Abreise*, fr. *départ*, ingl. *departure*, it. *partenza*). f. Acción de partir o salir de un punto para ir a otro. ‖ Registro o asiento de bautismo, confirmación, matrimonio o entierro que se inscribe en los libros de las parroquias o registro civil. ‖ Cada uno de los artículos y cantidades parciales que contiene una cuenta. ‖ Cantidad o por-

ción de un género de comercio. ‖ Conjunto poco numeroso de gente armada. ‖ Cada una de las manos de un juego. [*Sinón.*: salida; guerrilla. *Antón.*: llegada]

partidario, ria. adj. Que sigue un partido o bando, o entra en él. Ú.t.c.s. ‖ Adicto a una persona o idea. Ú.t.c.s. [*Sinón.*: adepto]

partidismo. m. Celo exagerado en favor de un partido, tendencia, etc.

partidista. adj. Relativo a un partido político. ‖ Que obra con parcialidad. Ú.t.c.s.

partido, da. adj. Franco, liberal y que reparte con otros lo que tiene. ‖ m. Parcialidad o coligación entre los que siguen una misma opción o interés. ‖ Provecho, ventaja o conveniencia. ‖ Conjunto de personas que siguen una misma facción, opinión o causa. ‖ *tomar partido.* MIL. Alistarse en un ejército los que eran del contrario. Hacerse una bandería. Determinarse el que estaba dudoso en decidirse.

partir (al. *spalten*, fr. *fendre*, ingl. *to split*, it. *fendere*). tr. Dividir una cosa en dos o más partes. ‖ Hender, rajar. ‖ Repartir o distribuir una cosa entre varios. ‖ Distinguir o separar una cosa de otra. ‖ MAT. Dividir, cuarta regla aritmética. ‖ intr. Tomar un hecho, una fecha o cualquier otro antecedente como base para un razonamiento. ‖ Empezar a caminar, ponerse en camino. ‖ fig. y fam. Desbaratar, desconcertar a alguien. [*Sinón.*: fragmentar, cortar; marchar. *Antón.*: unir, juntar, quedarse]

partitivo, va. adj. Que puede partirse o dividirse. ‖ GRAM. Dícese del nombre y del adjetivo numeral que expresan división de un todo en partes.

partitura (al. *Partitur*, fr. *partiture*, ingl. *score*, it. *partitura*). f. Texto completo de una obra musical para varias voces o instrumentos.

parto (al. *Niederkunft*, fr. *accouchement*, ingl. *parturition*, it. *parto*). m. Acción de parir. ‖ fig. Cualquier producción física. ‖ fig. Producción del entendimiento o ingenio humano y cualquiera de sus conceptos declarados o dados a luz. [*Sinón.*: alumbramiento]

parturienta. adj. Aplícase a la mujer que está a punto de parir o acaba de hacerlo. Ú.t.c.s.

parva. f. Parvedad, corta porción de alimento. ‖ Mies tendida en la era para trillarla, o después de trillada, antes de separar el grano.

parvo, va. adj. Pequeño.

parvulario. m. Centro docente dedicado a la educación e instrucción de los párvulos.

párvulo, la (al. *Kind*, fr. *enfant*, ingl. *child*, it. *pargolo*). adj. Pequeño. || Niño, que está en la niñez. Ú.m.c.s. || fig. Inocente, que sabe poco o es fácil de engañar. || fig. Humilde.

pasa (al. *Rosine*, fr. *raisin sec*, ingl. *raisin*, it. *uva secca*). f. Uva que se ha secado naturalmente en la vid, o artificialmente al sol, o cociéndola en lejía. Ú.t.c.adj. || *estarse* o *quedarse como una pasa.* fig. y fam. Estar o volverse una persona muy seca de cuerpo y arrugada de rostro.

pasable. adj. Pasadero, mediano, aceptable.

pasacalle. m. Mús. Marcha popular de compás muy vivo.

pasada. f. Acción de pasar de una parte a otra. || fam. Exageración o desmadre. || fig. y fam. Mal comportamiento de una persona con otra. Ú. generalmente acompañada del adjetivo *mala.* || *de pasada.* m. adv. De paso.

pasadero, ra. adj. Que puede pasar con facilidad. || Medianamente bueno de salud. || Dícese de la cosa que es tolerable y puede pasar aunque tenga defecto o tacha. [*Sinón.*: llevadero. *Antón.*: insoportable]

pasadizo. m. Paso estrecho que en las casas o calles sirve para ir de una parte a otra atajando camino. || fig. Cualquier otro medio que sirve para pasar de una parte a otra. [*Sinón.*: callejón]

pasado (al. *Vergangenheit*, fr. *passé*, ingl. *past*, it. *passato*). m. Tiempo que pasó; cosas que sucedieron en él. [*Antón.*: presente, futuro]

pasador. m. Barrita de hierro sujeta con grapas a una hoja de puerta, ventana, o una tapa, y que sirve para cerrar, corriéndola hasta hacerla entrar en una hembrilla fija en el marco. || Aguja grande de metal, concha u otra materia que usan las mujeres para sujetar el cabello recogido. || Persona que pasa contrabando. [*Sinón.*: cerrojo, sujetador]

pasaje (al. *Fahgeld*, fr. *passage*, ingl. *fare*, it. *passaggio*). m. Acción de pasar de una parte a otra. || Derecho que se paga por atravesar un paraje. || Sitio o lugar por donde se pasa. || Totalidad de los viajeros que van en un mismo buque. || Trozo o lugar de un libro o escrito, oración o dibujo. || Paso público, entre dos calles, algunas veces

cubierto. || *Amer.* Boleto o billete para un viaje. [*Sinón.*: peaje, vado, fragmento, callejón]

pasajero, ra (al. *Reisender*, fr. *passager*, ingl. *traveller*, it. *passaggiero*). adj. Que pasa rápidamente o es de poca duración. || Viajero, transeúnte. Ú.t.c.s. || s. Persona que viaja en un vehículo. [*Sinón.*: efímero, fugaz; viajero]

pasamanería. f. Obra de pasamanos. || Tienda donde se venden.

pasamano (al. *Handlauf*, fr. *rampe*, ingl. *banister*, it. *ringhiera*). m. Barandal, listón que sujeta por encima los balaustres. || Género de galón o trencilla, cordones y demás adornos de oro, plata, etc., que sirve para guarnecer y adornar los vestidos y otras cosas. || Mar. Paso que hay en los navíos de popa a proa junto a la borda.

pasamontañas. m. Montera que puede cubrir toda la cabeza hasta el cuello, y que se usa para defenderse del frío.

pasante. m. El que asiste y acompaña al maestro de una facultad en el ejercicio de ella para imponerse enteramente en su práctica. [*Sinón.*: auxiliar]

pasantía. f. Ejercicio del pasante en las facultades y profesiones. [*Sinón.*: ayudantía]

pasaportar. tr. Dar o expedir pasaporte. || Despedir a alguien, echarlo de donde está. || fig. Dar muerte, asesinar.

pasaporte (al. *Pass*, fr. *passeport*, ingl. *passport*, it. *passaporto*). m. Licencia o despacho por escrito que se da para poder pasar libremente de un país a otro. || fig. Licencia franca o libertad para ejecutar una cosa. || *dar pasaporte* a alguno. fam. Romper trato o relaciones con él. || fig. Dar muerte, asesinar.

pasar (al. *ubergehen*, fr. *passer*, ingl. *to pass*, it. *passare*). tr. Llevar, conducir de un lugar a otro. || Mudar, trasladar a uno de un lugar o de una clase a otros. Ú.t.c. intr. y c.r. || Cruzar de una parte a otra. || Transitar por algún sitio. || Enviar, transmitir. || Penetrar o traspasar. || Exceder, aventajar, superar. Ú.t.c.r. || Introducir una cosa por el hueco de otra. || intr. No poner reparo o censura a una cosa. || Tener lo necesario para vivir. || Convertirse una cosa en otra mejorándose o empeorándose. || r. fam. Exagerar; desmadrarse. || Olvidarse o borrarse de la memoria una cosa. || Perderse en algunas cosas la ocasión o el tiempo de que logren su actividad en el efecto. || *pasar de largo.* Ir o atravesar por una parte sin detenerse. || *pasar* uno *por alto* alguna cosa.

fig. Omitir o dejar de decir lo que debió o pudo tratarse. || *pasar* uno *por encima.* fig. Superar los obstáculos que se oponen a la realización de algo. || *pasarse de listo.* fig. Errar por exceso de malicia.

pasarela. f. Puente pequeño o provisional. || En los buques de vapor, puentecillo transversal colocado delante de la chimenea.

pasatiempo. m. Diversión y entretenimiento en que se pasa el rato. [*Sinón.*: esparcimiento]

Pascua (al. *Ostern*, fr. *Pâques*, ingl. *Easter*, it. *Pasqua*). n.p.f. En la Iglesia Católica, fiesta solemne de la resurrección del Señor. || Cualquiera de las solemnidades del nacimiento de Cristo, del reconocimiento y adoración de los Magos, y de la venida del Espíritu Santo sobre el Colegio apostólico. || —*florida.* La de Resurrección.

pascual. adj. Perteneciente o relativo a la Pascua.

pascuala (la). f. vulg. *Amer.* Masturbación.

pase. m. Acción y efecto de pasar. || Taurom. Cada una de las veces que el torero, después de citar al toro con la muleta, lo deja pasar, sin intentar clavarle la espada. || Licencia por escrito para transitar por algún sitio, viajar gratuitamente, etc.

paseante. adj. Que pasea.

pasear (al. *spazierengehen*, fr. *se promener*, ingl. *to take a walk*, it. *passeggiare*). intr. Andar por diversión, para hacer ejercicio o tomar el aire. Ú.t.c.tr. y c.r. || Ir con iguales fines a caballo, en automóvil, etc. [*Sinón.*: deambular]

paseíllo. m. Taurom. Desfile de las cuadrillas por el ruedo, antes de comenzar la corrida. Ú.m. en la expr. *hacer el paseíllo.*

paseo (al. *Spaziergang*, fr. *promenade*, ingl. *walk*, it. *passeggiata*). m. Acción de pasear o pasearse. || Lugar o sitio público en el que se acostumbra a pasear. || Distancia corta que puede recorrerse paseando. || *anda* o *vete a paseo.* expr. fig. y fam. que se emplea para despedir a las personas con enfado, desprecio o disgusto.

pasillo (al. *Korridor*, fr. *couloir*, ingl. *corridor*, it. *corridoio*). m. Pieza de paso, larga y estrecha, de cualquier edificio o piso. [*Sinón.*: corredor]

pasión (al. *Leindenschaft*, fr. *passion*, ingl. *passion*, it. *passione*). f. Acción de padecer. || Por antonomasia, la de Jesucristo. || Cualquier perturbación o afecto desordenado del ánimo. || Inclinación o preferencia muy viva de una persona hacia otra. || Apetito o afición vehemente hacia una cosa. [*Sinón.*: ardor]

pasional. adj. Perteneciente o relativo a la pasión, especialmente amorosa.

pasionaria. f. Bot. Planta tropical pasiflorácea, de tallos ramosos y trepadores, muy largos, con hojas pecioladas y flores solitarias, grandes y olorosas, de color verde azulado con verticilo purpurino y blanco que se forma como una corona de espinas. Su fruto, amarillo, tiene forma y tamaño de un huevo de paloma, y es comestible.

pasividad. f. Calidad de pasivo.

pasivo, va (al. *passiv*, fr. *passif*, ingl. *passive*, it. *passivo*). adj. Aplícase al que deja obrar a los otros, sin hacer por si mismo cosa alguna. || Gram. Que implica o denota pasión, en sentido gramatical. || m. Com. Importe total de los débitos, gravámenes y coste que tiene contra sí una persona o entidad. [*Sinón.*: estático. *Antón.*: activo]

pasmado, da. adj. Estupefacto, atontado.

pasmar (al. *verblüffen*, fr. *stupéfier*, ingl. *to amaze*, it. *supefare*). tr. Enfriar mucho o bruscamente. Ú.t.c.r. || Ocasionar o causar suspensión o pérdida de los sentidos y del movimiento. Ú.m.c.r. || fig. Asombrar en extremo. Ú.t.c.intr. y c.r. [*Sinón.*: congelar; desfallecer; maravillar]

pasmarote. m. fam. Persona embobada o pasmada por pequeña cosa.

pasmo. m. Efecto de un enfriamiento que se manifiesta por romadizo, dolor en los huesos y otras molestias. || Rigidez y tensión convulsiva de los músculos. || Admiración y asombro extremados que dejan la razón y el discurso en suspenso. [*Sinón.*: estupefacción]

paso (al. *Schritt*, fr. *pas*, ingl. *step*, it. *passo*). m. Movimiento de cada uno de los pies al andar. || Espacio recorrido en ese movimiento. || Escalón o peldaño. || Acción de pasar. || Lugar o sitio por donde se pasa. || Huella que queda impresa al andar. || Adelantamiento en cualquier especie de ingenio, virtud, estado, etc. || Acto de la vida humana. || Estrecho de mar. || — a nivel. Sitio en que un ferrocarril se cruza con otro camino al mismo nivel. || *a buen paso.* m. adv. Deprisa. || *a cada paso.* m. adv. fig. Repetidamente, a menudo. || *a dos pasos.* m. adv. fig. Muy cerca. || *a paso de tortuga.* m. adv. fig. Con mucha lentitud. || *apretar el paso.* fam. Ir más

deprisa. || *ceder el paso.* Dejar una persona, por cortesía, que otra pase antes que ella. || *dar pasos.* fig. Gestionar. || *marcar el paso.* Mil. Figurarlo en su compás y duración sin avanzar ni retroceder. || *paso a paso.* m. adv. Poco a poco, despacio, por grados. || *salir al paso de* una cosa. fig. Darse por enterado de ella o impugnar su veracidad y fundamento. || *salir uno del paso.* fig. y fam. Desembarazarse de un asunto, dificultad o trabajo. || *seguir los pasos a* uno. fig. Observar su conducta para averiguar los fundamentos de una sospecha que se tiene de él. || *seguir los pasos de* uno. fig. Imitarle en sus acciones. || *volver uno sobre sus pasos.* fig. Desdecirse, rectificar su dictamen o su conducta. [*Sinón.*: zancada, tranco, camino, huella]

pasodoble. m. Mús. Marcha a cuyo compás puede llevar la tropa el paso ordinario. || Baile que se ejecuta al compás de esta música.

pasquín. m. Escrito anónimo que se fija en sitio público, con expresiones satíricas contra el gobierno, personas particulares o corporaciones.

pasta (al. *Brei*, fr. *pâte*, ingl. *paste*, it. *pasta*). f. Masa hecha de una o diversas cosas machacadas. || Masa trabajada con manteca, aceite etc., que sirve para hacer pasteles, hojaldres, etc. || Masa de harina y trigo de la que se hacen fideos, tallarines, etc. [*Sinón.*: argamasa]

pastar. tr. Llevar o conducir el ganado al pasto. || intr. Pacer el ganado el pasto.

pastel (al. *Pastete*, fr. *gâteau*, ingl. *pie*, it. *pasticcio*). m. Masa de harina y manteca en que ordinariamente se envuelve crema o dulce y a veces carne o pescado, cociéndose después al horno. || Lápiz compuesto por una materia colorante y agua de goma. || Pintura al pastel. || *descubrirse el pastel.* fig. y fam. Hacerse pública y manifiesta una cosa que se intentaba ocultar. [*Sinón.*: dulce; enjuague]

pastelería (al. *Bäckerei*, fr. *pâtisserie*, ingl. *pastry cook's schop*, it. *pasticceria*). f. Horno donde se elaboran pasteles o pastas. || Tienda donde se venden.

pastelero, ra (al. *Feinbäcker*, fr. *pâtissier*, ingl. *pastry-cook*, it. *pasticciere*). s. Persona que tiene por oficio hacer o vender pasteles. [*Sinón.*: repostero]

pastelillo. m. Dulce de pequeño tamaño.

pasteurización. f. Acción y efecto de pasteurizar.

pasteurizar. tr. Esterilizar la leche, el vino, la cerveza y otros líquidos según el procedimiento de Pasteur.

pastilla (al. *Täfelchen*, fr. *pastille*, ingl. *tablet*, it. *pasticca*). f. Porción pequeña de pasta compuesta de azúcar y alguna sustancia medicinal o agradable. [*Sinón.*: tableta, comprimido]

pastizal. m. Terreno de pasto muy abundante.

pasto (al. *Weide*, fr. *pâturage*, ingl. *pasture*, it. *pascolo*). m. Acción de pastar. || Hierba que el ganado pace en el mismo terreno donde se cría. || Sitio en que pasta el ganado.

pastor, ra. s. Persona que guarda, guía y apacienta el ganado. || m. Prelado.

pastoral. adj. Perteneciente al pastor. || Perteneciente o relativo a la poesía en la que se narra la vida de los pastores. || f. Especie de drama bucólico, cuyos interlocutores son pastores y pastoras. [*Sinón.*: bucólico]

pastorear. tr. Llevar los ganados al campo o cuidar de ellos mientras pacen.

pastoreo. m. Acción y efecto de pastorear el ganado.

pastoril. adj. Propio o característico de los pastores.

pastosidad. f. Calidad de pastoso.

pastoso, sa. adj. Aplícase a las cosas que al tacto son suaves y trabajada, a semejanza de la masa. || Dícese de la voz que carece de resonancias metálicas y resulta agradable al oído.

pastura. f. Pasto o hierba de que se alimentan los animales.

pata (al. *Bein*, fr. *patte*, ingl. *leg*, it. *zampa*). f. Pie o pierna de los animales. || Pie, base o apoyo de algo. || Hembra del pato. || Pie, parte inferior de un mueble. || — *de gallo.* fig. Arruga que se forma con los años en el ángulo externo de cada ojo. || *estirar la pata.* fig. y fam. Morir. || *meter uno la pata.* fig. y fam. Intervenir en una cosa a destiempo, con dichos o hechos inoportunos. || *patas arriba.* m. adv. fig. y fam. Al revés; desconcierto o trastorno.

patada (al. *Fusstritt*, fr. *coup de pied*, ingl. *kick*, it. *calcio*). f. Golpe dado con la planta del pie o con la parte plana de la pata del animal. || fig. y fam. Puntapié. || *a patadas.* m. adv. fig. y fam. Con excesiva abundancia, por todas partes.

patalear. intr. Dar patadas en el suelo violentamente y con prisa por enfado o pesar.

pataleo. m. Acción de patalear. ‖ Ruido hecho con las patas o los pies.

pataleta. f. fam. Convulsión, especialmente cuando se cree que es fingida.

patán. m. fam. Hombre inculto o rústico. ‖ fig. y fam. Hombre zafio y grosero. Ú.t.c.s. [Sinón.: palurdo, paleto]

patata (al. *Kartoffel*, fr. *pomme de terre*, ingl. *potato*, it. *patata*). f. BOT. Planta herbácea anual de las solanáceas, originaria de América y cultivada hoy en casi todo el mundo, con tallos ramosos, hojas desiguales y profundamente partidas, flores blancas o moradas en corimbos terminales, fruto en baya carnosa, amarillenta, con muchas semillas blanquecinas, y raíces fibrosas que en sus extremos llevan gruesos tubérculos redondeados, carnosos, muy feculentos, pardos por fuera, amarillentos rojizos por dentro y que son uno de los alimentos más útiles para el hombre. ‖ Cada uno de los tubérculos de esta planta. [Sinón.: papa]

patatal. m. Terreno plantado de patatas.

patatero, ra. adj. Relativo a la patata. ‖ Dícese de la persona que comercia con ellas. Ú.t.c.s.

patatús. m. fam. Desmayo, lipotimia.

patear. tr. fam. Dar golpes con los pies. ‖ Mostrar el público su desaprobación de un discurso, pieza teatral u otro espectáculo, golpeando con los pies en el suelo. ‖ fig. y fam. Tratar desconsiderada y rudamente a alguien al reprenderle. [Sinón.: patalear]

patena (al. *Patene*, fr. *patène*, ingl. *paten*, it. *patena*). f. Platillo de oro, plata u otro metal dorado, en el que se deposita la hostia en la misa. ‖ *limpio como una patena*. loc. fig. Muy limpio.

patentar. tr. Conceder y expedir patentes. ‖ Obtenerlas, tratándose de las de propiedad industrial.

patente (al. *Patent*, fr. *brevet d'invention*, ingl. *patent*, it. *brevetto*). adj. Manifiesto, visible. ‖ fig. Claro, perceptible. ‖ f. Título o despacho para el goce de un empleo o privilegio. ‖ — *de invención*. Documento que oficialmente otorga la propiedad industrial de una invención.

patentizar. tr. Hacer patente o manifiesta una cosa. [Sinón.: exponer, revelar. Antón.: ocultar]

paternal. adj. Propio del afecto, cariño o solicitud de padre.

paternalismo. m. Tendencia a aplicar las formas de autoridad y protección propias del padre en la familia tradicional a relaciones sociales de otro tipo: políticas, laborales, etc. Úsase frecuentemente con carácter peyorativo.

paternalista. Dícese de quien adopta el paternalismo como forma de conducta. ‖ Dícese de todo cuanto responde o parece responder a dicha actitud.

paternidad. f. Calidad de padre.

paterno, na (al. *Vater*, fr. *paternel*, ingl. *paternal*, it. *paterno*). adj. Perteneciente al padre, o propio suyo, o derivado de él.

patero, ra. adj. *Amer.* Adulador, Ú.t.c.s.

patético, ca (al. *pathetisch*, fr. *pathétique*, ingl. *pathetic*, it. *patètico*). adj. Dícese de lo que es capaz de mover y agitar el ánimo, infundiéndole afectos vehementes, y en particular, dolor, tristeza o melancolía.

patetismo. m. Calidad de patético.

-patía. Elemento compositivo que entra pospuesto en la formación de algunas voces españolas con el significado de "sentimiento, afección o dolencia".

patibulario, ria. adj. Que por su aspecto o condición produce horror y espanto, como en general los condenados a patíbulo. [Sinón.: siniestro, horripilante]

patíbulo (al. *Galgin*, fr. *échafaud*, ingl. *gallows*, it. *patibolo*). m. Tablado o lugar en que se ejecuta la pena de muerte. [Sinón.: cadalso]

patidifuso, sa adj. fig. y fam. Patitieso.

patilla (al. *Koteletten*, fr. *favoris*, ingl. *side whiskers*, it. *basetta*). Porción de barba que se deja crecer en cada uno de los carrillos.

patín (al. *Schlittschuh*, fr. *patin*, ingl. *skate*, it. *pattino*). m. Instrumento que sirve para patinar. Consta de una plancha que se adapta a la suela del calzado y que lleva una cuchilla o dos pares de ruedas, según sirva para el hielo o para un pavimento duro. ‖ Embarcación de recreo, compuesta de dos flotadores unidos por unas tablas.

pátina. f. Especie de barniz duro de color aceitunado y reluciente que por la acción de la humedad se forma en los objetos antiguos de bronce.

patinador, ra. adj. Que patina. Ú.t.c.s.

patinaje. m. Acción de patinar. ‖ Práctica de este ejercicio como deporte.

patinar (al. *Schlittschuh laufen*, fr. *patiner*, ingl. *to skate*, it. *patinare*). intr. Deslizarse o ir resbalando con patines sobre el hielo o sobre pavimento duro. ‖ fig. y fam. Errar, equivocarse.

patinazo. m. Acción y efecto de patinar bruscamente la rueda de un coche. ‖ fig. y fam. Desliz en que incurre una persona por ignorancia o inadvertencia.

patio (al. *Innenhof*, fr. *cour*, ingl. *court*, it. *cortile*). m. Espacio cerrado con paredes o galerías que en las casas y otros edificios se deja al descubierto. ‖ *pasarse al patio*. *Amer.* Tomarse demasiada confianza.

patitieso, sa. adj. fam. Dícese del que, repentinamente, se queda sin sentido ni movimiento en las piernas o pies. ‖ fig. y fam. Que se queda sorprendido por la extrañeza que le causa una cosa.

patituerto, ta. adj. Que tiene torcidas las piernas o patas.

patizambo, ba. adj. Que tiene las piernas torcidas hacia fuera y junta mucho las rodillas. Ú.t.c.s.

pato (al. *Ente*, fr. *canard*, ingl. *duck*, it. *oca*). m. ZOOL. Ave palmípeda, con el pico más ancho en la punta que en la base y en ésta más ancho que alto, su cuello es corto y también los tarsos, por lo que anda con dificultad. Abunda en estado salvaje, y se domestica con facilidad. ‖ *pagar* uno *el pato*. fig. y fam. Padecer o llevar castigo no merecido o merecido por otro.

patógeno, na. adj. Dícese de los elementos y medios que originan y desarrollan las enfermedades.

patología. f. Parte de la medicina que trata del estudio de las enfermedades.

patólogo, ga. s. Especialista en patología.

patoso, sa. adj. Se dice de la persona que, sin serlo, presume de chistosa y aguda. ‖ Se dice de la persona inhábil.

patraña. f. Mentira o noticia de pura invención. [Sinón.: infundio]

patria (al. *Vaterland*, fr. *patrie*, ingl. *homeland*, it. *patria*). f. Nación considerada como unidad histórica a la que sus naturales se sienten vinculados. ‖ Lugar, ciudad o país en que se ha nacido. ‖ — *celestial*. Cielo o gloria.

patriarca (al. *Altvater*, fr. *patriarche*, ingl. *patriarch*, it. *patriarca*). m. Nombre que se da a algunos personajes del Antiguo Testamento, por haber sido cabezas de dilatadas y numerosas familias. ‖ Título de dignidad de algunos obispos de iglesias principales. ‖

fig. Persona que por su edad y sabiduría ejerce autoridad moral en una familia o colectividad.

patriarcado. m. Dignidad de patriarca. ‖ Territorio de la jurisdicción de un patriarca. ‖ Gobierno o autoridad del patriarca.

patriarcal. adj. Relativo al patriarca y a su autoridad y gobierno. ‖ fig. Dícese de la autoridad ejercida con sencillez y benevolencia.

patricio, cia. adj. Descendiente de los primeros senadores nombrados por Rómulo. Ú.t.c.s. ‖ m. Individuo que por su nacimiento, riqueza o virtudes descuella entre sus conciudadanos. [Sinón.: noble, prócer]

patrimonial. adj. Perteneciente al patrimonio. ‖ Perteneciente a uno mismo por razón de su patria, padre o antepasados.

patrimonio (al. *Vermögen*, fr. *patrimoine*, ingl. *patrimony*, it. *patrimonio*). m. Hacienda que una persona ha heredado de sus ascendientes. ‖ fig. Bienes propios adquiridos por cualquier título.

patrio, tria. adj. Perteneciente a la patria. ‖ Perteneciente al padre o que proviene de él.

patriota (al. *Patriot*, fr. *patriote*, ingl. *patriot*, it. *patriota*). com. El que tiene amor a su patria y lucha por ella.

patriotería. f. fam. Alarde del patriotero.

patriotero, ra. adj. fam. Que alardea excesiva e inoportunamente de patriotismo. Ú.t.c.s.

patriótico, ca. adj. Perteneciente al patriota o a la patria.

patriotismo. m. Amor a la patria.

patrocinador, ra. adj. Que patrocina. Ú.t.c.s.

patrocinar. tr. Defender, proteger, amparar, favorecer.

patrocinio. m. Amparo, protección, auxilio.

patrón, na (al. *Schutzheiliger*, fr. *patron*, ingl. *patron saint*, it. *patrono*). s. Patrono. ‖ Santo titular de una iglesia. ‖ Amo, señor. ‖ Dueño de la casa donde alguien se aloja u hospeda. ‖ m. El que manda y dirige una embarcación pequeña. ‖ Modelo que sirve de muestra para sacar otra cosa igual.

patronal. adj. Relativo al patrono o patronato. ‖ f. Asociación de patronos.

patronato. m. Derecho, poder o facultad que posee el patrono. ‖ Corporación que forman los patronos. ‖ Fundación de una obra pía.

patronímico, ca. adj. Aplícase al apellido que antiguamente se daba a los hijos, formado a partir del nombre de sus padres. Ú.t.c.s.

patrono, na (al. *Beschützer*, fr. *patron*, ingl. *patron*, it. *padrone*). s. Defensor, protector, amparador. ‖ El que tiene derecho o cargo de patronato. ‖ Persona que emplea obreros en trabajo u obra manual.

patrulla (al. *Spahtrupp*, fr. *patrouille*, ingl. *patrol*, it. *pattuglia*). f. Partida de soldados u otra gente armada que ronda para mantener el orden y seguridad en plazas y campamentos. ‖ fig. Corto número de personas que marchan en cuadrilla.

patrullar. intr. Rondar una patrulla.

patrullero, ra. adj. Dícese del buque o avión destinado a patrullar. Ú.t.c.s.

paular. m. Pantano o atolladero.

paulatino, na. adj. Que procede u obra despacio o lentamente.

pauperismo. m. Existencia de gran número de pobres en un Estado, en particular cuando se debe a circunstancias de tipo endémico.

paupérrimo, ma. adj. sup. Muy pobre.

pausa (al. *Pause*, fr. *pause*, ingl. *pause*, it. *pausa*). f. Breve interrupción del movimiento, acción o ejercicio. ‖ Tardanza, lentitud. ‖ Mús. Breve intervalo en que se deja de cantar o de tocar. ‖ Mús. Signo de la pausa en la música escrita.

pausado, da. adj. Que obra con pausa o lentitud. ‖ Que se ejecuta o acaece de este modo. [Sinón.: lento, tardo, paulatino]

pauta (al. *Richtschnur*, fr. *norme*, ingl. *standard*, it. *norma*). f. fig. Cualquier instrumento o norma que sirve para gobernarse en la ejecución de una cosa. ‖ Modelo. [Sinón.: norma]

pava. f. Hembra del pavo. ‖ fig. y fam. Mujer sosa y desgarbada. Ú.t.c.adj. ‖ *pelar la pava.* fig. y fam. Tener pláticas amorosas.

pavana. f. Danza española, grave y seria, de movimientos pausados.

pavear. intr. fam. *Amer.* Decir tonterías. ‖ *Amer.* Pelar la pava.

pavero, ra. s. Persona que cuida o vende pavos. ‖ fam. Presumido.

pavés. m. Escudo oblongo y de suficiente tamaño para cubrir todo el cuerpo.

pavesa (al. *Fünkchen*, fr. *flammèche*, ingl. *ember*, it. *favilla*). f. Partecilla ligera que salta de una materia inflamada y acaba por convertirse en ceniza.

pávido, da. adj. poét. Tímido, medroso.

pavimentar. tr. Solar, poner baldosines.

pavimento. m. Suelo, piso artificial. [Sinón.: asfalto]

pavo (al. *Puter*, fr. *dindon*, ingl. *turkey*, it. *tacchino*). m. Zool. Ave gallinácea, oriunda de América del Norte, donde en estado salvaje llega a medir un metro de alto y trece decímetros desde la punta del pico hasta el extremo de la cola, dos metros de envergadura y veinte kilogramos de peso; plumaje color pardo y verdoso con reflejos cobrizos y manchas blanquecinas en los extremos de las alas y cola. ‖ — *real.* Ave gallinácea, oriunda de Asia y domesticada en Europa, que tiene unos siete decímetros desde la punta del pico hasta el arranque de la cola, la cual por sí sola llega a medir hasta metro y medio en el macho. Éste tiene la cabeza y el cuello azul con cambiantes verdes y violados, un penacho de plumas verdes con tonos cambiantes de oro, alas y cola encarnadas; en la época del celo extiende y endereza en círculo su larga cola de plumas verdes.

pavón. m. Pavo real. ‖ Nombre de algunas mariposas, así llamadas por las manchas redondeadas de sus alas. ‖ Color azul, negro o de café, con que a modo de barniz se cubre la superficie de los objetos de hierro y acero para preservarlos de la oxidación.

pavonado, da. adj. Azulado oscuro. ‖ m. Acción y efecto de pavonar el hierro o el acero.

pavonear. intr. Hacer alguien vana ostentación de su gallardía o de otras prendas. Ú.m.c.r. [Sinón.: presumir, vanagloriarse]

pavor. m. Temor con espanto o sobresalto. [Sinón.: pánico, horror]

pavoroso, sa. adj. Que causa pavor. [Sinón.: espantoso]

payada. f. *Amer.* Canto del payador.

payador. m. *Amer.* Cantor popular errante.

payasada. f. Acción o dicho propios de payaso.

payaso. m. Actor circense que hace de gracioso, con traje, ademanes y gestos ridículos. ‖ fig. Persona ridícula.

payés, sa. s. Campesino de Cataluña o de Baleares.

payo, ya. adj. Aldeano. Ú.t.c.s.m. ‖ m. Campesino ignorante y rudo. ‖ Entre los gitanos, el que no es de esta raza.

paz (al. *Frieden*, fr. *paix*, ingl. *peace*, it. *pace*). f. Situación y relación mutua de quienes no están en guerra. ‖ Pública tranquilidad de los Estados, en contraposición a la guerra y turbulencia. ‖ Tratado o convenio que se concuerda entre las partes beligerantes para poner fin a una guerra. Ú.t.c.pl. ‖ Sosiego y buena correspondencia de unos con otros, en contraposición a disensiones, riñas y pleitos. ‖ Reconciliación. Ú.m. en pl. ‖ Virtud que pone en el ánimo tranquilidad y sosiego, opuestos a la turbación y las pasiones. ‖ *dejar en paz* a uno. No inquietarle ni molestarle. ‖ *descansar en paz.* Morir. ‖ *estar en paz.* Dícese en el juego cuando hay igualdad de puntos o ganancias, y en las cuentas, cuando se paga enteramente una deuda. ‖ *poner paz.* Mediar, interponerse entre los que riñen. ‖ *venir* uno *en son de paz.* Venir sin ánimo de reñir, cuando se temía lo contrario.

pazguato, ta. adj. Simple, que se pasma y admira de lo que ve u oye. Ú.t.c.s.

pazo. m. En Galicia, casa solariega.

pe. f. Nombre de la letra *p.* ‖ *de pe a pa.* m. adv. fig. y fam. Enteramente, desde el principio al fin.

peaje. m. Derecho de tránsito.

peana (al. *Postament,* fr. *piédestal,* ingl. *pedestal,* it. *piedestallo*). f. Base, apoyo o pie sobre el que se coloca una figura u otra cosa. [*Sinón.:* pedestal]

peatón, na (al. *Fussgänger,* fr. *piéton,* ingl. *walker,* it. *pedone*). s. Persona que camina a pie. [*Sinón.:* transeúnte, viandante]

pebete. m. Pasta hecha con polvos aromáticos, generalmente en figura de varilla, que, encendida, exhala un humo muy fragante.

pebete, ta. s. *Amer.* Niño, niña.

pebetero. m. Vaso para quemar perfumes, generalmente con cubierta agujereada.

peca. f. Cualquiera de las manchas que suelen salir en el cutis y aumentan generalmente por efecto del sol y del aire.

pecado (al. *Sünde,* fr. *péché,* ingl. *sin,* it. *peccato*). m. Hecho, dicho, deseo, pensamiento u omisión contra la ley de Dios y sus preceptos. ‖ Cualquier cosa que se aparte de lo recto y justo, o que falta a lo que es debido. ‖ Exceso o defecto en cualquier línea. ‖ — *capital.* Pecado mortal. ‖ — *mortal.* Culpa que priva al hombre de la vida espiritual de la gracia, y le hace enemigo de Dios y digno de la pena eterna. ‖ — *original.* Aquel en que es concebido el hombre por descender de Adán. [*Sinón.:* culpa, vicio. *Antón.:* virtud]

pecador, ra (al. *Sünder,* fr. *pécheur,* ingl. *sinner,* it. *peccatore*). adj. Que peca. Ú.t.c.s. ‖ Sujeto al pecado o que puede cometerlo. Ú.t.c.s. [*Sinón.:* descarriado]

pecaminoso, sa. adj. Perteneciente o relativo al pecado o al pecador. ‖ fig. Se aplica a las cosas que están o parecen contaminadas de pecado.

pecar (al. *Sündigen,* fr. *pécher,* ingl. *to sin,* it. *peccare*). intr. Quebrantar la ley de Dios. ‖ Faltar absolutamente a cualquier obligación. ‖ Faltar a las reglas en cualquier materia. ‖ Dejarse llevar de la afición a una cosa. ‖ Dar motivo para un castigo o pena. [*Sinón.:* errar, faltar]

pécari. m. *Amer.* Saíno, animal.

pecblenda. f. Mineral de uranio de composición muy compleja, en la que entran ordinariamente varios metales raros y entre ellos el radio.

peccata minuta. expr. fam. Error, falta o vicio leve.

pecera (al. *Fischglas,* fr. *aquarium,* ingl. *aquarium,* it. *acquario*). f. Vasija o globo de cristal que se llena de agua, y sirve para albergar en él a cualquier tipo de peces.

peciolo o **peciolo.** m. Bot. Pezón de la hoja. [*Sinón.:* rabillo]

pécora. f. Res o cabeza de ganado lanar. ‖ *mala pécora.* fig. y fam. Persona astuta, taimada y viciosa.

pecoso, sa. adj. Que tiene pecas.

pectoral. adj. Perteneciente o relativo al pecho. ‖ Útil y provechoso para el pecho. Ú.t.c.s.m. [*Sinón.:* torácico]

pecuario, ria. adj. Perteneciente al ganado.

peculiar (al. *eigentümlich,* fr. *particulier,* ingl. *peculiar,* it. *peculiare*). adj. Propio o privativo de cada persona o cosa. [*Sinón.:* característico, particular]

peculiaridad. f. Calidad de peculiar. [*Sinón.:* singularidad, particularidad. *Antón.:* generalidad]

peculio. m. Hacienda o caudal que el padre o señor permitía al hijo o siervo para su uso y comercio. ‖ fig. Dinero que particularmente tiene cada uno, sea o no hijo de familia. [*Sinón.:* patrimonio]

pecunia. f. fam. Moneda o dinero.

pecuniario, ria. adj. Perteneciente al dinero en efectivo.

pechera. f. Parte de la camisa y otras prendas de vestir que cubren el pecho. ‖ Pedazo de vaqueta forrado de cordobán y lleno de borra o cerdas, que se pone en el pecho de caballos y mulas y

les sirve de apoyo al tirar. [*Sinón.:* peto]

pechina. f. Venera, concha de los peregrinos.

pecho (al. *Brust,* fr. *poitrine,* ingl. *breast,* it. *petto*). m. Parte del cuerpo humano que se extiende desde el cuello hasta el vientre y en cuya cavidad se contienen el corazón y los pulmones. ‖ Parte anterior del tronco de los cuadrúpedos comprendida entre el cuello y las patas anteriores. ‖ Cada una de las mamas de la mujer. ‖ *a pecho descubierto.* m. adv. Sin armas defensivas, sin resguardo. ‖ *tomar* uno *a pecho* una cosa. fig. Tomarla con mucha eficacia y empeño, hacer de ella grande asunto.

pechuga. f. Pecho del ave, que está dividido en dos por el esternón. Ú. frecuentemente en pl.

pedagogía (al. *Pädagogik,* fr. *pédagogie,* ingl. *pedagogy,* it. *pedagogia*). f. Ciencia y arte de educar o enseñar.

pedagogo (al. *Pädagog,* fr. *pédagogue,* ingl. *pedagogue,* it. *pedagogo*). m. El que instruye y educa niños, ayo. ‖ Perito en pedagogía. [*Sinón.:* educador]

pedal (al. *Pedal,* fr. *pédale,* ingl. *pedal,* it. *pedale*). m. Palanca que pone en movimiento un mecanismo al oprimirla con el pie.

pedalada. f. Cada uno de los impulsos dados a un pedal con el pie.

pedalear. intr. Poner en movimiento un pedal o impulsar un vehículo por medio de pedales.

pedaleo. m. Acción y efecto de pedalear.

pedante. adj. Aplícase al que por ridículo engreimiento se complace en hacer inoportuno y vano alarde de erudición, téngala o no en realidad. Ú.t.c.s. [*Sinón.:* afectado, enfático. *Antón.:* natural]

pedantería. f. Vicio de pedante.

pedazo (al. *Stück,* fr. *morceau,* ingl. *piece,* it. *pezzo*). m. Parte o porción de una cosa separada del todo. ‖ Cualquier parte de un todo físico o moral. ‖ *ser* uno *un pedazo de pan.* fig. y fam. Ser de condición afable y bondadosa.

pederasta. m. El que comete pederastia. [*Sinón.:* invertido]

pederastia. f. Abuso deshonesto cometido contra los niños. ‖ Sodomía.

pedernal. m. Variedad de cuarzo compuesta de sílice débilmente hidratada y alúmina. Es compacto y generalmente de color gris amarillento. Con el eslabón da chispas.

pedestal (al. *Sockel,* fr. *piédestal,*

ingl. *pedestal*, it. *piedestallo*). m. Cuerpo sólido, generalmente de figura de paralelepípedo rectangular, con base y cornisa que sostiene una columna, estatua, etc. || fig. Fundamento en que se asegura o afirma una cosa, o lo que sirve de medio para alcanzarla. [*Sinón.*: zócalo]

pedestre (al. *zu Fuss gehend*, fr. *pédestre*, ingl. *pedestrian*, it. *pedestre*). adj. Que anda a pie. || Dícese del deporte que consiste principalmente en andar y correr.

pediatra o **pediatra**. com. Médico especialista en niños.

pediatría (al. *Kinderheilkunde*, fr. *pédiatrie*, ingl. *pediatrics*, it. *pediatria*). f. MED. Medicina de los niños.

pedicuro, ra. s. Persona que tiene por oficio cuidar de los pies, estirpando callos, etc.

pedido (al. *Bestellung*, fr. *commande*, ingl. *order*, it. *commissione*). m. Encargo hecho a un fabricante o vendedor de géneros con los que comercia. || Acción y efecto de pedir.

pedigüeño, ña. adj. Que pide con frecuencia e importunidad. Ú.t.c.s.

pedir (al. *bitten*, fr. *demander*, ingl. *to ask for*, it. *domandare*). tr. Rogar o solicitar a alguien que dé u haga una cosa, de gracia o de justicia. || Por antonomasia, pedir limosna. || Deducir alguien ante el juez su derecho o acción contra otro. || Poner precio a la mercadería el que vende. || Requerir una cosa, exigirla como necesaria o conveniente. || Proponer alguien a los padres o parientes de una mujer el deseo o intento de que la concedan por esposa. [*Sinón.*: solicitar]

pedo (al. *Furz*, fr. *pet*, ingl. *flatulence*, it. *peto*). m. Ventosidad que expele el vientre por el ano. || *Amer.* Borrachera.

pedrada. f. Acción de arrojar con impulso la piedra dirigida a una parte. || Golpe que se da con la piedra tirada. || Señal que deja.

pedrea. f. Acción de apedrear o apedrearse. || Combate a pedradas. || Acto de caer piedras de las nubes.

pedregal. m. Sitio o terreno cubierto casi en su totalidad de piedras sueltas. [*Sinón.*: canchal, peñascal]

pedregoso, sa. adj. Aplícase al terreno cubierto de piedras.

pedrera. f. Cantera, sitio o lugar de donde se sacan piedras.

pedrería. f. Conjunto de piedras preciosas, como diamantes, esmeraldas, rubíes, etcétera.

pedrisco (al. *Hagel*, fr. *grêle*, ingl. *hailstorm*, it. *grandine*). m. Piedra o granizo de regular tamaño que cae en abundancia de las nubes. || Multitud de piedras tiradas. [*Sinón.*: granizada]

pedrusco. m. fam. Pedazo de piedra sin labrar.

pedúnculo. m. ZOOL. Prolongación del cuerpo que sirve para fijar al suelo algunos animales de vida sedentaria, como los percebes. || BOT. Pezón, rabillo que sostiene diversos órganos vegetales.

pega. f. Acción de pegar o conglutinar un cosa con otra. || Sustancia cualquiera que sirve para pegar. || fam. Chasco, engaño. || Pregunta capciosa o difícil de contestar. || Obstáculo, contratiempo, dificultad que se presenta por lo común de forma imprevista. || *Amer.* Trabajo, empleo. || *de pega.* loc. adj. De mentira, falso, fingido.

pegadizo, za. adj. Que con facilidad adhiere, se pega o se contagia. || No natural, postizo.

pegajoso, sa. (al. *klebrig*, fr. *visqueux*, ingl. *sticky*, it. *appiccicaticcio*). adj. Que con facilidad se pega. || Contagioso o que con facilidad se comunica. || fig. y fam. Suave, atractivo, meloso. || fig. y fam. Cariñoso en demasía.

pegamento. m. Sustancia propia para pegar o conglutinar.

pegar (al. *ankleben*, *schlagen*; fr. *coller*, *frapper*; ingl. *to glue*, *to beat*; it. *incollare*, *picchiare*). tr. Adherir o conglutinar una cosa con otra. || Arrimar o aplicar una cosa a otra. || Comunicar uno a otro una cosa por el contacto, trato, etc. Dícese comúnmente de enfermedades contagiosas, vicios, costumbres, opiniones, etc. Ú.t.c.r. || fig. Castigar o maltratar a uno dando golpes. || intr. Caer bien una cosa, ser de oportunidad, venir al caso. || *pegársela a uno.* fam. Chasquearle, burlar su buena fe o confianza. [*Sinón.*: enganchar; zurrar]

pegote. m. Emplasto que se hace de pez u otra materia pegajosa. || fig. y fam. Cualquier guisado u otra cosa que está muy espesa y es pegajosa. || fig. Parche, objeto sobrepuesto. || fig. Adición inútil e impertinente hecha en alguna obra literaria o artística.

peinado (al. *Kopfputz*, fr. *coiffure*, ingl. *hairdressing*, it. *pettinatura*). m. Adorno y compostura del pelo.

peinador. m. Toalla o lienzo ajustada al cuello que cubre el busto del que se peina o afeita. || Especie de bata ligera que llevan las señoras para peinarse o andar por casa.

peinar (al. *kämmen*, fr. *peigner*, ingl. *to comb*, it. *pettinare*). tr. Desenredar, limpiar o componer el cabello. Ú.t.c.r. || fig. Desenredar o limpiar el pelo o lana de algunos animales. || Tocar o rozar ligeramente una cosa con otra.

peine (al. *Kamm*, fr. *peigne*, ingl. *comb*, it. *pettine*). m. Utensilio de madera, marfil, concha, etc., que tiene muchos dientes, con el cual se limpia y compone el pelo. || Carda, instrumento para cardar.

peineta. f. Peine convexo que usan las mujeres como adorno o para asegurar el peinado.

pejesapo. m. ZOOL. Rape.

pejiguera. f. fam. Cualquier cosa que, sin procurarnos gran provecho, nos causa dificultades.

pela. f. Acción y efecto de pelar.

peladilla (al. *Zuckermandel*, fr. *amande confite*, ingl. *sugaralmond*, it. *madorla candita*). f. Almendra confitada, lisa y redonda. || Canto rodado pequeño.

pelado, da (al. *kahl*, fr. *pelé*, ingl. *bare*, it. *pelato*). adj. Dícese de las cosas principales que carecen de aquellas otras que naturalmente las adornan, o cubren. || Dícese de la persona pobre y sin dinero. Ú.t.c.s. || s. *Amer.* Persona de las clases sociales menos pudientes y de inferior cultura. [*Sinón.*: llano, liso, plano, escueto]

peladura. f. Pela. || Mondadura, corteza.

pelagatos. m. fig. y fam. Hombre pobre y desvalido, y a veces despreciable.

pelagra. f. MED. Enfermedad crónica, con manifestaciones cutáneas y perturbaciones digestivas y nerviosas producida por defectos de alimentación.

pelaje. m. Naturaleza y calidad del pelo o lana que tiene un animal. || fig. y fam. Disposición y calidad de una persona o cosa, especialmente del vestido. Ú. por lo común en sentido despectivo.

pelambre. m. Porción de pieles que se meten en un depósito de agua y cal viva, para que pierdan el pelo. || Conjunto de pelo en todo el cuerpo o parte de él, especialmente el arrancado o cortado. || Falta de pelo en las partes donde es natural tenerlo.

pelambrera. f. Porción de pelo o de vello espeso y crecido. || Alopecia.

pelamen. m. fam. Pelambre.

pelandusca. f. Ramera.

pelar (al. *abschälen*, fr. *éplucher*,

ingl. *to peel*, it. *sbucciare*). tr. Cortar, arrancar, quitar o raer el pelo. Ú.t.c.r. ‖ Quitar las plumas al ave. ‖ fig. Quitar la piel, la corteza o la película de una cosa. ‖ fig. y fam. Dejar a uno sin dinero. ‖ r. Perder el pelo por enfermedad u otro accidente. ‖ *duro de pelar*. loc. fig. y fam. Difícil de conseguir o ejecutar. ‖ *que pela*. loc. fig. y fam. Dicho de cosas calientes o frías que producen una sensación extremada.

peldaño (al. *Trappenstufe*, fr. *marche*, ingl. *step*, it. *scalino*). m. Cada una de las partes de un tramo de escalera que sirven para apoyar el pie al subir o bajar por ella. |*Sinón.*: escalón|

pelea (al. *Kampf*, fr. *combat*, ingl. *fight*, it. *combattimento*). f. Combate, batalla, contienda. ‖ Contienda particular, aunque sea sin armas o en la que solo medien palabras injuriosas. ‖ fig. Afán, fatiga o trabajo en la ejecución y consecución de una cosa. |*Sinón.*: lucha|

pelear (al. *kämpfen*, fr. *lutter*, ingl. *to fight*, it. *combattere*). intr. Batallar, combatir o contender con armas. ‖ Contender o reñir, aunque sea sin armas o sólo de palabra. Ú.t.c.r. ‖ fig. Afanarse, resistir o trabajar continuamente por conseguir una cosa, o para vencerla o sujetarla. ‖ r. fig. Desavenirse, enemistarse.

pelele. m. Muñeco de figura humana hecha de paja o trapos. ‖ fig. y fam. Persona simple o inútil.

peleón, na. adj. Pendenciero. ‖ fam. Dícese del vino ordinario, de poca calidad.

peletería (al. *Pelzwerk*, fr. *pelleterie*, ingl. *furriery*, it. *pelliceria*). f. Comercio de pieles finas, conjunto o surtido de ellas. ‖ Tienda donde se venden.

peletero (al. *Kürschner*, fr. *pelletier*, ingl. *furrier*, it. *pelliciaio*). m. El que tiene por oficio trabajar en pieles finas o venderlas.

peliagudo, da. adj. Dícese del animal que tiene el pelo largo y delgado. ‖ fig. y fam. Dícese del negocio o cosa cuya resolución presenta grandes dificultades. |*Sinón.*: intrincado. *Antón.*: fácil|

pelícano (al. *Pelikan*, fr. *pélican*, ingl. *pelican*, it. *pellicano*). m. ZOOL. Ave acuática de las palmípedas, con plumaje blanco o pardo, pico muy largo y ancho que en la mandíbula inferior lleva una membrana grande y rojiza, la cual forma una especie de bolsa donde deposita los alimentos.

película. f. Piel delgada y delicada. ‖ Cinta de celuloide dispuesta para ser impresionada fotográficamente. ‖ Cinta de celuloide que contiene una serie continua de imágenes fotográficas para reproducirlas proyectándolas en una pantalla. ‖ Asunto representado en dicha cinta.

peligrar. intr. Estar en peligro.

peligro (al. *Gefahr*, fr. *danger*, ingl. *danger*, it. *pericolo*). m. Riesgo o contingencia inminente de que suceda algún mal.

peligrosidad. f. Calidad de peligroso.

peligroso, sa. adj. Que entraña riesgo o puede ocasionar daño. ‖ fig. Aplícase a la persona de genio turbulento y arriesgado. |*Sinón.*: expuesto, amenazador|

pelillo. m. fig. y fam. Causa o motivo muy leve de desazón, y que se debe despreciar. Ú.m. en pl.

pelirrojo, ja. adj. Que tiene rojo el pelo. Ú.t.c.s. |*Sinón.*: taheño|

pelma. m. fam. Pelmazo.

pelmazo. m. Cualquier cosa apretada o aplastada más de lo conveniente. ‖ fig. y fam. Persona tarda o pesada en sus reacciones.

pelo (al. *Haar*, fr. *poil*, ingl. *hair*, it. *pelo*). m. Filamento cilíndrico, sutil, de naturaleza córnea, que nace y crece entre los poros de la piel de casi todos los mamíferos y de otros animales de distinta clase. ‖ Conjunto de estos filamentos. ‖ Cabello. ‖ Vello que tienen algunas frutas en la cáscara o pellejo. ‖ Cualquier hebra delgada de lana, seda u otra materia semejante. ‖ Capa, color de los cabellos y otros animales. ‖ *pelos y señales*. fig. y fam. Pormenores y circunstancias de una cosa. ‖ *dar a uno para el pelo*. fig. y fam. Darle una tunda o azotaina. ‖ *de pelo en pecho*. Dícese de la persona vigorosa, robusta y denodada. ‖ *no tener* uno *pelos en la lengua*. fig y fam. Decir uno sin reparo lo que piensa o siente. ‖ *no vérsele el pelo* a uno. fig. y fam. Estar ausente de los lugares a donde solía acudir. ‖ *ponérsele* a uno *los pelos de punta*. fig. y fam. Sentir gran pavor. ‖ *por los pelos*. En el último instante. ‖ *Tomar el pelo* a uno. fig. y fam. Burlarse de él con elogios o promesas fingidos.

pelón, na. adj. Que no tiene pelo o tiene muy poco. Ú.t.c.s. ‖ fig. y fam. Que tiene muy escasos recursos económicos. Ú.t.c.s.

pelota (al. *Ball*, fr. *ballon*, ingl. *ball*, it. *palla*). f. Bola pequeña de goma elástica, recubierta de lana, tela u otra materia y forrada de cuero o paño para jugar. ‖ Balón. ‖ Juego que se hace con ella. ‖ Bola de materia blanda que se amasa fácilmente. ‖ Batea de piel de vaca que usan en América para pasar los ríos personas y cargas. ‖ fig. Descuento de letras que no corresponden a una factura existente. ‖ fig. y fam. Pelotillero. ‖ fig. y fam. Prostituta, ramera. ‖ pl. fig. y vulg. Testículos. ‖ *estar la pelota en el tejado*. fig. y fam. Ser dudoso el éxito de un negocio.

pelota (en). m. adv. Desnudo.

pelotari (voz vasca). com. Jugador de pelota vasca.

pelotazo. m. Golpe dado con la pelota.

pelotear. intr. Jugar a pelota por entretenimiento, sin entablar partido o competición de ninguna clase.

pelotera. f. fam. Riña, contienda o revuelta.

pelotilla. f. Bolita de cera, armada de puntas de vidrio, de que usaban los disciplinantes. ‖ *hacer la pelotilla* a una persona. fig. y fam. Adularla con miras interesadas.

pelotillero, ra. adj. fig. Adulador. Ú.t.c.s.

pelotón (al. *Peloton*, fr. *peloton*, ingl. *platoon*, it. *pelottone*). m. aum. de pelota. ‖ fig. Conjunto de personas sin orden y en tropel. ‖ MIL. Cuerpo de soldados, menor que una sección, y que suele ir al mando de un cabo o sargento.

pelotudo, da. adj. *Amer*. Papanatas, calzonazos, dejado, huevón.

peltre. m. Aleación de cinc, plomo y estaño.

peluca (al. *Perücke*, fr. *perruque*, ingl. *wig*, it. *parrucca*). f. Cabellera postiza. |*Sinón.*: peluquín|

peludo, da. adj. Que tiene mucho pelo. ‖ m. Ruedo afelpado que tiene los espartos largos y majados. ‖ *Amer*. Borrachera.

peluquería. f. Tienda del peluquero.

peluquero, ra (al. *Friseur*, fr. *coiffeur*, ingl. *hairdresser*, it. *parrucchiere*). s. Persona que tiene por oficio peinar, cortar el pelo o hacer y vender pelucas, rizos, etc. |*Sinón.*: barbero|

peluquín. m. Peluca pequeña o que sólo cubre parte de la cabeza.

pelusa. f. Vello, pelusilla de algunas frutas. ‖ Pelo menudo que con el uso se desprende de las telas. ‖ fig. y fam. Envidia propia de los niños.

pelviano, na. adj. Perteneciente o relativo a la pelvis.

pelvis (al. *Becken*, fr. *bassin*, ingl.

pelvis, it. *pelvi*). f. ANAT. Cavidad del cuerpo humano, en la parte inferior del tronco. Contiene la terminación del tubo digestivo, la vejiga urinaria y algunos órganos, correspondientes al aparato genital, principalmente en la mujer.

pella. f. Masa que se une y aprieta, regularmente, en forma redondeada. || Manteca del puerco tal como se quita de él.

pelleja. f. Piel quitada del cuerpo del animal. || Cuero curtido con la lana o el pelo. || Toda la lana que se esquila de un animal. || Prostituta, ramera.

pellejo. m. Piel que tiene el animal. || Piel quitada de un animal. || Cuero cosido para contener líquidos, odre. || fam. *Amer.* Prostituta vieja y fea. || *estar* uno *en el pellejo de otro.* fig. y fam. Estar o hallarse en las mismas circunstancias o situación moral del otro. || *salvar el pellejo.* fig. y fam. Salvar la vida.

pellico. m. Zamarra de pastor.

pelliza (al. *Pelzrock*, fr. *pelisse*, ingl. *pelise*, it. *pellicia*). f. Prenda de abrigo hecha o forrada de pieles. || Chaqueta de abrigo con el cuello y las bocamangas reforzadas de otra tela.

pellizcar (al. *kneifen*, fr. *pincer*, ingl. *to pinch*, it. *pizzicare*). tr. Asir con el dedo pulgar y cualquiera de los otros una pequeña porción de piel y carne apretándola de suerte que cause dolor. Ú.t.c.r. || Asir o herir levemente una cosa. || Tomar o quitar una pequeña cantidad de algo.

pellizco. m. Acción y efecto de pellizcar. || Porción pequeña de una cosa que se toma o quita.

pena (al. *Strafe*, fr. *peine*, ingl. *penalty*, it. *pena*). f. Castigo impuesto al que ha cometido un delito o falta. || Cuidado, aflicción o sentimiento interior grande. || Dificultad, trabajo. || *Amer.* Vergüenza. || *— capital.* La de muerte. || *a duras penas.* m. adv. Con gran dificultad o trabajo.

penacho (al. *Federbusch*, fr. *aigrette*, ingl. *aigrette*, it. *pennacchio*). m. Grupo de plumas que tienen algunas aves en la parte superior de la cabeza. || fig. Lo que tiene forma o figura de tal. [*Sinón.*: plumero]

penado, da (al. *Sträfling*, fr. *condamné*, ingl. *convict*, it. *condannato*). adj. Penoso o lleno de penas. || Difícil, trabajoso. || s. Delincuente condenado a una pena. [*Sinón.*: arduo; preso]

penal (al. *Straf*, fr. *pénal*, ingl. *penal*, it. *penale*). adj. Perteneciente o relativo a la pena o que la incluye. ||

DER. Perteneciente o relativo al crimen. || Perteneciente o relativo a las leyes, instituciones o acciones destinadas a perseguir crímenes o delitos. || m. Lugar en que los penados cumplen condenas superiores a las de arresto.

penalidad. f. Trabajo aflictivo, molestia, incomodidad. || Sanción impuesta por la ley penal.

penalización. f. Acción y efecto de penalizar.

penalizar. tr. DEP. En competiciones deportivas, imponer una sanción o castigo.

penalty (voz inglesa) m. En fútbol, infracción cometida por un jugador dentro del área de penalty. || Castigo que se impone a un equipo por haber cometido la infracción del mismo nombre, y que consiste en lanzar un tiro libre a once metros de la portería.

penar. tr. Imponer pena. || DER. Señalar la ley castigo para un acto u omisión. || intr. Padecer, sufrir, tolerar un dolor o pena. || Agonizar mucho tiempo. || r. Afligirse, padecer una pena. [*Sinón.*: castigar]

penca. f. BOT. Hoja o tallo en forma de hoja carnosos de algunas plantas, como el nopal. || Nervio principal y pecíolo de las hojas de ciertas plantas, como la lechuga. || Troncho o tallo de ciertas hortalizas.

penco. m. Caballo flaco o matalón. || Persona rústica o tosca. || Persona despreciable.

pendejo. m. fig. y fam. Hombre cobarde y pusilánime. || fig. y fam. Mujer de vida licenciosa, pendón.

pendencia. f. Contienda, riña de palabras o de obras.

pendenciero, ra. adj. Propenso a riñas o pendencias. [*Sinón.*: batallador, belicoso]

pender. intr. Estar colgada, suspendida o inclinada alguna cosa. || fig. Estar por resolverse o terminarse un pleito o negocio.

pendiente (al. *Ohrring, Steigung;* fr. *boucle d'oreille, pente;* ingl. *ear-ring, slope;* it. *orechino, pendio*). adj. Que pende. || Inclinado, en declive. || fig. Que está por resolverse o terminarse. || Sumamente atento, preocupado por algo que se espera o sucede. || m. Arete, con adorno colgante o sin él. || Colgante, dicho de las joyas. || f. Cuesta o declive de un terreno.

péndola. f. Varilla o varillas metálicas con una lenteja en su parte inferior y que con sus oscilaciones regula el movimiento de los relojes fijos, como

los de pared. || fig. Reloj que tiene péndola. || Pluma de ave. [*Sinón.*: péndulo]

pendón. m. Insignia militar que consistía en una bandera más larga que ancha. || Divisa o insignia que tienen las iglesias y cofradías para guiar las procesiones. || fig. y fam. Mujer de vida licenciosa.

pendular. adj. Relativo al péndulo o propio de él.

péndulo (al. *Pendel*, fr. *pendule*, ingl. *pendulum*, it. *pendolo*). m. En mecánica, cuerpo grave que puede oscilar suspendido de un punto por un hilo o varilla. || Péndola del reloj.

pene. m. Miembro viril. [*Sinón.*: falo, verga]

penene. Voz fam. correspondiente a P.N.N., sigla de profesor no numerario, denominación de los ayudantes de cátedra en los institutos y universidades españoles.

penetrabilidad. f. Calidad de penetrable.

penetrable. adj. Que se puede penetrar. || fig. Que fácilmente se entiende.

penetración. f. Acción y efecto de penetrar. || Inteligencia cabal de una cosa difícil. || Ingenio, agudeza.

penetrante. adj. Que penetra o puede penetrar. || Profundo. || fig. Agudo, hablando de la voz.

penetrar (al. *Durchdringen*, fr. *pénétrer*, ingl. *to pass through*, it. *penetrare*). tr. Introducir un cuerpo en otro por sus poros. || Introducirse en el interior de un espacio, aunque exista dificultad. || Hacerse sentir con violencia y demasiada eficacia una cosa, como el frío, los gritos, etc. || fig. Comprender el interior de uno, o una cosa dificultosa. Ú.t.c. intr. y c.r. [*Sinón.*: meter, infiltrar]

penibético, ca. adj. Dícese de lo perteneciente al sistema de cordilleras que, partiendo del estrecho de Gibraltar, continúan hasta el cabo de la Nao, en la provincia de Alicante.

penicilina. f. FARM. Sustancia antibiótica extraída de los cultivos del moho *penicillium notatum*, que actúa sobre los estafilococos, estreptococos, neumococos, meningococos y otros microorganismos. Se usa con gran eficacia para combatir las enfermedades causadas por estos gérmenes.

penillanura. f. Región aplanada por la erosión.

península (al. *Halbinsel*, fr. *peninsule*, ingl. *peninsula*, it. *penisola*). f. Tierra rodeada de agua, y que solo por una parte relativamente estrecha está unida y tiene comunicación con otra tierra de mayor extensión.

peninsular. adj. Natural de una península. Ú.t.c.s. ‖ Perteneciente a una península. ‖ Por antonomasia, se dice de lo relativo a la Península Ibérica.

penique. m. Moneda inglesa que vale la centésima parte de la libra esterlina.

penitencia (al. *Busse*, fr. *pénitence*, ingl. *penance*, it. *penitenza*). f. Sacramento en el cual, por la absolución del sacerdote, se perdonan los pecados cometidos después del bautismo al que los confiesa con dolor y propósito de enmienda. ‖ Cualquier acto de mortificación interior o exterior. ‖ Pena que impone el confesor al penitente y que es parte integral del sacramento. [*Sinón.*: expiación, mortificación]

penitenciaría (al. *Bussgeritch*, fr. *pénitencier*, ingl. *penitentiary*, it. *penitenzieria*). f. Establecimiento penitenciario en que sufren sus condenas los penados.

penitenciario, ria. adj. Aplícase a los sistemas actuales de castigo y corrección de los penados.

penitente (al. *Büsser*, fr. *pénitent*, ingl. *penitent*, it. *penitente*). adj. Perteneciente a la penitencia. ‖ com. Persona que se confiesa sacramentalmente. [*Sinón.*: arrepentido]

penol. m. MAR. Punta o extremo de las vergas.

penoso, sa. adj. Trabajoso, que causa pena o tiene gran dificultad. ‖ Que padece una aflicción o pena.

pensador, ra (al. *Denker*, fr. *penseur*, ingl. *thinker*, it. *pensatore*). adj. Que piensa. ‖ m. Persona que se dedica a estudios muy elevados y profundiza mucho en ellos.

pensamiento (al. *Gedanke*, fr. *pensée*, ingl. *thought*, it. *pensiero*). m. Potencia o facultad de pensar. ‖ Acción y efecto de pensar. ‖ Idea inicial o capital de una obra cualquiera. ‖ Cada una de las ideas o sentencias notables de un escrito. ‖ BOT. Trinitaria, flor. [*Sinón.*: reflexión]

pensar (al. *Denken*, fr. *penser*, ingl. *to think*, it. *pensare*). tr. Imaginar, considerar o discurrir. ‖ Reflexionar, examinar con cuidado una cosa para formar dictamen. ‖ Intentar o formar ánimo de hacer una cosa.

pensativo, va. adj. Que medita intensamente y está absorto y embelesado.

pensión (al. *Pension*, fr. *pension*, ingl. *pension*, it. *pensione*). f. Cantidad anual que se asigna a uno por méritos o servicios propios o extraños, o bien por voluntad del que la concede. ‖ Pupilaje, precio. ‖ Auxilio pecuniario que bajo ciertas condiciones se concede para estimular o ampliar estudios o conocimientos científicos, artísticos o literarios. ‖ Casa de huéspedes. ‖ *Amer.* Pesar. [*Sinón.*: renta]

pensionado, da. adj. Que cobra pensión. Ú.t.c.s. ‖ m. Internado, establecimiento donde se vive en régimen de pensión.

pensionar. tr. Conceder pensión a una persona o establecimiento. [*Sinón.*: asignar, subvencionar]

pensionista. com. Persona que tiene derecho a percibir y cobrar una pensión. ‖ Persona que reside en un colegio o casa particular y paga cierta pensión.

pentaedro. m. GEOM. Poliedro de cinco caras.

pentágono, na. adj. GEOM. Aplícase al polígono de cinco vértices y cinco lados. Ú.m.c.s.m.

pentagrama o **pentágrama** (al. *Notensystem*, fr. *pentagramme*, ingl. *staff*, it. *pentagramma*). m. MÚS. Renglonadura formada por cinco rectas paralelas y equidistantes, sobre la cual se escribe la música.

pentámero, ra. adj. BOT. Dícese de las flores y los verticilos florales compuestos de cinco piezas iguales. ‖ ZOOL. Dícese de los insectos coleópteros que tienen cinco artejos en cada tarso. Ú.t.c.s.m. ‖ m. pl. Suborden de estos animales.

pentasílabo, ba. adj. Que consta de cinco sílabas. Ú.t.c.s.

Pentateuco. n.p.m. Parte de la Biblia, que comprende los cinco primeros libros del Antiguo Testamento, el Génesis, el Éxodo, el Levítico, los Números y el Deuteronomio.

pentecostés (al. *Pfingsten*, fr. *pentecôte*, ingl. *pentecost*, it. *pentecoste*). m. Festividad de la venida del Espíritu Santo que celebra la Iglesia cristiana.

penúltimo, ma. adj. Inmediatamente anterior a lo último o postrero. Ú.t.c.s.

penumbra (al. *Habbschatten*, fr. *pénombre*, ingl. *penumbra*, it. *penombra*). f. Sombra débil entre la luz y la oscuridad que no deja percibir donde empieza la una o acaba la otra.

penuria (al. *Notstand*, fr. *pénurie*, ingl. *penury*, it. *penuria*). f. Escasez, falta de las cosas más precisas o de alguna de ellas. [*Sinón.*: pobreza]

peña (al. *Felsen*, fr. *roche*, ingl. *rock*, it. *rupe*). f. Piedra grande sin labrar, según la produce la naturaleza. ‖ Monte o cerro peñascoso. ‖ Corro o grupo de amigos o camaradas. ‖ Nombre que toman algunos círculos de recreo. [*Sinón.*: roca]

peñasco. m. Peña grande y elevada. ‖ ANAT. Porción del hueso temporal, que encierra ciertas partes muy importantes del aparato de la audición.

peñón. m. Monte peñascoso.

peón (al. *Handlanger*, fr. *manoeuvre*, ingl. *daylabourer*, it. *manovale*). m. El que camina o anda a pie. ‖ Jornalero que trabaja en cosas materiales que no requieren especialización. ‖ Soldado de a pie. ‖ Cualquiera de las piezas de juego de damas; de las ocho negras y ocho blancas respectivamente iguales del ajedrez y otros juegos de tablero. ‖ — caminero. Obrero destinado a la conservación y reparación de caminos públicos.

peonza. f. Juguete de madera, de figura cónica, con o sin punta de hierro, que se hace bailar.

peor (al. *schlechter*, fr. *pire*, ingl. *worse*, it. *peggio*). adj. comp. de malo. De mala condición o de inferior calidad respecto de otra cosa con que se compara. ‖ adv. m. comp. de mal. Más mal, de manera más contraria a lo bueno o conveniente. [*Antón.*: mejor]

pepino (al. *Gurke*, fr. *concombre*, ingl. *cucumber*, it. *cocomero*). m. BOT. Planta herbácea anual, de las cucurbitáceas, con tallos blandos, rastreros, vellosos; y fruto pulposo, cilíndrico, amarillo cuando está maduro, y antes verde por la parte exterior, interiormente blanco y con multitud de semillas ovaladas, chatas y pequeñas. Es comestible. ‖ Fruto de esta planta.

pepita. f. BOT. Simiente de algunas frutas. ‖ Partícula de oro u otros metales nativos.

pepitoria. f. Guisado que se hace con todas las partes comestibles del ave, o sólo con los despojos, y cuya salsa tiene yema de huevo.

pepsina. f. BIOL. Fermento segregado por el estómago que contribuye a la digestión de las sustancias albuminoideas.

pequeñez. f. Calidad de pequeño. ‖ Infancia. ‖ Cosa de poca importancia. Mezquindad, ruindad.

pequeño, ña (al. *klein*, fr. *petit*, ingl. *small*, it. *piccolo*). adj. Corto, limitado. ‖ De muy corta edad. ‖ fig. Abatido y humilde como contrapuesto a poderoso y soberbio. ‖ fig. Corto, breve o de poca importancia, aunque no sea corpóreo.

pequinés, sa. adj. Natural de Pekín. Ú.t.c.s. ‖ Perteneciente o relativo a Pekín. ‖ Dícese de cierta raza canina procedente de China.

pera (al. *Birne,* fr. *poire,* ingl. *pear,* it. *pera*). f. BOT. Fruto del peral, carnoso, y de tamaño, piel y forma variables según las clases. Contiene unas semillas ovaladas, chatas y negras. Es comestible y más o menos dulce, según las variedades que se cultivan. ‖ *pedir peras al olmo.* fig. y fam. Esperar lo que no puede ser.

peral (al. *Birnbaum,* fr. *poirier,* ingl. *peartree,* it. *pero*). m. BOT. Árbol rosáceo de tronco recto y liso y copa bien poblada, cuyo fruto es la pera. ‖ Madera de este árbol.

peraltar. tr. TECN. En las carreteras, vías férreas, etc., levantar la parte exterior de una curva.

peralte (al. *Kurvenüberhöhung,* fr. *surhaussement,* ingl. *superelevation,* it. *rialzo*). m. En las carreteras, mayor elevación de la parte exterior de una curva en relación con la interior.

perca. f. ZOOL. Pez de río, acantopterigio, de cuerpo oblongo, cubierto de escamas duras y ásperas, con lomo verdoso y vientre plateado y dorado, con seis o siete fajas negruzcas en los costados. Su carne es comestible y delicada.

percal. m. Tela de algodón, blanca o estampada y más o menos fina, que sirve para vestidos de mujer y otros usos.

per cápita. fr. adv. lat. Por cabeza, individualmente.

percance. m. Contratiempo, daño o perjuicio imprevisto. [*Sinón.:* desgracia]

percatar. intr. Advertir, considerar, cuidar. Ú.t.c.r. ‖ r. Darse cuenta clara de algo, tomar conciencia de ello.

percebe. m. ZOOL. Crustáceo cirrópodo de concha formada por cinco valvas y dotado de un pedúnculo carnoso con el que se fija a las rocas y objetos sumergidos. Es comestible y muy apreciado como marisco. Ú.m. en pl. ‖ fig. y fam. Persona torpe o ignorante.

percepción. f. Acción y efecto de percibir. ‖ Sensación interior que resulta de una impresión material hecha en nuestros sentidos. ‖ Conocimiento, idea. ‖ — *extrasensorial.* Percepción de fenómenos sin mediación normal de los sentidos.

perceptible. adj. Que se puede comprender o percibir. ‖ Que se puede recibir o cobrar. [*Sinón.:* apreciable]

percibir (al. *wahrnehmen,* fr. *percevoir,* ingl. *to perceive,* it. *percepire*). tr. Recibir una cosa. ‖ Recibir por uno de los sentidos las especies o impresiones del objeto. ‖ Comprender o conocer una cosa. [*Sinón.:* captar, advertir]

percusión. f. Acción y efecto de percutir.

percutir. tr. Golpear.

percutor. m. Pieza que golpea en cualquier máquina, y especialmente el martillo o la aguja con que se hace detonar el cebo del cartucho en las armas de fuego.

percha (al. *Kleiderrechen,* fr. *portemanteau,* ingl. *clothes-rack,* it. *attaccappanni*). f. Madero o estaca larga y delgada que regularmente se atraviesa a otras para sostener una cosa, como parras, etc. ‖ Pieza o mueble de madera o metal con colgaderos para ropa, sombreros, etc.

perchero. m. Mueble con perchas.

percherón, na. adj. Dícese del caballo o yegua pertenecientes a una raza francesa que, por su fuerza y corpulencia, se destina al transporte de grandes pesos. Ú.t.c.s.

perdedor, ra. adj. Que pierde. Ú.t.c.s. [*Sinón.:* vencido. *Antón.:* ganador, vencedor]

perder (al. *verlieren,* fr. *perdre,* ingl. *to lose,* it. *perdere*). tr. Dejar de tener o no hallar uno la cosa que poseía. ‖ Desperdiciar, disipar o malgastar una cosa. ‖ No conseguir lo que se desea, espera o ama. ‖ Ocasionar un daño a las cosas, desmejorándolas. ‖ No obtener lo que se disputa en batallas, oposiciones, pleitos, etc. ‖ intr. Decaer uno del concepto, crédito o situación en que estaba. ‖ r. Errar uno el camino o rumbo. ‖ fig. Entregarse ciegamente a los vicios. ‖ fig. Borrarse la especie o ilación en un discurso. ‖ fig. Amar mucho o con ciega pasión a una persona o cosa. [*Sinón.:* extraviar. *Antón.:* ganar]

perdición. f. Acción de perder o perderse. ‖ fig. Ruina o daño grave en lo temporal o espiritual. ‖ fig. Condenación eterna. ‖ fig. Causa o sujeto que ocasiona un grave daño. ‖ fig. Desarreglo en las costumbres.

pérdida (al. *Verlust,* fr. *perte,* ingl. *loss,* it. *perdita*). f. Carencia, privación de lo que se poseía. ‖ Daño o menoscabo que se recibe en una cosa. ‖ Cantidad o cosa perdida. [*Sinón.:* extravío. *Antón.:* ganancia]

perdidamente. adv. m. Con exceso, con vehemencia, sin consideración.

perdido, da. adj. Que no tiene o no lleva destino determinado. ‖ s. Persona sin provecho y sin moral. ‖ *perdido por* una persona. fig. Ciegamente enamorado de ella.

perdigón. m. Pollo de perdiz. ‖ Perdiz nueva. ‖ Perdiz macho que emplean los cazadores como reclamo. ‖ Cada uno de los granos de plomo que forman la munición de caza. ‖ fam. El que pierde mucho en el juego.

perdigonada. f. Tiro o herida de perdigones.

perdiguero, ra. adj. Dícese del animal que caza perdices, y en especial de una raza canina adiestrada en tal menester. Ú.t.c.s.m.

perdiz (al. *Rebhuhn,* fr. *perdrix,* ingl. *partridge,* it. *pernice*). f. ZOOL. Ave gallinácea, con cuerpo grueso, cuello corto, cabeza pequeña, pico y pies encarnados y plumaje de color ceniciento rojizo. Abunda en España. Anda más que vuela. Su carne es muy preciada.

perdón (al. *Vergebung,* fr. *pardon,* ingl. *forgiveness,* it. *perdono*). m. Remisión de la pena merecida, de la ofensa recibida o de alguna deuda u obligación pendiente. ‖ Indulgencia, remisión de los pecados.

perdonar (al. *vergeben,* fr. *pardonner,* ingl. *to forgive,* it. *perdonare*). tr. Remitir la deuda, ofensa, falta, delito u otra cosa que toque al que redime. ‖ Exceptuar a uno de lo que comúnmente se hace con todos. [*Sinón.:* absolver, dispensar]

perdonavidas. m. fig. y fam. Baladrón, fanfarrón, jactancioso.

perdulario, ria. adj. Muy descuidado en sus intereses o persona. Ú.t.c.s. ‖ Vicioso incorregible. Ú.t.c.s.

perdurable. adj. Perpetuo o que dura siempre. ‖ Que dura mucho tiempo.

perdurar. intr. Durar mucho, persistir en el mismo estado.

perecedero, ra. adj. Poco durable, que ha de perecer o acabarse. [*Sinón.:* efímero, mortal]

perecer (al. *kommen,* fr. *périr,* ingl. *to perish,* it. *perire*). intr. Acabar, fenecer o dejar de ser. ‖ fig. Padecer un daño que reduce al último extremo. [*Sinón.:* sucumbir, morir]

peregrinación. f. Viaje por tierras extrañas. ‖ Viaje que se hace a un santuario por devoción o por voto. [*Sinón.:* peregrinaje]

peregrinar. intr. Andar uno por tierras extrañas. ‖ Ir en romería a un santuario por devoción o por voto.

peregrino, na. (al. *Pilger,* fr. *pèlerin,* ingl. *pilgrim,* it. *pellegrino*). adj. Aplícase al que anda por tierras extrañas. ‖ Dícese de la persona que por devoción o por voto va a visitar un santuario. Ú.m.c.s. ‖ fig. Extraño, especial. [*Sinón.*: romero]

perejil (al. *Petersilie,* fr. *persil,* ingl. *parsley,* it. *prezzemolo*). m. Bot. Planta herbácea, vivaz, de las umbelíferas, con tallos angulosos y ramificados y hojas lustrosas de color verde oscuro. Espontánea en algunas partes, se cultiva en las huertas por ser condimento muy usado.

perendengue. m. Pendiente, arete. ‖ Por ext., cualquier otro adorno femenino de poco valor. ‖ pl. Requilorios, dificultades, trabas.

perengano, na. s. Voz que se usa para aludir a persona cuyo nombre se ignora o no se quiere expresar.

perenne. adj. Continuo, incesante, que no se interrumpe. ‖ Bot. Vivaz, que vive más de dos años.

perennizar. tr. Hacer perenne, eternizar.

perentorio, ria (al. *dringlich,* fr. *péremptoire,* ingl. *peremptory,* it. *perentorio*). adj. Dícese del último plazo que se concede o de la resolución final que se toma en cualquier asunto. ‖ Concluyente, decisivo, determinante. [*Sinón.*: definitivo, concluyente]

pereza (al. *Faulheit,* fr. *paresse,* ingl. *laziness,* it. *pigrizia*). f. Negligencia, tedio o descuido en las cosas a que estamos obligados. [*Sinón.*: holgazanería]

perezoso, sa (al. *Faul,* fr. *paresseux,* ingl. *lazy,* it. *pigro*). adj. Negligente, descuidado o flojo en hacer lo que debe o necesita ejecutar. Ú.t.c.s. ‖ Que por demasiada afición a dormir se levanta de la cama tarde. Ú.t.c.s. ‖ m. Zool. Mamífero desdentado, propio de América tropical, de unos 60 cm de longitud, cabeza pequeña, ojos oscuros, pelaje pardo, áspero y largo, y piernas cortas. De andar muy lento, trepa con dificultad a los árboles y para bajar se deja caer hecho un ovillo. [*Sinón.*: holgazán, vago, gandul]

perfección (al. *Vollkommenheit,* fr. *perfection,* ingl. *perfection,* it. *perfezione*). f. Acción de perfeccionar o perfeccionarse. ‖ Calidad de perfecto.

perfeccionamiento. m. Acción y efecto de perfeccionar o perfeccionarse. [*Sinón.*: mejora]

perfeccionar. tr. Acabar enteramente una obra, dándole el mayor grado

posible de bondad o excelencia. Ú.t.c.r. [*Sinón.*: pulir]

perfecto, ta (al. *volkommen,* fr. *parfait,* ingl. *perfect,* it. *perfetto*). adj. Que tiene el mayor grado posible de bondad o excelencia en su línea. [*Sinón.*: idóneo, ideal]

perfidia (al. *Treulosigkeit,* fr. *perfidie,* ingl. *perfidy,* it. *perfidia*). f. Deslealtad, traición o quebrantamiento de la fe debida. [*Sinón.*: felonía]

pérfido, da (al. *treulos,* fr. *perfide,* ingl. *perfidious,* it. *perfido*). adj. Desleal, infiel o traidor, que falta a la fe que debe. Ú.t.c.s. [*Sinón.*: falso]

perfil (al. *Profil,* fr. *profil,* ingl. *profile,* it. *profilo*). m. Postura en que no se deja ver sino una sola de las dos mitades laterales del cuerpo. ‖ Aspecto peculiar o llamativo con que una cosa se presenta ante la vista o la mente. ‖ Geom. Figura que presenta un cuerpo cortado real o imaginariamente por un plano vertical. ‖ Pint. Contorno aparente de la figura, representado por líneas que determinan la forma de aquélla. [*Sinón.*: silueta, rasgo]

perfilado, da. adj. Que perfila. ‖ Dícese del rostro adelgazado y largo en proporción.

perfilar. tr. Dar, presentar el perfil o sacar los perfiles de una cosa. ‖ fig. Afinar, hacer con primor, rematar esmeradamente una cosa. ‖ r. Componerse, aderezarse.

perforación. f. Acción y efecto de perforar.

perforar. tr. Agujerear una cosa atravesándola parcial o totalmente.

perfumar (al. *parfümieren,* fr. *parfumer,* ingl. *to perfume,* it. *profumare*). tr. Aromatizar una cosa, quemando materias olorosas. Ú.t.c.r. ‖ fig. Dar o esparcir cualquier olor agradable. ‖ intr. Exhalar perfume, fragancia.

perfume (al. *Parfüm,* fr. *parfum,* ingl. *perfume,* it. *profumo*). m. Materia odorífica y aromática que puesta al fuego despide un humo fragante y oloroso, como sucede con el ámbar. ‖ El mismo humo u olor que exhalan las materias olorosas. ‖ Sustancia líquida o sólida elaborada para que desprenda un olor agradable. ‖ fig. Cualquier olor bueno o muy agradable. [*Sinón.*: fragancia]

perfumería (al. *Parfümerie,* fr. *parfumerie,* ingl. *perfumery,* it. *profumeria*). f. Tienda donde se preparan o venden perfumes. ‖ Arte de fabricarlos. ‖ Conjunto de productos y materias de esta industria.

perfumero, ra. s. Persona que prepara o vende perfumes.

pergamino (al. *Pergament,* fr. *parchemin,* ingl. *parchment,* it. *pergamena*). m. Piel de la res, raída, adobada y estirada, que sirve para diferentes usos, como escribir, cubrir libros, etc. ‖ Título o documento escrito en pergamino.

pergeñar. tr. fam. Disponer o ejecutar una cosa con más o menos habilidad.

pérgola (al. *Pergola,* fr. *pergola,* ingl. *pergola,* it. *pergola*). f. Emparrado. ‖ Jardín que tienen algunas casas sobre la techumbre.

peri. prep. insep. que significa alrededor.

pericardio. m. Anat. Membrana que rodea el corazón.

pericarpio. m. Bot. Parte exterior del fruto de las plantas, que cubre las semillas y puede tener hasta tres capas.

pericia (al. *Geschicklichkeit,* fr. *dextérité,* ingl. *dexterity,* it. *perizia*). f. Sabiduría, práctica, experiencia y habilidad en una ciencia o arte.

pericial. adj. Perteneciente o relativo al perito.

periclitar. intr. Peligrar, estar en peligro; decaer, declinar.

perico. m. Zool. Ave trepadora, especie de papagayo, de unos 25 centímetros de altura, pico róseo, ojos encarnados de contorno blanco y plumaje de colorido abigarrado. ‖ — de los palotes. Persona indeterminada, un sujeto cualquiera.

perieco, ca. adj. Geogr. Aplícase al morador del globo terrestre con relación a otro que ocupa un punto del mismo paralelo que el primero y diametralmente opuesto a él. Ú.t.c.s. y en pl.

periferia (al. *Peripherie,* fr. *périphérie,* ingl. *periphery,* it. *periferia*). f. Circunferencia. ‖ Contorno de una figura curvilínea. ‖ fig. Espacio que rodea un núcleo cualquiera. [*Sinón.*: perímetro]

perifollo. m. Bot. Planta herbácea anual, umbelífera, tallos finos, ramosos y estriados, flores blancas en umbelas pequeñas. ‖ pl. fig. y fam. Adornos de mujer en el atuendo y peinado.

perífrasis. f. Ret. Circunlocución.

perifrástico, ca. adj. Relativo a la perífrasis, que abunda en ellas.

perigeo (al. *Perigäum,* fr. *périgée,* ingl. *perigee,* it. *perigeo*). m. Astr. Punto de la trayectoria de un astro en el que se halla más próximo de la Tierra. [*Antón.*: apogeo]

perihelio. m. ASTR. Punto en que un planeta se halla más cerca del Sol. [*Antón.*: afelio]

perilla (al. *Spitzbar*, fr. *barbiche*, ingl. *goatee*, it. *pizzo*). f. Porción de pelo que se deja crecer en la punta de la barba. ‖ *de perillas.* m. adv. fig. y fam. A propósito o a tiempo.

perillán, na. s. fam. Persona pícara y astuta. Ú.t.c. adj.

perímetro (al. *Umfang*, fr. *périmètre*, ingl. *perimeter*, it. *perimetro*). m. Contorno de una superficie. ‖ GEOM. Medida del contorno de una figura.

perineo. m. ANAT. Espacio que media entre el ano y las partes sexuales.

perinola. f. Peonza pequeña que se hace bailar con los dedos.

periodicidad. f. Calidad de periódico.

periódico, ca. adj. Que se produce en periodo determinado. ‖ Que se repite con regularidad. ‖ Dícese del impreso que se publica con determinados intervalos de tiempo. Ú.m.c.s.m. ‖ Fís. Dícese de los fenómenos cuyas fases todas se repiten permanentemente y con regularidad. ‖ m. Publicación informativa diaria, diario.

periodismo. m. Ejercicio o profesión de periodista.

periodista (al. *Journalist*, fr. *journaliste*, ingl. *journalist*, it. *giornalista*). com. Persona que compone, escribe o edita un periódico. ‖ Persona que tiene por oficio escribir en los periódicos.

periodístico, ca. adj. Perteneciente o relativo a los periódicos y a los periodistas.

período o **periodo** (al. *Periode*, fr. *période*, ingl. *period*, it. *periodo*). m. Tiempo que una cosa tarda en volver al estado que ocupaba al principio. ‖ Menstruación, evacuación del menstruo. ‖ Ciclo de tiempo. ‖ GRAM. Conjunto de oraciones que forman sentido cabal.

periostio (al. *Knochenhaut*, fr. *périoste*, ingl. *periosteum*, it. *periostio*). m. ZOOL. Membrana fibrosa que rodea los huesos y sirve para su nutrición y renovación.

peripatético, ca. adj. Que sigue la filosofía o doctrina de Aristóteles. Ú.t.c.s. ‖ fig. y fam. Extravagante en sus dictámenes.

peripecia. f. En el drama o cualquier otra composición análoga, mudanza repentina de la situación. ‖ fig. Accidente de esta misma clase en la vida real.

periplo. m. Circunnavegación. ‖ fig. Ciclo de vida aventuroso.

peripuesto, ta. adj. fam. Que se aereza y viste con demasiado esmero y afectación. [*Sinón.*: emperejilado, petimetre]

periquete. m. fam. Brevísimo espacio de tiempo.

periquito. m. Perico, ave.

periscopio (al. *Periskop*, fr. *périscope*, ingl. *periscope*, it. *periscopio*). m. Anteojo formado por un tubo metálico, en el cual un sistema de prismas de reflexión permite divisar objetos de forma que el observador permanezca oculto. Se emplea en los submarinos, trincheras, etc.

perisodáctilo. adj. ZOOL. Dícese de los mamíferos, en general corpulentos, que tienen los dedos en número impar, y terminados en pesuños y el dedo central más desarrollado que los demás, como el tapir, etc. ‖ m. pl. Orden de estos animales.

perista. m. Comprador de cosas robadas.

peristáltico, ca. adj. HIST. NAT. Que tiene la propiedad de contraerse.

peristilo. m. Galería de columnas que rodea un edificio o parte de él. [*Sinón.*: columnata]

peritaje. m. Trabajo o estudio que hace un perito.

perito, ta (al. *Sachverständige*, fr. *expert*, ingl. *expert*, it. *perito*). adj. Sabio, experimentado, hábil, práctico en una ciencia o arte. Ú.t.c.s. ‖ m. El que en una materia tiene el título de tal. [*Sinón.*: experto]

peritoneo (al. *Bauchfell*, fr. *péritoine*, ingl. *peritoneum*, it. *peritoneo*). m. ANAT. Membrana serosa, propia de los vertebrados y de otros animales, que tapiza interiormente la cavidad abdominal.

peritonitis. f. MED. Inflamación del peritoneo.

perjudicar (al. *Beeinträchtigen*, fr. *nuire*, ingl. *to prejudice*, it. *nuocere*). tr. Ocasionar daño o menoscabo material o moral. Ú.t.c.r. [*Sinón.*: dañar, lastimar. *Antón.*: favorecer]

perjudicial. adj. Que perjudica.

perjuicio (al. *Nachteil*, fr. *préjudice*, ingl. *prejudice*, it. *pregiudizio*). m. Efecto de perjudicar o perjudicarse. ‖ DER. Ganancia ilícita que deja de obtenerse debido a la acción u omisión de otro y que éste debe indemnizar. [*Antón.*: favor]

perjurar. intr. Jurar en falso. Ú.t.c.r. ‖ Jurar mucho o por vicio.

perjurio (al. *Meineid*, fr. *parjure*, ingl. *perjury*, it. *spergiuro*). m. Delito de jurar en falso. ‖ Quebrantamiento de la fe jurada.

perjuro, ra. adj. Que jura en falso. Ú.t.c.s. ‖ Que quebranta un juramento.

perla (al. *Perle*, fr. *perle*, ingl. *pearl*, it. *perla*). f. Concreción nacarada que suele formarse en el interior de diversos moluscos, sobre todo en las madreperlas. Se estima mucho en joyería. ‖ fig. Persona de excelentes prendas, o cosa exquisita en su clase. ‖ *de perlas.* m. adv. Perfectamente, de molde.

perlesía. f. Privación o disminución del movimiento de partes del cuerpo.

permanecer (al. *verbleiben*, fr. *demeurer*, ingl. *to stay*, it. *rimanere*). intr. Mantenerse sin mutación en un mismo lugar, estado o calidad. [*Sinón.*: quedarse]

permanencia. f. Duración sostenida, constancia, perseverancia, estabilidad, inmutabilidad. [*Sinón.*: invariabilidad]

permanente. adj. Que permanece. ‖ Dícese de cierta forma de ondulación del cabello. Ú.m.c.s.f.

permeabilidad. f. Calidad de permeable.

permeable (al. *durchlässig*, fr. *perméable*, ingl. *pervious*, it. *permeabile*). adj. Que puede ser penetrado por un fluido. [*Sinón.*: penetrable. *Antón.*: impermeable]

pérmico, ca. adj. GEOL. Se dice de la capa o terreno superior y más moderno que el carbonífero. ‖ Período de formación de dicho terreno, el más moderno de la era primaria.

permisible. adj. Que se puede permitir.

permisión. f. Acción de permitir. ‖ Permiso.

permisivo, va. adj. Que permite o consiente.

permiso (al. *Erlaubnis*, fr. *permission*, ingl. *permit*, it. *permesso*). m. Licencia para hacer o decir una cosa. [*Antón.*: prohibición]

permitir (al. *gestatten*, fr. *permettre*, ingl. *to permit*, it. *permettere*). tr. Dar consentimiento para que otro haga o deje de hacer una cosa. Ú.t.c.r. ‖ No impedir lo que se pudiera o debiera evitar. [*Sinón.*: autorizar, tolerar]

permuta (al. *Umtausch*, fr. *échange*, ingl. *barter*, it. *permuta*). f. Acción y efecto de permutar. ‖ Cambio, entre dos oficiales públicos, de los cargos que respectivamente desempeñan.

permutación. f. Acción y efecto de permutar.

permutar (al. *vertauschen*, fr. *permuter*, ingl. *to permute*, it. *permutare*). tr. Cambiar una cosa por otra, transfiriéndose los contratantes recíprocamente el dominio de ellas. || Variar la disposición y el orden de dos o más cosas.

pernada. f. Golpe o movimiento violento realizado con la pierna. || *derecho de pernada*. Derecho feudal que permitía que el señor realizara el coito con la desposada antes que el marido.

pernear. intr. Mover violentamente las piernas. [*Sinón*.: patalear]

pernera. f. Parte del pantalón que cubre cada pierna.

pernicioso, sa. adj. Gravemente dañoso y perjudicial. [*Sinón*.: nocivo, dañino]

pernil. m. Anca y muslo del animal. || Pernera.

pernio. m. Gozne que se pone en puertas y ventanas para que giren las hojas.

perno (al. *Bolzen*, fr. *boulon*, ingl. *joint-bolt*, it. *bullone*). m. Pieza de metal, larga, cilíndrica, con cabeza redonda por un extremo y que por el otro se asegura con una tuerca.

pernoctar (al. *Übernachten*, fr. *passer la nuit*, ingl. *to pass the night*, it. *pernottare*). intr. Pasar la noche en algún sitio fuera del propio domicilio.

pero. m. Variedad de manzano cuyo fruto es más largo que grueso. || Fruto de este árbol.

pero (al. *aber*, fr. *mais*, ingl. *but*, it. *ma*). conj. advers. con que a un concepto se contrapone otro diverso o ampliativo del anterior. || Sino, conj. advers. || m. fam. Defecto o dificultad. [*Sinón*.: mas]

perogullada. f. fam. Verdad que por notoriamente sabida resulta necedad el decirla.

perol. m. Vasija de metal de forma semiesférica.

perola. f. Perol más pequeño que el ordinario.

peroné (al. *Wadenbein*, fr. *péroné*, ingl. *fibula*, it. *peroneo*). m. ANAT. Hueso largo y delgado de la pierna, situado detrás de la tibia, con la cual se articula.

peroración. f. Acción y efecto de perorar. || RET. Última parte del discurso, en la cual se hace la enumeración de las pruebas y se trata de mover con más eficacia el ánimo del auditorio.

perorar. intr. Pronunciar un discurso. || fam. Hablar uno en la conversación como si estuviera discurseando. [*Sinón*.: discursear]

perorata. f. Oración o razonamiento molesto o inoportuno.

perpendicular (al. *Senkrecht*, fr. *perpendiculaire*, ingl. *perpendicular*, it. *perpendicolare*). adj. MAT. Aplícase a la recta o plano que forma ángulo recto con otra recta o plano. Ú.t.c.s. [*Sinón*.: normal]

perpetrar. tr. Cometer delito o falta grave.

perpetua. f. BOT. Planta herbácea anual de flores pequeñas, moradas o anaranjadas, o jaspeadas de ambos colores, denominada también siempreviva, que dura meses enteros sin alterarse. || Flor de esta planta.

perpetuación. f. Acción de perpetuar o perpetuarse una cosa.

perpetuar. tr. Hacer perpetua o perdurable una cosa. Ú.t.c.r. || Dar a las cosas larga vida. Ú.t.c.r. [*Sinón*.: prolongar. *Antón*.: acabar]

perpetuidad. f. Duración sin fin. || fig. Duración muy larga.

perpetuo, tua (al. *immerwährend*, fr. *perpétuel*, ingl. *perpetual*, it. *perpetuo*). adj. Que dura y permanece para siempre. [*Sinón*.: inmortal]

perplejidad (al. *ratlosigkeit*, fr. *perplexité*, ingl. *perplexity*, it. *perplessità*). f. Irresolución, confusión, duda de lo que se debe hacer en un caso. [*Sinón*.: indecisión, vacilación]

perplejo, ja. adj. Dudoso, incierto, irresoluto, confuso.

perra. f. Hembra del perro. || fig. y fam. Rabieta de niño. || fam. Tema, idea fija, obstinación caprichosa. || pl. fam. Dinero, riqueza.

perrera. f. Lugar o sitio donde se guardan o encierran los perros.

perrería. f. Muchedumbre de perros. || Acción mala o inesperada contra uno, jugarreta.

perrero. m. El que cuida los perros de caza. || Empleado encargado de recoger los perros vagabundos.

perrillo. m. Gatillo de las armas de fuego.

perro. m. ZOOL. Mamífero doméstico de la familia de los cánidos de tamaño, forma y pelaje muy diversos, según las razas. Tiene olfato muy fino, es inteligente y fiel al hombre. || fig. Persona despreciable. || — *de aguas*. El de una raza que se cree originaria de España, que se distingue por su aptitud para nadar. || — *de casta*. El que no es cruzado. || — *de lanas*. Perro faldero. || — *de presa*. Perro dogo. || — *galgo*. Casta de perro muy ligero. || — *lebrel*. Apto para la caza de liebres. || — *sabueso*.

Variedad del lebrel algo mayor que el común y de olfato muy fino. || — *viejo*. fig. y fam. Hombre sumamente cauto, y prevenido por la experiencia. || *como perros y gatos*. loc. adv. fig. y fam. con que se explica el aborrecimiento que algunos se tienen.

perro, rra. adj. fig. y fam. Muy malo, indigno.

perruno, na. adj. Perteneciente o relativo al perro.

persa. adj. Natural de Persia. Ú.t.c.s. || Perteneciente o relativo a este país de Asia. || m. Idioma persa.

per se. expr. latina que significa «por sí» o «por sí mismo».

persecución. f. Acción de perseguir o insistencia en hacer o procurar daño. || fig. Instancia enfadosa con que se acosa a uno para que condescienda a lo solicitado.

persecutor, ra. adj. Que persigue. Ú.t.c.s.

persecutorio, ria. adj. Que persigue.

perseguir (al. *verfolgen*, fr. *poursuivre*, ingl. *to chase*, it. *perseguire*). tr. Seguir al que va huyendo con ánimo de alcanzarle. || fig. Seguir o buscar a uno en todas partes con frecuencia e importunidad. || Molestar, fatigar, hacer sufrir o padecer a alguien, procurar hacerle el mayor daño posible. || DER. Proceder judicialmente contra uno. [*Sinón*.: acosar, hostigar]

perseverancia. f. Firmeza y constancia en la ejecución de los propósitos y en las resoluciones del ánimo. || Duración permanente o continua de una cosa.

perseverar (al. *beharren*, fr. *persévérer*, ingl. *to persist*, it. *perseverare*). intr. Mantenerse constantemente en la prosecución de lo comenzado. || Durar permanentemente o por largo tiempo. [*Sinón*.: persistir. *Antón*.: desistir]

persiana (al. *Fensterladen*, fr. *persienne*, ingl. *jalousie*, it. *persiana*). f. Especie de celosía formada de tablillas fijas o movibles, dispuestas de tal manera que dejen paso al aire pero no al sol.

pérsico, ca. adj. Persa, perteneciente a Persia. || m. BOT. Árbol rosáceo de fruto carnoso y con el hueso lleno de arrugas asurcadas. || Fruto de este árbol.

persignar. tr. Hacer la señal de la cruz, santiguarse. Ú.t.c.r.

persistencia. f. Insistencia, constancia en el intento o ejecución de una cosa. || Perseverancia.

persistir (al. *fortdauern*, fr. *persister*,

ingl. *to persist*, it. *persistere*). intr. Mantenerse firme o constante en una cosa. || Durar por largo tiempo.

persona (al. *Person*, fr. *personne*, ingl. *person*, it. *persona*). f. Individuo de la especie humana. || Hombre o mujer cuyo nombre se ignora o se omite. || Personaje que toma parte en la acción de una obra literaria. || Hombre de prendas, prudencia y disposición. || GRAM. Accidente gramatical que consiste en las distintas inflexiones con que el verbo denota si el sujeto de la oración es el que habla, o aquel a quien se habla, o aquel de quien se habla. Las personas se llaman, respectivamente, primera, segunda y tercera, y las tres constan de singular y plural. || GRAM. Nombre sustantivo relacionado mediata o inmediatamente con la acción del verbo. || — *grata*. La que se acepta. Dícese más comúnmente en estilo o lenguaje diplomático. || — *paciente*. GRAM. La que recibe la acción del verbo. || *en persona*. m. adv. Por uno mismo o estando presente.

personaje. m. Sujeto de distinción o calidad. || Cada uno de los seres humanos o sobrenaturales ideados por el escritor, y que toman parte en la acción de una obra literaria.

personal (al. *persönlich*, fr. *personnel*, ingl. *personal*, it. *personale*). adj. Perteneciente a la persona. || m. Conjunto de las personas que trabajan en un mismo organismo, dependencia, fábrica, etc.

personalidad (al. *Persönlichkeit*, fr. *personnalité*, ingl. *personnality*, it. *personalità*). f. Diferencia individual que constituye a cada persona y la distingue de otra. || Persona de relieve que destaca en una actividad o en un ambiente social. || DER. Aptitud legal para intervenir en un negocio. [*Sinón.*: particularidad, identidad]

personalizar. tr. Incurrir en personalidades hablando o escribiendo. Ú.t.c.r. || GRAM. Usar como personales algunos verbos que generalmente son impersonales.

personarse. f. Presentarse personalmente en un paraje. [*Sinón.*: comparecer]

personificación. f. Acción y efecto de personificar. || RET. Prosopopeya.

personificar. tr. Atribuir vida, acciones o cualidades propias del ser racional al irracional o a las cosas inanimadas, incorpóreas o abstractas. || Representar en una persona una opinión, sistema, etc. || Representar en los discursos o escritos, bajo alusiones o nombres supuestos, a personas determinadas. Ú.t.c.r.

perspectiva (al. *Pespektive*, fr. *perspective*, ingl. *perspective*, it. *prospettiva*). f. Arte que enseña el modo de representar en una superficie los objetos, en la forma y disposición con que aparecen a la vista. || Obra ejecutada con este arte. || fig. Conjunto de objetos que desde un punto determinado se presentan a la vista del espectador. || fig. Apariencia engañosa de las cosas. || Contingencia que puede preverse. Ú.m. en pl. [*Sinón.*: apariencia, faceta]

perspicacia (al. *Scharfblick*, fr. *perspicacité*, ingl. *perspicacity*, it. *perspicacia*). f. Agudeza y penetración de la vista. || fig. Penetración de genio o entendimiento.

perspicaz. adj. Dícese de la vista, etc., muy aguda. || fig. Aplícase al ingenio agudo y al que lo tiene.

persuadir (al. *uberreden*, fr. *persuader*, ingl. *to persuade*, it. *persuadere*). tr. Inducir, mover, obligar a alguien con razones a creer o hacer una cosa. Ú.t.c.r. [*Sinón.*: convencer]

persuasión. f. Acción y efecto de persuadir o persuadirse. || Aprehensión o juicio que se forma en virtud de un fundamento.

persuasivo, va. adj. Persona que posee dotes para convencer. Ú.t.c.s.

persuasor, ra. adj. Que persuade. Ú.t.c.s.

pertenecer (al. *agehören*, fr. *appartenir*, ingl. *to belong*, it. *appartenere*). intr. Ser propia de alguien una cosa o serle debida. || Ser una cosa del cargo, ministerio u obligación de alguien. || Referirse o hacer relación una cosa a otra, o ser parte integrante de ella. [*Sinón.*: incumbir]

pertenencia. f. Acción o derecho que se tiene a la propiedad de una cosa. || Espacio o término que corresponde a alguien por jurisdicción o propiedad. || Unidad de medida de superficie para las concesiones mineras.

pértiga (al. *Stange*, fr. *perche*, ingl. *pole*, it. *pertica*). f. Vara larga.

pertinacia. f. Obstinación, terquedad o tenacidad en mantener una opinión, una doctrina o la resolución que se ha tomado. || fig. Gran duración o persistencia.

pertinaz (al. *hartnäcking*, fr. *pertinace*, ingl. *pertinacious*, it. *pertinace*). adj. Obstinado, terco, o muy tenaz en su dictamen o resolución. || fig. Muy duradero o persistente.

pertinente. adj. Perteneciente a una cosa. || Dícese de lo que viene a propósito. [*Sinón.*: conveniente]

pertrechar. tr. Abastecer de pertrechos. || fig. Disponer o preparar lo necesario para la ejecución de una cosa. Ú.t.c.r. [*Sinón.*: proveer]

pertrechos. m. pl. Municiones, armas y demás instrumentos, máquinas, etc., necesarios para el ejército. || Instrumentos necesarios para cualquier operación.

perturbación. f. Acción y efecto de perturbar o perturbarse. [*Sinón.*: alteración, trastorno]

perturbar (al. *stören*, fr. *troubler*, ingl. *to disturb*, it. *perturbare*). tr. Inmutar, trastornar el orden y concierto de las cosas o su quietud y sosiego. Ú.t.c.r. || r. Perder el juicio una persona. [*Sinón.*: inquietar. *Antón.*: tranquilizar]

peruanismo. m. Vocablo, giro o modo de hablar propio de los peruanos.

peruano, na. adj. Natural del Perú. Ú.t.c.s. || Perteneciente o relativo a este país de Sudamérica.

perversidad (al. *Verderbtheit*, fr. *perversité*, ingl. *perversity*, it. *perversità*). f. Suma maldad o corrupción de las costumbres o de la calidad o estado debidos.

perversión. f. Acción de pervertir o pervertirse. || Estado de error o corrupción de costumbres. [*Sinón.*: depravación]

perverso, sa (al. *ruchlos*, fr. *pervers*, ingl. *wicked*, it. *perverso*). adj. Sumamente malo, depravado en las costumbres u obligaciones de su estado. Ú.t.c.s. [*Sinón.*: infame, retorcido]

pervertir. tr. Perturbar el orden establecido de las cosas. || Viciar con malas doctrinas o ejemplos las costumbres, la fe, el gusto, etc. Ú.t.c.r. [*Sinón.*: depravar. *Antón.*: purificar]

pervivir. intr. Seguir viviendo a pesar de las dificultades y del transcurso del tiempo.

pesa (al. *Gewicht*, fr. *poids*, ingl. *weight*, it. *peso*). f. Pieza de determinado peso que sirve para cerciorarse del que tienen las cosas. || Pieza de peso suficiente que, colgada de una cuerda se emplea para dar movimiento a ciertos relojes, o de contrapeso en algunas suspensiones.

pesada. f. Cantidad que se pesa de una vez.

pesadez. f. Calidad de pesado. || Pesantez. || fig. Obesidad. || fig. Terquedad o impertinencia del que es de suyo molesto. || fig. Cargazón, exceso, duración desmedida. || fig. Molestia, trabajo, fatiga. [*Antón.*: ligereza, levedad]

pesadilla (al. *Alp*, fr. *cauchemar*, ingl. *nightmare*, it. *incubo*). f. Opresión del corazón y dificultad de respirar durante el sueño. || Ensueño angustioso y tenaz. || fig. Preocupación grave y continua que en el ánimo causa la resolución de un asunto importante o el peligro inminente o el temor de alguna adversidad.

pesado, da. adj. Que pesa mucho. || fig. Obeso. || fig. Intenso, profundo, dicho del sueño. || fig. Cargado de sopores o de humores. || fig. Molesto. || fig. Ofensivo, sensible. || Duro, insufrible, fuerte, violento o dañoso. [*Antón.*: leve, ligero, liviano]

pesadumbre. f. Molestia o desazón, sentimiento y disgusto. || Motivo del pesar. || Riña con uno, que ocasiona disgusto. [*Sinón.*: desazón, pesar]

pésame (al. *Beileid*, fr. *condoléance*, ingl. *condolence*, it. *condoglianza*). m. Expresión con que se significa a alguien el sentimiento con que se comparte su pena o aflicción. [*Sinón.*: condolencia]

pesantez. f. Fuerza de gravedad de la Tierra.

pesar (al. *Kummer*, fr. *chagrin*, ingl. *grief*, it. *dispiacere*). m. Sentimiento o dolor interior que molesta y fatiga el ánimo. || Dicho o hecho que causa sentimiento o disgusto. || Arrepentimiento o dolor de los pecados o de otra cosa mal hecha. || *a pesar* o *a pesar de.* m. adv. Contra la voluntad o gusto de las personas y, por ext., contra la fuerza y resistencia de las cosas.

pesar. intr. Tener gravedad o peso. || Tener demasiado peso. || Tener una cosa estimación o valor, ser digna de mucho aprecio. || fig. Causar un hecho o dicho arrepentimiento o dolor. || fig. Hacer fuerza en el ánimo la razón o el motivo de una cosa. || Determinar el peso de una cosa por medio de la balanza. || tr. Examinar con atención o considerar con prudencia las razones de una cosa para hacer juicio de ella. || *mal que* me, te, le, nos, os, les *pese.* loc. adv. Mal de mi, de tu, de su, de nuestro, de vuestro grado. || *pese a.* loc. adv. A pesar. || *pese a quien pese.* fig. A pesar de todos los obstáculos o daños resultantes.

pesaroso, sa. adj. Sentido o arrepentido de lo que se ha dicho o hecho. ||

Que por causa ajena tiene pesadumbre o sentimiento. [*Sinón.*: afligido]

pesca (al. *Fischfang*, fr. *pêche*, ingl. *fishing*, it. *pesca*). f. Acción y efecto de pescar. || Lo que se pesca o se ha pescado. || Oficio o arte de pescar. || — *costera.* La que se efectúa por embarcaciones de tamaño mediano a una distancia máxima de sesenta millas del litoral. || — *de altura.* La que se efectúa en aguas relativamente cercanas al litoral. || — *de bajura.* La que se efectúa por pequeñas embarcaciones en las proximidades de la costa. || — *de gran altura.* La que se efectúa en aguas muy retiradas en cualquier lugar del océano. || — *litoral.* Pesca costera.

pescada. f. Merluza, pez.

pescadería (al. *Fischeladen*, fr. *poissonerie*, ingl. *fishmonger*, it. *pescheria*). f. Establecimiento donde se vende pescado.

pescadero, ra. s. Persona que vende pescado, en especial al por menor.

pescadilla. f. Variedad de merluza pequeña.

pescado (al. *Fisch*, fr. *poisson*, ingl. *fish*, it. *pesce*). m. Pez comestible sacado del agua.

pescador, ra (al. *Fischer*, fr. *pêcheur*, ingl. *fisher*, it. *pescatore*). adj. Que pesca, por oficio o diversión. Ú.t.c.s.

pescar (al. *fischen*, fr. *pêcher*, ingl. *to fish*, it. *pescare*). tr. Coger peces con redes, cañas u otros instrumentos a propósito. || fig. y fam. Coger, agarrar o tomar cualquier cosa. || fig. y fam. Coger a alguien en un renuncio por sus palabras o hechos cuando no lo esperaba o estaba desprevenido.

pescante. m. Pieza saliente de madera o hierro sujeta a una pared, a un poste o al costado de un buque, etc., y que sirve para sostener de ella alguna cosa. || Brazo de una grúa. || En los vehículos de tracción animal, asiento exterior desde donde el cochero o conductor gobierna los caballos o las mulas. || Delantera del automóvil desde donde lo gobierna el conductor. || En los teatros, tramoya que sirve para hacer subir o bajar en el escenario personas o figuras.

pescozón. m. Golpe que se da con las manos en la cabeza.

pescuezo. m. Parte del cuerpo del animal desde la nuca hasta el tronco. [*Sinón.*: cuello, garganta]

pesebre. m. Cajón donde comen las bestias. || Establo. Belén.

peseta. f. Unidad monetaria española. || pl. fam. Dinero, riqueza.

pesetero, ra. adj. despect. Se dice de lo que cuesta o vale una peseta. || Dícese de la persona que sólo busca la ganancia, que le gusta mucho el dinero.

pesimismo (al. *Pessimismus*, fr. *pessimisme*, ingl. *pessimism*, it. *pessimismo*). m. Propensión a ver y juzgar las cosas en su aspecto más desfavorable.

pesimista. adj. Aplícase a quien ve siempre las cosas por el lado más desfavorable. Ú.t.c.s. [*Antón.*: optimista]

pésimo, ma. adj. sup. de malo. Sumamente malo.

peso (al. *Gewicht*, fr. *poids*, ingl. *weight*, it. *peso*). m. Pesantez o gravedad de la Tierra. || Fuerza de gravitación universal ejercida sobre la materia. || El que por ley o convenio debe tener una cosa. || El de la pesa o conjunto de pesas que se necesitan para equilibrar en la balanza un cuerpo determinado. || Pesa del reloj. || Unidad monetaria de varios países americanos. || fig. Entidad, sustancia e importancia de una cosa. || fig. Fuerza y eficacia de las cosas no materiales. || fig. Pesadumbre, dolor. || — *bruto.* El total, incluso la tara. || — *corrido.* Peso algo mayor que el justo. || — *muerto.* MAR. Máxima carga de un barco mercante, expresada en toneladas métricas. || — *neto.* Diferencia entre el bruto y la tara. || *caerse* una cosa *de su peso.* fig. con que se denota su mucha razón o la evidencia de su verdad. || *de peso.* loc. adj. Con el peso cabal que debe tener una cosa por su ley, o una persona juiciosa y sensata.

pespunte. m. Labor de costura, con puntas unidas, que se hacen volviendo la aguja hacia atrás después de cada punto, para meter la hebra en el mismo sitio por donde pasó antes.

pesquero, ra. adj. Que pesca. Aplícase a las embarcaciones y a las industrias relacionadas con la pesca. || m. Barco pesquero.

pesquisa. f. Información o indagación que se hace de una cosa para averiguar la realidad de ella o sus circunstancias. [*Sinón.*: investigación]

pestaña (al. *Augenwimper*, fr. *cil*, ingl. *eyelash*, it. *ciglio*). f. Cada uno de los pelos que hay en los bordes de los párpados para proteger los ojos. || Adorno angosto que se pone al canto de las telas o vestidos, de fleco, encaje o cosa semejante, que sobresale algo. || Parte saliente y angosta en el borde de alguna cosa.

pestañear. intr. Mover los párpados. [*Sinón.*: parpadear]

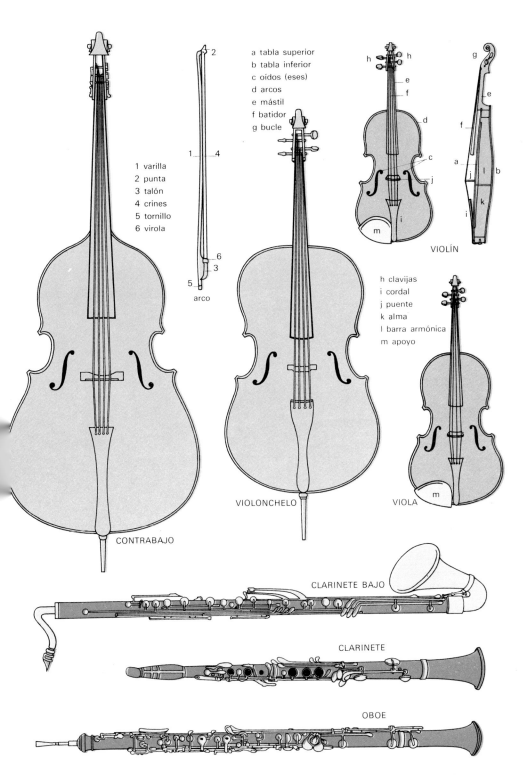

a tabla superior
b tabla inferior
c oídos (eses)
d arcos
e mástil
f batidor
g bucle

1 varilla
2 punta
3 talón
4 crines
5 tornillo
6 virola

arco

h clavijas
i cordal
j puente
k alma
l barra armónica
m apoyo

VIOLÍN

CONTRABAJO

VIOLONCHELO

VIOLA

CLARINETE BAJO

CLARINETE

OBOE

ORQUESTA

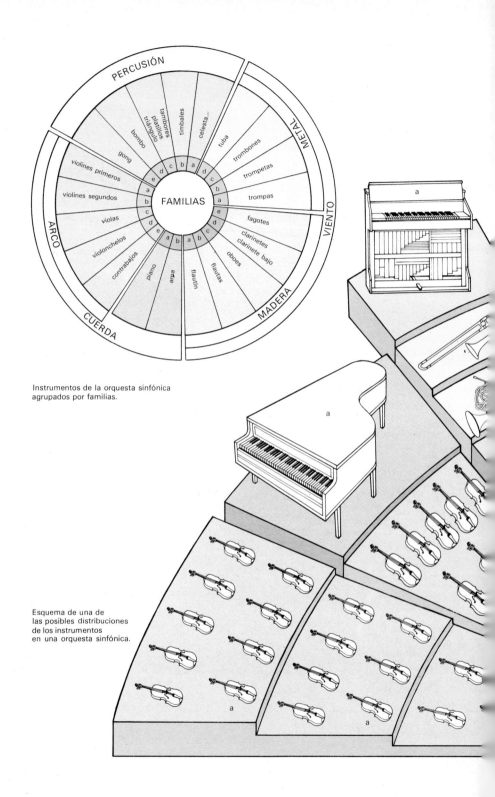

PERCUSIÓN

tambores
platillos
triángulo
bombo

timbales
celesta

gong

tuba
trombones

violines primeros

trompetas

METAL

violines segundos

trompas

ARCO

violas

fagotes

VIENTO

violonchelos

clarinetes
clarinete bajo

contrabajos

oboes

FAMILIAS

piano
arpa

flautín
flautas

CUERDA

MADERA

a

a

a

a

Instrumentos de la orquesta sinfónica
agrupados por familias.

Esquema de una de
las posibles distribuciones
de los instrumentos
en una orquesta sinfónica.

INSTRUMENTOS DE
LA ORQUESTA SINFÓNICA

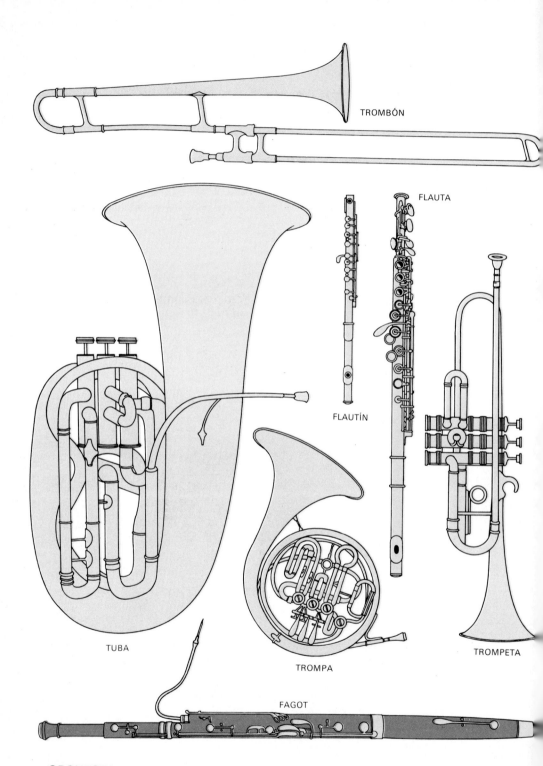

TROMBÓN

FLAUTA

FLAUTÍN

TUBA

TROMPA

TROMPETA

FAGOT

ORQUESTA

pestañeo. m. Movimiento rápido y repetido de los párpados.

peste (al. *Pest*, fr. *peste*, ingl. *plague*, it. *peste*). f. Enfermedad contagiosa y grave que causa gran mortandad en los hombres o animales. || Mal olor. || fig. Cualquier cosa mala o de mala calidad en su línea, o que puede ocasionar daño grave. || fig. Corrupción de las costumbres y desórdenes de los vicios, por la ruina escandalosa que ocasionan. || pl. Palabras de enojo o amenaza y execración.

pestífero, ra. adj. Que puede ocasionar peste o daño grave. || Que tiene muy mal olor.

pestilencia. f. Peste, mal olor. [*Sinón.*: fetidez. *Antón.*: fragancia]

pestilente. adj. Que origina peste. || Que da mal olor.

pestillo (al. *Riegel*, fr. *pêne*, ingl. *latch*, it. *stanghetta*). m. Pasador con que se asegura una puerta corriéndolo a manera de cerrojo. || Pieza prismática que, por la acción de la llave o a impulso de un muelle, sale de la cerradura y entra en el cerradero.

pesuño. m. Cada uno de los dedos, cubierto por su uña, de los animales de pata hendida.

petaca. f. Estuche de cuero, metal u otra materia adecuada, que sirve para llevar cigarros o tabaco picado.

pétalo (al. *Blumenblatt*, fr. *pétale*, ingl. *petal*, it. *petalo*). m. BOT. Cada una de las hojas estériles que forman la corola de una flor.

petanca. f. Juego de bochas.

petardo (al. *Knallkapsel*, fr. *pétard*, ingl. *firecraker*, it. *petardo*). m. Artefacto explosivo que se emplea para hacer saltar un obstáculo, una roca, etc. || Cartucho de cartón lleno de pólvora comprimida, que estalla ruidosamente al encenderse la mecha de que está provisto.

petate. m. Esterilla de palma, que se usa en los países cálidos para dormir sobre ella. || fam. Equipaje de cualquiera de las personas que van a bordo de un buque. || En los establecimientos militares, disposición especial del menaje de cama durante el día. || *liar uno el petate.* fig. y fam. Mudar de vivienda, especialmente cuando es despedido.

petenera. f. Aire popular parecido a la malagueña, con que se cantan coplas de cuatro versos. || *salir por peteneras.* fig. y fam. Hacer o decir alguna cosa fuera de propósito.

petición. f. Acción de pedir. || Cláu-

sula u oración con que se pide o solicita algo. [*Sinón.*: pedido, súplica. *Antón.*: mandato]

peticionario, ria. adj. Que pide o solicita oficialmente una cosa. Ú.t.c.s.

petimetre, tra. s. Persona que cuida en exceso de su compostura y de vivir a la moda. [*Sinón.*: pisaverde, lechuguino]

petirrojo (al. *Rotkehlchen*, fr. *rouge-gorge*, ingl. *redbreast*, it. *pettirosso*). m. ZOOL. Pájaro de pequeño tamaño, de color rojo vivo y uniforme, excepto las partes superiores, oliváceas y las inferiores, blancas.

petiso, sa. adj. y s. *Amer.* Petizo.

petitorio, ria. adj. Dícese de lo perteneciente o relativo a la petición o súplica, o que la contiene. || m. FARM. Relación de los medicamentos que pueden solicitarse en una farmacia o entidad aseguradora.

petizo, za. adj. *Amer.* Pequeño, bajo, de poca altura, estatura o alzada. || m. *Amer.* Caballo de poca alzada. || s. *Amer.* Persona de baja estatura.

peto. m. Armadura del pecho. || Parte opuesta a la pala y en el otro lado del ojo que tienen algunas herramientas. || ZOOL. Parte inferior de la coraza de los quelonios.

petral. m. Correa o faja que, asida por ambos lados a la parte delantera de la silla de montar, ciñe y rodea el pecho de la cabalgadura.

petrel. m. ZOOL. Ave palmípeda del tamaño de una alondra, común en todos los mares, donde se la ve a enormes distancias de la tierra, nadando en las crestas de las olas, para coger los huevos de los peces, moluscos y crustáceos con que se alimenta.

pétreo, a. adj. De piedra, roca o peñasco. || Pedregoso, cubierto de muchas piedras. || De la calidad de la piedra.

petrificación. f. Acción y efecto de petrificar o petrificarse.

petrificar (al. *versteinern*, fr. *pétrifier*, ingl. *to petrify*, it. *pietrificare*). tr. Transformar o convertir en piedra, o endurecer una cosa de modo que lo parezca. Ú.t.c.r. || fig. Dejar a uno inmóvil de asombro.

petróleo (al. *Erdöl*, fr. *pétrole*, ingl. *petroleum*, it. *petrolio*). m. Líquido natural oleaginoso e inflamable, cuyo color puede variar desde el negro hasta ser casi incoloro. Se encuentra nativo en el interior de la tierra y, a veces, forma grandes manantiales. Consiste en una mezcla de hidrocarburos con

pequeñas cantidades de otros materiales. || Queroseno.

petrolero, ra. adj. Perteneciente o relativo al petróleo. || Dícese de la persona incendiaria en el aspecto político. Ú.t.c.s. || m. Buque aljibe destinado al transporte de petróleo..

petrolífero, ra. adj. Que contiene petróleo.

petulancia. f. Insolencia, atrevimiento o descaro. || Vana y ridícula presentación. [*Antón.*: modestia, corrección]

petulante. adj. Insolente, descarado. Ú.t.c.s.

petunia (al. *Petunie*, fr. *pétunia*, ingl. *petunia*, it. *petunia*). f. BOT. Planta solanácea, muy ramosa, con las hojas aovadas y las flores grandes, olorosas y de color blanquecino.

peyorativo, va. adj. Que empeora. Dícese principalmente de los conceptos morales.

pez (al. *Fisch*, fr. *poisson*, ingl. *fish*, it. *pesce*). m. ZOOL. Animal vertebrado acuático, de respiración branquial y temperatura variable, con extremidades en forma de aletas aptas para la natación, piel cubierta por lo común de escamas; generación ovípara. En estado embrionario carece de amnios y alantoides. || Pescado de río. || pl. ZOOL. Clase de los peces. || — *gordo.* Persona de mucha importancia o muy acaudalada. || *estar uno como pez en el agua.* fig. y fam. Disfrutar comodidades y conveniencias. || *estar uno pez en alguna materia.* fig. y fam. Ignorarla por completo.

pez (al. *Peche*, fr. *poix*, ingl. *pitch*, it. *pece*). f. Sustancia resinosa, sólida, lustrosa, quebradiza y de color amarillento, que se obtiene echando en agua fría el residuo que deja la trementina al acabar de sacarle el aguarrás. || Excremento de los niños recién nacidos.

pezón (al. *Brustwarze*, fr. *téton*, ingl. *nipple*, it. *capezzolo*). m. BOT. Ramita que sostiene la hoja, la inflorescencia o el fruto de las plantas. || Botoncito que sobresale en los pechos o tetas de las hembras, por donde los hijos chupan leche. || fig. Parte saliente de ciertas frutas, como el limón, así llamada porque semeja el pezón de las hembras.

pezuña (al. *Klaue*, fr. *sabot*, ingl. *hoof*, it. *unghia*). f. Conjunto de los pesuños de una misma pata en los animales de pata hendida.

phi. f. Vigésima primera letra del alfabeto griego, que se pronuncia *fi*.

pi. f. Decimosexta letra del alfabeto griego. Su signo gráfico es π. || MAT.

Constante que expresa la razón entre la longitud de una circunferencia y su diámetro.

piadoso, sa (al. *mild,* fr. *pieux,* ingl. *pious,* it. *pio*). adj. Benigno, blando, misericordioso, que se inclina a la piedad y conmiseración. ‖ Aplícase a las cosas que mueven a compasión o se originan en ella. ‖ Religioso, devoto.

piafar. intr. Alzar el caballo una u otra mano, dejándolas caer con fuerza y rapidez en el mismo sitio en que estaban asentadas.

piamadre. f. Zool. Meninge interna de las tres que tienen los batracios, reptiles, aves y mamíferos.

piamontés, sa. adj. Natural del Piamonte. Ú.t.c.s. ‖ Perteneciente a esta región de Italia.

pianista. com. Fabricante de pianos. ‖ Persona que los vende. ‖ Persona que profesa o ejercita el arte de tocar este instrumento.

piano (al. *Klavier,* fr. *piano,* ingl. *piano,* it. *pianoforte*). m. Mús. Instrumento musical de teclado y percusión, con cuerdas metálicas ordenadas en una caja sonora. ‖ Mús. Voz italiana para indicar que debe darse un tempo suave y delicado a un determinado fragmento.

pianola. f. Piano que puede tocarse mecánicamente por medio de pedales o de corriente eléctrica. ‖ Aparato que se une al piano y sirve para ejecutar mecánicamente piezas preparadas al efecto.

piar (al. *piepen,* fr. *piauler,* ingl. *to peen,* it. *pigolare*). intr. Emitir algunas aves, y especialmente el pollo, cierto género de sonido o voz. ‖ fig. y fam. Llamar, clamar con anhelo, deseo e insistencia por una cosa.

piara. f. Manada de cerdos, y por ext., la de mulas, yeguas, etc.

piastra. f. Moneda de plata, de valor variable según los países que la usan.

pibe, ba. s. *Amer.* Chiquillo.

pica. f. Antigua lanza de grandes dimensiones. ‖ Garrocha del picador de toros. ‖ Escoda que usan los canteros para labrar piedra no muy dura. ‖ Uno de los palos de la baraja francesa. Ú.m. en pl.

picacho. m. Punta aguda que tienen algunos montes y riscos.

picada. f. Picotazo, picadura, punzada.

picadero. m. Sitio donde los picadores adiestran a los caballos, y donde también se aprende a montarlos.

picadillo. m. Guisado que se hace picando carne cruda con tocino, verduras y ajos. ‖ Lomo de cerdo, picado, que se adoba para hacer chorizos.

picador. m. El que tiene el oficio de domar y adiestrar caballos. ‖ Torero de a caballo que pica con garrocha a los toros. ‖ Tajo de cocina. ‖ En minería, el que tiene por oficio arrancar el mineral por medio del pico u otro instrumento semejante.

picadura (al. *Stich,* fr. *piqûre,* ingl. *sting,* it. *puntura*). f. Acción y efecto de picar una cosa. ‖ Pinchazo. ‖ Mordedura o punzada. ‖ Tabaco picado. ‖ Principio de caries en la dentadura.

picajoso, sa. adj. Que fácilmente se pica o da por ofendido. Ú.t.c.s.

picante (al. *pikant,* fr. *piquant,* ingl. *piquant,* it. *pungente*). adj. Que pica. ‖ fig. Aplícase a lo dicho con cierta acrimonia o mordacidad, o a lo que expresa ideas o conceptos un tanto libres. ‖ m. Acerbidad o acrimonia que tienen algunas cosas, que avivan el sentido del gusto. [*Sinón.:* cáustico, sazonado. *Antón.:* soso]

picapedrero. m. Cantero, el que labra las piedras.

picapleitos. m. fam. Pleitista. ‖ fam. Abogado sin pleitos, que los busca. ‖ fam. Abogado mediocre.

picaporte (al. *Tüklopfer,* fr. *heurtoir,* ingl. *knocker,* it. *battente*). m. Llamador, aldaba. ‖ Instrumento para cerrar de golpe las puertas y ventanas. ‖ Llave con que se abre el picaporte.

picar (al. *junken,* fr. *heurtoir,* ingl. *to itch,* it. *prudere*). tr. Herir leve y superficialmente con instrumento punzante. ‖ Taurom. Herir el picador al toro en el morrillo con la garrocha, procurando detenerlo cuando va a arremeter al caballo. ‖ Punzar o morder las aves, los insectos y ciertos reptiles. ‖ Cortar o dividir en trozos muy menudos. ‖ Tomar las aves la comida con el pico. ‖ Morder el pez el cebo puesto en el anzuelo para pescarlo, y por ext., acudir a un engaño o caer en él. ‖ Causar o producir comezón o escozor en alguna parte del cuerpo. Ú.t.c. intr. ‖ Enardecer el paladar ciertas cosas excitantes, como la pimienta, la guindilla, etc. Ú.t.c. intr. ‖ Avivar con la espuela a la cabalgadura, espolear. ‖ Adiestrar el picador al caballo. ‖ Llamar a la puerta. ‖ En los ferrocarriles, taladrar el revisor los billetes. ‖ Golpear con herramienta adecuada la superficie de las piedras para labrarlas. ‖ Enojar o provocar a otro con palabras o acciones. ‖ Mús. Hacer sonar una nota de manera muy

clara, dejando un cortísimo silencio que la desligue de la siguiente. ‖ intr. Calentar mucho el sol. ‖ Experimentar cierto ardor, escozor o desazón alguna parte del cuerpo. ‖ Tomar una ligera porción de un manjar o cosa comestible. ‖ r. Agujerearse la ropa por la acción de la polilla. ‖ Agitarse la superficie del mar, formando olas pequeñas. ‖ fig. Dejarse llevar por la vanidad, creyendo poder ejecutar lo mismo o más que otro. [*Sinón.:* pinchar, incitar, desazonar]

picardía (al. *Arglist,* fr. *coquinerie,* ingl. *knavery,* it. *furbería*). f. Acción baja, ruindad, vileza, engaño o maldad. ‖ Bellaquería, astucia o disimulo. ‖ Travesura. ‖ Intención o acción deshonesta o impúdica. ‖ pl. Dichos injuriosos, denuestos.

picaresco, ca. adj. Perteneciente o relativo a los pícaros. ‖ Aplícase a las producciones literarias en que se pinta la vida de los pícaros y a este género de literatura. Ú.t.c.s.f.

pícaro, ra (al. *arglistig,* fr. *coquin,* ingl. *knavish,* it. *furbo*). adj. Bajo, ruin, falto de honra y vergüenza. Ú.t.c.s. ‖ fig. Dañoso y malicioso en su línea. ‖ m. Tipo de persona descarada, traviesa, bufona y de mal vivir, personaje de algunos clásicos de la literatura española.

picatoste. m. Rebanadilla de pan tostado con manteca o frita.

picaza. f. Urraca.

picazón. f. Desazón y molestia que causa una cosa que pica en alguna parte del cuerpo. ‖ fig. Enojo, desabrimiento o disgusto. [*Sinón.:* comezón]

picnic (voz inglesa). m. Excursión campestre en la que se come al aire libre.

pico (al. *Schnabel,* fr. *bec,* ingl. *bill,* it. *becco*). m. Parte saliente de la cabeza de las aves, compuesta de dos piezas córneas, una superior y otra inferior, que terminan generalmente en punta y les sirven para tomar el alimento. ‖ Parte puntiaguda que sobresale en la superficie o en el borde o límite de una cosa. ‖ Herramienta de cantero, con dos puntas opuestas aguzadas y enastada en un mango largo de madera, que sirve principalmente para desbastar la piedra. ‖ Herramienta formada por una barra de acero, encorvada, aguda por un extremo y con un ojo en el otro para enastarla en un mango de madera. Es muy usada para cavar tierras duras. ‖ Punta acanalada que tienen en el borde algunas vasijas, para que se vierta con facilidad el líquido que contengan. || Cúspide aguda de una montaña. || Parte pequeña en que una cantidad excede a un número redondo. || fig. y fam. Boca de una persona. || ZOOL. Órgano chupador de los hemípteros.

picor. m. Escozor que resulta en el paladar por haber comido una cosa picante. || Picazón, desazón que produce en el cuerpo algo que pica.

picota. f. Rollo o columna donde se exponían los reos o las cabezas de los ajusticiados. [*Sinón.*: suplicio]

picotazo. m. Golpe que dan las aves con el pico, o punzada repentina y dolorosa de un insecto. || Señal que queda de ellos.

picotear. tr. Golpear o herir las aves con el pico. || intr. fig. Mover continuamente la cabeza el caballo. || fig. Hablar mucho y de cosas inútiles e insustanciales.

picotero, ra. adj. fam. Que habla mucho y sin sustancia ni razón, o dice lo que debía callar. Ú.t.c.s.

pictografía. f. Escritura ideográfica que consiste en dibujar toscamente los objetos que han de explicarse con palabras.

pictórico, ca. adj. Perteneciente o relativo a la pintura. || Adecuado para ser representado en pintura.

picudo, da. adj. Que tiene pico. || Que tiene hocico. || fig. y fam. Dícese de la persona que habla mucho y sin sustancia. || m. Asador, espetón.

picha. f. Pene, miembro viril.

pichel. m. Vaso alto y redondo, ordinariamente de estaño, algo más ancho del fondo que de la boca y con su tapa engoznada en el remate del asa.

pichón. m. Pollo de la paloma casera.

pie (al. *Fuss*, fr. *pied*, ingl. *foot*, it. *piede*). m. Extremidad de cualquiera de los dos miembros inferiores del hombre que sirve para sostener el cuerpo y andar. || Parte análoga en muchos animales. || Base en que se apoya alguna cosa. || Tallo de las plantas y tronco del árbol. || La planta entera. || Poso, hez, sedimento. || Masa cilíndrica de uva pisada que se coloca debajo de la prensa para exprimirla y sacar el mosto. || Palabra con que termina lo que dice un personaje en una representación dramática, cada vez que a otro le toca hablar. || Nombre o título de una persona o corporación a que se dirige un escrito y que se pone en el pie de éste. || Explicación o comentario breve que se

pone debajo de un grabado. || En las medias, calcetas o botas, parte que cubre el pie. || Cada uno de los metros que se usan para versificar. || Regla, planta, uso o estilo. || Parte, especialmente la primera, sobre la que se forma una cosa. || Ocasión o motivo de hacerse o decirse una cosa. || Unidad de longitud usada en muchos países aunque con diferente valor en cada uno de ellos. || *a pie firme*. Sin moverse o apartarse del sitio que se ocupaba. || *a pies juntillas*. m. adv. En sent. fig. firmemente, con gran porfía o terquedad. || *al pie*. m. adv. Cercano, próximo, inmediato a una cosa. || *al pie de la letra*. m. adv. Literalmente. || *buscar uno cinco, o tres, pies al gato*. fig. y fam. Empeñarse temerariamente en cosas que pueden hacerle daño. || *cojear uno del mismo pie que* otro. fig. y fam. Adolecer del mismo vicio o defecto que él. || *con buen pie*. m. adv. fig. Con felicidad, con dicha. || *con pies de plomo*. m. adv. fig. y fam. Con cautela. || *dar pie*. fig. Ofrecer ocasión o motivo para una cosa. || *de pies a cabeza*. m. adv. Enteramente. || *entrar con buen pie*, o *con el pie derecho*. fig. Empezar acertadamente una cosa o negocio. || *estar uno al pie del cañón*. loc. fam. No desatender un deber u ocupación. || *hacer algo con los pies*. fig. Hacerlo mal. || *no dar uno pie con bola*. loc. fig. Atolondrarse, no acertar. || *no tener una cosa pies ni cabeza*. fig. y fam. No tener orden ni concierto. || *parar los pies a uno*. Detener su acción. || *poner los pies en polvorosa*. fig. y fam. Huir, escapar. || *saber de qué pie cojea* uno. fig. y fam. Conocer a fondo sus vicios y defectos.

piedad (al. *Frömmigkeit*, fr. *piété*, ingl. *piety*, it. *pietà*). f. Virtud que inspira, por el amor a Dios, devoción a las cosas santas, y por amor al prójimo, actos de abnegación y compasión. || Lástima, misericordia, compasión. [*Sinón.*: clemencia. *Antón.*: crueldad]

piedra (al. *Stein*, fr. *pierre*, ingl. *stone*, it. *pietra*). f. Sustancia mineral, más o menos dura o compacta, que no es terrosa ni de aspecto metálico. || Piedra labrada con alguna inscripción o figura. || Cálculo de la orina. || Granizo grueso. || Pedernal de las armas de chispa. || Aleación de hierro y cerio empleada para producir la chispa en los encendedores de bolsillo. || Muela de molino. || — *angular*. La que en los edificios hace esquina, juntando o sosteniendo dos paredes. || fig. Base y fundamento

principal de una cosa. || — *de chispa*. Pedernal. || — *de toque*. fig. Lo que conduce al conocimiento de la bondad o maldad de una cosa. || — *filosofal*. La materia con la que los alquimistas pretendían hacer oro artificialmente. || — *pómez*. Piedra volcánica, esponjosa, frágil, de color agrisado, que es muy usada para desgastar y pulir. || — *preciosa*. La fina, dura, rara que tallada se emplea en adornos de lujo. || *poner la primera piedra*. fig. y fam. Dar principio a una cosa o negocio. || *tirar uno piedras sobre su propio tejado*. fig. y fam. Conducirse de modo perjudicial a sus propios intereses.

piel (al. *Haut*, fr. *peau*, ingl. *skin*, it. *pelle*). f. Cuero curtido de modo que conserve por fuera su pelo natural. || ZOOL. Tegumento extendido sobre todo el cuerpo del animal. || BOT. Parte exterior que cubre la pulpa de ciertas frutas, como ciruelas, peras, etc. || — *roja*. Indio de América del Norte. || *ser uno de la piel del diablo*. fig. y fam. Ser muy travieso.

piélago. m. Parte del mar que dista mucho de la tierra. || fig. Lo que por su abundancia es dificultoso de enumerar y contar.

pienso. m. Porción de alimento seco que se da al ganado. || En general, alimento para el ganado.

pierna (al. *Bein*, fr. *jambe*, ingl. *leg*, it. *gamba*). f. En las personas, parte del miembro inferior comprendida entre la rodilla y el pie. || Por ext., todo el miembro inferior. || Muslo de los cuadrúpedos y aves. || En el arte de escribir, trazo que en algunas letras, como la M y la N, va de arriba abajo. || pl. usado como sing. m. Títere, persona sin autoridad ni relieve. || *a pierna suelta*, o *tendida*. m. adv. fig. y fam. con que se explica que uno posee, goza o disfruta una cosa con quietud y sin cuidado. || *estirar las piernas*. fig. y fam. Ir a pie por distracción o ejercicio, pasear. [*Sinón.*: extremidad, pata]

pieza (al. *Stück*, fr. *pièce*, ingl. *piece*, it. *pezzo*). f. Pedazo de una cosa. || Moneda de metal. || Alhaja, herramienta, utensilio o mueble trabajados con arte. || Cada una de las partes que suelen componer un artefacto. || Porción de tejido que se fabrica de una vez. || Cualquier sala o aposento de una casa. || Animal de caza o pesca. || Figura de madera, marfil u otra materia que sirve para jugar a las damas, ajedrez, etc. || Obra dramática, con la particularidad de no tener más que un acto. || Composición suelta de música vocal o instrumental. || — *eclesiástica*. Beneficio, emolumentos y derechos que goza. || *quedarse uno de una pieza* o *hecho una pieza*. fig. y fam. Quedarse sorprendido, suspenso o admirado por haber visto u oído una cosa extraordinaria o no esperada. [*Sinón*.: trozo, pedazo, habitación, cuarto]

pífano. m. Mús. Flautín de tono muy agudo, usado en las bandas militares. || Persona que toca este instrumento.

pifia. f. Golpe en falso que se da con el taco en la bola de billar. || fig. y fam. Error, descuido, dicho desacertado.

pifiar. intr. Hacer que se oiga demasiado el soplo del que toca la flauta travesera. || tr. fig. Hacer una pifia.

pigmentación. f. Fisiol. Coloración del cuerpo, o de parte de él, debida al depósito de cualquier pigmento.

pigmento (al. *Pigment*, fr. *pigment*, ingl. *pigment*, it. *pigmento*). m. Biol. Sustancia colorante de composición compleja y de origen orgánico que se encuentra en las células o en los tejidos orgánicos animales o vegetales.

pigmeo, ea (al. *Pygmäe*, fr. *pygmée*, ingl. *pygmy*, it. *pigmeo*). adj. Aplícase a ciertos pueblos negros de África y a sus miembros. Son los pueblos de estatura más baja del mundo, tienen el cabello rojizo y la piel de un color que oscila entre el pardo rojizo y el oscuro. || fig. Muy pequeño. Aplicado a personas, ú.t.c.s.

pignorar. tr. Empeñar, dar en prenda.

pijada. f. vulg. Cosa insignificante. || Dicho o hecho inoportuno, impertinente o molesto.

pijama (al. *Schlafanzug*, fr. *pyjama*, ingl. *pyjama*, it. *pigiama*). m. Traje ligero y de tela lavable compuesto de chaqueta o blusa y pantalón, que se usa sobre todo para dormir.

pijo, ja. s. Pene, miembro viril. || m. cosa insignificante, nadería.

pila (al. *Wassertrog*, fr. *auge*, ingl. *trough*, it. *pila*). f. Pieza grande de piedra o de otra materia, cóncava y profunda, donde cae o se echa agua para varios usos. || Pieza de piedra cóncava que hay en las iglesias parroquiales para administrar el sacramento del bautismo. || Montón, rimero, o cúmulo que se hace poniendo una sobre otra las piezas o porciones de que consta una cosa. || Fís. Generador de corriente eléctrica continua, que utiliza la energía de una reacción química.

pilar (al. *Wegestein*, fr. *pilier*, ingl. *pillar*, it. *piliere*). m. Hito o mojón que se pone para señalar los caminos. || Arq. Especie de pilastra que se pone aislada en los edificios o sirve para sostener otra fábrica o armazón cualquiera. [*Sinón*.: columna]

pilastra (al. *Wandpfeiler*, fr. *pilastre*, ingl. *pilaster*, it. *pilastro*). f. Columna cuadrada.

píldora (al. *Pille*, fr. *pilule*, ingl. *pill*, it. *pillola*). f. Farm. Bolita que se hace mezclando un medicamento con un excipiente. || *dorar la píldora*. fig. y fam. Suavizar con engaño la mala noticia que se le da a uno. [*Sinón*.: comprimido, gragea]

píleo. m. Capelo de los cardenales.

pileta. f. Pila pequeña que suele haber en las casas para tomar agua bendita. || *Amer*. Pila de cocina o de lavar. || *Amer*. Abrevadero. || *Amer*. Piscina.

pilón. m. aum. de pila. || Receptáculo de piedra que se construye en las fuentes para que, cayendo el agua en él, sirva de abrevadero, lavadero y otros usos. || Especie de mortero de madera o metal para majar granos u otras cosas. || Pesa movible que pende del brazo mayor del astil de la romana. || Montón de tabaco o de cal.

píloro. m. Anat. Abertura inferior del estómago, por la cual entran los alimentos en los intestinos. Comunica el estómago con el duodeno.

piloso, sa. adj. Peludo.

pilotaje. m. Ciencia y arte del oficio de piloto. || Mar. Derecho que pagan las embarcaciones en algunos puertos y entradas de ríos, en los que se necesita de pilotos prácticos.

pilotar. tr. Dirigir un buque, automóvil, globo, aeroplano, etc. [*Sinón*.: conducir, gobernar]

pilote. m. Madero rollizo armado frecuentemente de una punta de hierro, que se hinca en tierra para consolidar los cimientos.

piloto (al. *Steuermann*, fr. *pilote*, ingl. *mate*, it. *pilota*). m. El que gobierna y dirige un buque en la navegación. || El segundo de un buque mercante. || El que dirige un automóvil, un globo o un aeroplano. || Construido en oposición indica que la cosa designada por el nombre que le precede funciona como modelo o como carácter experimental.

piltrafa. f. Parte de carne flaca que sólo tiene casi el pellejo. || pl. Residuos, aunque no sean comestibles.

pillaje (al. *Plünderung*, fr. *pillage*, ingl. *pillage*, it. *rapina*). m. Hurto, latrocinio, rapiña. || Mil. Robo, despojo, saqueo hecho por los soldados en país enemigo.

pillar. tr. Hurtar, robar, tomar por fuerza una cosa. || Coger, agarrar o aprehender una persona o cosa. || Alcanzar o atropellar embistiendo. || Sobrevenir a uno alguna cosa, cogerlo desprevenido. || Coger, hallar a uno en determinada situación, temple, etc.

pillastre. m. fam. Pillo.

pillería. f. fam. Acción propia de un pillo.

pillo, lla. adj. fam. Dícese del pícaro que no tiene crianza ni buenos modales. Ú.m.c.s. || fam. Sagaz, astuto. Ú.m.c.s.

pimentero. m. Bot. Arbusto de las piperáceas, con tallos ramosos y nudos gruesos de trecho en trecho de donde nacen raíces adventicias; su fruto es la pimienta. || Vasija en que se pone la pimienta molida.

pimentón. m. Polvo que se obtiene moliendo pimientos encarnados secos; se usa para sazonar. || En algunas partes, pimiento, fruto.

pimienta (al. *Pfeffer*, fr. *poivre*, ingl. *pepper*, it. *pepe*). f. Bot. Fruto del pimentero. Es una baya redonda, carnosa y rojiza, de unos cuatro milímetros de diámetro, que contiene una semilla esférica, blanca, de gusto picante, y muy usada como condimento. || — *blanca*. Aquella que se le ha quitado la corteza y queda de color casi blanco. || — *negra*. Aquella que conserva la corteza.

pimiento (al. *Paprika*, fr. *piment*, ingl. *pepper*, it. *peperone*). m. Bot. Planta herbácea anual de la familia de las solanáceas, oriunda de América, con tallos ramosos, hojas lanceoladas, fruto en baya hueca, generalmente cónico, de forma, tamaño y color variables según las especies. || Fruto de dicha planta. || — *morrón*. Variedad de pimiento muy grueso y dulce.

pimpante. adj. Rozagante, gallardo.

pimpinela (al. *Bibernell*, fr. *pimprenelle*, ingl. *pimpernel*, it. *salvastrella*). f. Bot. Planta herbácea vivaz de las rosáceas, flores terminales, en espigas apretadas sin corola y con cáliz purpurino. Abunda en España y se ha empleado en medicina como tónico.

pimplar. tr. fam. Beber vino. Ú.t.c.r.

pimpollo. m. Pino nuevo. || Árbol nuevo. || Vástago o tallo nuevo de las plantas. || Rosa por abrir. || fig. y fam. Niño o niña, y también el joven o la joven que se distingue por su belleza, gallardía y donosura.

pimpón. m. Juego semejante al tenis, que se practica sobre una mesa con pelota pequeña y ligera y con palas pequeñas a modo de raquetas.

pina. f. Mojón terminado en punta. || Cada uno de los trozos curvos de madera que forman en círculo la rueda del carro o coche.

pinacoteca (al. *Pinakothek*, fr. *pinacothèque*, ingl. *pinacotheca*, it. *pinacoteca*). f. Galería o museo de pinturas.

pináculo. m. Parte superior y más alta de un edificio importante. || fig. Parte más sublime de una ciencia o de otra cosa inmaterial. [*Sinón.*: remate]

pinar. m. Sitio o lugar poblado de pinos.

pincel (al. *Pinsel*, fr. *pinceau*, ingl. *paintbrush*, it. *pennello*). m. Instrumento con que el pintor asienta los colores. Se forma introduciendo en un cañón de pluma, madera o metal, los pelos de la cola de una ardilla, marta, etc., ajustándolos y puliéndolos. || fig. Mano o sujeto que pinta. || fig. Obra pintada. || fig. Modo de pintar.

pincelada. f. Trazo o golpe que el pintor da con el pincel. || fig. Expresión compendiosa de una idea o de un rasgo muy característico. || *dar la última pincelada.* fig. Concluir algo.

pinchar (al. *stechen*, fr. *piquer*, ingl. *to prick*, it. *pungere*). tr. Picar, punzar o herir con una cosa aguda o punzante. Ú.t.c.r. || fig. Picar, estimular, enojar. || intr. Referido al conductor u ocupantes de un vehículo, sufrir un pinchazo una rueda. || *ni pincha ni corta.* fr. fig. y fam. que se aplica a lo que tiene poco influjo en un asunto.

pinchazo. m. Herida que se hace con un instrumento o cosa que pincha. || Punzadura en un neumático que le produce pérdida de aire. [*Sinón.*: picada]

pinche. m. Mozo de cocina.

pincho. m. Aguijón o punta aguda de hierro u otra materia. [*Sinón.*: punzón]

pindonga. f. fam. Mujer callejera.

pindonguear. intr. fam. Callejear.

pineda. f. Sitio poblado de pinos.

pingajo. m. fam. Harapo que cuelga de alguna parte.

pingar. intr. Pender, colgar. || Gotear lo que está empapado en algún líquido. || Brincar, saltar.

pingo. m. fam. Harapo que cuelga. || fam. Mujer despreciable. || pl. fam. Vestidos de poca calidad. || vulg. *Amer.* Miembro viril. || *Amer.* Caballo.

pingorotudo, da. adj. fam. Empinado, alto o elevado.

ping-pong. m. Pimpón.

pingüe. adj. Craso, gordo, mantecoso. || fig. Abundante, copioso, fértil.

pingüino (al. *Pinguin*, fr. *pingouin*, ingl. *penguin*, it. *pinguino*). m. Pájaro bobo.

pinito. m. Cada uno de los pasos que da el niño o convaleciente. Ú.m. en pl. y con el verbo *hacer*. || pl. fig. Primeros pasos que se dan en un arte o ciencia.

pinjante. adj. Dícese de la joya que se trae colgando. Ú.m.c.s. || ARQ. Aplícase al adorno que cuelga de lo superior de la fábrica. Ú.m.c.s.

pinnado, da. adj. BOT. Dícese de la hoja compuesta de hojuelas insertas a uno y otro lado del pecíolo.

pinnípedo. adj. ZOOL. Dícese de mamíferos marinos que se alimentan exclusivamente de peces, con cuerpo pisciforme, patas anteriores provistas de membranas interdigitales, y las posteriores en forma de aletas, a propósito para la natación, la piel está revestida de un pelaje espeso y el tejido adiposo subcutáneo es muy abundante, como la foca. Ú.t.c.s.m. || m. pl. Orden de estos animales.

pino (al. *Kiefer*, fr. *pin*, ingl. *pine*, it. *pino*). m. BOT. Árbol de las coníferas, de tronco elevado y recto, contiene más o menos cantidad de trementina, las hojas son muy estrechas, puntiagudas y punzantes casi siempre por su extremidad, persisten durante el invierno y están reunidas por la base en hacecillos de dos, tres o cinco. || Madera de este árbol.

pino, na. adj. Muy pendiente o muy derecho. || m. Pinito.

pinta (al. *Felcken*, fr. *tache*, ingl. *spot*, it. *nacchia*). f. Mancha o señal pequeña en el plumaje, pelo o piel de los animales y en la masa de los minerales. || Adorno en forma de lunar o mota con que se matiza alguna cosa. || fig. Señal o muestra exterior por donde se conoce la calidad buena o mala de personas o cosas. || m. Sinvergüenza, desaprensivo.

pintada. f. ZOOL. Gallina de Guinea.

pintado, da. adj. Naturalmente matizado de diversos colores. || Pintojo.

pintamonas. com. fig. y fam. Pintor de poca habilidad.

pintar. tr. Representar un objeto en una superficie, con las líneas y colores convenientes. || Cubrir con un color la superficie de paredes, persianas, puertas, etc. || fig. Describir o representar viva y animadamente personas o cosas por medio de la palabra. || Mostrarse la pinta de las cartas cuando se talla. || fig. En frases negativas e interrogativas que envuelven negación, importar, significar, valer. || *pintarse* uno *solo para* una cosa. fig. y fam. Ser muy apto o tener mucha habilidad para ello.

pintarrajear. tr. fam. Manchar de varios colores y sin arte una cosa. Ú.t.c.r.

pintarrajo. m. fam. Pintura mal hecha con colores impropios.

pintiparado, da. adj. Parecido, semejante a otro, que en nada difiere de él. || Dícese de lo que viene justo y medido a otra cosa, o es a propósito para el fin propuesto.

pintor, ra (al. *Maler*, fr. *peintre*, ingl. *painter*, it. *pittore*). s. Persona que profesa o ejercita el arte de la pintura.

pintoresco, ca. adj. Aplícase a las cosas que presentan una imagen agradable y deliciosa, digna de ser pintada. || fig. Dícese del lenguaje, estilo, etc., con que se pinta viva y animadamente las cosas. || fig. Estrafalario. [*Sinón.*: atractivo, expresivo.]

pintura (al. *Malerei*, fr. *peinture*, ingl. *painting*, it. *pittura*). f. Arte de pintar. || Tabla, lámina o lienzo en que está pintada una cosa. || La misma obra pintada. || Color preparado para pintar. || fig. Descripción o representación viva y animada de personas o cosas por medio de la palabra. || *— a la aguada.* Aguada, dibujo o pintura hecha con colores disueltos en agua. || *— al fresco.* La que se hace en paredes y techos con colores disueltos en agua de cal y extendidos sobre una capa de estuco fresco. || *— al óleo.* La hecha con colores desleídos en aceite secante. || *— al pastel.* La que se hace sobre papel con lápices blandos, pastosos y de colores variados. || *— al temple.* La hecha con colores preparados con líquidos glutinosos y calientes, como el agua de cola, etc. || *— rupestre.* La prehistórica, que se encuentra en rocas y cavernas.

pinturero, ra. adj. fam. Dícese de la persona que alardea ridícula y afectadamente de bien parecida, fina o elegante. Ú.t.c.s.

pínula. f. Tablilla metálica que en los instrumentos topográficos y astronómicos sirve para dirigir visuales por una abertura circular longitudinal que la misma tiene.

pinza. f. Instrumento de diversas formas y materias cuyos extremos se aproximan para sujetar alguna cosa. || ZOOL. Último artejo de algunas patas de ciertos artrópodos, como el cangrejo, que sirven como órganos prensores. || Pliegue de una tela acabado en punta.

pinzar. tr. Sujetar con pinza. || Plegar con algo muelle, con los dedos, etc., a manera de pinza, una cosa.

pinzón. m. ZOOL. Ave paseriforme de la familia de los fringílidos, de pequeño tamaño y de colores variados, predominando el pardo en el lomo y el rojo en la cara, pecho y abdomen. Es insectívoro aunque también se alimenta de grano. Muy común en España.

piña (al. *Zapfen*, fr. *cône du pin*, ingl. *pinecone*, it. *pigna*). f. BOT. Fruta del pino. Es de forma aovada más o menos aguda, y se compone de varias piezas leñosas, triangulares, por donde están asidas, y recias por la parte superior, colocadas en forma de escama a lo largo de un eje común, cada una con dos piñones. || fig. Conjunto de personas o cosas unidas o agregadas estrechamente. || Trompada, puñetazo. || — *de América.* Ananás.

piñón (al. *Pinienkern*, fr. *pignon*, ingl. *pinecode seed*, it. *pinolo*). m. Simiente del pino. Es elipsoidal, de tamaño variable según las especies, con tres aristas obtusas, cubierta leñosa dura y almendra blanca, dulce y comestible en el pino piñonero.

piñón. m. Rueda dentada pequeña que engrana con otra mayor en una máquina.

pío. m. Voz del pollo de cualquier ave. || *no decir pío, ni pío.* fig. No chistar.

pío, a. adj. Devoto, inclinado a la piedad, dado al culto de la religión. || Benigno, misericordioso, compasivo. [*Sinón.*: fervoroso, beato]

piojo (al. *Laus*, fr. *pou*, ingl. *louse*, it. *pidocchio*). m. ZOOL. Insecto anopluro, de color pardo amarillento, cuerpo ovalado y chato, seis patas de dos artejos y dos uñas en forma de pinzas, antenas muy cortas y boca con tubo a manera de trompa que le sirve para chupar. Vive como parásito sobre los mamíferos, de cuya sangre se alimenta.

piojoso, sa. adj. Que tiene muchos piojos. Ú.t.c.s. || fig. Miserable, mezquino. Ú.t.c.s.

piolín. m. *Amer.* Cordel delgado de cáñamo, algodón u otra fibra.

pión, na. adj. Que pía mucho.

pionero, ra. s. Persona que es la primera en explorar y colonizar un terri-

torio, o en iniciar alguna actividad. Ú.t.c.adj.

piorrea. f. MED. Flujo de pus, y especialmente en las encías.

pipa (al. *Tabakspfeife*, fr. *pipe*, ingl. *pipe*, it. *pipa*). f. Tonel que sirve para transportar o guardar vino u otros licores. || Utensilio de uso común para fumar tabaco picado. || Lengüeta de las chirimías por donde se expele el aire. || Pepita, simiente. [*Sinón.*: barril; cachimba]

pipeta (al. *Pipette*, fr. *pipette*, ingl. *pipette*, it. *pipetta*). f. Tubo de cristal ensanchado en su parte media, que se emplea para sacar de una vasija pequeñas porciones de líquido, introduciéndolo en éste y sorbiendo para que suba el líquido hasta la parte ensanchada.

pipí. m. En lenguaje infantil, orina.

pipiolo. m. fam. El principiante, novato o inexperto.

pipirigallo. m. BOT. Planta herbácea leguminosa, con tallos torcidos y flores encarnadas, olorosas, y cuyo conjunto semeja la cresta de un gallo.

pique. m. Resentimiento, desazón o disgusto ocasionado de una disputa. || Empeño en hacer una cosa por amor propio o rivalidad. || *irse a pique.* MAR. Hundirse en el agua una embarcación.

piqué (voz francesa). m. Tela de algodón que forma canutillo, grano u otro género labrado.

piquera. f. Agujero o puertecilla que se abre en las colmenas para que las abejas puedan entrar y salir. || Agujero que tienen en uno de sus frentes los toneles para que, abriéndolo, pueda salir el líquido.

piqueta. f. Zapapico. || Herramienta de albañilería, con un mango de madera y dos bocas opuestas, como de martillo una, y aguzada en forma de pico la otra.

piquete. m. Golpe o herida de poca importancia hecha con un instrumento agudo o punzante. || Agujero pequeño que se hace en las ropas u otras cosas. || Jalón pequeño. || MIL. Grupo poco numeroso de soldados que se emplea en diferentes servicios extraordinarios. || Grupo de personas que con fines sociales o políticos se colocan en un lugar determinado con una finalidad, por ejemplo ante un edificio para impedir la entrada al mismo. || *Amer.* Merienda campestre.

pira (al. *Scheiterhaufen*, fr. *bûcher*, ingl. *pyre*, it. *pira*). f. Hoguera, fogata.

piragua (al. *Piroge*, fr. *pirogue*, ingl. *pirogue*, it. *piroga*). f. Embarcación lar-

ga y estrecha, mayor que la canoa, hecha generalmente de una pieza y con bordas de tabla o cañas. [*Sinón.*: batel, esquife, caique]

piragüero. m. El que gobierna la piragua.

piramidal. adj. En forma de pirámide. || ANAT. Dícese de cada uno de los dos músculos pares situados el uno en la parte anterior e inferior del vientre, y el otro en la posterior de la pelvis y superior del muslo.

pirámide. f. GEOM. Poliedro formado por una base poligonal y tantas caras laterales triangulares como lados tiene la base. Las caras laterales convergen en un punto común llamado vértice. || Forma geométrica aplicada a antiguos monumentos funerarios y conmemorativos.

pirar. intr. vulg. Hacer novillos, faltar a clase. || r. Fugarse, irse. || *pirárselas.* loc. Pirarse.

pirata (al. *Seeräuber*, fr. *pirate*, ingl. *pirate*, it. *pirata*). adj. Dícese del buque en que comete sus fechorías el pirata. || m. Bandido que se dedica al saqueo de los buques que sorprende en alta mar.

piratear. intr. Apresar o robar embarcaciones, más comúnmente cuando navegan.

piratería. f. Ejercicio de pirata. || Robo o presa que hace el pirata. || fig. Robo o destrucción de los bienes de otro.

pirenaico, ca. adj. Perteneciente o relativo a los montes Pirineos.

piriforme. adj. Que tiene forma de pera.

pirita. f. Mineral brillante, de color amarillo de oro. Es un sulfuro de hierro.

piro-. Prefijo de origen griego, que significa *fuego*.

pirograbado. m. Talla en madera que se hace mediante un instrumento incandescente.

piromancia o piromancía. f. Adivinación supersticiosa por el color, chasquido y disposición de la llama.

pirómetro. m. Instrumento para medir temperaturas elevadas.

piropear. tr. fam. Decir piropos.

piropo. m. Variedad de granate, de color rojo de fuego, muy apreciado como piedra fina. || Rubí. || fam. Lisonja, requiebro.

pirosfera. f. GEOL. Masa candente que, según se cree, ocupa el centro de la tierra.

pirotecnia. f. Arte que trata de todo género de artilugios que utilizan el fuego, en máquinas militares y en otros artificios para diversión y festejo.

pirotécnico, ca. adj. Perteneciente a la pirotecnia. || m. El que conoce y practica el arte de la pirotecnia.

pirrarse. r. fam. Desear con vehemencia una cosa. Sólo se usa con la preposición *por.*

pírrico, ca. adj. Dícese del triunfo o victoria obtenidos con más daño del vencedor que del vencido.

pirueta. f. Cabriola. || Voltereta. || Vuelta rápida que se hace dar al caballo, obligándole a alzarse de manos y a girar apoyado sobre los pies.

piruja. f. Mujer joven, libre y desenvuelta. || *Amer.* Prostituta.

pirulí. m. Caramelo, generalmente de forma cónica, con un palito que sirve de mango.

pisa. f. Acción de pisar.

pisada. f. Acción y efecto de pisar. || Huella o señal que deja estampada el pie en la tierra. || Golpe dado con el pie.

pisapapeles (al. *Briefbeschwerer*, fr. *presse-papiers*, ingl. *paper-weight*, it. *fermacarte*). m. Utensilio que en las mesas de escritorio, mostradores, etc., se pone sobre los papeles para que no se muevan.

pisar. tr. Poner el pie sobre alguna cosa. || Apretar o estrujar una cosa con los pies. || fig. y vulg. *Amer.* Fornicar. || Cubrir en parte una cosa con otra. || Anticiparse a otro, frustrando su propósito. || Tratar mal, humillar. [*Sinón.*: apisonar]

piscícola. adj. Perteneciente o relativo a la piscicultura.

piscicultura. f. Arte de repoblar de peces los ríos y los estanques; de dirigir y fomentar la reproducción de los peces y mariscos.

pisciforme. adj. De forma de pez.

piscina (al. *Schwimmbassin*, fr. *piscine*, ingl. *swimming-pool*, it. *piscina*). f. Estanque que se suele hacer en los jardines para tener peces. || Estanque donde pueden bañarse a la vez un cierto número de personas.

Piscis. n.p. m. ASTR. Duodécimo y último signo o parte del zodíaco.

piscívoro, ra. adj. ZOOL. Que se alimenta de peces. Ú.t.c.s.

pisco. m. Aguardiente fabricado en Pisco, lugar peruano.

piscolabis. m. fam. Ligera refacción que se toma, no tanto por su necesidad como por ocasión o por regalo. [*Sinón.*: colación]

piso (al. *Stockwerk*, fr. *étage*, ingl. *story*, it. *piano*). m. Acción y efecto de pisar. || Suelo de las diversas habitaciones de las casas. || Superficie natural o artificial de un terreno. || Conjunto de habitaciones que constituyen vivienda independiente en una casa de varios altos. [*Sinón.*: pavimento, embaldosado; apartamento]

pisón. m. Instrumento de madera pesado y grueso, de forma por lo común de cono truncado y con un mango, que sirve para apisonar.

pisotear. tr. Pisar repetidamente hasta maltratar o ajar una cosa. || fig. Humillar, maltratar de palabra a una o más personas. [*Sinón.*: atropellar]

pisoteo. m. Acción de pisotear.

pisotón. m. Pisada fuerte sobre el pie de otro.

pista (al. *Rennbahn*, fr. *piste*, ingl. *track*, it. *pista*). f. Huella o rastro que dejan los animales en la tierra por donde han pasado. || Sitio dedicado a las carreras y demás ejercicios, en los picaderos, velódromos, hipódromos, etc. || Camino carretero que se construye provisionalmente para fines militares. || Terreno especialmente acondicionado para el despegue y aterrizaje de aviones. || fig. Conjunto de indicios o señales que puede conducir a la averiguación de un hecho.

pistache. m. Dulce o helado que se prepara con el fruto del pistachero.

pistacho. m. Fruto del alfóncigo.

pistilo. m. BOT. Órgano sexual femenino de las flores. Generalmente se encuentra situado en el centro de la flor y consta de ovario, estilo y estigma.

pisto. m. Jugo o sustancia que se saca de la carne de ave. || Fritada de pimientos, tomates, huevo, cebolla o de otros manjares, picados y revueltos. || *Amer.* Dinero.

pistola (al. *Pistole*, fr. *pistolet*, ingl. *pistol*, it. *pistola*). f. Arma de fuego, corta y en general semiautomática, que se apunta y dispara con una sola mano. || Pulverizador de forma semejante a la del arma.

pistolera. f. Estuche de cuero en que se guarda una pistola y que se lleva al cinto o en el hueco del sobaco.

pistolero. m. Delincuente que se sirve preferentemente de la pistola. || Atracador; gángster.

pistoletazo. m. Tiro de pistola. || Herida que resulta de él. || Ruido originado por el tiro.

pistón (al. *Kolben*, fr. *piston*, ingl. *piston*, it. *pistone*). m. Émbolo. || Parte o pieza central de la cápsula, donde está colocado el fulminante. || Llave en forma de émbolo que tienen diversos instrumentos músicos.

pistonudo, da. adj. vulg. Muy bueno, superior, perfecto.

pita (al. *Agave*, fr. *agave*, ingl. *agave*, it. *agave*). f. BOT. Planta vivaz de la familia de las amarilidáceas, de hojas carnosas piramidales, con espinas marginales y flores amarillas en ramilletes. El centro de la planta se eleva a gran altura (seis o siete metros) cuando la planta tiene unos 20 o 25 años. De las hojas se extrae la hilaza. También llamada magüey o agave. Es muy corriente en la costa mediterránea.

pita. f. Voz que se usa repetida para llamar a las gallinas. || Gallina. || Silba.

pitada. f. Sonido o golpe de pito.

pitanza. f. Distribución que se hace diariamente de una cosa, ya sea comestible o pecuniaria. || Ración de comida que se distribuye a los que viven en comunidad o a los pobres. || fam. Alimento cotidiano.

pitar. intr. Tocar o sonar el pito. || fig. y fam. Dar el rendimiento esperado. || *Amer.* Fumar cigarrillos.

pitido. m. Silbido del pito o de los pájaros.

pitillera. f. Petaca para pitillos.

pitillo. m. Cigarrillo.

pitiminí. m. BOT. Dícese de una variedad del rosal. || *de pitiminí.* loc. fig. De poca importancia.

pito. m. Flauta pequeña de sonido agudo. || Cigarrillo de papel. || fig. Cosa insignificante. || fig. y fam. Pene. || *no dársele* o *no importarle* a uno *un pito* de una cosa. fig. y fam. Hacer desprecio de ella. || *no valer un pito* una persona o cosa. fig. y fam. Ser inútil o de ningún valor o importancia.

pitón. m. Cuerno que empieza a salir a los animales, como el cordero, cabrito, etc.; también la punta del cuerno del toro. || Renuevo del árbol cuando empieza a abotonar. || Tubo cónico que en los porrones y botijos sirve para moderar la salida del líquido.

pitón. m. Adivino, mago, hechicero. || ↗ serpiente pitón.

pitonisa (al. *Wahrsagerin*, fr. *pythonisse*, ingl. *pythoness*, it. *pitonessa*). f. Encantadora, hechicera. || f. MIT. Sacerdotisa de Apolo que daba los oráculos en el templo de Delfos.

pitorrearse. r. Guasearse o burlarse.

pitorreo. m. Acción y efecto de pitorrearse.

pitorro. m. Pitón de los botijos.

pitote. m. Barullo.

pituita. m. Moco.

pituitario, ria. adj. Que segrega pituita. ‖ Dícese especialmente de la membrana que tapiza las fosas nasales. Ú.t.c.s.f.

pituso, sa. adj. Pequeño, gracioso, lindo, refiriéndose a niños. Ú.t.c.s.

pivote. m. Extremo cilíndrico o puntiagudo de una pieza, donde se apoya o inserta otra.

pizarra (al. *Schieferstein,* fr. *ardoise,* ingl. *slate,* it. *lavagna*) (voz vascongada). f. GEOL. Nombre dado a rocas arcillosas de diferente naturaleza, formado por capas finamente estratificadas y comprimidas, separables, de color oscuro. ‖ Tablero pintado de negro para escribir en él con tiza.

pizarrín. m. Barrita de lápiz o de pizarra no muy dura, que se usa para escribir o dibujar en las pizarras de piedra.

pizarroso, sa. adj. Abundante en pizarra. ‖ Parecido a la pizarra.

pizca. f. Porción mínima o muy pequeña de una cosa. ‖ *ni pizca.* fam. No, nada.

pizpireta. adj. fam. Aplícase a la mujer viva, pronta y aguda.

pizzicato (voz italiana). m. MÚS. Modo de ejecución en los instrumentos de arco que consiste en pellizcar las cuerdas con los dedos.

placa (al. *Platte,* fr. *plaque,* ingl. *plate,* it. *placca*). f. Lámina, plancha o película que se forma o está superpuesta en un objeto. ‖ FOTOGR. Plancheta de metal yodurada sobre la que se hacía la daguerrotipia. ‖ FOTOGR. Vidrio cubierto en una de sus caras por una capa de sustancia alterable por la luz y en la que puede obtenerse una prueba negativa. ‖ Insignia.

pláceme. m. Felicitación.

placenta. f. ANAT. Órgano de relación entre la madre y el feto que se forma en el útero durante la gestación y en el cual se implanta el cordón umbilical. ‖ BOT. Parte vascular del fruto a la que están unidos los huevecillos o semillas.

placentero, ra. adj. Agradable, alegre.

placer. tr. Agradar o dar gusto.

placer. m. Banco de arena o piedra en el fondo del mar. ‖ Arenal donde la corriente de las aguas dejó partículas de oro. ‖ Pesquería de perlas en las costas de América.

placer. m. Contento del ánimo. ‖ Sensación agradable. ‖ Voluntad, consentimiento, beneplácito. ‖ Diversión,

entretenimiento. ‖ *a placer.* m. adv. A toda satisfacción, sin impedimento ni embarazo alguno.

placet (voz latina). m. Expresión de acuerdo y ratificación de una causa.

placidez. f. Calidad de plácido. [*Sinón.:* tranquilidad, calma]

plácido, da. adj. Quieto, sosegado y sin perturbación. ‖ Grato, apacible. [*Sinón.:* sereno, afable]

plafón. m. ARQ. Plano inferior del saliente de una cornisa.

plaga (al. *Plage,* fr. *plaie,* ingl. *pest,* it. *flagello*). f. Calamidad grande que aflige a un pueblo. ‖ Daño grave o enfermedad que sobreviene a una persona. ‖ Llaga, úlcera. ‖ fig. Cualquier infortunio, trabajo, pesar o contratiempo. ‖ fig. Abundancia de algún mal o circunstancia nociva. ‖ fig. Azote que aflige a la agricultura, como la langosta, la filoxera, etc. [*Sinón.:* catástrofe]

plagar. tr. Llenar o cubrir a alguna persona o cosa de algo nocivo o no conveniente. Ú.t.c.r.

plagiar (al. *nachahmen,* fr. *plagier,* ingl. *to plagiarize,* it. *plagiare*). tr. Reproducir en lo sustancial obras ajenas, haciéndolas pasar por propias. ‖ *Amer.* Apoderarse de alguien para obtener rescate por su libertad. [*Sinón.:* fusilar]

plagio (al. *Plagiat,* fr. *plagiat,* ingl. *plagiarisme,* it. *plagio*). m. Acción y efecto de plagiar. [*Sinón.:* remedo, imitación]

plan (al. *Plan,* fr. *plan,* ingl. *plan,* it. *piano*). m. Altitud o nivel. ‖ Intento, proyecto, estructura. ‖ Extracto o escrito en el que con obligada amplitud se consignan los pormenores de una cosa. ‖ Representación gráfica de un terreno o de una construcción. ‖ — *de estudios.* Conjunto de enseñanzas y prácticas que, con determinada disposición han de cursarse para cumplir un ciclo de estudios u obtener un título.

plana. f. Cada una de las dos caras o haces de una hoja de papel. ‖ Porción extensa de un país llano. ‖ IMP. Conjunto de líneas ya ajustadas, de que se compone cada página. ‖ — *mayor.* MIL. Conjunto y agregado de los jefes y otros individuos de un batallón o regimiento, que no pertenecen a ninguna compañía, como el coronel, teniente coronel, etc. [*Sinón.:* planicie]

plancton. m. BIOL. Conjunto de pequeños organismos animales y vegetales que se encuentran en las aguas de los mares, lagos y ríos.

plancha. f. Lámina de metal. ‖ Utensilio de hierro que sirve para planchar. ‖ Acción y efecto de planchar la ropa. ‖ Conjunto de ropa planchada. ‖ Postura horizontal del cuerpo en el aire o en el agua. ‖ fig. y fam. Desacierto o error por el cual quien lo comete queda en situación desairada. ‖ IMP. Reproducción estereotípica o galvanoplástica preparada para la impresión. ‖ MAR. Tablón usado como puente provisional.

planchado. m. Acción y efecto de planchar. ‖ Conjunto de ropa blanca que se ha de planchar o se tiene ya planchada.

planchar (al. *plättem,* fr. *repasser,* ingl. *to iron,* it. *stirare*). tr. Pasar la plancha caliente sobre la ropa blanca algo húmeda o sobre otras prendas para estirarlas, asentarlas o darles brillo. ‖ Quitar las arrugas a la ropa mecánicamente.

planeador. m. Término general que designa los aparatos para volar sin motor.

planear (al. *planen, segelfliegen;* fr. *projeter, planer;* ingl. *to sche me, to glide;* it. *tracciar piani, planare*). tr. Formar el plan de una obra. ‖ Hacer o forjar planes. ‖ intr. Volar o descender un aeroplano sin hacer uso del motor, utilizando la velocidad adquirida, las corrientes de aire, etc.

planeta (al. *Planet,* fr. *planète,* ingl. *planet,* it. *pianeta*). m. ASTR. Cuerpo celeste, opaco, que describe una órbita alrededor del Sol, del cual recibe su luz.

planetario, ria. adj. Perteneciente o relativo a los planetas. ‖ m. Aparato que representa los planetas del sistema solar, reproduciendo los movimientos respectivos.

planicie. f. Llanura, extensión de terreno sin altibajos.

planificación. f. Acción y efecto de planificar. ‖ Plan general científicamente organizado y de gran amplitud, destinado a obtener un objetivo determinado, tal como la investigación científica, la producción, etc.

planificar. tr. Trazar los planos para la ejecución de una obra. ‖ Proyectar una acción. ‖ Someter a planificación.

planimetría. f. TOP. Representación sobre un plano de una parte de la superficie terrestre.

planisferio (al. *Planiglobium,* fr. *planisphère,* ingl. *planisphere,* it. *planisfero*). m. Carta en que la esfera celeste o la terrestre está representada en un plano.

plano, na (al. *Eben*, fr. *plat*, ingl. *even*, it. *piano*). adj. Llano, liso. ‖ GEOM. Concerniente al plano. ‖ m. TOP. Representación gráfica en una superficie y mediante procedimientos técnicos, de un terreno o de la planta de un campamento, plaza, etc. ‖ *– de nivel*. El paralelo al nivel del mar, que se elige para contar desde él las alturas de los diversos puntos del terreno. ‖ *geométrico*. El paralelo al horizonte, donde se determina la perspectiva de los objetos. ‖ *– inclinado*. Superficie plana, resistente, que forma ángulo agudo con el horizonte, y por medio del cual se facilita la elevación o el descenso de pesos y cosas. ‖ *– óptico*. Superficie del cuadro donde deben representarse los objetos y que se considera siempre como vertical. ‖ *dar de plano*. Dar con lo ancho de un instrumento cortante o con la mano abierta. ‖ *de plano*. m. adv. fig. Enteramente, clara y manifiestamente. ‖ *levantar un plano*. TOP. Proceder a formarlo o dibujarlo.

planta (al. *Fusshole*, *Pflanze*; fr. *étage*, *plante*; ingl. *sole*, *plant*; it. *piano*, *pianta*). f. Parte inferior del pie. ‖ Vegetal, ser orgánico que crece y vive sin cambiar de lugar. ‖ Árbol u hortaliza dispuestos para trasplantarse. ‖ Diseño para la fábrica o formación de una cosa. ‖ Plan de las diversas dependencias y empleados de una oficina. ‖ Cada uno de los pisos o altos de un edificio. ‖ Fábrica central de energía; instalación industrial; en algunos países hispanoamericanos, especialmente central eléctrica. ‖ ARQ. Figura que forman sobre el terreno los cimientos de un edificio.

plantación (al. *Pflanzung*, fr. *plantation*, ingl. *planting*, it. *plantagione*). f. Acción de plantar. ‖ Conjunto de lo plantado.

plantador, ra. adj. Que planta. ‖ s. Persona que posee o explota una plantación.

plantar (al. *pflanzen*, fr. *planter*, ingl. *to plant*, it. *piantare*). tr. AGR. Meter en tierra una planta, un vástago, etc., para que arraigue. ‖ Poblar de plantas un terreno. ‖ fig. Fijar y poner derecha una cosa. ‖ fig. Fundar, establecer. ‖ fig. y fam. Dejar a alguien burlado o abandonarle. ‖ r. fig. y fam. Ponerse de pie firme ocupando un lugar o sitio. ‖ fig. y fam. Llegar a un lugar en menos tiempo del regularmente necesario. ‖ fig. y fam. Pararse un animal de manera que cueste mucho ponerle de nuevo en movimiento. ‖ fig. y fam. En algunos juegos de cartas, no querer más naipes de los que se tienen. Ú.t.c.intr. [*Sinón.*: sembrar, hincar, asentar]

plante. m. Concierto entre varias personas, sometidas a una misma autoridad, para exigir o reclamar algún derecho o mejora. [*Sinón.*: huelga, paro]

planteamiento. m. Acción y efecto de plantear.

plantear. tr. Tantear o hacer planta de una cosa para procurar el acierto en ella. ‖ fig. Establecer o ejecutar sistemas, reformas, etc. ‖ fig. Proponer o suscitar dudas o cuestiones.

plantel. m. Criadero de plantas. ‖ Establecimiento o reunión de gente en que se forman personas capaces en algún ramo del saber, profesión, ejercicio, etc.

plantificar. tr. Establecer reformas, etc. ‖ r. fig. y fam. Plantarse, llegar pronto a un lugar.

plantígrado, da. adj. ZOOL. Se dice de los cuadrúpedos que al andar apoyan en el suelo toda la planta de los pies, como el oso. Ú.t.c.s.

plantilla (al. *Belegschaft*, fr. *personnel*, ingl. *personnel*, it. *ruolo*). f. Suela sobre la cual los zapateros arman el calzado. ‖ Pieza de tela con que interiormente se cubre la planta del calzado. ‖ Tabla o plancha cortada con los mismos ángulos, figuras y tamaños que ha de tener la superficie de una pieza. ‖ Relación ordenada por categorías de las dependencias y empleados de una empresa. ‖ Conjunto del personal fijo de una empresa. ‖ *de plantilla*. loc. adv. Dícese de los funcionarios, empleados o trabajadores incluidos en una plantilla.

plantío, a. adj. Aplícase a la tierra o sitio plantado o que se puede plantar. Ú.t.c.s.m. ‖ m. Acción de plantar, plantel.

plantón. m. Pimpollo o arbolito nuevo que ha de ser trasplantado. ‖ Estaca o rama de árbol plantada para que arraigue. ‖ *dar un plantón*. Retrasarse uno mucho en acudir a donde otro lo espera. ‖ *estar uno de plantón* fam. Estar parado y fijo en una parte por mucho tiempo.

plañidera. f. Mujer a la que se pagaba para que llorara en los entierros. [*Sinón.*: llorona]

plañir. intr. Gemir y llorar, sollozando o clamando. Ú.t.c.r.

plaqueta. f. ANAT. Uno de los elementos celulares de la sangre, de forma circular u ovalada, que tiene una función importante en el proceso de coagulación.

plasma (al. *Plasma*, fr. *plasma*, ingl. *plasma*, it. *plasma*). m. ANAT. Parte líquida de la sangre, donde se encuentran las sustancias que sirven para la nutrición, renovación y reconstitución de los tejidos. ‖ Fís. Gas ionizado que contiene tantos electrones como iones positivos.

plasmar. tr. Figurar, hacer o formar una cosa. [*Sinón.*: moldear]

plástica. f. Arte de plasmar o modelar cosas de barro, yeso, etc.

plasticidad. f. Calidad de plástico.

plástico, ca (al. *Kunststoff*, fr. *plastique*, ingl. *plastic*, it. *plastica*). adj. Perteneciente a la plástica. ‖ Dícese de ciertos materiales sintéticos que pueden modelarse fácilmente y en cuya composición entran derivados de la celulosa, proteínas y resinas. Ú.t.c.s. ‖ Que forma o da forma. ‖ fig. Se dice del estilo o de la frase que realiza las ideas o especies mentales.

plata (al. *silber*, fr. *argent*, ingl. *silver*, it. *argento*). f. QUÍM. Metal blanco, brillante, sonoro, dúctil y maleable; es uno de los metales preciosos. ‖ fig. Moneda o monedas de plata. ‖ fig. Dinero en general, riqueza. ‖ fig. Alhaja que conserva su valor intrínseco. ‖ fig. Lo que es de valor y utilidad en cualquier tiempo que se use de ello. ‖ adj. Plateado, de color semejante a la plata. ‖ *adiós mi plata. Amer.* fr. fig. y fam. por la que se indica un hecho o situación perjudicial para el que habla. ‖ *como una plata*. loc. fig. y fam. Limpio, hermoso, reluciente. ‖ *en plata*. m. adv. fig. y fam. Brevemente, sin rodeos.

plataforma (al. *Plattform*, fr. *plateforme*, ingl. *platform*, it. *piattaforma*). f. Tablero horizontal, descubierto y elevado a cierta altura sobre el suelo, donde se colocan personas o cosas. ‖ Suelo superior, a modo de azotea, de las torres, reductos y otras obras. ‖ Vagón descubierto y con bordes de poca altura en sus cuatro lados. ‖ Parte anterior y posterior de los tranvías y demás vehículos de viajeros. ‖ fig. *Amer.* Programa de gobierno de un partido político, especialmente el que se presenta con fines electorales.

platanar. m. Sitio poblado de plátanos. [*Sinón.*: platanal.]

platanar. m. Conjunto de plátanos que crecen en un lugar.

plátano (al. *Platane*, *Bananenbaum*; fr. *platane*, *bananier*; ingl. *plane-tree*, *banana-tree*; it. *platano*). m. BOT.

Árbol de las platanáceas, con el tronco recto y la corteza correosa y blanca. Sus hojas son grandes, hendidas en gajos puntiagudos de color verde claro, y sus flores y frutos son pequeños y nacen reunidos en un cuerpo redondo de dos centímetros de diámetro que pende de un piececillo largo. || Planta arbórea de las musáceas, con tallo recto de tres a cuatro metros de altura y compuesto de varias cortezas herbáceas metidas unas en otras. El fruto es largo, triangular, blando y está cubierto de una piel correosa de color amarillento. Interiormente es carnoso y de ordinario sin semillas ni huesos. || Fruto de esta planta. En ciertos países de América se conoce con el nombre de banana.

platea (al. *Parterre*, fr. *parterre*, ingl. *pit*, it. *platea*). f. Patio, parte baja de las salas de espectáculos.

plateado, da. adj. De color de la plata. || Dícese de los objetos bañados en plata.

platear. tr. Dar o cubrir de plata una cosa. [*Sinón.*: argentar]

plateresco, ca. adj. B. ART. Aplícase al estilo español de ornamentación empleado por los plateros españoles del s. XVI. || Dícese del estilo arquitectónico en que se emplean estos adornos.   —

platería (al. *Juwelierladen*, fr. *argenterie*, ingl. *silversmith's shop*, it. *argenteria*). f. Obrador en que trabaja el platero. || Tienda en que se venden obras de plata u oro. [*Sinón.*: orfebrería, joyería]

platero (al. *Juwelier*, fr. *argenteur*, ingl. *silversmith*, it. *argentiere*). m. Artífice que labra la plata. || El que vende objetos labrados de plata u oro, o joyas con pedrería. [*Sinón.*: orfebre, joyero]

plática. f. Conversación, acto de hablar unas personas con otras. || Razonamiento o discurso que hacen los predicadores para exhortar a los actos de virtud, instruir en la doctrina cristiana o reprender los vicios. [*Sinón.*: coloquio, charla, prédica, sermón]

platicar. tr. Conversar, conferir o tratar de un negocio o materia. Ú.t.c.intr.

platija (al. *Scholle*, fr. *limande*, ingl. *plaice*, it. *pianuzza*). f. ZOOL. Pez teleósteo, del suborden de los anacantos, semejante al lenguado, pero de escamas más fuertes y unidas, y color pardo con manchas amarillentas en su

cara superior. Su carne es poco apreciada.

platillo. m. Pieza pequeña de forma semejante al plato, cualquiera que sea su uso y la materia de que esté formada. || Cada una de las dos piezas en forma de plato de la balanza. || Guisado compuesto de carne y verduras picadas. || pl. MÚS. Instrumento de percusión constituido por dos chapas metálicas circulares que se golpean una contra otra.

platina (al. *Objekthalter*, fr. *platine*, ingl. *plate*, it. *piattino*). f. Parte del microscopio en que se coloca el objeto que se quiere observar. || Disco en cuya superficie ajusta el borde del recipiente de la máquina neumática. || IMP. Mesa fuerte y ancha para ajustar, imponer y acuñar las formas. || IMP. Superficie plana de la prensa sobre la que se pone la forma.

platinar. tr. Cubrir con una capa de platino.

platino (al. *Platin*, fr. *platine*, ingl. *platinum*, it. *platino*). m. QUÍM. Metal precioso de color de plata, aunque menos vivo y brillante, muy pesado, difícilmente fusible e inatacable por los ácidos, excepto el agua regia.

platirrino. adj. ZOOL. Dícese de los simios de América, cuyas fosas nasales están separadas por un tabique tan ancho que las ventanas de la nariz miran a los lados. Ú.t.c.s. || m. pl. Grupo de estos animales.

plato (al. *Teller*, fr. *assiette*, ingl. *dish*, it. *piatto*). m. Vasija baja y redonda, con una concavidad en medio y un borde, de ordinario plano, alrededor. Se emplea para servir las viandas y comer en él entre otros usos. || Manjar dispuesto para ser comido. || — *fuerte.* fig. El asunto o intervención más importante es una serie de ellos. || *comer en un mismo plato.* fig. y fam. Tener dos o más personas gran confianza. || *no haber roto* uno *un plato.* fig. y fam. Tener el aspecto o la impresión de no haber cometido ninguna falta. || *ser o no ser plato del gusto de uno.* fig. y fam. Serle o no grata una persona o cosa.

plató (del francés *plateau*). m. CINEM. Zona del estudio donde se construyen los decorados y se procede al rodaje de una película.

platónico, ca. adj. Que sigue la escuela y filosofía de Platón. Ú.t.c.s. || Perteneciente a ella. || Desinteresado, honesto. [*Sinón.*: ideal. *Antón.*: interesado]

platonismo. m. Doctrina o sistema filosófico de Platón.

plausible. adj. Digno o merecedor de aplauso. || Atendible, admisible, recomendable. [*Sinón.*: laudable, meritorio, aceptable]

playa (al. *Strand*, fr. *plage*, ingl. *beach*, it. *spiaggia*). f. Ribera del mar o de un río grande, formada de arenales y cuya superficie es casi plana.

play-back. m. En cine y televisión, grabación previa.

play boy (voz inglesa). m. Joven u hombre maduro que frecuenta la sociedad mundana internacional y se exhibe en público con mujeres famosas; en general es muy rico o trata de serlo.

playero, ra. s. Concerniente a la playa. || Persona que conduce de la playa el pescado para venderlo. Ú.m. en pl.

playo, ya. adj. *Amer.* Dícese de lo que tiene poco fondo. Ú.t.c.s.m.

plaza (al. *Platz*, fr. *place*, ingl. *square*, it. *piazza*). f. Lugar ancho y espacioso dentro de poblado. || Sitio donde se celebran las ferias, los mercados y fiestas públicas. || Lugar fortificado. || Lugar determinado para una persona o cosa. || Gremio o reunión de negociantes en una plaza de comercio. || — *de armas.* Lugar en el que acampa el ejército o en el que hacen ejercicio las tropas. Población fortificada. || — *de toros.* Circo donde se lidian toros. || — *fuerte.* Plaza de armas. [*Sinón.*: glorieta, zoco, ciudadela.]

plazo (al. *Frist*, fr. *terme*, ingl. *term*, it. *tempo*). m. Término o tiempo señalado para una cosa. || Vencimiento del término. || Cada parte de una cantidad pagadera en dos o más veces.

plazoleta. f. Espacio, a modo de plaza pequeña, que suele haber en jardines y alamedas. [*Sinón.*: glorieta]

pleamar. f. MAR. Fin o término de la creciente del mar. || Tiempo que ésta dura. [*Sinón.*: flujo]

plebe. f. En Roma, conjunto de los no patricios. || fig. Populacho.

plebeyo, ya. adj. Propio de la plebe o perteneciente a ella. || Dícese de la persona que no es noble ni hidalga. Ú.t.c.s. [*Sinón.*: villano]

plebiscito (al. *Volkabstimmung*, fr. *plébiscite*, ingl. *plebiscite*, it. *plebiscito*). m. Resolución tomada por todo un pueblo por mayoría de votos. || Consulta popular sobre un tema determinado. [*Sinón.*: referéndum]

plectro. m. Palillo o púa que se usaba para tocar instrumentos de cuerda.

plegadera. f. Instrumento a modo de cuchillo, para plegar o cortar el papel.

plegadizo, za. adj. Fácil de plegarse o doblarse.

plegamiento. m. GEOL. Efecto ocasionado en la corteza terrestre por el movimiento conjunto de rocas sometidas a una presión lateral.

plegar (al. *zusammenfalten*, fr. *plier*, ingl. *to fold*, it. *piegare*). tr. Hacer pliegues en una cosa. Ú.t.c.r. || Doblar e igualar los pliegos de un libro que se ha de encuadernar. || r. fig. Doblarse, ceder, someterse.

plegaria (al. *Gebet*, fr. *prière*, ingl. *prayer*, it. *preghiera*). f. Súplica humilde y ferviente para pedir una cosa. || Señal que se hace con la campana en las iglesias al mediodía para la oración.

pleistoceno. adj. Se aplica al período glacial o cuaternario, en que abundan restos humanos y obras del hombre. Ú.t.c.s.m.

pleita. f. Faja o tira de esparto trenzado en varios ramales, con la que se hacen esteras y otras cosas.

pleitear. tr. Litigar o contender judicialmente.

pleitesía. f. Muestra reverente de acatamiento.

pleitista. adj. Dícese del sujeto propenso a mover contiendas y pleitos. Ú.t.c.s.

pleito (al. *Rechtsstreit*, fr. *litige*, ingl. *lawsuit*, it. *lite*). m. Contienda, diferencia, disputa, litigio judicial entre partes. || Lid o batalla que se decide con las armas. || Disputa o riña privada.

plenario, ria. adj. Lleno, entero, total. || m. DER. Parte del proceso en el que se exponen los cargos y las defensas.

plenilunio (al. *Vollmond*, fr. *pleine lune*, ingl. *full*, it. *plenilunio*). m. Luna llena.

plenipotenciario, ria. adj. Dícese de la persona que envían los reyes y las repúblicas a los congresos y a otros Estados con plenos poderes para tratar, concluir y ajustar pactos, paces u otros intereses. Ú.t.c.s. [*Sinón.*: embajador, legado]

plenitud. f. Totalidad o calidad de pleno.

pleno, na. adj. Lleno, completo. || m. Reunión o junta general de una corporación. [*Sinón.*: colmado; consejo]

pleonasmo. m. GRAM. Figura de construcción que consiste en el uso de vocablos innecesarios para dar más fuerza a la expresión. || Demasía o redundancia viciosa de palabras.

plesiosaurio. m. PALEONT. Reptil gigantesco del período geológico secundario, a modo de enorme lagarto, del que hoy se hallan sólo restos en estado fósil.

pletina. f. Pieza de hierro más ancha que gruesa, de dos a cuatro milímetros de espesor.

plétora. f. Abundancia excesiva de alguna cosa. [*Sinón.*: demasía]

pletórico, ca. adj. Que tiene gran abundancia de alguna cosa.

pleura (al. *Brustfel*, fr. *plèvre*, ingl. *pleura*, it. *pleura*). f. ANAT. Cada una de las membranas serosas que cubren las paredes de la cavidad torácica y la superficie de los pulmones.

pleuresía. f. MED. Inflamación de la pleura.

plexiglás (marca registrada). m. Resina sintética con el aspecto del vidrio. || Material transparente y flexible de que se hacen tapices, telas, etc.

plexo. m. ANAT. Red de filamentos nerviosos o vasculares entrelazados.

pléyade. f. fig. Grupo de personas señaladas, principalmente en las letras, que desarrollan su actividad en la misma época.

pliego (al. *Bogen*, fr. *feuille de papier*, ingl. *sheet of paper*, it. *foglio piegato*). m. Porción de piel cuadrangular doblada por medio. || Por ext., la hoja de papel que no se expende ni se usa doblada. || Conjunto de páginas de un libro o folleto impreso en un pliego de papel. || Papel o memorial que contiene las condiciones o cláusulas de un contrato. || Conjunto de papeles contenidos en un mismo sobre o cubierta.

pliegue (al. *Falte*, fr. *pli*, ingl. *fold*, it. *piega*). m. Doblez, especie de surco o desigualdad que resulta en cualquiera de aquellas partes en que una tela o materia flexible deja de estar lisa o extendida. || Doblez hecha artificialmente.

plinto. m. ARQ. Cuadrado sobre el que se asienta la base de una columna. || Base cuadrada de poca altura.

plioceno. adj. GEOL. Se aplica al terreno que forma la parte superior del terciario. Ú.t.c.s. || Concerniente a este terreno.

plisar. tr. Fruncir.

plomada (al. *Lot*, fr. *fil à plomb*, ingl. *plumb*, it. *filo a piombo*). f. Pesa de plomo colgada de una cuerda para señalar la vertical. || Barrita de plomo que sirve a los artífices para señalar o reglar una cosa. || Sonda para medir la profundidad de las aguas. || Conjunto de plomos que se ponen en la red para pescar. || Golpe o herida de los perdigones.

plombagina. f. Grafito.

plomería. f. Cubierta de plomo que se coloca en los edificios. || Depósito de plomos. || Taller del plomero.

plomero. m. El que trabaja o fabrica cosas de plomo. || En Andalucía y diversos países de América, fontanero.

plomizo, za. adj. Que tiene plomo. || De color de plomo.

plomo (al. *Blei*, fr. *plomb*, ingl. *lead*, it. *piombo*). m. QUÍM. Metal pesado, dúctil, maleable, blando, fusible, de color gris azulado, y que con los ácidos forma sales venenosas. Se obtiene principalmente de la galena. || Plomada, pesa de metal. || fig. Bala de las armas de fuego. || fig. y fam. Persona pesada y molesta. || *a plomo.* m. adv. Verticalmente. || *caer a plomo.* fig. y fam. Caer con todo el peso del cuerpo.

pluma (al. *Feder*; fr. *plume*; ingl. *feather, pen*; it. *penna*). f. Çada una de las piezas que cubren el cuerpo de las aves, formadas por un cañón inserto en la piel y un astil guarnecido de barbillas. || Conjunto de plumas. || Pluma de ave que servía para escribir. || Adorno hecho de plumas. || fig. Mástil de una grúa. || fig. Autor de libros, escritor. || fig. Estilo o manera de escribir. || — *estilográfica.* La de mango hueco lleno de tinta que fluye a los puntos de ella. || — *fuente.* Amer. Pluma estilográfica. || *dejar correr la pluma.* fig. Escribir sin meditación. || *vivir* uno *de su pluma.* fig. Ganarse la vida escribiendo.

plumada. f. Acción de escribir una cosa corta. || Rasgo que se hace sin levantar la pluma del papel.

plumaje. m. Cobertura de plumas propia de las aves. || Penacho de plumas que se pone por adorno en los sombreros.

plumazo. m. Colchón o almohada grande llena de pluma. || Trazo fuerte de pluma, especialmente la que se hace para tachar lo escrito. || *de un plumazo.* m. adv. fig. y fam. usado para denotar el modo expeditivo de abolir o suprimir algo.

plúmbeo, a. adj. De plomo. || fig. Que es tan pesado como el plomo.

plumear. tr. Formar líneas con el lápiz o la pluma para sombrear un dibujo.

plumero (al. *Federbesen*, fr. *plumeau*, ingl. *feather-duster*, it. *piumino*). m. Mazo de plumas que sirve para quitar el polvo. || Vaso donde se colocan las plumas.

plumier (voz francesa). m. Estuche que usan los escolares para guardar lápices, plumas, etc.

plumífero, ra. adj. Que tiene o lleva plumas. ‖ s. despect. Escritor.

plumón. m. Pluma muy fina, de consistencia sedosa, que tienen las aves bajo la capa exterior de su plumaje.

plural (al. *mehrzahl*, fr. *pluriel*, ingl. *plural*, it. *plurale*). adj. GRAM. Se dice del número que se refiere a dos o más personas o cosas. Ú.t.c.s. [*Antón.*: singular]

pluralidad. f. Multitud, abundancia y gran número de cosas. ‖ Calidad de ser más que uno. [*Sinón.*: multiplicidad]

pluralismo. m. Sistema por el cual se acepta o reconoce la pluralidad de doctrinas o métodos en materia política, económica, etc.

pluralizar. tr. referir una cosa peculiar de uno, a dos o más sujetos.

pluri-. Elemento compositivo que entra en la formación de algunas voces para dar idea de "pluralidad".

pluriempleo. m. Situación social caracterizada por el desempeño de varios cargos, empleos, etc., por la misma persona.

plus. m. Gratificación o sobresueldo que suele pagarse a la tropa en campaña y en otras circunstancias extraordinarias. ‖ Gratificación extraordinaria.

pluscuamperfecto. adj. GRAM. Se dice del tiempo que anuncia que una cosa estaba ya hecha o podía estarlo cuando otra se hizo. Ú.t.c.s.

plusvalía. f. Aumento de valor de una cosa por causas extrínsecas a ella.

plutocracia. f. Preponderancia de los ricos en el gobierno del Estado. ‖ Predominio de la clase más rica de un país.

Plutón. n.p.m. ASTR. Noveno y último planeta del sistema solar.

plutonio. m. QUÍM. Elemento radiactivo artificial, que se forma en los reactores nucleares por desintegración del neptunio.

pluvial. adj. ↗ *capa pluvial.*

pluviómetro (al. *Regenmeser*, fr. *pluviomètre*, ingl. *pluviometer*, it. *pluviòmetro*). m. Dispositivo utilizado para determinar la cantidad de lluvia caída por metro cuadrado de superficie.

pluviosidad. f. Cantidad de lluvia que cae en un lugar o región durante un período de tiempo determinado.

población (al. *Bevölkerung*, fr. *population*, ingl. *population*, it. *popolazione*). f. Acción de poblar. ‖ Conjunto de personas que habitan la Tierra o

cualquier división geográfica de ella. ‖ Conjunto de edificios y espacios de una ciudad.

poblacho. m. despect. Pueblo destartalado.

poblada. f. *Amer.* Muchedumbre tumultuosa de gente.

poblado. m. Aldea, lugar. Aplícase especialmente a aquellos en que viven pueblos primitivos.

poblador, ra. adj. Que puebla. Ú.t.c.s. ‖ Fundador de una colonia. Ú.t.c.s.

poblano, na. adj. *Amer.* Campesino, lugareño. Ú.t.c.s.

poblar (al. *Besiedeln*, fr. *peupler*, ingl. *to populate*, it. *popolare*). tr. Fundar uno o más pueblos. Ú.t.c.intr. ‖ Ocupar con gente un lugar para que habite o trabaje en él. ‖ Por ext., se aplica a animales y cosas.

pobre (al. *arm*, fr. *pauvre*, ingl. *poor*, it. *povero*). adj. Necesitado, menesteroso y falto de lo necesario para vivir, o que lo tiene con mucha escasez. Ú.t.c.s. ‖ Escaso y que carece de alguna cosa para su entero complemento. ‖ fig. Humilde, de poco valor o entidad. ‖ fig. Infeliz, desdichado, triste. ‖ fig. Corto de ánimo y espíritu. ‖ com. Mendigo.

pobrete, ta. adj. dim. de pobre. ‖ Desdichado, infeliz. Ú.t.c.s.

pobretería. f. Conjunto de pobres. ‖ Escasez en las cosas.

pobreza (al. *Arinut*, fr. *pauvreté*, ingl. *poverty*, it. *povertà*). f. Necesidad, estrechez, carencia de lo necesario para el sustento de la vida. ‖ Falta, escasez. ‖ fig. Falta de gallardía.

pocero. m. El que hace pozos o trabaja en ellos. ‖ El que limpia pozos negros o cloacas.

pocilga (al. *Schweinestal*, fr. *porcherie*, ingl. *sty*, it. *porcile*). f. Establo para ganado de cerda. ‖ fig. y fam. Cualquier lugar hediondo y asqueroso. [*Sinón.*: porqueriza]

pocillo. m. Tinaja o vasija empotrada en la tierra para recoger un líquido, como el aceite y el vino.

pócima. f. Preparado medicinal hecho de materias vegetales. ‖ fig. Cualquier bebida medicinal.

poción. f. Bebida, líquido que se bebe.

poco, ca (al. *wenig*, fr. *peu*, ingl. *little*, it. *poco*). adj. Escaso, limitado y corto en cantidad y calidad. ‖ adv. c. En reducido número. ‖ Antepónese a otros adverbios denotando idea de comparación. ‖ Empleado en verbos expresivos de tiempo, denota corta

duración. ‖ m. Cantidad corta o escasa. ‖ *a poco.* m. adv. Algún tiempo después. ‖ *de poco.* loc. adj. De escaso valor o importancia. ‖ *poco a poco.* m. adv. Despacio. ‖ *poco más o menos.* m. adv. Con corta diferencia. ‖ *tener* uno *en poco* a una persona. Desestimarla. [*Antón.*: mucho]

pocho, cha. adj. Descolorido, quebrado de color. ‖ Se aplica a lo que está podrido o empieza a pudrirse. ‖ Se aplica a la persona floja en carnes o con mala salud. ‖ *Amer.* Se dice de los norteamericanos de origen hispánico que habitan el SO de los Estados Unidos y de los mexicanos residentes en dicha región. ‖ m. *Amer.* Variedad del español, con gran número de palabras inglesas castellanizadas, hablado por los pochos.

poda. f. Acción y efecto de podar. ‖ Tiempo durante el que se efectúa.

podadera. f. Herramienta acerada y de corte curvo, con mango de madera, usada para podar.

podagra. f. MED. Enfermedad de gota, y especialmente cuando se padece en los pies.

podar (al. *Beschneiden*, fr. *émonder*, ingl. *to prune*, it. *potare*). tr. Cortar o quitar las ramas superfluas de los árboles, vides y otras plantas.

podenco, ca. adj. ↗ *perro podenco.* Ú.t.c.s.

poder. m. Dominio, imperio, facultad y jurisdicción para mandar o hacer una cosa. ‖ Fuerzas de un Estado, en especial las militares. ‖ Acto o instrumento en que consta la facultad que uno da a otro para realizar una cosa. Ú. frecuentemente en pl. ‖ Posesión actual o tenencia de algo. ‖ Poderío, capacidad, fuerza, vigor. ‖ Suprema potestad rectora y coactiva del Estado. ‖ — *absoluto* o *arbitrario.* Despotismo. ‖ — *constituyente.* El que corresponde al Estado para organizarse, dictando y reformando sus constituciones. ‖ — *ejecutivo.* En los gobiernos representativos, el que debe gobernar el Estado y hacer observar las leyes. ‖ — *judicial.* El que ejerce la administración de justicia. ‖ — *legislativo.* El que tiene potestad para hacer y reformar las leyes. ‖ *de poder a poder.* m. adv. con que se da a entender que una cosa se ha disputado de una parte y de otra con todas las fuerzas disponibles para el caso. ‖ *por poder.* m. adv. Con intervención de un apoderado.

poder. tr. Tener facultad de hacer algo. ‖ Tener facilidad, tiempo o lugar de hacer algo. Ú.m. con negación. ‖ impers. Ser contingente o posible que suceda una cosa. ‖ *a más no poder.* m. adv. con que se expresa que uno hace algo impelido y forzado. ‖ *no poder menos.* Ser necesario o preciso. ‖ *no poder ver* a uno. fig. Aborrecerle.

poderío. m. Facultad de hacer o impedir una cosa. ‖ Hacienda, bienes y riquezas. ‖ Poder, dominio. ‖ Potestad, facultad, jurisdicción. [*Sinón.*: fuerza. *Antón.*: debilidad]

poderoso, sa. adj. Que tiene poder. Ú.t.c.s. ‖ Muy rico, colmado de bienes. Ú.t.c.s. ‖ Grande, excelente en su género o condición. ‖ Activo, eficaz. [*Sinón.*: potente, acaudalado]

podio. m. ARQ. Pedestal largo sostenido por varias columnas. ‖ DEP. Pódium.

pódium. m. Plataforma en que se sitúa el director de una orquesta o en la que sube el vencedor de una prueba deportiva.

podómetro. m. Aparato en forma de reloj de bolsillo, para contar el número de pasos que da la persona que lo lleva.

podre. f. Putrefacción de algunas cosas. ‖ Pus.

podredumbre. f. Corrupción material o moral.

podredura. f. Putrefacción, corrupción de las cosas.

podrir. tr. Pudrir. Ú.t.c.r.

poema (al. *Gedicht*, fr. *poème*, ingl. *poem*, it. *poema*). m. Obra en verso, o perteneciente por su género, aunque esté escrita en prosa, al dominio de la poesía.

poesía (al. *Dichtkunst*, fr. *poésie*, ingl. *poetry*, it. *poesia*). f. Expresión artística de la belleza por medio de la palabra sujeta a la medida y cadencia propias del verso. ‖ Arte de componer obras poéticas. ‖ Género de producciones del entendimiento humano, cuyo fin inmediato es expresar lo bello por medio del lenguaje. ‖ Obra o composición en verso, especialmente la que pertenece al género lírico. ‖ Cierto indefinible encanto o cualidad de lo que eleva el sentimiento o la imaginación, produciendo una emoción a la vez estética y afectiva.

poeta (al. *Dichter*, fr. *poète*, ingl. *poet*, it. *poeta*). m. El que compone obras poéticas. ‖ El que hace versos. [*Sinón.*: vate]

poético, ca. adj. Perteneciente o relativo a la poesía. ‖ Propio o característico de la poesía; apto o conveniente para ella. ‖ f. Poesía, arte de componer obras poéticas. ‖ Ciencia que se ocupa del lenguaje poético y, en general, literario.

poetisa. f. Mujer que compone obras poéticas o hace versos.

poetizar. intr. Hacer o componer versos u obras poéticas. ‖ tr. Embellecer alguna cosa dándole carácter poético.

pogromo (voz rusa). m. Asesinato en masa, de grupos sociales indefensos. Originariamente fueron matanzas de judíos.

polaco, ca. adj. Natural de Polonia. Ú.t.c.s. ‖ Perteneciente a este país. ‖ m. Lengua de los polacos.

polaina (al. *Gamasche*, fr. *guêtre*, ingl. *legging*, it. *gambale*). f. Especie de media calza, que cubre la pierna hasta la rodilla.

polar. adj. Perteneciente o relativo a los polos. ‖ ↗ *Estrella Polar.*

polaridad. f. FÍS. Propiedad de algunas magnitudes físicas de acumularse en distintos extremos de un cuerpo. ‖ Propiedad de poseer determinadas cualidades opuestas en distintos extremos.

polarizar. tr. Concentrar el ánimo o la atención en alguna cosa. ‖ FÍS. Modificar los rayos luminosos por refracción o reflexión, de manera que no puedan refractarse o reflejarse de nuevo en ciertas direcciones. Ú.t.c.r.

polca. f. Danza rápida de origen polaco. ‖ Música de este baile. ‖ — *alemana.* Chotis.

polea (al. *Blockrolle*, fr. *poulie*, ingl. *pulley*, it. *puleggia*). f. Rueda acanalada en su circunferencia y móvil alrededor de un eje. Por el canal pasa una cuerda o cadena en uno de cuyos extremos actúa la potencia y en el otro la resistencia. ‖ Rueda metálica de llanta plana empleada en las transmisiones por correas.

polémica. f. Arte que enseña los ardides con que se debe ofender o defender cualquier plaza. ‖ Controversia por escrito sobre cuestiones intelectuales.

polemizar. intr. Sostener o entablar una polémica.

polen (al. *Blütenstaub*, fr. *pollen*, ingl. *pollen*, it. *polline*). m. BOT. Polvillo fecundante contenido en las anteras de las flores.

polenta. f. Torta de harina de maíz.

poli-. Elemento compositivo que entra en la formación de algunas voces españolas con el significado de «pluralidad».

poliandria. f. Estado. de la mujer casada simultáneamente con dos o más hombres. ‖ BOT. Condición de la flor que tiene muchos estambres.

poliarquía. f. Gobierno de muchos.

policía (al. *Polizei*, fr. *police*, ingl. *police*, it. *polizia*). f. Cuerpo encargado de mantener el orden público y la seguridad de los ciudadanos. ‖ Buen orden en las ciudades y repúblicas, dentro de las ordenanzas y leyes. ‖ Cortesía, urbanidad en el trato y costumbres. ‖ Limpieza, aseo. ‖ com. Agente de policía. ‖ — *judicial.* La que tiene por objeto la averiguación de los delitos públicos y persecución de los delincuentes. ‖ — *secreta.* Aquella cuyos individuos no llevan uniforme a fin de pasar inadvertidos.

policíaco, ca o **policiaco, ca.** adj. Perteneciente o relativo a la policía.

policial. adj. Relativo o perteneciente a la policía.

policlínica. f. Establecimiento privado en donde se prestan servicios médicos de diversas especialidades.

policromía. m. Cualidad de policromo.

policromo, ma. adj. De varios colores.

polichinela. m. Personaje burlesco de las farsas. ‖ Títere.

polideportivo, va. adj. DEP. Aplícase al lugar, instalaciones, etc., destinados a la práctica de varios deportes. Ú.t.c.s.

poliedro. m. GEOM. Sólido limitado por superficies planas.

polifacético, ca. adj. Que ofrece varias facetas o aspectos. ‖ Por ext., se aplica a las personas de variada condición o múltiples aptitudes.

polifonía. f. MÚS. Conjunto armónico de sonidos simultáneos en que cada uno expresa su idea musical.

poligamia. f. Estado o calidad de polígamo. ‖ Régimen familiar en que la mujer o el hombre pueden tener varios esposos o esposas. Ú.m. en el sentido masculino.

polígamo, ma. adj. Dícese de la persona que vive en régimen de poligamia. Ú.t.c.s. ‖ BOT. Aplícase a las plantas que tienen en uno o más pies flores masculinas, femeninas y hermafroditas. ‖ ZOOL. Dícese del animal que se junta con varias hembras.

polígloto, ta o **poligloto, ta.** adj. Escrito en varias lenguas. ‖ Aplícase a la persona que conoce varias lenguas. Ú.m.c.s.

poligonal. adj. GEOM. Perteneciente o relativo al polígono. ‖ GEOM. Dícese del prisma o pirámide cuyas bases son polígonos.

polígono, na. adj. GEOM. Poligonal. ‖ m. GEOM. Porción de plano limitado por líneas rectas. ‖ Dícese del terreno que tiene forma de polígono. ‖ Unidad constituida por una superficie de terreno delimitada, para fines de valoración catastral, ordenación urbana, planificación industrial, residencial, etc. — *de tiro.* Campo destinado a experiencias de la artillería.

poligrafía. f. Arte de escribir por diferentes procedimientos secretos, de modo que lo escrito no sea inteligible sino para quien puede descifrarlo.

polígrafo. m. Autor que ha escrito sobre materias diferentes. ‖ Persona que se dedica al estudio y cultivo de la poligrafía.

polilla (al. *Motte,* fr. *teigne,* ingl. *moth,* it. *tarma*). f. Mariposa nocturna, pequeña y cenicienta, cuya larva se alimenta de borra y hace una especie de capullo, destruyendo para ello la materia en donde anida. ‖ Larva de este insecto. ‖ fig. Lo que destruye insensiblemente algo.

polimorfo, fa. adj. QUÍM. Que puede tener varias formas.

polinesio, sia. adj. Perteneciente o relativo a la Polinesia. ‖ Dícese de los habitantes de este archipiélago. Ú.t.c.s.

polinización. f. BOT. Transporte de polen desde las anteras a los pistilos.

polinomio (al. *Polynom,* fr. *polynôme,* ingl. *polynomial,* it. *polinomio*). m. MAT. Expresión que consta de varios términos.

polinosis. f. MED. Trastorno alérgico producido por el polen.

polio. f. Apócope de poliomielitis, muy utilizado en la práctica.

poliomielitis. f. MED. Grupo de enfermedades, agudas o crónicas, ocasionadas por lesiones en las astas anteriores de la médula. Sus principales síntomas son la atrofia y parálisis de los músculos correspondientes a las lesiones medulares. ‖ — *aguda.* Parálisis infantil.

polipero. m. ZOOL. Formación calcárea arborescente o dendrítica, pegada a las rocas submarinas, y producida por diversos géneros de antozoos que viven sobre ella.

pólipo (al. *Polyp,* fr. *polype,* ingl. *polyp,* it. *polipo*). m. ZOOL. Una de las dos formas que aparecen en la generación alternante de muchos celentéreos, la cual vive fija en el fondo de las aguas por uno de sus extremos, llevando en el otro la boca, rodeada de tentáculos. ‖ MED. Tumor pediculado que se forma y crece en las membranas mucosas de diferentes cavidades.

polisemia. f. GRAM. Conjunto de acepciones de una palabra.

polisílabo, ba. adj. GRAM. Aplícase a la palabra que consta de varias sílabas. Ú.t.c.s.m.

polisón. m. Armazón de varillas que usaban las mujeres para ahuecar la falda por la cintura.

polispasto. m. Aparejo de dos grupos de poleas, uno fijo y otro móvil. [*Sinón.*: polipasto]

politécnico, ca. adj. Que comprende ciencias o artes.

politeísmo. m. Doctrina de los que creen en una pluralidad de dioses.

política (al. *Politik,* fr. *politique,* ingl. *politics,* it. *politica*). f. Arte, doctrina u opinión referente al gobierno de los Estados. ‖ Actividad de los que rigen o aspiran a regir los asuntos públicos. ‖ Orientaciones o directrices que rigen la actuación de una persona o entidad en un asunto o campo determinado.

politicastro. m. despect. El que se vale de la política para fines ilícitos.

político, ca. adj. Concerniente a la doctrina política. ‖ Perteneciente o relativo a la política. ‖ Cortés. ‖ Dícese de quien interviene en las cosas del gobierno y negocios del Estado. Ú.t.c.s. ‖ Aplicado a un nombre significativo de parentesco por consanguinidad, denota el correspondiente parentesco por afinidad.

politiquear. intr. Intervenir en política. ‖ Tratar de política superficialmente. ‖ *Amer.* Hacer política de intrigas y bajezas.

politizar. Dar orientación o contenido político a acciones, pensamientos, etc., que corrientemente no lo tienen. Ú.t.c.r.

póliza (al. *Versicherungspolice, stempel;* fr. *police, timbre;* ingl. *policy, stamp;* it. *polizza, marca da bollo*). f. Libranza o instrumento en que se da orden para percibir o cobrar algún dinero. ‖ Guía o instrumento, patente de legitimidad de los géneros y mercancías que se llevan. ‖ Documento justificativo del contrato en seguros, operaciones de Bolsa, etc. ‖ Sello suelto con que se satisface el impuesto del timbre en determinados documentos.

polizón. m. El que se embarca clandestinamente.

polizonte. m. despect. Agente de policía.

polo (al. *Pol,* fr. *pôle,* ingl. *pole,* it. *polo*). m. Cualquiera de los dos extremos del eje de rotación de una esfera o cuerpo redondeado, especialmente de la Tierra. ‖ Región contigua a un polo terrestre. ‖ fig. Marca registrada de un tipo de helado en forma de prisma o tronco de pirámide cuadrangular que se chupa cogiéndolo de un palillo hincado en su base. ‖ FÍS. Cada una de las extremidades del circuito de una pila. ‖ FÍS. Cualquiera de los dos puntos opuestos de un cuerpo en los cuales se acumula mayor intensidad de energía de un agente físico. ‖ — *de desarrollo.* Polo industrial. ‖ — *industrial.* Zona oficialmente delimitada, cuyo desarrollo industrial se trata de conseguir.

polo. m. Juego que se practica a caballo y que consiste en impulsar una pelota con la ayuda de un mazo hacia una meta, observando ciertas reglas.

polo. m. Cierto baile o canto popular de Andalucía.

polonesa. f. MÚS. Composición que imita cierto aire de danza y canto polacos.

polonio. m. QUÍM. Elemento del grupo del azufre, de carácter radiactivo, que se encuentra en la pechblenda.

poltrón, na. adj. Flojo, perezoso, haragán.

poltronería. f. Pereza, aversión al trabajo.

polución. f. Efusión seminal. ‖ Contaminación intensa y dañina del agua o del aire, producida por los residuos de procesos industriales o biológicos.

poluto, ta. adj. Sucio, inmundo.

polvareda. f. Cantidad de polvo que se levanta de la tierra por el viento u otra causa. ‖ fig. Efecto causado entre las gentes por dichos o hechos que las alteran o apasionan.

polvera (al. *Puderdosse,* fr. *boîte à poudre,* ingl. *vanity box,* it. *portacipria*). f. Vaso de tocador, o estuche portátil, para contener los polvos del maquillaje, y la borla con que se aplican.

polvo (al. *Staub,* fr. *poussière,* ingl. *dust,* it. *polvere*). m. Parte más menuda y deshecha de la tierra muy seca, que con cualquier movimiento se levanta con el aire. ‖ Lo que queda de otras cosas sólidas, moliéndolas hasta reducirlas a porciones muy menudas. ‖ *echar un polvo.* vulg. Realizar el acto sexual. ‖ *estar uno hecho polvo.* fig. y fam. Sentirse abatido por las adversidades. ‖ *hacer polvo una cosa.* fig. y fam. Destruirla por completo. || *hacerle a uno polvo.* fig. y fam. Aniquilarle. || *hacerle morder a uno el polvo.* fig. Vencerle en la pelea.

pólvora (al. *Pulver*, fr. *poudre*, ingl. *gunpower*, it. *polvore da sparo*). f. Mezcla ordinariamente de salitre, azufre y carbón, que a cierta temperatura se inflama, desprendiendo bruscamente gran cantidad de gases. Empléase casi siempre en pirotecnia. Hoy varía la composición del agente explosivo. || Conjunto de fuegos artificiales que se disparan en una celebridad. || fig. Mal genio de uno, que se altera sin motivo. || fig. Viveza, vehemencia de una cosa.

polvorear. tr. Esparcir polvo sobre una cosa.

polvoriento, ta. adj. Lleno o cubierto de polvo.

polvorín (al. *Pulvermagazin*, fr. *poudrière*, ingl. *powder magazine*, it. *polveriera*). m. Lugar o edificio convenientemente dispuesto para almacenar en él pólvora y armas. [*Sinón.*: arsenal, maestranza]

polvorón. m. Torta, habitualmente pequeña, de harina, manteca y azúcar, que se deshace en polvo al comerla.

polla. f. Gallina joven, que no pone huevos o que hace poco que los pone. || fig. y fam. Jovencita. || vulg. Órgano sexual masculino.

pollada. f. Conjunto de pollos que las aves sacan de una vez, principalmente las gallinas.

pollastre. m. fig. y fam. Jovenzuelo que se las echa de hombre. || Pollo o polla algo crecidos.

pollear. intr. Empezar un muchacho o muchacha a hacer cosas propias de los jóvenes.

pollería. f. Lugar donde se venden gallinas, pollos o pollas y otras aves comestibles.

pollero, ra. s. Persona que tiene por oficio criar o vender pollos. || Lugar en que se crían los pollos. || f. Cesto de mimbres o red para guardar pollos. || Artificio hecho de mimbres, que se pone a los niños para que aprendan a andar sin caerse. || *Amer.* Falda.

pollino, na. s. Asno joven y cerril. || Por ext., cualquier borrico. || fig. Persona simple, ignorante y ruda. Ú.t.c.adj.

pollo (al. *Junges, Huhu;* fr. *poulet;* ingl. *chicken;* it. *pollo*). m. ZOOL. Cría de las aves y particularmente de las gallinas. || fig. y fam. Joven. || — *tomatero.* El de gallina cuando sale de la segunda muda de pluma.

poma. f. Fruto del árbol. || Manzana. || Casta de manzana pequeña, verdosa y achatada. || Pomo para perfumes y cajita en que se guarda.

pomada. f. FARM. Mixtura de una sustancia grasa y otros ingredientes, que se emplea como afeite o medicamento.

pomar. m. Sitio o huerta donde hay árboles frutales, especialmente manzanos.

pomarrosa. f. Fruto del yambo, semejante a una manzana pequeña.

pomelo. m. Toronja.

pómez. f. Piedra pómez.

pomo. m. Frasco o vaso de vidrio o metal que sirve para contener y conservar licores y preparados aromáticos. || Extremo de la guarnición de la espada. || BOT. Fruto simple de mesocarpio carnoso y endocarpio cartilaginoso que forma varias cámaras que albergan las semillas; como la manzana.

pompa (al. *Pratch*, fr. *pompe*, ingl. *pomp*, it. *pompa*). f. Acompañamiento suntuoso y de gran aparato en una función de regocijo o fúnebre. || Fausto, vanidad. || Procesión solemne. || Burbuja de aire que forma el agua. || Rueda que hace el pavo real con la cola.

pomposidad. f. Calidad de pomposo.

pomposo, sa. adj. Ostentoso, magnífico, grave y autorizado. || fig. Dícese del lenguaje, estilo, etc., ostentosamente adornado.

pómulo (al. *Wangenbein*, fr. *pommette*, ingl. *cheek-bone*, it. *pomello*). m. ANAT. Hueso de cada una de las mejillas. || Parte del rostro correspondiente a este hueso.

ponche (al. *Punsch*, fr. *punch*, ingl. *punch*, it. *ponce*). m. Bebida que se hace mezclando ron u otro licor con agua, limón y azúcar.

ponchera. f. Vaso para preparar ponche.

poncho. m. *Amer.* Prenda de abrigo, que consiste en una manta cuadrada de lana, y que tiene en el centro una abertura para pasar la cabeza y cuelga de los hombros hasta más abajo de la cintura. || Especie de capote de monte. || *alzar* o *levantar el poncho. Amer.* Rebelarse contra la autoridad.

ponderable. adj. Que se puede pesar. || Digno de ponderación.

ponderación (al. *Anpreisung*, fr. *pondération*, ingl. *ponderation*, it. *ponderazione*). f. Atención, consideración, peso y cuidado. || Exageración o encarecimiento. || Acción de pesar una cosa.

ponderado, da. adj. Que actúa con ponderación.

ponderar (al. *erwägen*, fr. *pondérer*, ingl. *to ponder*, it. *ponderare*). tr. Pesar, determinar el peso de una cosa. || Examinar con detenimiento un asunto. || Exagerar, encarecer. || Contrapesar, equilibrar.

ponedero, ra. adj. Que se puede poner. || Se aplica a las aves que ya ponen huevos. || m. Nidal, lugar destinado para que pongan huevos las gallinas y otras aves.

ponencia. f. Cargo de ponente. || Persona o comisión designada para actuar como ponente. || Propuesta sobre un tema concreto que se somete al examen y resolución de una asamblea. || Informe dado por el ponente.

ponente. adj. Aplícase al magistrado, funcionario o miembro de un cuerpo colegiado a quien toca hacer relación de un asunto y proponer la resolución del mismo. Ú.t.c.s.

poner (al. *hinlegen, hinstellen;* fr. *mettre;* ingl. *to put, to place;* it. *mettere*). tr. Colocar en un sitio una persona o cosa, o disponerla en el sitio o grado que debe tener. Ú.t.c.r. || Disponer o prevenir algo con lo que precisa para algún fin. || Contar o determinar. || Admitir un supuesto o hipótesis. || Apostar una cantidad. || Soltar el huevo las aves. || Representar una obra de teatro. || Tratándose de nombres, motes, etc., aplicarlos a personas o cosas. || Añadir voluntariamente una cosa a la narración. || Tratar mal a uno de palabra. || Con la preposición *a* y el infinitivo de otro verbo, empezar a ejecutar la acción de lo que el verbo significa. || r. Vestirse. || Mancharse o llenarse. || *poner bien* a uno. fig. Darle estimación y crédito en la opinión de otro. || *poner colorado* a uno. fig. y fam. Avergonzarle. Ú.t.c.r. || *poner en claro.* Averiguar o explicar con claridad algo confuso. || *poner mal* a uno. Hacerle perder la estimación con chismes, perjudicarle. || *poner por encima.* Preferir, subordinar una cosa a otras. || *ponerse al corriente.* Enterarse. || *ponerse de largo.* Vestirse una muchacha galas de mujer, y presentarse así en sociedad. |*Sinón.*: situar, ubicar, preparar. *Antón.*: quitar, desarreglar|

póney. m. Poni.

poni. m. Nombre que se da a una raza de caballos de poca alzada.

poniente (al. *Westen*, fr. *couchant*, ingl. *occident*, it. *ponente*). m. Occidente, punto cardinal. || Viento que sopla por la parte occidental. [Sinón.: oeste, ocaso]

pontevedrés, sa. adj. Natural de Pontevedra. Ú.t.c.s. ‖ Concerniente a esta ciudad o a su provincia.

pontificado (al. *Pontificat*, fr. *pontificat*, ingl. *pontificate*, it. *pontificato*). m. Dignidad de pontífice. ‖ Tiempo que dura esta dignidad. ‖ Aquel en que un obispo o arzobispo permanece en el gobierno de su iglesia.

pontifical. adj. Relativo al pontífice. ‖ m. Conjunto de ornamentos que sirven al obispo para la celebración de los oficios divinos. Ú.t. en pl.

pontificar. intr. fam. Celebrar con rito pontifical. ‖ fig. y fam. Afirmar con presunción principios sujetos a examen y contradicción.

pontífice (al. *Pontifex*, fr. *pontife*, ingl. *pontiff*, it. *pontèfice*). m. Obispo o arzobispo de una diócesis. ‖ Por antonomasia, prelado supremo de la Iglesia católica romana.

pontificio, cia. adj. Concerniente al pontífice.

pontón (al. *Ponton*, fr. *ponton*, ingl. *pontoon*, it. *pontone*). m. Barco chato sin quilla. ‖ Buque viejo utilizado como almacén, hospital o depósito de prisioneros. ‖ Puente de maderos o de una sola tabla.

pontonero. m. Especialista en el manejo y cuidado de pontones.

ponzoña. f. Sustancia que lleva en sí cualidades nocivas para la salud. [Sinón.: veneno, tóxico]

ponzoñoso, sa. adj. Que tiene ponzoña.

popa (al. *Hinterschiff*, fr. *poupe*, ingl. *stern*, it. *poppa*). f. MAR. Parte posterior de la nave.

pope. m. Sacerdote de la Iglesia cismática griega.

popelín. m. Cierta clase de tela delgada. [Sinón.: popelina]

popote. m. Especie de paja con la que en México se hacen escobas.

populachero, ra. adj. Relativo al populacho. ‖ Propio para halagarle o ser estimado por él.

populacho. m. Estamento ínfimo de los que forman parte de la plebe.

popular (al. *populär*, fr. *populaire*, ingl. *popular*, it. *popolare*). adj. Perteneciente o relativo al pueblo. ‖ Del pueblo o de la plebe. Ú.t.c.s. ‖ Que es grato al pueblo.

popularidad (al. *Popularität*, fr. *popularité*, ingl. *popularity*, it. *popolarità*). f. Aceptación y aplauso que alguien obtiene del pueblo.

popularizar. tr. Acreditar a una persona o cosa, extender su estimación en el concepto público. Ú.t.c.r. ‖ Dar carácter popular a un producto. [Sinón.: afamar]

populoso, sa (al. *volkreich*, fr. *populeux*, ingl. *populous*, it. *popoloso*). adj. Aplícase a la provincia, ciudad, villa o lugar de población numerosa.

popurrí. m. MÚS. Composición musical formada por fragmentos o temas de obras diversas. ‖ Mezcolanza de cosas diversas.

poquedad. f. Escasez, cortedad o miseria. ‖ Timidez, pusilanimidad. ‖ Cosa de poca entidad.

póquer. m. Juego de naipes en el que cada jugador recibe cinco cartas; es juego de envite y gana el que reúne la combinación superior de las varias establecidas.

por (al. *durch, von;* fr. *par;* ingl. *by;* it. *da*). prep. con que se indica la persona agente en las oraciones en pasiva. ‖ Se junta con los nombres para determinar tránsito por ellos. ‖ Se junta con nombres de tiempo, determinándolo. ‖ En calidad de. Ú. para denotar la causa, el medio y el modo de ejecutar una cosa. ‖ A favor de alguno. ‖ En lugar de. ‖ En juicio u opinión de. ‖ Junto con algunos nombres, denota que se da o reparte con igualdad una cosa. ‖ Indica multiplicación de números. ‖ Indica proporción. ‖ Se usa para comparar cosas. ‖ Con el infinitivo de algunos verbos, *para.* ‖ Con el infinitivo de otros verbos indica la acción futura de esos mismos verbos. ‖ *por donde.* m. adv. Por lo cual. ‖ *por qué.* m. adv. interrog. Por cuál razón, causa o motivo.

porcelana (al. *Porzellan*, fr. *pocelaine*, ingl. *porcelain*, it. *porcellana*). f. Loza fina, transparente y lustrosa. ‖ Vasija de esta loza. ‖ Esmalte blanco con una mezcla de azul.

porcentaje. m. Tanto por ciento.

porcentual. adj. Se aplica a la composición, distribución, etc., calculadas o expresadas en tantos por ciento.

porcino, na. adj. Perteneciente al puerco. ‖ m. Puerco pequeño.

porción (al. *Anteil*, fr. *portion*, ingl. *portion*, it. *porzione*). Cantidad segregada de otra mayor. ‖ fig. Ración. ‖ fam. Número considerable e indeterminado de personas o cosas. ‖ Cuota individual en cosa que se distribuye entre varios partícipes. [Sinón.: fragmento]

porche. m. Soportal, cobertizo.

pordiosear. intr. Mendigar o pedir limosna de puerta en puerta. ‖ fig. Pedir porfiadamente.

pordiosero, ra (al. *Bettler*, fr. *mendiant*, ingl. *beggar*, it. *mendicante*). adj. Dícese del mendigo que pide limosna en nombre de Dios. Ú.t.c.s. [Sinón.: mendigante]

porfía. f. Acción de porfiar. [Sinón.: obstinación, tenacidad]

porfiado, da. adj. Dícese del sujeto terco y obstinado en su dictamen y parecer. Ú.t.c.s.

porfiar. intr. Disputar, importunar. [Antón.: desistir]

pórfido. m. Roca compacta y dura, de color rojo oscuro, muy estimada para decoración de edificios.

pormenor (al. *Einzelheit*, fr. *détail*, ingl. *detail*, it. *ragguaglio*). m. Reunión de circunstancias menudas y particulares de una cosa. Ú.m. en pl. ‖ Cosa o circunstancia de interés secundario en un asunto. [Sinón.: detalle]

pormenorizar. tr. Describir minuciosamente.

pornografía. f. Tratado sobre la prostitución. ‖ Carácter obsceno de obras literarias o artísticas. ‖ Obra literaria o artística de este carácter.

pornográfico, ca. adj. Dícese del autor de obras obscenas. ‖ Perteneciente o relativo a la pornografía.

poro (al. *Pore*, fr. *pore*, ingl. *pore*, it. *poro*). m. Espacio que hay entre las moléculas de los cuerpos. ‖ Intersticio que hay entre las partículas de los sólidos de estructura discontinua. ‖ ANAT. Orificio, por su pequeñez invisible a simple vista, que hay en la superficie de los animales y de los vegetales.

porosidad. f. Calidad de poroso.

poroso, sa. adj. Que tiene poros.

porque. conj. causal. Por causa o razón de que. ‖ conj. final. Para que.

porqué. m. Causa, razón o motivo.

porquería. f. Suciedad, inmundicia o basura. ‖ fam. Acción sucia o indecente. ‖ fam. Grosería. ‖ fam. Cualquier cosa de poca entidad o valor. [Antón.: limpieza]

porqueriza. f. Pocilga.

porquerizo. m. El que guarda los puercos.

porquero. m. Porquerizo.

porra (al. *Keule*, fr. *massue*, ingl. *club*, it. *clava*). f. Clava, palo labrado toscamente. ‖ Cachiporra. ‖ Martillo de bocas iguales y mango largo. ‖ Fruta de sartén semejante al churro, pero más gruesa.

porrada. f. Porrazo. ‖ Conjunto o montón de cosas.

porrazo. m. Golpe que se da con la porra. ‖ Por ext., el que se da con la mano o con otro instrumento.

porrear. intr. fam. Insistir con pesadez en una cosa.

porrillo (a). m. adv. fam. En abundancia, copiosamente.

porro. m. Puerro. ‖ Cigarrillo de hachís o marihuana, mezclado con tabaco. ‖ adj. fig. y fam. Se dice del sujeto torpe y necio. Ú.t.c.s.m.

porta. f. Cañonera, tronera.

portaaviones. m. Buque de guerra dotado de las instalaciones necesarias para transportar aviones, los cuales despegan y aterrizan en la cubierta del navío.

portada. f. Ornato de arquitectura que se hace en las fachadas principales de los edificios suntuosos. ‖ IMP. Primera plana de los libros impresos, en que se pone el título del libro, el nombre del autor y el nombre de la editorial.

portadilla. f. IMP. Anteportada. ‖ En un libro, página que sólo lleva el título de la parte que sigue.

portador, ra (al. *träger*, fr. *porteur*, ingl. *bearer*, it. *portatore*). adj. Que lleva o trae una cosa de una parte a otra. ‖ m. COM. Tenedor de efectos públicos o valores comerciales transmisibles sin endoso. ‖ MED. Persona sana, enferma o convaleciente, que lleva en su cuerpo el germen de una enfermedad y actúa como propagador de la misma.

portaestandarte. m. Oficial destinado a llevar el estandarte de un regimiento de caballería.

portal (al. *Tor*, fr. *vestibule*, ingl. *porch*, it. *portale*). m. Zaguán. ‖ Soportal, atrio cubierto. ‖ Pórtico de un templo o de un edificio suntuoso. ‖ En algunas partes, puerta de la ciudad. [*Sinón.*: porche]

portalámpara o **portalámparas.** m. Dispositivo que se usa para sujetar las bombillas y hacer que éstas queden en contacto con el circuito eléctrico.

portalón. m. Puerta grande de los palacios antiguos que cierra un patio descubierto. ‖ MAR. Abertura en el costado del buque que sirve para la entrada y salida de personas y cosas.

portamonedas (al. *Geldtäschchen*, fr. *porte-monnaie*, ingl. *purse*, it. *portamonete*). m. Bolsita o cartera, para llevar dinero a mano.

portante. adj. Se dice de los cuadrúpedos que amblan. Ú.m.c.s. ‖ Se dice del aire de ambladura. ‖ m. Ambladura. ‖ Andares y piernas de hombre. ‖ *coger el portante* o *tomar el portante*. fig. y

fam. Irse, marcharse. ‖ *dar el portante* a uno. fig. y fam. Despedirle.

portaobjeto. m. Pieza del microscopio o lámina adicional en la que se coloca un objeto para su observación.

portar. tr. Traer el perro cazador la pieza cobrada. ‖ r. Con los adverbios *bien, mal* u otros parecidos, comportarse. ‖ Proceder con liberalidad y franqueza. ‖ Por ext., distinguirse, quedar con lucimiento en cualquier empeño. ‖ intr. MAR. Hablando de velas y aparejos, ir en viento.

portarretrato. m. Marco de metal, madera, cuero u otro material que se emplea para poner retratos en él.

portátil (al. *tragbar*, fr. *portatif*, ingl. *portable*, it. *portatile*). adj. Movible y fácil de transportar de un lugar a otro. [*Sinón.*: transportable]

portavoz. m. MIL. Bocina que usan los jefes para ordenar la maniobra al tender los puentes militares. ‖ fig. El que representa a una colectividad o lleva su voz. ‖ fig. Funcionario autorizado para divulgar oficiosamente la opinión del gobierno acerca de un asunto determinado.

portazgo. m. Derechos que se pagan por pasar por un sitio determinado de camino. ‖ Sitio en que se cobran.

portazo. m. Golpe recio que se da con la puerta o el que ésta da a causa del viento. ‖ Acción de cerrar la puerta para despreciar y desairar a uno.

porte. m. Acción de portear. ‖ Cantidad que se paga por llevar algo de un sitio a otro. ‖ Modo de comportarse. ‖ Buena o mala disposición de una persona y mayor o menor decencia en el trato o apariencia. [*Sinón.*: prestancia, presencia]

porteador, ra. adj. Que portea o tiene por oficio portear. Ú.t.c.s.

portear. tr. Transportar algo por el precio convenido. ‖ r. Pasarse de una parte a otra. Se aplica particularmente a las aves pasajeras.

portear. intr. Dar golpes las puertas o ventanas o darlos con ellas.

portento (al. *Wunder*, fr. *prodige*, ingl. *wonder*, it. *portento*). m. Cualquier acción, cosa o suceso singular que, por su extrañeza o novedad, causa admiración o terror. [*Sinón.*: milagro, maravilla]

portentoso, sa. adj. Singular, extraño y que por su novedad causa admiración, terror o pasmo.

porteño, na. adj. Natural del Puerto de Santa María. Ú.t.c.s. ‖ Perteneciente a esta ciudad. ‖ Perteneciente o relativo

a Buenos Aires. ‖ Natural de esta ciudad argentina. Ú.t.c.s. ‖ Natural de Valparaíso. Ú.t.c.s. ‖ Perteneciente o relativo a esta ciudad chilena.

portería (al. *Portierloge*, fr. *conciergerie*, ingl. *janitor's lodge*, it. *portineria*). f. Pieza destinada para el portero, en el zaguán. ‖ DEP. Marco rectangular formado por dos postes y un larguero, en el que debe entrar el balón para marcar tantos.

portero, ra. s. Persona encargada de guardar, cerrar y abrir las puertas, del cuidado del portal, etc. ‖ Jugador que defiende la portería. [*Sinón.*: conserje; cancerbero]

portezuela. f. dim. de puerta. ‖ Puerta de carruaje.

porticado, da. adj. Dícese de la construcción que tiene soportales.

pórtico (al. *Säulengang*, fr. *portique*, ingl. *porch*, it. *loggia*). m. Sitio cubierto y con columnas que se construye delante de los templos u otros edificios suntuosos. ‖ Galería con arcadas o columnas a lo largo de un muro de fachada o de patio.

portillo. m. Abertura en las murallas, paredes o tapias. ‖ Postigo o puerta chica en otra mayor. ‖ Camino angosto entre dos alturas.

portón. m. aum. de puerta. ‖ Puerta que separa el zaguán del resto de la casa.

portorriqueño, ña. adj. Natural de Puerto Rico. Ú.t.c.s. ‖ Perteneciente o relativo a este país insular del Caribe.

portuario, ria. adj. Perteneciente o relativo al puerto de mar o a las obras del mismo.

portugués, sa. adj. Natural de Portugal. Ú.t.c.s. ‖ Perteneciente a esta nación. ‖ m. Lengua que se habla en Portugal y Brasil.

portuguesismo. m. Giro o modo de hablar propio de la lengua portuguesa.

porvenir (al. *Zukunft*, fr. *avenir*, ingl. *future*, it. *avvenire*). m. Suceso o tiempo futuro [*Antón.*: pasado, ayer]

pos. prep. insep. que significa detrás de o después de. ‖ Se usa como adv. con igual significación en el m. adv. *en pos.*

posada (al. *Wirtshaus*, fr. *logis*, ingl. *inn*, it. *locanda*). f. Casa en que uno habita o mora. ‖ Mesón. ‖ Casa de huéspedes. ‖ Hospedaje. [*Sinón.*: parador, albergue]

posaderas. f. pl. Nalgas.

posadero, ra. s. Persona que regenta una posada, mesonero. ‖ m. Asiento cilíndrico hecho de espadaña o de soga de esparto. ‖ Sieso.

549

posar. intr. Alojarse, hospedarse. ‖ Descansar, reposar. ‖ Asentarse las aves o los aviones en un sitio o lugar después de haber volado. Ú.t.c.r. ‖ tr. Soltar la carga que se trae a cuestas para descansar. ‖ r. Depositarse.

posar. intr. Permanecer en determinada postura para. retratarse o para servir de modelo a un pintor o escultor.

posdata (al. *Postkriptum,* fr. *post-scriptum,* ingl. *postcript,* it. *poscritto*). f. Lo que se añade a una carta ya concluida y firmada.

pose. f. Actitud de una persona que sirve de modelo. ‖ Actitud afectada. [*Sinón.:* gesto, afectación]

poseer (al. *besitzen,* fr. *posséder,* ingl. *to possess,* it. *possedere*). tr. Tener alguien en su poder una cosa. ‖ Saber de sobras una cosa determinada. [*Antón.:* carecer]

poseído, da. adj. Poseso. Ú.t.c.s. ‖ fig. Se aplica al que realiza actos furiosos o malos. Ú.t.c.s.

posesión (al. *Besitz,* fr. *possession,* ingl. *possession,* it. *possedimento*). f. Acto de poseer. ‖ Apoderamiento del espíritu del hombre por otro espíritu. ‖ Cosa poseída. ‖ Territorio fuera de la nación pero que le pertenece por convenio o conquista. Ú.m. en pl. [*Sinón.:* propiedad]

posesionar. tr. Poner en posesión de una cosa. Ú.t.c.r.

posesivo, va (al. *besitzanzeigend,* fr. *possessif,* ingl. *possessive,* it. *possessivo*). adj. Que denota posesión.

poseso, sa. adj. Dícese de la persona que está poseída por algún espíritu. Ú.t.c.s. [*Sinón.:* endemoniado, hechizado, poseído]

posguerra. f. Tiempo inmediato a la terminación de la guerra.

posibilidad (al. *Nöglichkeit,* fr. *possibilité,* ingl. *possibility,* it. *possibilità*). f. Aptitud, potencia u ocasión para ser o existir las cosas. ‖ Aptitud o facultad para hacer o no hacer una cosa. [*Sinón.:* poder. *Antón.:* imposibilidad]

posibilitar. tr. Facilitar y hacer posible una cosa dificultosa. [*Antón.:* dificultar, obstaculizar]

posible (al. *möglich,* fr. *possible,* ingl. *possible,* it. *possibile*). adj. Que puede ser o suceder, que se puede ejecutar. [*Sinón.:* probable, factible, realizable]

posición (al. *Stellung,* fr. *position,* ingl. *position,* it. *posizione*). f. Postura, modo de estar puesta o colocada una persona o cosa. ‖ Categoría o condición social de cada persona en relación a las demás. ‖ Situación o disposición. ‖

MIL. Punto fortificado o ventajoso para los lances de la guerra.

positivismo. m. Calidad de atenerse a lo positivo. ‖ Demasiada afición a los goces materiales. ‖ Sistema filosófico que sólo admite el método experimental y rechaza las nociones a priori y los conceptos absolutos.

positivista. adj. Perteneciente o relativo al positivismo. ‖ Partidario del positivismo. Ú.t.c.s.

positivo, va (al. *positiv,* fr. *positif,* ingl. *positive,* it. *positivo*). adj. Cierto, efectivo, verdadero y que no ofrece duda. ‖ Aplícase al derecho que ha sido promulgado. ‖ Dícese del que busca la realidad de las cosas. ‖ MAT. Dícese de los términos que llevan el signo más y de los números mayores que cero. [*Antón.:* negativo]

positrón. m. Fís. Partícula elemental con carga eléctrica positiva, igual a la del electrón.

positura. f. Postura. ‖ Estado o disposición de una cosa.

poso (al. *Bodensatz,* fr. *lie,* ingl. *sediment,* it. *sedimento*). m. Sedimento del líquido contenido en una vasija. [*Sinón.:* residuo]

posología. f. MED. Parte de la terapéutica que trata de las dosis en que deben administrarse los medicamentos.

posponer. tr. Poner o colocar una persona o cosa después de otra. [*Sinón.:* postergar, preterir. *Antón.:* anteponer, ensalzar]

posposición. f. Acción de posponer.

posta. f. Conjunto de caballerías apostadas a dos o tres leguas para renovar los tiros. ‖ Lugar donde están las postas. ‖ Distancia de una posta a otra. ‖ Tajada o pedazo de carne, pescado u otra cosa. ‖ Bala pequeña de plomo, mayor que los perdigones. ‖ En los juegos de envite, porción de dinero que se envida y pone sobre la mesa. ‖ Tarjeta con un letrero conmemorativo. ‖ ARQ. Dibujo de ornamentación compuesto de líneas curvas.

postal. adj. Concerniente al ramo de correos. ‖ Se aplica a la tarjeta que lleva un sello de correos y se usa como carta sin sobre. Ú.t.c.s.f. ‖ Se aplica al giro que sirven las oficinas de correos.

postdiluviano, na. adj. Posterior al diluvio universal.

poste (al. *Pfeiler,* fr. *pilier,* ingl. *post,* it. *palo*). m. Madero, piedra o columna colocada verticalmente para servir de apoyo o de señal. [*Sinón.:* pilar]

postema. f. MED. Absceso supurado.

poster. m. Cartel.

postergación. f. Acción y efecto de postergar.

postergar (al. *übergehen,* fr. *reculer,* ingl. *to defer,* it. *postergare*). tr. Relegar a lugar de menor consideración a alguien o algo.

posteridad (al. *Nachkommenschaft,* fr. *postérité,* ingl. *posterity,* it. *posterità*). f. Descendencia o generación venidera. ‖ Fama póstuma.

posterior (al. *hinter-;* fr. *postérieur;* ingl. *posterior, hinder;* it. *posteriore*). adj. Que fue o viene a continuación, o está o queda atrás. [*Sinón.:* siguiente, consecutivo, sucesivo]

posterioridad. f. Calidad de posterior. [*Antón.:* anterioridad]

postigo (al. *Hintertür,* fr. *guichet,* ingl. *wicket,* it. *sportello*). m. Puerta falsa. ‖ Puerta fabricada de una pieza que se asegura con llave, cerrojo, etc. ‖ Cada una de las puertecillas que hay en las ventanas o contraventanas.

postilla. f. Costra que se hace en las llagas o granos a medida que se van secando. ‖ Apostilla.

postillón. m. Mozo que iba en una de las caballerías delanteras de un carruaje o diligencia.

postín. m. Presunción, vanidad.

postizo, za (al. *nachgemacht,* fr. *postiche,* ingl. *postiche,* it. *posticcio*). adj. Que no es natural ni propio, sino fingido o sobrepuesto. ‖ m. Entre peluqueros, añadido o tejido de cabello que sirve para suplir la falta o escasez de éste. [*Sinón.:* artificial, ficticio]

postmeridiano, na. adj. Perteneciente o relativo a la tarde, o que sigue al mediodía. ‖ m. ASTR. Cualquiera de los puntos del paralelo de declinación de un astro, a occidente del meridiano del observador.

postor. m. El que ofrece precio en una subasta. ‖ En cinegética, el que coloca a cada tirador en su puesto.

postración. f. Acción y efecto de postrar o postrarse. ‖ f. Abatimiento causado por enfermedad o aflicción. [*Sinón.:* languidez]

postrar (al. *niederwefen,* fr. *abattre,* ingl. *to prostrate,* it. *postrare*). tr. Enflaquecer, debilitar, quitar el vigor y fuerzas a alguien. Ú.t.c.r. ‖ r. Hincarse de rodillas. [*Sinón.:* abatir, extenuar; arrodillarse. *Antón.:* levantarse]

postre (al. *Nachtisch,* fr. *dessert,* ingl. *dessert,* it. *dessert*). m. Fruta o dulce que se sirve al término de las comidas. ‖ *a la postre* o *al postre.* m. adv. A lo último, al fin.

postrer. adj. Apócope de postrero.

postrero, ra. adj. Último en orden. Ú.t.c.s. ‖ Que está, se queda o viene detrás. Ú.t.c.s.

postrimería. f. Último período o últimos años de la vida. ‖ Período último en la duración de una cosa. Ú.m. en pl. [*Sinón.*: ocaso, agonía. *Antón.*: principio]

postulado (al. *Postulat*, fr. *postulat*, ingl. *postulate*, it. *postulato*). m. Proposición cuya verdad se admite sin pruebas y que es necesaria para servir de base en ulteriores razonamientos. ‖ MAT. Supuesto que se establece para fundar una demostración. [*Sinón.*: principio]

postular. tr. Pedir, pretender. [*Sinón.*: solicitar, demandar]

póstumo, ma. adj. Que sale a la luz después de la muerte del padre o autor.

postura (al. *Haltung*, fr. *pose*, ingl. *attitude*, it. *posizione*). f. Figura, situación o modo en que está puesta una persona, animal o cosa. ‖ Acción de plantar árboles o plantas. ‖ Pacto, convenio. ‖ Precio que el comprador ofrece por una cosa. ‖ Cantidad que se suele apostar en el juego. ‖ Planta.

potabilidad. f. Cualidad de potable.

potabilizador, ra. adj. Que potabiliza. Ú.t.c.s.

potabilizar. tr. Hacer potable.

potable (al. *trinkbar*, fr. *potable*, ingl. *potable*, it. *potabile*). adj. Que se puede beber.

potaje. m. Caldo de olla u otro guisado. ‖ fig. Mezcla confusa de cosas inútiles. [*Sinón.*: sopa]

potasa (al. *Pottasche*, fr. *potasse*, ingl. *potash*, it. *potassa*). f. QUÍM. Óxido de potasio.

potásico, ca. adj. QUÍM. Perteneciente o relativo al potasio.

potasio (al. *Kalium*, fr. *potassium*, ingl. *potassium*, it. *potassio*). m. QUÍM. Elemento metálico de color argentino que se oxida rápidamente por la acción del aire y cuyos compuestos se usan como abono.

pote. m. Vaso de barro, alto, que suele usarse para beber o guardar licores. ‖ Vasija redonda con pies y asas que sirve para cocer viandas. ‖ Tiesto en figura de jarra para flores y hierbas olorosas.

potencia (al. *Kraft*, fr. *puissance*, ingl. *power*, it. *potenza*). f. Virtud para ejecutar una cosa o producir un efecto. ‖ Imperio, dominación. ‖ Virtud generativa. ‖ Poder o fuerza de un estado. ‖ Por antonomasia, cualquiera de

las tres facultades del alma: entendimiento, memoria y voluntad. ‖ Nación o Estado soberano. ‖ fig. Persona o entidad poderosa o influyente. ‖ Fís. Energía que suministra un generador en cada unidad de tiempo. ‖ MAT. Producto de multiplicar una unidad por sí misma una o más veces. [*Antón.*: impotencia]

potenciación. f. Acción y efecto de potenciar.

potencial. adj. Que tiene potencia o pertenece a ella. ‖ Aplícase a las cosas que tienen la virtud o eficacia de otras y equivalen a ellas. ‖ Que puede suceder o existir. ‖ m. Fuerza o poder disponibles de determinado orden. ‖ Energía. [*Sinón.*: capacidad]

potencialidad. f. Capacidad de la potencia, independiente del acto. ‖ Equivalencia de una cosa respecto de otra en lo concerniente a su virtud o eficacia.

potenciar. tr. Dar potencia a una cosa o aumentar la que ya posee.

potentado. m. Monarca o persona poderosa y opulenta.

potente (al. *Kräftig*, fr. *puissant*, ingl. *potent*, it. *potente*). adj. Que tiene poder, eficacia o virtud para una cosa. ‖ Poderoso. ‖ Dícese del hombre capaz de engendrar. [*Sinón.*: fuerte, forzudo]

potestad (al. *Amtliche Gewalt*, fr. *pouvoir*, ingl. *power*, it. *potestà*). f. Dominio, poder, jurisdicción o facultad. ‖ Potentado. ‖ MAT. Potencia. ‖ *patria potestad.* Autoridad que los padres tienen, con arreglo a las leyes, sobre sus hijos no emancipados. [*Sinón.*: autoridad]

potestativo, va. adj. Que está en la facultad o potestad de uno.

potingue. m. fam. Cualquier bebida de botica.

poto. m. *Amer.* Vasija pequeña para líquidos. ‖ *Amer.* Trasero, nalgas.

potosí. m. fig. Riqueza extraordinaria.

potra. f. Yegua, desde que nace hasta que muda los dientes de leche. ‖ fam. Hernia de una víscera u otra parte blanda. ‖ fig. y fam. Buena suerte.

potranca. f. Yegua que no pasa de tres años.

potrero. m. El que cuida de los potros en la dehesa. ‖ *Amer.* Finca rústica destinada a la cría de ganado. ‖ *Amer.* Parcela de una finca.

potro (al. *Fohlen*, fr. *poulain*, ingl. *colt*, it. *puledro*). m. Caballo, desde que nace hasta que muda los dientes de leche.

poyo. m. Banco de piedra, yeso u otra materia, construido junto a las puertas de las casas.

poza. f. Charca o concavidad en que hay agua detenida. ‖ Pozo de un río, paraje donde éste es más profundo.

pozal. m. Cubo con que se saca el agua del pozo. ‖ Brocal del pozo.

pozanco. m. Poza que queda en las orillas de los ríos al retirarse las aguas después de una avenida.

pozo (al. *Brunnen*, fr. *puits*, ingl. *well*, it. *pozzo*). m. Perforación vertical artificial de la corteza terrestre para alcanzar una vena de agua. ‖ Sitio o paraje en donde los ríos tienen mayor profundidad. ‖ Hoyo profundo, aunque esté seco. ‖ *Amer.* Bache, hoyo que se hace en el pavimento. ‖ fig. Cosa llena, profunda o completa en su género. ‖ — *negro.* El que para depósito de aguas inmundas se hace junto a las casas cuando no hay alcantarillas.

práctica (al. *Ausübung*, fr. *pratique*, ingl. *practice*, it. *pratica*). f. Ejercicio de cualquier arte o facultad. ‖ Destreza lograda con ese ejercicio. ‖ Uso continuado, costumbre de una cosa. ‖ Método particular que uno observa en sus operaciones. ‖ Ejercicio que bajo la dirección de un maestro y por cierto número de años han de hacer algunos para poder ejercer públicamente su profesión. Ú.m. en pl. ‖ Aplicación de una idea o doctrina, contraste experimental con una teoría. [*Sinón.*: experiencia, habilidad. *Antón.*: teoría]

practicable. adj. Que puede practicarse. ‖ En teatro, puerta del decorado que no es meramente figurada.

practicante. adj. Que practica. ‖ m. El que posee título para la cirugía menor. ‖ com. Auxiliar que en los hospitales hace las curaciones y da a los enfermos las medicinas ordenadas por un facultativo. ‖ Persona encargada en las boticas de la preparación y despacho de los medicamentos.

practicar (al. *ausüben*, fr. *pratiquer*, ingl. *to practise*, it. *praticare*). tr. Ejercitar, poner en práctica algo que se ha aprendido. ‖ Usar o ejercer continuamente una cosa.

práctico, ca (al. *praktisch*, fr. *pratique*, ingl. *practical*, it. *pratico*). adj. Perteneciente a la práctica. ‖ Aplícase a las facultades que enseñan el modo de hacer una cosa. ‖ Experimentado, versado y diestro en una cosa. ‖ m. MAR. El que por el conocimiento del lugar en que navega dirige el rumbo de las embarcaciones.

pradera. f. Conjunto de prados. ‖ Prado grande. ‖ Lugar del campo llano y con hierba.

prado (al. *Wiese*, fr. *pré*, ingl. *meadow*, it. *prato*). m. Tierra muy húmeda o de regadío en la que se deja crecer o se siembra la hierba para pasto de los ganados. ‖ Lugar de grata disposición que sirve de paseo en algunas poblaciones.

pragmatismo. m. FIL. Doctrina filosófica según la cual el valor práctico es el criterio de verdad.

praxis. f. Práctica, en oposición a teoría o teórica.

pre. prep. insep. que se usa como prefijo con el significado de antelación, encarecimiento o prioridad.

preámbulo (al. *Vorwort*, fr. *préambule*, ingl. *preamble*, it. *preambolo*). m. Exordio, prefacio. ‖ Digresión impertinente antes de entrar en materia o decir algo claramente. [*Sinón.*: prólogo, introducción. *Antón.*: epílogo]

prebenda. f. Renta aneja a un oficio eclesiástico. ‖ Beneficio eclesiástico superior. ‖ fig. Empleo o ministerio poco trabajoso.

preboste. m. Individuo que es cabeza de una comunidad y la preside o gobierna.

precario, ria (al. *unsicher*, fr. *précaire*, ingl. *precarious*, it. *precario*). adj. De poca estabilidad o duración. ‖ DER. Que se tiene sin título, por tolerancia o por inadvertencia del dueño. [*Sinón.*: transitorio, inseguro]

precaución (al. *Vorsitch*, fr. *précaution*, ingl. *precaution*, it. *precauzione*). f. Reserva, cautela para evitar o prevenir los inconvenientes, embarazos o daños previsibles. [*Sinón.*: prudencia, cautela]

precaver (al. *verhüten*, fr. *prévenir*, ingl. *to prevent*, it. *prevenire*). tr. Prevenir un riesgo, daño o peligro, para guardarse de él y evitarlo. Ú.t.c.r. [*Sinón.*: prever, preservar]

precavido, da. adj. Sagaz, cauto, que sabe precaverse de los riesgos. [*Sinón.*: cauteloso, prudente]

precedencia. f. Anterioridad, prioridad en el tiempo, anteposición, antelación en el orden. ‖ Preferencia en el lugar y asiento y en algunos actos honoríficos. ‖ Primacía, superioridad.

precedente. m. Antecedente, acción o dicho. ‖ Resolución anterior en caso igual o semejante.

preceder. tr. Ir delante en tiempo, orden o lugar. Ú.t.c.intr. ‖ Anteceder o estar antepuesto. ‖ fig. Tener una cosa

preferencia, primacía o superioridad sobre otra. [*Sinón.*: antevenir, prevalecer]

preceptiva. f. Conjunto de preceptos aplicables a determinada materia.

preceptivo, va. adj. Que incluye preceptos.

precepto (al. *Gebot*, fr. *précepte*, ingl. *precept*, it. *precetto*). m. Mandato u orden. ‖ Instrucción o regla para su aplicación.

preceptor, ra. s. Maestro o maestra, persona que enseña. ‖ Antiguamente, persona encargada de la educación e instrucción de los hijos de familias nobles o acaudaladas.

preces. f. pl. Versículos tomados de las Sagradas Escrituras, con las oraciones destinadas por la Iglesia para pedir algo a Dios. ‖ Ruegos, súplicas.

preciado, da. adj. Precioso, excelente, de mucha estimación. ‖ Jactancioso, vano.

preciar. tr. Apreciar. ‖ r. Vanagloriarse, presumir de algo.

precinta. f. Pequeña tira, por lo regular de cuero, que se ponía en las esquinas de los cajones para darles firmeza. ‖ Tira estampada de papel, que en las aduanas se aplica a las cajas de tabacos de regalía. ‖ MAR. Tira con que se cubren las junturas de las tablas de los buques.

precintar. tr. Poner precinto. [*Sinón.*: sellar, marchamar]

precinto (al. *Zollverschluss*, fr. *plomb*, ingl. *seal*, it. *sigillo*). m. Acción y efecto de precintar. ‖ Ligadura sellada con que se ata una cosa a fin de que no se abra sino cuando y por quien corresponda.

precio (al. *Preis*, fr. *prix*, ingl. *price*, it. *prezzo*). m. Valor pecuniario en que se estima una cosa. ‖ fig. Estimación, importancia o crédito. ‖ fig. Esfuerzo o sufrimiento que sirve de medio para lograr una cosa o que se padece por ella.

preciosidad. f. Calidad de precioso. ‖ Cosa preciosa.

preciosismo. m. Extremo atildamiento del estilo.

precioso, sa. adj. Excelente, exquisito, digno de estimación y aprecio. ‖ De mucho valor o de elevado coste. ‖ fig. y fam. Hermoso.

precipicio (al. *Abgrund*, fr. *précipice*, ingl. *precipice*, it. *precipizio*). m. Despeñadero o derrumbadero. [*Sinón.*: abismo, sima]

precipitación. f. Acción y efecto de precipitarse. ‖ METEOR. Agua proce-

dente de la atmósfera que en forma sólida o líquida se deposita sobre la superficie de la tierra.

precipitado, da. adj. Atropellado, alocado, inconsiderado. ‖ m. QUÍM. Materia que por resultado de reacciones químicas se separa del líquido en que estaba disuelta y se posa.

precipitar (al. *hinabstürzen*; fr. *précipiter*; ingl. *to cast down, headlong*; it. *precipitare*). tr. Despeñar, arrojar o derribar desde lugar elevado. Ú.t.c.r. ‖ Atropellar, acelerar. ‖ fig. Exponer o incitar a alguien a la ruina espiritual o temporal. ‖ QUÍM. Producir en una disolución una materia sólida que se remansa en el fondo de la vasija. ‖ r. fig. Arrojarse sin prudencia a ejecutar o decir una cosa.

precisar. tr. Determinar de modo preciso. ‖ Obligar, forzar sin excusa a ejecutar una cosa. ‖ intr. Ser necesario e imprescindible.

precisión (al. *Genauigkeit*, fr. *précision*, ingl. *accuracy*, it. *precisione*). f. Obligación o necesidad indispensable que fuerza y precisa a ejecutar una cosa. ‖ Determinación, exactitud, puntualidad, concisión. ‖ *de precisión.* loc. adj. Se aplica a los aparatos, máquinas, etc., construidos con esmero para conseguir resultados exactos. [*Antón.*: indeterminación, irregularidad]

preciso, sa (al. *nötig, genau*; fr. *nécesaire, précis*; ingl. *necessary, accurate*; it. *necessario, preciso*). adj. Necesario, indispensable, fijo, exacto, cierto, determinado. ‖ Puntual. ‖ Distinto, claro, formal. ‖ Tratándose del lenguaje, estilo, etc., conciso y exacto.

preclaro, ra. adj. Ilustre, famoso y digno de admiración y respeto. [*Sinón.*: insigne. *Antón.*: vulgar, desconocido]

precocidad. f. Calidad de precoz. [*Antón.*: retraso]

precognición. f. Conocimiento anterior.

preconcebir. tr. Establecer previamente y con sus pormenores un pensamiento o proyecto que ha de ejecutarse.

preconizar. tr. Encomiar, tributar elogios públicamente a una persona o cosa. [*Sinón.*: alabar, ensalzar, celebrar]

precoz. adj. Dícese del fruto temprano, prematuro. ‖ fig. Que a edad temprana hace gala de cualidades físicas o morales que de ordinario no aparecen en el individuo sino a edad más tardía. [*Sinón.*: adelantado, avanzado]

precursor, ra. adj. Que precede o va delante. Ú.t.c.s. ‖ fig. Que profesa o enseña doctrinas que sólo tendrán acogida en tiempo venidero. [Sinón.: antecesor]

predador, ra. adj. Saqueador, que saquea. Ú.t.c.s. ‖ Dícese del animal que apresa a otros de distinta especie para comérselos. Ú.t.c.s.

predecesor, ra. s. Persona que precedió a otra en una dignidad, empleo o cargo. ‖ Antecesor, ascendiente de una persona. [Sinón.: precursor]

predecir (al. *vorhersagen*, fr. *prédire*, ingl. *to foretell*, it. *predire*). tr. Anunciar por revelación o conjetura algo que ha de suceder. [Sinón.: pronosticar, presagiar, vaticinar, profetizar]

predestinación. f. Destino anterior que se ha dado a una cosa. ‖ TEOL. Ordenación de la voluntad divina con que, desde la eternidad, se tiene elegidos a los que han de lograr la gloria. [Sinón.: hado, sino]

predestinado, da. adj. Destinado a suceder. ‖ Elegido por Dios para salvarse. Ú.t.c.s.

predestinar. tr. Destinar anticipadamente una cosa para un fin. ‖ Elegir Dios desde la eternidad a los que han de alcanzar la gloria.

predeterminar. tr. Determinar por anticipado.

prédica. f. Sermón o plática. ‖ Perorata, discurso vehemente.

predicación. f. Acción de predicar. ‖ Doctrina que se predica o enseñanza que se da con ella.

predicado (al. *Prädikat*, fr. *prédicat*, ingl. *predicate*, it. *predicato*). m. LÓG. Lo que se afirma del sujeto en una proposición. ‖ LING. Segmento del discurso que, junto con el sujeto, constituye una oración gramatical.

predicador, ra. adj. Que predica. Ú.t.c.s. ‖ m. Orador evangélico que predica o propaga la palabra de Dios. [Sinón.: evangelizador]

predicar (al. *predigen*, fr. *prêcher*, ingl. *to preach*, it. *predicare*). tr. Publicar, hacer patente algo. ‖ Pronunciar un sermón. ‖ Alabar con exceso. ‖ fig. Reprender agriamente. ‖ fig. y fam. Amonestar a uno para persuadirle de algo.

predicción. f. Acción y efecto de predecir. [Sinón.: vaticinio]

predilección (al. *Vorliebe*, fr. *prédilection*, ingl. *predilection*, it. *predilezione*). f. Cariño especial con que se distingue a una persona o cosa entre todas las demás. [Sinón.: preferencia]

predilecto, ta. adj. Preferido por afecto especial.

predio. m. Heredad, hacienda, tierra o posesión inmueble.

predisponer. tr. Preparar, disponer anticipadamente ciertas cosas o el ánimo de las personas para un fin determinado. Ú.t.c.r.

predisposición. f. Acción y efecto de predisponer o predisponerse.

predominar. tr. Prevalecer, preponderar. Ú.m.c. intr.

predominio (al. *Vorherrschaft*, fr. *prédominance*, ingl. *predominance*, it. *predominio*). m. Imperio, poder, superioridad, influjo o fuerza que se posee sobre una persona o cosa. [Sinón.: preponderancia]

preeminencia. f. Privilegio, exención, ventaja o preferencia que goza alguien respecto de otra persona, por razón o mérito especial. [Sinón.: prerrogativa]

preeminente. adj. Sublime, superior, honorífico y que está más elevado.

preexistencia. f. Existencia anterior.

preexistir. intr. Existir antes, o realmente, o con antelación de naturaleza u origen.

prefabricado, da. adj. Se aplica a las casas u otras construcciones cuyas partes esenciales se envían ya fabricadas al sitio de su emplazamiento.

prefacio. m. Prólogo de un libro. ‖ Parte de la Misa que precede inmediatamente al canon. [Sinón.: prólogo, introducción]

prefecto (al. *Präfekt*, fr. *préfet*, ingl. *prefect*, it. *prefetto*). m. Entre los romanos, título de varios jefes militares o civiles. ‖ Ministro que preside o manda en un tribunal, junta o comunidad eclesiástica. ‖ Persona a quien compete cuidar de que se desempeñen debidamente ciertos cargos. ‖ En Francia, gobernador de un departamento.

prefectura. f. Dignidad, empleo o cargo de prefecto. ‖ Territorio gobernado por un prefecto. ‖ Oficina o despacho del prefecto.

preferencia (al. *Vorliebe*, fr. *préférence*, ingl. *preference*, it. *preferenza*). f. Primacía, ventaja o mayoría que una persona o cosa posee sobre otra. ‖ Elección de una cosa o persona entre varias.

preferir. tr. Dar la preferencia. Ú.t.c.r. ‖ Exceder, aventajar. [Sinón.: anteponer, distinguir]

prefiguración. f. Representación anticipada de una cosa.

prefigurar. tr. Representar por anticipado algo.

prefijar. tr. Determinar o señalar anticipadamente una cosa.

prefijo, ja (al. *Festgesetzt*, fr. *préfixe*, ingl. *prefix*, it. *prefisso*). adj. GRAM. Dícese del afijo que va antepuesto. Ú.m.c.s.m. ‖ m. Cifras o letras que indican zona, ciudad o país, y que, para establecer comunicación telefónica automática, se marcan antes del número del abonado a quien se llama.

pregón (al. *Öffentlicher Ausruf*, fr. *ban*, ingl. *ban*, it. *grida*). m. Promulgación que en voz alta se hace en los sitios públicos de una cosa que conviene que todos sepan.

pregonar. tr. Publicar, hacer notoria en voz alta una cosa para que llegue a conocimiento de todos. ‖ fig. Publicar lo que estaba oculto o lo que debía callarse. ‖ fig. Alabar en público los hechos o cualidades de una persona. [Sinón.: proclamar, vocear]

pregonero, ra (al. *Öffentlicher Ausrufer*, fr. *crieur public*, ingl. *crier*, it. *banditore*). adj. Que publica o divulga algo que se ignoraba. Ú.t.c.s. ‖ m. Oficial público que en voz alta da los pregones.

pregunta (al. *Frage*, fr. *question*, ingl. *question*, it. *domanda*). f. Demanda que se hace para que responda uno lo que sabe sobre una cosa. ‖ pl. Interrogatorio.

preguntar (al. *fragen*, fr. *demander*, ingl. *to ask*, it. *domandare*). tr. Hacer preguntas a uno para que diga lo que sabe sobre un asunto. Ú.t.c.r. ‖ Exponer en forma de interrogación una especie, ya para expresar duda, ya para vigorizar la expresión. Ú.t.c.r. [Sinón.: inquirir. Antón.: responder]

prehistoria (al. *Vorgeschichte*, fr. *préhistoire*, ingl. *prehistory*, it. *preistoria*). f. Ciencia que trata de la historia del mundo y del hombre con anterioridad a todo documento de carácter histórico.

prehistórico, ca. adj. De tiempos anteriores a la historia.

prejuicio (al. *Vorurteil*, fr. *préjugé*, ingl. *prejudice*, it. *preguizio*). m. Acción y efecto de prejuzgar.

prejuzgar. tr. Juzgar de las cosas antes del tiempo oportuno o sin tener de ellas conocimiento cabal.

prelado (al. *Prälat*, fr. *prélat*, ingl. *prelate*, it. *prelato*). m. Dignatario eclesiástico. ‖ Superior de una comunidad eclesiástica.

prelatura. f. Dignidad y oficio de prelado.

preliminar. adj. Que sirve de preámbulo. || m. Cada uno de los artículos generales que sirven de fundamento para un tratado de paz. Ú.m. en pl. || Antecedente de un escrito, empresa, etc.

preludiar. intr. Mús. Probar, ensayar un instrumento o la voz por medio de escalas o arpegios. Ú.t.c.tr. || tr. fig. Preparar o iniciar una cosa, darle entrada.

preludio (al. *Vorspiel*, fr. *prélude*, ingl. *prelude*, it. *preludio*). m. Lo que precede y sirve de entrada, preparación o principio a una cosa. || Mús. Lo que se toca o canta para ensayar la voz, probar los instrumentos o fijar el tono, antes de comenzar la ejecución de una obra musical. || Obertura o sinfonía.

prematuro, ra. adj. Que no está en sazón. || Que ocurre antes de tiempo.

premeditación. f. Acción de premeditar. || Der. Una de las circunstancias que agravan la responsabilidad criminal.

premeditar. tr. Pensar algo antes de hacerlo. [*Sinón.*: madurar]

premiar (al. *belohnen*, fr. *récompenser*, ingl. *to reward*, it. *premiare*). tr. Remunerar, galardonar con mercedes, privilegios, empleos o rentas, los méritos y servicios de alguien. [*Sinón.*: recompensar, honrar. *Antón.*: castigar]

premio (al. *Preis*, fr. *prix*, ingl. *prize*, it. *premio*). m. Recompensa o remuneración que se da por algún mérito o servicio. || Vuelta, demasía, cantidad que se añade al precio o valor por vía de compensación o de incentivo. || Cada uno de los lotes sorteados en la lotería o una tómbola. || — gordo. fig. y fam. El premio mayor de la lotería pública. [*Sinón.*: galardón, prima]

premioso, sa. adj. Apretado o ajustado en demasía. || Gravoso, molesto. || Que apremia o estrecha. || fig. Rígido o estricto. || fig. Se aplica a la persona falta de agilidad. || Se aplica a la persona que habla o escribe con gran dificultad. || fig. Se aplica al lenguaje o estilo que carece de espontaneidad.

premisa. f. Lóg. Cada una de las dos primeras proposiciones del silogismo, de donde se infiere y saca la conclusión. || fig. Señal, indicio por donde se infiere algo.

premolar. adj. Se aplica a los molares situados al lado de los caninos y cuya raíz es más sencilla que las de las otras muelas. Ú.m.c.s.

premonición. f. Intuición o presentimiento de hechos futuros. || Advertencia moral.

premonitorio, ria. adj. Que tiene carácter de premonición o advertencia.

premura. f. Aprieto, apuro, prisa, urgencia, instancia.

prenda (al. *Pfand*, fr. *gage*, ingl. *pledge*, it. *pegno*). f. Cosa mueble que se sujeta especialmente al cumplimiento de una obligación. || Cualquiera de las partes que componen el vestido. || Lo que se da, o hace en señal, prueba o demostración de una cosa. || fig. Cada una de las partes, cualidades o perfecciones, tanto del cuerpo como del alma, con que la naturaleza adorna a un sujeto. || *soltar prenda* uno. fig. y fam. Revelar algo que deje comprometida a una cosa. [*Sinón.*: garantía; virtud]

prendar. tr. Sacar una prenda o alhaja para la seguridad de una deuda. || Ganar la voluntad de uno. || r. Aficionarse, enamorarse.

prendedor. m. El que prende. || Cualquier instrumento que sirve para prender. || Broche que las mujeres usan como adorno o para sujetar el vestido, pañoleta, etc.

prender. tr. Asir, agarrar, sujetar una cosa. || Privar a una persona de libertad. || Hacer presa una cosa en otra. || Hablando del fuego, de la luz o de cosas combustibles, encender o incendiar. || intr. Arraigar la planta en la tierra. || Empezar a ejecutar su cualidad o comunicar su virtud una cosa a otra. [*Sinón.*: aferrar. *Antón.*: soltar]

prendido. m. Adorno de las mujeres, especialmente el de la cabeza.

prendimiento. m. Acción y efecto de prender. [*Sinón.*: captura]

prensa (al. *Presse*, fr. *presse*, ingl. *press*, it. *stampa*). f. Máquina para apretar o comprimir. || fig. Imprenta. || fig. Conjunto o generalidad de las publicaciones periódicas. || *tener* uno *buena* o *mala prensa*. fig. Serle favorable o adversa.

prensar (al. *pressen*, fr. *presser*, ingl. *to press*, it. *pressare*). tr. Apretar en la prensa una cosa.

prensil. adj. Que sirve para asir o coger.

prensión. f. Acción y efecto de prender una cosa.

prensor, ra. adj. Zool. Aplícase a las aves de mandíbulas robustas, la superior encorvada desde la base, y las patas con los dedos dirigidos hacia atrás, como el guacamayo y el loro. Ú.t.c.s. || f. pl. Orden de estas aves.

preñada. m. Embarazo de la mujer. || Tiempo que dura el embarazo. || Feto o criatura en el vientre materno.

preñado, da. adj. Dícese de la hembra que ha concebido y lleva el feto en el vientre. || fig. Lleno o cargado. [*Sinón.*: embarazada, colmado]

preñar. tr. Hacer concebir a la hembra. || fig. Llenar, henchir]

preñez. f. Embarazo de las mujeres. || fig. Estado de un asunto que no ha llegado a su resolución.

preocupación (al. *Sorge*, fr. *souci*, ingl. *worry*, it. *preocupazzione*). f. Prevención que una cosa obtiene o merece. || Ofuscación del entendimiento. || Cuidado, desvelo, previsión.

preocupar. tr. Ocupar anticipadamente una cosa. || fig. Prevenir el ánimo contra alguna opinión. || fig. Poner el ánimo en cuidado, embargarlo. Ú.t.c.r. || r. Estar prevenido en favor o en contra de alguien o de algo.

preparación. f. Acción y efecto de preparar o prepararse.

preparado, da. adj. Farm. Dícese de la droga o medicamento dispuestos para su uso. Ú.t.c.s.

preparar (al. *vorbereiten*, fr. *préparer*, ingl. *to make ready*, it. *preparare*). tr. Prevenir, disponer o aparejar una cosa para que sirva a un efecto. || Prevenir a un sujeto o disponerle para una acción que se ha de seguir. || Hacer las operaciones necesarias para obtener un producto. || Disponerse o prevenirse para un fin determinado.

preparatorio, ria. adj. Dícese de lo que prepara y dispone.

preponderancia. f. Exceso del peso, o mayor peso, de una cosa respecto de otra. || fig. Superioridad de crédito, consideración, autoridad, fuerza, etc. [*Sinón.*: supremacía. *Antón.*: inferioridad]

preponderar. intr. Pesar más una cosa que otra. || fig. Prevalecer una cosa sobre otra. [*Sinón.*: predominar]

preposición (al. *Verhältniswort*, fr. *préposition*, ingl. *preposition*, it. *preposizione*). f. Gram. Parte invariable de la oración, cuyo oficio es denotar el régimen o relación que une a dos palabras o términos.

prepósito. m. Primero y principal en una junta o comunidad y que preside o manda en ella.

prepotencia. f. Poder muy superior al de otros o poder extraordinario.

prepotente. adj. Más poderoso que otros.

prepucio. m. Anat. Piel móvil que cubre el bálano.

prerrogativa (al. *Vorrecht*, fr. *prérogative*, ingl. *prerogative*, it. *prerogati-*

va). f. Privilegio anejo regularmente a una dignidad, empleo o cargo. || Facultad importante, propia de alguno de los poderes supremos del Estado. [*Sinón.:* derecho]

presa (al. *Beute*, fr. *proie*, ingl. *prey*, it. *presa*). f. Acción de prender o tomar una cosa. || Cosa apresada o robada. || Acequia o zanja de regar. || Muro grueso que se construye a través de un río para detener el agua a fin de desviarla de su curso. || *hacer presa.* Asir una cosa y asegurarla para que no se escape. [*Sinón.:* botín, pantano]

presagiar. tr. Anunciar o prever una cosa, basándose en una serie de conjeturas elaboradas con arreglo a la razón. [*Sinón.:* pronosticar]

presagio (al. *Vorbedeutung*, fr. *présage*, ingl. *omen*, it. *presagio*). m. Señal que indica, previene o anuncia un suceso favorable o adverso. || Especie de adivinación de hechos futuros, basada en una serie de apariencias o en una emoción personal del que la formula. [*Sinón.:* profecía]

presbicia (al. *Weitsichtigkeit*, fr. *presbytie*, ingl. *far-sightedness*, it. *presbiopia*). f. MED. Defecto visual originado por una disminución de la capacidad de acomodación del cristalino. Se presenta en la edad madura. Las personas afectadas perciben con dificultad los objetos próximos, en tanto que la vista lejana no se altera.

présbita. adj. Dícese del que padece presbicia. Ú.t.c.s.

presbiteriano, na. adj. Dícese del protestante que no reconoce la autoridad episcopal sobre los presbíteros y sostiene que la suprema autoridad eclesiástica reside en el sínodo de laicos y ministros. Ú.t.c.s.

presbiterio. m. Área del altar mayor hasta el pie de las gradas que conducen hasta él. || Reunión de los presbíteros con el obispo.

presbítero (al. *Priester*, fr. *prêtre*, ingl. *priest*, it. *prete*). m. Clérigo ordenado o sacerdote.

presciencia. f. Conocimiento de las cosas futuras.

prescindir (al. *absehen von*, fr. *faire abstraction*, ingl. *to dispense with*, it. *prescindere*). intr. Hacer abstracción de una persona o cosa, pasarla en silencio, omitirla. || Abstenerse, privarse de ella, evitarla. [*Sinón.:* excluir]

prescribir (al. *vorschreiben*, fr. *prescrire*, ingl. *to prescribe*, it. *prescrivere*). tr. Preceptuar, ordenar, determinar una cosa. || intr. DER. Adquirir una cosa o un derecho por la virtud jurídica de su posesión continuada durante el tiempo que la ley señala, o caducar un derecho o pena por cumplirse el lapso de tiempo señalado también a este efecto para cada caso. Ú.t.c.tr. y c.r.

prescripción. f. Acción y efecto de prescribir. [*Sinón.:* precepto]

presencia (al. *Anwesenheit*, fr. *présence*, ingl. *presence*, it. *presenza*). f. Asistencia personal o estado de la persona que se halla delante de otra u otras o en el mismo lugar que ellas. || Talle, figura y disposición del cuerpo. || – de ánimo. Serenidad o tranquilidad que conserva el ánimo, tanto en sucesos adversos como en los prósperos. [*Antón.;* ausencia]

presenciar. tr. Hallarse presente a un acontecimiento, etc.

presentación. f. Acción y efecto de presentar o presentarse. || En las representaciones teatrales, el arte de hacerlas con propiedad y con la mayor perfección.

presentador, ra. adj. Que presenta. Ú.t.c.s.

presentar (al. *vorzeigen*, fr. *présenter*, ingl. *to submit*, it. *presentare*). tr. Hacer manifestación de una cosa, ponerla en la presencia del alguien. Ú.t.c.r. || Proponer a un sujeto para una dignidad. || Introducir a alguien en el trato de otra persona. || r. Ofrecerse voluntariamente para un fin. || Comparecer. [*Sinón.:* mostrar, personarse. *Antón.:* ocultar, faltar]

presente (al. *Gegenwart*, fr. *présent*, ingl. *present*, it. *presente*). adj. Que está delante o en presencia de uno, o concurre con él en el mismo sitio. || Dícese del tiempo en que actualmente está uno cuando refiere una cosa. || GRAM. *tiempo presente.* Ú.t.c.s. || m. Don, alhaja o regalo que una persona da a otra en señal de afecto o reconocimiento. || *mejorando lo presente.* expr. que se emplea por cortesía cuando se alaba a una persona en presencia de otra.

presentimiento (al. *Vorgefühl*, fr. *pressentiment*, ingl. *presentiment*, it. *presentimento*). m. Cierta emoción del ánimo que hace presagiar lo que ha de acontecer. [*Sinón.:* corazonada]

presentir. tr. Prever, por cierto movimiento interior del ánimo, lo que ha de suceder. || Adivinar una cosa antes de que suceda. [*Sinón.:* barruntar]

preservación. f. Acción y efecto de preservar o preservarse.

preservar. tr. Poner a cubierto anticipadamente a una persona o cosa, de algún daño o peligro. Ú.t.c.r. [*Sinón.:* amparar. *Antón.:* desamparar]

preservativo, va. adj. Que tiene virtud o eficacia de preservar. Ú.t.c.s.m. || m. Condón.

presidencia (al. *Vorsitz*, fr. *présidence*, ingl. *chairmanship*, it. *presidenza*). f. Dignidad, empleo o cargo de presidente. || Acción de presidir. || Sitio que ocupa el presidente o su oficina o morada. || Tiempo que dura el cargo.

presidencial. adj. Relativo a la presidencia.

presidencialismo. m. Sistema político en que el presidente de la república es también el jefe del Gobierno, sin estar supeditado a la confianza de las Cámaras.

presidenta. f. La que preside. || Esposa del presidente.

presidente (al. *Präsident*, fr. *président*, ingl. *president*, it. *presidente*). adj. Que preside. || m. El que preside. || Cabeza o superior de un consejo, tribunal, junta o sociedad. || En las Repúblicas, el jefe electivo del Estado, normalmente por un plazo fijo, y responsable.

presidiario. m. Penado que cumple en presidio su condena.

presidio (al. *Zuchthaus*, fr. *pénitencier*, ingl. *penitentiary*, it. *ergastolo*). m. Establecimiento penitenciario en el que cumplen sus condenas los penados. || Pena señalada para diversos delitos, con diversos grados de rigor y tiempo. [*Sinón.:* penitenciaría, penal]

presidir. tr. Tener el primer lugar en una asamblea, corporación, junta o tribunal o en un acto o una empresa. || Predominar, tener una cosa capital influencia. [*Sinón.:* regir]

presilla. f. Cordón pequeño de seda u otra materia con que se prende o asegura una cosa.

presión (al. *Druck*, fr. *pression*, ingl. *pressure*, it. *pressione*). f. Acción y efecto de apretar o comprimir. || Fuerza que ejerce un cuerpo sobre cada unidad de superficie. || fig. Fuerza o presión que se hace sobre una persona o colectividad.

presionar. tr. Ejercer presión sobre una persona o cosa.

preso, sa. adj. Dícese del que se halla aprisionado o encarcelado. Ú.t.c.s.

prestación (al. *Leistung*, fr. *prestation*, ingl. *performance*, it. *prestazione*). f. Acción y ejercicio de prestar. || Cosa o servicio exigido por una autoridad. || Cosa o servicio que un contratante promete o da a otro. || Renta. [*Sinón.:* préstamo]

prestamista (al. *Geldverleiher*, fr. *prêteur*, ingl. *money-lender*, it. *prestatore*). com. Persona que da dinero en préstamo.

préstamo (al. *Darlehen*, fr. *prêt*, ingl. *loan*, it. *prestito*). m. Empréstito. [*Sinón.*: prestación]

prestancia. f. Excelencia, calidad superior. || Aspecto de distinción. [*Antón.*: vulgaridad]

prestar (al. *leihen*, fr. *prêter*, ingl. *to lend*, it. *prestare*). tr. Entregar algo mediante obligación de que sea devuelto. || Ayudar, asistir o contribuir al logro de una cosa. || Junto con los nombres *atención, paciencia, silencio*, etc., tener u observar lo que estos nombres significan. || r. Ofrecerse, avenirse a una cosa. [*Sinón.*: fiar, anticipar]

prestatario, ria. adj. Que toma dinero a préstamo. Ú.t.c.s.

preste. m. Sacerdote.

presteza. f. Prontitud, diligencia y brevedad en hacer o decir una cosa. [*Sinón.*: rapidez. *Antón.*: lentitud]

prestidigitación. f. Arte o habilidad para hacer juegos de manos.

prestidigitador, ra. s. Persona que hace juegos de manos.

prestigiar. tr. Dar prestigio, autoridad o importancia.

prestigio (al. *Ansehen*, fr. *prestige*, ingl. *prestige*, it. *prestigio*). m. Ascendiente, influencia, autoridad. || Realce, estimación, renombre, buen crédito. [*Sinón.*: crédito]

prestigioso, sa. adj. Que causa prestigio. || Que tiene prestigio.

presto, ta. adj. Pronto, diligente, rápido en la ejecución de una cosa. || Preparado o dispuesto para ejecutar una cosa o para la consecución de un fin. || adv. t. Luego, al instante, con gran prontitud y brevedad. [*Sinón.*: raudo, diestro]

presumido, da. adj. Que presume; vano, jactancioso, presuntuoso. Ú.t.c.s.

presumir. tr. Sospechar, juzgar o conjeturar una cosa por indicios o señales. || intr. Vanagloriarse, tener un gran concepto de sí mismo. [*Sinón.*: suponer, jactarse]

presunción (al. *Präsumption*, fr. *présomption*, ingl. *presumption*, it. *suspicione*). f. Acción y efecto de presumir. || DER. Cosa que por ministerio de la ley se tiene como verdad. [*Sinón.*: sospecha, vanagloria. *Antón.*: modestia]

presuntuoso, sa. adj. Lleno de presunción y orgullo. Ú.t.c.s. [*Sinón.*: presumido]

presuponer. tr. Dar con anticipación una cosa por cierta, para pasar a tratar de otra.

presuposición. f. Suposición previa. || Lo que supone causa o motivo de una cosa.

presupuestar. intr. Hacer el presupuesto.

presupuestario, ria. adj. Perteneciente o relativo al presupuesto.

presupuesto. m. Motivo, causa o pretexto con que se ejecuta una cosa. || Supuesto o suposición. || Cómputo anticipado de gastos o ingresos o de unos y otros, en cualquier negocio.

presura. f. Opresión, aprieto, congoja. || Ahínco, porfía.

presuroso, sa. adj. Pronto, ligero, veloz.

pretencioso, sa. adj. Presuntuoso, presumido.

pretender (al. *beanspruchen*, fr. *prétendre*, ingl. *to claim*, it. *pretendere*). tr. Solicitar una cosa, haciendo las diligencias necesarias para su consecución. || Procurar, intentar. [*Antón.*: desistir, conformarse]

pretendiente. adj. Que pretende o solicita una cosa. Ú.t.c.s.

pretensión (al. *Forderung*, fr. *prétention*, ingl. *pretension*, it. *pretensione*). f. Solicitación. || Derecho que alguien cree tener sobre una cosa. [*Sinón.*: aspiración]

preterir. tr. Hacer caso omiso de una persona o cosa. || DER. Omitir en la institución de herederos a los que lo son forzosos, sin desheredarlos expresamente en el testamento. [*Sinón.*: omitir]

pretérito, ta (al. *Vergangenheit*, fr. *passé*, ingl. *past*, it. *pasato*). adj. Dícese de lo que ya ha pasado o sucedido. || GRAM. ↗ tiempo pretérito. Ú.t.c.s. || — imperfecto. GRAM. Tiempo que indica haber sido presente la acción del verbo, coincidiendo con otra acción ya pasada. || — perfecto. GRAM. Tiempo que denota ser ya pasada la acción del verbo, y se divide en simple y compuesto. || — pluscuamperfecto. GRAM. Tiempo que enuncia que una cosa estaba ya hecha, y podía estarlo cuando otra se hizo.

pretextar. tr. Valerse de un pretexto. [*Sinón.*: excusarse]

pretexto (al. *Vorwand*, fr. *prétexte*, ingl. *make-beleive*, it. *pretesto*). m. Motivo o causa simulada o aparente que se alega para hacer una cosa o para excusarse de no haberla hecho. [*Sinón.*: excusa]

pretil (al. *Brütung*, fr. *gardefou*, ingl. *railing*, it. *parapetto*). m. Muro de pequeñas dimensiones o vallado que se pone en los puentes y otros lugares para evitar el peligro de caídas.

pretina. f. Correa o cinta con hebilla o broche para sujetar en la cintura ciertas prendas. || Parte de las ropas que se ciñe y ajusta a la cintura.

prevalecer (al. *überwiegen*, fr. *prévaloir*, ingl. *to prevail*, it. *prevalere*). intr. Sobresalir una persona o cosa; tener alguna superioridad o ventaja sobre otras personas. || Conseguir, obtener una cosa en oposición de otros.

prevaricar (al. *untreu werden*, fr. *prévariquer*, ingl. *to prevaricate*, it. *prevaricare*). intr. Faltar alguien voluntariamente a la obligación de la autoridad o cargo que desempeña, quebrantando la fe, la palabra, religión o juramento. || DER. Cometer prevaricación. [*Sinón.*: infringir]

prevención f. Acción y efecto de prevenir. || Preparación y disposición. || Provisión. || Concepto que se tiene de una persona o cosa. || Puesto de policía o vigilancia de un distrito. || MIL. Guardia del cuartel o lugar donde está.

prevenido, da. adj. Dispuesto para una cosa. || Provisto, abundante. || Cuidadoso. [*Sinón.*: preparado, presto, pronto]

prevenir (al. *vorbereiten*, fr. *prévoir*, ingl. *to prevent*, it. *prevenire*). tr. Preparar, aparejar y disponer con anticipación. || Precaver, evitar, estorbar o impedir una cosa. || Advertir, informar o avisar. || r. Disponer con anticipación, prepararse de antemano para una cosa.

preventivo, va. adj. Dícese de lo que previene.

preventorio. m. Institución para prevenir el desarrollo de un mal físico o moral.

prever (al. *voreaussehen*, fr. *prévoir*, ingl. *to foresee*, it. *prevedere*). tr. Ver con anticipación, conocer, conjeturar por algunas señales o indicios lo que ha de suceder. [*Sinón.*: presentir]

previo, via. adj. Anticipado, que va delante o que sucede en primer término. || m. Play-back. [*Sinón.*: preliminar. *Antón.*: posterior]

previsible. adj. Que puede ser previsto o entra dentro de las previsiones normales.

previsión. f. Acción y efecto de prever. || Acción de disponer lo conveniente para atender a contingencias o necesidades previsibles.

previsor, ra. adj. Que prevé. Ú.t.c.s.

prez. amb. Honor o consideración adquirida por una acción gloriosa. || Opinión pública de la excelencia de uno en una profesión o arte.

prieto, ta. adj. Aplícase al color muy oscuro, casi negro. || Apretado. || fig. Mísero, escaso.

prima (al. *Prämie*, fr. *prime*, ingl. *bounty*, it. *prima*). f. Primera de las cuatro partes iguales en que dividían los romanos el día artificial. || Una de las siete horas canónicas que se dice después de laudes. || En algunos instrumentos de cuerda, la primera en orden, y la más delgada de todas. || Cantidad que el cesionario de un derecho o una cosa da al cedente además del coste originario. || Premio concedido a fin de estimular operaciones o empresas que se reputan de conveniencia pública o que interesan al que lo concede. || Precio que el asegurado paga al asegurador.

primacía (al. *Vorzug*, fr. *primauté*, ingl. *primacy*, it. *primazia*). f. Superioridad, ventaja o excelencia que una cosa tiene con respecto a otra en su especie. || Dignidad o empleo de primado. [*Sinón.*: preponderancia. *Antón.*: inferioridad]

primada. f. fam. Acción propia del primo o persona incauta.

primado. m. Primer lugar, grado, superioridad o ventaja que una cosa tiene respecto de otras de su especie. || Primero y más preeminente de todos los arzobispos y obispos de un Estado. || Primacía.

primario, ria. adj. Principal o primero en orden o grado. || Propio de la primera enseñanza. || GEOL. Perteneciente a los terrenos sedimentarios más antiguos. Ú.t.c.s.m.

primate. m. Personaje distinguido, prócer. Ú.m. en pl. || adj. ZOOL. Dícese de los mamíferos superiores cuyo dedo pulgar es oponible en las cuatro extremidades o en las dos superiores únicamente. Poseen el sistema nervioso más evolucionado de todo el reino animal. Ú.m.c.s.m. || m. pl. Orden de estos animales.

primavera (al. *Frühling*, fr. *printemps*, ingl. *spring*, it. *primavera*). f. Estación del año, que astronómicamente comienza en el equinoccio del mismo nombre y termina en el solsticio de verano. || BOT. Planta primulácea, con hojas anchas y flores amarillas en figura de quitasol. || fig. Cualquier cosa de colorido hermoso y variado. || fig.

Tiempo en que una cosa está en su mayor vigor y hermosura.

primaveral. adj. Perteneciente o relativo a la primavera.

primer. adj. Apócope de primero.

primerizo, za. adj. Que hace por vez primera una cosa, o es novicio o principiante en un arte, profesión o ejercicio. Ú.t.c.s. || Aplícase especialmente a la hembra que pare por primera vez. Ú.t.c.s.

primero, ra (al. *erste*, fr. *premier*, ingl. *first*, it. *primo*). adj. Dícese de la persona o cosa que precede, sobresale y excede a otros. Ú.t.c.s. || Antiguo, y que antes se ha poseído y logrado. || Con referencia a una serie de términos ya mencionados en el discurso, dícese del que lo ha sido antes que el otro u otros. || adv. t. Antes, más bien, de mejor gana. || *de primera*. loc. fig. y fam. Sobreentendiéndose clase, calidad, etc., sobresaliente en su línea. [*Sinón.*: inicial, superior]

primicia. f. Fruto primero de cualquier cosa. || pl. fig. Principio de cualquier cosa no material.

primípara. f. Primeriza, hembra que pare por primera vez.

primitivismo. m. Condición, mentalidad, tendencia o actitud propia de los pueblos primitivos. || Tosquedad, rudeza. || Carácter peculiar del arte o literatura primitivos.

primitivo, va (al. *primitiv*, fr. *primitif*, ingl. *primitive*, it. *primitivo*). adj. Primero en su línea o que no tiene ni toma origen de otra cosa. || Perteneciente o relativo a los orígenes o primeros tiempos de alguna cosa. || Dícese de los pueblos de civilización poco desarrollada, así como de los individuos que los componen, de su misma civilización o de las manifestaciones de ella. Ú.t.c.s.m. || Rudimentario, tosco. || GRAM. Aplícase a la palabra que no se deriva de otra de la misma lengua.

primo, ma (al. *Vetter*, fr. *cousin*, ingl. *cousin*, it. *cugino*). adj. Primero. || s. Respecto de una persona, hijo o hija de su tío o tía. || fam. Persona simplona y poco cauta.

primogénito, ta. adj. Aplícase al hijo que nace primero. Ú.t.c.s.

primor. m. Destreza, habilidad, esmero o excelencia en hacer o decir una cosa. || Artificio y hermosura de la obra ejecutada con él. [*Sinón.*: cuidado, exquisitez. *Antón.*: descuido]

primordial. adj. Primitivo, primero. Aplícase al principio fundamental de cualquier cosa.

primoroso, sa. adj. Excelente, delicado o perfecto. || Diestro, experimentado y que hace o dice con perfección alguna cosa.

princesa (al. *Prinzessin*, fr. *princesse*, ingl. *princess*, it. *principessa*). f. Mujer del príncipe, || La que por sí goza o posee un Estado que tiene el título de principado.

principado. m. Título o dignidad de príncipe. || Territorio o lugar sujeto a la potestad de un príncipe. || Primacía, ventaja o superioridad.

principal (al. *hauptächlich*, fr. *principal*, ingl. *main*, it. *principale*). adj. Que tiene el primer lugar en estimación o importancia y se antepone y prefiere a otros. || Ilustre, esclarecido en su nobleza. || Esencial o fundamental. || Dícese del piso que se halla sobre el piso bajo. || Jefe de una casa de comercio, fábrica, almacén, etc. [*Antón.*: secundario]

príncipe (al. *Prinz*, fr. *prince*, ingl. *prince*, it. *principe*). adj. Dícese de la edición primera de una obra. || m. El que es primero, superior o más aventajado en una cosa. || Hijo primogénito del rey, heredero de su corona. || Individuo de familia real o imperial. || Soberano de un Estado. || Título nobiliario.

principesco, ca. adj. Dícese de lo que es o parece propio de un príncipe o princesa.

principiante. adj. Que principia. || Que empieza a estudiar, aprender o ejercer un oficio, arte, facultad o profesión. Ú.m.c.s.

principiar. tr. Comenzar, dar principio a una cosa. Ú.t.c.r. [*Sinón.*: empezar, iniciar]

principio (al. *Anfang*, fr. *commencement*, ingl. *beginning*, it. *principio*). m. Primer instante del ser. || Base, fundamento, origen. || Causa primitiva. || Punto que se considera como primero en una extensión o cosa. || Cualquiera de las primeras verdades que sirven de fundamento a una ciencia. || Norma o idea fundamental que rige el pensamiento o la conducta. || pl. IMP. Todo lo que precede al texto del libro, como dedicatoria, licencias, etc. || — *activo* MED. Sustancia contenida en un fármaco o preparado, por obra de la cual éste adquiere su peculiar propiedad medicinal. || *en principio*. m. adv. Dícese de lo que se acepta o acoge en esencia, sin que haya entera conformidad en la forma o detalles. [*Sinón.*: comienzo. *Antón.*: fin]

pringar. tr. Empapar con pringue un

alimento. ‖ Estrujar con pan algún alimento pringoso. ‖ Manchar con pringue. Ú.t.c.r. ‖ r. fig. y fam. Interesarse uno indebidamente en el caudal, hacienda o negocio que maneja.

pringoso, sa. adj. Que tiene pringue.

pringue. amb. Grasa. ‖ fig. Suciedad, porquería que se pega a la ropa o a otra cosa.

prior. m. En algunas religiones, superior o prelado ordinario·del convento. ‖ En otras, segundo prelado después del abad. ‖ Superior de cualquier convento de los canónigos regulares. ‖ En algunos obispados, párroco o cura.

priora. f. Superiora de algunos conventos de religiosas.

prioridad. f. Anterioridad de una cosa con respecto a otra.

prioritario, ria. adj. Dícese de lo que tiene prioridad respecto de algo.

prisa (al. *Eile*, fr. *hâte*, ingl. *hurry*, it. *fretta*). f. Prontitud o rapidez con que se sucede o se ejecuta una cosa. [*Sinón*.: celeridad, presteza. *Antón*.: lentitud]

prisión (al. *Gefängnis*, fr. *prison*, ingl. *prison*, it. *prigione*). f. Acción y efecto de prender, asir o coger. ‖ Cárcel donde se encierra a los presos. ‖ fig. Cualquier cosa que ata o detiene físicamente. ‖ DER. Pena de privación de libertad, inferior a la reclusión y superior al arresto. [*Sinón*.: chirona, penal, penitenciaría, presidio]

prisionero, ra (al. *Gefangener*, fr. *prisonnier*, ingl. *prisoner*, it. *prigionero*). s. Persona cautiva.

prisma. m. GEOM. Cuerpo terminado por dos caras planas, paralelas e iguales, llamadas bases y por tantos paralelogramos como lados tenga una de las bases. Si éstas son triángulos, el prisma se llama triangular, si pentágonos, pentagonal, etc. ‖ ÓPT. Prisma triangular de vidrio, usado para producir la reflexión, refracción y descomposición de la luz.

prismático, ca. adj. De forma de prisma. ‖ Dícese del anteojo en cuyo interior hay un sistema óptico prismático. Ú.m.c.s.m.pl.

prístino, na. adj. Antiguo, primero, primitivo, original.

privación. f. Acción de despojar, impedir o privar. ‖ Carencia de una cosa en sujeto capaz de tenerla.

privado, da. adj. Que se ejecuta familiar y domésticamente, sin formalidad ni ceremonia alguna. ‖ Particular y personal de cada uno. ‖ m. El que tiene privanza.

privanza. f. Primer lugar en la gracia y confianza de un príncipe o alto personaje, y por extensión de cualquier otra persona.

privar (al. *berauben*, fr. *priver*, ingl. *to deprive*, it. *privare*). tr. Despojar de algo. ‖ Prohibir o vedar. ‖ Quitar o suspender el sentido. Ú.m.c.r. ‖ Complacer o gustar extraordinariamente. ‖ intr. Tener privanza. ‖ Tener general aceptación. ‖ r. Dejar voluntariamente una cosa de gusto, interés o conveniencia. [*Sinón*.: desposeer]

privativo, va. adj. Que causa privación. ‖ Propio y peculiar.

privilegiado, da. adj. Que goza de privilegio.

privilegio (al. *Vorrecht*, fr.·*privilège*, ingl. *privilege*, it. *privilegio*). m. Gracia, prerrogativa o exención. ‖ Documento en que consta la concesión de un privilegio. [*Sinón*.: merced, fuero]

pro. prep. insep. que tiene su recta significación de "por" o "en vez de", como en "pronombre", o la de "delante", en sentido figurado, como en "proponer".

pro. amb. Provecho. ‖ *el pro y el contra*. fr. con que se denota la confrontación de lo favorable y lo adverso de una cosa. ‖ *en pro*. m. adv. En favor.

proa (al. *Bug*, fr. *proue*, ingl. *bow*, it. *prua*). f. Parte delantera de la nave, con la que hiende las aguas. ‖ Parte delantera de un avión.

probabilidad. f. Verosimilitud o fundada apariencia de verdad. ‖ Calidad de probable.

probable (al. *wahrscheinlich*, fr. *probable*, ingl. *likely*, it. *probile*). adj. Verosímil. ‖ Que se puede probar. ‖ Dícese de aquello que puede suceder. [*Antón*.: improbable]

probado, da. adj. Acreditado por la experiencia. ‖ DER. Acreditado como verdad en los autos.

probador, ra. adj. Que prueba. Ú.t.c.s. ‖ m. En tiendas y talleres de costura, aposento en que los clientes se prueban los trajes.

probar (al. *kosten*, fr. *goûter*, ingl. *to taste*, it. *assaggiare*). tr. Hacer examen y experimento de las cualidades de personas o cosas.·‖ Examinar si una cosa está arreglada a la medida o proporción de otra a la que se debe ajustar. ‖ Justificar, manifestar y hacer patente la verdad de una cosa. ‖ Gustar una pequeña porción de un manjar o un líquido. ‖ intr. Hacer prueba, experimentar o intentar algo. ‖ Convenir una cosa, o producir el efecto que se necesita.

probeta (al. *Reagensglas*, fr. *éprouvette*, ingl. *test-tube*, it. *buretta*). f. Manómetro de mercurio para conocer el grado de enrarecimiento del aire. ‖ Máquina para probar la calidad y violencia de la pólvora. ‖ Tubo de vidrio, cerrado por un extremo, y destinado a contener líquidos o gases.

probidad. f. Bondad, rectitud de ánimo, hombría de bien, integridad y honradez en el obrar.

problema (al. *Aufgabe*, fr. *problème*, ingl. *problem*, it. *problema*). m. Cuestión que se trata de aclarar, proposición dudosa. ‖ Dificultad. ‖ MAT. Proposición dirigida a averiguar el modo de obtener un resultado cuando ciertos datos son conocidos.

problemática. f. Conjunto de dificultades, problemas y aspectos que afectan y condicionan una cuestión.

problemático, ca. adj. Dudoso, incierto.

probo, ba. adj. Que tiene probidad. [*Sinón*.: íntegro, recto]

probóscide. f. ZOOL. Aparato bucal de algunos insectos dípteros, de forma tubular, formado a expensas de una prolongación del labio inferior, utilizado para la succión de jugos.

proboscidio. adj. ZOOL. Dícese de los mamíferos que tienen trompa prensil formada por la soldadura de la nariz con el labio superior, y cinco dedos en las extremidades, terminado cada uno en una pequeña pezuña y englobados en una masa carnosa, como el elefante. Ú.t.c.s. ‖ m. pl. Orden de estos animales.

procacidad. f. Desvergüenza, insolencia, atrevimiento. ‖ Dicho o hecho desvergonzado. [*Antón*.: comedimiento]

procaz. adj. Desvergonzado, atrevido. [*Antón*.: comedido]

procedencia. f. Origen, principio de donde nace o se deriva una cosa. ‖ Punto de salida o escala de un barco. ‖ Conformidad con la moral, la razón o el derecho. ‖ DER. Fundamento legal y oportunidad de una demanda o recurso.

procedente. adj. Que procede de una persona o cosa. ‖ Arreglado a la prudencia, a la razón o al fin que se persigue. ‖ Conforme a derecho, mandato, práctica o conveniencia. [*Sinón*.: dimanante, originario]

proceder. m. Modo, forma y orden de portarse y gobernar alguien sus acciones con arreglo a bondad o malicia.

proceder. intr. Seguirse, nacer u originarse una cosa de otra. ‖ Portarse y gobernar alguien sus acciones bien o mal. ‖ Disponerse a hacer algo. ‖ Ser conforme a razón, práctica o conveniencia. ‖ *proceder contra uno.* DER. Iniciar o seguir procedimiento criminal contra él.

procedimiento. m. Acción de proceder. ‖ Método de ejecutar algunas cosas. ‖ DER. Actuación por trámites judiciales o administrativos. [*Sinón.:* sistema, regla]

prócer. adj. Alto, eminente, elevado. ‖ m. Persona de alta dignidad.

procesado, da. adj. Declarado y tratado como presunto reo en un proceso criminal. Ú.t.c.s. [*Sinón.:* acusado]

procesal. adj. Perteneciente o relativo al proceso.

procesamiento. m. Acto de procesar.

procesar (al. *gerichtlich verfolgen,* fr. *faire le procès,* ingl. *to prosecute,* it. *processare*). tr. Formar autos y procesos. ‖ TÉCN. Someter alguna cosa a un proceso de elaboración, transformación, etc. [*Sinón.:* enjuiciar, encausar]

procesión (al. *Prozessione,* fr. *procession,* ingl. *procession,* it. *processione*). f. Acto de ir ordenadamente de un lugar a otro muchas personas con algún fin público y solemne. ‖ *andar o ir la procesión por dentro.* fig. y fam. Sentir pena, cólera, inquietud, etc., aparentando serenidad e indiferencia.

procesionaria. f. ZOOL. Nombre común de las orugas de varias especies de lepidópteros que causan grandes estragos en los pinos, encinas y otros árboles.

proceso (al. *Prozess,* fr. *procès,* ingl. *process,* it. *processo*). m. Conjunto de las fases sucesivas de un fenómeno. ‖ DER. Agregado de los autos y demás escritos en cualquier causa civil o criminal. ‖ Causa criminal. [*Sinón.:* desarrollo; sumario, atestado]

proclama. f. Notificación pública. ‖ Alocución política o militar. [*Sinón.:* pregón, bando]

proclamación. f. Publicación de un decreto, bando o ley, que se hace solemnemente para que llegue a conocimiento de todos. ‖ Alabanza pública y común.

proclamar (al. *ausrufen,* fr. *proclamer,* ingl. *to proclaim,* it. *proclamare*). tr. Publicar en alta voz una cosa. ‖ Declarar solemnemente el principio de un reinado, etc. ‖ Aclamar. ‖ Conferir a una voz algún cargo. ‖ fig. Dar señales

inequívocas de un afecto, pasión, etc. ‖ r. Declararse uno investido de un cargo, autoridad pública, etc.

proclive. adj. Inclinado o propenso a una cosa.

procónsul. m. Gobernador de una provincia en la antigua Roma.

procreación. f. Acción y efecto de procrear.

procrear. tr. Engendrar, multiplicar la especie.

procurador, ra (al. *Sachwalter,* fr. *procureur,* ingl. *procurer,* it. *procuratore*). adj. Que procura. Ú.t.c.s. ‖ m. El que en virtud de poder de otro ejecuta en su nombre una cosa. [*Sinón.:* representante, delegado]

procurar (al. *verschaffem,* fr. *procurer,* ingl. *to secure,* it. *procurare*). tr. Hacer diligencias o esfuerzos para conseguir lo que se desea. ‖ Ejercer el oficio de procurador.

prodigalidad. f. Profusión, desperdicio, consumo de la propia hacienda. ‖ Copia, abundancia, multitud. [*Sinón.:* derroche, dispendio, profusión. *Antón.:* tacañería]

prodigar. tr. Gastar pródigamente o con exceso y desperdicio una cosa. ‖ Dar con profusión y abundancia. ‖ fig. Tratándose de elogios, favores, etc., dispensarlos profusa y repetidamente. [*Sinón.:* derrochar; colmar. *Antón.:* ahorrar]

prodigio (al. *Wunder,* fr. *prodige,* ingl. *wonder,* it. *prodigio*). m. Suceso extraño que excede los límites ordinarios de lo natural. ‖ Cosa especial, rara o primorosa. ‖ Milagro. [*Sinón.:* maravilla]

prodigioso, sa. adj. Maravilloso, extraordinario, que encierra algún prodigio. ‖ Excelente, primoroso, exquisito.

pródigo, ga (al. *verschwenderisch,* fr. *prodigue,* ingl. *lavish,* it. *prodigo*). adj. Disipador, gastador, manirroto. Ú.t.c.s. ‖ Que desgracia generosamente la vida u otra cosa estimable. ‖ Muy dadivoso.

producción (al. *Produktion,* fr. *production,* ingl. *production,* it. *produzione*). f. Acción de producir. ‖ Cosa producida. ‖ Acto o modo de producirse. ‖ Suma de los productos del suelo o de una industria.

producir (al. *erzeugen,* fr. *produire,* ingl. *to produce,* it. *produrre*). tr. Engendrar, procrear, criar. ‖ Dar fruto. ‖ Rentar, dar interés, utilidad o beneficio. ‖ fig. Procurar, originar, ocasionar. ‖ fig. Fabricar, elaborar cosas útiles.

productividad. f. Calidad de productivo. ‖ Capacidad o grado de producción por unidad de trabajo, superficie de tierra cultivada, etc.

productivo, va. adj. Que tiene virtud de producir. [*Sinón.:* feraz, fértil]

producto (al. *Erzeugnis,* fr. *produit,* ingl. *product,* it. *prodotto*). m. Cosa producida. ‖ Caudal que se obtiene de una cosa que se vende o el que ella redrtúa. ‖ MAT. Cantidad que resulta de la multiplicación.

productor, ra. adj. Que produce. Ú.t.c.s. ‖ m. Obrero, trabajador. ‖ El que con responsabilidad financiera y comercial organiza la realización de una obra cinematográfica y aporta el capital necesario.

proemio. m. Prólogo de un libro o de un discurso.

proeza. f. Hazaña, valentía o acción valerosa. [*Antón.:* cobardía]

profanación. f. Acción y efecto de profanar.

profanar (al. *entweilhen,* fr. *profaner,* ingl. *to profane,* it. *profanare*). tr. Tratar una cosa sagrada sin el debido respeto, o aplicarla a usos profanos. ‖ fig. Deslucir, desdorar, deshonrar, prostituir, hacer uso indigno de cosas respetables. [*Antón.:* respetar]

profano, na (al. *Weltlich,* fr. *profane,* ingl. *worldly,* it. *profano*). adj. Que no es sagrado ni sirve para usos sagrados, sino puramente secular. ‖ Que va contra la reverencia debida a las cosas sagradas. ‖ Que carece de conocimientos y autoridad en una materia. Ú.t.c.s. [*Sinón.:* impio, ignorante]

profecía (al. *Weissagung,* fr. *prophétie,* ingl. *prophecy,* it. *profezia*). f. Don sobrenatural que consiste en predecir cosas distantes o futuras. ‖ Predicción.

proferir. tr. Pronunciar, decir, articular palabras. [*Antón.:* callar]

profesar (al. *ausüben,* fr. *professer,* ingl. *to profess,* it. *professare*). tr. Ejercer una ciencia, arte, oficio, etc. ‖ Enseñar una ciencia o arte. ‖ Hacer votos religiosos. ‖ Creer, confesar. ‖ fig. Sentir algún afecto, inclinación o interés y perseverar en ellos.

profesión (al. *Beruf,* fr. *profession,* ingl. *profession,* it. *professione*). f. Acción y efecto de profesar. ‖ Empleo, facultad u oficio que cada uno tiene y ejerce públicamente. [*Sinón.:* trabajo]

profesional. adj. Perteneciente a la profesión o magisterio de ciencias y artes. ‖ Dícese de la persona que hace hábito o profesión de alguna cosa, por lo general remunerada. Ú.t.c.s.

profeso, sa. adj. Dícese del religioso que ha profesado. Ú.t.c.s. ‖ Se aplica al colegio o casa de los profesos.

profesor, ra (al. *Professor*, fr. *professeur*, ingl. *professor*, it. *professore*). s. Persona que enseña o ejerce una ciencia o arte. [*Sinón.*: maestro]

profesorado. m. Cargo de profesor. ‖ Cuerpo de profesores.

profeta (al. *Prophet*, fr. *prophète*, ingl. *prophet*, it. *profeta*). m. El que posee el don de la profecía. ‖ fig. El que por algunas señales anuncia acontecimientos futuros. [*Sinón.*: adivino]

profetisa. f. Mujer que posee el don de la profecía. [*Sinón.*: pitonisa, adivina]

profetizar. tr. Anunciar o predecir las cosas futuras en virtud del don de la profecía. ‖ fig. Conjeturar o hacer juicios sobre el éxito de una cosa, basándose en indicios o señales que se han observado. [*Sinón.*: vaticinar]

profiláctico, ca. adj. MED. Relativo a la profilaxis.

profilaxis (al. *Vorbeugung*, fr. *prophylaxie*, ingl. *prophylaxis*, it. *profilassi*). f. MED. Conjunto de las medidas que individual o colectivamente preservan de las enfermedades.

prófugo, ga. adj. Fugitivo. Ú.t.c.s. ‖ m. Mozo que se ausenta o se oculta para eludir el servicio militar. [*Sinón.*: evadido, desertor]

profundidad (al. *Tiefe*, fr. *profondeur*, ingl. *profundity*, it. *profondità*). f. Calidad de profundo. ‖ Hondura. ‖ Dimensión de los cuerpos perpendicular a una superficie dada. [*Antón.*: altura]

profundizar. tr. Cavar una cosa para que esté más honda. ‖ fig. Examinar una cosa para llegar a su perfecto conocimiento. Ú.t.c. intr. [*Sinón.*: ahondar; indagar]

profundo, da (al. *tiof*, fr. *profond*, ingl. *deep*, it. *profondo*). adj. Que tiene el fondo muy distante de la boca o borde de la cavidad. ‖ Más cavado y hondo de lo regular. ‖ Que penetra mucho. ‖ fig. Intenso o muy vivo y eficaz. ‖ fig. Difícil de penetrar o comprender. [*Sinón.*: hondo. *Antón.*: superficial]

profusión. f. Copia, abundancia sin medida en lo que se da, expende, derrama, etc. [*Sinón.*: exceso, multitud, liberalidad. *Antón.*: escasez, tacañería]

profuso, sa. adj. Abundante, copioso, gratuitamente excesivo.

progenie. f. Casta, generación o familia de la cual se origina o desciende una persona.

progenitor. m. Pariente en línea recta de una persona. [*Sinón.*: ascendiente, antepasado]

progenitura. f. Progenie.

prognatismo. m. Calidad de prognato.

prognato, ta. adj. Que tiene muy saliente la mandíbula inferior. Ú.t.c.s.

prognosis. f. Conocimiento anticipado de algún suceso.

programa (al. *Programm*, fr. *programme*, ingl. *program*, it. *programma*). m. Edicto, bando o aviso público. ‖ Declaración previa de lo que se piensa hacer. ‖ Tema que se da para un discurso, diseño, etc. ‖ Distribución de las materias de un curso o asignatura. ‖ Lista más o menos detallada de las distintas partes de un trabajo, espectáculo, etc. ‖ Serie ordenada de operaciones para llevar a cabo un proyecto. ‖ Conjunto de datos preparados para su utilización por una calculadora o un ordenador.

programación. f. Acción de programar.

programador, ra. adj. Que programa. Ú.t.c.s. ‖ m. Aparato que ejecuta un programa automáticamente.

programar. tr. Formar programas, previa declaración de lo que se piensa hacer y anuncio de las partes de que se ha de componer un acto o espectáculo, o una serie de ellos. ‖ Idear y ordenar las acciones necesarias para realizar un proyecto. ‖ Preparar los datos previos indispensables para obtener la solución de un problema mediante una calculadora electrónica.

progresar (al. *fortschreiten*, fr. *progresser*, ingl. *to progress*, it. *progredire*). intr. Hacer progresos en una materia. [*Antón.*: retrasar]

progresión. f. Acción de avanzar o de proseguir una cosa. ‖ MAT. Serie de números o términos algebraicos en que cada tres consecutivos forman proporción continua. ‖ — *aritmética*. MAT. Sucesión de números tales que cada uno se deduce del anterior sumándole o restándole una cantidad constante, llamada razón de la progresión. ‖ — *geométrica*. Sucesión de números tales que cada uno de ellos se deduce del anterior multiplicándolo o dividiéndolo por una cantidad constante llamada razón.

progresismo. m. Ideas y doctrinas progresistas.

progresista. adj. Partidario del progreso, en particular del político y social.

progresivo, va. adj. Que avanza, favorece, o procura el avance. ‖ Que progresa o aumenta en cantidad o perfección.

progreso (al. *Fortchritt*, fr. *progrès*, ingl. *progress*, it. *progresso*). m. Acción de ir hacia adelante. ‖ Aumento, aditamento, perfeccionamiento. ‖ Movimiento de desarrollo y perfeccionamiento de la civilización. [*Sinón.*: mejoramiento. *Antón.*: retraso]

prohibición. f. Acción y efecto de prohibir. [*Antón.*: permiso]

prohibir (al. *verbieten*, fr. *interdire*, ingl. *to forbid*, it. *proibire*). tr. Vedar o impedir el uso o ejecución de una cosa. [*Sinón.*: interdecir. *Antón.*: permitir]

prohibitivo, va. adj. Dícese de lo que prohíbe.

prohijar (al. *einkinden*, fr. *adopter*, ingl. *to adopt*, it. *adottare*). tr. Recibir como hijo legalmente al que no lo es. ‖ fig. Acoger como propias las opiniones o doctrinas ajenas. [*Sinón.*: ahijar, adoptar]

prohombre. m. El que goza de especial consideración entre los de su clase.

prójimo (al. *Mitmensch*, fr. *autrui*, ingl. *fellow-creature*, it. *prossimo*). m. Cualquier hombre respecto de otro. [*Sinón.*: semejante]

prole. f. Linaje, hijos o descendencia de alguien.

prolegómeno. m. Tratado que se pone al principio de una obra o escrito, para establecer los fundamentos generales de la materia que se ha de tratar a continuación. Ú.m. en pl.

proletariado. m. Clase social constituida por los proletarios.

proletario, ria (al. *Proletarier*, fr. *prolétaire*, ingl. *proletarian*, it. *proletario*). adj. Dícese del que carece de bienes. Ú.t.c.s.m. ‖ fig. Plebeyo, vulgar. ‖ Individuo de la clase indigente. ‖ Trabajador, obrero asalariado.

proliferación. f. Multiplicación de formas similares.

proliferar. intr. Reproducirse en formas similares. ‖ fig. Multiplicarse abundantemente.

prolífico, ca. adj. Que tiene la virtud de engendrar. [*Sinón.*: fértil, fecundo]

prolijo, ja. adj. Largo, dilatado con exceso. ‖ Cuidadoso o esmerado.

prólogo (al. *Vorwort*, fr. *avant-propos*, ingl. *foreword*, it. *prefazione*). m. Discurso antepuesto a un libro cualquiera para explicitarlo. ‖ fig. Exordio que precede a la ejecución de una cosa. [*Sinón.*: prefacio. *Antón.*: epílogo]

prologuista. com. Persona que escribe prólogos.

prolongación. f. Acción y efecto de prolongar o prolongarse. ‖ Parte prolongada de una cosa. [*Sinón.*: prolongamiento, apéndice]

prolongar (al. *verlängern*, fr. *prolonger*, ingl. *to prolong*, it. *prolungare*). tr. Alargar, dilatar o extender una cosa a lo largo. Ú.t.c.r. ‖ Hacer que dure una cosa más tiempo de lo regular. Ú.t.c.r.

promediar. tr. Igualar o repartir una cosa en partes iguales. ‖ intr. Llegar a su mitad un espacio de tiempo determinado.

promedio (al. *Durchschnitt*, fr. *moyenne*, ingl. *average*, it. *media*). m. Punto en que una cosa se divide en dos mitades. ‖ Término medio, cociente.

promesa (al. *Versprechen*, fr. *promesse*, ingl. *promise*, it. *promessa*). f. Expresión de la voluntad de dar a alguien o hacer por él una cosa. ‖ fig. Augurio, indicio o señal que hace esperar algún bien.

prometer (al. *versprechen*, fr. *promettre*, ingl, *to promise*, it. *promettere*). tr. Obligarse a hacer, decir o dar una cosa. ‖ Asegurar la certeza de lo que se dice. ‖ intr. Dar una persona o cosa buenas muestras de sí para lo venidero. ‖ r. Esperar lograr una cosa o mostrar gran confianza en lograrla. ‖ rec. Darse mutuamente palabra de casamiento.

prometido, da. s. Persona que ha contraído esponsales legales o que tiene promesa de casarse. ‖ Promesa de hacer o cumplir algo fijado.

prominencia. f. Elevación de una cosa sobre lo que la rodea.

prominente. adj. Que se levanta sobre lo que está a su alrededor.

promiscuidad. f. Mezcla, confusión, especialmente de personas.

promiscuo, cua. adj. Mezclado confusa o indiferentemente.

promisión. f. Promesa, ofrecimiento de hacer o dar alguna cosa.

promisorio, ria. adj. Que encierra en sí promesa.

promoción (al. *Beförderung*, fr. *promotion*, ingl. *promotion*, it. *promozione*). f. Acción y efecto de promover. ‖ Conjunto de los individuos que al mismo tiempo han obtenido un grado o empleo. ‖ Elevación o mejora en las condiciones de vida, intelectuales, productividad, etc.

promontorio. m. Altura muy considerable de tierra. ‖ fig. Cualquier cosa que hace demasiado bulto y estorba. ‖ Altura considerable de tierra que avanza dentro del mar.

promotor, ra. adj. Que promueve

una cosa, haciendo las diligencias que conducen a su logro. Ú.t.c.s.

promover. tr. Iniciar o adelantar una cosa, procurando su logro. ‖ Elevar a una persona a una dignidad o empleo superior al que tenía. [*Sinón.*: suscitar, ascender]

promulgar. tr. Publicar una cosa solemnemente para darla a conocer. ‖ fig. Hacer que una cosa se divulgue mucho en el público. ‖ DER. Publicar formalmente una ley u otra disposición de la autoridad.

prono, na. adj. Inclinado en exceso a una cosa. ‖ Echado sobre el vientre.

pronombre (al. *Fürwort*, fr. *pronom*, ingl. *pronoun*, it. *pronome*). m. GRAM. Parte de la oración que suple al nombre o lo determina. ‖ — *demostrativo*. El que señala personas, animales o cosas. ‖ — *indeterminado*. El que alude vagamente a personas o cosas. ‖ — *personal*. El que representa directamente personas, animales o cosas. ‖ — *posesivo*. El que denota posesión o pertenencia. ‖ — *relativo*. El que se refiere a persona, animal o cosa anteriormente mencionado.

pronominal. adj. GRAM. Perteneciente al pronombre o que participa de su índole o naturaleza.

pronosticar. tr. Conocer por algunos indicios lo futuro. ‖ Manifestar este conocimiento. [*Sinón.*: vaticinar, presagiar]

pronóstico (al. *Vohersage*, fr. *pronostic*, ingl. *forecast*, it. *pronostico*). m. Acción y efecto de pronosticar. ‖ Señal por donde se conjetura una cosa futura. ‖ MED. Juicio que forma el médico respecto al curso de una enfermedad por sus síntomas. ‖ — *reservado*. MED. El que se reserva el médico a causa de las contingencias posibles en el curso de una lesión.

prontitud. f. Celeridad, presteza o velocidad en ejecutar una cosa. ‖ Viveza de ingenio o de imaginación. [*Sinón.*: rapidez, actividad. *Antón.*: lentitud]

pronto, ta. adj. Veloz, acelerado, ligero. ‖ Dispuesto para ejecutar algo. ‖ m. fam. Impulso repentino del ánimo. ‖ adv. t. Presto, con prontitud.

prontuario. m. Resumen en el que se toma nota de determinados extremos a fin de tenerlos presentes. ‖ Compendio de las reglas de una ciencia o arte. [*Sinón.*: esquema, síntesis]

pronunciación. f. Acción y efecto de pronunciar.

pronunciamiento. m. Rebelión mili-

tar. ‖ DER. Cada una de las declaraciones, condenas o mandatos del juez.

pronunciar (al. *aussprechen*, fr. *prononcer*, ingl. *to pronounce*, it. *pronunziare*). tr. Emitir o articular sonidos para hablar. ‖ Determinar, resolver. Ú.t.c.r. ‖ fig. Levantar, sublevar. Ú.m.c.r. ‖ DER. Publicar una sentencia o auto.

propaganda (al. *Werbung*, fr. *propagande*, ingl. *advertising*, it. *propaganda*). f. Acción y efecto de dar a conocer una cosa con el fin de atraer adeptos o compradores. [*Sinón.*: divulgación]

propagandista. adj. Dícese de la persona que hace propaganda, especialmente en materia política. Ú.t.c.s.

propagar. tr. Multiplicar por generación u otra vía de reproducción. Ú.t.c.r. ‖ fig. Extender, dilatar o aumentar una cosa. Ú.t.c.r. ‖ fig. Extender el conocimiento de una cosa, o la afición a ella. Ú.t.c.r. [*Sinón.*: difundir. *Antón.*: ocultar]

propalar. tr. Divulgar una cosa oculta.

propasar. tr. Ir más allá de lo debido. Ú.m.c.r. [*Sinón.*: excederse]

propender. intr. Inclinarse alguien hacia una cosa por afición u otro motivo. [*Sinón.*: tender]

propensión. f. Inclinación de una persona o cosa a lo que es de su gusto o naturaleza. [*Sinón.*: atracción. *Antón.*: desinterés]

propenso, sa. adj. Con inclinación o afecto a lo que es natural a uno.

propiciar. tr. Ablandar, aplacar la ira de alguien haciéndole favorable, benigno y propicio. ‖ Favorecer la ejecución de algo.

propiciatorio, ria. adj. Que tiene la virtud de hacer propicio.

propicio, cia. adj. Favorable, inclinado a hacer un bien.

propiedad (al. *Eigentum*, fr. *propriété*, ingl. *ownership*, it. *proprietà*). f. Derecho o facultad de disponer de una cosa. ‖ Cosa que es objeto del dominio, sobre todo si es inmueble. ‖ Atributo o cualidad esencial de una persona o cosa. ‖ Semejanza o imitación perfecta. ‖ GRAM. Significado o sentido peculiar de las voces o frases. [*Sinón.*: hacienda, carácter]

propietario, ria (al. *Eigentümer*, fr. *propriétaire*, ingl. *owner*, it. *proprietario*). adj. Que tiene derecho de propiedad sobre una cosa. Ú.m.c.s. ‖ Que tiene cargo u oficio que le pertenece. [*Sinón.*: dueño]

propileo. m. ARQ. Vestíbulo de un templo; peristilo.

propina (al. *Trinkgeld*, fr. *pourboire*, ingl. *tip*, it. *mancia*). f. Gratificación con que se recompensa un servicio eventual. ‖ Gratificación que como muestra de satisfacción se da sobre el precio convenido por un servicio. [*Sinón.*: extra]

propinar. tr. Dar a beber. ‖ Ordenar, administrar una medicina. ‖ fig. Maltratar, pegar a uno.

propio, pia (al. *eigen*, fr. *propre*, ingl. *own*, it. *proprio*). adj. Perteneciente a alguien que tiene la facultad exclusiva de disponer de ello. ‖ Característico, peculiar de cada persona o cosa. ‖ Conveniente y a propósito para un fin. ‖ Natural, no postizo. ‖ Mismo. [*Sinón.*: privativo]

proponer. tr. Manifestar una cosa para inducir a adoptarla. ‖ Determinar o hacer propósito de ejecutar o no una cosa. Ú.m.c.r. ‖ Presentar a alguien para un empleo o beneficio. ‖ Hacer una propuesta. [*Sinón.*: sugerir]

proporción (al. *Verhältnis*, fr. *proportion*, ingl. *proportion*, it. *proporzione*). f. Disposición o correspondencia debida de las partes con el todo. ‖ Disposición u oportunidad. ‖ Coyuntura, conveniencia. ‖ Tamaño. ‖ MAT. Igualdad de dos razones.

proporcionado, da. adj. Regular, competente o apto para lo que es menester. ‖ Que guarda proporción. [*Sinón.*: proporcional]

proporcional (al. *verhältnismassig*, fr. *proportionnel*, ingl. *proportional*, it. *proporzionale*). adj. Perteneciente a la proporción o que la incluye en sí.

proporcionar. tr. Disponer y ordenar una cosa con la debida correspondencia entre sus partes. ‖ Poner en aptitud o disposición las cosas. Ú.t.c.r. ‖ Poner a disposición de alguien lo que necesita o le conviene. Ú.t.c.r. [*Sinón.*: adecuar, suministrar. *Antón.*: desequilibrar, privar]

proposición. f. Acción y efecto de proponer. ‖ LÓG. Oración, palabra o palabras que expresan un concepto cabal. ‖ MAT. Enunciación de una verdad demostrada o que se trata de demostrar. ‖ GRAM. Unidad lingüística de estructura oracional, constituida por sujeto y predicado, que se une mediante coordinación o subordinación a otra u otras para formar una oración compuesta. ‖ GRAM. Oración.

propósito (al. *Zweck*, fr. *but*, ingl. *purpose*, it. *proposito*). m. Ánimo o

intención de hacer o no hacer una cosa. ‖ Objeto, mira. ‖ Materia de la que se trata. ‖ *a propósito.* m. adv. con que se expresa que una cosa es proporcionada u oportuna para lo que se desea o para el fin a que se la destina. ‖ *de*, o *a*, *propósito.* Con intención determinada; voluntaria y deliberadamente.

propuesta. f. Proposición o idea que se manifiesta y ofrece a alguien con un fin determinado. ‖ Consulta que se hace a un superior con referencia a un empleo o beneficio. ‖ Consulta de un asunto o negocio a la persona o cuerpo que lo ha de resolver. [*Sinón.*: ofrecimiento]

propugnar. tr. Defender, amparar.

propulsar. tr. Repulsar. ‖ Impeler hacia delante.

propulsión (al. *Fortbewegung*, fr. *propulsion*, ingl. *propulsion*, it. *propulsione*). f. Fís. Acción de impeler hacia delante. ‖ — *a chorro.* Sistema de propulsión usado en los motores reactores, basado en el empuje de avance producido por reacción al liberar un fluido a gran velocidad.

propulsor, ra. adj. Que propulsa. Ú.t.c.s.

prorrata. f. Cuota o porción que toca a uno en el prorrateo. [*Sinón.*: escote]

prorratear. tr. Repartir a prorrata.

prorrateo. m. Repartición de una cantidad entre varios, proporcionada a lo que debe tocar a cada uno.

prórroga. f. Continuación de una cosa por tiempo determinado.

prorrogar. tr. Continuar, dilatar una cosa por tiempo determinado.

prorrumpir. intr. Salir con ímpetu una cosa. ‖ Proferir repentinamente y con fuerza o violencia voces, suspiros u otras demostraciones de dolor o pasión vehemente. [*Sinón.*: lanzar, estallar]

prosa (al. *Prosa*, fr. *prose*, ingl. *prose*, it. *prosa*). f. Forma natural del lenguaje, no sujeta a medida y cadencia determinadas. ‖ Lenguaje prosaico en la poesía. ‖ fig. y fam. Verbosidad excesiva en decir cosas poco o nada importantes.

prosaico, ca. adj. Relativo a la prosa o escrito en prosa. ‖ fig. Falto de idealismo o elevación, vulgar. [*Antón.*: poético, idealista, elevado, sublime]

prosaísmo. m. Defecto de la obra en verso que consiste en la falta de armonía o entonación poéticas, en la llaneza de la expresión, o en la trivialidad del concepto. ‖ fig. Insulsez o trivialidad en el fondo de las obras en prosa.

prosapia. f. Ascendencia, linaje o generación de una persona. [*Sinón.*: alcurnia]

proscenio. m. Parte del escenario más inmediata al público.

proscribir (al. *verweisen*, fr. *proscrire*, ingl. *to banish*, it. *proscrivere*). tr. Echar a alguien de su territorio nacional. ‖ fig. Excluir, prohibir el uso de una cosa determinada. [*Sinón.*: extrañar]

proscrito, ta. adj. Desterrado. Ú.t.c.s.

prosecución. f. Acción y efecto de proseguir. ‖ Seguimiento, persecución. [*Sinón.*: continuación]

proseguir. tr. Seguir, continuar, llevar adelante lo que se tenía empezado. [*Antón.*: detener]

proselitismo. m. Celo de ganar prosélitos.

prosélito. m. Persona convertida a la religión católica. ‖ fig. Partidario que se gana para una facción, parcialidad o doctrina. [*Sinón.*: adepto]

prosificar. tr. Poner en prosa una composición poética.

prosista. com. Escritor o escritora de obras en prosa.

prosodia. f. GRAM. Parte de la gramática que enseña la recta pronunciación y acentuación. ‖ Estudio de los rasgos fónicos que afectan a la métrica, especialmente de los acentos y de la cantidad. ‖ Parte de la fonología que estudia los rasgos fónicos que afectan a unidades inferiores al fonema, o superiores a él.

prosódico, ca. adj. GRAM. Perteneciente o relativo a la prosodia.

prosopopeya. f. RET. Figura que consiste en personificar las cosas inanimadas y los animales. ‖ fam. Afectación de gravedad y pompa.

prospección. f. Exploración del subsuelo basada en el examen de los caracteres del terreno y encaminada a descubrir yacimientos minerales, petrolíferos, aguas, etc. ‖ Exploración de posibilidades futuras basada en indicios presentes. ‖ *Amer.* Reconocimiento para descubrir enfermedades latentes o incipientes. [*Sinón.*: búsqueda]

prospectivo, va. adj. Que se refiere al pasado.

prospecto (al. *Prospekt*, fr. *prospectus*, ingl. *prospectus*, it. *prospetto*). m. Exposición o anuncio breve que se hace al público de una obra, escrito, espectáculo, mercancía, etc.

prosperar. tr. Ocasionar prosperidad. ‖ intr. Tener o gozar prosperidad. [*Sinón.*: progresar, medrar]

prosperidad (al. *Gedeihen*, fr. *prospérité*, ingl. *prosperity*, it. *prosperità*). f. Curso favorable de las cosas, buena suerte o éxito en lo que se emprende, sucede u ocurre.

próspero, ra. adj. Favorable, propicio, venturoso.

próstata (al. *Vorsteherdrüse*, fr. *prostate*, ingl. *prostate*, it. *prostata*). f. ANAT. Glándula propia del sexo masculino. Se encuentra en el cuello de la vejiga urinaria rodeando el primer segmento de la uretra. Elabora una secreción blanquecina y viscosa que se incorpora al semen en la eyaculación.

prosternarse. r. Postrarse.

prostíbulo. m. Mancebía, casa de prostitución. [*Sinón.*: lupanar, burdel]

prostitución. f. Acción y efecto de prostituir o prostituirse.

prostituir (al. *der Unzucht prestsgeben*, fr. *prostituer*, ingl. *to prostitute*, it. *prostituire*). tr. Exponer públicamente a todo género de torpeza y sensualidad. Ú.t.c.r. || Exponer, entregar, abandonar a una mujer a la pública deshonra, corromperla. Ú.t.c.r. || fig. Degradar o envilecer una acción por interés.

prostituta. f. Ramera.

protactinio. m. QUÍM. Elemento metálico radiactivo que se encuentra en los minerales de uranio.

protagonista (al. *Held*, fr. *protagoniste*, ingl. *protagonist*, it. *protagonista*). com. Personaje principal de un drama, novela, etc. || Persona que en un suceso cualquiera asume la parte principal.

protagonizar. intr. Ser o actuar como protagonista.

protección (al. *Protektion*, fr. *protection*, ingl. *protection*, it. *protezione*). f. Acción y efecto de proteger. [*Sinón.*: amparo, defensa]

proteccionismo. m. Doctrina según la cual se protege la economía de un país gravando la importación de productos extranjeros y favoreciendo por otros medios a los nacionales. || Régimen aduanero fundado en ella.

proteccionista. adj. Partidario del proteccionismo. Ú.t.c.s. || Perteneciente o relativo al proteccionismo.

protector, ra. adj. Que protege. Ú.t.c.s. || Que por oficio cuida de los derechos o intereses de una comunidad. Ú.t.c.s. [*Sinón.*: defensor]

protectorado. m. Parte de soberanía que un estado ejerce en territorio que no ha sido incorporado plenamente al de su nación y en el cual existen autoridades propias de los pueblos autócto-

nos. || Territorio en que se ejerce esta soberanía compartida.

proteger (al. *beschützen*, fr. *protéger*, ingl. *to protect*, it. *proteggere*). tr. Amparar, favorecer, defender.

protegido, da. s. Favorito, ahijado.

proteico, ca. adj. Que cambia de forma o de ideas. || QUÍM. Proteínico.

proteína. f. BIOL. Albuminoide.

prótesis. f. MED. Parte de la cirugía que tiene por finalidad sustituir, total o parcialmente, un órgano o miembro, mediante un aparato que intenta reproducir su forma y en lo posible su función. || Aparato que realiza esta sustitución.

protesta (al. *Einspruch*, fr. *protestation*, ingl. *protest*, it. *protesta*). f. Acción y efecto de protestar. || Promesa con aseveración de ejecutar una cosa. || DER. Declaración jurídica que se hace para mantener un derecho. [*Antón.*: aprobación]

protestante. adj. Que protesta. || Que sigue el luteranismo o cualquiera de sus sectas. Ú.t.c.s. || Perteneciente a alguna de las iglesias cristianas formadas como consecuencia de la Reforma.

protestantismo. m. Creencia religiosa de los protestantes. || Conjunto de ellos.

protestar (al. *einspruch erheben*, fr. *protester*, ingl. *to protest*, it. *protestare*). tr. Declarar oposición en orden a un hecho o idea. || Confesar públicamente la fe y creencia que se profesa y en que se desea vivir. || Aseverar con ahínco y firmeza. || Negar la validez o legalidad de un acto, tachándolo de vicioso. || COM. Hacer el protesto de una letra de cambio.

protocolario, ria. adj. fig. Dícese de lo que se hace con solemnidad no indispensable, pero usual.

protocolo (al. *Protokoll*, fr. *protocole*, ingl. *protocol*, it. *protocollo*). m. Serie ordenada de escrituras matrices y otros documentos que un notario autoriza y custodia con ciertas formalidades. || Acta o cuaderno de actas relativas a un acuerdo, conferencia o congreso diplomático. || Regla ceremonial diplomática o palatina establecida por decreto o costumbre.

protohistoria. f. Período histórico en que falta la cronología y los documentos, basado únicamente en tradiciones o inducciones.

protón. m. FÍS. Partícula elemental constituyente de los núcleos atómicos.

protoplasma. f. BIOL. Materia integrante de las células en la que están

insertos todos los demás elementos de las mismas.

prototipo (al. *Vorbil*, fr. *prototype*, ingl. *prototype*, it. *prototipo*). m. Ejemplar original o primer molde en que se fabrica alguna cosa. || fig. El más perfecto ejemplar y modelo de una virtud, vicio o cualidad. [*Sinón.*: arquetipo]

protozoo. m. ZOOL. Dícese de los animales, casi siempre microscópicos, cuyo cuerpo está formado por una sola célula o por una colonia de células iguales entre sí. Ú.m.c.s. || m. pl. Subreino o tipo de estos animales.

protuberancia. f. Prominencia más o menos redonda.

provecho (al. *Vorteil*, fr. *profit*, ingl. *advantage*, it. *profitto*). m. Beneficio o utilidad. || Aprovechamiento en las ciencias, artes o virtudes. || pl. Utilidades o emolumentos que se adquieren o permiten fuera del sueldo o salario. [*Sinón.*: fruto, rendimiento]

provechoso, sa. adj. Que causa provecho o es de provecho o utilidad.

proveedor, ra (al. *Lieferant*, fr. *fourniseur*, ingl. *supplier*, it. *fornitore*). s. Persona que tiene a su cargo proveer o abastecer de todo lo necesario. [*Sinón.*: abastecedor, suministrador]

proveer (al. *versorgen*, fr. *fournir*, ingl. *to supply*, it. *fornire*). tr. Prevenir, juntar y disponer los abastecimientos necesarios para un fin. Ú.t.c.r. || Disponer, resolver, dar salida a un negocio. || Dar, conferir una dignidad, empleo u otra cosa. || Suministrar lo necesario o conveniente para un fin. Ú.t.c.r. || DER. Dictar una resolución que no sea la sentencia definitiva. [*Sinón.*: abastecer, diligenciar]

provenir. intr. Nacer, proceder, originarse una cosa de otra. [*Sinón.*: dimanar, emanar, derivar]

provenzal. adj. Natural de Provenza. Ú.t.c.s. || Perteneciente a esta antigua provincia de Francia. || m. Lengua de oc. || Lengua de los provenzales, tal como ahora la hablan.

proverbial. adj. Perteneciente o relativo al proverbio o que lo incluye. || Muy notorio, conocido de siempre, consabido de todos. [*Sinón.*: sentencioso, conocido, sabido]

proverbio (al. *Sprichwort*, fr. *proverbe*, ingl. *proverb*, it. *proverbio*). m. Sentencia, adagio o refrán. || pl. Libro de las Sagradas Escrituras que contiene una parte de las sentencias de Salomón. [*Sinón.*: máxima, aforismo, dicho]

providencia (al. *Massnahme*, fr.

mesure, ingl. *measure*, it. *provvedimento*). f. Disposición anticipada o prevención que mira o conduce al logro de un fin. ‖ Disposición que se toma en un lance sucedido, para componerlo o remediar el daño que pueda resultar. ‖ Por antonomasia, la de Dios. ‖ DER. Resolución del juez. ‖ n. p. fig. Dios.

providencial. adj. Perteneciente o relativo a la providencia.

provincia (al. *Provinz*, fr. *province*, ingl. *province*, it. *provincia*). f. División administrativa superior de algunos Estados. ‖ Conjunto de casas o conventos de religiosos que ocupan determinado territorio.

provincial. adj. Perteneciente o relativo a una provincia. ‖ m. Religioso que tiene el gobierno y superioridad sobre todas las casas o conventos de una provincia.

provincialismo. m. Predilección que generalmente se da a los usos, producciones, etc., de la provincia en que se ha nacido. ‖ Voz o giro que únicamente tiene uso en una provincia o comarca de un país.

provinciano, na. adj. Dícese del habitante de una provincia en contraposición al de la capital. Ú.t.c.s. ‖ Que es de ademanes o hábitos rústicos. Ú.t.c.s.

provisión (al. *Vorrat*, fr. *provision*, ingl. *supply*, it. *provvista*). f. Acción y efecto de proveer. ‖ Conjunto de víveres que se guardan para tenerlos disponibles en caso necesario o para determinada ocasión. ‖ COM. Existencia en poder del pagador del valor de una letra, cheque, etc. [*Sinón.*: suministro, avituallamiento, despensa]

provisional. adj. Dispuesto o mandado interinamente. [*Sinón.*: temporal. *Antón.*: definitivo]

provisor. adj. El que tiene a su cargo proveer o abastecer grandes grupos o asociaciones.

provocación. f. Acción y efecto de provocar.

provocador, ra. adj. Que provoca o irrita. Ú.t.c.s.

provocar (al. *provozieren*, fr. *provoquer*, ingl. *to provoke*, it. *provocare*). tr. Excitar, incitar, inducir a alguien a que ejecute una cosa. ‖ Irritar o estimular a alguien con palabras u obras para que se enoje. ‖ Mover o incitar.

provocativo, va. adj. Que tiene virtud o eficacia para provocar, excitar o precisar a ejecutar una cosa. ‖ Provocador.

proxeneta. com. Alcahuete. ‖ Persona que saca provecho de la prostitución ajena.

proximidad. f. Calidad de próximo. ‖ Cercanía, contorno, inmediaciones. Ú.m. en pl. [*Antón.*: lejanía]

próximo, ma (al. *nahe*, fr. *proche*, ingl. *next*, it. *prossimo*). adj. Cercano, que dista poco en el espacio o en el tiempo. [*Sinón.*: inmediato, contiguo]

proyección (al. *Projektion*, fr. *projection*, ingl. *projection*, it. *proiezione*). f. Acción y efecto de proyectar. ‖ Imagen de un objeto recogida sobre una superficie cualquiera, generalmente plana. ‖ GEOM. Figura obtenida sobre una superficie, al proyectar en ella todos los puntos de cualquier figura.

proyectar (al. *projizieren*, *schleudern*; fr. *projeter*; ingl. *to project*, *to throw*; it. *proietare*). tr. Lanzar, dirigir hacia adelante o a distancia. ‖ Idear, trazar, disponer el plan y los medios para la ejecución de una cosa. ‖ Hacer visible sobre un cuerpo o una superficie la figura o el contorno de otra. Ú.t.c.r. ‖ GEOM. Trazar líneas rectas desde todos los puntos de un sólido a otra figura según determinadas reglas, hasta que encuentren una superficie, por lo común plana. [*Sinón.*: arrojar, planear]

proyectil (al. *Geschoss*, fr. *projectile*, ingl. *missile*, it. *proietile*). m. Cualquier cuerpo arrojadizo.

proyectista. com. Persona dedicada a hacer proyectos y a facilitarlos.

proyecto, ta (al. *Entwurf*, fr. *projet*, ingl. *scheme*, it. *progetto*). adj. GEOM. Representado en perspectiva. ‖ m. Planta y disposición que se forma para la ejecución de una cosa de importancia. ‖ Designio, idea, propósito, etc. ‖ Conjunto de escritos, cálculos y dibujos para dar una idea de cómo ha de ser una obra y de su coste. [*Sinón.*: diseño, boceto, croquis]

proyector. m. Aparato que sirve para proyectar imágenes ópticas. ‖ Aparato óptico con el que se obtiene un haz luminoso de gran intensidad.

prudencia (al. *Klugheit*, fr. *prudence*, ingl. *prudence*, it. *prudenza*). f. Una de las cuatro virtudes cardinales, consiste en discernir lo que es bueno de lo que es malo. ‖ Templanza, moderación. ‖ Discernimiento, buen juicio. ‖ Cautela, precaución, circunspección.

prudencial. adj. Perteneciente o relativo a la prudencia.

prudente. adj. Que tiene prudencia y obra con circunspección y recato.

prueba (al. *Versuch*, *Beweis*; fr. *épreuve*, *démonstration*; ingl. *attempf*, *proof*; it. *prova*). f. Acción y efecto de probar. ‖ Razón, argumento. ‖ Indicio, seña o muestra. ‖ Ensayo o experiencia. ‖ Cantidad pequeña de un género comestible, que se destina para examinar si es bueno o malo. ‖ DER. Justificación de la verdad de los hechos controvertidos en un juicio. ‖ IMP. Muestra de la composición tipográfica que se saca para corregir en ella las erratas. [*Sinón.*: fundamento, tanteo, tentativa]

pruna. f. En algunas partes, ciruela.

prurito. m. MED. Comezón, picazón. ‖ Deseo persistente y excesivo. [*Sinón.*: picor]

prusiano, na. adj. Natural de Prusia. Ú.t.c.s. ‖ Perteneciente a esta región de Europa.

pseudo. adj. Seudo.

psi. f. Vigesimatercera letra del alfabeto griego (ψ), que corresponde a *ps*.

psicoanálisis. amb. Método de exploración y tratamiento de ciertas enfermedades nerviosas o mentales, debido al médico S. Freud y basado en el análisis retrospectivo de las causas morales y afectivas que determinaron el estado morboso. ‖ Doctrina que sirve de base a este tratamiento, en la que se concede importancia decisiva a la permanencia en el subconsciente de los impulsos instintivos reprimidos por la conciencia.

psicoanalista. com. Especialista en psicoanálisis.

psicodélico, ca. adj. Perteneciente o relativo a la manifestación de elementos psíquicos ocultos en condiciones normales y a la estimulación intensa de potencias psíquicas. ‖ Causante de esta manifestación o estimulación. Se dice principalmente de drogas como la marihuana y otros alucinógenos.

psicodrama. m. Representación teatral con fines psicoterápicos.

psicología (al. *Psychologie*, fr. *psychologie*, ingl. *psychology*, it. *psicologia*). f. Parte de la filosofía que estudia el alma, sus facultades y operaciones. ‖ Por ext., todo lo que atañe al espíritu. ‖ Manera de sentir de una persona o de un pueblo.

psicológico, ca. adj. Perteneciente al alma.

psicólogo, ga. s. Persona que profesa la psicología o tiene en ella especiales conocimientos. ‖ Por ext., persona dotada de especial penetración para el conocimiento del carácter y la intimidad de las personas.

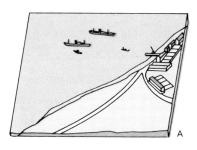

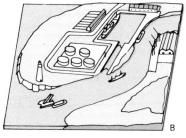

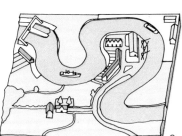

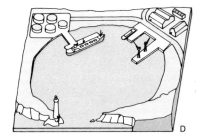

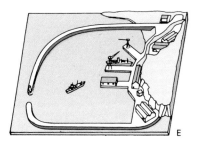

CABEZA DE UN FARO

fanal

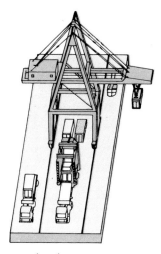

GRÚA PÓRTICO

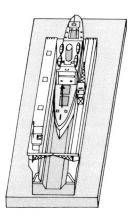

DIQUE FLOTANTE

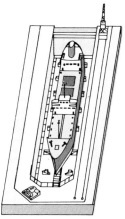

DIQUE SECO

Boyas: 1, luminosa; 2, de silbato; 3, de campana; 4, de luz y campana; 5, de luz y silbato.

Distintos tipos de puerto: A, muelle único en una costa poco profunda; B, puerto en la desembocadura de un río (puerto abierto o de marea, en contacto directo con el mar); C, puerto interior; D, puerto natural; E, puerto exterior artificial.

PUERTO

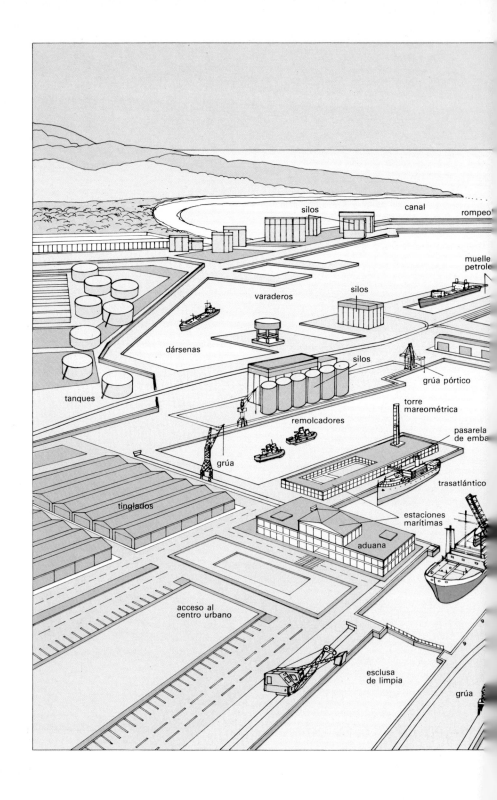

silos

canal

rompeo

muelle
petrole

varaderos

silos

dársenas

silos

tanques

grúa pórtico

torre
mareométrica

remolcadores

pasarela
de emba

grúa

trasatlántico

tinglados

estaciones
marítimas

aduana

acceso al
centro urbano

esclusa
de limpia

grúa

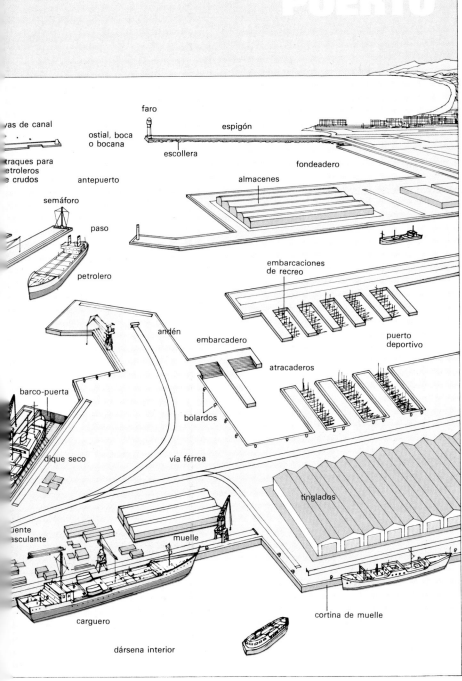

faro

vas de canal

ostial, boca
o bocana

espigón

escollera

traques para
etroleros
e crudos

fondeadero

antepuerto

almacenes

semáforo

paso

petrolero

embarcaciones
de recreo

andén

embarcadero

puerto
deportivo

atracaderos

barco-puerta

bolardos

dique seco

vía férrea

tinglados

uente
asculante

muelle

carguero

cortina de muelle

dársena interior

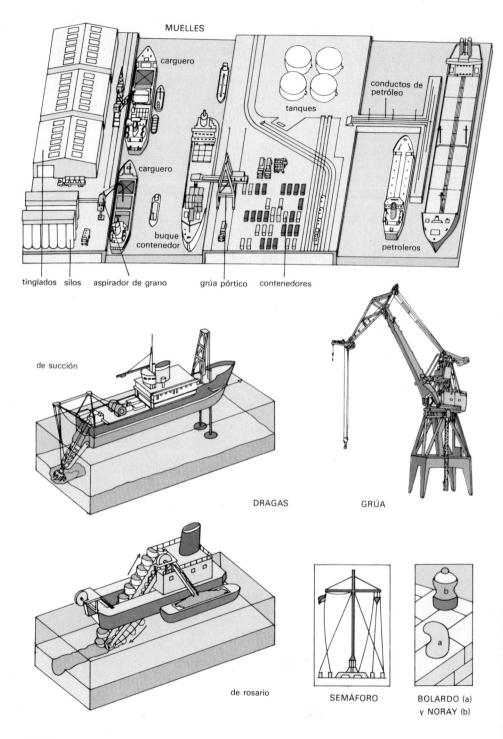

MUELLES

carguero

conductos de petróleo

tanques

carguero

buque contenedor

petroleros

tinglados silos aspirador de grano grúa pórtico contenedores

de succión

DRAGAS   GRÚA

de rosario

SEMÁFORO

BOLARDO (a)
y NORAY (b)

PUERTO

psicópata. com. MED. El que padece enfermedad mental.

psicopatía. f. MED. Enfermedad mental.

psicosis. f. MED. Nombre general que se aplica a todas las enfermedades mentales.

psicotecnia. f. Rama de la psicología que con fines de orientación y selección tiene por objeto explorar y clasificar las aptitudes de los individuos mediante pruebas adecuadas.

psicoterapeuta. com. Especialista en psicoterapia.

psicoterapia. f. MED. Tratamiento fundado en el psicoanálisis para tratar disfunciones psíquicas.

psique. f. Término que expresa la vida mental.

psiquiatra o psiquiatra. com. MED. Especialista en psiquiatría.

psiquiatría (al. *Seelenheikunde*, fr. *psychiatrie*, ingl. *psychiatry*, it. *psichiatria*). f. Ciencia que trata de las enfermedades mentales.

psíquico, ca. adj. Relativo o perteneciente al alma. [*Sinón.*: anímico]

psiquismo. m. Conjunto de los caracteres y funciones de orden psíquico.

pterodáctilo. m. PALEONT. Especie de reptil volador, de gran tamaño y del cual se han hallado restos fósiles. Pertenece al secundario.

púa (al. *Stachel*, fr. *pointe*, ingl. *prickle*, it. *spina*). f. Cuerpo delgado y rígido que acaba en punta aguda. ‖ Diente de un peine. ‖ Diente de la carda. ‖ Chapa triangular de carey que se usa para tocar la bandurria o la guitarra. ‖ Cada uno de los pinchos de espinas del erizo.

púber, ra. adj. Que ha llegado a la pubertad. Ú.t.c.s. [*Sinón.*: pubescente. *Antón.*: impúber]

pubertad (al. *Pubertät*, fr. *puberté*, ingl. *puberty*, it. *pubertà*). f. Época de la vida en que empieza a manifestarse la aptitud para la reproducción.

pubis (al. *Schambogen*, fr. *pubis*, ingl. *pubis*, it. *pube*). m. ANAT. Parte inferior del vientre que en la especie humana se cubre de vello al llegar la pubertad.

publicación. f. Acción y efecto de publicar. ‖ Obra literaria o artística publicada. [*Sinón.*: edición]

publicar. tr. Hacer pública una cosa. ‖ Revelar lo que está secreto u oculto. ‖ Dar a conocer las amonestaciones para el matrimonio u las órdenes sagradas. ‖ Difundir por medio de la imprenta o de otro procedimiento cualquiera,

un escrito, estampa, etc. [*Sinón.*: divulgar, revelar, editar]

publicidad (al. *Werbung*, fr. *publicité*, ingl. *publicity*, it. *pubblicità*). f. Calidad o estado de público. ‖ Conjunto de medios que se emplean para divulgar o extender la noticia de ciertas cosas o hechos. ‖ Divulgación de noticias y anuncios de carácter comercial.

publicista. com. Autor que escribe el derecho público o persona muy versada en esta ciencia. ‖ Persona que escribe para el público, generalmente sobre distintas materias. ‖ *Amer.* Agente de publicidad.

publicitario, ria. adj. Perteneciente o relativo a la publicidad. ‖ *Amer.* Agente de publicidad.

público, ca (al. *Offentlich, öffentlichkeit;* fr. *public;* ingl. *public;* it. *pubblico*). adj. Notorio, patente, manifiesto, visto o sabido por todos. ‖ Vulgar, común y notado de todos. ‖ Perteneciente a todo el pueblo. ‖ m. Común del pueblo o ciudad. ‖ Conjunto de personas que concurren a determinado lugar. [*Sinón.*: notorio, corriente]

puchero (al. *Topf*, fr. *pot*, ingl. *cooking-pot*, it. *pentola*). m. Vasija con panza abultada, cuello ancho, asa junto a la boca, que sirve comúnmente para cocer la comida. ‖ Olla, cocido español. ‖ fig. y fam. Alimento diario y regular. ‖ fig. y fam. Gesto o movimiento que precede al llanto. Ú.m. en pl.

pucho. m. *Amer.* Resto, residuo. ‖ *Amer.* Colilla del cigarro. ‖ *a puchos.* loc. adv. *Amer.* En pequeñas cantidades, poco a poco. ‖ *no valer un pucho.* loc. *Amer.* No valer nada.

pudibundo, da. adj. De mucho pudor.

púdico, ca. adj. Honesto, casto, pudoroso.

pudiente. adj. Poderoso, rico, hacendado. Ú.t.c.s. [*Sinón.*: acaudalado, acomodado]

pudín. m. Budín.

pudor (al. *Schamhaftigkeit*, fr. *pudeur*, ingl. *pudicity*, it. *pudicizia*). m. Honestidad, modestia, recato.

pudoroso, sa. adj. Lleno de pudor.

pudridero. m. Sitio o lugar en que se pone una cosa para que se pudra o corrompa. ‖ Cámara para los cadáveres antes de colocarlos en el panteón.

pudrir (al. *Verfaulen*, fr. *pourrir*, ingl. *to rot*, it. *putrefare*). tr. Corromper o dañar una cosa. Ú.t.c.r. ‖ fig. Consumir, molestar, causar suma impaciencia y demasiado sentimiento. Ú.t.c.r. ‖ intr. Haber muerto, estar sepultado.

[*Sinón.*: descomponer. *Antón.*: sanar]

pueblerino, na. adj. Lugareño.

pueblero, ra. adj. *Amer.* Apl. al natural o habitante de una ciudad o pueblo; urbano, en oposición a campesino. Ú.t.c.s.

pueblo (al. *Dorf*, fr. *village*, ingl. *village*, it. *villaggio*). m. Población, ciudad, villa o lugar. ‖ Población pequeña. ‖ Conjunto de personas de un lugar, región o país. ‖ Gente de condición humilde de una población.

puente (al. *Brücke*, fr. *pont*, ingl. *bridge*, it. *ponte*). amb. Fábrica de piedra, ladrillo, hormigón, madera o hierro que se construye y forma sobre los ríos, fosos y otros sitios, para poder pasarlos. ‖ Suelo que se monta poniendo tablas sobre barcas u otros cuerpos flotantes para pasar un río. ‖ Tablilla colocada perpendicularmente en la tapa de los instrumentos de arco para mantener levantadas las cuerdas. ‖ Conjunto de los dos maderos horizontales en que se sujeta el peón de la noria. ‖ Pieza metálica, generalmente de oro, utilizada por los dentistas para sujetar en los dientes naturales los artificiales. ‖ Día o días que entre dos festivos o sumándose a uno festivo se aprovechan para vacación. ‖ MAR. Cada una de las cubiertas que llevan batería en los buques de guerra. ‖ MAR. Plataforma estrecha y con baranda que, a cierta altura sobre la cubierta, va de banda a banda y desde la cual puede el oficial de guardia comunicar las órdenes. ‖ — *aéreo.* Servicio intenso de transportes por avión que se establece para abastecer o evacuar un lugar inaccesible por vía terrestre. ‖ — *colgante.* El suspendido de cables o cadenas de hierro. ‖ *hacer puente.* fig. Considerar como festivo el día intermedio entre dos que realmente lo son.

puerca. f. Hembra del puerco. Cochinilla, crustáceo. ‖ fig. y fam. Mujer desaliñada, sucia, que no tiene limpieza. Ú.t.c.adj. ‖ fig. y fam. Mujer grosera, sin cortesía. Ú.t.c.adj. ‖ Mujer ruin, venal. Ú.t.c.adj.

puerco. m. Cerdo, animal. ‖ fig. y fam. Hombre desaliñado, sucio. Ú.t.c.adj. ‖ fig. y fam. Hombre grosero, sin cortesía. Ú.t.c.adj. ‖ fig. y fam. Hombre ruin, venal. Ú.t.c.adj. ‖ En montería, jabalí. ‖ — *espín.* ZOOL. Mamífero roedor que habita en el norte de África, de unos 60 cm de largo y 25 de alto, cuerpo rechoncho, cabeza pequeña y cuello cubierto de crines fuertes, y lomo y costado con púas córneas blancas y negras en zonas alternadas. Es animal nocturno y cuando le persiguen gruñe como un cerdo. [*Sinón.*: guarro, cochino, tocino]

puericia. f. Edad del hombre, que media entre la infancia y la adolescencia.

puericultor, ra. s. Persona dedicada al estudio y práctica de la puericultura.

puericultura. f. MED. Parte de la medicina que trata de la crianza y cuidado físico que debe prodigarse al niño.

pueril. adj. Perteneciente o relativo al niño o a la puericia. || fig. Fútil, trivial, infundado.

puerilidad. f. Calidad de pueril. || Hecho o dicho propio del niño, o que parece de niño. || fig. Cosa de poca entidad o despreciable. [*Sinón.*: niñada, chiquillada]

puérpera. f. Mujer durante el puerperio.

puerperio. m. Tiempo que transcurre desde el parto hasta la total normalización de los órganos genitales.

puerro (al. *Lauch*, fr. *poireau*, ingl. *leck*, it. *piorro*). m. BOT. Planta liliácea, con cebolla alargada y sencilla. Se cultiva en los huertos porque el bulbo es muy preciado como condimento.

puerta (al. *Tür*, fr. *porte*, ingl. *door*, it. *porta*). f. Vano abierto en pared, cerca o verja, desde el suelo hasta la altura conveniente para entrar y salir. || Armazón que, engoznada en el quicio, sirve para impedir la entrada y salida. || Cualquier agujero que sirva para entrar y salir por él, especialmente en las cuevas. || fig. Camino o entrada para conseguir algún fin. || *a puerta cerrada.* fig. En secreto. || DER. Dícese de los juicios en que por honestidad u otros motivos sólo se permite la presencia de las partes, sus representantes y defensas.

puerto (al. *Hafen, Bergpass;* fr. *port, col;* ingl. *port, pass;* it. *porto, passo*). m. Paraje de la costa, seguro y resguardado, donde las embarcaciones pueden fondear y llevar a cabo las operaciones de carga y descarga. || Garganta, boquete que da paso entre montañas. || fig. Asilo, amparo, refugio. || *– franco.* Puerto o parte de él abierto al tráfico internacional y que goza de franquicia aduanera.

puertorriqueño, ña. adj. Portorriqueño. Aplicado a personas, ú.t.c.s.

pues (al. *da,* fr. *puisque*, ingl. *for*, it. *poiché*). conj. causal que denota causa, motivo o razón. || En algunos giros

toma el carácter de condicional. || Es también continuativa. || Empléase igualmente como ilativa. || A principio de cláusula se emplea para apoyarla, o bien para encarecer lo que en ella se dice. || Toma carácter de adverbio de afirmación.

puesta. f. Acción y efecto de poner o ponerse. || Oferta de un precio en una subasta o almoneda, puja, licitación. || Postura, huevo y acción de ponerlo. || *– de largo.* Fiesta en que una jovencita se presenta en sociedad. || *– en marcha.* Mecanismo de arranque de un motor.

puesto, ta. adj. Con los adverbios *bien* y *mal,* bien vestido o arreglado o al contrario. || m. Sitio o espacio que ocupa una cosa. || Tiendecilla, generalmente ambulante, o paraje en que se vende por menor. || Empleo, dignidad, oficio o ministerio. || MIL. Lugar ocupado por un destacamento militar o policial. || *puesto que.* loc. conjunt. advers. Aunque. || loc. conjunt. causal. Pues.

púgil (al. *Boxer,* fr. *boxeur,* ingl. *boxer,* it. *pugile*). m. Gladiador que contendía a puñetazos. || Luchador profesional que contiende a puñetazos. [*Sinón.*: boxeador]

pugilato. m. Contienda o pelea a puñetazos entre dos o más hombres.

pugilista. m. Luchador profesional, boxeador.

pugna. f. Batalla, pelea. || Oposición de persona a persona o entre naciones, bandos o parcialidades. [*Sinón.*: combate, contienda, porfía]

pugnar. intr. Batallar, contender o pelear. || fig. Solicitar con ahínco, procurar con eficacia. || fig. Porfiar con tesón, instar por el logro de una cosa. [*Sinón.*: luchar]

puja. f. Acción de pujar o luchar contra los obstáculos. || Cantidad que un licitador ofrece. [*Sinón.*: forcejeo, licitación]

pujanza. f. Fuerza grande o robustez para impulsar o ejecutar una acción. [*Sinón.*: potencia, vigor. *Antón.*: debilidad]

pujar. tr. Hacer fuerza para pasar adelante o proseguir una acción, procurando vencer el obstáculo que se encuentra. || intr. Tener dificultad en explicarse, pugnar por romper a hablar. || Vacilar y detenerse en la ejecución de una cosa. || Aumentar los licitadores el precio fijado a determinada cosa. [*Sinón.*: empujar]

pulcritud (al. *Reinlichkeit,* fr. *propreté,* ingl. *pulchritude,* it. *pulcritudine*). f. Esmero en el adorno y aseo de

una persona y también en la ejecución de un trabajo manual delicado. || fig. Delicadeza, esmero extremado en la conducta, la acción o el habla. [*Sinón.*: limpieza, aseo. *Antón.*: suciedad]

pulcro, cra. adj. Aseado, esmerado, bello, bien parecido. || Delicado, esmerado en la conducta y el habla.

pulga (al. *Floch,* fr. *puce,* ingl. *flea,* it. *pulce*). f. ZOOL. Insecto díptero, sin alas, de pequeño tamaño y color pardo rojizo, boca chupadora y patas posteriores largas y robustas de las que se sirve para dar grandes saltos. Existen diversas especies algunas de las cuales son transmisoras de enfermedades. Se alimentan de la sangre de mamíferos y aves.

pulgada. f. Medida de longitud utilizada en los países anglosajones; equivale a 25,4 milímetros.

pulgar (al. *Daumen,* fr. *pouce,* ingl. *thumb,* it. *pollice*). m. ANAT. Dedo primero y más grueso de los de la mano. Ú.t.c.adj.

pulgón. m. ZOOL. Insecto hemíptero de pequeño tamaño, cuyas hembras viven en colonias numerosas sobre hojas y flores de algunas plantas, como parásitos y produciendo grandes daños. Existen diferentes especies.

pulgoso, sa. adj. Que tiene pulgas.

pulguero, ra. adj. Pulgoso. || s. Lugar donde hay muchas pulgas. || m. *Amer.* Calabozo, cárcel preventiva.

pulido, da. adj. Agraciado y de buen parecer; pulcro, primoroso.

pulidor, ra. adj. Que pule, compone y adorna una cosa. Ú.t.c.s.

pulimentar. tr. Pulir, alisar y dar lustre. [*Sinón.*: lustrar]

pulir (al. *polieren,* fr. *polir,* ingl. *to polish,* it. *pulire*). tr. Alisar o dar tersura y lustre a una cosa. || Componer, alisar o perfeccionar. || Adornar, aderezar. Ú.m.c.r. || fig. Derrochar, dilapidar. || fig. Quitar a uno la rusticidad instruyéndole en el trato civil y cortesano. Ú.t.c.r. [*Sinón.*: pulimentar, lustrar]

pulmón (al. *Lunge,* fr. *poumon,* ingl. *lung,* it. *polmone*). m. ANAT. Órgano de la respiración del hombre y de los vertebrados que viven o pueden vivir fuera del agua. Es esponjoso, blando y flexible; se comprime y se dilata, y ocupa una parte de la cavidad torácica. Generalmente son dos; algunos reptiles tienen sólo uno. || ZOOL. Órgano respiratorio de los moluscos terrestres. || *– de acero.* Cámara metálica destinada a provocar los movimientos respiratorios del enfermo tendido en su interior, mediante alternativas de la presión del aire reguladas automáticamente.

pulmonía (al. *Lungenentzündung*, fr. *pneumonie*, ingl. *pneumony*, it. *polmonia*). f. MED. Inflamación del pulmón o de una parte de él. La más típica es la causada por el neumococo.

pulpa. f. Parte mollar de las carnes, o carne pura, sin huesos ni ternilla. ‖ Carne, parte mollar de la fruta. ‖ Médula o tuétano de las plantas leñosas. [Sinón.: molla]

pulpejo. m. Parte carnosa y mollar de un miembro pequeño del cuerpo humano, y más comúnmente, parte de la palma de la mano de la cual sale el dedo pulgar. ‖ Sitio blando y flexible que tienen los cascos de las caballerías en la parte inferior y posterior.

púlpito (al. *Kanzel*, fr. *chaire*, ingl. *pulpit*, it. *pulpito*). m. Plataforma que hay en las iglesias para predicar o hacer otras funciones de los servicios religiosos. [Sinón.: ambón]

pulpo (al. *Krake*, fr. *pieuvre*, ingl. *octupus*, it. *polipo*). m. ZOOL. Molusco cefalópodo dibranquial octópodo, que vive en el fondo marino y a veces nada a flor de agua. Es muy voraz, se alimenta de moluscos y crustáceos y su carne es comestible.

pulque. m. Bebida espiritosa americana que se extrae de las pitas.

pulsación. f. Acción de pulsar. ‖ Cada uno de los golpes o toques que se dan en el teclado de una máquina de escribir. ‖ Cada uno de los latidos de una arteria. ‖ FÍS. Variación periódica de la amplitud de una oscilación al combinarse con otra frecuencia ligeramente diferente. [Sinón.: palpitación, latido]

pulsada. f. Pulsación de una arteria.

pulsador, ra. adj. Que pulsa. Ú.t.c.s. ‖ Llamador o botón de un timbre eléctrico.

pulsar (al. *anschlagen*, fr. *tâter*, ingl. *to strike*, it. *tastare*). tr. Tocar, palpar, percibir algo con la mano o con la yema de los dedos. ‖ Dar un toque o golpe a teclas o cuerdas de instrumentos, mandos de alguna máquina, etc. ‖ Reconocer el estado del pulso o latido de las arterias. ‖ fig. Tantear un asunto para descubrir el medio de tratarlo.

pulsera (al. *Armband*, fr. *bracelet*, ingl. *bracelet*, it. *braccialetto*). f. Cerco de metal o de otra materia que se lleva en la muñeca para adorno o para otros fines. ‖ Joya de metal fino, con o sin piedras, que se pone en la muñeca.

pulso (al. *Puls*, fr. *pouls*, ingl. *pulse*, it. *polso*). m. Latido de las arterias. ‖ Parte de la muñeca donde se siente el latido de la arteria. ‖ Seguridad o firmeza en la mano para ejecutar una acción. ‖ fig. Tiento o cuidado en un negocio. ‖ *a pulso*. m. adv. Haciendo fuerza para levantar o sostener una cosa, sin apoyar el brazo en parte alguna. ‖ *tomar el pulso*. Pulsar, reconocer el pulso y tantear un asunto.

pulular. intr. fig. Abundar y bullir en un lugar, personas, animales o cosas.

pulverización. f. Acción y efecto de pulverizar o pulverizarse.

pulverizador (al. *Zerstäuber*, fr. *pulvérisateur*, ingl. *sprayer*, it. *polverizzatore*). m. Aparato para pulverizar un líquido.

pulverizar. tr. Reducir a polvo una cosa. Ú.t.c.r. ‖ Reducir un líquido a partículas muy tenues, a manera de polvo. Ú.t.c.r.

pulla. f. Palabra o dicho obsceno. ‖ Dicho con que indirectamente se zahiere a una persona. ‖ Expresión aguda y picante dicha con prontitud. [Sinón.: befa]

puma (voz quechua). m. ZOOL. Mamífero carnívoro de la familia de los félidos, propio de América. Corpulento y robusto, es parecido al tigre, pero su pelaje es liso, leonado y muy suave.

puna (voz quechua). f. Tierra alta, próxima a la cordillera de los Andes. ‖ *Amer.* Extensión grande de terreno raso y yermo.

punción. f. Punzada, dolor agudo y pasajero. ‖ MED. Operación que consiste en abrir los tejidos con instrumento punzante y cortante a la vez. [Sinón.: incisión]

pundonor. m. Punto de honor o de honra; estado en que, según la opinión común, consiste la honra o el crédito de uno.

punible. adj. Que merece castigo. [Sinón.: castigable, penable]

punición. f. Castigo, pena.

púnico, ca. adj. Cartaginés, perteneciente a Cartago.

punir. tr. Castigar a un culpado.

punitivo, va. adj. Perteneciente o relativo al castigo.

punta (al. *Spitze*, fr. *pointe*, ingl. *point*, it. *punta*). f. Extremo agudo de una cosa. ‖ Extremo de un arma u otro instrumento con el que se puede herir. ‖ Colilla de un cigarro. ‖ Asta de toro. ‖ Clavo pequeño. ‖ Lengua de tierra que penetra en el mar. ‖ Sabor que va tirando a agrio en una cosa, como el del vino

cuando empieza a avinagrarse. ‖ *de punta en blanco*. m. adv. fig. y fam. Vestido de uniforme, de etiqueta, con el mayor esmero. ‖ *estar de punta* uno *con* otro. fig. y fam. Estar reñido con él. ‖ *tener* una cosa *en la punta de la lengua*. fig. Estar a punto de decirla; estar a punto de recordarla y no dar en ella.

puntada. f. Cada uno de los agujeros que hace la aguja al coser. ‖ Espacio que media entre dos agujeros próximos entre sí. ‖ Porción de hilo que ocupa este espacio. ‖ fig. Punzada.

puntal. m. Madero hincado en firme para sostener una pared o una construcción que amenaza ruina. ‖ Prominencia de un terreno que forma como punta. ‖ Trozo más fino de la caña de pescar cuando se compone de varios. ‖ fig. Apoyo, fundamento. ‖ fig. *Amer.* Tentempié, refrigerio. ‖ MAR. Altura de la nave desde su plan hasta la cubierta principal.

puntapié. m. Golpe que se da con la punta del pie.

puntazo. m. Herida hecha con la punta de un arma u otro instrumento punzante. ‖ fig. Pulla, indirecta.

puntear. tr. Marcar, señalar puntos en una superficie. ‖ Dibujar, pintar o grabar con puntos. ‖ Coser o dar puntadas. ‖ Tocar la guitarra hiriendo cada cuerda con un dedo. ‖ TAUROM. Embestir una res vacuna con derrotes cortos y repetidos ‖ intr. *Amer.* Marchar a la cabeza de un grupo de personas o animales.

punteo. m. Acción y efecto de puntear.

puntera. f. Parte del calzado que cubre la punta del pie. ‖ Sobrepuesto que se coloca en la punta de la pala del calzado.

puntería (al. *Zielen*, fr. *visée*, ingl. *marksmanship*, it. *mira*). f. Acción de apuntar un arma. ‖ Dirección del arma apuntada. ‖ Destreza del tirador para dar en el blanco.

puntero, ra. adj. Aplícase a la persona que hace bien la puntería con un arma. ‖ m. Punzón, palito o vara con que se señala una cosa para llamar la atención sobre ella. ‖ Persona que descuella en cualquier actividad. ‖ DEP. En algunos deportes, la persona o el equipo que aventaja a los otros. ‖ *Amer.* Persona o animal que va delante de los demás componentes de un grupo.

puntiagudo, da. adj. Que tiene aguda la punta.

puntilla (al. *Spitze*, fr. *dentelle*, ingl. *lace*, it. *merletto*). f. Encaje muy angosto hecho en puntas. ‖ Puñal. ‖ *de puntillas*. m. adv. Modo de andar, pisando con las puntas de los pies y levantando los talones.

puntillero. m. Torero que remata al toro.

puntillo. m. Cualquier cosa, leve por lo regular, en que una persona nimiamente pundonorosa repara o hace consistir el honor. ‖ Mús. Signo que consiste en un punto que se pone a la derecha de una nota y aumenta en la mitad su duración y valor. [*Sinón.*: honrilla]

punto (al. *Punkt*, fr. *point*, ingl. *dot*, it. *punto*). m. Señal de dimensiones pequeñas, ordinariamente circular, que, por contraste de color o de relieve, es perceptible en una superficie. ‖ Granito de metal que tienen junto a la boca los fusiles y otras armas de fuego para que haga oficio de mira. ‖ Cada una de las puntadas en las obras de costura se van dando sobre la tela. ‖ Cada una de las maneras de trabar o enlazar entre sí los hilos que forman ciertas telas. ‖ Medida longitudinal, duodécima parte de la línea. ‖ Medida tipográfica, duodécima parte del cícero. ‖ Sitio, lugar. ‖ Valor de cada una de las cartas de la baraja o de las caras del dado. ‖ As de cada palo, en ciertos juegos de naipes. ‖ Unidad de tanteo, en algunos juegos y otros ejercicios, como exámenes, oposiciones, etc. ‖ La menor cosa, la parte más pequeña o la circunstancia más menuda de una cosa. ‖ Instante, momento, porción pequeñísima de tiempo. ‖ Cuestión o tema que se saca a la suerte en los ejercicios de una oposición. ‖ Cada uno de los asuntos o materias diferentes de que trata un discurso, conferencia, etc. ‖ Parte o cuestión de una ciencia. ‖ Fin o intento de cualquier acción. ‖ Estado actual de cualquier especie o negocio. ‖ Estado perfecto que llega a tomar cualquier cosa que se elabora al fuego. ‖ Extremo o grado a que pueden llegar las cualidades buenas o malas. ‖ Med. Puntada que da el cirujano pasando la aguja por los labios de la herida. ‖ Fís. Grado de temperatura necesario para que se produzcan determinados fenómenos físicos. ‖ Geom. Intersección de dos líneas rectas. ‖ Gram. Nota ortográfica que se pone sobre la *i* y la *j*. ‖ Gram. Signo ortográfico (.) con que se indica el final del sentido de un período o de una oración. Se pone también después de las **abreviaturas.** ‖ *cardinal*. Cada uno de los cuatro que dividen el horizonte

en otras tantas partes iguales, y son: el Norte, el Sur, el Este, y el Oeste. ‖ *de apoyo*. En mecánica, lugar fijo sobre el cual estriba una palanca. ‖ *de partida*. fig. Lo que se toma como antecedente y fundamento para tratar o deducir una cosa. ‖ *de vista*. Cada uno de los modos de considerar un asunto u otra cosa. ‖ *filipino*. Persona poco escrupulosa, desvergonzada. ‖ *final*. Gram. El que acaba un escrito o una división importante del texto. ‖ *muerto*. Mec. Posición del émbolo de las máquinas giratorias en que, por haber llegado al final de su carrera, o por no haberla iniciado aún, no actúa sobre el cigüeñal. ‖ fig. Estado de un asunto o negociación que por cualquier motivo no puede llevarse adelante. ‖ *neurálgico*. Med. Aquel en que el nervio se hace superficial o en donde nacen sus ramas cutáneas. ‖ *y aparte*. Gram. El que se pone cuando termina el párrafo y el texto continúa en otro renglón. ‖ *y coma*. Gram. Signo ortográfico (;) con que se indica pausa mayor que con la coma y menor que con los dos puntos. ‖ *y seguido*. El que se pone cuando termina un período y el texto continúa inmediatamente después, en el mismo renglón. ‖ *puntos suspensivos*. Gram. Signo ortográfico (...) con que se denota quedar incompleto el sentido de una oración o cláusula en sentido cabal. ‖ *dos puntos*. Gram. Signo ortográfico (:) con que se indica haber terminado completamente el sentido gramatical, pero no el sentido lógico. Se pone también antes de toda cita de palabras ajenas intercaladas en el texto. ‖ *al punto*. m. adv. Prontamente. ‖ *a punto*. m. adv. Con la prevención necesaria para que una cosa pueda servir al fin que se destina. ‖ *de todo punto*. m. adv. Enteramente, sin que falte cosa alguna. ‖ *perder puntos* o *muchos puntos*. loc. Desmerecer, disminuir en prestigio o estimación. ‖ *poner en su punto una cosa*. fig. y fam. Ponerla en el grado de perfección que le corresponde. ‖ *estar a* o *en punto*. Estar una cosa próxima a suceder. ‖ *poner los puntos sobre las íes*. fig. y fam. Precisar algunos extremos que no estaban suficientemente especificados. ‖ *punto en boca*. expr. fig. Úsase para prevenir a uno que calle o guarde secreto. ‖ *punto por punto*. m. adv. fig. Muy por menor y sin omitir nada.

puntuación (al. *Zeichensetzung*, fr. *ponctuation*, ingl. *punctuation*, it. *punteggiatura*). f. Acción y efecto de pun-

tuar. ‖ Conjunto de los signos que sirven para puntuar.

puntual (al. *Pünktlich*, fr. *ponctuel*, ingl. *punctual*, it. *puntuale*). adj. Pronto, diligente, exacto en hacer las cosas a su tiempo y sin dilatarlas. ‖ Conforme, conveniente, adecuado. [*Sinón.*: cumplidor]

puntualidad. f. Cuidado y diligencia en hacer las cosas a su debido tiempo y especialmente en llegar a una cita o reunión a una hora convenida. [*Sinón.*: precisión. *Antón.*: retraso]

puntualizar. tr. Grabar profundamente y con exactitud las cosas en la memoria. ‖ Referir un suceso con todas sus circunstancias. ‖ Dar la última mano a una cosa, perfeccionarla.

puntuar (al. *punktieren*, fr. *ponctuer*, ingl. *to punctuate*, it. *punteggiare*). tr. Poner en la escritura los signos ortográficos necesarios para distinguir el valor prosódico de las palabras y el sentido de las oraciones y de cada uno de sus miembros. ‖ Calificar, conceder la nota merecida. ‖ Obtener puntos en algunos juegos.

punzada. f. Herida hecha con alguna punta. ‖ fig. Dolor agudo, repentino y pasajero que suele repetirse de tiempo en tiempo. ‖ fig. Sentimiento interior que causa una cosa que aflige al ánimo.

punzar. tr. Herir de punta. ‖ fig. Pinchar, zaherir. ‖ intr. fig. Avivarse un dolor de cuando en cuando. ‖ fig. Hacerse sentir interiormente una cosa que aflige el ánimo.

punzón (al. *Pfreim*, fr. *poinçon*, ingl. *puncheon*, it. *punzone*). m. Instrumento de hierro que remata en punta. ‖ Buril.

puñada. f. Golpe con la mano cerrada.

puñado (al. *Hanovoll*, fr. *poignée*, ingl. *handful*, it. *pugno*). m. Porción de cualquier cosa que se puede contener en el puño. ‖ fig. Cortedad de una cosa de la que debe o suele haber una cantidad considerable.

puñal (al. *Dolch*, fr. *poignard*, ingl. *dagger*, it. *pugnale*). m. Arma de acero, de 2 ó 3 dm, que hiere de punta.

puñalada. f. Golpe que se da con un puñal u otra arma semejante. ‖ Herida que resulta de este golpe. ‖ *trapera*. Herida o desgarrón grande, hechos con puñal, cuchillo o algo semejante. ‖ fig. Traición, mala pasada.

puñeta. f. fam. Tontería, nimiedad. ‖ vulg. *Amer.* Masturbación. ‖ *¡puñeta!* interj. vulg. que denota enfado. ‖ *hacer la puñeta* a uno. fam. Fastidiarle, molestarle. ‖ *mandar* a uno *a hacer*

puñetas. fam. Despedirle o contestarle con malos modos.

puñetazo. m. Golpe que se da con el puño. [*Sinón.:* puñada]

puñetero, ra. adj. vulg. Dícese de la persona chinchosa o de malas intenciones. Es voz insultante. || *Amer.* Dícese del que practica el onanismo.

puño (al. *Faust, Manchette;* fr. *pong, manchette;* ingl. *fist, cuff;* it. *pugno, polsino*). m. Mano cerrada. || Puñado. || Parte de la manga de la camisa y otras prendas de vestir que rodea la muñeca. || Mango de algunas armas blancas. || Parte por donde se coge el bastón, el paraguas o la sombrilla. || pl. fig. y fam. Fuerza, valor. || *como un puño.* loc. adv. fig. con que se pondera que una cosa es muy grande entre las que regularmente son pequeñas, o al contrario. || *en un puño.* loc. fig. Con los verbos *meter, poner, tener,* y otros, confundir, intimidar u oprimir.

pupa. f. Erupción que surge en los labios. || Postilla que queda cuando se seca un grano. || Voz con que los niños dan a entender un mal que no saben explicar.

pupila. f. Huérfana de menor edad, respecto de su tutor. || Mujer de la mancebía. || ZOOL. Abertura circular o en forma de rendija que tiene el iris del ojo y que da paso a la luz.

pupilaje. m. Estado o condición del pupilo o de la pupila. || Casa donde se reciben huéspedes mediante precio convenido. || Este mismo precio.

pupilo, la (al. *Mündel,* fr. *pupille,* ingl. *boarder,* it. *convittore*). s. Persona que se hospeda en casa particular por precio ajustado. || Huérfano menor de edad, respecto de su tutor.

pupitre (al. *Pult,* fr. *pupitre,* ingl. *desk,* it. *banco di scuola*). m. Mueble de madera, con tapa en forma de plano inclinado, para escribir sobre él.

puré (al. *Brei,* fr. *purée,* ingl. *puree,* it. *puré*). m. Pasta de legumbres y otras cosas comestibles, cocidas y pasadas por colador. || Sopa formada por esta pasta desleída en caldo.

pureza (al. *Reinheil,* fr. *pureté,* ingl. *purity,* it. *purezza*). f. Calidad de puro. || fig. Virginidad, doncellez.

purga (al. *Abführmittel,* fr. *purgatif,* ingl. *purgative,* it. *purga*). f. Medicina que se toma para limpiar el vientre. || fig. Residuos que en algunas operaciones industriales o en los artefactos se acumulan y se han de eliminar o expeler. || fig. Depuración, eliminación en una administración, empresa, parti-

do, etc., de una o varias personas por razones generalmente políticas.

purgación. f. Acción y efecto de purgar o purgarse. || Sangre que naturalmente evacuan las mujeres todos los meses, y después de haber parido. || Flujo mucoso de una membrana, sobre todo en la uretra. Ú.m. en pl.

purgante. adj. Que purga. Suele decirse del medicamento que sirve para este efecto. Ú.t.c.s.m.

purgar. tr. Limpiar, purificar una cosa. || Satisfacer con una pena, en todo o en parte, lo que uno merece por su culpa o delito. || Dar al enfermo la medicina conveniente para evacuar el vientre. Ú.t.c.r. || Evacuar un humor. Ú.t.c. intr. y c.r. || Expiar. || fig. Purificar, acrisolar.

purgatorio, ria (al. *fegefeur,* fr. *purgatoire,* ingl. *purgatory,* it. *purgatorio*). adj. Que purga. || m. Lugar donde las almas expían las culpas leves. || fig. Cualquier lugar donde se pasa la vida con trabajo y penalidad. || Esta misma penalidad.

puridad. f. Pureza. || Sigilo, reserva.

purificación. f. Acción y efecto de purificar o purificarse. || Lavatorio con que se purifica el cáliz en la misa.

purificar (al. *läutern,* fr. *purifier,* ingl. *to purify,* it. *purificare*). tr. Quitar de una cosa lo que le es extraño, dejándola en el ser y perfección que debe tener según su calidad. Ú.t.c.r. || Limpiar de toda imperfección una cosa no material. Ú.t.c.r.

purismo. m. Calidad de purista.

purista. adj. Que escribe o habla con pureza. Ú.t.c.s. || Aplícase igualmente al que, por afán de ser puro en su expresión, adolece de afectación. Ú.t.c.s.

puritanismo. m. Doctrina de los puritanos. || Por ext., se dice de la exagerada escrupulosidad en el proceder. || Calidad de puritano.

puritano, na. adj. Dícese de la persona que profesa con rigor las virtudes públicas y privadas y hace alarde de ello. || Rígido, austero. Ú.t.c.s.

puro, ra (al. *unvermischt,* fr. *pur,* ingl. *pur,* it. *puro*). adj. Libre y exento de mezcla de otra cosa. || Que procede con desinterés en el desempeño de un empleo o en la administración de justicia. || Que no incluye ninguna condición, excepción o restricción ni plazo. || Casto. || fig. Mero, solo, no acompañado de otra cosa. || m. Cigarro.

púrpura (al. *Purpur,* fr. *pourpre,* ingl. *purple,* it. *porpora*). f. ZOOL. Molusco gasterópodo marino que

segrega una tinta usada antiguamente en tintorería y pintura. || fig. Prenda de vestir que forma parte del traje característico de reyes y cardenales, etc. || fig. Color rojo intenso que tira a violado. || fig. Dignidad imperial, real, consular, cardenalicia, etc.

purpúreo, a. adj. De color de púrpura. || Relativo a la púrpura.

purpurina. f. QUÍM. Polvo finísimo, con brillo y color propio de los metales, formado por bronce o metal blanco molido y que se emplea en el dorado o plateado de las pinturas. || Colorante rojo que se extrae de la raíz de la rubia.

purulencia. f. MED. Supuración.

purulento, ta. adj. MED. Que tiene pus.

pus (al. *Eiter,* fr. *pus,* ingl. *pus,* it. *pus*). m. MED. Humor de color amarillo o verdoso que se forma en los tejidos inflamados. Está constituido por acúmulos de leucocitos degenerados y residuos de tejidos alterados por el mismo proceso inflamatorio. [*Sinón.:* icor]

pusilánime. adj. Falto de ánimo y valor para soportar las desgracias o para intentar cosas grandes. Ú.t.c.s.

pústula. f. PAT. Vesícula cutánea que contiene pus.

puta. f. Ramera, prostituta, meretriz.

putañear. intr. Darse al comercio carnal con las prostitutas. [*Sinón.:* putear]

putativo, va. adj. Reputado o tenido por padre, hermano, etc., no siéndolo.

putear. intr. Putañear. || fam. Hacer de puta.

puto, ta. adj. Dícese como calificación demigratoria, aunque por antífrasis puede resultar encarecedor. || Necio, tonto. || m. El que tiene concúbito con persona de su sexo.

putrefacción (al. *Fäulnis,* fr. *putréfaction,* ingl. *decay,* it. *putrefazione*). f. Acción y efecto de pudrir o pudrirse.

putrefacto, ta. adj. Podrido, corrompido.

pútrido, da. ajd. Podrido, corrompido.

puya. f. Punta acerada que en una extremidad tienen las varas de los picadores y vaqueros, con la cual estimulan o castigan a sus reses. [*Sinón.:* pica, vara]

puyazo. m. Herida que se hace con puya.

puzolana. f. GEOL. Roca volcánica, de la misma composición que el basalto. Finalmente desmenuzada y mezclada con cal, forma un cemento o mortero hidráulico.

q. f. Vigésima letra del abecedario español y decimosexta de sus consonantes. Su nombre es *cu*.

quantum. m. Fís. Cuanto.

que (al. *dass*, fr. *que*, ingl. *that*, it. *che*). pron. relat. que con esta sola forma conviene a los géneros masculino, femenino y neutro y a los números singular y plural. ⫽ Pronombre interrogativo. ⫽ Pronombre exclamativo. ⫽ Adverbio pronominal exclamativo. ⫽ Conjunción copulativa. ⫽ A veces se usa como conjunción adversativa, causal, disyuntiva, ilativa o final.

qué. m. *tener buen qué* o *tener su qué*. fig. y fam. Tener hacienda o bienes; tener alguna cualidad estimable.

quebracho. m. Bot. Árbol anacardiáceo propio de la América intertropical. Tiene el tronco liso y alcanza hasta los seis metros de altura; su madera, muy dura, es apreciada en la construcción naval.

quebrada. f. Abertura estrecha y áspera entre montañas. ⫽ Quiebra, hendedura de la tierra.

quebradero. m. desusado. Que quiebra una cosa. ⫽ — *de cabeza*. fig. y fam. Lo que perturba e inquieta el ánimo.

quebradizo, za. adj. Fácil de quebrarse. ⫽ fig. Delicado, frágil, débil.

quebrado, da. adj. Que ha hecho bancarrota o quiebra. Ú.t.c.s. ⫽ Que padece hernia. Ú.t.c.s. ⫽ Aplicado a terreno, camino, etc., desigual, tortuoso, con altos y bajos. ⫽ Mat. Dícese del número que expresa partes alícuotas de la unidad. Ú.t.c.s.m. ⫽ Geom. Dícese de la línea compuesta de varias rectas. Ú.t.c.s.f.

quebradura. f. Hendedura, rotura o abertura. ⫽ Hernia, principalmente en el escroto.

quebrantahuesos. m. Zool. Ave rapaz del orden de las falconiformes, de plumaje pardo oscuro y pico corvo rodeado de cerdas. Persigue y ataca a pequeños mamíferos. Propia de las regiones montañosas, es la rapaz de mayor tamaño de Europa.

quebrantamiento. m. Acción y efecto de quebrantar o quebrantarse.

quebrantar. tr. Romper, separar con violencia las partes de un todo. ⫽ Cascar o hender una cosa. Ú.t.c.r. ⫽ Moler o machacar. ⫽ Violar, infringir. ⫽ fig. Forzar, romper. ⫽ fig. Disminuir las fuerzas o el brío. ⫽ fig. Molestar, fatigar. ⫽ fig. Causar lástima o compasión. ⫽ r. Experimentar algún malestar a causa de golpe, caída, trabajo o ejercicio violento, o por efecto de la edad, enfermedades o disgustos. [*Sinón.*: dividir; rajar; triturar]

quebranto. m. Acción y efecto de quebrantar o quebrantarse. ⫽ fig. Descaecimiento, desaliento. ⫽ fig. Pérdida o daño importante. ⫽ fig. Aflicción, dolor o pena grande. [*Sinón.*: quebrantamiento, perjuicio, deterioro]

quebrar (al. *bankrott werden*, fr. *faire faillite*, ingl. *to fail*, it. *fare fallimento*). tr. Quebrantar, romper con violencia. ⫽ Violar una ley u obligación. ⫽ Doblar o torcer. ⫽ fig. Interrumpir la continuación de una cosa. ⫽ fig. Vencer una dificultad material u opresión. ⫽ intr. fig. Romper la amistad con alguien. ⫽ fig. Ceder, flaquear. ⫽ fig. Interrumpirse una cosa o dejar de tener aplicación. ⫽ Com. Cesar en el comercio por sobreseer en el pago corriente de las obligaciones contraídas y no alcanzar el activo a cubrir el pasivo. ⫽ r. Formársele hernia a alguien.

queco. m. *Amer.* Lupanar.

quechua. adj. Dícese del indio que al tiempo de la colonización del Perú habitaba la región que se extiende al norte y poniente de Cuzco. Ú.t.c.s. ⫽ Dícese de la lengua hablada por estos indios. ⫽ Aplícase a todo lo relativo a estos indios y a su lengua.

queda. f. Hora de la noche, a menudo anunciada con un toque de campana, señalada para que los vecinos se recojan, especialmente en las plazas fuertes.

quedar (al. *bleiben*, fr. *rester*, ingl. *to remain*, it. *rimanere*). intr. Estar, detenerse forzosa o voluntariamente más o menos en un paraje, con propósito de permanecer en él o de pasar a otro. Ú.t.c.r. ⫽ Subsistir, permanecer o restar parte de una cosa. ⫽ Precediendo a la prep. *por*, resultar las personas con algún concepto merecido por sus actos, o con algún cargo, obligación o derecho que no tenían antes. ⫽ Permanecer, subsistir una persona o cosa en su estado, o pasar a otro más o menos estable. ⫽ r. Junto con la prep. *con*, retener en su poder una cosa, sea propia o ajena. ⫽ En los juegos infantiles, tocarle a uno el papel más desagradable. ⫽ *quedarse con uno*. fig. y fam. Engañarle o abusar de su credulidad. ⫽ *quedarse uno corto*. expr. fig. y fam. Que no hay exageración en lo dicho; no llegar hasta donde se proponía. ⫽ *quedarse uno frío*. fig. Salirle una cosa al contrario de lo que deseaba o pretendía; sorprenderse de ver u oír cosa que no esperaba. ⫽ *quedarse uno tan ancho*. Mostrarse despreocupado y tranquilo después de haber hecho o dicho algo inconveniente.

quedo, da. adj. Quieto. ⫽ adv. m. En voz baja o que apenas se oye. ⫽ Con tiento.

quehacer. m. Ocupación, negocio. Ú.m. en pl. [*Sinón.*: tarea, trabajo, faena]

queja (al. *Beschwerde*, fr. *plainte*,

ingl. *complaint*, it. *lagna*). f. Expresión de dolor, pena o sentimiento. || Resentimiento, desazón. || Querella, acusación ante el juez. [*Sinón.*: lamentación, quejido]

quejar. tr. Aquejar. || r. Expresar con la voz el dolor o pena que se siente. || Manifestar uno el resentimiento que tiene de otro. || Presentar querella, querellarse.

quejicoso, sa. adj. Que se queja continuamente y con melindre.

quejido (al. *Jammern*, fr. *gémissement*, ingl. *moan*, it. *gemito*). m. Voz lastimosa, de dolor o pena. [*Sinón.*: queja, gemido, lamento]

quejigo. m. BOT. Árbol cupulífero, de unos 20 metros de altura. Da por fruto unas bellotas. || Roble que aún no ha alcanzado su desarrollo regular.

quejoso, sa. adj. Dícese del que tiene queja de otro.

quejumbroso, sa. adj. Que se queja con poco motivo o por hábito.

quelonio. adj. ZOOL. Dícese de los reptiles que tienen cuatro extremidades cortas, mandíbulas córneas, sin dientes, y el cuerpo protegido por un caparazón duro; como la tortuga. Ú.t.c.s. || m. pl. Orden de estos reptiles.

quema. f. Acción y efecto de quemar o quemarse. || Incendio, fuego. || *huir de la quema.* fig. Apartarse de un peligro o compromiso.

quemadero, ra. adj. Que ha de ser quemado. || m. Paraje en que se quemaba a los sentenciados a la hoguera. || Paraje destinado a la quema de basuras, desechos, etc.

quemador, ra. adj. Que quema. Ú.t.c.s. || Que maliciosamente incendia algo. Ú.t.c.s. || m. Aparato destinado a facilitar la combustión del carbón o de los carburantes líquidos.

quemadura (al. *Verbrennung*, fr. *brûlure*, ingl. *burn*, it. *bruciatura*). f. Descomposición de un tejido orgánico producida por el contacto del fuego o de una sustancia cáustica o corrosiva. || Señal que hace el fuego o una cosa muy caliente o cáustica aplicada a otra.

quemar (al. *verbrennen*, fr. *brûler*, ingl. *to burn*, it. *bruciare*). tr. Abrasar o consumir en el fuego. || Calentar con mucha actividad. || Secar una planta el excesivo calor o frío. || Causar ardor. || Hacer señal, ampolla o llaga una cosa muy caliente o cáustica. || fig. Impacientar o desazonar a alguien. Ú.t.c.r. *Amer.* Engañar, estafar. Ú.t.c.r. || intr. Estar una cosa caliente en exceso. || r. Padecer mucho calor. || fig. y fam.

Estar muy cerca de acertar o de hallar una cosa. || fig. Gastarse, quedarse sin recursos o posibilidades en una actividad cualquiera.

quemarropa (a). m. adv. Tratándose de un disparo, desde muy cerca.

quemazón. f. Acción y efecto de quemar o quemarse. || Calor excesivo. || fig. y fam. Desazón moral por un deseo insatisfecho.

quena (voz quechua). f. Flauta o caramillo de que se sirven los indios de algunas regiones americanas.

quenopodiáceo, a. adj. BOT. Dícese de plantas angiospermas dicotiledóneas, herbáceas, rara vez leñosas, de hojas esparcidas, flores con estambres opuestos a los sépalos y periantio casi siempre incoloro, y fruto en aquenio; como la espinaca y la remolacha. Ú.t.c.s.f. || f. pl. Familia de estas plantas.

quepis. m. Gorra cilíndrica o ligeramente cónica, con visera horizontal, usada como prenda de uniforme militar en algunos países.

queratitis. f. MED. Inflamación de la córnea.

querella (al. *Streit*, fr. *querelle*, ingl. *quarrel*, it. *querela*). f. Expresión de un dolor físico o de un sentimiento doloroso. || Discordia, pendencia. || DER. Acusación, denuncia. [*Sinón.*: riña, reyerta; demanda. *Antón.*: concordia, paz]

querellarse. r. Expresar el dolor o la pena que se siente. || Manifestar uno el resentimiento que tiene de otro. || DER. Presentar querella contra alguien.

querencia. f. Acción de amar o querer bien. || Inclinación o tendencia del hombre y de ciertos animales a volver al sitio en que se han criado o tienen costumbre de acudir. || Este mismo sitio. || Tendencia natural de un ser animado hacia alguna cosa.

querendón, na. s. Querido, que tiene relaciones ilícitas.

querer. m. Cariño, amor.

querer (al. *wollen, lieben;* fr. *vouloir, aimer;* ingl. *to want, to love;* it. *volere*). tr. Desear o apetecer. || Amar, tener cariño, voluntad o inclinación a una persona o cosa. || Tener voluntad o determinación de ejecutar una cosa. || Resolver, determinar. || Pretender, intentar, procurar. || Ser conveniente una cosa a otra; pedirla, requerirla. || impers. Estar próxima a ser o verificarse una cosa.

querido, da (al. *geliebter*, fr. *amant*, ingl. *paramour*, it. *amante*). s. Hombre

respecto de la mujer, o mujer respecto del hombre, con quien se tienen relaciones amorosas ilícitas. [*Sinón.*: amante]

quermes. m. ZOOL. Insecto hemíptero parecido a la cochinilla, que vive en la coscoja y cuya hembra forma las agallitas que dan el color de grana. || FARM. Mezcla, de color rojizo, de óxido y sulfuro de antimonio, que se emplea como medicamento en las enfermedades de los órganos respiratorios.

querosén. m. *Amer.* Queroseno.

queroseno. m. QUÍM. Una de las fracciones del petróleo natural, obtenida por destilación y refinación, que se destina al alumbrado y se usa como combustible en los propulsores de chorro.

querubín. m. Espíritu celeste. || fig. Serafín, persona de singular belleza.

quesera. f. La que hace o vende queso. || Lugar donde se fabrican quesos. || Tablero a propósito para hacerlos. || Vasija de barro destinada a guardar y conservar los quesos. || Plato con cubierta en que se sirve el queso a la mesa.

quesería. f. Tiempo a propósito para hacer queso. || Lugar donde se fabrican quesos. || Tienda donde se vende queso.

quesero, ra. adj. Perteneciente o relativo al queso. || m. El que hace o vende queso.

queso (al. *Käse*, fr. *fromage*, ingl. *cheese*, it. *formaggio*). m. Producto obtenido por la maduración de la cuajada de la leche con características propias de cada tipo, según su origen o método de fabricación. || *dársela* a uno *con queso.* fig. y fam. Engañarle, burlarse de él.

quetzal. m. ZOOL. Ave trepadora de la América tropical, de plumaje suave, verde tornasolado muy brillante en la parte superior del cuerpo y rojo en el pecho y abdomen; cabeza gruesa, con un moño sedoso y verde, mucho más desarrollado en el macho, y pies y pico amarillentos. || Unidad monetaria de Guatemala.

quevedesco, ca. adj. Propio o característico de Quevedo o de su obra.

quevedos. m. pl. Lentes de forma circular con armadura a propósito para que se sujete a la nariz.

¡quia! interj. fam. que denota incredulidad o negación.

quicial. m. Madero que asegura y afirma las puertas y ventanas por medio de pernos y bisagras. || Quicio.

quicio (al. *Türangel*, fr. *gond*, ingl.

hinge, it. *ganghero*). m. Parte de las puertas o ventanas en que entra el espigón del quicial. ‖ *fuera de quicio*. m. adv. fig. Fuera del orden o estado regular. ‖ *sacar de quicio* una cosa. fig. Violentarla o sacarla de su natural curso o estado. ‖ *sacar de quicio* a uno. fig. Exasperarle, hacerle perder el tino.

quid. m. Esencia, razón, porqué de una cosa. Ú. precedido del artículo *el*.

quidam. m. fam. Sujeto a quien se designa indeterminadamente. ‖ fam. Sujeto despreciable y de poco valer, cuyo nombre no se menciona.

quiebra (al. *Bankrott*, fr. *faillite*, ingl. *bankruptcy*, it. *fallimento*). f. Rotura o abertura de una cosa por alguna parte. ‖ Hendedura de la tierra. ‖ Pérdida o menoscabo. ‖ COM. Acción y efecto de quebrar un comerciante. [*Sinón.*: quebradura, brecha; bancarrota]

quiebro. m. Ademán que se hace con el cuerpo, como quebrándolo por la cintura. ‖ MÚS. Acompañamiento de una nota con otras muy ligeras.

quien (al. *wer*, fr. *qui*, ingl. *who*, it. *chi*). pron. relat. que con esta sola forma conviene a los géneros masculino y femenino, y que en plural hace quienes. Hace referencia a personas y cosas, pero más generalmente a las primeras. ‖ En singular puede referirse a un antecedente en plural. No puede construirse con el artículo. ‖ pron. relat. con el antecedente implícito. Equivale a la persona que, aquél que. Cuando depende de un verbo con negación equivale a nadie que. En los dos casos se usa más el singular. ‖ pron. interrogativo y exclamativo. Quién, quiénes, con acento prosódico y ortográfico. ‖ pron. indefinido, también con acento prosódico y ortográfico.

quienquiera (al. *irgendein*, fr. *quiconque*, ingl. *whoever*, it. *chissia*). pron. indet. Persona indeterminada, alguno, sea el que fuere.

quietismo. m. Inacción, quietud, inercia. ‖ Doctrina de algunos místicos heterodoxos que hacen consistir la suma perfección del alma humana en el anonadamiento de la voluntad para unirse con Dios y en la contemplación pasiva.

quietista. adj. Partidario del quietismo. Ú.t.c.s. ‖ Perteneciente a él.

quieto, ta (al. *ruhig*, fr. *tranquille*, ingl. *quiet*, it. *quieto*). adj. Que no tiene o no hace movimiento alguno. ‖ fig. Pacífico, sosegado, sin turbación o alteración.

quietud. f. Carencia de movimiento. ‖ fig. Sosiego, reposo, descanso. [*Sinón.*: inmovilidad]

quijada. f. ZOOL. Cada una de las mandíbulas de los vertebrados que tienen dientes.

quijotada. f. Acción propia de un quijote.

quijote. m. fig. Hombre exageradamente grave y serio. ‖ fig. Hombre nimiamente puntilloso. ‖ fig. Hombre que pugna con las opiniones y usos corrientes, por amor a lo ideal. ‖ fig. Hombre que quiere ser juez de causas nobles aunque no le atañen.

quijotería. f. Modo de proceder exageradamente grave y presuntuoso.

quijotesco, ca. adj. Que obra con quijotería. ‖ Que se ejecuta con quijotería. ‖ Propio o característico de Don Quijote de la Mancha, o de cualquier quijote, hombre.

quijotismo. m. Exageración en los sentimientos caballerosos. ‖ Engreimiento, orgullo.

quilate (al. *Karat*, fr. *carat*, ingl. *carat*, it. *carato*). m. Unidad de peso para las perlas y piedras preciosas, que equivale a 200 miligramos. ‖ Cada una de las veinticuatroavas partes en peso de oro puro que contiene cualquier aleación de este metal. ‖ Pesa de un quilate. ‖ fig. Grado de perfección en cualquier cosa no material.

quilo. m. Kilogramo. ‖ FISIOL. Linfa de aspecto lechoso, por la gran cantidad de grasa que acarrea, que circula por los vasos linfáticos intestinales durante la digestión.

quilla (al. *Schiffskiel*, fr. *quille*, ingl. *keel*, it. *chiglia*). f. MAR. Pieza que va de popa a proa por la parte inferior del barco y en la que se asienta toda su armazón. ‖ ZOOL. Parte saliente y afilada del esternón de las aves.

quimera. f. Monstruo imaginario que, según la fábula, vomitaba fuego y tenía cabeza de león, vientre de cabra y cola de dragón. ‖ fig. Lo que se propone a la imaginación como posible o verdadero, sin serlo. ‖ fig. Pendencia, riña.

quimérico, ca. adj. Fabuloso, fingido o imaginado, sin fundamento. [*Sinón.*: imaginario, irreal, ilusorio]

química (al. *Chemie*, fr. *chimie*, ingl. *chemistry*, it. *chimica*). f. Ciencia que estudia las transformaciones conjuntas de la materia y de la energía, ocupándose de la constitución de la materia y estudiando las propiedades particulares de los cuerpos y la acción que ejercen unos sobre otros.

químico, ca. adj. Perteneciente o relativo a la química. ‖ Concerniente a la composición de los cuerpos. ‖ s. Persona que profesa la química o tiene de ella especiales conocimientos.

quimificación. f. FISIOL. Acción y efecto de quimificar o quimificarse.

quimificar. tr. FISIOL. Convertir en quimo el alimento. Úm.c.r.

quimioterapia. f. Método curativo o profiláctico de las enfermedades infecciosas por medio de productos químicos.

quimo. m. FISIOL. Pasta homogénea y agria en que se transforman los alimentos en el estómago por la digestión.

quimono. m. Túnica japonesa o hecha a su semejanza.

quina. f. BOT. Corteza del quino, de aspecto variable según la especie de procedencia, muy empleada en medicina como febrífuga. ‖ Líquido confeccionado con dicha corteza y otras sustancias, que se toma como medicina.

quincalla. f. Conjunto de objetos de metal, generalmente de escaso valor.

quincallero, ra. s. Persona que fabrica o vende quincalla.

quince. adj. Diez y cinco. ‖ Decimoquinto, ordinal. Aplicado a los días del mes, ú.t.c.s. ‖ m. Conjunto de signos o cifras con que se representa el número quince.

quincena (al. *Vierzehn*, fr. *quinzaine*, ingl. *fortnight*, it. *quindicina*). f. Espacio de quince días. ‖ MÚS. Intervalo que comprende las quince notas sucesivas de dos octavas.

quincenal. adj. Que sucede o se repite cada quincena. ‖ Que dura una quincena. [*Sinón.*: bisemanal]

quincuagésima. f. Dominica que precede a la primera de cuaresma.

quincuagésimo, ma. adj. Que sigue inmediatamente en orden al o a lo cuadragésimo nono. ‖ Dícese de cada una de las cincuenta partes en que se divide un todo. Ú.t.c.s.

quinesiología. f. MED. Conjunto de los procedimientos terapéuticos encaminados a restablecer la normalidad de los movimientos del cuerpo humano, y conocimiento científico de aquéllos.

quinesiólogo, ga. s. Persona experta en quinesiología.

quinesiterapia. f. MED. Método terapéutico por medio de movimientos activos o pasivos de todo el cuerpo o de alguna de sus partes.

quingentésimo, ma. adj. Que sigue inmediatamente en orden al o a lo cuadringentésimo nonagésimo nono. ‖ Dicese de cada una de las 500 partes iguales en que se divide un todo. Ú.t.c.s.

quiniela. f. Juego de pelota entre cinco jugadores. || Sistema reglamentario de apuestas hecho sobre las predicciones del resultado de unos determinados partidos de fútbol, carreras de caballos, etc. || Papel impreso en que se escriben dichas predicciones. || *Amer.* Juego consistente en apostar a la última o a las últimas cifras del número premiado en la lotería.

quinientos, tas. adj. Cinco veces ciento. || Que sigue en orden a lo cuadringentésimo nonagésimo nono. || Dícese de cada una de las 500 partes en que se divide un todo. || m. Signo o conjunto de signos o cifras con que se representa el número quinientos.

quinina. f. QUÍM. Alcaloide muy amargo que se extrae de la quina y contiene en alto grado el principio febrífugo de ésta.

quino. m. BOT. Árbol rubiáceo americano, del que hay diversas especies, con hojas opuestas y fruto seco, capsular, con muchas semillas elipsoidales. Su corteza es la quina. || Concreción de diversos zumos vegetales muy usada como astringente. || Quina, corteza del quino.

quinqué (al. *Lampe,* fr. *quinquet,* ingl. *argand,* it. *lampada da tavolino*). m. Especie de lámpara con tubo de cristal, depósito de combustible y, generalmente, con pantalla.

quinquenal. adj. Que sucede o se repite cada quinquenio. || Que dura un quinquenio.

quinquenio. m. Tiempo de cinco años.

quinta. f. Casa de recreo en el campo. || Acción y efecto de quintar. || Remplazo anual para el ejército. || MÚS. Intervalo que consta de tres tonos y un semitono mayor.

quintaesencia. f. Quinta esencia, lo más puro, fino y acendrado de una cosa. || Última esencia o extracto de una cosa.

quintal. m. Peso de cien libras. || Pesa de cien libras.

quintar. tr. Sacar por suerte uno de cada cinco. || MIL. Sacar por suerte los nombres de los que habían de servir en la tropa en la clase de soldados.

quinteto. m. Combinación métrica de cinco versos de arte mayor aconsonantados y ordenados como los de la quintilla. || MÚS. Composición a cinco voces o instrumentos. || MÚS. Conjun-

to de estas voces o instrumentos, o de los cantantes o instrumentistas.

quintillizo, za. adj. Dícese de cada uno de los hermanos nacidos de un parto quintuple.

quinto, ta. adj. Que sigue inmediatamente en orden al o a lo cuarto. || Dícese de cada una de las cinco partes iguales en que se divide un todo. Ú.t.c.s. || m. Aquel a quien tocaba por sorteo ser soldado. Hoy se aplica a los recién incorporados a filas.

quíntuple. adj. Quíntuplo.

quíntuplo, pla. adj. Que contiene un número cinco veces exactamente. Ú.t.c.s.m.

quinzavo, va. adj. Dícese de cada una de las quince partes iguales en que se divide un todo. Ú.t.c.s.

quiñón. m. Parte que uno tiene con otros en una cosa productiva. || Porción de tierra de cultivo.

quiosco (al. *Kiosk,* fr. *kiosque,* ingl. *kiosk,* it. *chiosco*). m. Pabellón de estilo oriental y generalmente abierto por todos sus lados. || Caseta para vender periódicos, flores u otros artículos.

quipo. m. Cada uno de los ramales de cuerdas con diversos nudos y varios colores con que los indios peruanos suplían la falta de escritura.

quiquiriquí. m. Voz onomatopéyica del canto del gallo. || fig. y fam. Persona que desea sobresalir y gallear.

quirófano (al. *Operationssaal,* fr. *salle d'opération,* ingl. *operating-room,* it. *sala chirurgica*). m. Sala de operaciones quirúrgicas.

quiromancia o **quiromancía.** f. Adivinación supersticiosa por las rayas de la mano.

quiróptero. adj. ZOOL. Dícese de mamíferos, crepusculares o nocturnos, casi todos insectívoros, que vuelan con alas formadas por una extensa membrana cutánea que, partiendo de los costados del cuerpo, se extiende sobre cuatro de los dedos de las extremidades anteriores y llega a englobar los miembros posteriores y la cola, cuando ésta existe; como el murciélago. Ú.t.c.s. || m. pl. Orden de estos animales.

quirúrgico, ca. adj. Perteneciente o relativo a la cirugía.

quisicosa. f. fam. Enigma u objeto de pregunta muy dudosa y difícil de averiguar.

quisquilla. f. Reparo o dificultad de poca importancia. || ZOOL. Camarón, crustáceo.

quisquilloso, sa. adj. Demasiado delicado en el trato común. Ú.t.c.s. ||

Que se para en quisquillas, reparos y dificultades de poca monta. Ú.t.c.s. || Fácil de agraviarse u ofenderse. Ú.t.c.s. [*Sinón.:* puntilloso; susceptible]

quiste (al. *Zyst,* fr. *kyste,* ingl. *cyst,* it. *cisti*). m. MED. Vejiga membranosa que se desarrolla en diversas regiones del cuerpo y contiene humores o materias alteradas. || BIOL. Membrana resistente e impermeable que envuelve a un animal o vegetal de pequeño tamaño, manteniéndolo aislado del medio.

quitaipón. m. Adorno que se pone en las cabezadas del ganado mular y de carga. || *de quitaipón.* loc. adj. fam. De quita y pon.

quitamanchas (al. *Fleckenreiniger,* fr. *dégraisseur,* ingl. *cloth-cleaner,* it. *smacchiatore*). com. Persona que tiene por oficio quitar las manchas de las ropas. || m. Producto natural o preparado que sirve para quitar manchas.

quitanieves. || f. Máquina para limpiar de nieve los caminos.

quitar (al. *wegnehmen,* fr. *enlever,* ingl. *to take off,* it. *togliere*). tr. Tomar una cosa separándola y apartándola de otras, o del lugar en que se hallaba. || Hurtar. || Derogar. || Obstar. || Despojar o privar de una cosa. || Libertar o desembarazar a alguien de una obligación. || r. Dejar una cosa o apartarse totalmente de ella. || Irse, alejarse de un lugar. || *de quita y pon.* loc. que se aplica a ciertas piezas o cosas dispuestas para poderlas quitar y poner. [*Sinón.:* retirar, coger. *Antón.:* devolver]

quitasol. m. Especie de paraguas para resguardarse del sol. [*Sinón.:* parasol, sombrilla]

quite. m. Acción de quitar o estorbar. || En esgrima, movimiento defensivo con que se detiene o evita el ofensivo. || TAUROM. Suerte que se ejecuta en el toreo para librar a otro del peligro en que se halla por la acometida del toro. || *estar al quite.* Estar preparado para acudir en defensa de alguien.

quiteño, ña. adj. Natural de Quito. Ú.t.c.s. || Perteneciente a esta ciudad ecuatoriana.

quizá (al. *vielleicht,* fr. *peut-être,* ingl. *perhaps,* it. *forse*). adv. de duda con que se denota la posibilidad de aquello que significa la proposición de que forma parte. [*Sinón.:* tal vez, quizás]

quórum. m. Número de individuos necesario para que un cuerpo deliberante tome ciertos acuerdos. || Proporción de votos favorables que requiere un acuerdo.

r. f. Vigésima primera letra del abecedario español y decimoséptima de sus consonantes. Su nombre es *erre,* pero se llama *ere* cuando se quiere hacer notar su sonido simple. Tiene un sonido simple, de una sola vibración, y otro múltiple, con dos o más vibraciones. Para representar el simple se emplea una sola *r.* El múltiple se representa también con *r* sencilla a principio de palabra y siempre que va después de *b* con que no forma sílaba, o de *l, n* o *s;* y se representa con doble *r* en cualquier otro caso. La erre transcrita con dos *rr* es doble por su figura, pero representa un fonema único y, como la *ll,* no puede dividirse en la escritura.

rabada. f. Cuarto trasero de las reses después de matarlas.

rabadán. m. Mayoral de una cabaña que manda a los zagales y pastores. ‖ Pastor que gobierna uno o más hatos de ganado a las órdenes del mayoral de una cabaña.

rabadilla (al. *Bürzel,* fr. *croupion,* ingl. *rump,* it. *codine*). f. ANAT. Extremidad del espinazo. ‖ ZOOL. En las aves, extremidad movible en donde están las plumas de la cola.

rabanal. m. Campo plantado de rábanos.

rabanillo. m. BOT. Planta crucífera, de hojas ásperas, flores blancas o amarillas, fruto seco y raíz fusiforme de color blanco rojizo. Es nociva y muy común en los sembrados.

rabaniza. f. Simiente del rábano. ‖ BOT. Planta herbácea anual, crucífera, de tallo ramoso, flores blancas y fruto seco en vainilla.

rábano (al. *Rettich,* fr. *radis,* ingl. *radish,* it. *ravanello*). m. BOT. Planta herbácea anual, crucífera, de tallo ramoso y velludo, hojas ásperas, flores blancas, amarillas o purpurinas, fruto

seco en vainilla estriada y raíz carnosa, casi redonda y fusiforme, de sabor picante, que suele comerse como entremés. ‖ Raíz de esta planta.

rabear. intr. Menear el rabo.

rabel. m. Instrumento músico pastoril, parecido al laúd, compuesto de tres cuerdas y tocado con arco. Su sonido es muy agudo. ‖ Instrumento músico consistente en una caña y un bordón, entre los cuales se coloca una vejiga llena de aire.

rabí. m. Título con que los judíos honran a los sabios de su ley. ‖ Rabino.

rabia (al. *Tollwut,* fr. *rage,* ingl. *rabies,* it. *rabbia*). f. PAT. y VET. Enfermedad infecciosa vírica que se produce en algunos animales y se transmite por mordedura a otros o al hombre, al inocularse el virus por la saliva del animal rabioso. Se denomina también hidrofobia, por la aversión al agua, síntoma característico de la enfermedad. ‖ fig. Ira, enojo, enfado grande. ‖ *Tener rabia* a una persona. fig. y fam. Tenerle odio o mala voluntad.

rabiar. intr. Padecer rabia. ‖ Padecer un dolor vehemente, que obliga a gritar o quejarse. ‖ fig. Impacientarse o enojarse con muestras de cólera y enfado. ‖ *a rabiar.* m. adv. Mucho; con exceso. [*Sinón.*: encolerizar, enfurecer. *Antón.*: tranquilizar, serenar]

rábico, ca. adj. MED. Relativo a la rabia.

rabicorto, ta. adj. Dícese del animal que tiene corto el rabo.

rabieta. f. fig. y fam. Enfado o enojo grande, especialmente por leve motivo y de poca duración. [*Sinón.*: berrinche]

rabilargo, ga. adj. Dícese del animal que tiene largo el rabo. ‖ m. ZOOL. Pájaro de plumaje negro brillante en la cabeza, azul claro en las alas y cola y leonado en el resto del cuerpo.

rabino (al. *Rabbiner,* fr. *rabbin,* ingl. *rabbi,* it. *rabbino*). m. Maestro hebreo que interpreta las Sagradas Escrituras.

rabioso, sa (al. *tollwütig,* fr. *enragé,* ingl. *rabid,* it. *rabbioso*). adj. Que padece rabia. Ú.t.c.s. ‖ Colérico, enojado, airado. ‖ fig. Vehemente, excesivo, violento.

rabiza. f. vulg. Ramera muy despreciable.

rabo (al. *Schwanz,* fr. *queue,* ingl. *tail,* it. *coda*). m. ZOOL. Cola, especialmente la de los cuadrúpedos. ‖ fig. y fam. Cualquier cosa que cuelga a semejanza de la cola de un animal. ‖ *— del ojo.* fig. Ángulo del ojo. ‖ *ir uno rabo entre piernas.* fig. y fam. Estar vencido, abochornado o corrido. ‖ *mirar* a uno *con el rabo del ojo.* fig. y fam. Mostrarse cauteloso o severo con él en el trato, o quererle mal.

rabón, na. adj. Dícese del animal que tiene el rabo más corto que lo ordinario en su especie, o que carece de él. [*Sinón.*: colin]

rabudo, da. adj. Que tiene grande el rabo.

rábula. m. Abogado indocto y charlatán.

racial. adj. Perteneciente o relativo a la raza. [*Sinón.*: étnico]

racimo (al. *Traube,* fr. *grappe,* ingl. *cluster,* it. *grappolo*). m. Porción de uvas o granos que produce la vid sostenidos por sus pedúnculos en un tallo que pende del sarmiento. Por ext., dícese de otras frutas. ‖ fig. Conjunto de cosas menudas dispuestas en forma semejante al racimo. ‖ BOT. Conjunto de flores o frutos en un eje común.

raciocinación. f. Acto de la mente por el cual se infiere un concepto de otros ya conocidos. [*Sinón.*: raciocinio]

raciocinar. intr. Usar del entendimiento y razón para conocer y juzgar. [*Sinón.*: discurrir]

raciocinio (al. *Beurteilungsgabe*, fr. *raisonnement*, ingl. *reasoning*, it. *raziocinio*). m. Facultad de raciocinar. || Acción y efecto de raciocinar. || Argumento o discurso.

ración (al. *Ration*, fr. *ration*, ingl. *ration*, it. *razione*). f. Porción que se da para alimento en cada comida. || Asignación diaria que en especie o dinero se da a cada soldado, marinero, criado, etc., para su alimento.

racional (al. *vernunftsgemäss*, fr. *rationnel*, ingl. *rational*, it. *razionale*). adj. Perteneciente o relativo a la razón. || Arreglado a ella. || Dotado de razón. Ú.t.c.s. || MAT. Aplícase a las expresiones algebraicas que no contienen cantidades irracionales. [*Sinón.*: razonable, lógico]

racionalidad. f. Calidad de racional.

racionalismo. m. FIL. Doctrina filosófica según la cual la razón humana puede llegar a la verdad, independientemente de la experiencia. || Sistema filosófico que funda sobre la sola razón las creencias religiosas.

racionalista. adj. Que profesa la doctrina del racionalismo. Ú.t.c.s.

racionalización. f. Acción y efecto de racionalizar el trabajo.

racionalizar. tr. Reducir a normas o conceptos racionales. || Organizar la producción o el trabajo de manera que aumente los rendimientos o reduzca los costos con el mínimo esfuerzo.

racionamiento. m. Acción y efecto de racionar o racionarse.

racionar. tr. MIL. Distribuir raciones o proveer de ellas a las tropas. Ú.t.c.r. || Someter los artículos de primera necesidad, en casos de escasez, a una distribución establecida por la autoridad. [*Sinón.*: proveer, repartir]

racismo. m. Exacerbación del sentimiento racial de un grupo étnico. || Doctrina antropológica o política basada en ese sentimiento.

racista. adj. Propio del racismo. || com. Partidario del racismo.

racha. f. MAR. Ráfaga de viento. || fig. y fam. Período breve de fortuna, referido comúnmente al juego.

rada (al. *Reede*, fr. *rade*, ingl. *bay*, it. *rada*). f. Bahía, ensenada donde las naves pueden estar ancladas al abrigo de determinados vientos. [*Sinón.*: cala, abra]

radar. m. Sistema electrónico que permite localizar un cuerpo que no se ve, con la emisión de ondas electro-magnéticas que, al reflejarse en el mismo, vuelven al punto de observación. || Aparato para aplicar este sistema.

radiación (al. *Strahlung*, fr. *radiation*, ingl. *radiation*, it. *radiazione*). f. FÍS. Emisión de energía por un cuerpo en forma de ondas o corpúsculos.

radiactividad (al. *Radioaktivität*, fr. *radioactivité*, ingl. *radioactivity*, it. *radioattività*). f. FÍS. Calidad de radiactivo. Se valora por el número de desintegraciones producidas por segundo.

radiactivo, va. adj. FÍS. Dícese del cuerpo cuyos átomos se desintegran espontáneamente.

radiado, da. adj. BOT. Dícese de lo que tiene sus diversas partes situadas alrededor de un punto o eje. || ZOOL. Dícese del animal invertebrado cuyas partes están dispuestas, a manera de radios, alrededor de un punto o de un eje central; como la estrella de mar, la medusa, etc. Ú.t.c.s.

radiador (al. *Hiezköper*, fr. *radiateur*, ingl. *radiator*, it. *radiatore*). m. Aparato de calefacción compuesto por uno o más cuerpos huecos, de forma exterior adecuada para facilitar la radiación. || MEC. Conjunto de tubos por los cuales circula el agua fría destinada a refrigerar los cilindros de algunos motores de explosión. [*Sinón.*: refrigerador, calefactor]

radial. adj. ASTR. Aplícase a la dirección del rayo visual. || MAT. y ZOOL. Perteneciente o relativo al radio.

radián. m. MAT. Unidad de medida de ángulos. Es igual a la longitud de un arco que mide igual que el radio.

radiante. adj. FÍS. Que radia. || fig. Brillante, resplandeciente.

radiar (al. *strablen*, fr. *rayonner*, ingl. *to radiate*, it. *raggiare*). tr. Emitir señales, palabras o sonidos por radiodifusión. || intr. FÍS. Irradiar. Ú.t.c. intr.

radicación. f. Acción y efecto de radicar o radicarse. || fig. Establecimiento, práctica y duración de un uso, costumbre, etc.

radical (al. *Wurzel-*, *radikaler*; fr. *radical*; ingl. *root*, *radical*; it. *radicale*). adj. Perteneciente o relativo a la raíz. || fig. Fundamental, de raíz. || Partidario de reformas extremas, especialmente en sentido democrático. Ú.t.c.s. || Extremoso, tajante, intransigente. || GRAM. Concerniente a las raíces de las palabras. || GRAM. Aplícase a las letras de una palabra que se conservan en otro u otros vocablos que de ella proceden o se derivan. || MAT. Aplícase al signo ($\sqrt{\ }$) con que se indica la operación de extraer raíces. Ú.t.c.s.m. || m. GRAM. Parte que queda de una palabra variable al quitarle la desinencia. || QUÍM. Átomo o conjunto de átomos que se considera como base para la formación de combinaciones. [*Sinón.*: esencial, básico, tajante. *Antón.*: accidental, relativo]

radicalismo. m. Conjunto de ideas y doctrinas de los que pretenden introducir profundas reformas en el orden político, científico, moral o religioso. || Por ext., modo extremado de tratar los asuntos.

radicalizar. tr. Hacer que alguien adopte una aptitud radical. Ú.t.c.r.

radicar. intr. Echar raíces, arraigar. Ú.t.c.r. || Estar o encontrarse ciertas cosas en determinado lugar. [*Sinón.*: establecerse, localizarse. *Antón.*: desarraigar, ausentarse]

radícula. f. BOT. Parte del embrión destinada a ser raíz de la planta.

radiestesia. f. Sensibilidad especial para captar ciertas radiaciones, utilizada por los zahoríes para descubrir cursos de agua subterráneos, venas metalíferas, etc.

radio (al. *Halbmesser*, fr. *rayon*, ingl. *radius*, it. *raggio*). m. MAT. Segmento de recta comprendido entre el centro de un círculo y su circunferencia. || Rayo de la rueda. || ANAT. Hueso contiguo al cúbito, un poco más corto y más bajo que éste, con el cual forma el antebrazo. || ZOOL. Cada una de las piezas largas, delgadas y puntiagudas que sostienen la parte membranosa de las aletas de los peces. ‖ – *de acción*. Máximo alcance o eficacia de un agente o instrumento.

radio. m. QUÍM. Elemento químico radiactivo, que tiene 13 isótopos radiactivos, cuatro de los cuales se encuentran en la naturaleza.

radio. f. Término general aplicado al uso de las ondas radioeléctricas. || Apócope de radiodifusión. || m. Apócope de radiotelegrama. || Apócope de radiotelegrafista. || amb. fam. Apócope de radiorreceptor.

radio-. Elemento compositivo que, antepuesto a otro elemento, interviene con idea de radiación o radiactividad, en la formación de palabras.

radioastronomía. f. Parte de la astronomía que estudia la radiación emitida por los cuerpos celestes.

radiocomunicación. f. Telecomunicación mediante ondas radioeléctricas.

radiodifusión (al. *Rundfunk*, fr.

radiodiffusion, ingl. *broadcasting,* it. *radiodiffusione).* f. Fís. Difusión o emisión por medio de ondas electromagnéticas, de música, noticias, etc., destinada al público.

radioelectricidad. f. Producción, propagación y recepción de las ondas hertzianas. || Ciencia que estudia esta materia.

radioescucha. com. Persona que oye las emisiones radiotelefónicas·y radiotelegráficas. [*Sinón.:* radioyente]

radiofonía. f. Fís. Parte de la física que estudia los fenómenos sonoroacústicos producidos por las ondas hertzianas. || Radiotelefonía.

radiofónico, ca. adj. Perteneciente o relativo a la radiofonía.

radiografía (al. *Radiographie,* fr. *radiographie,* ingl. *radiograpy,* it. *radiografía).* f. Procedimiento para hacer fotografías mediante los rayos X. || Fotografía obtenida por este procedimiento.

radiograma. m. Radiotelegrama.

radiolario. adj. ZOOL. Dícese de los protozoos de la clase de los rizópodos, con una membrana que divide el protoplasma en dos zonas concéntricas, la exterior de las cuales emite seudópodos finos, largos y unidos entre sí formando redes. Ú.t.c.s.m. || m. pl. Orden de estos animales.

radiología (al. *Radiologie,* fr. *radiologie,* ingl. *radiology,* it. *radiologia).* f. MED. Estudio de las radiaciones, especialmente los rayos X, en sus aplicaciones al diagnóstico y tratamiento de las enfermedades.

radiólogo, ga. s. Persona que profesa la radiología.

radiorreceptor. m. Aparato utilizado en radiotelegrafía y radiotelefonía para recoger las ondas emitidas por un radiotransmisor y transformarlas en señales o sonidos.

radioscopia. f. Examen del interior del cuerpo humano y, en general, de los cuerpos opacos por medio de la imagen que proyectan en una pantalla al ser sometidos a los rayos X.

radiotecnia. f. Fís. Técnica relativa a la producción, emisión, recepción y utilización de ondas electromagnéticas, y a la construcción, reparación, instalación y manejo de los aparatos emisores y receptores.

radiotécnico, ca. adj. Perteneciente o relativo a la radiotecnia. || m. Persona especializada en radiotecnia.

radiotelefonía. f. Fís. Transmisión del sonido a distancia, sin líneas conductoras, mediante la utilización de ondas electromagnéticas.

radiotelegrafía. f. Sistema de transmisión de señales telegráficas a distancia por medio de ondas electromagnéticas.

radiotelegrafista. com. Persona que se ocupa de la instalación, conservación y manejo de aparatos radiotelegráficos.

radiotelegrama. m. Telegrama cuyo origen o destino es una estación móvil, transmitido, en todo o en parte de su recorrido, por las vías de radiocomunicación.

radiotelescopio. m. Instrumento empleado en radioastronomía para la detección de ondas electromagnéticas de origen cósmico.

radioterapeuta. com. MED. Persona especializada en radioterapia.

radioterapia (al. *Röntgenbehandlung,* fr. *radiothérapie,* ingl. *radiotherapy,* it. *radioterapia).* f. MED. Tratamiento mediante toda clase de rayos, especialmente por rayos X. || MED. Empleo terapéutico del radio y de las sustancias radiactivas.

radiotransmisor. m. Aparato empleado en radiotelegrafía y radiotelefonía para producir y enviar ondas portadoras de señales o sonidos.

radioyente. com. Persona que oye lo que se transmite por radiotelefonía. [*Sinón.:* radioescucha]

radón. m. QUÍM. Gas noble radiactivo originado en la desintegración espontánea del radio.

raedera. f. Instrumento para raer. || Azada pequeña, de pala semicircular, usada en las minas.

raer (al. *abkratzen,* fr. *racler,* ingl. *to scrape,* it. *raschiare).* tr. Quitar, como cortando y raspando, pelos, barba, vello, etc., de una cosa con un instrumento áspero o cortante. || Rasar, igualar con el rasero. || fig. Extirpar enteramente una cosa; como un vicio o mala costumbre.

ráfaga (al. *Windstoss,* fr. *rafale,* ingl. *gust,* it. *raffica).* f. Movimiento violento y repentino del aire, por lo común de corta duración. || Golpe de luz vivo e instantáneo. || Serie de proyectiles que en sucesión rapidísima lanza un arma automática. [*Sinón.:* racha]

rafe. com. BOT. Cordoncillo saliente que forma el funículo en algunas semillas. || ANAT. Rugosidad o línea saliente, a modo de costura, en el perineo y el escroto.

rafia. f. BOT. Nombre de diversas especies de palmeras africanas y americanas que dan una fibra muy resistente y flexible. || Fibra de dichas palmeras.

raglán. m. Gabán masculino usado a mediados del siglo XIX, holgado y con una esclavina corta.

raid (voz inglesa) m. Incursión militar, especialmente aérea, en territorio enemigo. || Carrera; exhibición o competición deportiva.

raído, da. p. p. de raer. || adj. Dícese del vestido o de cualquier tela muy gastada por el uso, aunque no rotos.

raigal. adj. Perteneciente a la raíz.

raigambre. f. Conjunto de raíces de los vegetales. || fig. Conjunto de intereses, hábitos, antecedentes, etc., que dan estabilidad a una cosa.

rail o **raíl** (al. *Schiene,* fr. *rail,* ingl. *rail,* it. *rotaia).* m. Carril de las vías férreas. [*Sinón.:* riel]

raimiento. m. Acción y efecto de raer. || Descaro, desvergüenza.

raíz (al. *Wurzel,* fr. *racine,* ingl. *root,* it. *radice).* f. BOT. Órgano de las plantas que crece en dirección opuesta a la del tallo, carece de hojas e, introducido en tierra o en otros cuerpos, absorbe de éstos las materias necesarias para el crecimiento y desarrollo del vegetal y le sirve de sostén. || Bien inmueble, finca, edificio, etc. Ú.m. en pl. || fig. Parte de cualquier cosa, de la cual, permaneciendo oculta, procede lo que está manifiesto. || fig. Parte inferior o pie de cualquier cosa. || Origen o principio de que procede una cosa. || MAT. Cada uno de los valores que puede tener la incógnita de una ecuación. || MAT. Cantidad que se ha de multiplicar por sí misma una o más veces para obtener un número determinado. || GRAM. Elemento más puro o simple de una palabra, es decir, la parte de ella que queda después de quitarle las desinencias, sufijos y prefijos. || ZOOL. Parte de los dientes de los vertebrados que está engastada en los alveolos. || *a raíz.* m. adv. fig. Con proximidad, inmediatamente. || *cortar de raíz,* o *la raíz.* fig. Extirpar y prevenir totalmente desde el principio los inconvenientes de una cosa. || *echar raíces.* fig. Fijarse o establecerse en un lugar; arraigarse una pasión u otra cosa.

raja (al. *Spalte, Splitter,* fr. *fente,* ingl. *split,* it. *fessura).* f. Parte de un leño que resulta de abrirlo al hilo. || Hendidura. || Pedazo cortado a lo largo o a lo ancho de un fruto o de otros comestibles. || fig. y vulg. Órgano sexual femenino.

rajá. m. Soberano indio.

rajadura. f. Acción y efecto de rajar o rajarse.

rajar (al. *spalten*, fr. *fendre*, ingl. *to split*, it. *fendere*). tr. Dividir en rajas. || Hender, partir, abrir. Ú.t.c.r. || intr. fig. y fam. Hablar mucho. || *Amer.* Hablar mal de uno, desacreditarlo. || r. fig. y fam. Volverse atrás, acobardarse o desistir de algo a última hora.

rajatabla (a). m. adv. fig. y fam. Cueste lo que cueste, a todo trance, sin contemplaciones.

ralea. f. Especie, género, calidad. || despect. Aplicado a personas, raza, casta o linaje.

ralear. intr. Hacerse rala una cosa. Ú.t.c. tr. || AGR. No granar enteramente los racimos de las vides.

raleza. f. Calidad de ralo.

ralo, la. adj. Dícese de las cosas cuyas partes o elementos están separados más de lo regular entre las de su clase. [*Sinón.*: disperso]

rallador. m. Utensilio de cocina, compuesto de una chapa de metal llena de agujeritos de borde saliente, propio para rallar pan, queso, etc.

ralladura. f. Surco que deja el rallo y, por ext., cualquier surco menudo. || Lo que queda rallado.

rallar (al. *raspeln*, fr. *râper*, ingl. *to grate*, it. *grattugiare*). tr. Desmenuzar una cosa restregándola con el rallador.

rallo. m. Rallador. || Por ext., cualquier chapa con iguales agujeros que sirve para otros usos.

rama (al. *Ast*, fr. *branche*, ingl. *branch*, it. *ramo*). f. BOT. Cada una de las partes que nacen del tronco o tallo principal de una planta, y en las cuales suelen brotar las hojas, flores y frutos. || IMP. Cerco de hierro con que se ciñe el molde que se ha de imprimir. || fig. Serie de personas que tienen su origen en un mismo tronco. || fig. Parte secundaria de una cosa, que nace o se deriva de otra principal. || *andarse* uno *por las ramas.* fig. y fam. Detenerse en menudencias, dejando lo más importante.

rama (en). m. adv. con que se designa el estado de ciertas materias antes de recibir su última aplicación o manufactura. || Aplícase también a los ejemplares de una obra impresa que aún no se han encuadernado.

ramadán. m. Noveno mes del año lunar de los mahometanos, quienes durante el mismo observan riguroso ayuno.

ramaje. m. Conjunto de ramas o ramos. [*Sinón.*: ramada, enramada]

ramal (al. *Strang*, fr. *longe*, ingl. *strand*, it. *capo di fune*). m. Cada uno de los cabos de que se compone una cuerda, soga, pleita o trenza. || Ronzal asido al cabezón de una bestia. || Parte que arranca de la línea principal de un camino, acequia, mina, cordillera, etc. || fig. Parte o división que resulta o nace de una cosa con relación y dependencia de ella, como rama suya.

ramalazo. m. Golpe que se da con el ramal. || Señal que deja este golpe. || fig. Dolor agudo que impensadamente acomete a lo largo de una parte del cuerpo. || fig. Adversidad que, por inesperada, sobrecoge y sorprende.

rambla. f. Lecho natural de las aguas pluviales cuando la precipitación es copiosa. || En determinados pueblos y ciudades, avenida, calle ancha con árboles.

rameado, da. adj. Dícese del dibujo o pintura de ramos efectuado sobre tejidos, papeles, etc.

ramera. f. Mujer que comercia con su cuerpo y hace ganancia con los placeres de la carne. || Aplícase también a la mujer lasciva. [*Sinón.*: prostituta, puta]

ramificación. f. Acción y efecto de ramificarse. || fig. Conjunto de consecuencias que se siguen necesariamente de un hecho o suceso.

ramificarse (al. *sich verzweigen*, fr. *se ramifier*, ingl. *to ramify*, it. *diramarsi*). r. Esparcirse y dividirse en ramas alguna cosa. || fig. Propagarse, extenderse las consecuencias de un hecho o suceso. |*Sinón.*: dividirse. *Antón.*: unirse|

ramillete (al. *Blumenstrauss*, fr. *bouquet*, ingl. *nosegay*, it. *mazzo di fiori*). m. Ramo pequeño de flores o hierbas olorosas formado artificialmente. || fig. Colección de especies exquisitas y útiles en una materia. || BOT. Conjunto de flores que forman una cima o copa contraída.

ramio. m. BOT. Planta urticácea de flores verdes, utilizada como textil.

ramiza. f. Conjunto de ramas cortadas. || Lo que se hace de ramas.

ramnáceo, a. adj. BOT. Dícese de árboles y arbustos dicotiledóneos, a veces espinosos, de hojas sencillas, alternas u opuestas, flores pequeñas, solitarias o en racimo, y fruto en drupa; como la aladierna. Ú.t.c.s.f. || f. pl. Familia de estas plantas.

ramo (al. *Zweig*, fr. *rameau*, ingl. *bough*, it. *ramo*). m. Rama de segundo orden que brota de la rama madre o principal. || Rama cortada del árbol. || Conjunto o manojo de flores, ramas o hierbas o de unas y otras cosas, ya sea natural o artificial. || fig. Cada una de las partes en que se considera dividida una ciencia, arte, industria, etc. [*Sinón.*: ramillete]

ramonear. intr. Cortar las puntas de las ramas de los árboles. || Pacer los animales las hojas y las puntas de los ramos de los árboles.

ramoso, sa. adj. Que tiene muchos ramos o ramas.

rampa (al. *Rampe*, fr. *rampe*, ingl. *slope*, it. *pendio*). f. Calambre de los músculos. || Plano inclinado dispuesto para subir y bajar por él.

rampante. adj. BLAS. Dícese del león u otro animal que está en el campo del escudo de armas con la mano abierta y las garras tendidas en ademán de agarrar o asir. || ARQ. Dícese de la construcción en declive como el arco o la bóveda que tienen sus impostas oblicuas o a distinto nivel.

ramplón, na. adj. Aplícase al calzado tosco y de suela muy gruesa y ancha. || fig. Tosco, vulgar, desaliñado. [*Sinón.*: basto]

ramplonería. f. Calidad de ramplón o tosco. || Dicho o hecho ramplón.

rampollo. m. AGR. Rama que se corta para plantarla.

rana (al. *Frosch*, fr. *grenouille*, ingl. *frog*, it. *rana*). f. ZOOL. Batracio anuro con el dorso de color verde manchado de oscuro y el abdomen blanco, cabeza grande, ojos prominentes, cuerpo algo deprimido y patas traseras largas a propósito para el salto. Vive en las inmediaciones de aguas corrientes o estancadas y se alimenta de animalillos acuáticos y terrestres. || Juego que consiste en introducir desde cierta distancia una chapa o moneda por la boca de una rana de metal colocada sobre una mesilla, o por otras ranuras convenientemente dispuestas. || pl. Ránula, tumor blando bajo la lengua. || *salir rana* una persona o cosa. fig. y fam. Defraudar; frustrarse la confianza depositada en dicha persona o cosa.

rancajo. m. Punta o astilla de cualquier cosa que se clava en la carne.

ranciedad. f. Calidad de rancio. || Cosa anticuada.

rancio, cia (al. *ranzig*, fr. *rance*, ingl. *rancid*, it. *rancido*). adj. Dícese del vino y de los comestibles grasientos que con el tiempo adquieren sabor y olor más fuertes, mejorándose o echándose a perder. || fig. Dícese de las cosas antiguas y de las personas apegadas a ellas.

ranchería. f. Conjunto de ranchos o chozas.

ranchero. m. El que guisa el rancho y cuida de él. || El que gobierna un rancho.

rancho (al. *Menage, Hütte;* fr. *gamelle, ranch;* ingl. *mess, ranch;* it. *rancio*). m. Comida que se hace en común para un crecido número de personas. || Conjunto de individuos que toman a un tiempo esta comida. || Lugar, fuera de poblado, donde se albergan diversas familias o personas. || Choza o casa pobre con techumbre de ramas o paja, fuera de poblado. || *Amer.* Granja donde se crían caballos y otros cuadrúpedos. || MAR. Cada una de las divisiones que se hacen de la marinería para el buen orden y disciplina de los buques de guerra. || MAR. Provisión de comida que embarca el comandante, o los individuos que forman rancho.

randa. f. Guarnición de encaje para adorno de los vestidos, ropa blanca y otras cosas. || Encaje de bolillos. || fam. Ratero, granuja.

ranglán. m. Raglán.

rango (al. *Rang,* fr. *rang,* ingl. *rank,* it. *rango*). m. Índole, clase, categoría. || *Amer.* Situación social elevada. || *Amer.* Rumbo, esplendidez.

ranilla. f. Parte más blanda y flexible del casco de las caballerías. || Enfermedad del ganado vacuno, consistente en cuajársele en los intestinos, especialmente en el recto, cierta porción de sangre que no puede expeler.

ranina. adj. ANAT. Dícese de la arteria que envía ramificaciones a la parte anterior de la lengua. || ANAT. Dícese de la vena situada en la parte inferior de la lengua.

ránula. f. MED. Tumor blando debajo de la lengua. || VET. Tumor carbuncoso que se forma debajo de la lengua al ganado caballar y vacuno.

ranunculáceo, a. adj. BOT. Dícese de plantas angiospermas dicotiledóneas, arbustos o hierbas, con hojas por lo común alternas, simples y sin estípulas, flores de colores brillantes, solitarias o agrupadas en racimo o en panoja, y fruto seco con semillas de albumen córneo; como la peonía. Ú.t.c.s.f. || f. pl. Familia de estas plantas.

ranúnculo. m. BOT. Planta herbácea anual, ranunculácea, que contiene un jugo acre muy venenoso.

ranura (al. *Nute,* fr. *rainure,* ingl. *groove,* it. *scanalatura*). f. Canal estrecha y larga que se abre en un madero, piedra u otro material.

raña. f. Instrumento con garfios utilizado para pescar pulpos.

raño. m. ZOOL. Pez marino acantopterigio, de color amarillo en la cabeza y lomo, y rojo amarillento en el vientre. || Garfio de hierro con mango largo de madera, para arrancar de las peñas las ostras, lapas, etc.

rapa. f. Flor del olivo.

rapacería. f. Rapacidad.

rapacidad. f. Calidad de rapaz, o inclinado al robo. [*Sinón.:* rapacería, rapiña]

rapadura. f. Acción y efecto de rapar o raparse las barbas y el pelo.

rapapolvo. m. fam. Represión áspera.

rapar. tr. Afeitar la barba. Ú.t.c.r. || Cortar el pelo al rape. [*Sinón.:* rasurar]

rapaz (al. *habsüchtig,* fr. *rapace,* ingl. *rapacious,* it. *rapace*). adj. Inclinado o dado al hurto, robo o rapiña. || ↗ *ave rapaz.* Ú.t.c.s. || f. pl. Orden de estas aves. || m. Muchacho de corta edad.

rapaza. f. Muchacha de corta edad.

rape. m. fam. Rasura o corte de la barba hecho de prisa y sin cuidado. || *al rape.* m. adv. Hablando del pelo, cortado de raíz.

rape. m. ZOOL. Pez teleósteo acantopterigio, con cabeza enorme, redonda y aplastada, boca muy grande y situada como los ojos en la parte superior de la cabeza, y cuerpo pequeño y fusiforme desprovisto de escamas. Es comestible y su carne es muy apreciada. [*Sinón.:* pejesapo]

rapé. adj. Dícese del tabaco en polvo que antiguamente se absorbía por la nariz. Ú.m.c.s.

rapidez. f. Movimiento acelerado, gran velocidad en los desplazamientos. [*Sinón.:* prontitud, celeridad, presteza. *Antón.:* lentitud]

rápido, da (al. *schnell,* fr. *rapide,* ingl. *quick,* it. *rapido*). adj. Veloz, pronto, impetuoso y como arrebatado. || m. Río o torrente que discurre con violencia. [*Sinón.:* raudo, vertiginoso, ligero. *Antón.:* lento]

rapiña (al. *Raub,* fr. *rapine,* ingl. *rapine,* it. *rapina*). f. Robo, expoliación o saqueo que se ejecuta arrebatando con violencia. [*Sinón.:* pillaje, desvalijamiento]

rapiñar. tr. fam. Hurtar o quitar algo arrebatándolo.

raposa. f. Zorra, animal. || fig. y fam. Persona astuta.

raposear. intr. Usar de ardides o trampas.

raposo. m. Zorro, mamífero carnívoro. || fig. y fam. Hombre taimado y astuto.

rapsoda. m. El que en la Grecia antigua iba de pueblo en pueblo cantando fragmentos de los poemas homéricos u otras poesías. || Por ext., recitador de versos.

rapsodia (al. *Rhapsodie,* fr. *rhapsodie,* ingl. *rhapsody,* it. *rapsodia*). f. Fragmento de un poema, en especial de alguno homérico. || Pieza musical formada con fragmentos de otras o de aires populares.

raptar. tr. Sacar a una mujer, violentamente o con engaño, de la casa y potestad de sus padres y parientes. || Úsase también, erróneamente, como sinónimo de secuestrar.

rapto (al. *Entführung,* fr. *rapt,* ingl. *rape,* it. *rapimento*). m. Impulso súbito y violento, arrebato. || Delito que consiste en llevarse de su domicilio, con miras deshonestas, a unaꝛ mujer por fuerza o por medio de ruegos y promesas engañosas; o tratándose de niña menor de doce años. || Éxtasis, estado del alma. || MED. Accidente que priva del sentido.

raptor, ra. adj. Que comete rapto. Ú.t.c.s.

raque. m. Acto de coger los restos perdidos en las costas por algún naufragio.

raqueta (al. *Tennisschläger,* fr. *raquette,* ingl. *racket,* it. *racchetta*). f. DEP. Bastidor de madera con mango que sujeta una red y que se emplea como pala en algunos juegos. || Juego de pelota en que se emplea la pala. || Utensilio de madera en forma de rastrillo sin dientes, que se usa en las mesas de juego para recoger el dinero.

raquis. m. ANAT. Espinazo, columna vertebral. || BOT. Raspa o eje de la espiga o racimo.

raquítico, ca (al. *rhachitisch,* fr. *rachitique,* ingl. *rickety,* it. *rachitico*). adj. Que padece raquitismo. Ú.t.c.s. || fig. Exiguo, mezquino, desmedrado, endeble.

raquitismo. m. PAT. Enfermedad crónica que por lo común sólo padecen los niños, y que consiste en un reblandecimiento y encorvamiento de los huesos, sobre todo del raquis o espinazo.

rarefacción. f. Acción y efecto de rarefacer o rarefacerse.

rarefacer. tr. Enrarecer, hacer menos denso un cuerpo gaseoso. Ú.t.c.r.

rareza. f. Calidad de raro. || Cosa rara. || Acción característica de la persona rara o extravagante. [Sinón.: escasez]

rarificar. tr. Rarefacer. Ú.t.c.r.

raro, ra (al. selten; fr. rare; ingl. odd, scarce; it. raro). adj. Que tiene poca densidad y consistencia. Dícese principalmente de los gases enrarecidos. || Extraordinario, poco común o frecuente. || Escaso en su clase o especie. || Insigne, sobresaliente o excelente en su línea. || Extravagante. [Sinón.: original, insólito, inaudito. Antón.: frecuente]

ras. m. Igualdad en la superficie o altura de la cosas. || a ras. m. adv. Casi tocando, casi a nivel de una cosa.

rasante. p.a. de rasar. || adj. Que rasa. || f. Línea de una calle o camino considerada en su inclinación o paralelismo respecto del plano horizontal.

rasar. tr. Igualar con el rasero las medidas de trigo y otras cosas. || Pasar rozando ligeramente un cuerpo con otro. [Sinón.: nivelar]

rascacielos. m. Edificio muy alto y de muchos pisos.

rascador. m. Cualquiera de los varios instrumentos que sirven para rascar. || Instrumento de hierro para desgranar el maíz y otros frutos. [Sinón.: rascadera]

rascadura. f. Acción y efecto de rascar o rascarse.

rascar (al. kratzen, fr. gratter, ingl. to scratch, it. grattare). tr. Frotar fuertemente la piel con una cosa aguda o áspera o con las uñas. Ú.t.c.r. || Arañar. || Limpiar con rascador alguna cosa. || Producir sonido estridente al tocar con el arco un instrumento de cuerda. [Sinón.: raer]

rascatripas. com. Persona que toca el violín u otro instrumento de arco con poca habilidad.

rascazón. f. Comezón que incita a rascarse.

rasero (al. Streichholz, fr. radoire, ingl. strickle, it. rasiera). m. Palo cilíndrico que sirve para rasar las medidas de los áridos. || por el mismo, o por un, rasero. m. adv. fig. Con rigurosa igualdad, sin la menor diferencia.

rasgado, da. adj. Dícese del balcón o ventana que se abre mucho y tiene mucha luz. || m. Rasgón.

rasgadura. f. Acción y efecto de rasgar. || Rotura o rasgón de una tela.

rasgar. tr. Romper o hacer pedazos a viva fuerza y sin ningún instrumento cosas de poca consistencia, como teji-

dos, papel, etc. Ú.t.c.r. || Tocar la guitarra rozando a la vez varias cuerdas. [Sinón.: desgarrar]

rasgo (al. Strich, fr. trait, ingl. stroke, it. tratto). m. Línea o trazo, especialmente de adorno, que se hace sobre el papel al escribir. || fig. Acción gallarda y notable en cualquier concepto. || Facción del rostro. Ú.m. en pl. || Peculiaridad, propiedad o nota distintiva. || a grandes rasgos. m. adv. De un modo general, sin entrar en pormenores.

rasgón. m. Rotura de un vestido o tela.

rasguear. tr. Tocar la guitarra u otro instrumento rozando varias cuerdas a la vez con la punta de los dedos.

rasgueo. m. Acción y efecto de rasguear.

rasguñar. tr. Arañar o rascar con las uñas o con algún instrumento cortante.

rasguño. m. Arañazo.

rasilla. f. Cierta tela delgada de lana. || Ladrillo hueco y más delgado que el corriente, que se emplea para forjar bovedillas y otras obras de fábrica.

raso, sa (al. eben, Atlasstoff; fr. ras, satin; ingl. level, satin; it. rasato, raso). adj. Plano, liso, desembarazado de estorbos. Ú.t.c.s. || Aplícase al asiento o silla que no tiene respaldo. || Dícese del que carece de título o grado que le distinga. || Dícese también de la atmósfera cuando está libre y desembarazada de nubes. || Que pasa o se mueve a poca altura del suelo. || m. Tela de seda lustrosa, de más cuerpo que el tafetán y menos que el terciopelo. || al raso, o a la rasa. m. adv. En el campo o a cielo abierto. [Sinón.: llano, común]

raspa. f. Filamento del cascabillo del grano de trigo y de otras gramíneas. || Cuerpo extraño que se agarra a los puntos de la pluma de escribir. || En los pescados, cualquier espina, especialmente el espinazo. || Amer. Reproche, reprimenda. || Bot. Eje o pedúnculo común de las flores y frutos de una espiga o un racimo.

raspador. m. Instrumento que sirve para raspar. [Sinón.: rasqueta, raedor]

raspadura. f. Acción y efecto de raspar. || Lo que al raspar se quita de la superficie. [Sinón.: raedura, rasura]

raspar. tr. Raer ligeramente la superficie de una cosa. || Picar el vino u otro licor al paladar. || Hurtar, robar. || Rasar, pasar rozando ligeramente. || Amer. Reprender, amonestar.

raspear. intr. Correr con aspereza y dificultad la pluma de escribir, despi-

diendo pequeñas chispas de tinta. || tr. Reprender, reconvenir.

rasposo, sa. adj. Que tiene abundantes raspas. || fig. Áspero al tacto o al paladar. || fig. De trato desapacible. || Amer. Dícese de la prenda de vestir miserable, raída o en mal estado, y del que la lleva. || Amer. Roñoso, mezquino, tacaño. Ú.t.c.s.

rasqueta. f. Planchuela de hierro, de cantos afilados y con mango, que se usa para raer y limpiar los palos, cubiertas y costados de las embarcaciones. || Amer. Chapa dentada para limpiar el pelo de las caballerías.

rastra. f. Rastro de recoger hierba, paja, etc. || Vestigio o señal que deja una cosa. || Grada, instrumento para allanar la tierra después de arada. || Cualquier cosa que va colgando y arrastrando. || Persona cuya presencia hace presumir la de otra a quien suele acompañar. || Entre ganaderos, cría de una res, especialmente la que aún mama y sigue a su madre. || a la rastra, o a rastras. m. adv. Arrastrando. || fig. De mal grado, obligado y forzado.

rastrear. tr. Seguir el rastro o buscar alguna cosa por él. || fig. Inquirir, indagar, averiguar una cosa por conjeturas y señales. || intr. Hacer alguna labor con el rastro. || Ir por el aire, pero casi tocando el suelo. [Sinón.: buscar]

rastrero, ra. adj. Que va arrastrando. || Aplícase a las cosas que van por el aire, pero casi tocando el suelo. || fig. Bajo, vil, despreciable. || Bot. Dícese del tallo de una planta que, tendido por el suelo, echa raicillas de trecho en trecho. [Sinón.: abyecto, miserable. Antón.: noble, digno]

rastrillar. tr. Limpiar el lino o cáñamo de la arista o estopa. || Recoger con el rastro la parva en las eras o la hierba segada en los prados. || Pasar la rastra por los sembrados. || Limpiar de hierba con el rastrillo.

rastrillo (al. Rechen, fr. râteau, ingl. rake, it. rastrello). m. Tabla con muchos dientes, sobre los que se pasa el lino o cáñamo para apartar la estopa y separar bien las fibras. || Estacada, verja o puerta de hierro que defiende la entrada de una fortaleza o de un establecimiento penitenciario. || Rastro para recoger hierba y herramienta para extender grava o piedras.

rastro (al. Spur, fr. trace, ingl. track, it. traccia). m. Instrumento para recoger hierba, paja, etc., compuesto de un mango largo cruzado en un extremo por un travesaño con púas. || Herramienta a manera de azada, que en vez de pala tiene dientes, utilizada para extender grava y para usos análogos. || Vestigio, señal o indicio de un acontecimiento. || Matadero de reses. || Señal, huella que queda de una cosa.

rastrojera. f. Conjunto de tierras que han quedado de rastrojo. || Temporada en que los ganados pastan los rastrojos.

rastrojo. m. Residuo de las cañas de la mies que queda en la tierra después de segar. || El campo después de segada la mies y antes de recibir nueva labor.

rasurar. tr. Raer el pelo del cuerpo, especialmente de la barba y el bigote. Ú.t.c.r.

rata (al. *Ratte,* fr. *rat,* ingl. *rat,* it. *rata*). f. ZOOL. Mamífero roedor de cabeza pequeña, hocico puntiagudo, orejas tiesas, patas cortas, cola larga y delgada, y pelaje gris oscuro. Es un animal muy fecundo, destructor y voraz, y vive por lo común en edificios y embarcaciones. || m. fam. Ratero, ladrón. || — *de agua.* Roedor del tamaño de la rata común, pero de cola corta y costumbres acuáticas. || *más pobre que las ratas,* o *que una rata.* expr. fig. y fam. Sumamente pobre.

ratafía. f. Rosoli en que entra zumo de ciertas frutas, principalmente cerezas o guindas.

ratear. tr. Hurtar con destreza cosas pequeñas. || intr. Andar a rastras con el cuerpo pegado a la tierra.

ratería. f. Hurto de cosas de poco valor. || Acción de hurtarlas con maña y cautela. || Vileza, bajeza o ruindad en los tratos o negocios.

ratero, ra. adj. Dícese del ladrón que hurta con maña y cautela cosas de poco valor. Ú.m.c.s. || Bajo, vil, despreciable. [*Sinón.:* descuidero, caco]

raticida. m. Sustancia que se emplea para exterminar ratas y ratones.

ratificación. f. Acción y efecto de ratificar o ratificarse. [*Sinón.:* confirmación, corroboración. *Antón.:* anulación]

ratificar (al. *ratifizieren,* fr. *ratifier,* ingl. *to ratify,* it. *ratificare*). tr. Aprobar o confirmar actos, palabras o escritos dándolos por valederos y ciertos. Ú.t.c.r. [*Sinón.:* confirmar, corroborar]

rato. adj. Dícese del matrimonio celebrado legítimamente que no ha llegado aún a consumarse.

rato (al. *Weile,* fr. *moment,* ingl. *while,* it. *pezzo di tempo*). m. Porción indeterminada de tiempo, que puede ser poco más que un momento o durar cuanto dure sin interrupción una acción no larga que en ese tiempo se realiza. ||Con los adjetivos *bueno, malo* o semejantes, momento vivido con placer o disgusto. || Trecho o distancia. || *a ratos.* m. adv. De rato en rato; a veces. || *al poco rato, al rato.* locs. advs. Poco después, al poco tiempo. || *de rato en rato.* m. adv. Con algunas intermisiones de tiempo. || *para rato.* fam. Con distintos verbos (*ir, tener* y otros), se dice de lo que se presume que durará mucho, o que tardará mucho en ocurrir. || *pasar el rato.* fam. Distraerse, divertirse, entretenerse. ||Conversar de manera grata y agradable. || Perder el tiempo. || *un rato,* o *un rato largo.* loc. adv. Mucho o muy.

ratón (al. *Maus,* fr. *souris,* ingl. *mouse,* it. *sorcio*). m. ZOOL. Mamífero roedor semejante a la rata, pero más pequeño, que vive en las casas, donde es muy perjudicial por lo que roe y destruye. Hay especies de campo.

ratonera. f. Trampa para cazar ratones. || Agujero que hace el ratón para entrar y salir por él. || Madriguera de ratones.

ratonero, ra. adj. Perteneciente o relativo a los ratones. [*Sinón.:* ratonesco, ratonil]

raudal. m. Corriente de agua que fluye con fuerza. || fig. Abundancia de cosas que rápidamente y como de golpe concurren o se derraman.

raudo, da. adj. Rápido, violento, precipitado. [*Sinón.:* veloz, ligero. *Antón.:* lento]

raviolis. m. pl. Trozos de pasta análoga a la de los macarrones, que se rellenan de picadillo de carne, pescado o verdura.

raya (al. *Strich,* fr. *raie,* ingl. *streak,* it. *riga*). f. Señal larga y estrecha que se hace o forma en un cuerpo cualquiera. || Término, confín o límite de una nación, provincia, región o distrito; o lindero de un predio que tiene mucha extensión. || Término que se pone a una cosa. || Señal que queda en la cabeza al peinarse dividiendo los cabellos a uno y otro lado. || GRAM. Guión algo más largo usado para separar oraciones incidentales o indicar el diálogo en los escritos. || *a raya.* m. adv. Dentro de los justos límites. Ú. casi siempre con los verbos *poner* y *tener.* || *pasar de la raya,* o *de raya.* fig. Propasarse, tocar en los términos de la desatención o descortesía, o excederse en cualquier línea. [*Sinón.:* línea, trazo]

raya (al. *Rochen,* fr. *raie,* ingl. *ray,* it. *razza*). f. ZOOL. Pez selacio del suborden de los ráyidos, con cuerpo en forma de un disco romboidal, aletas dorsales pequeñas y situadas en la cola, larga y delgada, y aleta caudal rudimentaria.

rayadillo. m. Tela de algodón rayada.

rayado, da. p. p. de rayar. || adj. Que tiene rayas. || m. Conjunto de rayas o listas en una tela, papel, etc. || Acción y efecto de rayar.

rayano, na. adj. Que confina o linda con una cosa. ||Que está en la raya que divide dos territorios. || fig. Cercano, con semejanza que se aproxima a la igualdad.

rayar (al. *linieren,* fr. *rayer,* ingl. *to stripe,* it. *rigare*). tr. Hacer o trazar rayas. || Tachar lo manuscrito o impreso con una o varias rayas. || Subrayar. || intr. Confinar una cosa con otra. ||Con las voces *alba, día, luz, sol,* amanecer, alborear. || fig. Asemejarse una cosa a otra. [*Sinón.:* linear; lindar]

ráyido. adj. Dícese de peces selacios de cuerpo deprimido, con las aberturas branquiales en la parte inferior del cuerpo y con la cola larga y delgada; como la raya. Ú.t.c.s. || m. pl. Suborden de estos animales.

rayo (al. *Strahl, Blitz;* fr. *rayon, foudre;* ingl. *ray, thunderbolt;* it. *raggio, fulmine*). m. FIS. Cada una de las líneas que parten del punto en que se produce una determinada forma de energía y señalan la dirección en que es transmitida por un movimiento vibratorio. || Línea de luz procedente de un cuerpo luminoso, y en especial de las que vienen del Sol. || Chispa eléctrica de gran intensidad producida por descarga entre dos nubes o entre una nube y la Tierra. || fig. Cualquier cosa que tiene gran fuerza o eficacia en su acción. || fig. Persona pronta de ingenio, o ligera en sus acciones. || fig. Dolor penetrante y momentáneo. || fig. Estrago, infortunio o castigo improviso y repentino. || — *de luz.* fig. Especie que se ofrece repentinamente a la inteligencia, con que se aclara y explica una duda o ignorancia. || *rayos X.* Ondas electromagnéticas penetrantes que atraviesan ciertos cuerpos, producidas por la emisión de los electrones internos del átomo; originan impresiones fotográficas y se utilizan en medicina como medio de investigación y de tratamiento. ||*echar rayos* uno. fig. Manifestar ira o enojo con acciones o palabras.

rayón. m. Filamento textil, obtenido artificialmente, de propiedades parecidas a las de la seda. ‖ Tela fabricada con este filamento.

raza (al. *Rasse,* fr. *race,* ingl. *race,* it. *razza*). f. Casta o calidad del origen o linaje. ‖ Cada uno de los grupos en que se subdividen algunas especies botánicas y zoológicas y cuyos caracteres diferenciales se perpetúan por herencia. ‖ *razas humanas.* Grupos de seres humanos que por el color de su piel y otros caracteres se distinguen unos de otros.

razón (al. *Vernunft, Recht;* fr. *raison;* ingl. *reason;* it. *ragione*). f. Facultad de discurrir. ‖ Acto de discurrir el entendimiento. ‖ Palabras o frases con que se expresa el discurso. ‖ Argumento o demostración que se aduce en apoyo de alguna cosa. ‖ Motivo o causa. ‖ Orden y método de una cosa. ‖ Justicia, rectitud en las operaciones, o derecho para ejecutarlas. ‖ Cuenta, relación, cómputo. ‖ fam. Recado, mensaje, aviso. ‖ MAT. Cociente de dos números o, en general, de dos cantidades comparables entre sí. ‖ — *de estado.* Razón para hacer algo las personas relacionadas con el gobierno de un país, fundada en la conveniencia política. ‖ — *natural.* Potencia discursiva del hombre, prescindiendo de toda ciencia que la ilustre. ‖ — *social.* COM. Nombre y firma con que es conocida y trabaja una entidad mercantil. ‖ *a razón.* m. adv. Al respecto. Ú. en las imposiciones de censo y dinero a intereses. ‖ *asistir la razón* a uno. Tenerla de su parte. ‖ *dar razón.* Notificar, informar de un asunto. ‖ *meter* a uno *en razón.* Obligarle a obrar razonablemente. ‖ *perder* uno *la razón.* Volverse loco; hacer o decir algo perjudicial para el propio derecho o causa. [*Sinón.*: raciocinio, discernimiento; móvil; proporción]

razonable (al. *vernünftig,* fr. *raisonnable,* ingl. *reasonable,* it. *ragionèvole*). adj. Arreglado, justo, conforme a razón. ‖ fig. Mediano, regular, bastante en calidad o en cantidad. [*Sinón.*: fundado, racional, moderado]

razonamiento. m. Acción y efecto de razonar. ‖ Serie de conceptos encaminados a demostrar una cosa o a persuadir a alguien.

razonar (al. *vernünftig reden,* fr. *raisonner,* ingl. *to reason,* it. *ragionare*), intr. Discutir manifestando lo que se discurre, o hablar dando razones para probar una cosa. ‖ tr. Tratándose de dictámenes, cuentas, etc., exponer,

aducir las razones o documentos en que se apoyan. [*Sinón.*: raciocinar, reflexionar]

razzia. f. Incursión o correría sobre un país pequeño y sin más objeto que el botín.

re-. Elemento compositivo que denota reintegración o repetición, aumento, oposición o resistencia, movimiento hacia atrás, negación o inversión del significado y encarecimiento.

re. m. MÚS. Segunda nota de la escala musical.

rea. f. *Amer.* Mujer descuidada de su persona y de baja condición social. ‖ *Amer.* Ramera.

reacción (al. *Gegenwirkung, Reaktion;* fr. *réaction;* ingl. *reaction;* it. *reazione*). f. Acción que resiste o se opone a otra acción. ‖ Tendencia política opuesta a las innovaciones. Dícese también del conjunto de sus partidarios. ‖ FÍS. Fuerza que un cuerpo sujeto a la acción de otro ejerce sobre él en dirección opuesta. ‖ MED. Período de calor y frecuencia de pulso que en algunas enfermedades sucede al frío. ‖ MED. Acción orgánica tendente a contrarrestar la influencia de un agente morbídico. ‖ QUÍM. Transformación de especies químicas que da origen a otras nuevas. ‖ — *en cadena.* FÍS. y QUÍM. La que da lugar a productos que ocasionan otra reacción igual a la primera, y así sucesivamente.

reaccionar (al. *reagieren,* fr. *réagir,* ingl. *to react,* it. *reagire*). intr. Actuar un ser por reacción de la actuación de otro. ‖ Empezar a recobrar uno la actividad fisiológica que tenía perdida en apariencia. ‖ Mejorar uno en su salud o funciones vitales alteradas o perturbadas por algo. ‖ Salir uno o una cosa de la postración en que estaba. ‖ Oponerse a algo que se cree inadmisible. ‖ Cambiar de opinión o conducta ante un dato o hecho nuevo. ‖ MEC. Producir un cuerpo una fuerza igual y contraria a la que sobre él actúa. ‖ QUÍM. Actuar una sustancia en combinación con otra produciendo una nueva sustancia.

reaccionario, ria. adj. Que propende a restablecer lo abolido. Ú.t.c.s. ‖ Opuesto a las innovaciones. Ú.t.c.s.

reacio, cia. adj. Remolón, indócil a la obediencia. [*Sinón.*: remiso]

reactivación. f. Acción y efecto de reactivar.

reactivar. tr. Volver a activar.

reactivo, va. adj. Dícese de lo que produce reacción. Ú.m.c.s.m.

reactor. m. FÍS. Instalación para la

producción y regulación de escisiones nucleares mediante la liberación de neutrones. ‖ Motor de reacción. ‖ Avión que usa motor de reacción.

readmisión. f. Admisión por segunda o más veces.

readmitir. tr. Volver a admitir.

reagrupación. f. Acción y efecto de reagrupar o reagruparse.

reagrupamiento. m. Reagrupación.

reagrupar. tr. Agrupar de nuevo o de modo diferente lo que ya estuvo agrupado. Ú.t.c.r.

reajustar. tr. Volver a ajustar. ‖ Por eufemismo, hablando de precios, salarios, impuestos, etc., aumentar su cuantía, subirlos.

reajuste. m. Acción y efecto de reajustar.

real (al. *wirklich, königlich;* fr. *réel, royal;* ingl. *real, royal;* it. *reale*). adj. Que tiene existencia verdadera y efectiva. ‖ Perteneciente o relativo al rey o a la realeza. ‖ fig. Regio, suntuoso, grandioso. ‖ fig. y fam. Muy bueno. ‖ m. Campo donde se celebra una feria. ‖ Moneda de plata u otros metales que equivalía a veinticinco céntimos de peseta. ‖ *Amer.* Moneda fraccionaria de diferentes valores.

real. m. Campamento de un ejército y especialmente el lugar donde está la tienda del rey o general. Ú.t. en pl. y en sent. fig. ‖ *asentar los reales.* Acampar un ejército. ‖ fig. Fijarse o domiciliarse en un lugar.

realce. m. Adorno o labor que sobresale en la superficie de una cosa. ‖ fig. Lustre, estimación, grandeza sobresaliente. [*Sinón.*: relieve, brillo]

realengo, ga. adj. Dícese de los terrenos pertenecientes al Estado. ‖ *Amer.* Vago, desocupado, callejero, holgazán.

realeza. f. Dignidad o soberanía real.

realidad (al. *Wirklichkeit,* fr. *réalité,* ingl. *reality,* it. *realtà*). f. Existencia real y efectiva de una cosa. ‖ Verdad, ingenuidad, sinceridad. ‖ *en realidad.* m. adv. Efectivamente, sin duda alguna.

realismo (al. *Realismus,* fr. *réalisme,* ingl. *realism,* it. *realismo*). m. Sistema estético que asigna como fin a las obras artísticas o literarias la imitación de la naturaleza. ‖ FIL. Doctrina filosófica según la cual las ideas generales y los géneros tienen existencia real.

realista. adj. Partidario del realismo. Ú.t.c.s. ‖ Perteneciente al realismo o a los realistas.

realización. f. Acción y efecto de realizar o realizarse.

realizar (al. *verwirklichen*, fr. *réaliser*, ingl. *to realize*, it. *realizzare*). tr. Efectuar, hacer real y efectiva una cosa. Ú.t.c.r. ‖ Com. Vender, convertir en dinero mercaderías o cualquier otra clase de bienes. [*Sinón.*: ejecutar]

realquilado, da. p. p. de realquilar. ‖ adj. Dícese de la persona que vive en régimen de alquiler en un lugar alquilado por otra persona. Ú.t.c.s.

realquilar. tr. Alquilar un piso, local o habitación el arrendatario de ellos a otra persona.

realzar (al. *erheben*, fr. *rehausser*, ingl. *to raise*, it. *rialzare*). tr. Levantar o elevar una cosa más de lo que ya estaba. Ú.t.c.r. ‖ Labrar con realce. ‖ fig. Ilustrar o engrandecer. Ú.t.c.r. ‖ Pint. Iluminar algo procurando favorecerlo lo más posible. [*Sinón.*: destacar]

reanimar. tr. Confortar, dar vigor, restablecer las fuerzas. Ú.t.c.r. ‖ fig. Infundir ánimo y valor al que está abatido. Ú.t.c.r. [*Sinón.*: reforzar, confortar]

reanudación. f. Acción y efecto de reanudar.

reanudar. tr. fig. Renovar o continuar el trato, estudio, trabajo, conferencia, etc. Ú.t.c.r. [*Sinón.*: proseguir, continuar. *Antón.*: interrumpir]

reaparecer. intr. Volver a aparecer o a mostrarse.

reaparición. f. Acción y efecto de reaparecer.

rearmar. tr. Equipar nuevamente con armamento militar o reforzar el que ya existía. Ú.t.c.r.

rearme. m. Acción y efecto de rearmar o rearmarse.

reaseguro. m. Contrato por el cual se asegura, total o parcialmente un riesgo ya cubierto por otro asegurador.

reasumir. tr. Volver a tomar lo que antes se tenía o se había dejado. ‖ Hacerse cargo en casos extraordinarios una autoridad superior de las facultades de las inferiores.

reasunción. f. Acción y efecto de reasumir.

reata. f. Cuerda, tira o faja que sirve para sujetar algunas cosas. ‖ Cuerda o correa que ata y une dos o más caballerías para que vayan en hilera una detrás de otra. ‖ Hilera de caballerías que van de reata.

reavivar. tr. Volver a avivar, o avivar intensamente.

rebaba. f. Porción de materia sobrante que forma resalto en los bordes o en la superficie de un objeto cualquiera. [*Sinón.*: reborde]

rebaja. f. Disminución o descuento en el precio de una cosa. Ú.m. en pl.

rebajado, da. p. p. de rebajar. ‖ m. Soldado rebajado del servicio.

rebajar (al. *herabsetzen*, fr. *abaisser*, ingl. *to rebate*, it. *abbassare*). tr. Hacer más bajo el nivel o superficie horizontal de un terreno u otra cosa. ‖ Hacer nueva baja de una cantidad en las posturas. ‖ fig. Humillar, abatir. Ú.t.c.r. ‖ r. En algunos hospitales, darse por enfermo alguno de los asistentes. ‖ Quedar dispensado del servicio un militar.

rebalsar. tr. Detener y recoger el agua u otro líquido de forma que haga balsa. Ú.m.c. intr. y c.r.

rebalse. m. Acción y efecto de rebalsar o rebalsarse. ‖ Estancamiento de aguas que son corrientes de ordinario.

rebanada (al. *Brotschnitte*, fr. *tranche*, ingl. *slice*, it. *fetta*). f. Porción delgada, ancha y larga que se saca de una cosa, y especialmente del pan, cortando de un extremo al otro.

rebanar. tr. Hacer rebanadas una cosa o de alguna cosa. ‖ Cortar o dividir una cosa de una parte a otra.

rebañar. tr. Juntar y recoger una cosa sin dejar nada. ‖ Recoger de un plato o vasija los residuos de alguna cosa comestible hasta apurarla.

rebaño (al. *Herde*, fr. *troupeau*, ingl. *flock*, it. *gregge*). m. Hato grande de ganado. ‖ fig. Congregación de los fieles respecto de sus pastores espirituales.

rebasar. tr. Pasar o exceder de cierto límite. [*Sinón.*: extralimitarse, desbordarse]

rebatimiento. m. Acción y efecto de rebatir.

rebatir (al. *widerlegen*, fr. *rebattre*, ingl. *to rebut*, it. *ribattere*). tr. Rechazar o contrarrestar la fuerza o violencia de uno. ‖ Volver a batir. ‖ Redoblar, reforzar. ‖ Impugnar, refutar. ‖ fig. Resistir, rechazar, hablando de tentaciones, sugestiones y propuestas.

rebato. m. Convocación de los vecinos de un lugar, mediante campana, tambor, etc., para defenderse cuando sobreviene un peligro. ‖ fig. Alarma ocasionada por algún acontecimiento repentino. ‖ Mil. Acometimiento repentino que se hace al enemigo. ‖ *tocar a rebato.* fig. Dar la señal de alarma ante cualquier peligro.

rebeco. m. Gamuza, especie de antílope.

rebelarse (al. *sich empören*, fr. *se rébeller*, ingl. *to rebel*, it. *ribellarsi*). r. Levantarse, faltando a la obediencia

debida. ‖ Retirarse o extrañarse de la amistad o correspondencia que se tenía. ‖ fig. Oponer resistencia. [*Sinón.*: sublevarse, insubordinarse]

rebelde (al. *Empörer*, fr. *rebelle*, ingl. *rebel*, it. *ribelle*). adj. Que se rebela o subleva, faltando a la obediencia debida. Ú.t.c.s. ‖ Indócil, desobediente. ‖ Der. Dícese del que es declarado en rebeldía. Ú.t.c.s. [*Sinón.*: amotinado, insurrecto, insumiso, reacio. *Antón.*: dócil]

rebeldía. f. Calidad de rebelde. ‖ Acción propia del rebelde. ‖ Der. Estado procesal del que, siendo parte en un juicio, no acude al llamamiento del juez o deja incumplidas las intimaciones de éste. [*Sinón.*: indocilidad, insubordinación]

rebelión (al. *Aufstand*, fr. *rébellion*, ingl. *rebellion*, it. *ribellione*). f. Acción y efecto de rebelarse. ‖ Der. Delito contra el orden público, penado por la ley ordinaria y por la militar. [*Sinón.*: insurrección, revolución, motín]

rebenque. m. Látigo con el que se castigaba a los galeotes. ‖ Amer. Látigo recio del jinete. ‖ Mar. Cuerda o cabo cortos.

reblandecer. tr. Ablandar una cosa o ponerla tierna. Ú.t.c.r. [*Sinón.*: emblandecer, enternecer. *Antón.*: endurecer]

reblandecimiento. m. Acción y efecto de reblandecer o reblandecerse. ‖ Pat. Lesión de los tejidos orgánicos, caracterizada por la disminución de su consistencia natural. [*Sinón.*: ablandamiento. *Antón.*: endurecimiento]

rebollo. m. Bot. Árbol fagáceo con tronco grueso, copa ancha, corteza cenicienta y hojas caedizas.

reborde. m. Faja estrecha y saliente a lo largo del borde de una cosa.

rebosar (al. *überlaufen*, fr. *déborder*, ingl. *to overflow*, it. *traboccare*). intr. Derramarse un líquido por encima de los bordes de un recipiente en el que no cabe. Ú.t.c.r. ‖ fig. Abundar una cosa en exceso. Ú.t.c. tr. ‖ fig. Dar a entender con ademanes o palabras lo mucho que en lo interior se siente. [*Sinón.*: desbordar, fluir]

rebotar (al. *abprallen*, fr. *rebondir*, ingl. *to rebound*, it. *rimbalzare*). intr. Botar repetidamente un cuerpo elástico. ‖ Botar la pelota en la pared después de haber botado en el suelo. ‖ tr. Redoblar o volver la punta de una cosa aguda.

rebote. m. Acción y efecto de rebotar un cuerpo elástico. ‖ Cada uno de los botes que después del primero da el cuerpo que rebota. ‖ *de rebote.* m. adv. De rechazo, de resultas.

rebotica. f. Pieza que está detrás de la principal de la botica, y le sirve de desahogo. ‖ Trastienda.

rebozar. tr. Cubrir casi todo el rostro con la capa o manto. Ú.t.c.r. ‖ Bañar una vianda en huevo batido, harina, miel, etc.

rebozo. m. Modo de llevar la capa o manto cuando con él se cubre casi todo el rostro. ‖ fig. Simulación, pretexto. [*Sinón.:* embozo]

rebujar. tr. Envolver o cubrir algunas cosas.

rebujo. m. Embozo que usaban las mujeres para no ser reconocidas. ‖ Envoltorio que con desaliño y sin orden se hace de papel, trapos u otras cosas.

rebullir. intr. Empezar a moverse lo que estaba quieto. Ú.t.c.r. [*Sinón.:* agitarse]

rebuscado, da. p. p. de rebuscar. ‖ adj. Dícese del lenguaje o de la expresión que muestra rebuscamiento.

rebuscamiento. m. Acción y efecto de rebuscar. ‖ Exceso de atildamiento en el lenguaje o estilo, que degenera en afectación. Dícese también de las maneras y porte de las personas.

rebuscar. tr. Escudriñar o buscar con demasiado cuidado. ‖ Recoger el fruto que queda en los campos después de la recolección, particularmente en las viñas.

rebutir. tr. Embutir, rellenar.

rebuznar. (al. *iahen, fr. braire,* ingl. *to bray,* it. *ragliarle*). intr. Dar rebuznos.

rebuzno. m. Voz del asno.

recabar. tr. Alcanzar, conseguir con insistencia o súplicas lo que se desea. ‖ Pedir, reclamar algo alegando o suponiendo un derecho.

recadero, ra (al. *Botengänger,* fr. *commissionnaire,* ingl. *messenger,* it. *messaggero*). s. Persona que tiene por oficio llevar recados o mercancías de un punto a otro. [*Sinón.:* mensajero]

recado (al. *Botschaft,* fr. *message,* ingl. *message,* it. *messaggio*). m. Mensaje o respuesta que de palabra se da o se envía a otro. ‖ Provisión que para el surtido de las casas se lleva diariamente del mercado o de las tiendas. ‖ *Amer.* Apero. ‖ *Amer.* Picadillo con que se rellenan las empanadas.

recaer. intr. Volver a caer. ‖ Caer nuevamente enfermo de la misma dolencia el que estaba convaleciente o

habia sanado ya. ‖ Reincidir en los vicios, errores, etc. ‖ Venir a caer o parar en alguien o sobre alguien beneficios o gravámenes.

recaída. f. Acción y efecto de recaer.

recalar. tr. Penetrar poco a poco un líquido por los poros de un cuerpo seco, dejándolo húmedo o mojado. Ú.t.c.r. ‖ fig. Aparecer por algún sitio una persona. ‖ intr. MAR. Llegar un buque, después de una navegación, a la vista de un punto de la costa. [*Sinón.:* arribar]

recalcar (al. *zusammenpressen,* fr. *serrer,* ingl. *to cram,* it. *incalcare*). tr. Ajustar, apretar mucho una cosa con otra o sobre otra. ‖ Llenar mucho de una cosa un receptáculo, apretándola para que quepa más. ‖ fig. Pronunciar las palabras con lentitud y exagerada fuerza en la expresión para que se entienda bien lo que se quiere decir. ‖ r. fig. y fam. Repetir una cosa muchas veces, como saboreando las palabras.

recalcitrante. adj. Terco, reacio, reincidente, obstinado en la resistencia. [*Sinón.:* pertinaz]

recalcitrar. intr. Retroceder, volver atrás los pies. ‖ fig. Resistir con tenacidad a quien se debe obedecer.

recalentamiento. m. Acción y efecto de recalentar o recalentarse.

recalentar (al. *überhitzen,* fr. *réchauffer,* ingl. *to reheat,* it. *riscaldare*). tr. Volver a calentar. ‖ Calentar demasiado. ‖ Excitar el apetito sexual en las personas o en los animales. Ú.t.c.r. ‖ r. Tratándose de ciertos frutos, echarse a perder por excesivo calor. ‖ Alterarse las maderas por la descomposición de la savia.

recalzar. tr. Pintar un dibujo. ‖ AGR. Arrimar tierra alrededor de plantas o árboles. ‖ ARQ. Hacer un recalzo.

recalzo. m. Recalzón. ‖ ARQ. Reparo en los cimientos de un edificio ya construido.

recalzón. m. Pina de refuerzo que, sobrepuesta a la ordinaria de la rueda del carro, suple a la llanta.

recamado. m. Bordado de realce.

recamar. tr. Bordar en realce.

recámara. f. Cuarto que sigue a la cámara, destinado a guardar los vestidos o alhajas. ‖ Lugar en el interior de una mina destinado a contener los explosivos. ‖ En las armas de fuego, lugar del ánima del cañón al extremo opuesto de la boca, en el cual se coloca el cartucho. ‖ *Amer.* Alcoba.

recambiar. tr. Hacer segundo cambio o trueque. ‖ COM. Volver a girar

contra el librador el valor de una letra protestada.

recambio. m. Acción y efecto de recambiar. ‖ Pieza destinada a sustituir a otra igual de una máquina o instrumento.

recancanilla. f. fam. Modo de andar los muchachos como cojeando. ‖ fig. y fam. Fuerza de expresión que se da a las palabras para que se comprendan bien. Ú.m. en pl.

recapacitar. tr. Reflexionar sobre algún asunto ya sabido. ‖ intr. Volver sobre las propias opiniones.

recapitulación. f. Acción y efecto de recapitular.

recapitular (al. *rekapitulieren,* fr. *récapituler,* ingl. *to recapitulate,* it. *ricapitolare*). tr. Recordar sumaria y ordenadamente lo dicho o escrito con extensión. [*Sinón.:* resumir, compendiar]

recargar (al. *überladen,* fr. *surcharger,* ingl. *to overload,* it. *sopraccaricare*). tr. Volver a cargar. ‖ Aumentar la carga. ‖ Hacer nuevo cargo o reconvención. ‖ fig. Agravar una cuota de impuesto u otra prestación que se adeuda. ‖ fig. Adornar con exceso una persona o cosa.

recargo (al. *Überladung,* fr. *surcharge,* ingl. *surcharge,* it. *sopraccarica*). m. Nueva carga o aumento de carga. ‖ Nuevo cargo que se hace a uno.

recatado, da. adj. Circunspecto. ‖ Honesto, modesto. Aplícase particularmente a las mujeres.

recatar. tr. Encubrir lo que no se quiere que se vea o sepa. Ú.t.c.r. ‖ r. Mostrar recelo en tomar una resolución.

recato. m. Cautela, reserva. ‖ Honestidad, modestia. [*Sinón.:* pudor. *Antón.:* inmodestia]

recauchutar. tr. TÉCN. Volver a cubrir de caucho una llanta o cubierta desgastada. [*Sinón.:* recauchar]

recaudación (al. *Eintreibung,* fr. *recouvrement,* ingl. *collecting,* it. *riscossione*). f. Acción de recaudar. ‖ Cantidad recaudada. [*Sinón.:* colecta]

recaudador, ra. adj. Que recauda. Ú.t.c.s. ‖ m. Encargado de cobrar caudales, en especial públicos.

recaudar (al. *einziehen,* fr. *percevoir,* ingl. *to collect,* it. *riscuotere*). tr. Cobrar o percibir caudales o efectos. ‖ Asegurar, poner o tener en custodia. [*Sinón.:* recolectar]

recaudo. m. Recaudación, acción de recaudar. ‖ Precaución, cuidado. ‖ Caución, fianza, seguridad. ‖ *a buen*

recaudo. m. adv. Bien custodiado, con seguridad. Ú.m. con los verbos *estar*, *tener*, *poner*, etc.

recazo. m. Guarnición de la espada y otras armas. ‖ Parte del cuchillo opuesta al filo.

recelar. tr. Temer, desconfiar y sospechar. Ú.t.c.r. [*Sinón.*: maliciar]

recelo. m. Acción y efecto de recelar.

receloso, sa. adj. Que tiene recelo.

recensión. f. Noticia o reseña de una obra literaria o científica.

recentar. tr. Poner en la masa de pan la porción de levadura para fermentar.

recepción (al. *Aufnahme*, fr. *réception*, ingl. *reception*, it. *ricezione*). f. Acción y efecto de recibir. ‖ Admisión en un empleo, oficio o sociedad. ‖ Reunión de carácter festivo celebrada en algunas casas particulares. ‖ Acto solemne en que desfilan ante el jefe del Estado u otra autoridad los representantes de cuerpos o clases. ‖ Servicio de un hotel, empresa, etc., encargado de recibir y atender a los clientes o huéspedes. ‖ DER. Examen judicial de los testigos para averiguar la verdad.

recepcionista. com. Persona encargada de atender al público en un servicio de recepción.

receptáculo. m. Cavidad en que se contiene o puede contenerse cualquier sustancia. ‖ BOT. Extremo ensanchado del pedúnculo donde se asientan los verticilos de la flor o las flores de una inflorescencia.

receptar. tr. DER. Ocultar o encubrir delincuentes o cosas que son materia de delito. ‖ Recibir, acoger. Ú.t.c.r.

receptividad. f. Capacidad de recibir.

receptivo, va. adj. Que recibe o es capaz de recibir.

receptor (al. *Empfänger*, fr. *récepteur*, ingl. *receiver*, it. *ricevitore*). adj. Que recibe. Ú.t.c.s. ‖ FÍS. Dícese del aparato que sirve para recibir señales eléctricas, telegráficas o telefónicas. Ú.m.c.s. ‖ Dícese del motor que recibe la energía de un generador instalado a distancia. Ú.t.c.s. ‖ Aparato que recoge las ondas del radiotransmisor, radiorreceptor.

recesar. intr. *Amer.* Cesar temporalmente en sus actividades una corporación.

recesión. f. ECON. Depresión en las actividades industriales y comerciales, generalmente pasajera, que tiene como síntomas el decrecimiento de la producción, el paro obrero, etc.

recesivo, va. adj. ECON. Que tiende a la recesión o la provoca.

receso. m. Separación, apartamiento. ‖ *Amer.* Vacación, suspensión temporaria de actividades en los cuerpos colegiados, asambleas, etc. ‖ *Amer.* Tiempo que dura esta suspensión.

receta (al. *Rezept*, fr. *ordonnance*, ingl. *prescription*, it. *ricetta*). f. Prescripción facultativa. ‖ Nota escrita en esta prescripción. ‖ fig. Nota que comprende aquello de que debe componerse una cosa y el modo de hacerla.

recetar. tr. Prescribir un medicamento con expresión de su dosis, preparación y uso.

recetario. m. Asiento o apuntamiento de todo lo que el médico ordena que se suministre al enfermo. ‖ Libro o cuaderno que se usa en los hospitales para poner estos asientos. ‖ Conjunto de recetas o notas en que se indica el modo de hacer una cosa.

recibidor (al. *Flur*, fr. *vestibule*, ingl. *hall*, it. *ingresso*). adj. Que recibe. Ú.t.c.s. ‖ m. Antesala. ‖ Pieza que da entrada a los cuartos habitados por una familia. [*Sinón.*: vestíbulo]

recibimiento (al. *Vorzimmer*, fr. *antichambre*, ingl. *hall*, it. *anticamera*). m. Recepción, acción y efecto de recibir. ‖ Acogida buena o mala que se hace al que llega de fuera. ‖ En algunas partes, antesala. ‖ En otras, sala principal. ‖ Pieza de entrada a cada vivienda habitada por una familia.

recibir (al. *erhalten*, fr. *recevoir*, ingl. *to receive*, it. *ricevere*). tr. Tomar alguien lo que le dan o le envían. ‖ Sustentar, sostener un cuerpo a otro. ‖ Padecer alguien el daño que otro le hace o por casualidad le sucede. ‖ Admitir dentro de sí una cosa a otra. ‖ Aceptar, aprobar una cosa. ‖ Admitir visitas. ‖ Salir a encontrarse con uno cuando viene de fuera. ‖ TAUROM. Esperar el matador la embestida del toro sin mover los pies al dar la estocada. ‖ r. Tomar alguien la investidura o título para ejercer alguna profesión.

recibo (al. *Quittung*, fr. *quittance*, ingl. *receipt*, it. *ricevuta*). m. Recepción, acción y efecto de recibir. ‖ En algunas partes, antesala. ‖ En otras, sala principal. ‖ Pieza que da entrada a cada vivienda habitada por una familia. ‖ Escrito o resguardo firmado en que se declara haber recibido algo.

reciclar. tr. TENC. Someter repetidamente una materia a un mismo ciclo, para ampliar o incrementar los efectos de éste.

recidiva. f. MED. Repetición de una enfermedad poco después de terminada la convalecencia.

reciedumbre. f. Fuerza, fortaleza o vigor. [*Antón.*: debilidad]

recién. adv. t. Poco tiempo antes.

reciente. adj. Nuevo, fresco o acabado de hacer.

recinchar. tr. Fajar una cosa con otra, ciñéndola.

recinto (al. *Einfriedung*, fr. *enceinte*, ingl. *enclosure*, it. *recinto*). m. Espacio comprendido dentro de ciertos límites. [*Sinón.*: ámbito, circuito]

recio, cia (al. *stark*, *kräftig*; fr. *trapu*, *fort*; ingl. *strong*, *vigorous*; it. *forte*, *vigoroso*). adj. Fuerte, robusto, vigoroso. ‖ Grueso, gordo o abultado. ‖ Áspero, duro de genio. ‖ Hablando de tierras, gruesa, sustanciosa, de mucha miga. [*Sinón.*: corpulento]

recipiendario. m. El que es recibido solemnemente en una corporación para formar parte de ella.

recipiente (al. *Gefäss*, fr. *récipient*, ingl. *recipient*, it. *recipiente*). adj. Que recibe. ‖ m. Receptáculo, cavidad. [*Sinón.*: vasija]

reciprocidad. f. Correspondencia mutua de una persona o cosa con otra. [*Sinón.*: correlación]

recíproco, ca (al. *gegenseitig*, fr. *réciproque*, ingl. *reciprocal*, it. *reciproco*). adj. Igual en la correspondencia de uno a otro. ‖ GRAM. ↗ *verbo recíproco*. Ú.t.c.s.

recitación. f. Acción de recitar.

recitado. m. MÚS. Composición musical que es un término medio entre la declamación y el canto.

recital. m. Concierto dado por un solo virtuoso. ‖ Por ext., recitación ante público.

recitar (al. *hersagen*, fr. *réciter*, ingl. *to recite*, it. *recitare*). tr. Referir, contar o decir en voz alta un discurso u oración. ‖ Decir o pronunciar de memoria y en voz alta versos. [*Sinón.*: declarar, pronunciar]

reciura. f. Calidad de recio. ‖ Rigor del tiempo.

reclamación. f. Acción y efecto de reclamar.

reclamar (al. *fordern*, fr. *réclamer*, ingl. *to claim*, it. *reclamare*). intr. Clamar contra una cosa; oponerse a ella de palabra o por escrito. ‖ tr. Llamar con repetición o mucha instancia. ‖ Pedir o exigir con derecho o con instancia una cosa. ‖ Llamar a las aves con el reclamo. ‖ DER. Llamar una autoridad a un prófugo, o pedir el juez competente el reo o la causa en que otro entiende indebidamente. [*Sinón.*: protestar, quejarse, exigir]

reclamo. m. Ave amaestrada que se lleva a la caza para que con su canto atraiga a otras de su especie. ‖ Voz con que un ave llama a otra de su especie. ‖ Instrumento para llamar a las aves en la caza imitando su voz. ‖ Sonido de este instrumento. ‖ Voz o grito con que se llama a uno. ‖ fig. Cualquier cosa que atrae o convida.

reclinar (al. *zurücklehnen*, fr. *appuyer*, ingl. *to recline*, it. *reclinare*). tr. Inclinar el cuerpo, o parte de él, apoyándolo sobre alguna cosa. Ú.t.c.r. ‖ Inclinar una cosa apoyándola sobre otra. Ú.t.c.r.

reclinatorio (al. *Betstuhl*, fr. *accoudoir*, ingl. *couch*, it. *reclinatorio*). m. Cualquier cosa dispuesta para reclinarse. ‖ Mueble acomodado para arrodillarse y orar.

recluir. tr. Encerrar o poner en reclusión. Ú.t.c.r. [*Sinón.*: encarcelar, aprisionar]

reclusión (al. *Haft*, fr. *réclusion*, ingl. *reclusion*, it. *reclusione*). f. Encierro o prisión voluntaria o forzada. ‖ Sitio en que uno está recluso. ‖ DER. Pena criminal privativa de la libertad.

recluso, sa. p. p. irreg. de recluir. Ú.t.c.s.

recluta (al. *Rekrut*, fr. *recrue*, ingl. *recruit*, it. *recluta*). f. Reclutamiento. ‖ m. El que voluntariamente sienta plaza de soldado. ‖ Por ext., mozo alistado para el servicio militar obligatorio. ‖ Por ext., soldado muy bisoño. [*Sinón.*: quinto, caloyo]

reclutamiento. m. Acción y efecto de reclutar. ‖ Conjunto de los reclutas de un año. [*Sinón.*: alistamiento, quinta]

reclutar. tr. Alistar reclutas. ‖ Por ext., allegar adeptos para un fin determinado. [*Sinón.*: enrolar]

recobrar (al. *wiedererlangen*, fr. *recouvrer*, ingl. *to recover*, it. *ricuperare*). tr. Volver a tomar o adquirir lo que antes se tenía o poseía. ‖ r. Repararse de un daño recibido. ‖ Desquitarse, reintegrarse de lo perdido. ‖ Volver en sí de la enajenación del ánimo o de los sentidos, o de un accidente o enfermedad. [*Sinón.*: reponer; restablecerse, recuperarse]

recocer. tr. Volver a cocer. ‖ Cocer mucho una cosa. Ú.t.c.r.

recocho, cha. adj. Muy cocido. Ú.t.c.s.

recodo. m. Ángulo o revuelta que forman las calles, caminos, ríos, etc.

recogedor, ra. adj. Que recoge o da acogida a alguien. ‖ m. Utensilio para recoger del suelo la basura que se amontona al barrer. ‖ Instrumento de labranza que sirve para recoger la parva de la era. [*Sinón.*: colector]

recoger (al. *aufheben*, fr. *recueillir*, ingl. *to gather*, it. *raccogliere*). tr. Volver a coger; tomar por segunda vez una cosa. ‖ Juntar o congregar. ‖ Hacer la recolección de los frutos; coger la cosecha. ‖ Encoger, estrechar o ceñir. ‖ Guardar, alzar o poner en cobro. ‖ Ir guardando y juntando poco a poco, especialmente dinero. ‖ Dar asilo, acoger a alguien. ‖ Admitir lo que otro envía o entrega, hacerse cargo de ello. ‖ Ir a buscar a una persona o cosa donde se sabe que se encuentran para llevarlas consigo. ‖ Tomar en cuenta lo que otro ha dicho, para aceptarlo, rebatirlo o transmitirlo. ‖ Encerrar a alguien por loco o insensato. ‖ r. Retirarse, acogerse a una parte. ‖ Separarse de la comunicación de las gentes. ‖ Ceñirse, moderarse en los gastos. ‖ Retirarse a dormir o descansar. ‖ Retirarse a casa. ‖ fig. Apartarse o abstraerse el espíritu de todo lo terreno. [*Sinón.*: recolectar; acumular, incomunicarse]

recogida. f. Acción y efecto de recoger o juntar. ‖ Acción de retirar los empleados de correos la correspondencia de los buzones.

recogido, da. adj. Que vive retirado del trato y comunicación con las gentes. ‖ Dícese de la mujer que vive retirada en determinada casa, con clausura voluntaria o forzosa. Ú.t.c.s. [*Sinón.*: recluido]

recogimiento. m. Acción y efecto de recoger o recogerse.

recolección (al. *Ernte*, fr. *récolte*, ingl. *harvest*, it. *raccolta*). f. Acción y efecto de recolectar. ‖ Recopilación, resumen o compendio. ‖ Cosecha de los frutos. ‖ Cobranza, recaudación. ‖ TEOL. Recogimiento y atención a Dios y a las cosas divinas. [*Sinón.*: acopio]

recolectar. tr. Juntar personas o cosas dispersas. ‖ Recoger la cosecha. [*Sinón.*: cosechar]

recolector, ra. adj. Que recolecta. Ú.t.c.s.

recoleto, ta. adj. Aplícase al religioso que guarda recolección. Ú.t.c.s. ‖ Dícese del que vive con retiro y viste con modestia. ‖ fig. Dícese del lugar apartado y solitario.

recomendable. adj. Digno de recomendación, aprecio o estimación.

recomendación. f. Acción y efecto de recomendar o recomendarse. ‖ Encargo o súplica que se hace a otro, poniendo a su cuidado y diligencia una cosa. ‖ Alabanza o elogio de un sujeto para presentarle a otro. ‖ Autoridad, representación o calidad por la que se hace más apreciable y digna de respeto una cosa. [*Sinón.*: encomienda]

recomendado, da. p. p. de recomendar. ‖ s. Persona en cuyo favor se ha hecho una recomendación.

recomendar (al. *empfehlen*, fr. *recommander*, ingl. *to commend*, it. *raccommandare*). tr. Encargar, pedir o dar orden a alguien para que tome a su cuidado una persona o negocio. ‖ Hablar o empeñarse por alguien, elogiándole. [*Sinón.*: encomendar]

recomenzar. tr. Comenzar nuevamente.

recompensa (al. *Belohnung*, fr. *récompense*, ingl. *reward*, it. *ricompensa*). f. Acción y efecto de recompensar. ‖ Lo que sirve para recompensar.

recompensar (al. *belohnen*, fr. *récompenser*, ingl. *to reward*, it. *ricompensare*). tr. Compensar el daño hecho. ‖ Retribuir o remunerar un servicio. ‖ Premiar un beneficio, favor, virtud o mérito. [*Sinón.*: resarcir, indemnizar]

recomponer. tr. Reparar, componer de nuevo.

reconcentración. f. Reconcentramiento.

reconcentramiento. m. Acción y efecto de reconcentrar o reconcentrarse.

reconcentrar. tr. Introducir, internar una cosa en otra. Ú.m.c.r. ‖ Reunir en un punto, como centro, las personas o cosas que estaban esparcidas. Ú.t.c.r. ‖ fig. Disimular, ocultar o acallar profundamente un sentimiento o afecto. ‖ r. fig. Abstraerse, ensimismarse. [*Sinón.*: recogerse]

reconciliación. f. Acción y efecto de reconciliar o reconciliarse.

reconciliar (al. *versöhnen*, fr. *réconcilier*, ingl. *to reconcile*, it. *riconciliare*). tr. Volver a las amistades, o atraer y acordar los ánimos desunidos. Ú.t.c.r.

reconcomio. m. fam. Prurito o deseo persistente. ‖ Impaciencia o agitación por una picazón o molestia análoga. ‖ Impaciencia o agitación por una molestia o ansiedad moral.

recóndito, ta. adj. Muy escondido, reservado y oculto. [*Sinón.*: secreto, profundo]

reconfortar. tr. Confortar de nuevo o con energía y eficacia.

reconocer (al. *anerkennen*, fr. *reconnaître*, ingl. *to recognize*, it. *riconoscere*). tr. Examinar con cuidado a una persona o cosa para enterarse de su identidad, naturaleza y circunstancias. ‖ Registrar, mirar por todos lados y aspectos una cosa. ‖ Registrar, para enterarse del contenido, un baúl, lío, etc. ‖ En las relaciones internacionales, aceptar un nuevo estado de cosas. ‖ Examinar de cerca un campamento, fortificación o posición del enemigo. ‖ Confesar la certeza de lo que otro dice, o la obligación de gratitud que se le debe por sus beneficios. ‖ Considerar, advertir o contemplar. ‖ Dar uno por suya, confesar que es legítima, una obligación en que suena su nombre; como firma, pagaré, etc. ‖ Distinguir de las demás personas a una, por sus rasgos propios. ‖ Con la preposición *por*, conceder a uno la cualidad y relación de parentesco que tiene con el que ejecuta el reconocimiento, y los derechos que son consiguientes. ‖ Examinar a una persona para averiguar su estado de salud. ‖ r. Confesarse culpable de un error, falta, etc. [*Sinón.*: explorar, observar]

reconocido, da. adj. Dícese del que reconoce el favor o beneficio que otro le ha hecho.

reconocimiento. m. Acción y efecto de reconocer o reconocerse. ‖ Gratitud.

reconquista. f. Acción y efecto de reconquistar.

reconquistar. tr. Volver a conquistar una plaza, provincia o reino. ‖ fig. Recuperar la opinión, la hacienda, el afecto, etc.

reconsiderar. tr. Volver a considerar.

reconstitución. f. Acción y efecto de reconstituir o reconstituirse.

reconstituir. tr. Volver a constituir, rehacer. Ú.t.c.r. [*Sinón.*: reconstruir]

reconstituyente. p. a. de reconstituir. ‖ adj. Que reconstituye. ‖ FARM. y MED. Dícese del remedio que tiene la virtud de devolver al organismo sus condiciones normales. Ú.t.c.s.m.

reconstrucción. f. Acción y efecto de reconstruir.

reconstruir (al. *wiederaufbauen*, fr. *reconstruire*, ingl. *to rebuild*, it. *ricostruire*). tr. Volver a construir. ‖ fig. Unir, evocar recuerdos e ideas para completar el conocimiento de un hecho o el concepto de una cosa.

recontar. tr. Contar o volver a contar un número de cosas.

reconvención. f. Acción de reconve-

nir. ‖ Cargo o argumento con que se reconviene. ‖ DER. Demanda que al contestar entabla el demandado contra el que promovió el juicio.

reconvenir (al. *verweisen*, fr. *reprocher*, ingl. *to reproach*, it. *riconvenire*). tr. Hacer cargo a uno, arguyéndole ordinariamente con sus propios hechos o palabras. ‖ DER. Ejercitar el demandado, cuando contesta, acción contra el que ha promovido el juicio.

recopilación (al. *Auszug*, fr. *résumé*, ingl. *summary*, it. *compendio*). f. Compendio, resumen o reducción breve de una obra o de un discurso. ‖ Colección de escritos. [*Sinón.*: antología]

recopilar. tr. Hacer compendio, recoger o unir cosas diversas.

récord. m. Marca, el mejor resultado técnico homologado en el ejercicio de un deporte. ‖ Por ext., cualquier cosa que supera una realización precedente.

recordar (al. *sich erinnern*, fr. *se rappeler*, ingl. *to remember*, it. *ricordare*). tr. Traer a la memoria una cosa. Ú.t.c. intr. ‖ Excitar o mover a alguien a que tenga presente una cosa de la que se hizo cargo o que tomó a su cuidado. Ú.t.c. intr. y c.r.

recordatorio, ria. adj. Que sirve para recordar. ‖ m. Aviso, advertencia, comunicación u otro medio para hacer recordar alguna cosa.

recorrer (al. *bereisen*, fr. *parcourir*, ingl. *to travel*, it. *percorrere*). tr. Con nombre que exprese espacio o lugar, ir o transitar por él. ‖ Registrar, mirar con cuidado, andando de una parte a otra, para averiguar lo que se desea saber. ‖ Repasar o leer ligeramente un escrito. ‖ IMP. Justificar la composición pasando letras de una línea a otra.

recorrido. m. Acción y efecto de recorrer. ‖ Espacio que ha recorrido, recorre o ha de recorrer una persona o cosa. ‖ Ruta, itinerario prefijado. ‖ Represión o corrección a uno por una falta. Úsase generalmente en la expresión *dar un recorrido*. ‖ IMP. Acción y efecto de recorrer lo compuesto.

recortar (al. *ausschneiden*, fr. *découper*, ingl. *to cut out*, it. *ritagliare*). tr. Cortar o cercenar lo que sobra de una cosa. ‖ Cortar con arte el papel u otra cosa en varias figuras. ‖ PINT. Señalar los perfiles de una figura.

recorte. m. Acción y efecto de recortar. ‖ Suelto o noticia breve de un periódico. ‖ pl. Porciones excedentes que se separan de cualquier materia.

recoser. tr. Volver a coser. ‖ Zurcir o remendar la ropa.

recostar (al. *zurücklehnen*, fr. *s'appuyer*, ingl. *to lean against*, it. *appoggiarsi*). tr. Reclinar la parte superior del cuerpo el que está de pie o sentado. Ú.t.c.r. ‖ Reclinar, inclinar una cosa sobre otra. Ú.t.c.r.

recoveco. m. Vuelta y revuelta de un callejón, pasillo, arroyo, etc. ‖ fig. Artificio o rodeo del que alguien se vale para la consecución de un fin. [*Sinón.*: simulación]

recreación. f. Acción y efecto de recrear o recrearse. ‖ Diversión para alivio del trabajo.

recrear (al. *ergötzen*, fr. *récréer*, ingl. *to recreate*, it. *ricreare*). tr. Crear o producir de nuevo alguna cosa. ‖ Divertir, alegrar o deleitar. Ú.t.c.r. [*Antón.*: aburrir, entristecer]

recreativo, va. adj. Que recrea o puede recrear.

recreo (al. *Erholung*, fr. *récréation*, ingl. *recreation*, it. *ricreazione*). m. Diversión para alivio o descanso en el trabajo. ‖ En los colegios, suspensión de las clases para descansar o jugar. ‖ Sitio o lugar apto o dispuesto para la diversión. [*Sinón.*: asueto, pasatiempo]

recriar. tr. Fomentar el desarrollo de potros u otros animales criados en distinta región.

recriminación. f. Acción y efecto de recriminar o recriminarse.

recriminar (al. *widerbeschuldigen*, fr. *récriminer*, ingl. *to recriminate*, it. *recriminare*). tr. Responder a cargos o acusaciones formulando a su vez otros u otras. ‖ rec. Hacerse cargos dos o más personas las unas a las otras.

recrudecer. intr. Tomar nuevo incremento un mal físico o moral, o un afecto o cosa perjudicial o desagradable, después de haber empezado a remitir o ceder. Ú.t.c.r.

recrudecimiento. m. Acción y efecto de recrudecer o recrudecerse.

rectal. adj. Perteneciente o relativo al intestino recto.

rectangular. adj. GEOM. Perteneciente o relativo al ángulo recto. ‖ GEOM. Que tiene uno o más ángulos rectos. ‖ GEOM. Que contiene uno o más rectángulos. ‖ GEOM. Perteneciente o relativo al rectángulo.

rectángulo, la (al. *Rechteck*, fr. *rectangle*, ingl. *rectangle*, it. *rettangolo*). adj. GEOM. Que tiene ángulos rectos. ‖ m. GEOM. Paralelogramo que tiene los cuatro ángulos rectos y los lados contiguos desiguales.

rectificación. f. Acción y efecto de rectificar.

rectificador, ra. adj. Que rectifica. ‖ ELECTR. Dispositivo que se utiliza para la conversión de una corriente alterna en corriente continua. Ú.t.c.s.

rectificar (al. *verbessern*, fr. *rectifier*, ingl. *to rectify*, it. *rettificare*). tr. Reducir una cosa a la exactitud que debe tener. ‖ Procurar reducir a la conveniente exactitud y certeza los dichos y hechos que se le atribuyen a uno. ‖ Contradecir a otro en lo que ha dicho, por considerarlo erróneo. ‖ Modificar la propia opinión que se ha expuesto antes. ‖ QUÍM. Purificar los líquidos. ‖r. Enmendar uno sus actos o su proceder.

rectilíneo, a. adj. GEOM. Que se compone de líneas rectas. ‖ fig. Aplícase al carácter de algunas personas rectas, a veces con exageración.

rectitud (al. *Richtigkeit*, fr. *rectitude*, ingl. *rectitude*, it. *rettitudine*). f. Distancia más breve entre dos puntos. ‖ fig. Calidad de recto o justo. ‖ fig. Recta razón o conocimiento práctico de nuestros deberes. ‖ fig. Exactitud o justificación de las operaciones. [*Sinón.*: derechura; honorabilidad; imparcialidad. *Antón.*: torcedura; injusticia]

recto, ta (al. *recht, gerade*; fr. *droit, juste*; ingl. *right, straight*; it. *retto*). adj. Que no se inclina a un lado ni a otro. ‖ GEOM. ⤢ *ángulo recto.* ‖ fig. Justo, severo y firme en sus resoluciones. ‖ fig. Dícese del sentido primitivo o literal de las palabras. ‖ ZOOL. Dícese de la última porción del intestino grueso. Ú.t.c.s.m. ‖ GEOM. ⤢ *línea recta.* Ú.t.c.s. [*Sinón.*: derecho, directo. *Antón.*: torcido]

rector, ra (al. *Rektor*, fr. *recteur*, ingl. *rector*, it. *rettore*). adj. Que rige o gobierna. Ú.t.c.s. ‖ s. Persona a cuyo cargo está el gobierno de una comunidad, hospital o colegio. ‖ Superior de una universidad y su distrito. [*Sinón.*: director, presidente]

rectorado. m. Oficio, cargo u oficina del rector. ‖ Tiempo durante el cual se ejerce el cargo.

rectoral. adj. Relativo al rector.

rectoría. f. Empleo, oficio o jurisdicción del rector. ‖ Oficina del rector.

recua. f. Conjunto de animales de carga. ‖ fig. y fam. Muchedumbre de cosas que van o siguen unas detras de otras. [*Sinón.*: hato, reata]

recuadro. m. Compartimento o división en forma de cuadro, en un muro u otra superficie. ‖ En los periódicos, espacio encerrado por líneas para hacer resaltar una noticia.

recubrir. tr. Volver a cubrir.

recuento (al. *Nachzählung*, fr. *comptage*, ingl. *inventory*, it. *inventario*). m. Cuenta, o segunda cuenta o enumeración que se hace de una cosa. [*Sinón.*: arqueo, inventario]

recuerdo (al. *Erinnerung*, fr. *souvenir*, ingl. *remembrance*, it. *ricordo*). m. Memoria que se hace o aviso que se da de una cosa pasada o de la que ya se ha hablado. ‖ fig. Cosa que se regala en testimonio de afecto. ‖ pl. Memorias, saludo al ausente. [*Sinón.*: rememoración, mención. *Antón.*: olvido]

recular (al. *zurückweichen*, fr. *reculer*, ingl. *to fall back*, it. *rinculare*). intr. Cejar o retroceder. ‖ fig. y fam. Ceder alguien en su dictamen u opinión. [*Sinón.*: retraer. *Antón.*: avanzar]

recuperación. f. Acción y efecto de recuperar o recuperarse.

recuperar (al. *wiedererlangen*, fr. *récupérer*, ingl. *to recover*, it. *ricuperare*). tr. Volver a tomar o adquirir lo que antes se tenía. ‖ Volver a poner en servicio lo que estaba inservible. ‖r. Recobrarse, volver en sí. ‖ Volver a adquirir el ánimo, la hacienda, la salud, etc., que se habían perdido.

recurrir (al. *sich wenden an*; fr. *recourir*; ingl. *to resort to, to apply to*; it. *ricorrere*). intr. Acudir a un juez o autoridad con una demanda o petición. ‖ Acogerse en caso de necesidad al favor de alguien, o emplear medios extraordinarios para el logro de un objeto. ‖ Volver una cosa al lugar de donde salió. ‖ DER. Entablar recurso contra una resolución. [*Sinón.*: apelar]

recurso (al. *Zuflucht, Berufung*; fr. *recours*; ingl. *recourse, appeal*; it. *ricorso*). m. Acción y efecto de recurrir. ‖ Vuelta de una cosa al lugar de donde salió. ‖ Memorial, petición por escrito. ‖ DER. Acción que concede la ley en un juicio o en otro procedimiento para reclamar contra las resoluciones dictadas por la autoridad. ‖ pl. Bienes, medios de subsistencia. [*Sinón.*: apelación]

recusación. f. Acción y efecto de recusar.

recusar. tr. No querer admitir o aceptar una cosa. ‖ DER. Poner tacha legal al juez, oficial o perito que intervienen en un juicio para que no actúen en él. [*Sinón.*: rechazar, descartar]

rechazar (al. *zurückstossen*, fr. *repousser*, ingl. *to drive back*, it. *respingere*). tr. Resistir un cuerpo a otro, forzándole a retroceder en su curso o movimiento. ‖ fig. Resistir al enemigo, obligándolo a ceder. ‖ fig. Contradecir

lo que otro expresa o no admitir lo que propone u ofrece. [*Sinón.*: rehusar, impugnar. *Antón.*: aceptar, atraer]

rechazo. m. Acción y efecto de rechazar. ‖ Vuelta o retroceso que da un cuerpo al encontrarse con alguna resistencia. ‖ *de rechazo.* m. adv. fig. De manera incidental, ocasional o consiguiente.

rechifla. f. Acción de rechiflar.

rechiflar. tr. Silbar con insistencia. ‖ r. Burlarse o mofarse de alguien, ridiculizarlo. [*Sinón.*: abuchear]

rechinar. intr. Hacer o causar una cosa un sonido desapacible por frotar o rozar con otra.

rechistar. intr. Chistar. Ú.m. en sentido negativo.

rechoncho, cha. adj. fam. Se dice de la persona o animal gruesos y de poca altura.

rechupete (de). loc. fam. Muy exquisito y agradable.

red (al. *Netz*, fr. *filet*, ingl. *net*, it. *rete*). f. Aparejo de mallas propio para pescar, cazar, cercar, sujetar, etc. ‖ Labor o tejido de mallas. ‖ Redecilla para el pelo. ‖ Verja o reja. ‖ fig. Ardid o engaño de que uno se vale para atraer a otro. ‖ fig. Conjunto sistemático de caños, hilos conductores, vías de comunicación, agencias, etc. ‖ fig. Conjunto y trabazón de cosas que obran en favor o en contra de un fin.

redacción (al. *Abfassung*, fr. *rédaction*, ingl. *wording*, it. *redazione*). f. Acción y efecto de redactar. ‖ Lugar u oficina en la que se redacta. ‖ Conjunto de redactores de una publicación periódica.

redactar (al. *abfassen*, fr. *rédiger*, ingl. *to draw up*, it. *redigere*). tr. Poner por escrito cosas sucedidas, acordadas o pensadas con anterioridad.

redactor, ra (al. *Redakteur*, fr. *rédacteur*, ingl. *redactor*, it. *redattore*). adj. Que redacta. Ú.t.c.s. ‖ Que forma parte de una redacción u oficina donde se redacta. Ú.t.c.s.

redada. f. Lance de red. ‖ fig. y fam. Conjunto de personas o cosas que se toman o cogen de una vez.

redaño. m. ANAT. Repliegue del peritoneo, mesenterio. ‖ pl. fig. Fuerzas, bríos, valor.

redecilla. f. dim. de red. ‖ Pequeña pieza de malla usada para recoger el pelo o adornar la cabeza. ‖ ZOOL. Segunda de las cuatro cavidades en que se divide el estómago de los rumiantes.

rededor. m. Contorno. ‖ *al,* o *en, rededor.* m. adv. Alrededor.

redención (al. *Erlösung*, fr. *redemption*, ingl. *redepmtion*, it. *redenzione*). f. Acción y efecto de redimir o redimirse. || Por antonomasia, la que Jesucristo hizo del género humano. || fig. Remedio, recurso, refugio. [*Sinón.*: rescate, liberación]

redentor, ra. adj. Que redime. Ú.t.c.s. ||m. Por antonomasia, Jesucristo. [*Sinón.*: salvador, libertador]

redentorista. adj. Dícese del individuo de la congregación fundada por san Alfonso María de Ligorio. Ú.t.c.s. || Concerniente a dicha congregación.

redicho, cha. adj. fam. Aplícase a la persona que habla pronunciando las palabras con una perfección afectada.

redil. m. Aprisco rodeado por un vallado de estacas. [*Sinón.*: majada]

redimir (al. *loskaufen*, fr. *rédimer*, ingl. *to redeem*, it. *redimere*). tr. Rescatar o librar de la esclavitud al cautivo, pagando un precio pro él. Ú.t.c.r. || Dejar libre una cosa hipotecada, empeñada o sujeta a otro gravamen.'||Librar de una obligación o extinguirla. Ú.t.c.r. || fig. Poner término a algún vejamen, dolor, penuria u otra adversidad o molestia. Ú.t.c.r. [*Sinón.*: liberar. *Antón.*: apresar, esclavizar]

rédito (al. *Zins*, fr. *taux*, ingl. *interest*, it. *reddito*). m. Renta, utilidad o beneficio que rinde un capital. [*Sinón.*: interés, rendimiento]

redivivo, va. adj. Aparecido, resucitado.

redoblar. tr. Aumentar una cosa otro tanto o el doble de lo que antes era. Ú.t.c.r. || Repetir, reiterar, volver a hacer una cosa. || intr. Tocar redobles en el tambor. [*Sinón.*: duplicar]

redoble. m. Acción y efecto de redoblar. || Toque vivo y sostenido que se produce golpeando rápidamente el tambor con los palillos. [*Sinón.*: tamborileo]

redoma (al. *Phiole*, fr. *fiole*, ingl. *phial*, it. *boccia*). f. Vasija de vidrio ancha en su base y que va angostándose hacia su boca.

redomado, da. adj. Muy cauteloso y astuto.

redonda. f. Espacio grande que comprende varios lugares, zonas o pueblos; comarca. || Dehesa o coto de pasto. Mús. Semibreve. || Imp. ↗ *letra redonda.* || *a la redonda.* m. adv. En torno, alrededor.

redondear. tr. Darle forma redonda a una cosa. Ú.t.c.r. || Hablando de cantidades, prescindir de pequeñas diferencias en más o en menos, para

tener en cuenta solamente unidades de orden superior. [*Sinón.*: tornear]

redondel. m. fam. Círculo o circunferencia. || Espacio circular destinado a la lidia en las plazas de toros. [*Sinón.*: anillo]

redondeo. m. Acción y efecto de redondear.

redondez. f. Calidad de redondo. || Circuito de una figura curva. || Superficie de un cuerpo redondo.

redondilla. f. Combinación métrica de cuatro versos octosílabos, de los cuales riman el primero con el último y el segundo con el tercero. || Letra vertical y circular.

redondo, da (al. *rund*, fr. *rond*, ingl. *round*, it. *rotondo*). adj. De figura circular o semejante a ella. || De figura esférica o semejante a ella. || fig. Claro, sin rodeo. || m. Cosa de figura circular o esférica. || *en redondo.* m. adv. En circuito, en circunferencia o alrededor. || fig. Claramente, categóricamente.

reducción. f. Acción y efecto de reducir o reducirse.

reducido, da. adj. Estrecho, pequeño, limitado.

reducir (al. *beschränken*, fr. *réduire*, ingl. *to reduce*, it. *ridurre*). tr. Volver una cosa al lugar donde antes estaba o al estado que tenía. || Disminuir o minorar, estrechar o ceñir. || Mudar una cosa en otra equivalente. || Resumir en pocas razones. || Sujetar a obediencia a los que se habían desligado de ella. || Dividir un cuerpo en partes menudas. || Hacer que un cuerpo pase del estado sólido al líquido o al de vapor, o viceversa. || Med. Restablecer en su situación natural los huesos dislocados o rotos, o bien las partes que componen las hernias. || Mat. Expresar el valor de una cantidad en unidades de especie distinta a la dada. || Quím. Descomponer un cuerpo en sus elementos. || r. Moderarse o ceñirse en el modo de vida.

reducto (al. *Reduit*, fr. *redoute*, ingl. *redoubt*, it. *ridotto*). m. Fort. Obra de campaña cerrada por un parapeto.

redundancia. f. Sobra o demasiada abundancia de cualquier cosa o en cualquier línea. || Ret. Superfluidad de palabras.

redundar. intr. Rebosar, salirse una cosa de sus límites. || Resultar, ceder o venir a parar una cosa en beneficio o daño de alguien.

reduplicar. tr. Redoblar, aumentar una cosa al doble de lo que antes era. || Repetir, volver a hacer una cosa.

reeducación. f. Acción de reeducar.

reeducar (al. *umschulen*, fr. *rééduquer*, ingl. *to re-educate*, it. *rieducare*). tr. Med. Volver a educar el uso de los miembros y otros órganos, perdido o disminuido por ciertas enfermedades.

reembolsar. tr. Volver una cantidad a poder del que la había desembolsado o a causahabiente suyo. Ú.t.c.r.

reembolso. m. Acción y efecto de reembolsar o reembolsarse. || Cantidad que en nombre del remitente reclaman del consignatario la administración de correos, las compañías de ferrocarriles o las agencias de transportes, a cambio de la remesa que le entrega.

reemplazar (al. *ersetzen*, fr. *remplacer*, ingl. *to replace*, it. *sostituire*). tr. Sustituir una cosa por otra; poner en lugar de una cosa otra que haga sus veces. || Suceder a uno en un empleo, cargo o comisión que tenía o hacer accidentalmente sus veces.

reemplazo. m. Acción y efecto de reemplazar. || Sustitución que se hace de una persona o cosa por otra. || Renovación parcial del contingente del ejército activo.

reencarnación. f. Acción y efecto de reencarnar o reencarnarse.

reencarnar. intr. Volver a encarnar. Ú.t.c.r.

reencontrar. tr. Encontrar de nuevo, dar de nuevo con una persona o cosa. Ú.t.c.r.

reenganchar. tr. Prolongar el servicio militar o volver a él. Ú.t.c.r.

reenganche. m. Mil. Acción y efecto de reenganchar o reengancharse. || Mil. Prima que se da al que se reengancha. || Ración adicional de rancho.

reestrenar. tr. Volver a estrenar. Dícese especialmente de películas u obras teatrales cuando vuelven a proyectarse o representarse pasado algún tiempo de su estreno.

reestreno. m. Acción y efecto de reestrenar. || *de reestreno.* loc. adj. Dícese del local dedicado a reestrenar películas.

reestructurar. tr. Modificar la estructura de una obra, disposición, empresa, proyecto, organización, etc.

refacción. f. Alimento moderado que se toma para reparar las fuerzas. || *Amer.* Gasto que ocasiona el sostenimiento de un ingenio o de otra finca.

refajo. m. Falda de tela gruesa que usaban las mujeres como prenda interior de abrigo, o, en género de mejor calidad, como falda exterior.

refectorio. m. Habitación destinada

en las comunidades y en algunos colegios para comer. |Sinón.: comedor|

referencia (al. *Hinweiss*, fr. *renvoi*, ingl. *reference*, it. *riferimento*). f. Narración o relación de una cosa. || Relación, dependencia o semejanza de una cosa respecto de otra. || Indicación en un escrito del lugar del mismo o de otro al que se remite al lector. || Informe acerca de la probidad, solvència, etc., de una persona.

referéndum. m. Consulta que se hace al pueblo sobre asuntos de interés común.

referente. p. a. de referir. || adj. Que refiere o que hace relación a otra cosa.

referir (al. *berichten*, fr. *rapporter*, ingl. *to report*, it. *referire*). tr. Dar a conocer un hecho verdadero o ficticio. || Dirigir, encaminar u ordenar una cosa a cierto y determinado fin u objeto. Ú.t.c.r. || Relacionar, poner en comunicación. Ú.t.c.r. || r. Remitirse, atenerse a lo hecho o dicho. || Aludir. |Sinón.: explicar, narrar|

refilón (de). m. adv. De soslayo. || fig. De pasada.

refinado, da. adj. fig. Sobresaliente, primoroso. || fig. Extremado en maldad. || m. Acción y efecto de refinar.

refinamiento. m. Esmero, cuidado. || Crueldad refinada.

refinar (al. *läutern*, fr. *raffiner*, ingl. *to refine*, it. *raffinare*). tr. Hacer más fina o más pura una cosa. || fig. Perfeccionar una cosa adecuándola a un fin determinado. |Sinón.: purificar; depurar|

refinería (al. *Raffinerie*, fr. *raffinerie*, ingl. *refinery*, it. *raffineria*). f. Instalación industrial donde se refina azúcar, petróleo, aceite, etc.

refino, na. adj. Muy fino y acendrado. || m. Acción y efecto de refinar.

reflectar. intr. Fís. Reflejar.

reflector, ra (al. *Scheinwerfer*, fr. *réflecteur*, ingl. *searchlight*, it. *riflettore*). adj. Dícese del cuerpo que refleja. Ú.t.c.s. || m. Ópt. Aparato de superficie bruñida para reflejar los rayos luminosos. || Astr. Telescopio. || Faro de reverbero muy potente.

reflejar (al. *zurückstrahlen*, fr. *réfléchir*, ingl. *to reflect*, it. *riflettere*). intr. Fís. Hacer retroceder o cambiar de dirección la luz, el calor, el sonido o algún cuerpo elástico, oponiéndoles una superficie lisa. Ú.t.c.r. || Manifestar una cosa. || r. fig. Dejarse ver una cosa en otra. |Sinón.: reflectar|

reflejo, ja. adj. Que ha sido reflejado. || fig. Aplícase al conocimiento o consideración que se forma de una cosa para reconocerla mejor. || Fisiol. Dícese del movimiento, secreción, sentimiento, etc., que se produce involuntariamente como respuesta a un estímulo. || m. Luz reflejada. || Representación, imagen, muestra.

reflexión (al. *Reflexion*, fr. *réflexion*, ingl. *reflection*, it. *riflessione*). f. Fís. Acción y efecto de reflejar o reflejarse. || fig. Acción y efecto de reflexionar. || fig. Advertencia con que alguien intenta persuadir o convencer a otro. |Sinón.: recapacitación, cavilación, Antón.: irreflexión, despreocupación|

reflexionar (al. *überlegen*, fr. *réfléchir*, ingl. *to ponder*, it. *riflettere*). intr. Considerar nueva o detenidamente una cosa. |Sinón.: meditar, cavilar|

reflexivo, va. adj. Que refleja o reflecta. || Acostumbrado a hablar y a obrar con reflexión. || Gram. ↗ *verbo reflexivo.* Ú.t.c.s.

refluir. intr. Volver hacia atrás o hacer retroceso un líquido. || fig. Redundar, venir a parar una cosa en beneficio o daño de alguien.

reflujo (al. *Ebbe*, fr. *réflux*, ingl. *reflux*, it. *riflusso*). m. Descenso de la marea. |Sinón.: bajamar|

refocilar. tr. Recrear, alegrar. Dícese particularmente de las cosas que calientan y dan vigor. Ú.t.c.r. || En lenguaje actual corriente, divertir groseramente o causar una alegría maligna. |Sinón.: regodear, solazar|

reforma (al. *Umgestaltung*, fr. *réforme*, ingl. *reform*, it. *riforma*). f. Acción y efecto de reformar o reformarse. || Lo que se propone, proyecta o ejecuta como innovación o mejora en cualquier línea u orden de cosas. || Religión reformada. || Movimiento religioso que, iniciado en el siglo XVI, motivó la creación de las iglesias protestantes.

reformar (al. *umgestalten*, fr. *reformer*, ingl. *to reform*, it. *riformare*). tr. Volver a formar, rehacer. || Reparar, restaurar, restablecer, reponer. || Arreglar, corregir, enmendar, poner en orden. || r. Enmendarse, arreglarse o corregirse. || Contenerse, moderarse.

reformatorio, ria (al. *Besserungsanstalt*, fr. *maison de correction*, ingl. *reformatory*, it. *riformatorio*). adj. Que reforma o arregla. || m. Establecimiento en donde, por medios educativos severos, se trata de corregir la viciosa inclinación de los jóvenes recluidos en el mismo. |Sinón.: correccional|

reformista. adj. Partidario de reformas o ejecutor de ellas. Ú.t.c.s.

reforzar (al. *verstärken*, fr. *renfoncer*, ingl. *to reinforce*, it. *rinforzare*). tr. Engrosar o añadir nuevas fuerzas o fomento a una cosa. || Fortalecer o reparar lo que padece ruina o detrimento. || Animar, alentar, dar espíritu. Ú.t.c.r. |Sinón.: fortificar, consolidar. Antón.: debilitar|

refracción (al. *Strahlenbrechung*, fr. *réfraction*, ingl. *refraction*, it. *rifrazione*). f. Ópt. Acción y efecto de refractar o refractarse.

refractar. tr. Ópt. Hacer que cambie de dirección el rayo de luz que pasa oblicuamente de un medio a otro de diferente densidad. Ú.t.c.r. |Sinón.: refringir|

refractario, ria (al. *feuerfest*, fr. *réfractaire*, ingl. *refractory*, it. *refrattario*). adj. Aplícase a la persona que rehúsa cumplir una promesa u obligación. || Opuesto, rebelde a aceptar una idea, opinión o costumbre. || Quím. Dícese de los materiales que resisten, sin alterarse ni descomponerse, la acción del fuego y las altas temperaturas. |Sinón.: reacio, contumaz. Antón.: sumiso|

refrán (al. *Sprichwort*, fr. *proverbe*, ingl. *proverb*, it. *proverbio*). m. Dicho agudo y sentencioso de uso común. |Sinón.: proverbio, adagio|

refranero. m. Colección de refranes. |Sinón.: paremiología|

refregar. tr. Estregar una cosa con otra. Ú.t.c.r. || fig. y fam. Dar en cara a uno con una cosa que le ofende, insistiendo en ella.

refregón. m. Acción de refregar o refregarse.

refrenar. tr. fig. Contener, reportar, reprimir, o corregir. Ú.t.c.r.

refrendar (al. *vidrieren*, fr. *contresigner*, ingl. *to countersign*, it. *controfirmare*). tr. Autorizar un despacho u otro documento por medio de la firma de persona hábil para ello. |Antón.: desautorizar, desaprobar|

refrendo. m. Acción y efecto de refrendar. || Testimonio que acredita haber sido refrendada una cosa. || Firma puesta en los decretos al pie de la del jefe del Estado por los ministros.

refrescar (al. *erfrischen*, fr. *refraîchir*, ingl. *to refresh*, it. *rinfrescare*). tr. Atemperar, moderar, disminuir o rebajar el calor de una cosa. Ú.t.c.r. || fig. Renovar, reproducir una acción. || fig. Renovar un sentimiento, especie, dolor o costumbre antiguos. || intr. fig. Tomar fuerzas, vigor o aliento. || Templarse o moderarse el calor del aire. || Tomar el fresco. Ú.t.c.r. ‖ Beber algún refresco. [*Sinón.*: enfriar. *Antón.*: calentar]

refresco (al. *Erfrischung*, fr. *boisson rafraîchissante*, ingl. *refreshment*, it. *rinfresco*). m. Alimento ligero que se toma para recobrar fuerzas y seguir trabajando. ‖ Bebida fría o a la temperatura ambiente. ‖ Agasajo de bebidas, dulces, etc., que se da en las visitas u otras concurrencias. ‖ *de refresco*. m. adv. De nuevo. Dícese de lo que se añade o sobreviene para un fin. [*Sinón.*: refrigerio]

refriega (al. *Zank*, fr. *mêlée*, ingl. *affray*, it. *zuffa*). f. Encuentro o combate de menores proporciones y violencia que una batalla. [*Sinón.*: escaramuza]

refrigeración (al. *Abkühlung*, fr. *réfrigération*, ingl. *refrigeration*, it. *refrigerazione*). f. Acción y efecto de refrigerar o refrigerarse. ‖ Refrigerio.

refrigerador, ra. adj. Dícese de los aparatos e instalaciones para refrigerar. Ú.t.c.s. ‖ s. Nevera.

refrigerar (al. *abkühlen*, fr. *réfrigérer*, ingl. *to refrigerate*, it. *refrigerare*). tr. Refrescar, disminuir el calor de una cosa. Ú.t.c.r. ‖ fig. Reparar las fuerzas con un refrigerio. Ú.t.c.r.

refrigerio. m. fig. Alimento ligero que se toma para reparar las fuerzas.

refringencia (al. *Brechkraft*, fr. *réfringence*, ingl. *refringency*, it. *rifrangenza*). f. Fís. Cualidad de las sustancias ópticamente transparentes de cambiar la dirección de un rayo de luz que las atraviesa.

refringir. tr. ÓPT. Refractar. Ú.t.c.r.

refrito. m. Aceite frito con ajo, cebolla, pimentón y otros ingredientes que se añaden en caliente a algunos guisos. ‖ fig. Cosa rehecha o de nuevo aderezada.

refuerzo (al. *Verstärkung*, fr. *renfort*, ingl. *re-enforcement*, it. *rinforzo*). m. Grosor extraordinario que, en su totalidad o en parte, se da a una cosa para hacerla más resistente. ‖ Reparo que se pone para fortalecer o afirmar una cosa. ‖ Socorro o ayuda que se presta en ocasión o necesidad.

refugiado, da. s. Persona que, a consecuencia de guerras, revoluciones o persecuciones políticas, se ve obligada a buscar refugio en país extranjero.

refugiar. tr. Acoger o amparar a uno. Ú.m.c.r.

refugio (al. *Zuflucht*, fr. *réfuge*, ingl. *shelter*, it. *rifugio*). m. Asilo, acogida o amparo. ‖ Lugar apropiado para refugiarse.

refulgencia. f. Resplandor que emite el cuerpo resplandeciente.

refulgir. intr. Resplandecer, emitir fulgor. [*Sinón.*: brillar, relumbrar. *Antón.*: apagar, oscurecer]

refundición. f. Acción y efecto de refundir o refundirse. ‖ La obra refundida.

refundir. tr. Volver a fundir o liquidar los metales. ‖ fig. Comprender o incluir. Ú.t.c.r. ‖ fig. Dar nueva forma y disposición a una obra de ingenio. [*Sinón.*: rehacer]

refunfuñar (al. *mucken*, fr. *grommeler*, ingl. *to growl*, it. *borbottare*). intr. Emitir voces confusas o palabras mal articuladas o entre dientes, en señal de enojo o desagrado. [*Sinón.*: rezongar, mascullar]

refutación. f. Acción y efecto de refutar. ‖ Argumento o prueba cuyo objeto es destruir las razones del contrario.

refutar (al. *widerlegen*, fr. *réfuter*, ingl. *to refute*, it. *rifutare*). tr. Contradecir, rebatir, impugnar con argumentos o razones lo que otros dicen.

regadera (al. *Giesskanne*, fr. *arrosoir*, ingl. *watering-pot*, it. *innaffiatoio*). f. Vasija o recipiente portátil que se usa para regar. ‖ *estar uno como una regadera*. fig. y fam. Estar algo loco, ser de carácter extravagante.

regadío, a (al. *Bewässerbar*, fr. *arrosable*, ingl. *irrigable*, it. *irrigabile*). adj. Aplícase al terreno que se puede regar. Ú.t.c.s.m. ‖ m. Terreno dedicado a cultivos que se fertiliza con el riego. [*Antón.*: secano]

regalado, da. adj. Suave o delicado. ‖ Placentero, deleitoso.

regalar (al. *schenken*, fr. *donner*, ingl. *to present*, it. *regalare*). tr. Dar a alguien graciosamente una cosa en muestra de afecto o consideración o por otro motivo. ‖ Halagar, acariciar o hacer demostraciones de afecto y benevolencia. ‖ Recrear o deleitar. Ú.t.c.r. ‖ r. Procurarse toda suerte de comodidades. [*Sinón.*: obsequiar]

regalía. f. Preeminencia, prerrogativa o excepción particular y privativa que en virtud de suprema potestad ejerce un soberano en su reino o Estado. ‖ Privilegio que concede a los soberanos la Santa Sede en algún punto relativo a la disciplina de la Iglesia. Ú.m. en pl. ‖ fig. Privilegio de que uno goza en cualquier línea. ‖ fig. Gajes que además del sueldo perciben algunos empleados.

regaliz. m. Ororuz, planta. ‖ Rizomas de esta planta.

regalo (al. *Geschenk*, fr. *cadeau*, ingl. *present*, it. *regalo*). m. Dádiva que se hace voluntariamente o por costumbre. ‖ Gusto o complacencia que se recibe. ‖ Comida o bebida delicada y exquisita. ‖ Conveniencia, comodidad o descanso que se procura en orden a la persona. [*Sinón.*: obsequio, donación]

regañadientes (a). m. adv. Con disgusto o repugnancia de hacer una cosa.

regañar. intr. Dar muestras de enfado con palabras y gestos. ‖ fam. Contender o disputar altercando de palabra u obra, reñir con otro. ‖ tr. fam. Reprender, reconvenir.

regañina. f. Reprimenda, regaño, rapapolvo.

regaño. m. Gesto o descomposición del rostro, acompañado por lo común de palabras ásperas, con que se muestra enfado o disgusto. ‖ fam. Reprimenda, represión.

regar (al. *bewässern*, fr. *arroser*, ingl. *to water*, it. *irrigare*). tr. Derramar agua sobre una superficie. ‖ Atravesar un río o un canal una comarca o territorio. ‖ fig. Esparcir, desparramar alguna cosa. [*Sinón.*: irrigar, bañar]

regata (al. *Regatta*, fr. *régate*, ingl. *regatta*, it. *regata*). f. Reguera pequeña o surco por donde se conduce el agua. ‖ DEP. Carrera entre lanchas o cualquier otro tipo de embarcación ligera.

regate. m. Movimiento pronto y rápido que se hace hurtando el cuerpo a una parte u otra. ‖ DEP. En el fútbol y otros deportes, finta que hace el jugador para no dejarse arrebatar el balón. ‖ fig. y fam. Escape hábilmente buscado en una dificultad. [*Sinón.*: escorzo]

regatear. tr. Debatir el comprador y el vendedor el precio de una cosa puesta a la venta. ‖ fig. y fam. Escasear o rehusar la ejecución de una cosa. ‖ intr. Hacer regates. ‖ Hacer una regata las embarcaciones.

regateo. m. Acción y efecto de regatear.

regazo (al. *Schoss*, fr. *giron*, ingl. *lap*, it. *grembo*). m. Cavidad que la ropa enfaldada forma entre la cintura y la rodilla cuando la persona está sentada. ‖ Parte del cuerpo donde se forma ese enfaldo. ‖ fig. Cosa que recibe en sí a otra, dándole consuelo y amparo.

regencia (al. *Regentschaft*, fr. *régence*, ingl. *regency*, it. *reggenza*). f. Acción de regir o gobernar. ‖ Empleo de regente. ‖ Gobierno de un Estado durante la minoría de edad, ausencia o incapacidad de su legítimo soberano. ‖ Tiempo que dura tal gobierno. ‖

regeneración (al. *Erneuerung*, fr. *régénération*, ingl. *regeneration*, it. *rigenerazione*). f. Acción y efecto de regenerar o regenerarse.

regenerar (al. *erneuern*, fr. *régénérer*, ingl. *to regenerate*, it. *rigenerare*). tr. Dar nuevo ser a una cosa que ha degenerado; restablecerla o mejorarla. Ú.t.c.r. [*Sinón.*: reconstituir, restaurar. *Antón.*: enviciar]

regenta. f. Mujer del regente. ‖ Profesora en algunos establecimientos de educación.

regentar (al. *bekleiden*, fr. *régénter*, ingl. *to rule*, it. *reggere*). tr. Desempeñar temporalmente ciertos cargos o empleos. ‖ Ejercer un cargo ostentando superioridad. [*Sinón.*: regir, gobernar]

regente (al. *Reichsverweser*, fr. *régent*, ingl. *regent*, it. *reggente*). p. a. de regir. ‖ adj. Que rige o gobierna. ‖ com. Persona que gobierna un Estado en la menor edad de un príncipe o por otro motivo.

regicida. adj. Que da, o intenta dar, muerte a un soberano o a su consorte.

regicidio. m. Muerte violenta dada al rey o a la reina, o al príncipe heredero o al regente.

regidor, ra. adj. Que rige o gobierna. Ú.t.c.s. ‖ m. Concejal que no ejerce ningún otro cargo municipal.

regiduría. f. Oficio de regidor.

régimen (al. *Verhalten*, fr. *régimen*, ingl. *regimen*, it. *regime*). m. Modo de gobernarse o regirse un asunto determinado. ‖ Constituciones, reglamentos o prácticas de un gobierno. ‖ GRAM. Dependencia que entre sí tienen las palabras en la oración. ‖ MED. Dieta. [*Sinón.*: gobierno, administración, sistema]

regimiento (al. *Regiment*, fr. *régiment*, ingl. *regiment*, it. *reggimento*). m. MIL. Unidad orgánica de un arma cuyo jefe es un coronel.

regio, gia. adj. Perteneciente o relativo al rey o a la realeza. ‖ fig. Suntuoso, grande, magnífico.

región (al. *Gegend*, fr. *région*, ingl. *region*, it. *regione*). f. Porción de territorio determinada por caracteres étnicos o circunstancias geográficas especiales. ‖ fig. Todo espacio que se supone de gran capacidad. ‖ ANAT. y ZOOL. Cada una de las partes en que se considera dividido el cuerpo de los animales y del hombre. [*Sinón.*: comarca]

regional. adj. Perteneciente o relativo a una región.

regionalismo. m. Tendencia o doctrina política según la cual en el gobierno de un Estado debe atenderse especialmente al modo de ser y a las aspiraciones de cada región. ‖ Amor o apego a determinada región y a las cosas pertenecientes a ella.

regionalista. adj. Partidario del regionalismo. Ú.t.c.s. ‖ Perteneciente al regionalismo o a los regionalistas.

regir (al. *regieren*, fr. *régir*, ingl. *to rule*, it. *reggere*). tr. Dirigir, gobernar o mandar. ‖ Guiar, llevar o conducir una cosa. ‖ GRAM. Tener una palabra bajo su dependencia otra palabra de la oración. ‖ intr. Estar vigente. ‖ Funcionar bien un artefacto u organismo; dícese especialmente de las facultades mentales. ‖ MAR. Obedecer la nave al timón. [*Antón.*: obedecer]

registrador, ra. adj. Que registra. ‖ m. Funcionario que tiene a su cargo algún registro público.

registrar (al. *durchsuchen*, fr. *régistrer*, ingl. *to examine*, it. *registrare*). tr. Mirar, examinar una cosa con cuidado y diligencia. ‖ Transcribir o extractar en los libros de un registro público las resoluciones de la autoridad o los actos jurídicos de los particulares. ‖ Anotar, señalar. ‖ Marcar un aparato automáticamente los datos propios de su fundación. ‖ Grabar la imagen o el sonido.

registro (al. *Eintragung, Register*; fr. *enregistrement, registre*; ingl. *registration, register*; it. *registrazione, registro*). m. Acción de registrar. ‖ Pieza que en el reloj u otra máquina sirve para disponer o modificar su movimiento. ‖ Padrón y matrícula. ‖ Protocolo notarial. ‖ Lugar y oficina en donde se registra. ‖ Asiento que queda de lo que se registra. ‖ Cédula en la que consta haberse registrado una cosa. ‖ Libro, a manera de índice, donde se apuntan noticias o datos. ‖ MÚS. Cada género de voces del órgano. ‖ — civil. Aquel en que se hacen constar los nacimientos, matrimonios, defunciones y demás hechos relativos al estado civil de las personas. ‖ — de la propiedad. Aquel en que se inscriben por el registrador todos los bienes raíces de un partido judicial, con expresión de sus dueños.

regla (al. *Lineal, Regel*; fr. *règle*; ingl. *ruler, statute*; it. *regola, riga*). f. Instrumento de madera, metal u otra materia rígida, generalmente de poco grueso y de figura rectangular, que sirve principalmente para trazar líneas rectas. ‖ Ley universal que comprende lo sustancial que debe observar un cuerpo religioso. ‖ Estatuto, constitución o modo de ejecutar una cosa. ‖ Precepto, principio o máxima en las ciencias o artes. ‖ Razón que debe servir de medida y a que se han de ajustar las acciones para que resulten rectas. ‖ Moderación, templanza, medida, tasa. ‖ Pauta de la escritura. ‖ Orden y concierto invariables que guardan las cosas naturales. ‖ Menstruación. ‖ MAT. Método para hacer una operación. ‖ en regla. m. adv. fig. Como es debido. [*Sinón.*: norma, criterio]

reglaje. m. MEC. Reajuste de las piezas de un mecanismo para mantenerlo en perfecto funcionamiento.

reglamentación. f. Acción y efecto de reglamentar. ‖ Conjunto de reglas. [*Sinón.*: regulación, orden]

reglamentar. tr. Sujetar a reglamento una organización o una materia determinada.

reglamentario, ria. adj. Perteneciente o relativo al reglamento, o preceptuado y exigido por alguna disposición obligatoria.

reglamento (al. *Verordnung*, fr. *règlement*, ingl. *by-law*, it. *regolamento*). m. Colección ordenada de reglas o preceptos que por autoridad competente se da para la ejecución de una ley o para el régimen de una corporación, dependencia o servicio. [*Sinón.*: estatuto, código]

reglar. tr. Tirar o hacer líneas derechas, valiéndose de una regla o por cualquier otro medio. ‖ Sujetar a reglas una cosa. ‖ r. Medirse, templarse, o reformarse.

regleta. f. IMPR. Plancha de metal usada para espaciar los renglones.

regocijar. tr. Alegrar, festejar, causar gusto o placer. ‖ r. Recrearse, recibir satisfacción o júbilo interior. [*Antón.*: entristecer, aburrir]

regocijo. m. Júbilo. ‖ Acto con que se manifiesta la alegría.

regodearse. r. fam. Deleitarse o complacerse en lo que gusta o se goza, deteniéndose en ello. ‖ fam. Hablar o estar de chacota. [*Sinón.*: refocilarse]

regodeo. m. Acción y efecto de regodearse. ‖ fam. Diversión, fiesta.

regoldar. intr. Eructar.

regordete, ta. adj. fam. Dícese de la persona pequeña y gruesa, y también de la parte de su cuerpo que tiene tales condiciones.

regresar (al. *zurückkeren*, fr. *revenir*, ingl. *to return*, it. *ritornare*). intr. Volver al lugar de donde se partió. [*Sinón.*: retornar. *Antón.*: salir, marchar]

regresión. f. Acción de volver hacia atrás. [*Sinón.*: retroceso]

regresivo, va. adj. Dícese de lo que hace volver hacia atrás.

regreso. m. Acción de regresar. [*Sinón.*: vuelta, retorno]

regüeldo. m. Acción y efecto de regoldar.

reguera. f. Canal que se hace en la tierra para conducir el agua de riego.

reguero. m. Corriente que se hace de una cosa líquida. || Línea o señal continuada que queda de una cosa que se va vertiendo. || Reguera.

regulación. f. Acción y efecto de regular.

regulador, ra. adj. Que regula. || m. MEC. Dispositivo para ordenar el movimiento o los efectos de una máquina o de alguno de sus órganos.

regular (al. *regelmssig,* fr. *régulier,* ingl. *regular,* it. *regolare*). adj. Ajustado y conforme a regla. || Medido, arreglado en las acciones y modo de vivir. || Mediano. || Aplícase a las personas que viven bajo una regla o instituto religioso, y a lo que pertenece a su estado. Ú.t.c.s. || GEOM. Dícese del polígono cuyos lados y ángulos son iguales entre sí, y del poliedro cuyas caras y ángulos sólidos son también iguales. || *por lo regular.* m. adv. Común o regularmente. [*Sinón.*: moderado. *Antón.*: inmoderado, anormal, irregular]

regular (al. *regeln,* fr. *régler,* ingl. *to regulate,* it. *regolare*). tr. Medir, ajustar o computar una cosa por comparación o deducción. || Ajustar, reglar o poner en orden una cosa. [*Sinón.*: pautar, ordenar]

regularidad. f. Calidad de regular.

regularizar. tr. Reglar, ajustar o poner en orden una cosa.

régulo. m. Señor de un Estado pequeño. || n.p.m. ASTR. Estrella de primera magnitud en el signo de Leo.

regurgitación. f. Acción y efecto de regurgitar.

regurgitar. intr. Expeler por la boca, sin esfuerzo o sacudida de vómito, sustancias contenidas en el esófago o en el estómago.

regusto. m. Gusto o sabor que queda de la comida o bebida. || Gusto o afición que queda a otras cosas físicas o morales.

rehabilitación. f. Acción y efecto de rehabilitar o rehabilitarse.

rehabilitar (al. *wiedereinsetzen,* fr. *réhabiliter,* ingl. *to rehabilitate,* it. *riabilitare*). tr. Habilitar de nuevo o restituir una persona o cosa a su antiguo estado. Ú.t.c.r.

rehacer (al. *neu machen,* fr. *refaire,* ingl. *to remake,* it. *rifare*). tr. Volver a hacer lo que se había deshecho. || Reponer, reparar, restablecer lo disminuido o deteriorado. Ú.t.c.r. || r. Reforzarse, fortalecerse o tomar nuevo brío. || fig. Serenarse, dominar una emoción. [*Sinón.*: restaurar]

rehala. f. Rebaño de ovejas de diversos dueños y conducido por un solo *mayoral.* || Jauría o agrupación de perros de caza mayor.

rehén (al. *Leibbürge,* fr. *otage,* ingl. *hostage,* it. *ostaggio*). m. Persona que como prenda queda en poder del enemigo, mientras está pendiente un ajuste o tratado. Ú.m. en pl. || Cualquiera otra cosa que se pone como fianza o seguro. Ú.m. en pl.

rehilete. m. Flechilla con una púa en un extremo que se lanza para clavarla en un blanco. || TAUROM. Banderilla que se clava en el morrillo del toro. || fig. Dicho malicioso, pulla. [*Sinón.*: garapullo]

rehogar. tr. Sazonar una vianda a fuego lento, sin agua y muy tapada, para que se penetren la manteca, el aceite u otras sustancias.

rehuir (al. *vermeiden,* fr. *fuir,* ingl. *to withdraw,* it. *riffuggire*). tr. Retirar, apartar una cosa como con temor, sospecha o recelo de un riesgo. Ú.t.c. intr. y c.r. || Rehusar o excusar el admitir algo. [*Sinón.*: eludir]

rehusar (al. *ablehnen,* fr. *refuser,* ingl. *to refuse,* it. *rifiutare*). tr. Excusar, no querer o no aceptar una cosa. [*Sinón.*: rechazar. *Antón.*: aceptar]

reimpresión. f. Acción y efecto de reimprimir. || Conjunto de ejemplares reimpresos de una vez.

reimprimir. tr. Volver a imprimir una obra o escrito.

reina (al. *Königin,* fr. *reine,* ingl. *queen,* it. *regina*). f. Esposa del rey. || La que ejerce la potestad real por derecho propio. || Pieza del ajedrez, la más importante después del rey. || Abeja reina.

reinado. m. Espacio de tiempo en que gobierna un rey o una reina. || Por ext., aquel en que predomina o está en auge alguna cosa.

reinar (al. *herrschen,* fr. *régner,* ingl. *to reign,* it. *regnare*). intr. Regir un rey o príncipe un Estado. || Dominar o tener predominio una persona o cosa sobre otra. || fig. Prevalecer o persistir, continuándose o extendiéndose una cosa. [*Sinón.*: dominar, imperar]

reincidencia (al. *Rückfall,* fr. *récidive,* ingl. *relapse,* it. *ricascata*). f. Reiteración de una misma culpa o defecto. || DER. Circunstancia agravante de la responsabilidad criminal que consiste en haber sido el reo condenado antes por delito análogo al que se le imputa. [*Sinón.*: recaída]

reincidente. p. a. de reincidir. || adj. Que reincide. Ú.t.c.s.

reincidir (al. *zurückfallen,* fr. *recidiver,* ingl. *to relapse,* it. *ricadere*). intr. Volver a caer o incurrir en un error, falta o delito. [*Sinón.*: recaer]

reincorporación. f. Acción y efecto de reincorporar o reincorporarse.

reincorporar. tr. Volver a incorporar, agregar o unir a un cuerpo político o moral lo que se había separado de él. Ú.t.c.r.

reino (al. *Königreich,* fr. *royaume,* ingl. *kingdom,* it. *regno*). m. Territorio o Estado sujetos a un rey. || fig. Espacio real o imaginario en que actúa algo material o inmaterial. || HIST. NAT. Cada uno de los tres grandes grupos en que se consideran distribuidos todos los seres naturales por razón de sus caracteres comunes: reino animal, reino vegetal y reino mineral.

reintegración. f. Acción y efecto de reintegrar o reintegrarse.

reintegrar (al. *wiedereinsetzen,* fr. *réintégrer,* ingl. *to reintegrate,* it. *reintegrare*). tr. Restituir o satisfacer íntegramente una cosa. || r. Recobrarse enteramente de lo que se había gastado, perdido o dejado de poseer. || Volver a ejercer una actividad, incorporarse de nuevo a una colectividad o situación social o económica. [*Sinón.*: devolver]

reintegro. m. Acción y efecto de reintegrar. || Pago, entrega de lo que se adeuda. || En la lotería, premio igual a la cantidad jugada. [*Sinón.*: restitución]

reír (al. *lachen,* fr. *rire,* ingl. *to laugh,* it. *ridere*). intr. Manifestar alegría y regocijo con la expresión de la mirada y con determinados movimientos de la boca y otras partes del rostro. Ú.t.c.r. || fig. Hacer burla o zumba. Ú.t.c.tr. y c.r. || tr. Celebrar con risa alguna cosa. || *reírse de* una persona o cosa. fig. y fam. Despreciarla; no hacer caso de ella. [*Antón.*: llorar]

reiteración. f. Acción y efecto de reiterar o reiterarse. || DER. Circunstancia que puede ser agravante, derivada de anteriores condenas al reo por delitos de índole distinta del que se juzga. [*Sinón.*: repetición, insistencia]

reiterar (al. *wiederholen,* fr. *réitérer,*

ingl. *to reiterate*, it. *reiterare*). tr. Volver a decir o ejecutar; repetir una cosa. Ú.t.c.r. [*Sinón.*: insistir]

reivindicación. f. Acción y efecto de reivindicar.

reivindicar (al. *zurückfordern*, fr. *revendiquer*, ingl. *to replevy*, it. *rivendicare*). tr. Reclamar alguien aquello a que tiene derecho. ‖ DER. Recuperar alguien lo que legalmente le pertenece.

reja (al. *Gitter*, fr. *grille*, ingl. *grate*, it. *inferriata*). f. Red formada de barras de hierro que se coloca en las ventanas y otras aberturas para seguridad o adorno. ‖ AGR. Pieza de hierro del arado destinada a romper y revolver la tierra. ‖ fig. Labor o vuelta que se da a la tierra con el arado. [*Sinón.*: verja, cancela]

rejalgar. m. Sulfuro de arsénico, muy venenoso y de color rojo, que se usa en pirotecnia y en tenería.

rejilla. f. Celosía fija o movible, red de alambre, tela metálica, etc., que suele ponerse en el ventanillo o puerta exterior de las casas o en otras aberturas semejantes. ‖ Por ext., cualquier ventanilla o abertura pequeña cerrada con rejilla. ‖ Tejido claro hecho con tiritas de los tallos duros y flexibles de ciertas plantas, como el bejuco, que sirve para respaldos y asientos de sillas y para otros usos. ‖ Armazón de barras de hierro que sostiene el combustible en el hogar de las hornillas, hornos, etc. ‖ Tejido en forma de red colocado en los coches de los trenes, autocares, etc., para depositar cosas menudas y de poco peso durante el viaje.

rejo. m. Punta o aguijón de hierro, y por ext., punta o aguijón de otra especie, como el de las abejas. ‖ Hierro que se pone en el cerco de las puertas. ‖ BOT. En el embrión de la planta, órgano de que se forma la raíz. ‖ Tira de cuero. ‖ Soga, cuerda. ‖ *Amer.* Azote, látigo. ‖ *Amer.* Soga o cuero que sirve para maniatar reses.

rejón. m. Barra de hierro cortante que remata en punta. ‖ TAUROM. Asta de madera con una moharra en la punta una muesca próxima a ella, que se utiliza para rejonear. ‖ Pua del trompo.

rejonazo. m. Golpe y herida de rejón.

rejoneador, ra. s. Persona que rejonea.

rejonear. tr. TAUROM. En el toreo a caballo, herir con el rejón al toro, quebrándolo en él por la muesca que tiene cerca de la punta. ‖ Por ext., torear a caballo.

rejoneo. m. Acción de rejonear.

rejuvenecer (al. *verjüngen*, fr. *rajeunir*, ingl. *to rejuvenate*, it. *ringiovanire*). tr. Remozar, dar a alguien la fortaleza y vigor propios de la juventud. Ú.t.c. intr. y c.r. ‖ fig. Renovar, dar modernidad o actualidad a lo desusado, olvidado o postergado. [*Sinón.*: vigorizar]

rejuvenecimiento. m. Acción y efecto de rejuvenecer o rejuvenecerse.

relación (al. *Beziehung*, fr. *relation*, ingl. *connection*, it. *relazione*). f. Referencia que se hace de un hecho. ‖ Finalidad de una cosa. ‖ Conexión, correspondencia de una cosa con otra. ‖ Conexión, correspondencia, trato, comunicación de una persona con otra. Ú.m. en pl. ‖ En el poema dramático, trozo largo que dice un personaje. ‖ DER. Informe que un auxiliar hace de lo sustancial de un proceso ante un tribunal o juez. ‖ GRAM. Conexión o enlace entre dos términos de una misma oración. ‖ pl. Las amorosas con propósito matrimonial. [*Sinón.*: referencia, coherencia, analogía]

relacionar. tr. Hacer relación de un hecho. ‖ Poner en relación personas o cosas. Ú.t.c.r. [*Sinón.*: narrar, relatar]

relajación. f. Acción y efecto de relajar o relajarse. ‖ Hernia.

relajar (al. *abspannen*, fr. *relâcher*, ingl. *to relax*, it. *rilassare*). tr. Aflojar, laxar o ablandar. Ú.t.c.r. ‖ fig. Esparcir o divertir el ánimo con algún descanso. ‖ fig. Hacer menos severa o rigurosa la observancia de las leyes, reglas, estatutos, etc. Ú.t.c.r. ‖ DER. Aliviar o disminuir a alguien la pena o castigo. ‖ r. Laxarse o dilatarse una parte en el cuerpo del animal. ‖ fig. Viciarse, estragarse en las costumbres. [*Sinón.*: debilitar]

relajo. m. Desorden, falta de seriedad, barullo. ‖ Holganza. ‖ Degradación de costumbres.

relamer. tr. Volver a lamer. ‖ r. Lamerse los labios.

relamido, da. adj. Afectado, excesivamente pulcro. [*Sinón.*: repulido]

relámpago (al. *Blitz*, fr. *éclair*, ingl. *lightning*, it. *lampo*). m. Resplandor vivísimo producido en las nubes por una descarga eléctrica. ‖ fig. Cualquier fuego o resplandor repentino. ‖ fig. Cualquier cosa muy rápida. ‖ fig. Especie viva, pronta, aguda o ingeniosa. ‖ Úsase en aposición para denotar la rapidez, carácter repentino o brevedad de alguna cosa.

relampaguear (al. *blitzen*, fr. *faire des éclairs*, ingl. *to lighten*, it. *lampeg-*

giare). intr. Producirse relámpagos. ‖ fig. Arrojar luz o brillar mucho con algunas intermitencias.

relampagueo. m. Acción de relampaguear.

relatar (al. *schildern*, fr. *relater*, ingl. *to relate*, it. *raccontare*). tr. Referir, dar a conocer un hecho. ‖ Hacer relación de un proceso o pleito. [*Sinón.*: narrar, contar]

relatividad. f. Calidad de relativo. ‖ FÍS. Teoría que se propone averiguar cómo se transforman las leyes físicas cuando se cambia de sistema de referencia.

relativismo. m. FIL. Doctrina según la cual el conocimiento humano sólo tiene por objeto relaciones, sin llegar nunca a lo absoluto. ‖ Doctrina que afirma que la realidad carece de substrato permanente y consiste en la relación de los fenómenos.

relativo, va. adj. Que hace relación a una persona o cosa. ‖ Que no es absoluto. ‖ ↗ *pronombre relativo*. [*Sinón.*: referente, concerniente. *Antón.*: absoluto]

relato. m. Acción de relatar o referir. ‖ Narración, cuento. [*Sinón.*: referencia, relación, reseña]

relator, ra. adj. Que relata o refiere una cosa. Ú.t.c.s.

relé. m. FÍS. Aparato destinado a producir en un circuito una modificación dada, cuando se cumplen determinadas condiciones en el mismo circuito o en otro distinto.

relegar (al. *verbannen, verweisen*; fr. *reléguer*; ingl. *to relegate*; it. *relegare*). tr. En la antigua Roma, desterrar a un ciudadano sin privarle de los derechos que le correspondían como tal. ‖ Desterrar de un lugar. ‖ Apartar, posponer.

relente (al. *Abendtau*, fr. *rosée*, ingl. *night dew*, it. *serena*). m. Humedad que en noches serenas se nota en la atmósfera. ‖ fig. y fam. Sorna, frescura. [*Sinón.*: escarcha; desenfado]

relevación. f. Acción y efecto de relevar. ‖ Alivio de la carga que se debe llevar o de la obligación que se debe cumplir. ‖ DER. Exención de una obligación o requisito. [*Sinón.*: perdón, liberación]

relevancia. f. Calidad o condición de relevante; importancia, significación.

relevante. adj. Sobresaliente, excelente. ‖ Importante, significativo. [*Sinón.*: eximio]

relevar (al. *entlasten*, fr. *relever*, ingl. *to relieve*, it. *rilevare*). tr. Hacer de relieve una cosa. ‖ Exonerar de un peso

REIVINDICACIÓN-RELEVAR

o gravamen, o de un empleo o cargo. ‖ Remediar, socorrer. ‖ Absolver, perdonar o excusar. ‖ fig. Exaltar o engrandecer una cosa. ‖ MIL. Mudar una centinela, guardia o guarnición. ‖ Por ext., reemplazar a una persona por otra. [Sinón.: resaltar; eximir; auxiliar; enaltecer; sustituir]

relevo. m. MIL. Acción de relevar o cambiar la guardia. ‖ Soldado o cuerpo que releva.

relicario. m. Lugar donde están guardadas las reliquias. ‖ Caja para custodiar reliquias.

relieve (al. *Relief*, fr. *relief*, ingl. *relief*, it. *rilievo*). m. Labor o figura que resalta sobre el plano. ‖ fig. Mérito, renombre. ‖ PINT. Realce o bulto que parecen tener las cosas pintadas. ‖ *alto relieve*. ESC. Aquel en que las figuras salen del plano más de la mitad de su bulto. ‖ *bajo relieve*. ESC. Aquel en que las figuras resaltan poco del plano. [Sinón.: saliente]

religión (al. *Religion*, fr. *religion*, ingl. *religion*, it. *religione*). f. Conjunto de creencias sobre Dios y lo que espera al hombre después de la muerte, y de los cultos y prácticas relacionados con estas creencias. ‖ Cada sistema distinto de creencias y prácticas de esta clase. ‖ Virtud que nos mueve a dar a Dios el culto debido. ‖ Obligación de conciencia, cumplimiento de un deber. ‖ Profesión de la doctrina religiosa. ‖ Orden, instituto religioso. [Sinón.: piedad, devoción]

religiosidad. f. Práctica y esmero en cumplir las obligaciones religiosas. ‖ Puntualidad, exactitud en hacer, observar o cumplir una cosa. [Sinón.: unción, fervor. Antón.: impiedad]

religioso, sa (al. *fromm*, fr. *religieux*, ingl. *religious*, it. *religioso*). adj. Perteneciente o relativo a la religión o a los que la profesan. ‖ Que tiene religión, y particularmente que la profesa con celo. ‖ Que ha tomado hábito en una orden religiosa regular. Ú.t.c.s. ‖ Fiel y exacto en el cumplimiento del deber.

relinchar. tr. Emitir con fuerza su voz el caballo.

relincho (al. *Gewieher*, fr. *hennissement*, ingl. *neigh*, it. *nitrito*). m. Voz del caballo.

relinga. f. Cada una de las cuerdas o sogas en que van colocados los plomos y corchos en las redes. ‖ MAR. Cabo con que se refuerzan los bordes de las velas.

relingar. tr. MAR. Coser o pegar la relinga. ‖ MAR. Izar una vela hasta poner tirantes sus relingas de caída.

reliquia (al. *Reliquie*, fr. *relique*, ingl. *relic*, it. *reliquia*). f. Residuo que queda de un todo. Ú.m. en pl. ‖ Parte del cuerpo de un santo, o lo que por haberle tocado se considera digno de veneración. ‖ fig. Vestigio de cosas pasadas [Sinón.: resto, secuela]

reló. m. Reloj.

reloj (al. *Uhr*; fr. *horloge*; ingl. *watch*, *clock*; it. *orlogio*). m. Máquina dotada de movimiento uniforme, que sirve para medir el tiempo. Según sus dimensiones o el sitio donde haya de colocarse, se denomina de torre, de pared, de bolsillo, etc. ‖ pl. Pico de cigüeña. ‖ — de agua. Artificio para medir el tiempo por medio del agua que va cayendo de un vaso o recipiente a otro; clepsidra. ‖ — de arena. Artificio que se compone de dos ampolletas unidas por el cuello, y sirve para medir el tiempo por medio de la arena que va cayendo de una a otra. ‖ — de campana. El que da las horas con campana. ‖ — de sol. Artificio para señalar las horas del día por medio de la sombra arrojada por un gnomon o estilo sobre una superficie. ‖ — despertador. Despertador, reloj que suena a la hora que se desea. ‖ contra reloj. loc. Modalidad de carrera ciclista en que los corredores toman la salida de uno en uno, con un intervalo determinado. ‖ estar uno como un reloj. fig. Estar bien dispuesto, sano y ágil.

relojería. f. Arte de hacer relojes. ‖ Taller donde se hacen o componen relojes. ‖ Tienda donde se venden.

relojero, ra. s. Persona que hace, compone o vende relojes.

relucir (al. *glänzen*, fr. *reluire*, ingl. *to shine*, it. *risplendere*). intr. Despedir o reflejar luz una cosa resplandeciente. ‖ Lucir mucho o resplandecer una cosa. ‖ fig. Resplandecer alguien en alguna cualidad excelente o por hechos loables. ‖ sacar, o salir, a relucir. fig. y fam. Mentar o alegar inesperadamente algún hecho o razón. [Sinón.: brillar]

reluctancia. f. Resistencia que ofrece un circuito al flujo magnético.

relumbrar. intr. Dar viva luz una cosa o alumbrar con exceso. [Sinón.: deslumbrar]

relumbre. m. Brillo, destello, luz muy viva.

relumbrón. m. Golpe de luz vivo y pasajero. ‖ Oropel.

rellano (al. *Treppenabsatz*, fr. *palier*, ingl. *landing*, it. *pianerottolo*). m. Descansillo de la escalera. ‖ Llano que interrumpe la pendiente de un terreno.

rellenar (al. *füllen*, fr. *remplir*, ingl. *to replenish*, it. *riempire*). tr. Volver a llenar una cosa. Ú.t.c.r. ‖ Llenar enteramente. Ú.t.c.r. ‖ Llenar de carne picada u otros ingredientes un ave u otro manjar. [Sinón.: repletar, atestar. Antón.: vaciar]

relleno, na. adj. Muy lleno. ‖ m. Picadillo de carne o de otros alimentos con que se llenan tripas, aves, hortalizas, etc. ‖ Acción y efecto de rellenar o rellenarse. ‖ fig. Parte superflua que alarga una oración o un escrito.

remachar (al. *nieten*, fr. *river*, ingl. *to rivet*, it. *ribadire*). tr. Machacar la punta o la cabeza del clavo ya clavado, para mayor seguridad. ‖ Golpear el extremo del roblón colocado en el taladro hasta que forme cabeza que le sujete. ‖ Sujetar con remaches. ‖ fig. Recalcar, afianzar. [Sinón.: roblonar]

remache (al. *Niet*, fr. *rivet*, ingl. *rivet*, it. *ribadimento*). m. Acción y efecto de remachar. ‖ Roblón, especie de clavo.

remanente. m. Residuo de una cosa. [Sinón.: sobrante]

remangar. tr. Levantar, recoger hacia arriba las mangas o la ropa. Ú.t.c.r. ‖ r. fig. y fam. Tomar enérgicamente una resolución.

remansarse. r. Detenerse o suspenderse el curso de la corriente de un líquido. [Sinón.: aquietarse. Antón.: fluir]

remanso (al. *Stauwasser*, fr. *eau dormante*, ingl. *backwater*, it. *gorgo*). m. Detención en un lugar determinado de la corriente de un líquido.

remar (al. *rudern*, fr. *ramer*, ingl. *to row*, it. *remare*). intr. Mover de forma conveniente el remo para impeler la embarcación por el agua. ‖ fig. Trabajar con gran empeño. [Sinón.: bogar, ciar]

remarcar. tr. Volver a marcar.

rematado, da. p. p. de rematar. ‖ adj. Dícese de la persona que se halla en tan mal estado que es poco menos que imposible su remedio.

rematador. adj. Que remata. Ú.t.c.s.

rematar (al. *vollenden*, fr. *achever*, ingl. *to end, to close*; it. *finire*). tr. Dar fin o remate a una cosa. ‖ Poner fin a la vida del animal o de la persona que está en trance de muerte. ‖ Dejar el cazador la pieza muerta del tiro. ‖ Entre sastres y costureras, afianzar la última puntada. ‖ Hacer remate en la venta o arrendamiento de una cosa. ‖ DEP. En varias modalidades deportivas, dar un jugador el impulso final a la pelota, que en general le ha pasado un jugador de su equipo, para introducirla en el marco contrario. ‖ intr. Terminar, fenecer.

remate. m. Fin o cabo, extremidad o conclusión de una cosa. ‖ Lo que en ciertos edificios se sobrepone para coronarlos o adornar su parte superior. ‖ Adjudicación que se hace de los bienes que se venden en subasta al comprador que ha formulado la mejor puja o condición. ‖ *Amer.* Subasta. ‖ DEP. Acción y efecto de rematar. ‖ *de remate.* m. adv. Absolutamente, sin remedio. [*Sinón.*: término]

rembolsar. tr. Reembolsar.

rembolso. m. Reembolso.

remedar (al. *nachbilden*, fr. *contrefaire*, ingl. *to counterfeit*, it. *contrafare*). tr. Imitar o contrahacer una cosa. ‖ Seguir alguien las mismas huellas y ejemplos de otro, o llevar el mismo método, orden o disciplina que él. ‖ Hacer alguien las mismas acciones, visajes y ademanes que otro hace. [*Sinón.*: parodiar]

remediar (al. *Abhelfe*, fr. *remédier*, ingl. *to remedy*, it. *rimediare*). tr. Poner remedio al daño, repararlo; corregir o enmendar una cosa. Ú.t.c.r. ‖ Socorrer una necesidad o urgencia. Ú.t.c.r. [*Sinón.*: subsanar, enmendar. *Antón.*: desamparar]

remedio (al. *Abhilfe*, fr. *remède*, ingl. *remedy*, it. *rimedio*). m. Medio que se toma para reparar un daño o inconveniente. ‖ Enmienda o corrección. ‖ Recurso, auxilio o refugio. ‖ MED. Todo lo que en las enfermedades sirve para producir un cambio favorable. ‖ — *casero.* El empírico, sin recurrir a las farmacias. ‖ *no haber*, o *no tener, más remedio.* Tener precisión o necesidad de hacer o de sufrir una cosa. [*Sinón.*: cura, antídoto]

remedo. m. Imitación de una cosa, especialmente cuando no es perfecta. [*Sinón.*: parodia]

remembranza. f. Recuerdo, memoria de una cosa pasada. [*Sinón.*: evocación]

rememoración. f. Acción y efecto de rememorar.

rememorar. tr. Recordar, traer a la memoria.

remendar (al. *flicken*, fr. *rapiècer*, ingl. *to patch*, it. *rettoppare*). tr. Reforzar con remiendo lo que está viejo o roto. ‖ Corregir o enmendar. ‖ Aplicar o acomodar una cosa a otra para suplir lo que le falta. [*Sinón.*: recoser, zurcir]

remendón, na. adj. Que tiene por oficio remendar. Dícese especialmente de los sastres y zapateros de viejo. Ú.t.c.s.

remeneo. m. Movimientos rápidos y continuados en ciertos bailes y esparcimientos.

remera. f. Cada una de las plumas grandes con que terminan las alas de las aves.

remero, ra. s. Persona que rema.

remesa (al. *Sendung*, fr. *envoi*, ingl. *shipment*, it. *rimessa*). f. Remisión o envío que se hace de una cosa de una parte a otra. ‖ Lo que se envía en cada vez. [*Sinón.*: envío]

remeter. tr. Volver a meter. ‖ Meter más adentro.

remiendo (al. *Flicken*, fr. *pièce*, ingl. *patch*, it. *rattoppo*). m. Pedazo de paño u otra tela que se cose a lo que está viejo o roto. ‖ Obra de poca importancia que se hace para reparar daños de escasa consideración. ‖ fig. Composición, enmienda o añadidura que se introduce en una cosa. [*Sinón.*: parche, pieza, zurcido]

remilgado, da. adj. Que observa excesiva compostura, delicadeza y gracia en el porte, gestos y acciones. [*Sinón.*: afectado]

remilgo. m. Pulidez y delicadeza exagerada o afectada. ‖ fam. Melindre.

reminiscencia. f. Acción de representarse u ofrecerse a la memoria una cosa ya pasada. ‖ Facultad de recordar. [*Sinón.*: recuerdo, evocación, remembranza]

remirar. tr. Volver a mirar o reconocer. ‖ r. Esmerarse en lo que se hace o resuelve. ‖ Mirar o considerar una cosa complaciéndose o recreándose en ella.

remisión (al. *Erlass*, fr. *rémission*, ingl. *remission*, it. *remissione*). f. Acción y efecto de remitir o remitirse. ‖ Indicación en un escrito del lugar del mismo o de otro escrito a que se remite al lector.

remiso, sa. adj. Flojo, irresoluto. ‖ Aplícase a las calidades físicas que tienen escasa actividad.

remitente. adj. Que remite. Ú.t.c.s.

remitir (al. *schicken*, fr. *envoyer*, ingl. *to send*, it. *spedire*). tr. Enviar una cosa a determinada persona de otro lugar. ‖ Perdonar, alzar la pena, eximir de una obligación. ‖ Dejar, diferir o suspender. ‖ Ceder o perder una cosa parte de su intensidad. Ú.t.c.intr. y c.r. ‖ Indicar en un escrito la parte del mismo o de otro escrito en que consta lo que atañe al punto tratado. ‖ r. Atenerse a lo dicho o hecho, o a lo que ha de decirse o hacerse. [*Sinón.*: expedir; indultar]

remo (al. *Ruder*, fr. *rame*, ingl. *oar*, it. *remo*). m. Instrumento de madera, en forma de pala larga y estrecha, que sirve para mover las embarcaciones haciendo fuerza en el agua. ‖ Brazo o pierna, en el hombre y en los cuadrúpedos. Ú.m. en pl. ‖ En las aves, cada una de las alas. Ú.m. en pl.

remoción. f. Acción y efecto de remover o removerse.

remojar (al. *einweichen*, fr. *détremper*, ingl. *to steep*, it. *inzuppare*). tr. Empapar en agua o poner en remojo una cosa. ‖ fig. Celebrar algún suceso feliz bebiendo.

remojo. m. Acción de mojar o empapar en agua una cosa.

remojón. m. Mojadura. [*Sinón.*: chapuzón]

remolacha (al. *Zuckerrübe*, fr. *betterave*, ingl. *sugar-beet*, it. *barbabietola*). f. BOT. Planta herbácea anual, quenopodiácea, con tallo derecho, hojas grandes, flores pequeñas y verdosas, fruto seco y raíz grande, carnosa, fusiforme, comestible y de la cual se extrae azúcar. ‖ Esta raíz. ‖ — *forrajera.* La que se cultiva especialmente para alimento del ganado.

remolcador, ra (al. *Schlepper*, fr. *remorqueur*, ingl. *towboat*, it. *rimorchiatore*). adj. Que sirve para remolcar. Aplicado a embarcaciones, ú.t.c.s.m.

remolcar (al. *schleppen*, fr. *remorquer*, ingl. *to tow*, it. *rimorchiare*). tr. MAR. Llevar una embarcación u otra cosa sobre el agua tirando de ella por medio de un cabo o cuerda. ‖ En tierra, arrastrar un vehículo a otro. ‖ fig. Traer una persona a otra u otras, contra la inclinación de éstas, al intento u obra que quiere acometer o consumar. [*Sinón.*: atoar]

remolino (al. *Wirbel*, fr. *tourbillon*, ingl. *whirl*, it. *vortice*). m. Movimiento giratorio y rápido del aire, del agua, del polvo, del humo, etc. ‖ Retorcimiento del pelo en redondo. ‖ fig. Amontonamiento de gente, o confusión de unos con otros, por efecto de un desorden. [*Sinón.*: torbellino]

remolón, na. adj. Flojo, pesado y que huye del trabajo. Ú.t.c.s. [*Sinón.*: negligente, perezoso]

remolonear. intr. Rehusar moverse, tardar en hacer o admitir una cosa, por flojedad o pereza. Ú.t.c.r. [*Sinón.*: roncear]

remolque (al. *Schleppen*, fr. *remorquage*, ingl. *towage*, it. *rimorchio*). m. Acción y efecto de remolcar ‖ Cabo o cuerda que se da a una embarcación para remolcarla. ‖ Cosa que se lleva remolcada por mar o por tierra. ‖ *a remolque.* m. adv. Remolcando. ‖ fig. Aplícase a la acción poco espontánea, ejecutada por presión o impulso de otra persona.

remonta (al. *Remonte,* fr. *remonte,* ingl. *remount,* it. *rimonta*). f. Compostura del calzado cuando se le pone de nuevo el pie o las suelas. ‖ Parche de paño o cuero que se pone al pantalón de montar para evitar su desgaste al rozar con la silla. ‖ MIL. Compra, cría y cuidado de los caballos para proveer al ejército. ‖ MIL. Conjunto de los caballos destinados a cada cuerpo. ‖ MIL. Establecimiento destinado a la remonta para el ejército.

remontar. tr. Ahuyentar, espantar. Dícese propiamente de la caza. ‖ Proveer de nuevos caballos a la tropa. ‖ Subir una pendiente, sobrepasarla. ‖ Navegar aguas arriba en una corriente. ‖ fig. Superar algún obstáculo o dificultad. ‖ fig. Elevar, encumbrar, sublimar. Ú.t.c.r. ‖ r. Subir en general, ir hacia arriba. ‖ Subir o volar muy alto las aves. ‖ fig. Subir hasta el origen de una cosa.

remonte. m. Acción y efecto de remontar o remontarse.

remoquete. m. Moquete o puñada. ‖ fig. Dicho agudo y satírico. ‖ Apodo que se da a uno.

rémora (al. *Schildfisch,* fr. *rémora,* ingl. *remora,* it. *rèmora*). f. ZOOL. Pez marino acantopterigio, con cuerpo fusiforme de color ceniciento, azulado u oscuro, y con un disco oval sobre la cabeza, formado por una serie de láminas cartilaginosas, con el cual hace el vacío para adherirse a objetos flotantes y a otros peces. ‖ fig. Cualquier cosa que detiene, embarga o suspende.

remorder. tr. Morder reiteradamente. ‖ fig. Inquietar, alterar o desasosegar interiormente una cosa. ‖ r. Manifestar con una acción exterior el sentimiento reprimido que interiormente se padece.

remordimiento (al. *Gewissensbiss,* fr. *remords,* ingl. *remorse,* it. *rimorso*). m. Inquietud, pesar interno que se siente después de ejecutar una mala acción. [*Sinón.:* arrepentimiento, desasosiego]

remoto, ta (al. *fern,* fr. *éloigné,* ingl. *remote,* it. *remoto*). adj. Distante o apartado. ‖ fig. Que no es verosímil o está muy lejos de suceder. [*Antón.:* próximo, cercano]

remover (al. *beseitigen,* fr. *remuer,* ingl. *to remove,* it. *rimuovere*). tr. Pasar o mudar una cosa de un lugar a otro. Ú.t.c.r. ‖ Conmover, alterar alguna cosa o asunto. Ú.t.c.r.

remozar. tr. Dar o comunicar cierta especie de robustez y lozanía propias de la mocedad. Ú.m.c.r.

remplazar. tr. Reemplazar.

remplazo. m. Reemplazo.

remudar. tr. Reemplazar una persona o cosa por otra. Ú.t.c.r.

remuneración (al. *Belohnung,* fr. *rémunération,* ingl. *remuneration,* it. *rimunerazione*). f. Acción y efecto de remunerar. ‖ Lo que se da o sirve para remunerar. [*Sinón.:* retribución, estipendio, honorarios]

remunerar. tr. Recompensar, pagar, galardonar.

renacentista. adj. Relativo o perteneciente al Renacimiento. ‖ Se dice del que cultiva los estudios o arte propios del Renacimiento. Ú.t.c.s.

renacer. intr. Volver a nacer. ‖ fig. Cobrar nueva fuerza y vigor.

renacimiento (al. *Renaissance,* fr. *renaissance,* ingl. *renaissance,* it. *rinascimento*). m. Acción de renacer. ‖ Época de la historia, que comienza a mediados del siglo XV, en la que se produce un vigoroso desarrollo de las artes y de las ciencias, inspirado en la antigüedad clásica.

renacuajo (al. *Kaulquappe,* fr. *têtard,* ingl. *tadpole,* it. *girino*). m. ZOOL. Larva de la rana que difiere del animal adulto principalmente por tener cola y respirar por las branquias. ‖ ZOOL. Larva de cualquier batracio. ‖ Calificativo con que se suele motejar a los muchachos canijos o enclenques y a la vez antipáticos o molestos.

renadío. m. Sembrado que retoña después de cortado en hierba.

renal. adj. Perteneciente o relativo a los riñones.

rencilla (al. *Zwist,* fr. *querelle,* ingl. *quarrel,* it. *contesa*). f. Cuestión o riña que deja tras de sí algún encono. [*Sinón.:* discusión, disputa]

renco, ca. adj. Cojo por lesión de las caderas. Ú.t.c.s. ‖ Ciclán, que tiene un solo testículo.

rencor (al. *Groll,* fr. *rencune,* ingl. *rancour,* it. *rencore*). m. Resentimiento arraigado y tenaz. [*Sinón.:* odio, fobia. *Antón.:* amor, perdón]

rencoroso, sa. adj. Que tiene o guarda rencor.

rendición (al. *Übergabe,* fr. *reddition,* ingl. *surrendering,* it. *rendimento*). f. Acción y efecto de rendir o rendirse. ‖ Rendimiento, producto. [*Si-*

nón.: capitulación, sometimiento. *Antón.:* rebeldía, resistencia]

rendido, da. p. p. de rendir. ‖ adj. Sumiso, obsequioso, galante. [*Antón.:* rebelde]

rendija (al. *Spalt,* fr. *fente,* ingl. *crevice,* it. *fessura*). f. Hendedura, raja o abertura larga y angosta que se produce naturalmente en cualquier cuerpo sólido y lo atraviesa. [*Sinón.:* grieta, resquicio]

rendimiento. m. Rendición, fatiga, cansancio. ‖ Sumisión, subordinación, humildad. ‖ Obsequiosa expresión de la sujeción a la voluntad de otro. ‖ Producto o utilidad que rinde o da una persona o cosa.

rendir (al. *besiegen, sichbeugen;* fr. *soumettre, se rendre;* ingl. *to cause, to surrender;* it. *rendere, arrendersi*). tr. Vencer, sujetar, obligar al enemigo a entregarse. ‖ Someter una cosa al dominio de uno. Ú.t.c.r. ‖ Dar a uno lo que le toca, o restituirle lo que se le había quitado. ‖ Dar producto o utilidad una persona o cosa. ‖ Cansar, fatigar, vencer. Ú.t.c.r. ‖ MAR. Tratándose de un crucero, un viaje, etc., terminarlo. ‖ MIL. Entregar, hacer pasar una cosa al cuidado o vigilancia de otro. [*Sinón.:* capitular. *Antón.:* resistir]

renegado, da. adj. Que renuncia la ley de su religión de origen. Ú.t.c.s. ‖ fig. y fam. Dícese de la persona desabrida y maldiciente. Ú.t.c.s. [*Sinón.:* apóstata]

renegar (al. *verleugnen,* fr. *renier,* ingl. *to apostatize,* it. *rinnegare*). tr. Negar con instancia una cosa. ‖ Detestar, abominar. ‖ intr. Pasarse de una religión a otra. ‖ Blasfemar. ‖ fig. y fam. Decir injurias contra alguien. [*Sinón.:* maldecir; apostatar]

renegón, na. adj. fam. Que reniega con frecuencia. Ú.t.c.s.

renegrido, da. adj. Dícese del color cárdeno muy oscuro, en especial hablando de contusiones. [*Sinón.:* amoratado, violáceo]

renglón (al. *Zeile,* fr. *ligne,* ingl. *line,* it. *riga*). m. Serie de palabras o caracteres escritos o impresos en línea recta. ‖ *a renglón seguido.* fig. y fam. A continuación, inmediatamente.

renglonadura. f. Conjunto de líneas señaladas en el papel para escribir sobre ellas los renglones.

rengo, ga. adj. Renco, cojo. Ú.t.c.s.

renlego. m. Blasfemia. ‖ fig. y fam. Execración, dicho injurioso y atroz.

renil. adj. Dícese de la oveja castrada.

renio. m. QUÍM. Metal blanco, brillante, muy denso y difícilmente fusible.

reniteņcja. f. Repugnancia, resistencia que se opone a consentir o hacer una cosą. || Estado de la piel cuando se halla tersa y lustrosa.

reno (al. *Renntier*, fr. *renne*, ingl. *reindeer*, it. *renna*). m. ZOOL. Mamífero rumiante de la familia de los cérvidos, con astas muy ramificadas y pelaje espeso. Habita en las regiones nórdicas y se domestica fácilmente.

renombrado, da. adj. Célebre, famoso. [*Sinón.*: reputado, afamado]

renombre. m. Apellido o sobrenombre propio. || Epíteto de gloria o fama. || Fama, celebridad.

renovación (al. *Erneuerung*, fr *rénovation*, ingl. *renewal*, it. *rinnovazione*). f. Acción y efecto de renovar o renovarse. [*Sinón.*: renuevo, restauración]

renovar (al. *erneuern*, fr. *renouveler*, ingl. *to renew*, it. *rinnovare*). tr. Hacer como de nuevo una cosa o volverla a su primer estado. Ú.t.c.r. || Restablecer o reanudar una relación u otra cosa que se había interrumpido. Ú.t.c.r. || Remudar o reemplazar una cosa. || Trocar una cosa vieja o usada por otra nueva. || Reiterar o publicar de nuevo. [*Sinón.*: restablecer, restaurar]

renquear. intr. Cojear, andar como renco. || fig. y fam. No acabar de decidirse el que es apático o melindroso a ejecutar un acto o tomar una resolución.

renta (al. *Rente*, fr. *rente*, ingl. *rent*, it. *rendita*). f. Utilidad o beneficio que se cobra periódicamente de una cosa, o que esa cosa produce. || Lo que paga en dinero o en frutos un arrendatario. || Deuda pública o títulos representativos de ella. [*Sinón.*: rédito, alquiler, arrendamiento]

rentabilidad. f. Calidad de rentable. || Capacidad de rentar.

rentable. adj. Que produce renta suficiente o remuneradora.

rentar (al. *eintragen*, fr. *rapporter*, ingl. *to yield*, it. *rendere*). tr. Producir una, cosa renta o beneficio periódico. [*Sinón.*: rendir, redituar]

rentero, ra. adj. Tributario. || s. Colono que tiene en arrendamiento una posesión o finca rural.

rentista. com. Persona que tiene conocimiento o práctica en materia de hacienda pública. || Persona que percibe renta procedente de papel del Estado. || Persona que principalmente vive de sus rentas. [*Sinón.*: pensionista]

renuencia. f. Repugnancia a hacer una cosa. [*Sinón.*: renitencia]

renuente. adj. Indócil, remiso.

renuevo. m. Renovación. || BOT. Vástago que echa el árbol después de podado o cortado.

renuncia (al. *Verzicht*, fr. *renonciation*, ingl. *renunciation*, it. *rinunzia*). f. Acción de renunciar. || Documento que contiene la renuncia. || Dejación voluntaria de una cosa que se posee, o del derecho a ella. [*Sinón.*: dejación. *Antón.*: aceptación]

renunciación. f. Acción y efecto de renunciar.

renunciar (al. *verzichten*, fr. *renoncer*, ingl. *to give up*, it. *rinunciare*). tr. Hacer dejación voluntaria de una cosa que se tiene, o del derecho y acción que se puede tener. || No querer admitir o aceptar una cosa. || Despreciar o abandonar. || En algunos juegos de naipes, no servir del palo que se juega teniendo carta de él. [*Sinón.*: dejar, desechar. *Antón.*: aceptar]

renuncio. m. Falta que se comete renunciando en algunos juegos de naipes. || fig. y fam. Mentira o contradicción en que se coge a alguien.

reñidero. m. Sitio destinado a la riña de algunos animales, principalmente a la de gallos. [*Sinón.*: gallera]

reñido, da. p. p. de reñir. || adj. Que está enemistado con otro o negado a su trato. || Aplícase a las acciones en que se lucha con porfía.

reñir (al. *zanken*, fr. *se disputer*, ingl. *to quarrel*, it. *litigare*). intr. Contender o disputar promoviendo altercado de obra de palabra. || Pelear, batallar. || Desavenirse, enemistarse. || tr. Reprender o corregir. || Tratándose de desafíos, batallas, etc., llevarlos a efecto. [*Sinón.*: combatir, disputar]

reo (al. *Angeklagter*, fr. *coupable*, ingl. *culprit*, it. *reo*). com. Persona que por haber cometido una culpa merece castigo. || DER. El demandado en juicio civil o criminal, a distinción del actor. [*Sinón.*: culpable, acusado,' penado, convicto]

reo, a. adj. Criminoso, culpado.

reojo (mirar de). fr. Mirar disimuladamente, dirigiendo la vista por encima del hombro. || fig. Mirar con prevención hostil o enfado.

reorganización. f. Acción y efecto de reorganizar. [*Sinón.*: reestructuración]

reorganizar (al. *neugestalten*, fr. *réorganiser*, ingl. *to reorganize*, it. *riorganizzare*). tr. Volver a organizar una cosa. Ú.t.c.r.

reóstato. m. FÍS. Instrumento que sirve para hacer variar la resistencia en un circuito eléctrico.

repantigarse. r. Arrellanarse en el asiento y estirarse para mayor comodidad. [*Sinón.*: retreparse]

reparación (al. *Ausbesserung*, fr. *réparation*, ingl. *reparation*, it. *riparazione*). f. Acción y efecto de reparar. || Desagravio, satisfacción completa de una ofensa, daño o injuria. [*Sinón.*: reparamiento, compostura, arreglo; resarcimiento]

reparado, da. adj. Reforzado, proveído. || Bizco o que tiene otro defecto en los ojos.

reparador, ra. adj. Que repara o mejora una cosa. Ú.t.c.s. || Que propende a notar defectos frecuentemente y con nimiedad. Ú.t.c.s. || Que restablece las fuerzas y da aliento y vigor. || Que desagravia o satisface por alguna culpa.

reparar (al. *ausbessern*, fr. *réparer*, ingl. *to repair*, it. *riparare*). tr. Componer, aderezar o enmendar. || Mirar con cuidado; notar, advertir una cosa. || Atender, considerar o reflexionar. || Enmendar, corregir o remediar. || Desagraviar. || Oponer una defensa contra un golpe para librarse de él. || Remediar o precaver un daño o perjuicio. || Restablecer las fuerzas; dar aliento o vigor. || r. Contenerse. [*Sinón.*: recomponer, arreglar. *Antón.*: descomponer]

reparo (al. *Bedenken*, fr. *remarque*, ingl. *remark*, it. *osservazione*). m. Restauración o remedio. || Advertencia, nota, observación. || Duda, dificultad o inconveniente. || Cualquier cosa que se pone como defensa o resguardo. [*Sinón.*: reparamiento; crítica, censura]

repartición. f. Acción de repartir. [*Sinón.*: reparto]

repartidor, ra. adj. Que reparte o distribuye. Ú.t.c.s. [*Sinón.*: distribuidor]

repartimiento. m. Acción y efecto de repartir. || Documento o registro en que consta el reparto. || Contribución o carga con que se grava a cada uno de los que voluntariamente la aceptan o consienten.

repartir (al. *verteilen*, fr. *répartir*, ingl. *to distribute*, it. *ripartire*). tr. Distribuir una cosa dividiéndola en partes. || Distribuir por lugares distintos o entre personas diferentes. Ú.t.c.r. || Clasificar, ordenar. || Entregar a personas distintas las cosas que han encargado o que deben recibir. || Señalar o atribuir partes de un todo. || Extender o distribuir una materia sobre una superficie. ‖ Cargar una contribución o gravamen por partes. ‖ Dar a cada cosa su oportuna colocación o destino conveniente. ‖ Adjudicar los papeles de una obra dramática a los actores que han de representarla. [*Sinón.*: dividir, partir. *Antón.*: aunar, sumar]

reparto. m. Acción y efecto de repartir. ‖ Relación de los personajes de una obra dramática y de los actores que los encarnan.

repasar. tr. Volver a pasar por un mismo sitio o lugar. Ú.t.c. intr. ‖ Volver a mirar, examinar o registrar una cosa. ‖ Volver a explicar la lección. ‖ Recorrer lo estudiado o recapacitar las especies que se tienen en la memoria. ‖ Reconocer muy por encima un escrito. ‖ Recoser la ropa. ‖ Examinar una obra ya terminada para corregir sus imperfecciones. [*Sinón.*: releer]

repasata. f. fam. Reprensión, corrección.

repaso. m. Acción y efecto de repasar. ‖ Estudio ligero de lo ya visto o estudiado, para mayor comprensión y firmeza en la memoria. ‖ Reconocimiento de una cosa después de hecha, para ver si le falta o le sobra algo. ‖fam. Reprensión, corrección. ‖ *dar un repaso* a alguien. loc. fig. y fam. Demostrarle gran superioridad en conocimientos, habilidad, etc. [*Sinón.*: revisión]

repatriación. f. Acción y efecto de repatriar o repatriarse.

repatriar (al. *repatrüren,* fr. *repatrier,* ingl. *to repatriate,* it. *rimpatriare*). tr. Hacer que alguien regrese a su patria. Ú.t.c. intr. y m.c.r.

repecho. m. Cuesta corta y de pendiente pronunciada. [*Sinón.*: rampa]

repelencia. f. Acción y efecto de repeler. ‖ Condición de repelente.

repelente. adj. Que arroja, lanza o echa de sí algo con impulso o violencia. ‖ fig. Repulsivo, repugnante.

repeler (al. *zurückstossen,* fr. *repousser,* ingl. *to repel,* it. *respingere*). tr. Arrojar de sí una cosa con violencia. ‖ Rechazar, contradecir. ‖ Causar repugnancia o aversión. [*Sinón.*: repudiar, repulsar. *Antón.*: atraer]

repelo. m. Lo que no va al pelo. ‖ Parte pequeña de cualquier cosa que se levanta contra lo natural. ‖ fig. y fam. Repugnancia, resistencia que se opone a hacer o consentir una cosa. [*Sinón.*: renitencia]

repeluzno. m. Escalofrío leve y pasajero.

repente. m. fam. Movimiento súbito y no previsto de personas y animales. ‖ adv. m. De repente. ‖ *de repente.* m. adv. Prontamente, sin preparación, sin discutir o pensar.

repentino, na (al. *plötzlich,* fr. *subit,* ingl. *sudden,* it. *repentino*). adj. Pronto, impensado, no prevenido. [*Sinón.*: inesperado, inopinado, súbito]

repentizar. tr. Ejecutar a la primera lectura un instrumentista o un cantante piezas musicales. Ú.t.c. intr. ‖ Hacer sin preparación un discurso, una poesía, etc.

repercusión. f. Acción y efecto de repercutir.

repercutir (al. *zurückprallen,* fr. *répercuter,* ingl. *to rebound,* it. *ripercuotere*). jntr. Retroceder o mudar de dirección un cuerpo al chocar con otro. ‖ r. Reverberar. ‖ Producir eco el sonido. ‖fig. Trascender, causar efecto una cosa en otra ulterior. [*Sinón.*: reflejar, resonar]

repertorio (al. *Repertorium,* fr. *répertoire,* ingl. *repertory,* it. *repertorio*). m. Conjunto de obras que tiene preparadas para representarlas o ejecutarlas una compañía teatral, un músico, etc. ‖ Recopilación de obras o noticias de una misma clase. [*Sinón.*: catálogo]

repesca. f. Acción y efecto de repescar.

repescar. tr. fig. Admitir nuevamente al que ha sido eliminado en un examen, en una competición, etc.

repetición (al. *Wiederholung,* fr. *répétition,* ingl. *repetition,* it. *repetizione*). f. Acción y efecto de repetir o repetirse. ‖ RET. Figura que consiste en repetir de propósito palabras o conceptos. ‖ *de repetición.* loc. adj. Dícese del aparato o mecanismo que una vez puesto en marcha repite su acción automáticamente. [*Sinón.*: reiteración, reincidencia]

repetidor, ra. adj. Que repite. ‖ Dícese especialmente del alumno que repite un curso o una asignatura. ‖ m. Aparato electrónico que recibe una señal electromagnética y la vuelve a transmitir amplificada. Se emplea en comunicaciones, televisión, etc.

repetir (al. *wiederholen,* fr. *répéter,* ingl. *to repeat,* it. *ripetere*). tr. Volver a hacer lo que se había hecho o decir lo que se había dicho. ‖ intr. Hablando de manjares o bebidas, venir a la boca el sabor de lo que se ha comido o bebido. [*Sinón.*: reiterar, iterar]

repicar. tr. Picar mucho una cosa;

reducirla a partes muy menudas. ‖ Tañer repetidamente y con cierto compás las campanas. Dícese también de otros instrumentos. Ú.t.c. intr.

repintar. tr. PINT. Pintar sobre lo ya pintado para perfeccionarlo o restaurarlo. ‖ r. IMP. Señalarse la letra de una página en otra por estar reciente la impresión.

repipi. adj. Afectado y pedante, dicho especialmente del niño.

repique. m. Acción y efecto de repicar. Aplícase especialmente al tañido de las campanas. ‖ fig. Quimera, altercado o cuestión de poca monta entre dos personas. [*Sinón.*: repiqueteo, tañido]

repiquetear. tr. Repicar con viveza las campanas u otro instrumento.

repiqueteo. m. Acción y efecto de repiquetear.

repisa (al. *Kragstein,* fr. *console,* ingl. *bracket,* it. *mensola*). f. Ménsula que tiene más longitud que vuelo y sirve para sostener un objeto de utilidad o adorno, o de piso a un balcón. [*Sinón.*: anaquel]

replantar. tr. Volver a plantar en la tierra o lugar que ya ha estado plantado. ‖ Trasplantar un vegetal de un sitio a otro.

replantear. tr. ARQ. Trazar en el terreno o sobre el plano de cimientos la planta de una obra ya proyectada. ‖ Volver a plantear un problema o asunto.

repleción. f. Acción y efecto de repletar o repletarse.

replegar (al. *wieder Zusammenfalten,* fr. *replier,* ingl. *to refold,* it. *ripiegare*). tr. Plegar o doblar muchas veces. ‖r. MIL. Retirarse en buen orden las tropas que iban o estaban en avanzada. Ú.t.c. tr.

repletar. tr. Rellenar, colmar. ‖ r. Ahitarse, hartarse.

repleto, ta. adj. Muy lleno.

réplica (al. *Erwiderung,* fr. *réplique,* ingl. *reply,* it. *replica*). f. Acción de replicar. ‖ Expresión, argumento o discurso con que se replica. ‖ Copia de una obra artística que reproduce con exactitud la original. [*Sinón.*: respuesta, contestación]

replicar (al. *erwidern,* fr. *répliquer,* ingl. *to retort,* it. *replicare*). intr. Instar o argüir contra la respuesta o argumento. ‖ Responder como repugnando lo que se dice o manda. Ú.t.c.tr. ‖ DER. Impugnar el actor, en juicio ordinario, la contestación del demandado. [*Sinón.*: contestar, argumentar]

repliegue. m. Pliegue doble. ‖ MIL. Acción y efecto de replegarse las tropas. [*Sinón.*: retirada]

repoblación. f. Acción y efecto de repoblar o repoblarse. ‖ Conjunto de árboles o especies vegetales en terrenos repoblados.

repoblar (al. *neu bevölkern*, fr. *repeupler*, ingl. *to repeople*, it. *ripopolare*). tr. Volver a poblar. Ú.t.c.r. [*Sinón.*: replantar]

repollo. m. BOT. Especie de col de hojas comprimidas y estrechamente apretadas que forman como una cabeza. ‖ Grupo o cabeza más o menos redonda que forman algunas plantas, apiñándose sus hojas.

repolludo, da. adj. Dícese de las plantas que forman repollo. ‖ De figura de repollo. ‖ fig. Dícese de la persona gruesa y chica.

reponer (al. *wiederhinstellen*, fr. *remettre*, ingl. *to replace*, it. *riporre*). tr. Volver a poner; colocar a una persona o cosa en el empleo, lugar o estado que antes tenía. ‖ Reemplazar lo que falta o lo que se había sacado de alguna parte. ‖ Responder, replicar. ‖ Volver a poner en escena una obra ya estrenada en temporada anterior. ‖ DER. Retrotraer un pleito a un estado determinado. ‖ r. Recobrar la salud o la hacienda. ‖ Serenarse, tranquilizarse. [*Sinón.*: reinstalar; aliviarse, recobrarse. *Antón.*: quitar, debilitar]

reportaje. m. Trabajo periodístico de carácter informativo, referente a un personaje, suceso u otro tema.

reportar. tr. Refrenar, reprimir o moderar. Ú.t.c.r. ‖ Alcanzar, conseguir, lograr. ‖ Producir una cosa algún beneficio o ventaja.

reporte. m. Noticia, suceso o novedad que se comunica.

reportero, ra. adj. Dícese del periodista que se dedica a los reportes o noticias. Ú.t.c.s. [*Sinón.*: informador]

reposado, da. p. p. de reposar. ‖ adj. Sosegado, quieto, tranquilo. [*Sinón.*: sereno. *Antón.*: agitado, intranquilo]

reposar (al. *ruhen*, fr. *reposer*, ingl. *to rest*, it. *riposare*). intr. Descansar, abandonando el trabajo. ‖ Descansar, durmiendo un breve sueño. Ú.t.c.r. ‖ Permanecer en quietud y paz y sin alteración una persona o cosa. Ú.t.c.r. ‖ Estar enterrado, yacer. Ú.t.c.r. ‖ r. Tratándose de líquidos, posarse. Ú.t.c. intr. [*Sinón.*: holgar, sosegarse. *Antón.*: cansarse]

reposición. f. Acción y efecto de reponer o reponerse.

reposo (al. *Ruhe*, fr. *repos*, ingl. *rest*, it. *riposo*). m. Acción y efecto de reposar o reposarse. [*Sinón.*: sosiego, quietud, descanso]

repostar. tr. Reponer provisiones, pertrechos, carburante, etc. Ú.t.c.r.

repostería (al. *Konditorei*, fr. *pâtisserie*, ingl. *confectionery*, it. *pasticceria*). f. Arte y oficio del repostero. ‖ Productos de este arte. ‖ Establecimiento donde se hacen y venden dulces, pastas, fiambres, bebidas, etc.

repostero, ra (al. *Konditor*, fr. *pâtissier*, ingl. *pastry-cook*, it. *pasticcere*). com. Persona que tiene por oficio hacer pastas, dulces y algunas bebidas. ‖ m. MAR. Marinero que está al servicio personal de un jefe u oficial.

reprender (al. *tadeln*, fr. *reprendre*, ingl. *to reprehend*, it. *riprendere*). tr. Corregir, amonestar a alguien vituperando o desaprobando lo que ha dicho o hecho. [*Sinón.*: reñir, reprobar, censurar, reconvenir. *Antón.*: encomiar]

reprensión. f. Acción de reprender. ‖ Expresión o razonamiento con que se reprende. ‖ DER. Pena que consiste en amonestar al reo. [*Sinón.*: reprimenda, apercibimiento, amonestación. *Antón.*: halago]

represa. f. Acción de represar, recobrar. ‖ Obra, generalmente de hormigón armado, para contener el curso de las aguas.

represalia (al. *Vergeltungsmassregel*, fr. *représaille*, ingl. *reprisal*, it. *reppresaglia*). f. Derecho que se atribuyen los enemigos para hacerse recíprocamente igual o mayor daño del que han recibido. Ú.m. en pl. ‖ Retención de los bienes de una nación con la cual se está en guerra, o de sus individuos. Ú.m. en pl. ‖ Medida de rigor que, sin llegar a la ruptura de relaciones, adopta un Estado contra otro para responder a los actos o determinaciones adversos de éste. Ú.m. en pl. ‖ Por ext., el mal que una persona causa a otra para vengar un agravio. [*Sinón.*: venganza, vindicación]

represar. tr. Detener o estancar el agua corriente. Ú.t.c.r. ‖ Recobrar de los enemigos la embarcación que éstos habían apresado. ‖ fig. Detener, contener, reprimir. Ú.t.c.r. [*Sinón.*: embalsar]

representación (al. *Aufführung*, *Vorstellung*; fr. *représentation*; ingl. *performance*, *representation*; it. *rappresentazione*). f. Acción y efecto de representar o representarse. ‖ Obra dramática. ‖ Autoridad, dignidad, carácter de una persona. ‖ Figura, imagen o idea que sustituye a la realidad. ‖ Conjunto de personas que representan a una entidad.

representante. p. a. de representar. ‖ adj. Que representa. ‖ com. Persona que representa a un ausente, cuerpo o comunidad.

representar (al. *aufführen*, fr. *représenter*, ingl. *to represent*, it. *rappresentare*). tr. Hacer presente una cosa. Ú.t.c.r. ‖ Informar, declarar. ‖ Ejecutar en público una obra dramática. ‖ Interpretar un papel de una obra dramática. ‖ Sustituir a alguien o hacer sus veces. ‖ Ser imagen o símbolo de una cosa, o imitarla perfectamente. ‖ Aparentar una persona determinada edad. [*Sinón.*: reproducir, interpretar; simbolizar]

representativo, va. adj. Dícese de lo que sirve para representar otra cosa.

represión (al. *Unterdrückung*, fr. *répression*, ingl. *repression*, it. *repressione*). f. Acción y efecto de reprimir o reprimirse. [*Sinón.*: coerción, limitación. *Antón.*: libertad]

represivo, va. adj. Dícese de lo que reprime.

reprimenda. f. Represión vehemente y prolija. [*Sinón.*: rapapolvo]

reprimir (al. *unterdrücken*, fr. *réprimer*, ingl. *to check*, it. *reprimere*). tr. Contener, refrenar, templar o moderar. Ú.t.c.r.

reprobación. f. Acción y efecto de reprobar.

reprobar (al. *missbilligen*, fr. *réprouver*, ingl. *to reprobate*, it. *riprovare*). tr. No aprobar, dar por malo. [*Sinón.*: censurar, condenar, suspender. *Antón.*: aprobar]

réprobo, ba. adj. Condenado a las penas eternas. Ú.t.c.s. [*Sinón.*: precito]

reprochar (al. *tadeln*, fr. *reprocher*, ingl. *to reproach*, it. *rimproverare*). tr. Reconvenir, echar en cara. Ú.t.c.r. [*Sinón.*: regañar, afear. *Antón.*: disculpar]

reproche. m. Acción de reprochar. Expresión con la que se reprocha. [*Sinón.*: reconvención, afeamiento]

reproducción (al. *Wiedergabe*, fr. *reproduction*, ingl. *reproduction*, it. *riproduzione*). f. Acción y efecto de reproducir o reproducirse. ‖ Cosa reproducida.

reproducir (al. *wiedergeben*, fr. *reproduire*, ingl. *to reproduce*, it. *riprodurre*). tr. Volver a producir o producir de nuevo. Ú.t.c.r. ‖ Volver a hacer presente lo que antes se dijo y alegó. ‖ Sacar copia, en uno o en muchos ejemplares y por diversos medios, de una obra de arte, objeto arqueológico, etc.

reproductivo, va. adj. Que produce beneficio o provecho.

reproductor, ra. adj. Que reproduce. Ú.t.c.s. ‖ s. Animal destinado a mejorar su raza.

reptar (al. *kriechen*, fr. *ramper*, ingl. *to creep*, it. *strisciare*). intr. Caminar arrastrándose algunos reptiles. ‖ fig. Imitar esa forma de andar. |*Sinón.*: deslizarse|

reptil o **réptil** (al. *Reptil*, fr. *reptile*, ingl. *reptile*, it. *rettile*). adj. ZOOL. Dícese de los animales vertebrados ovíparos u ovovivíparos, de temperatura variable y respiración pulmonar que, por carecer de pies o por tenerlos muy cortos, caminan rozando la tierra con el vientre; como la culebra, el lagarto, etc. Ú.t.c.s. ‖ m. pl. Clase de estos animales.

república (al. *Republik*, fr. *république*, ingl. *republic*, it. *repubblica*). f. Estado, cuerpo político de una nación. ‖ Forma de gobierno representativo en el cual el poder reside en el pueblo, personificado éste por un jefe supremo o presidente.

republicano, na. adj. Perteneciente o relativo a la república. ‖ Aplícase al ciudadano de una república. Ú.t.c.s. ‖ Partidario de esta forma de gobierno. Ú.t.c.s.

repudiar (al. *verstossen*, fr. *répudier*, ingl. *to repudiate*, it. *repudiare*). tr. Rechazar algo, no aceptarlo. ‖ Repulsar lo que se considera repugnante o condenable. ‖ Desechar o repeler a la mujer propia. |*Sinón.*: rechazar, despreciar|

repudio. m. Acción y efecto de repudiar. ‖ Renuncia.

repuesto, ta. p. p. irreg. de reponer. ‖ adj. Apartado, retirado, escondido. ‖ m. Prevención de comestibles u otras cosas para cuando sean precisas. ‖ Parte o pieza de un mecanismo que se tiene dispuesta para sustituir a otra, recambio. ‖ *de repuesto.* loc. adj. De prevención.

repugnancia (al. *Abneigung*, fr. *répugnance*, ingl. *reluctance*, it. *repugnanza*). f. Oposición o contradicción entre dos cosas. ‖ Tedio, aversión a las cosas o personas. ‖ Resistencia que se opone a consentir o hacer una cosa. ‖ FIL. Incompatibilidad de dos atributos o cualidades de una misma cosa. |*Sinón.*: asco|

repugnante. adj. Que causa repugnancia o aversión. |*Sinón.*: repulsivo|

repugnar. tr. Ser opuesta una cosa a otra. Ú.t.c.r. ‖ Contradecir o negar una cosa. ‖ Rehusar, hacer de mala gana o admitir con dificultad una cosa. ‖ intr. Causar tedio o aversión.

repujado. m. Acción y efecto de repujar. ‖ Obra repujada.

repujar. tr. Trabajar una chapa metálica a golpes de martillo, haciendo en ella figuras en relieve. También se aplica al mismo trabajo en cuero u otra materia adecuada.

repulir. tr. Volver a pulir una cosa. ‖ Acicalar, componer con demasiada afectación. Ú.t.c.r.

repulsa (al. *Weigerung*, fr. *refus*, ingl. *repulse*, it. *ripulsa*). f. Acción y efecto de repulsar.

repulsar. tr. Desechar, repeler o despreciar una cosa. ‖ Negar lo que se pide o pretende. |*Sinón.*: rechazar, desdeñar|

repulsión. f. Acción y efecto de repeler. ‖ Repulsa. ‖ Repugnancia, aversión, desvío. |*Antón.*: atracción|

repulsivo, va. adj. Que tiene acción o virtud de repulsar. ‖ Que causa repulsión o desvío. |*Sinón.*: repelente|

repuntar. intr. MAR. Empezar la marea para creciente o para menguante. ‖ *Amer.* Empezar a manifestarse alguna cosa, como enfermedad, cambio de tiempo, etc. ‖ r. Empezar a volverse el vino; tener punta de vinagre.

reputación (al. *Leumund*, fr. *réputation*, ingl. *reputation*, it. *riputazione*). f. Fama, opinión que el común de las gentes tiene sobre determinada persona. |*Sinón.*: prestigio|

reputar. tr. Estimar, juzgar o hacer concepto del estado o calidad de una persona o cosa. Ú.t.c.r. ‖ Apreciar o estimar el mérito. |*Sinón.*: considerar, conceptuar|

requebrar. tr. Volver a quebrar. ‖ fig. Lisonjear a una mujer alabando sus atractivos. ‖ fig. Adular. |*Sinón.*: piropear|

requemado, da. p. p. de requemar. ‖ adj. Dícese de lo que tiene color oscuro denegrido por haber estado al fuego o a la intemperie.

requemar. tr. Volver a quemar. Ú.t.c.r. ‖ Tostar con exceso. Ú.t.c.r. ‖ Privar de jugo a las plantas haciéndoles perder su verdor. Ú.t.c.r. ‖ Resquemar, causar picor en la lengua y paladar algunos manjares y bebidas. ‖ Hablando de la sangre o de los humores del cuerpo humano, encen-

derlos en exceso. Ú.t.c.r. ‖ r. fig. Dolerse interiormente y sin darlo a conocer.

requerimiento. m. Acción y efecto de requerir, intimar o avisar. ‖ DER. Acto judicial por el que se intima que se haga o se deje de ejecutar una cosa. |*Sinón.*: aviso|

requerir (al. *anfordern*, fr. *requérir*, ingl. *to summon*, it. *richiedere*). tr. Intimar con autoridad pública. ‖ Reconocer o examinar el estado en que se halla una cosa. ‖ Necesitar o hacer necesaria alguna cosa. ‖ Solicitar, pretender, explicar alguien su deseo o pasión amorosa. ‖ Inducir, persuadir. |*Sinón.*: avisar, pedir|

requesón (al. *Quark*, fr. *caillé*, ingl. *curd*, it. *ricotta*). m. Masa mantecosa que se hace cuajando la leche y escurriendo el suero sobrante. ‖ Cuajada que se saca de los residuos de la leche después de hecho el queso. |*Sinón.*: názula, naterón|

requete-. Elemento compositivo que, antepuesto a algunos adjetivos y adverbios, encarece la significación de éstos.

requeté. m. Cuerpo de voluntarios que lucharon en las guerras civiles españolas en defensa de la tradición religiosa y monárquica. ‖ Individuo afiliado a este cuerpo.

requiebro. m. Acción y efecto de requebrar. ‖ Dicho o expresión con que se requiebra. |*Sinón.*: piropo|

réquiem. m. MÚS. Composición musical que se canta con el texto litúrgico de la misa de difuntos.

requiéscat in pace. expr. latina que literalmente dice *descanse en paz*, y se aplica en liturgia como despedida a los difuntos.

requilorio. m. fam. Formalidad nimia e innecesario rodeo antes de hacer o decir lo que es obvio, fácil y sencillo. Ú.m. en pl.

requisa. f. Revista o inspección de las personas o de las dependencias de un establecimiento. ‖ Requisición.

requisar (al. *requirieren*, fr. *réquisitionner*, ingl. *to impress*, it. *requisire*). tr. Hacer requisición.

requisición. f. Recuento y embargo de bagajes, vehículos, alimentos, etc., que para el servicio militar suele hacerse en tiempo de guerra.

requisito. m. Circunstancia o condición necesaria para una cosa.

requisitorio, ria. adj. DER. Aplícase al despacho que un juez requiere a otro para que ejecute un mandamiento del requirente. Ú.m.c.s.f.

res (al. *Vieh*, fr. *tête de bétail*, ingl. *head of cattle*, it. *capo di bestiame*). f. Cualquier animal cuadrúpedo de ciertas especies domésticas, como el ganado vacuno, lanar, etc., o de los salvajes, como venados, jabalíes, etc.

res. prep. insep. que atenúa la significación de las voces simples a que se halla unida.

resabiar. tr. Hacer tomar un vicio o mala costumbre. Ú.t.c.r. ‖ r. Disgustarse o desazonarse. [*Sinón.*: enviciar]

resabio. m. Sabor desagradable que deja una cosa. ‖ Vicio o mala costumbre que se toma o adquiere. [*Sinón.*: regusto]

resaca (al. *Brandung*, fr. *ressac*, ingl. *undertow*, it. *risacca*). f. Movimiento de retroceso de las olas una vez que han llegado a la orilla. ‖ fig. y fam. Malestar que el que ha bebido con exceso padece al día siguiente.

resalado, da. adj. fig. y fam. Que tiene mucha sal, gracia y donaire.

resaltar. intr. Botar repetidamente un cuerpo elástico. ‖ Saltar, desprenderse una cosa de donde estaba fija. ‖ Sobresalir en parte un cuerpo de otro en los edificios u otras cosas. ‖ fig. Distinguirse o sobresalir mucho una cosa entre otras. [*Sinón.*: destacarse, descollar]

resalte. m. Parte que sobresale de la superficie de una cosa. [*Sinón.*: resalto, reborde]

resalto. m. Acción y efecto de resaltar o rebotar. ‖ Resalte.

resarcimiento. m. Acción y efecto de resarcir o resarcirse.

resarcir (al. *entschädigen*, fr. *dédommager*, ingl. *to repair*, it. *risarcire*). tr. Indemnizar, reparar, compensar un daño, perjuicio o agravio. Ú.t.c.r. [*Sinón.*: compensar]

resbaladizo, za. adj. Dícese de lo que se resbala o escurre fácilmente. ‖ Aplícase al paraje en el que se está expuesto a resbalones. ‖ fig. Dícese de lo que expone a incurrir en algún desliz. [*Sinón.*: escurridizo]

resbalar. intr. Escurrirse, deslizarse. Ú.t.c.r. ‖ fig. Incurrir en un desliz. Ú.t.c.r.

resbalón (al. *Ausgleiten*, fr. *glissade*, ingl. *slide*, it. *sdrucciolo*). m. Acción y efecto de resbalar o resbalarse. [*Sinón.*: desliz]

resbaloso, sa. adj. Resbaladizo.

rescatar (al. *loskaufen*, tr. *racheter*, ingl. *to regain*, it. *riscattare*). tr. Recobrar por precio o por fuerza lo que el enemigo ha arrebatado, y por extensión, cualquier cosa que haya pasado a manos ajenas. ‖ fig. Redimir la vejación; libertar del trabajo o contratiempo. Ú.t.c.r. [*Sinón.*: recuperar, reconquistar. *Antón.*: perder]

rescate (al. *Lösegeld*, fr. *rachat*, ingl. *ramsom*, it. *riscatto*). m. Acción y efecto de rescatar. ‖ Dinero con que se rescata o que se pide para ello. [*Sinón.*: redención, liberación]

rescindir (al. *lösen*, fr. *rescinder*, ingl. *to rescind*, it. *rescindere*). tr. Dejar sin efecto un contrato, obligación, etc. [*Sinón.*: anular, abolir, abrogar. *Antón.*: confirmar]

rescisión. f. Acción y efecto de rescindir. [*Sinón.*: anulación, abolición. *Antón.*: confirmación]

rescoldo (al. *Loderasche*, fr. *braise*, ingl. *embers*, it. *cinigia*). m. Brasa menuda resguardada por la ceniza. ‖ fig. Escozor, recelo o escrúpulo.

rescripto. m. Decisión del Papa o de cualquier soberano para resolver una consulta o responder a una petición.

resecar. tr. Secar mucho. Ú.t.c.r. ‖ Cir. Efectuar la resección de un órgano.

resección. f. Cir. Operación que consiste en separar la totalidad o parte de uno o más órganos.

reseco, ca. adj. Demasiado seco. ‖ Seco, flaco, de pocas carnes.

resellar. tr. Volver a sellar la moneda u otra cosa. ‖ r. fig. Pasarse uno a otro partido.

resentido, da. p. p. de resentir. ‖ adj. Dícese de la persona que muestra o abriga algún resentimiento.

resentimiento (al. *Unwille*, fr. *ressentiment*, ingl. *resentment*, it. *risentimento*). m. Acción y efecto de resentirse. [*Sinón.*: enojo, disgusto]

resentirse. r. Empezar a flaquear o sentirse una cosa. ‖ Tener sentimiento, pesar o enojo por una cosa. [*Sinón.*: aflojarse, debilitarse; enojarse, disgustarse. *Antón.*: fortalecerse; contentarse]

reseña (al. *Personalbeschreibung*, fr. *signalement*, ingl. *review*, it. *rassegna*). f. Nota que se toma de las señales más distintivas del cuerpo de una persona, de un animal o de otra cosa. ‖ Narración sucinta. ‖ Noticia y examen somero de una obra literaria o científica. ‖ Mil. Revista que se hace de la tropa. [*Sinón.*: inspección]

reseñar. tr. Hacer una reseña.

reserva (al. *Rücklage*, fr. *réserve*, ingl. *reserve*, it. *riserva*). adj. Dep. En los deportes de equipo, jugador de la plantilla que no se alinea habitualmente en la formación titular. ‖ f. Guardia o custodia que se hace de una cosa, o prevención de ella para que sirva a su tiempo. ‖ Reservación o excepción. ‖ Prevención o cautela para no descubrir algo. ‖ Discreción, circunspección, comedimiento. ‖ Mil. Parte del ejército y de la armada de una nación que no está en activo, pero que puede ser movilizada. ‖ *sin reserva.* adv. Abierta o sinceramente, con franqueza, sin disfraz. [*Sinón.*: suplente; depósito]

reservado, da. adj. Cauteloso, reacio a manifestar su interior. ‖ Comedido, discreto. ‖ Que se reserva o debe reservarse. ‖ m. Compartimiento en algún lugar destinado exclusivamente a personas o a usos determinados. [*Sinón.*: circunspecto, cauto]

reservar (al. *aufbewahren*, fr. *réserver*, ingl. *to reserve*, it. *riservare*). tr. Guardar una cosa para cuando sea necesaria. ‖ Dilatar, diferir para otro tiempo lo que se podía o se debía ejecutar o comunicar al presente. Ú.t.c.r. ‖ Destinar un lugar o una cosa para uso o persona determinados. Ú.t.c.r. ‖ Apartar algo de lo que se distribuye, reteniéndolo para sí o para entregarlo a otros. ‖ Retener o no comunicar una cosa. ‖ Encubrir, ocultar. ‖ r. Conservarse para mejor ocasión. ‖ Cautelarse, precaverse, guardarse, desconfiar de uno. [*Sinón.*: ahorrar, almacenar; aplazar, retardar; callar; desconfiar]

reservista. adj. Dícese del militar perteneciente a la reserva. Ú.t.c.s.

reservón, na. adj. fam. Que guarda excesiva reserva, por cautela o por malicia. ‖ Taurom. Dícese del toro que no muestra codicia en acudir a las suertes.

resfriado (al. *Schnüpfen*, fr. *rhume*, ingl. *cold*, it. *raffreddore*). m. Destemple general del cuerpo ocasionado al interrumpirse la transpiración. ‖ Constipado, catarro.

resfriamiento. m. Enfriamiento.

resfriar. tr. Enfriar. ‖ fig. Entibiar, templar el ardor o fervor. Ú.t.c.r. ‖ intr. Empezar a hacer frío. ‖ r. Coger un resfriado. ‖ fig. Entibiarse, disminuir el amor o la amistad. [*Sinón.*: acatarrarse]

resguardar (al. *beschützen*, fr. *préserver*, ingl. *to preserve*, it. *preservare*). tr. Defender o reparar. ‖ r. Precaverse o prevenirse contra un daño. [*Sinón.*: guarecer, proteger]

resguardo. m. Guardia, seguridad

que se pone en una cosa. ‖ Talón acreditativo de una obligación. ‖ MAR. Distancia prudencial que por precaución toma un buque al pasar cerca de un punto peligroso. [*Sinón.*: defensa, custodia]

residencia (al. *Wohnsitz, Residenz;* fr. *résidence*, ingl. *residence*, it. *residenza*). f. Acción y efecto de residir. ‖ Lugar en que se reside. ‖ Casa donde viven en comunidad individuos de ciertas órdenes religiosas. ‖ Casa donde, sujetándose a determinada reglamentación, residen y conviven personas afines por la ocupación, el sexo, la edad, etc. ‖ Establecimiento público donde se alojan viajeros o huéspedes estables en régimen de pensión o pupilaje. ‖ Espacio de tiempo que debe residir un eclesiástico en el lugar de su beneficio. ‖ Edificio donde una autoridad o corporación tiene su domicilio o donde ejerce sus funciones. [*Sinón.*: morada, domicilio]

residencial. adj. Aplícase al empleo o beneficio que pide residencia personal. ‖ Dícese de la parte de la ciudad destinada a viviendas, a diferencia de las zonas industriales, comerciales, etc.

residente. adj. Que reside.

residir (al. *residieren*, fr. *résider*, ingl. *to reside*, it. *risiedere*). intr. Estar de asiento en un lugar. ‖ Hallarse uno personalmente en determinado lugar por razón de su empleo, dignidad, etc. ‖ fig. Estar o radicar en un punto o en una cosa el quid de aquello de que se trata. [*Sinón.*: habitar, vivir, radicar]

residual. adj. Perteneciente o relativo al residuo.

residuo (al. *Rest, Rückstand;* fr. *résidu, residue;* ingl. *remainder;* it. *residuo*). m. Parte o porción que queda de un todo. ‖ Lo que resulta de la descomposición o destrucción de una cosa. ‖ MAT. Resultado de la operación de restar. [*Sinón.*: resto, remanente]

resignación (al. *Verzicht,* fr. *résignation,* ingl. *resignation,* it. *rassegnazzione*). f. Acción de resignar un cargo, autoridad, etc. ‖ Acción de resignarse. ‖ Conformidad, tolerancia y paciencia en las adversidades. [*Sinón.*: conformismo, sumisión]

resignar. tr. Renunciar un beneficio eclesiástico en favor de alguien. ‖ Hacer alguien entrega de la autoridad o cargo que ejerce a otra persona en determinadas circunstancias. ‖ r. Conformarse, someterse. [*Sinón.*: avenirse, doblegarse]

resiliencia. f. Fís. Resistencia que oponen los cuerpos a la rotura por choque o percusión.

resina (al. *Harz,* fr. *résine,* ingl. *resin,* it. *resina*). f. Sustancia sólida o pastosa, insoluble en agua, soluble en alcohol y en los aceites esenciales, y capaz de arder en contacto con el aire. Fluye naturalmente de algunas plantas y se obtiene artificialmente por destilación del aceite de trementina.

resinar. tr. Sacar resina a ciertos árboles por medio de incisiones en el tronco.

resinoso, sa. adj. Que tiene o destila resina. ‖ Que participa de alguna de las cualidades de la resina.

resistencia (al. *Widerstand,* fr. *résistence,* ingl. *resistance,* it. *resistenza*). f. Acción y efecto de resistir o resistirse. ‖ Fís. Causa que se opone a la acción de una fuerza. ‖ Fuerza que se opone al movimiento de una máquina y que ha de ser vencida por la potencia. ‖ Fís. Elemento que se intercala en un circuito para disminuir la intensidad de la corriente, transformando ésta en calor. ‖ — *pasiva.* fig. Renuncia en hacer alguna cosa.

resistente. p. a. de resistir. ‖ adj. Fuerte, firme.

resistero. m. Tiempo después del mediodía en que aprieta más el calor. ‖ Calor causado por la reverberación del sol. ‖ Lugar en que especialmente se nota este calor.

resistir (al. *widerstehen,* fr. *résister,* ingl. *to resist,* it. *resistere*). intr. Oponerse un cuerpo o una fuerza a la acción o violencia de otra. Ú.t.c.r. ‖ Repugnar, contrariar, rechazar, contradecir. ‖ tr. Tolerar, aguantar, sufrir. ‖ Combatir las pasiones. ‖ r. Bregar, forcejear.

resma. f. Conjunto de veinte manos de papel.

resobado, da. adj. Se aplica a los temas de conversación o literarios muy trillados.

resobrino, na. s. Hijo de sobrino carnal.

resol. m. Reverberación del sol.

resolano, na. adj. Dícese del sitio donde se toma el sol al resguardo del viento. Ú.t.c.s.f.

resolución (al. *Entschluss,* fr. *résolution,* ingl. *resolution,* it. *risoluzione*). f. Acción y efecto de resolver o resolverse. ‖ Ánimo, valor. ‖ Actividad, prontitud, viveza. ‖ Decreto, providencia, auto o fallo de la autoridad gubernativa o judicial. [*Sinón.*: determinación. *Antón.*: indecisión]

resolutivo, va. adj. Aplícase al orden o método en que se procede por resolución. ‖ MED. Que tiene virtud de resolver. Ú.t.c.s.m.

resoluto, ta. p. p. irreg. ant. de resolver. ‖ adj. Resuelto. ‖ Compendioso, abreviado, sucinto.

resolutorio, ria. adj. Que tiene, motiva o denota resolución.

resolver (al. *auflösen,* fr. *résoudre,* ingl. *to resolve,* it. *risolvere*). tr. Tomar determinación fija y decisiva. ‖ Resumir, recapitular. ‖ Desatar una dificultad o dar solución a una duda. ‖ Hallar la solución de un problema. ‖ Deshacer, destruir. ‖ Analizar, dividir un compuesto en sus partes o elementos. ‖ Fís. y MED. Hacer que se disipe, desvanezca, exhale o evapore una cosa. Ú.t.c.r. ‖ r. Decidirse a decir o hacer una cosa. ‖ Venir a parar una cosa en otra. ‖ MED. Terminar las enfermedades.

resollar. intr. Absorber y expeler el aire por sus órganos respiratorios el hombre y los animales. ‖ Salir o aliviarse del trabajo o de la opresión. ‖ Proferir palabras. ‖ Respirar fuertemente y con algún ruido. ‖ fig. y fam. Dar noticia de sí una persona después de algún tiempo de ausencia, o hablar la que permanecía callada. [*Sinón.*: resoplar]

resonancia (al. *Resonanz,* fr. *résonnance,* ingl. *resonance,* it. *risonanza*). f. Prolongación del sonido, que se va disminuyendo por grados. ‖ Sonido producido por repercusión de otro. ‖ Cada uno de los sonidos elementales que acompañan al principal en una nota musical y comunican timbre particular a cada voz o instrumento. ‖ fig. Gran divulgación de un hecho o de las cualidades de una persona.

resonar. intr. Hacer sonido por repercusión o sonar mucho. [*Sinón.*: retumbar]

resoplar. intr. Dar resoplidos.

resoplido. m. Resuello más ruidoso que el ordinario. [*Sinón.*: resoplo]

resorber. tr. Recoger dentro de sí una persona o cosa un líquido que ha salido de ella misma.

resorción. f. Acción y efecto de resorber.

resorte (al. *Sprungfeder,* fr. *ressort,* ingl. *spring,* it. *molla*). m. Pieza, generalmente de metal, que puede recobrar su posición si se separa de ella. ‖ Fuerza elástica de una cosa. ‖ fig. Medio para lograr un fin.

respaldar. m. Parte del asiento en que descansan las espaldas.

respaldar. tr. Sentar o apuntar algo en el respaldo de un escrito. ‖ fig. Proteger, amparar, apoyar, garantizar. ‖ r. Inclinarse de espaldas o arrimarse al respaldo de la silla o banco.

respaldo (al. *Rücklehne*, fr. *dossier*, ingl. *back*, it. *spalliera*). m. Parte de la silla o banco en que descansa la espalda. ‖ Vuelta del papel o escrito. ‖ Lo que allí se escribe. ‖ fig. Apoyo moral, garantía.

respectar. defect. Tocar, pertenecer, tener relación, atañer. [*Sinón.*: concernir, competer]

respectivamente. adv. m. Con relación, proporción o consideración a una cosa. ‖ Según la relación o conveniencia necesaria a cada caso.

respectivo, va. adj. Que atañe a una persona o cosa determinada. [*Sinón.*: referente, concerniente, relativo]

respecto. m. Razón, relación o proporción de una cosa.

résped. m. Lengua de la culebra o de la víbora. ‖ Aguijón de la abeja o de la avispa. ‖ fig. Intención malévola en las palabras.

respetabilidad. f. Calidad de respetable.

respetable. adj. Digno de respeto. ‖ Ú. a veces con carácter ponderativo.

respetar (al. *ehren*, fr. *respecter*, ingl. *to respect*, it. *rispettare*). tr. Tener respeto, veneración, acatamiento. ‖ Tener miramiento, consideración. ‖ intr. Respectar.

respeto (al. *Ehrfurcht*, fr. *respect*, ingl. *respect*, it. *rispetto*). m. Veneración, acatamiento que se hace a uno. ‖ Miramiento, atención, consideración. ‖ Cualquier cosa que se tiene de prevención o repuesto. ‖ pl. Manifestaciones de acatamiento que se hacen por cortesía. ‖ — *humano*. Miramiento excesivo a la opinión de los hombres. ‖ *campar* uno *por sus respetos*. fig. y fam. Obrar a su antojo, sin la obediencia y las consideraciones debidas.

respetuoso, sa. adj. Que causa o mueve a veneración y respeto. ‖ Que observa veneración, cortesía y respeto.

réspice. m. fam. Respuesta seca y desabrida. ‖ fam. Reprensión corta, pero fuerte.

respingar. intr. Sacudirse la bestia y gruñir. ‖ fam. Levantarse el borde de la chaqueta o de la falda por estar mal hecha o mal puesta. ‖ fig. y fam. Resistir, hacer gruñendo lo que se manda. [*Sinón.*: rezongar]

respingo. m. Acción de respingar. ‖ Sacudida violenta del cuerpo. ‖ fig. y fam. Expresión o ademán con que alguien muestra su repugnancia a ejecutar lo que se le manda. [*Sinón.*: refunfuño, rezongo]

respingona. adj. fam. ↗ *nariz respingona*.

respiración (al. *Atmen*, fr. *respiration*, ingl. *breathing*, it. *respirazione*). f. Acción y efecto de respirar. ‖ Aire que se respira. ‖ Entrada y salida del aire en un lugar cerrado. [*Antón.*: apnea, asfixia]

respiradero. m. Abertura por donde entra y sale el aire. ‖ Lumbrera, tronera. ‖ fig. Respiro, descanso. ‖ fam. Órgano o conducto de la respiración.

respirar (al. *einatmen*, fr. *respirer*, ingl. *to breathe*, it. *respirare*). intr. Absorber el aire los seres vivos, por pulmones, tráqueas, branquias, etc., tomando parte de las sustancias que lo componen y expeliéndolo modificado. Ú.t.c.tr. ‖ Exhalar, despedir de sí un olor. ‖ fig. Animarse, cobrar aliento. ‖ fig. Tener comunicación con el aire exterior o libre un fluido que está encerrado. ‖ fig. Descansar, aliviarse del trabajo, salir de la opresión. ‖ fig. y fam. Pronunciar palabras, hablar. Ú.m. con neg. ‖ Tener de manera manifiesta la cualidad o el estado de ánimo a que se alude. [*Antón.*: ahogarse]

respiratorio, ria. adj. Que sirve para la respiración o la facilita.

respiro. m. Respiración, acción y efecto de respirar. ‖ fig. Rato de descanso en el trabajo. ‖ fig. Alivio de una fatiga, pena o dolor. [*Sinón.*: sosiego, tregua]

resplandecer (al. *glänzen, strahlen*; fr. *resplendir*, ingl. *to glitter*, it. *risplendere*). intr. Despedir rayos de luz o lucir mucho una cosa. ‖ fig. Sobresalir, aventajarse. [*Sinón.*: relucir; destacar. *Antón.*: apagarse]

resplandecimiento. m. Luz o resplandor que despide un cuerpo. ‖ fig. Lucimiento, lustre, gloria, nobleza.

resplandor (al. *Glanz*, fr. *lueur*, ingl. *resplendency*, it. *risplendore*). m. Luz muy clara que despide un cuerpo luminoso. ‖ fig. Brillo de algunas cosas. ‖ fig. Esplendor o lucimiento. [*Sinón.*: fulgor]

responder (al. *antworten*, fr. *répondre*, ingl. *to answer*, it. *rispondere*). tr. Contestar, satisfacer a lo que se pregunta o propone. ‖ Contestar uno al que llama o al que toca a la puerta. ‖ Contestar a la carta recibida. ‖ Satisfacer el argumento, duda, dificultad o demanda. ‖ Replicar a un pedimento o alegato. ‖ intr. Corresponder, repetir el eco. ‖ Corresponder, mostrarse agradecido. ‖ fig. Rendir o fructificar. ‖ Dicho de las cosas inanimadas, surtir el efecto que se desea o pretende. ‖ Replicar, ser respondón. ‖ *responder por uno*. Abonarle, salir fiador de él. [*Sinón.*: reponer. *Antón.*: preguntar]

respondón, na. adj. fam. Que tiene el vicio de replicar irrespetuosamente. Ú.t.c.s.

responsabilidad (al. *Verantwortlichkeit*, fr. *responsabilité*, ingl. *responsability*, it. *responsabilità*). f. Deuda, obligación de reparar y satisfacer a consecuencia de delito o culpa. ‖ Cargo u obligación moral que resulta para uno del posible yerro en cosa o asunto determinados. [*Sinón.*: carga, compromiso]

responsabilizar. tr. Hacer a una persona responsable de alguna cosa, atribuirle responsabilidad en ella. ‖ r. Asumir la responsabilidad de alguna cosa.

responsable. adj. Obligado a responder de alguna cosa o por alguna persona. ‖ Dícese de la persona que pone cuidado y atención en lo que hace o dice.

responsiva. f. *Amer.* Fianza.

responso (al. *Respons*, fr. *absoute*, ingl. *response*, it. *responso*). m. Responsorio que, separado del rezo, se dice por los difuntos. ‖ fam. Reprensión, reprimenda.

responsorio. m. Ciertas preces y versículos que se dicen en el rezo.

respuesta (al. *Antwort*, fr. *réponse*, ingl. *answer*, it. *risposta*). f. Satisfacción a una pregunta, duda o dificultad. ‖ Réplica. ‖ Refutación. ‖ Acción con que uno corresponde a la de otro. [*Sinón.*: contestación. *Antón.*: pregunta]

resquebradura. f. Hendidura, grieta.

resquebrajadizo, za. adj. Que se resquebraja fácilmente.

resquebrajamiento. m. Acción y efecto de resquebrajar o resquebrajarse.

resquebrajar. tr. Hender ligeramente algunos cuerpos duros. Ú.m.c.r. [*Sinón.*: agrietar, rajar]

resquemar. tr. Causar algunas sustancias calor picante y mordaz en la boca. Ú.t.c. intr. ‖ Quemar o tostar con exceso. Ú.t.c.r. ‖ fig. Producirse en el ánimo una impresión molesta.

resquemo. m. Acción y efecto de resquemar o resquemarse. ‖ Calor entre picante y mordaz que producen en la boca algunos alimentos. ‖ Sabor y olor desagradable de los alimentos resquemados.

resquemor. m. Escozor, desazón. ‖ fig. Desconfianza.

resquicio (al. *Ritze, Spalt;* fr. *jour, fente;* ingl. *crak, chink;* it. *fessura*). m. Abertura entre el quicio y la puerta. ‖ Por ext., cualquier otra hendedura pequeña. ‖ fig. Coyuntura u ocasión que se provoca con un fin determinado. [*Sinón.:* grieta, intersticio]

resta. f. MAT. Operación de restar. ‖ MAT. Resultado de la operación de restar, residuo. [*Sinón.:* diferencia, sustracción]

restablecer (al. *wiederherstellen,* fr. *rétablir,* ingl. *to re-establish,* it. *ristablire*). tr. Volver a establecer una cosa o ponerla en el estado que antes tenía. ‖ r. Recuperarse de una dolencia, enfermedad u otro daño. [*Sinón.:* reinstalar; sanar, curar. *Antón.:* enfermar]

restablecimiento. m. Acción y efecto de restablecer o restablecerse.

restallar. intr. Chasquear, estallar una cosa; como el látigo cuando se sacude en el aire con violencia. ‖ Crujir, hacer un ruido fuerte.

restante. adj. Que resta. ‖ m. Residuo, resultado de la operación de restar.

restañadura. f. Acción y efecto de restañar.

restañar. tr. Estancar o detener el curso de un liquido o humor. Dícese especialmente de la sangre. Ú.t.c. intr. y c.r.

restaño. m. Restañadura. ‖ Remanso o estancamiento de las aguas.

restar (al. *abziehen,* fr. *soustraire,* ingl. *to subtract,* it. *sottrarre*). tr. Sacar el residuo de una cosa, bajando una parte del todo. ‖ Disminuir, rebajar, cercenar. ‖ En juego de pelota, devolver el saque de los contrarios. ‖ Arriesgar. ‖ MAT. Hallar la diferencia entre dos cantidades. ‖ intr. Faltar o quedar. [*Sinón.:* sustraer, rebajar]

restauración. f. Acción y efecto de restaurar. ‖ Reposición en el trono de un rey destronado o del representante de una dinastía derrocada. ‖ Período histórico que comienza con esta reposición. ‖ Restablecimiento en un país del régimen político que existía y que había sido sustituido por otro.

restaurante (al. *Gasthaus,* fr. *restaurant,* ingl. *restaurant,* it. *ristorante*). adj. Que restaura. ‖ m. Establecimiento en el que se sirven comidas. [*Sinón.:* restorán]

restaurar (al. *wiederherstellen,* fr. *restaurer,* ingl. *to restore,* it. *restaurare*). tr. Recuperar o recobrar. ‖

Reparar, volver a poner una cosa en el estado o estimación de que antes gozaba. ‖ Reparar una pintura, escultura, edificio, etc., del deterioro que ha sufrido.

restinga. f. Lengua de arena o piedra situada por debajo del nivel del agua y a poca profundidad.

restitución. f. Acción y efecto de restituir.

restituir (al. *zurückgeben,* fr. *restituer,* ingl. *to restore,* it. *restituire*). tr. Volver una cosa a quien la tenía con anterioridad. ‖ Restablecer o poner una cosa en el estado que tenía antes. ‖ r. Volver uno al lugar de donde había salido. [*Sinón.:* devolver, reintegrar, tornar. *Antón.:* quitar]

resto (al. *Rest,* fr. *reste,* ingl. *rest,* it. *resto*). m. Residuo, parte que queda de un todo. ‖ Cantidad que en los juegos de envite se consigna para jugar y envidar. ‖ Jugador que devuelve la pelota al saque. ‖ Sitio desde donde se resta en el juego de la pelota. ‖ Acción de restar en el juego de pelota. ‖ MAT. Resultado de la operación de restar. ‖ pl. Restos mortales. ‖ *restos mortales.* El cuerpo humano después de muerto, o parte de él. ‖ *echar,* o *envidar, el resto.* En el juego, hacer envite de todo el caudal que se tiene sobre la mesa. ‖ fig. y fam. Hacer todo el esfuerzo posible.

restregamiento. m. Acción de restregar o restregarse.

restregar. tr. Estregar mucho y con ahínco. [*Sinón.:* frotar]

restregón. m. Acción de restregar. ‖ Señal que queda de restregar.

restricción (al. *Einschränkung,* fr. *restriction,* ingl. *restriction,* it. *restrizione*). f. Acción y efecto de restringir. ‖ Limitación o reducción.

restrictivo, va. adj. Dícese de lo que tiene virtud o fuerza para restringir y apretar. ‖ Dícese de lo que restringe, limita o acorta. [*Sinón.:* limitativo, restringente]

restricto, ta. adj. Limitado, ceñido, preciso.

restringir (al. *beschränken,* fr. *restreindre,* ingl. *to restrain,* it. *restringere*). tr. Ceñir, circunscribir, reducir a menores límites. ‖ Apretar, constreñir, restriñir. [*Sinón.:* limitar, acotar]

restriñimiento. m. Acción y efecto de restriñir.

restriñir. tr. Astringir.

resucitar (al. *auferstehen,* fr. *ressusciter,* ingl. *to resuscitate,* it. *risuscitare*). tr. Volver la vida a un muerto. ‖ fig. y fam. Restablecer, dar nuevo ser a

una cosa. ‖ intr. Volver uno a la vida. [*Sinón.:* revivir; resurgir, renacer]

resudar. intr. Sudar ligeramente. ‖ r. Rezumar, salir al exterior un líquido por los poros e intersticios de un cuerpo. Ú.t.c. intr.

resuelto, ta. p. p. irreg. de resolver. ‖ adj. Audaz, arrojado y libre. ‖ Pronto, diligente, expedito. [*Sinón.:* osado, presto. *Antón.:* apocado]

resuello (al. *Keuchen,* fr. *haleine,* ingl. *pant,* it. *respiro*). m. Respiración, especialmente la violenta. [*Sinón.:* resoplo, resoplido]

resulta. f. Efecto, consecuencia. ‖ Lo que últimamente se resuelve en una deliberación o conferencia. ‖ Vacante de un empleo, por ascenso del que lo tenía. ‖ *de resultas.* m. adv. Por consecuencia, por efecto.

resultado (al. *Ergebnis,* fr. *résultat,* ingl. *outcome,* it. *risultato*). m. Efecto y consecuencia de un hecho, operación o deliberación.

resultando. m. DER. Cada uno de los fundamentos de hecho enumerados en sentencias o autos judiciales, o en resoluciones gubernativas. [*Sinón.:* base, causa]

resultante. p. a. de resultar. ‖ adj. Que resulta. ‖ MEC. Dícese de una fuerza que equivale al conjunto de otras varias. Ú.t.c.s.f.

resultar (al. *entspringen,* fr. *résulter,* ingl. *to result,* it. *risultare*). intr. Redundar una cosa en provecho o daño de una persona o de algún fin. ‖ Nacer, originarse o venir una cosa de otra. ‖ Aparecer, manifestarse o comprobarse una cosa. ‖ Llegar a ser. ‖ Tener buen o mal resultado. ‖ Producir agrado o satisfacción.

resumen (al. *Zusammenfassung,* fr. *résumé,* ingl. *summary,* it. *riassunto*). m. Acción y efecto de resumir o resumirse. ‖ Exposición resumida de un asunto o materia. ‖ *en resumen.* m. adv. Resumiendo, recapitulando. [*Sinón.:* abreviación, síntesis, sumario]

resumir (al. *zusammenfassen,* fr. *résumer,* ingl. *to summarize,* it. *riassumere*). tr. Reducir a términos breves y precisos lo esencial de un asunto o materia. Ú.t.c.r. ‖ r. Convertirse, comprenderse, resolverse una cosa en otra. [*Sinón.:* compendiar, abreviar. *Antón.:* ampliar]

resurgimiento. m. Acción y efecto de resurgir. [*Sinón.:* reaparición]

resurgir. intr. Surgir de nuevo, volver a aparecer. ‖ Resucitar.

resurrección. f. Acción de resucitar.

resurtir. intr. Retroceder un cuerpo de resultas del choque con otro. [*Sinón.*: rebotar]

retablo (al. *Altaraufsatz,* fr. *retable,* ingl. *reredos,* it. *pala*). m. Conjunto o colección de figuras pintadas o de talla, que representan una historia o suceso. ‖ Obra de arquitectura que compone la decoración de un altar.

retaco. m. Escopeta corta de recámara muy reforzada. ‖ fig. Persona rechoncha.

retaguardia (al. *Nachhut,* fr. *arrière-garde,* ingl. *rear-guard,* it. *retroguardia*). f. MIL. Último cuerpo de tropa, que cubre las marchas y movimientos de un ejército. ‖ En tiempo de guerra, la zona no ocupada por los ejércitos. ‖ *a retaguardia.* loc. adv. Fuera de la zona de los ejércitos o, formando parte de ellos, en su retaguardia. ‖ Rezagado, postergado.

retahíla. f. Serie de muchas cosas que están, suceden o se mencionan por su orden. [*Sinón.*: sarta]

retajar. tr. Cortar en redondo. ‖ Circuncidar.

retal (al. *Tuchrest,* fr. *coupon,* ingl. *clipping,* it. *ritaglio*). m. Pedazo sobrante de una tela, piel, chapa, etc. [*Sinón.*: recorte]

retama (al. *Gingster,* fr. *genêt,* ingl. *broom,* it. *ginestra*). f. BOT. Mata papilionácea, de ramas delgadas, largas y flexibles, hojas pequeñas y escasas, flores amarillas en racimos laterales y fruto en vaina globosa.

retar (al. *herausfordern,* fr. *défier,* ingl. *to challenge,* it. *sfidare*). tr. Desafiar, provocar a duelo, batalla o contienda.

retardado, da. p. p. de retardar. ‖ adj. MEC. Dícese de aquellos movimientos cuya velocidad va disminuyendo.

retardar. tr. Diferir, detener, entorpecer. Ú.t.c.r.

retazo. m. Retal o pedazo de una tela. ‖ fig. Trozo o fragmento de un razonamiento o discurso.

retejar. tr. Recorrer los tejados poniendo las tejas que faltan.

retén. m. Repuesto o prevención que se tiene de una cosa. ‖ MIL. Tropa prevenida y dispuesta en cuarteles y plazas para acudir a cualquier llamada.

retención. f. Acción y efecto de retener. ‖ Parte de un sueldo, salario u otro haber que se retiene.

retener (al. *zurückbehalten,* fr. *retenir,* ingl. *to retain,* it. *trattenere*). tr. Detener, conservar, guardar en sí. ‖ Conservar una cosa en la memoria. ‖

Conservar el empleo que se tenía cuando se pasa a otro. ‖ Suspender en todo o en parte el pago de un sueldo u otro haber que uno ha devengado, hasta que satisfaga lo que debe, por orden judicial o gubernativa. [*Antón.*: soltar]

retenimiento. m. Acción y efecto de retener.

retentar. tr. Volver a amenazar la enfermedad o accidente que se padeció ya, o resentirse de ellos.

retentiva. f. Memoria, facultad de recordar.

retesar. tr. Atiesar o endurecer una cosa. Ú.t.c.r.

reticencia (al. *Hinterhältigkeit,* fr. *réticence,* ingl. *reticence,* it. *reticenza*). f. Efecto de no decir sino en parte, o de dar a entender claramente, y de ordinario con malicia, que se oculta o se calla algo que debiera o pudiera decirse.

reticente. adj. Que usa reticencias. ‖ Que incluye reticencia.

rético, ca. adj. Perteneciente a la Retia, región de la Europa antigua. ‖ m. Lengua románica de los grisones.

retícula. f. Conjunto de hilos o líneas que se ponen en un instrumento óptico para precisar la visual.

reticular. adj. En forma de redecilla o red.

retículo (al. *Netzwerk,* fr. *réticule,* ingl. *reticulum,* it. *reticolo*). m. Tejido en forma de red. ‖ BIOL. Red formada por filamentos finos o por pequeñas fibras. ‖ FIS. Conjunto de dos o más hilos cruzados o paralelos que se ponen en el objetivo de ciertos instrumentos ópticos a fin de precisar la visual o efectuar medidas delicadas. ‖ ZOOL. Segunda de las cuatro cavidades del estómago de los rumiantes.

retina (al. *Netzhaut,* fr. *rétine,* ingl. *retina,* it. *retina*). f. ANAT. La más interna de las tres membranas que forman el globo del ojo. Constituye una expansión del nervio óptico y su función es recibir las impresiones luminosas y visuales.

retintín. m. Sonido que deja en los oídos la campana u otro cuerpo sonoro. ‖ fig. y fam. Tonillo de voz y manera de hablar, comúnmente empleado para zaherir a alguien.

retinto, ta. adj. De color castaño muy oscuro. Dícese de ciertos animales.

retiración. f. Acción y efecto de retirar. ‖ IMPR. Molde o forma para imprimir por la segunda cara el papel ya impreso por la primera.

retirada (al. *Rückzug,* fr. *retraite,* ingl. *retreat,* it. *ritirata*). f. Acción y efecto de retirarse. ‖ Terreno o sitio que sirve de acogida segura. ‖ Retreta, toque militar. ‖ MIL. Acción de retroceder en orden, apartándose del enemigo. [*Sinón.*: repliegue, retraimiento]

retirado, da. p. p. de retirar. ‖ adj. Distante, apartado. ‖ Dícese del militar, funcionario o empleado que deja un trabajo, generalmente por vejez, conservando ciertos derechos. Ú.t.c.s. [*Sinón.*: jubilado]

retirar (al. *zurückziehen,* fr. *rétirer,* ingl. *to retire,* it. *ritirare*). tr. Apartar o separar una persona o cosa de otra o de algún sitio. Ú.t.c.r. ‖ Apartar de la vista una cosa ocultándola. ‖ Obligar a uno a que se retire, o rechazarle. ‖ IMP. Estampar por el revés el pliego que ya lo está por la otra cara. ‖ r. Apartarse o separarse del trato, comunicación o amistad. ‖ Irse a dormir. ‖ Irse a casa. [*Sinón.*: alejar, retroceder. *Antón.*: avanzar, acercar]

retiro (al. *Einsamkeit,* fr. *retraite,* ingl. *retirement,* it. *ritiro*). m. Acción y efecto de retirarse. ‖ Lugar apartado y distante del bullicio de la gente. ‖ Recogimiento, apartamiento. ‖ Situación del retirado. ‖ Sueldo o haber que éste disfruta. [*Sinón.*: aislamiento, apartamiento]

reto (al. *Herausforderung,* fr. *défi,* ingl. *challenge,* it. *sfida*). m. Provocación o citación a duelo o desafío. ‖ Amenaza. ‖ Reprimenda, r: papolvo.

retocar (al. *retuschieren,* fr. *retoucher,* ingl. *to retouch,* it. *retoccare*). tr. Volver a tocar. ‖ Tocar repetidamente. ‖ Dar a un cuadro, dibujo o fotografía ciertos toques para quitarle imperfecciones. ‖ Restaurar las pinturas deterioradas. ‖ Perfeccionar el afeite o arreglo de la mujer. Ú.t.c.r. ‖ fig. Dar la última mano a cualquier cosa. [*Sinón.*: repulir]

retoñar. intr. BOT. Volver a echar vástagos la planta. ‖ fig. Reproducirse, volver de nuevo lo que había dejado de ser o estaba aletargado. [*Sinón.*: rebrotar]

retoño. m. BOT. Vástago o tallo que echa de nuevo la planta. ‖ fig. y fam. Hablando de personas, hijo, especialmente el de corta edad.

retoque (al. *Retusche,* fr. *retouche,* ingl. *retouch,* it. *ritocco*). m. Pulsación repetida y frecuente. ‖ Nueva mano que se da a cualquier obra para perfeccionarla.

retorcedura. f. Acción y efecto de retorcer.

retorcer (al. *verdrehen*, fr. *tortiller*, ingl. *to twist*, it *ritorcere*). tr. Torcer mucho una cosa, dándole vueltas en torno a sí misma. Ú.t.c.r. ‖ fig. Dirigir un argumento o raciocinio contra el mismo que lo arguye. ‖ fig. Dar una interpretación torcida de alguna cosa. [*Sinón.*: enroscar, ensortijar]

retorcido, da. adj. fam. Dícese de la persona de intención sinuosa.

retorcimiento. m. Acción y efecto de retorcer o retorcerse.

retórica (al. *Rhetorik*, fr. *rhétorique*, ingl. *rhetoric*, it. *rettorica*). f. Arte de bien decir, de dar al lenguaje la eficacia necesaria para deleitar, persuadir o conmover. ‖ despect. Uso impropio e intempestivo de este arte. ‖ pl. fam. Sofisterías o razones que no son del caso.

retórico, ca. adj. Perteneciente a la retórica. ‖ Versado en retórica. Ú.t.c.s.

retornar. tr. Devolver, restituir. ‖ Hacer que una cosa retroceda o vuelva atrás. ‖ intr. Volver al lugar o situación en que se estuvo. Ú.t.c.r.

retornelo. m. MÚS. Repetición de la primera parte del aria, usada también en otras canciones.

retorno (al. *Rückkehr*, fr. *retour*, ingl. *return*, it. *ritorno*). m. Acción y efecto de retornar. ‖ Paga, satisfacción o recompensa del beneficio recibido. ‖ Cambio o trueque. [*Sinón.*: vuelta, restitución]

retorromano, na. adj. Perteneciente a la antigua Retia. ‖ m. Lengua rética.

retorsión. f. Acción y efecto de retorcer. ‖ fig. Acción de devolver o inferir a uno el mismo daño o agravio que de él se ha recibido.

retorta. f. Vasija de cuello largo y vuelto hacia abajo, que se emplea en diversas operaciones químicas.

retortero. m. Vuelta alrededor. ‖ *al retortero.* Alrededor. ‖ *andar al retortero.* fam. Andar sin sosiego de acá para allá.

retortijón. m. Ensortijamiento de una cosa. ‖ Retorcimiento o retorsión grandes, especialmente de alguna parte del cuerpo. ‖ *— de tripas.* Dolor breve y agudo que se siente en ellas. [*Sinón.*: retorcimiento, contorsión]

retozar (al. *hüpfen*, fr. *folâtrer*, ingl. *to frisk*, it. *ruzzare*). intr. Saltar y brincar alegremente. ‖ Jugar unos con otros, personas o animales. ‖ Divertirse con desenvoltura personas de distinto sexo. Ú.t.c.tr. ‖ fig. Excitarse vehemen-

temente en lo interior algunas pasiones. ‖ fig. y fam. Realizar el acto sexual. [*Sinón.*: corretear, triscar]

retozón, na. adj. Inclinado a retozar o que retoza a menudo.

retracción. f. Acción y efecto de retraer. ‖ MED. Reducción persistente de volumen en ciertos tejidos orgánicos.

retractación. f. Acción de retractarse.

retractar (al. *widerrufen*, fr. *rétracter*, ingl. *to retract*, it. *ritrattare*). tr. Revocar expresamente lo que se ha dicho; desdecirse de ello. Ú.t.c.r. [*Sinón.*: abjurar. *Antón.*: ratificar]

retráctil. adj. ZOOL. Dícese de los órganos que pueden retraerse quedando ocultos; como las uñas de los felinos.

retraer. tr. Volver a traer. ‖ Reproducir una cosa en imagen o en retrato. ‖ Apartar o disuadir de un intento. Ú.t.c.r. ‖ r. Acogerse, refugiarse, guarecerse. ‖ Retirarse, retroceder. ‖ Hacer vida retirada.

retraído, da. p. p. de retraer. ‖ adj. Que gusta de la soledad. ‖ fig. Poco comunicativo, tímido.

retraimiento. m. Acción y efecto de retraerse. ‖ Cortedad, reserva. [*Sinón.*: aislamiento. *Antón.*: sociabilidad]

retransmisión. f. Acción y efecto de retransmitir.

retransmitir. tr. Volver a transmitir. ‖ Transmitir desde una emisora de radiodifusión lo que se ha transmitido a ella desde otro lugar.

retrasado, da. adj. Dícese de la persona, planta o animal que no ha llegado al desarrollo normal de su edad. ‖ Dícese del que no tiene el desarrollo mental corriente.

retrasar (al. *verzögern*, fr. *retarder*, ingl. *to delay*, it. *ritardare*). tr. Atrasar, diferir o suspender la ejecución de una cosa. Ú.t.c.r. ‖ intr. Ir atrás o a menos en alguna cosa. [*Sinón.*: retardar, demorar. *Antón.*: adelantar, cumplir]

retraso (al. *Verzug*, fr. *retard*, ingl. *delay*, it. *ritardo*). m. Acción y efecto de retrasar o retrasarse.

retratar (al. *abbilden*, fr. *faire le portrait*, ingl. *to portray*, it. *ritrarre*). tr. Copiar, dibujar o fotografiar la figura de alguna persona o cosa. ‖ Hacer la descripción de la figura o del carácter de una persona. Ú.t.c.r. ‖ Imitar, asemejarse. ‖ Describir con fidelidad una cosa.

retratista. com. Persona que hace retratos. [*Sinón.*: fotógrafo]

retrato (al. *Bildnis*, fr. *portrait*, ingl. *portrait*, it. *ritratto*). m. Pintura o efigie que representa alguna persona o cosa. ‖ Descripción de la figura o carácter de una persona. ‖ fig. Lo que se asemeja mucho a una persona o cosa. ‖ Fotografía.

retrechar. intr. Retroceder, recular el caballo.

retreparse. r. Echar hacia atrás la parte superior del cuerpo. ‖ Recostarse en la silla de tal modo que ésta se incline hacia atrás.

retreta. f. MIL. Toque que se usa para marchar en retirada o para avisar a la tropa que se recoja por la noche en el cuartel.

retrete (al. *Privé, Abort;* fr. *cabinet, lieu d'aisance;* ingl. *closet;* it. *latrina, privato*). m. Aposento dotado de las instalaciones necesarias para orinar y evacuar el vientre. ‖ Estas instalaciones.

retribución (al. *Entlohnung*, fr. *rétribution*, ingl. *reward*, it. *retribuzione*). f. Recompensa o pago de una cosa. [*Sinón.*: remuneración]

retribuir. tr. Recompensar o pagar un servicio, favor, etc. ‖ *Amer.* Corresponder al favor o al obsequio que uno recibe.

retributivo, va. adj. Dícese de lo que tiene virtud o facultad de retribuir.

retro. Partícula prepositiva que lleva a lugar o tiempo anterior a la significación de las voces simples a que se halla unida.

retroacción. f. Acción hacia atrás.

retroactividad. f. Calidad de retroactivo.

retroactivo, va. adj. Que obra o tiene fuerza sobre lo pasado.

retrocarga (de). loc. adj. Dícese de las armas de fuego que se cargan por la parte inferior de su mecanismo.

retroceder (al. *zurückweichen*, fr. *rétrograder*, ingl. *to retrocede*, it. *retrocedere*). intr. Volver hacia atrás. [*Sinón.*: retirarse, huir. *Antón.*: avanzar]

retrocesión. f. Acción y efecto de retroceder. ‖ DER. Acción y efecto de ceder a uno el derecho o cosa que él había cedido antes.

retroceso. m. Acción y efecto de retroceder. ‖ MED. Recrudecimiento de una enfermedad que había empezado a declinar. [*Sinón.*: regresión]

retrocuenta. f. Acción de contar de número mayor a menor.

retrógrado, da (al. *rückläufig*, fr. *rétrograde*, ingl. *retrograde*, it. *retrogrado*). adj. fig. Partidario de instituciones políticas o sociales de tiempos pasados. Ú.t.c.s.

retropropulsión. f. Propulsión obtenida por la reacción de fluidos expulsados a gran velocidad y presión.

retrospectivo, va (al. *rückschauend*, fr. *rétrospectif*, ingl. *retrospective*, it. *retrospettivo*). adj. Que se refiere a tiempos pasados.

retrotraer. tr. Fingir que una cosa sucedió en un tiempo anterior a aquel en que realmente ocurrió, a fin de lograr un efecto determinado. Ú.t.c.r.

retrovisor. m. Espejo colocado en la parte anterior de los automóviles, para que el conductor pueda ver lo que viene o está detrás de él.

retruécano. m. Inversión de los términos de una proposición en otra subsiguiente para que el sentido de esta última forme antítesis con el de la anterior. || Suele tomarse también por otros juegos de palabras. || RET. Figura que consiste en aquella inversión.

retumbante. adj. Que retumba. || fig. Osteutoso, pomposo.

retumbar (al. *dröhnen*, fr. *résonner*, ingl. *to resound*, it. *rimbombare*). intr. Resonar mucho o hacer gran estruendo una cosa. [*Sinón.*: atronar]

retumbo. m. Acción y efecto de retumbar. || *Amer.* Ruidos sordos que anuncian terremoto.

reuma o **reúma.** amb. PAT. Reumatismo. Ú.m.c.m.

reumático, ca. adj. MED. Que padece reuma. Ú.t.c.s. || MED. Perteneciente a esta enfermedad.

reumatismo (al. *Rheumatismus*, fr. *rhumatisme*, ingl. *rheumatism*, it. *reumatismo*). m. PAT. Enfermedad que se manifiesta por dolores en las articulaciones o en las partes musculares y fibrosas del cuerpo.

reumatología. f. Parte de la medicina referente a las afecciones reumáticas.

reunión (al. *Versammlung*; fr. *réunion*; ingl. *meeting, reunion*; it. *riunione*). f. Acción y efecto de reunir o reunirse. || Conjunto de personas reunidas.

reunir (al. *versammeln*; fr. *réunir*; ingl. *to reunite, to congregate*; it. *riunire*). tr. Volver a unir. Ú.t.c.r. || Juntar, congregar. Ú.t.c.r. [*Antón.*: separar]

reválida. f. Acción y efecto de revalidarse.

revalidación. f. Acción y efecto de revalidar.

revalidar (al. *wieder gültigmachen*, fr. *revalider*, ingl. *to ratify*, it. *rivalidare*). tr. Ratificar, dar nuevo valor y firmeza a una cosa. || r. Ser aprobado en una facultad ante tribunal superior.

revalorizar. tr. Devolver a una cosa el valor o estimación que había perdido.

revaluación. f. Acción y efecto de revaluar.

revaluar. tr. Volver a evaluar. || Elevar el valor de una moneda o de otra cosa. [*Antón.*: devaluar]

revancha. f. Desquite, venganza, represalia.

revelación. f. Acción y efecto de revelar. || Manifestación de una verdad oculta. || Por antonomasia, la revelación divina. [*Sinón.*: declaración]

revelado. m. FOTOGR. Conjunto de operaciones necesarias para revelar una imagen fotográfica.

revelador, ra. adj. Que revela. Ú.t.c.s. || m. FOTOGR. Líquido que contiene en disolución sustancias reductoras y sirve para revelar.

revelar (al. *enthüllen*, fr. *révéler*, ingl. *to reveal*, it. *rivelare*). tr. Descubrir o manifestar lo secreto e ignorado. Ú.t.c.r. || Proporcionar indicios o certidumbre de algo. || Manifestar Dios a los hombres lo futuro u oculto. || FOTOGR. Hacer visible la imagen impresa en la placa fotográfica. [*Sinón.*: exteriorizar, propalar. *Antón.*: ocultar, callar]

revendedor, ra. adj. Que revende. Ú.t.c.s.

revender (al. *wieder verkaufen*, fr. *revendre*, ingl. *to retail*, it. *rivendere*). tr. Volver a vender lo que se ha comprado con ese intento al poco tiempo de haberlo comprado.

revenir. intr. Retornar o volver una cosa a su estado propio. || r. Encogerse, consumirse una cosa poco a poco.

reventa (al. *Wiederverkauf*, fr. *revente*, ingl. *retail*, it. *rivendita*). f. Acción y efecto de revender.

reventador. m. Persona que acude a un espectáculo o a cualquier manifestación pública dispuesta a mostrar desagrado de modo ruidoso.

reventar (al. *bersten*, fr. *éclater*, ingl. *to burst*, it. *scoppiare*). intr. Abrirse una cosa por impulso interior. Ú.t.c.r. || Deshacerse en espuma las olas del mar por la fuerza del viento o por el choque contra los peñascos o playas. || Brotar o salir con ímpetu. || fig. Tener deseo vehemente de una cosa. || fig. y fam. Sentir y manifestar un afecto del ánimo, especialmente de ira. || fam. Morir violentamente. || tr. Deshacer una cosa aplastándola con violencia. || Hacer enfermar o morir al caballo por exceso en la carrera. Ú.t.c.r. || fig. Fatigar mucho a alguien con exceso de trabajo. Ú.t.c.r. || fig. y fam. Causar grave daño a alguien. [*Sinón.*: estallar, explotar; desbaratar; extenuar]

reventón. adj. Aplícase a las cosas que revientan o parece que van a reventar. || m. Acción y efecto de reventar o reventarse. [*Sinón.*: estallido]

reverberación (al. *Rückstrahlung*, fr. *réverbération*, ingl. *reverberation*, it. *riverberazione*). f. FÍS. Acción y efecto de reverberar. || QUÍM. Calcinación hecha en el horno de reverbero.

reverberar. intr. FÍS. Hacer reflexión la luz en un cuerpo bruñido. [*Sinón.*: reflejar, reflectar]

reverbero. m. Reverberación. || FÍS. Cuerpo de superficie bruñida en el que la luz reverbera.

reverdecer. intr. Cobrar nuevo verdor los campos o plantíos. Ú.t.c.tr. || fig. Renovarse o tomar nuevo vigor. Ú.t.c.r.

reverencia (al. *Verbeugung*, fr. *révérence*, ingl. *reverence*, it. *riverenza*). f. Respeto o veneración que siente una persona hacia otra. || Inclinación del cuerpo en señal de respeto. || Tratamiento que se da a determinadas jerarquías religiosas. [*Sinón.*: acatamiento, zalema, venia]

reverenciar. tr. Respetar o venerar.

reverencioso, sa. adj. Dícese del que hace muchas inclinaciones o reverencias.

reverendísimo, ma. adj. sup. de reverendo. Se aplica como tratamiento a los cardenales, arzobispos y otras altas dignidades eclesiásticas.

reverendo, da. adj. Digno de reverencia. || Aplícase como tratamiento a las dignidades eclesiásticas. Ú.t.c.s.

reverente. adj. Que muestra reverencia o respeto.

reversibilidad. f. Calidad de reversible.

reversible (al. *heimfälling*, fr. *réversible*, ingl. *reversionary*, it. *reversibile*). adj. Que puede volver a un estado o condición anterior. || Dícese de la prenda de vestir que puede usarse por el derecho o por el revés. || BIOL. Dícese de la alteración de una función o de un órgano cuando puede volverse a su estado normal. || DER. Dícese de la cosa o derecho que puede volver a su antiguo dueño.

reversión. f. Restitución de una cosa al estado que tenía. || DER. Acción y efecto de revertir. [*Sinón.*: reposición, reintegración]

reverso (al. *Rückseite*, fr. *revers,* ingl. *reverse,* it. *rovescio*). m. Parte opuesta al frente de una cosa, revés. || En las monedas y medallas, haz opuesto al anverso. || *el reverso de la medalla.* fig. Persona que por sus cualidades e inclinaciones es la antítesis de otra con quien se compara. [*Sinón.*: envés, dorso. *Antón.*: anverso, cara.]

reverter. intr. Rebosar o salir una cosa de sus términos o límites.

revertir. intr. Volver una cosa al estado o condición que tuvo antes. || Venir a parar una cosa en otra. || DER. Volver una cosa a la propiedad que tuvo antes, o pasar a un nuevo dueño.

revés (al. *Kehrseite,* fr. *envers,* ingl. *backside,* it. *rovescio*). m. Espalda o parte opuesta de una cosa. || Golpe que se da a otro con la mano vuelta. || Golpe que con la mano vuelta da el jugador de pelota para devolverla. || ESGR. Golpe que se da con la espada diagonalmente, partiendo de izquierda a derecha. || fig. Infortunio, desgracia o contratiempo. || fig. Vuelta o mudanza en el trato o en el genio. || *al revés.* m. adv. Al contrario, o invertido el orden regular; a la espalda o a la vuelta. || *de revés.* m. adv. Al revés; de izquierda a derecha. [*Sinón.*: percance]

revestimiento. m. Acción y efecto de revestir. || Capa o cubierta con que se resguarda o adorna una superficie. [*Sinón.*: envoltura]

revestir (al. *überziehen,* fr. *revêtir,* ingl. *to clothe,* it. *rivestire*). tr. Vestir una ropa sobre otra. Ú.m.c.r. || Cubrir con un revestimiento. || Disfrazar la realidad de una cosa añadiéndole contornos. || fig. Presentar una cosa determinado aspecto o carácter. || r. fig. Imbuirse o dejarse llevar con fuerza de una especie. || Poner a contribución, en trance difícil, la energía o condición de ánimo que viene al caso. [*Sinón.*: recubrir, arropar]

revisar. tr. Ver con atención y cuidado. || Someter una cosa a nuevo examen para corregirla, enmendarla o repararla.

revisión (al. *Durchsicht,* fr. *revision,* ingl. *revision,* it. *revisione*). f. Acción de revisar. [*Sinón.*: comprobación]

revisor, ra. adj. Que revisa o examina con cuidado una cosa. || m. El que tiene por oficio revisar o reconocer. || En los ferrocarriles, agente encargado de revisar y marcar los billetes de los viajeros. [*Sinón.*: inspector, reveedor]

revista (al. *Durchsicht, Musterung;* fr. *revue,* ingl. *review,* it. *rivista*). f. Segunda vista, o examen hecho con cuidado o diligencia. || Inspección que un jefe hace de las personas o cosas sometidas a su autoridad o a su cuidado. || Exposición o crítica que se hace con regularidad de producciones literarias, funciones, etc. || Publicación periódica por cuadernos con escritos sobre varias materias, o sobre una especialmente. || Espectáculo teatral de variedades consistente en una serie de números de canto, baile y humor, a veces enlazados por una ligera trama. || *pasar revista.* Ejercer un jefe las funciones de inspección que le corresponden sobre las personas o cosas sujetas a su autoridad o a su cuidado. || Pasar una autoridad o personaje ante las tropas que le rinden honores.

revistar. tr. Pasar revista un jefe o autoridad. [*Sinón.*: inspeccionar]

revistero, ra. s. Persona que actúa en el espectáculo teatral llamado revista. || Mueble para colocar revistas.

revivir. intr. Resucitar, volver a la vida. || Volver en sí el que parecía muerto. || fig. Renovarse o reproducirse una cosa.

revocabilidad. f. Calidad de revocable.

revocable. adj. Que se puede o se debe revocar. [*Sinón.*: anulable. *Antón.*: irrevocable.]

revocación. f. Acción y efecto de revocar. || DER. Anulación, sustitución o enmienda de una orden o fallo por autoridad distinta de la que había resuelto. || DER. Acto jurídico que deja sin efecto otro anterior por la voluntad del otorgante.

revocar (al. *widerrufen,* fr. *révoquer,* ingl. *to repeal,* it. *revocare*). tr. Dejar sin efecto una concesión, mandato o resolución. || Apartar, disuadir a alguien de un designio. || Enlucir o pintar de nuevo las paredes de un edificio; por ext., enlucir cualquier paramento. [*Sinón.*: anular, abrogar; enjabelgar]

revolcar (al. *herumwerfen, sich wälzen;* fr. *vautrer, se vautrer;* ingl. *to knock down, to wallow;* it. *revesciare, svoltolarsi*). tr. Derribar a alguien y maltratarlo o pisotearlo. || fig. y fam. Vencer y deslucir al adversario en altercado o controversia. || fam. Suspender un examen. || r. Echarse sobre una cosa, restregándose o refregándose en ella.

revolcón. m. fam. Acción y efecto de revolcar.

revolotear. intr. Volar haciendo tornos o giros en poco espacio. || Venir una cosa por el aire dando vueltas. || tr. Arrojar una cosa a lo alto con ímpetu, de suerte que parece que da vueltas.

revoloteo. m. Acción y efecto de revolotear.

revoltijo. m. Conjunto compuesto de muchas cosas, sin orden ni método. || Conjunto de tripas de carnero u otra res. || fig. Confusión o enredo. [*Sinón.*: batiburrillo]

revoltillo. m. Revoltijo. || *Amer.* Guiso de diversos componentes a manera de pisto.

revoltoso, sa (al. *aufständisch,* fr. *espiègle,* ingl. *turbulent,* it. *rivoltoso*). adj. Sedicioso, alborotador, rebelde. Ú.t.c.s. || Travieso, enredador. || Que tiene muchas vueltas, intrincado.

revolución (al. *Revolution,* fr. *révolution,* ingl. *revolution,* it. *rivoluzione*). f. Acción y efecto de revolver o revolverse. || Cambio violento en las instituciones políticas de una nación. || Por ext., inquietud, alboroto, sedición. || Conmoción y alteración de los humores. || fig. Mudanza en el estado o gobierno de las cosas. || ASTR. Movimiento de un astro en todo el curso de su órbita. || MEC. Giro o vuelta que da una pieza sobre su eje. [*Sinón.*: insurrección, asonada, golpe de estado. *Antón.*: paz, disciplina, orden]

revolucionar. tr. Provocar un estado de revolución. || MEC. Imprimir más o menos revoluciones en un tiempo determinado a un cuerpo que gira o al mecanismo que produce el movimiento.

revolucionario, ria. adj. Perteneciente o relativo a la revolución, cambio violento en las instituciones políticas y mudanza en el estado de las cosas. || Partidario de la revolución. Ú.t.c.s. || Alborotador, turbulento. Ú.t.c.s.

revolver (al. *durchwühlen,* fr. *remuer,* ingl. *to turn over,* it. *rimescolare*). tr. Menear una cosa de un lado a otro; moverla alrededor o de arriba abajo. || Envolver una cosa en otra. Ú.t.c.r. || Volver la cara al enemigo para embestirle. Ú.t.c.r. || Mirar o registrar moviendo y separando algunas cosas. || Inquietar, enredar; causar disturbios. || Discurrir o cavilar en varias cosas o circunstancias. || Volver a andar lo andado. Ú.t.c.intr. y c.r. || Meter en pendencia, pleito, etc. || Dar una cosa vuelta entera. Ú.t.c.r. || r. Moverse de un lado a otro. || Hacer mudanza el tiempo, ponerse borrascoso. || ASTR. Cumplir un astro su carrera retornando a un punto de su órbita. [*Sinón.*: agitar; arrebujar; girar]

revólver (al. *Revolver*, fr. *revolver*, ingl. *revolver*, it. *rivoltella*). m. Pistola semiautomática provista de una recámara múltiple que gira después de cada disparo.

revoque. m. Acción y efecto de revocar las paredes. ‖ Mezcla de cal y arena u otros materiales análogos que se revoca. [*Sinón.*: enlucido]

revuelco. m. Acción y efecto de revolcar o revolcarse.

revuelo. m. Segundo vuelo que dan las aves. ‖ Vuelta y revuelta del vuelo. ‖ fig. Turbación o agitación.

revuelta (al. *Aufruhr*, fr. *révolte*, ingl. *revolt*, it. *rivolta*). f. Segunda vuelta o repetición de la vuelta. ‖ Alboroto, alteración, sedición. ‖ Riña, pendencia, disensión. ‖ Vuelta o mudanza de un estado o parecer a otro.

revuelto, ta. p. p. irreg. de revolver. ‖ adj. Enredador, travieso. ‖ Intrincado, difícil de entender.

revulsión. f. MED. Medio curativo consistente en producir congestiones o inflamaciones en la superficie de la piel o las mucosas.

revulsivo, va. adj. MED. Dícese del medicamento que produce la revulsión. Ú.t.c.s.

rey (al. *König*, fr. *roi*, ingl. *king*, it. *re*). m. Monarca o príncipe gobernante de un reino. ‖ Pieza principal del juego del ajedrez. ‖ Carta duodécima de cada palo de la baraja. ‖ El que en un juego o en fiestas manda a los demás. ‖ Abeja maesa o reina. ‖ fig. Hombre, animal o cosa del género masculino que por su excelencia sobresale entre los demás de su clase o especie. ‖ *reyes magos.* Los que, guiados por una estrella, fueron de Oriente a adorar al Niño Jesús.

reyerta (al. *Streit*, fr. *rixe*, ingl. *quarrel*, it. *rissa*). f. Contienda, altercado o cuestión que adquiere carácter violento.

reyezuelo. m. ZOOL. Pájaro común en Europa, con alas cortas y plumaje vistoso por la variedad de sus colores.

rezagar. tr. Dejar atrás una cosa. ‖ Atrasar, suspender por algún tiempo la ejecución de una cosa. ‖ r. Quedarse atrás. [*Antón.*: adelantar]

rezar (al. *beten*, fr. *prier*, ingl. *to pray*, it. *pregare*). tr. Orar vocalmente. ‖ Recitar el oficio divino. ‖ fam. Decir o decirse en un escrito una cosa. ‖ intr. fig. y fam. Gruñir, refunfuñar. ‖ *rezar* una cosa *con* uno. fam. Tocarle o pertenecerle; ser de su obligación o conocimiento.

rezno. m. ZOOL. Larva del moscardón que se desarrolla en las paredes del estómago de los rumiantes y solípedos.

rezo. m. Acción de rezar. ‖ Oficio eclesiástico que se reza diariamente. [*Sinón.*: oración, plegaria]

rezongar. intr. Gruñir, refunfuñar a lo que se manda, ejecutándolo con repugnancia o de mala gana.

rezumar (al. *durchsickern*, fr. *suinter*, ingl. *to ooze*, it. *stillare*). tr. Dicho de un cuerpo, dejar pasar a través de sus poros o intersticios gotitas de algún líquido. Ú.t.c.r. ‖ intr. Dicho de un líquido, salir al exterior en forma de gotitas a través de los poros o intersticios de un cuerpo. Ú.t.c.r. [*Sinón.*: filtrar, transpirar]

rho. f. Decimoséptima letra del alfabeto griego, que corresponde a nuestra *erre*.

ria. f. Penetración del mar en la costa, debida a la sumersión de la parte litoral de una cuenca fluvial de laderas más o menos abruptas. ‖ Ensenada amplia en la que vierten al mar aguas profundas.

riachuelo. m. Río pequeño y de poco caudal.

riada. f. Avenida, inundación.

ribazo. m. Porción de tierra con elevación y declive ‖ Talud entre dos fincas que están a distinto nivel. ‖ Caballón que divide dos fincas o cultivos.

ribera (al. *Ufer;* fr. *rive;* ingl. *shore, strand;* it. *riva*). f. Margen y orilla del mar o río. ‖ Por ext., tierra cercana a los ríos.

ribereño, ña. adj. Perteneciente a la ribera o propio de ella.

ribero. m. Vallado de estacas, cascajo y céspedes que se hace a la orilla de las presas para que no se salga y derrame el agua.

ribete (al. *Saum*, fr. *bord*, ingl. *binding;* it. *fregio*). m. Cinta con que se guarnece la orilla del vestido, calzado, etc. ‖ Añadidura, acrecentamiento. ‖ fig. Adorno que en la conversación se añade a algún caso. ‖ pl. fig. Asomo, indicio. [*Sinón.*: festón]

ribeteado, da. adj. Que tiene ribete. ‖ fig. Dícese de los ojos cuando los párpados están irritados.

ribetear. tr. Colocar ribetes.

ricacho, cha. s. fam. Persona acaudalada, aunque vulgar en su trato y porte.

ricachón, na. s. Despectivo de rico, o ricacho.

ricamente. adv. m. Con riqueza, con abundancia. ‖ Con primor. ‖ Muy a gusto; con toda comodidad.

ricino (al. *Christpalme*, fr. *ricin*, ingl. *castor-oil plant*, it. *ricino*). m. BOT. Planta euforbiácea, arborescente o anual según el clima; tallo ramoso, hojas muy grandes, flores en racimo y fruto capsular de cuyas semillas se extrae un aceite purgante y lubrificante.

rico, ca (al. *reich*, fr. *riche*, ingl. *rich, wealthy;* it. *ricco*). adj. Adinerado, acaudalado. Ú.t.c.s. ‖ Abundante, opulento. ‖ Gustoso, sabroso. ‖ Muy bueno en su línea. ‖ Aplicase a las personas como expresión de cariño. [*Antón.*: pobre]

rictus. m. Contracción de los labios que deja al descubierto los dientes y da a la boca el aspecto de la risa.

ricura. f. fam. Calidad de rico al paladar. ‖ Calidad de rico, excelente, bueno.

ridiculez. f. Dicho o hecho extravagante. ‖ Nimia escrupulosidad o delicadeza de genio o natural. [*Sinón.*: payasada]

ridiculizar. tr. Burlarse de una persona o cosa por las extravagancias o defectos que tiene o se le atribuyen. [*Sinón.*: caricaturizar, escarnecer]

ridículo, la (al. *lächerlich*, fr. *ridicule*, ingl. *ridiculous*, it. *ridicolo*). adj. Que por su rareza o extravagancia mueve o puede mover a risa. ‖ Escaso, corto, de poca estimación. ‖ Extraño, irregular y de poco aprecio. ‖ De genio irregular; nimiamente delicado. ‖ m. Situación risible y poco airosa en que cae una persona. ‖ *en ridículo.* m. adv. Expuesto a burla o menosprecio de las gentes. Ú.m. con los verbos *estar, poner* y *quedar.* [*Sinón.*: extravagante, grotesco]

riego (al. *Bewässerung*, fr. *arrosage*, ingl. *irrigation*, it. *irrigazione*). m. Acción y efecto de regar. ‖ Agua disponible para regar. ‖ — *sanguíneo.* Cantidad de sangre que nutre los órganos o la superficie del cuerpo.

riel (al. *Schiene*, fr. *rail*, ingl. *rail*, it. *rotaia*). m. Barra pequeña de metal en bruto. ‖ Carril de una vía férrea.

rielar. intr. poét. Brillar con luz trémula. [*Sinón.*: rutilar, titilar]

rienda (al. *Zügel*, fr. *rêne*, ingl. *rein*, it. *briglia*). f. Cada una de las dos correas que, unidas por uno de sus extremos a las camas del freno, lleva asidas por el otro el que gobierna la caballería. Ú.m. en pl. ‖ fig. Sujeción, moderación en acciones o palabras. ‖

pl. fig. Gobierno, dirección de una cosa. || *a rienda suelta*. m. adv. fig. Con violencia o celeridad; sin sujeción y con toda libertad.

riesgo (al. *Gefahr*, fr. *risque*, ingl. *risk*, it. *rischio*). m. Contingencia o proximidad de un daño. || *correr riesgo*. Estar una cosa expuesta a perderse o a no verificarse.

rifa (al. *Verlosung*, fr. *loterie*, ingl. *raffle*, it. *lotteria*). f. Juego que consiste en sortear una cosa entre varios que han adquirido previamente cédulas o billetes para el sorteo. [*Sinón.*: tómbola, lotería]

rifar. tr. Efectuar el juego de la rifa. [*Sinón.*: sortear]

rifeño, ña. adj. Natural del Rif. Ú.t.c.s. || Perteneciente a esta comarca de Marruecos.

rifle. m. Fusil con ánima rayada.

rigidez. f. Calidad de rígido. [*Antón.*: ductilidad, flexibilidad]

rígido, da (al. *unbeugsam*, fr. *rigide*, ingl. *rigid*, it. *rigido*). adj. Que no se puede doblar o torcer. || fig. Riguroso, severo. [*Antón.*: flexible; condescendiente]

rigodón. m. Cierta especie de contradanza.

rigor (al. *Strenge*, fr. *rigueur*, ingl. *rigour*, it. *rigore*). m. Nimia y escrupulosa severidad. || Aspereza o acrimonia en el gesto o en el trato. || Último término a que pueden llegar las cosas. || Vehemencia. || Propiedad y precisión. || MED. Rigidez de los tejidos fibrosos que impide los movimientos del cuerpo. || MED. Frío intenso que surge de improviso al declararse algunas enfermedades. || *— en rigor*. m. adv. En realidad, estrictamente. || *ser de rigor* una cosa. Ser indispensable.

rigorismo. m. Exceso de severidad, principalmente en materias morales. || Sistema o doctrina en que domina la moral rigorista. [*Sinón.*: intransigencia, puritanismo]

rigorista. adj. Extremadamente severo, sobre todo en materias morales. Ú.t.c.s.

riguroso, sa. adj. Áspero y acre. || Muy severo, cruel. || Estrecho, austero, rígido. || Dicho del temporal o de una desgracia u otro mal, extremado, duro de soportar.

rija. f. MED. Fístula que se hace debajo del lagrimal.

rima (al. *Reim*, fr. *rime*, ingl. *rhyme*, it. *rima*). f. Consonancia o consonante. || Asonancia o asonante. || Composición en verso del género lírico. Ú.

generalmente en pl. || Conjunto de consonantes de una lengua, o de las consonantes o asonantes empleadas en una composición o en todas las del poeta.

rimar. intr. Componer en verso. || Ser una palabra asonante o más especialmente consonante de otra. || tr. Hacer el poeta una palabra asonante o consonante de otra.

rimbombante. adj. fig. Ostentoso, llamativo.

rimero. m. Montón de cosas puestas unas sobre otras.

rincón (al. *Ecke*, fr. *coin*, ingl. *corner*, it. *angolo*). m. Ángulo entrante que se forma por la intersección de dos superficies. || Escondrijo o lugar retirado. || Espacio pequeño. || fig. y fam. Domicilio o habitación particular de cada uno, con abstracción del comercio de las gentes. [*Sinón.*: esquina, recoveco]

rinconera. f. Mesita, armario o estante pequeños, que se colocan en un rincón. || ARQ. Parte de muro comprendida entre un ángulo de la fachada y el hueco más próximo.

ring (voz inglesa). m. Tarima cuadrada rodeada de cuerdas sobre la cual se desarrollan los combates de boxeo y lucha.

ringla. f. fam. Fila.

ringlera. f. Fila de cosas puestas unas tras otras. [*Sinón.*: hilera]

rinitis. f. MED. Inflamación de la mucosa de las fosas nasales.

rinoceronte (al. *Nashorn*, fr. *rhinocéros*, ingl. *rhinoceros*, it. *rinoceronte*). m. ZOOL. Mamífero paquidermo del orden de los perisodáctilos. Es de gran tamaño, cuerpo grueso cubierto de piel oscura, recia e inflexible, y patas cortas y fuertes. Es herbívoro, vive en lugares pantanosos y es muy miope. Está provisto de uno o dos cuernos curvados, según sea la especie asiática o africana.

rinología. f. Parte de la patología que estudia las enfermedades de las fosas nasales.

rinólogo. m. Médico especialista en rinología.

riña (al. *Zank*, fr. *rixe*, ingl. *quarrel*, it. *rissa*). f. Pendencia, cuestión o quimera.

riñón (al. *Niere*, fr. *rein*, ingl. *kidney*, it. *rene*). m. Cada una de las glándulas secretorias de la orina, que generalmente son dos. En los mamíferos son voluminosas, de color rojo oscuro y están situadas a uno y otro lado de la columna vertebral, al nivel de las vértebras lumbares. || Interior o centro de un

terreno, sitio, asunto, etc. || *costar* una cosa *un riñón*. fig. y fam. Costar muchísimo dinero o esfuerzo. || *tener riñones*. fig. y fam. Ser esforzado.

río (al. *Fluss*, fr. *fleuve*, ingl. *river*, it. *fiume*). m. Corriente de agua continua y más o menos caudalosa que va a desembocar en otra o en el mar. || fig. Abundancia de una cosa. || fig. Afluencia de personas. || *a río revuelto*. m. adv. En la confusión, turbación, desorden. || *pescar en río revuelto*. fig. Aprovecharse uno de alguna confusión o desorden en beneficio propio.

rioja. m. Vino de fina calidad, que se cría y elabora en la comarca de este nombre.

riostra. f. ARQ. Pieza que, puesta oblicuamente, asegura la invariabilidad de forma de una armazón.

ripia. f. Tabla delgada, desigual y sin pulir. || Costero tosco del madero aserrado.

ripio. m. Residuo que queda de una cosa. || Cascajo o fragmento de ladrillos, piedras u otros materiales de construcción desechados o quebrados. || *Amer.* Casquijo que se usa para pavimentar. || Palabra superflua que se emplea con el solo objeto de completar el verso. || Conjunto de palabras inútiles o con que se expresan cosas vanas. || Mal verso. || *no perder ripio*. Estar muy atento a lo que se oye, sin perder palabra.

riqueza (al. *Reichtum*, fr. *richesse*, ingl. *wealth*, it. *ricchezza*). f. Calidad de rico. || Abundancia de bienes y cosas preciosas. || Abundancia de cualidades o atributos excelentes. || Abundancia relativa de cualquier cosa. [*Sinón.*: opulencia, fortuna. *Antón.*: miseria, pobreza]

risa (al. *Lachen*, fr. *rire*, ingl. *laugh*, it. *riso*). f. Movimiento de la boca y otras partes del rostro que demuestra alegría. || Lo que mueve a reir. || *— falsa*. La que se hace fingiendo agrado. || *— sardónica*. PAT. Convulsión y contracción de los músculos de la cara, de que resulta un gesto como cuando uno se ríe. || fig. Risa afectada.

risco. m. Hendidura, corte. || Peñasco alto y escarpado. [*Sinón.*: peñón, roquedo]

risible. adj. Capaz de reírse. || Que causa risa. [*Sinón.*: irrisorio, ridículo. *Antón.*: serio]

risotada. f. Carcajada, risa estrepitosa.

ristra. f. Trenza hecha de los tallos de ajos o cebollas. || fig. y fam. Conjunto de ciertas cosas colocadas unas tras otras. [*Sinón.*: hilera, ringlera]

ristre. m. Hierro del peto de la armadura, donde se afianzaba el cabo de la manija de la lanza.

risueño, ña (al. *fröhlich*, fr. *souriant*, ingl. *smiling*, it. *ridente*). adj. Que muestra risa. || Que con facilidad se ríe. || fig. De aspecto deleitable, o capaz de infundir alegría. || fig. Próspero, favorable. [*Sinón.*: alegre, gozoso. *Antón.*: triste, taciturno]

rítmico, ca. adj. Perteneciente al ritmo o al metro.

ritmo (al. *Rhythmus*, fr. *rythme*, ingl. *rhythm*, it. *ritmo*). m. Armoniosa combinación y sucesión de voces y cláusulas y de pausas y cortes en el lenguaje. || Metro o verso. || Mús. Proporción guardada entre el tiempo de un movimiento y el de otro diferente.

rito (al. *Ritus*, fr. *rite*, ingl. *rite*, it. *rito*). m. Costumbre o ceremonia. || Conjunto de reglas establecidas para el culto y ceremonias religiosas.

ritornelo. m. Mús. Trozo musical, situado antes o después de un pasaje cantado. || Repetición, estribillo.

ritual (al. *rituell*, fr. *rituel*, ingl. *ritual*, it. *rituale*). adj. Perteneciente o relativo al rito. || m. Conjunto de ritos de una religión o de una iglesia. [*Sinón.*: ceremonia]

ritualismo. m. Secta protestante inglesa que concede gran importancia a los ritos y tiende a acercarse al catolicismo. || fig. En los actos jurídicos, y en general en los oficiales, exagerado predominio de las formalidades y trámites reglamentarios.

ritualista. com. Partidario del ritualismo.

rival. com. El que aspira a lo mismo que otro.

rivalidad. f. Oposición entre dos o más personas que aspiran a obtener una misma cosa. || Enemistad. [*Sinón.*: competencia, pugna]

rivalizar. intr. Competir.

rivera. f. Arroyo, riachuelo.

riza. f. Destrozo o estrago que se hace en una cosa.

rizado. m. Acción y efecto de rizar o rizarse.

rizar. tr. Formar artificiosamente en el pelo, rizos, bucles, etc. || Mover el viento la mar, formando olas pequeñas. Ú.t.c.r. || Hacer dobleces menudos. || r. Ensortijarse el pelo.

rizo. adj. Ensortijado o hecho rizos naturalmente. || m. Mechón de pelo que artificial o naturalmente tiene forma de

sortija, bucle o tirabuzón. || *hacer o rizar el rizo.* En sent. fig., apurar victoriosamente las máximas dificultades de una actividad cualquiera.

rizófago, ga. adj. Zool. Dícese de los animales que se alimentan de raíces. Ú.t.c.s.

rizoma. m. Bot. Tallo subterráneo de curso horizontal semejante a una raíz verdadera, como el del lirio común.

rizópodo. adj. Zool. Dícese del protozoo cuyo cuerpo es capaz de emitir seudópodos que le sirven para moverse y apoderarse de las partículas orgánicas con que se alimenta. Ú.m.c.s. || m. pl. Clase de estos animales.

ro. Voz que se usa repetida para arrullar a los niños.

roa. f. Mar. Roda, pieza gruesa y curva que forma la proa de la nave.

roano, na. adj. Aplícase a la caballería cuyo pelo está mezclado de blanco, gris y bayo.

róbalo o **robalo.** m. Zool. Pez acantopterigio de 7 a 8 decímetros que vive en nuestros mares y cuya carne es muy apreciada. [*Sinón.*: lubina]

robar (al. *rauben*, fr. *voler*, ingl. *to rob*, it. *rubare*). tr. Tomar para sí lo ajeno con violencia. || Hurtar de cualquier modo que sea. || Llevarse los ríos y corrientes parte de la tierra por donde pasan. || Redondear una punta o dar forma de chaflán a una esquina. || Atraer con eficacia y como violentamente el ánimo o afecto.

robellón. m. Bot. Mízcalo.

robezo. m. Gamuza.

robín. m. Orín o herrumbre de los metales.

robinia. f. Acacia falsa, árbol.

roble (al. *Eiche*, fr. *rouvre*, ingl. *oak-tree*, it. *rovere*). m. Bot. Árbol cupulífero, de 15 a 20 metros de altura, de hojas perennes y bellotas por fruto. Su madera es dura, de color pardo y muy apreciada en la construcción. || Madera de este árbol. || fig. Persona o cosa de gran resistencia.

robledal. m. Robledo de gran extensión.

robledo. m. Sitio poblado de robles.

roblizo, za. adj. Fuerte, recio, duro.

roblón. m. Clavo de hierro cuya punta se remacha.

robo (al. *Raub*, fr. *vol*, ingl. *robbery*, it. *furto*). m. Acción y efecto de robar. || Cosa robada. || En algunos juegos de naipes y en el dominó, número de cartas o fichas que se toman del montón.

robot. m. Ingenio electrónico que puede ejecutar automáticamente operaciones o movimientos varios. || Autómata.

robustecer. tr. Dar robustez. Ú.t.c.r. [*Antón.*: debilitar]

robustez. f. Calidad de robusto. [*Antón.*: debilidad]

robusto, ta. adj. Fuerte, vigoroso. || Que tiene fuertes miembros y buena salud.

roca (al. *Fels*, fr. *roche*, ingl. *rock*, it. *roccia*). f. Piedra muy dura y sólida. || Peñasco que se levanta en la tierra o en el mar. || fig. Cosa muy dura, firme y constante. || Geol. Sustancia mineral que por su extensión forma parte importante de la masa terrestre.

rocalla. f. Conjunto de piedrecillas desprendidas de las rocas. || Abalorio grueso.

rocambolesco. adj. Extraordinario, fantástico.

roce (al. *Reibung*, fr. *frottement*, ingl. *friction*, it. *fregamento*). m. Acción y efecto de rozar. || fig. Trato frecuente con algunas personas. || fig. Pequeñas discrepancias de opinión o de otro género que se suscitan entre personas que se tratan.

rociada. f. Acción y efecto de rociar. || Rocío de la tierra y de las plantas. || fig. Conjunto de cosas que se esparcen al arrojarlas. || fig. Represión áspera con que se reconviene a uno. [*Sinón.*: aspersión, salpicadura]

rociar (al. *besprengen*, fr. *asperger*, ingl. *to sprinkle*, it. *spruzzare*). intr. Caer sobre la tierra el rocío o la lluvia menuda. || tr. Esparcirse en gotas menudas un líquido. || fig. Arrojar cosas de modo que caigan diseminadas.

rocín. m. Caballo de mala traza y de poca alzada. || Caballo de trabajo. || fig. y fam. Hombre tosco e ignorante.

rocío. m. Vapor que con la frialdad de la noche se condensa en la atmósfera en gotas muy menudas, las cuales aparecen luego sobre la superficie de la tierra o sobre las plantas. || Las mismas gotas perceptibles a la vista. || Lluvia corta y pasajera. || fig. Gotas menudas esparcidas sobre una cosa para humedecerla.

rococó. adj. Dícese del estilo barroco que predominó en Francia en tiempo de Luis XV.

rocoso, sa. adj. Roqueño, abundante en rocas.

rochar. tr. *Amer.* Sorprender a alguien en algo ilícito.

roda. f. MAR. Pieza gruesa y curva, de madera o de hierro, que forma la proa de las naves.

rodaballo (al. *Steinbutt*, fr. *turbot*, ingl. *turbot*, it. *rombo*). m. ZOOL. Pez teleósteo anacanto, de unos 80 centímetros de largo, cuerpo aplanado y carne muy estimada. Es muy voraz.

rodada. f. Señal que deja impresa la rueda en el suelo.

rodador, ra. adj. Que rueda o cae rodando. ‖ m. Llaneador, corredor en terreno llano.

rodaja. f. Pieza circular y plana, de madera, metal u otra materia. ‖ Rueda, tajada circular. ‖ Estrella de la espuela.

rodaje. m. Conjunto de ruedas. ‖ Impuesto o arbitrio sobre los carruajes. ‖ Acción de impresionar una película cinematográfica. ‖ Situación en que se halla un vehículo automóvil mientras no ha rodado la distancia inicial prescrita por el constructor. ‖ *Amer.* Medida de la rueda de un automóvil.

rodamiento. m. Cojinete. ‖ — *de bolas.* El compuesto de dos arandelas y un juego de bolas entre ambas.

rodapié. m. Paramento con que se cubren alrededor los pies de las camas, mesas, etc. ‖ Friso, zócalo de una pared. ‖ Tabla, celosía que se pone en la parte inferior de los balcones.

rodar (al. *rollen*, fr. *rouler*, ingl. *to revolve*, it. *rotare*). intr. Dar vueltas un cuerpo alrededor de su eje. ‖ Moverse una cosa por medio de ruedas. ‖ Caer dando vueltas. ‖ fig. No tener una cosa colocación fija. ‖ fig. Ir de un lado para otro sin quedarse en sitio determinado. ‖ fig. Suceder unas cosas a otras. ‖ tr. Hablando de películas cinematográficas, impresionarlas o proyectarlas.

rodear. intr. Andar alrededor. ‖ Ir por camino más largo que de ordinario. ‖ fig. Usar de rodeos en lo que se dice. ‖ tr. Poner una o varias cosas alrededor de otra. ‖ *Amer.* Reunir el ganado mayor en un sitio determinado, arreándolo desde los distintos lugares en donde pace. ‖ r. Acompañarse de personas o cosas.

rodeo (al. *Umgehen*, fr. *tour*, ingl. *roundabout*, it. *giro*). m. Acción de rodear. ‖ Camino más largo o desvío del camino recto. ‖ Vuelta o regate para librarse del perseguidor. ‖ Sitio donde se reúne el ganado mayor. ‖ En algunos países americanos, deporte que consiste en montar en pelo potros salvajes o reses vacunas bravas y hacer otros ejercicios, como arrojar el lazo, etc. ‖ fig. Manera indirecta de hacer o decir

alguna cosa. ‖Sinón.: desvio, perifrasis‖

rodete. m. Rosca que con las trenzas del pelo se hacen las mujeres en la cabeza. ‖ Rosca de lienzo u otra materia que se pone en la cabeza para cargar y llevar sobre ella un peso. ‖ Chapa circular de la cerradura. ‖ Pieza giratoria cilíndrica achatada y de canto plano sobre la cual pasan las correas sin fin en diferentes máquinas. ‖ Rueda hidráulica horizontal con paletas.

rodezno. m. Rueda hidráulica con paletas curvas y eje vertical. ‖ Rueda dentada que engrana con la que está unida a la muela de la tahona.

rodilla (al. *Knie*, fr. *genou*, ingl. *knee*, it. *ginocchio*). f. ANAT. Conjunto de partes blandas y duras que forman la unión del muslo con la pierna, y especialmente la región prominente de dicho conjunto. ‖ *de rodillas.* m. adv. Con las rodillas dobladas y apoyadas en el suelo, y el cuerpo descansando en ellas. ‖ fig. En tono suplicante y con ahinco.

rodillazo. m. Golpe dado con la rodilla.

rodillera. f. Cualquier cosa que se pone para comodidad o defensa de la rodilla. ‖ Remiendo que se echa en los calzones en la parte de la rodilla. ‖ Convexidad que llegar a formar el pantalón en la parte que cae en la rodilla.

rodillo (al. *Rolle*, fr. *rouleau*, ingl. *roll*, it. *rullo*). m. Madero redondo y fuerte que se hace rodar por el suelo para llevar sobre él una cosa de mucho peso. ‖ AGR. Cilindro muy pesado que se hace rodar para allanar y apretar la tierra. ‖ IMPR. Cilindro que se emplea para dar tinta en las imprentas.

rodio. m. QUÍM. Metal raro de color blanco de plata, que suele presentarse asociado a las menas del platino.

rododendro (al. *Alpenrose*, fr. *rhododendron*, ingl. *rhododendron*, it. *rododendro*). m. BOT. Arbolillo ericáceo, de 2 a 5 metros de altura, con hojas persistentes, coriáceas, lustrosas por el haz y pálidas por el envés, y flores en corimbo, sonrosadas o purpúreas.

rodrigón. m. AGR. Vara o caña que se clava al pie de una planta y sirve para sostener sus tallos y ramas.

roedor, ra (al. *nagetier*, fr. *rongeur*, ingl. *rodentia*, it. *roditore*). adj. Que roe. ‖ fig. Que punza. ‖ ZOOL. Dícese de mamíferos unguiculados, provistos de uñas en forma de garras, incisivos biselados de crecimiento continuo y desprovistos de caninos; como el ratón

y el conejo. Ú.t.c.s. ‖ m. pl. Orden de estos animales.

roedura. f. Acción de roer. ‖ Porción que se corta royendo. ‖ Señal que queda en la parte roída.

roel. m. BLAS. Pieza redonda en los escudos de armas.

roela. f. Disco de oro o plata en bruto.

roer (al. *abnagen*, fr. *ronger*, ingl. *to gnaw*, it. *rodere*). tr. Cortar, descantillar menuda y superficialmente con los dientes parte de una cosa dura. ‖ Quitar con los dientes a un hueso la carne que se quedó pegada. ‖ fig. Molestar, afligir o atormentar interiormente y con frecuencia.

rogar (al. *bitten*, fr. *prier*, ingl. *to pray*, it. *pregare*). tr. Pedir por gracia una cosa. ‖ Instar con súplicas. ‖Sinón.: implorar, suplicar, orar‖

rogativa. f. Oración pública hecha a Dios para conseguir el remedio de una grave necesidad. Ú.m. en pl. ‖Sinón.: súplica, plegaria‖

rojear. intr. Mostrar una cosa el color rojo que en sí tiene. ‖ Tirar a rojo.

rojez. f. Calidad de rojo.

rojizo, za. adj. Que tira a rojo.

rojo, ja (al. *rot*, fr. *rouge*, ingl. *red*, it. *rosso*). adj. Encarnado muy vivo. Ú.t.c.s. Es el primer color del espectro solar. ‖ Dícese del pelo de un rubio muy vivo, casi colorado. ‖ *al rojo.* loc. que se aplica al hierro u otra materia cuando por el efecto de una temperatura elevada toma dicho color. ‖ En sent. fig., muy exaltadas las pasiones.

rol. m. Lista, nómina o catálogo. ‖ MAR. Licencia que lleva el capitán de un buque, en la cual consta la lista de la marinería.

roldana. f. Rodaje por donde corre la cuerda de una garrucha.

roleo. m. ARQ. Voluta de capitel.

rolla. f. Trenza de espadaña forrada que se coloca en el yugo para que éste se adapte bien a las colleras.

rollizo, za. adj. Redondo en figura de rollo. ‖ Robusto y grueso. ‖ m. Madero cilíndrico y corto.

rollo (al. *Rolle*, fr. *rouleau*, ingl. *roll*, it. *rotolo*). m. Cualquier materia que toma forma cilíndrica por rodar o dar vueltas. ‖ Cilindro de madera, piedra, metal u otra materia dura, que sirve para labrar en ciertos oficios, como el de pastelero. ‖ Porción de tejido, papel, etc., que se tiene enrollada en forma cilíndrica. ‖ Película fotográfica enrollada en forma cilíndrica. ‖ fig. Discurso, exposición o lectura larga y fastidiosa. || fig. y fam. Cualquier asunto o cosa.

romadizo. m. Catarro de la membrana pituitaria.

romana (al. *Schnellwaage*, fr. *romaine*, ingl. *steelyard*, it. *stadera*). f. Instrumento para pesar. Consiste en una palanca de brazos desiguales, en cuyos extremos se aplican el peso y el contrapeso, y en cuyo punto de apoyo se halla el fiel. Un pilón puede correr sobre el brazo mayor, donde se halla trazada la escala de los pesos.

romance. adj. Aplícase a cada una de las lenguas modernas derivadas del latín. Ú.t.c.s.m. || m. Idioma español. || Novela o libro de caballerías. || Composición poética de carácter épico, cuya característica esencial radica en la métrica, una tirada de versos octosílabos rimados en asonancia única los pares y libres los impares. || pl. fig. Excusas, subterfugios.

romancero, ra. s. Persona que cantaba romances. || m. Colección de romances.

románico, ca (al. *rommanisch*, fr. *roman*, ingl. *romanesque*, it. *romanico*). adj. Aplícase al estilo artístico que se desarrolló en Europa durante los siglos XI, XII y parte del XIII, caracterizado por el empleo de arcos de medio punto, bóvedas en cañón, columnas externas y a veces resaltadas en los machones, y molduras robustas. || En filología, derivado del latín.

romanismo. m. Conjunto de instituciones, cultura o tendencias políticas de Roma.

romanista. adj. Dícese del que profesa el derecho romano o tiene en él especiales conocimientos. Ú.m.c.s. || Dícese de la persona versada en las lenguas romances y sus literaturas. Ú.t.c.s.

romanización. f. Acción de romanizar o romanizarse.

romanizar. tr. Difundir la civilización, leyes y costumbres romanas, o la lengua latina. || r. Adoptar la civilización romana o la lengua latina. Ú.t.c. intr.

romano, na. adj. Natural de Roma. Ú.t.c.s. || Perteneciente a esta ciudad de Italia. || Natural o habitante de cualquiera de los países de que se componía el Imperio romano. Ú.t.c.s. || Aplícase a la religión católica y a lo perteneciente a ella. || Dícese de la lengua latina. Ú.t.c.s.m.

romanticismo (al. *Romantik*, fr. *romanticisme*, ingl. *romanticism*, it. *romanticismo*). m. Movimiento literario y de ideas que se inició a finales del siglo XVIII y perduró durante la primera mitad del XIX. Se caracteriza por el predominio del sentimiento y la pasión, el individualismo y el amor a la libertad, sobre la razón y las normas, y se opone como actitud espiritual al clasicismo. || Calidad de romántico, sentimental.

romántico, ca. adj. Perteneciente al romanticismo, o que participa de sus cualidades. || Dícese del escritor que da a sus obras el carácter del romanticismo. Ú.t.c.s. || Partidario del romanticismo. Ú.t.c.s. || fig. Sentimental, generoso, fantástico y soñador.

romanza. f. Composición poética, lírica y narrativa, de carácter popular, sencillo y tierno. || MÚS. Composición musical del mismo carácter y meramente instrumental.

rómbico, ca. adj. De figura de rombo.

rombo (al. *Rhombus*, fr. *losange*, ingl. *rhombus*, it. *rombo*). m. GEOM. Paralelogramo de lados iguales.

romboedro. m. GEOM. Paralelepípedo formado por seis caras que son rombos. || MINERAL. Forma cristalina constituida por seis caras en forma de rombo.

romboidal. adj. GEOM. De figura de romboide.

romboide. m. GEOM. Paralelogramo de ángulos oblicuos y cuyos lados contiguos son desiguales.

romeral. m. Sitio poblado de romeros.

romería (al. *Wallfahrt*, fr. *pèlerinage*, ingl. *pilgrimage*, it. *pellegrinaggio*). f. Viaje o peregrinación hecha a Roma, y por ext., la que se hace por devoción a un santuario. || Fiesta popular, con meriendas, bailes y general alegría, que se celebra en el campo inmediato a algún santuario el día de la festividad religiosa del lugar. || fig. Muchedumbre que afluye a un sitio. [*Sinón.*: peregrinaje]

romero, ra (al. *Rosmarin*, fr. *romarin*, ingl. *rosemary*, it. *rosmarino*). adj. Aplícase al peregrino que va en romería. || m. BOT. Arbusto de la familia de las labiadas, de hojas aromáticas y flores azules. Es común en España y se utiliza en medicina y perfumería. || ZOOL. Pez malacopterigio subranquial, con tres aletas dorsales y un filamento corto pendiente de la mandíbula inferior.

romo, ma. adj. Obtuso y sin punta. || De nariz pequeña y poco puntiaguda.

[*Sinón.*: despuntado. *Antón.*: afilado]

rompecabezas (al. *Geduldspiel*, fr. *casse-tête*, ingl. *puzzle*, it. *rompicapo*). m. Juego de paciencia que consiste en componer determinada figura combinando cierto número de pedacitos en cada uno de los cuales hay una parte de dicha figura. || fig. y fam. Problema o acertijo de difícil solución. [*Sinón.*: pasatiempo, charada]

rompedera. f. Punzón grande enastado como un martillo y que a golpe de mazo sirve para abrir agujeros en el hierro candente. || Criba de piel que se usa en las fábricas de pólvora.

rompehielos. m. MAR. Buque acondicionado para navegar por mares en los que abundan los hielos.

rompenueces. m. *Amer.* Cascanueces.

rompeolas (al. *Wellenbrecher*, fr. *briselames*, ingl. *breakwater*, it. *paraonde*). m. Dique avanzado en el mar, para procurar abrigar a un puerto o rada. [*Sinón.*: escollera]

romper (al. *brechen*, fr. *casser*, ingl. *to break*, it. *rompere*). tr. Separar con más o menos violencia las partes de un todo, deshaciendo su unión. Ú.t.c.r. || Quebrar o hacer pedazos una cosa. Ú.t.c.r. || Hacer una abertura en un cuerpo o causarla hiriéndolo. Ú.t.c.r. || fig. Traspasar el coto, límite o término que está puesto, o salirse de él. || fig. Dividir o separar por breve tiempo la unión o continuidad de un cuerpo fluido, al atravesarlo. || fig. Interrumpir la continuidad de algo no material. || fig. Hablando de un astro o de la luz, vencer con su claridad, descubriéndose a la vista el impedimento que lo ocultaba, como la nube, niebla, etc. || fig. Quebrar la observancia de la ley, precepto, contrato u otra obligación. || intr. Deshacerse en espuma las olas. || fig. Tener principio, empezar, comenzar. || fig. Prorrumpir o brotar. || fig. Despejarse y adquirir desembarazo en el porte o las acciones. || *de rompe y rasga.* loc. adj. fig. y fam. De ánimo resuelto y gran desembarazo. || *romper con uno.* Manifestarle la queja o disgusto que de él se tiene, separándose de su trato o amistad. [*Sinón.*: fracturar, quebrar, destruir. *Antón.*: componer]

rompiente. m. Escollo donde rompen las olas.

rompimiento. m. Acción y efecto de romper o romperse. || Espacio abierto en un cuerpo sólido, o quiebra que se reconoce en él. || fig. Desavenencia o riña. [*Sinón.*: ruptura]

ron (al. *Rum*, fr. *rhum*, ingl. *rum*, it. *rum*). m. Licor alcohólico que se extrae de una mezcla fermentada de melazas y zumo de caña de azúcar.

roncar (al. *snarchen*, fr. *ronfler*, ingl. *to snore*, it. *russare*). intr. Hacer ruido bronco con el resuello mientras se duerme. || fig. Hacer un ruido sordo o bronco ciertas cosas, como el mar, el viento, etc.

roncear. intr. Entretener o retardar la ejecución de algo por hacerlo de mala gana. || fam. Halagar para lograr algún fin. || MAR. Ir tarda y perezosa la embarcación. || tr. *Amer*. Ronzar, mover una cosa pesada, inclinándola a uno y otro lado.

roncería. f. Tardanza o lentitud en hacer lo que se manda. || fam. Expresión de halago o cariño, para conseguir un fin. || MAR. Movimiento lento y perezoso de la embarcación.

ronco, ca (al. *heiser*, fr. *enroué*, ingl. *harsh*, it. *roco*). adj. Que tiene o padece ronquera. || Aplícase también a la voz o sonido áspero y bronco. [*Sinón*.: enronquecido]

roncha. f. Bulto pequeño que se forma en el cuerpo del animal. || Cardenal, equimosis. || Rodaja, tajada delgada de cualquier cosa, cortada en redondo. [*Sinón*.: pápula, raja]

ronda (al. *Ronde*, fr. *ronde*, ingl. *night patrol*, it. *ronda*). f. Acción de rondar. || Grupo de personas que andan rondando. || Reunión nocturna de mozos para tocar y cantar por las calles. || Camino inmediato al límite de una población. || fam. Distribución de copas de vino o de cigarros a personas reunidas en algún lugar. || MIL. Patrulla destinada a rondar las calles o recorrer los puestos exteriores de una plaza. || MIL. Vigilancia efectuada por la patrulla anterior. || DEP. Vuelta, carrera ciclista por etapas.

rondalla. f. Cuento, conseja.

rondar. intr. Andar de noche de vigilancia o paseo por las calles. Ú.t.c.tr. || Pasear los mozos por las calles donde viven las mozas a quienes galantean. Ú.t.c.tr. || MIL. Visitar los diferentes puestos de una plaza fuerte o campamento para vigilar el servicio. || tr. fig. Dar vueltas alrededor de una cosa. || fig. Andar tras alguien para conseguir de él una cosa. || fig. y fam. Amagar a uno el sueño, la enfermedad, la muerte, etc. [*Sinón*.: patrullar]

rondel. m. Composición poética corta en que se repite al final el primer verso o las primeras palabras.

rondín. m. Ronda que hace regularmente un cabo para vigilar a los centinelas.

rondó. m. MÚS. Composición musical cuyo tema se repite o insinúa varias veces.

rondón (de). m. adv. Intrépidamente y sin reparo. || *entrar de rondón* uno. fig. y fam. Entrarse de repente y con familiaridad, sin llamar a la puerta, dar aviso ni tener licencia.

ronquera. f. Afección de la laringe que cambia el timbre de la voz haciéndolo bronco y poco sonoro.

ronquido. m. Ruido que se hace al roncar. || fig. Ruido o sonido bronco.

ronrón. m. *Amer*. Especie de escarabajo pelotero.

ronronear. intr. Producir el gato una especie de ronquido, en señal de contento.

ronroneo. m. Acción y efecto de ronronear.

ronzal (al. *Halfterstrick*, fr. *licou*, ingl. *halter*, it. *cavezza*). m. Cuerda que se ata a la cabeza o al pescuezo del caballo para sujetarlo o para conducirlo sin dejar de caminar. [*Sinón*.: cabestro]

ronzar. tr. Mascar las cosas duras produciendo ruido. || intr. Roncear.

roña (al. *Schafräude*, fr. *rogne*, ingl. *scab*, it. *rogna*). f. Sarna del ganado lanar. || Porquería fuertemente adherida al cuerpo. || Corteza del pino. || com. fig. y fam. Persona roñosa, tacaña. [*Sinón*.: mugre; roñica]

roñería. f. fam. Miseria, tacañería.

roñica. com. fig. y fam. Persona roñosa.

roñoso, sa. adj. Que tiene o padece roña. || Puerco, sucio. || Oxidado o cubierto de orín. || fig. y fam. Miserable, tacaño. [*Sinón*.: mugriento, herrumbroso; mezquino]

ropa (al. *Stoff*, fr. *étoffe*, ingl. *cloth*, it. *stoffa*). f. Todo género de tela que sirve para el uso o adorno de las personas o las cosas. || Cualquier prenda de tela que sirve para vestir. || — *blanca*. La del ajuar doméstico y la interior. || — *interior*. Conjunto de prendas de uso personal que se visten bajo las prendas de uso exterior. || — *vieja*. fig. Guiso de carne que antes se utilizó para obtener caldo. || *a quema ropa*. m. adv. Tratándose de un disparo, desde muy cerca. En sent. fig., de improviso, inopinadamente, sin preparación ni rodeos. [*Sinón*.: indumentaria, vestido]

ropaje. m. Vestido u ornato exterior del cuerpo. || Vestidura larga, vistosa y de autoridad. || Conjunto de ropas. || fig. Forma, modo de expresión, lenguaje.

ropavejero, ra. s. Persona que vende ropas y vestidos viejos y baratijas usadas.

ropería. f. Oficio de ropero. || Tienda donde se vende ropa hecha. || Habitación en que se guarda la ropa de una comunidad.

ropero, ra (al. *Kleiderschrank*, fr. *garde-robe*, ingl. *wardrobe*, it. *guardaroba*). s. Persona que vende ropa hecha. || m. Armario o cuarto donde se guarda la ropa. || Asociación benéfica destinada a distribuir ropas entre los necesitados.

ropón. m. aum. de ropa. || Ropa larga que por lo general se pone suelta sobre los demás vestidos. || Especie de acolchado que se hace cosiendo o doblando unas telas gruesas sobre otras.

roque. m. Torre del ajedrez.

roque. adj. fam. Dormido. Úsase más con los verbos *estar* y *quedarse*.

roquedal. m. Lugar abundante en rocas. [*Sinón*.: roqueda]

roquedo. m. Peñasco o roca.

roqueño, ña. adj. Aplícase al lugar lleno de rocas. || Duro como la roca. [*Sinón*.: rocoso]

roqueta. f. MIL. Especie de atalaya dentro del recinto de una plaza fuerte. || MIL. Cohete explosivo de alcance corto.

roquete (al. *Chorhemd*, fr. *rochet*, ingl. *rochet*, it. *rochetto*). m. Sobrepelliz de mangas cortas. || Hierro de la lanza de torneo que terminaba en tres o cuatro puntas separadas. || BLAS. Figura del escudo en forma de triángulo.

rorcual. m. ZOOL. Especie de ballena con aleta dorsal.

rorro. m. fam. Niño pequeñito.

rosa (al. *Rose*, fr. *rose*, ingl. *rose*, it. *rosa*). f. Flor del rosal, notable por su belleza, la suavidad de su fragancia y su color, generalmente encarnado poco subido. || Mancha redonda, encarnada o de color de rosa que suele salir en el cuerpo. || Lazo o adorno de cintas o cosa semejante en figura de rosa. || ARQ. Rosetón de los techos. || pl. Rosetas de maíz. || m. Color rosa. || — *del azafrán*. Flor del azafrán. || — *de los vientos*. Círculo que tiene marcados los 32 rumbos en que está dividido el horizonte marino. || — *náutica*. Rosa de los vientos. || *como las propias rosas*. loc. adv. fig. y fam. Muy bien, perfectamente.

rosáceo, a. adj. De color parecido al de la rosa. || BOT. Dícese de plantas angiospermas dicotiledóneas, hierbas, arbustos o árboles, lisos o espinosos, que se distinguen por sus hojas alternas, a menudo compuestas de un número impar de folíolos y con estípulas; flores hermafroditas con cáliz de cinco sépalos y corola regular, solitarias o en corimbo; fruto en drupa, en pomo, en aquenio, en folículo o en caja, con semillas casi siempre desprovistas de albumen; como el rosal, la fresa, el almendro y el peral. Ú.t.c.s.f. || f. pl. Familia de estas plantas.

rosada. f. Escarcha.

rosado, da (al. *rosa*, fr. *rose*, ingl. *pinkred*, it. *rosato*). adj. Aplícase al color de la rosa. || Compuesto de rosas.

rosal (al. *Rosenstrauch*, fr. *rosier*, ingl. *rosebush*, it. *rosaio*). m. BOT. Planta arbustácea de la familia de las rosáceas, con tallos ramosos y espinosos, hojas alternas, ásperas y pecioladas, provistas de estípulas y aserradas. Sus flores, solitarias o en panoja y pentámeras, son las rosas. Fruto en aquenio múltiple. Comprende gran número de especies y variedades.

rosaleda. f. Sitio en el que hay muchos rosales. [Sinón.: rosalera]

rosario (al. *Rosenkranz*, fr. *chapelet*, ingl. *rosary*, it. *rosario*). m. Rezo en el que se conmemoran los quince misterios de la Virgen y de Jesucristo, recitando después de cada uno 12 oraciones. || Sarta de cuentas que sirve para hacer con un mismo orden el rezo del mismo nombre. || Reunión de personas que rezan el rosario. || fig. Sarta, serie. || — de la aurora. El que se rezaba en voz alta y con intermedios de canto, al rayar el alba saliendo de la iglesia y recorriendo los fieles las calles de procesión. || *acabar como el rosario de la aurora*. fr. fig. y fam. que se dice cuando una cosa acaba mal.

rosbif. m. Carne de vaca soasada.

rosca (al. *Schraube*, fr. *vis*, ingl. *screw*, it. *vite*). f. Cosa redonda y rolliza que, cerrándose, forma un círculo u óvalo, dejando en medio un espacio vacío. || Pan o bollo de esta forma. || Vuelta o conjunto de vueltas de una espiral. || Espira o conjunto de espiras de un tornillo o tuerca. || Resalto helicoidal de un tornillo o tuerca. || *Amer.* Rodete para llevar pesos en la cabeza. || *hacer la rosca* a uno. fig. y fam. Rondarle, halagarle para obtener algo. || *pasarse de rosca*. No agarrar en la tuerca el tornillo por haberse desgasta-

do la rosca de éste. || En sent. fig., excederse uno en lo que dice, hace o pretende; ir más allá de lo debido.

roscado, da. adj. En forma de rosca. || m. Acción y efecto de roscar.

roscar. tr. Labrar las espiras de un tornillo.

rosco. m. Roscón o rosca de pan.

roscón. m. aum. de rosca. || Bollo en forma de rosca grande.

róseo, a. adj. De color de rosa.

roséola. f. MED. Erupción cutánea, caracterizada por la aparición de pequeñas manchas rosáceas.

roseta. f. dim. de rosa. || Mancha rosada en las mejillas. || Rallo de la regadera. || Pieza de metal fija en el extremo de la romana, para impedir que el pilón se salga de la barra. || pl. Granos de maíz que al tostar se abren en forma de flor.

rosetón (al. *Rosettenfenster*, fr. *rosace*, ingl. *rose-window*, it. *rosone*). m. ARQ. Ventana circular calada, con adornos. || ARQ. Adorno circular que se coloca en los techos.

rosicler. m. Color rosado claro de la aurora. || Plata roja.

rosillo, lla. adj. Rojo claro. || Dícese de la caballería cuyo pelo está mezclado de blanco, negro y castaño.

rosoli. m. Licor compuesto de aguardiente rectificado, mezclado con azúcar, canela, anís y otros ingredientes.

rosquilla (al. *Kranzkuchen*, fr. *gimblette*, ingl. *ring-cake*, it. *ciambella*). f. Especie de masa dulce y delicada, trabajada en forma de rosca pequeña.

rostir. tr. Asar o tostar.

rostrado, da. adj. Que remata en una punta semejante al pico de un pájaro o al espolón de una nave.

rostro (al. *Gesicht*, fr. *visage*, ingl. *face*, it. *volto*). m. Pico de ave. || Por ext., cosa en punta, parecida a él. || Cara, parte anterior de la cabeza. || MAR. Espolón de la nave.

rota. f. Tribunal de la Corte romana, en el que se deciden las causas eclesiásticas de todo el orbe católico. || Rumbo que lleva una embarcación. || Fuga de un ejército vencido.

rotación. f. Acción y efecto de rodar. || ASTR. Giro de un astro alrededor de un eje que pasa por su centro. || FIS. Giro de un cuerpo alrededor de un punto fijo o de un eje variable. [Sinón.: vuelta, giro]

rotar. intr. Rodar, girar.

rotativa (al. *Zeitungs-Rotationspress*, fr. *rotative*, ingl. *roary printing*

press, it. *rotativa*). f. IMPR. Máquina que con movimiento continuado y gran velocidad imprime los ejemplares de un periódico.

rotativo, va. adj. Aplícase a lo que tiene movimiento rotatorio. || m. Periódico impreso en máquina rotativa.

rotatorio, ria. adj. Que tiene movimiento circular. [Sinón.: giratorio]

roto, ta. adj. Andrajoso. Ú.t.c.s. || Aplícase al sujeto licencioso y a sus costumbres y forma de vida.

rotonda. f. ARQ. Templo, edificio o sala de planta circular. || Plaza circular.

rotor. m. Parte giratoria de una máquina electromagnética o de una turbina.

rótula (al. *Kniescheibe*, fr. *tule*, ingl. *knee-pan*, it. *rotella*). f. ANAT. Hueso en la articulación de la tibia con el fémur. || FARM. Cada trocito en que se divide una masa medicinal.

rotulador, ra. adj. Que rotula o sirve para rotular. Ú.t.c.s.m.

rotular. tr. Poner un rótulo en alguna cosa o en alguna parte.

rotular. adj. Perteneciente o relativo a la rótula.

rótulo (al. *Überschrift*, fr. *écriteau*, ingl. *label*, it. *iscrizione*). m. Título, encabezamiento, letrero. || Cartel público para dar noticia o aviso de una cosa.

rotundidad. f. Calidad de rotundo. [Sinón.: rotundez, rotundidez]

rotundo, da. adj. Redondo. || fig. Aplicado al lenguaje, lleno y sonoro. || fig. Completo, preciso y terminante. [Sinón.: concluyente, definitivo]

rotura. f. Acción y efecto de romper o romperse. [Sinón.: fractura]

roturación. f. Acción y efecto de roturar. || Terreno recién roturado.

roturador, ra. adj. Que rotura. || f. Máquina que sirve para roturar las tierras.

roturar. tr. Arar por primera vez las tierras eriales o los montes descuajados.

roulotte (voz francesa). f. Remolque de automóvil dispuesto para servir de habitación.

roya. f. BOT. Nombre de diversas especies de hongos basidiomicetos, parásitos de los cereales y de otras plantas. Su nombre alude al color rojizo de los grupos de esporas que aparecen sobre los órganos vegetales atacados por ellas.

roza. f. Acción y efecto de rozar. || Tierra rozada para sembrar.

rozadura. f. Acción y efecto de frotar una cosa con otra. [*Sinón.*: roce, restregadura]

rozagante. adj. Aplícase a la vestidura vistosa y muy larga. || fig. Vistoso, ufano.

rozamiento. m. Acción y efecto de rozar o rozarse. || fig. Disensión o disgusto leve entre dos o más personas o entidades. || Fís. Fuerza que se opone al movimiento cuando un cuerpo se desliza sobre otro.

rozar. (al. *streifen*, fr. *effleurer*, ingl. *to graze*, it. *sfiorare*). tr. Raer la superficie de una cosa. || Agr. Limpiar las tierras de las matas y hierbas inútiles. || intr. Pasar una cosa tocando la superficie de otra. Ú.t.c.r. || r. fig. Tratarse o tener entre sí dos o más personas familiaridad y confianza. [*Sinón.*: frotar, friccionar]

roznar. intr. Rebuznar. || Mover una cosa pesada ladeándola con palancas.

roznido. m. Rebuzno. || Ruido que se hace con los dientes al roznar.

rozno. m. Borrico.

rúa. f. Calle de un pueblo.

rubefacción. f. Med. Rubicundez aparecida en la piel.

rúbeo, a. adj. Que tira a rojo.

rubéola. f. Med. Enfermedad infecciosa caracterizada por una erupción semejante a la del sarampión, acompañada de infartos ganglionares.

rubescente. adj. Que tira a rojo.

rubí (al. *Rubin*, fr. *rubis*, ingl. *ruby*, it. *rubino*). m. Mineral. Mineral cristalizado más duro que el acero, de color rojo y brillo intenso, compuesto de alúmina y magnesia. Es una de las piedras preciosas de más estima.

rubia. f. Bot. Planta vivaz de la familia de las rubiáceas, de tallo voluble y espinoso y flores pequeñas y amarillas en racimos. La raíz, seca y pulverizada, se utiliza en la preparación de un colorante rojo usado en tintorería. || Raíz de esta misma planta. || fig. y fam. Moneda metálica de una peseta.

rubiáceo, a. adj. Bot. Dícese de plantas angiospermas dicotiledóneas, con hojas simples y enteras, opuestas o verticiladas y con estípulas; flor con el cáliz adherente al ovario, y por fruto una baya, caja o drupa con semillas de albumen córneo o carnoso; como la rubia, el café, etc. Ú.t.c.s.f. || f. pl. Familia de estas plantas.

rubial. adj. Que tira al color rubio. Dícese de tierras y plantas. || pl. fam. Dícese de la persona rubia, y, por lo común, joven. Ú.m.c.s.

rubicán, na. adj. Dícese del caballo o yegua que tiene el pelo mezclado de blanco y rojo.

rubicundez. f. Calidad de rubicundo. || Med. Color rojo o sanguíneo que se presenta como fenómeno morboso en la piel y en las membranas mucosas.

rubicundo, da. adj. Rubio que tira a rojo. || Aplícase a la persona de buen color. || Dícese del pelo que tira a colorado. [*Sinón.*: rúbeo]

rubidio. m. Quím. Metal alcalino semejante al potasio, aunque más blanco y pesado.

rubio, bia (al. *blond*, fr. *blond*, ingl. *blond*, it. *blondo*). adj. Del color parecido al del oro. || m. Zool. Pez acantopterigio, de unos tres decímetros. Su carne es poco apreciada.

rublo. m. Unidad monetaria de la Unión Soviética.

rubor (al. *Schmröte*, fr. *rougeur*, ingl. *blush*, it. *rossore*). m. Color encarnado o rojo muy encendido. || Color que la vergüenza saca al rostro, y lo pone encendido. || fig. Empacho, vergüenza. [*Sinón.*: sonrojo, turbación]

ruborizar. tr. Causar rubor o vergüenza. || r. Teñirse de rubor el semblante. || fig. Sentir vergüenza. [*Sinón.*: sofocarse, sonrojarse]

rúbrica (al. *Unterschriftsschnörkel*, fr. *paraphe*, ingl. *paraph*, it. *svolazzo*). f. Rasgo o rasgos de forma determinada que como parte de la firma pone cada cual después de su nombre o título. || Epígrafe o rótulo. || Cada una de las reglas que enseñan la ejecución y práctica de las ceremonias de la Iglesia. || Conjunto de esas reglas. [*Sinón.*: marca, signatura]

rubricar. tr. Estampar alguien su rúbrica. || Suscribir un documento y ponerle el sello de aquel en cuyo nombre se escribe. || fig. Suscribir y dar testimonio de una cosa. [*Sinón.*: signar]

rucio, cia. adj. De color pardo claro, blanquecino o canoso; se aplica a las bestias. Ú.t.c.s.

ruco, ca. adj. Amer. Viejo, inútil.

ruda. f. Bot. Planta perenne de la familia de las rutáceas, con tallos erguidos y ramosos, hojas gruesas compuestas, flores pequeñas, amarillas, en corimbo y fruto en cápsula. De sus hojas se extrae un aceite volátil usado en medicina, perfumería y destilerías.

rudeza. f. Calidad de rudo. [*Sinón.*: aspereza, brusquedad]

rudimentario, ria. adj. Perteneciente a los rudimentos. [*Sinón.*: elemental, primario]

rudimento. m. Esbozo o parte de un ser orgánico imperfectamente desarrollado. || pl. Primeros estudios de una ciencia o profesión.

rudo, da (al. *roh*, fr. *rude*, ingl. *rude*, it. *rude*). adj. Tosco, sin pulimento. || Que no se ajusta a las reglas del arte. || Dícese del que tiene dificultad grande para percibir o aprender lo que estudia. || Descortés, grosero. || Riguroso, violento, impetuoso. [*Sinón.*: bruto, áspero, torpe]

rueca. f. Instrumento para hilar compuesto de una vara delgada con un rocadero en la parte superior. || fig. Vuelta de una cosa.

rueda (al. *rad*, fr. *roue*, ingl. *wheel*, it. *ruota*). f. Máquina elemental de forma circular que gira sobre un eje y forma parte de máquinas más complejas, como órgano transmisor de movimiento. || Turno, vez, orden sucesivo. || *—de la fortuna.* fig. Inconstancia y poca estabilidad de las cosas humanas en lo próspero y en lo adverso. || *—de prensa.* Coloquio entre una personalidad y los periodistas convocados por ella, para informarles de un asunto o para responder a las preguntas que se le hagan. || *comulgar uno con ruedas de molino.* fig. y fam. Creer las cosas más inverosímiles o los mayores disparates. || *hacer la rueda* a uno. fig. y fam. Rondar, andar tras él, para conseguir algo.

ruedo. m. Acción de rodar. || Parte puesta alrededor de una cosa. || Estera pequeña y redonda. || Círculo o circunferencia de una cosa. || Contorno, límite, término. || Redondel de la plaza de toros.

ruego. m. Súplica, petición, solicitud.

rufián (al. *Zuhälter*, fr. *rufian* ingl. *ruffian*, it. *ruffiano*) m. El que vive de la explotación de mujeres públicas. || fig. Hombre sin honor, perverso. [*Sinón.*: alcahuete, desalmado]

rufianesco, ca. adj. Perteneciente o relativo a los rufianes.

rufo, fa. adj. Rubio, rojo o bermejo. || Que tiene el pelo ensortijado.

rugbi. m. Deporte que se practica entre dos equipos de quince jugadores cada uno, con una pelota ovalada que puede impulsarse con las manos o los pies.

rugido. m. Voz del león. || fig. Bramido. || fig. Estruendo, retumbo.

rugosidad. f. Calidad de rugoso. || Arruga.

rugoso, sa. adj. Que tiene arrugas. [*Sinón.*: arrugado, plegado]

ruibarbo. m. BOT. Planta herbácea, vivaz, de la familia de las poligonáceas, con hojas grandes, ásperas por el haz y vellosas por el envés, que reposan sobre tierra, flores verdes o amarillentas en espiga y fruto seco monospermo. Su rizoma y raíz se utilizan como purgante.

ruido (al. *Lärm*, fr. *bruit*, ingl. *noise*, it. *rumore*). m. Sonido inarticulado y confuso. || fig. Litigio, pendencia, alboroto. || fig. Apariencia grande en cosas sin sustancia. [*Sinón.*: estridencia, disputa. *Antón.*: silencio]

ruidoso, sa. adj. Que causa mucho ruido. || fig. Aplícase a la acción o lance notable y de que se habla mucho.

ruin (al. *verächtlich*, fr. *vil*, ingl. *low*, it. *vile*). adj. Vil, despreciable. || Pequeño, desmedrado y humilde. || Dícese de la persona de malas costumbres. || Aplícase también a las mismas costumbres o cosas malas. || Mezquino y avariento.

ruina (al. *Zerfall*, fr. *ruine*, ingl. *downfall*, it. *rovina*). f. Acción de caer o destruirse una cosa. || fig. Pérdida grande de los bienes de fortuna. || fig. Destrozo, perdición, decadencia. || fig. Causa de esta decadencia, caída o perdición. || pl. Restos de uno o más edificios arruinados.

ruindad. f. Calidad de ruin. || Acción ruin. [*Sinón.*: infamia, vileza]

ruinoso, sa. adj. Que se empieza a arruinar o amenaza ruina. || Pequeño, desmedrado. || Que arruina y destruye.

ruiseñor (al. *Nachtigall*, fr. *rossignol*, ingl. *nightingale*, it. *rosignolo*). m. ZOOL. Pájaro dentirrostro, común en España, de plumaje pardo rojizo y muy notable por su melodioso canto.

ruleta. f. Juego de azar para el que se usa una rueda horizontal giratoria dividida en treinta y seis casillas radiales, numeradas y pintadas alternativamente de negro y rojo. Una bolita lanzada en esa rueda, en pleno giro, marcará el número ganador, que será el de la casilla en que caiga. Se juega también a pares y nones, rojo y negro, etc.

rulo. m. Bola gruesa u objeto redondo que rueda fácilmente. || Piedra en forma de cono truncado, que gira con movimientos de rotación y traslación en los molinos de aceite y en los de yeso. || Rodillo para allanar la tierra.

ruma. f. *Amer.* Rimero, montón.

rumano, na. adj. Natural de Rumania. Ú.t.c.s. || Perteneciente o relativo a este país de Europa. || m. Lengua rumana.

rumba. f. Cierto baile popular cubano y la música que le acompaña.

rumbo. m. Dirección considerada o trazada en el plano del horizonte, y principalmente cualquiera de las comprendidas en la rosa de los vientos. || Camino que alguien se proponga seguir en lo que intenta o procura. || fig. y fam. Pompa, ostentación. || fig. y fam. Garbo, desprendimiento. [*Sinón.*: senda, ruta; gala]

rumboso, sa. adj. fam. Pomposo y magnífico. || fam. Desprendido, dadivoso. [*Sinón.*: aparatoso, lujoso; generoso]

rumí. m. Nombre dado por los moros a los cristianos.

rumia. f. Acción y efecto de rumiar.

rumiante. adj. ZOOL. Dícese de los mamíferos artiodáctilos patihendidos, que se alimentan de vegetales, carecen de dientes incisivos en la mandíbula superior, y tienen el estómago compuesto de cuatro cavidades. Ú.t.c.s. m. pl. ZOOL. Suborden de estos animales, como ciervos, cabras, toros, etc.

rumiar (al. *wiederkäuen*, fr. *ruminer*, ingl. *to ruminate*, it. *rumiare*). tr. Masticar por segunda vez, volviéndolo a la boca, el alimento que ya estuvo en el depósito que a este efecto tienen algunos animales. || fig. y fam. Considerar despacio y pensar con madurez una cosa. || fig. y fam. Rezongar, refunfuñar. [*Sinón.*: meditar]

rumor (al. *Gerücht*, fr. *rumeur*, ingl. *report*, it. *rumore*). m. Voz que corre entre el público. || Ruido confuso de voces. || Ruido vago, sordo y continuado. [*Sinón.*: murmullo, zumbido]

rumorar. intr. *Amer.* Correr un rumor entre la gente.

rumorearse. impers. Decirse, correr el rumor.

rumrum. m. Runrún.

runrún. m. Zumbido, ruido o sonido continuado y bronco. || Ruido confuso de voces. || fam. Voz que corre entre el público.

rupestre. adj. Dícese de algunas cosas pertenecientes o relativas a las rocas. || Aplícase especialmente a las pinturas y dibujos prehistóricos existentes en algunas rocas y cavernas.

rupia. f. Unidad monetaria de Sri Lanka, India, Indonesia y Pakistán. || MED. Enfermedad de la piel caracterizada por la aparición de ampollas grandes y aplastadas.

ruptura. f. Acción y efecto de romper o romperse.

rural (al. *land-*, fr. *rural*, ingl. *rural*, it. *rurale*). adj. Perteneciente o relativo al campo y sus labores. || fig. Tosco, apegado a lo lugareño. [*Sinón.*: campesino]

ruso, sa. adj. Natural de Rusia. Ú.t.c.s. || Perteneciente o relativo a esta nación. || m. Lengua rusa.

rusticidad. f. Calidad de rústico.

rústico, ca (al. *land-*, fr. *rustique*, ingl. *country-*, it. *rustico*). adj. Perteneciente o relativo al campo. || fig. Tosco, grosero. || m. Hombre del campo. [*Sinón.*: rural]

ruta (al. *Weg*, fr. *route*, ingl. *route*, it. *rotta*). f. Derrota de un viaje. || Itinerario que en él se sigue. || fig. Derrotero que se sigue para lograr un propósito. [*Sinón.*: rumbo, senda, camino]

rutáceo, a. adj. BOT. Dícese de las plantas angiospermas dicotiledóneas, con hojas alternas o compuestas, flores pentámeras o tetrámeras y fruto dehiscente con semillas menudas y provistas de albumen, o en hesperidio; como la ruda y el naranjo. || f. pl. Familia de estas plantas.

rutenio. m. Metal muy parecido al osmio, que tiene óxidos rojos.

rutilar. intr. poét. Brillar como el oro, o resplandecer o despedir rayos de luz.

rútilo, la. adj. De color rubio subido, o de brillo como de oro; resplandeciente.

rutina (al. *Routine*, fr. *routine*, ingl. *routine*, it. *rotina*). f. Costumbre inveterada, hábito adquirido de hacer las cosas guiándose por la experiencia y sin previo razonamiento. [*Sinón.*: uso, monotonía]

rutinario, ria. adj. Se dice de lo que se hace o practica por rutina. [*Sinón.*: habitual]

rutinero, ra. adj. Que ejerce un arte u oficio, o procede, en cualquier asunto, por mera rutina. Ú.t.c.s.

S. f. Vigésima segunda letra del abecedario español y decimoctava de sus consonantes. Su nombres es *ese*.

sábado (al. *Samstag*, fr. *samedi*, ingl. *Saturday*, it. *sabato*). m. Séptimo día de la semana.

sábalo. m. ZOOL. Pez marino malacopterígio de cuerpo algo aplanado lateralmente, con escamas grandes de borde áspero, color amarillento en el lomo y ceniciento con rayas azules el resto del cuerpo. Desova en los ríos y su carne es comestible y muy sabrosa. [*Sinón.*: alosa]

sabana. f. Llanura, en especial si es muy dilatada y sin vegetación arbórea. [*Sinón.*: planicie, páramo]

sábana (al. *Leintuch*, ingl. *drap*, ingl. *sheet*, it. *lenzuolo*). f. Cada una de las dos piezas de lienzo de tamaño suficiente para cubrir la cama. || *pegársele a uno las sábanas.* fr. fig. y fam. que se aplica al que se levanta más tarde de lo que debe o acostumbra.

sabandija. f. Cualquier reptil pequeño. ||fig. Persona despreciable. [*Sinón.*: bicho]

sabañón (al. *Frostbeule*, fr. *engelure*, ingl. *chilblain*, it. *celone*). m. Lesión cutánea que padecen las personas demasiado sensibles al frío. Generalmente aparecen en los nudillos de los dedos o en el pabellón de la oreja. Constituyen tumefacciones rubicundas que causan picazón y pueden llegar a ulcerarse.

sabático, ca. adj. Perteneciente o relativo al sábado. || Aplícase al séptimo año, en que los hebreos dejaban descansar sus tierras, viñedos y olivares.

sabatina. f. Oficio divino propio del sábado.

sabatino, na. adj. Perteneciente al sábado o ejecutado en él.

sabedor, ra. adj. Instruido o noticioso de una cosa.

sabelotodo. com. fam. Sabihondo.

saber (al. *wissen*, fr. *savoir*, ingl. *to know*, it. *sapere*). m. Sabiduría, conocimiento. || tr. Conocer una cosa, o tener noticia de ella. || Ser docto en alguna materia. || Tener habilidad para una cosa. || Tener gusto una cosa. || *a saber.* expr. Esto es. Exclamativamente equivale a "vete a saber". [*Sinón.*: sapiencia, erudición; comprender. *Antón.*: ignorar]

sabidillo, lla. adj. despect. Que presume de entendido y docto sin serlo o sin venir a cuento. Ú.t.c.s.

sabido, da. adj. Que sabe o entiende mucho. [*Sinón.*: conocedor]

sabiduría (al. *Weisheit*, fr. *sagesse*, ingl. *wisdom*, it. *sapienza*). f. Conducta prudente en la vida. || Conocimiento profundo en ciencias, letras o artes. [*Sinón.*: erudición, ilustración. *Antón.*: ignorancia]

sabiendas (a). m. adv. De un modo cierto. || Con conocimiento y deliberación.

sabihondo, da. adj. fam. Que presume de sabio sin serlo. Ú.t.c.s. [*Sinón.*: sabiondo]

sabina. f. BOT. Arbusto o árbol pequeño, conífero, de la familia de las pináceas. Follaje perenne, tronco grueso, hojas escamosas casi cilíndricas, unidas en grupos de cuatro. Fruto redondo, pequeño y negruzco. Es de madera olorosa y se cultiva como ornamental. Muy común en España en lugares secos y elevados.

sabino, na. adj. Rojo claro, rosillo. || Dícese de un pueblo de la antigua Italia.

sabio, bia (al. *weise*, fr. *savant*, ingl. *wise (person)*, it. *saggio*). adj. Dícese de la persona que posee la sabiduría.

Ú.t.c.s. || Aplícase a todo aquello que instruye o que imparte sabiduría.

sablazo. m. Golpe dado con el sable. || fig. y fam. Acto de sacar dinero a alguien pidiéndole con habilidad o insistencia y sin ánimo de devolverlo.

sable (al. *Sabel*, fr. *sabre*, ingl. *sabre*, it. *sciabola*). m. Arma blanca algo corva y por lo común de un solo filo. || BLAS. Color heráldico que en pintura se expresa con el negro, y en el grabado con líneas paralelas verticales y horizontales que se entrecruzan. Ú.t.c. adj.

sableador, ra. s. Persona hábil en sablear o sacar dinero.

sablear. intr. fig. y fam. Sacar dinero a uno pidiéndolo con maña.

sablista. adj. fam. Que tiene por hábito sablear. Ú.t.c.s.

sabor (al. *Geschmack*, fr. *saveur*, ingl. *taste*, it. *sapore*). m. Sensación que ciertos cuerpos producen en el órgano del gusto. ||fig. Impresión que una cosa produce en el ánimo. || fig. Propiedad que tienen algunas cosas de parecerse a otras con que se las compara.

saborear. tr. Dar sabor y gusto a las cosas. || Percibir detenidamente y con deleite el sabor de una cosa. Ú.t.c.r. || fig. Apreciar detenidamente y con deleite una cosa grata. Ú.t.c.r. || r. Comer o beber una cosa despacio, con ademán y expresión de particular deleite. || fig. Deleitarse con detención y ahinco en las cosas que agradan. [*Sinón.*: gustar, catar]

saboreo. m. Acción de saborear.

sabotaje. m. Daño o deterioro que en la maquinaria, productos, etc., se hace como procedimiento de lucha contra los patronos, contra el Estado o contra las fuerzas de ocupación en conflictos sociales o políticos. || fig. Oposición u obstrucción disimulada contra proyectos, órdenes, decisiones, ideas, etc.

sabotear. tr. Realizar actos de sabotaje.

sabroso, sa (al. *schmackhaft,* fr. *savoureux,* ingl. *savoury,* it. *saporito*). adj. Sazonado y grato al sentido del gusto. || fig. Delicioso, gustoso, deleitable al ánimo. [*Sinón.*: apetitoso, suculento. *Antón.*: insípido]

sabueso, sa. adj. Aplícase a una clase de perro, de olfato muy fino. Ú.t.c.s. || m. fig. Detective, persona que indaga. [*Sinón.*: olfateador]

sábulo. m. Arena gruesa y pesada.

sabuloso, sa. adj. Que tiene arena o está mezclado con ella.

saburra. f. FISIOL. Capa blanquecina que cubre la lengua en ciertos transtornos digestivos.

saca. f. Acción y efecto de sacar. || Copia autorizada de un documento protocolizado. || Costal muy grande de tela fuerte, más largo que ancho. [*Sinón.*: extracción; duplicado; talega]

sacabocados. m. Instrumento con boca hueca y cortes afilados que sirve para taladrar.

sacacorchos (al. *Korkzieher,* fr. *tirebouchon,* ingl. *corkscrew,* it. *cavatappi*). m. Instrumento con una espiral metálica que sirve para quitar los tapones de corcho de las botellas.

sacadineros. m. fam. Espectáculo o alhajuela de poco valor, pero de buena vista, que atrae a la gente incauta. || fam. Persona que tiene arte para sacar dinero al público con cualquier engañifa.

sacamuelas. com. fam. Persona que tiene por oficio sacar muelas. || fig. Charlatán, embaucador. [*Sinón.*: dentista; parlanchín]

sacapuntas. m. Instrumento para afilar los lápices.

sacar (al. *herausnehmen,* fr. *sortir,* ingl. *to take out,* it. *tirar fuori*). tr. Poner una cosa fuera del lugar en que estaba encerrada o contenida. || Quitar, apartar a una persona o cosa del sitio o condición en que se halla. || Aprender, averiguar, resolver una cosa por medio del estudio. || Conocer, descubrir, hallar por señales o indicios. || Hacer con fuerza o con maña que uno diga o dé una cosa. || Extraer de una cosa alguno de los principios o partes que la componen o constituyen. || Elegir por sorteo o por pluralidad de votos. || Ganar por suerte una cosa. || Conseguir, lograr, obtener una cosa. || Alargar, adelantar una cosa. || Exceptuar, excluir. || Copiar o trasladar lo que está escrito. || Hacer una fotografía o retrato. || Mostrar, manifestar una cosa. || Quitar cosas que afean o perjudican; como manchas, enfermedades, etc. || Citar, nombrar, traer al discurso o a la conversación. || Desenvainar un arma. || Con la prep. *de* y los pronombres personales, hacer perder el conocimiento y el juicio. || Con la misma prep. y un sustantivo o adjetivo, librar a uno de lo que éstos significan. || Hablando de la pelota o del balón, dar a éstos el impulso inicial, sea al comienzo del partido o en los lances que así lo exijan. || Tratándose de citas, notas, autoridades, etc., de un libro o texto, apuntarlas o escribirlas aparte. || Tratándose de apodos, motes, faltas, etc., aplicarlos, atribuirlos. [*Sinón.*: separar; lograr]

sacarificar. tr. Convertir por hidratación las sustancias sacarígenas en azúcar.

sacarina. f. Sustancia blanca y pulverenta que puede endulzar tanto como 234 veces su peso en azúcar. Se obtiene transformando ciertos productos extraídos de la brea mineral.

sacarosa. f. QUÍM. Denominación científica del azúcar común.

sacerdocio. m. Dignidad y estado del sacerdote. || Ejercicio y ministerio propio del sacerdote. || fig. Consagración abnegada al desempeño de una profesión o ministerio elevado y noble.

sacerdotal. adj. Perteneciente al sacerdocio.

sacerdote (al. *Priester,* fr. *prêtre,* ingl. *priest,* it. *sacerdote*). m. Hombre dedicado y consagrado a hacer, celebrar y ofrecer sacrificios. || Hombre consagrado a Dios, ungido y ordenado para celebrar y ofrecer el sacrificio de la misa. [*Sinón.*: cura, clérigo, presbítero, capellán]

sacerdotisa. f. Mujer dedicada a ofrecer sacrificios a ciertas deidades gentilicias y a cuidar de sus templos.

saciar. tr. Hartar y satisfacer de bebida o de comida. Ú.t.c.r. || fig. Hartar y satisfacer en cuanto al espíritu. Ú.t.c.r. [*Sinón.*: atracarse; colmar]

saciedad (al. *Sattheit,* fr. *satiété,* ingl. *satiety,* it. *sazietà*). f. Hartura producida por satisfacer con exceso el deseo de una cosa. [*Sinón.*: empacho]

saco (al. *Sack,* fr. *sac,* ingl. *sack,* it. *sacco*). m. Receptáculo de tela, papel, etc., generalmente de forma rectangular o cilíndrica, abierto por uno de sus lados. || Lo contenido en él. || Vestidura tosca y áspera de paño burdo o sayal. || Especie de gabán grande, y en general vestidura holgada, que no se ajusta al cuerpo. || fig. Cualquier cosa que en sí incluye otras muchas, en la realidad o en la apariencia. || Acción de entrar a saco, saqueo. || En el juego de pelota, saque. || *Amer.* Chaqueta, americana. || MAR. Entrada del mar en la tierra, especialmente cuando su boca es muy estrecha con relación a su fondo. || *entrar, o meter, a saco.* Saquear. || *no echar en saco roto una cosa.* fig. y fam. No olvidarla, tenerla en cuenta para sacar de ella algún provecho en ocasión oportuna. [*Sinón.*: bolso, talego, costal]

sacramental. adj. Perteneciente a los sacramentos. || Dícese de los remedios que tiene la Iglesia para sanar el alma; como son el agua bendita, indulgencias y jubileos. Ú.t.c.m.pl. || f. Cofradía dedicada a dar culto al Santísimo Sacramento.

sacramentar. tr. Administrar a un enfermo el viático y la extremaunción.

sacramentario, ria. adj. Dícese de la secta de los protestantes y de los individuos de esta secta, que niegan la presencia de Jesucristo en la Eucaristía. Aplicado a personas, ú.m.c.s.

sacramento (al. *Sakrament,* fr. *sacrement,* ingl. *sacrament,* it. *sacramento*). m. Signo sensible de un efecto interior y espiritual que Dios obra en nuestras almas. || Cristo sacramentado en la hostia. || Misterio, cosa arcana. || *últimos sacramentos.* Los de la penitencia, eucaristía y extremaunción que se administran a un enfermo en peligro de muerte.

sacrificar (al. *opfern,* fr. *sacrifier,* ingl. *to . sacrifice,* it. *sacrificare*). tr. Hacer sacrificios, ofrecer o dar una cosa en reconocimiento de la divinidad. || fig. Matar, degollar las reses para el consumo. || fig. Poner a una persona o cosa en algún riesgo o trabajo, en provecho de un interés. || r. Plegarse con resignación a una cosa dañina. [*Sinón.*: inmolar, ofrendar]

sacrificio (al. *Opfer,* fr. *sacrifice,* ingl. *sacrifice,* it. *sacrificio*). m. Ofrenda a una deidad en señal de homenaje o expiación. || Acto del sacerdote al ofrecer en la misa el cuerpo de Cristo bajo las especies del pan y del vino. || fig. Peligro o trabajo graves a los que se somete a una persona. || fig. Acción a que alguien se sujeta, con gran repugnancia, por consideraciones para a ello le mueven. || fig. Acto de abnegación inspirado por la vehemencia del cariño. [*Sinón.*: inmolación, holocausto]

sacrilegio (al. *Gotterlästerung,* fr.

sacrilège, ingl. *sacrilege*, it. *sacrilegio*). m. Lesión o profanación de cosa, persona o lugar sagrados.

sacrílego, ga. adj. Que comete o contiene sacrilegio. Aplicado a personas, ú.t.c.s. ‖ Perteneciente o relativo al sacrilegio.

sacristán (al. *Kirchendiener*, fr. *sacristain*, ingl. *sacristan*, it. *sagrestano*). m. El que en las iglesias tiene a su cargo ayudar al sacerdote en el servicio del altar y cuidar de los ornamentos y de la limpieza de la iglesia y sacristía.

sacristía. f. Lugar de las iglesias donde se revisten los sacerdotes y están guardados los ornamentos propios del culto. ‖ Empleo de sacristán.

sacro, cra. adj. Sagrado. ‖ ANAT. Referente a la región en que está situado el hueso sacro. ‖ ANAT. Dícese del hueso formado por la fusión de cinco vértebras, situado en la parte inferior de la columna vertebral, entre la última vértebra lumbar y el coxis. Ú.t.c.s.m.

sacrosanto, ta. adj. Que reúne las calidades de sagrado y santo.

sacudida. f. Acción y efecto de sacudir o sacudirse.

sacudidor. m. Instrumento con que se sacude y limpia.

sacudir (al. *schütteln*, fr. *secouer*, ingl. *to shake*, it. *scutere*). tr. Mover violentamente una cosa a una y otra parte. ‖ Golpear una cosa con violencia para limpiarla. ‖ Golpear, dar golpes. ‖ r. Apartar de sí con aspereza. [*Sinón.*: agitar]

sádico, ca. adj. Relativo al sadismo. Aplicado a personas, ú.t.c.s.

sadismo. m. Perversión sexual del que siente placer haciendo víctima a otra persona de su crueldad.

saduceo, a. adj. Dícese del individuo de cierta secta de judíos que negaba la inmortalidad del alma y la resurrección del cuerpo. Ú.t.c.s. ‖ Perteneciente o relativo a estos sectarios.

saeta (al. *Pfeil*, fr. *flèche*, ingl. *arrow*, it. *saetta*). f. Arma arrojadiza que consiste en un asta delgada y ligera, con punta afilada en uno de sus extremos, y que se dispara con el arco. ‖ Copla breve de carácter religioso que se canta en algunas procesiones y especialmente en las de Semana Santa. ‖ n.p.f. ASTR. Constelación boreal.

saetera. f. Aspillera para disparar saetas.

safari. m. Expedición de caza mayor en África y, por ext., en otros lugares. ‖ Lugar en que se realizan estas expediciones.

sáfico, ca. adj. Aplícase a un verso griego o latino de once sílabas. Ú.t.c.s. ‖ Aplícase también a la estrofa compuesta de tres versos sáficos y uno adónico, y a la composición que consta de estrofas de esta clase.

saga. f. Mujer que se finge adivina y hace encantos o maleficios. ‖ Cada una de las leyendas poéticas contenidas en su mayor parte en las dos colecciones de primitivas tradiciones heroicas y mitológicas de la antigua Escandinavia.

sagacidad. f. Calidad de sagaz.

sagaz. adj. Avisado, astuto, que previene las cosas. ‖ Aplícase al perro que saca por el rastro la caza y a otros animales que barruntan o presienten las cosas. [*Sinón.*: avispado, perspicaz]

sagita. f. GEOM. Segmento de recta comprendida entre el punto medio de un arco de círculo y el de su cuerda.

sagital. adj. De figura de saeta.

sagitario. m. Saetero. ‖ n.p.m. ASTR. Noveno signo del Zodíaco, que el Sol recorre aparentemente en el último tercio del otoño. ‖ ASTR. Constelación zodiacal que se halla delante del mismo signo y un poco hacia Oriente.

sagrado, da (al. *heiling*, fr. *sacré*, ingl. *holy*, it. *sacro*). adj. Que, de acuerdo con determinados ritos, está dedicado a Dios y al culto divino. ‖ Que por alguna relación con lo divino es venerable. ‖ fig. Que por su destino o uso es digno de veneración y respeto. [*Sinón.*: sacro. *Antón.*: profano]

sagrario. m. Parte del templo donde se guardan las cosas sagradas.

sahariana. f. Especie de chaqueta hecha de tejido delgado y color claro, propia de los climas cálidos. Tiene los bolsillos de parche y suele ajustarse con un cinturón.

sahariano, na. adj. Perteneciente o relativo al Sahara.

sahumar. tr. Dar humo aromático a una cosa. Ú.t.c.r. [*Sinón.*: incensar]

sahumerio. m. Acción y efecto de sahumar o sahumarse. ‖ Humo que produce una materia aromática que se echa en el fuego. ‖ Esta misma materia. [*Sinón.*: incienso]

saín. m. Grosura de un animal. ‖ Aceite extraído de la gordura de algunos peces y cetáceos. ‖ Grasa que con el uso suele mostrarse en los paños, sombreros y otras cosas.

sainar. tr. Engordar a los animales.

sainete. m. dim. de saín. ‖ Pedacito de gordura, tuétano o sesos que los halconeros daban a las aves de cetrería

cuando las cobraban. ‖ Salsa que se pone a ciertos manjares. ‖ Pieza dramática jocosa, en un acto, y por lo común de carácter popular.

saíno. m. ZOOL. Mamífero paquidermo sin cola y con una glándula en lo alto del lomo por la que segrega un humor fétido.

saja. f. Cortadura hecha en la carne.

sajadura. f. Cortadura hecha en la carne.

sajar. tr. Hacer sajaduras.

sajón, na. adj. Dícese del individuo de raza germánica que habitaba antiguamente en la desembocadura del Elba. Ú.t.c.s. ‖ Perteneciente a este pueblo. ‖ Natural de Sajonia. Ú.t.c.s. ‖ Perteneciente a esta región de Europa.

sal (al. *Salz*, fr. *sel*, ingl. *salt*, it. *sale*). f. Sustancia ordinariamente blanca, cristalina, de sabor propio bien señalado, muy soluble en agua, crepitante en el fuego, que se emplea para sazonar los manjares y conservar las carnes muertas. Es un compuesto de sodio y cloro que se extrae de las aguas del mar y de yacimientos terrestres. ‖ fig. Agudeza, donaire, chiste en el habla. ‖ Garbo, gracia, gentileza en los ademanes. ‖ QUÍM. Cuerpo resultante de la sustitución de los átomos de hidrógeno de un ácido por radicales básicos. ‖ — *común*. Sal de cocina. ‖ — *gema*. La común que se halla en las minas o procede de ellas.

sala (al. *Saal*, fr. *salle*, ingl. *drawing-room*, it. *sala*). f. Pieza principal de la casa. ‖ Aposento de grandes dimensiones. ‖ Mobiliario de este aposento. ‖ Pieza donde se constituye un tribunal de justicia para celebrar audiencia. ‖ Conjunto de los jueces que forma un tribunal de alzada. ‖ — *de fiestas*. Salón de baile o cabaret. [*Sinón.*: salón]

salacot. m. Sombrero muy ligero usado en países cálidos, con forma a propósito para preservar del calor.

saladar. m. Terreno estéril debido a la abundancia de sales.

saladero. m. Sitio destinado a la salazón de carnes o pescados.

salado, da (al. *gesalzen*, fr. *salé*, ingl. *salty*, it. *salato*). adj. Dícese del terreno que es estéril debido a un exceso de sal. ‖ Aplícase a los manjares que contienen más sal de la necesaria. ‖ fig. Gracioso, agudo. ‖ *Amer*. Desgraciado, infortunado. ‖ *Amer*. fig. Caro, costoso. [*Sinón.*: salobre, saleroso. *Antón.*: soso]

salamandra (al. *Salamander*, fr. *salamandre*, ingl. *salamander*, it. *sala-*

mandra). f. Zool. Batracio urodelo de unos 20 centímetros de largo, la mitad aproximadamente para la cola, y de piel lisa de color negro intenso con manchas amarillas simétricas. Es insectívoro. ‖ Ser fantástico, espíritu elemental del fuego, según los cabalistas. ‖ Especie de calorífero de combustión lenta.

salamanquesa. f. Zool. Saurio gecónido, de unos ocho centímetros de largo, con cuerpo ceniciento. Vive en las grietas de los edificios y debajo de las piedras, se alimenta de insectos y se la tiene equivocadamente por venenosa.

salar (al. *einsalzen*, fr. *saler*, ingl. *to brine*, it. *salare*). tr. Curar con sal carne, pescado u otras sustancias. ‖ Sazonar con sal un manjar. ‖ Echar más sal de la necesaria. ‖ *Amer.* Manchar, deshonrar. Ú.t.c.r. ‖ *Amer.* Desgraciar, echar a perder. Ú.t.c.r.

salarial. adj. Perteneciente o relativo al salario.

salario (al. *Lohn*, fr. *salaire*, ingl. *wages*, it. *salario*). m. Paga, sueldo, estipendio, jornal.

salaz. adj. Muy inclinado a la lujuria.

salazón. f. Acción y efecto de salar los alimentos. ‖ Acopio de carnes o pescados salados. ‖ Industria y comercio que se hace con estas mercancías.

salce. m. Bot. Sauce.

salceda. f. Sitio poblado de salces. |*Sinón.*: salcedo|

salcochar. tr. Cocer solamente con agua y sal.

salchicha (al. *Wurst*, fr. *saucisse*, ingl. *sausage*, it. *salsiccia*). f. Embutido, en tripa delgada, de carne de cerdo magra y gorda bien picada.

salchichón (al. *Aettwurst*, fr. *saucisson*, ingl. *large sausage*, it. *salciccione*). m. Embutido de jamón, tocino y pimienta en grano, prensado y curado, que se come en crudo.

saldar. tr. Liquidar enteramente una cuenta. ‖ Vender a bajo precio una mercancía para agotar rápidamente las existencias.

saldo (al. *Saldo*, fr. *soíde*, ingl. *balance*, it. *saldo*). m. Pago o finiquito de deuda u obligación. ‖ Cantidad que de una cuenta resulta en favor o en contra de alguien. ‖ Resto de mercancía que el fabricante o el comerciante vende a bajo precio para agotar las existencias. |*Sinón.*: liquidación|

saledizo, za. adj. Saliente, salidizo.

salero (al. *Salzfass*, fr. *salière*, ingl. salícellar, it. *saliera*). m. Recipiente en que se sirve la sal en la mesa. ‖ Sitio donde se guarda la sal. ‖ fig. y fam. Gracia, donaire.

saleroso, sa. adj. fig. y fam. Que tiene salero o gracia.

salesa. adj. Dícese de la religiosa que pertenece a la Orden de la Visitación de Nuestra Señora, fundada en el s. XVII por San Francisco de Sales. Ú.t.c.s.

salesiano, na. adj. Dícese del religioso que pertenece a la Sociedad de San Francisco de Sales, congregación fundada por San Juan Bosco. Ú.t.c.s. ‖ Perteneciente o relativo a dicha congregación.

salgar. tr. Dar sal al ganado.

salicáceo, a. adj. Bot. Dícese de árboles y arbustos angiospermos dicotiledóneos, con hojas sencillas, flores en espiga y fruto en cápsula; como el sauce, el álamo, etc. Ú.t.c.s.f. ‖ f.pl. Bot. Familia de estas plantas.

sálico, ca. adj. Perteneciente o relativo a los francos o salios.

salida (al. *Ausgang*, fr. *sortie*, ingl. *exit*, it. *uscita*). f. Acción y efecto de salir o salirse. ‖ Parte por donde se sale fuera de un sitio o lugar. ‖ Parte que sobresale en alguna cosa. ‖ Despacho o venta de los géneros. ‖ Partida de data o de descargo en una cuenta. ‖ fig. Escapatoria, pretexto, recurso. ‖ fig. Medio o razón con que se vence un argumento, dificultad o peligro. ‖ fig. Fin o término de un negocio o dependencia. ‖ fig. y fam. Dicho agudo, ocurrencia. ‖ Mar. Partida de un buque. ‖ Mil. Acometida repentina de tropas de una plaza sitiada contra los sitiadores. ‖ — *de tono*. fig. y fam. Dicho destemplado e inconveniente.

salidizo. m. Arq. Parte que sobresale de la pared maestra.

saliente. adj. Que sale. ‖ m. Oriente, levante. ‖ Parte que sobresale en alguna cosa. [*Sinón.*: resalte, relieve]

salífero, ra. adj. Salino.

salificar. tr. Quím. Convertir una sustancia en sal.

salina (al. *Salzwerk*, fr. *mine de sel*, ingl. *salt-mine*, it. *miniera di sale*). f. Mina de sal. ‖ Establecimiento donde se beneficia la sal del agua del mar o de manantiales salados.

salinidad. f. Calidad de salino. ‖ En oceanografía, cantidad proporcional de sales que contiene el agua del mar.

salino, na. adj. Que naturalmente contiene sal. ‖ Que participa de los caracteres de la sal.

salir (al. *hinausgehen, herauskommen*; fr. *sortir*; ingl. *to go out*; it. *uscire*). intr. Pasa de dentro afuera. ‖ Partir de un lugar hacia otro. ‖ Librarse de un riesgo. ‖ Aparecer, manifestarse, descubrirse. ‖ Nacer, brotar. ‖ Tratándose de manchas, borrarse, desaparecer. ‖ Ser alguien, en ciertos juegos, el primero que juega. ‖ Darse al público. ‖ Costar una cosa que se compra. ‖ Parecerse, asemejarse. ‖ Apartarse de una cosa o faltar a ella en lo regular o debido. ‖ Ser elegido o sacado por suerte o votación. ‖ r. Derramarse por una rendija o rotura el contenido de una vasija o receptáculo. ‖ Rebosar un líquido al hervir. ‖ Tener una vasija o depósito alguna rendija o rotura por la cual se derrama el contenido. ‖ *no salir de* uno una cosa. Callarla; ser sugerida por otro. ‖ *salir* uno *adelante*. fig. Llegar a feliz término en un propósito o empresa; vencer una gran dificultad o peligro. ‖ *salir caro*, o *salirle cara*, una cosa a uno. fig. Resultarle daño de su ejecución o intento. ‖ *salir* uno *pitando*. fig. y fam. Salir o echar a correr impetuosa y desconcertadamente. ‖ *salir por* uno. Fiarle, abonarle, defenderle. ‖ *salirse con la suya*. fig. Hacer su voluntad contra el parecer de otro. |*Antón.*: entrar, venir|

salitrado, da. adj. Mezclado con salitre.

salitral. m. Lugar donde se halla salitre.

salitre. m. Nitro. ‖ Cualquiera sustancia salina, especialmente la que aflora en tierras y paredes. ‖ *Amer.* Nitrato de Chile.

saliva. f. Humor alcalino acuoso, algo viscoso, segregado por glándulas cuyos conductos excretorios se abren en la cavidad de la boca. Sirve principalmente para facilitar la deglución de los alimentos. ‖ *gastar saliva en balde.* fig. y fam. Hablar inútilmente. ‖ *tragar saliva.* fig. y fam. Soportar en silencio y sin protesta una determinación, palabra o acción que ofende o disgusta; turbarse, no acertar a hablar.

salivación. f. Acción de salivar. ‖ Secreción excesiva de saliva.

salival. adj. Perteneciente o relativo a la saliva.

salivar. intr. Arrojar saliva.

salivazo. m. Porción de saliva que se escupe de una vez. [*Sinón.*: escupitajo]

salmantino, na. adj. Natural de Salamanca. Ú.t.c.s. ‖ Perteneciente a esta provincia o ciudad.

salmista. m. El que compone salmos. ‖ El que tiene por oficio cantar los sal-

SALAMANQUESA-SALMISTA

mos y las horas canónicas en las iglesias, catedrales y colegiatas.

salmo (al. *Psalm*, fr. *psaume*, ingl. *psalm*, it. *salmo*). m. Composición o cántico que contiene alabanzas a Dios. [*Sinón.*: salterio]

salmodia. f. Canto usado en la Iglesia para entonar los salmos. || fig. y fam. Canto monótono.

salmón (al. *Lachs*, fr. *saumon*, ingl. *salmon*, it. *salmone*). m. ZOOL. Pez teleósteo, de hasta metro y medio de longitud y carne rojiza y sabrosa, muy apreciada. Penetra en los ríos en primavera y verano, desova en otoño, y vuelve al mar. Las crías permanecen en el río uno o dos años, antes de bajar al mar. || adj. Dícese del color rojizo semejante al de la carne de este pez.

salmonete. m. ZOOL. Pez marino acantopterigio, de pequeño tamaño. Color rojo en el lomo y blanco rosado en el vientre. Posee dos barbillas en la mandíbula inferior. Abunda en el Mediterráneo, y es comestible.

salmónido. adj. ZOOL. Dícese de los peces teleósteos fisóstomos que tienen el cuerpo cubierto de escamas muy adherentes, excepto la cabeza, y que viven principalmente en las aguas dulces; como el salmón. Ú.t.c.s.m. || m. pl. Familia de estos animales.

salmuera. f. Disolución sobresaturada de sal. || Agua que despiden las cosas saladas.

salobre (al. *salzig*, fr. *saumâtre*, ingl. *saltish*, it. *salmastro*). adj. Que por su naturaleza tiene sabor de sal.

salomónico, ca. adj. Perteneciente o relativo a Salomón.

salón (al. *Salon*, fr. *salon*, ingl. *salon*, it. *salone*). m. aum. de sala. || Sala, pieza principal de la casa donde se reciben las visitas. || En la actualidad suele hacer también de comedor. || Mobiliario de este aposento. || Pieza de grandes dimensiones donde celebra sus juntas una corporación.

salpa. f. ZOOL. Género de animales marinos, con cuerpo transparente o traslúcido. Emiten fosforescencia durante la noche.

salpicadero. m. En el pescante de algunos carruajes, tablero colocado en la parte anterior para preservar de salpicaduras de lodo al conductor. || En los vehículos automóviles, tablero situado delante del asiento del conductor y en el que se hallan algunos mandos y aparatos indicadores.

salpicadura. f. Acción y efecto de salpicar. [*Sinón.*: rociadura]

salpicar (al. *spritzen*, fr. *éclabousser*, ingl. *to splash*, it. *schizzare*). tr. Hacer que salte un líquido esparcido en gotas menudas por choque o movimiento brusco. Ú.t.c.intr. || Mojar o manchar con un líquido que salpica. Ú.t.c.r. || fig. Esparcir, diseminar varias cosas, como rociando con ellas una superficie. [*Sinón.*: asperjar]

salpicón. m. Guiso de carne, pescado o marisco desmenuzado, con pimienta, sal, aceite, vinagre y cebolla. || Fiambre de trozos de pescado o marisco condimentados con cebolla, sal y otros ingredientes. || Acción y efecto de salpicar. || *Amer.* Bebida fría preparada con jugo de frutas.

salpimentar. tr. Adobar una cosa con sal y pimienta.

salpimienta. f. Mezcla de sal y pimienta.

salpullido. m. Erupción leve y pasajera en la piel. || Señales que dejan en la piel las picaduras de las pulgas.

salsa (al. *Sosse*, fr. *sauce*, ingl. *sauce*, it. *salsa*). f. Mezcla de varias sustancias comestibles desleídas, que se emplea en el condimento de la comida. || fig. Cualquier cosa que mueve o excita el gusto. || *en su propia salsa*. fr. fig. y fam. para indicar que una persona o cosa se manifiesta rodeada de todas aquellas circunstancias que más realzan lo típico y característico que hay en las mismas.

salsera. f. Vasija en que se sirve la salsa.

salsifí. m. BOT. Planta herbácea compuesta, con raíz fusiforme, blanca y comestible.

saltador, ra. adj. Que salta. || s. Persona especializada en saltos gimnásticos, acrobáticos, etc. || m. Cuerda para saltar.

saltamontes (al. *Grashüpfer*, fr. *sauterelle*, ingl. *grasshopper*, it. *cavalletta*). m. ZOOL. Insecto ortóptero de color verde amarillento, de cabeza gruesa, ojos saltones, antenas cortas, alas membranosas y patas posteriores muy largas y robustas, con las que da grandes saltos. Es fitófago y no forma bandadas. || Nombre aplicado a cualquier insecto saltador ortóptero.

saltar (al. *springen*, fr. *sauter*, ingl. *to leap*, it. *saltare*). intr. Levantarse del suelo con impulso para dejarse caer en algún sitio. || Moverse una cosa de una parte a otra, levantándose con violencia. || Arrojarse desde una altura para caer de pie. || Alzarse con ímpetu. || Romperse o quebrarse violentamente una cosa por excesiva tirantez, por la influencia atmosférica o por otras causas. || Desprenderse una cosa de donde estaba unida o fija. || fig. Picarse o resentirse, dándolo a entender. || fig. Irrumpir inesperadamente en la conversación. || Ascender a un puesto más alto que el inmediatamente superior sin haber ocupado éste. || fig. Dejar uno contra su voluntad el puesto o cargo que tenía. || tr. Salvar de un salto un espacio. || Pasar de una cosa a otra, dejándose las que debían suceder por un orden determinado. || fig. Omitir voluntariamente o por inadvertencia parte de un escrito, leyéndolo o copiándolo. [*Sinón.*: brincar, botar]

saltarín, na. adj. Que danza, baila o salta con habilidad. Ú.t.c.s.

salteador (al. *Strassenraüber*, fr. *brigand*, ingl. *highwayman*, it. *grassatore*). m. El que saltea y roba en los despoblados o caminos. [*Sinón.*: bandolero]

saltear. tr. Salir a los caminos y robar a los pasajeros. || Asaltar, acometer. || Empezar a hacer una cosa y dejarla comenzada. || Sofreír un manjar a fuego vivo, con manteca o aceite hirviendo.

salterio. m. Libro canónico del Antiguo Testamento que consta de ciento cincuenta salmos. || Libro de coro que contiene únicamente los salmos. || Instrumento musical de cuerda.

salto (al. *Sprung*, fr. *saut*, ingl. *leap*, it. *salto*). m. Acción y efecto de saltar. || Paraje que no se puede salvar sino de un salto. || Despeñadero muy profundo. || Caída de un caudal importante de agua, especialmente en una instalación industrial. || Espacio comprendido entre el punto de donde se salta y aquel a que se llega. || fig. Ascenso a puesto superior sin pasar por el escalafón. || — *de agua*. Caída del agua de un río, arroyo o canal donde hay un desnivel repentino. || — *mortal*. fig. El que dan los volatineros lanzándose de cabeza y tomando vuelta en el aire para caer de pie. || *a salto de mata*. loc. adv. fig. Huyendo y recatándose; aprovechando las ocasiones que depara la casualidad.

saltón, na. adj. Que anda a saltos o salta mucho. || Dícese de algunas cosas que sobresalen más de lo regular, como los ojos, dientes, etc. || m. Pequeñas larvas que suelen criarse en el jamón y el tocino. || *Amer.* Sancochado, medio crudo.

salubre. adj. Saludable.

salubridad. f. Calidad de salubre.

salud (al. *Gesundheit,* fr. *santé,* ingl. *health,* it. *salute*). f. Estado en que el ser orgánico ejerce normalmente todas sus funciones. ‖ Libertad o bien público o particular de cada uno. ‖ pl. Actos y expresiones corteses. ‖ *curarse* uno *en salud.* fig. Precaverse de un daño ante la más leve amenaza; dar satisfacción de una cosa antes de que le hagan cargo de ella. ‖ *¡salud!* interj. fam. con que se saluda a uno o se le desea un bien. [*Sinón.:* salubridad. *Antón.:* enfermedad]

saludable. adj. Que sirve para conservar la salud corporal. ‖ fig. Provechoso para un fin. [*Sinón.:* sano, salubre, beneficioso]

saludar (al. *grüssen,* fr. *saluer,* ingl. *to greet,* it. *salutare*). tr. Dirigirse a otra persona para expresar una cortesía o deferencia. ‖ Enviar saludos. [*Sinón.:* cumplimentar]

saludo (al. *Gruss,* fr. *salutation,* ingl. *greeting,* it. *saluto*). m. Acción y efecto de saludar. [*Sinón.:* salutación]

salutación. f. Saludo. ‖ Parte del sermón en la cual se saluda a la Virgen.

salutífero, ra. adj. Saludable.

salva. f. Saludo, bienvenida. ‖ El hecho con armas de fuego. ‖ Serie de cañonazos consecutivos y sin bala disparados en señal de honores o saludos. ‖ Disparo simultáneo de varias piezas idénticas de artillería.

salvación. f. Acción y efecto de salvar o salvarse. ‖ Consecución de la gloria y bienaventuranza eternas. [*Sinón.:* salvamento]

salvado (al. *Kleie,* fr. *son,* ingl. *bran,* it. *crusca*). m. Cáscara del grano desmenuzada por la molienda.

salvador, ra. adj. Que salva. Ú.t.c.s. ‖ m. Por antonomasia, Jesucristo.

salvadoreño, ña. adj. Natural de El Salvador. Ú.t.c.cs ‖ Perteneciente a este país de América Central.

salvaguardar. tr. Defender, amparar, proteger.

salvaguardia. f. Salvoconducto que se da a alguien para que no sea detenido. ‖ fig. Custodia, amparo, garantía.

salvajada. f. Dicho o hecho propio de un salvaje.

salvaje (al. *wild,* fr. *sauvage,* ingl. *wild,* it. *selvaggio*). adj. Aplícase a las plantas silvestres y sin cultivo. ‖ Dícese del animal que no es doméstico. ‖ Aplícase al terreno montuoso, inculto. ‖ Natural de aquellos países que carecen de cultura. Ú.t.c.s. ‖ fig. Sumamente necio o rudo. Ú.t.c.s. [*Sinón.:* mon-

taraz, abrupto, insociable. [*Antón.:* civilizado]

salvajismo. m. Modo de ser o de obrar propio de los salvajes.

salvamanteles. m. Pieza de cristal, loza, madera o tela que se pone en la mesa debajo de las fuentes, botellas, vasos, etc.

salvamento. m. Acción y efecto de salvar o salvarse. ‖ Lugar o paraje en que uno se asegura de un peligro.

salvar (al. *retten,* fr. *sauver,* ingl. *to rescue,* it. *salvare*). tr. Librar de un riesgo; poner en seguridad.Ú.t.c.r. ‖ Dar Dios la gloria eterna. ‖ Evitar un inconveniente, dificultad o riesgo. ‖ Exceptuar una cosa de lo que se dice o hace. ‖ Vencer un obstáculo, pasando por encima de él. ‖ Recorrer un espacio determinado. ‖ Rebasar una altura pasando por encima de ella. ‖ Exculpar, probar jurídicamente la inocencia o libertad de una persona o cosa. ‖ r. Alcanzar la gloria eterna. [*Sinón.:* proteger. *Antón.:* condenar]

salvavidas. m. Flotador de que se provee a los tripulantes y pasajeros de los buques en caso de naufragio, y gracias al cual se ayudan a permanecer en la superficie de las aguas. ‖ Aparato colocado ante las ruedas delanteras de los tranvías para evitar desgracias en caso de atropello.

salve. interj. poét. que se emplea para saludar. ‖ f. Una de las oraciones que se rezan a la Virgen.

salvedad. f. Razonamiento que se emplea como excusa o limitación de lo que se va a decir o hacer. ‖ Nota por la cual se legaliza una enmienda en un documento. [*Sinón.:* excepción]

salvia. f. BOT. Planta arbustácea de la familia de las labiadas, de tallos vellosos, hojas romas y blancuzcas muy aromáticas y algo acres de sabor, flores azuladas en espiga y fruto en aquenio. Común en terrenos áridos. La infusión de sus hojas se utiliza como tónico y estomacal.

salvo, va. adj. Ileso, librado de un peligro. ‖ Exceptuado, omitido. [*Sinón.:* inmune]

salvoconducto (al. *Schutzbrief,* fr. *sauf-conduit,* ingl. *safe-conduct,* it. *salvocondotto*). m. Documento expedido por una autoridad para que quien lo lleva pueda transitar sin riesgo por donde aquélla es reconocida.

samaritano, na. adj. Natural de Samaria. Ú.t.c.s. ‖ Perteneciente a esta ciudad del Asia antigua. ‖ Sectario del cisma de Samaria. Ú.t.c.s.

sambenito. m. Capotillo o escapulario que se ponía a los penitentes reconciliados por el tribunal de la Inquisición. ‖ Letrero que se ponía en las iglesias con el nombre y castigo de los penitenciados. ‖ fig. Mala nota que queda de una acción; descrédito.

samio, mia. adj. Natural de Samos. Ú.t.c.s. ‖ Perteneciente a esta isla griega.

samovar (voz rusa). m. Utensilio con que se hace el té en Rusia.

sampán. m. Embarcación ligera de remos o de velas, que se emplea en China para la pesca o navegación fluvial.

samuga. f. Jamuga.

samurái (voz japonesa). m. Nombre de los guerreros vasallos que integraban el sistema feudal japonés.

san. adj. Apócope de santo. U. solamente ante nombres propios de santos, salvo los de Tomás, o Tomé, Toribio y Domingo.

sanar (al. *heilen,* fr. *guérir,* ingl. *to heal,* it. *guarire*). tr. Restituir a alguien la salud que había perdido. ‖ intr. Recobrar el enfermo la salud. [*Sinón.:* curar. *Antón.:* enfermar]

sanatorio. m. Establecimiento convenientemente dispuesto para que en él residan los enfermos sometidos a cierto régimen curativo.

sanción (al. *Bestätigung,* fr. *sanction,* ingl. *enactment,* it. *sanzione*). f. Estatuto o ley. ‖ Acto solemne por el que el jefe del Estado confirma una ley o estatuto. ‖ Pena que la ley establece para el que la infringe. ‖ Mal dimanado de una culpa a título de castigo. ‖ Aprobación que se da a cualquier acto, uso o costumbre. [*Sinón.:* punición]

sancionar (al. *sanktionieren,* fr. *santcionner,* ingl. *to sanction,* it. *sanzionare*). tr. Dar fuerza de ley a una disposición. ‖ Aprobar cualquier acto, uso o costumbre. ‖ Aplicar una sanción o castigo. [*Sinón.:* ratificar; punir]

sancochar. tr. Cocer la vianda, dejándola medio cruda y sin sazonar.

sancocho. m. Vianda a medio cocer. ‖ *Amer.* Olla compuesta de carne, yuca, plátano y otros ingredientes, y que se toma en el almuerzo.

sanctasanctórum. m. Parte interior y más sagrada del tabernáculo de los judíos. ‖ fig. Lo que para una persona es de singularísimo aprecio. ‖ fig. Lo más reservado y misterioso.

sandalia (al. *Sandale,* fr. *sandale,* ingl. *sandal,* it. *sandalo*). f. Calzado compuesto de una suela que se asegura con correas o cintas.

sándalo. m. Bot. Árbol exótico de la familia de las santaláceas, parecido al nogal, con flores pequeñas en racimos y fruto semejante a la cereza. Su madera es aromática, de color amarillo, apreciada en perfumería y para labores de talla. De la variedad llamada cetrino se extrae un aceite volátil (aceite de sándalo) usado en Farmacia. || Planta herbácea, vivaz, de la familia de las labiadas, de flores rosadas. || Leño o madero de sándalo.

sandáraca. f. Bot. Resina natural de color amarillento que se extrae del enebro y otras coníferas.

sandez. f. Despropósito, necedad.

sandía (al. *Wassermelone*, fr. *pastèque*, ingl. *water-melon*, it. *cocomero*). f. Bot. Planta herbácea anual de la familia de las cucurbitáceas, de tallo velloso, flexible y rastrero, flores amarillas y fruto grande, casi esférico, de color verde o jaspeado, con una pulpa rojiza, acuosa y muy dulce que contiene gran número de pepitas de color negro. || Fruto de esta planta.

sandio, dia. adj. Necio o simple. Ú. t.c.s.

sandunga. f. fam. Gracia, donaire.

sandunguero, ra. adj. fam. Que tiene sandunga.

sandwich (voz inglesa). m. Emparedado.

saneado, da. adj. Aplícase a los bienes o a la renta libres de cargas o descuentos.

saneamiento. m. Acción y efecto de sanear.

sanear (al. *gesund macher*, fr. *assainir*, ingl. *to sanify*, it. *rinsanicare*). tr. Asegurar el reparo del daño que puede sobrevenir. || Reparar o remediar una cosa. || Dar condiciones de salubridad a un terreno, edificio, etc. || Der. Indemnizar el vendedor al comprador por el vicio de la cosa comprada, o por haber sido perturbado en la posesión, o despojado de ella. [*Sinón.*: higienizar, remediar. *Antón.*: ensuciar, corromper]

sanedrín. m. Consejo de los antiguos judíos de Jerusalén, durante la dominación romana, que constituía la suprema autoridad judicial y administrativa. Estaba integrado por 71 miembros, entre sacerdotes, ancianos y escribas. || Sitio donde se reunía este Consejo. || fig. Junta o reunión para tratar de algo que se quiere dejar oculto.

sangrar (al. *blut ablassen*, fr. *saigner*, ingl. *to bleed*, it. *salassare*). tr. Abrir una vena y dejar salir determinada cantidad de sangre. || fig. Dar salida a un líquido abriendo un conducto para que corra. || Imp. Empezar un renglón más adentro que los restantes de la plana. || r. Hacerse practicar una sangría.

sangre (al. *Blut*, fr. *sang*, ingl. *blood*, it. *sangue*). f. Humor que circula por ciertos vasos del cuerpo de los animales vertebrados, de color rojo vivo en las arterias y oscuro en las venas. Se compone de una parte líquida o plasma y de otra sólida constituida por tres clases de corpúsculos: hematíes, leucocitos y, en algunos animales, plaquetas. Por ext., se llama sangre al líquido análogo que en muchos invertebrados es blanquecino y no contiene hematíes. || Linaje o parentesco. || – *azul*. Sangre o linaje noble. || – *de horchata*. Dícese del calmoso que no se altera por nada. || – *fría*. Serenidad, tranquilidad del ánimo, que no se afecta fácilmente. || *a sangre fría*. m. adv. Con premeditación y cálculo, una vez pasado el arrebato de la cólera. || *bullirle* a uno *la sangre*. fig. y fam. Tener el vigor y lozanía de la juventud. || *chupar la sangre*. fig. y fam. Ir quitando o mermando la herencia ajena en provecho propio. || *correr sangre*. fr. con que se denota llegar en una riña hasta haber heridas. || *de sangre caliente*. loc. adj. Dícese de los animales cuya temperatura no depende de la del ambiente y es, por lo general, superior a la de éste. || *de sangre fría*. loc. adj. Dícese de los animales cuya temperatura es la del ambiente. || *encenderle*, o *quemarle, a uno la sangre*. fig. y fam. Causarle disgusto o enfado hasta impacientarle o exasperarle. Ú.t. el verbo como r. || *hervirle* a uno *la sangre*. Bullirle la sangre. En sent. fig., exaltársele un afecto o pasión. || *lavar con sangre*. fig. Derramar la del enemigo en satisfacción de un agravio. || *llevar* una cosa *en la sangre*. fig. Ser innata o hereditaria.

sangría (al. *Aderlass*, fr. *saignée*, ingl. *blood-letting*, it. *salasso*). f. Acción y efecto de sangrar. || Parte de la articulación del brazo opuesta al codo. || fig. Sangradura de un río o canal. || Corte somero que se hace en un árbol para que fluya la resina. || fig. Bebida refrescante compuesta de agua y vino con azúcar y limón. || Imp. Acción y efecto de sangrar, empezar un renglón más adentro que los otros. || Metal. Salida que se da al metal fundido en los hornos de fundición. || Metal. La corriente o chorro de dicho metal.

sangriento, ta. adj. Que echa sangre. || Teñido de sangre o mezclado con sangre. || Sanguinario. || Que causa derramamiento de sangre. || poét. De color de la sangre. [*Sinón.*: cruento]

sangriza. f. Menstruo de la hembra.

sanguijuela (al. *Blutegel*, fr. *sangsue*, ingl. *leech*, it. *sanguisuga*). f. Zool. Anélido de cuerpo alargado, casi cilíndrico, que puede contraerse. Está provisto de boca chupadora con ventosa y de un disco membranoso alrededor del ano con el que también puede hacer succión. Vive en aguas dulces y se alimenta de sangre de animales, a los que se adhiere mediante la ventosa, por lo que se usaba antiguamente en Medicina para efectuar sangrías. || Nombre aplicado a diversos anélidos zoófagos o hematófagos, acuáticos y provistos de ventosas terminales.

sanguina. f. Mineral. Variedad de hematites roja utilizada en la fabricación de minas de lápices. || Lápiz fabricado con este mineral. || Dibujo hecho con tal lápiz.

sanguinario, ria. adj. Feroz, vengativo, que goza con el derramamiento de sangre. || f. Mineral. Especie de ágata de color rojo sangre.

sanguíneo, a. adj. De sangre. || Que contiene sangre o abunda en ella. || De color de sangre. || Perteneciente a la sangre.

sanguinolencia. f. Calidad de sanguinolento.

sanguinolento, ta. adj. Sangriento, que echa sangre, o mezclado con sangre.

sanguinoso, sa. adj. Que participa de la naturaleza o accidentes de la sangre. || Sanguinario.

sanidad. f. Calidad de sano. || Salubridad. || Conjunto de servicios gubernativos ordenados para preservar la salud de los habitantes de un lugar. [*Sinón.*: higiene]

sanitario, ria. adj. Perteneciente o relativo a la sanidad. || m. Miembro del cuerpo de la Sanidad Militar. || *Amer.* Excusado, retrete, letrina.

sano, na (al. *gesund*, fr. *sain*, ingl. *healthy*, it. *sano*). adj. Que goza de perfecta salud. || Seguro, sin riesgo. || Que es bueno para la salud. || fig. Sin daño o corrupción, tratándose de vegetales o cosas pertenecientes a ellos. || fig. Libre de error o vicio. || fig. Sincero, de buena intención. || fig. y fam. Entero, no roto ni estropearlo. || *cortar por lo sano*. fig. y fam. Emplear el procedimiento más expeditivo para remediar males o conflictos, o zanjar inconvenientes. || *sano y salvo*. loc. Sin lesión, enfermedad ni peligro. [*Sinón*.: saludable. *Antón*.: enfermo]

sánscrito, ta. adj. Aplícase a la antigua lengua de los brahmanes (que sigue siendo la sagrada del Indostán) y a lo referente a ella. Ú.t.c.s.

sanseacabó. expr. fam. con que se da por terminado un asunto.

sansón. m. fig. Hombre muy forzudo.

santabárbara. f. MAR. Pañol destinado en las embarcaciones a almacenar la pólvora. || MAR. Cámara por donde se comunica o baja a este pañol.

santaláceo, a. adj. BOT. Dícese de plantas angiospermas dicotiledóneas, árboles, matas o hierbas, que tienen hojas verdes, gruesas, sin estipulas, y por lo común alternas; flores pequeñas, sin pétalos y con el cáliz colorido, y fruto drupáceo con una semilla de albumen carnoso; como el guardalobo. Ú.t.c.s.f. || f. pl. Familia de estas plantas.

santanderino, na. adj. Natural de Santander. Ú.t.c.s. || Perteneciente a esta ciudad o provincia.

santelmo. m. Fuego de Santelmo. || fig. Salvador.

santería. f. Calidad de santero, santurronería, beatería. || *Amer*. Tienda en que se venden imágenes de santos y otros objetos religiosos. || *Amer*. Brujería.

santero, ra. adj. Dícese del que tributa a las imágenes un culto supersticioso. || s. Persona que cuida de un santuario. || Persona que pide limosna, llevando de casa en casa la imagen de un santo. || Persona que pinta o esculpe santos, y también las que los vende. || *Amer*. Auxiliar de ladrón, encargado de vigilar para que éste no sea sorprendido.

santiaguense. adj. Natural de la provincia de Santiago, de la República Dominicana. Ú.t.c.s. || Perteneciente a esta provincia o a su capital, Santiago de los Caballeros.

santiagueño, ña. adj. Natural de la ciudad o de la provincia de Santiago del Estero. Ú.t.c.s. || Perteneciente a esta ciudad o provincia argentina. || Natural de Santiago de Panamá. Ú.t.c.s. || Perteneciente a esta ciudad o a su provincia.

santiaguero, ra. adj. Natural de Santiago de Cuba. Ú.t.c.s. || Perteneciente a esta ciudad.

santiagués, sa. adj. Natural de Santiago de Compostela. Ú.t.c.s. || Perteneciente a esta ciudad gallega.

santiaguino, na. adj. Natural de Santiago de Chile. Ú.t.c.s. || Perteneciente a esta ciudad.

santiamén (en un). fig. fr. y fam.. En un decir amén, en muy poco tiempo.

santidad. f. Calidad de santo. || Tratamiento honorífico que se da al Papa. [*Antón*.: corrupción]

santificación. f. Acción y efecto de santificar o santificarse.

santificar. tr. Hacer a uno santo por medio de la gracia. || Dedicar a Dios una cosa. || Reconocer al que es santo, honrándolo y sirviéndolo como a tal. || fig. y fam. Abonar, justificar, disculpar a uno. Ú.t.c.r.

santiguar (al. *sich bekreuzigen*, fr. *se signer*, ingl. *to bless omeself*, it. *segnarsi*). tr. Hacer con la mano la señal de la cruz desde la frente al pecho y desde el hombro izquierdo al derecho. Ú.t.c.r. || r. fig. y fam. Hacerse cruces, por admiración o extrañeza de algo.

santo, ta (al. *heilig*, fr. *saint*, ingl. *saint*, it. *santo*). adj. Perfecto y libre de toda culpa. || Dícese de la persona a quien la Iglesia declara como tal. Ú.t.c.s. || Aplícase a la persona de extraordinaria virtud y singular ejemplo. Ú.t.c.s. || Dícese de lo que está especialmente consagrado a Dios. Aplícase a lo que es venerable por algún motivo religioso. || Conforme con la ley de Dios. || Sagrado, inviolable. || Aplícase a algunas cosas que reportan al hombre especial provecho. || m. Imagen de un santo. || fam. Viñeta, grabado, estampa. || Respecto de una persona, festividad del santo cuyo nombre lleva. || MIL. Nombre de santo que, con la seña, comunica diariamente el jefe superior de la plaza a los jefes de puesto, y que sirve para reconocer las rondas y las fuerzas amigas, o para darse a conocer a las rondas mayores. || *a santo de qué*. m. adv. Con motivo de, a fin de, con pretexto de. || *írsele* a uno *el santo al cielo*. fig. y fam. Olvidársele lo que iba a decir o lo que tenía que hacer. || *no ser* una persona *santo de la devoción* de otra. fig. y fam. Desagradarle, no inspirarle confianza. [*Sinón*.: onomástica]

santón. m. El que profesa vida austera y penitente fuera de la religión cristiana. || fig. y fam. Hombre hipócrita o que aparenta santidad.

santoral. m. Libro que contiene vidas de santos. || Lista de los santos cuya festividad se conmemora en cada uno de los días del año.

santuario (al. *Heiligtum*, fr. *sanctuaire*, ingl. *sanctuary*, it. *santuario*). m. Templo en que se venera la imagen o reliquia de un santo de especial devoción. || fig. *Amer*. Tesoro de dinero o de objetos preciosos que se guarda en un lugar. [*Sinón*.: templo]

santurrón, na. s. Devoto con afectación. || Gazmoño, hipócrita, que aparenta ser devoto.

saña (al. *Blinde Wut*, fr. *acharnement*, ingl. *rage*, it. *accanimento*). f. Furor, enojo ciego. || Intención rencorosa y cruel.

sañudo, da. adj. Iracundo, colérico.

sapidez. f. Calidad de sápido.

sápido, da. adj. Aplícase a la sustancia que tiene algún sabor.

sapiencia. f. Sabiduría.

sapindáceo, a. adj. BOT. Dícese de plantas angiospermas dicotiledóneas, exóticas, arbóreas o sarmentosas, de hojas casi siempre alternas, agrupadas de tres en tres y pecioladas; flores en espiga con pedúnculos que suelen transformarse en zarcillos, y fruto capsular; como el jaboncillo. Ú.t.c.s. || f. pl. Familia de estas plantas.

sapino. m. BOT. Abeto, árbol.

sapo (al. *Kröte*, fr. *crapaud*, ingl. *toad*, it. *rospo*). m. ZOOL. Anfibio anuro de cuerpo corto, patas traseras relativamente débiles y piel verrugosa provista de glándulas que segregan un líquido acre e irritante. Es de costumbres terrestres excepto en la época de reproducción. Se alimenta de insectos, gusanos y otros seres perjudiciales para los cultivos, por lo que es útil para el hombre. || fig. Persona con torpeza física. || *Amer*. Juego de la rana.

saponáceo, a. adj. Jabonoso.

saponaria. f. Jabonera, planta herbácea.

saponificación. f. Acción y efecto de saponificar o saponificarse.

saponificar. tr. Convertir en jabón un cuerpo graso. Ú.t.c.r.

saporífero, ra. adj. Que causa o produce sabor.

sapotáceo, a. adj. BOT. Dícese de árboles y arbustos angiospermos dicotiledóneos, con hojas alternas, enteras y coriáceas, flores axilares, solitarias y más frecuentemente en umbela, y por fruto drupas o bayas, casi siempre indehiscentes, con semillas de albumen carnoso u oleoso o sin albumen; como el sapote. Ú.t.c.s.f. || f. pl. Familia de estas plantas.

saprófago, ga. adj. Dícese de ciertos animales que se alimentan de materias orgánicas en descomposición o putrefacción.

saprofito, ta. Bot. Dícese de las plantas que viven a expensas de sustancias orgánicas en descomposición o sobre partes muertas de otras plantas. || Med. Dícese de los microbios que viven normalmente en el organismo, sobre todo en el tubo digestivo, a expensas de las materias en putrefacción, y que pueden dar lugar a enfermedades.

saque. m. Acción de sacar; dícese particularmente en el juego de la pelota. || Raya o sitio desde el cual se saca la pelota.

saqueador, ra. adj. Que saquea. Ú.t.c.s.

saquear (al. *ausplündern*, fr. *saccager*, ingl. *to ransack*, it. *saccheggiare*). tr. Apoderarse violentamente los soldados de lo que hallan en un lugar. || Entrar en una plaza o lugar robando cuanto en ella se encuentra.

saqueo. m. Acción y efecto de saquear. [*Sinón.*: pillaje]

sarampión (al. *Masern*, fr. *rougeole*, ingl. *measles*, it. *morbillo*). m. Med. Enfermedad febril, contagiosa y muchas veces epidémica, que se manifiesta por multitud de manchas pequeñas y rojas, semejantes a picaduras de pulga, y que va precedida y acompañada de lagrimeo, estornudo, tos y otros síntomas catarrales.

sarao. m. Reunión nocturna en la que se baila al son de la música.

sarasa. m. fam. Hombre afeminado, marica.

sarcasmo (al. *Sarkasmus*, fr. *sarcasme*, ingl. *sarcasm*, it. *sarcasmo*). m. Burla sangrienta, ironía mordaz. [*Antón.*: delicadeza]

sarcástico, ca (al. *sarkastisch*, fr. *sarcastique*, ingl. *sarcastic*, it. *sarcastico*). adj. Que denota sarcasmo. || Aplícase a la persona que lo usa con frecuencia.

sarcocele. m. Med. Tumor duro y crónico del testículo, ocasionado por causas que alteran más o menos la textura de este órgano.

sarcófago (al. *Sarkofhag*, fr. *sarcophage*, ingl. *sarcophagus*, it. *sarcofago*). m. Cofre de piedra en el que los antiguos encerraban los cadáveres no incinerados. || Monumento fúnebre que representa un ataúd, aun cuando no contenga ningún cadáver.

sarcoma. m. Med. Tumor maligno

originado por la degeneración celular del tejido conjuntivo. Su malignidad se halla en relación inversa al grado de madurez o diferenciación de sus células.

sardana. f. Danza popular catalana que se baila en corro. || Pieza musical con que se acompaña.

sardina (al. *Sardine*, fr. *sardine*, ingl. *sardine*, it. *sardina*). f. Zool. Pez marino malacopterigio de la familia de los cupleidos. Es pelágico, y realiza grandes emigraciones en bancos o cardúmenes. Su carne es comestible y más sabrosa que la del arenque.

sardinal. m. Red que se mantiene entre dos aguas, en posición vertical, para pescar sardinas.

sardinel. m. Arq. Obra hecha de ladrillos colocados de canto y de modo que coincida en toda su extensión la cara de uno con la de otro.

sardinero, ra. adj. Perteneciente a las sardinas. || s. Persona que se dedica a la pesca o venta de las sardinas.

sardineta. f. Adorno formado por dos galones apareados y terminados en punta.

sardo, da. adj. Natural de Cerdeña. Ú.t.c.s. || Perteneciente a esta isla de Italia. || m. Lengua hablada en Cerdeña.

sardónice. f. Mineral. Ágata de color amarillo con fajas oscuras.

sardónico, ca. adj. *Amer.* Sarcástico, irónico. || ⟋ *risa sardónica*.

sarga. f. Tela cuyo tejido forma unas líneas diagonales. || Pint. Tela pintada para adornar o decorar las paredes. || Bot. Arbusto salicíneo de ramas mimbreñas, común a orillas de los ríos.

sargazo (al. *Seegras*, fr. *sargasse*, ingl. *gulfweed*, it. *sargasso*). m. Bot. Planta marina del grupo de las feofíceas, con el tallo y las frondas muy diferenciadas. Las frondas, de color pardo, semejan hojas y están provistas de vejigas aéreas para la flotación.

sargento (al. *Feldwebel*, fr. *sergent*, ingl. *sergeant*, it. *sergente*). m. Individuo de la clase de tropa, de empleo superior al de cabo, y que bajo la inmediata dependencia de los oficiales está al mando de un pelotón.

sargo. m. Zool. Pez marino acantopterigio, de color plateado, cruzado con franjas transversales negras.

sari. m. Prenda del vestido femenino hindú, en forma de lienzo que se enrolla alrededor del cuerpo.

sarmentar. intr. Coger los sarmientos podados.

sarmentera. f. Lugar donde se guardan los sarmientos. || Acción de sarmentar.

sarmiento. m. Vástago de la vid, largo, delgado, flexible y nudoso. [*Sinón.*: pámpano]

sarna. f. Med. Enfermedad parasitaria de la piel, muy contagiosa, producida por un ácaro llamado arador de la sarna. Las hembras de éste labran galerías bajo la epidermis que causan gran prurito, especialmente durante la noche. La padecen principalmente las personas poco aseadas.

sarnoso, sa. adj. Que tiene sarna. Ú.t.c.s.

sarpullido. m. Salpullido.

sarraceno, na. adj. Natural u oriundo de Arabia. Ú.t.c.s. || Moro, mahometano. Ú.t.c.s.

sarro (al. *Zahnstein*, fr. *tartre*, ingl. *tartar*, it. *tartaro*). m. Sedimento que dejan en las vasijas algunos líquidos que llevan sustancias en suspensión o disueltas. || Sustancia amarillenta de naturaleza calcárea que se adhiere al esmalte de los dientes. || Saburra de la lengua. || Roya de los vegetales.

sarta. f. Serie de cosas metidas por orden en un hilo, cuerda, etc. || fig. Porción de cosas que van unas tras otras. || fig. Serie de sucesos o cosas no materiales, iguales o análogas.

sartén (al. *Pfanne*, fr. *poêle*, ingl. *fryingpan*, it. *padella*). f. Vasija circular, más ancha que honda, de fondo plano y con mango largo, que sirve para freír, tostar o guisar. || Sartenada. || *tener* uno *la sartén por el mango.* fig. y fam. Predominar, asumir el principal manejo y autoridad en una cosa.

sartorio. adj. Anat. Dícese del músculo del muslo que se extiende oblicuamente a lo largo de sus caras anterior e interna.

sasafrás. m. Bot. Árbol lauráceo americano. La infusión de las partes leñosas se emplea como sudorífico.

sastra. f. Mujer del sastre. || La que tiene oficio de sastre.

sastre (al. *Schneider*, fr. *tailleur*, ingl. *tailor*, it. *sarto*). m. El que tiene por oficio cortar y coser trajes.

sastrería. f. Oficio y obrador de sastre.

Satán. n.p.m. El demonio.

Satanás. n.p.m. Satán.

satánico, ca. adj. Perteneciente a Satanás; propio y característico de él. || fig. Extremadamente perverso.

satanismo. m. fig. Perversidad, maldad satánica.

satélite (al. *Satellit*, fr. *satellite*, ingl. *satellite*, it. *satellite*). m. Astr. Cuerpo celeste opaco que sólo brilla por la luz reflejada del Sol y gira alrededor de un planeta primario. || fig. Persona o cosa que depende de otra y experimenta todas sus vicisitudes, o la sigue y acompaña de continuo como dependiente de ella. || adj. Dícese de un Estado dominado política y económicamente por otro Estado más poderoso. Ú.t.c.s. || Dícese de una población situada fuera del recinto de una ciudad importante, pero vinculada a ella de algún modo. || — *artificial*. Vehículo espacial que puede describir órbitas alrededor de cualquier cuerpo del espacio.

satén. m. Tejido arrasado.

satinar. tr. Dar al papel o a la tela tersura y lustre por medio de la presión.

sátira (al. *Satire*, fr. *satire*, ingl. *satire*, it. *satira*). f. Composición escrita cuyo objeto es censurar acremente o poner en ridículo a alguien o algo. || Discurso o dicho agudo y mordaz encaminado a este mismo fin.

satírico, ca. adj. Perteneciente a la sátira. || Perteneciente o relativo al sátiro. || m. Escritor que cultiva el género satírico. [*Sinón.*: mordaz]

satirizar. intr. Escribir sátiras. || tr. Zaherir y motejar. [*Antón.*: alabar]

sátiro. m. Mit. Monstruo que según los gentiles era medio hombre y medio cabra. || fig. Hombre lascivo. [*Sinón.*: fauno]

satisfacción (al. *Befriedigung*, fr. *satisfaction*, ingl. *satisfaction*, it. *soddisfazione*). f. Acción y efecto de satisfacer. || Razón o acción con que se responde por entero a una queja. || Presunción, vanagloria. || Confianza o seguridad del ánimo. || Cumplimiento del deseo o del gusto. [*Sinón.*: reparación; vanidad, observancia. *Antón.*: desagrado, incumplimiento]

satisfacer. tr. Pagar lo que se debe. || Hacer algo que merezca el perdón de la pena debida. || Aquietar las pasiones del ánimo. || Saciar un apetito, pasión, etc. || Dar solución a una duda o dificultad. || Deshacer un agravio u ofensa. || Premiar con equidad los méritos contraídos. [*Sinón.*: saldar, contentar; solventar; desquitarse]

satisfactorio, ria. adj. Que puede satisfacer o pagar una cosa debida. || Grato, próspero. [*Sinón.*: solvente; agradable]

satisfecho, cha. adj. Presumido o pagado por sí mismo. || Complacido, contento. [*Sinón.*: vanidoso; dichoso]

sátrapa. m. Gobernador de una provincia de la antigua Persia. || fig. y fam. Hombre ladino. Ú.t.c.adj. [*Sinón.*: astuto]

saturación. f. Acción y efecto de saturar o saturarse.

saturar (al. *sättigen*, fr. *saturer*, ingl. *to saturate*, it. *saturare*). tr. Saciar. || Quím. Combinar dos o más cuerpos en las proporciones atómicas máximas en que pueden unirse. || Fís. Impregnar de otro cuerpo un fluido hasta el punto de no poder éste admitir mayor cantidad de aquél. Ú.t.c.r.

saturnal. adj. Perteneciente o relativo a Saturno. || f. Fiesta en honor del dios Saturno. Ú.m. en pl. || fig. Orgía desenfrenada.

saturnismo. m. Med. Enfermedad crónica, producida por la intoxicación con las sales de plomo, que origina una grave anemia.

Saturno. n.p.m. Astr. Planeta de resplandor intenso y amarillento, distante del Sol nueve veces más que la Tierra, acompañado de diez satélites y rodeado por un anillo de varias zonas. Es el mayor del sistema solar después de Júpiter. || m. Quím. Plomo.

sauce (al. *Weider*, fr. *saule*, ingl. *willow*, it. *salice*). m. Bot. Árbol de la familia de las salicáceas, de tronco recto y grueso, muy ramificado, hojas lanceoladas, verdes, con el envés blancuzco y velloso, flores desnudas en amentos y fruto en cápsula. Abunda en las orillas de los ríos. || — *llorón.* Bot. Árbol salicáceo de menor altura que el anterior, de ramas y ramillas muy largas y flexibles, que cuelgan a modo de cabellera.

saúco. m. Bot. Arbusto de la familia de las caprifoliáceas, de tronco ramoso, hojas compuestas de color verde oscuro, malolientes y de sabor amargo, flores blancas y fruto negro en baya.

saudade (voz portuguesa). f. Soledad, nostalgia, añoranza.

saurio. adj. Zool. Dícese de los reptiles que generalmente tienen cuatro extremidades cortas, mandíbulas con dientes, cuerpo y cola largos, y piel escamosa o cubierta de tubérculos; como el lagarto. Ú.t.c.s. || m. pl. Orden de estos reptiles.

savia (al. *Baumpflanzensaft*, fr. *sève*, ingl. *sap*, it. *succo*). f. Bot. Jugo nutritivo que circula por los vasos de las plantas pteridofitas y fanerógamas. || fig. Energía, elemento, vivificador.

saxátil. adj. Hist. Nat. Que se cría entre peñas o adherido a ellas.

saxífraga. f. Bot. Planta herbácea, vivaz, saxifragácea, de flores blancas en corimbo, grandes. Es frecuente en España en los lugares frescos.

saxifragáceo, a. adj. Bot. Dícese de hierbas, arbustos o árboles angiospermos dicotiledóneos, a veces con tallos fistulosos, de hojas alternas u opuestas, enteras o lobuladas, generalmente sin estípulas; flores hermafroditas, de cinco a diez pétalos, o tetrámeras, casi siempre regulares, dispuestas en racimos, panojas o cimas, y fruto capsular o en baya; como la saxífraga, el grosellero, etc. Ú.t.c.s.f. || f. pl. Familia de estas plantas.

saxofón. m. Instrumento músico de viento compuesto de un tubo cónico y encorvado, con varias llaves y boquilla de madera y caña.

saxófono. m. Saxofón.

saya. f. Falda que usan las mujeres. || Vestidura talar antigua, a manera de túnica.

sayal. m. Tela de lana burda.

sayo. m. Casaca hueca, larga y sin botones. || fam. Cualquier vestido.

sazón. f. Punto o madurez de las cosas, o estado de perfección dentro de su clase. || Ocasión, tiempo oportuno o coyuntura. || Gusto y sabor que se percibe en los manjares. [*Sinón.*: oportunidad, circunstancia]

sazonar (al. *würzen*, fr. *assaisonner*, ingl. *to season*, it. *condire*). tr. Dar sazón al manjar. || Poner las cosas en el punto y madurez que les es propio. Ú.t.c.r. [*Sinón.*: aliñar, salpimentar]

script (voz inglesa). com. En cine, anotador.

se. Forma reflexiva del pronombre personal de tercera persona. Ú. en dativo y acusativo y no admite preposición.

se. Dativo masculino o femenino de singular o plural del pronombre personal de tercera persona en combinación con el acusativo *lo, la,* etc.

sebáceo, a. adj. Que participa de la naturaleza del sebo o se parece a él. [*Sinón.*: grasiento]

sebo (al. *Unschlitt*, fr. *suif*, ingl. *tallow*, it. *sego*). m. Grasa sólida y dura que se saca de los animales herbívoros y que, derretida, sirve para hacer velas, jabones, etc. || Gordura.

seborrea. f. Aumento patológico de la secreción de las glándulas sebáceas de la piel.

seboso, sa. adj. Que tiene sebo. || Untado de sebo o de otra cosa mantecosa o grasa.

seca. f. Sequía. ‖ MED. Infarto de una glándula. ‖ Período en que se secan las pústulas de ciertas erupciones cutáneas. ‖ Banco de arena.

secadero, ra. adj. Apto para conservarse seco. ‖ m. Paraje destinado para poner a secar una cosa.

secador. m. Aparato para secar el cabello. ‖ Amer. Enjugador de ropa.

secano. m. Tierra de labor que no es de regadío. ‖ fig. Cualquier cosa muy seca. [Sinón.: sequedal, secadal]

secante. adj. Que seca. Ú.t.c.s. ‖ m. Papel esponjoso para secar lo escrito.

secante. adj. GEOM. Dícese de las líneas o superficies que cortan a otras. Ú.t.c.s.f.

secar (al. trocknen, fr. sécher, ingl. to dry, it. asciugare). tr. Extraer la humedad de un cuerpo mojado. ‖ Ir consumiendo el jugo en los cuerpos. ‖ fig. Fastidiar, aburrir. Ú.t.c.r. ‖ r. Enjugarse la humedad de una cosa. ‖ Quedarse sin agua un río, una fuente, etc. ‖ Perder una planta su verdor o lozanía. ‖ Enflaquecer o extenuarse una persona o animal. ‖ fig. Tener mucha sed. ‖ fig. Dicho del corazón o del ánimo, embotarse. [Sinón.: desecarse, marchitarse. Antón.: mojar]

sección (al. Schnitt, fr. section, ingl. section, it. sezione). f. Separación que se hace en un cuerpo sólido con instrumento o cosa cortante. ‖ Cada una de las partes en que se divide o se considera dividido un todo continuo o un conjunto de cosas. ‖ Cada uno de los grupos en que se divide o se considera dividido un grupo de personas. ‖ Dibujo del perfil o figura que resultaría si se cortara un terreno, edificio, máquina, etc., por un plano, comúnmente vertical, con objeto de representar su estructura o su disposición interior. ‖ GEOM. Figura resultante de la intersección de una superficie con otra superficie o con un sólido. ‖ MIL. Pequeña unidad homogénea, que forma parte de una compañía o de un escuadrón, mandada normalmente por un teniente o un alférez.

seccionar. tr. Fraccionar, dividir en secciones. [Sinón.: cortar, separar. Antón.: unir]

secesión (al. Sezession, fr. sécession, ingl. secession, it. secessione). f. Acto de separarse de una nación parte de su pueblo y territorio. ‖ Apartamiento, retraimiento de los negocios públicos. [Sinón.: segregación. Antón.: unión]

secesionismo. m. Tendencia u opinión favorable a la secesión política.

secesionista. adj. Partidario de la secesión. Ú.t.c.s. ‖ Perteneciente o relativo a la secesión.

seco, ca (al. trocken, fr. sec, ingl. dry, it. secco). adj. Que carece de jugo o humedad. ‖ Falto de agua. ‖ Falto de verdor o lozanía. ‖ Tratándose de las plantas, muerto. ‖ Aplícase a las frutas de cáscara dura, y también a aquellas a las cuales se quita la humedad para que se conserven. ‖ Flaco o de muy pocas carnes. ‖ Dícese también del tiempo en que no llueve. ‖ fig. Áspero, poco cariñoso en el modo o trato. ‖ En las bebidas alcohólicas, que no es dulce. ‖ fig. Dícese del golpe fuerte, rápido y que no resuena. ‖ MÚS. Dícese del sonido brevísimo y cortado. ‖ a secas. m. adv. Solamente, sin otra cosa alguna. ‖ dejar a uno, o quedar uno, seco. fig. y fam. Dejarle, o quedar, muerto en el acto. ‖ en seco. m. adv. Fuera del agua o de un lugar húmedo. ‖ fig. De repente. [Sinón.: desecado, marchito; magro, enjuto. Antón.: mojado]

secoya. f. BOT. Conífera gigantesca de América del Norte.

secreción. f. Apartamiento, separación. ‖ Acción y efecto de secretar.

secretar. tr. FISIOL. Elaborar y despedir las glándulas, membranas y células una sustancia. [Sinón.: segregar, excretar]

secretaria. f. Mujer del secretario. ‖ La que tiene oficio de secretario.

secretaría. f. Destino o cargo de secretario. ‖ Oficina donde se despachan los negocios.

secretariado. m. Secretaría. ‖ Carrera o profesión de secretario.

secretario, ria (al. Sekretär, fr. secrétaire, ingl. secretary, it. segretario). s. Persona encargada de escribir la correspondencia, extender actas, etc., en una oficina, asamblea o corporación. ‖ m. Amanuense. ‖ Escribano.

secreto (al. Geheimnis, fr. secret, ingl. secret, it. segreto). m. Lo que cuidadosamente se tiene reservado y oculto. ‖ Reserva, sigilo. ‖ Conocimiento que exclusivamente alguno posee de la virtud o propiedades de una cosa. ‖ Cosa arcana o muy recóndita que no se puede comprender y negocio muy reservado, misterio. ‖ Escondrijo que suelen tener algunos muebles, para guardar papeles, dinero, etc. ‖ — a voces. fig. y fam. Misterio que se hace de lo que ya es público, o que se confía a muchos o en términos poco conducentes para que sea guardado. ‖ — de Estado. El que no puede revelar un fun-

cionario público sin incurrir en delito. ‖ — profesional. Deber que tienen los miembros de ciertas profesiones, como médicos, abogados, notarios, etc., de no descubrir a tercero los hechos que han conocido en el ejercicio de su profesión. ‖ en secreto. m. adv. De manera secreta. [Sinón.: misterio, enigma]

secreto, ta. adj. Oculto, ignorado, escondido y separado de la vista o del conocimiento de los demás. ‖ Callado, silencioso, reservado. [Sinón.: recóndito]

secta (al. Sekte, fr. secte, ingl. sect, it. setta). f. Doctrina particular enseñada por un maestro que la halló o la explicó, y seguida y defendida por otros. ‖ Conjunto de creyentes en una doctrina particular o de fieles a una religión que el que habla considera falsa.

sectario, ria. adj. Que profesa y sigue una secta. Ú.t.c.s. ‖ Secuaz, fanático e intransigente de un partido o de una idea. [Sinón.: dogmático]

sectarismo. m. Celo propio del sectario.

sector (al. Teil, fr. secteur, ingl. class, it. settore). m. GEOM. Parte de círculo comprendida entre dos radios y el arco que une sus extremos. ‖ fig. Parte de una clase o de una colectividad que presenta caracteres peculiares. [Sinón.: grupo]

secuaz. adj. Que sigue el partido, doctrina u opinión de otro. Ú.t.c.s.

secuela. f. Consecuencia o resulta de una cosa.

secuencia. f. Prosa o verso que se dice en ciertas misas después del gradual. ‖ Continuidad, sucesión ordenada. ‖ Serie o sucesión de cosas que guardan entre sí cierta relación. ‖ CINEM. Sucesión no interrumpida de planos o escenas que en una película se refieren a una misma parte o aspecto del argumento. ‖ MÚS. Progresión o marcha armónica. ‖ MAT. Conjunto de números u operaciones ordenados de tal modo que cada uno determine el siguiente.

secuenciar. tr. Establecer una serie o sucesión de cosas que guardan entre sí cierta relación.

secuestrador, ra. adj. Que secuestra. Ú.t.c.s.

secuestrar. tr. Depositar judicial o gubernativamente un objeto en poder de un tercero hasta que se decida a quién pertenece. ‖ Aprehender los ladrones a una persona, exigiendo dinero por su rescate. [Sinón.: raptar]

secuestro (al. Personenentführung,

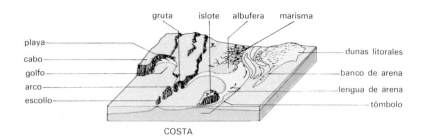

gruta　islote　albufera　marisma

playa
cabo
golfo
arco
escollo

dunas litorales
banco de arena
lengua de arena
tómbolo

COSTA

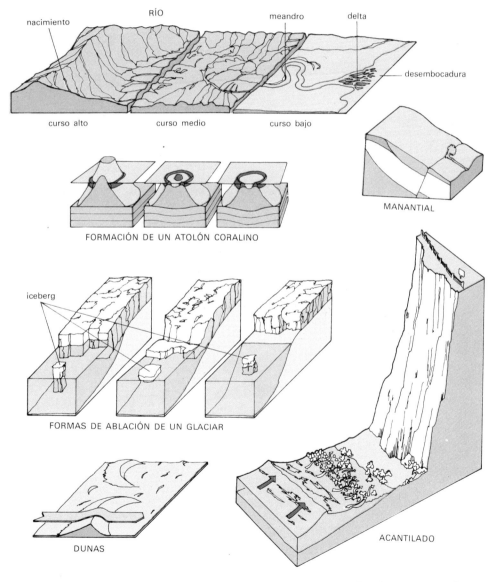

RÍO

nacimiento　　meandro　　delta

desembocadura

curso alto　　curso medio　　curso bajo

FORMACIÓN DE UN ATOLÓN CORALINO

MANANTIAL

iceberg

FORMAS DE ABLACIÓN DE UN GLACIAR

DUNAS

ACANTILADO

RELIEVE TERRESTRE

RELIEVE TERRESTRE

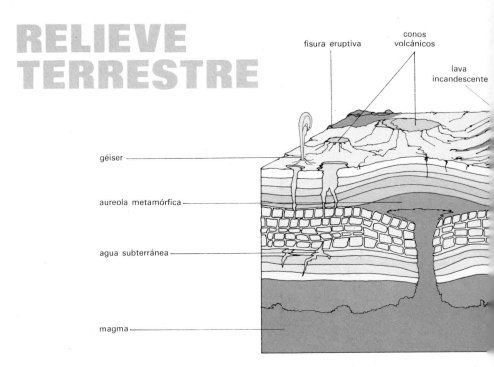

fisura eruptiva

conos volcánicos

lava incandescente

géiser

aureola metamórfica

agua subterránea

magma

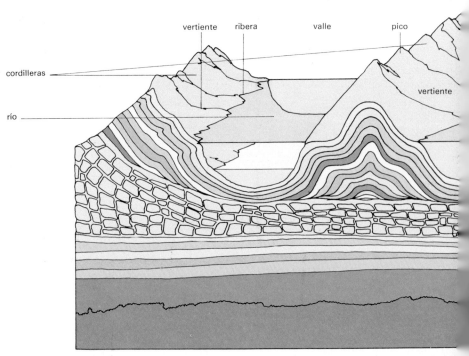

vertiente   ribera   valle   pico

cordilleras

río

vertiente

cráter

VOLCÁN

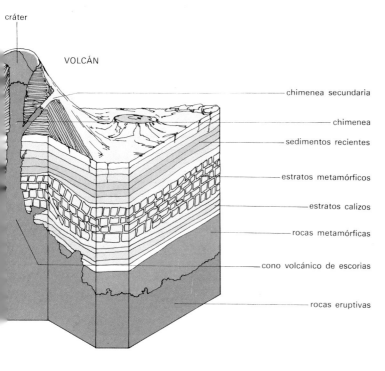

chimenea secundaria

chimenea

sedimentos recientes

estratos metamórficos

estratos calizos

rocas metamórficas

cono volcánico de escorias

rocas eruptivas

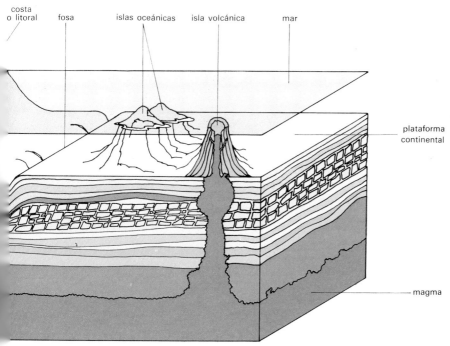

costa
o litoral — fosa — islas oceánicas — isla volcánica — mar

plataforma
continental

magma

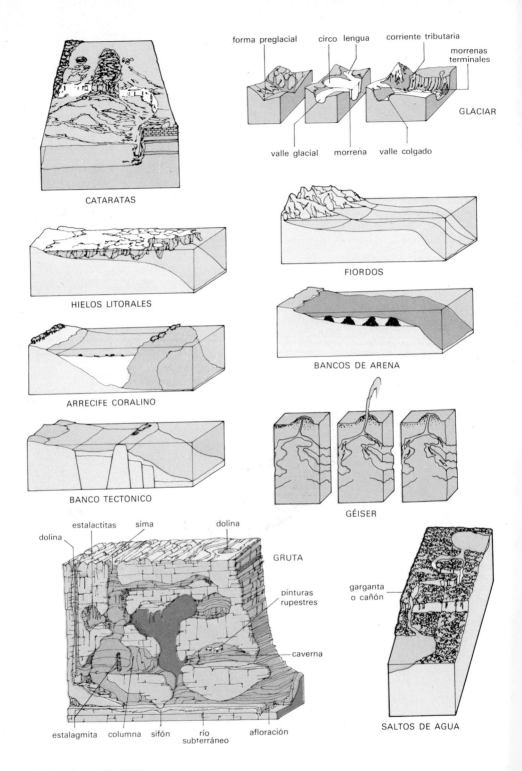

CATARATAS

forma preglacial   circo lengua   corriente tributaria

morrenas
terminales

GLACIAR

valle glacial   morrena   valle colgado

HIELOS LITORALES

FIORDOS

ARRECIFE CORALINO

BANCOS DE ARENA

BANCO TECTONICO

GÉISER

estalactitas   sima   dolina

dolina

GRUTA

pinturas
rupestres

garganta
o cañón

caverna

estalagmita columna sifón   río   afloración
                              subterráneo

SALTOS DE AGUA

RELIEVE TERRESTRE

fr. *séquestration*, ingl. *kidnapping*, it. *sequestro*). m. Acción y efecto de secuestrar. ‖ Bienes secuestrados. |*Sinón.*: rapto|

secular. adj. Seglar. ‖ Que sucede o se repite cada siglo. ‖ Que dura un siglo, o desde hace siglos. ‖ Dícese del clero o sacerdote que vive en el mundo, a diferencia del que vive en clausura. Ú.t.c.s.

secularizar. tr. Hacer secular lo que es eclesiástico. Ú.t.c.r. ‖ Autorizar a un religioso o a una religiosa para que puedan vivir fuera de clausura.

secundar. tr. Ayudar, favorecer.

secundario, ria (al. *sekundär*, fr. *secondaire*, ingl. *secondary*, it. *secondario*). adj. Segundo en orden y no principal, accesorio. ‖ Aplícase a la segunda enseñanza. ‖ GEOL. Dícese de cualquiera de los terrenos triásico, jurásico y cretáceo y de lo perteneciente a ellos.

secuoya. f. Secoya.

sed (al. *Durst*, fr. *soif*, ingl. *thirst*, it. *sete*). f. Deseo y necesidad de beber. ‖ fig. Necesidad de agua o de humedad que tienen ciertas cosas. ‖ fig. Apetito o deseo ardiente de una cosa.

seda (al. *Seide*, fr. *soie*, ingl. *silk*, it. *seta*). f. Líquido viscoso segregado por ciertas glándulas de algunos artrópodos, como las orugas y las arañas, que sale del cuerpo por orificios muy pequeños y se solidifica en contacto con el aire, formando hilos finísimos y flexibles. ‖ Hilo formado con varias de estas hebras producidas por el gusano de seda. ‖ Cualquier obra o tela hecha de seda. ‖ Cerda de algunos animales, especialmente del jabalí. ‖ *como una seda.* fig. y fam. Muy suave al tacto. ‖ fig. y fam. Se aplica a la persona dócil y de suave condición. ‖ fig. y fam. Dícese cuando se consigue algo sin tropiezo ni dificultad.

sedal. m. Hilo de la caña de pescar. ‖ MED. Cinta o cordón que sirve para drenar el pus de las heridas.

sedante. adj. Que seda. Ú.t.c.s. ‖ Dícese de los fármacos que apaciguan la tensión nerviosa. |*Sinón.*: sedativo|

sedar. tr. Calmar, moderar o apaciguar.

sede (al. *Sitz*, fr. *siège*, ingl. *see*, it. *sede*). f. Asiento o trono de un prelado que ejerce jurisdicción. ‖ Capital de una diócesis. ‖ Domicilio de una entidad económica, literaria, etc. ‖ *Santa Sede.* Jurisdicción y potestad del Papa.

sedentario, ria. adj. Aplícase al oficio o vida de poco movimiento. ‖ ZOOL.

Dícese de la especie animal cuyos individuos no se alejan de la región donde han nacido.

sedente. adj. Que está sentado.

sedería. f. Mercadería de seda. ‖ Conjunto de ellas. ‖ Su tráfico. ‖ Tienda donde se venden géneros de seda.

sedición. f. Tumulto, levantamiento popular contra la autoridad que gobierna. |*Sinón.*: motín|

sedicioso, sa. adj. Que promueve una sedición o toma parte en ella. Ú.t.c.s. ‖ Aplícase a los actos o palabras de la persona sediciosa. |*Sinón.*: faccioso, sublevado|

sediento, ta (al. *durstig*, fr. *assoiffé*, ingl. *thirsty*, it. *assetato*). adj. Que tiene sed. Aplicado a personas, ú.t.c.s. ‖ fig. Aplícase a las tierras o plantas que necesitan riego. ‖ fig. Que con ansia desea una cosa. |*Sinón.*: anhelante, deseoso|

sedimentación. f Acción y efecto de sedimentar o sedimentarse.

sedimentar. tr. Depositar sedimento un líquido. ‖ r. Formar sedimento las materias suspendidas en un líquido.

sedimentario, ria. adj. Perteneciente o relativo al sedimento.

sedimento (al. *Niederschlag*, fr. *sédiment*, ingl. *sediment*, it. *sedimento*). m. Materia que se posa en el fondo después de haber estado suspendida en un líquido.

sedoso, sa. adj. Parecido a la seda.

seducción. f. Acción y efecto de seducir.

seducir. tr. Engañar con maña, persuadir suavemente al mal. ‖ Cautivar el ánimo. |*Sinón.*: fascinar|

seductor, ra. adj. Que seduce. Ú.t.c.s.

sefardí. adj. Dícese del judío oriundo de España, o del que, sin proceder de España, acepta las prácticas especiales religiosas que en el rezo mantienen los judíos españoles. Ú.t.c.s. ‖ m. Dialecto judeoespañol. |*Sinón.*: sefardita|

segador (al. *Schnitter*, fr. *faucheur*, ingl. *mower*, it. *falciatore*). m. El que siega. ‖ Arácnido pequeño, de patas muy largas.

segadora. adj. Dícese de la máquina que sirve para segar. Ú.t.c.s. ‖ f. Mujer que siega.

segar (al. *frucht schneiden*, fr. *faucher*, ingl. *to mow*, it. *falciare*). tr. Cortar mieses o hierba. ‖ Cortar de cualquier manera. ‖ fig. Cortar, impedir desconsiderada y bruscamente el desarrollo de algo.

seglar (al. *Weltlich*, fr. *séculier*, ingl.

secular, it. *secolare*). adj. Perteneciente a la vida o costumbres del siglo o mundo. ‖ Lego, sin órdenes clericales. Ú.t.c.s. |*Sinón.*: laico, mundano|

segmentación. f. BIOL. Conjunto de divisiones celulares que experimenta el óvulo fecundado.

segmentado. adj. ZOOL. Relativo a los animales cuyo cuerpo está formado por partes a manera de segmentos, como la tenia y el cangrejo.

segmento (al. *Segment*, fr. *segment*, ingl. *segment*, it. *segmento*). m. Pedazo o parte cortada de una cosa. ‖ GEOM. Porción de círculo comprendida entre un arco y su cuerda. ‖ GEOM. Parte perfectamente delimitada de una línea, superficie o volumen. ‖ ZOOL. Cada una de las partes dispuestas en serie lineal de que está formado el cuerpo de los gusanos y artrópodos. ‖ LING. Signo o conjunto de signos que pueden aislarse en la cadena oral mediante una operación de análisis. |*Sinón.*: porción, fragmento|

segoviano, na. adj. Natural de Segovia. Ú.t.c.s. ‖ Perteneciente a esta ciudad o provincia.

segregación. f. Acción y efecto de segregar.

segregar. tr. Separar o apartar una cosa. ‖ Secretar.

seguida. f. Acción y efecto de seguir. ‖ Cierto baile antiguo. ‖ *de seguida.* m. adv. Consecutiva o continuamente, sin interrupción, inmediatamente. ‖ *en seguida.* m. adv. Inmediatamente después en el tiempo o en el espacio.

seguidilla. f. Composición métrica que puede constar de cuatro o de siete versos, en combinaciones de pentasílabos y heptasílabos, usada particularmente en canciones populares o festivas. ‖ pl. Aire popular andaluz. ‖ Baile correspondiente a este aire.

seguido, da. adj. Continuo, sin interrupción de lugar o tiempo. ‖ Que está en línea recta.

seguir (al. *folgen*, fr. *suivre*, ingl. *to follow*, it. *seguire*). tr. Ir después o detrás de alguien. ‖ Ir en busca de una persona o cosa. ‖ Proseguir lo empezado. ‖ Profesar o ejercer una ciencia, arte o estado. ‖ Ser del dictamen o parcialidad de una persona. ‖ Perseguir, acosar a alguien. ‖ Imitar o hacer una cosa por el ejemplo de otro. ‖ r. Inferirse o ser consecuencia una cosa de otra. ‖ Suceder una cosa a otra por orden, o ser continuación de ella. ‖ fig. Originarse o causarse una cosa de otra. |*Sinón.*: suceder, continuar|

según. prep. Conforme o con arreglo a. || Toma carácter de adverbio, denotando relaciones de conformidad, correspondencia o modo. || Precediendo inmediatamente a nombres o pronombres personales, significa con arreglo o conformemente a lo que opinan o dicen las personas de que se trate. || Con carácter adv. y en frases elípticas indica eventualidad o contingencia.

segundar. tr. Repetir uno un acto que acaba de hacer. || intr. Hacer segundo o seguirse al primero.

segundero, ra. adj. Dícese del segundo fruto que dan ciertas plantas dentro del año. || m. Manecilla que señala los segundos en el reloj.

segundo, da (al. *zweite*, fr. *second*, ingl. *second*, it. *secondo*). adj. Que sigue inmediatamente en orden al o a lo primero. || m. Persona que en una institución sigue en jerarquía al principal. || Fís. Unidad de tiempo. Es 86.400 veces menor que la duración del día solar medio. || Mat. Medida angular. Es la sexagésima parte del minuto, en grados sexagesimales.

segundogénito, ta. adj. Dícese del hijo o hija nacido después del primogénito. Ú.t.c.s.

segundón. m. Hijo segundo de la casa. || Por ext., cualquier hijo que no sea el primogénito.

segur. f. Hacha grande. || Hoz o guadaña para segar.

seguridad (al. *Sicherheit*, fr. *sûreté*, ingl. *security*, it. *sicurezza*). f. Calidad de seguro. || Fianza u obligación de indemnidad a favor de persona determinada. [*Sinón.*: certeza]

seguro, ra. adj. Libre y exento de todo daño o riesgo. || Indubitable y en cierta manera infalible. || Firme, que no está en peligro de faltar o caerse. || m. Muelle o mecanismo destinado en algunas armas de fuego a evitar que se disparen solas. || Contrato por el cual una persona, natural o jurídica, se obliga a resarcir pérdidas o daños que ocurran en las cosas que corran riesgo. || *a buen seguro*, o *de seguro*. m. adv. Ciertamente, en verdad. || *sobre seguro*. m. adv. Sin aventurarse a ningún riesgo.

seis (al. *sechs*, fr. *six*, ingl. *six*, it. *sei*). adj. Cinco y uno. || Sexto, ordinal. Aplicado a los días del mes, ú.t.c.s. || m. Signo o conjunto de signos con que se representa el número seis. || Naipe que tiene seis señales.

seisavo, va. adj. Cada una de las seis partes en que se divide un todo. Ú.t.c.s.m.

seiscientos, tas. adj. Seis veces ciento. || Sexcentésimo, ordinal. || m. Conjunto de signos con que se representa el número seiscientos.

seísmo. m. Terremoto, sismo.

selacio, cia. adj. Zool. Dícese de peces marinos cartilagíneos de cuerpo fusiforme o deprimido, cola heteroceca, piel muy áspera, boca casi semicircular en la cabeza, con numerosos dientes triangulares y de bordes cortantes o aserrados, mandíbula inferior móvil y varias hendiduras branquiales; como la tintorera y la raya. Ú.t.c.s. m. pl. Orden de estos peces.

selección (al. *Auswahl*, fr. *sélection*, ingl. *choice*, it. *selezione*). f. Elección de una persona, animal o cosa entre otras.

seleccionar. tr. Elegir, escoger. [*Sinón.*: optar]

selectivo, va. adj. Que implica selección.

selecto, ta. adj. Lo mejor entre otras cosas de su especie. [*Sinón.*: seleccionado, escogido]

selector, ra. adj. Que selecciona. || m. Técn. Conmutador de contactos múltiples dirigido a distancia por los impulsos de una corriente.

selenio. m. Quím. Elemento metaloide de color pardo rojizo y brillo metálico, semejante químicamente al azufre.

selenita. com. Habitante supuesto de la Luna.

selva (al. *Wald*, fr. *forêt*, ingl. *forest*, it. *selva*). f. Terreno extenso, inculto y muy poblado de vegetación. || fig. Abundancia desordenada de una cosa, confusión, cuestión intrincada.

selvático, ca. adj. Perteneciente o relativo a las selvas. || fig. Rústico, falto de cultura.

sellar (al. *einsiegeln*, fr. *sceller*, ingl. *to seal*, it. *suggellare*). tr. Imprimir el sello. || fig. Dejar señalada una cosa en otra o comunicarle determinado carácter. || fig. Concluir una cosa. [*Sinón.*: timbrar, estampar]

sello (al. *Siegel*, *Briefmarke*; fr. *cachet*, *timbre-poste*; ingl. *seal*, *postage-stamp*; it. *sigillo*, *francobollo*). m. Utensilio que sirve para estampar las armas, divisas o cifras en él grabadas. || Lo que queda estampado, impreso y señalado con el mismo sello. || Timbre postal. || El que sella. || Carácter distintivo comunicado a una cosa. || Farm. Conjunto de dos obleas redondas entre las cuales se cierra una dosis de medicamento, para poderlo tragar sin percibir su sabor.

semáforo. m. Telégrafo óptico de las costas que sirve para comunicarse con los buques. || Aparato eléctrico de 3 señales luminosas (verde, amarillo y rojo) que sirve para regular el tráfico.

semana (al. *Woche*, fr. *semaine*, ingl. *week*, it. *settimana*). f. Serie de siete días naturales consecutivos, que empieza por el domingo y acaba por el sábado. || Período septenario de tiempo, que puede ser de días, semanas, meses, años o siglos. || fig. Salario ganado en una semana. || — *santa*. La última de la cuaresma, desde el Domingo de Ramos hasta el de Resurrección. || — *inglesa*. Régimen semanal de trabajo que termina a mediodía del sábado. || *mala semana*. fam. Mes o menstruo en las mujeres.

semanal. adj. Que sucede o se repite cada semana. || Que dura una semana o corresponde a ella.

semanario, ria (al. *wochenblatt*, fr. *hebdomadaire*, ingl. *weekly*, it. *settimanale*). adj. Que sucede o se repite cada semana. || m. Periódico que se publica semanalmente.

semántica. f. Estudio del significado de los signos lingüísticos y de sus combinaciones. || En la teoría lingüística generativa, componente de la gramática que interpreta la significación de los enunciados generados por la sintaxis y el léxico.

semasiología. f. Semántica, estudio del significado. || Estudio semántico que parte del signo y de sus relaciones para llegar a la determinación del concepto.

semblante. m. Representación de algún afecto del ánimo en el rostro. || Cara, rostro. || fig. Apariencia, aspecto de las cosas. [*Sinón.*: faz, expresión]

semblanza. f. Bosquejo biográfico.

sembrado. m. Tierra sembrada.

sembrador, ra. adj. Que siembra. Ú.t.c.s.

sembrar (al. *saen*, fr. *semer*, ingl. *to sow*, it. *seminare*). tr. Esparcir las semillas en la tierra preparada para este fin. || fig. Derramar, esparcir. || fig. Dar motivo o principio a una cosa. || fig. Realizar determinadas operaciones para obtener un fruto de ellas. [*Sinón.*: sementar, lanzar]

semejante (al. *ähnlich*, fr. *semblable*, ingl. *similar*, it. *somigliante*). adj. Que se parece a una persona o cosa. Ú.t.c.s. [*Sinón.*: parecido, afín]

semejanza. f. Calidad de semejante. [*Sinón.*: similitud]

semejar. intr. Parecerse una persona

o cosa a otra. Ú.t.c.r. [*Antón.*: diferenciar]

semen (al. *Samen*, fr. *sperme*, ingl. *sperm*, it. *sperma*). m. FISIOL. Sustancia que para la generación secretan los animales del sexo masculino. || BOT. Semilla de los vegetales. [*Sinón.*: esperma]

semental (al. *Deckhengst*, fr. *étalon*, ingl. *stallion*, it. *stallone*). adj. Perteneciente o relativo a la siembra o sementera. || Aplícase al animal macho que se destina a la procreación. Ú.t.c.s.

sementera. f. Acción y efecto de sembrar. || Tierra sembrada. || Cosa sembrada. || Tiempo a propósito para la siembra. || fig. Semillero del que se originan y propagan consecuencias determinadas.

semestral. adj. Que sucede o se repite cada semestre. || Que dura un semestre o corresponde a él.

semestre (al. *Halbjahr*, fr. *semestre*, ingl. *half-year*, it. *semestre*). m. Espacio de seis meses. || Renta, sueldo, etc., que se cobra o que se paga al término de cada semestre.

semi-. Elemento compositivo que entra en la formación de algunas voces españolas con el significado de "medio" o de "casi", como en *semicírculo* y *semidifunto.*

semibreve. f. MÚS. Nota musical que equivale a un compasillo entero.

semicircular. adj. Perteneciente o relativo el semicírculo. || De figura de semicírculo.

semicírculo. m. GEOM. Cada una de las dos partes iguales que se forman en un círculo al ser cortado por un diámetro.

semicircunferencia. m. GEOM. Cada una de las mitades de una circunferencia.

semiconductor. adj. ELECTR. Dícese de las sustancias aislantes que se transforman en conductores por la adición de determinadas impurezas.

semicorchea. f. MÚS. Nota musical que vale la mitad de una corchea.

semidiós, sa. s. Héroe o heroína a quien los gentiles colocaban entre sus deidades.

semifinal. f. DEP. Penúltima competición de un campeonato o concurso.

semifusa. f. MÚS. Nota musical cuyo valor es el de media fusa.

semilla (al. *Samenkorn*, fr. *graine*, ingl. *seed*, it. *seme*). f. BOT. Óvulo fecundado y maduro. Se origina al formarse en el interior del saco embrionario el embrión y el albumen, desarrollándose el óvulo. Se distinguen en ella los tegumentos y la almendra. || fig. Cosa que es causa u origen del que proceden otras. || pl. Granos que se siembran, a excepción del de trigo y el de cebada. [*Sinón.*: simiente, germen]

semillero. m. Sitio donde se siembran los vegetales que después han de trasplantarse.

seminal. adj. Perteneciente o relativo al semen. || Perteneciente o relativo a la semilla.

seminario, ria (al. *seminar*, fr. *séminaire*, ingl. *seminary*, it. *seminario*). adj. Perteneciente a la semilla. || m. Semillero de vegetales. || Casa o lugar destinado para educación de niños y jóvenes. || Clase en que se reúne el profesor con los discípulos para realizar trabajos de investigación. || Organismo docente en que, mediante el trabajo en común de maestros y discípulos, se adiestran éstos en la investigación o en la práctica de alguna disciplina. || — conciliar. Casa destinada a la formación de los que aspiran al sacerdocio.

seminarista. m. Alumno de un seminario conciliar.

semiología. f. Estudio de los signos en la vida social. || Semiótica, estudio de los signos de las enfermedades.

semiótica. f. Parte de la medicina que trata de los signos de las enfermedades desde el punto de vista del diagnóstico y del pronóstico. || Semiología, estudio de los signos en la vida social. || Teoría general de los signos.

semita. adj. Descendiente de Sem, dícese de los árabes, hebreos y otros pueblos. Ú.m.c.s. || Perteneciente o relativo a estos pueblos.

semítico, ca. adj. Perteneciente o relativo a los semitas.

semitono. m. MÚS. Cada una de las dos partes iguales en que se divide el intervalo de un tono.

sémola. f. Trigo candeal desprovisto de corteza. || Pasta de harina de flor, reducida a granos muy menudos y que se usa para hacer sopa.

sempiterno, na. adj. Eterno.

senado (al. *Senat*, fr. *sénat*, ingl. *senate*, it. *senato*). m. Asamblea de patricios que formaba el Consejo supremo de la antigua Roma. || En diversos estados modernos, cámara alta. || Edificio o lugar donde celebran sus sesiones los senadores.

senador, ra. s. Persona que es miembro del Senado.

senaduría. f. Dignidad de senador.

senatorial. adj. Perteneciente o relativo al senado o al senador.

sencillez. f. Calidad de sencillo.

sencillo, lla (al. *einfach*, fr. *simple*, ingl. *plain*, it. *semplice*). adj. Que no tiene artificio ni composición. || Dícese de lo que tiene menos cuerpo que otras cosas de su especie. || Dícese del estilo que carece de adorno y artificio, y expresa ingenua y naturalmente los conceptos. || Que carece de ostentación y adorno. || fig. Incauto, fácil de engañar. || fig. Ingenuo en el trato. [*Sinón.*: simple, natural, inocente]

senda (al. *Pfad*, fr. *sentier*, ingl. *path*, it. *sentiero*). f. Camino más estrecho que la vereda, abierto principalmente por el tránsito de peatones. || fig. Camino o medio para la consecución de algún fin. [*Sinón.*: vía]

sendero. m. Senda, camino, vereda.

sendos, das. adj. pl. Uno o una para cada cual, de dos o más personas o cosas. [*Sinón.*: respectivos]

senectud. f. Edad senil. [*Sinón.*: vejez, senilidad]

senegalés, sa. adj. Natural de Senegal. Ú.t.c.s. || Perteneciente o relativo a este país de África.

senil. adj. Perteneciente a los viejos o a la vejez. [*Sinón.*: anciano]

seno (al. *Höhlung, Busen*; fr. *creux, sein*; ingl. *cavity, bosom*; it. *seno*). m. Concavidad o hueco. || Concavidad que forma una cosa encorvada. || Pecho, mama de la mujer. || Matriz de la mujer y de las hembras de los mamíferos. || Parte de mar que queda recogida entre dos puntas o cabos de tierra. || fig. Regazo, amparo. || ANAT. Cavidad existente en el espesor de un hueso o formada por la reunión de varios huesos. || ARQ. Espacio comprendido entre los trasdoses de dos arcos o bóvedas contiguas. || MAT. Función trigonométrica que expresa la razón de la ordenada del extremo del arco con el radio.

sensación (al. *Empfindung*, fr. *sensation*, ingl. *feeling*, it. *sensazione*). f. Impresión que las cosas producen en el alma por medio de los sentidos. || Emoción producida en el ánimo por un suceso o noticia de importancia. [*Sinón.*: percepción; sentimiento]

sensacional. adj. Que causa sensación o emoción.

sensacionalismo. m. Exageración en las noticias o sucesos con el fin de despertar en la opinión pública un interés morboso. Se dice especialmente hablando de la prensa, radio, etc.

sensatez. f. Calidad de sensato.

sensato, ta. adj. Prudente, de buen juicio, discreto, reflexivo.

sensibilidad (al. *Empfindsamkeit*, fr. *sensibilité*, ingl. *sensibility*, it. *sensibilità*). f. Facultad de sentir, propia de los seres animados. ‖ Propensión natural del hombre a dejarse llevar de los afectos de compasión, humanidad y ternura. ‖ Calidad de las cosas sensibles. [*Sinón.*: perceptividad]

sensibilizar. tr. Exponer una materia o persona a la acción de uno o más estímulos, para obtener ciertos efectos.

sensible (al. *empfindlich*, fr. *sensible*, ingl. *sensible*, it. *sensibile*). adj. Capaz de sentir física o moralmente. ‖ Que puede ser conocido por medio de los sentidos. ‖ Perceptible, manifiesto, patente al entendimiento. ‖ Que causa sentimientos de pena o de dolor. ‖ Dícese de la persona que se deja llevar fácilmente del sentimiento. ‖ Dícese de las cosas que ceden fácilmente a la acción de ciertos agentes naturales. [*Sinón.*: sensitivo]

sensiblería. f. Sentimentalismo exagerado, trivial o fingido.

sensiblero, ra. adj. Dícese de la persona o cosa que muestra sensiblería.

sensitivo, va. adj. Perteneciente a los sentidos corporales. ‖ Capaz de sensibilidad. ‖ Que excita la sensibilidad. ‖f. Bot. Planta mimosácea.

sensorial. adj. Zool. Perteneciente o relativo al sensorio.

sensorio, ria. adj. Perteneciente o relativo a la sensibilidad. ‖ m. Centro común de todas las sensaciones.

sensual (al. *sinnlich*, fr. *sensuel*, ingl. *sensual*, it. *sensuale*). adj. Sensitivo, perteneciente a los sentidos, a las cosas que los incitan o satisfacen y a las personas aficionadas a ellos. ‖ Perteneciente al apetito carnal. [*Sinón.*: voluptuoso, concupiscente]

sensualidad. f. Calidad de sensual. ‖ Propensión excesiva a los placeres de los sentidos. [*Sinón.*: voluptuosidad, sensualismo]

sentado, da. adj. Juicioso, quieto. ‖ Bot. Aplícase a las partes de la planta que carecen de pedúnculo. [*Sinón.*: sensato]

sentar. tr. Poner o colocar a alguien en una silla, banco, etc., de manera que quede apoyado y descansando sobre las nalgas. Ú.t.c.r. ‖ intr. fig. y fam. Hacer provecho o daño. ‖fig. Cuadrar, convenir una cosa a una u otra persona.

sentencia (al. *Urteil*, fr. *sentence*, ingl. *judgement*, it. *sentenza*). f. Dictamen o parecer que alguien tiene o sigue. ‖ Dicho grave y sucinto que encierra doctrina o moralidad. ‖ Decisión de cualquier controversia. ‖ Der. Resolución del juez o tribunal sobre la causa que le ha sido sometida. [*Sinón.*: fallo, decisión, veredicto]

sentenciar. tr. Dar o pronunciar sentencia. ‖ Expresar el dictamen que decide a favor de una de las partes contendientes lo que se disputa. [*Sinón.*: fallar, resolver]

sentencioso, sa. adj. Aplícase al dicho o escrito que encierra moralidad o doctrina. ‖ También se aplica al tono de la persona que habla con cierta afectada gravedad.

sentido, da (al. *Sinn*, fr. *sens*, ingl. *feeling*, it. *senso*). adj. Que incluye o explica un sentimiento. ‖ Que se ofende con facilidad. ‖ m. Aptitud que tiene el alma de percibir, por medio de determinados órganos, las impresiones de los objetos externos. ‖ Entendimiento o razón, en cuanto distingue las cosas. ‖ Significado cabal de una proposición o cláusula. ‖ Significación o aceptación de las palabras. ‖ Geom. Modo de apreciar una dirección desde un determinado punto a otro. ‖ — común. Facultad atribuida a la generalidad de las personas, que les permite juzgar razonablemente sobre algunas cosas y comprender los principios generales que todos los hombres reconocen como ciertos y evidentes. ‖ *con los cinco sentidos.* loc. fig. y fam. Con toda atención, advertencia y cuidado, con suma eficacia. ‖ *perder* uno *el sentido.* Privarse, desmayarse. [*Sinón.*: conocimiento]

sentimental. adj. Que expresa o excita sentimientos tiernos. ‖ Propenso a ellos. ‖ Que afecta sensibilidad de un modo ridículo o exagerado. [*Sinón.*: sensible]

sentimentalismo. m. Calidad de sentimental.

sentimiento (al. *Gefühl*, fr. *sentiment*, ingl. *sentiment*, it. *sentimento*). m. Acción y efecto de sentir. ‖ Impresión que causan en el alma las cosas espirituales. ‖ Estado del ánimo afligido por un suceso triste. [*Sinón.*: emoción]

sentina. f. Mar. Cavidad inferior de la nave, en la que se reúnen las aguas que se filtran por los costados y cubiertas del buque. ‖ fig. Lugar inmundo.

sentir (al. *fühlen*, fr. *sentir*, ingl. *to feel*, it. *sentire*). tr. Experimentar sensaciones corporales o espirituales. ‖ Oír o percibir con el sentido del oído. ‖ Lamentar, tener por dolorosa y mala una cosa. ‖ Juzgar, opinar. ‖ Presentir, barruntar. ‖r. Formar queja una persona de alguna cosa. ‖ Padecer un dolor. ‖ Seguido de algunos adjetivos, hallarse o estar como éste expresa. ‖ m. Sentimiento. ‖ Dictamen, parecer.

seña. f. Nota o indicio para dar a entender una cosa. ‖ Lo que de concierto está determinado entre dos o más personas para entenderse. ‖ Señal o signo que sirve para recordar cualquier circunstancia. ‖ Mil. Palabra que acompañada del santo se da en el orden del día para que sirva de reconocimiento al recibir las rondas. ‖ pl. Indicación de paradero y domicilio de una persona. ‖ *señas personales.* Rasgos característicos de una persona que permiten distinguirla de las demás. ‖ *dar señas.* fig. Manifestar las circunstancias individuales de una persona, describirla de modo que se pueda distinguir de otra. ‖ *hablar* uno *por señas.* Explicarse, darse a entender por medio de ademanes. ‖ *hacer señas.* Indicar con gestos y ademanes lo que se piensa o quiere.

señal (al. *Zeichen*, fr. *marque*, ingl. *sign*, it. *marchio*). f. Marca o nota que hay o se pone en las cosas para darlas a conocer y distinguirlas de otras. ‖ Hito o mojón que se pone para marcar un término. ‖ Signo o medio que se emplea para luego acordarse de algo. ‖ Nota o distinción, en buena o mala parte. ‖ Cosa que evoca en el entendimiento la idea de otra. ‖ Indicio o muestra inmaterial de una cosa. ‖ Vestigio o impresión que queda de una cosa, por donde se viene en conocimiento de ella. ‖ Cicatriz que queda en el cuerpo como resultado de una herida u otro daño. ‖ Imagen o representación de una cosa. ‖ Prodigio o cosa extraordinaria y fuera de lo natural. ‖ Cantidad que se adelanta en algunos contratos y autoriza, salvo pacto en contrario, para rescindirlos, perdiendo la señal el que la dio, o devolviéndola duplicada el que la recibió. ‖ Aviso que se da para concurrir a un lugar determinado o para ejecutar una cosa. ‖ *en señal.* m. adv. En prueba, muestra o prenda de una cosa. [*Sinón.*: indicación, huella]

señalamiento. m. Acción de señalar o determinar lugar, hora, etc., para un fin. ‖ Der. Designación de día para un juicio oral o una vista.

señalar (al. *zeichnen*, fr. *marquer*, ingl. *to mark out*, it. *marcare*). tr. Poner o estampar señal en una cosa para darla a conocer o distinguirla de otra, o para acordarse después de una especie. || Rubricar, firmar. || Llamar la atención hacia una persona o cosa, designándola con la mano o de otro modo. || Nombrar o determinar persona, día, hora, lugar o cosa para algún fin. || Fijar la cantidad que debe pagarse para atender a determinados servicios u obligaciones, o la que por cualquier motivo corresponde percibir a una persona o entidad. || Hacer una herida o señal en el cuerpo, particularmente en el rostro, que le cause imperfección o defecto. || Hacer la señal convenida para dar noticia de una cosa. || r. Distinguirse o singularizarse, especialmente en materias de reputación, crédito y honra. [Sinón.: marcar, fijar; destacarse]

señalización. f. Acción y efecto de señalizar.

señalizar. tr. Colocar señales indicadoras en las carreteras y otras vías de comunicación.

señero, ra. adj. Solo, separado de toda compañía. || Único, sin par.

señor, ra (al. *herr*, fr. *monsieur*, ingl. *mister*, it. *signore*). adj. Dueño de una cosa. Ú.m.c.s. || fam. Noble y propio de señor. || m. Poseedor de estados y lugares. || Varón respetable que ya no es joven. || Título nobiliario. || Amo, con respecto a los criados. || Término de cortesía que se aplica a cualquier hombre. || Título que se antepone al apellido de un varón. [Sinón.: propietario. Antón.: criado, siervo]

señora (al. *Gnädige, Frau;* fr. *madame*, ingl. *mistress*, it. *signora*). f. Mujer del señor. || La que por sí posee un señorío. || Ama, con respecto a los criados. || Término de cortesía que se aplica a una mujer. || Mujer respetable que ya no es joven. || Título que se antepone al apellido de una mujer casada o viuda. || Mujer, esposa.

señorear. tr. Dominar o mandar en una cosa como dueño de ella. || Apoderarse de una cosa; sujetarla a su dominio y mando. Ú.t.c.r.

señoría. f. Tratamiento que se da a las personas a quienes compete por su dignidad. || Persona a quien se da este tratamiento.

señorial. adj. Relativo al señorío. || Majestuoso, noble.

señorío. m. Dominio o mando sobre una cosa. || Territorio perteneciente al señor. || Dignidad de señor. || fig. Gravedad y mesura en el porte o en las acciones. || fig. Dominio y libertad en

obrar sujetando las pasiones a la razón. || fig. Conjunto de señores o personas de distinción.

señorita (al. *Fräulein*, fr. *mademoiselle*, ingl. *miss*, it. *signorina*). f. Término de cortesía que se aplica a la mujer soltera. || fam. Ama, con respecto a los criados.

señoritingo, ga. s. despect. de señorito.

señorito. m. fam. Amo, con respecto a los criados. || fam. Joven acomodado y ocioso.

señorón, na. adj. Muy señor o muy señora. Ú.t.c.s.

señuelo. m. Cualquier cosa que sirve para atraer las aves. || fig. Cualquier cosa que sirve para atraer o inducir, con alguna falacia. [Sinón.: carnada, treta]

seo. f. Iglesia catedral.

sépalo. m. BOT. Cada una de las piezas que forman el cáliz de una flor.

separación. f. Acción y efecto de separar o separarse. || DER. Interrupción de la vida conyugal por conformidad de las partes o fallo judicial, sin quedar extinguido el vínculo matrimonial.

separar (al. *trennen*, fr. *séparer*, ingl. *to put apart*, it. *separare*). tr. Establecer distancia, o aumentarla, entre algo o alguien y una persona, lugar o cosa que se toman como punto de referencia. Ú.t.c.r. || Formar grupos homogéneos de cosas que estaban mezcladas con otras. || Considerar aisladamente cosas que estaban juntas o fundidas. || Privar de un empleo, cargo o condición al que los servía u ostentaba. || Forzar a dos o más personas o animales que riñen, para que dejen de hacerlo. || r. Tomar caminos distintos personas, animales o vehículos que iban juntos. || Interrumpir los cónyuges la vida en común, por fallo judicial o por decisión coincidente, sin que se extinga el vínculo matrimonial. || Renunciar a la asociación que se mantenía con otra u otras personas. || Dicho de una comunidad política, hacerse autónoma respecto de otra a la cual pertenecía. || Retirarse uno de algún ejercicio u ocupación. [Sinón.: distanciar; desglosar. Antón.: unir]

separata. f. Impresión por separado de un artículo o capítulo publicado en una revista o libro.

separatismo. m. Doctrina de los separatistas. || Partido separatista.

separatista. adj. Que trabaja o conspira para que un territorio o colonia se

separe de la soberanía nacional. Aplicado a personas, ú.t.c.s. [Sinón.: secesionista]

sepelio. m. Acción de inhumar la Iglesia a los fieles.

sepia (al. *Tintenfisch*, fr. *seiche*, ingl. *guttlefish*, it. *seppia*). f. Jibia, molusco. || Materia colorante que se saca de la jibia.

septenario, ria. adj. Aplícase al número compuesto de siete unidades, o que se escribe con siete guarismos. || Aplícase, en general, a todo lo que consta de siete elementos. || m. Tiempo de siete días.

septenio. m. Tiempo de siete años.

septentrión. m. Norte, punto cardinal. || n.p.m. ASTR. Osa Mayor.

septentrional. adj. Perteneciente o relativo al septentrión. || Que cae al Norte.

septeto. m. MÚS. Composición para siete instrumentos o siete voces. || MÚS. Conjunto de estos siete instrumentos o voces.

septicemia. f. MED. Complicación gravísima que puede presentarse en el curso de las enfermedades infecciosas debido a la presencia en la sangre de gérmenes patógenos procedentes de un foco de supuración.

séptico, ca. adj. MED. Que produce infección.

septiembre (al. *September*, fr. *septembre*, ingl. *september*, it. *settembre*). m. Noveno mes del calendario que actualmente usan la Iglesia y casi todas las naciones; tiene treinta días.

séptima. f. MÚS. Intervalo de una nota a la séptima ascendente o descendente de la escala.

séptimo, ma. adj. Que sigue inmediatamente en orden al o a lo sexto. || Dícese de cada una de las siete partes iguales en que se divide un todo. Ú.t.c.s.

septuagésimo, ma. adj. Que sigue inmediatamente en orden al o a lo sexagésimo nono. || Dícese de cada una de las 70 partes iguales en que se divide un todo. Ú.t.c.s.

séptuplo, pla. adj. Aplícase a la cantidad que incluye en sí siete veces a otra. Ú.t.c.s.m.

sepulcral. adj. Perteneciente o relativo al sepulcro.

sepulcro (al. *Grabmal*, fr. *sépulcre*, ingl. *sepulchre*, it. *sepolcro*). m. Obra que se construye a una cierta altura del suelo, para dar en ella sepultura al cadáver de una persona. || Urna o andas cerradas, con una imagen de

SEÑALIZACIÓN-SEPULCRO

Jesucristo difunto. || Hueco del ara en el que se depositan las reliquias.

sepultar (al. *begraben,* fr. *ensevelir,* ingl. *to bury,* it. *seppellire*). tr. Poner en la sepultura a un difunto, enterrar su cuerpo. || fig. Ocultar alguna cosa como enterrándola. Ú.t.c.r. || Sumergir, abismar, dicho del ánimo. Ú.m.c.r. [*Sinón.:* inhumar]

sepultura (al. *Grab,* fr. *sépulture,* ingl. *tomb,* it. *sepoltura*). f. Acción y efecto de sepultar. || Hoyo que se hace en tierra para enterrar un cadáver. || Lugar en que está enterrado un cadáver. [*Sinón.:* fosa, tumba]

sepulturero. m. El que tiene por oficio abrir las sepulturas y sepultar a los muertos.

sequedad. f. Calidad de seco. || fig. Dicho o ademán áspero y duro. [*Sinón.:* sequía; descortesía]

sequía. f. Tiempo seco y de larga duración.

séquito. m. Agregación de gente que acompaña y sigue a una persona. [*Sinón.:* cortejo]

ser (al. *Wesen, Sein;* fr. *être;* ingl. *being,* it. *essere*). m. Esencia o naturaleza. || Ente, lo que es o existe. || Modo de existir.

ser. Verbo sustantivo que afirma del sujeto lo que significa el atributo. || Verbo auxiliar que sirve para la conjugación de todos los verbos en la voz pasiva. || intr. Haber o existir. || Servir para una cosa. || Estar en lugar o situación. || Formar parte. || Pertenecer a la posesión o dominio de alguien. || Hablando de lugares o países, ser originario de ellos.

sera. f. Espuerta grande, regularmente sin asas.

seráfico, ca. adj. Perteneciente o parecido al serafín.

serafín. m. Cada uno de los espíritus bienaventurados que forman el segundo coro. || fig. Persona de singular hermosura.

serbal. m. BOT. Árbol rosáceo con pomos rojos o amarillos, comestibles cuando están pasados.

serbio, bia. adj. Natural u oriundo de Serbia. Ú.t.c.s. || Perteneciente a esta región balcánica o a su antiguo Estado. || m. Idioma serbio.

serenar. tr. Aclarar, sosegar. Ú.t.c. intr. y c.r. || Sentar o aclarar los licores que están turbios. Ú.m.c.r. || fig. Apaciguar disturbios. || fig. Templar el cesar en el enojo. Ú.t.c.r. [*Sinón.:* tranquilizar, aquietar. *Antón.:* intranquilizar, alterar]

serenata. f. Música al aire libre o durante la noche, para festejar a una persona. || Composición poética o musical destinada a este objeto.

serenidad. f. Calidad de sereno. || Título de honor de algunos príncipes. [*Sinón.:* sosiego]

sereno, na. adj. Claro, despejado de nubes o nieblas. || fig. Apacible, sosegado. || f. Composición amorosa de los trovadores provenzales. || m. Humedad de que durante la noche está impregnada la atmósfera. || Cada uno de los funcionarios encargados de rondar por la noche para velar por la seguridad del vecindario. || *al sereno.* m. adv. A la intemperie de la noche.

serial. adj. Perteneciente o relativo a una serie. || m. Relato novelesco emitido en serie por una estación radiofónica.

seriar. tr. Poner en serie, formar series.

sericicultura. f. Industria que tiene por objeto la producción de la seda. [*Sinón.:* sericultura]

serie (al. *Reihe,* fr. *série,* ingl. *series,* it. *serie*). f. Conjunto de cosas relacionadas entre sí y que se suceden unas a otras. || MAT. Sucesión de términos numéricos o algebraicos, cada uno de los cuales se deriva del anterior mediante una ley determinada. || *en serie.* m. adv. que se aplica a la fabricación de muchos objetos iguales entre sí, según un mismo patrón. || *fuera de serie.* loc. que se aplica a los objetos cuya construcción esmerada los distingue de los fabricados en serie. En sent. fig., dícese del que se considera sobresaliente en su línea.

seriedad. f. Calidad de serio.

serio, ria (al. *ernst,* fr. *sérieux,* ingl. *earnest,* it. *serio*). adj. Grave, sentado. || Severo en el semblante, en el modo de mirar o hablar. || Real, sincero. || Grave, importante. || Contrapuesto a jocoso o bufo. || *en serio.* m. adv. Sin engaño, sin burla. [*Sinón.:* respetable, circunspecto]

sermón (al. *Predigt,* fr. *sermon,* ingl. *sermon,* it. *predica*). m. Discurso evangélico que se predica por la enseñanza de la buena doctrina. || fig. Amonestación o represión. [*Sinón.:* homilía]

sermonear. intr. Predicar, echar sermones. || tr. Amonestar o reprender.

serología. f. Tratado de los sueros.

serosidad. f. Líquido que segregan ciertas membranas. || Humor que se acumula en las ampollas de la epidermis.

seroso, sa. adj. Perteneciente o relativo al suero o a la serosidad o semejante al suero. || Que produce serosidad.

serpear. intr. Andar o moverse como la sierpe.

serpentaria. f. BOT. Dragontea, planta.

serpentear. intr. Moverse o extenderse, formando vueltas y tornos.

serpenteo. m. Acción y efecto de serpentear.

serpentín. m. Instrumento de hierro en el que se ponía la mecha encendida para hacer fuego con el mosquete. || Pieza de acero en las llaves de las armas de fuego y chispa. || Tubo largo en línea espiral o quebrada utilizado para facilitar el enfriamiento de la destilación en los alambiques u otros artefactos y suele cubrirse de agua que se renueva frecuentemente. || Variedad de mármol verde, serpentina.

serpentina. f. Instrumento en que se ponía la mecha para disparar el mosquete. || Pieza de acero en las llaves de las armas de fuego. || Venablo antiguo cuyo hierro forma ondas como la serpiente cuando se arrastra. || Piedra de color verdoso, con manchas y venas más o menos oscuras, casi tan dura como el mármol, tenaz, que admite hermoso pulimento y se aplica en las artes decorativas. || Tira de papel arrollada que en días de fiesta y en carnaval se arrojan unas personas a otras, teniéndola sujeta por un extremo.

serpiente (al. *Schlange,* fr. *serpent,* ingl. *snake,* it. *serpente*). f. Culebra de gran tamaño. || fig. El demonio, por haber hablado en figura de tal a Eva. n.p. ASTR. Constelación septentrional de considerable longitud, que está al occidente y debajo de Hércules y al oriente de Libra. || *—pitón.* Género de culebras de gran tamaño propias de Asia y África. [*Sinón.:* sierpe]

serpollo. m. BOT. Renuevo o retoño de una planta.

serrado, da. adj. Con dientecillos semejantes a los de la sierra.

serraduras. f. pl. Serrín.

serrallo. m. Lugar en que los mahometanos tienen a sus mujeres. [*Sinón.:* harén]

serrana. f. Composición poética parecida a la serranilla.

serranía. f. Terreno en que predominan los montes y sierras.

serranilla. f. Composición lírica de asunto villanesco, escrita por lo general en metros cortos.

serrano, na. adj. Que habita en una

sierra, o nacido en ella. Ú.t.c.s. ‖ Perteneciente a las sierras o serranías, o a sus moradores.

serrar (al. *durch sägen*, fr. *scier*, ingl. *to saw*, it. *segare*). tr. Cortar con sierra.

serrería. f. Taller mecánico para serrar maderas.

serreta. f. dim. de sierra. ‖ Mediacaña semicircular de hierro, con dientecillos, que se pone sujeta al cabezón, sobre la nariz de las caballerías.

serrín (al. *Sägespäne*, fr. *sciure*, ingl. *sawdust*, it. *segatura*). m. Conjunto de partículas que se desprenden de la madera al aserrarla.

serruchar. tr. vulg. *Amer.* Realizar el acto sexual.

serrucho. m. Sierra de hoja ancha y con sólo una manija.

servicial (al. *gefällig*, fr. *obligeant*, ingl. *obliging*, it. *servizievole*). adj. Que sirve con cuidado y diligencia. ‖ Pronto a complacer y servir a otros. [*Sinón.:* atento]

servicio (al. *Dienst*, fr. *service*, ingl. *service*, it. *servizio*). m. Acción y efecto de servir. ‖ Estado de criado o sirviente. ‖ Servicio doméstico. ‖ Mérito que se hace sirviendo al Estado o a otra entidad o persona. ‖ Servicio militar. ‖ Obsequio que se hace en beneficio del igual o amigo. ‖ Utilidad o provecho que resulta a uno de lo que otro ejecuta en atención suya. ‖ Orinal grande. ‖ Cubierto que se pone a cada comensal. ‖ Conjunto de viandas que se ponen en la mesa. ‖ Conjunto de vajilla y otras cosas para servir la comida, el café, el té, etc. ‖ Hablando de beneficios o prebendas eclesiásticas, residencia y asistencia personal. ‖ Organización y personal destinados a cuidar intereses o satisfacer necesidades del público o de alguna entidad oficial o privada. ‖ Función o prestación desempeñadas por estas organizaciones y su personal. ‖ Retrete, escusado. Ú.t. en pl. ‖ — *activo.* El que corresponde a un empleo y se está prestando de hecho, actual y positivamente. ‖ — *militar.* El que se presta siendo soldado. ‖ — *sanitario. Amer.* Sanitario, retrete, letrina. ‖ — *secreto.* Cuerpo de agentes que, a las órdenes de un gobierno y procurando pasar inadvertidos, se dedican a recoger datos e informes reservados, tanto en el propio país como en el extranjero. ‖ *de servicio.* m. adv. que con los verbos *entrar, tocar, salir, estar* y otros semejantes, se refiere al desempeño activo de un cargo o función durante el turno de trabajo. ‖ *hacer el servicio.* Ejercer

en la milicia el empleo que cada uno tiene. ‖ *prestar servicios.* Hacerlos.

servidor, ra. s. Persona que sirve como criado. ‖ Persona adscrita al manejo de un arma, de una maquinaria o de otro artefacto. ‖ Nombre que por cortesía se da una persona a sí misma respecto de otra. [*Sinón.:* doméstico]

servidumbre. f. Trabajo o ejercicio propio del siervo. ‖ Estado o condición de siervo. ‖ Conjunto de criados de una casa. ‖ Sujeción causada por las pasiones o afectos, que coarta la libertad. ‖ DER. Derecho en predio ajeno que limita el dominio de éste. [*Sinón.:* servicio, gravamen]

servil. adj. Relativo a los siervos y criados. ‖ Humilde y de poca estimación. ‖ Rastrero, que obra con servilismo.

servilismo. m. Ciega y baja adhesión a la autoridad de alguien. [*Sinón.:* sumisión. *Antón.:* dignidad]

servilleta (al. *Serviette*, fr. *serviette (de table)*, ingl. *napkin*, it. *tovagliolo*). f. Pedazo de tela que sirve en la mesa para aseo de cada persona.

servilletero. m. Aro en que se pone arrollada la servilleta.

servir (al. *dienen, taugen;* fr. *servir;* ingl. *to serve, to be fit for;* it. *servire*). intr. Estar al servicio de otro. Ú.t.c.tr. ‖ Estar sujeto a otro haciendo lo que él dispone. ‖ Ser un instrumento, máquina, etc., a propósito para determinado fin. ‖ Ejercer un empleo o cargo. Ú.t.c.tr. ‖ Hacer las veces de otro en un oficio u ocupación. ‖ En ciertos juegos, servir con naipe del mismo palo a quien ha jugado primero. ‖ Aprovechar, valer, ser de utilidad. ‖ Ser soldado en activo. ‖ Asistir a la mesa trayendo los manjares o las bebidas. ‖ tr. Dar culto a Dios o a los santos. ‖ Obsequiar a alguien o hacer una cosa en su favor. ‖ Poner plato o llenar el vaso o la copa al que va a comer o beber. Ú.t.c.r. ‖ Valerse de una cosa para el uso que le es propio. ‖ *ir uno servido.* fr. irón. con que se denota que va desfavorecido o chasqueado. [*Sinón.:* reverenciar; galantear; escanciar]

servo-. MEC. Elemento compositivo que entra en la formación de algunas palabras con las que se designan mecanismos o sistemas auxiliares.

servofreno. m. MEC. Freno cuya acción es simplificada por un dispositivo eléctrico o mecánico.

servomotor. m. MAR. Aparato mediante el cual se da movimiento al timón. ‖ TÉCN. Sistema electro-

mecánico que amplifica la potencia reguladora.

sesada. f. Fritada de sesos. ‖ Sesos del animal.

sésamo. m. BOT. Planta herbácea anual de la familia de las pedaliáceas, de tallo recto, hojas pecioladas casi triangulares, flores blancas o rosadas de corola campaniforme y fruto elipsoidal que contiene semillas oleaginosas y comestibles.

sesear. intr. Pronunciar la *ce* o la *zeta* como *ese.*

sesenta. adj. Seis veces diez. ‖ Sexagésimo, ordinal. ‖ m. Conjunto de signos con que se representa el número sesenta.

sesentavo, va. adj. Dícese de cada una de las sesenta partes iguales en que se divide un todo. Ú.t.c.s.

seseo. m. Acción y efecto de sesear.

sesera. f. Parte de la cabeza del animal en que están los sesos. ‖ Seso.

sesgar. tr. Cortar o partir en sesgo. ‖ Torcer a un lado o atravesar una cosa hacia un lado.

sesgo, ga (al. *Schräge*, fr. *biais*, ingl. *bias*, it. *sbieco*). adj. Torcido, cortado o situado oblicuamente. ‖ fig. Grave, serio o torcido en el semblante. ‖ m. Oblicuidad o torcimiento de una cosa hacia un lado. ‖ fig. Medio término que se toma en los negocios dudosos. ‖ Por ext., curso o rumbo que toma un negocio. ‖ *al sesgo.* m. adv. Oblicuamente o al través.

sesión (al. *Sitzung*, fr. *séance*, ingl. *sessione*, it. *seduta*). f. Cada una de las juntas de una corporación. ‖ Acto, representación, proyección, etc., en que se exhibe ante el público un espectáculo íntegro y repetible, principalmente de teatro o cine. ‖ Espacio de tiempo en que alguien posa ante un modelo para un pintor, escultor, etc., o se somete a un tratamiento, una operación, etc. ‖ fig. Conferencia o consulta entre varios para determinar una cosa. ‖ *abrir la sesión.* Comenzarla. ‖ *levantar la sesión.* Concluirla. [*Sinón.:* asamblea]

seso. m. Cerebro. ‖ Masa nerviosa contenida en la cavidad del cráneo. Ú.m. en pl. ‖ fig. Prudencia, madurez. ‖ *calentarse,* o *devanarse,* uno *los sesos.* fig. Fatigarse meditando mucho en una cosa. ‖ *perder* uno *el seso.* fig. Perder el juicio, o privarse. ‖ *tener sorbido el seso,* o *sorbidos los sesos,* a uno. fig. y fam. Ejercer sobre él mucha influencia, tenerle muy enamorado. [*Sinón.:* juicio. *Antón.:* irreflexión]

sestear. intr. Pasar la siesta durmiendo o descansando. ‖ Recogerse el ganado durante el día en paraje sombrío para descansar y librarse de los rigores del sol.

sesudo, da. adj. Que tiene seso, prudente, sensato.

seta (al. *Pilz*, fr. *champignon*, ingl. *mushroom*, it. *fungo*). f. Cualquiera especie de hongos de forma de sombrero o casquete sostenido por un pedicelo. Las hay comestibles y las hay venenosas. ‖ fig. Moco del pabilo.

setecientos, tas. adj. Siete veces ciento. ‖ Septingentésimo, ordinal. ‖ m. Conjunto de signos con que se representa el número setecientos.

setenta. adj. Siete veces diez. ‖ Septuagésimo, ordinal. ‖ m. Conjunto de signos con que se representa el número setenta.

setenton, na. adj. fam. Septuagenario. Ú.t.c.s.

setiembre. m. Septiembre.

seto. m. Cercado hecho de palos o varas entretejidos. ‖ — *vivo*. Cercado de matas o arbustos vivos.

seudo. Prefijo de origen griego que significa supuesto, falso.

seudónimo (al. *Pseudonym*, fr. *pseudonyme*, ingl. *pseudonym*, it. *pseudonimo*). m. Nombre empleado por un autor en vez del suyo verdadero.

seudópodo. m. BIOL. Cualquiera de las prolongaciones que son emitidas por ciertas células libres, como los leucocitos, y muchos seres unicelulares, como las amebas.

severidad (al. *Strenge*, fr. *sévérité*, ingl. *harshness*, it. *severità*). f. Rigor y aspereza en el trato o en el castigo. ‖ Exactitud en la observancia de una ley o regla. ‖ Gravedad, seriedad. [*Sinón.*: inflexibilidad. *Antón.*: flexibilidad]

severo, ra (al. *sueng*, fr. *sévère*, ingl. *severe*, it. *severo*). adj. Riguroso, áspero. ‖ Exacto, puntual en la observancia de una ley o regla. ‖ Grave, serio.

sevillanas. f. pl. Aire musical propio de Sevilla, bailable, junto con que se cantan seguidillas. ‖ Danza que se baila con esta música.

sevillano, na. adj. Natural de Sevilla. Ú.t.c.s. ‖ Perteneciente o relativo a esta ciudad o provincia.

sexagenario, ria. adj. Que ha cumplido la edad de sesenta años y no llega a setenta. Ú.t.c.s. [*Sinón.*: sesentón]

sexagesimal. adj. Dícese del sistema de contar o subdividir de sesenta en sesenta.

sexagésimo, ma. adj. Que sigue

inmediatamente al o a lo quincuagésimo nono ‖ Dícese de cada una de las sesenta partes iguales en que se divide un todo. Ú.t.c.s.

sexo (al. *Geschlecht*, fr. *sexe*, ingl. *sex*, it. *sesso*). m. BIOL. Condición orgánica que distingue al macho de la hembra, en los seres humanos, en los animales y en las plantas. ‖ Conjunto de seres pertenecientes a un mismo sexo. ‖ Organos sexuales.

sexología. f. Estudio de los aspectos psíquicos y fisiológicos en las relaciones sexuales.

sexólogo, ga. s. Especialista en sexología.

sexta. f. MÚS. Intervalo de una nota a la sexta ascendente o descendente de la escala.

sextante (al. *Sextant*, fr. *sextant*, ingl. *sextant*, it. *sestante*). m. Instrumento náutico para la medición de ángulos, que no precisa de soporte y consta principalmente de un sector graduado en 60°, un anteojo, un espejo fijo y otro móvil.

sexteto. m. MÚS. Composición para seis instrumentos o seis voces. ‖ MÚS. Conjunto de estos seis instrumentos o voces.

sextina. f. Composición poética que consta de seis estrofas de seis versos endecasílabos cada una, y de otra que sólo se compone de tres. ‖ Cada una de las estrofas de seis versos endecasílabos que entran en esta composición. ‖ Combinación métrica de seis versos endecasílabos, en la cual tienen rima consonante el primero con el tercero y el segundo con el cuarto, y son pareados los dos últimos.

sexto, ta (al. *sechste*, fr. *sixième*, ingl. *sixth*, it. *sesto*). adj. Que sigue inmediatamente en orden al o a lo quinto. ‖ Dícese de cada una de las seis partes iguales en que se divide un todo. Ú.t.c.s.

sextuplicar. tr. Multiplicar por seis. Ú.t.c.r.

séxtuplo, pla. adj. Que incluye en sí seis veces una cantidad. Ú.t.c.s.

sexuado, da. adj. BIOL. Dícese del ser que tiene los órganos sexuales aptos para funcionar. [*Antón.*: asexuado]

sexual. adj. Concerniente al sexo.

sexualidad (al. *Sinnlichkeit*, fr. *sexualité*, ingl. *sexuality*, it. *sessualità*). f. Conjunto de condiciones anatómicas, fisiológicas y psíquicas que caracteriza a cada sexo. ‖ Apetito sexual.

short (voz inglesa). m. Pantalón muy corto.

show (voz inglesa). m. Espectáculo, especialmente musical, que se ofrece en un teatro, cabaret, por televisión, etcétera.

si. adv. de afirmación que se emplea respondiendo a preguntas. Úsase como sustantivo por consentimiento o permiso. ‖ *dar* uno *el sí*. Conceder una cosa, convenir en ella, Ú. m. hablando de matrimonio. ‖ Forma reflexiva del pronombre personal de tercera persona que se construye siempre con preposición.

si. conj. que denota condición o suposición en virtud de la cual un concepto depende de otro u otros. ‖ Denota también circunstancia dudosa, ponderación o encarecimiento. ‖ Aunque. ‖ conj. distrib. cuando se emplea repetida para contraponer una cláusula a otra.

siamés, sa. adj. Natural de Siam. Ú.t.c.s. ‖ Perteneciente a este país. ‖ *hermanos siameses*. Dícese de aquellos que nacen anatómicamente unidos por alguna parte del cuerpo. ‖ m. Idioma siamés.

sibarita (al. *schwelger*, fr. *sybarite*, ingl. *sybarite*, it. *sibarita*). adj. fig. Dícese de la persona muy dada a regalos y placeres. Ú.t.c.s. [*Sinón.*: sensual, epicúreo]

sibaritismo. m. Género de vida regalada.

sibila. f. Mujer a quien los antiguos atribuyeron cualidades proféticas.

sibilante. adj. com. Aplicado a las letras, que produce un ruido a manera de silbido como la *s*. Ú.t.c.s.f.

sibilino, na. adj. Perteneciente o relativo a la sibila. ‖ fig. Misterioso, oscuro con apariencia de importante.

sic. adv. latino que se usa en impresos y manuscritos para dar a entender que una palabra se ha tomado textualmente.

sicario. m. Asesino asalariado.

sicigia. f. ASTR. Conjunción u oposición de la Luna con el Sol.

siciliano, na. adj. Natural de Sicilia. Ú.t.c.s. ‖ Perteneciente a esta isla de Italia.

sicómoro (al. *Sykomore*, fr. *sycomore*, ingl. *sycamore*, it. *sicomoro*). m. BOT. Planta de la familia de las moráceas, de hojas parecidas a las del moral, fruto pequeño de color amarillento y madera incorruptible.

sidecar (voz inglesa). m. Cochecillo del que algunas motocicletas van provistas adosado a uno de sus lados.

sideral (al. *stern-*, fr. *sidéral*, ingl.

sidereal, it. *siderale*). adj. Perteneciente o relativo a los astros. [*Sinón*.: espacial]

sidéreo, a. adj. Perteneciente o relativo a las estrellas, y por ext., a los astros en general.

siderita. f. MINERAL. Carbonato ferroso natural. Cristaliza frecuentemente en romboedros de caras curvas.

siderosa. f. MINERAL. Siderita.

siderosis. f. MED. Afección pulmonar producida por el polvo de los minerales de hierro.

siderurgia (al. *Hüttenindustrie, fr. sidérurgie*, ingl. *iron and steel industry*, it. *siderurgia*). f. Operación de extracción del hierro a partir de los minerales que lo contienen. ‖ Industria siderúrgica.

siderúrgico, ca. adj. Perteneciente o relativo a la siderurgia.

sidra. f. Bebida alcohólica que se obtiene por la fermentación del zumo de las manzanas.

siega (al. *Mahd*, fr. *moisson*, ingl. *mowing*, it. *mietitura*). f. Acción y efecto de segar las mieses. ‖ Tiempo en que se siegan. ‖ Mieses segadas.

siembra. f. Acción y efecto de sembrar. ‖ Tiempo en que se siembra. ‖ Tierra sembrada.

siempre (al. *immer*, fr. *toujours*, ingl. *always*, it. *sempre*). adv. t. En todo o en cualquier tiempo. ‖ En todo caso o cuando menos.

siempreviva. f. BOT. Planta herbácea anual de la familia de las amarantáceas, de tallo derecho y articulado, hojas vellosas, flores pequeñas moradas y azules, que no marchitan nunca.

sien (al. *Schläfe*, fr. *tempe*, ingl. *temple*, it. *tempia*). f. Cada una de las dos partes laterales de la cabeza comprendidas entre la frente, la oreja y la mejilla.

sierpe. f. Serpiente.

sierra (al. *Säge*, fr. *scie*, ingl. *saw*. it. *sega*). f. Herramienta que consiste en una hoja de acero con dientes agudos, sujeta a un mango o a un armazón adecuado, y que sirve para cortar madera u otros cuerpos duros. ‖ Herramienta que sirve para partir piedras duras con el auxilio de arena y agua. ‖ Cordillera de montes o peñascos cortados. ‖ Pez sierra.

siervo, va. Esclavo de un señor. ‖ Nombre que una persona se da a sí misma respecto de otra para mostrarle obsequio y rendimiento. ‖ Persona profesa en orden o comunidad religiosa de las que por humildad se denominan así.

‖ — *de la gleba*. Esclavo afecto a una heredad y que no se desligaba de ella al cambiar de dueño.

siesta (al. *Mittagsruhe*, fr. *sieste*, ingl. *nap*, it. *siesta*). f. Tiempo que sigue al mediodía, en el que aprieta más el calor. ‖ Sueño que se toma después de comer.

siete (al. *sieben*, fr. *sept*, ingl. *seven*, it. *sette*). adj. Seis y uno. ‖ Séptimo. Apl. a los días del mes, ú.t.c.s. ‖ m. Signo o conjunto de signos con que se representa el número siete. ‖ fam. Rasgón angular en trajes o lienzos. ‖ Naipe con siete signos. ‖ *Amer.* Ano.

sietemesino, na. adj. Aplícase a la criatura que nace a los siete meses de haber sido engendrada. Ú.t.c.s. ‖ fam. Jovencito que presume de persona mayor. Ú.t.c.s.

sífilis (al. *Syphilis*, fr. *syphilis*, ingl. *syphilis*, it. *sifilide*). f. MED. Enfermedad venérea causada por el treponema pálido. Se distinguen principalmente dos formas: congénita y adquirida.

sifón (al. *Siphonflasche*, fr. *siphon*, ingl. *siphon bottle*, it. *sifone*). m. Tubo encorvado que sirve para trasegar líquidos. ‖ Botella, generalmente de vidrio, que contiene agua cargada de ácido carbónico y provista de una llave que, al ser abierta, da paso al líquido empujado, por la presión del gas. ‖ Tubo doblemente acodado en que el agua detenida dentro de él impide la salida de los gases de las cañerías al exterior. ‖ ARQ. Canal cerrado o tubo que sirve para hacer pasar el agua por un punto inferior a sus dos extremos. ‖ ZOOL. Cada uno de los dos tubos existentes en la parte posterior del manto de los lamelibranquios, dedicados a conducir el agua a los órganos internos y a expulsar el agua y los excrementos.

sigilo. m. Sello para estampar. ‖ Secreto que se guarda de una cosa o noticia. [*Sinón*.: marca, rúbrica; ocultación]

sigiloso, sa. adj. Que guarda sigilo.

sigla (al. *Abkürzungszeichen*, fr. *sigle*, ingl. *abbreviation*, it. *sigla*). f. Letra inicial que se emplea como abreviatura. ‖ Rótulo o denominación que se forma con varias siglas. ‖ Cualquier signo que sirve para ahorrar letras o espacio en la escritura.

siglo (al. *Jahrhundert*, fr. *siècle*, ingl. *century*, it. *secolo*). m. Espacio de cien años. ‖ Largo espacio de tiempo de duración indeterminada. ‖ Comercio y trato de los hombres en cuanto respec-

ta a la vida civil, en oposición a la religiosa. [*Sinón*.: centuria; mundo]

sigma. f. Decimotercera letra del alfabeto griego (Σ, σ, ζ), correspondiente a nuestra *s*.

signar. tr. Hacer, poner o imprimir un signo. ‖ Firmar. ‖ Hacer la señal de la cruz. Ú.t.c.r. [*Sinón*.: sellar; persignar]

signatario, ria. adj. Dícese del que firma.

signatura. f. Señal, marca o nota. ‖ En las bibliotecas y archivos, serie de números o letras que se asigna a un libro o documento para indicar su colocación. ‖ IMP. Señal que se pone al pie de la primera página de cada pliego.

significación. f. Acción y efecto de significar. ‖ Sentido de una palabra o frase. ‖ Objeto que se significa. ‖ Importancia en cualquier orden. [*Sinón*.: acepción, alcance]

significado, da. adj. Conocido, importante, reputado. ‖ m. Significación de una palabra o de otra cosa.

significante. adj. Que significa.

significar (al. *bedeuten*, fr. *signifier*, ingl. *to mean*, it. *significare*). tr. Ser una cosa, por naturaleza, imitación, representación o indicio de otra. ‖ Ser una palabra expresión de una idea o de una cosa material. ‖ Manifestar una cosa. ‖ r. Hacerse notar o distinguirse por alguna cualidad o circunstancia. [*Sinón*.: figurar, denotar, expresar]

significativo, va. adj. Que da a entender con propiedad una cosa. ‖ Que tiene importancia por representar o significar algún valor. [*Sinón*.: expresivo, elocuente]

signo (al. *Zeichen*, fr. *signe*, ingl. *sign*, it. *segno*). m. Cosa que evoca en el entendimiento la idea de otra. ‖ Cualquiera de los caracteres que se emplean en la escritura y en la imprenta. ‖ Señal que se hace a manera de bendición. ‖ Figura que los notarios agregan a su firma en los documentos públicos. ‖ ASTR. Cada una de las doce partes iguales en que se considera dividido el Zodíaco. ‖ MAT. Señal que se usa en los cálculos para indicar la naturaleza de las cantidades o las operaciones que se han de ejecutar en ellas. ‖ MÚS. Cualquiera de los caracteres con que se escribe la música. [*Sinón*.: símbolo, señal, estigma]

siguiente. adj. Que sigue. ‖ Ulterior, posterior.

sílaba (al. *Silbe*, fr. *syllabe*, ingl. *syllable*, it. *sillaba*). f. Sonido o sonidos articulados que constituyen un solo núcleo fónico entre dos depresiones sucesivas de la emisión de voz. || Mús. Cada uno de los dos o tres nombres de notas que se añaden a las siete primeras letras del alfabeto para designar los diferentes modos musicales.

silabear. intr. Pronunciar separadamente cada sílaba. Ú.t.c.tr.

silábico, ca. adj. Perteneciente a la sílaba.

silba. f. Acción de silbar en señal de desaprobación o, en algunos lugares, de aplauso.

silbar (al. *pfeifen*, fr. *siffler*, ingl. *to whistle*, it. *fischiare*). intr. Dar o producir silbidos. || Agitar el aire, produciendo un sonido parecido a un silbido. [*Sinón.*: pitar]

silbato (al. *Pfeife*, fr. *sifflet*, ingl. *whistle*, it. *fischietto*). m. Instrumento pequeño y hueco en el que se sopla con fuerza para que produzca un sonido parecido a un silbido. [*Sinón.*: pito]

silbido. m. Acción y efecto de silbar. || Sonido agudo que hace el aire o que se produce con la boca o con algún instrumento, soplando fuertemente. || Voz aguda y penetrante propia de ciertos animales. [*Sinón.*: silbo, pitido]

silenciador. m. Dispositivo colocado en el tubo de escape de un motor de combustión interna, en el cual los gases quemados van perdiendo velocidad progresivamente, en lugar de salir directamente y producir ruido. || Por ext., el que se aplica a diversas armas de fuego.

silenciar. tr. Callar, pasar en silencio.

silencio (al. *Stille*, fr. *silence*, ingl. *silence*, it. *silenzio*). m. Abstención de hablar. || fig. Falta de ruido. || fig. Efecto de no mencionar por escrito. || Mús. Pausa. || *en silencio.* m. adv. fig. Sin protestar, sin quejarse.

silencioso, sa. adj. Que calla. || Aplícase al lugar o tiempo en que hay o se guarda silencio. || Que no hace ruido. [*Sinón.*: callado, mudo, insonoro. *Antón.*: ruidoso]

silex. m. Pedernal. || Sílice.

silfide. f. Ninfa del aire.

silicato. m. Quim. Sal compuesta de ácido silícico y una base.

silice. f. Quim. Combinación de silicio con oxígeno.

silicio. m. Quim. Metaloide que se obtiene de la sílice. Es amarillento, infusible e insoluble en el agua.

silicosis. f. Med. Neumoconiosis producida por el polvo de sílice.

silo (al. *Silo*, fr. *silo*, ingl. *silo*, it.

silo). m. Lugar subterráneo y seco o construcción adecuada en donde se guarda el trigo u otras semillas o forrajes.

silogismo (al. *Syllogismus*, fr. *syllogisme*, ingl. *syllogism*, it. *sillogismo*). m. Lóg. Argumento compuesto de tres proposiciones, la última de las cuales se deduce de las otras dos.

silueta (al. *Silhouette*, fr. *silhouette*, ingl. *outline*, it. *sagoma*). f. Dibujo sacado siguiendo los contornos de la sombra de un objeto. || Forma que presenta a la vista la masa de un objeto más oscuro que el fondo sobre el cual se proyecta. || Perfil de una figura.

silúrico, ca. adj. Geol. Dícese de cierto terreno sedimentario, considerado como uno de los más antiguos. Ú.t.c.s. || Perteneciente a este terreno.

siluro. m. Zool. Pez malacopterigio de agua dulce parecido a la anguila. Es muy voraz.

silva. f. Colección de varias materias o especies, escritas sin método ni orden. || Composición poética de versos libres.

silvano. m. Mit. Entre los latinos, dios de los bosques y campos.

silvestre (al. *wildwachsend*, fr. *sylvestre*, ingl. *wild*, it. *silvestre*). adj. Que se cría sin cultivo en selvas o campos. || Inculto, agreste y rústico.

silvicultura. f. Cultivo de los bosques o montes. || Ciencia que trata de este cultivo.

silla (al. *Stuhl*, fr. *chaise*, ingl. *chair*, it. *sedia*). f. Asiento individual con respaldo y patas. || Guarnición que se coloca encima del caballo y que sirve para montar el jinete. || Asiento o trono de un prelado con jurisdicción. || Dignidad de Papa y otras eclesiásticas. || fig. y fam. Ano. || — *de montar.* Silla, aparejo para montar a caballo. || — *eléctrica.* Silla para electrocutar a los condenados a muerte.

sillar (al. *Quaderstein*, fr. *pierre de taille*, ingl. *ashlar*, it. *concio*). m. Cada una de las piedras labradas que forman parte de una construcción de sillería. || Parte del lomo de la caballería donde se coloca la silla.

sillería. f. Conjunto de sillas iguales, o de sillas, sillones y canapés de una misma clase, con que se amuebla una habitación. || Conjunto de asientos unidos unos a otros, como los del coro de las iglesias, etc. || Taller donde se fabrican sillas. || Tienda donde se venden. || Oficio de sillero. || Obra hecha de sillares. || Conjunto de estos sillares.

sillica. m. Bacín o vaso para excrementos.

sillín. m. Asiento de la bicicleta y otros vehículos análogos, para montar en ellos.

sillón (al. *Armstuhl*, fr. *fauteuil*, ingl. *armchair*, it. *poltrona*). m. Silla de brazos mayor y más cómoda que la ordinaria. || Silla de montar en la que una mujer puede ir sentada como en una silla común. [*Sinón.*: butaca]

sima (al. *Kluft*, fr. *abîme*, ingl. *abyss*, it. *tônfano*). f. Cavidad grande y profunda en la tierra.

simbiosis. f. Biol. Forma de vida adoptada por ciertos seres orgánicos de diferentes especies, en virtud de la cual se asocian y mutuamente se favorecen en su desarrollo.

simbólico, ca. adj. Perteneciente o relativo al símbolo o expresado por medio de él.

simbolismo. m. Sistema de símbolos con que se representa alguna cosa. || Tendencia artística que utiliza símbolos para la expresión de una idea.

simbolizar. tr. Servir una cosa como símbolo de otra. [*Sinón.*: representar, alegorizar]

símbolo (al. *Symbol*, fr. *symbole*, ingl. *symbol*, it. *simbolo*). m. Figura o divisa con que se representa un concepto, por alguna semejanza que el entendimiento percibe entre ambos. || Quim. Letra o conjunto de letras, adoptadas por convenio, con que se representa un elemento químico. [*Sinón.*: alegoría]

simbología. f. Estudio de los símbolos. || Conjunto o sistema de símbolos.

simetría (al. *Symmetrie*, fr. *symétrie*, ingl. *symmetry*, it. *simmetria*). f. Proporción adecuada entre las partes de un todo. || Armonía de posición de las partes o puntos similares unos respecto de otros, y con referencia a un punto, línea o plano determinados.

simétrico, ca. adj. Perteneciente a la simetría. || Que la tiene.

simiente. f. Semilla. || Semen.

símil. m. Comparación, semejanza entre dos cosas.

similar (al. *ähnlich*, fr. *similaire*, ingl. *similar*, it. *similare*). adj. Que tiene semejanza o analogía con una cosa. [*Sinón.*: semejante, símil]

similitud. f. Semejanza, parecido.

simio. m. Mono, animal cuadrumano. || pl. Zool. Suborden de estos animales.

simón. adj. Dícese del coche de plaza y del cochero que lo guía. Ú.t.c.s.

simonía. f. Compra o venta delibera-da de cosas espirituales, o temporales inseparablemente anejas a las espiri-tuales. ‖ Propósito de efectuar dicha compraventa.

simoniaco, ca o *simoníaco, ca*. adj. Perteneciente a la simonía. ‖ Que comete simonía. Ú.t.c.s.

simpatía (al. *Sympathie,* fr. *sympa-thie,* ingl. *sympathy,* it. *simpatia*). f. Conformidad, inclinación o analogía de sentimientos. ‖ Calidad de agradable o amistoso. ‖ MED. Relación de actividad fisiológica y patológica de algunos órganos. [*Sinón.:* afinidad. *Antón.:* antipatía]

simpático, ca (al. *sympathisch,* fr. *sympathique,* ingl. *engaging,* it. *simpa-tico*). adj. Que inspira simpatía. ‖ MÚS. Dícese de la cuerda que suena por sí sola al tocar otra del instrumento. ‖ Dícese de una tinta que tiene la propiedad de que no se conoce lo escrito con ella hasta que se le aplica el reactivo conve-niente. ‖ *gran simpático.* ANAT. Conjunto de nervios y centros nervio-sos que constituyen el sistema nervioso de la vida vegetativa. [*Sinón.:* afín, gra-cioso]

simpatizar. intr. Sentir simpatía [*Si-nón.:* congeniar, avenirse]

simple (al. *einʃach,* fr. *simple,* ingl. *simple,* it. *semplice*). adj. Sin composi-ción. ‖ Sencillo, sin duplicar o sin refor-zar. ‖ Dícese de la copia de una escri-tura o cosa semejante, que se saca sin firmar ni autorizar. ‖ fig. Desabrido, falto de sazón y de sabor. ‖ fig. Manso, apacible e incauto. Ú.t.c.s. ‖ fig. Mente-cato y de poco discurso. Ú.t.c.s. ‖ GRAM. Aplícase a la palabra que no se compone de otras de la misma lengua. [*Sinón.:* elemental. *Antón.:* complejo]

simpleza. f. Bobería, necedad. ‖ Rus-ticidad, tosquedad.

simplicidad. f. Sencillez, candor. ‖ Calidad de simple o sencillo.

simplificación. f. Acción y efecto de simplificar.

simplificar (al. *Vereinfachen,* fr. *sim-plifier,* ingl. *to simplify,* it. *semplifi-care*). tr. Hacer más sencilla o más fácil una cosa.

simplismo. m. Calidad de simplista.

simplista. adj. Que simplifica o tien-de a simplificar. Apl. a pers., ú.t.c.s. ‖ com. FARM. Persona entendida en los simples o sustancias medicamentosas.

simplón, na. adj. fam. aum. de sim-ple, mentecato. ‖ Sencillo, ingenuo.

simposio. m. Asamblea, congreso, reunión de personas de una misma ac-tividad profesional en que se examinan y discuten diversos temas sobre una cuestión determinada.

simpósium. m. Simposio.

simulación. f. Acción de simular. ‖ DER. Alteración aparente de la causa, índole y objeto verdaderos de un acto o contrato. [*Sinón.:* fingimiento, disi-mulo, simulacro]

simulacro (al. *Trugbild,* fr. *simula-cre,* ingl. *simulacrum,* it. *simulacro*). m. Imagen hecha a semejanza de una cosa o persona. ‖ Especie que crea la fanta-sía. ‖ MIL. Acción de guerra fingida con objeto de adiestrar a las tropas. [*Si-nón.:* simulación, maniobra]

simular (al. *fingieren,* fr. *simuler,* ingl. *to simulate,* it. *simulare*). tr. Representar una cosa, fingiendo lo que no es. [*Sinón.:* fingir, aparentar, imitar]

simultanear. tr. Realizar dos o más cosas al mismo tiempo.

simultaneidad. f. Calidad de simultá-neo.

simultáneo, a (al. *gleichzeitig,* fr. *simultané,* ingl. *simultaneous,* it. *simul-taneo*). adj. Dícese de lo que se hace u ocurre al mismo tiempo que otra cosa.

simún. m. Viento abrasador que suele soplar en el N. de África y en Arabia.

sin (al. *ohne,* fr. *sans,* ingl. *without,* it. *senza*). prep. separat. y negat. que denota carencia o falta. ‖ Fuera de o además de. ‖ Cuando se junta con el infinitivo del verbo, vale lo mismo que *no* con su participio o gerundio.

sin. prep. insep. que denota unión o simultaneidad.

sinagoga. f. Junta religiosa de los judíos. ‖ Templo de los judíos.

sinalefa. f. Enlace de sílabas por el cual se forma una sola de la última de un vocablo que termina en vocal y de la primera del siguiente que empieza por vocal, precedida o no de *h* muda.

sinapismo. m. MED. Revulsivo preparado a base de mostaza.

sinartrosis. f. ANAT. Articulación no movible.

sincerar. tr. Justificar la inculpabili-dad de alguien. Ú.m.c.r. ‖ r. Confiarse a alguien.

sinceridad (al. *Aufrichtigkeit,* fr. *sin-cérité,* ingl. *sincerity,* it. *sincerità*). f. Veracidad, modo de expresarse des-provisto de todo fingimiento. [*Antón.:* hipocresía]

sincero, ra. adj. Ingenuo, veraz y sin doblez. [*Antón.:* hipócrita]

síncopa. f. GRAM. Figura de dicción que consiste en suprimir una o más letras en medio de un vocablo. ‖ MÚS. Enlace de dos sonidos iguales de los cuales el primero se halla en la parte dé-bil del compás, y el otro en el fuerte.

sincopar. tr. GRAM. y MÚS. Hacer síncopa. ‖ fig. Abreviar, acortar.

síncope. m. GRAM. Síncopa. ‖ MED. Pérdida repentina del conocimiento y de la sensibilidad. [*Sinón.:* colapso, demayo]

sincretismo. m. Sistema filosófico que trata de conciliar doctrinas diferen-tes.

sincronía. f. Sincronismo, coinciden-cia de hechos o fenómenos en el tiem-po.

sincronismo. m. Circunstancia de ocurrir, suceder o verificarse una o más cosas a un mismo tiempo.

sincronizar. tr. Hacer que coincidan en el tiempo dos o más movimientos o fenómenos.

sincrotrón. m. FÍS. Aparato usado para comunicar altas velocidades a partículas cargadas de electricidad.

sindéresis. f. Capacidad natural para juzgar rectamente.

sindical. adj. Perteneciente o relativo al síndico. ‖ Perteneciente o relativo al sindicato.

sindicalismo. m. Movimiento obrero que se basa en el sindicato.

sindicar. tr. Ligar varias personas de una misma profesión, o de intereses comunes, para formar un sindicato. Ú.t.c.r. ‖ r. Entrar a formar parte de un sindicato.

sindicato (al. *Gewerkschaft,* fr. *syn-dicat,* ingl. *trade union,* it. *sindicato*). m. Asociación formada para la defensa de intereses económicos o políticos comunes a todos los asociados. Se apli-ca especialmente a las asociaciones obreras. ‖ Junta de síndicos.

síndico. m. Sujeto que en un concur-so de acreedores o en una quiebra es el encargado de liquidar el activo y el pasivo del deudor. ‖ Persona elegida por una corporación para cuidar de sus intereses.

síndrome. m. Conjunto de síntomas característicos de una enfermedad.

sinéresis. f. Licencia poética que consiste en reunir en una sola sílaba vocales pertenecientes a sílabas distin-tas.

sinergia. f. FISIOL. Concurso activo y sincopado de varios órganos para realizar una función.

sinfín. m. Infinidad, sin número.

sinfonía (al. *Symphonie,* fr. *sympho-nie,* ingl. *symphony,* it. *sinfonia*). f.

Conjunto de voces, de instrumentos, o de ambas cosas, que suenan a un mismo tiempo. ‖ Composición instrumental para orquesta, que consta de varios tiempos. ‖ Pieza de música instrumental que precede, por lo común, a las óperas y obras teatrales.

singadero. m. *Amer.* Burdel.

singar. intr. MAR. Mover una embarcación por medio de un remo colocado en la popa. ‖ tr. vulg. *Amer.* Realizar el acto sexual.

singladura. f. MAR. Distancia recorrida por una nave en veinticuatro horas. ‖ MAR. En las navegaciones, intervalo de veinticuatro horas que empieza ordinariamente a contarse a partir del mediodía.

singlar. intr. MAR. Navegar la nave con rumbo determinado.

singular (al. *einzig*, fr. *singulier*, ingl. *singular*, it. *singolare*). adj. Único, solo. fig. Extraordinario, raro o excelente. [*Antón.*: plural, común, corriente]

singularidad. f. Calidad de singular. ‖ Particularidad, separación de lo común. [*Sinón.*: originalidad, especialidad]

singularizar. tr. Distinguir o particularizar una cosa entre otras. ‖ GRAM. Dar número singular a palabras que ordinariamente no lo tienen. ‖ r. Distinguirse o apartarse de todo lo que es común u ordinario.

sinhueso. f. fam. Lengua, como órgano de la palabra.

siniestro, tra (al. *uncheilvoll*, fr. *sinistre*, ingl. *mischievous*, it. *sinistro*). adj. Aplícase a la parte o sitio que está a la mano izquierda. ‖ fig. Avieso y malintencionado. ‖ fig. Desgraciado, funesto. ‖ m. Propensión o inclinación a lo malo. ‖ Daño grave, o pérdida importante que sufren las personas o la propiedad. [*Sinón.*: zurdo; perjuicio]

sinnúmero. m. Número incalculable de personas o cosas. [*Sinón.*: sinfín, infinidad]

sino. m. Hado.

sino (al. *Sondern*, fr. *sinon*, ingl. *but*, it. *ma*). conj. advers. con que se contrapone a un concepto negativo otro positivo.

sínodo. m. Concilio. ‖ Junta de eclesiásticos que nombra el ordinario para examinar a los ordenados y confesores. ‖ ASTR. Conjunción de dos planetas en el mismo grado de la Eclíptica o en el mismo círculo de posición.

sinología. f. Estudio de la lengua, la literatura y las instituciones de China.

sinólogo, ga. s. Especialista en sinología.

sinonimia. f. Circunstancia de ser sinónimos dos o más vocablos.

sinónimo, ma (al. *Synonym*, fr. *synonyme*, ingl. *synonym*, it. *sinonimo*). adj. Dícese de los vocablos y expresiones que tienen igual o muy parecida significación. Ú.t.c.s.m. [*Sinón.*: semejante, equivalente. *Antón.*: antónimo]

sinople. adj. BLAS. Color heráldico que en pintura se representa por el verde y en el grabado por líneas oblicuas y paralelas a una que va desde el cantón diestro del jefe al siniestro de la punta. Ú.t.c.s.m.

sinopsis. f. Disposición gráfica que muestra o representa cosas relacionadas entre sí facilitando su visión conjunta, esquema. ‖ Compendio de una ciencia expuesto en forma sinóptica. ‖ Sumario o resumen. [*Sinón.*: gráfico; síntesis]

sinóptico, ca. adj. Dícese de lo que a primera vista presenta con claridad las partes principales de un todo. [*Sinón.*: esquemático]

sinovia. f. ANAT. Humor viscoso que lubrica las superficies articulares.

sinovial. adj. ANAT. Aplicado y relativo a la sinovia.

sinrazón. f. Acción injusta y fuera de lo razonable o debido. [*Sinón.*: iniquidad]

sinsabor. m. Desabrimiento. ‖ fig. Pesar, desazón, pesadumbre.

sintáctico, ca. adj. GRAM. Perteneciente o relativo a la sintaxis.

sintaxis (al. *Syntax*, fr. *syntaxe*, ingl. *syntax*, it. *sintassi*). f. Parte de la gramática que enseña a coordinar y unir las palabras para formar las oraciones y expresar conceptos.

síntesis (al. *Synthese*, fr. *synthèse*, ingl. *synthesis*, it. *sintesi*). f. Formación de un todo por reunión de sus partes. ‖ QUÍM. Obtención de un cuerpo compuesto a partir de la combinación de cuerpos simples o de cuerpos compuestos más sencillos que el que se trata de obtener. [*Sinón.*: resumen, recapitulación. *Antón.*: análisis]

sintético, ca (al. *synthetisch*, fr. *synthétique*, ingl. *synthetic*, it. *sintetico*). adj. Perteneciente o relativo a la síntesis. ‖ Que procede por composición o que pasa de las partes al todo. ‖ QUÍM. Dícese de productos industriales, obtenidos generalmente por síntesis química, que reproducen la composición y propiedad de algunos cuerpos naturales. [*Sinón.*: resumido]

sintetizar. tr. Hacer síntesis.

sintoísmo. m. Religión tradicional del pueblo japonés, que combina la adoración de las fuerzas naturales con el culto doméstico a los antepasados.

síntoma (al. *Symptom*, fr. *symptôme*, ingl. *symptom*, it. *sintomo*). m. MED. Fenómeno revelador de una enfermedad. ‖ fig. Indicio de una cosa que está sucediendo o que va a suceder. [*Sinón.*: signo, señal]

sintomático, ca. adj. Perteneciente al síntoma.

sintonía. f. FÍS. Igualdad de frecuencia que se presenta entre dos circuitos oscilantes, especialmente en las ondas radiofónicas. ‖ MÚS. Ajuste del tono de una nota a una frecuencia de oscilación determinada.

sintonizar. tr. En telegrafía sin hilos, hacer que el aparato receptor vibre al unísono con el de transmisión. ‖ En radiodifusión, adaptar las longitudes de onda de dos o más aparatos.

sinuosidad. f. Calidad de sinuoso. ‖ Seno, concavidad.

sinuoso, sa (al. *gewunden*, fr. *sinueux*, ingl. *flexuous*, it. *sinuoso*). adj. Que tiene senos, ondulaciones o recodos. ‖ fig. Dícese del carácter o de las acciones que tratan de ocultar el fin a que se dirigen.

sinusitis. f. MED. Inflamación de los senos del cráneo.

sinvergüenza. adj. Pícaro, bribón. Ú.t.c.s.

sionismo. m. Movimiento cuya aspiración era la restauración del Estado israelita en Palestina.

sionista. adj. Perteneciente o relativo al sionismo. ‖ Partidario del sionismo. Ú.t.c.s.

siquiera. conj. advers. que equivale a *bien que* o *aunque.* ‖ Ú. como conjunción distributiva, equivaliendo a *o, ya* u otra semejante.

sirena (al. *Sirene*; fr. *sirène*; ingl. *mermaid, siren*; it. *sirena*). f. Cualquiera de las ninfas marinas con busto de mujer y cuerpo, o medio cuerpo, de ave o pez, que extraviaban a los navegantes atrayéndolos con la dulzura de su canto. ‖ Pito que se oye a mucha distancia y se usa en los buques, fábricas, etcétera.

sirenio. adj. ZOOL. Dícese de los mamíferos marinos que tienen el cuerpo pisciforme y terminado en una aleta caudal horizontal, con extremidades torácicas en forma de aletas y sin extremidades abdominales, las aberturas nasales en el extremo del hocico y mamas pectorales; como el manatí. Ú.t.c.s.m. ‖ m. pl. Orden de estos animales.

sirga. f. MAR. Maroma que sirve para tirar las redes, para llevar las embarcaciones desde tierra, principalmente en la navegación fluvial, y para otros usos.

sirgar. tr. Llevar a la sirga una embarcación. [*Sinón.*: remolcar]

siringe. f. ZOOL. Aparato de fonación de las aves.

sirio, ria. adj. Natural de Siria. Ú.t.c.s. ‖ Perteneciente o relativo a este país de Asia. ‖ n.p.m. ASTR. La más brillante de las estrellas fijas, en la constelación del Can Mayor.

siroco. m. Sudeste, viento.

sirvienta (al. *Dienstmädchen*, fr. *servante*, ingl. *maid*, it. *serva*). f. Mujer dedicada al servicio doméstico. [*Sinón.*: criada]

sirviente. adj. Que sirve. Ú.t.c.s. ‖ m. Servidor, criado. ‖ Persona adscrita a una arma de fuego, maquinaria, etc.

sisa (al. *Körbelgeld, Ausschnitt;* fr. *gratte, emmanchure;* ingl. *pilferage, dart;* it. *cresta, sghembo*). f. Parte que se defrauda o se hurta en la compra diaria y de otras cosas menudas. ‖ Sesgadura hecha en las prendas de vestir para que se ajusten bien al cuerpo. [*Sinón.*: merma, estafa]

sisar. tr. Cometer el hurto llamado sisa. ‖ Hacer sisas en las prendas de vestir. [*Sinón.*: mermar, escamotear]

sisear. intr. Emitir repetidamente el sonido inarticulado de *s* y *ch* para manifestar desagrado o para exigir silencio o llamar la atención. Ú.t.c.tr.

siseo. m. Acción y efecto de sisear. Ú.m. en pl.

sísmico, ca. adj. Perteneciente o relativo al terremoto.

sismo. m. Terremoto producido por causas internas, seísmo.

sismógrafo. m. Aparato para evaluar la magnitud de los sismos.

sismología. f. Ciencia que estudia los sismos.

sistema (al. *System*, fr. *système*, ingl. *system*, it. *sistema*). m. Conjunto de reglas o principios enlazados entre sí. ‖ Conjunto de cosas que ordenadamente relacionadas entre sí contribuyen a determinado objetivo. ‖ BIOL. Conjunto de órganos que intervienen en algunas de las principales funciones vegetativas.

sistemático, ca. adj. Que sigue o se ajusta a un sistema. ‖ Dícese de la persona que procede con arreglo a sus principios. [*Sinón.*: metódico, regular, consecuente]

sistematización. f. Acción y efecto de sistematizar.

sistematizar. tr. Reducir a sistema. [*Sinón.*: regularizar]

sístole (al. *Zusammenziehung*, fr. *systole*, ingl. *systole*, it. *sistole*). f. Licencia poética que consiste en usar como breve una sílaba larga. ‖ FISIOL. Movimiento de contracción del corazón y de las arterias para empujar la sangre que contienen.

sitial. m. Asiento de ceremonia destinado a personalidades.

sitiar (al. *belagern*, fr. *assiéger*, ingl. *to besiege*, it. *assediare*). tr. Cercar una plaza o fortaleza. ‖ fig. Cercar a alguien para forzarle a rendirse. [*Sinón.*: asediar]

sitio (al. *Belagerung, Platz;* fr. *siège, place;* ingl. *siege, place;* it. *assedio, posto*). m. Acción y efecto de sitiar. ‖ Espacio que ocupa una cosa determinada. ‖ Paraje o lugar para alguna cosa. ‖ *Amer.* Estancia pequeña dedicada al cultivo y a la cría de animales domésticos. ‖ *dejar* a uno *en el sitio.* fig. Dejarle muerto en el acto. ‖ *quedarse* uno *en el sitio.* fig. Morir en el mismo punto y hora en que le hieren o sufre un accidente. [*Sinón.*: asedio, cerco; puesto, localidad, situación]

sito, ta. adj. Situado o fundado.

situación (al. *Lage*, fr. *situation*, ingl. *position*, it. *situazione*). f. Acción y efecto de situar. ‖ Disposición de una cosa respecto del lugar que ocupa. ‖ Estado o constitución de las cosas y personas. ‖ Conjunto de las circunstancias presentes en un determinado momento. [*Sinón.*: posición]

situar. tr. Poner a una persona o cosa en determinado sitio o situación. Ú.t.c.r. ‖ Asignar fondos para algún pago o inversión. [*Sinón.*: colocar, emplazar]

slálom (voz escandinava). m. DEP. En una competición de esquí, carrera de descenso sobre un recorrido jalonado de dificultades artificiales.

slogan (voz inglesa). m. Palabra o frase concisa y elocuente, de tipo publicitario o propagandístico.

smog (voz inglesa). m. Conjunto de partículas nocivas, emanaciones de gases tóxicos, humos, etc., que contaminan el aire de las grandes ciudades.

smóking (voz inglesa). m. Chaqueta de hombre que se usa en el traje de etiqueta, esmoquin.

snob (voz inglesa). com. Esnob.

so. prep. Bajo, debajo de. ‖ m. fam. Se usa solamente seguido de adjetivos despectivos para reforzar su significación.

¡so! interj. empleada para detener las caballerías.

soba. f. Acción y efecto de sobar. ‖ fig. Aporreamiento o zurra.

sobaco (al. *Achselhöhle*, fr. *aisselle*, ingl. *armpit*, it. *ascella*). m. Concavidad que forma el arranque del brazo con el cuerpo. [*Sinón.*: axila]

sobado, da. adj. Aplícase al bollo o torta a cuya masa se ha agregado aceite o manteca. Ú.t.c.s. ‖ fig. Manido, muy usado. ‖ m. Acción y efecto de sobar.

sobadura. f. Soba.

sobajar. tr. Manosear ajando.

sobaquera. f. Abertura que se deja en algunos vestidos, en la parte del sobaco. ‖ Pieza con que se refuerza el vestido en la parte del sobaco. ‖ Pieza de tela impermeable para resguardar del sudor la parte del vestido correspondiente al sobaco.

sobaquina. f. Sudor de los sobacos.

sobar. tr. Manejar y oprimir una cosa repetidamente a fin de que se ablande. ‖ fig. Castigar, dando algunos golpes. ‖ fig. Palpar, manosear a una persona. [*Sinón.*: ajar, magrear]

soberanía. f. Calidad de soberano, dominio. ‖ Dignidad soberana, suprema. ‖ Alteza o excelencia no superada en cualquier orden inmaterial.

soberano, na (al. *Oberherrlich*, fr. *souverain*, ingl. *sovereign*, it. *sovrano*). adj. Que ejerce o posee la autoridad suprema. Apl. a pers., ú.t.c.s. ‖ Elevado, excelente y no superado. [*Sinón.*: monarca]

soberbia (al. *Hochmut*, fr. *superbe*, *haughtiness*, it. *superbia*). f. Engreimiento del ánimo y apetito desordenado de ser preferido a los demás. ‖ Exceso en la magnificencia o pompa. ‖ Cólera e ira expresadas de manera frenética. [*Sinón.*: orgullo, altanería, presunción. *Antón.*: humildad]

soberbio, bia. adj. Que tiene soberbia o se deja llevar por ella. ‖ Altivo, arrogante. ‖ fig. Alto, fuerte o excesivo en las cosas inanimadas. ‖ fig. Grandioso, magnífico. ‖ Fogoso, orgulloso y violento. [*Sinón.*: suntuoso. *Antón.*: humilde]

sobo. m. Soba.

sobón, na. adj. fam. Que por sus excesivas caricias se hace fastidioso. Ú.t.c.s. ‖ fam. Dícese de la persona taimada y que elude el trabajo. Ú.t.c.s.

sobornar. tr. Corromper a alguien por medio de dádivas, para conseguir de él algún favor.

soborno. m. Acción y efecto de sobornar. ‖ Dádiva con la que se soborna. ‖ fig. Cualquier cosa que mueve el ánimo para inclinarle a complacer a otro.

sobra. f. Demasía y exceso en cualquier materia. ‖ Injuria, agravio. ‖ pl. Lo que queda de la comida al levantar la mesa, y por ext., lo que sobra o queda de otras cosas. ‖ Desperdicios o desechos. ‖ *de sobra.* m. adv. Abundantemente, con exceso o con más de lo necesario; por demás, sin necesidad. [*Sinón.:* plétora, exuberancia. *Antón.:* merma, escasez]

sobrado, da. adj. Demasiado, que sobra. ‖ Audaz, licencioso. ‖ Rico y abundante en bienes. ‖ m. desván. ‖ *Amer.* Sobras de la comida. Ú.m. en pl. ‖ adv. c. De sobra. [*Sinón.:* sobrante, excesivo, opulento]

sobrante. adj. Que sobra. Ú.t.c.s. ‖ Excesivo, demasiado, sobrado.

sobrar (al. *ubrig sein*, fr. *être de trop*, ingl. *to be in excess*, it. *essere di troppo*). tr. Exceder o sobrepujar. ‖ Quedar, restar. ‖ Estorbar. [*Antón.:* faltar].

sobrasada. f. Embuchado grueso de carne de cerdo muy picada y sazonada con sal y pimiento molido.

sobre (al. *auf*, *über*, *Umbschlag*; fr. *sur*, *enveloppe*; ingl. *on*, *over*, *envelope*; it. *sopra*, *su*, *busta*). prep. Encima. ‖ Acerca de. ‖ Además de. ‖ Cerca de otra cosa, con más altura que ella y dominándola. ‖ Con dominio y superioridad. ‖ En prenda de algo. ‖ A o hacia. ‖ Después de. ‖ m. Cubierta, por lo común de papel, en que se incluye la carta, comunicación, etc., que ha de enviarse de un sitio a otro. ‖ Sobrescrito.

sobreabundar. intr. Abundar mucho.

sobrealimentación. f. Acción y efecto de sobrealimentar. ‖ TÉCN. En un motor de combustión, introducción de aire comprimido a una presión superior a la del aire ambiente.

sobrealimentar. tr. Dar más alimento del que ordinariamente se necesita. Ú.t.c.r.

sobrecarga (al. *Mehrbelastung*, fr. *surcharge*, ingl. *overload*, it. *sopraccarico*). f. Lo que se añade a una carga regular. ‖ Soga o lazo que se echa encima de la carga para asegurarla. ‖ fig. Molestia que sobreviene y se añade al sentimiento o pasión del ánimo.

sobrecargar. tr. Cargar con exceso.

sobrecargo. m. El que en los buques mercantes cuida del cargamento.

sobrecejo. m. Señal de enfado arrugando la frente.

sobrecogedor, ra. adj. Que sobrecoge.

sobrecoger. tr. Coger de repente y desprevenido. ‖ r. Sorprenderse, intimidarse.

sobrecubierta. f. Segunda cubierta, por encima de la primera.

sobreexcitar. tr. Aumentar o exagerar las propiedades vitales de todo el organismo o de una de sus partes. Ú.t.c.s.

sobrehilado. m. Puntadas en la orilla de una tela para que no se deshilache.

sobrehilar. tr. Dar puntadas sobre el borde de una tela cortada, para que no se deshilache.

sobrehumano, na. adj. Que excede a lo humano.

sobrejuanete. m. MAR. Cada una de las vergas que se cruzan sobre los juanetes, y las velas que se largan en ellas.

sobrellevar (al. *endulden*, fr. *supporter*, ingl. *to undergo*, it. *sopportare*). tr. Llevar alguien una carga moral para aliviar a otro. ‖ fig. Ayudar a sufrir los trabajos o molestias de la vida. ‖ fig. Resignarse a ellos. ‖ fig. Disimular y suplir los defectos de otros. [*Sinón.:* aguantar, resignar, sufrir]

sobremanera. adv. m. En extremo, muchísimo, sobre manera.

sobremesa. f. Tapete que se pone sobre la mesa. ‖ Tiempo que se permanece en la mesa después de haber comido.

sobremesana. f. MAR. Gavia del palo de mesana.

sobrenadar. intr. Mantenerse en la superficie de un líquido sin hundirse. [*Sinón.:* flotar]

sobrenatural (al. *ubernatürlich*, fr. *surnaturel*, ingl. *supernatural*, it. *sopranaturale*). adj. Que excede los términos de la naturaleza. [*Sinón.:* prodigioso, paranormal]

sobrenombre (al. *Beiname*, fr. *surnom*, ingl. *surname*, it. *soprannome*). m. Nombre que se añade a veces al apellido para distinguir a dos personas que tienen el mismo. ‖ Nombre calificativo con que se distingue especialmente a una persona.

sobrentender. tr. Entender una cosa que no está expresa, pero que se deduce. Ú.t.c.r.

sobrepasar. tr. Exceder un límite. ‖ Superar.

sobrepelliz. f. Vestidura blanca de lienzo fino que se lleva sobre la sotana. [*Sinón.:* roquete]

sobreponer. tr. Añadir una cosa o ponerla encima de otra. ‖ r. fig. Dominarse los impulsos del ánimo o no dejarse vencer por las adversidades. ‖ fig. Obtener o afectar superioridad una persona respecto de otra. [*Sinón.:* superponer]

sobrepuesto, ta. adj. Dícese de un bordado en que se aplican los adornos sobre la tela. ‖ m. Aplicación, elemento de decoración.

sobrero, ra. adj. Que sobra. ‖ TAUROM. Aplícase al toro que se tiene en reserva por si se inutiliza algún otro de los destinados a una corrida. Ú.t.c.s.

sobresaliente (al. *hervorragend*, fr. *excellent*, ingl. *excelling*, it. *eccellente*). adj. Muy bueno, excelente. ‖ m. En las calificaciones de los exámenes, la más alta de ella. ‖ com. fig. Persona destinada a suplir la falta de otra.

sobresalir (al. *hervorragen*, fr. *exceller*, ingl. *to overreach*, it. *eccellere*). intr. Exceder una persona o cosa a otras en figura, tamaño, etc. ‖ Aventajar a alguien, distinguirse de los demás. [*Sinón.:* despuntar, descollar, señalarse]

sobresaltar. tr. Asustar, alterar repentinamente el ánimo de alguien. Ú.t.c.r. [*Sinón.:* inquietar]

sobresalto (al. *Erschrecken*, fr. *sursaut*, ingl. *start*, it. *sussulto*). m. Sensación que proviene de un acontecimiento repentino. ‖ Temor o susto repentino. [*Sinón.:* sorpresa]

sobresdrújulo, la. adj. GRAM. Aplícase a las voces que llevan un acento en la sílaba anterior a la antepenúltima. Ú.t.c.s.

sobreseer. intr. Desistir de la pretensión que se tenía. ‖ DER. Cesar en una instrucción sumarial, y por ext., dejar sin curso ulterior un procedimiento. Ú.t.c. tr. [*Sinón.:* suspender, diferir]

sobreseimiento. m. Acción y efecto de sobreseer.

sobresueldo. m. Salario o consignación que se añade al sueldo fijo.

sobretodo. m. Prenda de vestir ancha, larga y con mangas, que se lleva sobre el traje ordinario.

sobrevenir (al. *dakommen*, fr. *arriver*, ingl. *to happen*, it. *sopravvenire*). intr. Suceder una cosa además o después de otra. ‖ Venir de improviso. [*Sinón.:* acaecer]

sobrevivir (al. *überleben*, fr. *survivre*, ingl. *to survive*, it. *sopravvivere*). intr.

Vivir uno más que otro, o después de un determinado suceso o plazo.

sobriedad. f. Calidad de sobrio.

sobrino, na (al. *Neffe, Nichte;* fr. *neveu;* ingl. *nephew, niece;* it. *nipote*). s. Respecto de una persona, hijo o hija de su hermano o hermana, o de su primo o prima.

sobrio, bria (al. *mässig,* fr. *sobre,* ingl. *sober,* it. *sobrio*). adj. Templado, moderado, en particular en lo conveniente a la comida y bebida. [*Sinón.:* ponderado, mesurado, parco]

socaire. m. MAR. Abrigo que ofrece una cosa en su lado opuesto a aquel de donde sopla el viento.

socarrón, na. adj. Que obra con socarronería. Ú.t.c.s.

socarronería. f. Astucia acompañada de burla encubierta.

socavar (al. *untergraben,* fr. *creuser,* ingl. *to undermine,* it. *soccavare*). tr. Excavar bajo la base de alguna cosa hasta minar su asentamiento y dejarla en falso. [*Sinón.:* minar]

socavón. m. Cueva que se excava en la ladera de un cerro o monte. || Hundimiento del suelo por haberse producido una oquedad subterránea.

sociabilidad. f. Calidad de sociable.

sociable (al. *gesellig,* fr. *sociable,* ingl. *sociable,* it. *socievole*). adj. Naturalmente inclinado a la sociedad. [*Sinón.:* afable]

social (al. *sozial,* fr. *social,* ingl. *social,* it. *sociale*). adj. Perteneciente o relativo a la sociedad y a las relaciones entre clases. || Perteneciente o relativo a una compañía o sociedad, o a los socios o compañeros.

socialdemocracia. f. Socialismo democrático y reformista, por oposición al socialismo revolucionario.

socialdemócrata. com. Partidario de la socialdemocracia.

socialismo. m. Sistema de organización social que supone la propiedad colectiva de los bienes de producción y propugna la preponderancia del interés colectivo sobre el particular.

socialista. adj. Que profesa la doctrina del socialismo. Ú.t.c.s. || Perteneciente o relativo al socialismo.

socialización. f. Acción y efecto de socializar.

socializar. tr. Transferir al Estado, u otro organismo colectivo, los bienes privados de producción. || Transferir, sin pasar por el Estado, estos bienes a la colectividad. || Promover las condiciones sociales que favorezcan en los seres humanos su desarrollo integral.

sociedad (al. *Gesellschaft;* fr. *société;* ingl. *society, company;* it. *società*). f. Reunión de personas, familias, pueblos o naciones. || Agrupación de individuos, con el fin de cumplir, mediante la mutua cooperación, todos o algunos de los fines de la vida. || Reunión de personas con fines recreativos, culturales, deportivos o benéficos. || COM. La de comerciantes, hombres de negocios o accionistas de alguna compañía. || — *anónima.* COM. La formada por acciones, con responsabilidad circunscrita al capital que éstas representan. || — *comanditaria* o *en comandita.* COM. Aquella en que hay dos clases de socios: unos con derechos y obligaciones como en la sociedad colectiva, y otros, llamados comanditarios, que tienen limitados a cierta cuantía su interés y su responsabilidad en los negocios comunes.

socio, cia (al. *Gesellshafter,* fr. *associé,* ingl. *partner,* it. *socio*). s. Persona asociada con otra para algún fin. || Miembro de una sociedad. || fam. Amigo, compañero, compinche.

sociología (al. *Soziologie,* fr. *sociologie,* ingl. *sociology,* it. *sociologia*). f. Ciencia que se ocupa de las condiciones de existencia y desenvolvimiento de las sociedades humanas.

sociólogo, ga. s. Especialista en sociología.

socorrer. tr. Ayudar en un peligro o necesidad. [*Sinón.:* auxiliar]

socorrido, da. adj. Que socorre con facilidad la necesidad de otro. || Se dice de aquello en que se halla con facilidad lo que se precisa. || Se dice de los recursos que fácilmente y con frecuencia sirven para resolver una dificultad.

socorrismo. m. Organización y adiestramiento para prestar socorro en caso de accidente.

socorrista. com. Persona especialmente adiestrada para prestar socorro en caso de accidente.

socorro (al. *Hilfe,* fr. *secours,* ingl. *aid,* it. *soccorso*). m. Acción y efecto de socorrer. || Dinero, alimento u otra cosa con que se socorre. || Provisión de municiones de boca o de guerra con que se auxilia a un cuerpo de tropa o a una plaza. [*Sinón.:* auxilio, ayuda]

socrático, ca. adj. Que sigue la doctrina de Sócrates. Ú.t.c.s. || Perteneciente a ella.

sochantre. m. Director del coro en los oficios divinos.

soda. f. Bebida de agua gaseosa con ácido carbónico y jarabe de fruta.

sódico, ca. adj. QUÍM. Perteneciente o relativo al sodio.

sodio. m. QUÍM. Metal de color y brillo argentinos, que se empaña rápidamente en contacto con el aire, blando, muy ligero y que descompone el agua a la temperatura ordinaria.

sodomía. adj. Relación carnal entre personas de un mismo sexo, especialmente del masculino.

sodomita. adj. Natural de Sodoma. Ú.t.c.s. || Concerniente a esta antigua ciudad de Palestina. || Que comete sodomía. Ú.t.c.s. [*Sinón.:* invertido, pederasta, maricón]

soez (al. *gemein,* fr. *vil,* ingl. *nean,* it. *vile*). adj. Bajo, grosero, vil.

sofá (al. *Sofa,* fr. *sofa,* ingl. *sofa,* it. *sofà*). m. Asiento con respaldo y brazos para dos o más personas. [*Sinón.:* diván, canapé]

sofión. m. Bufido.

sofisma. m. Argumento aparente con que se quiere defender algo falso. || Falso razonamiento.

sofismo. m. Doctrina mística de los mahometanos, principalmente en Persia, sufismo.

sofista. adj. Que se vale de sofismas. Ú.t.c.s. || m. En la Grecia antigua, filósofo.

sofisticación. f. Acción y efecto de sofisticar.

sofisticar. tr. Adulterar, falsificar con sofismas. || Alambicar.

sofito. m. ARQ. Plano inferior del saliente de una cornisa o de otro cuerpo voladizo.

soflama. f. Llama tenue o reverberación del fuego. || Bochorno o ardor que suele subir al rostro. || fig. Expresión artificiosa con que uno intenta engañar. || fig. despect. Discurso, perorata. || fig. Roncería, arrumaco.

soflamar. tr. Fingir, usar de palabras afectadas para chasquear o engañar a uno. || fig. Hacer que uno se abochorne. || r. Requemarse.

sofocación. f. Acción y efecto de sofocar.

sofocar (al. *unterdrücken,* fr. *étouffer,* ingl. *to quench,* it. *sofiare*). tr. Ahogar, impedir la respiración. || Apagar, dominar, extinguir. || fig. Acosar, importunar demasiado a alguien. || fig. Avergonzar, abochornar a alguien. Ú.t.c.r. [*Sinón.:* asfixiar]

sofoco. m. Efecto de sofocar o sofocarse. || fig. Grave disgusto que se da o se recibe.

sofocón. m. fam. Desazón, disgusto que sofoca.

sofreír. tr. Freír ligeramente una cosa.

sofrenar. tr. Reprimir el jinete a la caballería tirando de las riendas con violencia. || fig. Reprender con aspereza a uno. || fig. Refrenar con pasión del ánimo.

soga (al. *Seil*, fr. *corde*, ingl. *rope*, it. *fune*). f. Cuerda gruesa de esparto. || ARQ. Parte de un sillar o ladrillo que queda cubierta en el paramento de la fábrica. || *con la soga al cuello*. fig. Amenazado de un riesgo grave, en apretura o apuro. [*Sinón.*: maroma]

soja. f. BOT. Planta leguminosa papilionácea procedente de Asia, con semilla parecida al fréjol, comestible.

sojuzgar. tr. Dominar, subyugar.

sol (al. *Sonne*, fr. *soleil*, ingl. *sun*, it. *sole*). n.p.m. ASTR. Astro luminoso, centro de nuestro sistema planetario. || m. fig. Luz, calor o influjo de este astro. || fig. Tiempo que el Sol emplea en dar aparentemente una vuelta alrededor de la Tierra. || Unidad monetaria principal del Perú. || En alquimia, oro, metal. || — *figurado.* BLAS. El representado con cara humana. || *arrimarse al sol que más calienta.* fig. Servir y adular al más poderoso. || *no dejar a sol ni a sombra* a uno. fig. y fam. Importunarle a todas horas y en todo sitio.

sol. m. MÚS. Quinta voz de la escala.

solado. m. Acción de solar. || Revestimiento de un piso.

solana. f. Sitio o paraje donde el sol da de lleno. || Corredor o pieza destinada en la casa para tomar el sol.

solanáceo, a. adj. BOT. Se aplica a hierbas, matas y arbustos angiospermos dicotiledóneos con hojas simples y alternas, flores de corola acampanada, y baya o caja con muchas semillas provistas de albumen carnoso, como la patata y la tomatera. Ú.t.c.s.f. || f.pl. Familia de estas plantas.

solanera. f. Efecto que produce en una persona el tomar mucho el sol. || Paraje expuesto sin resguardo a los rayos solares.

solano. m. Viento que sopla de donde sale el Sol.

solapa (al. *Umschlag*, fr. *revers*, ingl. *lapel*, it. *bavero*). f. Parte del vestido, correspondiente al pecho, que suele ir doblada hacia fuera sobre la misma prenda de vestir. || Prolongación lateral de la cubierta de un libro y que se dobla hacia adentro.

solapado, da. adj. fig. Dícese de la persona que por costumbre oculta maliciosa y cautelosamente sus pensa-mientos. || Dícese de la acción malintencionada que se realiza ocultamente para no perjudicar su éxito. [*Sinón.*: taimado]

solapar. tr. Poner solapas a los vestidos. || Cubrir una cosa a otra. || fig. Ocultar maliciosa y cautelosamente la verdad o la intención. [*Sinón.*: esconder, fingir]

solar. adj. Aplícase a la casa más antigua y noble de una familia. Ú.t.c.s.m. || m. Casa, descendencia, linaje noble. || Terreno donde se ha edificado o que se destina a edificar. || adj. Perteneciente al Sol. || tr. Revestir el suelo con ladrillos, losas, etc.

solariego, ga. adj. Concerniente al solar de antigüedad y nobleza. Ú.t.c.s. || Antiguo y noble.

solario. m. Terraza donde se toman baños de sol.

solárium. m. Solario.

solaz. m. Esparcimiento, alivio de los trabajos. [*Sinón.*: recreo]

solazar. tr. Dar solaz. U.m.c.r. [*Sinón.*: recrearse]

soldada. f. Sueldo, salario o estipendio. || Haber del soldado.

soldadesca. f. Ejercicio o profesión de soldado. || Conjunto de soldados. || Tropa indisciplinada.

soldadesco, ca. adj. Concerniente a los soldados.

soldado (al. *Soldat*, fr. *soldat*, ingl. *soldier*, it. *soldato*). m. El que sirve en la milicia. || Militar sin graduación. || fig. Mantenedor, servidor, partidario. [*Sinón.*: quinto]

soldador. m. El que tiene por oficio soldar. || Instrumento para soldar.

soldadura. f. Acción y efecto de soldar. || Material para soldar. || — *autógena.* La que se hace con el mismo metal de las piezas que se tienen que soldar.

soldar (al. *löten*, fr. *souder*, ingl. *to weld*, it. *saldare*). tr. Pegar sólidamente las cosas, de ordinario con alguna sustancia igual o semejante a ellas.

solear. tr. Tener una cosa al sol. Ú.t.c.r.

solecismo. m. Falta de sintaxis.

soledad. f. Carencia de compañía. || Pesar y melancolía por la ausencia o pérdida de una persona o cosa. || Tonada andaluza de carácter melancólico. || Danza que se baila con ella.

solemne (al. *feierlich*, fr. *solennel*, ingl. *solemn*, it. *solenne*). adj. Celebrado públicamente con pompa. || Formal, válido, acompañado de todos los requisitos necesarios. || Majestuoso, imponente.

solemnidad. f. Calidad de solemne. || Acto o ceremonia solemne. || Festividad eclesiástica. || Cada una de las formalidades de un acto solemne.

sóleo. m. ANAT. Músculo de la pantorrilla unido a los músculos gemelos por su parte inferior para formar el tendón de Aquiles.

soler. intr. Con referencia a seres vivos, tener costumbre. || Tratándose de hechos o cosas, ser frecuentes. [*Sinón.*: estilar]

solera. f. Madero puesto horizontalmente para que en él se ensamblen o se apoyen otros verticales, inclinados, etc. || Madero de sierra de dimensiones varias. || Piedra plana para sostener pies derechos u otras cosas parecidas. || Suelo del horno. || Superficie del fondo en canales y acequias. || Madre o lía del vino. || fig. Carácter tradicional de las cosas, usos, costumbres, etc.

solevar. tr. Sublevar. Ú.t.c.r. || Levantar empujando de abajo arriba.

solfa. f. Arte que enseña a leer y entonar las diversas voces de la música. || Conjunto de signos con que se escribe la música.

solfatara. f. Abertura, en los terrenos volcánicos, por donde salen vapores sulfurosos.

solfear. tr. Cantar mientras se lleva el compás y se pronuncian los nombres de las notas.

solfeo. m. Acción y efecto de solfear.

solicitación. f. Acción de solicitar.

solicitar (al. *ansuchen um*, fr. *solliciter*, ingl. *to seek after*, it. *sollecitare*). tr. Pretender o buscar una cosa con diligencia y cuidado. || Requerir de amores a una persona. || FÍS. Atraer una o más fuerzas a un cuerpo, cada cual en su sentido. [*Sinón.*: pedir]

solícito, ta. adj. Diligente, cuidadoso, atento.

solicitud (al. *Ansuchen*, fr. *sollicitude*, ingl. *diligence*, it. *sollecitudine*). f. Diligencia o instancia cuidadosa. || Memorial en que se demanda o solicita alguna cosa.

solidaridad (al. *Solidarität*, fr. *solidarité*, ingl. *solidarity*, it. *solidarietà*). f. Modo de derecho u obligación de mancomún. || Adhesión circunstancial a la causa o a la empresa de otros.

solidario, ria. adj. Aplícase a las obligaciones contraídas de mancomún y a las personas que las contraen. || Adherido o asociado a la causa, empresa u opinión de otro.

solidarizar. tr. Hacer a una persona o cosa solidaria con otra. Ú.t.c.r.

solideo. m. Casquete que usan los eclesiásticos.

solidez. f. Calidad de sólido.

solidificación. f. Acción y efecto de solidificar o solidificarse.

solidificar. tr. Hacer sólido un fluido. Ú.t.c.r.

sólido, da (al. *fest*, fr. *solide*, ingl. *solid*, it. *solido*). adj. Firme, macizo, denso y fuerte. ‖ Se aplica al cuerpo cuyas moléculas tienen entre sí mayor cohesión que las de los líquidos. Ú.t.c.s.m. ‖ fig. Establecido con razones fundamentales verdaderas. ‖ GEOM. m. Objeto material de tres dimensiones.

soliloquio. m. Discurso de una persona, que no dirige a otra la palabra, sino que habla consigo misma. ‖ Lo que dice, en estos términos, un personaje de una obra de teatro. [*Sinón.*: monólogo]

solio. m. Trono, silla real con dosel. |*Sinón.*: sitial]

solípedo. adj. ZOOL. Que tiene los dedos del pie fundidos en un casco, como el caballo.

solista. com. MÚS. Persona que ejecuta un solo de una pieza musical.

solitaria. f. ZOOL. Tenia.

solitario, ria (al. *einsam*, fr. *solitaire*, ingl. *lonely*, it. *solitario*). adj. Desamparado, desierto. ‖ Solo, sin compañía. ‖ Retirado, que ama la soledad o vive en ella. Ú.t.c.s. ‖ m. Diamante grueso que se engasta sólo en una joya. ‖ Juego de naipes que ejecuta una sola persona.

sólito, ta. adj. Acostumbrado, que se suele hacer ordinariamente.

soliviantar. tr. Inducir a alguien para que adopte una actitud de rebeldía. Ú.t.c.r.

solo, la (al. *allein*, fr. *seul*, ingl. *only*, it. *solo*). adj. Único en su especie. ‖ Que está sin otra cosa o separado de ella. ‖ Dicho de personas, sin compañía. ‖ Que no tiene quien le ampare o consuele. ‖ m. Paso de danza que se ejecuta sin pareja. ‖ MÚS. Composición que canta o toca una persona sola.

sólo. adv. m. Solamente, únicamente.

solomillo (al. *Lendentück*, fr. *filet*, ingl. *sirloin*, it. *filetto*). m. En los animales de matadero, capa de carne que se extiende entre las costillas y el lomo.

solsticio. m. ASTR. Cada uno de los puntos de la Eclíptica en los que el Sol alcanza su máxima y mínima declinación. ‖ Fecha que corresponde al momento en que el Sol se halla en alguno de estos puntos.

soltar. tr. Desatar o desceñir. ‖ Dar libertad al que estaba detenido o preso. Ú.t.c.r. ‖ Desasir lo que estaba sujeto. Ú.t.c.r. ‖ Dar salida a lo que estaba detenido o confinado. Ú.t.c.r. ‖ r. fig. Adquirir agilidad en la ejecución de las cosas. ‖ fig. Superar un cierto encogimiento o timidez obrando con desenvoltura. [*Sinón.*: desasir, liberar. *Antón.*: coger]

soltería. f. Estado de soltero.

soltero, ra (al. *ledig*, fr. *célibataire*, ingl. *unmarried*, it. *celibe*). adj. Que no se ha casado aún. Ú.t.c.s.

solterón, na. adj. Célibe ya entrado en años. Ú.t.c.s.

soltura. f. Agilidad, prontitud. ‖ fig. Facilidad y lucidez de dicción.

solubilidad. f. Calidad de soluble.

soluble (al. *löslich*, fr. *soluble*, ingl. *soluble*, it. *solubile*). adj. Que se puede disolver o desleír. ‖ fig. Que se puede resolver.

solución (al. *Lösung*, fr. *solution*, ingl. *solution*, it. *soluzione*). f. Acción y efecto de disolver. ‖ Acción y efecto de resolver una duda o dificultad. ‖ En el drama y poema épico, desenlace. ‖ Paga, satisfacción. ‖ Desenlace o término de un proceso, negocio, etcétera. ‖ MAT. Cada una de las cantidades que satisfacen las condiciones de un problema o de una ecuación.

solucionar. tr. Resolver un asunto, hallar solución o término a un negocio.

soluto. m. FÍS. y QUÍM. En una solución, el cuerpo disuelto.

solvencia. f. Acción y efecto de solventar. ‖ Calidad de solvente.

solventar. tr. Arreglar cuentas, pagando la deuda a que se refieren. ‖ Dar solución a un asunto difícil. [*Sinón.*: resolver]

solvente (al. *zahlungsfähig*, fr. *solvable*, ingl. *solvent*, it. *solvente*). adj. Libre de deudas. ‖ Capaz de cumplir cualquier obligación, etc.

sollado. m. MAR. Una de las cubiertas inferiores del buque.

sollo. m. Esturión, pez.

sollozar (al. *schluchzen*, fr. *sangloter*, ingl. *to sob*, it. *singhiozzare*). intr. Producir por un movimiento convulsivo varias inspiraciones bruscas, entrecortadas, seguidas de una espiración. [*Sinón.*: lloriquear]

sollozo. m. Acción y efecto de sollozar.

somalí. adj. Natural de Somalia. Ú.t.c.s. ‖ Perteneciente o relativo a este país de África.

somanta. f. fam. Tunda, zurra.

somatén. m. Cuerpo de gente armada, no perteneciente al ejército, que se reunía a toque de campana para perseguir a los criminales o defenderse de un ataque. ‖ En Cataluña, rebato, toque de alarma.

somático, ca. adj. Perteneciente al cuerpo. ‖ MED. Aplícase al síntoma material o corpóreo.

sombra (al. *Schatten*, fr. *ombre*, ingl. *shade*, it. *ombra*). f. Oscuridad, falta de luz, Ú.m. en pl. ‖ Zona de oscuridad que un cuerpo proyecta en el espacio en dirección opuesta a aquella por donde viene la luz. ‖ Imagen oscura que sobre una superficie proyecta un cuerpo opaco, interceptando los rayos directos de la luz. ‖ Lugar, zona o región a la que, por una u otra causa, no llegan las imágenes, sonidos o señales transmitidas por un aparato o estación emisora. ‖ Espectro, aparición fantástica de la imagen de una persona ausente o difunta. ‖ fam. Suerte, fortuna. ‖ *Amer.* Falsilla. ‖ *a la sombra*. fig. y fam. En la cárcel. ‖ *hacer sombra*. Impedir la luz. ‖ fig. Impedir alguien o algo que otra persona o cosa sobresalga o se distinga, por sobrepasarla en mérito, habilidad o calidad. ‖ *no ser una persona o cosa su sombra*, o *ni sombra de lo que era*. fig. Haber degenerado o decaído por extremo. ‖ *no tener uno sombra*, o *ni sombra, de* una cosa. fig. Carecer absolutamente de ella. ‖ *tener uno buena sombra*. fig. y fam. Ser agradable y simpático. ‖ *tener uno mala sombra*. fig. Ejercer mala influencia sobre los que le rodean; ser desagradable y antipático. [*Antón.*: luz, claridad]

sombrear (al. *schattieren*, fr. *ombrer*, ingl. *to shade*, it. *ombreggiare*). tr. Dar o producir sombra. ‖ PINT. Poner sombra en una pintura o dibujo.

sombrerera. f. Mujer del sombrerero. ‖ La que hace sombreros y los vende. ‖ Caja para guardar el sombrero.

sombrerería. f. Oficio de hacer sombreros. ‖ Fábrica donde se hacen. ‖ Tienda donde se venden.

sombrerero. m. El que hace sombreros y los vende.

sombrerillo. m. dim. de sombrero. ‖ BOT. Parte abombada de las setas, a modo de sombrilla, sostenida por el pedicelo.

sombrero (al. *Hut*, fr. *chapeau*, ingl. *hat*, it. *cappello*). m. Prenda de vestir, que sirve para cubrir la cabeza, y consta de copa y ala. ‖ BOT. Parte superior y redondeada de los hongos. || *—apun-tado*. El de ala grande, recogida por ambos lados. || *— cordobés*. El de fieltro, de ala ancha y plana, con copa baja cilíndrica. || *—chambergo*. El de copa acampanada y de ala ancha levantada por un lado y sujeta con presilla, el cual solía adornarse con plumas y cintillas. || *— de copa*, o *de copa alta*. El de ala estrecha y copa alta, casi cilíndrica y plana por encima. || *— de jipijapa*. El de ala ancha tejido con paja muy fina. || *— de tres picos*. El armado en forma de triángulo. || *— hongo*. El de copa baja, rígida y semiesférica.

sombrilla. f. Quitasol.

sombrío, a. adj. Dícese del lugar en que frecuentemente hay sombra. || fig. Tétrico, melancólico. [*Antón.*: claro, luminoso]

somero, ra. adj. Casi encima o muy inmediato a la superficie. || fig. Ligero, superficial.

someter (al. *unterwerfen*, fr. *soumettre*, ingl. *to subdue*, it. *sottomettere*). tr. Sujetar, humillar, subyugar. Ú.t.c.r. || Subordinar la voluntad a la de otra persona. Ú.t.c.r. || Proponer a la consideración de alguien razones, reflexiones u otras especies. || Encomendar a alguien la resolución de un negocio o litigio. [*Antón.*: rebelar, indisciplinar]

sometimiento. m. Acción y efecto de someter o someterse.

somier. m. Tela metálica sobre la que se coloca el colchón.

somnífero, ra. adj. Que da o causa sueño. Ú.t.c.s.

somnolencia. f. Pesadez y torpeza de los sentidos motivada por el sueño. || Gana de dormir. [*Sinón.*: sopor. *Antón.*: viveza]

somorgujo. m. Zool. Ave palmípeda con pico largo y afilado que puede mantener durante mucho tiempo sumergida la cabeza bajo el agua. Se alimenta de insectos y peces.

somormujo. m. Somorgujo.

son. m. Sonido que afecta agradablemente al oído. || fig. Tenor, modo o manera. || fig. Pretexto.

sonado, da. adj. Famoso. || Divulgado con mucho ruido y admiración.

sonaja. f. Par o pares de chapa de metal que, atravesadas por un alambre, se colocan en algunos juguetes e instrumentos para hacerlas sonar agitándolas. || pl. Instrumento rústico que consiste en un aro de madera delgada con varias sonajas colocadas en otras tantas aberturas.

sonajero (al. *Kinderklapper*, fr. *hochet*, ingl. *baby's rattle*, it. *sonaglino*). m. Juguete con cascabeles, que sirve para entretener a los niños de pecho.

sonambulismo. m. Med. Sueño anormal producido por hipnotismo o de modo espontáneo, en el que el sujeto realiza diversas acciones inconscientes.

sonámbulo, la (al. *Nachtwandler*, fr. *somnánbule*, ingl. *somnambulist*, it. *sonnámbulo*). adj. Dícese de la persona que padece sonambulismo. Ú.t.c.s.

sonante. adj. Que suena. || Sonoro. || Sonántico.

sonántico, ca. adj. Se aplica a las consonantes líquidas y nasales con resonancia vocálica o vocal reducida, que pueden ser silábicas y desarrollar su vocal plenamente. Ú.t.c.s.f.

sonar (al. *erklinger*, fr. *sonner*, ingl. *to sound*, it. *sonare*). intr. Hacer ruido una cosa. || Tener una letra valor fónico. || Mencionar. || tr. Tañer una cosa para que suene con arte y armonía. || Limpiar de mocos las narices, haciéndolos salir con una espiración violenta. Ú.t.c.r. || impers. Decirse, rumorearse. Ú.t.c.r. || *como suena.* m. adv. Literalmente, con arreglo al sentido estricto de las palabras. || *sonar bien*, o *mal*, una expresión. fig. Producir buena, o mala, impresión en el ánimo de quien la oye.

sonar. m. Aparato para detectar la presencia y situación de objetos sumergidos mediante vibraciones inaudibles de alta frecuencia que son reflejadas por dichos objetos.

sonata. f. Mús. Composición de música instrumental de fragmentos de distinto carácter y movimiento.

sonda (al. *Senkblei*, fr. *sonde*, ingl. *plummet*, it. *sonda*). f. Acción y efecto de sondar. || Cuerda con un peso de plomo, empleada para medir la profundidad de las aguas y explorar el fondo. || Barrena que sirve para abrir en los terrenos taladros de gran profundidad. || En cirugía, algalia. || En cirugía, instrumento para explorar cavidades. || Mar. Sitio del mar cuya profundidad es comúnmente sabida.

sondar. tr. Echar el escandallo al agua para averiguar la profundidad y la calidad del fondo. || Averiguar la naturaleza del subsuelo con una sonda. || fig. Inquirir con cautela la intención o discreción de alguien, o las circunstancias y estado de una cosa. || Cir. Introducir en el cuerpo la sonda. [*Sinón.*: escandallar, averiguar]

sondear. tr. Sondar.

sondeo. m. Acción y efecto de sondar.

soneto (al. *Sonett*, fr. *sonnet*, ingl. *sonnet*, it. *sonetto*). m. Composición poética que consta de catorce versos endecasílabos, distribuidos en dos cuartetos y dos tercetos.

sonido (al. *Ton*, fr. *son*, ingl. *sound*, it. *suono*). m. Sensación producida en el oído por el movimiento vibratorio de los cuerpos. || Valor y pronunciación de las letras. || Significación y valor literal de las palabras. || Fís. Agente físico que se manifiesta en forma de energía vibratoria y, dentro de ciertos límites, es audible.

sonoridad. f. Calidad de sonoro.

sonorización. f. Acción y efecto de sonorizar.

sonorizar. tr. Convertir una letra sorda en sonora.

sonoro, ra (al. *klingend*, fr. *sonore*, ingl. *sonorous*, it. *sonoro*). adj. Que suena o puede sonar. || Que suena bien. || Que despide bien, o hace que se oiga bien, el sonido. || Gram. Dícese de las letras que en su pronunciación van acompañadas de una vibración de las cuerdas vocales. [*Sinón.*: sonador]

sonreír (al. *lächeln*, fr. *sourire*, ingl. *to smile*, it. *sorridere*). intr. Reírse levemente. Ú.t.c.r. || fig. Mostrarse favorable o halagüeño para alguien un asunto, suceso, etcétera.

sonrisa (al. *Lächeln*, fr. *sourire*, ingl. *smile*, it. *sorriso*). f. Acción de sonreír o sonreírse.

sonrojar (al. *erröten*, fr. *faire rougir*, ingl. *to blush*, it. *fare arrossire*). tr. Hacer salir los colores al rostro, avergonzar. Ú.t.c.r. [*Sinón.*: ruborizar]

sonrojo. m. Acción y efecto de sonrojar o sonrojarse. || Improperio que obliga a sonrojarse.

sonrosar. tr. Dar, poner o causar color como de rosa. Ú.t.c.r.

sonsacar (al. *entlocken*, fr. *soutirer*, ingl. *to wheedle*, it. *scrocare*). tr. Sacar con maña algo por debajo del sitio en que está. || Intentar alguien conseguir, con precaución y habilidad, que una persona deje de trabajar a las órdenes de otra y pase a su servicio. || fig. Procurar con maña que alguien diga lo que sabe y calla. [*Sinón.*: sondear, averiguar]

sonsonete. m. Sonido que resulta de los golpes pequeños y repetidos que se dan en una parte, imitando un son de música. || fig. Ruido poco intenso, pero continuado, y por lo común desapacible. || fig. Tonillo o modo especial en la risa o palabras, que denota desprecio o ironía.

soñador, ra. adj. Que sueña mucho. || Que cuenta patrañas y ensueños o les da crédito fácilmente. Ú.t.c.s. || fig. Que discurre fantásticamente, iluso. [*Sinón.*: quimérico]

soñar (al. *träumen*, fr. *rêver*, ingl. *to dream*, it. *sognare*). tr. Representarse en la fantasía especies o sucesos durante el sueño. || fig. Discurrir fantásticamente y dar por cierto lo que no lo es. || intr. fig. Sentir anhelo por una cosa.

soñera. f. Propensión a dormir.

soñolencia. f. Propensión al sueño.

soñoliento, ta. adj. Acometido de sueño o muy propenso a él. || Que causa sueño. || fig. Perezoso.

sopa (al. *Suppe*, fr. *potage*, ingl. *soup*, it. *minestra*). f. Pedazo de pan empapado en cualquier líquido. || Plato hecho de un líquido alimenticio y de rebanadas de pan. || Pasta, fécula o verduras que se mezclan con el caldo en el plato de este mismo nombre. || Comida que se da a los pobres en los conventos. || pl. Rebanadas de pan que se cortan para echarlas en el caldo. || — *boba.* Comida que se daba a los pobres en los conventos. En sent. fig., vida holgazana y a expensas de otro. || *hecho una sopa.* loc. fig. y fam. Muy mojado. [*Sinón.*: caldo]

sopapo. m. Golpe que se da con la mano debajo de la papada. || fam. Bofetada.

sopera. f. Vasija honda en la que se sirve la sopa.

sopero. adj. Dícese del plato hondo en el que se come la sopa. Ú.t.c.s.

sopesar. tr. Levantar una cosa para tantear el peso que tiene. || Por ext., calcular o considerar por anticipado las ventajas o inconvenientes de una cosa.

sopetón. m. Golpe fuerte y repentino dado con la mano. || *de sopetón.* m. adv. De improviso.

sopicaldo. m. Caldo con muy pocas sopas.

soplamocos. m. fig. y fam. Golpe que se da a uno en la cara.

soplar (al. *blasen*, fr. *souffler*, ingl. *to blow*, it. *soffiare*). intr. Despedir aire con violencia por la boca. Ú.t.c.tr. || Hacer que los fuelles u otros artificios adecuados arrojen el aire que han recibido. || Correr el viento, haciéndose sentir. || fig. Sugerir a alguien aquello que debe decir y no acierta o ignora. || fig. Acusar o delatar. || r. fig. y fam. Beber o comer mucho. || ¡sopla! interj. fam. con que se expresa admiración o ponderación. [*Sinón.*: bufar; ahitarse. *Antón.*: inspirar]

soplete (al. *Gebläse*, fr. *chalumeau*, ingl. *blowpipe*, it. *cannello*). m. Aparato que sirve para producir y proyectar una llama, utilizado en los laboratorios para obtener elevadas temperaturas y en la industria para soldar metales o para cortarlos. || Canuto de boj por donde se hincha de aire la gaita gallega.

soplido. m. Soplo.

soplillo. m. dim. de soplo. || Ruedo pequeño de esparto, que se emplea para avivar el fuego. || Cosa sumamente delicada o muy breve. || Especie de tela de seda muy ligera. || Bizcocho de pasta esponjosa y delicada.

soplo. m. Acción y efecto de soplar. || fig. Instante. || fig. y fam. Aviso que se da en secreto y con cautela. || Delación. [*Sinón.*: soplido]

soplón, na. adj. fam. Dícese de la persona que acusa en secreto y cautelosamente. Ú.t.c.s.

soponcio. m. fam. Desmayo, congoja.

sopor (al. *Schlafsucht*, fr. *assoupissement*, ingl. *sopor*, it. *sopore*). m. MED. Modorra morbosa persistente. || Adormecimiento, somnolencia. [*Sinón.*: letargo, soñera]

soporífero, ra. adj. Que inclina al sueño o que lo produce. Ú.t.c.s. [*Sinón.*: adormecedor]

soportal (al. *Gedeckter Hauseingang*, fr. *porche*, ingl. *porch*, it. *portico*). m. Espacio cubierto que en algunas casas precede a la entrada principal. || Pórtico que tienen algunos edificios o manzanas de casas en sus fachadas. [*Sinón.*: porche]

soportar (al. *erdulden*, fr. *endurer*, ingl. *to support*, it. *supportare*). tr. Sostener o llevar sobre sí una carga o peso. || fig. Sufrir, tolerar. [*Sinón.*: aguantar]

soporte. m. Apoyo o sostén.

soprano (al. *Sopran*, fr. *soprano*, ingl. *soprano*, it. *soprano*). m. MÚS. Voz de tiple. || com. Persona que tiene voz de soprano. [*Antón.*: bajo]

soquete. m. *Amer.* Escarpín, calcetín corto.

sor. f. Hermana, religiosa.

sorber. tr. Beber mientras se aspira. || fig. Atraer hacia dentro de sí algunas cosas. || fig. Absorber, tragar.

sorbete. m. Refresco de zumo de frutas con azúcar; o de agua, leche o yemas de huevo azucarados, con cierto grado de congelación pastosa.

sorbo. m. Acción de sorber. || Cantidad de líquido que se puede tomar de una vez en la boca. || fig. Porción pequeña de un líquido.

sordera. f. Privación o disminución de la facultad de oír.

sordidez. f. Calidad de sórdido.

sórdido, da. adj. Sucio, manchado. || fig. Impuro, indecente. || fig. Mezquino, avariento.

sordina. f. Pieza que se ajusta por la parte superior del puente a los instrumentos de arco y cuerda para disminuir la intensidad y modificar el timbre del sonido. || Pieza que para el mismo fin se pone en otros instrumentos. || Registro en los órganos y pianos, con que se produce el mismo efecto.

sordo, da (al. *taub*, fr. *sourd*, ingl. *deaf*, it. *sordo*). adj. Que no oye, o que no oye bien. Ú.t.c.s. || Callado, silencioso. || Que suena poco o sin timbre claro. || fig. Insensible o poco dado a escuchar consejos. || GRAM. Dícese de las letras, sonidos o articulaciones que en su pronunciación no van acompañadas de vibraciones de las cuerdas vocales.

sordomudez. f. Calidad de sordomudo.

sordomudo, da (al. *taubstumm*, fr. *sourd-muet*, ingl. *deaf-mute*, it. *sordomuto*). adj. Que carece de las facultades de oír y hablar. Ú.t.c.s

sorgo. m. BOT. Zahína.

soriano, na. adj. Natural de Soria. Ú.t.c.s. || Perteneciente a esta ciudad o provincia.

sorna. f. Lentitud o calma con que se hace una cosa. || fig. Disimulo y burla con que se hace o se dice una cosa. [*Sinón.*: socarronería]

soroche. m. *Amer.* Mal de montaña en las grandes alturas.

sorprendente. adj. Que sorprende o admira. || Extraordinario, raro, desusado.

sorprender (al. *überraschen*, fr. *surprendre*, ingl. *to catch*, it. *sorprendere*). tr. Coger desprevenido. || Conmover o maravillar con algo imprevisto o raro. Ú.t.c.r. || Descubrir lo que otro ocultaba o disimulaba. [*Sinón.*: asombrar, maravillar]

sorpresa (al. *Überraschung*, fr. *surprise*, ingl. *surprise*, it. *sorpresa*). f. Acción y efecto de sorprender o sorprenderse. || Cosa que da motivo para que alguien se sorprenda. || *coger* a uno *de sorpresa* alguna cosa. Hallarle desprevenido, sorprenderle.

sorpresivo, va. adj. *Amer.* Que sorprende; que se produce por sorpresa.

sortear. tr. Someter a personas o cosas a la decisión de la suerte. || fig. Evitar con maña o eludir un compromiso, riesgo o dificultad. [*Sinón.*: rifar]

sorteo (al. *Auslosung*, fr. *tirage*, ingl. *casting lots*, it. *sorteggio*). m. Acción de sortear.

sortija (al. *Ring*, fr. *bague*, ingl. *ring*, it. *anello*). f. Anillo, aro pequeño que se ajusta a los dedos. ‖ Rizo del cabello, en forma de anillo.

sortilegio. m. Adivinación que se hace por medio de prácticas supersticiosas.

sos. prep. insep. Sub.

S.O.S. m. Señal telegráfica internacional de petición de auxilio.

sosa. f. Barrilla, planta. ‖ Cenizas de esta planta. ‖ QUIM. Óxido de sodio, base salificable, muy cáustica.

sosegado, da. adj. Quieto, pacífico.

sosegar (al. *beruhigen*, fr. *apaiser*, ingl. *to appease*, it. *calmare*). tr. Aplacar, pacificar. Ú.t.c.r. ‖ fig. Aquietar las alteraciones del ánimo. Ú.t.c.r. ‖ intr. Descansar, aquietar. Ú.t.c.r.

sosería. f. Insulsez, falta de gracia y de viveza. ‖ Dicho o hecho insulso.

sosia. m. Con respecto a una persona, otra que se le parece tanto que puede confundirse con ella.

sosiego. m. Quietud, tranquilidad, serenidad.

soslayar. tr. Pasar de largo, dejando de lado alguna dificultad.

soslayo, ya. adj. Eludido, oblicuo. ‖ *de soslayo.* m. adv. Oblicuamente; de costado y perfilando bien el cuerpo para pasar por alguna estrechura; eludiendo o dejando de lado alguna dificultad.

soso, sa (al. *geschmacklos*, fr. *fade*, ingl. *insipid*, it. *insipido*). adj. Que no tiene sal, o tiene muy poca. ‖ fig. Dícese de la persona, acción o palabra que carece de gracia y viveza. [*Sinón.*: insulso]

sospecha. f. Acción y efecto de sospechar. [*Sinón.*: barrunto]

sospechar (al. *mutmassen*, fr. *soupçonner*, ingl. *to suspect*, it. *sospettare*). tr. Aprehender o imaginar una cosa por conjeturas fundadas en apariencias o visos de verdad. ‖ intr. Desconfiar, dudar. [*Antón.*: confiar]

sospechoso, sa. adj. Que da motivo para sospechar. ‖ Que sospecha. ‖ m. Individuo de conducta sospechosa.

sostén. m. Acción de sostener. ‖ Persona o cosa que sostiene. ‖ fig. Apoyo moral, protección. ‖ Prenda de ropa interior que usan las mujeres para ceñir y levantar el pecho.

sostener (al. *stützen*, fr. *soutenir*, ingl. *to support*, it. *sostenere*). tr. Sustentar, mantener firme un cosa. Ú.t.c.r. ‖ Sustentar o defender una proposición. ‖ fig. Sufrir, tolerar. ‖ fig. Prestar apoyo o auxilio. ‖ Dar a alguien lo necesario para su manutención. [*Sinón.*: aguantar, amparar]

sostenido, da. adj. MÚS. Dícese de la nota cuya entonación excede en un semitono mayor a la de sonido natural. ‖ m. MÚS. Signo que representa la alteración del sonido natural de la nota o notas a que se refiere.

sostenimiento. m. Acción y efecto de sostener o sostenerse. ‖ Mantenimiento o sustento.

sota. f. Carta décima de cada palo de la baraja española.

sotabanco. m. Piso habitable encima de la cornisa general de la casa. ‖ ARQ. Hilada que se coloca encima de la cornisa para levantar los arranques de un arco o bóveda.

sotana (al. *Sutane*, fr. *soutane*, ingl. *cassock*, it. *sottana*). f. Vestidura talar que usan los eclesiásticos y los legos que ofician en las ceremonias de iglesia.

sótano (al. *Keller*, fr. *cave*, ingl. *basement*, it. *cantina*). m. Pieza subterránea, situada entre los cimientos de un edificio.

sotavento. m. MAR. Costado de la nave opuesto al barlovento. ‖ MAR. Parte que cae hacia aquel lado.

sotechado. m. Cobertizo, techado.

soterrar. tr. Enterrar, poner una cosa debajo de tierra. ‖ fig. Esconder o guardar una cosa de modo que no lo parezca. [*Sinón.*: sepultar]

soto. m. Sitio poblado de árboles y arbustos en las riberas o vegas. ‖ Sitio poblado de malezas, matas y árboles.

soto. prep. insep. Debajo.

sotol. m. BOT. *Amer.* Planta liliácea de la que se obtiene una bebida alcohólica homónima.

soviet (voz rusa). m. Órgano de gobierno local en la Unión Soviética. ‖ Agrupación de obreros y soldados durante la revolución rusa.

soviético, ca. adj. Perteneciente o relativo al soviet. ‖ Natural de la U.R.S.S. Ú.t.c.s. ‖ Perteneciente o relativo a este país.

sprint (voz inglesa). m. Carrera corta a toda velocidad. ‖ Rápida aceleración en una carrera, poco antes de llegar a la meta.

stand (voz inglesa). m. En una exposición, lugar reservado a cada expositor o a cada categoría de productos.

standard (voz inglesa). m. Estándar.

statu quo. loc. latina que se usa como sustantivo para designar el esta-

do de cosas en un determinado momento.

stick (voz inglesa). m. DEP. Bastón de golf y de hockey.

stock (voz inglesa). m. Cantidad de mercadería en depósito.

stop (voz inglesa). m. Orden o señal de detención o paro.

su. prep. insep. Sub.

su, sus. Pronombre posesivo de tercera persona. Ú. sólo antepuesto al nombre.

suahili o **swahili.** m. Lengua africana del grupo bantú, muy arabizada, que se habla en África centrooriental.

suave (al. *glatt*, fr. *doux*, ingl. *smooth*, it. *morbido*). adj. Liso y blando al tacto. ‖ Dulce, grato a los sentidos. ‖ fig. Tranquilo, manso. ‖ fig. Lento, moderado. ‖ fig. Dócil, apacible. [*Antón.*: áspero]

suavidad. f. Calidad de suave.

suavizador, ra. adj. Que suaviza.

suavizar (al. *besänftigen*, fr. *adoucir*, ingl. *to soften*, it. *soavizzare*). tr. Hacer suave. Ú.t.c.r. [*Sinón.*: pulir, alisar]

sub. prep. insep. que significa debajo, o expresa inferioridad, atenuación o acción secundaria.

subafluente. m. Río o arroyo que desagua en un afluente.

subalterno, na (al. *untergeordnet*, fr. *subalterne*, ingl. *subaltern*, it. *subalterno*). adj. Inferior, o que está debajo de una persona o cosa. ‖ s. Empleado de categoría inferior. ‖ m. MIL. Oficial cuyo empleo es inferior al de capitán. [*Sinón.*: subordinado]

subarrendar. tr. Dar o tomar en arriendo una cosa de otro arrendatario de la misma.

subarriendo. m. Acción y efecto de subarrendar. ‖ Contrato por el cual se subarrienda una cosa. ‖ Precio en que se subarrienda.

subasta. f. Venta pública de bienes o alhajas que se hace al mejor postor. ‖ Adjudicación que en la misma forma se hace de una contrata, generalmente de servicio público.

subastar. tr. Vender efectos o contratar servicios, arriendos, etc., en pública subasta.

subclase. f. HIST. NAT. Cada uno de los grupos en que se dividen ciertas clases de plantas y animales.

subconsciencia. f. Estado inferior de la conciencia psicológica en el que, por la poca intensidad o duración de las percepciones, éstas no son percibidas por el sujeto más que en casos muy especiales.

subconsciente. adj. Que se refiere a la subconsciencia o que no llega a ser consciente. ‖ m. En psicoanálisis, zona psíquica que habitualmente se halla cubierta por la conciencia y sólo llega a manifestarse en casos especiales.

subcostal. adj. Que está debajo de las costillas.

subcutáneo, a. adj. Que está inmediatamente debajo de la piel.

subdiácono. m. Clérigo ordenado de epístola.

subdirector, ra. s. Persona que sirve inmediatamente a las órdenes del director o le sustituye.

súbdito, ta (al. *untertan*, fr. *sujet*, ingl. *subjet*, it. *suddito*). adj. Sujeto a la autoridad de un superior. Ú.t.c.s. ‖ s. Ciudadano de un país en cuanto sujeto a las autoridades políticas del mismo.

subdividir. tr. Dividir una parte señalada por una división anterior. Ú.t.c.r.

subdivisión. f. Acción y efecto de subdividir o subdividirse.

subestimar. tr. Estimar a alguna persona o cosa por debajo de su valor.

subida (al. *Aufstieg*, fr. *montée*, ingl. *rise*, it. *salita*). f. Acción y efecto de subir. ‖ Lugar o paraje en declive, que va subiendo. [*Sinón.*: ascensión, elevación; pendiente]

subido, da. adj. Dícese de lo más fino y acendrado en su especie. ‖ Dícese del color o del olor que impresiona fuertemente la vista o el olfato. ‖ Muy elevado, que excede al término ordinario. [*Sinón.*: elevado, excesivo]

subíndice. m. MAT. Letra o número situado a la derecha y en la parte inferior de un símbolo.

subir (al. *steigen*, fr. *monter*, ingl. *to go up*, it. *salire*). intr. Pasar de un sitio o lugar a otro superior o más alto. ‖ Crecer en altura ciertas cosas. ‖ Importar una cuenta. ‖ fig. Ascender en dignidad o empleo, o crecer en hacienda. ‖ tr. Trasladar a una persona o cosa a lugar más alto que el que ocupaba. Ú.t.c.r. ‖ Hacer más alta una cosa o irla aumentando hacia arriba. ‖ fig. Dar a las cosas más precio o mayor estimación de la que tenían. Ú.t.c.intr. [*Sinón.*: trepar, escalar, elevarse. *Antón.*: bajar]

súbito, ta (al. *plötzlich*, fr. *soudain*, ingl. *sudden*, it. *subitaneo*). adj. Improvisado, repentino. ‖ Precipitado o violento en las obras o palabras. ‖ adv. m. De repente.

subjetividad. f. Calidad de subjetivo.

subjetivo, va (al. *subjektiv*, fr. *subjec-* *tif*, ingl. *subjective*, it. *soggettivo*). adj. Perteneciente o relativo al sujeto. ‖ Relativo a nuestro modo de pensar o de sentir. [*Antón.*: objetivo]

subjuntivo. adj. GRAM. Dícese del modo del verbo que expresa el hecho como un deseo, o como dependiente y subordinado a otro hecho. Ú.t.c.s.

sublevación (al. *Aufstand*, fr. *soulèvement*, ingl. *uprising*, it. *sollevazione*). m. Acción y efecto de sublevar o sublevarse. [*Sinón.*: rebelión]

sublevar. tr. Alzar en sedición o motín, rebelarse. Ú.m.c.r.

sublimación. f. Acción y efecto de sublimar.

sublimado, da. adj. QUÍM. Dícese de la sustancia obtenida por sublimación. Ú.t.c.s.m.

sublimar. tr. Engrandecer, ensalzar. ‖ QUÍM. Volatilizar un cuerpo sólido y condensar sus vapores. Ú.t.c.r.

sublime. adj. Excelso, eminente.

submarinismo. m. Conjunto de las actividades que se realizan bajo la superficie del mar, con fines científicos, deportivos, militares, etc.

submarino, na (al. *unterseeisch*, fr. *sous-marin*, ingl. *submarine*, it. *sottomarino*). adj. Que está bajo la superficie del mar. ‖ m. Embarcación que tiene la capacidad de sumergirse y navegar bajo las aguas.

submúltiplo, pla. adj. MAT. Dícese del número o cantidad que es cociente exacto de otro u otra que se divide por un número entero. Ú.t.c.s.

subnormal. adj. Inferior a lo normal. ‖ Dícese de la persona afectada de una deficiencia mental de carácter patológico. Ú.t.c.s.

suboficial. m. MIL. Sargento, brigada y subteniente.

suborden. m. HIST. NAT. Cada uno de los grupos en que se dividen los órdenes de plantas y animales.

subordinación. f. Dependencia o supeditación a las órdenes de alguien. ‖ GRAM. Relación de dependencia entre dos elementos de diferente categoría.

subordinado, da. adj. Dícese de la persona sujeta a otra. Ú.m.c.s. ‖ Aplícase a todo elemento gramatical regido por otro. Ú.t.c.s.

subordinar (al. *unterordnen*, fr. *subordonner*, ingl. *to subordinate*, it. *subordinare*). tr. Sujetar personas o cosas a la dependencia de otras. Ú.t.c.r. ‖ Clasificar algunas cosas inferiores en orden respecto de otras. Ú.t.c.r.

subranquial. adj. ZOOL. Situado debajo de las branquias.

subrayar (al. *unterstreichen*, fr. *souligner*, ingl. *to underline*, it. *sottolineare*). tr. Señalar por debajo con una raya alguna letra, palabra o frase escrita, para llamar la atención sobre la misma. ‖ fig. Recalcar las palabras.

subrepción. f. Acción oculta y a escondidas. ‖ DER. Ocultación de un hecho para obtener lo que de otro modo no se conseguiría.

subrepticio, cia. adj. Que se pretende, obtiene o hace con subrepción. [*Sinón.*: furtivo]

subrogar. tr. DER. Poner una persona o cosa en lugar de otra. Ú.t.c.r.

subsanar (al. *wiedergutmachen*, fr. *réparer*, ingl. *to repair*, it. *riparare*). tr. Disculpar un desacierto o delito. ‖ Remediar un defecto, o resarcir un daño. [*Sinón.*: enmendar, corregir]

subscribir. tr. Suscribir.

subscripción. f. Suscripción.

subsecretario, ria. s. Persona que hace las veces de secretario. ‖ Secretario general de un ministro.

subsidiario, ria. adj. Que se da o se manda en socorro o subsidio de alguien. ‖ DER. Aplícase a la acción o responsabilidad que suple o da fuerza a otra principal.

subsidio (al. *Beihilfe*, fr. *subside*, ingl. *subsidy*, it. *sussidio*). m. Socorro o auxilio extraordinarios. ‖ Contribución impuesta al comercio y a la industria. [*Sinón.*: subvención, ayuda]

subsiguiente. adj. Que sigue a continuación.

subsistencia. f. Permanencia, estabilidad y conservación de las cosas. ‖ Conjunto de medios necesarios para el sustento de la vida humana. Ú.m. en pl.

subsistir (al. *fortbestehen*, fr. *subsister*, ingl. *to subsist*, it. *sussistere*). intr. Permanecer, durar una cosa o conservarse. ‖ Vivir, conservar la vida. [*Sinón.*: perdurar, mantenerse]

subsuelo. m. Terreno que está debajo de una capa de tierra. ‖ Parte profunda del terreno a la cual no llegan los aprovechamientos superficiales de los predios.

subteniente. m. Empleo superior entre los suboficiales.

subterfugio. m. Efugio, escapatoria, excusa artificiosa.

subterráneo, a (al. *unterindisch*, fr. *souterrain*, ingl. *subterranean*, it. *sotterraneo*). adj. Que está debajo de tierra. ‖ m. Lugar o espacio que está debajo de tierra.

subtítulo. m. Título secundario que se pone a veces después del título principal. ‖ CINEM. Traducción resumida del diálogo, que aparece en la parte inferior de la pantalla. Ú.m. en pl.

suburbano, na. adj. Aplícase a lo que está próximo a la ciudad. Ú.t.c.s. ‖ Concerniente a un suburbio.

suburbio (al. *Vorort*, fr. *banlieue*, ingl. *suburb*, it. *subborgo*). m. Barrio o arrabal próximo a la ciudad.

subvención. f. Acción y efecto de subvenir. ‖ Cantidad con que se subviene.

subvencionar. tr. Favorecer con una subvención. [*Sinón.*: auxiliar, amparar]

subvenir. tr. Auxiliar, socorrer. ‖ Satisfacer las necesidades de una persona o cosa.

subversión. f. Acción y efecto de subvertir o subvertirse.

subversivo, va. adj. Capaz de subvertir, o que tiende a ello.

subvertir. tr. Trastornar, revolver, destruir. Ú.m. en sentido moral.

subyacente. adj. Que yace o está debajo de otra cosa.

subyugar (al. *unterjochen*, fr. *subjuguer*, ingl. *to subjugate*, it. *soggiogare*). tr. Avasallar, dominar poderosa o violentamente. Ú.t.c.r.

succión. f. Acción de chupar.

sucedáneo, a. adj. Dícese de la sustancia que, por ser de propiedades semejantes a las de otra, puede reemplazarla. Ú.m.c.s.m. [*Sinón.*: sustitutivo]

suceder (al. *folgen auf, sich ereignen*; fr. *succéder, arriver*; ingl. *to follow to, to happen*; it. *succedere*). intr. Entrar una persona o cosa en lugar de otra o seguirse a ella. ‖ Entrar como heredero o legatario en la posesión de los bienes de un difunto. ‖ Descender, proceder. ‖ impers. Efectuarse un hecho, acontecer, ocurrir.

sucesión (al. *Hinterlassenschaft*, fr. *succession*, ingl. *succession*, it. *successione*). f. Acción y efecto de suceder. ‖ Conjunto de bienes, derechos y obligaciones que, al morir una persona, son transmisibles a sus herederos o legatarios. ‖ Prole, descendencia directa.

sucesivo, va. adj. Dícese de lo que sucede o se sigue a otra cosa. [*Sinón.*: siguiente]

suceso (al. *Ereignis*, fr. *événement*, ingl. *event*, it. *avvenimento*). m. Cosa que sucede, especialmente cuando es de alguna importancia. ‖ Transcurso del tiempo. ‖ Éxito, resultado de un negocio. [*Sinón.*: acontecimiento, hecho, ocasión]

sucesor, ra. adj. Que sucede a alguien u ocupa su lugar. Ú.t.c.s. [*Sinón.*: descendiente, heredero]

sucesorio, ria. adj. Perteneciente o relativo a la sucesión.

suciedad. f. Calidad de sucio. ‖ Inmundicia, porquería. ‖ fig. Dicho o hecho sucio.

sucinto, ta. adj. Breve, compendioso, somero, corto, lacónico.

sucio, cia. adj. Que tiene manchas o impurezas. ‖ Que se ensucia fácilmente. ‖ fig. Manchado con pecados o con imperfecciones. ‖ Deshonesto u obsceno. ‖ fig. Dícese del color confuso y turbio.

suco. m. Jugo.

sucre. m. Unidad monetaria del Ecuador.

sucreño, ña. adj. Natural de Sucre. Ú.t.c.s. ‖ Perteneciente a esta ciudad de Bolivia o al departamento homónimo de Venezuela.

súcubo. adj. Dícese del demonio que, según la superstición vulgar, tiene comercio carnal con un varón, bajo la apariencia de mujer.

suculento, ta. adj. Sustancioso, muy nutritivo.

sucumbir. intr. Ceder, rendirse, someterse. ‖ Morir, perecer.

sucursal (al. *Filiale*, fr. *succursale*, ingl. *branch*, it. *succursale*). adj. Dícese del establecimiento que sirve de ampliación a otro del cual depende. Ú.t.c.s.f.

sud. m. Sur. Se usa en composición.

sudafricano, na. adj. Natural de la República Sudafricana. Ú.t.c.s. ‖ Perteneciente o relativo a este país de África.

sudamericano, na. adj. Natural de América del Sur. Ú.t.c.s. ‖ Perteneciente o relativo a esta parte de América.

sudanés, sa. adj. Natural del Sudán. Ú.t.c.s. ‖ Perteneciente o relativo a este país de África.

sudar (al. *schwitzen*, fr. *transpirer*, ingl. *to sweat*, it. *sudare*). intr. Exhalar el sudor. Ú.t.c.tr. ‖ fig. Destilar las plantas gotas de su jugo. Ú.t.c.tr. ‖ fig. Destilar agua a través de sus poros todo aquello impregnado de humedad. ‖ fig. y fam. Trabajar con fatiga y desvelo. ‖ tr. Empapar en sudor. ‖ fig. Conseguir algo con dificultad.

sudario. m. Lienzo que se coloca sobre el rostro de los difuntos o en el que se envuelve el cadáver. [*Sinón.*: mortaja]

sudeste. m. Punto del horizonte entre el Sur y el Este, a igual distancia

de ambos. ‖ Viento que sopla de esta parte.

sudoeste. m. Punto del horizonte entre el Sur y el Oeste, a igual distancia de ambos. ‖ Viento que sopla de esta parte.

sudor (al. *Schweiss*, fr. *sueur*, ingl. *sweat*, it. *sudore*). m. Serosidad clara y transparente que brota por las glándulas sudoríparas de la piel. ‖ fig. Jugo que sudan las plantas. ‖ fig. Trabajo y fatiga.

sudorífero, ra. adj. Aplícase al medicamento que hace sudar. Ú.t.c.s.m.

sudorífico, ca. adj. Sudorífero.

sudorípara. adj. ZOOL. Dícese de la glándula que segrega sudor.

sudoroso, sa. adj. Que suda mucho. ‖ Muy propenso a sudar.

sueco, ca. adj. Natural de Suecia. Ú.t.c.s. ‖ Perteneciente o relativo a este país de Europa. ‖ m. Idioma sueco.

suegra (al. *Schweigermutter*, fr. *belle-mère*, ingl. *mother-in-law*, it. *suocera*). f. Madre del marido respecto de la mujer, o de la mujer respecto del marido.

suegro. m. Padre del marido respecto de la mujer, o de la mujer respecto del marido.

suela (al. *Sohle*, fr. *semelle*, ingl. *shoe-sole*, it. *suola*). f. Parte del calzado que toca al suelo. ‖ Pedazo de cuero en la punta del taco de billar. ‖ Zócalo, cuerpo inferior de un edificio u obra. ‖ *media suela*. Pieza de cuero con que se remienda el calzado y que cubre la media parte delantera de la planta. ‖ *no llegarle a uno a la suela del zapato.* fig. y fam. Ser muy inferior a él.

sueldo (al. *Lohn*, fr. *traitement*, ingl. *salary*, it. *stipendio*). m. Moneda antigua, de distinto valor según los tiempos y países. ‖ Remuneración asignada a un individuo por el desempeño de un cargo o servicio profesional.

suelo (al. *Boden*, fr. *sol*, ingl. *soil*, it. *suolo*). m. Superficie de la tierra. ‖ Terreno en que viven o pueden vivir las plantas. ‖ Superficie inferior de algunas cosas. ‖ Solar de un edificio. ‖ Superficie artificial que se hace para que el piso esté sólido y llano. ‖ Piso de un cuarto o vivienda. ‖ Superficie terrestre de una nación o división de ella, territorio. ‖ Casco de las caballerías. ‖ Tierra o mundo.

suelta. f. Acción y efecto de soltar. ‖ Traba o maniobra con que se atan las manos de las caballerías para dejarlas pastar sueltas.

suelto, ta (al. *lose*, fr. *détaché*, ingl.

loose, it. *sciolto*). adj. Ligero, veloz. ‖ Poco compacto, disgregado. ‖ Expedito, ágil. ‖ Libre, atrevido. ‖ Tratándose del lenguaje, estilo, etc., fácil, corriente. ‖ Separado y que no hace juego ni forma con otras cosas la unión debida. ‖ Aplícase al conjunto de monedas fraccionarias. Ú.t.c.s.m.

sueño (al. *Schlaf, Traum,* fr. *sommeil, rêve;* ingl. *sleep, dream;* it. *sonno, sogno*). m. Acto de dormir. ‖ Acto de representarse en la fantasía de uno, mientras duerme, sucesos o especies. ‖ Estos mismos sucesos o especies. ‖ Gana de dormir. ‖ fig. Cosa que carece de realidad o fundamento, en especial, proyecto, deseo, esperanza, sin probabilidad de realizarse. ‖ —*dorado.* fig. Anhelo, ilusión halagüeña, desiderátum. Ú.t. en pl. ‖ —*eterno.* La muerte. ‖ — *pesado.* fig. El que es muy profundo, o melancólico y triste. ‖ *coger* uno *el sueño.* Quedarse dormido. ‖ *conciliar* uno *el sueño.* Conseguir dormirse. ‖ *echar un sueño.* fam. Dormir breve rato. ‖ *en sueños.* m. adv. Estando durmiendo. ‖ *entre sueños.* m. adv. Dormitando, en sueños. ‖ *ni por sueños.* loc. adv. fig. y fam. con que se pondera que una cosa ha estado muy lejos de ocurrir o realizarse.

suero (al. *Serum,* fr. *sérum,* ingl. *serum,* it. *siero*). m. Parte de la sangre o de la linfa, que permanece líquida después de coagularse estos humores. ‖ Preparado medicinal líquido.

suerte (al. *Zufall, Glück;* fr. *sort, chance;* ingl. *hazard, luck;* it. *sorte, fortuna*). f. Encadenamiento de los sucesos, considerado como fortuito o casual. ‖ Circunstancia de ser, por mera casualidad, favorable o adverso lo que sucede. ‖ Suerte favorable. ‖ Casualidad a que se fía la resolución de una cosa. ‖ Lo que ocurre, o puede ocurrir para bien o para mal. ‖ Estado o condición. ‖ Género o especie de una cosa. ‖ Manera o modo de hacer una cosa. ‖ Cada uno de los lances de la lidia taurina. ‖ *Amer.* Billete de lotería. [*Sinón.*: fortuna, hado]

suertero, ra. adj. *Amer.* Afortunado.

suéter. m. Jersey.

suficiencia. f. Capacidad, aptitud. ‖ fig. Engreimiento.

suficiente (al. *genung,* fr. *suffisant,* ingl. *sufficient,* it. *sufficiente*). adj. Bastante para lo que se necesita. ‖ Apto o idóneo. ‖ fig. Pedante.

sufijo, ja. adj. GRAM. Aplícase al afijo que va pospuesto. Ú.m.c.s.m.

sufragar. tr. Ayudar o favorecer. ‖

Costear, satisfacer. ‖ intr. *Amer.* Votar a un candidato. [*Sinón.*: subvenir]

sufragio (al. *Stimme,* fr. *suffrage,* ingl. *vote,* it. *suffragio*). m. Ayuda, favor o socorro. ‖ Obra buena que se aplica por las almas del purgatorio. ‖ Voto, parecer o manifestación de la voluntad de alguien. ‖ Sistema electoral para la provisión de cargos públicos. ‖ — *universal.* Sistema electoral en el que, salvo excepciones, tienen derecho a votar todos los ciudadanos.

sufragismo. m. Lucha femenina para obtener el derecho al sufragio.

sufrido, da. adj. Que sufre con resignación. ‖ Dícese del marido consentidor. Ú.t.c.s. ‖ Aplícase al color que disimula lo sucio. [*Sinón.*: paciente]

sufrimiento. m. Padecimiento, dolor, pena.

sufrir (al. *leiden,* fr. *souffrir,* ingl. *to suffer,* it. *soffrire*). tr. Padecer, sentir. ‖ Recibir con resignación un daño.. Ú.t.c.r. ‖ Sostener, resistir. ‖ Aguantar, tolerar. ‖ Permitir, consentir.

sufusión. f. MED. Enfermedad parecida a las cataratas. ‖ MED. Imbibición en los tejidos orgánicos de líquidos extravasados, como la sangre.

sugerencia. f. Insinuación, inspiración, idea que se sugiere.

sugerir. tr. Proponer al ánimo de alguien una idea o juicio. [*Sinón.*: insinuar]

sugestión. f. Acción de sugerir. ‖ Especie sugerida. ‖ Acción y efecto de sugestionar.

sugestionar. tr. Inspirar una persona a otra hipnotizada, palabras o actos involuntarios. ‖ Dominar la voluntad de una persona, llevándola a obrar en determinado sentido. ‖ r. Experimentar sugestión.

sugestivo, va. adj. Que sugiere.

suicida (al. *Selbsstmörder,* fr. *suicide,* ingl. *suicide,* it. *suicida*). com. Persona que se quita la propia vida.

suicidarse. r. Quitarse voluntariamente la vida.

suicidio. m. Acción y efecto de suicidarse.

suido. adj. ZOOL. Se aplica a mamíferos artiodáctilos, paquidermos, con jeta bien desarrollada y caninos largos y fuertes que sobresalen de la boca, como el jabalí. Ú.t.c.s.m. ‖ m. pl. Familia de estos animales.

sui géneris. expr. latina que se usa en español para denotar que la cosa a que se aplica es de un género excepcional. [*Sinón.*: singular, original]

suite. f. MÚS. Composición musical

formada por trozos independientes aunque con cierta unidad, o colección de composiciones reunidas por el autor en razón de alguna afinidad.

suizo, za. adj. Natural de Suiza. Ú.t.c.s. ‖ Perteneciente a este país.

sujeción. f. Acción de sujetar. ‖ Unión con que una cosa está sujeta.

sujetador, ra. adj. Que sujeta. ‖ m. Sostén, prenda interior femenina. ‖ Pieza superior del biquini.

sujetapapeles. m. Pinza para sujetar papeles.

sujetar. tr. Someter al dominio de alguien. Ú.t.c.r. ‖ Afirmar o contener una cosa por la fuerza. [*Sinón.*: subyugar, aprisionar]

sujeto, ta (al. *subjekt,* fr. *sujet,* ingl. *subject,* it. *soggetto*). adj. Expuesto o propenso a una cosa. ‖ m. Asunto o materia sobre que se habla o escribe. ‖ Persona innominada. ‖ GRAM. Sustantivo o palabras que hagan sus veces, para indicar aquello de lo cual el verbo afirma alguna cosa. ‖ LÓG. Ser del cual se predica o anuncia algo.

sulfamida. f. Nombre común a varios compuestos orgánicos, que contiene un radical de azufre y que se usan en medicina como antibióticos.

sulfatar. tr. Impregnar o bañar con un sulfato alguna cosa.

sulfato. m. QUÍM. Cuerpo resultante de la combinación del ácido sulfúrico con un radical mineral u orgánico.

sulfurar. tr. Combinar un cuerpo con el azufre. ‖ fig. Irritar, encolerizar. Ú.m.c.r.

sulfúreo, a. adj. Concerniente al azufre. ‖ Que tiene azufre.

sulfúrico, ca. adj. Sulfúreo. ‖ fig. *Amer.* Irascible.

sulfuro. m. QUÍM. Cuerpo que resulta de la combinación del azufre con un metal o con ciertos metaloides.

sulfuroso, sa. adj. Sulfúreo. ‖ Que participa de las propiedades del azufre.

sultán. m. Emperador de los turcos. ‖ Príncipe o gobernador mahometano.

sultanato. m. Dignidad de sultán. ‖ Duración del gobierno de un sultán.

suma (al. *Summe, Zusammenzählen;* fr. *somme, addition;* ingl. *sum, addition;* it. *somma, addizione*). f. Agregado de muchas cosas. ‖ Acción de sumar. ‖ Recopilación de todas las partes de una ciencia o facultad. ‖ MAT. Operación elemental; adición de varias cantidades homogéneas.

sumando. m. MAT. Cada una de las entidades que se añaden a otras de su misma especie para formar la suma.

sumar (al. *zusammenzählen*, fr. *additioner*, ingl. *to add*, it. *sommare*). tr. Recopilar, compendiar una materia. ‖ MAT. Reunir en una sola varias cantidades homogéneas. ‖ MAT. Componer varias cantidades un total. ‖ r. fig. Agregarse alguien a un grupo o adherirse a una doctrina u opinión. [*Sinón.*: adicionar, agregar]

sumario, ria. adj. Reducido a compendio; breve. ‖ DER. Aplícase a ciertos juicios civiles en los que se prescinde de algunos trámites del juicio ordinario. ‖ m. Resumen, compendio. ‖ DER. Conjunto de actuaciones encaminadas a preparar el juicio criminal.

sumarísimo, ma. adj. DER. Se aplica a cierta clase de juicios con una tramitación brevísima.

sumergible. adj. Que se puede sumergir. ‖ m. Submarino.

sumergir (al. *untertauchen*, fr. *submerger*, ingl. *to dop*, it. *sommergere*). tr. Meter una cosa debajo del agua o de otro líquido. Ú.t.c.r. ‖ fig. Abismar, hundir. Ú.t.c.r.

sumerio, ria. adj. Relativo o perteneciente a Sumer. ‖ Dícese de los habitantes de esta antigua región de Asia. Ú.t.c.s.

sumersión. f. Acción y efecto de sumergir o sumergirse.

sumidero. m. Conducto o canal por donde se sumen las aguas. [*Sinón.*: desagüe, alcantarilla]

suministrar (al. *liefern*, fr. *fournir*, ingl. *to furnish*, it. *somministrare*). tr. Proveer a alguien de lo que necesita. [*Sinón.*: surtir, abastecer, aprovisionar]

suministro (al. *Lieferung*, fr. *fourniture*, ingl. *supply*, it. *fornitura*). m. Acción y efecto de suministrar. [*Sinón.*: surtimiento, dotación]

sumir. tr. Hundir o meter debajo de la tierra o del agua. Ú.t.c.r.

sumisión (al. *Unterwerfung*, fr. *soumission*, ingl. *submission*, it. *sottomissione*). f. Acción y efecto de someter. ‖ Rendimiento u obsequiosa urbanidad con palabras o acciones. ‖ DER. Acto por el cual uno se somete a otra jurisdicción, renunciando o perdiendo su dominio o fuero.

sumiso, sa. adj. Obediente, subordinado. ‖ Rendido, subyugado.

súmmum (voz latina). m. El colmo.

sumo, ma. adj. Supremo, altísimo, o que no tiene superior. ‖ fig. Muy grande, enorme. [*Sinón.*: máximo]

suntuario, ria. adj. Relativo o perteneciente al lujo.

suntuosidad. f. Calidad de suntuoso.

suntuoso, sa (al. *prächtig*, fr. *somptueux*, ingl. *sumptuous*, it. *sontuoso*). adj. Magnífico, grande y costoso. ‖ Dícese de la persona magnífica en su porte. [*Sinón.*: lujoso, ostentoso, solemne]

supeditar. tr. Sujetar, oprimir con rigor o violencia. ‖ fig. Avasallar. Ú.t.c.r. ‖ *Amer.* Subordinar, condicionar. Ú.t.c.r.

superación. f. Acción y efecto de superar.

superar (al. *uberwinden*, fr. *surpasser*, ingl. *to surpass*, it. *superare*). tr. Sobrepujar, exceder.

superávit. m. En el comercio, exceso del haber o caudal sobre el debe u obligaciones de la caja, y en la administración pública, exceso de los ingresos sobre los gastos.

superchería. f. Engaño, dolo, fraude, falsedad, falacia.

superestructura. f. Parte de una construcción que queda por encima del nivel del suelo, o que se asienta en la infraestructura. [*Antón.*: infraestructura]

superficial (al. *oberflächlich*, fr. *superficiel*, ingl. *outward*, it. *superficiale*). adj. Perteneciente o relativo a la superficie. ‖ Que está o se queda en ella. ‖ fig. Aparente, sin solidez. ‖ fig. Frívolo, sin fundamento. [*Sinón.*: somero]

superficialidad. f. Calidad de superficial. [*Antón.*: profundidad]

superficie (al. *Oberfläche*, fr. *surface*, ingl. *surface*, it. *supperficie*). f. Límite o término de un cuerpo, que lo separa y distingue de lo que no es él. ‖ GEOM. Porción de plano. ‖ – *cónica.* GEOM. La engendrada por una recta que pasa por un punto fijo y teniendo por directriz una recta.

superfluo, flua (al. *überflüssig*, fr. *superflu*, ingl. *superfluous*, it. *superfluo*). adj. No necesario, que está de más. [*Antón.*: esencial]

superhombre. m. Tipo de hombre muy superior a los demás.

superintendencia. f. Suprema administración en un ramo. ‖ Empleo y jurisdicción del superintendente. ‖ Oficina del mismo.

superintendente. com. Persona a cuyo cargo se halla la dirección de una cosa.

superior, ra (al. *überlegen*, fr. *supérieur*, ingl. *superior*, it. *superiore*). adj. Dícese de lo que está más alto y en lugar preeminente respecto de otra cosa. ‖ fig. Dícese de lo más excelente y digno, respecto de otras cosas. ‖ fig.

Que excede a otras personas en virtud o calidad. ‖ fig. Excelente, muy bueno. ‖ GEOGR. Aplícase a algunos lugares o países que están en la parte alta de la cuenca de los ríos, a diferencia de los situados en la parte baja de la misma. ‖ s. Persona que manda o dirige una colectividad, principalmente religiosa.

superioridad. f. Preeminencia o ventaja en una persona o cosa respecto de otra. ‖ Persona o conjunto de personas de superior autoridad.

superlativo, va (al. *superlativ*, fr. *superlatif*, ingl. *superlative*, it. *superlativo*). adj. Muy grande y excelente en su género o clase.

supermercado. m. Tienda, principalmente de géneros alimenticios, en que el comprador se sirve por sí mismo, y paga a la salida.

superpoblación. f. Nivel demográfico que excede a las posibilidades de una región geográfica.

superponer. tr. Poner encima de otra cosa. Ú.t.c.r. [*Sinón.*: añadir, aplicar]

superposición. f. Acción y efecto de superponer.

superproducción. f. CINEM. Producción cinematográfica en la que intervienen grandes recursos humanos y técnicos.

supersónico, ca (al. *überschall-*, fr. *supersonique*, ingl. *supersonic*, it. *supersonico*). adj. FIS. Se dice de la velocidad superior a la del sonido y de los cuerpos que alcanzan esta velocidad. ‖ m. Avión que alcanza una velocidad supersónica.

superstición (al. *Aberglaube*, fr. *superstition*, ingl. *superstition*, it. *superstizione*). f. Creencia extraña a la fe religiosa y contraria a la razón.

supersticioso, sa. adj. Relativo a la superstición. ‖ Dícese de la persona que cree en ella. Ú.t.c.s.

supervisar. tr. Ejercer la inspección superior en los servicios y trabajos de una empresa o trabajo. [*Sinón.*: controlar]

supervisión. f. Acción y efecto de supervisar.

supervivencia. f. Acción y efecto de sobrevivir.

superviviente. adj. Que sobrevive. Ú.t.c.s.

supinación. f. Posición de una persona tendida sobre el dorso, o de la mano con la palma hacia arriba. ‖ Movimiento del antebrazo que hace volver la mano hacia arriba.

supino, na. adj. Que está tendido sobre el dorso. ‖ Referente a la supinación. ‖ Dícese de la ignorancia que procede de negligencia del sujeto.

suplantación. f. Acción y efecto de suplantar.

suplantar (al. *unterschieben*, fr. *supplanter*, ingl. *to supplant*, it. *soppiantare*). tr. Falsificar un escrito con palabras o cláusulas que alteren el sentido que antes tenía. ‖ Ocupar con malas artes el lugar de otro.

suplementario, ria. adj. Que sirve para suplir una cosa o completarla.

suplemento (al. *Ergänzung*, fr. *supplément*, ingl. *supplement*, it. *supplemento*). m. Acción y efecto de suplir. ‖ Complemento. ‖ Hoja o cuaderno que publica un periódico o revista y cuyo texto es independiente del número ordinario. ‖ GEOM. Ángulo que falta a otro para componer dos rectos. ‖ GEOM. Arco de este ángulo, o sea el que falta para completar una semicircunferencia. [*Sinón.*: anexo, apéndice]

suplencia. f. Acción y efecto de suplir una persona a otra, y tiempo que dura esta acción. [*Sinón.*: sustitución]

suplente. adj. Que suple. Ú.t.c.s.

supletorio, ria. adj. Dícese de lo que suple.

súplica (al. *Instandige Bitte*, fr. *supplique*, ingl. *entreaty*, it. *supplica*). f. Acción y efecto de suplicar. ‖ Memorial o escrito en el que se formula una solicitud. ‖ DER. Cláusula final de un escrito dirigido a la autoridad administrativa o judicial, en solicitud de una resolución. [*Sinón.*: ruego]

suplicar (al. *anflehen*, fr. *supplier*, ingl. *to implore*, it. *supplicare*). tr. Rogar, pedir con humildad. ‖ DER. Recurrir contra el auto o sentencia de vista del tribunal superior, ante el mismo. [*Sinón.*: implorar]

suplicatoria. f. DER. Carta u oficio que pasa un tribunal o juez a otro superior.

suplicio (al. *Marter*, fr. *supplice*, ingl. *torment*, it. *supplizio*). m. Lesión corporal infligida como castigo. ‖ fig. Lugar donde el reo padece este castigo. ‖ fig. Grave tormento o dolor físico o moral. [*Sinón.*: tortura, martirio]

suplir (al. *ergänzen*, fr. *suppléer*, ingl. *to supplement*, it. *supplire*). tr. Cumplir o integrar lo que falta en una cosa, o remediar la carencia de ella. ‖ Ponerse en lugar de alguien para hacer sus veces. ‖ Disimular alguien un defecto de otro.

suponer (al. *voraussetzen*, fr. *supposer*, ingl. *to assume*, it. *supporre*). tr. Dar por sentada y existente una cosa. ‖

Fingir una cosa. ‖ Traer consigo, importar.

suposición. f. Acción y efecto de suponer. ‖ Lo que se da por sentado. [*Sinón.*: presunción, hipótesis]

supositorio. m. FARM. Preparado farmacéutico que se introduce en el cuerpo por vía rectal.

supra. adv. latino usado como prefijo, con la significación de "sobre", "arriba", "más allá".

suprarrenal. adj. ANAT. Dícese de la glándula endocrina situada encima del riñón.

supremacía. f. Grado supremo en cualquier línea. ‖ Preeminencia, superioridad jerárquica.

supremo, ma (al. *oberst*, fr. *suprême*, ingl. *supreme*, it. *supremo*). adj. Altísimo. ‖ Que no tiene superior en su línea. [*Sinón.*: sumo]

supresión. f. Acción y efecto de suprimir.

suprimir (al. *abschafen*, fr. *suprimer*, ingl. *to do away with*, it. *suprimere*). tr. Hacer cesar, hacer desaparecer. ‖ Omitir, pasar por alto. ‖ Eliminar. [*Antón.*: incluir]

supuesto. m. Objeto y materia que no se expresa en la proposición, pero es aquello de que depende, o en que consiste y se funda, la verdad de ella. ‖ Suposición, hipótesis. ‖ *por supuesto*. m. adv. Ciertamente. ‖ *supuesto que*. loc. conjunt., causal y continuativa. Puesto que.

supuración. f. Acción y efecto de supurar.

supurar (al. *eitern*, fr. *suppurer*, ingl. *to suppurate*, it. *suppurare*). intr. Formarse o fluir el pus.

sur (al. *Süden*, fr. *sud*, ingl. *south*, it. *sud*). m. Punto cardinal del horizonte, diametralmente opuesto al Norte. ‖ Lugar de la Tierra o de la esfera celeste que cae al lado del polo antártico, respecto de otro. ‖ Viento que sopla de la parte austral del horizonte. [*Sinón.*: mediodía. *Antón.*: norte]

surcar (al. *durchfurchen*, fr. *sillonner*, ingl. *to furrow*, it. *solcare*). tr. Hacer surcos en la tierra. ‖ Hacer en alguna cosa rayas parecidas a los surcos que se hacen en la tierra. ‖ fig. Avanzar o caminar por un fluido hendiéndolo o cortándolo.

surco (al. *Furche*, fr. *sillon*, ingl. *furrow*, it. *solco*). m. Hendedura que se hace en la tierra con el arado. ‖ Señal o hendedura prolongada que deja una cosa que pasa sobre otra. ‖ Arruga en el rostro o en otra parte del cuerpo.

sureño, ña. adj. Concerniente al Sur. ‖ Que está situado en la parte sur de un país.

sureste. m. Sudeste.

surgidero. m. Sitio donde fondean las naves.

surgir (al. *auftauchen*, fr. *surgir*, ingl. *to appear*, it. *sorgere*). intr. Surtir, brotar el agua. ‖ fig. Alzarse, manifestarse. ‖ Dar fondo la nave.

surmenage (voz francesa). m. MED. Estado de extremo agotamiento general, causado por una fatiga orgánica o psíquica prolongada.

suroeste. m. Sudoeste.

surrealismo. m. Movimiento artístico del s. XX, que pretende expresar por imágenes simbólicas aspectos del mundo, en particular el psíquico, que sobrepasan las realidades habituales.

surrealista. adj. Relativo al surrealismo. ‖ Se dice de la persona que sigue esta tendencia. Ú.t.c.s.

sursuncorda. m. fig. y fam. Supuesto personaje de importancia.

surtido, da. adj. Aplícase al artículo de comercio que se ofrece como mezcla de diversas clases. Ú.t.c.s.m. ‖ m. Acción y efecto de surtir.

surtidor, ra (al. *Springbrunnen*, fr. *jet d'eau*, ingl. *fountain*, it. *zampillo*). adj. Que surte o provee. Ú.t.c.s. ‖ m. Chorro de agua que brota, especialmente hacia arriba. ‖ Instalación de un garaje, en la ciudad o en la carretera, para surtir de gasolina a los vehículos. [*Sinón.*: proveedor]

surtir (al. *leifern*, fr. *pourvoir*, ingl. *to furnish*, it. *fornire*). tr. Proveer a alguien de cosa determinada. Ú.t.c.r. ‖ intr. Brotar, salir el agua, y en particular hacia arriba. [*Sinón.*: suministrar]

sus. prep. insep. Sub.

susceptibilidad. f. Calidad de susceptible.

susceptible. adj. Capaz de recibir modificación o impresión. ‖ Quisquilloso.

suscitar. tr. Levantar, promover.

suscribir. tr. Firmar el término de un escrito. ‖ fig. Convenir con el dictamen de alguien. ‖ r. Obligarse alguien a contribuir con otros al pago de una cantidad para cualquier obra. ‖ Abonarse para recibir alguna publicación periódica. Ú.t.c.tr.

suscripción. f. Acción y efecto de suscribirse, subscripción.

suscriptor, ra. s. Persona que suscribe o se suscribe.

susidio. m. fig. Inquietud, zozobra.

suso. adv. l. Arriba.

susodicho, cha. adj. Dicho antes o más arriba.

suspender (al. *aufhängen;* fr. *suspendre, échouer;* ingl. *to suspend;* it. *appendere, bocciare*). tr. Levantar o detener una cosa en alto. ‖ Detener por algún tiempo la acción u obra. Ú.t.c.r. ‖ Causar admiración. ‖ fig. Privar temporalmente a alguien del sueldo o empleo que tiene. ‖ fig. Negar la aprobación a quien se examina.

suspense (voz inglesa). m. Inquietud, suspensión del ánimo ante el desarrollo de una intriga.

suspensión. f. Acción y efecto de suspender o suspenderse. ‖ Censura eclesiástica o corrección gubernativa o laboral, que priva del uso del oficio, beneficio o empleo, o de sus emolumentos. ‖ Suspense. ‖ MEC. Mecanismo amortiguador de choques y vibraciones, intèrpuesto entre el chasis y los ejes de las locomotoras, vagones, automóviles, etc. ‖ MÚS. Prolongación de una nota de un acorde, sobre el siguiente. ‖ QUÍM. Denominación que se da al conjunto de partículas dispersas en un líquido que sólo son visibles con el microscopio. ‖ – de pagos. COM. Situación en que se coloca ante el juez el comerciante cuyo activo no es inferior al pasivo, pero que no puede temporalmente atender al pago puntual de sus obligaciones.

suspensivo, va. adj. Que suspende. ‖ *puntos suspensivos.* Los que se usan como signo ortográfico (...) para indicar que, por algún motivo, parte del pensamiento que se expresa queda sin enunciar.

suspenso, sa (al. *ungenügend,* fr. *échec,* ingl. *flunk,* it. *bocciatura*). adj. Admirado, perplejo. ‖ m. Calificación por la que se niega o aplaza el certificado de aptitud en materia o conocimiento determinado. ‖ *Amer.* Suspense. ‖ *en suspenso.* m. adv. Diferida la resolución o su cumplimiento.

suspicacia (al. *Argwohn,* fr. *défiance,* ingl. *mistrust,* it. *diffidenza*). f. Calidad de suspicaz. ‖ Especie o idea sugerida por la sospecha o desconfianza. [*Sinón.:* recelo]

suspicaz. adj. Propenso a concebir sospechas. [*Sinón.:* desconfiado]

suspirar. intr. Dar suspiros. ‖ *suspirar* uno *por* una cosa. fig. Desearla con ansia. ‖ *suspirar* uno *por* una persona. fig. Amarla en extremo.

suspiro (al. *Seufzer,* fr. *soupir,* ingl. *sigh,* it. *sospiro*). m. Aspiración fuerte y prolongada seguida de una espiración, que va acompañada a veces de un gemido.

sustancia (al. *Substanz,* fr. *substance,* ingl. *substance,* it. *sostanza*). f. Cualquier cosa de la que otra se alimenta, y que es necesaria para su mantenimiento. ‖ Jugo que se extrae de ciertas materias alimenticias. ‖ Ser, esencia de las cosas. ‖ Hacienda, caudal, bienes. ‖ Valor y estimación de las cosas. ‖ Elementos nutritivos de los alimentos. ‖ fig. y fam. Juicio, madurez. ‖ FIL. Entidad a la que por su naturaleza compete existir en sí y no en otra por inherencia. [*Sinón.:* naturaleza, principio]

sustancial. adj. Perteneciente o relativo a la sustancia. ‖ Sustancioso. ‖ Dícese de lo esencial de una cosa.

sustanciar. tr. Compendiar, extractar. ‖ DER. Tramitar un juicio hasta dejarlo visto para sentencia.

sustancioso, sa. adj. Que tiene sustancia o valor.

sustantivar. tr. GRAM. Dar valor y significación de nombre sustantivo a otra parte de la oración y aun a locuciones enteras. Ú.t.c.r.

sustantivo, va. adj. Que tiene existencia real, independiente, individual. Ú.m.c.s. ‖ GRAM. Dícese del nombre con que se designan las cosas por su naturaleza, esencia o sustancia. Ú.m.c.s. ‖ GRAM. Dícese del verbo *ser,* único que expresa la idea de esencia, sin denotar otros atributos.

sustentación. f. Acción y efecto de sustentar. ‖ Sustentáculo. ‖ Suspensión, figura de dicción.

sustentáculo. m. Apoyo o sostén.

sustentante. m. El que defiende conclusiones en acto público en una facultad. ‖ ARQ. Cada una de las partes que sustentan un edificio.

sustentar (al. *erhalten,* fr. *sustenter,* ingl. *to support,* it. *sostentare*). tr. Proveer a uno del alimento preciso. ‖ Conservar una cosa en su ser o estado. ‖ Sostener una cosa para que no se caiga o se tuerza. ‖ Defender o sostener determinada opinión.

sustento. m. Mantenimiento, alimento. ‖ Lo que sirve para dar vigor y permanencia a una cosa. ‖ Sostén o apoyo.

sustitución. f. Acción y efecto de sustituir.

sustituir (al. *ersetzen,* fr. *substituer,* ingl. *to replace,* it. *sostituire*). tr. Poner a una persona o cosa en lugar de otra. [*Sinón.:* cambiar, suplir]

sustituto, ta (al. *Stellvertreter,* fr. *substitut,* ingl. *substitute,* it. *sostituto*). s. Persona que hace las veces de otra.

susto (al. *Schreck,* fr. *frayeur,* ingl. *fright,* it. *spavento*). m. Impresión repentina de miedo o pavor. ‖ fig. Preocupación vehemente por alguna adversidad o daño que se teme.

sustracción (al. *Abziehen,* fr. *soustraction,* ingl. *subtraction,* it. *sottrazione*). f. Acción y efecto de sustraer o sustraerse. ‖ MAT. Resta. [*Antón.:* adición]

sustraendo. m. MAT. Cantidad que se resta de otra llamada minuendo.

sustraer. tr. Apartar, separar, extraer. ‖ Hurtar, robar fraudulentamente. ‖ MAT. Restar. ‖ r. Desligarse de lo que es de obligación, de lo que se tenía proyectado, o de cualquier otra circunstancia.

susurrar. intr. Hablar quedo, produciendo un murmullo. ‖ Empezarse a divulgar algo no sabido. Ú.t.c.r. ‖ fig. Moverse o deslizarse con ruido suave el aire, un curso de agua, etc. [*Sinón.:* musitar]

susurro (al. *Gemurmel,* fr. *chuchotement,* ingl. *whispering,* it. *sussurro*). m. Ruido suave que resulta de hablar quedo. ‖ fig. Ruido suave que naturalmente producen determinadas cosas. [*Sinón.:* murmullo]

sutil. adj. Delgado, delicado, tenue. ‖ Ligero, volátil. ‖ fig. Agudo, perspicaz.

sutileza (al. *Spitzfindigkeit,* fr. *subtilité,* ingl. *subtleness,* it. *sottigliezza*). f. Calidad de sutil. ‖ fig. Dicho o concepto excesivamente agudo y falto de exactitud. [*Sinón.:* agudeza]

sutilidad. f. Sutileza.

sutura (al. *Naht,* fr. *suture,* ingl. *suture,* it. *sutura*). f. ANAT. Línea sinuosa que forma la unión de ciertos huesos del cráneo. ‖ BOT. Juntura que une las ventallas de un fruto. ‖ CIR. Costura con la que se juntan los labios de una herida. [*Sinón.:* juntura]

suyo, suya, suyos, suyas. Pronombre posesivo de tercera persona en género masculino y femenino y ambos números. Ú.t.c.s. ‖ *la suya.* Intención o voluntad determinada del sujeto de quien se habla. ‖ *los suyos.* Personas unidas a otra por parentesco, amistad, servidumbre, etc. ‖ *lo suyo.* loc. fam. con que se pondera la dificultad, mérito o importancia de algo. Ú.m. con el verbo *tener.* ‖ *hacer* uno *de las suyas.* fam. Obrar, proceder según su genio y costumbre. ‖ *salir,* o *salirse,* uno *con la suya.* fig. Lograr su intento a pesar de las contradicciones y dificultades.

t. f. Vigesimotercera letra del abecedario español y decimonona de sus consonantes. Su nombre es *te*.

taba. f. Astrágalo, hueso del pie. || Juego en que se tira al aire una taba de carnero y se gana o se pierde según la posición en que cae.

tabacal. m. Lugar sembrado de tabaco.

tabacalero, ra. adj. Perteneciente o relativo al cultivo, fabricación o venta de tabaco. || Dícese de la persona que lo cultiva. Ú.t.c.s. || Tabaquero. Ú.t.c.s.

tabaco (al. *Tabak*, fr. *tabac*, ingl. *tobacco*, it. *tabacco*). m. BOT. Planta solanácea, originaria de América, de hojas alternas, grandes, lanceoladas y glutinosas, cuya principal especie proporciona el tabaco para fumar, mascar o tomar como rapé. || Producto obtenido con los oportunos tratamientos de la hoja de esta planta. || Cigarro.

tabanco. m. Puesto o cajón para la venta de comestibles. || *Amer*. Desván.

tábano (al. *Bremse*, fr. *taon*, ingl. *gadfly*, it. *tafano*). m. ZOOL. Insecto díptero de color pardo, que molesta con sus picaduras principalmente a las caballerías. || fig. y fam. Hombre pesado o molesto.

tabanque. m. Rueda de madera que mueven con el pie los alfareros, para hacer girar el torno.

tabaquera (al. *Tabaksdose*, fr. *tabatière*, ingl. *snuff-box*, it. *tabacchiera*). f. Caja en la que se guarda el tabaco. || Receptáculo del tabaco en la pipa de fumar.

tabaquero, ra. adj. Se aplica a la persona que tuerce el tabaco. Ú.t.c.s. || Se aplica a la persona que lo vende o comercia con él. Ú.t.c.s.

tabaquismo. m. Intoxicación por abuso de tabaco.

tabardo. m. Prenda de abrigo ancha y larga, de paño tosco. || Especie de gabán sin mangas, de paño o de piel.

tabarra. f. Lata, cosa impertinente y molesta.

tabellar. tr. En el obraje de paños, doblarlos y plegarlos, dejando sueltos los orillos. || Marcar las telas o ponerles los sellos de fábrica.

taberna (al. *Schenke*, fr. *taverne*, ingl. *public house*, it. *taverna*). f. Tienda en la que se vende al por menor vino y otras bebidas espirituosas. [*Sinón*.: tasca, bodega]

tabernáculo. m. Lugar donde los hebreos tenían colocada el arca del Testamento. || Sagrario donde se guarda el Santísimo Sacramento. || Tienda en la que habitaban los antiguos hebreos.

tabernario, ria. adj. Propio de la taberna o de las personas que la frecuentan. || fig. Bajo, grosero.

tabernera. f. Mujer del tabernero. || Mujer que vende vino en la taberna.

tabernero. m. El que vende vino en la taberna.

tabicar. tr. Cerrar con un tabique una cosa. || fig. Cerrar o tapar una cosa que debía estar abierta. Ú.t.c.r.

tabique (al. *Zwischenwand*, fr. *cloison*, ingl. *partitionwall*, it. *tramezzo*). m. Pared delgada que sirve para la división de los distintos aposentos de una casa. || División plana y delgada que separa dos huecos.

tabla (al. *Brett, Tabelle*; fr. *planche, tablier*; ingl. *board, table*; it. *tavola*). f. Pieza de madera, plana, más larga que ancha, y cuyas caras son paralelas entre sí. || Pieza plana y de poco espesor de otra materia rígida. || Cara de mayor anchura en un madero. || Tablilla en que se anuncia algo. || Índice por orden alfabético que se pone en los libros. || Lista o catálogo de cosas puestas por orden sucesivo o relacionadas entre sí. || Cuadro o catálogo de números. || Faja de tierra comprendida entre dos filas de árboles. || Cuadro o plantel de tierra en que se siembran verduras. || Bancal de un huerto. || Mostrador de carnicería. || PINT. Pintura hecha sobre una tabla. || pl. Estado, en el juego de damas o en el ajedrez en el cual ninguno de los jugadores puede ganar la partida. || Empate o estado de cualquier asunto que queda indeciso. || fig. El escenario del teatro. || fig. Soltura en cualquier actuación ante el público. || — *de salvación*. fig. Último recurso para salir de un apuro. || *a raja tabla*. m. adv. fig. y fam. Cueste lo que cueste, a toda costa, a todo trance, sin remisión.

tablado (al. *Bühne*, fr. *plancher*, ingl. *stage*, it. *palcoscenico*). m. Suelo plano hecho de tablas. || Suelo de tablas apoyado sobre un armazón. || Pavimento del escenario de un teatro. || Conjunto de tablas de la cama sobre el que se tiende el colchón. [*Sinón*.: entablado]

tablaje. m. Conjunto de tablas. || Garito. [*Sinón*.: tablero]

tablajería. f. Ganancia que se saca del garito. || Carnicería.

tablajero. m. Carpintero que hace tablados. || Carnicero, vendedor de carnes.

tablazo. m. Parte de mar o de río de poco fondo y considerable extensión.

tablazón. f. Agregado de tablas. || Conjunto de tablas con que se hacen las cubiertas de las embarcaciones.

tablero (al. *Platte*, fr. *tableau*, ingl. *board*, it. *tavolato*). adj. Dícese del madero a propósito para hacer tablas aserrándolo. || m. Tabla o conjunto de tablas unidas por el canto, con una superficie plana y alisada. || Tabla cuadrada con cuadritos de dos colores alternados, para jugar al ajedrez o a las damas, o con otras figuras para la práctica de otros entretenimientos. || Mesa grande en que cortan los sastres. || Mostrador de una tienda. || Cuadro de madera pintado de negro que se usa en las escuelas en lugar de encerado. || ARQ. Plano resaltado, para ornato de un edificio. || ARQ. Ábaco. || Agregado de tablas que se coloca en los cuadros formados por los largueros y peinazos de una hoja de puerta o ventana. || MAR. Mamparo.

tablestaca. f. Pilote de madera o tablón que se hinca en el suelo, usado para entibar excavaciones.

tableta. f. dim. de tabla. || Madera de sierra de diferentes medidas según la región. || FARM. Pequeña porción de pasta medicinal, de forma variable.

tablilla. f. dim. de tabla.

tabloide. m. *Amer.* Periódico de dimensiones menores que las ordinarias, con fotograbados informativos.

tablón. m. Tabla gruesa. || fig. y fam. Borrachera.

tabú. m. Prohibición de índole mágico-religiosa, característica de todos los pueblos primitivos, y cuya violación, según creen, acarrea al que la perpetra calamidades de distinto género. || Por ext., la condición de las personas, instituciones y cosas a las que no es permitido censurar o mencionar.

tabuco. m. Aposento de escasas dimensiones. [*Sinón.:* cuchitril]

tabulador, ra. adj. Que tabula. || m. Dispositivo espaciador que tienen las máquinas de escribir, con el cual, gracias a unos topes que detienen el carro en los mismos puntos de cada línea, se pueden escribir columnas de cifras o empezar las líneas a diferentes distancias del margen del papel. || f. Máquina que escribe en caracteres ordinarios las indicaciones en forma de taladros contenidos en tarjetas perforadas y que, si se trata de cantidades, opera con ellas e imprime los resultados.

tabular. adj. Que tiene forma de tabla.

tabular. tr. Expresar por medio de tablas, valores, magnitudes, etc.

taburete (al. *Hocker*, fr. *tabouret*, ingl. *stool*, it. *sgabello*). m. Asiento sin brazos ni respaldo para una sola persona. || Silla con el respaldo muy estrecho, guarnecida de terciopelo u otra tela de adorno. [*Sinón.:* banquillo]

tacada. f. Golpe dado con el taco a la bola de billar. || Serie de carambolas seguidas.

tacañear. intr. Obrar con tacañería.

tacañería. f. Calidad de tacaño. || Acción propia del tacaño. [*Sinón.:* avaricia. *Antón.:* esplendidez]

tacaño, ña. (al. *karg*, fr. *avare*, ingl. *mean*, it. *tirchio*). adj. Miserable, ruin, mezquino. Ú.t.c.s.

tácito, ta. adj. Callado, silencioso. || Que no se oye o dice expresamente, sino que se supone. [*Sinón.:* reservado, sobrentendido, implícito. *Antón.:* explícito]

taciturno, na. adj. Callado, que no gusta de hablar. || fig. Triste, melancólico.

taco (al. *Pflock*, fr. *taquet*, ingl. *plug*, it. *zeppa*). m. Pedazo de madera, metal u otra materia, corto y grueso, que se encaja en un hueco. || Cualquier pedazo de madera corto y grueso. || Cilindro de trapo, estopa, arena u otra materia a propósito, con que se aprieta la carga de un arma de fuego o de un barreno. || Baqueta que forma parte del aparejo de las armas de fuego. || Vara de madera dura con la cual se impulsan las bolas de billar. || Conjunto de las hojas de papel superpuestas que forman el calendario de pared. || fig. y fam. Bocado o comida muy ligera que se toma fuera de las horas de comer. || fam. Embrollo, lío. || fig. y fam. Voto, juramento. || *Amer.* Tacón.

tacón (al. *Absatz*, fr. *talon*, ingl. *heel*, it. *tacco*). m. Pieza semicircular que va unida exteriormente a la suela del calzado en la parte del calcañar.

taconazo. m. Golpe dado con el tacón.

taconear. intr. Pisar con ruido, haciendo fuerza con el tacón. || fig. Pisar con arrogancia.

taconeo. m. Acción y efecto de taconear.

táctica. (al. *Kriegskunst*, fr. *tactique*, ingl. *tactics*, it. *tattica*). f. Arte que enseña a poner en orden las cosas. || MIL. Conjunto de reglas a las que se ajustan en su ejecución las operaciones militares. || fig. Sistema que se emplea disimulada y hábilmente para conseguir un fin. [*Sinón.:* método]

táctico, ca. adj. Relativo a la táctica. || m. El que sabe o practica la táctica.

táctil. adj. Referente al tacto.

tacto (al. *Gefühl*, fr. *toucher*, ingl. *touch*, it. *tatto*). m. ZOOL. Uno de los cinco sentidos corporales, con el cual se percibe la aspereza o suavidad, dureza o blandura, etc., de las cosas. || Acción de tocar o palpar. || fig. Tino, acierto, maña.

tacha. f. Falta o defecto que se halla en una persona o cosa. || Clavo de mayor tamaño que la tachuela común. || DER. Motivo legal para desestimar en un pleito la declaración de un testigo. [*Sinón.:* imperfección]

tachadura. f. Acción y efecto de tachar lo escrito.

tachar (al. *tadeln*, fr. *accuser*, ingl. *to blame*, it. *tacciare*). tr. Señalar en una cosa falta o tacha. || Borrar lo escrito. || fig. Culpar, censurar.

tacho. m. *Amer.* Paila grande en que se acaba de cocer el melado y se le da el punto de azúcar. || *Amer.* Cubo de basura.

tachón. m. Raya con que se tacha lo escrito. || Tachuela de cabeza dorada o plateada. [*Sinón.:* borrón]

tachonar. tr. Poner tachones.

tachuela. f. Clavo corto y de cabeza grande. || *Amer.* fig. y fam. Persona de estatura muy baja.

tafetán. m. Tela delgada de seda, muy tupida.

tafilete (al. *Saffian*, fr. *maroquin*, ingl. *Morocco leather*, it. *marocchino*). m. Cuero bruñido y lustroso, mucho más delgado que el cordobán.

tafiletería. f. Arte de adobar el tafilete. || Taller donde se adoba. || Tienda donde se vende.

tagalo, la. adj. Se aplica al individuo de una raza indígena de Filipinas, de origen malayo, que habita en el centro de la isla de Luzón, y otras inmediatas. Ú.t.c.s. || Concerniente a los tagalos. || m. Lengua que hablan los tagalos.

tahalí. m. Tira de cuero u otra materia que va desde el hombro derecho hasta el lado izquierdo de la cintura, donde se juntan los dos cabos y se ciñe la espada. || Caja de cuero pequeña que suele contener reliquias.

tahona. f. Casa en la que se cuece pan y se vende al por menor. || Molino de harina cuya rueda se mueve con caballería.

tahúr, ra (al. *Spieler*, fr. *joueur*, ingl. *gambler*, it. *biscazziere*). adj. Persona que tiene el vicio del juego. Ú.m.c.s. || m. El que frecuenta las casas de juego. || Jugador fullero.

taiga. f. Bosque del norte de Rusia y Siberia, de subsuelo helado, poblado en su mayor parte de coníferas.

tailandés, sa. adj. Natural de Tailandia. Ú.t.c.s. || Perteneciente o relativo a este país de Asia.

taimado, da. adj. Astuto y pronto en advertirlo todo. Ú.t.c.s. || *Amer.* Amorrado, temoso.

tajada. (al. *Scheibe*, fr. *tranche*, ingl. *slice*, it. *fetta*). f. Porción cortada de una cosa. ‖ fam. Borrachera. ‖ *sacar tajada.* fr. fig. y fam. Conseguir con maña alguna ventaja, y en especial parte de lo que se distribuye entre varios.

tajadera. f. Cuchilla que tiene forma de media luna. ‖ Tajito o trozo de madera sobre el cual se coloca la carne que se ha de cortar. ‖ Cortafrío.

tajado, da. adj. Dícese de la costa, roca o peña cortada verticalmente y que forma como una pared.

tajadura. f. Acción y efecto de tajar.

tajamar. m. ARQ. Obra que se adiciona a las pilas de los puentes con objeto de que corte el agua de la corriente. ‖ MAR. Tablón recortado en forma curva y que ensamblado en la parte exterior de la roda, sirve para hender el agua cuando el buque navega. ‖ *Amer.* Malecón, dique. ‖ *Amer.* Presa o balsa.

tajante. m. En algunas partes, carnicero. ‖ adj. fig. Concluyente, terminante, contundente.

tajar (al. *schneiden*, fr. *tailler*, ingl. *to cut*, it. *tagliare*). tr. Dividir una cosa en dos o más partes por medio de un instrumento cortante. [*Sinón.*: cortar]

tajo (al. *Schnitt*, fr. *coupure*, ingl. *cut*, it. *taglio*). m. Corte hecho con instrumento adecuado. ‖ Sitio hasta donde llega en su faena la cuadrilla de operarios que trabaja avanzando sobre el terreno. ‖ Trabajo que debe hacerse en tiempo limitado. ‖ Escarpa alta y cortada casi a plomo. ‖ Filo o corte.

tal (al. *solcher*, fr. *tel*, ingl. *such*, it. *tale*). adj. Se aplica a las cosas indefinidamente, para determinar en ellas lo que por su correlativo se denota. ‖ Igual, semejante o de la misma forma y figura. ‖ Tanto o tan grande. Ú. a veces como pronombre demostrativo. ‖ También se emplea como pronombre indeterminado. ‖ adv. m. Así, de esta manera. ‖ Se emplea en sentido comparativo, correspondiéndose con *cual*, *como* o *así como*, y en este caso equivale a de igual modo o asimismo. ‖ *tal cual.* expr. que da a entender que por defectuosa que una cosa sea se estima por alguna bondad que se considera en ella. ‖ *tal para cual.* expr. fam. con que se denota igualdad o semejanza moral entre las dos personas. Tómase generalmente en mala parte.

tala. f. Acción y efecto de talar.

talabarte. m. Cinturón que lleva pendientes los tiros de los que pende la espada.

taladrar (al. *durchbohren*, fr. *percer*, ingl. *to bore*, it. *succhiellare*). tr. Horadar una cosa mediante taladro u otro instrumento semejante. ‖ fig. Herir los oídos fuerte y desagradablemente un sonido agudo. [*Sinón.*: perforar]

taladro (al. *Bohrer*, fr. *vrille*, ingl. *borer*, it. *succhiello*). m. Instrumento agudo y cortante para practicar agujeros en la madera u otra cosa. [*Sinón.*: perforadora]

tálamo. m. Lugar preeminente donde los novios celebraban sus bodas. ‖ Cama de los desposados y lecho conyugal.

talante. m. Modo de ejecutar una cosa. ‖ Semblante o disposición personal, o estado o calidad de las cosas. ‖ Voluntad, deseo, gusto. [*Sinón.*: estilo, humor]

talar. adj. Dícese de la vestidura que llega hasta los talones.

talar. tr. Cortar por el pie masas de árboles para dejar rasa la tierra. ‖ Destruir, arruinar o quemar campos, edificios o poblaciones.

talayote. m. Monumento megalítico de las Baleares semejante a una torre de poca altura.

talco. m. Silicato de magnesia, suave al tacto, tan blando que se raya con la uña y de color ligeramente verdoso. Reducido a polvo se usa en farmacia y en la higiene personal.

talega. f. Bolsa ancha y corta, de tela, que sirve para llevar o guardar las cosas.

talego. m. Saco largo y angosto, de lienzo basto. ‖ fam. Cárcel.

taleguilla. f. Calzón que forma parte del traje de lidia que usan los toreros.

talento (al. *Begabung*, fr. *talent*, ingl. *talent*, it. *talento*). m. Moneda imaginaria de griegos y romanos. ‖ fig. Dotes intelectuales que resplandecen en una persona, como ingenio, capacidad, prudencia, etc. ‖ fig. Entendimiento.

talio. m. QUÍM. Metal poco común, parecido al plomo.

talión. m. Pena que consiste en hacer sufrir al delincuente un daño igual al que causó.

talismán (al. *Talisman*, fr. *talisman*, ingl. *talisman*, it. *talismano*). m. Figura o imagen a la que se atribuye virtudes portentosas. [*Sinón.*: amuleto, fetiche]

Talmud. n.p.m. Libro santo de los judíos que contiene las enseñanzas de los antiguos doctores de la ley.

talo. m. BOT. Cuerpo de las talofitas, equivalente al conjunto de raíz, tallo y hojas de otras plantas.

talofita. adj. BOT. Se aplica a la planta cuyo cuerpo vegetativo es el talo, que puede estar constituido por una sola célula o por un conjunto de células dispuestas en forma de filamento, de lámina, etc. Ú.t.c.s.f. ‖ f. pl. Tipo de estas plantas, que comprende las algas y los hongos.

talón (al. *Ferse*, fr. *talon*, ingl. *heel*, it. *tallone*). m. Calcañar. ‖ Parte del calzado que recubre el calcañar. ‖ Pulpejo del casco de una caballería. ‖ Parte del arco del violín inmediato al mango. ‖ COM. Libranza u otro documento tomado de un libro talonario. ‖ Resguardo expedido en idéntica forma. ‖ *pisarle* a uno *los talones.* fig. y fam. Seguirle de cerca; emularle con buena fortuna.

talonario, ria. adj. Dícese del documento que se arranca de un talonario. ‖ m. Libro o cuadernillo de talones.

talud. m. Inclinación del paramento de un muro o de un terreno.

talla (al. *Schnitzerei*, fr. *taille*, ingl. *woodcarving*, it. *intaglio*). f. Obra de escultura hecha especialmente en madera. ‖ Estatura de hombre. ‖ CIR. Operación para extraer los cálculos de la vejiga.

tallado, da. adj. Con los adverbios *bien* o *mal*, de buen o mal talle. ‖ m. Acción y efecto de tallar, hacer obras de talla; labrar piedras preciosas; grabar en hueco.

tallar (al. *schnitzen*, fr. *tailler*, ingl. *to carve*, it. *tagliare*). tr. Hacer obras de talla. ‖ Labrar piedras preciosas. ‖ Tasar, valuar. ‖ Medir la estatura de una persona. [*Sinón.*: esculpir, cincelar, valorar]

tallarín. m. Tira estrecha de pasta de macarrones que se emplea para sopa. Ú.m. en pl.

talle (al. *Taille*, fr. *taille*, ingl. *waist*, it. *vita*). m. Cintura y parte del vestido que corresponde a la cintura. ‖ Disposición o proporción del cuerpo humano.

taller (al. *Werkstatt*, fr. *atelier*, ingl. *workshop*, it. *officina*). m. Industria de reducida entidad en la que predomina el trabajo manual o de artesanía. ‖ Estudio del pintor o del escultor.

tallista. com. Persona que hace obras de talla.

tallo (al. *Stengel*, fr. *tige*, ingl. *stem*, it. *fusto*). m. BOT. Órgano de las plantas que se prolonga en sentido contrario al de la raíz y sirve de sustentáculo a las hojas, flores y frutos. ‖ Renuevo de las plantas. ‖ Germen que ha brotado de una semilla, bulbo o tubérculo. ‖ Trozo confitado de melón, calabaza, etc. [*Sinón.*: vástago]

talludo, da. adj. Que ha echado tallo grande. ‖ fig. Crecido y alto. ‖ fig. Dícese de una persona cuando va pasando de la juventud.

tamaño, ña. adj. comp. Tan grande o tan pequeño. ‖ adj. sup. Muy grande o muy pequeño. ‖ m. Mayor o menor volumen o dimensiones de una cosa.

támara. f. Palmera de Canarias. ‖ Terreno poblado de palmas. ‖ pl. Dátiles en racimo. ‖ f. Rama de árbol. ‖ Leña muy delgada, despojos de la gruesa, o astillas.

tamarindo. m. BOT. Árbol de la familia de las leguminosas, de tronco alto y grueso, hojas compuestas y pecioladas, flores amarillas en espiga y fruto pulposo en legumbre. Su fruto, de sabor agradable, se usa como laxante. Es originario de Asia.

tambalear (al. *taumeln*, fr. *chanceler*, ingl. *to waver*, it. *traballare*). intr. Menearse una cosa a uno y otro lado, como a punto de perder el equilibrio. Ú.m.c.r. [*Sinón.*: oscilar]

tambaleo. m. Acción de tambalear o tambalearse. [*Sinón.*: oscilación]

también (al. *auch*; fr. *aussi*; ingl. *also, too*; it. *anche*). adv. m. Se usa para afirmar la igualdad o semejanza de una cosa con otra ya nombrada. ‖ Tanto o así.

tambor (al. *Trommel*, fr. *tambour*, ingl. *drum*, it. *tamburo*). m. MÚS. Instrumento musical de percusión, de forma cilíndrica, hueco, cubierto por sus dos bases con una piel tensa. ‖ El que toca el tambor en el ejército. ‖ Tamiz por el que filtran el azúcar los reposteros. ‖ Cilindro de hierro, cerrado, que se usa para tostar café, castañas, etc. ‖ Aro de madera sobre el cual se tiende una tela para bordarla. ‖ ARQ. Muro cilíndrico que sirve de base a una cúpula. ‖ ARQ. Cada una de las piezas del fuste de una columna cuando no es monolítica. ‖ MEC. Rueda de canto liso, ordinariamente de mayor espesor que la polea. ‖ ANAT. Tímpano del oído.

tambora. f. MÚS. Bombo o tambor grande.

tamboril. m. MÚS. Tambor pequeño que se toca con un solo palillo.

tamborilear. intr. Tocar el tamboril. ‖ Hacer con los dedos el son del tambor.

tamborileo. m. Acción y efecto de tamborilear o tocar el tambor.

tamborilero. m. El que tiene por oficio tocar el tamboril.

tamborilete. m. IMP. Tablilla cuadrada que sirve para nivelar las letras de un molde.

tamiz (al. *Sieb*, fr. *tamis*, ingl. *strainer*, it. *staccio*). m. Cedazo muy tupido.

tamizar. tr. Pasar una cosa por el tamiz.

tamo. m. Pelusa desprendida del lino, algodón o lana. ‖ Pelusilla que se acumula debajo de los muebles.

tampoco (al. *auch nicht*, fr. *non plus*, ingl. *neither*, it. *nemmeno*). adv. neg. con que se niega una cosa después de haber negado otra.

tampón. m. Almohadilla para entintar sellos, estampillas, etc.

tamujo. m. BOT. Mata euforbiácea, común en las márgenes de los arroyos; sus ramas se aprovechan para hacer escobas.

tan (al. *so*; fr. *aussi*; ingl. *as, so*; it. *così*). adv. c. Apócope de tanto. ‖ Correspondiéndose con *como* o *cuan* en comparación expresa, denota idea de equivalencia o igualdad. ‖ *tan siquiera*. loc. conjunt. Siquiera, por lo menos.

tanate. m. *Amer.* Mochila, zurrón de cuero o de palma. ‖ *Amer.* Lío, fardo, envoltorio. ‖ *cargar* uno *con los tanates.* fig. y fam. *Amer.* Mudarse, marcharse.

tanda. f. Alternativa o turno. ‖ Cada uno de los grupos de personas o de bestias que se turnan en un trabajo. ‖ Partida de juego, especialmente de billar. ‖ Número indeterminado de ciertas cosas en un mismo género. [*Sinón.*: vez, serie]

tándem. m. Bicicleta para dos personas, con los asientos colocados uno detrás de otro. ‖ fig. Conjunto de dos, especialmente referido a personas.

tangencia. f. Calidad de tangente.

tangencial. adj. Relativo a la tangente.

tangente (al. *Tangente*, fr. *tangente*, ingl. *tangent*, it. *tangente*). f. GEOM. Recta que tiene un punto en común con una línea o superficie curva. ‖ MAT. Función trigonométrica igual a la razón del seno al coseno. ‖ *escapar, escaparse, irse* o *salir* uno *por la tangente.* fig. y fam. Valerse de un subterfugio o evasiva para salir de un apuro.

tangible. adj. Que se puede tocar. [*Sinón.*: palpable. *Antón.*: intangible, impalpable]

tango (voz americana). m. Fiesta y baile de negros o de gentes de pueblo en algunos países de América. ‖ Baile argentino, difundido internacionalmen-

te, de pareja enlazada, forma musical binaria y compás de dos por cuatro. ‖ Música de este baile y letra con que se canta.

tanguista. com. Persona que canta tangos. ‖ f. Bailarina profesional contratada en un cabaret.

tanino. m. QUÍM. Sustancia astringente contenida en algunos vegetales y que sirve para curtir pieles y otros usos.

tanque. m. Automóvil de guerra blindado y articulado que, moviéndose sobre una llanta flexible o cadena sin fin, puede avanzar por terrenos escabrosos. ‖ Depósito montado sobre ruedas para su transporte. ‖ MAR. Aljibe, barco para transportar agua potable; recipiente metálico en que se conserva esta agua a bordo. ‖ *Amer.* Estanque, depósito de agua.

tantalio. m. QUÍM. Metal poco común de la familia del vanadio.

tantarantán (voz onomatopéyica). m. Sonido del tambor o atabal, al repetirse los golpes. ‖ fig. y fam. Golpe dado con violencia.

tanteador. m. Marcador.

tantear (al. *prüfen*, fr. *tâtonner*, ingl. *to try*, it. *asaggiare*). tr. Medir o parangonar una cosa con otra para ver si es adecuada. ‖ Señalar o apuntar los tantos en el juego. Ú.t.c.intr. ‖ fig. Considerar con reflexión las cosas antes de ejecutarlas. ‖ fig. Examinar con cuidado a una persona o cosa para conocer sus cualidades. ‖ fig. Explorar el ánimo o la intención de alguien.

tanteo. m. Acción y efecto de tantear. ‖ Número determinado de tantos que se ganan en el juego.

tanto, ta. adj. Se dice de la cantidad, número o porción de una cosa indeterminada o indefinida. ‖ Tan grande o muy grande. ‖ Como pronombre demostrativo equivale a *eso*, con idea de calificación o ponderación. ‖ m. Cantidad cierta o número determinado de una cosa. ‖ Unidad de cuenta en muchos juegos. ‖ pl. Número que no se quiere expresar o se ignora. ‖ adv. m. De tal modo o en tal grado. ‖ adv. c. Hasta tal punto, tal cantidad. ‖ Usado con verbos expresivos de tiempo, denota larga duración relativa. ‖ En sentido comparativo se corresponde con *cuanto* o *como*, indicando idea de equivalencia o igualdad. ‖ *al tanto de* una cosa. Al corriente, enterado de ella. ‖ *apuntarse* uno en cierta cosa *un tanto a su favor*, o *en contra.* fig. y fam. Tener un acierto o ventaja frente a otro, o, por el contrario, un desacierto o desventaja. ‖ *en tanto*, o *entre tanto*. ms. advs. Mientras. ‖ *las tantas*. expr. fam. para designar una hora avanzada del día o de la noche. ‖ *¡y tanto!* expr. elipt. con que se manifiesta ponderativamente el asentimiento a lo que otro ha dicho.

tañer. tr. Tocar un instrumento musical. ‖ Tocar las campanas, doblar.

tañido. m. Son particular que se toca en cualquier instrumento. ‖ Sonido de la cosa tocada, como el de la campana, etc., repique

taoísmo. m. Doctrina teológica de una antigua religión china.

taoísta. com. Que profesa el taoísmo.

tapa. (al. *Deckel*, fr. *couvercle*, ingl. *lid*, it. *coperchio*). f. Pieza que cierra por la parte superior botes, cajas, cofres, etc. ‖ Cubierta córnea que recubre el casco de las caballerías. ‖ Cada una de las diversas capas de suela de que se compone el tacón de una bota. ‖ Cada una de las dos cubiertas de un libro encuadernado. ‖ Vuelta que cubre el cuello de una a otra solapa en las chaquetas, abrigos, etc.

tapaboca. m. Golpe que se da en la boca. ‖ Bufanda. ‖ fig. y fam. Dicho o acción con que a uno se le corta la conversación.

tapabocas. m. Tapaboca, bufanda. ‖ Pieza con que se cierra el ánima de algunas piezas de artillería.

tapacubos. m. Tapadera metálica que cierra exteriormente el cubo de la rueda.

tapadera (al. *Deckel*, fr. *couvercle*, ingl. *pot-lid*, it. *coperchio*). f. Pieza que se ajusta a la boca de una cavidad para cubrirla. ‖ fig. Persona que encubre lo que otra desea que se ignore. [*Sinón.:* cubierta, tapa]

tapadillo. m. Acción de taparse la cara las mujeres con el manto. ‖ Uno de los registros de flautas que hay en el órgano. ‖ *de tapadillo*. m. adv. fig. A escondidas, con disimulo.

tapado, da. adj. Se aplica a la mujer que se tapaba la cara con el manto o el pañuelo para no ser conocida. Ú.t.c.s.f. ‖ *Amer.* Abrigo o capa de señora o de niño.

tapar (al. *decken*, fr. *couvrir*, ingl. *to cover*, it. *coprire*). tr. Cubrir o cerrar lo que está descubierto. ‖ Abrigar o cubrir. Ú.t.c.r. ‖ fig. Encubrir un defecto. [*Sinón.:* obturar, ocultar. *Antón.:* descubrir]

taparrabo. m. Pedazo de tela u otra

cosa con que se cubren los salvajes los órganos genitales. ‖ Calzón muy corto, que se usa como traje de baño.

tapatío, a. adj. Natural de Guadalajara, capital del estado mexicano de Jalisco. Ú.t.c.s.

tapete (al. *Zierdecke*, fr. *tapis*, ingl. *cover for a table*, it. *tappeto*). m. Alfombra pequeña. ‖ Cubierta que se suele poner en las mesas y otros muebles. ‖ *estar sobre el tapete* una cosa. fig. Estar discutiéndose o sometida a resolución.

tapia (al. *Lehmmauer*, fr. *mur de clôture*, ingl. *wall*, it. *muro di cinta*). f. Cada uno de los trozos de pared que de una sola vez se hacen con tierra amasada y apisonada en una horma. ‖ Esta misma tierra amasada y apisonada. ‖ Pared formada de tapias. ‖ Muro de cerca.

tapial. m. Molde en que se hacen las tapias. ‖ Tapia, pared.

tapiar. tr. Cerrar con tapias. ‖ fig. Cerrar un hueco haciendo en él un muro o tabique. [*Sinón.:* tabicar]

tapicería (al. *Tapezierarbeit*, fr. *tapisserie*, ingl. *tapestry*, it. *tappezzeria*). f. Juego de tapices. ‖ Almacén de tapices. ‖ Arte, obra o tienda de tapicero.

tapicero (al. *Tapezierer*, fr. *tapissier*, ingl. *upholsterer*, it. *tappezziere*). m. Oficial que teje tapices. ‖ El que tiene por oficio poner tapices o cortinajes, guarnecer butacas, sofás, etc.

tapioca. f. Fécula que se obtiene de la raíz de la mandioca y sirve para hacer sopa. [*Sinón.:* mañoco]

tapir. m. ZOOL. Mamífero de Asia y América del Sur, del orden de los perisodáctilos, del tamaño de un jabalí, con cuatro dedos en las extremidades anteriores y tres en las posteriores, y la nariz prolongada en forma de pequeña trompa. Su carne es comestible.

tapiz (al. *Wandteppich*, fr. *tapis*, ingl. *tapestry*, it. *arazzo*). m. Paño grande, tejido en el que se copian cuadros y sirve como paramento.

tapizar (al. *tapezieren*, fr. *tapisser*, ingl. *to tapestry*, it. *tappezzare*). tr. Forrar con tela los muebles o las paredes.

tapón (al. *Stöpsel*, fr. *bouchon*, ingl. *cork*, it. *tappo*). m. Pieza de corcho, cristal, madera, etc., con que se tapan botellas, toneles y otras vasijas. ‖ Embotellamiento de vehículos. ‖ CIR. Masa de hilas o de algodón en rama con que se obstruye una herida o cavidad del cuerpo.

taponar. tr. Cerrar con tapón un orificio cualquiera. ‖ CIR. Obstruir con tapones una herida o una cavidad del cuerpo.

tapujarse. r. Embozarse.

tapujo. m. Embozo o disfraz con que una persona se tapa para no ser conocida. ‖ fig. y fam. Reserva o disimulo con que se disfraza la verdad.

taquicardia. f. FISIOL. Aumento en la frecuencia del ritmo de las contracciones cardíacas.

taquigrafía (al. *Stenographie*, fr. *tachygraphie*, ingl. *shorthand*, it. *tachigrafia*). f. Arte de escribir tan de prisa como se habla, por medio de ciertos signos y abreviaturas. [*Sinón.:* estenografía]

taquígrafo, fa. s. Persona que practica la taquigrafía.

taquilla (al. *Schalter*, fr. *guichet*, ingl. *booking-office*, it. *sportello*). f. Casillero para los billetes de teatro, ferrocarril, etc. ‖ Despacho de billetes. [*Sinón.:* ventanilla]

taquimecanografía. f. Arte del taquimecanógrafo.

taquimecanógrafo, fa. s. Persona que practica la taquigrafía y la mecanografía.

taquímetro. m. Instrumento utilizado para medir directamente ángulos horizontales y verticales, y distancias indirectamente.

tara (al. *Taragewicht*, fr. *tare*, ingl. *tare*, it. *tara*). f. Parte del peso de una mercancía que corresponde al envase. ‖ Peso de un vehículo destinado a transporte, vacío. ‖ Defecto físico o psíquico, por lo común importante y de carácter hereditario. ‖ fig. Cualquier defecto que caracteriza negativamente una cosa material o espiritual.

tarabilla. f. fig. y fam. Persona que habla mucho y sin orden ni concierto.

taracea. f. Embutido hecho con pedazos menudos de madera, concha, nácar, etc.

tarambana. com. fam. Persona alocada, de poco juicio. Ú.t.c.adj.

taranta. f. Cierto canto popular de Andalucía y Murcia.

tarantela. f. Baile napolitano de ritmo muy vivo. ‖ Aire musical a cuyo son se ejecuta este baile.

tarántula (al. *Tarantel*, fr. *tarantule*, ingl. *tarantula*, it. *tarantola*). f. ZOOL. Araña de la familia de los licósidos, común en Europa, de gran tamaño, de cuerpo robusto y velloso, negro por encima y pardo rojizo por debajo. Vive en agujeros que excava en la tierra o entre piedras. Su picadura es venenosa pero sólo produce inflamación.

tarar. tr. Señalar la tara.

tararear (al. *trällern,* fr. *chantonner,* ingl. *to hum,* it. *canterellare*). tr. Cantar entre dientes y sin articular palabra. [*Sinón.*: canturrear]

tarasca. f. Figura de sierpe monstruosa, que en algunas partes se saca en la procesión de Corpus. ‖ fig. Persona que come mucho y con voracidad. ‖ Persona o cosa que destruye, gasta o derrocha algo. ‖ fig. y fam. Mujer fea, descarada y de mal carácter.

tarazar. tr. Despedazar, destrozar. ‖ Morder o partir con los dientes, atarazar. ‖ fig. Molestar, inquietar, mortificar o afligir.

tardanza. f. Detención, demora. [*Antón.*: puntualidad]

tardar (al. *zögern,* fr. *tarder,* ingl. *to tarry,* it. *tardare*). intr. Detenerse, retrasar la ejecución de una cosa. Ú.t.c.r. ‖ Emplear cierto tiempo en hacer las cosas. [*Sinón.*: demorar. *Antón.*: adelantar]

tarde (al. *Nachmittag, Abend;* fr. *après-midi, soir;* ingl. *afternoon, evening;* it. *pomeriggio, sera*). f. Tiempo que media entre el mediodía y el anochecer. ‖ Últimas horas del día. ‖ adv. t. A hora avanzada del día o de la noche. ‖ Después de haber pasado el tiempo oportuno.

tardear. intr. Detenerse más de la cuenta en hacer algo por entretenimiento o recreo del espíritu. ‖ TAUROM. Vacilar el toro antes de embestir.

tardío, a. adj. Que tarda en ponerse en sazón más de lo habitual. ‖ Que sucede después del tiempo oportuno. ‖ Pausado, lento. [*Sinón.*: retardado]

tardo, da. adj. Lento, perezoso en el obrar. ‖ Que sucede después de lo que convenía o se esperaba. ‖ Torpe en la comprensión o explicación. [*Antón.*: rápido, anticipado]

tardón, na. adj. fam. Que tarda mucho y gasta mucha flema. Ú.t.c.s. ‖ fam. Que comprende tarde las cosas. Ú.t.c.s.

tarea (al. *Arbeit,* fr. *tâche,* ingl. *job,* it. *compito*). f. Cualquier obra o trabajo. ‖ Trabajo que debe hacerse en un tiempo limitado. [*Sinón.*: labor. *Antón.*: descanso]

tarifa. f. Tabla de precios, derechos o impuestos.

tarifar. tr. Señalar o aplicar una tarifa. [*Sinón.*: valorar]

tarima. f. Tablado movible. [*Sinón.*: estrado]

tarjeta (al. *Karte,* fr. *carte,* ingl. *card,* it. *biglietto*). f. Adorno plano y oblongo que se halla sobrepuesto a un miembro arquitectónico. ‖ Pedazo de cartulina, pequeño y rectangular, con el nombre, título o cargo y dirección de una persona. ‖ — *de identidad.* La que sirve para acreditar la personalidad del titular, con su fotografía, dirección, firma y huellas dactilares. ‖ — *postal.* Tarjeta, a veces con un grabado de una de las caras, que circula por correo sin sobre.

tarjeteo. m. fam. Uso frecuente de tarjetas en el trato social.

tarlatana. f. Tejido de algodón ralo y consistente.

tarraconense. adj. Natural de Tarragona. Ú.t.c.s. ‖ Perteneciente o relativo a esta ciudad o provincia.

tarro (al. *Topf,* fr. *bocal,* ingl. *jar,* it. *barattolo*). m. Vaso cilíndrico de porcelana, de vidrio o de otra materia. [*Sinón.*: bote]

tarso. m. ANAT. Parte posterior del pie. ‖ ZOOL. La parte más delgada de las patas de las aves, que une los dedos con la tibia. ‖ ZOOL. Corvejón de los cuadrúpedos.

tarta (al. *Tarte,* fr. *tarte,* ingl. *tart,* it. *torta*). f. Torta hecha de masa de harina y generalmente rellena de crema, dulce de frutas, etc.

tartaja. adj. fam. Que tartajea. Ú.t.c.s.

tartajear. intr. Hablar pronunciando las palabras con torpeza, a causa de algún impedimento en la lengua [*Sinón.*: tartamudear]

tartajeo. m. Acción y efecto de tartajear.

tartajoso, sa. adj. Que tartajea. Ú.t.c.s.

tartamudear (al. *stottern,* fr. *bégayer,* ingl. *to stammer,* it. *balbettare*). intr. Hablar o leer con pronunciación entrecortada y repitiendo las sílabas.

tartamudeo. m. Acción y efecto de tartamudear.

tartamudez. f. Calidad de tartamudo.

tartamudo, da. adj. Que tartamudea. Ú.t.c.s.

tartana. f. Carruaje de dos ruedas con cubierta abovedada y asientos laterales. ‖ Embarcación menor con un solo palo.

tártaro, ra (al. *tatarisch, tatar;* fr. *tartare;* ingl. *tartar;* it. *tartaro*). adj. Aplícase a un grupo de pueblos turcos que viven dispersos en Siberia occidental y Rusia. Ú.t.c.s. ‖ m. Lengua tártara.

tartera. f. Fiambrera.

tarugo (al. *Pflock,* fr. *cheville,* ingl. *plug,* it. *cavicchio*). m. Clavija gruesa de madera. ‖ Pedazo de madera o de pan. ‖ fig. Persona poco dotada intelectualmente.

tarumba (**volverle** a uno). fr. fam. Atolondrarlo, confundirlo. Ú.t. el verbo como r. *Volverse uno tarumba.*

tas. m. Yunque pequeño que usan los plateros.

tasa (al. *Taxe,* fr. *taxe,* ingl. *rate,* it. *tassa*). f. Acción y efecto de tasar. ‖ Precio fijado por la autoridad a las cosas vendibles. ‖ Medida, regla.

tasación. f. Justiprecio, valuación de las cosas.

tasador, ra. adj. Que tasa. Ú.t.c.s. ‖ m. El que ejerce el oficio público de tasar.

tasajo. m. Pedazo de carne acecinada.

tasar. tr. Poner tasa a las cosas que están a la venta. ‖ Graduar el valor de las cosas. ‖ Regular lo que cada uno merece por su trabajo. ‖ fig. Medir para evitar exceso de cualquier materia. ‖ fig. Restringir lo que hay obligación de dar. [*Sinón.*: valorar, evaluar; limitar]

tasca. f. Garito o casa de juego de mala fama. ‖ Taberna.

tatarabuelo, la. s. Cuarto ascendiente en línea recta con respecto a un individuo.

tataranieto, ta. s. Cuarto descendiente en línea directa de un individuo.

¡tate! interj. que equivale a ¡detente!, o poco a poco. ‖ Denota además haberse venido en conocimiento de algo que antes no se ocurría.

tato, ta. s. Nombre que en diversas regiones de España e Hispanoamérica suelen dar los niños al hermano o hermana mayor. ‖ f. fam. Nombre infantil de la niñera. ‖ m. fam. *Amer.* Padre, papá. En algunas partes se usa también como tratamiento de respeto. ‖ adj. Tartamudo que vuelve la *c* y *s* en *t.*

tatú. m. ZOOL. *Amer.* Voz genérica que designa diversas especies de armadillo.

tatuaje (al. *Tätowierung,* fr. *tatouage,* ingl. *tattooing,* it. *tatuaggio*). m. Acción y efecto de tatuar o tatuarse. ‖ Dibujo que resulta al tatuar.

tatuar. tr. Grabar dibujos en la piel humana, introduciendo materias colorantes bajo la epidermis, por medio de punzadas previamente dispuestas. Ú.t.c.r.

tau. f. Decimonona letra del alfabeto griego (T, τ), corresponde a nuestra *t.*

TEMPLO JAPONÉS
CON PAGODA

SANTUARIO
BUDISTA HINDÚ

PIRÁMIDE AZTECA

ZIGURAT

TEMPLO
MESOPOTÁMICO

TEMPLO EGIPCIO

TEMPLO GRIEGO
DÓRICO

TEMPLO CIRCULAR
ROMANO

TEMPLO

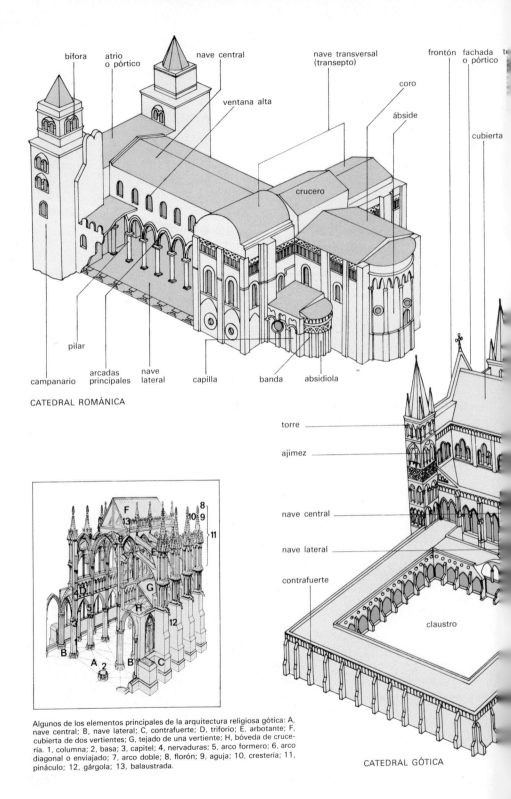

bífora

atrio
o pórtico

nave central

nave transversal
(transepto)

frontón fachada
o pórtico

ventana alta

coro

ábside

cubierta

crucero

pilar

campanario

arcadas
principales

nave
lateral

capilla

banda

absidiola

CATEDRAL ROMÁNICA

torre

ajimez

nave central

nave lateral

contrafuerte

claustro

Algunos de los elementos principales de la arquitectura religiosa gótica: A, nave central; B, nave lateral; C, contrafuerte; D, triforio; E, arbotante; F, cubierta de dos vertientes; G, tejado de una vertiente; H, bóveda de crucería. 1, columna; 2, basa; 3, capitel; 4, nervaduras; 5, arco formero; 6, arco diagonal o enviajado; 7, arco doble; 8, florón; 9, aguja; 10, crestería; 11, pináculo; 12, gárgola; 13, balaustrada.

CATEDRAL GÓTICA

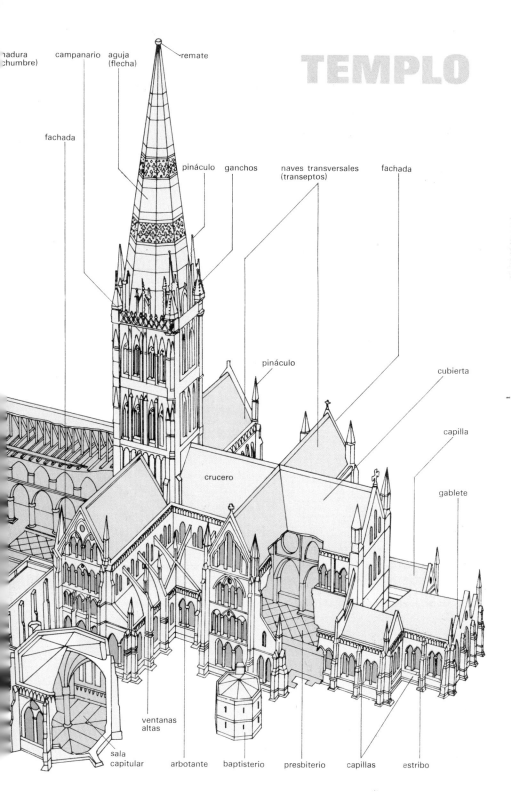

TEMPLO

hadura
(chumbre)

campanario

aguja
(flecha)

remate

fachada

pináculo

ganchos

naves transversales
(transeptos)

fachada

pináculo

cubierta

capilla

crucero

gablete

ventanas
altas

sala
capitular

arbotante

baptisterio

presbiterio

capillas

estribo

BASÍLICA CRISTIANA
PRIMITIVA

IGLESIA BIZANTINA

MEZQUITA

CAPILLA
CAROLINGIA

IGLESIA
RENACENTISTA

IGLESIA
BARROCA

CATEDRAL
MODERNA

TEMPLO

taumaturgia. f. Facultad de realizar prodigios o milagros.

taumaturgo, ga. s. Persona admirable en sus obras; autor de cosas prodigiosas.

taurino, na. adj. Perteneciente o relativo al toro, o a las corridas de toros.

Tauro. n.p.m. ASTR. Segundo signo del Zodíaco, que el sol recorre aparentemente al mediar la primavera. || ASTR. Constelación zodiacal que se halla delante del mismo signo, y un poco hacia Oriente.

taurófilo, la. adj. Que tiene afición a las corridas de toros.

tauromaquia. f. Arte de lidiar toros.

tautología. f. RET. Repetición de un mismo pensamiento expresado de distintas maneras.

taxáceo, a. adj. BOT. Se aplica a la planta arbórea gimnosperma, conífera, con hojas aciculares, aplastadas y persistentes, flores dioicas y desnudas y semillas rodeadas por arilos; como el tejo. Ú.t.c.s. || f. pl. Familia de estas plantas.

taxativo, va. adj. DER. Que limita y reduce un caso a determinadas circunstancias. [*Sinón.*: concluyente, categórico]

taxi. m. Coche de alquiler provisto de taxímetro.

taxidermia. f. Arte de disecar animales muertos.

taxidermista. com. Disecador, persona que se dedica a practicar la taxidermia.

taxímetro. m. Aparato que en los taxis marca automáticamente la distancia recorrida y la cantidad que debe abonar el viajero.

taxista. com. Conductor de taxi.

taxonomía. f. Ciencia que trata de los principios de la clasificación. || Aplicación de dichos principios a las ciencias particulares, en especial a la botánica y a la zoología.

taza (al. *Tasse,* fr. *tasse,* ingl. *cup,* it. *tazza*). f. Vasija pequeña, con asa, que se usa para tomar líquidos. || Lo que cabe en ella. || Receptáculo redondo donde vacían el agua las fuentes.

te. f. Nombre de la letra *t.* || Dativo o acusativo del pronombre personal de segunda persona en singular masculino o femenino.

té (al. *Tee,* fr. *thé,* ingl. *tea,* it. *tè*). m. BOT. Arbusto del Extremo Oriente, de la familia de las teáceas, con hojas perennes, alternas, elípticas, puntiagudas, dentadas y coriáceas, flores blancas, pedunculadas y axilares, y fruto capsular, globoso, con tres semillas negruzcas. || Hoja de este arbusto, seca, arrollada, y tostada ligeramente. || Infusión, en agua hirviendo, de las hojas de este arbusto, usada como bebida. || Reunión de personas que se celebra por la tarde y durante la cual se sirve un refrigerio del que forma parte el té.

tea. f. Astilla o raja de madera muy impregnada de resina, que sirve para alumbrar. [*Sinón.*: antorcha]

teáceo, a. adj. BOT. Se aplica a árboles y arbustos angiospermos dicotiledóneos, siempre verdes, con hojas enteras, esparcidas y sin estípulas, flores axilares, hermafroditas o unisexuales, y fruto capsular o indehiscente con semillas sin albumen; como la camelia y el té. Ú.t.c.s.f. || f. pl. Familia de estas plantas.

teatral. adj. Perteneciente o relativo al teatro. || Aplícase a todo aquello que delata un deliberado propósito de llamar la atención.

teatro (al. *Theater,* fr. *théâtre,* ingl. *theatre,* it. *teatro*). m. Edificio o sitio destinado a la representación de obras dramáticas u otros espectáculos públicos propios de la escena. || Lugar en que se ejecuta algo a la vista de numeroso concurso. || Escenario o escena. || Práctica en el arte de representar comedias. || Conjunto de las producciones dramáticas de un pueblo, época o autor. || Profesión de actor. || Arte de componer obras dramáticas o de representarlas. || fig. Literatura dramática. || fig. Lugar en que ocurren acontecimientos notables y dignos de atención. || Lugar donde una cosa está expuesta a la estimación o censura de las gentes.

tebano, na. adj. Natural de Tebas. Ú.t.c.s. || Perteneciente a esta ciudad de la Grecia antigua.

tebeo. m. Revista infantil de historietas cuyo asunto se desarrolla en series de dibujos.

teca. f. BOT. Árbol verbenáceo, propio del sudeste de Asia. || BOT. Célula en la que están encerradas las esporas de algunos hongos.

tecla (al. *Taste,* fr. *touche,* ingl. *key,* it. *tasto*). f. Cada una de las tablillas que se oprimen con los dedos para mover las palancas que hacen sonar ciertos instrumentos, como el órgano, el piano o instrumentos semejantes.

teclado. m. Conjunto ordenado de teclas de piano, órgano u otro instrumento musical semejante, o de la máquina de escribir.

teclear. intr. Mover las teclas. || fig. y fam. Menear los dedos a manera del que toca las teclas.

tecleo. m. Acción y efecto de teclear.

tecnecio. m. QUÍM. Metal de la familia del manganeso.

-tecnia. Elemento compositivo que entra pospuesto en la formación de algunas voces españolas con el significado de "arte".

técnica. f. Conjunto de procedimientos de que se sirve una ciencia o un arte. || Habilidad para servirse de estos procedimientos.

tecnicismo. m. Calidad de técnico. || Conjunto de voces técnicas empleadas en el lenguaje de un arte, ciencia u oficio, etc. || Cada una de estas voces.

técnico, ca. adj. Perteneciente o relativo a las aplicaciones de las ciencias y las artes. || Aplícase en particular a las palabras o expresiones empleadas en el lenguaje propio de un arte, ciencia u otro oficio, etc. || m. El que posee los conocimientos especiales de una ciencia o arte, perito, experto.

tecnocracia. f. Sistema económico y político que promulga la intervención predominante de los técnicos en la dirección del Estado y de la vida social.

tecnología (al. *Gewerbekunde,* fr. *technologie,* ingl. *technology,* it. *tecnologia*). f. Conjunto de los conocimientos propios de un oficio mecánico o arte industrial. || Tratado de los términos técnicos.

tectónico, ca. adj. GEOL. Perteneciente o relativo a la estructura de la corteza terrestre.

techado. m. Techo.

techar. tr. Cubrir un edificio.

techo (al. *Decke;* fr. *plafond, toit;* ingl. *celling;* it. *soffitto, tetto*). m. Parte interior y superior de un edificio, que lo cubre y cierra. || fig. Casa, habitación o domicilio.

techumbre. f. Techo de un edificio. || Conjunto de la estructura y elementos de cierre de los techos.

tedéum. m. Cántico de la Iglesia para dar gracias a Dios por algún beneficio.

tedio (al. *Langweile,* fr. *ennui,* ingl. *tedium,* it. *tedio*). m. Repugnancia, fastidio, hastío.

tedioso, sa. adj. Fastidioso, molesto al gusto o al ánimo.

tegumento. m. BOT. Tejido que cubre algunas partes de las plantas. || ZOOL. Membrana que cubre el cuerpo del animal o alguna de sus partes internas. [*Sinón.*: piel]

teína. f. Quím. Alcaloide contenido en el té.

teísmo. m. Creencia en un Dios personal, creador y conservador del mundo.

teja (al. *Dachziegel*, fr. *tuile*, ingl. *roof-tile*, it. *tegola*). f. Pieza de barro cocido hecha en forma acanalada, para cubrir por fuera los techos y recibir y dejar escurrir el agua de lluvia. Hoy se hace también de forma plana. || *a toca teja.* m. adv. fam. En dinero contante, sin dilación en la paga.

tejado (al. *Dach*, fr. *toit*, ingl. *roof*, it. *tetto*). m. Parte superior del edificio, cubierta comúnmente por tejas. [*Sinón.*: techumbre]

tejano, na. adj. Natural de Tejas. Ú.t.c.s. || Perteneciente o relativo a este Estado de los EE.UU.

tejar. m. Lugar donde se fabrican tejas, ladrillos y adobes.

tejar. tr. Cubrir de tejas.

tejedera. f. Tejedora. || Zool. Escribano del agua, araña.

tejedor, ra (al. *weber*, fr. *tisseur*, ingl. *weaver*, it. *tessitore*). adj. Que teje. || *Amer.* fig. y fam. Intrigante, enredador. Ú.t.c.s. || s. Persona que tiene por oficio tejer. || m. Zool. Insecto hemíptero que se desliza con mucha agilidad por la superficie del agua.

tejeduría. f. Arte de tejer. || Taller en que están los telares.

tejemaneje. m. fam. Afán, destreza con que se hace una cosa. || *Amer.* Manejos enredosos para algún asunto turbio.

tejer (al. *weben*, fr. *tisser*, ingl. *to weave*, it. *tessere*). tr. Formar la tela con la trama y la urdimbre. || Entrelazar hilos, espartos, etcétera, para formar trencillas, esteras o cosas semejantes. || Hacer labor de punto. || Formar ciertos animales articulados sus telas y capullos. || fig. Componer, ordenar. || fig. Discurrir, maquinar. || fig. Cruzar o mezclar con orden, urdir, tramar.

tejido. m. Disposición de los hilos de una tela. || Cosa tejida. || Hist. Nat. Cada uno de los diversos agregados de células de la misma naturaleza, diferenciadas de un modo determinado, ordenadas regularmente y que desempeñan en conjunto una determinada función.

tejo. m. Pedazo redondeado de teja o cosa parecida que se usa para jugar. || Plancha metálica gruesa y de figura circular. || Juego de la chita o del chito. || Pedazo de oro en pasta. || m. Bot. Árbol conífero de la familia de las taxáceas, de follaje perenne, hojas lineales y planas de color verde oscuro, flores pequeñísimas poco visibles y fruto parecido a la cereza, de color escarlata.

tejón. m. Zool. Mamífero carnívoro de la familia de los mustélidos, de piel dura y pelo largo y espeso, de colores blanco, negro y rojizo. Habita en profundas madrigueras y se alimenta de frutas y pequeños animales.

tejonera. f. Madriguera donde se crían los tejones.

tejuelo. m. Cuadrito de piel o de papel que se pega al lomo de un libro para poner el rótulo. || El mismo rótulo, aunque no esté sobrepuesto. || Mec. Pieza en que se apoya el gorrón de un árbol.

tela (al. *Tuch*, fr. *tissu*, ingl. *cloth*, it. *tessuto*). f. Obra hecha de muchos hilos que, entrecruzados alternativa y regularmente en toda su longitud, forman como una hoja o lámina. || Obra semejante a ésta, pero formada por series alineadas de puntos o lazaditas hechas con un mismo hilo, especialmente la tela de punto elástico tejida a máquina. || Lo que se pone de una vez en el telar. || Membrana, tejido de forma laminar de consistencia blanda. || Flor o nata que crían ciertos líquidos en la superficie. || Túnica de algunas frutas, después de la cáscara o corteza que las cubre. || Tejido que hacen la araña común y otros animales de su clase. || fig. Enredo o embuste. || fig. Asunto o materia. || fig. vulg. Dinero, caudal. || *— de araña.* Telaraña. || *en tela de juicio.* fr. adv. En duda acerca de la certeza o el éxito de alguna cosa.

telar. m. Máquina para tejer. || Parte superior del escenario, oculta a la vista del público, de donde bajan o adonde suben los telones y bambalinas. || Aparato en que los encuadernadores ponen los pliegos para coserlos.

telaraña (al. *Spinnwebe*, fr. *toile d'araignée*, ingl. *web*, it. *ragnatela*). f. Tela que forma la araña. || fig. Cosa sutil, de poca entidad.

tele-. Elemento compositivo que entra en la formación de algunas voces españolas con el significado de «a distancia».

telecomunicación. f. Sistema de comunicación a distancia por medio de telefonía, telegrafía, radiotelegrafía u otro procedimiento análogo.

telediario. m. Información de los acontecimientos más salientes del día, transmitida por televisión.

teleférico. m. Transporte aéreo con vehículos suspendidos por cables.

telefilme. m. Filme de televisión.

telefonear (al. *telephonieren*, fr. *téléphoner*, ingl. *to telephone*, it. *telefonare*). tr. Dirigir comunicaciones por medio del teléfono.

telefonema. m. Despacho telefónico.

telefonía. f. Sistema de transmisión a distancia por medio de sonidos.

telefónico, ca. adj. Perteneciente o relativo al teléfono o a la telefonía.

telefonista. com. Persona que se ocupa en el servicio de los aparatos telefónicos.

teléfono (al. *Telephon*, fr. *téléphone*, ingl. *telephone*, it. *telefono*). m. Conjunto de aparatos e hilos conductores utilizados para transmitir la palabra hablada o un sonido a distancia.

telegrafía. f. Arte de construir, instalar y manejar los telégrados. || Servicio público de comunicaciones telegráficas.

telegrafiar. tr. Manejar el telégrafo. || Dictar comunicaciones para su expedición telegráfica.

telegráfico, ca. adj. Perteneciente o relativo al telégrafo o a la telegrafía.

telegrafista. com. Persona que se ocupa en la instalación o el servicio de los aparatos telegráficos.

telégrafo (al. *Telegraph*, fr. *télégraphe*, ingl. *telegraph*, it. *telegrafo*). m. Conjunto de aparatos para transmitir despachos con rapidez y a distancia. || *— sin hilos.* El eléctrico en que las señales se transmiten por medio de ondas hertzianas, sin conductores.

telegrama (al. *telegramm*, fr. *télégramme*, ingl. *telegram*, it. *telegramma*). m. Despacho o mensaje transmitido por telegrafía.

teleimpresor. m. Aparato telegráfico arrítmico, con teclado, que emite y recibe mensajes y los imprime.

telele. m. Patatús, soponcio.

telemetría. f. Ciencia de medir indirectamente la distancia a que se encuentran objetos lejanos.

telémetro (al. *Entfernungsmesser*, fr. *télémetre*, ingl. *telemeter*, it. *telemetro*). m. Top. Aparato utilizado para realizar mediciones a distancia o para medir indirectamente la distancia que hay entre un punto y otro alejado del primero.

teleobjetivo. m. Objetivo provisto de un sistema telescópico para hacer fotografías de objetos distantes.

teleología. f. Fil. Doctrina de las causas finales.

teleológico, ca. adj. Fil. Perteneciente a la teleología.

teleósteo. adj. ZOOL. Se aplica al pez cuyo esqueleto está completamente osificado. Ú.t.c.s. ‖ m. pl. Orden de estos animales, que comprende la mayoría de los peces vivientes.

telepatía (al. *Telepathie*, fr. *télépathie*, ingl. *telepathy*, it. *telepatia*). f. Coincidencia de pensamientos o sensaciones entre personas generalmente distantes entre sí sin el concurso de los sentidos, y que induce a pensar en la existencia de una comunicación de índole desconocida. ‖ Transmisión psíquica entre personas, sin intervención de agentes físicos conocidos.

telepático, ca. adj. Relativo a la telepatía.

telescópico, ca. adj. Perteneciente o relativo al telescopio. ‖ Que no se puede ver sino con el telescopio. ‖ Hecho con auxilio del telescopio.

telescopio (al. *teleskop*, fr. *télescope*, ingl. *telescope*, it. *telescopio*). m. Anteojo astronómico de gran alcance, usado por lo general para observar los astros.

telesilla. m. Asiento individual, suspendido en un cable, que se emplea para trasladarse a lugares elevados.

telespectador, ra. s. Espectador o espectadora de televisión.

telesquí. m. Aparato parecido al telesilla, con la diferencia de que el usuario no va sentado, sino que se desliza por la nieve sobre sus propios esquís, agarrándose a un cable en movimiento que le arrastra.

teletipo. m. Nombre comercial de un teleimpresor.

televidente. com. Persona que contempla las imágenes transmitidas por la televisión.

televisar. tr. Transmitir imágenes por televisión.

televisión (al. *Fernsehen*, fr. *télévision*, ingl. *television*, it. *televisione*). f. Transmisión de imágenes a larga distancia mediante el empleo de ondas electromagnéticas.

televisivo, va. adj. Que tiene buenas condiciones para ser televisado. ‖ Concerniente a la televisión.

televisor (al. *Fersehgerät*, fr. *téléviseur*, ingl. *televisor*, it. *televisore*). m. Aparato receptor de televisión.

télex. m. Comunicación enviada o recibida por teletipo.

telilla. f. dim. de tela. ‖ Tejido de lana más delgado que el camelote. ‖ Tela o nata que se forma en la superficie de algunos líquidos. ‖ Capa delgada y mate que cubre la masa fundida de la plata cuando se copela.

telón (al. *Vorhang*, fr. *rideau*, ingl. *stage curtain*, it. *sipario*). m. Lienzo grande que se dispone en el escenario de un teatro de forma que pueda bajarse y subirse a voluntad.

telúrico, ca. adj. Perteneciente o relativo a la Tierra como planeta.

telurio. m. QUÍM. Metaloide del grupo del azufre. Es quebradizo y fácilmente fusible.

tema (al. *Thema*, fr. *sujet*, ingl. *subject*, it. *tema*). m. Proposición o texto que se toma como asunto de un discurso. ‖ Este mismo asunto. ‖ GRAM. Parte esencial, fija e invariable, de un vocablo. ‖ MÚS. Pequeño trozo de una composición con arreglo al cual se desarrolla el resto de ella. ‖ f. Idea fija que suelen tener los dementes. [*Sinón.*: material]

temático, ca. adj. Que se ejecuta o dispone según el tema o asunto de cualquier materia. ‖ GRAM. Relativo al tema.

temblar (al. *zittern*, fr. *trembler*, ingl. *to shiver*, it. *tremare*). intr. Agitarse con movimiento frecuente e involuntario. ‖ Vacilar, moverse rápidamente una cosa a uno y otro lado. ‖ fig. Tener mucho miedo. [*Sinón.*: tiritar, tremolar]

tembleque. adj. Tembloroso. ‖ m. Persona o cosa que tiembla mucho. ‖ Temblor.

temblequear. intr. fam. Temblar con frecuencia. ‖ fam. Afectar temblor.

temblor. m. Movimiento involuntario, repetido y continuado del cuerpo o de parte de él.

tembloroso, sa. adj. Que tiembla mucho.

temer (al. *fürchten*, fr. *craindre*, ingl. *to fear*, it. *temere*). tr. Tener a una persona o cosa por objeto de temor. ‖ Recelar un daño. ‖ Sospechar, recelar, creer. ‖ intr. Sentir temor.

temerario, ria. adj. Imprudente, que se expone a los peligros sin meditado examen de ellos. ‖ Que se dice, hace o piensa sin fundamento. [*Sinón.*: osado, inmotivado]

temeridad. f. Calidad de temerario. ‖ Acción temeraria. ‖ Juicio temerario. [*Sinón.*: intrepidez, osadía]

temeroso, sa. adj. Que causa temor. ‖ Medroso, irresoluto. ‖ Que recela un daño.

temible. adj. Digno de ser temido.

temor (al. *Furcht*, fr. *crainte*, ingl. *fear*, it. *timore*). m. Pasión del ánimo que hace huir o rehusar las cosas que se consideran dañosas o peligrosas. ‖ Presunción o sospecha. ‖ Recelo de un daño futuro. [*Sinón.*: aprensión, duda]

témpano (al. *Pauke*, fr. *timbale*, ingl. *kettledrum*, it. *timpano*). m. Timbal, instrumento músico. ‖ Atabal, especie de tambor. ‖ Piel extendida del tambor, pandero, etc. ‖ Pedazo de cualquier cosa dura, extendida o plana, como un pedazo de hielo o de tierra unida. ‖ Hoja de tocino sin los perniles. ‖ Tapa de cuba o tonel. ‖ Corcho redondo que sirve de tapa y cierre a una colmena. ‖ ARQ. Tímpano de un frontón.

temperamental. adj. Perteneciente o relativo al temperamento.

temperamento (al. *Temperament*, fr. *tempérament*, ingl. *temperament*, it. *temperamento*). m. Estado de la atmósfera. ‖ Providencia o arbitrio para terminar las disensiones y contiendas o para obviar dificultades. ‖ FISIOL. Constitución particular de cada individuo, que resulta del predominio fisiológico de un sistema orgánico, como el nervioso o el sanguíneo. ‖ Carácter, manera de ser de las personas desde el punto de vista de su manera de reaccionar en sus relaciones con otras personas o con las cosas.

temperancia. f. Templanza.

temperar. tr. Atemperar. Ú.t.c.r. ‖ MED. Templar o calmar el exceso de acción o de excitación orgánica.

temperatura (al. *Temperatur*, fr. *température*, ingl. *temperature*, it. *temperatura*). f. Estado de los cuerpos percibido por el sentido del tacto, gracias al cual observamos que están más o menos calientes o fríos. ‖ Temperatura de la atmósfera. ‖ vulg. Estado de calor del cuerpo humano o de los animales. ‖ — crítica. La temperatura máxima en que pueden coexistir las fases líquida y gaseosa de un fluido.

tempero. m. Sazón en que se halla la tierra para las sementeras y labores.

tempestad (al. *Sturm*, fr. *tempête*, ingl. *storm*, it. *tempesta*). f. Perturbación del aire con nubes gruesas de mucha agua, granizo, truenos, rayos y relámpagos. ‖ Perturbación de las aguas del mar.

tempestivo, va. adj. Oportuno, que viene a tiempo y ocasión.

tempestuoso, sa. adj. Que causa o desencadena una tempestad. ‖ Expuesto o propenso a tempestades. [*Sinón.*: tormentoso]

templado, da. adj. Moderado en la comida o bebida o en cualquier otro apetito o pasión. ‖ Tibio, ni frío ni caliente. ‖ fam. Valiente y sereno.

templanza. f. Una de las cuatro virtudes cardinales, por la que hemos de moderar los apetitos y el placer excesivo de los sentidos. || Sobriedad y continencia. || Benignidad del aire o clima de un país. || PINT. Armonía y buena disposición de los colores. [*Sinón.*: moderación]

templar (al. *mässigen*, fr. *tempérer*, ingl. *to temper*, it. *temperare*). tr. Moderar o suavizar la fuerza de una cosa. || Quitar el frío de una cosa, calentarla ligeramente. || Enfriar bruscamente en agua, aceite, etc., un material calentado por encima de determinada temperatura, con el fin de mejorar ciertas propiedades suyas. || MAR. Disponer las velas para que aprovechen el viento. || MÚS. Afinar el instrumento de manera que pueda producir con exactitud los sonidos que le son propios. || TAUROM. Ajustar el movimiento de la capa o la muleta a la embestida del toro, para moderarla o alegrarla. || r. fig. Contenerse, evitar el exceso en una materia. || *Amer.* Enamorarse.

templario. m. Individuo de una orden de caballería, cuya misión era proteger los caminos que conducían a los Santos Lugares de Jerusalén.

temple. m. Estado de la atmósfera. || Grado mayor o menor de calor. || Punto de dureza o elasticidad que se da a un metal, al cristal, etc., templados. || fig. Calidad o estado del genio, y natural apacible o áspero. || fig. Arrojo, valentía, energía de la persona. || fig. Medio término o partido que se toma entre dos cosas diferentes. || MÚS. Disposición y acuerdo armónico de los instrumentos. || TAUROM. Acción y efecto de templar.

templete. m. Armazón pequeña en forma de templo, que sirve para cobijar una imagen. || Pabellón o quiosco.

templo (al. *Tempel*, fr. *temple*, ingl. *temple*, lt. *tempio*). m. Edificio destinado públicamente a la práctica de un culto. || fig. Lugar real o imaginario en que se rinde culto al saber, la justicia, etc. [*Sinón.*: iglesia]

tempo (voz italiana). m. MÚS. Término que se emplea para indicar el compás, ritmo y velocidad con que debe ejecutarse una pieza.

témpora. f. Tiempo de ayuno en el comienzo de cada una de las cuatro estaciones del año. Ú.m. en pl.

temporada (al. *Saison*, fr. *époque*, ingl. *season*, it. *periodo*). f. Espacio de varios días, meses o años que se consideran aparte formando un conjunto. || Tiempo durante el cual se hace habitualmente alguna cosa. || *de temporada.* m. adv. Durante algún tiempo, pero no de manera permanente.

temporal. adj. Perteneciente al tiempo. || Que dura algún tiempo. || Secular, profano. || Que pasa con el tiempo. || ANAT. Perteneciente o relativo a las sienes. || m. Tempestad. || capear el temporal. fig. y fam. Evitar mañosamente compromisos, trabajos o situaciones difíciles.

temporero, ra. adj. Dícese de la persona destinada temporalmente al ejercicio de un oficio o empleo. [*Sinón.*: eventual. *Antón.*: fijo]

temporizar. intr. Contemporizar. || Ocuparse en alguna cosa por mero pasatiempo.

tempranero, ra. adj. Temprano, anticipado.

temprano, na (al. *früh*, fr. *tôt*, ingl. *early*, it. *presto*). adj. Adelantado, que se produce antes del tiempo regular u ordinario. || adv. t. En las primeras horas del día o de la noche. || En tiempo anterior al convenido o acostumbrado. [*Sinón.*: adelantado, precoz]

tenacidad. f. Calidad de tenaz.

tenacillas. f. pl. Tenaza pequeña que sirve para coger terrones de azúcar, dulces y otras cosas.

tenáculo. m. CIR. Instrumento que se emplea para sostener las arterias que deben ligarse.

tenaz (al. *zähe*, fr. *tenace*, ingl. *tenacious*, it. *tenace*). adj. Que se adhiere o prende a una cosa y resulta difícil separarlo de ella. || Que opone mucha resistencia a romperse o deformarse. || fig. Firme, terco en un propósito. [*Sinón.*: obstinado]

tenaza (al. *Zange*, fr. *tenaille*, ingl. *tong*, it. *tenaglia*). f. Instrumento de metal, compuesto de dos brazos trabados por un clavillo que permite abrirlos y cerrarlos, para coger o sujetar una cosa, o para arrancarla o cortarla. Ú.m. en pl. || ZOOL. Pinzas de algunos invertebrados artrópodos.

tenca. f. ZOOL. Pez malacopterigio de la familia de los ciprínidos, propio de aguas dulces estancadas. Su cuerpo es fusiforme, verdoso por el lomo y blanquecino en el vientre.

tendal. m. Toldo o cubierta. || Tendero. || Conjunto de cosas tendidas para que se sequen.

tendedero. m. Sitio donde se tiende una cosa. || Dispositivo de alambres donde se tiende la ropa.

tendencia (al. *Neigung*, fr. *tendance*, ingl. *tendency*, it. *tendenza*). f. Propensión o inclinación hacia determinados fines o doctrinas. [*Sinón.*: disposición]

tendencioso, sa. adj. Que manifiesta o incluye tendencias hacia determinados fines o doctrinas.

tendente. adj. Que tiende, se encamina, dirige o refiere a algún fin.

tender (al. *spannen*, fr. *étendre*, ingl. *to unfold*, it. *stendere*). tr. Desdoblar, extender lo que está doblado o amontonado. || Echar por el suelo una cosa, esparciéndola. || Extender la ropa mojada para que se seque. || Alargar o extender. || Propender a un fin. || r. Tumbarse a lo largo. [*Sinón.*: desplegar; echarse. *Antón.*: recoger; echar; levantarse]

tenderete. m. Puesto de venta al por menor instalado al aire libre.

tendero, ra. s. Persona que tiene tienda. || Persona que vende al por menor.

tendido, da. adj. Aplícase al galope del caballo o a la carrera violenta del hombre o de cualquier animal. || m. Acción de tender. || Gradería descubierta y próxima a la barrera en las plazas de toros. || ARQ. Parte del tejado desde el caballete al alero.

tendinoso, sa. adj. ANAT. Que tiene tendones o se compone de ellos.

tendón (al. *Sehne*, fr. *tendon*, ingl. *tendon*, it. *tendine*). m. ZOOL. Haz de fibras que une los músculos a los huesos. || — *de Aquiles.* ANAT. El que en la parte posterior e inferior de la pierna une el talón con la pantorrilla. || fig. Punto vulnerable o débil.

tenebrario. m. Candelabro triangular, con pie muy alto y con 15 velas, que se encienden en los oficios de tinieblas de Semana Santa.

tenebrismo. m. Tendencia pictórica que opone con fuerte contraste luz y sombra.

tenebrista. adj. Perteneciente o relativo al tenebrismo. || Dícese del pintor que practica el tenebrismo. Ú.t.c.s.

tenebrosidad. f. Calidad de tenebroso.

tenebroso, sa. adj. Oscuro, que se halla en tinieblas.

tenedor. m. El que tiene o posee una cosa. || El que posee legítimamente una letra de cambio u otro valor endosable. || Utensilio de mesa, que consiste en un astil con tres o cuatro púas iguales. || — *de libros.* El que tiene a su cargo los libros de contabilidad de una oficina.

teneduría. f. Cargo y oficina del tenedor de libros. || — *de libros.* Arte de llevar los libros de contabilidad por partida doble.

tenencia. f. Ocupación y posesión de una cosa. ‖ Cargo u oficio de teniente. ‖ Oficina en que lo ejerce.

tener (al. *haben*, fr. *avoir*, ingl. *to have got*, it. *avere*). tr. Asir o mantener asida una cosa. ‖ Poseer o gozar. ‖ Mantener, sostener. Ú.t.c.r. ‖ Contener o comprender en sí. ‖ Dominar o sujetar. ‖ Detener, parar. Ú.t.c.r. ‖ Guardar, cumplir. ‖ Hospedar o recibir en su casa. ‖ Poseer, estar abundante una cosa. ‖ Estar en precisión de hacer una cosa u ocuparse de ella. ‖ Juzgar, reputar y entender. Suele juntarse con la partícula *por* y ú.t.c.r. También se construye con la prep. *a*. ‖ Construido con la prep. *en* y los adjetivos *poco*, *mucho* y otros semejantes, estimar, apreciar. Ú.t.c.r. ‖ Construido con el pronombre *que* y el infinitivo de otro verbo expresa la trascendencia o importancia de la acción significada por el infinitivo. ‖ Construido con algunos nombres, hacer o padecer lo que el nombre significa. ‖ Con los nombres que significan tiempo, expresa la duración o edad de las cosas o personas de que se habla. ‖ intr. Ser rico y adinerado. ‖ r. Afirmarse o asegurarse uno para no caer. ‖ Hacer asiento un cuerpo sobre otro. ‖ Resistir o hacer oposición a uno en riña o pelea. ‖ Atenerse, adherirse, estar por uno o por una cosa. ‖ Como verbo auxiliar equivale a haber. ‖ Construido con la conjunción *que* y el infinitivo de otro verbo, denota necesidad, precisión o determinación de hacer lo que el verbo significa. ‖ *no tenerlas* uno *todas consigo*. fig. y fam. Sentir recelo o temor.

tenería. f. Curtiduría.

tenia. f. ZOOL. Gusano platelminto del orden de los cestodos, de forma de cinta y de color blanco, que consta de numerosos anillos y puede alcanzar varios metros de longitud. En el estado adulto vive parásito en el intestino de otro animal, al cual se fija mediante ventosas.

teniente. adj. Que tiene o posee. Se aplica a la fruta no madura. ‖ fam. Algo sordo. ‖ fig. Miserable y escaso. ‖ m. El que ejerce el cargo o ministerio de otro. ‖ MIL. Oficial cuyo empleo es el inmediatamente inferior al de capitán. ‖ – *coronel*. MIL. Jefe cuyo empleo es inmediatamente inferior al de coronel. ‖ – *de navío*. En la Marina de guerra, empleo equivalente a capitán del ejército. ‖ – *general*. MIL. Oficial general de la categoría superior a la del general de división e inferior a la de capitán general.

tenífugo, ga. adj. FARM. Dícese del medicamento eficaz para la expulsión de la tenia.

tenis. m. Juego de pelota que se practica con la ayuda de una raqueta, en un terreno de juego rectangular, dividido en dos mitades por una red. Suele haber uno o dos jugadores en cada bando. ‖ – *de mesa*. Pimpón.

tenista. com. Jugador de tenis.

tenor. m. Constitución u orden firme y estable de una cosa. ‖ Contenido literal de un escrito u oración. ‖ *a este tenor*. m. adv. Por el mismo estilo.

tenor. m. MÚS. Voz media entre la de contralto y la de barítono. ‖ MÚS. Persona que posee esta voz.

tenorio. m. fig. Galanteador audaz y pendenciero.

tensar. tr. Poner tenso un cable, una cuerda, una cadena, etc.

tensión (al. *Spannung*, fr. *tension*, ingl. *tension*, it. *tensione*). f. Estado de un cuerpo, estirado por la acción de fuerzas que lo solicitan. ‖ Fuerza que impide separarse unas de otras a las partes de un mismo cuerpo cuando se halla en dicho estado. ‖ Intensidad de la fuerza con que los gases tienden a dilatarse. ‖ Grado de energía eléctrica que se manifiesta en un cuerpo. ‖ Tensión vascular. ‖ Estado de oposición u hostilidad latente entre personas o grupos humanos como naciones, clases, etc. ‖ Estado anímico de excitación, impaciencia, esfuezo o exaltación producido por determinadas circunstancias o actividades. ‖ – *vascular*. FISIOL. La de la pared de los vasos sanguíneos que depende de la presión de la sangre y del tono elástico de las paredes del vaso.

tenso, sa. adj. Que se halla en estado de tensión.

tensor, ra. adj. Que tensa u origina tensión. Ú.t.c.s. ‖ m. FÍS. Magnitud física que, aplicada a una superficie, tiene en cada punto la misma intensidad, dirección y sentido determinados por dicha superficie.

tentación (al. *Versuchung*, fr. *tentation*, ingl. *temptation*, it. *tentazione*). f. Instigación que induce a algo malo. ‖ Impulso repentino que excita a hacer una cosa. [*Sinón.*: sugestión, seducción]

tentacular. adj. Referente al tentáculo.

tentáculo (al. *Fühler*, fr. *tentacule*, ingl. *tentacle*, it. *tentacolo*). m. ZOOL. Apéndice móvil y blando que poseen muchos animales invertebrados como órgano táctil, prensil o locomotor. Tiene apariencia muy diversa en los diferentes grupos de animales.

tentadero. m. Corral o sitio cerrado en que se hace la tienta de becerros.

tentador, ra. adj. Que tienta. Ú.t.c.s. ‖ Que hace caer en la tentación. Ú.t.c.s. ‖ m. Por antonom., diablo, demonio infernal. ‖ TAUROM. El que pica las reses en la tienta.

tentar (al. *versuchen*, fr. *tenter*, ingl. *to tempt*, it. *tentare*). tr. Tocar, palpar. ‖ Examinar por medio del tacto. ‖ Instigar, inducir. ‖ Intentar o procurar.

tentativa (al. *Versuch*, fr. *tentative*, ingl. *attempt*, it. *tentativo*). f. Acción con que se intenta o tantea una cosa. ‖ DER. Principio de ejecución de un delito que no llega a realizarse. [*Sinón.*: prueba, ensayo, intento]

tentempié (al. *Imbiss*, fr. *cassecroûte*, ingl. *snack*, it. *tentativo*). m. fam. Refrigerio, piscolabis.

tentetieso. m. Muñeco de materia ligera que, movido en cualquier dirección, vuelve siempre a quedar derecho.

tenue. adj. Delicado, delgado y débil. ‖ De poca sustancia o importancia. ‖ Dicho del estilo, sencillo. [*Sinón.*: sutil, vaporoso]

teñido. m. Acción y efecto de teñir o teñirse.

teñir (al. *färben*, fr. *teindre*, ingl. *to dye*, it. *tingere*). tr. Dar a una cosa un color distinto del que tenía. Ú.t.c.r. [*Sinón.*: tintar]

teocali. m. *Amer.* Templo de los antiguos aztecas.

teocracia. f. Gobierno ejercido directamente por Dios. ‖ Gobierno ejercido por los sacerdotes.

teogonía. f. En las religiones politeístas, genealogía de los dioses.

teologal. adj. Teológico.

teología (al. *Theologie*, fr. *théologie*, ingl. *theology*, it. *teologia*). f. Ciencia que trata de Dios y de sus atributos.

teológico, ca. adj. Concerniente a la teología. [*Sinón.*: teologal]

teólogo, ga. s. Persona que profesa o estudia la teología.

teorema (al. *Lehrsatz*, fr. *théorème*, ingl. *theorem*, it. *teorema*). m. Proposición que afirma una verdad demostrable.

teoría (al. *Theorie*, fr. *théorie*, ingl. *theory*, it. *teoria*). f. Conocimiento especulativo. ‖ Serie de las leyes que sirven para relacionar determinado orden de fenómenos. ‖ Hipótesis cuyas consecuencias se aplican a toda una ciencia o a una parte muy importante de ella. || Resultado de una investigación no comprobado empíricamente.

teórica. f. Teoría, conocimiento especulativo.

teórico, ca. adj. Perteneciente a la teoría. || Que conoce las cosas o las considera solamente desde un punto de vista teórico. Ú.t.c.s.m.

teorizar. tr. Tratar un asunto sólo en teoría.

teosofía. f. Doctrina de varias sectas que presumen estar iluminadas por la divinidad e íntimamente unidas con ella.

teósofo, fa. s. Persona que profesa la teosofía.

tépalo. m. BOT. Cada una de las piezas que componen los perigonios sencillos.

tequila. f. Bebida mexicana semejante a la ginebra, que se destila de una especie de maguey.

terapeuta. com. MED. Médico, persona que practica la terapéutica.

terapéutica. f. Parte de la medicina que sistematiza el tratamiento de las enfermedades.

terapéutico, ca. adj. Concerniente a la terapéutica.

-terapia. Elemento compositivo que entra pospuesto en la formación de algunas voces españolas con el significado de «curación, tratamiento».

terapia. f. MED. Terapéutica.

tercer. adj. Apócope de tercero. Úsase siempre antepuesto al sustantivo.

tercera. f. MÚS. Consonancia que comprende el intervalo de dos tonos y medio. || Alcahueta.

tercería. f. Oficio o cargo de tercero.

tercerilla. f. Composición métrica de tres versos de arte menor, dos de los cuales hacen consonancia.

tercero, ra (al. dritter, fr. troisième, ingl. third, it. terzo). adj. Que sigue inmediatamente en orden al o a lo segundo. Ú.t.c.s. || Aplícase a cada una de las tres partes iguales en que se divide un todo. || Que media entre dos o más personas. Ú.m.c.s. || m. Persona que no es ninguna de dos o más de quienes se trata o que intervienen en un negocio.

terceto. m. Combinación métrica de tres versos endecasílabos. || MÚS. Conjunto de tres voces o instrumentos. || MÚS. Composición para tres voces o instrumentos.

tercia. f. Cada una de las tres partes

iguales en que se divide un todo. || Una de las horas menores del oficio divino.

terciado. m. Espada más corta que la de marca. || Cinta algo más ancha que el listón. || Madero de sierra que resulta de dividir en tres partes iguales el ancho de una alfarjía.

terciana. f. MED. Calentura intermitente que repite al tercer día. || MED. Variedad del paludismo.

terciar. tr. Poner una cosa atravesada diagonalmente o al sesgo. || Dividir una cosa en tres partes. || r. Venir bien una cosa. Ú. en infinitivo y en las terceras personas. || intr. Mediar para componer algún ajuste o discordia.

terciario, ria. adj. Tercero en orden o grado. || GEOL. Se aplica al terreno posterior al cretáceo, y en el cual ya existieron especies de animales que viven hoy. Ú.t.c.s. || GEOL. Perteneciente a él. || m. Sector económico correspondiente a los servicios.

tercio, cia (al. drittel, fr. tiers, ingl. third, it. terzo). adj. Que sigue al segundo. || m. Cada una de las tres partes iguales en que se divide un todo. || TAUROM. Cada una de las tres partes en que se divide la lidia de toros. || Parte más ancha de la media, que cubre la pantorrilla. || MIL. Regimiento de infantería española en los siglos XVI y XVII. || MIL. Cada una de las divisiones del instituto de la Guardia civil. || TAUROM. Cada una de las tres partes en que se considera dividido el ruedo.

terciopelo (al. Samt, fr. velours, ingl. velvet, it. velluto). m. Tela velluda y tupida formada por dos urdimbres y una trama.

terco, ca (al. starrköpfig, fr. têtu, ingl. stubborn, it. testone). adj. Pertinaz, obstinado, cabezudo.

terebinto. m. BOT. Árbol o arbusto de la familia de las terebintáceas, de tronco ramoso y lampiño, hojas compuestas, lustrosas y frutos en drupa. Su madera, dura y compacta, exuda gotas de trementina blanca muy olorosas.

teresiano, na. adj. Perteneciente o relativo a la Orden fundada por Santa Teresa de Jesús.

tergiversación. f. Acción y efecto de tergiversar.

tergiversar. tr. Forzar las razones o argumentos para defender o excusar alguna cosa.

termal. adj. Perteneciente o relativo a las termas o caldas.

termas. f. pl. Caldas, baños calientes. || Baños públicos de los antiguos romanos.

termes. m. ZOOL. Insecto masticador, lucífugo, muy perjudicial porque corroe la madera. [Sinón.: carcoma]

térmico, ca. adj. Perteneciente o relativo al calor.

termidor. m. Undécimo mes del calendario republicano francés (19 de julio-17 de agosto).

terminación (al. Vollendung, fr. terminaison, ingl. conclusion, it. terminazione). f. Acción y efecto de terminar. || Parte final de una obra o cosa. || GRAM. Letra o letras que forman la desinencia de los vocablos. [Sinón.: fin, acabamiento. Antón.: principio, inicio]

terminal. adj. Final, último, y que pone término a una cosa. || Dícese de la estación final de cualquier transporte público. Ú.t.c.s. || m. ELECTR. Extremo de un conductor preparado para facilitar su conexión con un aparato. [Antón.: inicial]

terminante. adj. Que termina. || Claro, preciso, concluyente.

término (al. Ende, fr. terme, ingl. end, it. termine). m. Último punto hasta donde llega o se extiende una cosa. || Último momento de la duración o existencia de una cosa. || fig. Límite o extremo de una cosa inmaterial. || Señal permanente que fija los linderos de campos y heredades. || Línea divisoria de los Estados, provincias, etc. || Término municipal. || Paraje señalado para algún fin. || Tiempo determinado. || Hora, día o punto preciso para hacer algo. || Objeto, fin. || Palabra, sonido o conjunto de sonidos articulados que expresan una idea. || Estado o situación en que se halla una persona o cosa. || GRAM. Cada uno de los dos elementos necesarios en la relación gramatical. || MAT. El numerador o el denominador de un quebrado. || MAT. En una expresión analítica, cada una de las partes ligadas entre sí por el signo de sumar o restar. || — municipal. Porción de territorio sometido a la autoridad de un ayuntamiento. || llevar a término. Llevar a cabo. || poner término a una cosa. Hacer que cese o que acabe.

terminología. f. Conjunto de términos o vocablos propios de determinada profesión, ciencia o materia.

terminológico, ca. adj. Perteneciente o relativo a los términos o vocablos propios de determinada profesión, ciencia o materia, y a su empleo.

termita. f. QUIM. Mezcla de aluminio en polvo y de un óxido metálico que por inflamación produce elevadísima temperatura.

termitero. m. Nido de termes.

termo (al. *Thermosflasche*, fr. *thermos*, ingl. *thermos bottle*, it. *termos*). m. Vasija aislante que conserva el calor y el frío de los cuerpos colocados en su interior.

termo-. Elemento compositivo que entra en la formación de algunas voces españolas con el significado de «calor».

termocauterio. m. CIR. Cauterio hueco de platino que se mantiene candente por la electricidad u otro medio semejante.

termodinámica. f. Parte de la física que se ocupa de las relaciones entre el calor y las diversas formas de energía.

termoelectricidad. f. Energía eléctrica producida por el calor. ‖ Parte de la física que estudia esta energía.

termoestable. adj. Que no se altera fácilmente por la acción del calor.

termolábil. adj. Que se altera fácilmente por la acción del calor.

termometría. f. Ciencia que trata de la medición de la temperatura.

termómetro (al. *Thermometer*, fr. *thermomètre*, ingl. *thermometer*, it. *termometro*). m. Instrumento que sirve para medir la temperatura, basado en la dilatación de un cuerpo, generalmente el mercurio, encerrado en un tubo capilar.

termóstato o **termostato.** m. Dispositivo que regula automáticamente la temperatura, conservándola en un nivel constante.

terna. f. Conjunto de tres personas propuestas para que se designe de entre ellas la que haya de desempeñar un cargo o empleo.

ternario, ria. adj. Compuesto de tres elementos, unidades o guarismos.

ternera (al. *Kalbein*, fr. *génisse*, ingl. *calf*, it. *vitella*). f. ZOOL. Cría hembra de la vaca. ‖ Carne de ternera o de ternero.

ternero (al. *Kalb*, fr. *veau*, ingl. *calf*, it. *vitello*). m. ZOOL. Cría macho de la vaca.

terneza. f. Calidad de tierno. ‖ Dicho lisonjero, requiebro. Ú. m. en pl.

ternilla. f. ZOOL. Cartílago.

terno. m. Conjunto de tres cosas de una misma especie. ‖ Traje. ‖ Voto, juramento.

ternura (al. *Zartheit*, fr. *tendresse*, ingl. *tenderness*, it. *tenerezza*). f. Calidad de tierno. ‖ Requiebro, dicho lisonjero. ‖ Amor, afecto, cariño. [*Sinón.*: terneza]

terquedad. f. Calidad de terco. ‖ Por-

fía molesta y cansada. [*Sinón.*: testarudez, tozudez]

terracota (voz de origen italiano). f. Escultura de barro cocido.

terrado. m. Terraza de una casa.

terraja. f. Tabla guarnecida con una chapa metálica recortada con arreglo al perfil de una moldura, y que sirve para hacer las de yeso, mortero, mármol, etc. ‖ Herramienta utilizada para tallar roscas exteriores en pernos, varillas, etc.

terraplén. m. Macizo de tierra con que se rellena un hueco, o que se levanta para hacer una defensa, un camino, etc.

terraplenar. tr. Llenar de tierra un hueco. ‖ Acumular tierra en un lugar para levantar un terraplén.

terráqueo, a. adj. Compuesto de tierra y agua. Aplícase únicamente a la esfera o globo terrestre.

terrateniente. com. Dueño o poseedor de tierra o hacienda. [*Sinón.*: latifundista, hacendado]

terraza (al. *Terrasse*, fr. *terrasse*, ingl. *terrace*, it. *terraza*). f. Jarra vidriada, de dos asas. ‖ Arriate de un jardín. ‖ Terrado de una casa. ‖ Azotea. ‖ Terreno relativamente horizontal flanqueado por declives pronunciados.

terrazo. m. Pavimento formado por chinas o trozos de mármol aglomerados con cemento y cuya superficie se pulimenta.

terremoto (al. *Erdbeben*, fr. *tremblement de terre*, ingl. *earthquake*, it. *terremoto*). m. Convulsión o sacudida del terreno, ocasionada por fuerzas que actúan en el interior del globo. [*Sinón.*: seísmo]

terrenal. adj. Perteneciente a la tierra. ‖ Mundanal, mundano.

terreno, na. adj. Terrestre o terrenal, perteneciente a la tierra. ‖ m. Sitio o espacio de tierra. ‖ fig. Campo o esfera de acción. ‖ fig. Orden de materias o de ideas de que se trata.

térreo, a. adj. De tierra. ‖ Parecido a ella.

terrero, ra. adj. Perteneciente o relativo a la tierra. ‖ Aplícase al vuelo rastrero de ciertas aves. ‖ Dícese de la caballería que al caminar levanta poco los brazos. ‖ Aplícase a las cestas de mimbres o espuertas que se emplean para llevar tierra de un punto a otro. Ú.t.c.s.f. ‖ fig. Bajo y humilde.

terrestre. adj. Perteneciente o relativo al planeta Tierra. [*Sinón.*: terrenal]

terrible (al. *schrecklich*, fr. *terrible*, ingl. *awful*, it. *terribile*). adj. Digno de

ser temido, que causa terror. ‖ Áspero y duro de genio. ‖ Atroz, desmesurado, extraordinario. [*Sinón.*: terrorífico, horroroso, tremendo]

terrícola. com. Habitante de la tierra.

territorial. adj. Perteneciente al territorio.

territorialidad. f. Consideración especial en que se toman las cosas en cuanto están dentro del territorio de un Estado. ‖ Ficción jurídica por la cual los buques y los domicilios de los agentes diplomáticos se consideran, dondequiera que estén, como si formasen parte del territorio de su propia nación.

territorio (al. *Gebiet*, fr. *territoire*, ingl. *territory*, it. *territorio*). m. Porción de la superficie terrestre perteneciente a una nación, región, provincia, municipio, etc. ‖ Circuito o término que comprende una jurisdicción.

terrón (al. *Klumpen*, fr. *morceau*, ingl. *lump*, it. *zolla*). m. Masa pequeña y suelta de tierra compacta. ‖ Masa pequeña y suelta de otras sustancias.

terror (al. *Schrecken*, fr. *terreur*, ingl. *terror*, it. *terrore*). m. Miedo, pavor ante la amenaza de un mal. [*Sinón.*: pánico]

terrorífico, ca. adj. Que infunde espanto o terror.

terrorismo. m. Dominación por el terror. ‖ Sucesión de actos de violencia ejecutados para infundir terror.

terrorista. com. Partidario de ejecutar actos de terror, principalmente con fines políticos. ‖ adj. Perteneciente o relativo al terrorismo.

terroso, sa. adj. Que participa de la naturaleza y propiedades de la tierra. ‖ Que tiene mezcla de tierra.

terruño. m. Tierra o trozo de tierra. ‖ Comarca o tierra, especialmente el país natal.

tersar. tr. Poner tersa una cosa.

terso, sa. adj. Limpio, bruñido. ‖ fig. Tratándose del lenguaje, estilo, etc., puro, fluido.

tersura. f. Calidad de terso.

tertulia. f. Reunión de personas que se juntan habitualmente para conversar, o con fines recreativos. [*Sinón.*: peña]

tertuliar. intr. *Amer.* Estar de tertulia, conversar.

tesar. tr. MAR. Poner tirantes los cabos, velas y cosas semejantes. ‖ intr. Andar hacia atrás los bueyes uncidos.

tesis (al. *These*, fr. *thèse*, ingl. *thesis*, it. *tesi*). f. Proposición que se mantiene con razonamientos. ‖ Disertación escrita que presenta a la Universidad el aspirante al título de doctor.

tesitura. f. Mús. Altura propia de cada voz o de cada instrumento. ‖ fig. Actitud o disposición del ánimo, postura.

teso, sa. adj. Tieso. ‖ m. Colina baja que tiene alguna extensión llana en la cima. ‖ Pequeño saliente en una superficie lisa.

tesón (al. *Beharrlichkeit*, fr. *fermeté*, ingl. *firmness*, it. *fermezza*). m. Firmeza, constancia.

tesonero, ra. adj. Dícese del que tiene tesón.

tesorería. f. Cargo u oficina del tesorero. ‖ Oficina donde se realizan pagos o se efectúan cobros.

tesorero, ra (al. *Schatzmeister*, fr. *trésorier*, ingl. *treasurer*, it. *tesoriere*). s. Persona encargada de custodiar y distribuir los caudales de una colectividad.

tesoro (al. *Schatz*, fr. *trésor*, ingl. *treasure*, it. *tesoro*). m. Cantidad de dinero, valores u objetos preciosos, reunida y guardada. ‖ Erario de la nación. ‖ Abundancia de dinero guardado y conservado. ‖ fig. Persona o cosa de mucho precio, o digna de estimación.

test (voz inglesa). m. Prueba, examen, experimento.

testa. f. Cabeza del hombre y de los animales. ‖ Frente, cara o parte anterior de algunas cosas.

testador, ra. s. Persona que hace testamento.

testaferro. m. El que presta su nombre en un contrato, pretensión o negocio que en realidad es de otra persona.

testamentaría. f. Ejecución de lo dispuesto en el testamento. ‖ Junta de los testamentarios. ‖ Conjunto de documentos que atañen al debido cumplimiento de la voluntad del testador.

testamentario, ria. adj. Perteneciente o relativo al testamento. ‖ s. Persona encargada por el testador de cumplir su última voluntad.

testamento (al. *Testament*, fr. *testament*, ingl. *testament*, it. *testamento*). m. Declaración de su última voluntad que hace una persona, disponiendo de bienes y asuntos que le atañen para después de su muerte. ‖ Documento donde consta en forma legal la voluntad de un testador. ‖ Obra en que un autor, en el último período de su actividad, deja expresados los puntos de vista fundamentales de su pensamiento o las principales características de su

arte, en forma que él o la posteridad consideran definitiva. ‖ fig. y fam. Serie de resoluciones que por interés personal dicta una autoridad cuando va a cesar en sus funciones. ‖ *Antiguo Testamento*. Libro que contiene los escritos de Moisés y todos los demás canónicos anteriores a la venida de Jesucristo. ‖ *Nuevo Testamento*. Libro que contiene los Evangelios y demás obras canónicas posteriores al nacimiento de Jesús. [Sinón.: legado]

testar. intr. Hacer testamento. [Sinón.: legar, testamentar]

testarazo. m. Golpe dado con la testa.

testarudez. f. Calidad de testarudo. ‖ Acción propia del testarudo.

testarudo, da. adj. Porfiado, tozudo, terco. Ú.t.c.s.

teste. m. Testículo.

testera. f. Frente o fachada principal de una cosa. ‖ Asiento, en el coche, en que se va de frente. ‖ Adorno para la frente de las caballerías. ‖ Parte anterior y superior de la cabeza de un animal. ‖ Cada una de las paredes del horno de fundición.

testículo (al. *Hode*, fr. *testicule*, ingl. *testicle*, it. *testicolo*). m. ANAT. Cada una de las dos gónadas masculinas, generadoras de la secreción interna específica del sexo y de los espermatozoos.

testificación. f. Acción y efecto de testificar.

testificar. tr. Afirmar o probar de oficio una cosa, con referencia a testigos o a documentos auténticos. ‖ Deponer como testigo en un acto judicial. ‖ fig. Declarar con seguridad y verdad una cosa.

testigo (al. *Zeuge*, fr. *témoin*, ingl. *witness*, it. *testimone*). com. Persona que da testimonio de una cosa, o la atestigua. ‖ Persona que presencia o adquiere directo y verdadero conocimiento en una cosa. ‖ m. Cualquier cosa, aunque sea inanimada, por la cual se arguye o infiere la verdad de un hecho. ‖ Testículo. ‖ DEP. En las carreras de relevos, pedazo de madera que un atleta cede a otro al llegar al puesto donde se realiza el relevo. ‖ — *de cargo*. DER. El que depone en contra del procesado.

testimonial. adj. Que hace fe y verdadero testimonio.

testimoniar (al. *zeugen*, fr. *témoigner*, ingl. *to testify*, it. *testimoniare*). tr. Atestiguar o servir de testigo. [Sinón.: testificar]

testimonio. m. Atestación o aseveración de una cosa. ‖ Instrumento legalizado en que se da fe de un hecho. ‖ Prueba de la certeza de una cosa.

testuz. amb. En algunos animales, frente, en otros, nuca.

teta (al. *Brustwarze*, fr. *mamelle*, ingl. *breast*, it. *mammella*). f. Cada uno de los órganos glandulosos y salientes que los mamíferos tienen en número par y sirven en las hembras para la secreción de la leche. ‖ Leche que segregan estos órganos. ‖ Pezón de la teta. ‖ fig. Montículo aislado, cónico, rematado en punta roma. [Sinón.: mama]

tetania. f. MED. Enfermedad producida por insuficiencia de la secreción de las glándulas paratiroides, caracterizada por contracciones dolorosas de los músculos y por diversos trastornos del metabolismo.

tetánico, ca. adj. Perteneciente o relativo al tétanos.

tétanos (al. *Starrkrampf*, fr. *tétanos*, ingl. *lockjaw*, it. *tetano*). m. MED. Rigidez y tensión convulsiva de los músculos normalmente sometidos al imperio de la voluntad. ‖ MED. Enfermedad muy grave producida por un bacilo que penetra generalmente por las heridas y ataca el sistema nervioso. ‖ Sus síntomas principales son la contracción dolorosa y permanente de los músculos.

tetera (al. *Teekanne*, fr. *théière*, ingl. *teapot*, it. *teiera*). f. Vasija con tapadera y un pico, utilizada para hacer y servir el té.

tetilla. f. En los mamíferos, cada una de las tetas de los machos. ‖ Especie de pezón de goma que se coloca en el biberón para facilitar la succión.

tetona. adj. fam. Dícese de la hembra de tetas grandes.

tetrabranquial. adj. ZOOL. Dícese de los animales dotados de cuatro branquias. ‖ m. pl. Orden de cefalópodos dotados de cuatro branquias, concha externa tabicada y corazón de cuatro aurículas; como el nautilo.

tétrada. f. Conjunto de cuatro seres o cosas estrechas o especialmente vinculados entre sí.

tetraedro. m. GEOM. Sólido limitado por cuatro planos o caras. ‖ — *regular*. GEOM. Aquel cuyas caras son triángulos equiláteros.

tetragonal. adj. Perteneciente o relativo al tetrágono. ‖ Que tiene forma de tetrágono, cuadrangular.

tetrágono. adj. GEOM. Aplícase al

cuadrilátero y a su superficie. Ú.t.c.s. ‖ m. Cuadrilátero.

tetrámero, ra. adj. BOT. Dícese del verticilo formado por cuatro piezas. ‖ ZOOL. Dícese de los insectos coleópteros que tienen cuatro artejos en cada tarso. Ú.t.c.s.m. ‖ m. pl. Suborden de estos insectos.

tetrarca. m. Señor o gobernante de un reino o provincia que ejerce su potestad junto con otros tres jerarcas de su misma condición. ‖ Señor de la cuarta parte de un reino o provincia. ‖ Gobernador de una provincia o territorio.

tetrasílabo, ba. adj. Que tiene cuatro sílabas. Ú.t.c.s.m.

tétrico, ca. adj. Triste, grave y melancólico. [*Antón.*: alegre]

tetuda. adj. Dícese de la hembra que tiene muy grandes las tetas.

teutón, na. adj. Dícese del individuo de un pueblo de raza germánica que habitó en el territorio del moderno Holstein. ‖ fam. Alemán.

teutónico, ca. adj. Perteneciente o relativo a los teutones.

textil (al. *textilware*, fr. *textile*, ingl. *textile*, it. *tessile*). adj. Dícese de la materia que puede tejerse. Ú.t.c.s. ‖ Perteneciente o relativo a los tejidos.

texto (al. *Text*, fr. *texte*, ingl. *text*, it. *testo*). m. Lo dicho o escrito por un autor, a distinción de las glosas, notas o comentarios que sobre ello se hacen. ‖ Pasaje citado de una obra literaria.

textual. adj. Conforme con el texto o propio de él. ‖ Aplicado a palabras u otro género de expresión, exacto.

textura. f. Disposición y orden de los hilos de una tela. ‖ Operación de tejer. ‖ fig. Estructura de una obra de ingenio. ‖ Disposición que tienen entre sí las partículas de un cuerpo.

tez (al. *Teint*, fr. *teint*, ingl. *complexion*, it. *cute*). f. Superficie, en particular la del rostro humano.

theta. f. Octava letra del alfabeto griego (θ, Θ). En español se representa con la *t*.

ti. Forma del pron. pers. de segunda persona del singular, común a los casos genitivo, dativo, acusativo y ablativo.

tía (al. *Tante*, fr. *tante*, ingl. *aunt*, it. *zia*). f. Respecto a una persona, hermana o prima de su padre o de su madre.

tiara. f. Mitra alta, ceñida por tres coronas, usada por el Papa como insignia de su autoridad suprema.

tibetano, na. adj. Natural del Tibet. Ú.t.c.s. ‖ Perteneciente a esta región de Asia. ‖ m. Lengua de los tibetanos.

tibia (al. *Schienbein*, fr. *tibia*, ingl. *tibia*, it. *tibia*). f. ANAT. Hueso principal y anterior de la pierna, que se articula con el fémur, el peroné y el astrágalo. ‖ ZOOL. Una de las piezas, alargada en forma de varilla, de las patas de los insectos, que se articula con el fémur y el tarso por sus extremos.

tibieza. f. Calidad de tibio.

tibio, bia (al. *lauwarm*, fr. *tiède*, ingl. *lukewarm*, it. *tiepido*). adj. Templado, entre caliente y frío. ‖ fig. Flojo, descuidado.

tiburón (al. *Haifisch*, fr. *requin*, ingl. *shark*, it. *pescecane*). m. ZOOL. Pez selacio marino, del suborden de los escuálidos, de cuerpo fusiforme y hendiduras branquiales laterales. La boca está situada en la parte inferior de la cabeza, arqueada en forma de media luna y provista de varias filas de dientes cortantes. Su tamaño varía entre 5 y 9 metros; es muy voraz.

tic. m. Movimiento inconsciente que se repite habitualmente.

tictac (voz onomatopéyica). m. Ruido acompasado que produce el escape de un reloj.

tiempo (al. *Zeit, Wetter;* fr. *temps;* ingl. *time, weather;* it. *tempo*). m. Duración de las cosas sujetas a mudanza. ‖ Época durante la cual vive una persona o sucede alguna cosa. ‖ Estación del año. ‖ Edad de una persona. ‖ Oportunidad, ocasión o coyuntura de hacer algo. ‖ Lugar, proporción o espacio libre de otros negocios. ‖ Largo espacio de tiempo. ‖ Cada uno de los actos sucesivos en que se divide la ejecución de una cosa. ‖ Estado atmosférico. ‖ GRAM. Cada una de las varias divisiones de la conjugación correspondiente a la época relativa en que se ejecuta la acción del verbo. ‖ MÚS. Cada una de las partes de igual duración en que se divide el compás. ‖ — *futuro.* GRAM. El que sirve para denotar la acción que no ha sucedido todavía. ‖ — *inmemorial.* Tiempo antiguo no fijado por documentos fehacientes, ni por los testigos más ancianos. ‖ — *presente.* GRAM. El que sirve para denotar la acción actual. ‖ — *pretérito.* GRAM. El que sirve para denotar la acción que ya ha sucedido. ‖ *a tiempo.* m. adv. En coyuntura, ocasión y oportunidad. ‖ *a un tiempo.* m. adv. Simultáneamente, o con unión entre varios. ‖ *dar tiempo al tiempo.* fam. Esperar la oportunidad o coyuntura para una cosa. ‖ *hacer tiempo* uno. fig. Entretenerse esperando que llegue

el momento oportuno para algo. ‖ *no tener tiempo material.* loc. fam. No disponer del que estrictamente se necesita para algo.

tienda (al. *Zelt, Kaufladen;* fr. *tente, boutique;* ingl. *tent, shop;* it. *tende, bottega*). f. Armazón de palos hincados en tierra y cubierta con telas o pieles, que sirve de alojamiento en el campo. ‖ Establecimiento donde se expenden al público artículos de comercio al por menor. ‖ *Amer.* Por antonom., aquella en que se venden tejidos. ‖ — *de campaña.* Tienda, pabellón portátil.

tienta. f. Operación que sirve para poner a prueba la bravura de los becerros. ‖ Sagacidad con que se pretende averiguar una cosa. ‖ *a tientas.* m. adv. Guiándose por el tacto, por no poder utilizar la vista. ‖ fig. Con incertidumbre, dudosamente, sin tino. Ú.m. con el verbo *andar.*

tiento. m. Ejercicio del sentido del tacto. ‖ Palo que usan los ciegos para que les sirva como de guía. ‖ Balancín de los equilibristas. ‖ Seguridad y firmeza de la mano para ejecutar alguna acción. ‖ fig. Consideración prudente, miramiento y cordura en lo que se hace o emprende. ‖ ZOOL. Tentáculo de algunos animales que actúa como órgano táctil o de prensión. ‖ *dar uno un tiento* a una cosa. fig. Reconocerla o examinarla con prevención y advertencia, física o moralmente.

tierno, na (al. *zart,* fr. *tendre,* ingl. *tender,* it. *tenero*). adj. Blando, delicado, flexible. ‖ fig. Reciente, de poco tiempo. ‖ fig. Afectuoso, cariñoso. [*Antón.*: duro, fuerte]

Tierra (al. *Erde, Land;* fr. *terre;* ingl. *Earth, land;* it. *terra*). f. ASTR. Planeta que habitamos. En esta acepción lleva antepuesto generalmente el artículo *la.* ‖ f. Parte superficial de este mismo globo no ocupada por el mar.

tierra. f. Materia inorgánica de que principalmente se compone el suelo natural. ‖ Suelo o piso. ‖ Terreno dedicado al cultivo o propio para ello. ‖ Nación, región o lugar en que se ha nacido. ‖ País, región. ‖ Territorio o distrito constituido por intereses presentes o históricos. ‖ — *de pan llevar.* La destinada a la siembra de cereales o adecuada para este cultivo. ‖ — *de Promisión.* La que Dios prometió al pueblo de Israel. Se aplica en sent. fig. a la muy fértil y abundante. ‖ — *firme.* GEOL. Continente; terreno sólido y capaz por su consistencia y dureza de admitir sobre sí un edificio. ‖ — *rara.* Cualquiera de los óxidos de ciertos metales que ocupan lugares contiguos en la escala de números atómicos desde el cerio hasta el lutecio, y de los cuales sólo se encuentran en la naturaleza cantidades exiguas. ‖ – *Santa*. Lugares de Palestina donde nació, vivió y murió Jesucristo. ‖ *de la tierra*. loc. adj. Dícese de los frutos que produce el país o la comarca. ‖ *echar tierra* a una cosa. fig. Ocultarla, hacer que se olvide y que no se hable más de ella. ‖ *poner* uno *tierra, en*, o *por medio*. fig. Ausentarse. ‖ *tomar tierra*. Arribar una nave, aterrizar un avión, desembarcar las personas. ‖ *tragársele* a uno *la tierra*. fig. y fam. Dícese de la persona a quien no se ha vuelto a ver por haber desaparecido de los lugares que frecuentaba.

tieso, sa (al. *spröde*, fr. *raide*, ingl. *stiff*, it. *rigido*). adj. Duro, rígido y que se dobla o rompe con dificultad. ‖ Tenso, tirante. ‖ fig. Con afectación, grave y circunspecto.

tiesto. m. Maceta en la que se colocan plantas con fines ornamentales.

tífico, ca. adj. MED. Perteneciente o relativo al tifus. ‖ Que tiene tifus. Ú.t.c.s.

tiflología. f. Parte de la medicina que estudia la ceguera y los medios de curarla.

tiflólogo, ga. s. Especialista en tiflología.

tifoideo, a. adj. MED. Perteneciente o relativo al tifus; o parecido a este mal.

tifón (al. *Typhon*, fr. *typhon*, ingl. *typhoon*, it. *tifone*). m. Huracán, acompañado de lluvias torrenciales, que en los meses de agosto, septiembre y octubre tiene lugar en el mar de China.

tifus (al. *Typhus*, fr. *typhus*, ingl. *typhus*, it. *tifo*). m. MED. Género de enfermedades infecciosas, graves, con alta fiebre, delirio o postración, aparición de costras negras en la boca y a veces presencia de manchas punteadas en la piel.

tigre (al. *Tiger*, fr. *tigre*, ingl. *tiger*, it. *tigre*). m. ZOOL. Mamífero carnicero muy feroz y de gran tamaño, con pelaje amarillo, listado transversalmente de negro, más oscuro en la parte dorsal y muy claro en la ventral. Vive principalmente en la India y otras regiones asiáticas. ‖ fig. Persona cruel y sanguinaria. ‖ *Amer*. Jaguar.

tijera (al. *Schere*, fr. *ciseaux*, ingl. *scissors*, it. *forbici*). f. Instrumento cortante compuesto de dos hojas de acero, que pueden girar alrededor de un eje que las traba. Ú.m. en pl. ‖ fig. Nombre de ciertas cosas que, como la tijera, se componen de dos piezas cruzadas que giran alrededor de un eje.

tijereta. f. dim. de tijera. Ú.m. en pl.

tijeretazo. m. Corte hecho de un golpe con la tijera.

tijeretear. intr. Dar cortes con las tijeras a alguna cosa. ‖ fig. y fam. Disponer de negocios ajenos.

tijereteo. m. Acción y efecto de tijeretear. ‖ Ruido que producen las tijeras.

tila (al. *Lindenblüte*, fr. *tilleul*, ingl. *linden*, it. *tiglio*). f. BOT. Flor del tilo, pentámera, blanquecina, muy olorosa y medicinal. ‖ Infusión antiespasmódica que se prepara con flores de tilo.

tilburi. m. Carruaje de dos ruedas grandes, ligero y sin cubierta, tirado por una sola caballería.

tildar. tr. Poner tilde a las letras que lo necesitan. ‖ Tachar lo escrito. ‖ fig. Señalar con nota denigratoria a una persona, denigrar.

tilde. amb. Ú.m.c.f. Rasgo que se pone sobre algunas letras, como el que lleva la *ñ*, y cualquier otro signo análogo.

tiliáceo, a. adj. BOT. Dícese de plantas angiospermas dicotiledóneas, árboles, arbustos o hierbas con hojas alternas, sencillas y de nervios muy señalados, estípulas dentadas y caedizas, flores axilares de jugo mucilaginoso, y fruto capsular con muchas semillas de albumen, carnoso, como el tilo. Ú.t.c.s.f. ‖ f. pl. Familia de estas plantas.

tilín (voz onomatopéyica). m. Sonido de la campanilla. ‖ *hacer tilín*. fig. y fam. Caer en gracia, lograr aprobación, inspirar afecto.

tilo. m. BOT. Árbol de la familia de las tiliáceas, ornamental, de tronco grueso y recto, corteza lisa y cenicienta, hojas puntiagudas y fruto redondo y velloso del tamaño de un guisante. Su flor es la tila. Su madera, blanca y blanda, se utiliza en escultura y carpintería.

timador, ra. s. Persona que tima.

tímalo. m. ZOOL. Pez malacopterigio abdominal, sejemante al salmón.

timar (al. *beschwindeln*, fr. *escroquer*, ingl. *to swindle*, it. *truffare*). tr. Quitar o hurtar con engaños. ‖ Engañar a otro con promesas. ‖ rec. Entenderse con la mirada. [*Sinón*.: estafar]

timba. f. fam. Partida de juego de azar. ‖ Casa de juego, garito.

timbal. m. Especie de tambor de un solo parche, con caja metálica en forma de media esfera. ‖ Atabal, tamboril.

timbalero. m. El que toca los timbales.

timbrar. tr. Estampar un timbre, membrete o sello.

timbrazo. m. Toque fuerte de un timbre.

timbre (al. *Stempelmarke, Klingel*; fr. *timbre, sonnette*; ingl. *stamp, bell*; it. *bollo, campanello*). m. BLAS. Insignia que se coloca encima del escudo de armas, para distinguir los grados de nobleza. ‖ Sello, y especialmente el que se estampa en seco. ‖ Sello que en el papel donde se extienden algunos documentos públicos estampa el Estado, indicando la cantidad que debe pagarse al fisco en concepto de derechos. ‖ Aparato de llamada o de aviso, compuesto por una campana y un macito que la hiere movido por un resorte, la electricidad u otro agente. ‖ Modo propio de sonar un instrumento músico o la voz de una persona. ‖ fig. Acción gloriosa o cualidad personal que ensalza y ennoblece. ‖ Renta del Tesoro constituida por el importe de los sellos, papel sellado y otras imposiciones, algunas cobradas en metálico, que gravan la emisión, uso o circulación de documentos.

timidez. f. Calidad de tímido. [*Sinón*.: apocamiento, cortedad. *Antón*.: audacia, descaro]

tímido, da (al. *furchtsam*, fr. *timide*, ingl. *shy*, it. *timido*). adj. Dícese de la persona introvertida que adopta actitudes retraídas ante los demás, especialmente cuando son de distinto sexo. [*Antón*.: audaz, descarado]

timo. m. fam. Acción y efecto de timar. ‖ vulg. Dicho o frase que se repite a manera de muletilla.

timo. m. ANAT. Glándula endocrina propia de los animales vertebrados, que se atrofia en la época de la pubertad y en el hombre está situada detrás del esternón y delante de la parte inferior de la tráquea. Su secreción estimula el crecimiento de los huesos y el desarrollo de las glándulas genitales.

timón (al. *Steuerrad*, fr. *gouvernail*, ingl. *helm*, it. *timone*). m. Varilla del cohete que le sirve de contrapeso y le da dirección. ‖ fig. Dirección o gobierno de un negocio. ‖ MAR. Pieza de madera o de hierro que, articulada verticalmente sobre goznes en el codaste de la nave, sirve para gobernarla. ‖ AGR. Palo derecho del arado al que se fija el tiro.

timonear. intr. Gobernar el timón. || fig. Dirigir un asunto o negocio.

timonel. m. El que gobierna el timón de la nave.

timonera. adj. ZOOL. Dícese de las plumas grandes que tienen las aves en la cola. Ú.t.c.s.f.

timorato, ta. adj. Tímido, indeciso, encogido.

tímpano (al. *Trommelfell*, fr. *tympan*, ingl. *tympanum*, it. *timpano*). m. Instrumento músico compuesto de varias tiras desiguales de vidrio colocadas de mayor a menor sobre dos cuerdas o cintas, y que se toca con una especie de macillo. || ARQ. Espacio triangular que queda entre las dos cornisas inclinadas de un frontón y la horizontal de su base. || ANAT. Membrana que separa el conducto auditivo externo del oído medio.

tina. f. Tinaja de barro. || Vasija de madera en forma de media cuba. || Vasija grande, de forma de caldera, que sirve para el tinte de telas y otros usos. || Pila que sirve para bañarse todo o parte del cuerpo.

tinaja. f. Vasija grande de barro cocido, mucho más ancha en su parte media que en el fondo y por la boca. [*Sinón.*: orza]

tinerfeño, ña. adj. Natural de Tenerife. Ú.t.c.s. || Perteneciente a esta isla de Canarias.

tinglado (al. *Speicher*, fr. *hangar*, ingl. *shed*, it. *tettoia*). m. Cobertizo. || Tablado armado a la ligera. || fig. Artificio, enredo, maquinación.

tiniebla (al. *Umnachtung*, fr. *tenèbres*, ingl. *darkness*, it. *tenebre*). f. Falta de luz. Ú.m. en pl. || pl. fig. Falta de luz en lo abstracto o moral. || Maitines de los tres últimos días de semana santa. [*Sinón.*: oscuridad]

tino. m. Hábito o facilidad de acertar a tientas con las cosas que se buscan. || Acierto y destreza para dar en el blanco. || fig. Juicio y cordura. [*Antón.*: desacierto]

tinta (al. *Tinte*, fr. *encre*, ingl. *ink*, it. *inchiostro*). f. Color que se sobrepone a cualquier cosa, o con que se tiñe. || Líquido, generalmente negro, que se emplea para escribir o imprimir. || Acción y efecto de teñir. || — *simpática.* Composición líquida que tiene la propiedad de que no aparece lo escrito con ella hasta que se le aplica el reactivo adecuado. || *medias tintas.* fig. y fam. Hechos, dichos o juicios vagos, dictados con extremada cautela y receloso espíritu.

tinte. m. Acción y efecto de teñir. || Color con que se tiñe. || Tintorería. [*Sinón.*: tintura]

tintero (al. *Tintenfass*, fr. *encrier*, ingl. *inkwell*, it. *calamaio*). m. Recipiente que contiene tinta para escribir. || IMP. Depósito de tinta que alimenta el cilindro entintador en una máquina de imprimir. || *dejar*, o *dejarse*, uno, o *quedársele* a uno, *en el tintero* una cosa. fig. y fam. Olvidarla u omitirla.

tinto, ta. adj. Dícese de la uva que tiene negro el zumo, y del vino que de ella se obtiene. Ú.t.c.s.m.

tintóreo, a. adj. Dícese de las plantas y de otras sustancias colorantes.

tintorera. f. La que tiene por oficio teñir o dar tintes. || Mujer del tintorero. || ZOOL. Tiburón de tres a cuatro metros de longitud, de color azulado o pizarroso en el dorso o flancos, y con dientes triangulares y cortantes. Vive en los mares tropicales y templados.

tintorería. f. Oficio de tintorero. || Tinte, taller o tienda donde se tiñe.

tintorero (al. *Stoffärber*, fr. *teinturier*, ingl. *dyer*, it. *tintore*). m. El que tiene por oficio teñir o dar tintes.

tintura (al. *Tinktur*, fr. *teinture*, ingl. *tincture*, it. *tintura*). f. Tinte, acción y efecto de teñir y sustancia con que se tiñe. || Afeite en el rostro. || Líquido en que se ha disuelto una sustancia que le da color. || FARM. Disolución de una sustancia medicinal en un líquido.

tiña (al. *Grind*, fr. *teigne*, ingl. *scall*, it. *tigna*). f. MED. Designación de diversas enfermedades cutáneas de tipo parasitario causadas por hongos. Principalmente afecta a los pelos (cuero cabelludo, barba, etc.), pero también puede presentarse en la piel lampiña o en las uñas. || fig. y fam. Miseria, suciedad.

tiñoso, sa. adj. Que padece tiña. Ú.t.c.s. || fig. y fam. Miserable, mezquino. Ú.t.c.s.

tío (al. *Onkel*, fr. *oncle*, ingl. *uncle*, it. *zio*). m. Respecto de una persona, hermano o primo de su padre o madre. || En los lugares, tratamiento que se da al hombre casado o entrado ya en edad. Úsase ante el nombre propio o el apodo. || fam. Persona de quien se pondera algo bueno o malo. || fam. Persona cuyo nombre y condición se ignoran o no se quieren decir. || fam. Hombre rústico y grosero. || — *abuelo.* Respecto de una persona, hermano de sus abuelos.

tiovivo (al. *Karussell*, fr. *manège*, ingl. *merry-go-round*, it. *giostra*). m. Recreo de feria que consiste en una serie de asientos colocados en un círculo giratorio. [*Sinón.*: caballitos]

típico, ca (al. *typisch*, fr. *typique*, ingl. *typical*, it. *caratteristico*). adj. Que incluye en sí la representación de otra cosa, y es emblema o figura de ella. [*Sinón.*: simbólico]

tipificación. f. Acción y efecto de tipificar.

tipificar. tr. Ajustar varias cosas semejantes a un tipo o norma común.

tipismo. m. Calidad o condición de típico. || Conjunto de caracteres o rasgos típicos.

tiple. m. La más aguda de las voces humanas. || Guitarra que da notas muy agudas. || com. Persona que tiene voz de tiple.

tipo (al. *Typ, Type*; fr. *type*; ingl. *type*; it. *tipo*). m. Modelo, ejemplar. || Letra de imprenta, y cada una de las clases de esta letra. || Figura o talle de una persona. || despect. Persona extraña y singular. || HIST. NAT. Cada una de las grandes agrupaciones de clases en que se dividen los reinos animal y vegetal. || *jugarse el tipo.* loc. fig. y fam. Exponer la integridad corporal o la vida en un peligro. || *mantener el tipo.* fig. y fam. Comportarse de modo gallardo ante la adversidad o el peligro.

tipografía. f. Imprenta, arte de imprimir y lugar donde se imprime.

tipográfico, ca. adj. Perteneciente o relativo a la tipografía.

tipógrafo. m. Operario experimentado en la técnica tipográfica.

tipología. f. Ciencia que estudia los distintos tipos de constitución física en cada grupo étnico.

tipómetro. m. Instrumento que sirve para medir los puntos tipográficos.

típula. f. ZOOL. Insecto díptero, semejante al mosquito, que se alimenta del jugo de ciertas flores.

tiquet. m. Boleto, billete, etc.

tiquismiquis. m. pl. fam. Escrúpulos, reparos. || fam. Expresiones o dichos ridículamente corteses o afectados.

tira. f. Pedazo largo y angosto de tela, papel u otra cosa delgada.

tirabeque. m. Guisante mollar. || Tirador para disparar piedrecillas o perdigones.

tirabuzón (al. *Gewundene Haarlocke*, fr. *tire-bouchon*, ingl. *harcurl*, it. *ricciolo*). m. Sacacorchos. || fig. Rizo de cabello, largo y que pende en espiral.

tirada (al. *Wurf*, fr. *jet*, ingl. *throw*, it. *gettata*). f. Acción de tirar. || Distancia que media de un lugar a otro, o espacio de tiempo entre dos momentos distintos. ‖ Serie de cosas que se dicen o escriben de un tirón. ‖ IMP. Acción y efecto de imprimir. ‖ IMP. Número de ejemplares de que consta una edición.

tirado, da. adj. Dícese de las cosas que se dan muy baratas o de aquellas que se encuentran con facilidad. ‖ MAR. Dícese del buque que tiene mucha eslora y poca altura de casco. ‖ m. Acción de reducir a hilos los metales, en particular el oro.

tirador, ra (al. *Schütze*, fr. *tireur*, ingl. *shooter*, it. *tiratore*). s. Persona que tira. ‖ m. Instrumento con que se estira. ‖ Asidero del cual se tira para cerrar una puerta, o abrir un cajón, etc. ‖ Horquilla con mango, a los extremos de la cual se sujetan dos gomas unidas por una badana, en la que se colocan piedrecillas o perdigones para dispararlos. ‖ *Amer.* Tirante, cada una de las dos tiras que sirven para suspender el pantalón de los hombros. Ú.m. en pl.

tiraje. m. IMP. Tirada.

tiralíneas. m. Instrumento de metal que sirve para trazar líneas de tinta.

tiranía. f. Gobierno ejercido por un tirano. ‖ fig. Abuso de cualquier poder o fuerza. ‖ fig. Dominio excesivo que una pasión o sentimiento ejercen sobre la voluntad. [*Sinón.*: despotismo]

tiránico, ca. adj. Perteneciente o relativo a la tiranía. ‖ Tirano.

tiranizar. tr. Gobernar un tirano algún Estado. ‖ fig. Dominar con tiranía.

tirano, na (al. *tyrann*, fr. *tyran*, ingl. *tyrant*, it. *tiranno*). adj. Aplícase a quien obtiene contra derecho el gobierno de un Estado, y a quien lo rige sin justicia. Ú.t.c.s. ‖ Dícese del que abusa de su poder, superioridad o fuerza. Ú.t.c.s. [*Sinón.*: dictador]

tirante. adj. Tenso. ‖ fig. Dícese de las relaciones amistosas que están próximas a romperse. ‖ m. Cuerda o correa que, asida a las guarniciones de las caballerías, sirve para tirar de un carruaje. ‖ Cada una de las dos tiras que sirven para suspender el pantalón de los hombros. Ú.m. en pl. ‖ ARQ. Pieza que, colocada horizontalmente en una armadura de tejado, impide la separación de los pares. ‖ MEC. Pieza destinada a soportar un esfuerzo de tensión. [*Sinón.*: rígido]

tirantez. f. Calidad de tirante. ‖ Distancia en línea recta entre los extremos de una cosa. ‖ ARQ. Dirección de los planos de hilada de un arco o bóveda.

tirar (al. *wegwerfen*, fr. *jeter*, ingl. *to throw away*, it. *gettare*). tr. Despedir de la mano una cosa. ‖ Arrojar, lanzar en dirección determinada. ‖ Derribar a una persona, echar abajo, demoler y trastornar, poner lo de arriba, abajo. ‖ Disparar la carga de una arma de fuego, o un artificio de pólvora. Ú.t.c.intr. ‖ Estirar o extender. ‖ Reducir a hilo un metal. ‖ Tratándose de líneas o rayas, hacerlas. ‖ fig. Malgastar el caudal o malvender una hacienda. ‖ IMP. Dejar impresos en el papel u otra materia análoga los caracteres o letras de imprenta. ‖ intr. Atraer por virtud natural. ‖ Hacer fuerza para traer hacia sí o para llevar tras sí. ‖ Seguido de la preposición *de* y un nombre de arma o instrumento, sacarlo o tomarlo en la mano para emplearlo. ‖ Producir el tiro o corriente de aire de un hogar, o de otra cosa que arde. ‖ fig. Torcer, dirigirse a uno u otro lado. ‖ fig. Durar o mantenerse trabajosamente una persona o cosa. ‖ fig. Tender, propender, inclinarse. ‖ fig. Imitar, asemejarse o parecerse una cosa a otra. ‖ r. Abalanzarse, precipitarse a decir o ejecutar alguna cosa. ‖ Arrojarse, dejarse caer. ‖ Echarse, tenderse en el suelo o encima de algo. ‖ *tirarse a* alguien. fig. y vulg. Realizar el acto sexual con determinada persona. ‖ *tira y afloja.* loc. fig. y fam. que se emplea cuando en las relaciones se procede con un ten con ten.

tiritar (al. *frösteln*, fr. *grelotter*, ingl. *to shiver*, it. *tremare*). intr. Temblar o estremecerse de frío.

tiritera. f. Temblor producido por el frío del ambiente o al iniciarse la fiebre. [*Sinón.*: tiritona]

tiritón. m. Cada uno de los estremecimientos que siente el que tirita.

tiritona. f. fam. Temblor al iniciarse la fiebre.

tiro (al. *Schuss*, fr. *tir*, ingl. *shot*, it. *tiro*). m. Acción y efecto de tirar. ‖ Señal o impresión que hace lo que tira. ‖ Pieza o cañón de artillería. ‖ Disparo de un arma de fuego. ‖ Estampido que éste produce. ‖ Cantidad de munición proporcionada para cargar una vez el arma de fuego. ‖ Alcance de cualquier arma arrojadiza. ‖ Lugar donde se tira al blanco. ‖ Conjunto de caballerías que tiran de un carruaje. ‖ Cuerda o correa sujeta a las guarniciones de las caballerías, que sirve para tirar de un carruaje o de otras cosas. ‖ Corriente de aire que produce el fuego de un hogar, chimenea, etc., y que una vez calentada arrastra al exterior los gases y humos de la combustión. ‖ Longitud de una pieza de cualquier tejido. ‖ Tramo de escalera. ‖ fig. Seguido de la preposición *de* y el nombre del arma disparada, o del objeto arrojado, úsase como medida de distancia. ‖ *– de gracia.* El que se da para rematar al que está gravemente herido. ‖ *– rasante.* En artillería, aquel cuya trayectoria se aproxima cuanto es posible a la línea horizontal. ‖ *a tiro.* m. adv. Al alcance de un arma arrojadiza o de fuego. En sent. fig., dícese de lo que se halla al alcance de los deseos o intentos de uno. ‖ *ni a tiros.* loc. adv. fig. y fam. Ni aun con la mayor violencia; de ningún modo, en absoluto. ‖ *salir el tiro por la culata.* fig. y fam. Dar una cosa resultado contrario al que se pretendía o deseaba.

tiroides. m. ANAT. Glándula de secreción interna, situada en la región anterior del cuello, delante de la laringe. Su secreción hormonal actúa sobre el metabolismo y está condicionada a un normal aporte de yodo.

tirolés, sa. adj. Natural del Tirol. Ú.t.c.s. ‖ Perteneciente a esta región alpina.

tirón. m. Acción y efecto de tirar con violencia.

tirotear. tr. Cambiar disparos entre dos posiciones o de un lugar a otro. Ú.m.c.rec.

tiroteo. m. Acción y efecto de tirotear o tirotearse.

tirria. f. fam. Manía contra una persona, ojeriza.

tirso. m. BOT. Inflorescencia racimosa fusiforme o de forma aovada, como la de la lila.

tisana. f. Bebida medicinal que resulta del cocimiento ligero de una o varias hierbas y otros ingredientes en agua.

tísico, ca. adj. MED. Que padece de tisis. Ú.t.c.s. ‖ Perteneciente a la tisis.

tisiología. f. Parte de la medicina relativa a la tisis.

tisis. f. MED. Enfermedad de tipo consuntivo. Aplícase especialmente a las fases tardías de la tuberculosis pulmonar.

tisú. m. Tela de seda entretejida con hilos de oro o plata que van desde el haz hasta el envés.

titán. m. MIT. Gigante que según la mitología griega vivía condenado en los infiernos por Júpiter, el padre de los dioses. ‖ fig. Sujeto de poder excepcional que descuella en algún orden de cosas. [*Sinón.*: coloso]

titánico, ca. adj. Relativo a los titanes. ‖ fig. Desmesurado, excesivo.

titanio. m. QUIM. Metal de los

llamados de transición que se encuentra en la mayoría de los minerales y es muy parecido al silicio.

titar. intr. Graznar el pavo con un sonido agudo.

titear. intr. Cantar la perdiz llamando a los pollos.

títere (al. *Gliederpuppe*, fr. *pantin*, ingl. *puppet*, it. *burattino*). m. Figurilla de pasta u otra materia que se mueve por medio de una cuerda u otro artificio. || fig. y fam. Sujeto de aspecto ridículo, o muy presuntuoso. || pl. fam. Diversión pública de volatines, o entretenimiento de pareja condición. [*Sinón.*: marioneta, muñeco]

tití. m. ZOOL. Mono arborícola sudamericano, con mechones blancos alrededor de las orejas, rayas oscuras transversas en la espalda, y cola anillada. Habita en América Meridional. Se alimenta de pájaros e insectos, y es muy tímido y fácil de domesticar.

titilar. intr. Agitarse con ligero temblor alguna parte del organismo animal. || Por ext., agitarse del mismo modo un cuerpo luminoso o brillante. [*Sinón.*: centellear]

titiritero, ra. s. Persona que maneja los títeres con habilidad. || Volatinero.

tito. m. Almorta, muela, guija. || Sillico, perico.

titubear (al. *schwanken*, fr. *tituber*, ingl. *to sttager*, it. *titubare*). intr. Oscilar, perdiendo la estabilidad. || Vacilar en la elección o pronunciación de las palabras. || fig. Sentir perplejidad en relación a algún punto o materia determinada. [*Sinón.*: dudar]

titubeo. m. Acción y efecto de titubear.

titulación. f. En general, acción de titular.

titulado, da. s. Persona que posee un título académico o nobiliario.

titular (al. *einen Titel führend*, fr. *titulaire*, ingl. *titular*, it. *titolare*). adj. Que posee algún título, a tenor del cual recibe cierto tratamiento. || Que da su propio nombre por título a otra cosa. || Dícese del que ejerce oficio o profesión con cometido específico. || m. Título o encabezamiento de una información periodística. Ú.m. en pl.

titular. tr. Poner título, nombre o inscripción a una cosa. || intr. Obtener una persona título nobiliario.

título (al. *Titel*, fr. *titre*, ingl. *title*, it. *titolo*). m. Palabra o frase con que se da a conocer el asunto de un libro o de cada una de las partes o divisiones de un escrito. || Letrero con que se indica

el contenido o destino de otras cosas. || Renombre con que se conoce a una persona por sus cualidades u obras. || Causa, motivo, fundamento o pretexto. || Testimonio o instrumento dado para ejercer un empleo, dignidad o profesión. || Dignidad nobiliaria. || Cada una de las partes principales en que suelen dividirse las leyes, reglamentos, etc. || Cierto documento que representa deuda pública o valor comercial.

tiza (al. *Kreide*, fr. *craie*, ingl. *chalk*, it. *gesso*). f. Arcilla blanca que se usa para escribir en los encerados. || Compuesto de yeso y greda que se usa en el juego de billar para untar la puntera de los tacos.

tiznadura. f. Acción y efecto de tiznar o tiznarse.

tiznar (al. *russen*, fr. *noircir*, ingl. *to smut*, it. *annerire*). tr. Manchar con tizne, hollín u otra materia semejante. Ú.t.c.r. || Por ext., manchar a manera de tizne con sustancia de cualquier otro color. Ú.t.c.r. [*Antón.*: limpiar]

tizne. amb. Humo que se apega a las sartenes y vasijas que han estado a la lumbre. || m. Tizón.

tiznón. m. Mancha de tizne u otra materia semejante.

tizón. m. Palo a medio quemar. || BOT. Nombre de diversos hongos parásitos de los cereales. || Enfermedad de los cereales, producida por estos hongos parásitos.

tizona. f. fig. y fam. Espada, arma.

tizonear. intr. Componer los tizones, atizar la lumbre.

toalla (al. *Handtuch*, fr. *serviette de toilette*, ingl. *towel*, it. *asciugamano*). f. Tela gruesa y esponjosa de algodón o hilo que sirve para secarse.

toallero. m. Mueble para colgar toallas.

toba. f. Sedimento que se produce en los manantiales ricos en cal. Tiene el aspecto de una masa esponjosa y porosa. || Sarro.

tobera. f. TÉCN. Abertura por donde entra el aire que se introduce en un horno o una forja. || Cada uno de los orificios provistos de válvula de inyección por donde se introduce el combustible en el cilindro del motor.

tobillera. f. Venda generalmente elástica con la que se sujeta el tobillo.

tobillo (al. *Knöchel*, fr. *cheville*, ingl. *ankle*, it. *caviglia*). m. Protuberancia de cada uno de los dos huesos de la pierna llamados tibia y peroné.

tobogán. m. Diversión propia de los parques de atracciones, consistente en

bajar por un deslizadero con altos y bajos. || Dícese también de los deslizaderos que utilizan los niños en los jardines públicos.

toca. f. Prenda de tela con que antiguamente se cubría la cabeza. || Prenda de lienzo blanco que, ceñida al rostro, usan las monjas para cubrir la cabeza.

tocadiscos. m. Aparato que consta de un platillo giratorio, sobre el que se colocan los discos de gramófono, y de un fonocaptor conectado a un altavoz.

tocado, da. adj. fig. Medio loco, algo perturbado. || m. Prenda con que se cubre la cabeza. || Peinado y adorno propio de la mujer.

tocador (al. *Frisiertisch*, fr. *toilette*, ingl. *dressing-table*, it. *toletta*). m. Mueble con espejo, para el peinado y aseo de una persona. || Aposento destinado a este fin.

tocamiento. m. Acción y efecto de tocar. || fig. Llamamiento o inspiración.

tocante. adj. Que toca. || *tocante a.* loc. adv. En orden a, referente a.

tocar (al. *anrühren, spielen*; fr. *toucher, jouer*; ingl. *to touch, to play*; it. *toccare, sonare*). tr. Ejercitar el sentido del tacto. || Llegar a una cosa con la mano, sin asirla. || Hacer sonar armoniosamente cualquier instrumento musical. || Dar toques de aviso con una campana o instrumento similar. || Tropezar ligeramente una cosa con otra. || fig. Haber llegado el momento oportuno de ejecutar una cosa. || Hacer escala en un puerto. || intr. Pertenecer por algún derecho o título. || Ser de la obligación o cargo de alguien. || Hablando de rifas o sorteos, caer en suerte una cosa. || Estar una cosa cerca de otra de modo que no quede entre ellas distancia alguna. || r. Cubrirse la cabeza con gorra, sombrero, etc. [*Sinón.*: palpar; tañer]

tocata. f. MÚS. Pieza de música instrumental, ordinariamente de corta extensión. || fig. y fam. Zurra, paliza.

tocateja (a). m. adv. A toca teja.

tocayo, ya. s. Respecto de una persona, otra que tiene su mismo nombre.

tocinera. f. La que vende tocino. || Mujer del tocinero. || Tablón donde se sala el tocino.

tocinería. f. Tienda o lugar donde se vende tocino.

tocinero. m. El que vende tocino.

tocino (al. *Speck*, fr. *lard*, ingl. *bacon*, it. *lardo*). m. Carne gorda del puerco, y especialmente la salada. || Lardo. || Cerdo.

tocología. f. MED. Parte de la

Medicina que estudia la gestación, el parto y el puerperio. [*Sinón.*: obstetricia]

tocólogo, ga. s. Especialista en tocología.

tocón. m. Parte del tronco de un árbol que queda unida a la raíz cuando lo cortan por el pie. ‖ Muñón.

tocho, cha. adj. Tosco, tonto, necio. ‖ m. Lingote de hierro.

todavía (al. *noch*, fr. *encore*, ingl. *still*, it. *ancora*). adv. t. Hasta un momento determinado, desde tiempo anterior. ‖ adv. m. Con todo, sin embargo. ‖ Denota encarecimiento o ponderación.

todo, da (al. *alle(s)*, fr. *tout*, ingl. *all*, it. *tutto*). adj. Dícese de lo que se toma o está comprendido enteramente en la entidad o en el número. ‖ Ú.t. para ponderar el exceso de alguna calidad o circunstancia. ‖ En plural equivale a *cada*. ‖ m. Cosa íntegra. ‖ adv. m. Enteramente. ‖ *con todo, con todo eso* o *con todo esto.* locs. conjunts. No obstante, sin embargo. ‖ *jugar* uno *el todo por el todo.* fig. Aventurarlo todo, o arrostrar gran riesgo para alcanzar algún fin. ‖ *y todo.* m. adv. Hasta, también, aun, indicando gran encarecimiento. [*Antón.*: nada]

todopoderoso, sa. adj. Que todo lo puede. ‖ n.p.m. Dios.

toga. f. Prenda principal exterior del atuendo masculino en la Roma imperial. ‖ Traje que visten los magistrados, catedráticos, etc., encima del ordinario.

togado, da. adj. Que viste toga. Dícese comúnmente de los magistrados superiores. Ú.t.c.s.

toldilla. f. MAR. Cubierta parcial que tienen algunos buques a la altura de la borda.

toldo (al. *Sonnenzelt*, fr. *tente*, ingl. *awning*, it. *tenda*). m. Pabellón o cubierta de tela que se tiende para procurar sombra en un sitio.

toledano, na. adj. Natural de Toledo. Ú.t.c.s. ‖ Perteneciente a esta ciudad o provincia.

tolerable. adj. Que se puede tolerar.

tolerancia (al. *Duldung*, fr. *tolérance*, ingl. *tolerance*, it. *tolleranza*). f. Acción y efecto de tolerar. ‖ Respeto hacia las opiniones, prácticas o costumbres, en particular políticas o religiosas, de los demás. ‖ Permiso. ‖ Margen o diferencia que se consiente en la calidad o cantidad de las cosas o las obras contratadas o convenidas. [*Antón.*: intolerancia]

tolerante. adj. Que tolera, o propenso a la tolerancia.

tolerar. tr. Sufrir, llevar con paciencia. ‖ Disimular ante hechos o cosas que no son lícitas. ‖ Soportar, llevar, aguantar.

tolmo. m. Peñasco elevado, que tiene semejanza con un gran mojón.

tolondro, dra. adj. Aturdido, desatinado. Ú.t.c.s. ‖ m. Bulto que se levanta de resultas de un golpe, chichón.

tolteca. adj. Dícese del individuo de unas tribus que dominaron en México antiguamente. Ú.t.c.s. ‖ Perteneciente a estas tribus. ‖ m. Idioma de las mismas.

tolva. f. Caja en forma de tronco de pirámide o de cono invertido y abierta por debajo, en cuyo interior se echan granos u otros cuerpos menudos para que caigan poco a poco. ‖ Parte superior cóncava de los cepillos o urnas, con una abertura para echar monedas o papeletas.

toma. f. Acción de tomar o recibir una cosa. ‖ Conquista, asalto de una plaza o ciudad. ‖ Porción de alguna cosa. ‖ Lugar por donde se deriva un fluido o una corriente eléctrica. [*Antón.*: entrega]

tomado, da. adj. Dícese de la voz empañada. ‖ *Amer.* Borracho.

tomadura. f. Acción y efecto de tomar. ‖ Porción de alguna cosa que se toma. ‖ *— de pelo.* fig. y fam. Burla, chunga.

tomar (al. *nehmen*, fr. *prendre*, ingl. *to take*, it. *prendere*). tr. Coger o asir con la mano una cosa. ‖ Coger, aunque no sea con la mano. ‖ Recibir o aceptar de cualquier modo que sea. ‖ Ocupar o adquirir por expugnación, trato o asalto una fortaleza o ciudad. ‖ Comer o beber. ‖ Adoptar, emplear. ‖ Contraer, adquirir. ‖ Contratar o ajustar a una o varias personas para que presten un servicio. ‖ Ocupar mediante pago. ‖ Entender, juzgar o interpretar una cosa en determinado sentido. ‖ Seguido de la preposición *por*, suele indicar juicio equivocado. ‖ Ocupar un sitio cualquiera para cerrar el paso o interceptar la entrada o salida. ‖ Quitar o hurtar. ‖ Elegir, entre varias cosas que se ofrecen al arbitrio, alguna de ellas. ‖ Construido con ciertos nombres verbales, significa lo mismo que los verbos de donde tales nombres se derivan. ‖ Empezar a seguir una dirección, entrar en una calle, camino o tramo, encaminarse por ellos. ‖ r. Con referencia a una bebida o comida, beber o comer.

tomatada. f. Fritada de tomate.

tomatal. m. Sitio en que abundan las tomateras.

tomate (al. *Tomate*, fr. *tomate*, ingl. *tomato*, it. *pomodoro*). m. BOT. Fruto de la tomatera. Blando, de color rojo y reluciente, interiormente compuesto por varias celdillas llenas de simientes amarillas. ‖ Planta tomatera. ‖ fam. Roto o agujero.

tomatera. f. BOT. Planta herbácea anual de la familia de las solanáceas, de tallos largos, vellosos, huecos y endebles, hojas dentadas algo vellosas y flores amarillas en racimos. Es originaria de América y se cultiva mucho en las regiones templadas.

tomavistas. com. CINEM. Operador de fotografía. ‖ m. Cámara fotográfica que se utiliza sobre todo en cinematografía y televisión.

tómbola. f. Rifa de objetos de regalo que se celebra en público y en la que, a cambio de un precio, se ponen a la venta boletos o suertes para optar a los diferentes premios.

tomento. m. Estopa basta que queda del lino o cáñamo una vez rastrillado. ‖ BOT. Capa de pelos cortos, suaves y entrelazados, que cubre la superficie de los órganos de ciertas plantas.

tomillo (al. *Thymian*, fr. *thym*, ingl. *thyme*, it. *timo*). m. BOT. Planta perenne de la familia de las labiadas, de tallos leñosos y blanquecinos, hojas pequeñas y flores blancas o rosáceas en cabezuelas. Es muy aromática y la infusión de sus flores se utiliza como tónico.

tomismo. FIL. Doctrina basada en el sistema filosófico de Santo Tomás de Aquino.

tomista. adj. Que sigue la doctrina de Santo Tomás de Aquino. Ú.t.c.s.

tomo (al. *Band*, fr. *tome*, ingl. *volume*, it. *volume*). m. Cada una de las partes, con paginación propia, en que suelen dividirse las obras impresas o manuscritas de cierta extensión. [*Sinón.*: volumen]

ton. m. Apócope de tono, que sólo tiene uso en la fr. fam. *sin ton ni son.*

tonada. f. Composición métrica para ser cantada. ‖ Música de esta canción. ‖ *Amer.* Dejo.

tonadilla. f. Tonada alegre y ligera.

tonadillero, ra. s. Persona que canta o compone tonadillas.

tonalidad. f. MÚS. Sistema de sonidos que sirve de fundamento a una composición musical. ‖ PINT. Sistema de colores y tonos.

tondo. m. ARQ. Adorno circular rehundido en un paramento.

tonel. m. Recipiente de madera formado de duelas unidas, aseguradas con aros de hierro que la ciñen, provisto de dos tapas que lo cierran. || fig. y fam. Persona muy gorda.

tonelada (al. *Tonne*, fr. *tonne*, ingl. *ton*, it. *tonnellata*). f. Unidad de peso o de capacidad que se usa para calcular el desplazamiento de los buques. || Peso de 20 quintales. || Peso de 1.000 kg.

tonelaje. m. Arqueo, cabida de una embarcación.

tonelería. f. Arte u oficio del tonelero. || Taller del tonelero. || Conjunto o provisión de toneles.

tongo. m. Trampa que hace el deportista o cualquier jugador, en general, aceptando dinero por dejarse vencer.

tonicidad. f. BIOL. Grado de tensión de los tejidos, especialmente el muscular.

tónico, ca. adj. GRAM. f. Aplícase a la vocal que se acentúa en la pronunciación de una palabra. || FARM. Que entona o vigoriza. Ú.t.c.s.m. || MÚS. Aplícase a la nota primera de una escala musical.

tonificar. tr. Vigorizar el organismo. [*Antón.*: debilitar]

tonillo. m. Tono monótono y desagradable con que algunos hablan, oran o leen. || Dejo, acento particular. || Entonación enfática.

tonina. f. Atún, pez. || Delfín, cetáceo.

tono (al. *Ton*, fr. *ton*, ingl. *tone*, it. *tono*). m. Mayor o menor elevación del sonido. || Inflexión de la voz y modo particular de decir una cosa. || Carácter de la expresión y del estilo de una obra literaria. || Energía, vigor, fuerza. || FISIOL. Aptitud y energía que el organismo animal, o algunas de sus partes, tiene para ejercer las funciones que le corresponden. || MÚS. Escala que se forma partiendo de una nota fundamental, que le da nombre. || MÚS. Intervalo que media entre una nota y su inmediata. || PINT. Vigor y relieve de todas las partes de una pintura. || *bajar uno el tono.* fig. Contenerse después de haber hablado con arrogancia. || *darse tono.* fam. Darse importancia. || *de buen, o mal, tono.* loc. adj. Propio de gente culta, o al contrario. || *estar, o poner, a tono.* fig. Acomodar, adecuar una cosa a otra. Dícese también de personas. || *subir uno, o subirse, de tono.* fig. Aumentar la arrogancia en el trato, o el fausto en el modo de vivir.

tonsila. f. ANAT. Amígdala, glándula.

tonsura. f. Grado preparatorio para recibir órdenes menores, que confiere el prelado con la ceremonia de cortar al aspirante un poco de cabello.

tonsurado. m. El que ha recibido el grado de tonsura.

tonsurar. tr. Cortar el pelo o la lana a personas o animales. || Dar a uno el grado de la tonsura.

tontada. f. Tontería, simpleza.

tontaina. com. fam. Persona tonta. Ú.t.c.adj.

tontear. intr. Hacer o decir tonterías. || fig. y fam. Flirtear.

tontería. f. Calidad de tonto. || Dicho o hecho tonto. || fig. Dicho o hecho sin importancia, nadería.

tonto, ta (al. *dummkopf*, fr. *sot*, ingl. *fool*, it. *sciocco*). adj. Mentecato, falto o escaso de entendimiento. Ú.t.c.s. || Dícese del hecho o dicho propio de un tonto. || m. El que en ciertas representaciones hace el papel de tonto. || *– de capirote.* fam. Persona muy necia e incapaz. || *a lo tonto.* m. adv. Como quien no quiere la cosa. || *a tontas y a locas.* m. adv. Desbaratadamente, sin orden ni concierto. || *hacerse uno el tonto.* fam. Aparentar que no advierte las cosas de que no le conviene darse por enterado. || *ponerse tonto.* fam. Mostrar petulancia, vanidad o terquedad. [*Sinón.*: bobo, memo]

topacio (al. *Topas*, fr. *topaze*, ingl. *topaz*, it. *topazio*). m. MINERAL. Silicato alumínico fluorado. Es un mineral perteneciente al grupo de los silicatos metamórficos. Cristaliza en cristales rómbicos de color amarillo y gran dureza. Es una piedra preciosa.

topada. f. Topetada.

topadizo, za. adj. Encontradizo.

topar. tr. Chocar una cosa con otra. || Hallar casualmente. Ú.t.c.intr. || Encontrar lo que se andaba buscando. Ú.t.c.intr. || intr. Tropezar o embarazarse en algo. [*Sinón.*: hallar]

tope (al. *Puffer*, fr. *tampon*, ingl. *buffer*, it. *respingente*). m. Parte por donde una cosa puede topar con otra. || Pieza que sirve para detener el movimiento en un mecanismo. || Cada una de las piezas circulares y algo convexas que al extremo de una barra horizontal, terminada por un resorte, se coloca en locomotoras y vagones de ferrocarril. || Material duro que se coloca en el interior de la punta del calzado para que no se arrugue ésta. || fig. Punto por donde estriba la dificultad de una cosa. || MAR. Extremo de un madero o de un palo.

topera. f. Madriguera del topo.

topetada. f. Golpe que dan con la cabeza los toros, carneros, etc. || fig. y fam. Golpe que da uno con la cabeza en alguna cosa.

topetazo. m. Topetada.

topetón. m. Encuentro o golpe de una cosa con otra. || Topetada.

tópico, ca. adj. Perteneciente a determinado lugar. || m. FARM. Medicamento de aplicación externa. || Expresión vulgar o trivial. || pl. Lugares comunes, principios generales.

topo (al. *Maulwurf*, fr. *taupe*, ingl. *mole*, it. *talpa*). m. ZOOL. Mamífero insectívoro de pequeño tamaño, cuerpo rechoncho, cola corta, pelaje sedoso, muy tupido y de color gris oscuro, armado de fuertes uñas a propósito para abrir las galerías subterráneas donde vive. || fig. y fam. Persona que tropieza en cualquier cosa, o por cortedad de vista o por desatiento natural. Ú.t.c.adj. || fig. y fam. Persona de cortos alcances que en todo yerra o se equivoca. Ú.t.c.adj.

topografía (al. *Beschreibung*, fr. *topographie*, ingl. *topography*, it. *topografía*). f. Ciencia de representar gráficamente sobre un plano una superficie de un terreno. || Conjunto de particularidades que presenta un terreno en su configuración superficial.

topográfico, ca. adj. Perteneciente o relativo a la topografía.

topógrafo. m. El que domina y ejerce la topografía.

toponimia. f. FILOL. Estudio del origen y significación de los nombres propios de lugar.

toponímico, ca. adj. Perteneciente o relativo a la toponimia o a los nombres de lugar en general.

topónimo. m. Nombre propio de lugar.

toque. m. Tañido de las campanas o de ciertos instrumentos con que se anuncia alguna cosa. || fig. Llamamiento, advertencia que se hace a alguien. || PINT. Pincelada ligera. || *dar un toque a uno.* fig. y fam. Ponerle a prueba, sondearle respecto de algún asunto. || *último toque.* Ligera corrección o aditamento que se hace en una obra o labor ya acabada para perfeccionarla. Ú.m. en pl.

toquetear. tr. Tocar reiteradamente y sin tino ni orden. || fam. Manosear, acariciar para excitar sexualmente.

toqueteo. m. Acción de toquetear.

toquilla. f. Pañuelo, comúnmente triangular, que se ponen las mujeres en la cabeza. || Pañuelo de punto que usan para abrigo las mujeres y los niños.

tora. f. Libro de la ley de los judíos.

torácico, ca. adj. ANAT. Perteneciente o relativo al tórax.

tórax (al. *Brustkorb*, fr. *thorax*, ingl. *chest*, it. *torace*). m. ANAT. Pecho del hombre y de los animales. || Cavidad del pecho. || ZOOL. Región media de las tres en que está dividido el cuerpo de los insectos, arácnidos y crustáceos.

torbellino (al. *Wirbelwind*, fr. *tourbillon*, ingl. *whirlwind*, it. *turbine*). m. Remolino de viento. || fig. Abundancia de cosas que ocurren en un mismo tiempo. || fig. y fam. Persona viva e inquieta en exceso.

torcaz. adj. Dícese de una variedad de paloma de cuello verdoso cortado por un collar incompleto muy blanco.

torcedura. f. Acción y efecto de torcer. || CIR. Desviación de un miembro u órgano de su dirección normal. [*Sinón.*: torcimiento]

torcer (al. *verdrehen*, fr. *tordre*, ingl. *to twist*, it. *torcere*). tr. Dar vueltas a una cosa sobre sí misma de un modo que tome forma helicoidal y que apriete. Ú.t.c.r. || Encorvar o doblar una cosa recta. Ú.t.c.r. || Desviar una cosa de su dirección. Ú.t.c.r. e intr. || Dicho del semblante o el semblante, dar al rostro expresión de desagrado, enojo u hostilidad. || Dar a un miembro u otra cosa, violentamente, dirección contraria a la natural. Ú.t.c.r. || fig. Mudar la voluntad o el dictamen de alguien. Ú.t.c.r. || r. Dificultarse y frustrarse un negocio. [*Sinón.*: arquear. *Antón.*: enderezar]

torcida. f. Mecha de algodón o trapo torcido, que se pone en los velones, candiles, velas, etc.

torcido, da. adj. Que no es recto, que hace curvas o está oblicuo o inclinado. || m. Hebra gruesa y fuerte de seda torcida, que sirve para hacer media y para otros usos.

torculado, da. adj. De forma de tornillo.

tórculo. m. Prensa, y en especial la que se usa para estampar grabados en cobre, acero, etc.

tordillo, lla. adj. Dícese de la caballería de pelo mezclado de negro y blanco, tordo. Ú.t.c.s.

tordo, da (al. *drossel*, fr. *grive*, ingl. *thrush*, it. *tordo*). adj. Dícese de la caballería que tiene el pelo mezclado de negro y blanco. Ú.t.c.s.m. || ZOOL. Ave paseriforme de cuerpo grueso, pico delgado y negro, lomo de color pardo verdoso y vientre blancuzco con manchas pardas. Se alimenta de insectos, frutos y especialmente aceitunas.

toreador. m. El que torea.

torear. intr. Lidiar los toros en la plaza. Ú.t.c.tr. || tr. fig. Entretener las esperanzas de alguien engañándole. || fig. Hacer burla de alguien con cierto disimulo.

toreo (al. *Stiergefecht*, fr. *tauromachie*, ingl. *bull-fighting*, it. *tauromachia*). m. Acción de torear. || Arte de lidiar los toros. || Tauromaquia.

torería. f. Gremio o conjunto de toreros.

torero, ra (al. *Stierkämpfer*, fr. *toréador*, ingl. *bull-fighter*, it. *torero*). adj. fam. Perteneciente o relativo al toreo. || s. Persona que torea en las plazas. || f. Chaquetilla ceñida al cuerpo y que no pasa de la cintura. || *saltarse* algo *a la torera*. fig. y fam. Omitir sin reparos el cumplimiento de una obligación o compromiso.

toril. m. Sitio donde se tienen encerrados los toros que han de lidiarse. [*Sinón.*: chiquero]

torillo. m. dim. de toro, moldura convexa de sección semicilíndrica. || Espiga que une dos pinas contiguas de una rueda.

torio. m. QUÍM. Metal radiactivo, de color plomizo, más pesado que el hierro y soluble en el ácido clorhídrico.

toriondo, da. adj. Dícese del ganado vacuno, especialmente de la vaca, cuando está en celo.

tormenta (al. *Sturm*, fr. *orage*, ingl. *storm*, it. *tempestà*). f. Tempestad. || fig. Adversidad, desgracia. || fig. Violenta manifestación, propia de ánimos enardecidos. [*Sinón.*: temporal. *Antón.*: calma]

tormento (al. *Marter*, fr. *tourment*, ingl. *torture*, it. *tormento*). m. Acción y efecto de atormentar o atormentarse. || Dolor corporal que se causa al reo para obligarle a confesar. || fig. Congoja o aflicción de ánimo. || fig. Especie o sujeto que la ocasiona. [*Sinón.*: tortura]

tormentoso, sa. adj. Dícese del tiempo en que hay tormenta. [*Sinón.*: borrascoso, tempestuoso. *Antón.*: calmo, apacible]

torna. f. Obstáculo, por lo general de tierra o césped, que se pone en una reguera para cambiar el uso del agua. || *volver las tornas*. fig. Corresponder una persona al proceder de otra, cambiar en sentido opuesto la marcha de un asunto. Ú.m c.r.

tornaboda. f. Día después de la boda. || Celebridad de este día.

tornada. f. Acción de tornar o regresar.

tornadizo, za. adj. Que varía con facilidad. Ú.t.c.s.

tornado. m. Ciclón tropical que arrastra y hace girar grandes masas de nubes.

tornapunta. f. Madero ensamblado en uno horizontal, para apear otro vertical o inclinado. || Punta, sostén.

tornar. tr. Devolver, restituir. || Mudar a una persona o cosa su naturaleza o estado. Ú.t.c.r. || intr. Regresar, volver.

tornasol. m. BOT. Planta herbácea anual de la familia de las euforbiáceas, que se emplea en la preparación de la tintura de tornasol. || Reflejo que proyecta de luz en ciertas telas o en otras cosas de superficie muy tersa. || Materia colorante azul que delata la presencia de ácidos al volverse roja a su contacto.

tornasolado, da. adj. Que tiene o hace visos y tornasoles.

tornasolar. tr. Hacer o causar tornasoles. || r. Ponerse tornasolado.

tornear (al. *drechseln*, fr. *tourner*, ingl. *to turn*, it. *tornire*). tr. Labrar o redondear una cosa al torno, puliéndola y alisándola. || intr. Dar vueltas alrededor o en torno. || Combatir o pelear en el torneo. || fig. Dar vueltas con la imaginación, desvelarse con pensamientos y discursos varios.

torneo (al. *Turnier*, fr. *tournoi*, ingl. *tournament*, it. *torneo*). m. Combate a caballo que se sostenía antiguamente entre individuos aislados o unidos en cuadrilla. [*Sinón.*: justa, liza]

tornero (al. *Drechsler*, fr. *tourneur*, ingl. *turner*, it. *tornitore*). m. Artífice que hace obras al torno. || El que hace tornos.

tornillo (al. *Schraube*, fr. *vis*, ingl. *screw*, it. *vite*). m. Cilindro de metal, madera, etc., con resalto en hélice, que entra y juega en la tuerca. || Clavo con resalto en hélice. || fig. y fam. Fuga o deserción del soldado. || — *sin fin*. Engranaje compuesto de una rueda dentada y un cilindro con resalto helicoidal. || *apretarle* a uno *los tornillos*. fig. y fam. Apremiarle, obligarle a obrar en determinado sentido. || *faltarle* a uno *un tornillo*, o *tener flojos los tornillos*. fig. y fam. Tener poco seso.

torniquete (al. *Drehkreuz*, fr. *tourniquet*, ingl. *turnstile*, it. *ruota*). m. Palanca angular de hierro que sirve para transmitir el movimiento del tirador a la campanilla. || Especie de torno que se coloca en las entradas por las que han de pasar las personas una a una. ‖ CIR. Instrumento quirúrgico con el que se contienen las hemorragias.

torniscón. m. fam. Manotazo. ‖ fam. Pellizco retorcido.

torno (al. *Drehbank,* fr. *étau,* ingl. *lathe,* it. *morsa*). m. Máquina simple formada por un cilindro que gira sobre su eje por la acción de palancas, cigüeñas, o ruedas y que ordinariamente actúa sobre la resistencia por medio de una cuerda que va arrollando al cilindro. ‖ MEC. Máquina utilizada para labrar circularmente madera o metal produciendo superficies de revolución de la medida y perfil deseados, o bien roscas y agujeros. ‖ Instrumento compuesto de dos brazos paralelos, unidos por una barra con tuerca que, al girar, los aprieta, y sirve para sujetar piezas que se trabajan en carpintería, herrería, etc. ‖ Vuelta alrededor, movimiento circular o rodeo. ‖ *en torno.* m. adv. Alrededor.

toro (al. *Stier,* fr. *taureau,* ingl. *bull,* it. *toro*). m. ZOOL. Mamífero rumiante, de unos dos metros y medio de largo y cerca de metro y medio de altura, cabeza gruesa armada de dos cuernos, piel dura con pelo corto, y cola larga, cerdosa hasta el remate. Es fiero, principalmente cuando se le irrita, pero hecho buey por la castración, se le domestica y sirve para las labores del campo. ‖ fig. Hombre muy robusto y fuerte. ‖ n.p.m. Tauro. ‖ m. pl. Fiesta o corrida de toros. ‖ *coger,* o *tomar, el toro por los cuernos.* fig. y fam. Afrontar un asunto con valor y decisión.

toronja. f. BOT. Fruto comestible de una especie de cidro espinoso. Es parecido a una naranja, pero de tamaño bastante mayor y corteza amarillenta.

toronjil. m. BOT. Planta herbácea anual, labiada, común en España, sus hojas y flores se usan como remedio tónico y antiespasmódico.

toronjo. m. Variedad de cidro que produce las toronjas.

torpe (al. *schwerfällig,* fr. *maladroit,* ingl. *dull,* it. *goffo*). adj. Que no se mueve con libertad o ligereza. ‖ Desmañado, falto de habilidad. ‖ Rudo, tardo en comprender. ‖ Feo, tosco.

torpedear. tr. MAR. Lanzar un torpedo contra un buque enemigo.

torpedero, ra (al. *Torpedoboot,* fr. *torpilleur,* ingl. *torpedo-boat,* it. *torpediniera*). adj. MAR. Aplícase al buque de poco calado, armado para el lanzamiento de torpedos. Ú.m.c.s.m.

torpedo (al. *Torpedo,* fr. *torpille,* ingl. *torpedo,* it. *siluro*). m. ZOOL. Pez selacio del suborden de los ráyidos, de cuerpo aplanado y orbicular, que tiene la propiedad de producir una descarga eléctrica, cuando es tocado por otro animal. Es carnívoro y vive en los fondos arenosos submarinos. ‖ MAR. Proyectil explosivo submarino, autodirigido y automóvil.

torpeza (al. *Schwerfälligkeit,* fr. *maladresse,* ingl. *dulness,* it. *goffaggine*). f. Calidad de torpe. ‖ Acción o dicho torpe. [*Sinón.:* ineptitud. *Antón.:* habilidad]

tórpido, da. adj. FISIOL. Que reacciona con dificultad.

torpón, na. adj. aum. de torpe, desmañado y rudo.

torpor. m. Entumecimiento.

torrado. m. Garbanzo tostado.

torrar. tr. Tostar al fuego.

torre (al. *Turm,* fr. *tour,* ingl. *tower,* it. *torre*). f. Edificio fuerte, más alto que ancho, de características defensivas. ‖ Construcción más alta que ancha que hay en las iglesias y en algunas casas. ‖ Pieza grande del juego de ajedrez, en forma de torre. ‖ En los buques de guerra, reducto acorazado que se alza sobre la cubierta para que dentro de él jueguen una o más piezas de artillería. ‖ Casa de campo o de recreo, o granja con huerta. ‖ *– de marfil.* expr. fig. con que se alude al aislamiento intelectual en que se vive voluntariamente. [*Sinón.:* alminar, atalaya]

torrefacción. f. Acción y efecto de tostar. Aplícase en especial al tueste del café en grano.

torrefacto, ta. adj. Tostado.

torrencial. adj. Parecido al torrente.

torrente (al. *Sturzbach,* fr. *torrent,* ingl. *torrent,* it. *torrente*). m. Corriente impetuosa de agua que sobreviene en tiempos muy lluviosos. ‖ fig. Muchedumbre de personas que afluyen a un lugar. [*Sinón.:* arroyo; multitud]

torrentera. f. Cauce de un torrente.

torreón. m. Torre grande, para defensa de una plaza o castillo.

torrero. m. El que tiene a su cuidado una atalaya o un faro.

torreta. f. En los buques de guerra y en los tanques, torre acorazada.

torrezno. m. Pedazo de tocino frito.

tórrido, da. adj. Muy cálido, ardiente o quemado. [*Sinón.:* sofocante]

torrija. f. Rebanada de pan empapada en vino o leche, frita y endulzada con miel o azúcar.

torsión. f. Acción y efecto de torcer

o torcerse una cosa en forma helicoidal. [*Sinón.:* torcedura]

torso. m. Tronco del cuerpo humano. ‖ Estatua falta de cabeza, brazos y piernas. [*Sinón.:* busto]

torta (al. *Torte,* fr. *galette,* ingl. *round,* it. *torta*). f. Masa de harina, de forma redondeada, que se cuece a fuego lento. ‖ fig. Cualquier masa a la que se le ha dado forma de torta. ‖ fig. y fam. Bofetada. [*Sinón.:* tostada; cachete]

tortada. f. Torta grande, de masa delicada, rellena de carne, huevos, dulce, etc. ‖ ALBAÑ. Capa de mortero o yeso que se extiende sobre cada hilada de ladrillos.

tortazo. m. fig. y fam. Bofetada.

tortera. adj. Aplícase a la cacerola casi plana que sirve para hacer tortas. Ú.m.c.s. [*Sinón.:* tartera]

torticolis o **torticolis.** m. MED. Dolor del cuello que obliga a permanecer con éste torcido.

tortilla (al. *Pfannkuchen,* fr. *omelette,* ingl. *omelet,* it. *frittata*). f. Fritada de huevos batidos, hecha por lo general en forma de torta, y en la que se incluye de ordinario algún otro manjar, cuyo nombre es la base distintiva de las diversas variedades de tortilla. ‖ *Amer.* Torta de maíz. ‖ Pan de trigo cocido en el rescoldo.

tortillera. f. vulg. Mujer homosexual. Ú.t.c.adj.

tortillería. f. *Amer.* Sitio, casa o lugar donde se hacen o se venden tortillas.

tórtola (al. *Turteltaube,* fr. *tourterelle,* ingl. *turtle-dove,* it. *tortora*). f. ZOOL. Ave del orden de las palomas, de plumaje ceniciento.

tórtolo. m. Macho de la tórtola. ‖ fig. y fam. Hombre amartelado. ‖ pl. Pareja de enamorados.

tortuga (al. *Schildkröte,* fr. *tortue,* ingl. *turtle,* it. *tartaruga*). f. ZOOL. Reptil marino del orden de los quelonios, que llega a tener hasta dos metros y medio de largo y uno de ancho, con las extremidades torácicas más desarrolladas que las abdominales, unas y otras en forma de paletas, que no pueden ocultarse, y coraza con manchas verdosas y rojizas. Se alimenta de vegetales marinos y su carne, huevos y tendones son comestibles. ‖ ZOOL. Reptil terrestre quelonio, de dos a tres decímetros de largo, con los dedos reunidos en forma de muñón, espaldar muy convexo, y láminas granujientas en el centro y manchadas de negro y amarillo en los bordes. Se alimenta de hierbas, insectos y caracoles, y su carne es sabrosa y delicada.

tortuosidad. f. Calidad de tortuoso.

tortuoso, sa. adj. Que tiene o da vueltas o rodeos. || fig. Solapado, cauteloso. [*Sinón.*: sinuoso]

tortura (al. *Folter*, fr. *torture*, ingl. *torture*, it. *tortura*). f. Calidad de tuerto o torcido. || Angustia, pena o aflicción grande. || Tormento, dolor corporal o moral que se causa intencionadamente a una persona. [*Sinón.*: suplicio]

torturar (al. *foltern*, fr. *torturer*, ingl. *to rack*, it. *torturare*). tr. Dar tortura, atormentar. Ú.t.c.r. [*Sinón.*: supliciar]

torva. f. Remolino de lluvia o nieve.

torvo, va. adj. Fiero, airado y terrible a la vista.

torzal. m. Cordoncillo delgado de seda, hecho de varias hebras torcidas. || *Amer.* Largo cuero retorcido.

tos (al. *Husten*, fr. *toux*, ingl. *cough*, it. *tosse*). f. Movimiento convulsivo del aparato respiratorio. Constituye un síntoma de carácter defensivo. Su finalidad es la expulsión de los cuerpos extraños o de las secreciones acumuladas en las vías respiratorias. || — *ferina*. MED. Enfermedad infecciosa, más grave en la infancia, caracterizada por un estado catarral del árbol respiratorio, con accesos de tos convulsiva muy intensos, y espasmo laríngeo.

toscano, na. adj. Natural de Toscana. Ú.t.c.s. || Perteneciente a esta región de Italia. || m. Lengua italiana.

tosco, ca. adj. Grosero, basto, sin pulimento. || fig. Inculto, sin doctrina ni enseñanza. Ú.t.c.s. [*Antón.*: pulido, culto, refinado]

toser (al. *husten*, fr. *tousser*, ingl. *to cough*, it. *tossire*). intr. Tener y padecer tos.

tósigo. m. Ponzoña. || fig. Angustia o pena grande.

tosquedad. f. Calidad de tosco.

tostación. f. Acción y efecto de tostar.

tostada (al. *Toast*, fr. *rôtie*, ingl. *toast*, it. *crostino*). f. Rebanada de pan, tostada y untada con mantequilla, miel, etc.

tostadero. m. Tienda donde se tuesta y vende café.

tostado, da. adj. Dícese del color subido y oscuro. || m. Acción y efecto de tostar.

tostador, ra. adj. Que tuesta. Ú.t.c.s. || m. Instrumento o vasija para tostar alguna cosa.

tostadura. f. Acción y efecto de tostar.

tostar (al. *rösten*, fr. *griller*, ingl. *to toast*, it. *tostare*). tr. Poner una cosa a la lumbre, para que se vaya desecando, sin quemarse, hasta que tome color. Ú.t.c.r. || fig. Calentar demasiado. Ú.t.c.r. || fig. Atezar el sol o el viento la piel del cuerpo. Ú.t.c.r. [*Sinón.*: asar]

tostón. m. Garbanzo tostado, torrado. || Rebanada de pan tostado empapado en aceite nuevo. || Cosa demasiado tostada. || Cochinillo asado. || Tabarra, lata. || Persona habladora y sin sustancia.

total (al. *ganz*, fr. *total*, ingl. *total*, it. *totale*). adj. General, universal, completo. || m. MAT. Suma. || adv. En suma, en resumen. [*Sinón.*: íntegro. *Antón.*: parcial]

totalidad. f. Todo, cosa íntegra. || Conjunto de todas las cosas o personas que forman una clase o especie.

totalitario, ria. adj. Dícese de lo que incluye la totalidad de las partes o atributos de una cosa, sin merma de ninguna clase. || Dícese del régimen político que ejerce fuerte intervención en todos los órdenes de la vida nacional, concentrando la totalidad de los poderes estatales en un solo grupo o partido.

totalitarismo. m. Doctrina, sistema, gobierno totalitario.

totalizar. tr. Hallar el total de varias operaciones.

tótem. m. Objeto de la naturaleza, generalmente un animal, que en la mitología de algunas sociedades se toma como emblema protector de la tribu o del individuo, y en ocasiones como ascendiente o progenitor. || Emblema tallado o pintado que representa el tótem.

totémico, ca. adj. Relativo al tótem.

toxicidad. f. Calidad de tóxico.

tóxico, ca. adj. MED. Aplícase a las sustancias venenosas. Ú.t.c.s.m.

toxicología. f. MED. Parte de la medicina que trata de los venenos.

toxicólogo, ga. s. Especialista en toxicología.

toxicomanía. f. Hábito patológico de drogarse con sustancias que procuran sensaciones agradables o que suprimen el dolor.

toxicómano, na. adj. MED. Dícese del que padece toxicomanía. Ú.t.c.s. [*Sinón.*: drogado]

toxina (al. *gift*, fr. *toxine*, ingl. *toxin*, it. *tossina*). f. Sustancia tóxica de origen animal, vegetal o microbiano.

tozo, za. adj. Enano o de baja estatura.

tozudez. f. Calidad de tozudo.

tozudo, da. adj. Obstinado, testarudo. [*Antón.*: comprensivo]

tozuelo. m. Cerviz gruesa de un animal.

traba. f. Acción y efecto de trabar o triscar. || Instrumento con que se ajusta y sujeta una cosa a otra. || Ligadura con que se atan las manos o los pies de una caballería. || Piedra o cuña con que se calzan las ruedas de un carro. || fig. Impedimento o estorbo.

trabacuenta. f. Error en una cuenta, que la enreda o dificulta.

trabado, da. adj. Aplícase a la caballería que tiene blancas las dos manos, o que tiene blancos la mano derecha y el pie izquierdo, o viceversa. || fig. Robusto.

trabajador, ra (al. *arbeiter*, fr. *travailleur*, ingl. *worker*, it. *lavoratore*). adj. Que trabaja. || Muy aplicado al trabajo. || s. Persona asalariada. [*Sinón.*: laborioso, productor. *Antón.*: vago]

trabajar (al. *arbeiten*, fr. *travailler*, ingl. *to work*, it. *lavorare*). intr. Ocuparse en cualquier ejercicio, obra o ministerio. || Aplicarse alguien con desvelo a la ejecución de una cosa. || fig. Sufrir una máquina, un buque, un edificio o parte de ello, u otra cosa cualquiera, la acción de los esfuerzos a que se hallan sometidos. || fig. Poner empeño y fuerza en vencer una dificultad. || tr. Disponer o ejecutar una cosa, sometiéndose a método y orden. [*Sinón.*: laborar. *Antón.*: descansar, ociar]

trabajo (al. *Arbeit*, fr. *travail*, ingl. *work*, it. *lavoro*). m. Acción y efecto de trabajar. || Obra, producción del entendimiento. || Operación de la máquina o herramienta, etc., que se emplea para un fin. || Esfuerzo humano aplicado a la producción de la riqueza. || fig. Penalidad, molestia, tormento. || FÍS. Producto de la fuerza por el camino que recorre su punto de aplicación y por el coseno del ángulo que forma la una con el otro. || pl. fig. Estrechez, miseria y pobreza o necesidad con que se pasa la vida. [*Sinón.*: labor, faena. *Antón.*: reposo]

trabajoso, sa. adj. Que cuesta o causa mucho trabajo. || Que padece trabajo, penalidad o miseria. || Que está falto de espontaneidad; muy trabajado. [*Sinón.*: penoso, arduo]

trabalenguas. m. Palabra o locución difícil de pronunciar, en especial cuando sirve de juego para hacer que alguien se equivoque.

trabanca. f. Mesa formada por un tablero sobre dos caballetes.

trabar. tr. Juntar o unir una cosa con otra, para mayor fuerza o resistencia. ‖ Prender, agarrar o asir. Ú.t.c.intr. ‖ Echar trabas. ‖ Espesar o dar mayor consistencia a un líquido o a una masa. ‖ fig. Emprender o comenzar una batalla, contienda, etc. ‖ fig. Enlazar, concordar o conformar. ‖ DER. Embargar o retener bienes o derechos. ‖ r. *Amer.* Entorpecérsele a uno la lengua al hablar, tartamudear.

trabazón. f. Enlace de dos o más cosas. ‖ Espesor o consistencia que se da a un líquido o masa. ‖ fig. Conexión de una cosa con otra. [*Sinón.:* unión.]

trabe. f. Viga de madero largo y grueso.

trabilla. f. Tira de tela o de cuero que pasa por debajo del pie para sujetar los bordes inferiores del pantalón, de la polaina, etc. ‖ Tira de tela que por la espalda ciñe a la cintura un vestido.

trabucar. tr. Trastornar el buen orden de una cosa. Ú.t.c.r. ‖ fig. Ofuscar el entendimiento. Ú.t.c.r. ‖ fig. Trastocar y confundir informaciones o noticias. [*Sinón.:* alterar, desordenar]

trabucazo. m. Disparo del trabuco. ‖ fig. y fam. Pesadumbre o susto.

trabuco. m. Máquina de guerra que se usaba para batir las murallas, disparando contra ellas piedras muy gruesas. ‖ Arma de fuego más corta y de mayor calibre que la escopeta ordinaria. ‖ — *naranjero.* El de boca acampanada y gran calibre.

traca. f. Serie de petardos o cohetes colocados a lo largo de una cuerda y que estallan sucesivamente.

tracción (al. *Zugförderung,* fr. *traction,* ingl. *traction,* it. *trazione*). f. Acción y efecto de tirar de alguna cosa para moverla o estirarla. ‖ Especialmente acción y efecto de arrastrar vehículos sobre la vía.

tracería. f. ARQ. Decoración arquitectónica formada por combinaciones de figuras geométricas.

tracoma. m. MED. Conjuntivitis crónica producida por un virus específico. Suele determinar la ceguera.

tracto. m. Espacio que media entre dos lugares. ‖ Conjunto de versículos que se rezan en la misa antes del Evangelio.

tractor (al. *Schlepper,* fr. *tracteur,* ingl. *tractor,* it. *trattore*). m. Máquina que produce tracción. ‖ Vehículo automotor cuyas ruedas o cadenas se adhieren fuertemente al terreno, y que se emplea para arrastrar arados, remolques, etc., o para tirar de ellos.

tractorista. com. Persona que conduce un tractor.

tradición (al. *Tradition,* fr. *tradition,* ingl. *tradition,* it. *tradizione*). f. Transmisión de noticias, composiciones literarias, doctrinas, costumbres, hecha de generación en generación. ‖ Noticia de un hecho antiguo transmitida de este modo. ‖ Doctrina, costumbre, etc., conservada en un pueblo por transmisión de padres a hijos.

tradicional. adj. Perteneciente o relativo a la tradición.

tradicionalismo. m. Doctrina filosófica que pone el origen de las ideas en la revelación y sucesivamente en la enseñanza que el hombre recibe de la sociedad. ‖ Sistema político que consiste en mantener o restablecer las instituciones antiguas en el régimen de la nación y en la organización social, representado en España por el carlismo.

tradicionalista. adj. Que profesa la doctrina o es partidario del tradicionalismo. Ú.t.c.s. ‖ Perteneciente a esta doctrina o sistema.

traducción (al. *Übersetzung,* fr. *traduction,* ingl. *translation,* it. *traduzione*). f. Acción y efecto de traducir. ‖ Obra del traductor. ‖ Sentido o interpretación que se da a un texto. ‖ — *directa.* La que se hace de un idioma extranjero al idioma del traductor. ‖ — *inversa.* La que se hace del idioma del traductor a un idioma extranjero. [*Sinón.:* versión]

traducir (al. *übersetzen,* fr. *traduire,* ingl. *to translate,* it. *tradurre*). tr. Expresar en una lengua lo que ha sido anteriormente escrito en otra. ‖ Convertir, mudar. ‖ fig. Explicar, interpretar.

traductor, ra (al. *Übersetzer,* fr. *traducteur,* ingl. *translator,* it. *traduttore*). adj. Que traduce una obra. Ú.t.c.s.

traer (al. *bringen,* fr. *apporter,* ingl. *to bring,* it. *portare*). tr. Conducir o trasladar una cosa al lugar en donde se habla o de que se habla. ‖ Atraer o tirar hacia sí, como el imán al acero. ‖ Causar, ocasionar, acarrear. ‖ Tener a uno en el estado o condición que expresa el adjetivo que se junta con el verbo. ‖ Llevar, tener puesta una cosa que sirve a la perfección, usar de ella. ‖ fig. Tratar, andar haciendo una cosa, tenerla pendiente, estar empleado en su ejecución. Ú.t.c.r. ‖ r. Con relación a vestidos, llevarlos con buen arte o con malo, generalmente con los adverbios *bien* o *mal.* ‖ *traer* a uno *a mal traer.* Maltratarlo o molestarlo mucho en cualquier

concepto. ‖ *traérselas.* loc. fam. que se aplica a aquello que tiene más intención, malicia o dificultades de lo que a primera vista parece. ‖ *traer y llevar.* fam. Chismear.

trafagar. intr. Traficar, negociar. ‖ Andar por varios países, correr mundo. Ú.t.c.r.

tráfago. m. Tráfico. ‖ Conjunto de negocios o faenas de características pesadas o fatigosas.

traficante. adj. Que trafica o comercia. Ú.t.c.s. [*Sinón.:* comerciante, negociante]

traficar. intr. Comerciar, negociar por lo común con géneros prohibidos.

tráfico (al. *Verkehr,* fr. *trafic,* ingl. *traffic,* it. *traffico*). m. Acción de traficar. ‖ Tránsito, acción de transitar. ‖ Concurrencia y movimiento de vehículos en estaciones, puertos y aeropuertos. [*Sinón.:* comercio, circulación]

tragacanto. m. BOT. Arbusto de la familia de las leguminosas, que crece en Asia, de su tronco y ramas fluye naturalmente una goma blanquecina muy usada en la industria. ‖ Esta misma goma.

tragaderas. f. pl. Faringe. ‖ fig. y fam. Facilidad de creer cualquier cosa. ‖ fig. y fam. Poco escrúpulo, facilidad para admitir o tolerar cosas inconvenientes.

tragadero. m. Faringe. ‖ Boca o agujero que traga o sorbe una cosa.

tragaldabas. com. fam. Persona muy tragona.

tragaluz. m. Ventana abierta en un techo o en la parte superior de una pared. [*Sinón.:* buhardilla]

tragaperras. f. Aparato de juego que funciona automáticamente, mediante la introducción de una moneda.

tragar (al. *hinunterschlucken,* fr. *engloutir,* ingl. *to swallow,* it. *inghiottire*). tr. Hacer que una cosa pase por el tragadero. ‖ fig. Comer mucho. ‖ fig. Engullir o abismar la tierra o las aguas lo que está en su superficie. Ú.t.c.r. ‖ fig. Dar fácilmente crédito a las cosas, aunque sean inverosímiles. Ú.t.c.r. ‖ fig. Soportar o tolerar cosa repulsiva. Ú.t.c.r. ‖ fig. Absorber, gastar. Ú.t.c.r. ‖ *no tragar* a una persona o cosa. ‖ fig. y fam. Sentir antipatía hacia ella. [*Sinón.:* deglutir, ingurgitar]

tragedia (al. *Tragödie,* fr. *tragédie,* ingl. *tragedy,* it. *tragedia*). f. Canción de los gentiles en loor del dios Baco. ‖ Obra dramática de acción muy contrastada, capaz de infundir lástima y terror, en la que intervienen personajes ilustres y heroicos. ‖ Poema dramático de acción vigorosa y funesto desenlace. ‖ Género trágico. ‖ fig. Suceso de la vida real, capaz de infundir terror y lástima. ‖ fig. Cualquier suceso fatal o desgraciado. [*Sinón.*: desgracia, desdicha]

trágico, ca (al. *tragisch,* fr. *tragique,* ingl. *tragic,* it. *tragico*). adj. Perteneciente o relativo a la tragedia. ‖ Dícese del autor de tragedias o del actor que las representa. Ú.t.c.s. ‖ fig. Infausto, muy desgraciado.

tragicomedia. f. Poema dramático, u obra escrita en forma dialogal, que participa a la vez de elementos propios de la tragedia y de la comedia. ‖ fig. Suceso que mueve a risa y piedad a un mismo tiempo.

tragicómico, ca. adj. Perteneciente o relativo a la tragicomedia.

trago (al. *Schluck,* fr. *gorgée,* ingl. *swallow,* it. *sorsata*). m. Porción de líquido que se bebe o se puede beber de una vez. ‖ fig. y fam. Adversidad, infortunio. [*Sinón.*: sorbo]

tragón, na. adj. fam. Que traga o come mucho. Ú.t.c.s.

traición (al. *Verrat,* fr. *trahison,* ingl. *treachery,* it. *tradimento*). f. Delito que se comete quebrantando la fidelidad que se debe guardar. ‖ *alta traición.* La cometida contra la soberanía o contra el honor, la seguridad e independencia del Estado. ‖ *a traición.* m. adv. Alevosamente, faltando a la lealtad o confianza, con engaño o cautela. [*Sinón.*: felonía, deslealtad]

traicionar. tr. Hacer traición.

traída. f. Acción y efecto de traer.

traidor, ra (al. *verräter,* fr. *traitre,* ingl. *betrayer,* it. *traditore*). adj. Que comete traición. Ú.t.c.s. ‖ Aplícase a los irracionales que faltan a la obediencia o lealtad debidas. ‖ Que implica o denota traición. [*Sinón.*: traicionero, felón]

tráiler (voz inglesa). m. En cinematografía, avance.

trailla. f. Cuerda o correa con que se lleva el perro atado a las cacerías. ‖ Par de perros atraillados.

traína. f. Denominación que se da a varias redes de fondo, y especialmente la que sirve para la pesca de sardinas.

trainera. adj. Dícese de la barca que pesca con traína. Ú.t.c.s.

traje. m. Vestido peculiar de una clase de personas o de los naturales de un país. ‖ Vestido completo de una persona. ‖ *— de baño.* Pieza o piezas con que se cubre someramente el cuerpo para

bañarse en sitio público. ‖ *— de etiqueta.* El que se utiliza en algunos actos solemnes. ‖ *— de luces.* TAUROM. El de seda, bordado de oro o plata, con lentejuelas, que se ponen los toreros para torear. [*Sinón.*: vestidura, indumento]

trajear. tr. Proveer de traje a una persona. Ú.t.c.r.

trajín. m. Acción de trajinar. [*Sinón.*: ajetreo]

trajinar. tr. Acarrear mercaderías de un lugar a otro. ‖ intr. Andar de un sitio para otro con cualquier ocupación.

tralla. f. Cuerda más gruesa que el bramante. ‖ Trencilla que se pone al extremo del látigo para que restalle. ‖ Látigo provisto de tralla.

trallazo. m. Golpe dado con la tralla. ‖ Chasquido de la tralla.

trama (al. *Schuss,* fr. *trame,* ingl. *weft,* it. *trama*). f. Conjunto de hilos que, cruzados y enlazados con los de la urdimbre, forman una tela. ‖ Especie de seda para tramar. ‖ fig. Artificio, confabulación encaminada al perjuicio de alguien. ‖ Disposición interna, contextura, y en especial el enredo de una obra dramática y novelesca. [*Sinón.*: intriga, maquinación]

tramar. tr. Atravesar los hilos de la trama por entre los de la urdimbre. ‖ fig. Disponer o preparar con astucia o engaño un enredo o traición. ‖ Disponer con habilidad la ejecución de cualquier cosa complicada. [*Sinón.*: maquinar, urdir]

tramitación. f. Acción y efecto de tramitar. ‖ Serie de trámites prescritos para un asunto.

tramitar. tr. Hacer pasar un negocio por los trámites debidos.

trámite (al. *Instanzenweg,* fr. *formalité,* ingl. *step,* it. *formalità*). m. Paso de una parte, o cosa, a otra ‖ Cada uno de los estados y diligencias por los que hay que pasar en un negocio.

tramo. m. Parcela de tierra contigua a otras y separada de las demás por una señal cualquiera. ‖ Parte de una escalera, comprendida entre dos rellanos. ‖ Cada una de las partes en que se divide una esclusa, camino, etc.

tramontana. f. Norte o septentrión. ‖ Viento del norte.

tramontar. intr. Pasar del otro lado de los montes. Dícese particularmente del sol, en el ocaso.

tramoya. f. Máquina que en el teatro sirve para realizar toda clase de transformaciones. ‖ Conjunto de estas máquinas. ‖ fig. Enredo dispuesto con ingenio, disimulo y maña.

tramoyista. m. El que hace funcionar las tramoyas del teatro. ‖ com. fig. Persona que usa de engaños.

trampa (al. *Falle,* fr. *piège,* ingl. *trap,* it. *trama*). f. Artificio para cazar, que consiste ordinariamente en una excavación en el terreno y una tabla que la cubre. ‖ Puerta en el suelo, que sirve para poner en comunicación cualquier parte del edificio con otra inferior. ‖ Tablero horizontal, movible, que suelen tener los mostradores de las tiendas. ‖ fig. Ardid para burlar o perjudicar a alguien. [*Sinón.*: celada]

trampear. intr. fam. Pedir prestado o fiado sin intención de pagar. ‖ fam. Arbitrar medios para hacer más llevadera la penuria. ‖ tr. fam. Usar de artificio o cautela para engañar a alguien.

trampero, ra. s. Persona que pone trampas para cazar.

trampilla. f. Ventanilla en el suelo de las habitaciones altas. ‖ Portezuela con que se cierra la carbonera de un fogón de cocina.

trampolín (al. *Sprungbrett,* fr. *tremplin,* ingl. *spring-board,* it. *trampolino*). m. Plano inclinado del que se vale el gimnasta para tomar impulso y dar grandes saltos. ‖ fig. Persona o cosa de que alguien se aprovecha para conseguir mejoras o propósitos determinados.

tramposo, sa. adj. Embustero, mal pagador. Ú.t.c.s. ‖ Que hace trampas en el juego. Ú.t.c.s.

tranca. f. Palo grueso y fuerte. ‖ Palo grueso que se pone atravesado tras una puerta o ventana cerrada para asegurarlas. [*Sinón.*: estaca]

trancar. tr. Cerrar la puerta con una tranca o un cerrojo. ‖ Dar trancos o pasos largos.

trancazo. m. Golpe que se da con la tranca. ‖ fig. y fam. Gripe.

trance. m. Momento crítico. ‖ Acompañado de los adjetivos *último, postrero, mortal,* el último estado o tiempo de la vida, próximo a la muerte. ‖ Estado en que un médium muestra fenómenos que se atribuyen a magnetismo animal o espiritismo. ‖ Estado del alma con cierta suspensión de los sentidos, en que se siente en unión mística con Dios o fuerzas ocultas. ‖ *a todo trance.* m. adv. Resueltamente, sin reparar en riesgos.

tranco. m. Paso largo. ‖ Umbral de la puerta. ‖ fam. Puntadas largas, en particular al repasar la ropa.

tranquil. m. ARQ. Línea vertical del plomo.

tranquilidad (al. *Ruhe*, fr. *tranquilité*, ingl. *tranquility*, it. *tranquillità*). f. Calidad de tranquilo. [*Sinón.*: sosiego, calma. *Antón.*: intranquilidad, inquietud]

tranquilizador, ra. adj. Que tranquiliza.

tranquilizante. p.a. de tranquilizar. || adj. Dícese de los fármacos de efecto tranquilizador o sedante. Ú.t.c.s.m.

tranquilizar. tr. Poner tranquilo, sosegar. Ú.t.c.r. [*Sinón.*: aquietar, calmar]

tranquilo, la (al. *ruhig*, fr. *tranquille*, ingl. *quiet*, it. *tranquillo*). adj. Quieto, sosegado, calmo. [*Antón.*: agitado]

tranquillo. m. fig. Modo o hábito especial adquirido empírica o casualmente y mediante el cual se realiza una cosa con más destreza.

trans. prep. insep. que en las voces a que se halla unida significa del otro lado o a la parte opuesta, a través de, o denota cambio o mudanza.

transacción. f. Acción y efecto de transigir. || Trato, convenio, negocio.

transatlántico, ca. adj. Se aplica a las regiones situadas al otro lado del Atlántico. || Concerniente a ellas. || Se aplica al tráfico y medios de locomoción que atraviesan el Atlántico. || m. Buque destinado a hacer la travesía del Atlántico, o de otro gran mar.

transbordador (al. *Schwebebahn*, fr. *transbordeur*, ingl. *telpher*, it. *traghetto*). adj. Que transborda. || m. Embarcación que circula entre dos puntos, yendo alternativamente en uno y otro sentido, y sirve para transportar viajeros y vehículos. || Vehículo cuya tracción se hace por medio de una cuerda, cable o cadena.

transbordar. tr. Trasladar efectos o personas de un buque a otro. Ú.t.c.r. || Trasladar personas o efectos de unos vehículos a otros.

transbordo. m. Acción y efecto de transbordar o transbordarse.

transcribir. tr. Copiar un escrito. || Transliterar, escribir con un sistema de caracteres lo que está escrito con otro. || Representar elementos fonéticos, fonológicos, léxicos o morfológicos de una lengua y dialecto mediante un sistema de escritura. || MÚS. Arreglar para un instrumento la música escrita originalmente para otro.

transcripción. f. Acción y efecto de transcribir. || MÚS. Pieza musical que resulta de transcribir otra.

transcriptor, ra. adj. Que transcribe. Ú.t.c.s.

transcurrir. intr. Pasar, correr. Aplícase, por lo común, al tiempo.

transcurso. m. Paso o carrera del tiempo.

transepto. m. ARQ. Crucero de un templo.

transeúnte. adj. Que transita o pasa por un lugar. Ú.t.c.s. || Que no reside sino transitoriamente en un sitio. Apl. a pers., ú.t.c.s. || Transitorio, temporal. || FIL. Dícese de lo que se produce por el agente de tal suerte que el efecto se termina fuera de él mismo. [*Sinón.*: peatón, pasajero]

transexual. com. Persona que cambia artificialmente de sexo.

transferencia (al. *Überweisung*, fr. *transfert*, ingl. *transfer*, it. *transferimento*). f. Acción y efecto de transferir. [*Sinón.*: traspaso, cesión]

transferir. tr. Pasar o llevar una cosa desde un lugar a otro. || Diferir, retardar. || Extender o trasladar el sentido de una voz a otro figuradamente distinto. || Renunciar en favor de otro al derecho que se tiene sobre una cosa. [*Sinón.*: traspasar, ceder]

transfiguración. f. Acción y efecto de transfigurar o transfigurarse. || Por antonomasia, la de Nuestro Señor Jesucristo. [*Sinón.*: metamorfosis]

transfigurar. tr. Hacer cambiar de figura a una persona o cosa. Ú.t.c.r. [*Sinón.*: metamorfosear]

transformación (al. *Umformung*, fr. *transformation*, ingl. *transformation*, it. *transformazione*). f. Acción y efecto de transformar o transformarse.

transformador, ra (al. *transformator*, fr. *transformateur*, ingl. *transformer*, it. *transformatore*). adj. Que transforma. Ú.t.c.s. || m. Aparato eléctrico que sirve para convertir la corriente de alta tensión y débil intensidad en otra de baja tensión y gran intensidad o viceversa.

transformar (al. *verwandeln*, fr. *transformer*, ingl. *to transform*, it. *transformare*). tr. Hacer cambiar de forma a una persona o cosa. Ú.t.c.r. || Transmutar una cosa en otra. Ú.t.c.r. || fig. Hacer cambiar de porte o de costumbres a una persona. Ú.t.c.r. [*Sinón.*: variar, mudar]

transformismo. m. BIOL. Doctrina según la cual las especies de animales y vegetales se transforman en otras, por el medio u otras circunstancias.

transformista. adj. Concerniente al transformismo. Ú.t.c.s. || com. Actor que sabe adaptarse a distintos tipos de personaje.

tránsfuga. com. Persona que pasa huyendo de una parte a otra. || fig. Persona que pasa de un partido a otro. [*Sinón.*: tránsfugo]

transfundir. tr. Echar un líquido poco a poco de un vaso a otro.

transfusión (al. *Umgiessung*, fr. *transfusion*, ingl. *transfusion*, it. *transfusione*). f. Acción y efecto de transfundir. || — *sanguínea*. MED. Procedimiento terapéutico que consiste en inyectar en el torrente circulatorio del paciente sangre, o sucedáneos de la misma, extraídos de otra persona.

transfusor, ra. adj. Que transfunde. Ú.t.c.s.

transgredir. tr. Violar un precepto o ley. [*Sinón.*: quebrantar. *Antón.*: cumplir]

transgresión. f. Acción y efecto de transgredir.

transgresor, ra. adj. Que comete transgresión. Ú.t.c.s.

transición (al. *Übergang*, fr. *transition*, ingl. *transition*, it. *transizione*). f. Acción y efecto de pasar de un estado a otro. || Paso de una prueba, idea o materia a otra, en discursos o escritos.

transido, da. adj. fig. Fatigado, angustiado. || Miserable.

transigencia. f. Condición de transigente. || Lo que se hace o consiente transigiendo.

transigente. adj. Que transige.

transigir (al. *nachgeben*, fr. *transiger*, ingl. *to yield*, it. *transigere*). intr. Consentir en parte con lo que se está disconforme, a fin de llegar a una concordia. Ú. a veces c.tr.

transistor (al. *Transistor*, fr. *transistor*, ingl. *transistor*, it. *transistore*). m. Artificio electrónico que sirve para rectificar y amplificar los impulsos eléctricos. || Por ext., radiorreceptor provisto de transistores.

transitar. intr. Pasar por vías o parajes públicos. [*Sinón.*: circular]

transitivo, va (al. *transitiv*, fr. *transitif*, ingl. *transitive*, it. *transitivo*). adj. Que pasa o se transfiere de uno a otro. || GRAM. ↗ *verbo transitivo*.

tránsito (al. *Transit*, fr. *passage*, ingl. *transit*, it. *passaggio*). m. Acción de transitar, tráfico. || Paso, sitio por el que se va de un lugar a otro. || Lugar determinado para hacer un alto en alguna jornada. || Paso de un estado o empleo a otro.

transitorio, ria. adj. Pasajero, temporal. || Caduco, perecedero. [*Antón.*: eterno, intemporal]

translimitar. tr. Traspasar los límites

morales o materiales. ‖ Pasar inadvertidamente, o mediante autorización previa, la frontera de un estado para una operación militar, sin ánimo de violar el territorio.

transliteración. f. Acción y efecto de transliterar.

transliterar. tr. Representar los signos de un sistema de escritura mediante los signos de otro.

translúcido, da. adj. Dícese del cuerpo a través del cual pasa la luz, pero que no deja ver sino confusamente lo que hay detrás de él.

transmisión (al. *Ubertragung*, fr. *transmission*, ingl. *transmission*, it. *trasmissione*). f. Acción y efecto de transmitir. ‖ Mec. Conjunto de mecanismos que transportan la energía de una máquina, o su movimiento, a otra maquinaria que ha de realizar un trabajo.

transmisor, ra (al. *sender*, fr. *transmetteur*, ingl. *transmitter*, it. *trasmettitore*). adj. Que transmite o puede transmitir. Ú.t.c.s. ‖ m. Aparato telefónico mediante el cual las vibraciones sonoras se transmiten al hilo connductor, haciendo ondular las corrientes eléctricas. ‖ Aparato que sirve para producir las corrientes, o las ondas hertzianas, que han de actuar en el receptor.

transmitir (al. *übertragen*, fr. *transmettre*, ingl. *to make over*, it. *trasmettere*). tr. Trasladar, transferir. ‖ Der. Enajenar, ceder.

transmutación. f. Acción y efecto de transmutar o transmutarse.

transmutar. tr. Mudar o convertir una cosa en otra. Ú.t.c.r.

transoceánico, ca. adj. Perteneciente o relativo a las regiones situadas al otro lado del océano.

transparencia. f. Calidad de transparente. [*Antón.*: opacidad]

transparentarse. r. Dejarse ver la luz u otra cosa a través de un cuerpo transparente. ‖ Ser transparente un cuerpo. ‖ fig. Dejarse adivinar lo patente o declarado algo que no se ha dicho de manera expresa.

transparente (al. *durchsichting*, fr. *transparent*, ingl. *transparent*, it. *trasparente*). adj. Dícese del cuerpo a través del cual pueden verse los objetos. ‖ fig. Que se deja adivinar sin decirse.

transpiración. f. Acción y efecto de transpirar.

transpirar (al. *schwitzen*, fr. *transpirer*, ingl. *to perspire*, it. *traspirare*). intr. Pasar los humores de la parte interior a la exterior del cuerpo a través de los poros de la piel. Ú.t.c.r. ‖ fig. Sudar una cosa.

transponer. tr. Poner a una persona o cosa más allá, en lugar diferente del que ocupaba. Ú.t.c.r. ‖ Trasplantar, mudar de sitio las plantas. ‖ r. Ocultarse a la vista alguna persona o cosa, doblando una esquina, un cerro u otra cosa semejante. Ú.t.c.tr. ‖ Quedarse uno algo dormido.

transportador, ra. adj. Que transporta. Ú.t.c.s. ‖ m. Círculo graduado de metal, talco o papel, que sirve para medir o trazar los ángulos de un dibujo geométrico.

transportar (al. *befördern*, fr. *transporter*, ingl. *to transport*, it. *trasportare*). tr. Llevar una cosa de un lugar a otro. ‖ Mús. Trasladar una composición de un tono a otro. ‖ r. fig. Enajenarse de la razón o del sentido.

transporte (al. *Transport*, fr. *transport*, ingl. *transport*, it. *trasporto*). m. Acción y efecto de transportar o transportarse. ‖ Mar. Buque de transporte de tropas.

transportista. m. El que hace transportes por oficio.

transposición. f. Acción y efecto de transponer o transponerse. ‖ Ret. Figura que consiste en alterar el orden normal de las voces en la oración. [*Sinón.*: trueque]

transubstanciación. f. Conversión total de una cosa en otra. Se aplica especialmente a la conversión, de la consagración eucarística del pan y del vino en el cuerpo y sangre de Cristo.

transuránico. adj. Se aplica a cualquiera de los elementos o cuerpos simples de número atómico superior a 92, que es el correspondiente al uranio.

transvasar. tr. Pasar un líquido de un recipiente a otro.

transvase. m. Acción y efecto de transvasar.

transversal (al. *schräg*, fr. *transversal*, ingl. *transverse*, it. *trasversale*). adj. Que se halla atravesado de un lado a otro. ‖ Que se aparta o desvía de la dirección principal o recta.

transverso, sa. adj. Colocado o dirigido al través.

tranvía. m. Vehículo que circula sobre raíles en el interior de una ciudad o sus cercanías y que se usa principalmente para transportar viajeros.

tranviario, ria. adj. Perteneciente o relativo a los tranvías. ‖ m. Empleado en el servicio de tranvías.

trapa. f. Instituto religioso, perteneciente a la Orden del Cister, fundado por el abate Rancé (s. XVIII).

trapacería. f. Artificio con que se engaña a una persona en una compra, venta o cambio. ‖ Fraude, engaño. [*Sinón.*: trapaza]

trapacero, ra. adj. Que usa de trapazas. Ú.t.c.s.

trapajoso, sa. adj. Roto, desaseado. ‖ Que pronuncia mal.

trápala. f. Ruido, movimiento y confusión de gente. ‖ Ruido acompasado del trote o galope de un caballo. ‖ fam. Embuste, engaño. ‖ m. fam. Prurito de hablar mucho y sin sustancia. ‖ com. fig. y fam. Persona que habla mucho y sin sustancia. Ú.t.c.adj. ‖ fig. y fam. Persona falsa y embustera. Ú.t.c.adj.

trapalón, na. s. Embustero.

trapaza. f. Trapacería.

trapecio (al. *Schaukelreck*, fr. *trapèze*, ingl. *trapeze*, it. *trapezio*). m. Palo horizontal, suspendido de dos cuerdas por sus extremos, y que sirve para realizar en él ejercicios gimnásticos. ‖ Anat. Primer hueso de la segunda fila del carpo o muñeca. ‖ Cada uno de los dos músculos situados en la parte posterior del cuello y superior de la espalda del hombre. ‖ Geom. Cuadrilátero irregular de cuyos lados solamente dos son paralelos.

trapecista. com. Artista de circo que trabaja en los trapecios.

trapense. adj. Dícese del monje de la Trapa. Ú.t.c.s. ‖ Perteneciente o relativo a esta orden religiosa.

trapería. f. Sitio donde se compran y venden trapos y otros objetos usados.

trapero, ra. s. Persona que tiene por oficio recoger trapos de desecho. ‖ El que compra y vende trapos y otros objetos usados.

trapezoidal. adj. Geom. Perteneciente o reáltivo al trapezoide. ‖ Geom. De forma de trapezoide.

trapezoide. m. Geom. Cuadrilátero irregular que no tiene ningún lado paralelo a otro. ‖ Anat. Segundo hueso de la segunda fila del carpo.

trapiche. m. Molino para extraer el jugo de algunos frutos o productos de la tierra, como la caña de azúcar.

trapichear. intr. Ingeniarse, buscar medios para el logro de algún objeto. ‖ Comerciar al menudeo.

trapichero. m. El que trabaja en los trapiches.

trapío. m. fig. y fam. Aire garboso que tienen algunas mujeres. ‖ fig. y fam. Taurom. Buena planta y gallardía del toro de lidia.

trapisonda. f. fam. Bulla o riña. ‖ fam. Embrollo, enredo.

trapisondista. com. Persona que arma trapisondas.

trapo (al. *Lumpen*, fr. *chiffon*, ingl. *rag*, it. *straccio*). m. Pedazo de tela desechado por viejo. ‖ MAR. Velamen. ‖ fam. Capote que usa el torero en la lidia. ‖ Telón de un escenario de teatro. ‖ pl. fam. Prendas de vestir, especialmente de la mujer. ‖ *poner* a uno *como un trapo*. fig. y fam. Reprenderle agriamente, decirle palabras ofensivas o enojosas.

tráquea (al. *Luftröhre*, fr. *trachée*, ingl. *wind-pipe*, it. *trachea*). f. ANAT. Conducto cilíndrico, compuesto de anillos cartilaginosos unidos por un tejido fibroso, situado a lo largo y delante del esófago, por el cual penetra el aire en los pulmones. ‖ BOT. Vaso conductor de la savia. ‖ ZOOL. Cada uno de los conductores aéreos ramificados, cuyo conjunto forma el aparato respiratorio de los insectos y otros articulados.

traqueal. adj. Perteneciente o relativo a la tráquea. ‖ ZOOL. Dícese del animal que respira por medio de tráqueas.

traqueotomía. f. CIR. Abertura que se practica en la tráquea, para impedir la asfixia del paciente.

traquetear. intr. Hacer ruido o estrépito. ‖ tr. Agitar una cosa de una parte a otra. [*Sinón.*: sacudir]

traqueteo. m. Movimiento de una persona o cosa que va dando golpes al transportarla. ‖ Ruido de los fuegos artificiales al dispararlos.

tras (al. *hinter*, fr. *après*, ingl. *behind*, it. *dopo*). prep. Después de, a continuación de, aplicado al espacio o al tiempo. ‖ fig. En busca o seguimiento de. ‖ Detrás de, en situación posterior. ‖ prep. insep. Trans.

trasaltar. m. Sitio que en las iglesias se halla detrás del altar.

trasbordo. m. Transbordo.

trascendencia. f. Penetración, perspicacia. ‖ Resultado, consecuencia.

trascendental (al. *weitgreifend*, fr. *trascendental*, ingl. *far reaching*, it. *trascendentale*). adj. Que se comunica o extiende a otras cosas. ‖ fig. Que es de mucha importancia o gravedad. ‖ FIL. Dícese de lo que excede de los límites de la ciencia experimental.

trascender. intr. Exhalar olor vivo y acusado. ‖ Empezar a ser conocido algo que estaba oculto. ‖ Comunicarse los efectos de unas cosas a otras. ‖ FIL.

En el sistema kantiano, traspasar los límites de la experiencia posible. ‖ tr. Penetrar, averiguar una cosa que está oculta. [*Sinón.*: propagarse]

trascoro. m. Sitio que en las iglesias se halla detrás del coro.

trasdós. m. ARQ. Superficie exterior de un arco o bóveda.

trasegar. tr. Mudar las cosas de un lugar a otro, en particular los líquidos. ‖ Trastornar, revolver.

trasera. f. Parte posterior de un coche, una casa, una puerta, etc.

trasgo. m. Duende, espíritu travieso.

trasero, ra. adj. Que está o viene detrás ‖ m. Parte posterior del animal. [*Sinón.*: posterior; nalgas]

trashumación. f. Acción y efecto de trashumar.

trashumante. adj. Que trashuma.

trashumar. intr. Pasar el ganado con sus conductores desde las dehesas de invierno a las de verano, y viceversa.

trasiego. m. Acción y efecto de trasegar.

traslación. f. Acción y efecto de trasladar. ‖ f. ASTR. Movimiento realizado por un astro cuando recorre su órbita. ‖ GRAM. Figura que consiste en usar un tiempo del verbo con un significado que no es el suyo propio.

trasladar (al. *versetzen, verlegen*; fr. *transférer*; ingl. *to transfer*; it. *trasferire*). tr. Llevar o mudar de un lugar a otro. Ú.t.c.r. ‖ Hacer pasar a una persona de un puesto o cargo a otro de la misma categoría. ‖ Hacer que una junta, una función, etc., se verifique en tiempo diferente de aquel en que debía hacerse.

traslado. m. Copia de un escrito. ‖ Acción y efecto de trasladar. [*Sinón.*: traslación]

traslaticio, cia. adj. GRAM. Aplícase al sentido en que se usa un vocablo para que signifique cosa distinta de la que con él se expresa en su acepción corriente.

traslativo, va. adj. Que transfiere.

traslúcido, da. adj. Translúcido. [*Antón.*: opaco, transparente]

traslucirse. r. Ser translúcido un cuerpo. ‖ fig. Conjeturarse una cosa, en virtud de algún antecedente o indicio. Ú.t.c.tr.

trasluz. m. Luz que pasa a través de un cuerpo traslúcido. ‖ Luz reflejada de soslayo por la superficie de un cuerpo.

trasnochado, da. adj. fig. Se aplica a la persona desmejorada y macilenta. ‖ fig. Falto de novedad y oportunidad, anticuado.

trasnochador, ra. adj. Que trasnocha. Ú.t.c.s.

trasnochar (al. *nachtwachen*, fr. *veiller*, ingl. *to stay overnight*, it. *vegliare*). intr. Pasar alguien la noche, o gran parte de ella, en vela o sin dormir.

traspaís. m. El interior de una región, por oposición al litoral y a un puerto.

traspapelarse. r. Confundirse, desaparecer un papel entre otros. Ú.t.c.tr. ‖ Por ext., perderse o figurar en sitio equivocado cualquier otra cosa.

traspasar (al. *abtreten*, fr. *céder*, ingl. *to convey*, it. *cedere*). tr. Pasar una cosa de un sitio a otro. ‖ Pasar a la otra parte o a la otra cara. ‖ Atravesar de parte a parte con un arma o instrumento. Ú.t.c.r. ‖ Ceder a favor de otro el derecho o dominio de una cosa. ‖ fig. Hacerse sentir un dolor físico o moral con extraordinaria violencia.

traspaso (al. *Abtretung*, fr. *cession*, ingl. *conveyance*, it. *cessione*). m. Acción y efecto de traspasar. ‖ Lo traspasado. ‖ Precio de la cesión de estos géneros, de un piso o del local donde se ejerce un comercio o industria.

traspié. m. Resbalón o tropezón. ‖ *dar* uno *traspiés*. fig. y fam. Cometer errores o faltas. [*Sinón.*: tropiezo]

trasplantar (al. *verpflanzen*, fr. *transplanter*, ingl. *to transplant*, it. *trapiantare*). tr. Trasladar plantas del sitio en que están arraigadas y plantarlas en otro. ‖ Hacer salir de un lugar o país a personas o instituciones arraigadas en él, para asentarlas en otro. Ú.t.c.r. ‖ Insertar en un cuerpo humano o de animal un órgano sano o parte de él, procedente de un individuo de la misma o distinta especie, para sustituir a un órgano enfermo o parte de él. ‖ Introducir en un país o lugar ideas, costumbres, instituciones, técnicas, etc., procedentes de otro. Ú.t.c.r.

trasplante. m. Acción y efecto de trasplantar o trasplantarse.

trasponer. tr. Transponer. Ú.t.c.intr. y c.r.

traspunte. m. Apuntador que avisa a cada actor del momento en que ha de salir a escena.

trasquilador. m. El que trasquila.

trasquilar. tr. Cortar el pelo sin orden ni arte. Ú.t.c.r. ‖ Esquilar a los animales.

trasquilón. m. Acción y efecto de trasquilar.

trastabillar. intr. Dar traspiés o tropezones. ‖ Tambalear, vacilar.

trastada. f. fam. Acción propia de un trasto, mala pasada.

trastazo. m. fam. Porrazo.

traste. m. Cada uno de los resaltos de metal o hueso que se colocan a trechos en el mástil de la guitarra u otros instrumentos semejantes, para dejar a las cuerdas la longitud libre correspondiente a los diversos sonidos. || m. *Amer.* Trasto. Ú.m. en pl. || *dar* uno *al traste* con una cosa. Destruirla, echarla a perder.

trastear. intr. Resolver o mudar trastos de una parte a otra. || tr. TAUROM. Dar al toro pases de muleta.

trastería. f. Montón de trastos viejos.

trastero, ra. adj. Dícese de la pieza destinada a guardar los trastos inútiles. Ú.t.c.s.f.

trastienda. f. Aposento o pieza que se halla detrás de la tienda.

trasto (al. *Plunderkram,* fr. *vieux meuble,* ingl. *rubbish,* it. *vecchio mobile*). m. Mueble inútil o viejo. || fig. y fam. Persona inútil. || fig. y fam. Persona informal y de mal trato. || pl. Utensilios de un arte o ejercicio. || *tirarse los trastos a la cabeza.* fam. Altercar con violencia dos o más personas.

trastocar. r. Trastornarse, perturbarse la razón.

trastornar (al. *verwirren,* fr. *bouleverser,* ingl. *to upset,* it. *turbare*). tr. Volver una cosa de abajo arriba o de un lado a otro. || Invertir el orden regular de una cosa. || fig. Inquietar, causar disturbios. || fig. Perturbar el sentido o los sentimientos. Ú.t.c.r. [*Sinón.*: revolver, trastocar]

trastorno. m. Acción y efecto de trastornar o trastornarse. [*Sinón.*: desarreglo, perturbación]

trastrabillar. intr. Trabarse la lengua al hablar.

trastrocamiento. m. Acción y efecto de trastrocar o trastrocarse.

trastrocar. tr. Mudar el ser o estado de una cosa. Ú.t.c.r.

trastrueque. m. Trastrocamiento.

trasunto. m. Copia de un original. || Figura que imita con propiedad una cosa. [*Sinón.*: transcripción. *Antón.*: original]

trasvasar. tr. Transvasar.

trasvase. m. Transvase.

trata (al. *Sklavenhandel,* fr. *traite,* ingl. *slave traffic,* it. *tratta*). f. Tráfico de seres humanos. || *— de blancas.* Tráfico que consiste en prostituir mujeres.

tratable. adj. Que se puede o deja tratar. || Cortés, accesible.

tratadista. com. Autor de tratados sobre una materia determinada.

tratado (al. *Vertrag,* fr. *traité,* ingl.

treaty, it. *trattato*). m. Conclusión de un negocio o materia, después de haber hablado y ajustado los términos del mismo. || Escrito o discurso sobre una materia determinada. [*Sinón.*: pacto]

tratamiento (al. *Behandlung,* fr. *traitement,* ingl. *treatment,* it. *cura*). m. Trato, acción y efecto de tratar o tratarse. || Título que se da a una persona. || Procedimiento terapéutico. || Sistema empleado en una experiencia o en la elaboración de un producto.

tratante. m. El que se dedica a comprar géneros para revenderlos.

tratar (al. *erörtern,* fr. *traiter,* ingl. *to discuss,* it.' *trattare*). tr. Manejar una cosa y usar materialmente de ella. || Manejar o gestionar un negocio. || Comunicar, relacionarse con un individuo. || Recibir o cuidar, bien o mal, a alguien. || Discurrir, deliberar o discutir, de palabra o por escrito, sobre un asunto. Ú.t.c.intr. || intr. Ocuparse o referirse a un tema determinado. || Con la prep. *de,* procurar el logro de un fin. || Con la prep. *en,* comerciar. || QUIM. Poner en contacto dos sustancias con el fin de provocar una reacción.

trato (al. *Umgang,* fr. *traitement,* ingl. *intercourse,* it. *trattamento*). m. Acción y efecto de tratar o tratarse. || Tratado, ajuste, convenio. || Tratamiento, título de cortesía. || Ocupación u oficio de tratante. || Contrato, especialmente el relativo a ganados. || *— hecho.* Fórmula fam. con que se da por definitivo un convenio o acuerdo. [*Sinón.*: relación]

trauma. m. CIR. Traumatismo. || *— psíquico.* Choque emocional que suele dejar una huella duradera en el subconsciente.

traumático, ca. adj. Perteneciente o relativo al trauma.

traumatismo (al. *Wundverletzung,* fr. *traumatisme,* ingl. *traumatism,* it. *traumatismo*). m. CIR. Lesión de los tejidos por causa de agentes mecánicos. [*Sinón.*: contusión]

traumatología. f. Parte de la medicina referente a los traumatismos y sus efectos.

traumatólogo, ga. s. Especialista en traumatología.

travelín. m. CINEM. Desplazamiento de la cámara montada sobre ruedas para acercarla o alejarla del objeto o seguirlo en sus movimientos. [*Sinón.*: travelling]

través. m. Inclinación o torcimiento. || Parapeto para ponerse al abrigo de los fuegos enfilados, de flanco, de revés

o de rebote. || MAR. Dirección perpendicular a la de la quilla. || *al través.* m. adv. A través. || *a través.* m. adv. Por entre. || *de través.* m. adv. Transversalmente.

travesaño (al. *Querbalken,* fr. *traverse,* ingl. *cross-piece,* it. *traversa*). m. Pieza que une dos partes opuestas de una cosa. || Almohada larga que ocupa toda la cabecera de la cama. [*Sinón.*: barrote]

travesear. intr. Andar inquieto y revoltoso de un sitio a otro. || fig. Discurrir con ingenio y viveza. || fig. Llevar una vida disipada.

travesía (al. *Überfahrt,* fr. *traversée,* ingl. *voyage,* it. *traversata*). f. Camino transversal. || Callejuela entre calles principales. || Parte de una carretera que discurre por el interior del casco urbano de una población. || Distancia media entre dos puntos por tierra o mar. || Viaje por mar. [*Sinón.*: callejón, trayecto]

travestí. m. Hombre vestido de mujer por sentirse sexualmente identificado con este sexo.

travestido, da. adj. Disfrazado o encubierto.

travesura. f. Acción culpable realizada con destreza e ingenio. [*Sinón.*: trastada]

traviesa (al. *Schwelle,* fr. *traverse,* ingl. *crosstie,* it. *traversa*). f. Travesía o distancia entre dos puntos de tierra o de mar. || Lo que se juega además de la puesta. || Cada una de las piezas de madera, metal u hormigón armado que, colocadas horizontalmente sobre el terreno y atravesadas en la vía, sirven para afirmar los carriles. || ARQ. Cualquiera de los cuchillos de armadura que sirven para sostener un tejado. || ARQ. Pared maestra que no está en fachada ni en medianería.

travieso, sa. adj. fig. Sutil, sagaz. || fig. Inquieto y revoltoso. || fig. Aplícase a todo aquello de carácter bullicioso e inquieto. || fig. Vicioso, particularmente lujurioso.

trayecto (al. *Strecke,* fr. *trajet,* ingl. *trajection,* it. *tragitto*). m. Espacio que se recorre de un punto a otro. || Acción de recorrerlo. [*Sinón.*: recorrido]

trayectoria (al. *Flugbahn,* fr. *trajectoire,* ingl. *path,* it. *traiettoria*). f. Linea formada por las sucesivas posiciones que adopta un punto material en su movimiento.

traza. f. Planta o diseño de una obra o de un edificio. || fig. Modo o figura de una persona o cosa. || GEOM. Intersección de una línea o de una superficie con cualquiera de los planos de proyección. ‖ *darse* uno *trazas.* fig. y fam. Darse maña. ‖ *llevar* o *traer traza,* o *trazas de.* fig. Llevar camino, en vías de lograrse una cosa.

trazado, da. adj. Con los adverbios *bien* o *mal* antepuestos, dícese de la buena o mala disposición o compostura de cuerpo. ‖ m. Acción y efecto de trazar. ‖ Traza, diseño. ‖ Recorrido de un camino, canal, etc., sobre el terreno.

trazar (al. *zeichnen,* fr. *tracer,* ingl. *to draft,* it. *tracciare*). tr. Hacer trazos. ‖ Diseñar el trazado que se ha de seguir en un edificio u otra obra. ‖ fig. Discurrir y disponer los medios oportunos para el logro de una cosa. [*Sinón.*: indicar]

trazo. m. Delineación con que se forma el diseño o planta de cualquier obra. ‖ Línea, raya. ‖ Cada una de las partes en que se considera dividida la letra manuscrita.

trébede. f. pl. Aro o triángulo de hierro con un trípode, que sirve para poner al fuego sartenes, peroles, etc.

trebejo. m. Instrumento, utensilio. Ú.m. en pl. ‖ Juguete o trasto con el que alguien se divierte.

trébol (al. *Klee,* fr. *trèfle,* ingl. *trefoil,* it. *trifoglio*). m. BOT. Planta herbácea anual de la familia de las leguminosas, de tallos vellosos, hojas compuestas de tres foliolos casi redondos, flores en cabezuelas apretadas y fruto en vaina muy pequeña.

trece (al. *dreizehn,* fr. *treize,* ingl. *thirteen,* it. *tredici*). adj. Diez y tres. ‖ Decimotercio. Apl. a los días del mes, ú.t.c.s. ‖ m. Conjunto de signos con que se representa el número trece. ‖ *estarse, mantenerse,* o *seguir* uno *en sus trece.* fig. Persistir obstinadamente en una postura o propósito.

trecho. m. Espacio o distancia de lugar o tiempo. ‖ *a trechos.* m. adv. Con intermisión de lugar o tiempo. ‖ *de trecho a,* o *en, trecho.* m. adv. De distancia a distancia, de lugar a lugar, de tiempo en tiempo.

trefilador. m. Obrero cuyo trabajo es trefilar.

trefilar. tr. Reducir un metal a alambre o hilo.

tregua (al. *Waffenstillstand,* fr. *trève,* ingl. *truce,* it. *tregua*). f. En tiempo de guerra, cese de las hostilidades durante un período de tiempo determinado. ‖ fig. Intermedio, descanso.

treinta (al. *dreissig,* fr. *trente,* ingl. *thirty,* it. *trenta*). adj. Tres veces diez. ‖

Trigésimo, ordinal. Apl. a los días del mes, ú.t.c.s. ‖ m. Conjunto de signos con que se representa el número treinta.

treintavo, va. adj. Cada una de las treinta partes iguales en que se divide un todo.

treintena. f. Conjunto de treinta unidades. ‖ Cada una de las treintavas partes de un todo.

tremátodo. adj. ZOOL. Se aplica a gusanos platelmintos de cuerpo no segmentado, tubo digestivo ramificado y sin ano, dos o más ventosas y a veces también ganchos para fijarse al cuerpo de su huésped, como la duela. Ú.t.c.s. ‖ m.pl. Orden de estos animales.

tremebundo, da. adj. Horrendo, que hace temblar.

tremedal. m. Terreno pantanoso, abundante en turba, cubierto de césped, y que retiembla cuando se anda sobre él.

tremendo, da. adj. Terrible; digno de ser temido. ‖ fig. y fam. Excesivo en su línea, gigantesco.

trementina. f. BOT. Resina viscosa que brota de las coníferas. La de los pinos, destilada, da el aguarrás.

tremolar. tr. Enarbolar los pendones, banderas o estandartes, flameándolos al aire. Ú.t.c.intr. [*Sinón.*: ondear]

tremolina. f. Movimiento ruidoso del aire. ‖ fig. y fam. Bulla, confusión de voces.

trémolo. m. MÚS. Sucesión rápida de muchas notas iguales, de idéntica duración.

trémulo, la. adj. Que tiembla. ‖ Se dice de las cosas que tienen un movimiento semejante al temblor.

tren. m. Aparato y prevención de las cosas precisas para un viaje o expedición. ‖ Conjunto de instrumentos, máquinas y útiles que se emplean para una misma operación o servicio. ‖ Ostentación o pompa con que se vive. ‖ Conjunto de una locomotora y los vagones arrastrados por ella. ‖ fig. Marcha, velocidad en una carrera. ‖ — *expreso.* El de viajeros que se detiene sólo en las estaciones importantes del trayecto. ‖ *a todo tren.* m. adv. Con fausto y opulencia; con la mayor velocidad.

trencilla. f. Galoncillo de seda, algodón o lana.

treno. m. Canto fúnebre, lamentación.

trenza (al. *Zopf,* fr. *natte,* ingl. *braid,* it. *treccia*). f. Conjunto de tres o más ramales que se entretejen, cruzándose

alternativamente. ‖ La que se hace entretejiendo el cabello largo. [*Sinón.*: coleta]

trenzado. m. Trenza. ‖ En la danza, salto ligero cruzando los pies. ‖ Paso que hace el caballo piafando.

trenzar. tr. Hacer trenzas. ‖ intr. En la danza y equitación, hacer trenzados.

treo. m. MAR. Vela con que las embarcaciones latinas navegan en popa con vientos fuertes.

trepa. f. Acción y efecto de trepar, subir a un lugar alto. ‖ Acción y efecto de agujerear o taladrar. ‖ Adorno que se pone al borde de un vestido siguiendo y dando la vuelta a su contorno.

trepador, ra. adj. Que trepa. ‖ BOT. Se aplica a las plantas que trepan agarrándose a los árboles u otros objetos. ‖ ZOOL. Se dice de las aves que tienen el pico débil o recto, y el dedo externo unido al de en medio, o versátil, o dirigido hacia atrás para trepar con facilidad, como el cuclillo. Ú.t.c.s. ‖ m. Cada uno de los garfios que se usan para subir a los postes del telégrafo y otros análogos. Ú.m. en pl. ‖ f.pl. ZOOL. Orden de las aves trepadoras.

trepanación. f. Acción y efecto de trepanar.

trepanar. tr. CIR. Horadar el cráneo u otro hueso con fines terapéuticos.

trépano. m. CIR. Instrumento que se usa para trepanar.

trepar (al. *klettern,* fr. *grímper,* ingl. *to climb,* it. *arrampicarsi*). intr. Subir a un lugar valiéndose y ayudándose de pies y manos. Ú.t.c.tr. ‖ Crecer las plantas, agarrándose a los árboles y otros objetos. [*Sinón.*: escalar]

trepidación. f. (al. *Erchütterung,* fr. *trépidation,* ingl. *trepidation,* it. *trepidazione*). f. Acción de trepidar.

trepidar. intr. Temblar, estremecerse. ‖ *Amer.* Vacilar, dudar.

treponema. f. BIOL. Género de microorganismos caracterizado por su forma espiralar. La más conocida es el treponema pálido, causante de la sífilis.

tres (al. *drei,* fr. *trois,* ingl. *three,* it. *tre*). adj. Dos y uno. ‖ Tercero. Apl. a los días del mes, ú.t.c.s. ‖ m. Signo o conjunto de signos con que se representa el número tres. ‖ Carta o naipe con tres señales. ‖ *ni a la de tres.* expr. De ningún modo.

tresbolillo (a o al). m. adv. Dícese de la colocación de las plantas puestas en filas paralelas, de modo que las de cada fila correspondan al medio de los huecos de la fila inmediata, de suerte que forman triángulos equiláteros.

trescientos, tas (al. *dreihundert*, fr. *trois cents*, ingl. *three hundred*, it. *trecento*). adj. Tres veces cien. ‖ Tricentésimo. ‖ m. Conjunto de signos con que se representa el número trescientos.

tresillo. m. Juego de naipes en el que intervienen tres personas, cada una de las cuales recibe nueve cartas, y gana la que hace mayor número de bazas. ‖ Conjunto de un sofá y dos butacas que hacen juego. ‖ Sortija con tres piedras.

treta (al. *List*, fr. *ruse*, ingl. *trick*, it. *finta*). f. Artificio ingenioso con el que se persigue algún fin. [*Sinón.*: estratagema]

trezavo, va. adj. Dícese de una de las trece partes iguales en que se divide un todo. Ú.t.c.s.m.

tri-. pref. insep. que tiene uso como prefijo de vocablos compuestos, con la significación de tres.

tríada. f. Conjunto de tres seres o cosas estrecha o especialmente vinculados entre sí.

triangular. adj. De figura de triángulo o semejante a él.

triángulo, la (al. *Dreiangel*, fr. *triangle*, ingl. *triangle*, it. *triangolo*). adj. De figura de triángulo. ‖ m. GEOM. Figura formada por tres rectas que se cortan mutuamente. ‖ Mús. Instrumento formado por una varilla metálica doblada en forma de triángulo, la cual se hace sonar hiriéndola con otra varilla.

triar. tr. Escoger, entresacar. ‖ intr. Entrar y salir con frecuencia las abejas de una colmena. ‖ r. Clarearse una tela.

triásico, ca. adj. GEOL. Se aplica al terreno sedimentario inferior al liásico y el más antiguo de los secundarios. Ú.t.c.s. ‖ Perteneciente a este terreno.

tribal. adj. Tribal.

tribo-. Elemento compositivo que interviene en la formación de voces con la idea de frote o rozamiento.

tribología. f. Técnica que estudia el rozamiento entre los cuerpos sólidos, con el fin de producir mejor deslizamiento y menor desgaste de ellos.

tribu (al. *Stamm*, fr. *tribu*, ingl. *tribe*, it. *tribu*). f. Cada una de las agrupaciones de origen familiar en que estaban divididas la mayoría de los pueblos primitivos. ‖ Conjunto de familias nómadas sujetas a la autoridad de un jefe. ‖ HIST. NAT. Cada uno de los grupos en que se dividen muchas familias, las cuales se subdividen a su vez en géneros.

tribual. adj. Perteneciente o relativo a la tribu.

tribulación (al. *Drangsal*, fr. *tribulation*, ingl. *tribulation*, it. *tribulazione*). f. Congoja, pena o tormento. ‖ Adversidad que padece un individuo. [*Antón.*: alegría]

tríbulo. m. BOT. Nombre genérico de varias plantas espinosas. ‖ Abrojo.

tribuna (al. *Tribüne*, fr. *tribune*, ingl. *tribune*, it. *tribuna*). f. Plataforma elevada desde la cual se lee o perora en las asambleas. ‖ Galería cubierta reservada a los espectadores en estas mismas asambleas o en algunos espectáculos públicos. ‖ Ventana o balcón que hay en el interior de algunas iglesias, desde donde se puede asistir a los oficios divinos.

tribunal (al. *Gerichtshof*, fr. *tribunal*, ingl. *court of justice*, it. *tribunale*). m. Lugar destinado a los jueces para administrar justicia. ‖ Ministro o ministros que conocen de los asuntos de justicia y pronuncian la sentencia. ‖ Conjunto de jueces ante el cual se verifican exámenes, oposiciones y otros certámenes.

tribuno. m. Cada uno de los magistrados que elegía el pueblo romano. ‖ fig. Orador político de gran elocuencia.

tributación. f. Acción de tributar. ‖ Tributo. ‖ Régimen o sistema tributario.

tributar. tr. Entregar el vasallo al señor o el súbdito al Estado, para las cargas públicas, cierta cantidad en dinero o en especie. ‖ Pagar los impuestos u otras cargas económicas. ‖ fig. Ofrecer o manifestar, en reconocimiento de superioridad, obsequio o veneración.

tributario, ria. adj. Perteneciente o relativo al tributo. ‖ Que paga tributo. Ú.t.c.s. ‖ fig. Dícese del curso de agua con relación al río o mar adonde va a parar.

tributo (al. *Abgabe*, fr. *tribut*, ingl. *tribute*, it. *tributo*). m. Lo que se tributa. ‖ Carga u obligación de tributar. ‖ fig. Cualquier carga impuesta con periodicidad. [*Sinón.*: tributación, impuesto]

tricentenario. m. Tiempo de trescientos años. ‖ Fecha en que se cumplen trescientos años de algún suceso famoso.

tríceps. adj. ANAT. Dícese del músculo que tiene tres porciones o cabezas. Ú.t.c.s.

triciclo. m. Vehículo de tres ruedas.

triclinio. m. Cada uno de los lechos en que antiguamente los griegos y romanos se reclinaban para comer.

tricolor. adj. De tres colores.

tricornio. m. Sombrero de tres picos.

tricot (voz francesa). m. Tejido de punto hecho a mano o a máquina.

tricotosa. f. Máquina para hacer géneros de punto.

tricromía. f. IMP. Estampación hecha mediante la combinación de tres tintas diferentes.

tridente (al. *Dreizack*, fr. *trident*, ingl. *trident*, it. *tridente*). adj. De tres dientes. ‖ m. Arpón de tres dientes.

tridentino, na. adj. Natural de Trento. Ú.t.c.s. ‖ Perteneciente a esta ciudad del Tirol. ‖ Concerniente al concilio ecuménico celebrado en esta ciudad.

tridimensional. adj. Que tiene tres dimensiones.

triedro. m. GEOM. Ángulo que forman tres planos concurrentes en un punto.

trienio. m. Espacio de tres años.

trifásico, ca. adj. FÍS. Aplícase al sistema de tres corrientes eléctricas alternas desplazadas mutuamente de fase en un tercio de período.

trífido, da. adj. BOT. Que tiene tres hendiduras.

trifoliado, da. adj. BOT. Que tiene hojas de tres folíolos.

trifolio. m. BOT. Trébol.

triforio. m. ARQ. Galería que rodea el interior de una iglesia sobre los arcos de las naves y que suele tener ventanas de tres huecos.

trifulca. f. Aparato para dar movimiento a los fuelles de los hornos metalúrgicos. ‖ fig. y fam. Camorra entre varias personas.

triga. f. Carro de tres caballos. ‖ Conjunto de tres caballos de frente que tiran de un carro.

trigal. m. Campo sembrado de trigo.

trigémino, na. adj. Se aplica a los hermanos que han nacido en un parto de tres. ‖ m. ANAT. Nervio que comunica sensibilidad a la región facial y al cuero cabelludo y anima los músculos de la masticación.

trigésimo, ma. adj. Que sigue inmediatamente en orden a lo vigésimo nono. ‖ Se aplica a cada una de las treinta partes iguales en que se divide un todo. Ú.t.c.s.

triglifo o **tríglifo.** m. ARQ. Miembro arquitectónico dórico en forma de rectángulo saliente y surcado por tres canales.

trigo (al. *Weizen*, fr. *blé*, ingl. *wheat*, it. *frumento*). m. BOT. Género de plantas gramíneas, con espigas terminales compuestas de cuatro o más lí-

neas de granos, de los cuales, tritura-
dos, se saca la harina con que se hace el
pan. || Grano de esta planta. || Conjunto
de esos granos. || fig. Dinero, caudal.

trígono. m. ASTROL. Conjunto de
tres signos del Zodíaco equidistantes
entre sí. || GEOM. Triángulo.

trigonometría. f. Parte de las matemáticas que trata del cálculo de los elementos de los triángulos, tanto planos
como esféricos.

trigonométrico, ca. adj. Concerniente a la trigonometría.

trigueño, ña. adj. De color de trigo,
entre moreno y rubio.

trilita. f. QUIM. Potente explosivo,
denominado también trinitrotolueno
(TNT). Se obtiene tratando el tolueno
con una mezcla de ácido nítrico y ácido
sulfúrico.

trilito. m. ARQUEOL. Dolmen compuesto de tres grandes piedras, dos de
ellas verticales que sostienen la tercera horizontal.

trilobulado, da. adj. Que tiene tres
lóbulos.

trilogía. f. LIT. Conjunto de tres
obras.

trilla. f. Trillo. || Acción de trillar. ||
Tiempo en que se trilla.

trillado, da. adj. Se aplica al camino
frecuentado. || fig. Común y sabido.

trilladora. f. Máquina para trillar.

trillar (al. *dreschen*, fr. *battre*, ingl. *to
thresh*, it. *trebbiare*). tr. Quebrantar la
mies separando el grano de la paja. ||
fig. Maltratar.

trillizo, za. adj. Se dice de cada uno
de los hermanos nacidos en un parto
triple. Ú.t.c.s.

trillo (al. *Dreschbrett*, fr. *batteuse*,
ingl. *thrashing-machine*, it. *trebbia*). m.
Instrumento para trillar que consiste en
una tabla de madera de forma rectangular que lleva encajada en una de sus
caras una serie de cuchillas de acero. ||
Amer. Senda.

trillón. m. MAT. Un millón de
billones, que se expresa por la unidad
seguida de 18 ceros.

trimembre. adj. De tres miembros.

trímero, ra. adj. ZOOL. Aplícase a los
insectos cuyos tarsos están formados
por tres artejos. Ú.t.c.s.m. || m. pl.
Suborden de estos animales.

trimestral. adj. Que sucede o se repi-
te cada trimestre. || Que dura un trimes-
tre.

trimestre (al. *Trimester*, fr. *trimestre*, ingl. *quarter*, it. *trimestre*). m.
Espacio de tiempo de tres meses de
duración.

trimotor. m. Avión provisto de tres
motores.

trinar. intr. MÚS. Hacer trinos. || fig.
y fam. Rabiar, impacientarse.

trinca. f. Junta de tres cosas de una
misma clase. || Conjunto de tres perso-
nas designadas para argüir recíproca-
mente en las oposiciones. || Grupo o
pandilla reducida de amigos. || MAR.
Cabo o cuerda, cable, cadena, etc., que
sirve para trincar una cosa.

trincar. tr. Desmenuzar en fragmen-
tos. || Atar fuertemente. || Sujetar a
alguien con brazos o manos, como
amarrándole. || *Amer.* Apretar, opri-
mir. [*Sinón.*: ligar, trabar]

trincha. f. Ajustador que sirve para
ceñir el chaleco, el pantalón y otras
prendas.

trinchante. adj. Que trincha. || m. El
que corta la vianda en la mesa. || Instru-
mento con que se afianza lo que se ha
de trinchar. || Escoda, instrumento para
labrar la piedra.

trinchar (al. *zerhacken*, fr. *trancher*,
ingl. *to carve*, it. *trinciare*). tr. Partir en
trozos la vianda para servirla. [*Sinón.*:
dividir, tajar]

trinchera (al. *Schanze*, fr. *tranchée*,
ingl. *trench*, it. *trinciera*). f. MIL.
Defensa hecha de tierra tras la que se
oculta el soldado. || Desmonte hecho en
el terreno para abrir un camino, con
taludes a ambos lados. || Sobretodo
impermeable.

trineo (al. *Schlitten*, fr. *traîneau*,
ingl. *sleigh*, it. *slitta*). m. Vehículo sin
ruedas, provisto de unos patines para
deslizarse sobre el hielo y la nieve.

trinidad (al. *Dreieinigkeit*, fr. *trinité*,
ingl. *trinity*, it. *trinità*). f. TEOL.
Distinción de tres personas divinas en
una sola y única esencia. || Orden reli-
giosa instituida para la redención de
cautivos.

trinitaria. f. BOT. Planta herbácea
anual, de la familia de las violáceas,
con flores de tres colores. Es planta de
jardín. || Flor de esta planta.

trinitario, ria. adj. Dícese del religioso o religiosa de la orden de la Trinidad. Ú.t.c.s.

trinitrotolueno. m. QUIM. Trilita.

trino. m. Canto de los pájaros. ||
MÚS. Sucesión rápida y alternada de
dos notas de igual duración.

trino, na. adj. que Contiene en sí tres
cosas distintas.

trinomio. MAT. Expresión alge-
bráica que consta de tres términos.

trinquete. m. MAR. En las embarcaciones de más de un palo, el que
se arbola junto a la proa. || Vela que se
larga en él.

trío. m. Grupo de tres. || MÚS.
Terceto.

tríodo. m. Válvula termiónica de tres
electrodos.

trióxido. m. QUIM. Cuerpo resultante de la combinación de un radical
con tres átomos de oxígeno.

tripa (al. *Gedärme*, fr. *tripe*, ingl. *gut*,
it. *trippa*). f. Conjunto de intestinos o
parte de intestino. || Vientre, particular-
mente el de la hembra abultada por la
preñez. || Panza de una vasija. || Relleno
del cigarro puro. || fig. Lo interior de
ciertas cosas. || *hacer uno de tripas
corazón.* fig. y fam. Esforzarse para
disimular el miedo, dominarse, sobre-
ponerse a las adversidades. || *revolver* a
uno *las tripas* una persona o cosa. fig. y
fam. Causarle disgusto o repugnancia.

tripanosoma. m. Protozoo parásito
de la sangre.

tripartir. tr. Dividir en tres partes.

tripartito, ta. adj. Dividido en tres
partes, órdenes o clases.

triple (al. *dreifach*, fr. *triple*, ingl. *triple*, it. *triplo*). adj. Dícese del número
que contiene a otro tres veces exacta-
mente. Ú.t.c.s.m. || Que consta de tres
elementos o partes.

triplicar. tr. Multiplicar por tres.
Ú.t.c.r. || Hacer tres veces una cosa.

triplicidad. f. Calidad de triple.

trípode. amb. Ú.m.c.m. Mesa, ban-
quillo, etc., de tres pies. || m. Armazón
de tres pies, para sostener ciertos instrumentos.

tríptico (al. *Triptychon*, fr. *tryptique*,
ingl. *triptich*, it. *trittico*). m. Libro o tra-
tado que consta de tres partes. || Pin-
tura, grabado o relieve distribuido en
tres hojas unidas.

triptongo (al. *Dreilaut*, fr. *triphthon-
gue*, ingl. *tripthong*, it. *trittongo*). m.
GRAM. Conjunto de tres vocales que
forman una sola sílaba.

tripudo, da. adj. Que tiene tripa muy
grande. Ú.t.c.s.

tripulación (al. *Besatzung*, fr. *équi-
page*, ingl. *crew*, it. *equipaggio*). f. Personas que van en un aparato de navegación aérea o marítima, dedicadas a
su maniobra y servicio. [*Sinón.*: dota-
ción]

tripulante. m. Persona que forma
parte de una tripulación.

tripular. tr. Dotar de tripulación a un
barco, avión, etc. || Ir la tripulación en
el barco, avión o aerostato. [*Sinón.*:
dirigir]

triquina. f. ZOOL. Nemátodo casi

microscópico, blanquecino y de forma capilar, que vive formando quistes en el interior del tejido muscular de diversos vertebrados, entre ellos el hombre, que se infesta al comer carne de cerdo afectado de tales parásitos, encerrados en los quistes.

triquinosis. f. MED. Enfermedad parasitaria producida por la presencia de triquinas en los músculos estriados.

triquiñuela. f. fam. Rodeo, efugio, ardid.

trirreme. m. Embarcación de tres órdenes de remos, común en la antigüedad.

tris. m. Leve sonido que al quebrarse hace una cosa delicada, como vidrio, etc. || Golpe ligero que produce este sonido. || fig. y fam. Porción muy pequeña, causa u ocasión levísima. || *en un tris.* m. adv. fig. y fam. En peligro inminente.

triscar. intr. fig. Retozar. || tr. fig. Enredar, mezclar. Ú.t.c.r. || fig. Torcer alternativamente y a uno y otro lado los dientes de la sierra.

trisílabo, ba. adj. GRAM. De tres sílabas. Ú.t.c.s.m.

triste (al. *traurig,* fr. *triste,* ingl. *sad,* it. *triste*). adj. Afligido, apesadumbrado. || De carácter o genio melancólico. || fig. Que denota pesadumbre o melancolía. || fig. Que las ocasiona. || fig. Funesto, deplorable. || fig. Pesaroso o hecho con pesadumbre o melancolía. || fig. Doloroso, difícil de soportar. || fig. Insignificante, insuficiente, ineficaz, antepuesto al nombre en locuciones como *triste consuelo, triste recurso.* [*Antón.*: alegre]

tristeza (al. *Traurigkeit,* fr. *tristesse,* ingl. *sadness,* it. *tristezza*). f. Calidad de triste. [*Sinón.*: aflicción. Antón.: alegría]

tristón, na. adj. Un poco triste.

tritón. m. MIT. Cada una de las deidades marinas a que se atribuía figura de hombre desde la cabeza hasta la cintura, y de pez el resto. || ZOOL. Salamandra acuática.

trituración. f. Acción y efecto de triturar.

triturador, ra. adj. Que tritura. Ú.t.c.s. || f. Máquina para triturar.

triturar (al. *zerreiben,* fr. *triturer,* ingl. *to crush,* it. *stritolare*). tr. Moler, desmenuzar una materia sólida, sin reducirla a polvo. || Mascar. || fig. Moler, maltratar. || fig. Desmenuzar, rebatir aquello que se examina.

triunfador, ra. adj. Que triunfa. Ú.t.c.s.

triunfal. adj. Corcerniente al triunfo.

triunfar. intr. Quedar victorioso. || fig. Tener éxito.

triunfo (al. *Triumph,* fr. *triomphe,* ingl. *triumph,* it. *trionfo*). m. Acción de triunfar. || Carta del palo de más valor en ciertos juegos de naipes. || fig. Éxito en un empleo dificultoso. [*Antón.*: derrota]

triunvirato. m. Magistratura de la antigua Roma, formada por tres personas. || Junta de tres personas.

triunviro. m. Cada uno de los tres magistrados romanos que en ciertas ocasiones gobernaron la República.

trivalente. adj. QUIM. Dícese del elemento que se combina con tres átomos de hidrógeno o que los sustituye.

trivial (al. *abgedroschen,* fr. *banal,* ingl. *trivial,* it. *banale*). adj. fig. Vulgarizado, sabido de todos. || fig. Que carece de toda importancia y novedad. [*Sinón.*: ordinario, intrascendente]

trivialidad. f. Calidad de trivial. || Dicho o especie trivial.

triza. f. Pedazo pequeño o partícula de un cuerpo. || *hacer trizas.* Destruir completamente una cosa. || fig. Herir o lastimar gravemente a una persona o a un animal.

trocánter. m. ANAT. Prominencia que algunos huesos largos tienen en su extremidad. || ZOOL. La segunda de las cinco piezas de las patas de los insectos.

trocar. tr. Cambiar o permutar una cosa por otra. || Cambiar, mudar, variar. || r. Variar de vida. || Mudarse, cambiarse por completo una cosa. [*Sinón.*: canjear, alternar]

trocear. tr. Dividir en trozos.

troceo. m. Acción y efecto de trocear. MAR. Cabo grueso, forrado por lo común de cuero.

trocla. f. Polea.

trocha. f. Vereda, atajo. || Camino abierto en la maleza.

trochemoche (a), o *a troche y moche.* m. adv. fam. Disparatada e inconsideradamente.

trofeo (al. *Siegeszeichen,* fr. *trophée,* ingl. *trophy,* it. *trofeo*). m. Monumento, insignia o señal de victoria. || Despojo obtenido en la guerra, botín. || Conjunto de armas e insignias militares agrupadas con cierta simetría y visualidad.

trófico, ca. adj. FISIOL. Concerniente a la nutrición.

troglodita (al. *Höhlenbewohner,* fr. *troglodyte,* ingl. *troglodyte,* it. *troglodita*). adj. Que habita en las cavernas.

Ú.t.c.s. || fig. Se aplica al hombre cruel y bárbaro. Ú.t.c.s. || fig. Muy comedor. Ú.t.c.s.

troica. f. Carruaje ruso, especie de trineo tirado por tres caballos.

troj. f. Espacio limitado por tabiques, para guardar frutos o cereales. || Por ext., lugar donde se deposita la aceituna. [*Sinón.*: granero]

trola. f. fam. Engaño, falsedad, mentira.

trole (al. *Komtaktstange,* fr. *trolley,* ingl. *trolley,* it. *trolley*). m. Especie de pértiga metálica que sirve para transmitir a trolebuses, trenes y tranvías eléctricos la corriente del cable conductor. || Trolebús.

trolebús. m. Ómnibus de tracción eléctrica que, por medio de un trole, se alimenta de la corriente eléctrica que pasa por un cable conductor.

trolero. adj. fam. Mentiroso. Ú.t.c.s.

tromba. f. Columna de agua que se eleva del mar en un torbellino.

trombo. m. MED. Coágulo de sangre en el interior de un vaso.

trombocito. m. FISIOL. Plaqueta de la sangre.

tromboflebitis. f. Inflamación de las venas con formación de trombos.

trombón (al. *Posaune,* fr. *trombone,* ingl. *trombone,* it. *trombone*). m. Instrumento musical metálico, semejante a una trompeta grande. || Músico que toca uno de estos instrumentos. || *— de pistones.* Aquel en que la variación de notas se obtiene por el juego combinado de tres llaves o pistones. || *— de varas.* El que tiene los tubos dispuestos de manera que se pueden alargar y acortar para formar los sonidos.

trombosis. f. MED. Proceso caracterizado por la formación de trombos en el aparato circulatorio.

trompa (al. *Rüssel,* fr. *trompe,* ingl. *trunk,* it. *proboscide*). f. Instrumento músico de viento, construido en metal y compuesto de una embocadura y de un largo tubo cónico arrollado sobre sí mismo y terminado por un pabellón muy ancho. || Trompo. || Prolongación muscular hueca y elástica de la nariz de algunos animales. || Aparato chupador, dilatable y contráctil de algunos insectos. || fig. y fam. Embriaguez, borrachera. || ARQ. Bóveda voladiza fuera del paramento de un muro. || m. El que toca la trompa en una orquesta.

trompada. f. fam. Trompazo. || fig. y fam. Choque de frente de una persona con otra. || fig. y fam. Puñetazo, golpe fuerte.

trompazo. m. Golpe dado con la trompa o con el trompo. ‖ fig. Golpe fuerte.

trompeta (al. *Trompete*, fr. *trompette*, ingl. *trumpet*, it. *tromba*). f. Instrumento musical de viento que produce diversidad de sonidos según la fuerza con que la boca impele el aire. ‖ Clarín, instrumento de viento de sonidos agudos. ‖ m. El que toca la trompeta.

trompetazo. m. Sonido destemplado o excesivamente fuerte de la trompeta o de un instrumento análogo.

trompetería. f. Conjunto de varias trompetas. ‖ Conjunto de todos los registros del órgano formados con trompetas de metal.

trompetero. m. ZOÓL. Pez acantopterigio, con dos aletas dorsales y el primer radio de la anterior grueso y fuerte. Su nombre se debe a que tiene el hocico en forma de tubo.

trompetilla. f. dim. de trompeta. ‖ Instrumento a modo de trompeta, del que se servían los sordos para percibir los sonidos.

trompicar. tr. Hacer tropezar a uno repetidamente. ‖ intr. Tropezar repetidamente.

trompicón. m. Acción de trompicar.

trompillón. m. ARQ. Dovela que sirve de clave en una trompa o en una bóveda de planta circular.

trompo (al. *Kreisel*, fr. *toupie*, ingl. *top*, it. *trottola*). m. Peonza. ‖ ZOÓL. Molusco gasterópodo marino, con tentáculos cónicos en la cabeza y concha cónica de gran espesor.

tronada. f. Tempestad de truenos.

tronado, da. adj. Deteriorado por el uso.

tronar (al. *donnern*, fr. *tonner*, ingl. *to thunder*, it. *tuonare*). impers. Haber u oírse truenos. ‖ intr. Despedir o producir ruido o estampido. ‖ fig. y fam. Hablar o escribir violentamente contra alguien. [*Sinón.*: estallar; atacar]

troncal. adj. Perteneciente al tronco o procedente de él.

tronco (al. *Stamm*, fr. *tronc*, ingl. *trunk*, it. *tronco*). m. Cuerpo truncado. ‖ Tallo fuerte y macizo de los árboles y arbustos. ‖ Cuerpo humano o de cualquier animal, prescindiendo de la cabeza y las extremidades. ‖ Par de mulas o caballos que tiran de un carruaje. ‖ Conducto o canal principal del que salen o al que concurren otros menores. ‖ fig. Ascendiente común de dos o más ramas o familias. ‖ *estar* uno *hecho un tronco.* fig. y fam. Estar profundamente dormido.

tronchar (al. *abreissen*, fr. *couper par la tige*, ingl. *to chop off*, it. *tagliare*). tr. Partir o romper con violencia el tronco, tallo o ramas de un vegetal. Ú.t.c.r. [*Sinón.*: talar]

troncho. m. Tallo de las hortalizas.

tronera (al. *Schiess-Scharte*, fr. *embrasure*, ingl. *embrasure*, it. *cannoniera*). f. Abertura en el costado de un buque, en el parapeto de una muralla, etc., para disparar los cañones. ‖ Ventana pequeña y angosta. ‖ com. fig. y fam. Persona desordenada y licenciosa en sus acciones y palabras.

tronido. m. Trueno de las nubes. ‖ Estruendo, estallido, estrépito. ‖ Fracaso ruidoso. ‖ fig. Ostentación, boato.

tronío. m. fam. Ostentación.

trono (al. *Thron*, fr. *trône*, ingl. *throne*, it. *trono*). m. Asiento con gradas y dosel al que tienen derecho tan sólo los monarcas y personas de alta dignidad. ‖ Tabernáculo colocado encima de la mesa del altar y en que se expone el Santísimo Sacramento. ‖ fig. Lugar o sitio en que se coloca la efigie de un santo cuando se le quiere honrar con culto más solemne. ‖ pl. Espíritus bienaventurados que forman el tercer coro.

tronzador. m. Sierra con dos mangos, utilizada para partir las piezas enterizas.

tronzar. tr. Dividir o hacer trozos. ‖ Hacer las faldas pliegues iguales y muy menudos. [*Sinón.*: trocear]

tronzo, za. adj. Dícese del caballo o yegua que tiene cortadas una o ambas orejas, como señal de haber sido desechado como inútil.

tropa (al. *Truppe*, fr. *troupe*, ingl. *troop*, it. *truppa*). f. Turba, muchedumbre de gentes reunidas con fin determinado. ‖ despect. Gentecilla. ‖ Gente militar, a distinción del paisanaje. ‖ *Amer.* Recua de ganado. ‖ MIL. Toque militar para tomar las armas y formar. ‖ pl. MIL. Conjunto de cuerpos que componen un ejército, división, etc. ‖ *clases de tropa.* MIL. Denominación genérica de los soldados, cabos y cabos primeros. ‖ *en tropa.* m. adv. En grupos, sin orden ni formación. [*Sinón.*: hueste, fuerzas]

tropel. m. Movimiento acelerado y ruidoso de varias personas o cosas que se mueven con desorden. ‖ Prisa, aceleramiento confuso. ‖ Conjunto de cosas mal ordenadas. ‖ *en tropel.* m. adv. Con movimiento acelerado y violento; yendo muchos y en desorden.

tropelía. f. Aceleración confusa y desordenada. ‖ Atropellamiento o violencia en las acciones. ‖ Hecho violento y contrario a las leyes. ‖ Vejación, atropello. [*Sinón.*: abuso]

tropero. m. *Amer.* Conductor de ganado, en especial vacuno.

tropezar. intr. Dar con los pies en un obstáculo que puede provocar la caída. ‖ Detenerse una cosa al encontrar un estorbo que le impide avanzar. ‖ fig. Cometer una infracción de poca importancia. ‖ fig. y fam. Hallar casualmente una persona a otra. [*Sinón.*: chocar]

tropezón. m. Tropiezo. ‖ fig. y fam. Pequeño pedazo de jamón u otra vianda que se mezcla con la sopa, las legumbres, el arroz, etc. Ú.m. en pl. ‖ *a tropezones.* m. adv. fig. y fam. Con varios impedimentos y tardanzas.

tropical. adj. Perteneciente o relativo a los trópicos.

trópico (al. *Wendekreis*, fr. *tropique*, ingl. *tropic*, it. *tropico*). m. ASTR. Cada uno de los dos círculos menores que se consideran en la esfera celeste, paralelos al ecuador. El del hemisferio boreal se llama trópico de Cáncer, y el del austral, trópico de Capricornio. ‖ GEOGR. Cada uno de los dos círculos menores que se consideran en el globo terrestre en correspondencia con los dos de la esfera celeste.

tropiezo. m. Aquello en que se tropieza. ‖ Lo que sirve de estorbo o impedimento. ‖ fig. Falta o yerro. ‖ fig. Dificultad o impedimento en un negocio. [*Sinón.*: resbalón, desliz, estorbo, obstáculo]

tropismo. m. BIOL. Movimiento total o parcial de los organismos, determinado por el estímulo de agentes físicos o químicos.

tropo. m. RET. Empleo de las palabras en distinto sentido al que propiamente les corresponde, pero que tiene con éste alguna conexión.

tropología. f. Lenguaje figurado, sentido alegórico. ‖ Mezcla de moralidad y doctrina en el discurso.

tropológico, ca. adj. Figurado, expresado por tropos.

troposfera. f. Zona inferior de la atmósfera, hasta la altura de 12 kilómetros, donde se desarrollan los meteoros aéreos, acuosos y algunos eléctricos.

troquel (al. *Punze*, fr. *poinçon*, ingl. *die*, it. *torsello*). m. Molde empleado en la acuñación de monedas, medallas, etc. [*Sinón.*: cuño]

troquelar. tr. Acuñar.

troqueo. m. Pie de la poesía griega y latina, compuesto de dos sílabas, larga la primera y breve la segunda. || En la poesía española, pie compuesto de una sílaba acentuada y otra átona.

trotacalles. com. fam. Persona muy callejera.

trotaconventos. m. fam. Alcahueta, celestina.

trotamundos. com. Persona aficionada a viajar y recorrer países.

trotar. intr. Ir el caballo al trote. || Cabalgar una persona en caballo que va a trote. || fig. y fam. Andar mucho o con celeridad.

trote (al. *Trab*, fr. *trot*, ingl. *trot*, it. *trotto*). m. Modo de caminar acelerado, propios de todas las caballerías, que consiste en mover saltando a un tiempo pie y mano contrapuestos. || fig. Trabajo apresurado y fatigoso. || *al trote*. m. adv. fig. Aceleradamente, sin asiento ni sosiego.

trotón, na. adj. Aplícase a la caballería cuyo paso ordinario es el trote. || m. Caballo, animal.

trova. f. Verso. || Composición métrica formada a imitación de otra, siguiendo su método, estilo o consonancia. || Canción amorosa compuesta o cantada por los trovadores.

trovador, ra. (al. *Minnesänger*, fr. *troubadour*, ingl. *minstrel*, it. *trovatore*). adj. Que trova. Ú.t.c.s. || m. Poeta provenzal de la Edad Media que escribía y trovaba en lengua de oc. || s. Poeta, poetisa.

trovadoresco, ca. adj. Relativo a los trovadores.

trovar. intr. Hacer versos. || Componer trovas. || tr. Imitar una composición métrica, aplicándola a otro asunto. || fig. Dar a una cosa sentido diferente del verdadero.

trovo. m. Composición métrica popular, por lo general de asunto amoroso.

troza. f. Tronco aserrado por los extremos para sacar tablas.

trozo (al. *Stück*, fr. *morceau*, ingl. *piece*, it. *pezzo*). m. Pedazo de una cosa que se considera aparte del resto. [*Sinón.*: parte]

trucar. intr. Hacer el primer envite en el juego de truque. || Hacer trucos en el juego de este nombre y en el del billar.

truco (al. *Kniff*, fr. *truc*, ingl. *trick*, it. *trucco*). m. Cada una de las mañas o habilidades que se adquieren en el ejercicio de un arte o profesión. || Medio o habilidad que una persona utiliza para obtener una apariencia engañosa,

como lo hacen los ilusionistas y prestidigitadores. || *Amer.* Truque, juego de naipes. [*Sinón.*: ardid, treta, engaño]

trucha (al. *Forelle*, fr. *truite*, ingl. *trout*, it. *trota*). f. ZOOL. Pez salmónido de agua dulce, de cabeza pequeña y cuerpo fusiforme, de color pardo, lleno de manchas rojizas, pardas y negruzcas, según la variedad. Su carne, blanca o rosada, es muy sabrosa. || MEC. Cabria. || — *de mar*. Raño.

truchimán, na. s. fam. Intérprete, dragomán. || fig. y fam. Persona astuta y poco escrupulosa en su proceder. Ú.t.c.adj.

trueno (al. *Donner*, fr. *tonnerre*, ingl. *thunder*, it. *tuono*). m. Estampido producido en las nubes por una descarga eléctrica. || Estampido que produce el tiro de un arma de fuego. fig. y fam. Joven atolondrado y pendenciero. [*Sinón.*: estruendo, fragor]

trueque. m. Acción y efecto de trocar o trocarse. || *a trueque*, m. adv. A cambio.

trufa (al. *Trüffel*, fr. *truffe*, ingl. *truffle*, it. *tartufo*). f. Variedad muy aromática de criadilla de tierra. || fig. Mentira, fábula, cuento, patraña.

truhán, na (al. *Gauner*, fr. *truand*, ingl. *knave*, it. *birbante*). adj. Dícese de la persona sin vergüenza, que vive de engaños y estafas. Ú.t.c.s. || Se aplica a quien con bufonadas, gestos o patrañas procura hacer reír. Ú.t.c.s.

truhanear. intr. Engañar. || Decir chanzas y burlas propias de un truhán.

truhanería. f. Acción propia de truhanes. || Conjunto de truhanes.

truhanesco, ca. adj. Propio de truhán.

trujal. m. Prensa donde se estrujan las uvas o se exprime la aceituna. || Molino de aceite. || Tinaja en que se conserva y prepara la barrilla para fabricar el jabón.

trujamán, na. amb. p. us. Intérprete. || m. Persona que por la experiencia que tiene de una cosa, aconseja el modo de ejecutarla.

trulla. f. Bulla, parranda. || Turba, multitud de gente.

trullo. m. Lagar con depósito inferior. || ZOOL. Ave palmípeda, especie de pato, de cabeza negra y con moño, pecho y abdomen blancos, y alas y cola pardas con rayas blancas.

truncado, da. adj. Dícese de lo cortado e incompleto. || GEOM. Dícese del cilindro terminado por dos planos no paralelos. || Aplícase al poliedro que ha sido cortado por un plano.

truncamiento. m. Acción y efecto de truncar.

truncar (al. *abschneiden*, fr. *tronquer*, ingl. *to truncate*, it. *troncare*). tr. Cortar una parte a alguna cosa. || fig. Dejar incompleto el sentido de lo que se escribe o lee, por omisión de algunas palabras necesarias para completarlo. || fig. Interrumpir una obra.

truque. m. Cierto juego de envite entre dos, cuatro o más personas en el cual gana las bazas quien echa la carta de mayor valor.

trust (voz inglesa). m. Organización industrial o comercial que controla un grupo más o menos numeroso de empresas, para suprimir la competencia.

tsetsé. f. ZOOL. Mosca del género *Glossina*, y cuyas picaduras dan la enfermedad del sueño.

tú (al. *du*; fr. *tu, toi*, ingl. *you*, it. *tu, te*). Nominativo y vocativo del pronombre personal de segunda persona en número singular.

tu, tus (al. *dein, deine*; fr. *ton, ta, tes*; ingl. *your*, it. *tuo, tua, tuoi, tue*). pron. poses. Apócope de tuyo, tuya, tuyos, tuyas. Ú. siempre antepuesto al nombre.

tuba. f. Especie de bugle, cuya tesitura corresponde a la del contrabajo.

tuberculina. f. Sustancia obtenida en los cultivos del bacilo tuberculoso. Se emplea para determinar la sensibilidad del organismo respecto a la tuberculosis.

tubérculo (al. *Tuberkel*, fr. *tubercule*, ingl. *tuber*, it. *tubercolo*). m. ZOOL. Pequeña eminencia de un hueso o de otra porción anatómica. || BOT. Engrosamiento de algunos tallos subterráneos o raíces, en los que se acumulan sustancias de reserva. || MED. Lesión elemental característica de la tuberculosis.

tuberculosis (al. *Tuberkulose*, fr. *tuberculose*, ingl. *tuberculosis*, it. *tubercolosí*). f. MED. Enfermedad infecciosa y contagiosa del hombre y de muchas especies de animales producida por el bacilo de Koch. Su lesión habitual es un pequeño nódulo, de estructura especial, llamado tubérculo.

tuberculoso, sa. adj. Concerniente al tubérculo. || Que padece tuberculosis. Ú.t.c.s.

tubería (al. *Rohrnleitung*, fr. *conduit*, ingl. *tubing*, it. *tubería*). f. Conjunto formado de tubos por donde se lleva agua, gases combustibles, etc. || Conjunto de tubos.

tuberosa. f. Bot. Nardo, planta.

tubo (al. *Tube,* fr. *tube,* ingl. *tube,* it. *tubo*). m. Pieza hueca, generalmente cilíndrica y abierta por los dos extremos. ‖ Recipiente cilíndrico de cristal o plástico, para contener pastillas, píldoras, etc. ‖ — *de ensayo.* El de cristal, cerrado por un extremo, utilizado para los análisis químicos. ‖ — *intestinal.* Conjunto de los intestinos de un animal. ‖ — *lanzatorpedos.* Mar. El instalado en las proximidades de la línea de flotación para disparar por él los torpedos.

tubular. adj. Concerniente al tubo; que tiene forma o está compuesto de tubos.

tubuloso, sa. adj. Bot. Tubular, en forma de tubo.

tucán. m. Zool. Ave trepadora americana, de enorme pico arqueado y grueso, casi tan largo como el cuerpo. ‖ n. p. m. Astr. Constelación cercana al polo Antártico.

tudel. m. Tubo de latón encorvado, fijo en lo alto de algunos instrumentos de viento.

tudesco, ca. adj. Natural de cierto país de Alemania en la Sajonia inferior. Ú.t.c.s. ‖ Perteneciente a él. ‖ Por ext., alemán. ‖ m. Capote alemán.

tueco. m. Tocón. ‖ Oquedad producida por la carcoma en las maderas.

tuerca (al. *Schraubenmutter,* fr. *écrou,* ingl. *nut,* it. *dado*). f. Pieza con un hueco labrado en espiral, que ajusta exactamente en el filete de un tornillo.

tuerto, ta (al. *einäugig,* fr. *borgne,* ingl. *one-eyed,* it. *guercio*). adj. Falto de la vista en un ojo. Ú.t.c.s.

tueste. m. Tostadura.

tuétano (al. *Mark,* fr. *moelle,* ingl. *marrow,* it. *midollo*). m. Medula. ‖ Parte interior de una raíz o tallo de una planta. ‖ *hasta los tuétanos.* loc. adv. fig. y fam. Hasta lo más íntimo y profundo.

tufarada. f. Olor penetrante que se percibe de pronto.

tufo. m. Emanación gaseosa que se desprende de las fermentaciones y de las combustiones imperfectas. ‖ fam. Olor molesto que despide una cosa. ‖ fig. y fam. Soberbia, vanidad. Ú.m. en pl. [*Sinón.:* efluvio]

tugurio. m. Choza de pastores. ‖ fig. Habitación pequeña y mezquina.

tul. m. Tejido que forma malla.

tule. m. *Amer.* Junco.

tulipa. f. Pantalla de vidrio de forma parecida a la de un tulipán. ‖ Bot. Tulipán pequeño.

tulipán (al. *Tulpe,* fr. *tulipe,* ingl. *tulip,* it. *tulipano*). m. Bot. Planta de la familia de las liliáceas. Tiene raíces bulbosas y flores erectas y vistosas, con periantio campaniforme de seis segmentos distintos. ‖ Flor de esta planta.

tullecer. tr. Tullir. ‖ intr. Quedarse tullido.

tullido, da. adj. Que ha perdido el movimiento del cuerpo o de alguno de sus miembros. Ú.t.c.s.

tullimiento. m. Acción y efecto de tullir. [*Sinón.:* tullidez]

tullir. tr. Hacer que alguien quede tullido. ‖ r. Perder alguien el uso y movimiento de su cuerpo o parte de él.

tumba (al. *Grab,* fr. *tombeau,* ingl. *tomb,* it. *tomba*). f. Sepulcro. ‖ Armazón en forma de sepulcro que se pone sobre el túmulo o en el suelo, para la celebración de las honras fúnebres. ‖ *Amer.* Desmonte, tala. [*Sinón.:* sepultura]

tumbaga. f. Aleación de oro y cobre. ‖ Sortija hecha de ella. ‖ Por ext., anillo.

tumbar (al. *umberfen,* fr. *terrasser,* ingl. *to tumble,* it. *tombolare*). tr. Hacer caer o derribar. ‖ intr. Rodar por tierra. ‖ r. Echarse, especialmente a dormir.

tumbo. m. Vaivén violento. ‖ Ondulación del mar o del terreno. ‖ Retumbo, estruendo.

tumbón, na. adj. fam. Disimulado, socarrón. ‖ fam. Perezoso, holgazán. Ú t.c.s. ‖ f. Silla con largo respaldo y con tijera que permite inclinarlo en ángulos muy abiertos.

tumefacción (al. *Anschwellung,* fr. *tuméfaction,* ingl. *tumefaction,* it. *tumefazione*). f. Med. Hinchazón, efecto de hincharse.

tumefacto, ta. adj. Túmido, hinchado.

túmido, da. adj. fig. Hinchado. ‖ Arq. Dícese del arco o bóveda que tiene más anchura hacia la mitad de la altura que en los arranques.

tumor (al. *Geschwulst,* fr. *tumeur,* ingl. *tumour,* it. *tumore*). m. Med. Abultamiento que puede formarse normalmente en alguna parte del organismo.

tumoral. adj. Med. Que tiene carácter de tumor.

tumoroso, sa. adj. Que tiene varios tumores.

tumulario, ria. adj. Relativo al túmulo.

túmulo. m. Sepulcro levantado de la tierra. ‖ Montecillo artificial con que cubre una sepultura. ‖ Armazón de madera, revestido de paños fúnebres, que se erige para la celebración de las honras de un difunto.

tumulto (al. *Aufruhr,* fr. *tumulte,* ingl. *riot,* it. *tumulto*). m. Motín, alboroto producido por una multitud. ‖ Confusión agitada o desorden ruidoso. [*Sinón.:* algarada, disturbio, altercado]

tumultuario, ria. adj. Tumultuoso.

tumultuoso, sa. adj. Que causa tumultos o da lugar a ellos. ‖ En forma desordenada, con alboroto.

tuna. f. Vida holgazana, libre y vagabunda. ‖ Conjunto musical compuesto por estudiantes.

tunante. adj. Dícese de la persona bribona, pícara y taimada. Ú.t.c.s.

tunda. f. Acción de tundir los paños. ‖ fig. y fam. Castigo riguroso de palos, azotes, etc.

tundidor, ra. s. Persona que tunde los paños.

tundir. tr. Cortar o igualar con tijera el pelo de los paños. ‖ fig. y fam. Castigar con golpes, palos o azotes, zurrar.

tundra (voz finlandesa). f. Pradera subpolar casi estepetaria.

tunear. intr. Hacer vida de tunante. ‖ Proceder como tal.

tunecino, na. adj. Natural de Túnez. Ú.t.c.s. ‖ Perteneciente a esta ciudad o nación.

túnel. Paso subterráneo abierto artificialmente para establecer una comunicación. [*Sinón.:* galería]

tungsteno. m. Volframio.

túnica (al. *Tunika,* fr. *tunique,* ingl. *tunic,* it. *tunica*). f. Vestidura sin mangas, usada antiguamente. ‖ Telilla o película que en algunas frutas o bulbos está pegada a la cáscara. ‖ Vestidura exterior amplia y larga.

tuno, na. adj. Pícaro, tunante.

tuntún (al, o al buen). m. adv. fam. Sin reflexión ni previsión. ‖ fam. Sin certidumbre, sin conocimiento del asunto.

tupé. m. Cabello que cae sobre la frente. ‖ fig. y fam. Atrevimiento, desfachatez. [*Sinón.:* flequillo]

tupí. adj. Dícese de cada uno de los indios que dominaban en las costas de la Guayana francesa y brasileña al llegar allí los portugueses. Ú.m.c.s. y en pl. ‖ m. Lengua de estos indios.

tupido, da. adj. Que tiene sus elementos muy juntos y apretados. ‖ Dicho del entendimiento y los sentidos, obtuso, cerrado, torpe.

tupir. tr. Apretar mucho una cosa cerrando sus poros o intersticios. Ú.t.c.r. ‖ r. fig. Hartarse de un manjar o bebida; comer o beber con exceso.

tur. m. ant. Giro, vuelta. ‖ MAR. Período o campaña de servicio obligatorio.

turba. f. Muchedumbre de gente confusa y desordenada. ‖ Combustible formado por la descomposición de restos vegetales acumulados en los pantanos. Es de color pardo oscuro, aspecto terroso y de poco peso. Arde con facilidad y desprende un humo denso. ‖ Estiércol mezclado con carbón mineral.

turbación. f. Acción y efecto de turbar o turbarse. ‖ Confusión, desorden. [*Sinón.*: desasosiego]

turbador, ra. adj. Que produce turbación. Ú.t.c.s.

turbante (al. *Turban*, fr. *turban*, ingl. *turban*, it. *turbante*). m. Tocado que consiste en una faja larga de tela envuelta alrededor de la cabeza.

turbar (al. *verwirren*, fr. *troubler*, ingl. *to disturb*, it. *turbare*). tr. Alterar el curso natural de una cosa. ‖ fig. Aturdir a alguien, de modo que no acierte a hablar o a proseguir lo que estaba haciendo. Ú.t.c.r. ‖ fig. Interrumpir violenta o molestamente la quietud. [*Sinón.*: perturbar, atolondrar]

turbera. f. Yacimiento y lugar donde se forma la turba.

turbina (al. *Turbine*, fr. *turbine*, ingl. *turbine*, it. *turbina*). f. Máquina que transforma en trabajo, en forma de energía de rotación, la energía cinética de un fluido en movimiento.

turbio, bia (al . *trüb*, fr. *trouble*, ingl. *turbid*, it. *torbido*). adj. Mezclado o alterado por una cosa que oscurece o quita transparencia. ‖ fig. Revuelto, dudoso, turbulento, azaroso. ‖ fig. Confuso, poco claro. [*Sinón.*: borroso, oscuro]

turborreactor. m. Motor de avión a reacción, del que es parte funcional y está constituido por una turbina de gas.

turbulencia (al. *Aufregung*, fr. *turbulence*, ingl. *turbulence*, it. *turbolenza*). f. Alteración de las cosas claras y transparentes. ‖ fig. Confusión, alboroto o perturbación.

turbulento. adj. Turbio. ‖ fig. Confuso, desordenado y alborotado.

turca. f. fam. Borrachera.

turco, ca. adj. Aplícase al individuo de un pueblo que, procedente del Turquestán, se estableció en el Asia Menor y en la parte oriental de Europa. Ú.t.c.s. ‖ Natural de Turquía. Ú.t.c.s. ‖ Perteneciente a esta nación. ‖ m. Lengua turca.

turgencia. f. Calidad de turgente.

turgente. adj. Abultado, elevado. ‖ MED. Aplícase al humor que produce hinchazón. [*Sinón.*: tumefacto, tumescente]

turífero, ra. adj. Que produce o lleva incienso.

turión. m. BOT. Yema que nace de un tallo subterráneo; como en los espárragos.

turismo (al. *Touristik*, fr. *tourisme*, ingl. *tourism*, it. *turismo*). m. Afición a viajar por gusto de recorrer un país. ‖ Organización de los medios conducentes a facilitar estos viajes. ‖ Automóvil de turismo.

turista (al. *Tourist*, fr. *touriste*, ingl. *tourist*, it. *turista*). com. Persona que recorre un país con fines recreativos.

turístico, ca. adj. Perteneciente o relativo al turismo.

turmalina. f. MINERAL. MIneral formado por un silicato de alúmina con ácido bórico, magnesia, cal, óxido de hierro y otras sustancias en proporciones pequeñas. Es de color generalmente negro o pardo, transparente o translúcido, tan duro como el cuarzo y sus cristales se electrizan calentados desigualmente por ambos lados. Sus variedades verdes y encarnadas suelen emplearse como piedras finas.

turnar. intr. Alternar con otras personas en un beneficio o en el desempeño de un cargo. [*Sinón.*: reemplazar, sustituir]

turnio, nia. adj. Se aplica a los ojos torcidos. ‖ Que tiene los ojos torcidos. Ú.t.c.s.

turno (al. *Reihe*, fr. *tour*, ingl. *turn*, it. *turno*). m. Orden que se observa entre varias personas para la ejecución de una cosa. ‖ Cada una de las intervenciones que, en pro o en contra de una propuesta, permiten los reglamentos de las cámaras legislativas o corporaciones. ‖ *de turno.* loc. adj. Se aplica a la persona o cosa a la que corresponde actuar en un momento determinado, según la alternativa previamente acordada. [*Sinón.*: tanda]

turolense. adj. Natural de Teruel. Ú.t.c.s. ‖ Perteneciente a esta ciudad o a su provincia.

turón (al. *Frettchen*, fr. *putois*, ingl. *polecat*, it. *puzzola*). m. ZOOL. Mamífero carnicero que despide olor fétido y se alimenta de caza.

turquesa (al. *Türkis*, fr. *turquoise*, ingl. *turquoise*, it. *turchese*). f. MINERAL. Fosfato hidratado de aluminio, hierro y cobre. Es opaca y de color azul claro y verde pardusco. Se pulimenta con facilidad. Es piedra fina.

turrar. tr. Tostar en las brasas.

turrón (al. *Nougat*, fr. *nougat*, ingl. *nougat*, it. *torrone*). m. Masa hecha de almendras, piñones, avellanas o nueces, tostada y mezclada con miel y azúcar.

turulato, ta. adj. fam. Alelado, estupefacto.

tusa. f. fam. Perra. Ú. como interjección para llamarla o espantarla. ‖ *Amer.* Hoja que envuelve la mazorca de maíz.

tuso. m. fam. Perro. ‖ Voz para llamar o espantar a los perros.

tusón, na. s. Potro o potranca que no ha llegado a dos años. ‖ f. fam. Mujer pública, ramera.

tute. m. Juego de naipes carteado semejante a la brisca. ‖ Reunión en este juego de los cuatro reyes o los cuatro caballos. ‖ fig. Esfuerzo excesivo que se obliga a hacer a personas o animales en un trabajo o ejercicio. Ú. especialmente en la frase *dar un tute.* Ú.m.c.r. ‖ fig. Acometida que se da a una cosa en su uso, consumo o ejecución reduciéndola o acabándola.

tutear (al. *duzen*, fr. *tutoyer*, ingl. *to thou*, it. *dare del tu*). tr. Hablar a alguien empleando el pronombre en segunda persona. Ú.t.c.rec.

tutela (al. *Vormundschaft*, fr. *tutelle*, ingl. *wardship*, it. *tutela*). f. Autoridad que, en defecto de la paterna o materna, se confiere a alguien para cuidar de la persona y los bienes de aquel que, por minoría de edad o por otra causa, no goza de su total capacidad civil. [*Sinón.*: tutoría]

tutelar. adj. Que guía, ampara o protege.

tuteo. m. Acción de tutear.

tutiplén (a). m. adv. fam. En abundancia, a porrillo.

tutor, ra (al. *Vormund*, fr. *tuteur*, ingl. *guardian*, it. *tutore*). s. Aquel que está encargado del cuidado y administración de los bienes de una persona que no ha alcanzado plena capacidad civil. ‖ fig. Defensor, protector o director en cualquier línea.

tuyo, tuya, tuyos, tuyas. Pronombre posesivo de segunda persona en género masculino y femenino y ambos números singular y plural. Con la terminación del masculino, en singular, ú.t.c. neutro. ‖ *la tuya.* loc. fam. con que se indica que se ha presentado ocasión favorable para la persona de que se trata.

U

u. f. Vigesimocuarta letra del abecedario español, última de sus vocales. ‖ Conj. disyunt. que se emplea para evitar el hiato, en lugar de *o*, ante palabras que empiezan por *o* o por *ho*.

ubérrimo, ma. adj. sup. Muy abundante y fértil.

ubicación. f. Acción y efecto de ubicar o ubicarse.

ubicar. intr. Hallarse en determinado espacio o lugar. Ú.m.c.r. ‖ tr. *Amer.* Situar en determinado espacio o lugar.

ubicuidad. f. Calidad de ubicuo.

ubicuo, cua. adj. Que está presente a un mismo tiempo en más de un sitio. ‖ fig. Aplícase al que todo lo quiere presenciar y vive en continuo movimiento.

ubre (al. *Zitze*, fr. *pis*, ingl. *udder*, it. *cappezzolo*). f. En los mamíferos, cada una de las tetas de la hembra. [*Sinón.*: mama]

ucraniano, na. adj. Natural de Ucrania. Ú.t.c.s. ‖ Perteneciente a esta República de la Unión Soviética.

ucranio, a. adj. Ucraniano.

¡uf! interj. que indica cansancio, fastidio, sofocación o repugnancia.

ufanarse (al. *sich brüsten*, fr. *se vanter*, ingl. *to boast*, it. *pompeggiarsi*). r. Engreírse, enorgullecerse.

ufano, na. adj. Arrogante, presuntuoso, engreído. ‖ fig. Satisfecho, contento. ‖ fig. Que procede con resolución y desembarazo.

¡uh! interj. que denota desilusión o desdén.

ujier (al. *Türhuter*, fr. *huissier*, ingl. *usher*, it. *usciere*). m. Portero de estrados de un palacio o tribunal. ‖ Empleado subalterno que en algunos tribunales y cuerpos del Estado tiene a su cargo la práctica de ciertas diligencias.

ulano. m. Soldado de caballería ligera, armado de lanza, en los ejércitos austríaco, alemán y ruso.

úlcera (al. *Geschwür*, fr. *ulcère*, ingl. *ulcer*, it. *ulcera*). f. MED. Pérdida de sustancia en los tejidos orgánicos, acompañada ordinariamente de secreción de pus.

ulceración. f. Acción y efectos de ulcerar o ulcerarse.

ulcerar. tr. Causar úlcera. Ú.t.c.r.

ulceroso, sa. adj. Que tiene úlcera. ‖ Que presenta aspecto de úlcera.

ulema. m. Doctor de la ley mahometana.

ulmáceo, a. adj. BOT. Se aplica a los árboles o arbustos angiospermos dicotiledóneos, con ramas alternas; hojas aserradas; flores hermafroditas o unisexuales, solitarias o en cimas, y fruto seco con una sola semilla, aplastada y sin albumen, o drupas carnosas para una semilla; como el olmo. Ú.t.c.s.f. ‖ f. pl. Familia de estas plantas.

ulterior. adj. Que está de la parte de allá de un lugar. ‖ Que se dice, sucede o se ejecuta después de otra cosa.

ultimación. f. Acción y efecto de ultimar.

ultimar. tr. Dar fin a alguna cosa, acabarla, concluirla. ‖ *Amer.* Matar.

ultimátum. m. En lenguaje diplomático, resolución tajante comunicada por escrito. ‖ Por ext., resolución o propuesta, aunque no sea por escrito, cuyo rechazo motiva el fin de las negociaciones y la ruptura de relaciones.

último, ma (al. *letzte (r)*, fr. *dernier*, ingl. *last*, it. *ultimo*). adj. Aplícase a lo que en su orden o condición no tiene otra cosa después de sí. ‖ Dícese de lo que en una serie está o se considera en el lugar postrero. ‖ Dícese de los más remoto o escondido. ‖ Aplícase al recurso definitivo que se toma en un asunto. ‖ Dícese de lo extremado en su línea. ‖ Aplícase al fin a que deben dirigirse todas nuestras acciones y desig-

nios. ‖ Dícese del precio que se pide como mínimo o que se ofrece como máximo. Ú.t.c.s.m.

ultra. adv. Además de. ‖ En composición con algunas voces, más allá de, al otro lado de. ‖ Antepuesta como partícula inseparable de algunos adjetivos, expresa idea de exceso. ‖ adj. Aplícase a las tendencias políticas maximalistas. ‖ Dícese de los seguidores de estas tendencias, en especial de los de la extrema derecha. Ú.t.c.s.

ultraísmo. m. Movimiento poético surgido hacia 1918 y que durante algunos años agrupó a los poetas españoles e hispanoamericanos.

ultrajar. tr. Injuriar de obra o de palabra. ‖ Despreciar o humillar a una persona.

ultraje. m. Injuria, desprecio.

ultramar (al. *Übersee*, fr. *outre-mer*, ingl. *oversea*, it. *oltremare*). m. Término que se aplica de forma genérica a todo aquello que está de la otra parte del mar que considera el que habla.

ultramarino, na. adj. Que está del otro lado del mar. ‖ Aplícase a los géneros traídos de la otra parte del mar, y en general a los comestibles que se pueden conservar sin que se alteren fácilmente. Ú.m.c.s. y en pl.

ultranza (a). m. adv. Sin cuartel. ‖ Resueltamente.

ultrasónico, ca. adj. Concerniente al ultrasonido.

ultrasonido. m. FÍS. Sonido que no impresiona al oído humano a causa de su elevada frecuencia.

ultratumba. adv. Más allá de la tumba.

ultravioleta. adj. FÍS. Concerniente a la parte invisible del espectro luminoso que se extiende a continuación del color violado y cuya existencia se revela principalmente por acciones químicas.

ulular. intr. Proferir gritos o alaridos.

umbela. f. Bot. Grupo de flores o frutos que nacen en un mismo punto del tallo y crecen a igual o casi igual altura. ‖ Tejadillo voladizo sobre un balcón o ventana.

umbelífero, ra. adj. Bot. Aplícase a plantas angiospermas dicotiledóneas, con hojas generalmente alternas, simples, más o menos divididas y con pecíolos envainadores; flores en umbela y fruto compuesto de dos aquenios, en cada uno de los cuales hay una sola semilla de albumen carnoso o córneo; como el apio. Ú.t.c.s.f. ‖ f. pl. Familia de estas plantas.

umbilicado, da. adj. De figura de ombligo.

umbilical. adj. Anat. Perteneciente al ombligo.

umbral (al. *Schwelle*, fr. *seuil*, ingl. *threshold*, it. *soglia*). m. Parte inferior y contrapuesta al dintel de la puerta. ‖ Arq. Madero que se atraviesa en lo alto de un vano para sostener el muro que hay encima. ‖ fig. Paso primero o entrada de cualquier cosa. ‖ Psico. Valor a partir del cual empiezan a percibirse los efectos de un agente físico.

umbría. f. Parte del terreno en que en general hay sombra por hallarse expuesta al Norte.

umbrío, a. adj. Sombreado, que está en la sombra.

umbroso, sa. adj. Que tiene sombra o la produce.

un, una (al. *ein, eine;* fr. *un, une;* ingl. *a, an;* it. *un, una*). art. indet. en género masculino y femenino y número singular. ‖ adj. Uno.

unánime (al. *einstimmig*, fr. *unanime*, ingl. *unanimous*, it. *unanime*). adj. Dícese del conjunto de personas que convienen en un mismo parecer. ‖ Aplícase a este parecer.

unanimidad. f. Calidad de unánime.

unción (al. *Salbung*, fr. *onction*, ingl. *unction*, it. *unzione*). f. Acción de ungir. ‖ Extremaución. ‖ Devoción y fervor con que el ánimo se entrega a un sentimiento religioso. ‖ Mar. Vela muy pequeña que se iza en el castillete de proa de las lanchas cuando, por haber peligro de zozobrar, se arrían las otras. ‖ pl. Unturas de ungüento mercurial para la curación de la sífilis.

uncir (al. *anjochen*, fr. *atteler*, ingl. *to yoke*, it. *aggiogare*). tr. Atar al yugo bueyes, mulas u otras bestias.

undécimo, ma. adj. Que sigue inmediatamente en orden al o a lo décimo. ‖

Aplícase a cada una de las once partes iguales en que se divide un todo. Ú.t.c.s.

undécuplo, pla. adj. Que es exactamente once veces mayor. Ú.t.c.s.

ungido, da. s. Rey o sacerdote signado con el óleo santo.

ungir (al. *salben*, fr. *oindre*, ingl. *to anoint*, it. *ungere*). tr. Aplicar a una cosa aceite u otra materia pingüe, extendiéndola por su superficie. ‖ Signar con óleo sagrado a una persona.

ungüento (al. *Salbe*, fr. *onguent*, ingl. *ointment*, it. *unguento*). m. Todo aquello que sirve para ungir o untar. ‖ Medicamento de aplicación externa, compuesta de diversas sustancias grasas. ‖ Compuesto de sustancias olorosas que se usaba para embalsamar.

unguiculado, da. adj. Zool. Que tiene los dedos terminados por uñas. Ú.t.c.s.

unguis. m. Anat. Hueso muy pequeño y delgado de la parte anterior e interna de cada una de las órbitas.

ungulado, da. adj. Zool. Aplícase al mamífero que tiene casco o pezuña. Ú.t.c.s. ‖ m. pl. Grupo de estos animales.

ungular. adj. Relativo a la uña.

unicelular. adj. Que consta de una sola célula.

único, ca (al. *einzig*, fr. *unique*, ingl. *single*, it. *unico*). adj. Solo y sin otro de su especie. ‖ fig. Singular, extraordinario.

unicornio (al. *Einhorn*, fr. *licorne*, ingl. *unicorne*, it. *unicorno*). m. Animal fabuloso de figura de caballo y con un cuerno recto en la frente. ‖ Rinoceronte. ‖ Marfil fósil de mastodonte. ‖ n. p. m. Astr. Constelación boreal comprendida entre Pegaso y el Águila.

unidad (al. *Einheit*, fr. *unité*, ingl. *unity*, it. *unità*). f. Propiedad de todo ser, en virtud de la cual no puede dividirse sin que su esencia se destruya o altere. ‖ Singularidad en número o calidad. ‖ Unión o conformidad. ‖ Cualidad de la obra en la que sólo hay un asunto o pensamiento principal. ‖ Mat. Cantidad que se toma como índice de comparación de las demás de su especie. ‖ Mil. Fracción del ejército que puede obrar independientemente, bajo las órdenes de un solo jefe.

unificación. f. Acción y efecto de unificar o unificarse.

unificar (al. *vereinheitlichen*, fr. *unifier*, ingl. *to unify*, it. *unificare*). tr. Hacer de muchas cosas una o un todo, uniéndolas, mezclándolas o reducién-

dolas a una misma especie. Ú.t.c.r.

unifoliado, da. adj. Bot. Que tiene una sola hoja.

uniformar. tr. Hacer uniformes dos o más cosas. Ú.t.c.r. ‖ Procurar idéntica vestimenta a los individuos de un cuerpo o clase.

uniforme (al. *Uniform*, fr. *uniforme*, ingl. *uniform*, it. *uniforme*). m. adj. Dícese de dos o más cosas que tienen la misma forma. ‖ Igual, semejante. ‖ m. Vestido peculiar y distintivo que usan los individuos de un mismo cuerpo.

uniformidad. f. Calidad de uniforme.

unigénito, ta. adj. Aplícase al hijo único. ‖ m. Por antonomasia, el Hijo de Dios.

unilateral (al. *einseitig*, fr. *unilatéral*, ingl. *one-sided*, it. *unilaterale*). adj. Se dice de lo que se refiere a una parte o a un aspecto de una cosa.

unión (al. *Verbindung*, fr. *union*, ingl. *union*, it. *unione*). f. Acción y efecto de unir o unirse. ‖ Correspondencia y conformidad de una cosa con otra, en el sitio o composición. ‖ Conformidad y concordia de los ánimos, voluntades o dictámenes. ‖ Casamiento. ‖ Composición que resulta de mezclar algunas cosas entre sí. ‖ Alianza, compañía. ‖ Inmediación de una cosa a otra. ‖ Sortija doble, compuesta de dos enlazadas o eslabonadas. [*Antón.:* separación]

unionismo. m. Doctrina que favorece y defiende la unión de partidos o naciones.

unionista. adj. Aplícase a la persona, partido o doctrina que mantiene un ideal de unión. Ú.t.c.s.

uníparo, ra. adj. Zool. Dícese de las hembras o de las especies cuyas hembras sólo paren un hijo cada vez. ‖ Bot. Que sólo produce un miembro, flor, etc.

unipersonal. adj. Que consta de una sola persona. ‖ Relativo a una sola persona.

unir (al. *einigen*, fr. *unir*, ingl. *to join*, it. *unire*). tr. Juntar dos o más cosas entre sí haciendo de ellas un todo. ‖ Mezclar algunas cosas entre sí, incorporándolas unas a otras. ‖ Casar, disponer y autorizar el matrimonio. Ú.t.c.r. ‖ Cir. Cerrar la herida. ‖ r. Convenirse varios entre sí para el logro de un fin. ‖ Estar muy cerca, contigua o inmediata una cosa a otra. ‖ Agregarse alguien a la compañía de otro.

unisexual. adj. Biol. Aplícase al vegetal o animal que tiene un solo sexo.

unísono, na. adj. Dícese de lo que tiene el mismo tono que otra cosa.

unitario, ria. adj. Relativo a la unidad. ‖ Partidario de la unidad en materias políticas, sindicales, etc. Ú.t.c.s. ‖ Que propende a la unidad o desea conservarla. ‖ Que toma por base una unidad determinada.

universal (al. *universell*, fr. *universel*, ingl. *worldwide*, it. *universale*). adj. Que comprende o es común a todos en su especie. ‖ Que pertenece o se extiende a todo el mundo, a todos los tiempos.

universalidad. f. Calidad de universal. ‖ DER. Comprensión de la herencia de todos los bienes, derechos, acciones, obligaciones, etc., del difunto.

universalizar. tr. Hacer universal una cosa, generalizarla.

universidad (al. *Universität*, fr. *université*, ingl. *university*, it. *universtià*). f. Instituto público y centro de enseñanza superior dividido en facultades, cada una de las cuales confiere los grados correspondientes. ‖ Edificio destinado a las cátedras y oficinas de una universidad. ‖ Conjunto de personas que forman una corporación.

universitario, ria. adj. Perteneciente o relativo a la universidad. ‖ s. Profesor, graduado o estudiante de universidad.

universo, sa. adj. Universal. ‖ m. Conjunto de todo lo creado. ‖ Conjunto de individuos o elementos cualesquiera en los cuales se consideran una o más características que se someten a estudio.

univoco, ca. adj. Dícese de lo que tiene igual naturaleza o valor que otra cosa. Ú.t.c.s.

uno, una (al. *eins*, fr. *un*, ingl. *one*, it. *uno*). adj. Que no está dividido en sí mismo. ‖ Dícese de la persona o cosa unida con otra. ‖ Idéntico, lo mismo. ‖ Único, solo. ‖ pl. Algunos. ‖ Antepuesto a un número cardinal, aproximadamente. ‖ Pronombre indeterminado que en singular significa una y en plural, dos o más personas cuyo nombre se ignora o no quiere decirse. ‖ m. Unidad, cantidad que se toma como término de comparación. ‖ Signo con que se expresa la unidad. ‖ Individuo de cualquier especie. ‖ *a una.* m. adv. A un tiempo, unidamente o juntamente.

untar (al. *schmieren*, fr. *graisser*, ingl. *to smear*, it. *ungere*). tr. Ungir con una materia grasa. ‖ fig. y fam. Sobornar a alguien con dones o dinero.

unto. m. Materia pingüe a propósito para untar. ‖ Grasa o gordura del cuerpo animal. ‖ Ungüento.

untuoso, sa. adj. Grasiento, pegajoso.

uña (al. *Nagel*, fr. *ongle*, ingl. *fingernail*, it. *unghia*). f. Placa córnea que nace y crece en las extremidades de los dedos. ‖ Casco o pezuña de los animales. ‖ Punta corva de la cola del alacrán, con la cual pica. ‖ Espina corva de algunas plantas. ‖ Trozo de rama que queda unida al tronco al podarla. ‖ Especie de costra que se forma sobre la matadura de las bestias. ‖ Excrecencia de la carúncula lagrimal. ‖ Punta corva de algunos instrumentos de metal. ‖ Dátil, molusco. ‖ MAR. Punta triangular con que se rematan los brazos del ancla. ‖ *sacar* o *enseñar* a uno *las uñas.* fig. y fam. Amenazar o dejar ver su carácter agresivo.

uñero (al. *Fingerwurm*, fr. *panaris*, ingl. *felon*, it. *patereccio*). m. Inflamación en la raíz de la uña. ‖ Herida que produce la uña cuando, al crecer mal, se introduce en la carne.

upa. Voz para esforzar a levantar un peso o a levantarse. Suele decirse a los niños. ‖ *a upa.* m. adv. En brazos. Es voz infantil.

upar. tr. Levantar, aupar.

uranio. m. QUÍM. Metal radiactivo que se utiliza en la producción de energía nuclear.

uranio, nia. adj. Perteneciente a los astros y al espacio celeste.

uranismo. m. Homosexualidad en el hombre.

Urano. n. p. m. ASTR. Séptimo planeta del sistema solar, mucho mayor que la Tierra, distante del Sol diecinueve veces más que ella y acompañado de cuatro satélites.

uranografía. f. Cosmografía.

urbanidad (al. *Gesittung*, fr. *urbanité*, ingl. *urbanity*, it. *civilità*). f. Cortesía, comedimiento y buenos modales.

urbanismo. m. Conjunto de conocimientos que se refieren al estudio de la creación, desarrollo, reforma y progreso de las poblaciones en orden a las necesidades materiales.

urbanista. com. Persona versada en la teoría y técnica del urbanismo.

urbanización. f. Acción y efecto de urbanizar. ‖ Terreno delimitado artificialmente para establecer en él un núcleo residencial. ‖ Este núcleo.

urbanizar. tr. Hacer urbano y sociable a uno. Ú.t.c.r. ‖ Convertir en poblado un terreno, o prepararlo para ello.

urbano, na. adj. Perteneciente a la ciudad. ‖ Atento, de buenos modales. ‖ m. Individuo de la policía urbana

encargado de velar por el cumplimiento de las ordenanzas municipales.

urbe (al. *Gross-Stadt*, fr. *ville*, ingl. *city*, it. *urbe*). f. Ciudad, especialmente la muy populosa.

urbi et orbi. expr. lat. fig. A los cuatro vientos, a todas partes.

urca. f. Embarcación grande de transporte, muy ancha en su parte central. ‖ Orca, cetáceo.

urdidor, ra. adj. Que urde. Ú.t.c.s. ‖ m. Devanadera.

urdimbre. f. Estambre una vez urdido. ‖ Conjunto de hilos que se colocan en el telar paralelamente unos a otros para formar una tela.

urdir. tr. Preparar los hilos en la devanadera para pasarlos al telar. ‖ fig. Maquinar cautelosamente una cosa.

urea. f. QUÍM. Sustancia nitrogenada que constituye la mayor parte de la materia orgánica contenida en la orina.

uremia. f. MED. Enfermedad ocasionada por retención en la sangre de las sustancias que normalmente deben eliminarse por la orina.

urente. adj. Que escuece, ardiente, abrasador.

uréter. m. ANAT. Cada uno de los conductos que desde el riñón llevan la orina a la vejiga urinaria.

uretra. f. ANAT. Conducto por donde se expele la orina.

uretritis. f. MED. Inflamación de la mucosa que reviste la uretra.

urgencia (al. *Dringlichkeit*, fr. *urgence*, ingl. *urgency*, it. *urgenza*). f. Calidad de urgente. ‖ Falta, necesidad apremiante de algo. ‖ Actual obligación de cumplir las leyes o preceptos.

urgente. adj. Que urge.

urgir (al. *pressieren*, fr. *être urgent*, ingl. *to press*, it. *urgere*). intr. Instar una cosa a su pronta ejecución. ‖ Obligar actualmente la ley o el precepto.

úrico, ca. adj. Perteneciente o relativo a la orina.

urinario, ria. adj. Concerniente a la orina. ‖ m. Lugar destinado para orinar, especialmente el dispuesto para el público en calles, cines, cafés, etc.

urna (al. *Urne*, fr. *urne*, ingl. *ballotvox*, it. *urna*). f. Vaso o caja que servía para guardar dinero, los restos o las cenizas de los cadáveres humanos, etc. ‖ Arqueta en que se depositan las cédulas o números en los sorteos y en las votaciones secretas. ‖ Caja de cristal a propósito para guardar en su interior objetos que puedan ser vistos.

uro. m. Animal salvaje muy parecido al bisonte.

urodelo. adj. ZOOL. Aplicase a los batracios que durante toda su vida conservan una larga cola y tienen cuatro extremidades, aunque a veces faltan las dos posteriores; como la salamandra. Ú.t.c.s. || m. pl. Orden de estos animales.

urogallo. m. ZOOL. Ave gallinácea de plumaje pardo negruzco jaspeado de gris, con patas y pico negro y cola redonda. Vive en los bosques.

urogenital. adj. ANAT. Perteneciente a los aparatos urinario y genital.

urología. f. MED. Estudio de las enfermedades del aparato urinario.

urólogo, ga. s. MED. Especialista en urología.

urraca (al. *Elster*, fr. *pie*, ingl. *magpie*, it. *gazza*). f. ZOOL. Ave paseriforme de la familia de los córvidos, de cola larga y plumaje negro metálico, excepto en el vientre y el nacimiento de las alas, donde es blanco. Coge todos los objetos brillantes que encuentra y los guarda en su nido. Se domestica con facilidad y es capaz de imitar voces humanas.

ursulina. adj. Dícese de la religiosa de la Congregación agustiniana fundada por Santa Ángela de Brescia, en el siglo XVI, para la educación de niños y cuidado de enfermos. Ú.t.c.s.

urticáceo, a. adj. BOT. Aplicase a las plantas angiospermas dicotiledóneas, arbustos o hierbas, de hojas sencillas, opuestas o alternas, con estípulas y casi siempre provistas de pelos que segregan un jugo urente; flores pequeñas en espigas, panojas o cabezuelas; fruto desnudo y semilla de albumen carnoso; como la ortiga. Ú.t.c.s.f. || f. pl. Familia de estas plantas.

urticante. adj. Que produce comezón semejante a la de las ortigas.

urticaria (al. *Nesselausschlag*, fr. *urticaire*, ingl. *urticaria*, it. *orticaria*). f. MED. Enfermedad eruptiva de la piel, caracterizada por una comezón parecida a la que producen las ortigas.

uruguayo, ya. adj. Natural del Uruguay. Ú.t.c.s. || Perteneciente o relativo a esta nación.

usado, da. adj. Gastado y deslucido por el uso. || Ejercitado en alguna cosa.

usagre. m. MED. Erupción pustulosa, seguida de costras, que ataca a los niños durante la primera dentición. || Sarna en el cuello del perro y otros animales domésticos.

usanza. f. Ejercicio o práctica de una cosa. || Uso, moda.

usar (al. *benützen*, fr. *user*, ingl. *to use*, it. *usare*). tr. Hacer servir una cosa para algo. Ú.t.c.intr. || Disfrutar de una cosa. || intr. Acostumbrar, tener costumbre. || Estar algo en boga.

usía. com. Síncope de usiría, vuestra señoría.

uso (al. *Gebrauch*, fr. *usage*, ingl. *use*, it. *uso*). m. Acción y efecto de usar. || Ejercicio o práctica general de una cosa. || Moda, costumbre. || Modo determinado de obrar. || Empleo continuado y habitual. || — *de razón*. Posesión del natural discernimiento, que se adquiere pasada la primera niñez. || *al uso*. m. adv. Conforme o según el uso. || *estar en buen uso*. fam. No estar estropeado algo ya usado.

usted (al. *Sie*, fr. *vous*, ingl. *you*, it. *lei*). com. Voz del tratamiento de respeto y cortesía.

usual (al. *gebräuchlich*, fr. *usuel*, ingl. *usual*, it. *usuale*). adj. Que común o frecuentemente se usa o se practica. || Dícese de las cosas que se pueden hacer con facilidad.

usuario, ria (al. *nutzniesser*, fr. *usager*, ingl. *user*, it. *usuario*). adj. Que usa ordinariamente una cosa. Ú.t.c.s. || DER. Aplicase al que tiene derecho de usar de la cosa ajena con cierta limitación. Ú.t.c.s.

usufructo. m. DER. Derecho a disfrutar bienes ajenos con la obligación de conservarlos, salvo que la ley autorice otra cosa. || Utilidades, frutos o provechos que se sacan de algo.

usufructuar. tr. Tener o gozar el usufructo de una cosa. || intr. Producir utilidad alguna cosa.

usufructuario, ria. adj. Dícese de la persona que posee y disfruta una cosa. Ú.t.c.s. || DER. Aplicase al que posee derecho real de usufructo sobre algo.

usura (al. *Wucher*, fr. *usure*, ingl. *usury*, it. *usura*). f. Interés que se cobra por el dinero o el género en el contrato de mutuo o préstamo. || Este mismo contrato. || Interés excesivo en un préstamo. || fig. Ganancia o fruto que se saca de una cosa, especialmente cuando son excesivos.

usurero, ra (al. *Wucherer*, fr. *usurier*, ingl. *usurer*, it. *usuraio*). s. Persona que presta con usura o interés excesivo. || Persona que en otro tipo de contratos obtiene lucro desmedido.

usurpación. f. Acción y efecto de usurpar. || Cosa usurpada.

usurpador, ra. adj. Que usurpa. Ú.t.c.s.

usurpar. tr. Quitar a alguien lo que es suyo, o quedarse con ello, generalmente con violencia. || Arrogarse la dignidad, empleo u oficio de otro.

utensilio (al. *Gerät*, fr. *ustensile*, ingl. *utensil*, it. *utensile*). m. Lo que sirve para el uso manual y frecuente. Ú.m. en pl. || Herramienta o instrumento de un oficio o arte. Ú.m. en pl.

uterino, na. adj. Relativo al útero. || Dícese de los hermanos nacidos de una misma madre, pero de distinto padre.

útero. m. ANAT. Órgano del aparato genital femenino que durante la gestación alberga al nuevo ser.

útil (al. *Nützlich*, fr. *utile*, ingl. *useful*, it. *utile*). adj. Que produce provecho, comodidad o interés. || Que puede servir y aprovechar en algún orden de cosas. || DER. Aplicase al tiempo hábil de un término señalado·por la ley o la costumbre. || m. Utensilio. Ú.m. en pl.

utilidad (al. *Nutzen*, fr. *utilité*, ingl. *utility*, it. *utilità*). f. Calidad de útil. || Provecho o interés que se obtiene de una cosa.

utilitario, ria. adj. Que antepone a todo la utilidad. || Dícese del automóvil que sacrifica todo lujo en beneficio de la utilidad y economía. Ú.t.c.s.m.

utilitarismo. m. Doctrina que considera la utilidad como valor supremo.

utilización. f. Acción y efecto de utilizar.

utilizar. tr. Aprovecharse de una cosa. Ú.t.c.r.

utillaje. m. Conjunto de útiles necesarios para una industria.

utopía o **utopia.** f. Plan, proyecto o doctrina halagüeña, pero irrealizable.

utópico, ca. adj. Perteneciente o relativo a la utopía.

utopista. adj. Que traza utopías o es dado a ellas. Ú.t.c.s.

uva (al. *Traube*, fr. *raisin*, ingl. *grape*, it. *uva*). f. BOT. Fruto de la vid, que es un grano más o menos redondo y jugoso que nace apiñado con otros en forma de racimo. || Cada uno de los granos del berberis o arlo. || MED. Enfermedad de la campanilla consistente en un tumorcillo en forma de uva. || Especie de verruga o verrugas pequeñas que suelen formarse en el párpado.

uve. f. Nombre de la letra *v*.

úvula. f. ANAT. Parte media y colgante del velo palatino, de forma cónica y textura membranosa y muscular; campanilla del paladar.

uvular. adj. Concerniente a la úvula.

uxoricida. adj. Que mata a su mujer. Ú.t.c.s.m.

uxoricidio. m. Muerte causada a la mujer por su marido.

v. f. Vigesimoquinta letra del abecedario español, y vigésima de sus consonantes. Su nombre es *ve* o *uve*. En la actualidad representa el mismo sonido que la *b* en todos los países de lengua española. || Letra numeral con valor de cinco en la numeración romana. || — *doble* ⁊ *w*.

vaca. (al. *Kuh*, fr. *vache*, ingl. *cow*, it. *vacca*). f. Hembra del toro. || Carne de res vacuna. || Cuerpo de la vaca después de curtido. || — *marina*. Manatí.

vacación. (al. *Ferien*, fr. *vacances*, ingl. *holidays*, it. *vacanza*). f. Suspensión de los negocios, trabajos o estudios durante cierto tiempo. Ú.m. en pl. || Tiempo durante el cual se suspende toda actividad laboral o docente. Ú.m. en pl. || vacada. f. Manada de ganado vacuno. || Conjunto de ganado vacuno con que negocia un ganadero.

vacante. adj. Que vaca. || Aplícase al cargo, empleo o dignidad que está sin proveer. Ú.t.c.s.f.

vacar. intr. Cesar alguien durante algún tiempo en sus negocios o trabajos habituales. || Quedar un empleo, cargo o dignidad sin persona que los desempeñe o posea. || Dedicarse o entregarse a un ejercicio determinado.

vacarí. adj. De cuero de vaca, o cubierto de este cuero.

vaciadero. m. Sitio en que se vacía una cosa. || Conducto por donde se vacía.

vaciado. m. Acción de vaciar en un molde un objeto de metal, yeso, etc. || Escultura o adorno de yeso, estuco, etc., que se forma en el molde.

vaciar (al. *leeren*, fr. *vider*, ingl. *to empty*, it. *vuotare*). tr. Dejar vacía una cosa. Ú.t.c.r. || Sacar o verter el contenido de una vasija u otra cosa. Ú.t.c.r. || Formar un objeto echando en un molde hueco metal derretido u otra materia

blanda. || Practicar un hueco en una cosa. || Sacar filo a los instrumentos cortantes. || fig. Explicar extensamente una doctrina. || fig. Trasladarla de un escrito a otro. || intr. Hablando de ríos y corrientes, desaguar. || Menguar el agua en el río, en el mar, etc. || r. fig. y fam. Decir uno sin reparo lo que debía callar.

vaciedad. f. fig. Necedad, sandez.

vacilación. f. Acción y efecto de vacilar. || fig. Perplejidad, irresolución.

vacilar (al. *schwanken*, fr. *vaciller*, ingl. *to vacillate*, it. *vacillare*). intr. Moverse de manera indeterminada una cosa. || Estar poco firme una cosa en su estado o posición. || fig. Titubear, estar uno perplejo.

vacío (al. *Leer*, fr. *vide*, ingl. *empty*, *vacuum*; it. *vuoto*). adj. Falto de contenido. || Aplícase a la hembra de los ganados que no tiene cría. || Vano, sin fruto, malogrado. || Ocioso. || Que no está ocupado por nadie; sin gente o con muy poca. || Falto de la solidez correspondiente o de la perfección o calidad debida en su línea. || Vano, presuntuoso y falto de madurez. || m. Concavidad o hueco de algunas cosas. || Vacante de un empleo o dignidad. || fig. Falta o ausencia de alguna cosa o persona que se echa de menos. || Fís. Espacio que no contiene aire ni otra materia perceptible. || Fís. Enrarecimiento del aire u otro gas contenidos en un recipiente cerrado. || *de vacío*. m. adv. Sin carga; sin haber conseguido uno lo que pretendía. || *hacer el vacío* a uno. fig. Negarle el trato con los demás, aislarle.

vacuidad. f. Calidad de vacuo.

vacuna. f. Grano o viruela que sale a las vacas en las tetas, y que se trasmite por inoculación para preservar al hombre de las viruelas. || Pus de estos granos o de los granos de los vacunos. ||

Cualquier virus que se inocula a persona o animal para preservarlos de la enfermedad producida por este virus.

vacunación. f. Acción y efecto de vacunar o vacunarse. || Método terapéutico y profiláctico consistente en inocular una vacuna.

vacunar (al. *impfen*, fr. *vacciner*, ingl. *to vaccinate*, it. *vaccinare*). tr. Inocular a alguien una vacuna. Ú.t.c.r.

vacuno, na. adj. Perteneciente al ganado bovino. || De cuero de vaca. || m. Animal bovino.

vacuo, a. adj. Vacío. || Vacante. || m. Hueco.

vacuola. f. Biol. Cavidad del citoplasma en cuyo interior se acumulan diversos productos de la actividad celular.

vade. m. Vademécum o bolsa.

vadear (al. *durchwaten*, fr. *gueér*, ingl. *to wade*, it. *guadare*). tr. Pasar un río u otra corriente de agua profunda por un sitio donde se pueda hacer pie. || fig. Vencer una grave dificultad.

vademécum. m. Libro de poco volumen que contiene abreviadas las nociones más precisas de una ciencia o de un arte. || Cartapacio o bolsa en que se llevan libros y papeles.

vade retro. expr. lat. usada para rechazar a una persona o cosa.

vado (al. *Furt*, fr. *gué*, ingl. *ford*, it. *guado*). m. Paraje de un río con fondo firme y poco profundo por donde se puede pasar andando, a caballo o en un carruaje. || En la vía pública, toda modificación de estructura de la acera y del bordillo destinada a facilitar el acceso de vehículos a locales sitos en las fincas frente a las que se practique.

vagabundear. intr. Andar vagabundo.

vagabundeo. m. Acción y efecto de vagabundear.

vagabundo, da (al. *Landstreicher,* fr. *vagabond,* ingl. *tramp,* it. *vagabondo*). adj. Que anda errante de una parte a otra. ‖ Holgazán que anda de un lugar a otro sin tener oficio ni beneficio. Ú.t.c.s.

vagancia. f. Acción de vagar o estar sin oficio u ocupación.

vagar (al. *umherstreichen,* fr. *vaguer,* ingl. *to roam,* it. *vagare*). intr. Estar ocioso, sin oficio ni beneficio. ‖ Andar por uno y otro sitio sin especial detención en ninguno. ‖ Andar libre y suelta una cosa, o sin el orden y disposición que regularmente debe observar.

vagaroso, sa. adj. Que vaga, o que fácilmente y de continuo se mueve de una a otra parte.

vagido. m. Llanto del recién nacido.

vagina (al. *Mutterscheide,* fr. *vagin,* ingl. *vagina,* it. *vagina*). f. ANAT. Órgano copulador de las hembras. Se extiende desde la vulva hasta la matriz.

vaginal. adj. Perteneciente o relativo a la vagina.

vaginitis. f. MED. Inflamación de la vagina.

vago, ga. adj. Dícese del hombre que está sin ocupación o carece de oficio. Ú.t.c.s. ‖ Que anda de una parte a otra, sin detenerse en ningún lugar. ‖ Indeciso, indeterminado. ‖ ANAT. Dícese del nervio par que nace del bulbo de la medula espinal, desciende por ambos lados del cuello y se extiende por las regiones torácicas y abdominal, con numerosos plexos y ramificaciones que inervan la laringe, el esófago, la faringe, la tráquea, los bronquios, el corazón, el estómago, etc. Ú.m.c.s.

vagón (al. *Waggon,* fr. *wagon, voiture,* ingl. *railroad wagon,* it. *vagone, vettura*). m. Carruaje de los ferrocarriles.

vagoneta (al. *Lore,* fr. *wagonnet,* ingl. *floor-truck,* it. *vagoncino*). f. Vagón pequeño y descubierto que se utiliza en el transporte.

vaguada. f. Línea que marca la parte más honda de un valle.

vaguear. intr. Vagar, andar de una parte para otra.

vaguedad. f. Calidad de vago. ‖ Expresión o frase vaga.

vaharada. f. Acción y efecto de arrojar o echar el vaho, aliento o respiración.

vahído. m. Desvanecimiento, turbación breve de los sentidos.

vaho (al. *Ausdünstung,* fr. *buée,* ingl. *exhalation,* it. *esalazione*). m. Vapor que despiden los cuerpos en determinadas condiciones. ‖ Aliento, aire espirado por la boca.

vaída. adj. ARQ. Dícese de la bóveda formada por un hemisferio cortado por cuatro planos verticales, paralelos dos a dos.

vaina (al. *Scheide,* fr. *gaine,* ingl. *sheath,* it. *guaina*). f. Funda de ciertas armas o instrumentos. ‖ BOT. Cáscara tierna y larga en cuyo interior están encerradas determinadas simientes. ‖ fig. y fam. Persona despreciable. ‖ BOT. Ensanchamiento del peciolo o de la hoja que envuelve el tallo.

vainica. f. Deshilado menudo que por adorno se hace en la tela.

vainilla. f. BOT. Planta trepadora americana de la familia de las orquidáceas, de tallos largos, verdes y sarmentosos, hojas enteras, flores grandes verdosas y fruto en forma de judía, muy aromático. Se emplea para aromatizar licores y dulces y en perfumería. ‖ Fruto de esta planta.

vaivén. m. Movimiento alternativo de un cuerpo oscilante. ‖ fig. Inconstancia de las cosas.

vajilla (al. *Geschirr,* fr. *vaisselle,* ingl. *table-service,* it. *stoviglie*). f. Conjunto de platos, fuentes, vasos, tazas, jarros, etc., que se destinan al servicio de la mesa.

vale (al. *Lieferzettel,* fr. *bon,* ingl. *voucher,* it. *buono*). m. Papel en que alguien se obliga a pagar a otro cierta cantidad de dinero. ‖ Bono o tarjeta que sirve para adquirir comestibles u otros artículos. ‖ Apuntación firmada que se da al que ha de entregar una cosa, para que después acredite la entrega. ‖ Entrada gratuita para un espectáculo público. ‖ Voz que expresa asentimiento o conformidad.

valedero, ra. adj. Que debe valer, ser firme y subsistente.

valedor, ra. s. Persona que ampara a otra.

valencia. f. BIOL. Poder de un anticuerpo para combinarse con uno o mas antígenos. ‖ QUÍM. Capacidad de saturación de los radicales, que se determina por el número de átomos de hidrógeno con que aquéllos pueden combinarse directa o indirectamente.

valencianismo. m. Vocablo o giro propio del habla valenciana.

valenciano, na. adj. Natural de Valencia. Ú.t.c.s. ‖ Perteneciente a esta ciudad o a este antiguo reino. ‖ m. Variedad de la lengua catalana que se habla en Valencia.

valentía (al. *Tapferkeit,* fr. *vaillance,* ingl. *boldness,* it. *gagliardia*). f. Esfuerzo, aliento, vigor. ‖ Hecho o hazaña heroica. ‖ Gallardía.

valentón, na. adj. Arrogante o que se jacta de guapo o valiente. Ú.t.c.s.

valentonada. f. Jactancia exagerada del propio valor.

valer. tr. Amparar, proteger, patrocinar. ‖ Tener las cosas un precio determinado para la compra o la venta. ‖ intr. Equivaler. ‖ Ser de naturaleza o tener alguna calidad, que merezca aprecio y estimación. ‖ Tener una persona poder, autoridad o fuerza. ‖ Ser una cosa de importancia o utilidad para la consecución o el logro de otra. ‖ Prevalecer una cosa en oposición de otra. ‖ Ser o servir de defensa o amparo una cosa. ‖ r. Usar de una cosa o servirse útilmente de ella. ‖ Recurrir al favor de otro para un intento. ‖ m. Valor.

valeroso, sa. adj. Eficaz, que puede mucho. ‖ Valiente, esforzado. ‖ Valioso, que vale mucho.

valetudinario, ria. adj. Enfermizo, de salud quebrada. Ú.t.c.s.

valía (al. *Wert,* fr. *valeur,* ingl. *worthiness,* it. *valore*). f. Valor o aprecio de una cosa. ‖ Valimiento, privanza.

validar. tr. Dar fuerza o firmeza a una cosa; hacerla válida.

validez. f. Calidad de válido.

valido, da. adj. Recibido, creído, apreciado o estimado generalmente. ‖ m. El que tiene el primer lugar en la gracia de un príncipe o alto personaje. ‖ Primer ministro.

válido, da. adj. Firme, subsistente y que vale o debe valer legalmente. ‖ Robusto, esforzado.

valiente (al. *tapfer,* fr. *courageux,* ingl. *brave,* it. *coraggioso*). Fuerte y robusto en su línea. ‖ Esforzado, animoso y de valor. Ú.t.c.s. ‖ Eficaz y activo. ‖ Grande y excesivo.

valija (al. *Postsack,* fr. *sac de courrier,* ingl. *mail-bag,* it. *sacco postale*). f. Maleta. ‖ Saco de cuero, cerrado con llave, donde va la correspondencia en el correo. ‖ El mismo correo.

valimiento. m. Acción de valer una cosa o de valerse de ella. ‖ Privanza o aceptación particular que una persona tiene con otra. ‖ Amparo, favor.

valioso, sa. adj. Que vale mucho o tiene mucha estimación o poder.

valón, na. adj. Natural del territorio comprendido entre el Escalda y el Lys. Ú.t.c.s. ‖ Relativo a él. ‖ m. Idioma hablado por los valones, dialecto del antiguo francés. ‖ pl. Calzones anchos al uso de los valones.

valor (al. *Wert, Tapferkeit*, fr. *valeur, courage*, ingl. *value, courage*, it. *valore, coraggio*). m. Grado de utilidad o aptitud de las cosas. ‖ Cualidad de las cosas que las hace objeto de precio. ‖ Alcance de la significación o importancia de una cosa. ‖ Cualidad del alma que lleva a acometer resueltamente grandes empresas y a arrostrar sin miedo los peligros. ‖ Subsistencia y firmeza de algún acto. ‖ Fuerza, actividad, eficacia. ‖ pl. Títulos representativos de la participación en haberes de sociedades, de cantidades prestadas, de mercaderías, de fondos pecuniarios o de servicios que son objeto de operaciones mercantiles.

valoración. f. Acción y efecto de valorar.

valorar (al. *schätzen*, fr. *évaluer*, ingl. *to appraise*, it. *valutare*). tr. Señalar a una cosa el valor correspondiente a su estimación, ponerle precio. ‖ Reconocer, estimar o apreciar el valor o mérito de una persona o cosa. ‖ Aumentar el valor de una cosa. ‖ QUÍM. Determinar la composición exacta de una disolución.

valorizar. tr. Valorar, evaluar. ‖ Aumentar de valor una cosa.

valquiria. f. Cada una de ciertas divinidades de la mitología escandinava que en los combates designaban los héroes que tenían que morir.

vals (al. *Walzer*, fr. *valse*, ingl. *waltz*, it. *valzer*). m. Baile en el que las parejas que lo ejecutan se mueven preferentemente en círculos en sentido de traslación. ‖ Música de este baile.

valuación. f. Valoración.

valuar. tr. Señalar precio a una cosa.

valva. f. BOT. Cada una de las cáscaras de un fruto. ‖ ZOOL. Cada una de las dos piezas duras y movibles de la concha de los moluscos bivalvos.

válvula. f. ANAT. Pliegue membranoso en un vaso o conducto, entre cuyas funciones destaca la de impedir el reflujo de los líquidos que por ellos circulan. ‖ FÍS. Tubo termoiónico. ‖ TECN. Pieza que, colocada en la abertura de una máquina o instrumento, se utiliza para interrumpir alternativa o constantemente la comunicación entre dos de sus órganos, o entre éstos y el medio exterior.

valvular. adj. Perteneciente o relativo a las válvulas.

valla. (al. *Steckenzaun*, fr. *haie*, ingl. *fence*, it. *steccato*). f. Vallado de estacas dispuesto como defensa o para cerrar algún lugar. ‖ Línea de estacas o tablas que cierran un lugar. ‖ Cartelera colocada a los lados de caminos, carreteras o calles. ‖ fig. Obstáculo o impedimento.

valladar. m. Vallado. ‖ fig. Obstáculo de cualquier clase para impedir que sea invadida o allanada una cosa.

vallado. m. Cerco que se levanta para defensa de un sitio e impedir la entrada en él.

vallar. tr. Cerrar un sitio con vallado.

valle (al. *Tal*, fr. *vallée*, ingl. *valley*, it. *valle*). m. Llanura de tierra entre montes y alturas. ‖ Cuenca de un río. ‖ Conjunto de lugares, caseríos o aldeas situadas en un valle.

vallisoletano, na. adj. Natural de Valladolid. Ú.t.c.s. ‖ Perteneciente a esta ciudad o a su provincia.

vampiresa. f. Mujer que procura atraer la admiración de los hombres exagerando su atractivo físico por medios sofisticados.

vampirismo. m. Creencia en la existencia de vampiros. ‖ Necrofilia.

vampiro. m. Espectro o cadáver que, según creencia popular, va por las noches a chupar la sangre de los vivos. ‖ Murciélago que se alimenta de insectos y chupa la sangre de las personas y animales dormidos. ‖ fig. Persona codiciosa que se enriquece por malos medios.

vanadio. m. QUÍM. Elemento metálico que se presenta en ciertos minerales. Se usa como ingrediente para aumentar la resistencia del acero.

vanagloria. f. Jactancia del propio valer, presunción y altivez.

vanagloriarse. r. Jactarse del propio valer u obrar.

vandálico, ca. adj. Perteneciente o relativo a los vándalos o al vandalismo.

vandalismo. m. Devastación propia de los antiguos vándalos. ‖ fig. Espíritu de destrucción que no respeta nada.

vándalo, la. adj. Dícese del individuo perteneciente a un pueblo de la Germania antigua que invadió la España romana y se señaló en todas partes por el furor con que destruía los monumentos. Ú.t.c.s. ‖ Perteneciente o relativo a los vándalos. ‖ m. fig. El que comete acciones o profesa doctrinas propias de gente brutal, inculta o desalmada.

vanguardia (al. *Vorhut*, fr. *avant-garde*, ingl. *vanguard*, it. *avanguardia*). f. Parte de una fuerza armada que precede al grueso de las tropas. ‖ Conjunto de personas cuyo pensamiento o actitud vital o artística prefigura los de tiempos venideros.

vanguardismo. m. Nombre genérico de ciertas escuelas o tendencias artísticas nacidas en el siglo XX, tales como el cubismo, el ultraísmo, etc., con intención renovadora, de avance y exploración.

vanidad (al. *Eitelkeit*, fr. *vanité*, ingl. *vanity*, it. *vanità*). f. Calidad de vano. ‖ Fausto, pompa vana. ‖ Palabra inútil e insustancial. ‖ Ilusión o ficción de la fantasía.

vanidoso, sa. adj. Que tiene vanidad y la da a conocer.

vanilocuencia. f. Verbosidad inútil e insustancial.

vanilocuente. adj. Hablador u orador insustancial. Ú.t.c.s.

vano, na (al. *nichtig*, fr. *vain*, ingl. *vain*, it. *vano*). adj. Falto de realidad, sustancia o entidad. ‖ Hueco, vacío y falto de solidez. ‖ Inútil, infructuoso. ‖ Arrogante, presuntuoso. ‖ Que no tiene fundamento, razón o prueba. ‖ m. ARQ. Parte del muro u obra en que no hay apoyo para el techo o bóveda. ‖ *en vano*. m. adv. Inútilmente, sin logro ni efecto; sin necesidad, razón o justicia.

vapor (al. *Dampf*, fr. *vapeur*, ingl. *steam, steamer*, it. *vapore, piroscafo*). m. Fluido aeriforme en que, por la acción del calor, se convierten ciertos cuerpos, generalmente los líquidos; y por antonomasia, el de agua. ‖ Gas de los eructos. Ú.m. en pl. ‖ Especie de vértido o desmayo. ‖ Buque de vapor. ‖ pl. Accesos histéricos o hipocondríacos.

vaporización. f. Acción y efecto de vaporizar o vaporizarse. ‖ Uso medicinal de vapores.

vaporizador. m. Aparato que sirve para vaporizar. ‖ Pulverizador.

vaporizar. tr. Convertir en vapor un cuerpo por la acción del calor. Ú.t.c.r.

vaporoso, sa. adj. Que arroja de sí vapores o los produce. ‖ fig. Tenue, ligero.

vapuleamiento. m. Acción y efecto de vapulear.

vapulear. tr. Azotar o golpear a uno. Ú.t.c.r.

vapuleo. m. Vapuleamiento.

vaquería. f. Lugar donde hay vacas o se vende su leche.

vaquerizo, za. adj. Perteneciente o relativo al ganado bovino. ‖ s. Vaquero.

vaquero, ra. adj. Propio de los pastores de ganado bovino. ‖ s. Pastor o pastora de reses vacunas.

vaqueta. f. Cuero de ternera curtido.

vara (al. *Stab*, fr. *bâton*, ingl. *rod*, it. *bastone*). f. Ramo delgado, largo, limpio de hojas y liso. ‖ Palo largo y delgado. ‖ Bastón que, como insignia de autoridad y mando, llevan los alcaldes. ‖ fig. Jurisdicción de que es insignia la vara. ‖ Medida de longitud equivalente a 835 milímetros y 9 décimas. ‖ Garrochazo dado al toro por el picador. ‖ Trozo de tela u otra cosa que tiene la longitud de la vara. ‖ Cada una de las cuernas de los ciervos. ‖ *poner varas.* Dar garrochazos al toro los vaqueros y picadores. ‖ *tomar varas.* Recibir el toro garrochazos del picador.

varadero. m. MAR. Lugar donde varan las embarcaciones.

varadura. f. Acción y efecto de varar un barco.

varal. m. Vara muy larga y gruesa. ‖ Madero colocado verticalmente entre los bastidores de los teatros, en el cual se ponen luces para alumbrar la escena. ‖ fig. y fam. Persona muy alta.

varano. m. ZOOL. Reptil saurio muy voraz y de gran tamaño.

varapalo. m. Palo largo a modo de vara. ‖ Golpe dado con palo o vara. ‖ fig. y fam. Daño, perjuicio en los propios intereses. ‖ fig. y fam. Pesadumbre o desazón grande.

varar. intr. MAR. Encallar la embarcación. ‖ fig. Quedar atascado un negocio. ‖ tr. MAR. Sacar a la playa y poner en seco una embarcación.

varazo. m. Golpe dado con una vara.

varear. tr. Derribar con los golpes de la vara los frutos de algunos árboles. ‖ Dar golpes con vara o palo. ‖ Herir a los toros o fieras con varas o cosa parecida. ‖ Medir con la vara. ‖ Vender por varas. ‖ r. fig. Ponerse flaco.

varenga. f. MAR. Brazal. ‖ MAR. Pieza curva que se coloca atravesada sobre la quilla para formar la cuaderna.

vareta. f. Palito delgado, junco o esparto que que, untado con liga, sirve para cazar pájaros. ‖ Lista de color diferente del fondo de un tejido. ‖ fig. Expresión picante dicha con ánimo de herir a alguno.

varetazo. m. Golpe de lado que da el toro con el asta.

variabilidad. f. Calidad de variable.

variable (al. *veränderlich,* fr. *variable,* ingl. *variable,* it. *variabile*). adj. Que varía o puede variar. ‖ Inestable, inconstante y mudable.

variación (al. *Veränderung,* fr. *variation,* ingl. *variatio,* it. *variazione*).

f. Acción y efecto de variar. ‖ MÚS. Cada una de las imitaciones melódicas de un mismo tema.

variado, da. adj. Que tiene variedad. ‖ De varios colores.

variante. adj. Que varía. ‖ f. Variedad o diferencia de lección que hay en los ejemplares o copias de un códice, manuscrito o libro, cuando se cotejan los de una época o edición con los de otra. ‖ Desviación provisional de una carretera o camino. ‖ m. Vegetal que se encurte en vinagre. Ú.m. en pl.

variar (al. *ändern,* fr. *varier,* ingl. *to change,* it. *variare*). tr. Hacer que una cosa sea diferente de como antes era. ‖ Dar variedad. ‖ intr. Cambiar una cosa de forma, propiedad o estado. ‖ Ser una cosa diferente de otra.

varice o **várice.** f. MED. Dilatación permanente de una vena, por lo general en las extremidades inferiores.

varicela. f. MED. Enfermedad infecciosa y contagiosa, común en la infancia, caracterizada por una erupción parecida a la viruela benigna con supuración moderada.

varicocele. m. MED. Tumoración varicosa causada por la dilatación de las venas del escroto y del cordón espermático.

varicoso, sa. adj. MED. Perteneciente o relativo a las varices. ‖ Que tiene varices. Ú.t.c.s.

variedad (al. *Verschiedenartigkeit,* fr. *variété,* ingl. *variety,* it. *varietà*). f. Calidad de vario. ‖ Diferencia dentro de la unidad, conjunto de cosas diversas. ‖ Inconstancia, inestabilidad. ‖ Mudanza o alteración. ‖ Variación. ‖ HIST. NAT. Cada uno de los grupos en que se dividen algunas especies y que se distinguen entre sí por ciertos caracteres muy secundarios.

varilla. f. Barra larga y delgada. ‖ Cada una de las tiras de madera, marfil, etc., que forman la armazón del abanico. ‖ Cada una de las costillas de metal, madera o junco que forman la armazón de los paraguas y sombrillas. ‖ fam. Cada uno de los dos huesos largos que, en los mamíferos, forman la quijada. ‖ pl. Bastidor rectangular en que se mueven los cedazos para cerner.

varillaje. m. Conjunto de varillas de un utensilio.

vario, ria. adj. Diverso o diferente. ‖ Inconstante o mudable. ‖ Indiferente o indeterminado. ‖ Que tiene variedad. ‖ pl. Algunos, unos cuantos.

variopinto, ta. adj. Que ofrece diversidad de colores o de aspecto.

variz. f. MED. Varice.

varón. m. Persona del sexo masculino. ‖ Hombre que ha llegado a la edad viril. ‖ Hombre de respeto y autoridad. ‖ *santo varón.* fig. Hombre sencillo, de pocos alcances.

varona. f. Persona del sexo femenino, mujer. ‖ Mujer varonil.

varonía. f. Calidad de descendiente de varón a varón.

varonil. adj. Perteneciente o relativo al varón. ‖ Esforzado, valeroso y firme.

vasallaje. m. Vínculo de dependencia y fidelidad que una persona tenía respecto de otra. ‖ Reconocimiento con dependencia a cualquier otro, o de una cosa a otra. ‖ Tributo pagado por el vasallo a su señor.

vasallo, lla (al. *Vasall,* fr. *vassal,* ingl. *vassal,* it. *vassallo*). adj. Sujeto a algún señor con vínculo de vasallaje. ‖ Antiguamente, feudatario. ‖ s. Súbdito de un soberano o de cualquier gobierno independiente. ‖ fig. Cualquiera que reconoce a otro por superior o tiene dependencia de él.

vasar. m. Poyo o anaquelería que, al sobresalir, en la pared sirve para colocar en él vasos, platos, etc.

vasco, ca. adj. Natural o perteneciente a la región vascongada. Ú.t.c.s. ‖ m. Lengua vasca.

vascongado, da. adj. Vasco.

vascuence. m. Dícese de la lengua hablada por parte de los naturales del País Vasco, de Navarra y del territorio vascofrancés. Ú.m.c.s.

vascular. adj. HIST. NAT. Perteneciente o relativo a los vasos de los animales o de las plantas.

vaselina. f. Sustancia crasa, con aspecto de cera, que se extrae de la parafina y aceites densos del petróleo, y se usa en farmacia y perfumería.

vasija (al. *Gefäss,* fr. *vase,* ingl. *vessel,* it. *vaso*). f. Toda pieza cóncava y pequeña, de barro u otra materia, que sirve para contener especialmente líquidos o cosas destinadas a la alimentación.

vaso (al. *Glas,* fr. *verre,* ingl. *glass,* it. *bicchiere*). m. Pieza cóncava, capaz de contener alguna cosa. ‖ Recipiente, por lo común de forma cilíndrica, que sirve para beber. ‖ Cantidad de líquido que cabe en ella. ‖ Bacín de orinas y excrementos. ‖ Casco o uña de las bestias caballares. ‖ Obra de escultura, en forma de jarrón, florero, etc., que, colocada sobre un pedestal o peana, sirve para decorar edificios, jardines, etc. ‖ BOT. Conducto por el que circula en el vegetal la savia o el látex. ‖ Zool. Conducto por el que circula en el cuerpo del animal la sangre o la linfa. ‖ *vasos comunicantes.* Recipientes unidos por conductos que permiten el paso del líquido de unos a otros.

vástago. m. fig. Persona descendiente de otra. ‖ Bot. Renuevo o ramo tierno que brota de una planta o árbol. ‖ Tecn. Barra que trasmite el movimiento en una máquina, y especialmente, aquella que va sujeta a una de las caras de un émbolo.

vastedad. f. Dilatación, anchura o grandeza de una cosa.

vasto, ta. adj. Dilatado, muy extendido.

vate. m. Adivino. ‖ Poeta.

vaticano, na. adj. Perteneciente al monte Vaticano. ‖ Perteneciente o relativo al palacio Vaticano, en que ordinariamente habita el Papa. ‖ Perteneciente al Papa o a la corte pontificia.

vaticinar. tr. Pronosticar, adivinar.

vaticinio. m. Predicción, adivinación, pronóstico.

vatio. m. Unidad de potencia eléctrica en el sistema basado en el metro, el kilogramo, el segundo y el amperio. ‖ Equivale a un julio por segundo.

ve. f. Nombre de la letra *v.*

vecinal. adj. Perteneciente al vecindario o a los vecinos de un pueblo.

vecindad. f. Calidad de vecino. ‖ Conjunto de las personas que viven en los distintos pisos de una misma casa. ‖ Vecindario de una población. ‖ Cercanías de un sitio.

vecindario. m. Conjunto de los vecinos de una población. ‖ Lista o padrón de los vecinos de un pueblo.

vecino, na (al. *Nachbar*, fr. *voisin*, ingl. *neighbour*, it. *vicino*). adj. Que habita con otros en un mismo pueblo, barrio o casa, en habitación independiente. Ú.t.c.s. ‖ Que tiene casa y hogar en un pueblo, y contribuye a las cargas o repartimientos. Ú.t.c.s. ‖ fig. Cercano, próximo o inmediato. ‖ fig. Parecido o coincidente.

vector. m. Geom. Línea recta tirada en una curva desde un foco a cualquier punto de la misma curva. ‖ Fís. Magnitud determinada por tres magnitudes escalares. Con un número positivo o módulo se fijan su dirección y el sentido en que actúa a partir de un punto de aplicación.

vectorial. adj. Relativo al vector.

veda. f. Acción y efecto de vedar. ‖ Espacio de tiempo en que está prohibido cazar o pescar.

Veda. n. p. m. Cada uno de los libros sagrados primitivos de la India.

vedado (al. *Gehege*, fr. *chasse gardée*, ingl. *enclosure*, it. *bandita*). m. Campo o sitio acotado por ley u ordenanza.

vedar. tr. Prohibir por ley, estatuto o mandato. ‖ Impedir, estorbar.

védico, ca. adj. Perteneciente a los Vedas y al sánscrito arcaico en que están escritos.

vedija. f. Verija.

vedismo. m. Religión primitiva de la India, contenida en los Vedas.

vega. f. Parte de tierra baja, llana y fértil.

vegetación (al. *Pflanzenwuchs*, fr. *végétation*, ingl. *vegetation*, it. *vegetazione*). f. Acción y efecto de vegetar. ‖ Conjunto de los vegetales propios de un paraje o terreno.

vegetal (al. *Pflanze*, fr. *végétal*, ingl. *vegetable*, it. *vegetale*). adj. Que vegeta. ‖ Perteneciente o relativo a las plantas. ‖ m. Ser orgánico que crece y vive, pero no cambia de lugar voluntariamente.

vegetar. intr. Germinar, nutrirse y crecer las plantas. Ú.t.c.r. ‖ fig. Vivir una persona atendiendo a las necesidades puramente orgánicas. ‖ fig. Disfrutar voluntariamente de una vida tranquila, exenta de trabajo y de cuidados.

vegetarianismo. m. Régimen alimenticio en el que entran exclusivamente vegetales u otras sustancias de origen vegetal.

vegetariano, na. adj. Dícese de la persona que se alimenta exclusivamente de vegetales. Ú.t.c.s. ‖ Perteneciente a este régimen alimenticio.

vegetativo, va. adj. Que vegeta o puede vegetar. ‖ Biol. Perteneciente o relativo a las funciones de nutrición o reproducción.

veguer. m. Magistrado que en Aragón, Cataluña y Mallorca ejercía la misma jurisdicción que el corregidor en Castilla. ‖ En Andorra, cada uno de los delegados de las soberanías protectoras.

vehemencia. f. Calidad de vehemente.

vehemente (al. *ungestum*, fr. *véhément*, ingl. *eager*, it. *veemente*). adj. Que mueve o se mueve con ímpetu y violencia, u obra con mucha fuerza y eficacia. ‖ Dícese de lo que se siente o expresa con viveza. ‖ Aplícase también a las personas que sienten o se expresan de este modo.

vehículo (al. *Fahrzeug*, fr. *véhicule*, ingl. *vehicle*, it. *veicolo*). m. Artefacto que sirve para transportar personas o cosas. ‖ fig. Lo que sirve para conducir o transmitir una cosa.

veinte. adj. Dos veces diez. ‖ Vigésimo, ordinal. Apl. a los días del mes, ú.t.c.s. ‖ m. Conjunto de signos con que se representa el número veinte.

veintena. f. Conjunto de veinte unidades.

veinticinco. adj. Veinte y cinco. ‖ Vigésimo quinto. Apl. a los días del mes, ú.t.c.s. ‖ m. Conjunto de signos con que se representa el número veinticinco.

veinticuatro. adj. Veinte y cuatro. ‖ Vigésimo cuarto. Apl. a los días del mes, ú.t.c.s. ‖ m. Conjunto de signos con que se representa el número veinticuatro.

veintidós. adj. Veinte y dos. ‖ Vigésimo segundo. Apl. a los días del mes, ú.t.c.s. ‖ m. Conjunto de signos con que se representa el número veintidós.

veintinueve. adj. Veinte y nueve. ‖ Vigésimo nono. Apl. a los días del mes, ú.t.c.s. ‖ m. Conjunto de signos con que se representa el número veintinueve.

veintiocho. adj. Veinte y ocho. ‖ Vigésimo octavo. Apl. a los días del mes, ú.t.c.s. ‖ m. Conjunto de signos con que se representa el número veintiocho.

veintiséis. adj. Veinte y seis. ‖ Vigésimo sexto. Apl. a los días del mes, ú.t.c.s. ‖ m. Conjunto de signos con que se representa el número veintiséis.

veintisiete. adj. Veinte y siete. ‖ Vigésimo séptimo. Apl. a los días del mes, ú.t.c.s. ‖ m. Conjunto de signos con que se representa el número veintisiete.

veintitrés. adj. Veinte y tres. ‖ Vigésimo tercio. Apl. a los días del mes, ú.t.c.s. ‖ m. Conjunto de signos con que se representa el número veintitrés.

veintiuno, na. adj. Veinte y uno. ‖ Vigésimo primero. Apl. a los días del mes, ú.t.c.s. ‖ m. Conjunto de signos, con que se representa el número veintiuno.

vejación. f. Acción y efecto de vejar.

vejamen. m. Acción y efecto de vejar. ‖ Sátira de tono festivo con que se ponen de manifiesto y se ponderan los defectos físicos y morales de alguien.

vejar. tr. Maltratar, molestar, perseguir a alguien.

vejestorio. m. despect. Persona muy vieja.

vejez (al. *Alter*, fr. *vieillesse*, ingl. *old age*, it. *vecchiaia*). f. Calidad de viejo. ‖ Edad senil, senectud.

vejiga. (al. *Blase*, fr. *vessie*, ingl. *bladder*, it. *vescica*). f. ANAT. Órgano muscular y membranoso, a manera de bolsa, que tienen muchos vertebrados y en el cual se deposita la orina segregada por los riñones. ‖ Ampolla formada por la elevación de la epidermis. ‖ Bolsita formada en cualquier superficie y llena de aire u otro gas o de un líquido. ‖ Viruela, enfermedad eruptiva.

vela. f. Acción y efecto de velar. ‖ Tiempo que se vela. ‖ Asistencia por turno delante del Santísimo Sacramento. ‖ Tiempo de la noche que se destina a trabajar. ‖ Acción de velar a un difunto, velatorio. ‖ Cilindro o prisma de cera, sebo, estearina u otra materia grasa, con pabilo en el eje para que pueda encenderse y dar luz.

vela. f. Conjunto o unión de paños o piezas de lona o lienzo fuerte que se amarran a las vergas para recibir el viento que impele la nave. ‖ — *latina*. La triangular, que suelen usar las embarcaciones de poco porte. ‖ Toldo. ‖ fig. Barco de vela.

velacho. m. MAR. Gavia del trinquete.

velada. f. Acción y efecto de velar. ‖ Concurrencia nocturna a una plaza o paseo iluminado con motivo de alguna festividad. ‖ Reunión nocturna de varias personas para su esparcimiento. ‖ Sesión musical, literaria o deportiva que se celebra por la noche.

velador, ra. adj. Aplícase al que, con vigilancia y solicitud, cuida de alguna cosa. Ú.t.c.s. ‖ m. Candelero, por lo general de madera. ‖ Mesita de un solo pie, redonda por lo común.

velaje. m. Velamen.

velamen. m. Conjunto de velas de una embarcación.

velar. intr. Estar sin dormir el tiempo destinado ordinariamente para el sueño. ‖ Continuar trabajando después de la jornada ordinaria. ‖ fig. Cuidar solícitamente de una cosa. ‖ tr. Hacer guardia por la noche. ‖ Asitir de noche a un enfermo o pasarla junto a un difunto. ‖ fig. Observar atentamente una cosa. ‖ Cubrir con velo. Ú.t.c.r. ‖ fig. Cubrir, disimular, ocultar a medias algo. ‖ FOTOGR. Borrarse total o parcialmente la imagen en la placa o en el papel por la acción indebida de la luz. Ú.m.c.r.

velar. adj. Que vela u oscurece. ‖ Perteneciente o relativo al velo del paladar. ‖ Aplícase al sonido que se articula aproximando el dorso de la lengua al velo del paladar. ‖ Aplícase a

la letra que representa este sonido, como la *u* y la *k*. Ú.t.c.s.f..

velatorio. m. Acto de velar a un difunto.

veleidad. f. Antojo o deseo vano. ‖ Inconstancia, ligereza.

veleidoso, sa. adj. Inconstante, mudable.

velejar. intr. MAR. Usar o valerse de las velas en la navegación.

velero, ra. adj. Aplícase a la embarcación muy ligera o que navega mucho. ‖ Aplícase a la embarcación que es impulsada por la acción del viento sobre las velas. Ú.t.c.s.m.

veleta (al. *Wetterfahne*, fr. *girouette*, ingl. *weathervane*, it. *banderoula*). f. Pieza de metal, ordinariamente en forma de saeta, que se coloca en lo alto de un edificio, para que pueda girar alrededor de un eje vertical impulsada por el viento, y que sirve para señalar la dirección del mismo. ‖ Plumilla que los pescadores de caña ponen sobre el corcho para saber cuándo pica el pez. ‖ com. fig. Persona inconstante.

velicación. f. MED. Acción y efecto de velicar.

velicar. tr. MED. Punzar en alguna parte del cuerpo con objeto de dar salida a los humores.

velmez. m. Vestidura que antiguamente se ponía debajo de la armadura.

velo (al. *Schleier*, fr. *voile*, ingl. *veil*, it. *velo*). m. Cortina o tela que cubre una cosa. ‖ Prenda de tul, gasa u otra tela delgada con la cual se cubrían las mujeres la cabeza o el rostro. ‖ Manto con que cubren la cabeza y la parte superior del cuerpo las religiosas. ‖ Humeral del sacerdote. ‖ fig. Cualquier cosa delgada, ligera o flotante que encubre más o menos la vista de otra. ‖ fig. Pretexto o excusa con que se intenta ocultar la verdad. ‖ fig. Cualquier cosa que encubre o disimula el conocimiento expreso de otra. ‖ — *del paladar*. ANAT. Tabique blando, móvil y contráctil, que forma la mayor parte de la pared posterior de la boca.

velocidad (al. *Schnelligket*, fr. *vitesse*, ingl. *speed*, it. *velocità*). f. Ligereza o prontitud en el movimiento. ‖ FIS. Relación entre el espacio recorrido y el tiempo empleado.

velocípedo. m. Vehículo de dos ruedas, la delantera de diámetro mucho mayor que la trasera, movido por dos pedales situados en la parte anterior.

velódromo. m. Pista deportiva especialmente construida para que tengan lugar en ella competiciones ciclistas.

velomotor. m. Motocicleta ligera con motor de poca potencia, que también puede funcionar por medio de pedales.

velón. m. Lámpara de aceite, con un vaso de uno o varios picos o mecheros, y un eje en que puede girar, subir y bajar, terminando por arriba en un asa y por abajo en un pie.

velorio. m. Reunión con bailes y cantes que durante la noche se celebra en las casas de los pueblos, con ocasión de alguna faena doméstica, como hilar, matar el puerco, etc. ‖ Velatorio, especialmente cuando el difunto es un niño.

veloz. adj. Acelerado, ligero y pronto en el movimiento. ‖ Ágil y pronto en lo que se ejecuta.

vello. m. Pelo más suave y corto que el de la cabeza en algunas partes del cuerpo humano. ‖ Pelusilla de algunas frutas o plantas.

vellocino. m. Toda la lana que resulta de esquilar las ovejas. ‖ Cuero curtido del carnero o de la oveja con su lana.

vellón. m. Toda la lana junta de un carnero u oveja que se esquila. ‖ Guedeja de lana. ‖ Moneda de cobre que se usó en lugar de la fabricada con liga de plata.

vellosidad. f. Abundancia de vello.

velloso, sa. adj. Que tiene vello.

velludo, da. adj. Que tiene mucho vello. ‖ m. Felpa o terciopelo.

vena (al. *Ader*, fr. *veine*, ingl. *vein*, it. *vena*). f. Cualquiera de los conductos por donde vuelve al corazón la sangre que ha circulado por las arterias. ‖ — *yugular*. Cada una de las dos que hay a cada lado del cuello. ‖ Filón metálico. ‖ Cada uno de los hacecillos de fibras que sobresalen en el envés de las hojas de las plantas. ‖ Conducto natural por donde circula el agua en las entrañas de la tierra. ‖ Cada una de las listas de diversos colores que tienen ciertas piedras y maderas. ‖ fig. Inspiración poética. ‖ fig. Disposición del ánimo.

venablo. m. Dardo o lanza corta y arrojadiza.

venada. f. Ataque de locura.

venado. m. Ciervo.

venal. adj. Vendible o expuesto a la venta. ‖ fig. Que se deja sobornar con dádivas.

venalidad. f. calidad de venal.

venatorio, ria. adj. Perteneciente o relativo a la montería.

vencedor, ra. adj. Que vence. Ú.t.c.s.

vencejo (al. *Mauersegler*, fr. *martinet*, ingl. *marlet*, it. *rondone*). m. ZOOL.

Ave paseriforme fisirrostra, parecida a la golondrina, pero no afín a ella. Cola larga y ahorquillada, alas largas y puntiagudas, plumaje blanco en la garganta y negro en el resto del cuerpo. Se alimenta de insectos.

vencer (al. *besiegen*, fr. *vaincre*, ingl. *to win*, it. *vincere*). tr. Rendir o sujetar al enemigo. || Rendir a uno aquellas cosas físicas o morales a cuya fuerza resiste difícilmente la naturaleza. Ú.t.c.r. || Aventajarse o exceder en algún concepto en competencia o comparación con otros. || Sujetar o rendir las pasiones o afectos. || Superar las dificultades o estorbos. || Prevalecer una cosa sobre otra. || Subir o superar la altura o aspereza de un sitio o camino. || Ladear, torcer o inclinar una cosa. || intr. Cumplirse un plazo. || Salir alguien gananciozo en contienda o pleito. || Refrenar o reprimir los ímpetus del genio o de la pasión. Ú.t.c.r.

vencimiento. m. Acto de vencer o de ser vencido. || fig. Inclinación o torcimiento. || fig. Cumplimiento del plazo de una deuda, obligación, etc.

venda (al. *Binde*, fr. *bande*, ingl. *bandage*, it. *benda*). f. Tira, generalmente de lienzo, empleada en las curas para ligar miembros o para sujetar los apósitos.

vendaje. m. MED. Acción de cubrir con vendas una parte del organismo.

vendar. tr. Atar o cubrir con vendas.

vendaval. m. Viento fuerte que sopla del Sur, con tendencia al Oeste. || Cualquier viento duro que no llega a adquirir la violencia de un temporal.

vendedor, ra. adj. Que vende. Ú.t.c.s.

vender (al. *verkaufen*, fr. *vendre*, ingl. *to sell*, it. *vendere*). tr. Traspasar a otro por el precio convenido la propiedad de lo que uno posee. || Sacrificar al interés cosas que no tienen ningún valor material. || r. Dejarse sobornar. || fig. Decir o hacer alguien inadvertidamente algo que descubre lo que quiere tener oculto.

vendimia. f. Recolección y cosecha de la uva. || Tiempo en que se hace. || fig. Provecho o fruto abundante que se saca de cualquier cosa.

vendimiador, ra. s. Persona que vendimia.

vendimiar. tr. Recoger el fruto de las viñas. || fig. Disfrutar una cosa o aprovecharse de ella.

veneciano, na. adj. Natural de Venecia. Ú.t.c.s. || Perteneciente a esta ciudad de Italia.

venencia. f. Vasija o cacillo de metal, con mango en forma de varilla terminada en gancho, que sirve para sacar pequeñas cantidades de vino o mostos de una cuba o tonel.

veneno (al. *Gift*, fr. *poison*, ingl. *poison*, it. *veleno*). m. Cualquier sustancia que, introducida en el cuerpo o aplicada a él en pequeñas cantidades, le ocasiona la muerte o graves trastornos. || fig. Cosa nociva a la salud. || fig. Lo que puede causar un daño moral.

venenoso, sa. adj. Que contiene veneno.

venera. f. Concha semicircular de dos valvas, de un molusco común en los mares de Galicia. Los peregrinos que volvían de Santiago solían traerlas cosidas en las esclavinas. || Insignia de diversas órdenes militares, que pende en forma de collar.

venerable. adj. Digno de veneración, de respeto. || Aplícase como epíteto a las personas de reconocida virtud. || Título dado a los eclesiásticos constituidos en prelacía y dignidad. || Primer título que se concede en Roma a los que mueren en olor de santidad. Ú.t.c.s.

veneración. f. Acción y efecto de venerar.

venerar. tr. Respetar en sumo grado a una persona. || Dar culto a Dios, a los santos o a las cosas sagradas.

venéreo, a. adj. Perteneciente o relativo al deleite sexual. || MED. Aplícase al mal contagioso que comúnmente se contrae por el trato carnal. Ú.t.c.s.m.

venero. m. Manantial de agua. || fig. Orden y principio de donde procede una cosa. || Yacimiento de sustancias inorgánicas útiles.

venezolano, na. adj. Natural de Venezuela. Ú.t.c.s. || Perteneciente o relativo a esta nación de América.

vengador, ra. adj. Que venga o se venga. Ú.t.c.s.

venganza (al. *Rache*, fr. *vengeance*, ingl. *revenge*, it. *vendetta*). f. Satisfacción que se toma del agravio o daños recibidos.

vengar. tr. Tomar satisfacción de un agravio o daño. Ú.t.c.r.

vengativo, va. adj. Inclinado o determinado a tomar venganza.

venia. f. Perdón o remisión de la ofensa o culpa. || Licencia, permiso pedido para hacer algo. || Inclinación hecha con la cabeza, saludando cortésmente a uno.

venial. adj. Dícese de lo que se opone levemente a la ley o precepto, ya sea civil o religioso.

venida. f. Acción de venir. || Regreso. || Avenida de un río. || fig. Ímpetu.

venidero, ra. adj. Que está por venir o suceder. || m. pl. Los que han de suceder a uno. || Los que han de nacer después.

venir (al. *kommen*, fr. *venir*, ingl. *to come*, it. *venire*). intr. Caminar una persona o moverse una cosa de allá para acá. || Llegar una persona o cosa adonde está el que habla. || Comparecer una persona ante otra. || Llegar alguien a conformarse, transigir. Ú.t.c.r. || Resolver, acordar una autoridad. || Volver a tratar del asunto después de alguna digresión. || Inferirse, deducirse. || Pasar el dominio o uso de una cosa de unos a otros. || Darse o producirse una cosa en un terreno. || Acercarse o llegar el tiempo en que una cosa ha de acaecer. || Proceder o tener dependencia una cosa de otra. || Ofrecerse una cosa a la imaginación o a la memoria. || Manifestarse o iniciarse algo. || Suceder una cosa que se esperaba o se temía.

venoso, sa. adj. Perteneciente o relativo a las venas.

venta (al. *Verkauf*, fr. *vente*, ingl. *sale*, it. *vendita*). f. Acción y efecto de vender. || Contrato en virtud del cual se transfiere a dominio ajeno una cosa propia por un precio convenido. || Antiguamente, casa establecida en los caminos o despoblados para hospedaje de los pasajeros.

ventaja (al. *Vorteil*, fr. *avantage*, ingl. *advantage*, it. *vantaggio*). f. Superioridad o mejoría de una persona o cosa respecto de otra. || Excelencia o condición favorable que una persona o cosa tiene. || Ganancia anticipada que un jugador concede a otro para compensar la superioridad que el primero tiene.

ventajista. adj. Dícese de la persona que sin miramientos procura obtener ventajas en los tratos, en el juego. Ú.t.c.s.

ventajoso, sa. adj. Dícese de lo que tiene ventaja o la reporta.

ventalla. f. BOT. Cada una de las dos o más partes de la cáscara de un fruto que, juntas por una o más suturas, encierran las semillas.

ventana (al. *Fenster*, fr. *fenêtre*, ingl. *window*, it. *finestra*). f. Abertura que se deja en una pared para dar luz y ventilación. || Hoja u hojas de madera o de cristales con que se cierra esa abertura. || Cada uno de los dos orificios de la nariz.

ventanal. m. Ventana grande.

ventanilla. f. Abertura pequeña que hay en la pared o tabique de los despachos, para que los empleados comuniquen con el público. ‖ Abertura provista de cristal de los coches, vagones y otros vehículos.

ventarrón. m. Viento que sopla con mucha fuerza.

ventear. impers. Soplar el viento o hacer aire fuerte. ‖ Tomar algunos animales el viento con el olfato. ‖ Poner una cosa al viento para enjugarla o limpiarla. ‖ fig. Andar indagando o inquiriendo algo.

ventero, ra. s. Persona que tiene a su cuidado y cargo una venta para hospedaje de los pasajeros.

ventilación. f. Acción y efecto de ventilar o ventilarse. ‖ Abertura que sirve para ventilar un aposento. ‖ Corriente de aire que se establece al ventilarlo.

ventilador. m. Aparato para impulsar o remover el aire. ‖ Abertura que se deja hacia el exterior en una habitación, para que se renueve el aire.

ventilar (al. *durchlüften*, fr. *ventiler*, ingl. *to ventilate*, it. *ventilare*). tr. Hacer correr o penetrar el aire en algún sitio. Ú.m.c.r. ‖ Agitar una cosa en el aire. ‖ Renovar el aire de un aposento o pieza cerrada. ‖ fig. Controvertir o dilucidar una cuestión o duda.

ventisca. f. Borrasca de viento y nieve.

ventiscar. impers. Nevar con viento fuerte. ‖ Levantarse la nieve por la violencia del viento.

ventisquero. m. Sitio en las alturas de los montes, donde se conserva la nieve y el hielo. ‖ Masa de nieve o hielo reunida en este sitio.

ventolera. f. Golpe de viento recio y poco duradero. ‖ fig. y fam. Pensamiento inesperado y extravagante.

ventorro. m. despect. Venta de hospedaje pequeña o mala.

ventosa (al. *Schrapfkopf*, fr. *ventouse*, ingl. *sucker*, it. *ventosa*). f. Abertura que se practica en determinadas cosas para dar paso al viento. ‖ Órgano que tienen ciertos animales para adherirse o agarrarse, mediante el vacío, al andar o hacer presa. ‖ CIR. Mecanismo por el que se aplica presión negativa en un lugar determinado de la piel.

ventosear. intr. Expeler del cuerpo los gases intestinales. Ú.t.c.r.

ventosidad. f. Gases intestinales, en particular cuando se expelen. ‖ Calidad de ventoso.

ventoso, sa. adj. Que contiene viento o aire. ‖ Aplícase al día o tiempo en que hace mucho aire y al sitio batido por los vientos. ‖ Flatulento.

ventrículo (al. *Höhlung*, fr. *ventricule*, ingl. *ventricle*, it. *ventricolo*). m. ZOOL. Estómago. ‖ ANAT. Nombre que reciben varias cavidades del cuerpo, situadas principalmente en el cerebro, en el corazón y en la garganta.

ventrílocuo, cua (al. *Bauchredner*, fr. *ventriloque*, ingl. *ventriloquist*, it. *ventriloquo*). adj. Dícese de la persona que tiene el arte de modificar su voz de manera que parezca venir de lejos, y que imita las de otras personas o sonidos diversos. Ú.t.c.s.

ventriloquia. f. Arte del ventrílocuo.

ventrudo, da. adj. Que tiene abultado el vientre.

ventura. f. Felicidad. ‖ Contingencia o casualidad. ‖ Riesgo, peligro.

venturoso, sa. adj. Que tiene buena suerte. ‖ Tempestuoso, borrascoso. ‖ Que implica o trae felicidad.

Venus. n. p. m. Planeta poco menor que la Tierra, distante del Sol una cuarta parte menos que ésta; brilla con resplandor intenso como lucero de la mañana y de la tarde y presenta fases como la Luna. ‖ Diosa del amor. ‖ f. fig. Mujer muy hermosa. ‖ Deleite sensual o acto carnal. ‖ En alquimia, cobre.

ver (al. *sehen*, fr. *voir*, ingl. *to see*, it. *vedere*). m. Sentido de la vista. ‖ Parecer o apariencia de las cosas. ‖ tr. Percibir por los ojos la forma y color de los objetos. ‖ Observar, considerar alguna cosa. ‖ Visitar a una persona. ‖ Atender o ir con cuidado en las cosas que se ejecutan. ‖ Experimentar o reconocer el hecho. ‖ Considerar, advertir o reflexionar. ‖ Prevenir las cosas futuras. ‖ DER. Asistir los jueces a la discusión oral de un pleito o causa que han de sentenciar. ‖ r. Estar en sitio o postura a propósito para ser visto. ‖ Avistarse una persona con otra. ‖ Representarse la imagen o semejanza de una cosa. ‖ Estar o hallarse en un sitio, lance o situación.

vera. f. Orilla.

veracidad. f. Calidad de veraz.

veranda. f. Pórtico, galería, mirador.

veraneante. adj. Que veranea. Ú.t.c.s.

veranear. intr. Pasar el período de vacaciones en alguna parte distinta de donde se tiene la residencia habitual.

veraneo. m. Acción y efecto de veranear.

veraniego, ga. adj. Concerniente al verano. ‖ fig. Ligero, de poco fuste.

verano (al. *Sommer*, fr. *été*, ingl. *summer*, it. *estate*). m. Estío. ‖ Época más calurosa del año, que en el hemisferio septentrional comprende los meses de junio, julio y agosto. ‖ En el hemisferio austral corresponde a los meses que en el septentrional son de invierno.

veras. f. pl. Realidad, verdad en las cosas que se dicen o hacen.

veraz. adj. Que dice o profesa siempre la verdad.

verbal. adj. Dícese de lo que se refiere a la palabra o se sirve de ella. ‖ Que se hace o se estipula sólo de palabra y no por escrito. ‖ Perteneciente al verbo.

verbalismo. m. Propensión a fundar el razonamiento más en las palabras que en los conceptos.

verbena. f. Fiesta popular nocturna que se celebra en la víspera de ciertas festividades. ‖ BOT. Planta herbácea anual de la familia de las verbenáceas. Su infusión es amarga y se usa como astringente.

verbenáceo, a. adj. BOT. Aplícase a ciertas plantas dicotiledóneas. Sus especias son hierbas, arbustos o árboles, de hojas opuestas, en verticilo y sin estípula, flores en inflorescencia y fruto seco o en drupa. Ú.t.c.s.f. ‖ f. pl. Familia de estas plantas.

verbigracia. Voz de origen latino que significa *por ejemplo*.

verbo (al. *Zeitwort*, fr. *verbe*, ingl. *verb*, it. *verbo*). m. Segunda persona de la Santísima Trinidad. ‖ Sonido o sonidos que expresan una idea. ‖ GRAM. Clase de palabra con variación de número, persona, tiempo y modo. ‖ — *activo*. GRAM. Verbo transitivo. ‖ — *auxiliar*. GRAM. El que se usa en la formación de la pasiva y de los tiempos compuestos de la activa. ‖ — *defectivo*. GRAM. El que no tiene completa la conjugación. ‖ — *impersonal*. GRAM. El que sólo se usa en la tercera persona, generalmente del singular. ‖ — *intransitivo*. GRAM. El que se construye sin complemento directo. ‖ — *irregular*. GRAM. El que se conjuga alterando la conjugación regular. ‖ — *pronominal*. GRAM. El que se conjuga en todas sus formas con pronombres reflexivos. ‖ — *recíproco*. GRAM. Aquel que denota reciprocidad o cambio mutuo de acción entre dos o más personas, animales o cosas. ‖ — *reflexivo*. GRAM. Verbo pronominal. ‖ — *regular*. GRAM. El que se conjuga sin alterar la raíz, el tema o las desinencias de la conjugación a que pertenece. ‖ — *transitivo*.

GRAM. El que se construye con complemento directo.

verborrea. f. fam. Verbosidad excesiva.

verbosidad. f. Abundancia de palabras en la elocución.

verdad (al. *Wahrheit*, fr. *vérité*, ingl. *truth*, it. *verità*). f. Conformidad de las cosas con el concepto que de ellas forma la mente. || Conformidad de lo que se dice con lo que se siente o se piensa. || Propiedad que tiene una cosa de seguir siendo lo que es, sin mutación alguna. || Juicio o proposición que no se puede negar racionalmente. || Veracidad. || Expresión clara con que a alguien se le corrige o reprende. Ú.m. en pl. || Realidad.

verdadero, ra. adj. Que contiene verdad. || Real y efectivo. || Veraz.

verde (al. *grün*, fr. *vert*, ingl. *green*, it. *verde*). adj. De color semejante al de la hierba verde, la esmeralda, etc. Ú.t.c.s. || En contraposición de seco, dícese de los árboles y las plantas que aún conservan alguna savia. || Dícese de la leña recién cortada del árbol vivo. || Tratándose de legumbres, las que se consumen frescas. || Dícese de lo que aún no está maduro. || fig. Dícese de las cosas que están en sus principios y aún falta mucho para perfeccionarse o lograrse. || fig. Obsceno. || m. Hierbas que se siegan en verde para consumo del ganado. || Follaje de las plantas. || Sabor áspero de algunos vinos. || pl. Hierbas, pastos.

verdear. intr. Mostrar una cosa el color verde que en sí tiene. || Dicho del color, tirar a verde. || Empezar a brotar plantas en los campos, o cubrirse los árboles de hojas y tallos.

verdecer. intr. Reverdecer, cubrirse de verde la tierra o los árboles.

verderón. m. ZOOL. Pájaro de la familia de los fringílidos, de tamaño y forma de un gorrión, y pluma verde con manchas amarillentas. Se acomoda a la cautividad.

verdín. m. Primer color verde de las hierbas o plantas que no han llegado a su sazón. || Capa verde de plantas criptógamas, que se cría en las aguas dulces, principalmente en las estancadas, en las paredes y lugares húmedos, y en la corteza de algunos frutos cuando se pudren.

verdolaga. f. BOT. Planta herbácea anual, con tallos jugosos y hojas carnosas, casi redondas. Es planta hortense y se usa como verdura. || Por ext., cualquier verdura.

verdor. m. Color verde vivo de las plantas. || Color verde. || fig. Vigor, lozanía.

verdoso, sa. adj. Que tira a verde.

verdugo (al. *Henker*, fr. *bourreau*, ingl. *executioner*, it. *boia*). m. Estoque muy delgado. || Azote hecho de materia flexible. || Roncha larga o señal que levanta el golpe dado con el azote. || Agente de la justicia que ejecuta las penas de muerte. || Alcaudón, ave. || fig. Persona muy cruel o que castiga sin piedad. || fig. Cualquier cosa que atormenta o molesta mucho.

verdulería. f. Tienda o puesto de verduras.

verdulero, ra. s. Persona que vende verduras. || f. fig. y fam. Mujer desvergonzada y basta.

verdura (al. *Gemüse*, fr. *légumes verts*, ingl. *greens*, it. *verdura*). f. Verdor, color verde. || Hortaliza, y especialmente la que se come cocida.

vereda. f. Vía, senda o camino angosto. || Vía pastoril para los ganados trashumantes. || *Amer.* Acera de las calles. || *hacer* a uno *entrar por vereda*. || fig. y fam. Obligarle al complimiento de sus deberes.

veredicto. m. Parecer o dictamen que un jurado emite sobre un hecho sometido a juicio.

verga. f. Miembro genital de los mamíferos pertenecientes al género masculino. || MAR. Percha a la cual se asegura el grátil de una vela.

vergajo. m. Verga del toro que, seca y retorcida, se usa como látigo. || Por ext., cualquier tipo de azote flexible.

vergel. m. Huerto con variedad de flores y árboles frutales.

vergonzante. adj. Que tiene vergüenza.

vergonzoso, sa. adj. Que causa vergüenza. || Que se avergüenza con facilidad. Ú.t.c.s.

vergüenza (al. *Schande*, fr. *honte*, ingl. *shame*, it. *vergogna*). f. Turbación del ánimo ocasionada por una falta cometida, o por alguna acción deshonesta y humillante. || Pundonor, estimación de la propia honra. || Cortedad para ejecutar una cosa. || Acción indecorosa que cuesta repugnancia ejecutar. || pl. Partes pudendas.

vericueto. m. Lugar o sitio áspero, alto o quebrado, por donde se anda con dificultad.

verídico, ca. adj. Que dice verdad. || Aplícase también a lo que la incluye.

verificación. f. Acción de verificar o verificarse.

verificador, ra. adj. Que verifica. Ú.t.c.s.

verificar (al. *kontrollieren*, fr. *vérifier*, ingl. *to verify*, it. *verificare*). tr. Probar que una cosa de la cual se dudaba es verdadera. || Comprobar o examinar la verdad de una cosa. || Realizar, efectuar. Ú.t.c.r. || r. Salir cierto y verdadero lo que se dijo o pronosticó.

verija. f. Región de las partes pudendas.

veril. m. MAR. Orilla de un bajo, placer, sonda, etc.

verismo. m. Movimiento estético que propugna que lo verdadero es el fin de la obra artística.

verja. f. Enrejado que sirve de puerta, ventana o cerca.

verme. m. ZOOL. Nombre que se aplica a cualquiera de los animales que antiguamente constituían la clase de los gusanos.

vermicida. adj. FARM. Vermífugo. Ú.t.c.s.m.

vermicular. adj. Que tiene gusanos o vermes. || Que se parece a los gusanos o participa de sus cualidades.

vermiforme. adj. Que tiene figura de gusano.

vermífugo, ga. adj. FARM. Que tiene virtud para matar las lombrices intestinales.

vermú o **vermut.** m. Licor aperitivo de vino blanco, ajenjo y otras sustancias amargas y tónicas. || *Amer.* Función de cine o teatro por la tarde.

vernáculo, la. adj. Doméstico, nativo de nuestra casa o país. Dícese especialmente del idioma.

vernal. adj. Perteneciente a la primavera.

veronés, sa. adj. Natural de Verona. Ú.t.c.s. || Perteneciente a esta ciudad de Italia.

verónica. f. BOT. Planta herbácea vivaz de la familia de las escrofulariáceas, con tallos rastreros, hojas vellosas y flores azules en espiga. El fruto es seco y capsular. Crece en sitios húmedos. || TAUROM. Lance que consiste en esperar al toro en su acometida, teniendo la capa extendida con ambas manos.

verosímil. adj. Que tiene apariencia de verdadero. || Creíble.

verosimilitud. f. Calidad de verosímil.

verraco. m. Cerdo semental.

verraquear. intr. fig. y fam. Gruñir o dar señales de enojo o enfado. || fig. y fam. Llorar con rabia y continuadamente los niños.

verruga. f. Excrecencia cutánea, por lo general redonda. || Abultamiento que la acumulación de savia produce en algún punto de la superficie de una planta.

versado, da. adj. Ejercitado, práctico, instruido.

versal. adj. IMP. Aplícase a la letra mayúscula. Ú.t.c.s.

versalita. adj. IMP. Dícese de la letra mayúscula de igual tamaño que la minúscula. Ú.t.c.s.

versar (al. *handeln von*, fr. *traiter*, ingl. *to treat on*, it. *trattare*). intr. Tratar de tal o cual materia un libro, discurso o conversación. || r. Hacerse alguien práctico o perito en determinada materia.

versátil. adj. Que se vuelve o se puede volver fácilmente. || fig. De genio o carácter voluble e inconstante.

versatilidad. f. Calidad de versátil.

versículo. m. Cada una de las breves divisiones de los capítulos de ciertos libros.

versificación. f. Acción y efecto de versificar.

versificar. intr. Hacer o componer versos. || tr. Poner en verso.

versión. f. Traducción, acción y efecto de traducir. || Modo que tiene cada uno en referir un mismo suceso. || Cada una de las formas que adopta el texto de una obra o la interpretación de un texto, según quién sea su autor.

verso (al. *Vers*, fr. *vers*, ingl. *verse*, it. *verso*). m. Palabra o conjunto de palabras sujetas a medida y cadencia, o sólo a cadencia. || Se usa también en sentido colectivo, por contraposición a prosa. || Versículo de la Sagradas Escrituras. || fam. Composición en verso. Ú.m. en pl.

versta. f. Medida de longitud rusa equivalente a 1067 metros.

vértebra (al. *Wirbel*, fr. *vertèbre*, ingl. *vertebra*, it. *vertebra*). f. ANAT. Cada uno de los huesos, enlazados entre sí, que forman el espinazo de los mamíferos, aves, reptiles y peces.

vertebrado. adj. Que tiene vértebras. || ZOOL. Aplícase a los animales cordados que tienen esqueleto con columna vertebral y cráneo, y sistema nervioso central constituido por medula espinal y encéfalo. Ú.t.c.s.m. || m. pl. Subtipo de estos animales.

vertebral. adj. Perteneciente o relativo a las vértebras.

vertedera. f. Especie de orejera que voltea y extiende la tierra levantada por el arado.

vertedero. m. Sitio adonde o por donde se vierte alguna materia, por lo general basuras o despojos.

vertedor, ra. adj. Que vierte. Ú.t.c.s. || m. Conducto por el cual se da salida al agua y las inmundicias, en los puentes y otras construcciones.

verter (al. *giessen*, fr. *verser*, ingl. *to pour*, it. *versare*). tr. Derramar o vaciar líquidos y también cosas menudas. Ú.t.c.r. || Traducir de una lengua a otra. || fig. Tratándose de máximas, conceptos, etc., decirlos con determinado objeto. || intr. Correr un líquido por una pendiente.

vertible. adj. Que puede volverse o mudarse.

vertical (al. *senkrecht*, fr. *vertical*, ingl. *vertical*, it. *verticale*). adj. GEOM. Aplícase a la recta o plano perpendicular al del horizonte. Ú.t.c.s.

verticalidad. f. Calidad de vertical.

vértice (al. *Scheitel*, fr. *sommet*, ingl. *vertex*, it. *vertice*). m. GEOM. Punto en que concurren los dos lados de un ángulo. || GEOM. Punto donde concurren tres o más planos. || GEOM. Punto de una curva, en que la encuentra un eje suyo normal a ella. || fig. Parte más elevada de una cosa.

verticilado, da. adj. BOT. Que forma verticilo.

verticilo. m. BOT. Conjunto de tres o más ramas, hojas, pétalos, etc. u otros órganos que se insertan en un mismo nudo, alrededor de un tallo.

vertiente (al. *Abhang*, fr. *versant*, ingl. *versant*, it. *versante*). adj. Que vierte. || amb. Declive por donde corre o puede correr el agua. || f. fig. Aspecto, punto de vista.

vertiginoso, sa. adj. Relativo al vértigo. || Que lo causa o lo padece.

vértigo (al. *Schwindel*, fr. *vertige*, ingl. *dizziness*, it. *vertigine*). m. MED. Transtorno del sentido del equilibrio caracterizado por una sensación de movimiento rotatorio del cuerpo o de las cosas que lo rodean. || En psiquiatría, turbación del juicio, repentina y pasajera. || fig. Apresuramiento anormal de la actividad de una persona o colectividad.

vesania. f. Demencia, furia.

vesánico, ca. adj. Relativo a la vesania. || Que padece de vesania. Ú.t.c.s.

vesical. adj. ZOOL. Relativo a la vejiga.

vesicante. adj. Aplícase a la sustancia que produce ampollas en la piel. Ú.t.c.s.m.

vesícula (al. *Bläschen*, fr. *vésicule*, ingl. *blister*, it. *vescicola*). f. MED. Ampolla formada en la piel, que contiene un líquido generalmente seroso. || BOT. Ampolla llena de aire que suelen tener ciertas plantas acuáticas. || — *biliar*. ANAT. Vejiga de la bilis. || — *ovárica*. ANAT. La que contiene el óvulo. || — *seminal*. ANAT. Cada una de las dos, situados a uno y otro lado del conducto deferente de los mamíferos, cuyas paredes contienen glándulas secretoras de un líquido que forma parte del esperma.

vesicular. adj. De forma de vesícula.

vesiculoso, sa. adj. Lleno de vesículas.

véspero. m. El planeta Venus como lucero de la tarde.

vespertino, na. adj. Perteneciente o relativo a la tarde. || ASTR. Dícese de los astros que trasponen el horizonte después de la puesta del sol.

vestal. adj. Perteneciente o relativo a la diosa Vesta. || Decíase de las doncellas romanas consagradas a la diosa Vesta. Ú.m.c.s.

vestíbulo. m. Recibidor. || Sala amplia a la entrada de un hotel. || Atrio o portal. || ANAT. Cavidad ósea irregular del oído interno.

vestido (al. *Kleid*, fr. *vêtement*, ingl. *garment*, it. *vestito*). m. Cubierta que se coloca en el cuerpo por honestidad o para abrigo o adorno. || Conjunto de piezas que sirve para este uso. || Prenda de vestir exterior completa de una persona. || Prenda de vestir exterior femenina de una sola pieza.

vestidura. f. Vestido. || Vestido que usan los sacerdotes, sobrepuesto al ordinario, en las ceremonias del culto divino. Ú.m. en pl. || *rasgarse uno las vestiduras*. Escandalizarse excesiva o hipócritamente por algo que otros hacen o dicen.

vestigio. m. Huella, señal que deja el pie por donde ha pisado. || Memoria o noticia de las acciones de los antiguos. || Señal que queda de un edificio o de otras cosas. || fig. Indicio o seña por la que se infiere la verdad de una cosa o se produce la averiguación de la misma.

vestimenta. f. Vestido. || Vestidura, vestido sacerdotal. Ú.m. en pl.

vestir (al. *ankleiden*, fr. *habiller*, ingl. *to clothe*, it. *vestire*). tr. Cubrir el cuerpo con el vestido. || Guarnecer o cubrir una cosa con otra, para defensa o adorno. || Proporcionar a uno la cantidad necesaria para que se haga vestidos. || Ser una prenda, o la materia o el color de ella a propósito para la elegancia del vestido. ‖ fig. Disfrazar o disimular la realidad de una cosa añadiéndola un adorno. ‖ intr. Vestirse, o ir vestido.

vestuario. m. Vestido, conjunto de las piezas que sirven para vestir. ‖ Parte del teatro en la que están los cuartos o aposentos donde se visten los actores. ‖ Por ext., toda parte interior del teatro. ‖ En los campos de deportes, piscinas, etc., local para cambiarse de ropa.

veta. f. Faja o lista de una materia que por su calidad, color, etc., se distingue de la masa en la que se halla inserta. ‖ Vena, filón metálico. ‖ fig. y fam. Aptitud de uno para ciencia o arte.

vetar. tr. Poner el veto a una proposición.

veteado, da. adj. Que tiene vetas.

veteranía. f. Calidad de veterano.

veterano, na. adj. Aplícase a los militares que han servido mucho tiempo. Ú.t.c.s. ‖ fig. Antiguo y experimentado en cualquier profesión o ejercicio.

veterinaria. f. Ciencia y arte de precaver y curar las enfermedades de los animales.

veterinario, ria. adj. Perteneciente o relativo a la veterinaria. ‖ s. Persona que se halla legalmente autorizada para profesar y ejercer la veterinaria.

veto. m. Derecho que tiene una persona o corporación para vedar o impedir una cosa. ‖ Acción y efecto de vedar.

vetustez. f. Calidad de vetusto.

vetusto, ta. adj. Muy antiguo o de mucha edad.

vez. f. Alternación de las cosas por turno u orden sucesivo. ‖ Tiempo u ocasión determinada en que se ejecuta una acción. ‖ Tiempo u ocasión de hacer algo por turno u orden. ‖ pl. Ministerio o jurisdicción que una persona ejerce supliendo o representando a otra. U.m. con el verbo *hacer*. ‖ *a la vez.* m. adv. A un tiempo, simultáneamente. ‖ *a veces.* m. adv. Por orden alternativo. ‖ *una vez que.* loc. fam. con que se supone o da por cierta una cosa para pasar adelante en el discurso.

vía (al. *Weg*, fr. *voie*, ingl. *way*, it. *via*). f. Camino por donde se transita. ‖ Raíl del ferrocarril. ‖ Cualquiera de los conductos por donde pasan, en el cuerpo del animal, los humores, los alimentos, etc. ‖ Calidad del ejercicio, estado o facultad que se elige o toma para vivir. ‖ fig. Conducto para hacer o lograr algo. ‖ *— de agua.* MAR. Rotura por donde entra agua en una embarcación. ‖ *Vía Láctea.* ASTR. Zona o faja de luz blanca y difusa que atraviesa oblicuamente casi toda la esfera celeste. ‖ *— muerta.* La de ferrocarril que no tiene salida y sirve para apartar de la circulación vagones y máquinas. ‖ *— pública.* Calle, plaza, camino, u otro lugar por donde transita el público.

viabilidad. f. Calidad de viable.

viable. adj. Que puede vivir. Se aplica especialmente a las criaturas que nacen con robustez suficiente para seguir viviendo. ‖ Se aplica al camino o vía por donde se puede transitar, transitable. ‖ fig. Se aplica al asunto que, por sus circunstancias, tiene probabilidades de poderse llevar a cabo.

vía crucis. m. Camino que se recorre rezando en memoria del que hizo Jesucristo caminando hacia el Calvario. ‖ fig. Aflicción o trabajo penoso que sufre una persona.

viaducto. m. Obra arquitectónica a modo de puente, mediante la cual una camino, canal o vía férrea puede franquear una hondonada.

viajante. adj. Que viaja. Ú.t.c.s. ‖ m. Dependiente comercial que hace viajes para negociar ventas o compras.

viajar (al. *reisen*, fr. *voyager*, ingl. *to travel*, it. *viaggiare*). intr. Realizar un viaje. ‖ tr. Correr un artículo determinado, como ocupación del viajante.

viaje (al. *Reise*, fr. *voyage*, ingl. *travel*, it. *viaggio*). m. Acción y efecto de viajar. ‖ Jornada que se hace de un lugar a otro. ‖ Carga o peso que se lleva de un sitio a otro de una vez.

viajero, ra. adj. Que viaja. Ú.t.c.s. s. Persona que hace un viaje.

vial. adj. Perteneciente o relativo a la vía. ‖ m. Calle flanqueada por árboles, setos u otras plantas.

vianda. f. Sustento y comida de los racionales. ‖ Comida que se sirve a la mesa. Ú.m. en pl.

viandante. com. Peatón, caminante.

viático. m. Prevención de lo preciso para el sustento del que hace un viaje. ‖ Sacramento de la Eucaristía, que se administra a los enfermos que están en peligro de muerte.

víbora (al. *Viper*, fr. *vipère*, ingl. *viper*, it. *vipera*). f. ZOOL. Culebra venenosa de unos 50 centímetros de largo y menos de 3 de grueso, con dos dientes huecos en la parte superior por donde vierte el veneno cuando muerde.

vibración. f. Acción y efecto de vibrar. ‖ Movimiento vibratorio, o doble oscilación de las moléculas o del cuerpo vibrante.

vibrador, ra. adj. Que vibra. ‖ m. Aparato que trasmite las vibraciones eléctricas.

vibráfono. m. Instrumento músico de percusión parecido al xilófono, pero de láminas metálicas con tubos de resonancia perpendiculares, en cuyos extremos puede girar por su diámetro un sistema de tapaderas circulares, puestas en marcha eléctricamente.

vibrante. adj. Que vibra. ‖ fig. Hablando del estilo, apasionado.

vibrar (al. *schwingen*, fr. *vibrer*, ingl. *to vibrate*, it. *vibrare*). tr. Dar movimiento trémulo a cualquier cosa larga, delgada y elástica. ‖ Arrojar con ímpetu y violencia una cosa, especialmente haciéndola vibrar. ‖ intr. FIs. Experimentar un cuerpo elástico cambios alternativos de forma, de tal modo que sus puntos oscilen sincrónicamente en torno a sus posiciones de equilibrio.

vibrátil. adj. Capaz de vibrar.

vibratorio, ria. adj. Que vibra.

vicaría. f. Oficio o dignidad de vicario. ‖ Oficina en que despacha el vicario. ‖ Territorio de la jurisdicción del vicario.

vicario, ria. adj. Que tiene el poder y facultades de otro o le sustituye. Ú.t.c.s. ‖ s. Persona que en las órdenes regulares tiene las veces y autoridad de alguno de los superiores. ‖ m. Juez eclesiástico nombrado y elegido por los prelados para que ejerza sobre sus súbditos la jurisdicción ordinaria. ‖ *— apostólico.* Clérigo que rige, en nombre del Papa, una región donde no hay jerarquía eclesiástica.

vice. Voz que se usa en vocablos compuestos, y significa que la persona o cargo de que se habla tiene las veces o autoridad de la expresada por la segunda parte del compuesto.

vicealmirante. m. Oficial general de la Armada, de grado inmediatamente inferior al del almirante.

vicecónsul. m. Funcionario de la carrera consular, inmediato subordinado del cónsul.

vicepresidencia. f. Cargo de vicepresidente.

vicepresidente, ta. s. Persona que puede sustituir al presidente o a la presidenta.

vicetiple. f. fam. En las zarzuelas, operetas y revistas, cada una de las cantantes de los números de conjunto.

viceversa. adv. m. Al contrario, por lo contrario; cambiadas dos cosas recíprocamente. ‖ m. Cosa, dicho o acción al revés de lo que lógicamente debe ser o suceder.

viciar (al. *verderben*, fr. *vicier*, ingl. *to vitiate*, it. *viziare*). tr. Dañar o corromper física o moralmente. Ú.t.c.r. || Falsificar un escrito, cambiando alguna palabra. || r. Entregarse alguien a los vicios.

vicio (al. *Laster*, fr. *vice*, ingl. *vice*, it. *vizio*). m. Mala calidad, defecto o daño físico en las cosas. || Falsedad, yerro o engaño en lo que se escribe o propone. || Defecto moral en las acciones. || Hábito de obrar mal. || Demasiado apetito de una cosa que incita a usar de ella con exceso. || Mala costumbre que adquiere a veces un animal.

vicioso, sa. adj. Que tiene o causa vicio, error o defecto. || Entregado a los vicios. Ú.t.c.s.

vicisitud. f. Alternativa de sucesos prósperos y adversos. || Por ext., cualquier acontecimiento desagradable o incómodo.

víctima (al. *Opfer*, fr. *victime*, ingl. *victim*, it. *vittima*). f. Persona o animal destinado al sacrificio, antes y después de ser sacrificado. || fig. Persona que padece daño por culpa ajena o por causa fortuita.

victimario. m. Sirviente sacerdotal que preparaba el sacrificio.

victoria (al. *Sieg*, fr. *victoire*, ingl. *victory*, it. *vittoria*). f. Superioridad o ventaja que se consigue sobre el contrario, en una batalla, juego o deporte. || fig. Vencimiento de los vicios o pasiones.

victorioso, sa. adj. Que ha conseguido la victoria. Ú.t.c.s. || Aplícase también a las acciones con que se consigue.

vicuña. f. ZOOL. Mamífero rumiante del tamaño del macho cabrío. Vive en manadas por los Andes del Perú y de Bolivia. || Lana de este animal. || Tejido que se hace de esta lana.

vid (al. *Weinrebe*, fr. *vigne*, ingl. *vine*, it. *vite*). f. BOT. Planta vivaz y trepadora de la familia de las ampelidáceas, de tronco retorcido, vástagos muy largos, flexibles y nudosos, hojas pecioladas muy grandes y formadas por cinco lóbulos puntiagudos, flores verdosas arracimadas y fruto en baya, llamado uva.

vida (al. *Leben*, fr. *vie*, ingl. *life*, it. *vita*). f. Fuerza interna sustancial mediante la que obra el ser que la posee. || Estado de actividad de los seres orgánicos. || Unión del alma y del cuerpo. || Espacio de tiempo que transcurre desde el nacimiento de un animal o vegetal hasta su muerte. || Duración de las cosas. || Modo de vivir. || Rela-ción o historia de las acciones notables realizadas por una persona durante su vida. || fig. Expresión, viveza.

vidente. adj. Que ve. || m. Profeta.

vidorra. f. fam. Vida regalada.

vidriado, da. adj. Vidrioso, que parece de vidrio. || m. Barro o loza con barniz vítreo. || Servicio de mesa.

vidriar. tr. Dar a las piezas de barro o loza un barniz que, fundido al horno, toma la transparencia y lustre del vidrio. || r. fig. Ponerse vidriosa alguna cosa.

vidriera (al. *Glasfenster*, fr. *vitrage*, ingl. *glass-window*, it. *vetrata*). f. Bastidor con vidrio con que se cierran puertas y ventanas. || Ventanal de una iglesia, por lo general con vidrios coloreados artificialmente y que representan personajes o dibujos.

vidriero. m. El que fabrica o vende vidrio.

vidrio (al. *Glas*, fr. *verre*, ingl. *glass*, it. *vetro*). m. Sustancia dura, frágil, transparente por lo general, de brillo especial, insoluble en casi todos los cuerpos conocidos y fusible a elevada temperatura. Está formada por la combinación de la sílice con potasa o sosa y pequeñas cantidades de otras bases. || Cualquier pieza o vaso de vidrio. || fig. Cosa muy delicada y quebradiza.

vidrioso, sa. adj. Que fácilmente se quiebra, como el vidrio. || Empañado. || fig. Aplícase a la persona que fácilmente se resiente o desazona, o al genio de esa condición.

vieira. f. ZOOL. Molusco comestible, muy común en los mares de Galicia, cuya concha es la venera, insignia de los peregrinos de Santiago.

viejo, ja (al. *alt*, fr. *vieux*, ingl. *old*, it. *vecchio*). adj. De mucha edad. Ú.t.c.s. || Antiguo o del tiempo pasado. || Que no es reciente ni nuevo. || Deslucido, estropeado por el uso. || *Amer.* Voz cariñosa que se aplica a algunas personas, y más comúnmente a los padres.

vienés, sa. adj. Natural de Viena. Ú.t.c.s. || Perteneciente a esta ciudad de Austria.

viento (al. *Wind*, fr. *vent*, ingl. *wind*, it. *vento*). m. Corriente de aire producida en la atmósfera por causas naturales. || Aire atmosférico. || Olor que como rastro dejan las piezas de caza. || Olfato de ciertos animales. || fig. Cualquier cosa que agita el ánimo con violencia o variedad. || fam. Expulsión de los gases intestinales, ventosidad. || MAR. Rumbo, dirección trazada en el plano del horizonte.

vientre (al. *Bauch*, fr. *ventre*, ingl. *belly*, it. *ventre*). m. ZOOL. Cavidad del cuerpo del animal en la que se contienen los órganos principales del aparato digestivo, genital y urinario. || Conjunto de las vísceras contenidas en esta cavidad. || Región exterior y anterior del cuerpo, correspondiente al abdomen. || Panza de las vasijas y de otras cosas. || fig. Cavidad grande e interior de una cosa.

viernes (al. *Freitag*, fr. *vendredi*, ingl. *friday*, it. *venerdì*). m. Sexto día de la semana.

vietnamita. adj. Natural de Vietnam. Ú.t.c.s. || Perteneciente a este país de Asia.

viga (al. *Balken*, fr. *poutre*, ingl. *beam*, it. *trav*). f. Elemento horizontal de madera, hierro u hormigón armado, que salva una luz y soporta una carga, utilizado sobre todo para formar techos y suelos.

vigencia. f. Calidad de vigente.

vigente. adj. Aplícase a las leyes, costumbres, etc., que están en vigor y observancia.

vigésimo, ma. adj. Que sigue inmediatamente en orden al o a lo decimonono. || Aplícase a cada una de las veinte partes iguales en que se divide un todo. Ú.t.c.s.

vigía. f. Atalaya, torre. || Persona destinada a cumplir la función de vigilancia desde una torre o atalaya. Ú.t.c.s.m. || MAR. Escollo que sobresale algo sobre la superficie del mar.

vigilancia. f. Cuidado y atención exacta en las cosas que están a cargo de uno. || Servicio ordenado y dispuesto para vigilar.

vigilante. adj. Que vigila. || Que vela o está despierto. || m. Persona encargada de velar por algo. || Agente de policía.

vigilar (al. *Bewachen*, fr. *surveiller*, ingl. *to watch*, it. *sorvegliare*). intr. Velar acerca de una persona o cosa, o atenderla con cuidado. Ú.t.c.tr.

vigilia. f. Acción de estar despierto o en vela. || El día que antecede a cualquier cosa y en cierto modo la ocasiona. || Víspera de una festividad de la Iglesia. || Comida con abstinencia de carne.

vigor (al. *Stärke*, fr. *vigueur*, ingl. *vigour*, it. *vigore*). m. Fuerza o actividad notable de las cosas animadas o inanimadas. || Viveza o eficacia de las acciones. || Fuerza de obligar en las leyes u ordenanzas, o duración de las costumbres o estilos. || fig. Entonación o expresión enérgica en las obras artísticas o literarias.

vigorizar. tr. Dar vigor. Ú.t.c.r. || fig. Animar, esforzar. Ú.t.c.r.

vigoroso, sa. adj. Que tiene o está hecho con vigor.

vihuela. f. Antiguo instrumento de cuerda español. Tenía forma de guitarra, pero su mecanismo y su forma de ejecución eran como los del laúd.

vikingo. m. Nombre aplicado a los navegantes escandinavos que entre los siglos VIII y XI realizaron incursiones por las islas del Atlántico y por casi toda Europa occidental.

vil. adj. Bajo o despreciable, indigno, infame.

vilano. m. Apéndice de pelos o filamentos que corona el fruto de muchas plantas compuestas. || Flor del cardo.

vileza. f. Calidad de vil. || Acción o expresión indigna, torpe o infame.

vilipendiar. tr. Despreciar alguna cosa o tratar a alguien con vilipendio.

vilipendio. m. Desprecio, denigración de una persona o cosa.

vilo (en). m. adv. Suspendido; sin el fundamento o apoyo necesario; sin estabilidad. || fig. Con indecisión y zozobra.

vilorta. f. Vara de madera flexible para hacer aros y vencejos. || Arandela metálica para evitar el roce entre dos piezas.

villa. f. Casa de recreo situada aisladamente en el campo. || Población que tiene algunos privilegios. || Consistorio, ayuntamiento.

villancico (al. *Weichnachtslied,* fr. *chant de noël,* ingl. *Christmas carol,* it. *canzonetta villereccia*). m. Composición poética popular, con estribillo, y especialmente la de motivo religioso que se canta durante las Navidades.

villanía. f. Bajeza de nacimiento, condición o estado. || fig. Acción ruin.

villano, na. adj. Vecino del estado llano en una villa o aldea. Ú.t.c.s. || fig. Rústico o descortés. || fig. Ruin, indigno.

villorrio. m. despect. Población pequeña y poco urbanizada.

vinagre (al. *Essig,* fr. *vinaigre,* ingl. *vinegar,* it. *aceto*). m. Líquido agrio y astringente producido por la fermentación del vino y compuesto principalmente de ácido acético y agua. || fig. y fam. Persona de genio áspero y desapacible.

vinagrera. f. Vasija destinada a contener vinagre para el uso diario. || *Amer.* Acedía. || pl. Utensilio para el servicio de mesa, compuesto de ampollas o frasco para el aceite, vinagre y, a veces, otros condimentos.

vinagreta. f. Salsa compuesta de aceite, cebolla y vinagre.

vinagrón. m. Vino repuntado y de mala calidad.

vinajera. f. Cada uno de los dos jarrillos con que se sirven en la misa el vino y el agua. Ú.t. en pl. || pl. Aderezo de ambos jarrillos y de la bandeja en que se ponen.

vinal. m. *Amer.* Especie de algarrobo arborescente.

vinatero, ra. s. Comerciante que trata en vinos.

vinazo. m. Vino muy fuerte y espeso.

vinculación. f. Acción y efecto de vincular o vincularse.

vincular. tr. Sujetar los bienes a vínculo para perpetuarlos en empleo o familia determinados por el fundador. || fig. Atar o basar una cosa en otra. || adj. Perteneciente o relativo al vínculo.

vínculo (al. *Band,* fr. *lien,* ingl. *bond,* it. *vincolo*). m. Unión o atadura de una cosa con otra. || DER. Sujeción de los bienes a que sucedan en ellos los parientes por el orden que señala el fundador, o al mantenimiento de obras pías.

vindicación. f. Acción y efecto de vindicar o vindicarse.

vindicar. tr. Vengar. Ú.t.c.r. || Defender, especialmente por escrito al que ha sido calumniado. Ú.t.c.r. || DER. Reivindicar.

vindicativo, va. adj. Vengativo. || Aplícase al escrito o discurso en que se defiende la fama u opinión de alguien.

vindicatorio, ria. adj. Que sirve para vindicar.

vindicta. f. Venganza.

vínico, ca. adj. Perteneciente o relativo al vino.

vinicultura. f. Elaboración de vinos.

vinificación. f. Fermentación del mosto de la uva, o transformación del zumo de ésta en vino.

vino (al. *Wein,* fr. *vin,* ingl. *wine,* it. *vino*). m. Licor alcohólico que se hace del zumo de las uvas fermentado. || Zumo de otras cosas que fermenta de modo semejante al de las uvas. || — *blanco.* El de color dorado más o menos intenso. || — *clarete.* Especie de vino tinto algo claro. || — *generoso.* El más fuerte y añejo que el vino común. || — *peleón.* fam. El muy ordinario. || — *seco.* El que no tiene sabor dulce. || — *tinto.* El de color muy oscuro.

vinoso, sa. adj. Que tiene la calidad, fuerza, propiedad o apariencia del vino.

viña (al. *Weinberg,* fr. *vigne,* ingl. *wineyard,* it. *vigna*). f. Terreno plantado de vides.

viñador. m. El que cultiva la viñas. || Guarda de una viña.

viñedo. m. Terreno plantado de vides.

viñero, ra. s. Persona que tiene heredades de viñas.

viñeta. f. Dibujo o estampita que se pone para adorno en el principio o el fin de los libros y capítulos, y algunas veces en los contornos de las planas. || Cada uno de los dibujos de que están formadas las historietas.

viola (al. *Bratsche,* fr. *viole,* ingl. *viola,* it. *viola*). f. MÚS. Instrumento de igual forma que el violín, aunque algo mayor y de cuerdas más fuertes. || com. Persona cuyo oficio o arte es tocar este instrumento.

violáceo, a. adj. Violado.

violación. f. Acción y efecto de violar.

violado, da. adj. De color de la violeta. Ú.t.c.s. || Es el séptimo color del espectro solar.

violar. tr. Infringir una ley o precepto. || Tener acceso carnal con una mujer por fuerza, o hallándose privada de sentido o cuando es menor. || Profanar un lugar sagrado.

violencia. f. Calidad de violento. || Acción y efecto de violentar o violentarse. || Acción violenta.

violentar. tr. Aplicar medios violentos a cosas o personas para vencer su resistencia. || fig. Entrar en una parte contra la voluntad de su dueño.

violento, ta. adj. Que está fuera de su estado natural, situación o modo. || Que obra con ímpetu. || Dícese de lo que hace alguien contra su gusto debido a ciertas consideraciones. || fig. Aplícase al genio impetuoso y que se deja llevar fácilmente de la ira. || fig. Falso, torcido, fuera de lo natural.

violero. m. Constructor de instrumentos de cuerda. || Mosquito.

violeta (al. *Veilchen,* fr. *violette,* ingl. *violet,* it. *viola*). f. BOT. Planta violácea de tallos rastreros y flores moradas de olor exquisito. Es muy apreciada en jardinería. || Flor de esta planta. || adj. Aplícase a lo que es de color morado claro, semejante al de la violeta. Ú.t.c.s.m.

violetera. f. Mujer que vende violetas en lugares públicos.

violín (al. *Geige*, fr. *violon*, ingl. *violin*, it. *violino*). m. Instrumento musical de arco, que se compone de una caja de madera y un mástil al que va superpuesto el diapasón. Tiene cuatro cuerdas, que se hacen sonar con un arco, presionándolas con los dedos de la mano izquierda sobre el mástil. ‖ Violinista.

violinista. com. Persona que toca el violín.

violón (al. *Bassegeige*, fr. *basse*, ingl. *doublebass*, it. *violone*). m. Mús. Instrumento músico de cuerda y de arco, de forma casi idéntica a la del violín, pero de dimensión mucho mayor y de diapasón más bajo. ‖ com. Persona que profesa el arte de tocar este instrumento.

violoncelista. com. El que toca el violoncelo.

violoncelo. m. Violonchelo.

violonchelista. com. Persona que toca el violonchelo.

violonchelo (al. *Violoncell*, fr. *violoncelle*, it. *cello*, it. *violoncello*). m. Instrumento musical de cuerda y arco, más pequeño que el violón y de idéntica forma.

vipéreo, a. adj. Viperino.

viperino, na. adj. Perteneciente a la víbora. ‖ fig. Que tiene sus propiedades.

virada. f. MAR. Acción y efecto de virar.

virador. m. Líquido empleado en fotografía para virar.

virago. f. Mujer varonil.

viraje. m. Acción y efecto de virar. ‖ fig. Cambio de orientación en las ideas, intereses, conducta, actitudes, etc.

virar (al. *Wenden*, fr. *virer*, ingl. *to tack*, it. *virare*). tr. FOTOGR. Sustituir la sal de plata del papel impresionado por otra sal más estable, o que produzca un color determinado. ‖ MAR. Cambiar de rumbo o bordada. Ú.t.c.intr. ‖ intr. Cambiar de dirección en la marcha de un automóvil, avión, etc. ‖ fam. Volver, dar vuelta.

virgen (al. *Jungfrau*, fr. *vierge*, ingl. *virgin*, it. *vergine*). com. Persona que no ha tenido trato carnal. Ú.t.c.adj. ‖ adj. Dícese de la tierra que no ha sido cultivada. ‖ Aplícase a aquellas cosas que están en su primera entereza y que no han servido aún para aquello a que se destinan. ‖ f. Por antonomasia, María Santísima.

virginal. adj. Perteneciente a la Virgen. ‖ fig. Puro, incólume.

virginidad. f. Entereza corporal de quien no ha conocido trato carnal.

virgo. m. Virginidad. ‖ Himen. ‖ n. p. f. ASTR. Sexto signo del Zodíaco, que el Sol recorre aparentemente en el último tercio del verano. ‖ ASTR. Constelación zodiacal que en otro tiempo debió coincidir con el signo de este nombre.

vírgula. f. Vara pequeña. ‖ Coma, signo ortográfico. ‖ MED. Bacilo agente del cólera.

vírico, ca. adj. Relativo a los virus.

viril. m. Vidrio muy claro y transparente que se pone delante de algunas cosas, haciéndolas patentes a la vista. ‖ adj. Varonil.

virilidad. f. Calidad de viril. ‖ Edad viril.

virola. f. Abrazadera de metal que se pone por remate o por adorno en algunos instrumentos, como navajas, espadas, etc.

virología. f. MED. Tratado de los virus.

virote. m. Especie de saeta guarnecida con un casquillo.

virreina. f. Mujer del virrey. ‖ La que gobierna como virrey.

virreinato. m. Dignidad o cargo de virrey. ‖ Tiempo que dura este cargo. ‖ Distrito gobernado por un virrey.

virrey. m. El que con este título gobierna en nombre y con la autoridad del rey.

virtual. adj. Que tiene virtud para producir un efecto. ‖ fig. Implícito, tácito. ‖ FÍS. Que tiene existencia aparente y no real.

virtud (al. *Vermögen*, fr. *vertu*, ingl. *virtue*, it. *virtù*). f. Actividad o fuerza de las cosas para producir sus efectos. ‖ Fuerza, vigor, valor. ‖ Integridad de ánimo y bondad de vida. ‖ Acción virtuosa o recto modo de proceder.

virtuosismo. m. Perfecto dominio en la ejecución musical o en cualquier arte.

virtuoso, sa. adj. Que se ejercita en la virtud u obra según ella. Ú.t.c.s. ‖ Aplícase igualmente a las mismas acciones. ‖ Que tiene la actividad y virtud natural que le corresponde. ‖ s. Persona dotada de talento natural para la música.

viruela. (al. *Pocken*, fr. *variole*, ingl. *smallpox*, it. *vaiolo*). f. MED. Enfermedad aguda, febril, esporádica o epidémica, contagiosa, caracterizada por la erupción de gran número de pústulas. Ú.m. en pl. ‖ Cada una de las pústulas ocasionadas por esta enfermedad. ‖ fig. Granillo en la superficie de algunas cosas.

virulencia. f. Calidad de virulento.

virulento, ta. adj. Ponzoñoso, ocasionado por un virus, o que participa de la naturaleza de éste. ‖ Que tienen materia o poder. ‖ fig. Dícese del lenguaje sañudo o mordaz.

virus. m. MED. Podre, humor maligno. ‖ En bacteriología, cualquiera de los agentes infecciosos, apenas visibles con el microscopio ordinario, y que pasan a través de los filtros de porcelana.

viruta. f. Hoja delgada que se saca con el cepillo al labrar la madera o los metales.

vis. f. Fuerza, vigor. Úsase sólo en la locución *vis cómica*.

visa. amb. *Amer.* Visado.

visado. m. Acción y efecto de visar un pasaporte u otro documento.

visaje. m. Gesto, expresión del rostro, mueca.

visar. tr. Examinar un documento, poniendo en él el visto bueno. ‖ Dar validez la autoridad competente a un pasaporte u otro documento para determinado uso.

víscera (al. *Eingeweide*, fr. *viscère*, ingl. *viscus*, it. *viscera*). f. Entraña del hombre o de los animales.

visceral. adj. Concerniente a las vísceras. ‖ fig. Hablando de los sentimientos, irracional y profundo.

viscosa. f. QUÍM. Producto con que se fabrica la seda artificial denominada rayón. ‖ Es una solución de celulosa en hidróxido sódico.

viscosidad (al. *Klebrigkeit*, fr. *viscosité*, ingl. *viscosity*, it. *viscosità*). f. Calidad de viscoso. ‖ Materia viscosa. ‖ FÍS. Propiedad de los fluidos, que se gradúa por la velocidad de salida de aquéllos al través de tubos capilares.

viscoso, sa. adj. Pegajoso, glutinoso. ‖ Que posee viscosidad.

visera (al. *Schirm*, fr. *visière*, ingl. *visor*, it. *visiera*). f. Parte movible del yelmo que cubrían y defendía el rostro. ‖ Ala pequeña que tienen en la parte delantera las gorras y otras prendas semejantes, para resguardar la vista. ‖ La propia ala, con idéntica utilidad, cuando va fijada a la nuca con una goma.

visibilidad. f. Calidad de visible. ‖ Mayor o menor distancia a que, según las condiciones atmosféricas, pueden reconocerse o verse los objetos.

visible. adj. Que se puede ver. ‖ Tan cierto y evidente que no admite duda.

visigodo, da. adj. Aplícase al individuo de una parte del pueblo godo que fundó un reino en España. Ú.t.c.s. ‖ Concerniente a los visigodos.

visillo. m. Cortinilla.

visión (al. *Sehen*, fr. *vision*, ingl. *vision*, it. *visione*). f. Acción y efecto de ver. ‖ Especie de fantasía o imaginación que no tiene realidad y se toma como verdadera.

visionario, ria. adj. Dícese del que, en fuerza de su fantasía exaltada, se figura y cree con facilidad cosas quiméricas. Ú.t.c.s.

visir. m. Ministro de un soberano musulmán.

visita. (al. *Besuch*, fr. *visite*, ingl. *visit*, it. *visita*). f. Acción de visitar. ‖ Persona que visita.

visitación. f. Visita, acción de visitar. ‖ Por antonomasia, visita que hizo la Virgen María a su prima santa Isabel.

visitador, ra. adj. Que visita frecuentemente. Ú.t.c.s. ‖ m. Juez, ministro o empleado que tiene a su cargo hacer visitas o reconocimientos.

visitar (al. *besuchen*, fr. *visiter*, ingl. *to pay a visit*, it. *visitare*). tr. Ir a ver a alguien en su casa o en algún establecimiento público. ‖ Ir a un templo por devoción. ‖ Ir el médico a casa del enfermo para asistirle. ‖ Acudir con frecuencia a un lugar con objeto determinado.

vislumbrar. tr. Ver un objeto confusamente por la distancia o falta de luz. ‖ fig. Conocer imperfectamente o conjeturar por leves indicios una cosa inmaterial.

vislumbre. f. Reflejo de la luz, o tenue resplandor, por la distancia de ella. ‖ fig. Conjetura, sospecha o indicio. ‖ fig. Apariencia o leve semejanza de una cosa con otra.

viso. m. Superficie de las cosas tersas que hieren la vista con un especial reflejo. ‖ Onda de resplandor que hacen algunas cosas heridas por la luz. ‖ Prenda interior que usan las mujeres, por lo general de tejido muy fino y transparente. ‖ fig. Apariencia de las cosas.

visón (al. *Nerz*, fr. *vison*, ingl. *mink*, it. *visone*). m. ZOOL. Mamífero carnívoro de la familia de los mustélidos, parecido a la nutria, pero con los dedos unidos por una membrana hasta más de su mitad. Su piel tiene gran valor. ‖ Piel de este animal.

visor. m. FOTOGR. Sistema óptica que en los aparatos fotográficos permite encuadrar la escena que se quiere fotografiar.

visorio, ria. adj. Perteneciente a la vista o que sirve como instrumento para ver. ‖ m. Visita o examen pericial.

víspera (al. *Vorabend*, fr. *veille*, ingl. *eve*, it. *vigilia*). f. Día que antecede inmediatamente a otro determinado. ‖ fig. Cosa que antecede a otra y en cierto modo la ocasiona. ‖ fig. Inmediación a una cosa que ha de suceder. ‖ pl. Una de las horas del oficio divino.

vista (al. *Sicht*, fr. *vue*, ingl. *sight*, it. *vista*). f. Sentido corporal con que se perciben los objetos mediante la acción de la luz. ‖ Acción y efecto de ver. ‖ Campo de considerable extensión que se descubre desde un punto, y en especial cuando presenta variedad y agrado. ‖ Ojo humano. ‖ Conjunto de ambos ojos. ‖ Cuadro, estampa que representa un sitio o monumento, etc., tomado del natural. ‖ DER. Actuación en que se relaciona ante el tribunal, con citación de las partes, un juicio o incidente, para dictar el fallo.

vistazo. m. Mirada superficial o ligera.

visto, ta. adj. DER. Fórmula con que se significa que no procede dictar resolución respecto de un asunto.

vistosidad. f. Calidad de vistoso.

vistoso, sa. adj. Que atrae mucho la atención por su brillantez, viveza de colores o apariencia ostentosa.

visual. adj. Perteneciente a la vista como instrumento o medio para ver. ‖ f. Línea recta que se considera tirada desde el ojo del espectador hasta el objeto.

visualidad. f. Efecto agradable que produce el conjunto de objetos vistoso.

visualizar. tr. Representar mediante imágenes ópticas fenómenos de otro carácter. ‖ Imaginar con rasgos visibles algo que no se tiene a la vista.

vital. adj. Perteneciente o relativo a la vida. ‖ fig. De suma importancia o trascendencia.

vitalicio, cia. adj. Que dura desde que se obtiene hasta el fin de la vida. ‖ m. Póliza de seguro sobre la vida. ‖ Pensión duradera hasta el fin de la vida del que la percibe.

vitalidad (al. *Lebenskraft*, fr. *vitalité*, ingl. *vitality*, it. *vitalità*). f. Calidad de tener vida. ‖ Actividad o eficacia de las facultades vitales.

vitalismo. m. Doctrina fisiológica que explica los fenómenos que se verifican en el organismo por la acción de las fuerzas vitales de los seres vivos.

vitamina. f. BIOL. Nombre que reciben varias sustancias orgánicas que, aunque en proporciones muy reducidas, deben formar parte de la alimentación para que el organismo mantenga la salud.

vitamínico, ca. adj. Perteneciente o relativo a las vitaminas.

vitela. f. Piel de vaca o ternera, adobada y muy pulida, en particular la que sirve para pintar o escribir en ella.

vitelina. f. ZOOL. Membrana que envuelve el óvulo de los animales.

vitícola. adj. Perteneciente o relativo a la viticultura. ‖ com. Viticultor.

viticultor, ra. s. Persona perita en viticultura.

viticultura. f. Cultivo de la vid. ‖ Arte de cultivar las vides.

vito. m. Baile andaluz muy animado y vivo. ‖ Música en compás de tres por ocho con que se acompaña este baile.

vitola (al. *Kaliberlehre*, fr. *passeballe*, ingl. *ball caliber*, it. *vitola*). f. Plantilla para calibrar balas de cañón o de fusil. ‖ Regal de hierro para medir las vasijas en las bodegas. ‖ Cada uno de los diferentes modelos de cigarro puro según su longitud, grosor y configuración. ‖ Anilla de los cigarros puros.

¡vítor! interj. de alegría con que se aplaude a una persona o una acción. ‖ m. Función pública en que se aplaude la hazaña o promoción gloriosa de alguien.

vitorear. tr. Aplaudir o aclamar a una persona.

vitre. m. MAR. Lona muy delgada.

vítreo, a. adj. Hecho de vidrio o que tiene sus propiedades. ‖ Parecido al vidrio.

vitrificación. f. Acción y efecto de vitrificación o vitrificarse.

vitrificar. tr. Convertir en vidrio una sustancia. Ú.t.c.r. ‖ Hacer que una cosa adquiera la apariencia del vidrio. Ú.t.c.r.

vitrina (al. *Vitrine*, fr. *vitrine*, ingl. *showcase*, it. *vetrina*). f. Armario o caja con puertas o tapas de cristales que se utiliza para exponer ciertos objetos.

vitriolo. m. QUÍM. Sulfato.

vitualla. f. Conjunto de cosas necesarias para la comida. Ú.m. en pl. ‖ fam. Abundancia de comida.

vituperable. adj. Que merece vituperio.

vituperar (al. *Rügen*, fr. *blâmer*, ingl. *to vituperate*, it. *vituperare*). tr. Decir mal de una persona o cosa.

vituperio. m. Baldón o insulto que se lanza contra alguien. ‖ Acción o circunstancia que causa afrenta o deshonra.

viudedad. f. Condición del viudo o la

viuda. || Pensión que se asigna a las viudas.

viudez. f. Estado del viudo o de la viuda.

viudo, da (al. *Witwer*, fr. *veuf*, ingl. *widower*, it. *vedovo*). adj. Dícese de la persona a quien se le ha muerto su cónyuge y no ha vuelto a casarse. Ú.t.c.s.

vivac. m. Campamento, especialmente de un cuerpo militar.

vivacidad. f. Calidad de vivaz. || Viveza, esplendor y lustre de algunas cosas.

vivaque. m. Vivac.

vivaracho, cha. adj. fam. Muy vivo de genio; travieso y alegre.

vivaz. adj. Alegre, despierto. || Agudo, de pronta comprensión e ingenio. || BOT. Dícese de la planta que vive más de dos años.

vivencia. f. Hecho de experiencia ante el cual el sujeto adopta una posición valorativa, pasando a formar parte de su personalidad.

víveres (al. *Lebensmittel*, fr. *vivres*, ingl. *provisions*, it. *viveri*). m. pl. Provisiones de boca de un ejército, plaza o buque. || Comestibles necesarios para el alimento de las personas.

vivero (al. *Baumschule*, fr. *pépinière*, ingl. *nursery*, it. *vivaio*). m. Terreno al que se transplantan desde la almáciga los arbolillos para trasponerlos, después de recriados, a su lugar definitivo. || Lugar donde se mantienen o se crían dentro del agua peces u otros animales. || fig. Semillero, origen de algo.

viveza. f. Prontitud en las acciones o agilidad en su ejecución. || Energía en las palabras. || Agudeza de ingenio. || Propiedad y semejanza en la representación de algo. || Esplendor de ciertas cosas, especialmente de los colores. || Gracia particular de los ojos en el modo de mirar o de moverse. || Acción poco considerada.

vividor, ra. adj. Que vive mucho tiempo. || Dícese de la persona laboriosa que busca medios para vivir. Ú.t.c.s. || s. Persona que vive a expensas de los demás, mirando a su provecho sin atender a los medios.

vivienda (al. *Wohnung*, fr. *logement*, ingl. *dwelling*, it. *abitazione*). f. Morada, habitación. || Modo de vivir.

vivificación. f. Acción y efecto de vivificar.

vivificar. tr. Dar vida. || Confortar.

vivíparo, ra. adj. ZOOL. Aplícase a los animales en que el feto se desarrolla por completo en el interior de la madre. Ú.t.c.s.

vivir (al. *Leben*, fr. *vivre*, ingl. *to live*, it. *vivere*). intr. Tener vida. || Durar las cosas. || fig. Obrar, proceder, conducirse de algún modo. || fig. Estar presente una cosa en la memoria, en la voluntad o en la consideración. || Existir uno con cierta permanencia en un lugar, estado o condición. || tr. Sentir o experimentar la impresión producida por algún hecho o acaecimiento. || m. Conjunto de los medios de vida y subsistencia.

vivisección. f. Disección efectuada en los animales vivos.

vivo, va. adj. Que tiene vida. Apl. a pers., ú.t.c.s. || Intenso, fuerte. || Sutil, ingenioso. || Precipitado, poco considerado en las expresiones o acciones. || fig. Que dura y subsiste en toda su fuerza y vigor. || fig. Perseverante, durable en la memoria. || fig. Diligente, pronto y ágil. || fig. Muy expresivo o persuasivo. || fig. Listo, que aprovecha las circunstancias. || ARQ. Dícese de la arista o el ángulo agudo y bien determinado. || m. Borde, canto u orilla de alguna cosa.

vizcaíno, na. adj. Natural de Vizcaya. Ú.t.c.s. || Perteneciente a esta provincia.

vizcondado. m. Título o dignidad de vizconde. || Territorio o lugar sobre el que radicaba este título.

vizconde (al. *Vicomte*, fr. *vicomte*, ingl. *viscount*, it. *visconte*). m. Título nobiliario inferior al de conde.

vizcondesa. f. Mujer del vizconde. || La que por sí goza este título.

vocablo. m. Palabra, como expresión de una idea.

vocabulario (al. *Wortschatz*, fr. *vocabulaire*, ingl. *vocabulary*, it. *vocabolario*). m. Diccionario, catálogo por orden alfabético de todas las voces de un idioma. || Conjunto o diversidad de vocablos de que se usa en alguna materia determinada. || Catálogo o lista de palabras por orden alfabético y con definiciones o explicacones sucintas.

vocación (al. *Beruf*, fr. *vocation*, ingl. *vocation*, it. *vocazione*). f. Inspiración con que Dios llama a algún estado, especialmente al de religión. || fam. Inclinación a cualquier estado, profesión o carrera.

vocal. adj. Perteneciente a la voz. || Dícese de lo que se expresa materialmente con la voz. || f. Letra vocal. || com. Persona que tiene voz en un consejo, una congregación o junta.

vocalista. com. Persona que interpreta canciones acompañando a las orquestas de baile.

vocalización. f. Transformación de una consonante en vocal, como la c del latín *affectare* en la *i* de *afeitar*. || MÚS. Acción y efecto de vocalizar.

vocalizar. intr. MÚS. Solfear sin nombrar las notas, empleando solamente una de las vocales. || MÚS. Ejecutar los ejercicios de vocalización para acostumbrarse a vencer las dificultades del canto.

vocativo (al. *Anredefall*, fr. *vocatif*, ingl. *vocative*, it. *vocativo*). m. GRAM. Caso de la declinación que sirve únicamente para invocar, llamar o nombrar a una persona o cosa personificada.

voceador, ra. adj. Que vocea o da muchas voces. Ú.t.c.s. || m. Pregonero.

vocear (al. *Schreien*, fr. *crier*, ingl. *to cry*, it. *gridare*). intr. Dar voces o gritos. || Publicar o pregonar a voces una cosa.

vocerío. m. Griterío.

vocero. m. El que habla en nombre de otro llevando su voz y representación.

vociferación. f. Acción y efecto de vociferar.

vociferar. intr. Vocear o dar grandes voces. Ú.t.c.intr.

vocinglero, ra. adj. Que da muchas voces o habla muy recio. Ú.t.c.s. || Que habla mucho o vanamente. Ú.t.c.s.

vodka. amb. Especie de aguardiente ruso obtenido del centeno.

voladizo, za. adj. Que se aparta de lo macizo en las paredes o edificios. Ú.t.c.s.m.

volador, ra. adj. Que vuela. || m. ZOOL. Pez marino con aletas pectorales que le sirven para volar a alguna distancia.

voladura. f. Acción y efecto de volar por el aire y de hacer saltar con violencia una cosa.

volandas, (en) m. adv. Por el aire o levantado del suelo y como que va volando. || fig. y fam. Rápidamente, en un instante.

volandera. f. Golondrina. || fig. y fam. Mentira, falsedad.

volandero, ra. adj. Aplícase al pájaro que está para salir a volar. || Suspenso en el aire y que se mueve con facilidad a su impulso. || fig. Que no se fija ni detiene en ningún lugar.

volapié. m. TAUROM. Suerte que consiste en herir de corrida el espada al toro cuando éste se halla parado.

volar (al. *fliegen*, fr. *voler*, ingl. *to fly*, it. *volare*). intr. Ir o moverse por el aire, sosteniéndose con las alas. || fig. Elevarse en el aire y moverse de un sitio a otro. ‖ fig. Caminar o ir con gran prisa y aceleración. ‖ fig. Desaparecer rápida e inesperadamente una cosa. ‖ fig. Hacer las cosas con gran prontitud y ligereza. ‖ tr. fig. Hacer saltar con violencia o elevar en el aire algo, particularmente por medio de una sustancia explosiva.

volatería. f. Conjunto de aves diversas, especialmente las domésticas y de caza que se consumen en la mesa. ‖ Tienda donde se venden estas aves.

volatero. m. Cazador de volatería.

volátil. adj. Que vuela o puede volar. Ú.t.c.s. ‖ fig. Mudable, inconstante. ‖ Quím. Que se volatiliza.

volatilidad. f. Quím. Calidad de volátil.

volatilización. f. Acción y efecto de volatilizar o volatilizarse.

volatilizar. tr. Transformar un cuerpo sólido o líquido en vapor o gas. ‖ r. Disiparse una sustancia.

volatinero, ra. s. Persona que con habilidad y arte anda y voltea por el aire sobre una cuerda o alambre, y ejecuta otros ejercicios semejantes.

volcán (al. *Vulkan*, fr. *volcan*, ingl. *volcano*, it. *vulcano*). m. Perforación de la corteza terrestre que comunica con una masa magmática del interior de la Tierra por la que salen al exterior diversos materiales a gran temperatura. Designa también el relieve formado por los materiales que salen por dicha abertura. ‖ fig. Pasión ardiente.

volcánico, ca. adj. Perteneciente o relativo al volcán. ‖ fig. Muy ardiente o fogoso.

volcar (al. *umkippen*, fr. *renverser*, ingl. *to upset*, it. *rovesciare*). tr. Torcer o inclinar una cosa hacia un lado o totalmente, de modo que caiga o se vierta lo contenido en ella. Ú.t.c.intr., tratándose de vehículos. ‖ r. fig. Poner uno en favor de una persona o propósito el máximo interés y esfuerzo.

volea. f. Golpe dado en el aire a una cosa.

volear. tr. Herir una cosa en el aire para impulsarla. ‖ Sembrar a voleo.

voleibol. m. Balonvolea.

voleo. m. Golpe dado en el aire a una cosa antes que caiga al suelo. ‖ Bofetón dado como para hacer rodar por el suelo a quien lo recibe.

volframio. m. Quím. Cuerpo simple metálico, muy duro, muy denso y difícilmente fusible.

volición. f. Fil. Acto de la voluntad.

volitivo, va. adj. Fil. Aplícase a los actos y fenómenos de la voluntad.

volquete. m. Carro o vagoneta que se puede vaciar girando sobre el eje. ‖ En determinado tipo de camiones, caja que, mediante un dispositivo especial, va inclinándose progresivamente hacia atrás para descargar la mercancía que transporta.

volt. m. Fís. Nombre del voltio en la nomenclatura internacional.

voltaje. m. Fís. Diferencia de potencial existente entre dos puntos, medida en voltios.

voltear. tr. Dar vueltas a una persona o cosa. ‖ Volver una cosa y ponerla al revés de como estaba. ‖ Intr. Dar vueltas una persona o cosa.

volteo. m. Acción y efecto de voltear.

voltereta (al. *Purzelbaum*, fr. *culbute*, ingl. *somersault*, it. *capriola*). f. Vuelta ligera dada en el aire. ‖ Vuelta que se da en el suelo, apoyando en él la cabeza y cayendo de espaldas.

volteriano, na. adj. Dícese del que, a la manera de Voltaire, afecta o manifiesta incredulidad o impiedad cínica y burlona. Ú.t.c.s. ‖ Que denota o implica este género de incredulidad o impiedad.

voltímetro. m. Fís. Aparato usado para medir la diferencia de potencial entre dos puntos de un circuito eléctrico.

voltio. m. Fís. Unidad de diferencia de potencial en el sistema Giorgi. Es igual a la que existe entre dos puntos dispuestos de forma que se deba realizar el trabajo de un julio para llevar de uno a otra la carga de un culombio.

volubilidad. f. Calidad de voluble.

voluble (al. *unbeständig*, fr. *versatile*, ingl. *fickle*, it. *volibile*). adj. Que fácilmente se puede volver alrededor. ‖ fig. Versátil. ‖ Bot. Dícese del tallo que crece formando espiras alrededor de los objetos.

volumen (al. *Volumen*, fr. *volume*, ingl. *volumen*, it. *volume*). m. Corpulencia o bulto de una cosa. ‖ Cuerpo material de un libro encuadernado. ‖ Tomo. ‖ Geom. Espacio ocupado por un cuerpo. ‖ Fís. Intensidad que posee un sonido.

volumetría. f. Ciencia que trata de la determinación y medida de los volúmenes. ‖ Quím. Procedimiento de análisis cuantitativo, basado en la medición del volumen de reactivo que hay que gastar hasta que se produce determinado fenómeno en el líquido analizado.

volumétrico, ca. adj. Aplícase a la medida de volúmenes. ‖ Quím. Relativo a la volumetría.

voluminoso, sa. adj. Que tiene mucho volumen o bulto.

voluntad (al. *Wille*, fr. *volonté*, ingl. *will*, it. *volontà*). f. Potencia del alma que mueve a hacer o no hacer una cosa. ‖ Acto con que la potencia volitiva admite o rehúye una cosa. ‖ Libre albedrío o libre determinación. ‖ Elección de una cosa sin precepto o impulso externo que a ello obligue. ‖ Intención, ánimo o resolución de hacer una cosa. ‖ Disposición, precepto o mandato de una persona. ‖ Consentimiento, asentimiento, aquiescencia. ‖ *última voluntad*. La expresada en el testamento; testamento.

voluntariedad. f. Calidad de voluntario. ‖ Determinación de la propia voluntad por mero antojo o capricho.

voluntario, ria. adj. Dícese del acto que nace de la voluntad. ‖ Que se hace por espontánea voluntad y no por obligación o deber. ‖ Voluntarioso. ‖ m. Soldado voluntario. ‖ s. Persona que se presta a hacer algo por su propia voluntad.

voluntarioso, sa. adj. Deseoso, que hace con voluntad y gusto alguna cosa.

voluptuosidad. f. Complacencia en los placeres de los sentidos.

voluptuoso, sa. adj. Que inclina a la voluptuosidad, la inspira o la hace sentir. ‖ Dado a los placeres sensuales. Ú.t.c.s.

voluta (al. *Schnörkel*, fr. *volute*, ingl. *volute*, it. *voluta*). f. Arq. Adorno en forma de espiral o caracol, que se coloca en los capiteles de los órdenes jónico, corintio y compuesto. ‖ Por ext., dícese de toda forma espiral parecida a una voluta.

volver (al. *zurück-kehren*, fr. *retourner*, ingl. *to come back*, it. *tornare*). tr. Dar vuelta o vueltas a alguna cosa. ‖ Corresponder, pagar, retribuir. ‖ Dirigir, encaminar una cosa a otra. ‖ Devolver, restituir. ‖ Poner a una persona o cosa en el estado que antes tenía. ‖ Hacer que se mude una cosa o persona de un estado o aspecto en otro. Ú.m.c.r. ‖ Arrojar lo que se tiene en el estómago. ‖ intr. Regresar al punto de partida. Ú.t.c.r. ‖ Reanudar el hilo del discurso o historia que se había interrumpido. ‖ Torcer o dejar el camino o línea recta. ‖ r. Inclinar el cuerpo o el rostro en señal de dirigir la conversación a determinados sujetos. ‖ Girar la cabeza, el torso o todo el cuerpo para mirar lo que estaba a la espalda.

volvo. m. Vólvulo.

vólvulo. m. Fisiol. Íleo, cólico.

vómer. m. Anat. Huesecillo impar que forma la parte posterior del tabique de las fosas nasales.

vómica. f. Med. Evacuación de un abceso líquido a través de las vías respiratorias, en forma de vómitos.

vómico, ca. adj. Que causa vómito.

vomitar (al. *Speien*, fr. *vomir*, ingl. *to vomit*, it. *vomitare*). tr. Arrojar violentamente por la boca lo contenido en el estómago. || fig. Arrojar de sí violentamente una cosa algo que tiene dentro. || fig. y fam. Declarar o revelar alguien lo que guardaba en secreto.

vomitivo, va. adj. Farm. Aplícase al medicamento que sirve para aplicar el vómito. Ú.t.c.s.m.

vómito. m. Acción de vomitar. || Med. Acto reflejo que tiene por finalidad la evacuación por la boca del contenido gástrico. Suele ir precedido de náuseas. || Lo que se vomita.

vomitona. f. fam. Vómito grande.

vomitorio, ria. adj. Vomitivo. || m. Puerta o abertura de acceso a las gradas en los circos o teatros antiguos.

voracidad. f. Calidad de voraz.

vorágine. f. Remolino impetuoso que forman en ciertos lugares las aguas.

voraginoso, sa. adj. Aplícase al sitio en que hay vorágines.

voraz (al. *gefrässig*, fr. *vorace*, ingl. *voracious*, it. *vorace*). adj. Que devora y come con rapidez y ansia. || fig. Que destruye o consume rápidamente.

vormela. f. Zool. Mamífero carnicero parecido al hurón, que vive en el norte de Europa.

vórtice. m. Torbellino, remolino. || Cuerpo central de un ciclón.

vortiginoso, sa. adj. Dícese del movimiento que hacen el agua o el aire en forma circular o espiral.

vos. Cualquiera de los casos del pronombre personal de segunda persona en género masculino o femenino y número singular y plural, cuando esta voz se emplea como tratamiento.

vosear. tr. Amer. Tratar a una persona de vos.

voseo. m. Empleo del pronombre personal de segunda persona *vos*, en lugar de *tú*.

vosotros, tras. Nominativo masculino y femenino del pronombre personal de segunda persona en número plural.

votación (al. *Abstimmung*, fr. *votation*, ingl. *voting*, it. *votazione*). f. Acción y efecto de votar. || Conjunto de votos emitidos.

votante. adj. Que vota o emite su voto. Ú.t.c.s.

votar (al. *abstimmen*, fr. *voter*, ingl. *to vote*, it. *votare*). intr. Hacer voto a Dios o a los santos. Ú.t.c.tr. || Echar votos o juramentos. || Dar a alguien su voto o emitir su dictamen en una reunión o cuerpo deliberante. Ú.t.c.tr. || tr. Aprobar por votación.

votivo, va. adj. Ofrecido como voto o relativo a él.

voto (al. *Gelubde, Abstimmung*; fr. *voeu, vote;* ingl. *vow, vote;* it. *voto*). m. Promesa hecha a Dios, a la Virgen o a un santo. || Dictamen o parecer sobre una materia. || Persona facultada para emitir voto. || Deseo. || Ex voto.

voz (al. *Stimme*, fr. *voix*, ingl. *voice*, it. *voce*). f. Sonido que el aire expelido de los pulmones produce al salir de la laringe, haciendo que vibren las cuerdas vocales. || Calidad, timbre o intensidad de este sonido. || Sonido que producen ciertas cosas inanimadas. || Grito. Ú.m. en pl. || Vocablo. || fig. Músico que canta. || fig. Poder, derecho para hacer alguien, en su nombre o en el de otro, aquello que es conveniente. || fig. Voto. || fig. Facultad de hablar en una asamblea. || Gram. Accidente gramatical que denota si el sujeto del verbo es agente o paciente. || *viva voz.* Expresión oral, por contraposición a la escrita.

vozarrón. m. Voz muy fuerte y gruesa.

vuecencia. com. Síncopa de vuestra excelencia.

vuelco. m. Acción y efecto de volcar o volcarse. || Movimiento por el que una cosa se vuelve o trastorna por completo.

vuelo (al. *Flug*, fr. *vol*, ingl. *flight*, it. *volo*). m. Acción de volar. || Locomoción aérea de las aves obtenida por medio de sus alas. || Espacio que se recorre volando sin posarse. || Amplitud de una vestidura en la parte que no se ajusta al cuerpo. || Arbolado de un monte. || Arq. En una edificación, obra que sobresale del paramento de un muro. || Arq. Extensión de la misma. || *alzar el vuelo.* Echarse a volar.

vuelta (al. *Runde*, fr. *tour*, ingl. *turn*, it. *giro*). f. Movimiento de un cuerpo alrededor de un punto o girando sobre sí mismo. || Curvatura de una línea o apartamiento de la recta. || Cada una de las circunvoluciones de una cosa alrededor de otra a la cual se aplica. || Regreso. || Devolución de una cosa a quien la tenía. || Repetición de una cosa. || Parte de una cosa, opuesta a la que esta a la vista. || Adorno sobrepuesto en la extremidad de las mangas u otras partes de ciertas prendas de vestir. || Embozo de una capa. || Dinero sobrante que se devuelve a la persona que al hacer un pago entrega cantidad superior a la debida. || Agr. Labor con que se cultiva la tierra. || Dep. Carrera en etapas en torno a un país, región, comarca, etc.

vuestro, tra, tros, tras (al. *euer*, fr. *vôtre*, ingl. *your*, it. *vostro*). Pronombre posesivo de segunda persona plural. También suele referirse en todas sus formas a un solo poseedor cuando, por ficción que el uso autoriza, se da el número plural a una sola persona.

vulcanita. f. Ebonita, mezcla de azufre y caucho.

vulcanizar. tr. Combinar azufre con la goma elástica para que ésta conserve su elasticidad en frío y en caliente.

vulcanología. f. Parte de la geología que estudia los fenómenos volcánicos.

vulgar (al. *gewöhnlich*, fr. *vulgaire*, ingl. *vulgar*, it. *volgare*). adj. Perteneciente al vulgo. || Común o general, por contraposición a técnico o especializado. || Aplícase a las lenguas que se hablan actualmente, en contraposición de las lenguas cultas. || Que no tiene especialidad particular en su línea o condición.

vulgaridad. f. Calidad de vulgar. || Cosa vulgar, trivialidad.

vulgarismo. m. Dicho o frase especialmente usada por el vulgo.

vulgarizar. tr. Hacer vulgar o común una cosa. Ú.t.c.r. || Exponer una ciencia, o una materia técnica cualquiera, en forma fácilmente asequible al vulgo. || r. Frecuentar alguien el trato de la gente del vulgo, o tomar sus modales.

Vulgata. f. Versión latina de la Sagrada Escritura, reconocida como auténtica por la Iglesia.

vulgo. m. El común de las gentes. || Conjunto de las personas que en cada materia sólo conocen lo superficial.

vulnerable. adj. Que puede ser herido o sufrir alguna lesión.

vulnerar. tr. Transgredir. || fig. Dañar, perjudicar.

vulnerario, ria. f. Bot. Planta papilionácea cultivada para forraje. || m. Farm. Medicamento alcohólico usado para curar llagas y heridas.

vulpeja. f. Zorra, animal.

vulpino, na. adj. Relativo a la zorra o parecido a ella. || fig. Astuto, sagaz.

vulva. f. Anat. Conjunto de los órganos genitales externos de la mujer.

W-X-Y

w. Vigésima sexta letra del abecedario español. Su nombre es *v doble*.

warrant (voz inglesa). m. COM. Recibo de mercancías depositadas en almacenes y que se puede negociar como letra de cambio.

water (voz inglesa). m. Retrete, excusado.

watt. m. Nombre del vatio en la nomenclatura internacional.

wéber. n. FÍS. Unidad de flujo de inducción magnética en el sistema ba-sado en el metro, el kilogramo, el segundo y el amperio.

whisky (voz inglesa). m. Bebida alcohólica obtenida por destilación de la cebada u otro cereal malteado.

wólfram o **wolframio.** m. Volframio.

---

x. f. Vigésima séptima letra del abecedario español. Su nombre es *equis*. ‖ Letra numeral que tiene el valor de diez en la numeración romana. ‖ MAT. Signo representativo de la incógnita de una ecuación o de la primera de las incógnitas de un sistema de ecuaciones. ‖ MAT. Representación genérica de la abscisa en el sistema de coordenadas cartesianas.

xenofobia. f. Odio u hostilidad hacia los extranjeros.

xenófobo, ba. adj. Que siente xenofobia.

xenón. m. QUÍM. Elemento inerte del grupo de los gases nobles.

xerocopia. f. Copia fotográfica obtenida por xerografía.

xerófilo, la. adj. BIOL. Dícese de los organismos vivos que se adaptan a permanecer en medios secos.

xerófito, ta. adj. BOT. Se aplica a las plantas adaptadas a los lugares secos.

xeroftalmia. f. MED. Enfermedad de los ojos caracterizada por la sequedad de la conjuntiva y opacidad de la córnea.

xerografía. f. Procedimiento de impresión sin contacto que permite reproducir en seco documentos y textos impresos. ‖ Fotocopia obtenida por este procedimiento.

xi. f. Decimocuarta letra del alfabeto griego; corresponde a nuestra *x*.

xifoides. adj. ANAT. Dícese del cartílago, de forma algo parecida a la punta de una espada, en que termina el esternón del hombre.

xilófago, ga. adj. ZOOL. Aplícase a los insectos que roen la madera. Ú.t.c.s.

xilófono. m. MÚS. Instrumento de percusión formado por láminas de madera o de metal que, golpeadas con un martillo adecuado, dan diferentes notas.

xilografía. f. Arte de grabar en madera. ‖ Impresión tipográfica hecha con planchas de madera grabada.

---

y. f. Vigésima octava letra del abecedario español. Su nombre es *i griega* o *ye*. ‖ MAT. Letra con que, en un sistema de ecuaciones con varias incógnitas, se indica la segunda. ‖ MAT. Letra que se usa para designar el segundo eje de coordenadas cartesianas.

y (al. *und,* fr. *et,* ingl. *and,* it. *e*). conj. copulativa que une elementos para formar una serie, anteponiéndose sólo al último cuando hay más de dos.

ya. adv. t. con que se denota el tiempo pasado. ‖ En el tiempo presente, haciendo relación al pasado. ‖ En tiempo u ocasión futura. ‖ Finalmente, últi-mamente. ‖ Luego, inmediatamente. ‖ Ú. como conjunción distributiva. ‖ Sirve para conceder y apoyar lo que nos dicen.

yac. m. ZOOL. Bóvido que habita en las altas montañas del Tíbet, notable por las largas lanas que le cubren las patas y la parte inferior del cuerpo.

yacaré (voz guaraní). m. *Amer.* Caimán, reptil.

yacente. adj. Que yace. ‖ m. MINER. Cara inferior de un criadero.

yacer (al. *ruhen,* fr. *gésir,* ingl. *to lie,* it. *giacere*). intr. Estar echada o tendida una persona. ‖ Estar un cadáver en la fosa o en el sepulcro. ‖ Existir o estar real o figuradamente una persona o cosa en un lugar.

yacija. f. Lecho o catre, por lo común rudimentario.

yacimiento (al. *Vorkommen,* fr. *gisement,* ingl. *deposit,* it. *giacimento*) m. GEOL. Lugar donde se halla naturalmente una roca, un mineral o un fósil.

yak. m. Yac.

yámbico, ca. adj. Perteneciente o relativo al yambo.

yambo. m. Pie de la poesía griega y latina, compuesto de una sílaba breve y otra larga.

yanqui. adj. fam. Ciudadano del Norte de los Estados Unidos y por ext., norteamericano. Ú.t.c.s.

yantar. tr. ant. Comer. ‖ m. Manjar.

yarda. f. Medida inglesa de longitud equivalente a 91 centímetros.

yate. m. Embarcación de recreo.

yaz. m. Cierto género de música bailable derivado de ritmos y melodías de los negros norteamericanos.

ye. f. Nombre de la letra *y.*

yedra. f. Hiedra.

yegua (al. *Stute,* fr. *jument,* ingl. *mare,* it. *cavalla*). f. Hembra del caballo. ‖ *Amer.* Colilla del cigarro.

yeguada. f. Manada de ganado caballar.

yeísmo. f. Defecto que consiste en pronunciar la elle como ye.

yeísta. adj. Perteneciente o relativo al yeísmo.

yelmo. m. Parte de la armadura que cubría la cabeza y el rostro.

yema. (al. *Eigelb,* fr. *jaune,* ingl. *yolk,* it. *tuorlo*). f. BOT. Brote en formación cuyos entrenudos aún no se han desarrollado y que tiene las hojas imbricadas las unas sobre las otras. ‖ ZOOL. Porción central del huevo en los vertebrados ovíparos. ‖ — del dedo. Lado de la punta opuesto a la uña.

yen. m. Unidad monetaria del Japón.

yerba. f. Hierba.

yerbatero. m. *Amer.* Curandero que receta principalmente yerbas.

yerbera. f. *Amer.* En Argentina, vasija en que se echa el mate.

yermar. tr. Despoblar o dejar yermo un lugar.

yermo, ma. adj. Inhabitado. ‖ Inculto, sin cultivo. Ú.t.c.s. ‖ m. Terreno deshabitado.

yerno (al. *Schwiegersohn,* fr. *gendre,* ingl. *son-in-law,* it. *genero*). m. Respecto de una persona, marido de su hija.

yerro. m. Falta o delito cometido contra los preceptos de un arte, y en sentido absoluto, contra las leyes divinas y humanas. ‖ Equivocación por descuido o inadvertencia.

yérsey o **yersi.** m. *Amer.* Jersey. ‖ *Amer.* Tejido fino de punto.

yerto, ta. adj. Tieso, rígido o áspero. ‖ Que se ha quedado rígido por el frío.

yesca. f. Materia muy seca y preparada de suerte que cualquier chispa prenda en ella. ‖ Lo que está muy seco y fácilmente puede encenderse o arder. ‖ fig. Incentivo de alguna pasión o afecto. ‖ pl. Yesca, eslabón y pedernal.

yesería. f. Fábrica de yeso. ‖ Tienda o sitio en que se vende yeso. ‖ Obra hecha de yeso.

yesero, ra. adj. Perteneciente al yeso. ‖ m. El que fabrica o vende yeso.

yeso (al. *Gips,* fr. *plâtre,* ingl. *gypsum,* it. *gesso*). m. Sulfato de calcio hidratado, compacto o terroso, blanco por lo común, tenaz y tan blando que se raya con la uña. Se emplea en la construcción y en la escultura. ‖ Obra de escultura vaciada en yeso.

yesoso, sa. adj. De yeso o parecido a él. ‖ Dícese del terreno que abunda en yeso.

yeyuno. m. ANAT. Segunda porción del intestino delgado, que empieza en el duodeno y acaba en el íleon.

yezgo. m. BOT. Planta herbácea vivaz, caprifoliácea, semejante al saúco, que despide olor fétido.

yira. f. vulg. *Amer.* Ramera.

yo. Nominativo del pronombre personal de primera persona en número singular. ‖ m. FIL. Con el artículo *el,* o el posesivo, afirmación de conciencia de la personalidad humana.

yodado, da. adj. Que contiene yodo.

yodo (al. *Jod,* fr. *iode,* ingl. *iodine,* it. *iodio*). m. QUÍM. Metaloide del grupo de los halógenos. Es un sólido negro cristalino, muy poco soluble en agua; se disuelve bien en alcohol y éter. Es muy usado como antiséptico.

yodurar. tr. Convertir en yodo. ‖ Preparar con yoduro.

yoduro. m. QUÍM. Cuerpo resultante de la combinación del yodo con un radical simple o compuesto.

yoga. m. Doctrina y sistema ascético de los adeptos al brahmanismo, mediante las cuales pretenden éstos lograr la perfección espiritual y la unión beatífica. ‖ Sistema que se practica modernamente para obtener mayor eficacia de la concentración anímica por medio de procedimientos semejantes a los empleados por los yoguis en la India.

yogui. m. Asceta hindú adepto del yoga. ‖ Persona que practica ejercicios de yoga.

yogur. m. Producto lácteo obtenido de la fermentación de la leche.

yola. f. Embarcación estrecha y de poco calado.

yóquey o **yoqui.** m. Jinete profesional de carreras de caballos.

ypsilon. f. Vigésima letra del alfabeto griego que corresponde a la *i* griega o *ye.*

yuca. f. BOT. Planta liliácea de la América tropical, con flores blancas que penden de un tallo arborescente, y raíz gruesa, de la que se hace harina alimenticia. ‖ Nombre vulgar de algunas especies de la mandioca.

yucal. m. Terreno poblado de yuca.

yucateco, ca. adj. Natural del Yucatán. Ú.t.c.s. ‖ Perteneciente a esta región de México.

yudo. m. Antiguo sistema de lucha japonés, que actualmente se practica como deporte y que tiene por objeto principal defenderse sin armas.

yuglandáceo, a. adj. BOT. Se aplica a árboles angiospermos dicotiledóneos, con hojas compuestas y ricas en sustancias aromáticas; como el nogal. Ú. t.c.s.f. ‖ f. pl. Familia de estas plantas.

yugo (al. *Joch,* fr. *joug,* ingl. *yoke,* it. *giogo*). m. Instrumento de madera al cual, en forma de yuntas, se uncen los animales de labor. ‖ Armazón de madera unido a la campana, que sirve para voltearla. ‖ fig. Ley o dominio superior que sujeta y obliga a obediencia. ‖ fig. Cualquier carga pesada, prisión o atadura.

yugoslavo, va. adj. Natural de Yugoslavia. Ú.t.c.s. ‖ Perteneciente o relativo a este país de Europa.

yugular. adj. ANAT. ↗ vena yugular.

yugular. tr. Degollar, cortar el cuello. ‖ fig. Detener súbita o rápidamente una enfermedad con medidas terapéuticas. ‖ fig. Hablando de determinadas actividades, acabar pronto con ellas, ponerles fin bruscamente.

yunga. s. Natural de los valles cálidos que hay a un lado y otro de los Andes. Ú.t.c. adj.

yunque (al. *Amboss,* fr. *enclume,* ingl. *anvil,* it. *incudine*). m. Prisma de hierro acerado encajado en un tajo de madera fuerte, y a propósito para trabajar en él a martillo los metales. ‖ fig. Persona firme y paciente ante las adversidades. ‖ ANAT. Huesecillo que hay en la parte media del oído.

yunta. f. Par de bueyes, mulas u otros animales que se utilizan habitualmente en las labores del campo.

yute (al. *Jute,* fr. *jute,* ingl. *jute,* it. *iuta*). m. Materia textil que se extrae de la corteza interior de una planta de la familia de las tiliáceas. ‖ Tejido e hilado de esta materia.

yuxtaponer. tr. Poner una cosa junto a otra o a continuación de ella. Ú.t.c.r.

yuxtaposición. f. Acción y efecto de yuxtaponer o yuxtaponerse.

yuyero, ra. adj. *Amer.* Aficionado a tomar hierbas medicinales. ‖ s. Curandero que receta principalmente hierbas.

z. f. Vigésima novena y última letra del abecedario español. Su nombre es *zeda* o *zeta*.

zaborda. f. MAR. Acción y efecto de zabordar.

zabordar. intr. MAR. Tropezar, varar, encallar.

zaborro. m. Hombre o niño gordinflón.

zacate. m. *Amer.* Hierba, pasto, forraje.

zafar. tr. MAR. Desembarazar, quitar los estorbos de una cosa. Ú.t.c.r. || r. Escaparse o esconderse para evitar un encuentro o peligro. || fig. Librarse de una molestia. || *Amer.* Dislocarse, descoyuntarse un hueso.

zafarrancho. m. MAR. Acción y efecto de desembarazar una parte de la embarcación, dejándola dispuesta para una faena determina. || MIL. Limpieza general. || fig. y fam. Destrozo. || fig. y fam. Riña.

zafiedad. f. Calidad de zafio.

zafio, fia. adj. Tosco, inculto, grosero.

zafirino, na. adj. De color de zafiro.

zafiro (al. *Saphir*, fr. *saphir*, ingl. *sapphire*, it. *zaffiro*). m. Variedad cristalizada noble de corindón, de color azul. Tiene aplicaciones semejantes a las del diamante.

zafo, fa. adj. fig. Libre y sin daño.

zafra. f. Vasija grande de metal en la que se guarda aceite. || Cosecha de la caña. || Fabricación del azúcar de caña, y por ext., del de remolacha. || Tiempo que dura esta fabricación. || MIN. Escombro.

zaga. f. Parte trasera de una cosa. || Carga que se acomoda en la parte trasera de un carruaje. || m. El postrero en el juego.

zagal. m. Muchacho que ha llegado a la adolescencia. || Mozo fuerte.

zagala. f. Muchacha soltera. || Pastora joven.

zaguán (al. *Vorhalle*, fr. *vestibule*, ingl. *hall*, it. *vestibolo*). m. Pieza cubierta que sirve de vestíbulo a la entrada de una casa.

zaguero, ra. adj. Que va, se queda o está atrás. || DEP. Jugador que se coloca en las líneas traseras del equipo.

zaharrón. m. Moharracho o botarga.

zaherir. tr. Reprender a alguien echándole en cara determinada acción. || Mortificar a uno con represión maligna y acerba.

zahína. f. BOT. Planta gramínea africana cuyos granos, mayores que los cañamones, sirven para hacen pan, elaborar cerveza, etc. Se emplea también como planta forrajera.

zahón. m. Especie de calzón de cuero o paño, con perniles abiertos que se atan a los muslos, para resguardar el traje. Ú.m. en pl.

zahorí. m. Persona a quien se atribuye la cualidad de ver lo que está oculto, en especial, las vetas subterráneas de agua.

zaida. f. ZOOL. Ave zancuda africana parecida a la grulla.

zaino, na. adj. Traidor, falso. || Aplícase a cualquier caballería que da indicios de ser falsa. || Aplícase al caballo o yegua de pelaje castaño oscuro. || En el ganado vacuno, el de color totalmente negro.

zalagarda. f. Emboscada dispuesta para coger descuidado al enemigo.

zalama. f. Zalamería.

zalamería. f. Demostración de cariño afectada y empalagosa.

zalamero, ra. adj. Que hace zalamerías. Ú.t.c.s.

zalear. tr. Arrastrar o menear con facilidad una cosa de un lado a otro.

zalema. f. fam. Reverencia o cortesía humilde en muestra de sumisión. || Zalamería.

zamarra. f. Prenda de vestir, hecha de piel con su lana o pelo. || Piel de carnero.

zamarrear. tr. fig. y fam. Maltratar a alguien trayéndole con violencia o golpes de una parte a otra.

zamarro. m. Zamarra, prenda de vestir. || Piel de cordero.

zambaigo, ga. adj. Hijo de negra e indio o viceversa. Ú.t.c.s.

zambo, ba. adj. Dícese de la persona que por mala configuración tiene juntas las rodillas y separadas las piernas hacia afuera. U.t.c.s. || *Amer.* Hijo de negro e india, o viceversa. Ú.t.c.s || m. ZOOL. Mono cinocéfalo americano.

zambomba. f. MÚS. Instrumento musical de barro cocido o de madera, hueco, abierto por un extremo y cerrado por el otro con una piel muy tirante; tiene en el centro una varilla que al ser frotada produce un sonido fuerte, ronco y monótono.

zambombazo. m. Porrazo, golpazo.

zambra. f. Fiesta morisca o gitana con bulla y baile.

zambucar. tr. fam. Meter de pronto una cosa entre otras para que no sea vista o reconocida.

zambullida. f. Acción y efecto de zambullir o zambullirse. || Especie de treta de la esgrima.

zambullidura. f. Zambullida.

zambullir. tr. Meter bajo el agua con ímpetu o de golpe. Ú.t.c.r. || r. fig. Esconderse o meterse en alguna parte.

zamorano, na. adj. Natural de Zamora. Ú.t.c.s. || Perteneciente a esta ciudad o a su provincia.

zampa. f. Cada una de las estacas que se clavan para hacer el firme sobre el cual se va a edificar.

zampar. tr. Comer con desorden y exceso. Ú.t.c.r.

zampoña. f. Mús. Instrumento de origen rústico, compuesto de muchas flautas.

zanahoria (al. *Möhre,* fr. *carotte,* ingl. *carrot,* it. *carota*). f. Bot. Planta herbácea umbelifera, con raíz fusiforme, amarilla o rojiza, jugosa y comestible. || Raíz de esta planta.

zanca. f. Pierna larga del ave, desde el tarso hasta el muslo. || fig. y fam. Pierna del hombre o de cualquier animal, especialmente cuando es larga y delgada. || Arq. Madero inclinado que sirve de apoyo a los peldaños de una escalera.

zancada. f. Paso más largo del normal.

zancadilla. f. Acción de cruzar alguien su pierna por delante o por detrás de la de otro con intención de derribarle. || fig. y fam. Engaño o ardid con que se procura perjudicar a alguien.

zancajear. intr. Andar mucho de una parte a otra.

zancajo. m. Hueso del pie que forma el talón. || Parte del pie donde sobresale el talón. || fig. y fam. Persona baja y de mala figura.

zancajoso, sa. adj. Que tiene los pies torcidos y vueltos hacia afuera.

zanco. m. Cada uno de los dos palos altos y dotados con sendas horquillas en que se afirman y atan los pies. Sirven para andar sin mojarse por donde hay agua y también para realizar juegos de equilibrio.

zancudo, da. adj. Que tiene las zancas largas. || Zool. Dícese de las aves que tienen los tarsos muy largos y la parte inferior de la pata desprovista de pluma; como la cigüeña y la grulla. Ú.t.c.s. || f. pl. Orden de estas aves. || m. *Amer.* Mosquito.

zángana. f. Mujer floja, desmañada y torpe.

zanganería. f. Calidad de zángano, holgazán.

zángano (al. *Drohne,* fr. *fauxbourdon,* ingl. *drone,* it. *fuco*). m. Zool. Hombre holgazán que se sustenta con el sudor y trabajo ajenos. || Hombre flojo, desmañado y torpe.

zangón. m. fam. Muchacho alto, desgarbado y ocioso u holgazán.

zanja (al. *Grube,* fr. *tranchée,* ingl. *trench,* it. *fossa*). f. Excavación larga y angosta que se hace en la tierra con un fin determinado.

zanjar. tr. Abrir zanjas. || fig. Poner fin a todas las dificultades que puedan obstaculizar la terminación de un asunto.

zanquear. intr. Torcer las piernas al andar. || Andar mucho a pie y con prisa de una parte a otra.

zanquilargo, ga. adj. fam. Que tiene largas las piernas. Ú.t.c.s.

zapa. f. Especie de pala que usan los zapadores. || Excavación de galería subterránea o de zanja al descubierto. || Lija, piel áspera de algunos selacios. || Piel o metal trabajados con una labor que imita los granitos de lija.

zapador. m. Soldado destinado a trabajar con la zapa.

zapapico. m. Herramientas con mango de madera y dos bocas opuestas terminada la una en pico y la otra en un corte angosto.

zapar. intr. Trabajar con la zapa.

zapata. f. Calzado que llega a media pierna. || Pieza del freno de los coches que actúa por fricción contra el eje o contra las ruedas.

zapatazo. m. Golpe dado con un zapato. || Mar. Sacudida y golpe fuerte que da una vela.

zapateado. m. Baile español que se ejecuta en compás ternario y con un característico taconeo. || Música de este baile.

zapatear. tr. Golpear con el zapato. Dar golpes en el suelo con los pies calzados. || fig. y fam. Maltratar a uno de palabra u obra.

zapatería. f. Taller donde se hacen zapatos. || Tienda o lugar donde se venden.

zapatero, ra (al. *Schuhmacher,* fr. *cordonnier,* ingl. *shoemaker,* it. *calzolaio*). s. Persona que por oficio hace zapatos, los arregla o los vende. || m. Zool. Tejedor, insecto. || f. Mujer del zapatero.

zapatilla (al. *Hausschuh,* fr. *pantoufle,* ingl. *slipper,* it. *pantofola*). f. Zapato ligero y de suela muy delgada. || Zapato cómodo o de abrigo para estar en casa. || Suela del taco del billar. || Uña o casco de los animales de pata hendida.

zapato (al. *Schuh,* fr. *soulier,* ingl. *shoe,* it. *scarpa*). m. Calzado que no pasa del tobillo, con suela de cuero, crepé o goma y el resto de piel u otra materia.

zape. Voz fam. para ahuyentar a los gatos o para manifestar sorpresa o miedo al enterarse de un daño ocurrido, o para indicar el propósito de no exponerse a un peligro.

zaque. m. Odre pequeño. || fig. y fam. Persona borracha.

zaquizamí. m. Desván, sobrado o último cuarto de la casa. || fig. Cuchitril.

zar. m. Título que se daba al emperador de Rusia y al soberano de Bulgaria.

zarabanda. f. Baile picaresco y sensual que se usó en España durante los siglos XVI y XVII. || Música alegre y ruidosa de este baile, y copla que se cantaba con esta música. || fig. Cosa que causa ruido estrepitoso, bulla o algazara.

zaragalla. f. Carbón vegetal menudo.

zaragata. f. fam. Pendencia, alboroto, tumulto.

zaragatona. f. Bot. Planta herbácea, plantaginácea, con flores pequeñas, verdosas, en espigas ovales y fruto capsular con muchas semillas menudas y brillantes que, cocidas, dan una sustancia mucilaginosa. || Semilla de esta planta.

zaragozano, na. adj. Natural de Zaragoza. Ú.t.c.s. || Perteneciente o relativo a esta ciudad o a su provincia.

zaragüelles. m. pl. Especie de calzones anchos, con perneras formando pliegues, usados por los campesinos en algunas regiones. || fig. y fam. Calzones muy anchos, largos y mal hechos.

zaranda. f. Criba. || Cedazo rectangular que se emplea en los lagares para separar los escobajos de la casca. || Pasador de metal que se usa para colar la jalea y otros dulces.

zarandaja. f. fam. Cosa menuda, sin valor, o de importancia muy secundaria. Ú.m. en pl.

zarandar. tr. Limpiar el grano o la uva, pasándolos por la zaranda. || Colar el dulce con la zaranda. || fig. y fam. Mover una cosa con prisa, ligereza y facilidad. Ú.t.c.r.

zarandear. tr. Zarandar. Ú.t.c.r. || fig. Ajetrear.

zarandeo. m. Acción y efecto de zarandear o zarandearse.

zarapito. m. Zool. Ave zancuda del tamaño de un gallo, plumaje pardo por encima y blanco por debajo. Vive en playas y sitios pantanosos, anida entre juncos y se alimenta de insectos, gusanos y moluscos.

zarcillo. m. Bot. Órgano vegetal de origen foliar, filamentoso, que se arrolla helicoidalmente a los soportes próximos a fin de trepar. || Pendiente, arete.

zarco, ca. adj. De color azul claro. U. hablando de las aguas y, con más frecuencia, de los ojos.

zarevitz. m. Hijo del zar.

zarigüeya. m. Mamífero, propio de América, parecido a la zorra, trepador y de cola prensil.

zarina. f. Esposa del zar. ‖ Emperatriz de Rusia.

zarismo. m. Forma de gobierno absoluto propio de los zares.

zarista. com. Persona partidaria del zarismo.

zarpa. f. Acción de zarpar. ‖ Mano con dedos y uñas en ciertos animales; como el león, el tigre, etc.

zarpar. tr. MAR. Levar anclas, hacerse a la mar. Ú.t.c.intr. ‖ intr. Partir o salir embarcado.

zarpazo. m. Golpe dado con la zarpa. ‖ Batacazo, golpazo.

zarrapastroso, sa. adj. fam. Desaseado, andrajoso, desaliñado y roto. Ú.t.c.s.

zarza (al. *Dornbusch*, fr. *ronce*, ingl. *bramble*, it. *rovo*). f. BOT. Arbusto de la familia de las rosáceas, de tallos sarmentosos con aguijones fuertes y ganchosos, hojas divididas en cinco hojuelas aserradas, lanuginosas por el envés, flores blancas o rosadas en racimos y cuyo fruto es la zarzamora.

zarzal. m. Sitio poblado de zarzas.

zarzamora. f. BOT. Fruto de la zarza. Es una baya compuesta, de granillos negros y lustrosos, semejante a la mora, pero más pequeña y redonda.

zarzaparrilla. f. BOT. Arbusto de la familia de las liliáceas, de tallos delgados, volubles y espinosos, hojas acorazonadas, flores verdosas en racimo y fruto en baya globosa. ‖ Cocimiento de la raíz de esta planta, usado en medicina como sudorífero y depurativo. ‖ Bebida refrescante preparada con esta planta.

zarzarrosa. f. Flor del escaramujo.

zarzo. m. Tejido de varas o mimbres que forma una superficie plana.

zarzuela. f. Obra dramática y musical en que se declama y se canta alternativamente. ‖ Plato a base de pescado con una salsa picante.

¡zas! Voz expresiva del sonido que hace un golpe, o del golpe mismo.

zascandil. m. fam. Hombre despreciable, ligero y enredador.

zascandilear. intr. Andar como un zascandil.

zatara. f. Armazón de madera, a modo de balsa, para transportes fluviales.

zeda. f. Nombre de la letra *z*.

zedilla. f. Cedilla.

zenit. m. Cenit.

zepelín. m. Dirigible rígido de armazón metálica y barquilla cerrada.

zeta. f. Zeda. ‖ Sexta letra del alfabeto griego; correspondiente a nuestra *z*.

zigzag. m. Serie de líneas que forman alternativamente ángulos entrantes y salientes.

zigzaguear. intr. Serpentear, andar en zigzag.

zinc. m. Cinc.

zipizape. m. fam. Riña ruidosa o con golpes.

zoantropía. f. Especie de monomanía a causa de la cual el enfermo se cree convertido en un animal.

zócalo (al. *Sockel*, fr. *socle*, ingl. *socle*, it. *zoccolo*). m. ARQ. Cuerpo inferior de un edificio que sirve para elevar los basamentos a un mismo nivel. ‖ ARQ. Friso, faja de pintura en la parte inferior de una pared. ‖ ARQ. Miembro inferior del pedestal. ‖ ARQ. Especie de pedestal.

zocato, ta. adj. Aplícase al fruto que se pone amarillo y acorchado sin madurar. ‖ fam. Zurdo.

zoco. m. ARQ. Zócalo, parte inferior del pedestal. ‖ Mercado árabe o lugar en que éste se celebra.

zoco, ca. adj. fam. Zurdo. Ú.t.c.s.

Zodíaco o **Zodiaco.** n.p.m. ASTR. Zona celeste por el centro de la cual pasa la Eclíptica. Indica el espacio en que se contienen los planetas que sólo se apartan de la Eclíptica unos ocho grados y comprende doce signos, casas o o constelaciones que recorre el Sol en su curso anual aparente. ‖ m. Representación material del Zodíaco.

zoilo. m. fig. Crítico presumido censurador de las obras ajenas.

zona. f. Lista o faja. ‖ Extensión considerable de terreno en forma de banda o franja. ‖ Extensión considerable de terreno cuyos límites se determinan por razones administrativas, políticas, etc. ‖ GEOM. Parte de la superficie de la esfera comprendida entre dos planos paralelos. ‖ MED. Erupción de la piel que se caracteriza por la inflamación de ciertos ganglios nerviosos, y que se manifiesta por una serie de vesículas a lo largo del nervio afectado, con fiebre y dolor intenso. ‖ — *verde*. Se aplica al terreno urbano que se dedica total o parcialmente para arbolado o parques.

zoo-. Elemento compositivo que entra en la composición de algunas voces españolas con el significado de «animal».

zoo. m. Parque o jardín zoológicos. ‖ Colección de animales.

zoofágo, ga. adj. ZOOL. Que se alimenta de materias animales. Ú.t.c.s.

zoólatra. adj. Que adora a los animales. Ú.t.c.s.

zoolatría. f. Adoración, culto de los animales.

zoología. f. Ciencia que estudia los animales.

zoológico, ca. adj. Perteneciente o relativo a la zoología. ‖ m. Zoo.

zoólogo. m. Persona versada en zoología.

zoonosis. f. MED. Cualquiera de las enfermedades propias de los animales, que a veces se transmiten a las personas.

zoospermo. m. Espermatozoide.

zoospora. f. BOT. Espora que carece de membrana celulósica y provista de flagelos o cilios vibrátiles.

zootecnia. f. Arte de la cría y mejora de los animales domésticos.

zopenco, ca. adj. fam. Tonto y abrutado. Ú.t.c.s.

zopo, pa. adj. Dícese del pie o mano torcidos o contrahechos. ‖ Dícese de la persona que tiene torcidos o contrahechos los pies o las manos.

zoquete. m. Pedazo de madera corto y grueso que sobra después de labrar un madero. ‖ fig. y fam. Persona ruda y tarda en la comprensión. Ú.t.c. adj. ‖ fig y fam. Hombre feo y rechoncho.

zorcico. m. Composición musical en compás de cinco por ocho, popular en el País Vasco. ‖ Letra de esta composición musical. ‖ Baile que se ejecuta al son de esta música.

zorongo. m. Pañuelo doblado en forma de venda que los labradores de Aragón llevan arrollado a la cabeza y que forma parte del traje regional aragonés. ‖ Moño ancho y aplastado. ‖ Baile popular andaluz. ‖ Música y canto de este baile.

zorra. f. Hembra del zorro. ‖ fig. y fam. Persona astuta y solapada. ‖ fig. y fam. Ramera.

zorrera. f. Cueva de zorros. ‖ fig. Habitación con mucho humo.

zorro (al. *Fusch*, fr. *renard*, ingl. *fox*, it. *volpe*). m. ZOOL. Mamífero carnicero de cola larga, pelaje abundante y hocico agudo. Persigue toda clase de caza y ataca a las aves de corral. ‖ Piel de zorra, curtida de modo que conserve el pelo. ‖ fig. y fam. El que afecta simpleza e insulsez, especialmente para evitar el trabajo. ‖ fig. y fam. Hombre muy taimado y astuto. ‖ pl. Tiras de orillo o piel, colas de cordero, etc., que, al extremo de un mango, sirven para sacudir el polvo de muebles y paredes.

zorruno, na. adj. Perteneciente o relativo a la zorra, animal.

zorzal. m. ZOOL. Pájaro del mismo género que el tordo. Vive en España durante el invierno.

zorzaleño, ña. adj. Se aplica a la aceituna pequeña y redonda.

zoster. m. MED. Zona, dermatosis aguda, muy dolorosa, caracterizada por la aparición de vesículas distribuidas en banda a lo largo del trayecto de un nervio.

zote. adj. Ignorante, torpe y muy tardo. Ú.t.c.s.

zozobra. f. Acción y efecto de zozobrar. ‖ Oposición y contraste de los vientos, que impiden la navegación y ponen al barco en riesgo inminente de naufragio. ‖ fig. Inquietud, aflicción y congoja del ánimo.

zozobrar. intr. Peligrar la embarcación por la fuerza y contraste de los vientos. ‖ Perderse o irse a pique. Ú.t.c.r. ‖ fig. Estar en gran riesgo de perder el logro de algo. ‖ fig. Acongojarse en la duda de lo que se debe ejecutar para huir del riesgo que amenaza o para el logro de lo que se desea. ‖ tr. Hacer zozobrar.

zuavo. m. Soldado argelino de infantería, al servicio de Francia.

zueco. m. Zapato de madera de una pieza, que calzan en diversos países los campesinos. ‖ Zapato de cuero con suela de corcho o de madera.

zulaque. m. Betún de estopa, cal, aceite y escorias o vidrios molidos usado para tapar las juntas de las cañerías y algunas obras hidráulicas.

zulú. adj. Dícese del individuo de cierto pueblo de raza negra que habita en el África austral. Ú.t.c.s. ‖ Perteneciente o relativo a este pueblo.

zumaque. m. BOT. Árbol anacardiáceo con frutos drupáceos pequeños y muy resinosos.

zumaya. f. ZOOL. Autillo, ave parecida a la lechuza. ‖ Chotacabras, ave trepadora. ‖ ZOOL. Ave de paso, del orden de las zancudas, que se alimenta de peces y moluscos.

zumba. f. Cencerro grande. ‖ Bramadera. ‖ *Amer.* Tunda, zurra. ‖ fig. Chanza ligera.

zumbar. intr. Hacer una cosa ruido o sonido continuado y bronco. ‖ tr. fam. Dar un golpe, causar un daño.

zumbel. m. Cuerda que se arrolla al peón o trompo para hacerlo bailar.

zumbido. m. Acción y efecto de zumbar. ‖ fig. Golpe o porrazo que se da a uno.

zumbón, na. adj. Se aplica al cencerro que lleva el cabestro. Ú.t.c.s. ‖ fig. y fam. Que con frecuencia anda burlándose, o tiene el genio festivo o poco serio. Ú.t.c.s.

zumo (al. *Salt,* fr. *jus,* ingl. *juice,* it. *succo*). m. Líquido de las hierbas, flores y frutas, que se obtiene exprimiéndolas o majándolas. ‖ fig. Utilidad que se saca de una cosa.

zuncho. m. Abrazadera de hierro o de otra materia resistente. ‖ Refuerzo metálico, por lo común de acero, para juntar y atar elementos constructivos de un edificio en ruinas.

zupia. f. Poso del vino. ‖ Líquido de mal aspecto y sabor. ‖ fig. Lo más inútil y despreciable de una cosa.

zurcido. m. Unión o costura de las cosas zurcidas.

zurcir (al. *flicken,* fr. *ravauder,* ingl. *to darn,* it. *rammendare*). tr. Coser la rotura de una tela, juntando los pedazos con puntadas, de modo que la unión quede disimulada. ‖ fig. Unir y juntar sutilmente una cosa con otra.

zurdería. f. Calidad de zurdo.

zurdo, da (al. *linkshändig,* fr. *gaucher,* ingl. *lefthanded,* it. *mancino*). adj. Que utiliza la mano izquierda del modo y para lo que los demás personas usan la derecha. Ú.t.c.s. ‖ Dícese de la mano izquierda. Ú.t.c.s.f. ‖ Perteneciente o relativo a la mano zurda.

zurear. intr. Hacer arrullos la paloma.

zuro, ra. adj. Dícese de las palomas y palomos silvestres.

zurra. f. Acción de zurrar las pieles. ‖ fig. y fam. Castigo de azotes o golpes.

zurrapa. f. Brizna o sedimento que se halla en los líquidos y que poco a poco se va sentando. Ú.m. en pl. ‖ fig. y fam. Cosa vil y despreciable.

zurrar. tr. Curtir y adobar las pieles quitándoles el pelo. ‖ fig. y fam. Castigar a alguien, especialmente con azotes y golpes. ‖ fig. y fam. Censurar a alguien con dureza, y especialmente en público.

zurrarse. r. Irse de vientre uno involuntariamente. ‖ fig. y fam. Estar poseído de un gran temor.

zurriagar. tr. Dar con el zurriago.

zurriagazo. m. Golpe dado con el zurriago o con una cosa flexible. ‖ fig. Desgracia inesperada.

zurriago. m. Látigo con que se castiga o zurra. ‖ Correa larga y flexible con que los muchachos hacen bailar el trompo.

zurribanda. f. fam. Zurra o castigo con muchos golpes.

zurriburri. m. fam. Conjunto de personas de ínfima categoría o de malos procederes. ‖ Barullo, confusión.

zurrido. m. Sonido bronco, desapacible y confuso.

zurrón. m. Bolsa grande de pellejo, de uso común entre los pastores para guardar y llevar la comida u otras cosas. ‖ Cualquier bolsa de cuero. ‖ BOT. Cáscara primera y más tierna en que están encerrados algunos frutos. ‖ Quiste.

zurullo. m. fam. Pedazo rollizo de materia blanda. ‖ fam. Mojón, excremento.

zutano, na. s. fam. Vocablo usado como complemento y a veces como contraposición de *fulano* y *mengano,* y con la misma significación cuando se alude a tercera persona.

GRAMÁTICA MODERNA DEL ESPAÑOL

por

JUAN ALCINA FRANCH
Profesor de la Universidad de Barcelona

SUMARIO

1. La comunicación humana y el estudio del lenguaje

1.1. *LA COMUNICACIÓN HUMANA Y EL ESTUDIO DEL LENGUAJE* — Evidentemente, muchos animales y no sólo el hombre, pueden comunicarse: el animal que defiende su territorio, o el que ataca una presa, el cortejo en muchos animales, la danza de las abejas para informar de la situación de los alimentos, etc. El hombre, sin embargo, tendrá unas posibilidades más ricas y variadas de comunicación, contará con medios de mayor productividad y podrá aprovechar lo comunicado para enriquecer su experiencia.

1.1.1. *Modelo de la Teoría de la Comunicación* — De los diferentes recursos que el hombre posee para comunicarse nos interesa fundamentalmente la comunicación hablada por medio de sonidos. Cuando los ingenieros expusieron su teoría matemática de la comunicación dieron como modelo (Shannon, 1949) el que se representa en el esquema siguiente:

$$\boxed{\text{FUENTE}} \rightarrow \boxed{\text{TRANSMISOR}} \rightarrow \boxed{\text{CANAL}} \rightarrow \boxed{\text{RECEPTOR}} \rightarrow \boxed{\text{DESTINO}}$$
$$\uparrow$$
$$\boxed{\text{RUIDO}}$$

En la comunicación telefónica, por ejemplo, el mensaje producido por un hablante (**fuente**) es transformado en señales eléctricas por el **transmisor**. Estas señales son conducidas a través del hilo (**canal**) hasta el **receptor** que los transforma en los sonidos que constituyen el mensaje, para que pueda ser entendido por el oyente (**destino**). La labor del transmisor se llama **codificación** y la del receptor **descodificación**, términos que han sido aceptados por gran parte de los lingüistas —v. 1.3.4.—. De la misma manera, se ha aceptado el término **ruido** con que se designa cualquier variación producida en la recepción del mensaje.

Sin embargo, este modelo no es adecuado para representar la comunicación humana: (a) No toma en cuenta el **significado** de las señales; el **sentido** por parte del receptor en la descodificación, ni la **intención** por parte del transmisor en la codificación; (b) Implica una separación entre hablante y oyente que sólo se da en la comunicación mediante aparatos o por la transcripción en el escrito. El hablante, en la comunicación de todos los días, actúa más o menos simultáneamente como fuente y como destino, como transmisor y como receptor de mensajes, es, además, descodificador de los mensajes que él mismo codifica, a través de varios mecanismos de **retroalimentación**.

1.1.2. *Modelo psicolingüístico* — Cada individuo de una determinada comunidad lingüística puede ser concebido como un sistema autorregulado de comunicación, que incorpora en su sistema nervioso prácticamente todos los momentos que hemos señalado antes en el modelo que propuso la teoría matemática de la comunicación. Los psicólogos, por su parte (Osgood, 1953) esquematizan el modelo del hablante, que designan con el nombre de **unidad de comunicación,** como sigue:

INPUT→RECEPTOR→DESTINO→FUENTE→TRANSMISOR-----→OUTPUT
Descodificación   Codificación

En su correspondencia con términos psicológicos, el **input** (entrada) sería el **estímulo;** el receptor sería **recepción** y **percepción;** destino y fuente constituirían el **conocimiento** (significado, actitud, etc.); el transmisor sería el **sistema motor** del organismo y, por último el **output** (salida) sería la **respuesta** (reacción) al estímulo inicial.

Como la comunicación es, esencialmente, un hecho social, un modelo adecuado ha de incorporar, por lo menos, dos unidades de comunicación en las cuales se ha de dar semejante proceso. Entre una unidad y otra el mensaje actuará como conector. Reduciendo cada unidad de comunicacioén a los símbolos R = receptor, M = mediador = destino y fuente, y T = transmisor, el modelo adecuado tomará la siguiente forma:

```
        Unidad   A                      Unidad   B
  ┌→INPUT----→  ┌R--M--T┐  ---→MENSAJE---→ ┌R--M--T┐  ---→OUTPUT--------┐
  │             └───────┘                  └───────┘                    │
  └────────────────────────────────────────────────────────────────────┘
```

La respuesta de B (lingüística o no lingüística) se convertirá, a su vez, en estímulo para A que volverá a actuar por medio de un mensaje, producto de un largo proceso que se convierte en estímulo (input) para B y motivará la respuesta adecuada, etc.

1.1.3. *Ciencias implicadas* — A la vista de este sencillo modelo, se advierte que muchas ciencias y estudios están implicados en la explicación del lenguaje humano. Con frecuencia estos estudios tienen necesariamente que entrar en contacto y no pueden, sin riesgo, desconocerse. He aquí un recuento provisional: a) Lo que ocurre realmente dentro de nosotros mismos cuando empleamos el lenguaje con la intención de significar algo por medio de él constituye un intrincado campo de estudio sobre el que trabajan la *Psicología,* la *Psicofisiología* y la *Neurología,* además de una *Psicolingüística* y una *Psiconeurología.* b) Las relaciones que existen entre lo que se piensa, si es válido hablar así, el mensaje producido y la realidad a la que nos referimos al hablar, parecen pertenecer a la *Epistemología.* c) La producción de los sonidos, su difusión en el aire, el mecanismo de recepción pertenecen a la *Fisiología* y a la *Física acústica.* d) Todo cuanto concierne a la verdad o falsedad de lo que se dice, lo concerniente al razonamiento, a las condiciones del lenguaje ideal, etc., son cuestiones todas que enlazan con la *Lógica* y la moderna *Filosofía del lenguaje.*

Mientras todas las ciencias a que se acaba de hacer referencia tienen razonablemente delimitado su campo de estudio sobre el modelo de comunicación de que nos hemos servido, los estudios del lenguaje que se conocen con el nombre de *Gramática* o de *Lingüística* —que constituirían el apartado d)— han variado notablemente en su opinión sobre lo que consideran objeto de estudio y, especialmente, sobre los métodos que han puesto en práctica para acometer dicho estudio.

A esta evolución hay que añadir el hecho de la necesidad perentoria de la aplicación de las conquistas doctrinales de esta ciencia para la enseñanza, movida por intereses puramente prácticos. En el último medio siglo, sobre todo, durante el cual se han realizado positivos progresos en el estudio de la lengua, los cambios han sido espectaculares y, en gran parte, las ideas lingüísticas están todavía en elaboración.

1.2. *LAS CUATRO GRAMATICAS* — Desde la Antigüedad en que el hombre comienza a ocuparse del lenguaje, han ido tomando forma cuatro Gramáticas —independientemente de las escuelas que hayan intervenido en la elaboración de cada una de ellas—, que de hecho llegan hasta nosotros. Cada una de ellas se distingue por sus métodos de indagación particulares, por su interés en un aspecto determinado del complejo que el hecho del lenguaje humano constituye y por sus relaciones de compromiso con otras ciencias.

1.2.1. *La Gramática tradicional* — Reunimos bajo este nombre la forma más antigua de la Gramática, nacida en Grecia y Roma y desarrollada y enriquecida a través de la Edad Media y el Renacimiento, de tipo esencialmente especulativo, basada en los apriorismos de la Filosofía y de la Lógica, de la que toma buena parte de su terminología, y que llega a su forma más representativa con la **Gramática de Port-Royal** en el siglo XVII en Francia. Su concepción llega hasta nuestros días en las gramáticas escolares. Se caracteriza esencialmente por (a) entender la lengua como expresión del pensamiento y en consecuencia su operatoria trasciende del campo de análisis de la cadena sonora de la expresión al campo del pensamiento: *los hechos de lengua los describe por su interpretación de los hechos de pensamiento*. Así, las partes de la oración corresponden a los predicables aristotélicos —sustantivo= sustancia, adjetivo= cualidad, verbo= acción, etc.—, la oración es expresión de un juicio, se habla de verbos sustantivos a propósito del verbo *ser*, etc.; (b) por concebir la universalidad de la gramática tomando como modelo el latín. Cualquier lengua es estudiada haciendo coincidir de alguna manera los hechos particulares de cada una con los esquemas creados para la lengua latina. Así todavía no es extraño encontrar en gramáticas escolares la declinación del sustantivo castellano y hechos semejantes.

Este tipo de gramática se ha considerado precientífica porque se deja dominar por el subjetivismo especulativo del gramático cuyos asertos son frecuentemente contradictorios y, en ningún momento, se pueden verificar objetivamente. A este tipo de gramática se añaden nuevos enfoques de los que el más importante es el que representa la Psicología, sobre todo desde Wund que entiende la expresión como síntesis o análisis de la realidad que se trata de comunicar y que crea nuevos y más rigurosos métodos. En las mejores representaciones de este tipo de gramáticas —como ocurría en la Gramática de la Academia anterior al "Esbozo" de 1973— abundan datos y observaciones de uso de la lengua que tienen todavía un positivo interés como material de estudio; pero que hay que reelaborar con técnicas más adecuadas.

1.2.2. *Gramática comparativista e histórica* — Nace en el siglo XIX (**Franz Bopp, 1816**) y se desarrolla a lo largo de todo el siglo. Tiene su momento de apogeo con los **neogramáticos** a fines del siglo y continúa dando resultados muy positivos en éste. Se sitúa al margen de la gramática tradicional a la que descalifica como precientífica. Se basa en el contraste y comparación de tres lenguas —latín, griego y sánscrito— que le llevan a hipotetizar la existencia de una lengua común, el indoeuropeo, de la que proceden las tres. Concibe el estudio de la lengua históricamente por las relaciones de filiación entre ellas. Las lenguas románicas, derivadas del latín, ofrecen a estos estudiosos un campo más rico y seguro para su estudio, ya que se conservan textos latinos (lengua madre) y están vivas las lenguas derivadas. En el último tercio del siglo XIX, influidos por el positivismo, elaboran el concepto de **ley fonética**, al cual se ajusta la evolución de los sonidos desde una forma originaria a otra actual: De la ŏ latina se deriva (>) en posición tónica el diptongo *ue* en castellano como en focu > fuego. Se interesan no tanto por la lengua literaria como por la lengua viva, hablada por las gentes, en función de su derivación de la lengua de origen. El estudio de las lenguas dialectales y la Geografía lingüística toman gran incremento.

Este estudio de la lengua es *científico* porque se apoya sobre hechos documentales en los que las observaciones de los lingüistas se pueden verificar objetivamente. Pero dominados por su preocupación historicista, prescinden de entender la lengua como un todo y, por las exigencias de su estudio, la atomizan en pequeños hechos estudiados a lo largo del tiempo.

1.2.3 *Las Gramáticas estructurales* — Nacen en el siglo XIX (**Saussure, 1857-1913.** El *Cours de Linguistique Générale,* sacado de sus apuntes de clase, fue publicado por sus alumnos Bally y Sechehaye en **1916**) y toma forma en un programa de trabajo en **1926 (Congreso de La Haya)**. Independientemente en Norteamérica se llega a fundamentales coincidencias de principios (**Sapir, 1922**) y en la metodología (**Bloomfield, 1933**) sometida a una crítica exigente y minuciosa. Destacan como puntos fundamentales en la concepción de esta Gramática: a) Concebir la lengua como un sistema de signos cuya organización hay que descubrir. Para ello se plantean el problema previo de fijar las unidades mínimas con las que deben trabajar y cuya combinatoria da lugar a los mensajes que estudian en un *corpus* o colección de textos orales o escritos. b) Frente a la Gramática tradicional aísla como objeto de estudio la cadena sonora portadora de significado y deja de lado todos los otros aspectos que se ponen en juego en el momento de la comunicación, como ajenos a la Lingüística. c) Trata de crear una mecánica operativa de reglas muy estrictas que utilice solamente lo que la misma cadena sonora portadora de significado le ofrece (**principio de inmanencia**, entre los europeos, y **amentalismo** entre los americanos). d) Es verificable por su contrastación con la realidad o con la propia axiomática sobre la que construyen su teoría. e) Acota en su estudio la lengua hablada por una comunidad determinada en un momento dado. Se desentiende de su evolución histórica. La historia de una lengua sería la historia de unos sucesivos estados de lengua.

1.2.4. *Gramática generativa y transformacional* — En **1957,** en Norteamérica, **Noam Chomsky** da un nuevo vuelco a la Lingüística. Parte del descriptivismo o estructuralismo americano que considera insuficiente para explicar la lengua y pone toda su atención en la producción de los mensajes. Considera que el hombre está dotado de condiciones innatas para hablar (**innatismo**) y producir oraciones. Mientras el hombre más tonto habla, el chimpancé más listo no lo ha conseguido todavía. Abandona el estudio de un corpus y crea un modelo que trate de explicar de la forma más simple la adquisición del lenguaje y la producción del mismo. Para ello, dota a su modelo de un conjunto de reglas muy estrictas y rigurosas, que permiten generar todas las oraciones gramaticales y sólo las oraciones gramaticales. Esta teoría se propone explicar la lengua como dinámica frente al estatismo del descriptivismo estructuralista. Frente al interés que los estructuralismos confieren al corpus, los generativistas fían en la intuición del hablante de la lengua.

1.3. *LAS DOS DICOTOMÍAS SAUSSURIANAS* — En el giro representado por el *Curso de Lingüística General* de Ferdinand de Saussure (1916), que abre el camino a los estructuralismos europeos, se sitúa una labor previa de división y acotación de campos de trabajo que afectan: a) a la separación de un estado de lengua en el tiempo, con exclusión de los que le anteceden o suceden (**sincronía y diacronía**) y b) a la distinción de diferentes niveles de abstracción a partir de la comunicación diaria del hablante de una lengua (**lengua y habla**). Ambos planteamientos tienen como base el principio fundamental de entender la lengua como **sistema de signos.**

1.3.1. *Sincronía y diacronía* — La Lingüística científica anterior a Saussure es, como toda la del siglo XIX, histórica, y se desentiende, como hemos visto, de la lengua como un todo. En el momento en que el lingüista suizo propone plantear los problemas que el estudio de la lengua entendida globalmente suscita, se impone una determinación de límites. Para él hay dos modos de estudiar una lengua determinada: (a) a lo largo de su transcurso y evolución, campo que corresponde a la Gramática histórica y llama *diacronía,* y (b) en un período dado de su evolución, campo que considera específico de la Lingüística y que llama *sincronía.* Diacronía y sincronía designan, respectivamente, la lengua en su evolución y la lengua en un estado determinado de su evolución.

Supuesto que una de las preocupaciones de los estructuralistas ha sido afinar sus métodos de descripción, parece lógico que se hayan planteado el problema de los límites del corpus que han de estudiar. Aunque teóricamente es fácil comprender la separación de ambos campos de estudio, la práctica ofrece problemas no definitivamente resueltos sino de una manera aproximada: en primer lugar, fijar el período de tiempo, y, en segundo lugar, discriminar los caracteres del cambio que puede estarse produciendo a cada momento, la coexistencia de dos sistemas entre hablantes de dos generaciones. A estos problemas se unen los suscitados por los niveles de lengua en relación con la cultura, geografía (dialectos), etc.

Por otra parte, la solución adoptada por algunos investigadores de estudiar un corpus grabado en cinta magnetofónica tiene los inconvenientes naturales de la extensión de tal recolección, por la necesidad de recoger un número suficientemente rico de construcciones y vocabulario, de situaciones de uso, etc. En la mayor parte de casos se ha caído en la descripción del **idiolecto** (lengua individual) de un determinado hablante que sólo convencionalmente se podrá aceptar como representativo de la lengua comunitaria.

1.3.2. *Lengua y habla* — Esta segunda dicotomía se justifica por: a) Dentro de lo que entendemos en el habla corriente como lengua y estudio de una lengua se dan hechos y observaciones que implican diferencias de cualidad, grado de abstracción y poder de generalización. En efecto *anduve/andar* parecen unidades y conceptos distintos a los que encerramos tras los términos *pretérito/infinitivo; andé/anduve* que se dan en la comunicación sobre el valor del contenido "andar" en el pasado, nos dan otro tipo de informaciones socioculturales, geográficas etc., que no encontramos en la pareja *canté/cantar* que formalmente le son análogas. b) Supuesto lo anterior, parece conveniente utilizar métodos de descripción y estrategias de diferente carácter y naturaleza para cada uno de los niveles de estudio que se puedan señalar.

Estos presupuestos llevan a Saussure a distinguir lengua/habla que se oponen con características bastante determinadas: La lengua es (a) un hecho social y colectivo; (b) que el hablante recibe hecha de sus mayores y, en consecuencia, actúa pasivamente; (c) representa una suma de realidades asumidas por cada hablante que conoce su lengua. El habla es, por el contrario, (a') un hecho individual, de cada uno de los hablantes de una comunidad; (b') dentro de las posibilidades que la lengua le ofrece, el hablante es activo y creador y puede aspirar a cambiarla a nivel individual o a nivel colectivo; (c') es la realización o actualización de la lengua que cada hablante posee.

Ha sido preocupación fundamental de los estructuralistas llegar a describir la lengua porque al representar ésta un nivel de más alta abstracción sus observaciones tienen mayores posibilidades de generalización.

1.3.3. *Sistema, norma y hablar* — A la división dicotómica de lengua y habla otros estructuralistas han añadido matizaciones y precisiones. Entre otras, es interesante la que propone (Coseriu) una división tripartita en **sistema/norma/hablar,** según el esquema siguiente:

```
-------------------------------------------------------------------------------------------> CONCRETO
           SISTEMA                      NORMA                      HABLAR
              3                           2                           1
ABSTRACTO  <-------------------------------------------------------------------------------
```

(1) **Hablar:** Hechos concretamente registrados en el momento de su producción, los textos, lo vario y cambiante de la comunicación material entre hablante e interlocutor. Sería objeto de estudio de la *Gramática de los errores* o, en otro aspecto, de la *Estilística*. (2) **Norma:** representa un primer grado de abstracción. Contiene sólo lo que en el hablar concreto es repetición de modelos anteriores. Elimina lo que en (1) es variante individual. Sería objeto de estudio de la *Gramática descriptiva*. (3) **Sistema:** Representa un segundo grado de abstracción superior. Contiene sólo lo que es forma indispensable. Elimina lo que es variante facultativa u opcional. Sería objeto de estudio de las llamadas *Gramáticas estructurales*.

De hecho, en el momento de la descripción de una lengua es difícil separar, sin dejar incompleto el análisis, lo que es objeto de estudio de (2) y de (3).

1.3.4. *Código y mensaje* — Entendida la lengua como repertorio de posibilidades entre las cuales el hablante elige constantemente al producir sus comunicaciones (**acto verbal**), se explica la tendencia de muchos lingüistas a utilizar los términos código y mensaje en lugar de lengua y habla, tomándolos a la teoría de la comunicación. El código tiene la ventaja de carecer de las acepciones del término lengua y en consecuencia, evitar los malentendidos tan frecuentes. Lo mismo ocurre con el término mensaje en relación al equívoco término habla. De esta manera, el código sería el bagaje de conocimientos de la lengua que permite la construcción y producción de mensajes, y mensaje sería cualquier secuencia de sonidos portadora de significado que sirve para la comunicación.

1.4. *TEORÍA DEL SIGNO LINGÜÍSTICO* — La Lingüística nueva, que nace con el *Curso de Lingüística General* (1916) en Europa, tiene dos piezas fundamentales en la **teoría del signo lingüístico,** no cabalmente desarrollada por Saussure, y en la concepción de lengua como **sistema,** término que se identificará posteriormente con el de estructura. En este parágrafo nos ocuparemos de la teoría del signo y su relación con la **Semiología.**

1.4.1. *El signo y el símbolo* — Se entiende por **signo** todo aquello que por su naturaleza o por convenio sirve para evocar otro objeto o idea. Desde los griegos se considera el signo (*sêmeion*) como una entidad constituida por la relación entre el **significante**, definido como "sensible", y el **significado**, definido a su vez como inteligible o traducible. El latín, con términos calcados del griego, traduce *signum = signans + signatum*.

Para Saussure, la Lingüística no sería más que una parcela, sin duda privilegiada, de otra ciencia más amplia que trataría de los signos y a la que llama provisionalmente Semiología (nombre que compite modernamente con el de **Semiótica**), que sería a su vez parte de la *Sociología*. Así se justifica el interés creciente por la Semiología ya que entran dentro de ella no sólo sistemas como las campanas, toques de silbato o trompeta, etc., con los que se regula la vida de una comunidad sino gestos como los del sacerdote al bautizar al neófito o el del explorador que clava la bandera de su país.

Algunas corrientes semiológicas han tratado de fijar un límite entre lo que ellos llaman **acto sémico** y, por tanto, objeto de la Semiología y lo que consideran extraño a ella. Así, hechos como la presencia de nubes que permiten adivinar la próxima tormenta, la palidez de una persona que permite entender su miedo o mala salud son aislados como *indicios*, ajenos al estudio semiológico por cuanto no hay una voluntad de comunicación por parte del que los emplea. Frente a esto, las señales de circulación, las marcas de fábrica, los signos convencionales en las guías, son todos ellos recursos de comunicación. En el indicio, los hechos hablan, el intérprete se remonta a la causa posible para darles un significado; en el acto de comunicación un determinado significante comporta un significado.

El americano Peirce distingue por su parte el *icono* por cuanto opera ante todo por la semejanza entre el significado y el significante: así la representación de un animal es el animal representado. Por otra parte reserva el término *símbolo* cuando se liga el significante con el significado por una conexión instituida. Su interpretación no se hace necesariamente por su semejanza y no depende más que del conocimiento previo de la regla que lo ha creado. Así la cruz que simboliza el cristianismo o las balanzas y la espada que simbolizan la justicia.

1.4.2. *El signo lingüístico* — Para Saussure el **signo lingüístico** está apoyado en unos vagos conceptos psicológicos. Es ante todo una entidad psicológica, con lo cual entiende subrayar su carácter no material y abstracto. Se produce en el momento en que un concepto dado desencadena en el cerebro la imagen acústica correspondiente; en consecuencia, el signo no une una cosa y su nombre sino **concepto** e **imagen acústica,** nociones sobre las que tan poco se sabe. La imagen acústica presupone el significante, mientras el concepto se relaciona con el significado. El significante primariamente está constituido por sonidos que se encadenan —**cadena sonora**— en el mensaje. Significante y significado están estrechamente unidos de tal manera como el anverso y el reverso de una hoja de papel. No se puede cambiar el anverso sin que se produzca un cambio en el reverso. Así, el segmento /casa/, significante que comporta un determinado significado, cambia en cuanto cambiamos una de sus unidades sonoras: /caza/.

Dos principios delimitan el concepto de signo lingüístico según Saussure: (a) la **arbitrariedad** y (b) la **linearidad.** (a) No hay ninguna relación que justifique la elección de una determinada realización sonora para utilizarla como significante de un determinado significado: *cheval, horse, Pferd, caballo* son segmentos con distintos sonidos todos los cuales sirven como significantes en francés, inglés, alemán y castellano, de una misma realidad: el caballo. No hay ninguna razón que privilegie una determinada ordenación sobre las demás, para nombrar lo significado.

Con no demasiada fortuna utilizó también el término de **inmotivado.** Hay, sin embargo, signos que podremos considerar como motivados, esto es, no arbitrarios de alguna manera, cuando por su construcción se puede descubrir un medio de deducir su significado, como ocurre en la palabra *diecinueve,* a partir de una regla de combinación de dos significantes.

(b) El principio de linearidad tiene mayor interés. El enunciado lingüístico se desarrolla en el tiempo a diferencia de otros sistemas semiológicos cuyos enunciados pueden ser captados en cualquier orden, como ocurre, por ejemplo, con las insignias militares que sirven para distinguir la graduación. La consecuencia más importante será la de que supuesto que dos signos no pueden darse al mismo tiempo, los signos valen por su constraste con los que le preceden y siguen.

Implícita en la exposición de Saussure hay una tercera característica que no formula como principio y que se relaciona con su condición de miembro de un sistema y que conoceremos más adelante. La designa con el nombre de **diferencialidad del signo** y algunos lingüistas modernos la llaman **carácter discreto del signo.**

1.4.3. *Materia, forma y sustancia* — La caracterización y definición del signo en el *Curso de Lingüística General* está, como hemos visto, muy metida en las tierras movedizas de la Psicología. Se hacía preciso, pues, separarla de los términos "concepto" e "imagen acústica" para elaborar una teoría válida por lo que ofrece el signo en su propia naturaleza. Una de las interpretaciones más afortunadas, se debe a la escuela danesa de Copenhague. Según estos lingüistas, los dos planos de significante y significado que se funden en el signo coinciden con lo que llaman *plano de la expresión* y *plano del contenido.* Paralelamente, en un plano y otro, con plena simetría, se desarrollan las tres zonas de la forma, la sustancia y la materia.

El término **forma** se ha empleado en Lingüística para designar el conjunto de unidades fónicas que componen el significante de la lengua e, incluso, como sinónimo de signo. Para la escuela danesa, forma, en oposición a los otros dos términos, representa un determinado nivel de abstracción en la descripción de las lenguas. Fundan su concepto de forma sobre la premisa de orden epistemológico de que *un objeto cualquiera no tiene existencia más que por el hecho de las relaciones que contraiga con otros objetos.* En el signo lingüístico, será su forma la red de relaciones que puedan establecerse para conocerlo como tal signo. Hay, por tanto, una forma de la expresión y otra del contenido: unidades fónicas, con determinadas relaciones con otras unidades fónicas ausentes, se relacionan desde el plano de la expresión con las relaciones gramaticales determinadas y de significado en el plano del contenido. Con esto, el signo ha eliminado todas las caracterizaciones materiales y físicas de sus elementos y se ha quedado únicamente con las relaciones.

Frente, y en oposición, a la forma se sitúa la **materia** que en el plano del contenido serán las ideas, los conceptos, y en el plano de la expresión, los sonidos. La materia constituye todas las disponibilidades de la lengua. En el momento en que una porción de la materia es atribuida a una de las unidades de la forma estamos en la **sustancia** ya de expresión, ya de contenido. La sustancia lingüística, así entendida, no existe más que en relación con la forma y no se concibe fuera de ella, en una lengua dada. La forma, se puede decir, es independiente de la sustancia, pero no al revés.

1.5. *SISTEMA Y ESTRUCTURA* — Sistema es un antiguo término de la ciencia. Se considera sistema todo conjunto de objetos relacionados entre sí de tal manera que una modificación en uno de sus miembros se traduce necesariamente en una reorganización de las relaciones. Con sentido semejante se emplea el término **estructura** que adoptaron los lingüistas posteriores a Saussure.

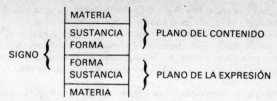

En el *Curso de Lingüística General,* el sistema toma ya el concepto de conjunto de relaciones que definen las unidades de un estado de lengua dado oponiéndose unas a otras. Saussure para exponer más claramente su idea, como en otras ocasiones, acude a una comparación: el juego de ajedrez. En el juego de ajedrez, no importa que se cambien las piezas tradicionales —reyes, caballos, alfiles, etc.— por otras con una forma distinta, de la misma manera que no importa la materia de que estén fabricadas las piezas: marfil, madera, etc. Aunque se produzcan todos estos cambios el juego de ajedrez seguirá siendo el mismo juego de ajedrez. Sin embargo, no se podrá cambiar, sin convertirlo en otra cosa, el número de piezas, la capacidad de maniobra asignada a cada una de ellas ni las reglas según las cuales se mueven. *El número* de piezas, *la capacidad de maniobra* de cada una de ellas y *las reglas* que fijan sus movimientos constituyen las relaciones que justifican que tal conjunto de piezas constituyan una estructura.

1.5.1. *Valor lingüístico* — Es fundamental en el concepto de sistema, como relación entre los elementos que lo componen, el concepto de *valor* que (a) se opone a todo apriorismo en la delimitación y aislamiento de los miembros del sistema y (b) sirve para entender el de relación. Explícitamente, se dice en el *Curso de Lingüística General* que la más exacta caracterización de las unidades de un sistema es "ser lo que las demás no son". Según la noción de valor, la parte conceptual está constituida únicamente por las relaciones y diferencias con los otros términos de la lengua. Los valores actúan por su oposición recíproca en el seno de un sistema definido. El contenido "macho" que implica la unidad /-o/ añadida a la unidad /gat-/ sólo se justifica porque hay una unidad /-a/ que unida en las mismas circunstancias evoca el contenido "hembra". En *hormiga* no aparece el contenido "hembra" porque *hormigo no existe en el sistema. En la expresión, lo que importa de una palabra no es el sonido mismo que se pronuncie, sino la diferencia fónica que permite distinguir esa palabra de otra: "casa" de "pasa", "peso", de "beso".

Para dar a entender este doble juego de *identidades* y *diferencias* que forman la base de la delimitación de las unidades del sistema lingüístico y constituyen el fundamento mismo de su existencia como tal sistema, acude al ejemplo de la diferenciación que hacemos de los trenes que circulan en un país determinado en una época determinada (unidades de un sistema en un estado de lengua dado). El tren de Génova a París de las 8 horas y 45 minutos de la tarde que sale cada veinticuatro horas es para nosotros siempre el mismo expreso, a pesar de que, probablemente, habrá cambiado la locomotora, uno o más vagones, el personal no será el mismo, etc. Lo que caracteriza al expreso Génova-París como el "mismo tren" no es la materialidad intrínseca del mismo, supuesto que puede ser otro completamente distinto, sino el hecho de la hora de partida —las 8'45 de la tarde—, el itinerario —Génova-París— y, en general, todo cuanto lo *distingue* de los demás expresos. La lengua es un sistema cuyos términos son solidarios y cuyos valores resultan de la presencia simultánea de los otros términos.

El concepto de valor lo relaciona con el concepto de valor económico. Para la existencia de un valor económico es preciso que se pueda cambiar por una cantidad determinada de una cosa diferente (100 pesetas = una cantidad de pan) y que se pueda comparar con un valor similar del mismo sistema (100 pesetas = 20 billetes de 5 pesetas). En la lengua una palabra se puede cambiar por una idea y puede compararse con otra palabra. El valor de una palabra no estará fijado simplemente por su significado, es decir, porque la podamos trocar por tal o cual concepto. Hace falta además compararla con valores similares, con las otras palabras que se le pueden oponer. Su contenido no estará bien determinado más que por el concurso de lo que existe fuera de ella.

1.6. *LA NUEVA LINGÜÍSTICA* — La Psicología al aproximarse a la Lingüística tenía que forzar nuevos caminos cuyo acceso, ni el descriptivismo americano ni el estructuralismo europeo estaban en condiciones de facilitar. En 1957 publicó Noam Chomsky *Syntactic Structures,* libro en el que combate los ensayos de aplicación de la cadena de Markof que se habían realizado por influencia de la teoría de la comunicación y formula la primera hipótesis de lo que se viene llamando lingüística o gramática *generativo-transformacional* (GGT). Desde entonces hasta hoy, se ha desarrollado un creciente interés en todos los círculos lingüísticos tanto americanos como europeos por dicha teoría.

Entre las varias razones que justifican este interés podemos considerar como más importantes las siguientes: (a) en su argumentación se traza una clara división entre lo que se debe entender por teoría lingüística y lo que no es más que una metodología; (b) muestra, frente a la pura *descripción* de lo que se venía entendiendo por lengua según el criterio de Saussure, la posibilidad de *explicar* el *mecanismo* del lenguaje humano; (c) desde 1964 introduce la posibilidad de contar con la Semántica, hasta entonces orillada o relegada a un segundo término por las diferentes escuelas, para explicar la lengua; y (d) formula la teoría con la suficiente flexibilidad y rigor para hacer posible la autocorrección y autoevaluación de resultados sin modificar los principios generales sobre los cuales se asienta, como ocurre en cualquier ciencia.

1.6.1. *Limitaciones de descriptivistas y estructuralistas* — Para los generativistas, el descriptivismo americano ha llegado a un callejón sin salida por dos órdenes de razones: (a) porque describir, clasificar, fijar las relaciones de los componentes de una lengua, etc., aun habiendo llegado a una alta precisión y rigor, no da idea del funcionamiento de la lengua. El descriptivismo basado en un *corpus* y en la mecánica de la segmentación y clasificación en unidades describe la lengua como **producto.** Los generativistas van a entender la lengua como **proceso,** y aspirarán a una explicación de la **acción lingüística.** (b) El descriptivismo fija como teoría una que pueda *descubrir* la gramática o descripción total de una lengua. Sin embargo, esta teoría está necesariamente condenada al fracaso porque se impone una exigencia superior a sus posibilidades. Compara la aspiración teórica de esta lingüística al hecho de pedir a la Física una formulación teórica que permita, de forma automática, descubrir cualquier ley partiendo de la observación empírica de los hechos. Efectivamente, con el descriptivismo, la Lingüística no sale de los métodos empíricos de la vieja metodología de la Historia Natural.

Esta misma idea que pone de relieve las limitaciones de descriptivistas y estructuralistas —a los que hay que agradecer la fijación de una metodología de trabajo, pero en ninguna manera la formulación de una teoría explicativa de los hechos—, se ha presentado mediante una comparación expresiva. Para la formulación de una mecánica celeste hay que fijar previamente una serie de categorías pertinentes —masa, densidad, coordenadas espaciales, tiempo, etc.— para el estudio de los movimientos de los cuerpos celestes. Esto constituirá un método descriptivo necesario, sin duda, pero no suficiente. La teoría no puede estar constituida por la enumeración o descripción de estos valores sino por la formulación del conjunto de leyes mediante las cuales explicamos los movimientos, esto es, mediante las cuales se pueda construir idealmente un modelo celeste que de alguna manera los reproduzca y represente, que prediga el comportamiento cinemático. Sólo así las investigaciones contrastadas con la realidad podrán confirmar o refutar la teoría y modificarla en consecuencia.

1.6.2. *Objeto de estudio de la Lingüística* — El descriptivismo, piensan los generativistas, nos ha dado un método riguroso y verificable para distinguir cada una de las piezas que constituyen el mecanismo de la lengua, pero no ha podido pretender nunca seriamente darnos las leyes por las que estas piezas se enlazan para producir los mensajes.

Con esta primera observación se advierte ya cómo se inicia el giro copernicano que da la Lingüística con Chomsky. Cambia el objeto de estudio sin salir del campo de lo concerniente a la lengua. Tanto descriptivismo como estructuralismo se han impuesto una **visión estática** del hecho. Oponiendo, según hemos visto, lo colectivo e invariable —la lengua— a lo multiforme e individual —el habla—, enfrentan la rigidez del sistema de la lengua, objeto único de estudio de la Lingüística, con su realización como acto verbal, producto.

El generativismo va a dar un intencionado giro al campo de estudio llevando su interés a explicar el hecho de que cualquier hablante/oyente de una determinada lengua sea capaz de producir e interpretar mensajes de esa lengua, distinguir cuando están bien o mal formados, etc. Este interés les llevará a elaborar una teoría que trate de explicar el proceso de la producción e interpretación con lo que frente al estatismo de la Lingüística anterior, toma un marcado carácter dinámico.

A la oposición lengua/habla, esencialmente según la entiende Saussure, oponen los conceptos de **competencia** y **actuación.** Competencia, sólo de alguna manera semejante a la "lengua" saussuriana, será la capacidad adquirida por todo hablante —para cuya adquisición estaba dotado sin duda de cualidades innatas, que no tienen los animales— de producir y entender frases. De esta manera, la lengua se entenderá no tanto como el sistema de signos que mediante una combinatoria pueden formar mensajes, sino como el conjunto de mensajes que se han producido y se puedan producir. Para los generativistas, la frase es un elemento de la lengua y lengua el conjunto de todas las frases.

1.7. *LA TEORÍA GENERATIVISTA* — Dado el objeto de estudio, según hemos visto, la teoría debe aspirar a una reconstrucción racional de la ilimitada creatividad de mensajes siempre nuevos, ya que el generativismo observa que el hablante/oyente puede producir e interpretar mensajes nuevos, no oídos; esto es, ni produce por repetición ni por recuerdo. Como para el niño que aprende una lengua, para el lingüista, lo importante es determinar a partir de la lengua como acto, el sistema de reglas aplicadas para la producción de los diversos enunciados.

El problema para los generativistas se delimita, pues, en: a) Conocer la naturaleza exacta de la competencia, esto es, construir un modelo de la competencia del hablante que será la gramática que el hablante tiene como suya y que se referirá a 1) aspectos fonológicos o grafémicos, 2) sintácticos y 3) semánticos. Este modelo será un mecanismo que comporte un sistema de reglas capaces de asociar el sonido o signo gráfico con el significado. b) Construir un modelo de lo que se llama actuación del sujeto hablante. Este modelo, no elaborado, ha de comprender la realidad extralingüística y puede incluir una teoría del contexto. c) Conocer el proceso de aptitudes, por lo cual hay que elaborar una teoría del aprendizaje de la lengua apartada de los supuestos conductistas que dominan en el descriptivismo americano.

Dadas las reglas, el método ha de hacer explícitas todas las observaciones e informaciones sobre esta creación lo que le permitirá en todo momento contrastar sus predicciones con la experiencia. Una Gramática constará así de reglas o instrucciones y una metodología adecuada que permita explicitar el mecanismo por el que en una estructura un determinado conjunto de signos fónicos o gráficos evocan un determinado significado, o al revés, según se trate de la producción o la interpretación de un enunciado.

1.7.1. *El modelo de estructura de frase* — La teoría generativista ha ido y sigue modificándose. Su método de operación concibe en una de sus formas un modelo constituido por una serie de reglas de reescritura del tipo x. ⟶ y, que se debe interpretar como una instrucción para sustituir x por y, siendo el primer símbolo en una serie de reglas de este tipo, dado de antemano. Para generar secuencias como /El niño juega alegremente/, /El autobús corre mucho/ y /El abuelito lee ávidamente/, se fijarán las reglas siguientes:

O

R.1.   O ⟶ FN + FV

R.2.   FN ⟶ Art.º + Sust.

R.3.   FV ⟶ V + Adv.

R.4.   Art.º ⟶ el

R.5.   Sust. ⟶ niño, autobús, abuelito.

R.6.   V ⟶ juega, corre, lee.

R.7.   Adv. ⟶ alegremente, mucho, ávidamente.

Debe notarse: 1) Los símbolos han de entenderse: O = oración; FN = frase nominal, también llamado sintagma nominal (SN); FV = frase verbal, también llamado sintagma verbal (SV); Art.º = Artículo; Sust. = Sustantivo; Adv. = adverbio; ⟶ = reescríbase; 2) El primer símbolo, según se ha dicho, viene dado; aparece a la izquierda y no puede aparecer, en el **modelo de estructura de frase,** a la derecha de la flecha. Una serie de signos pueden aparecer a la derecha o a la izquierda de la flecha. Otros —los léxicos—, sólo aparecen a la derecha. Los primeros son no terminales y los segundos terminales.

La aplicación sucesiva de estas reglas constituye una ***derivación:***

FN				FV			Según R.1.
Art.º	+	Sust.	+	FV			R.2.
Art.º	+	Sust.	+	Verbo	+	Adverbio	R.3.
el	+	Sust.	+	Verbo	+	Adverbio	R.4.
el	+	niño	+	Verbo	+	Adverbio	R.5.
el	+	niño	+	corre	+	Adverbio	R.6.
el	+	niño	+	corre	+	alegremente	R.7.

Cada una de las líneas de esta derivación es una ***cadena*** (**string**) que será **terminal,** como ocurre en la última, solamente si tiene símbolos terminales. Una derivación permite asignar una determinada estructura a su cadena terminal recurriendo a diagramas arbóreos o de otro tipo a los que se llama por eso **marcadores de frase** o **indicadores sintagmáticos.** He aquí, muy simplificado, el árbol que corresponde a la frase utilizada como ejemplo.

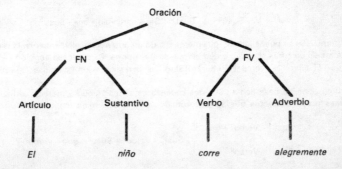

Mediante el indicador sintagmático se explicita una doble relación en los **nódulos** donde aparece un símbolo: a) *ser miembro de* los símbolos de un nivel inferior con relación al símbolo que los comprende. Así, Art.° y Sustantivo *son miembros de* el sintagma nominal; b) *dominar:* es la relación del nódulo con sus miembros. Así el sintagma nominal *domina* al Art.° y al Sustantivo.

Como se puede ver, el rasgo básico más importante, es la posibilidad de asignar una estructura a todas las cadenas terminales, esto es, de derivar cada símbolo de un nódulo determinado. Por ello, es necesario fijar una serie de restricciones tales como lo de que sólo un símbolo puede sustituirse en cada regla, la exclusión de reglas que resulten de la elisión de un símbolo tales como xAy ⟶ xy, las permutaciones, etc.

El indicador sintagmático permite distinguir además una **estructura profunda,** constituida por los símbolos gramaticales, y una **estructura superficial** en la que se emplean los items léxicos.

1.7.2. *Modelo transformacional* — Este modelo de estructura de frase se mostró con grandes limitaciones ya que no era válida más que para oraciones simples asertivas sin reflexivo a las que se llama **oraciones nucleares** que para el castellano corresponden a los siguientes tipos cuya posición ideal se señala en el siguiente cuadro:

		POSICIÓN		
Tipo	1	2	3	4
I	NP	V_c	Atrib.	(Adv.)
II	NP	V_i	$\emptyset$	(Adv.)
III	NP	V_t	NP_2	(Adv.)
IV	$\emptyset$	$V_{imp.}$		(Adv.)

Donde NP = frase nominal o sintagma nominal; V_c = verbo copulativo *ser, estar* o *parecer;* V_i = verbo intransitivo; V_t = verbo transitivo; $V_{imp.}$ = verbo impersonal; Atrib. = atributo; $\emptyset$ = cero; Adv. = adverbio; ( ) = opcional, que puede aparecer o no.

Para salvar las limitaciones del modelo de estructura de frase, y simplificar la operatoria, elabora el modelo transformacional, que consiste en una serie de reglas de sustitución en las que no hay restricciones de ninguna clase y en el que el símbolo 0 puede aparecer a la derecha. Estas reglas no operan sobre símbolos sino sobre nódulos en un marcador de frase, incluyendo las unidades dominadas por tales nódulos. Al eliminar las restricciones se pueden dar operaciones como la elisión, permutación, expansión, sustitución, reducción y adición. Estas reglas se aplican en la gramática de superficie. La reescritura se marca mediante el símbolo ⟶ o, para distinguirlo de éste que aparece en las reglas de estructura de frase, el símbolo ⇒ En una gramática detallada, una regla de transformación puede ser: Af + V ⇒ V + af, donde af = afijo o desinencia y V = verbo o radical del verbo. Si estamos interesados en cómo la oración terminal es pronunciada tendremos que fijar reglas transformacionales morfofonéticas o si lo que nos interesa es cómo está escrita fijaremos reglas transformacionales morfografémicas.

Se distinguen **T obligatorias** con las que se atiende al hecho de la concordancia —el sustantivo debe concordar en género y número con su determinante— y hechos semejantes, y **T optativas** cuando su cumplimiento depende de la decisión del hablante, como ocurre con la interrogación, negación o pasiva.

Una T optativa puede ser singular o de base simple cuando tiene como materia prima una sola cadena de símbolos. Así, la pasiva:

$$\text{Sust.}^1 + \text{V.} + \text{Sust.}^2 \Rightarrow \text{Sust.}^2 + \text{Ser} + \text{participio} + por + \text{Sust.}^1$$

Esta transformación se puede indicar igualmente dando un orden a los elementos en la oración de partida y señalando por medio de cifras el nuevo orden en que se transforma. Para el caso anterior 1 + 2 + 3 ⇒ 3 + ser + 2-part. + *por* + 1. El niño (1) + come (2) + peras (3) ⇒ Las peras (3) + son + comidas (2) + por + el niño (1).

Una transformación de base doble tiene dos cadenas de símbolos como materia prima. Este es el caso de las **inserciones** o **acoplamientos** que se corresponden con la subordinación compuesta de la gramática tradicional.

$$\left.\begin{array}{l} \text{Sust.}^1 + \text{Verbo}^1 + \text{Sust.}^2 \\[6pt] \text{Sust.}^2 + \text{Verbo}^2 \end{array}\right\} \Rightarrow \text{Sust}^1 + \text{Verbo}^1 + \text{Sust.}^2 + que + \text{Verbo}^2$$

El enunciado /El + muchacho + oyó + al + pájaro + que + trinaba/ puede ser descrito por el siguiente diagrama arbóreo:

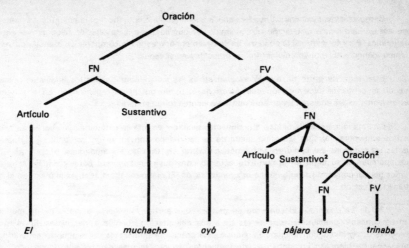

1.8. *SINTAGMÁTICA Y PARADIGMÁTICA: UNIDAD LINGÜÍSTICA* — Un problema fundamental para la Lingüística de orientación estructuralista es fijar unos procedimientos objetivos y comprobables para aislar unidades con las que construir las diferentes estructuras que posee una determinada lengua. Como se ha dicho antes, el punto de partida para el lingüista es el corpus, serie de enunciados que le han de permitir la descripción de la lengua. Se parte así de los hechos de habla para reconstruir a un cierto nivel de abstracción la lengua.

La linearidad que se postula en el segundo principio de la teoría del signo de Saussure implica considerar el discurso como una sucesión de sonidos —cadena sonora— en la que el oído no percibe ninguna división suficiente y precisa. Sólo unos métodos adecuados y coherentes permitirán tal segmentación, igualmente válida para cualquier observador de la lengua.

Supuesta la existencia de estas unidades, parece adecuado pensar que se den distintos valores al considerar las unidades en el habla o al considerar las mismas unidades en la lengua. Esto es lo que justifica la oposición de la **Sintagmática** y la **Paradigmática,** términos propuestos por una de las escuelas estructuralistas. La Sintagmática constituirá el estudio de los elementos de la cadena sonora en los que el hablante, cada hablante en el acto verbal, actualiza las unidades que se organizan en sistema en la lengua. La Paradigmática recogerá organizadas en sistema las unidades que el lingüista ha conseguido con una determinada metodología aislar en el corpus.

El hablante elige en cada momento en el habla las unidades que potencialmente existen en la lengua. Cada unidad de la cadena aparece en su contexto escogida por el locutor, para lo que acude al sistema adecuado. Si aceptamos provisionalmente como unidad la palabra, en el contexto /Vi a ---- *jugando con su tía*/ puede aparecer cualquiera de las siguientes unidades: /Pedro/, /el niño/, /el hijo de mi amigo/, etc. Estas unidades forman una clase caracterizada por el hecho de poder aparecer en tal contexto.

El *Curso de Lingüística General* sienta ya las bases de la distinción sintagmática y paradigmática al poner de relieve la importancia de las relaciones y diferencias entre los términos, relaciones y diferencias que se despliegan en dos esferas distintas generadoras cada una de ellas de cierto orden de valores. En el discurso, los elementos se alinean uno tras otro. Saussure llama **sintagmas** a las combinaciones que se apoyan en la extensión: "El sintagma se compone de dos o más unidades consecutivas." Un término en un sintagma sólo adquiere su valor porque se opone al que le precede y al que le sigue. El término **oposición** empleado en el *Curso* de Saussure ha sido sustituido por los estructuralistas posteriores en este campo del discurso por el término **contraste.** Se dirá, pues, que una unidad en el discurso contrasta con la unidad que le precede y la que le sigue.

Fuera del discurso, las palabras que ofrecen algo en común se asocian en la memoria y forman grupos en el seno de los cuales reinan relaciones muy diversas. Para estas relaciones propone el *Curso* el nombre de **relaciones asociativas.** Así la palabra *enseñanza* hará surgir inconscientemente en el espíritu otras palabras como *educación, aprendizaje,* o *templanza, esperanza,* etc. Las conexiones sintagmáticas se realizan "in praesentia", mientras las asociativas se realizan "in absentia", en una serie mnemónica virtual.

Como en otras ocasiones, Saussure acude a la analogía con un hecho: la columna. La columna se encuentra por un lado en cierta relación con el arquitrabe que sostiene. Esta relación hace pensar en la relación sintagmática. Por otra parte, si la columna es de orden corintio evoca la comparación mental con los otros órdenes, jónico, dórico, etc., que son elementos no presentes en el espacio.

Esta segunda parte de relaciones asociativas ha sido elaborada por los lingüistas posteriores sustituyendo el concepto de evocación que desarrolla el *Curso* por el de organización en el sistema. La relación entre las unidades en este campo será opositiva y constituirán el paradigma.

De esta manera, cada unidad que podamos destacar en una cadena hablada —hecho de habla— pertenece a dos conjuntos: (a) Con las otras unidades de la cadena constituye un *conjunto sintagmático;* la relación entre las unidades del conjunto sintagmático *contrastan.* (b) Con las unidades caracterizadas por la facultad de aparecer en su lugar en el contexto opuesto constituye un *conjunto paradigmático;* la relación entre las unidades del conjunto paradigmático es una *oposición.* El plano paradigmático es el plano en el que el hablante hace la elección.

1.8.1. *La palabra* — El concepto de palabra, que parece imponerse al hablante de manera espontánea, es un concepto precientífico que se resiste a una delimitación objetiva e inequívoca. En el escrito utilizamos criterios ortográficos convencionales. Según este criterio la palabra es un segmento separado de los demás por espacios blancos. Sin embargo, son frecuentes las vacilaciones para el que desconoce las reglas según las cuales se impone tal segmentación.

Algunos lingüistas defienden la espontaneidad de la separación y se apoyan en sus prácticas con indígenas iletrados de diversas culturas. Otros sin embargo, con el mismo razonamiento niegan validez a la espontaneidad de la segmentación de la cadena en palabras. La tradicional definición de la palabra es totalmente vaga: la palabra es como expresión de una idea. Ya se advirtió que hay palabras que no expresan ideas (*y, de, a*). Por otra parte, palabras compuestas o grupos de palabras traducen una sola representación: *molino de viento; guardia civil.* A veces el orden en que aparecen hace distinguir una o dos palabras: *díole / le dijo.* El castellano como otras lenguas románicas, emplea el artículo antepuesto al sustantivo y separado de él como una palabra; en cambio, el rumano lo pospone y lo escribe como su terminación: cast., *la nariz;* rum. *nasul.*

Estas dificultades justifican que las tendencias estructuralistas hayan tratado de acotar un tipo distinto de unidad operatoria apoyándose en diversos criterios basados en la distribución y la conmutación principalmente, según veremos más adelante.

1.8.1.1. *Subunidades de la palabra* — La Gramática tradicional toma como unidad básica la palabra. A partir de la palabra se llegaba a distinguir unas subunidades menores —raíz, radical o tema, afijos, etc.—, y unidades superiores —el grupo de palabras y la oración—. El primer hecho advertido comportaba un nuevo aspecto del problema de la palabra: ¿*casa* y *casas* son dos palabras o una misma en dos formas? Determinadas palabras son susceptibles de variaciones en su terminación como en el caso citado. A estas variaciones se les llama **flexión,** y **desinencia** a los sonidos que permiten tal flexión para expresar diferentes funciones o relaciones en la cadena sonora. Se hablaba, en consecuencia, de **palabras variables** refiriéndose a las clasificadas como sustantivos, adjetivos, verbos, pronombres y **palabras invariables** a las restantes: preposición, conjunción, adverbio.

El interés que los comparativistas tuvieron por fijar las relaciones de parentesco entre palabras de diversas lenguas o entre las palabras de una misma lengua les llevó a afinar los métodos para distinguir una unidad, menor en extensión que la palabra, que aparecía como base común en todas las palabras emparentadas de la misma familia. Una vez separada la desinencia, podía aislarse esa unidad común que justificaba el parentesco. Esta unidad se llamaba **raíz** cuando no podía reducirse a otra menor. Se llamaba **radical** cuando todavía permitía aislar además de la raíz otras unidades.

Las unidades que se podían añadir a una raíz y que no formaban el inventario de las desinencias se llamaban **sufijos** por su situación al final de la palabra. Algunos filólogos han hablado de sufijos flexionales para poner de relieve la coincidencia de distribución de desinencias y sufijos. Sin embargo, la diferencia entre sufijos y desinencias se comprueba por el hecho de que las desinencias operan variaciones en una misma palabra, mientras los sufijos forman palabras distintas de la misma raíz: La serie *ama-d-o, ama-nte, ama-ble, am-ig-o, am-istad, am-or, am-é* nos permiten distinguir una base mínima común, la raíz *am-,* un radical, *ama-,* y varios sufijos y las desinencias *-o* y *-é.* Las variaciones *amado, amada, amados, amadas* corresponden a la misma palabra.

1.8.1.2. La derivación: sufijos — El sufijo se relaciona, pues, con la **derivación,** procedimiento de una lengua determinada para formar palabras nuevas mediante la adición, supresión o intercambio de sufijos. La derivación puede ser **progresiva** cuando añade un sufijo: *mujer* —> *mujercita;* **regresiva,** cuando se produce por supresión: *saltar* —> *salto* (**postverbal**).

Los sufijos permitían con mayor o menor precisión una relación de la unidad sonora con el significado. Así, en el ejemplo citado el sufijo *-cit-* toma valor afectivo o de cosa pequeña respecto a la forma plena: *viejecita/ vieja, frailecito/fraile, capacito/capazo,* etc.

Ciertos elementos constantes situados entre el sufijo y la raíz, generalmente difíciles de determinar, se llaman **infijos** o **interfijos,** elementos que usualmente se justifican por razones fonéticas.

Ejemplos de DERIVACIONES

-able, -ble : *respetable, canjeable, irascible*
-áceo : *grisáceo, herbáceo, gallinácea*
-aco : *dionisíaco, libraco, austriaco*
-ada : *millonada, cucharada, nevada, naranjada,*
-ado : *aniñado, azufrado, secretariado*
-ancia : (v. "-ncia")
-ano : *americano, mahometano, cirujano*
-ante : (v. "-nte")
-ario : *anuario, secretario, osario*
-azo : *torazo, tortazo, cañonazo*
-bilidad : *honorabilidad, habilidad, posibilidad*
-ble : (v. "-able")
-bundo : *nauseabundo, pudibundo, moribundo*
-cia, -ia : *estulticia, pericia, soberbia*
-ción, -sión : *instrucción, abolición, inclusión*
-culo : *minúsculo, receptáculo*
-dad : *cortedad, humedad*
-dero, -ero : *panadero, aduanero, llevadero, asidero*
-dor, -or : *comedor, acogedor, actor*
-e : *implume, despiece, trueque*
-eda : *alameda, búsqueda*
-ena : *treintena, centena*
-ense : *ovetense, forense*
-ero : (v. "-dero")
-eza : *rudeza, entereza*

-í : *ceutí, marroquí*
-ia : (v. "-cia")
-il : *monjil, caciqueril, civil*
-ín : *saltarín, banderín*
-ismo : *socialismo, cubismo, turismo*
-ista : *humanista, periodista*
-mbre : *certidumbre, enjambre*
-mento : *campamento, testamento*
-miento : *crecimiento, seguimiento*
-ncia : *abundancia, herencia, prudencia*
-neo : *femíneo, ígneo, apolíneo*
-nte : *oyente, siguiente, cantante*
-o : *recreo, ruso*
-oide : *ovoide, trapezoide*
-ón : *mirón, santón, empellón*
-or : (v. "-dor")
-oso : *honroso, bilioso*
-ría : *habladuría, librería*
-rio : *velorio, jolgorio, falsario*
-ta : *exégeta, plutócrata*
-tad : *lealtad, amistad*
-torio : *locutorio, auditorio, perentorio*
-triz : *directriz, emperatriz*
-tud : *amplitud, senectud*
-ura : *blancura, censura, hendidura*

1.8.1.3. La composición: prefijos — Otra subunidad distinguida también de antiguo se relaciona con la formación de palabras por **composición.** Además de obtener nuevas palabras por derivación, según acabamos de ver, se pueden formar palabras (a) uniendo otras simples como ocurre en *vinagre, bocacalle, correveidile, blanquinegro,* o (b) uniendo radicales de lenguas cultas como en *hidrógeno, termostato,* etc., o (c) anteponiendo a la palabra una unidad que no tiene existencia propia en la lengua y que se llama por su situación **prefijo:** *recapitular, rehacer, descomponer, proponer.*

Ejemplos de PREFIJOS

a- : falta, negación *(acéfalo, ateísmo);* semejanza *(acolchado);* formación de verbos *(aminorar)*
ab-, abs- : privación, separación *(abjurar, abstraer)*
ad- : proximidad *(adyacente);* encarecimiento *(admirar)*
an- : privación *(analfabeto)*
ana- : oposición *(anacrónico);* repetición *(anabaptista);* semejanza *(analogía)*
ante- : anterioridad *(anteayer)*
anti- : oposición *(antiacadémico)*

bi-, bis- : doble, dos veces *(bicóncavo, bisabuelo)*
circun- : alrededor *(circunloquio)*
co-, com-, con- : unión, compañía *(coheredero, compadre, consocio)*
contra- : oposición *(contraponer)*
des- : acción contraria *(desandar);* carencia *(desconfianza);* exceso *(desmesurado)*
di- : dos *(dimorfismo);* oposición *(difamar)*
dia- : separación *(diacrítico);* a través de *(diámetro)*
dico- : separación de dos partes *(dicotomía)*

dis- : negación, oposición *(disgusto, distraer)*
e- : origen *(emanar):* separación *(emascular)*
em-, en- : dentro de *(emparedar, encéfalo)*
endo- : en el interior *(endovenoso)*
epi- : sobre *(epidermis)*
equi- : igualdad *(equidistante)*
ex- : fuera *(exponer);* privación *(exheredar)*
extra- : fuera de *(extramuros)*
i-, im-, in- : antítesis *(ilógico, impropio, incapaz)*
im-, in- : en *(imponer, insacular)*
infra- : debajo *(infrascrito)*
inter-, intra- : entre, dentro *(intervocálico, intradós)*
meta- : junto a *(metacentro),* más allá *(metafísica)*
neo- : nuevo *(neoclásico)*
ob- : por causa de *(obcecación)*
odo- : camino *(odómetro)*
onom- : nombre *(onomástico)*
onto- : ser *(ontología)*
oo- : huevo *(oolito)*
orqui- : testículo *(orquidea)*
orto- : recto *(ortopedia)*
paleo- : antiguo *(paleocristiano)*
pan-: todo *(panamericano)*
para- : al lado *(parapsicología)*

per- : intensificación *(perdurar);* falsedad *(perjurar)*
peri- : alrededor *(pericráneo)*
pos-, post : detrás de *(posponer, postdata)*
pre- : anterioridad *(pretónico)*
preter- : fuera de *(preternatural)*
pro- : en vez de *(procónsul);* hacia adelante *(prognato);* negación *(proscribir)*
re- : repetición *(recaer);* aumento *(recargar);* oposición *(repugnar);* retroceso *(refluir);* encarecimiento *(resalada)*
requete- : intensificación *(requetebonita)*
res- : atenuación *(resquemor);* encarecimiento *(resguardar)*
retro- : hacia atrás *(retrógrado)*
sin- : simultaneidad *(sincrónico)*
so- : debajo *(soterrar)*
sobre- : aumento *(sobresueldo)*
su-, sub- : debajo *(suponer, subálveo)*
super- : preeminencia *(superintendente)*
trans-, tras-, tra- : más allá, del otro lado *(transpirenaico, tramontano)*
tri- : tres *(trinomio)*
xeno- : extranjero *(xenofobia)*
xilo- : madera *(xilografía)*

1.8.2. *Semantemas y morfemas* — La segmentación de las unidades conocidas en el parágrafo anterior responde esencialmente a una interpretación evolutiva e histórica de la lengua y mantiene su utilidad actualmente todavía en este campo. Un intento de distinguir unidades menores que la palabra pero todavía dentro de una orientación tradicional está representado por la distinción de **semantema** y **morfema** (Vendryes, 1921) que se basa en conceptos psicológicos. Toda frase encierra dos clases de elementos distintos: (a) la expresión de un cierto número de nociones que representan ideas; (b) la indicación de ciertas relaciones entre dichas ideas. Si se dice */El caballo corre/,* el hablante tiene en su espíritu la idea del caballo y la idea de la carrera. Serán semantemas los elementos lingüísticos que expresen las ideas de la representación (idea de caballo e idea de carrera). Serán morfemas los elementos lingüísticos que expresen las relaciones entre las ideas: el hecho de que la carrera esté referida a la tercera persona del singular del presente de indicativo. Los morfemas expresan en consecuencia, las relaciones que el espíritu establece entre los semantemas.

En este caso, tampoco se ha salido de la palabra como unidad básica para el estudio de la lengua. Sólo cuando la doctrina del *Curso de Lingüística General* es llevada hasta sus últimas consecuencias y revisada y elaborada, se perfilan los dos problemas esenciales que ha de comportar la fijación de una unidad de base que permita la descripción de la lengua con un mayor rigor y precisión. Estos problemas son: (a) la existencia de varios niveles de estudio en la lengua que implicarán distinguir, en consecuencia, distintas unidades básicas para cada nivel; (b) la fijación de criterios operativos para aislar unívocamente tales unidades en los diferentes niveles de estudio.

1.8.3. *La doble articulación* — Al comparar el lenguaje humano con los sistemas de comunicación de los animales, se dice comúnmente que se distinguen porque el lenguaje humano es **articulado** y los gritos de los animales son inarticulados. El "continuum" de la cadena sonora es una sucesión de sonidos que se pueden distinguir y separar. Esto es lo que se quiere decir cuando se habla de lenguaje articulado. Los gritos de los animales generalmente son indescomponibles en segmentos fónicos, son de límites imprecisos, de límites vagos. Esta trivial observación le ha permitido a un lingüista señalar como distintivo entre los diversos sistemas de comunicación y el lenguaje humano por medio de sonidos, el hecho de la existencia de dos articulaciones.

Lo que caracteriza la comunicación lingüística por oposición a las producciones vocales no lingüísticas es justamente este análisis en unidades que, a causa de su propia naturaleza vocal, se producen una detrás de otra en un orden estrictamente lineal.

Se puede distinguir una **primera articulación** mediante la cual cualquier contenido —todo hecho de experiencia que se haya de transmitir, toda necesidad que se quiera dar a conocer— se analiza en una serie de unidades dotadas cada una de ellas de una forma vocal y de un sentido (significante/significado). La experiencia personal, incomunicable en su unicidad, se analiza en una sucesión de unidades.

De las unidades de primera articulación constituidas de forma vocal y sentido, la forma vocal puede analizarse en unidades más pequeñas, cada una de las cuales permite distinguir dicha unidad de primera articulación de otras unidades. El enunciado /árbol alto/ se puede dividir en tres unidades /árbol/ /alt-/ /-o/. Cualquiera de estas unidades se puede descomponer en unidades menores: (1) /á/ /r/ /b/ /o/ /l/; (2) /a/ /l/ /t/; (3) /o/. En (2) la unidad /l/ distingue la unidad de primera articulación /alto/ de /auto/ o /harto/ o /acto/. Estas unidades pertenecerán a la **segunda articulación**:

Primera articulación → forma vocal / sentido
Segunda articulación → forma vocal / -----

Las unidades de segunda articulación tendrán valor **distintivo**, de naturaleza vocal, pero no tendrán sentido.

1.8.4. *Niveles de análisis* — Entre los diversos niveles de análisis que se pueden fijar, parece que el **nivel sintagmático** es el punto de partida para distinguir unidades de nivel inferior y, en sentido inverso, el límite pasado el cual hay que buscar otro tipo de unidades. El que esto sea así explica la relativa coincidencia que existe entre las diferentes escuelas estructuralistas a niveles inferiores al sintagmático y las notables divergencias que se producen en la descripción de éste.

A nivel inferior al plano sintagmático se producen las segmentaciones que liberan unidades de primera y de segunda articulación. En estos niveles las unidades se distinguen por su carácter integrador de las unidades del nivel inmediatamente superior. Las unidades mínimas de primera articulación a nivel fonológico son los **fonemas** que tienen valor distintivo y sirven para formar los **morfemas,** unidades mínimas portadoras de significado que aparecen en el nivel inmediato superior. El segmento /k a s a/ está constituido por cuatro fonemas que forman un morfema. La unidad /k/ tiene valor distintivo pero no tiene significado. /kasa/ es un morfema porque representa una unidad mínima portadora de significado.

En el nivel sintagmático se ha aislado como unidad básica el **enunciado.** Un enunciado puede solamente seguir o preceder a otro enunciado; pero un grupo de enunciados no es ya una unidad superior al enunciado como ocurría con los fonemas respecto a los morfemas o los morfemas respecto al **sintagma.** Se ha considerado fundamental en esta diferencia el que *el enunciado contiene signos, pero no es por sí mismo un signo.*

Entre la capa en que aparece el enunciado y el estrato en que se integra el morfema, hay una zona no bien delimitada en la que segmentos de muy diversa naturaleza formal pueden ser enunciados. El término sintagma usado por Saussure ha sido empleado con cierta insistencia para designar la agrupación de morfemas en un enunciado en cuanto son constituyentes de tal enunciado. Los descriptivistas americanos han propuesto con mayor rigor formal diversas clases de formas gramaticales, una de las cuales, la **construcción,** se aproxima al término sintagma. La construcción es una unidad morfosintáctica que según su función puede ser (a) **endocéntrica** cuando la totalidad del segmento funciona como uno de ellos que se llama **base, cabeza** o **núcleo:** /El hijo de la vecina del tercero/ funcionará en el enunciado de que forma parte como puede funcionar /El hijo/; (b) **exocéntrico** cuando la unidad resultante no pertenece a la clase formal de ninguno de sus constituyentes: /Juan salta/. De manera no demasiado precisa se ha empleado también por la escuela funcionalista de Martinet el término **monema** como unidad de primera articulación constituida siempre por un contenido y casi siempre por un significante —salvo cuando tiene significante cero—: El enunciado /Él habla al muchacho/ comporta cinco monemas: "tercera persona singular", "hablar", "beneficiario de la acción", "definido" y "muchacho". Cada uno de ellos se encuentra expresado por un segmento sginificante: /Él/, /habla/, /a/, /el/ y /muchacho/. Los dos monemas /a/ y /el/ toman la forma de uno que se llama **amalgamado.**

En la presente descripción del castellano se considerará como unidad básica en el nivel sintagmático el enunciado. En su constitución con criterios formales —morfemáticos—, funcionales —sintácticos— y, en último término, de contenido —semánticos— se distinguirán **elementos,** en los que a su vez pueden distinguirse los **constituyentes** que con diverso carácter forman los elementos. De esta manera, en cada nivel se podrán descubrir sucesiones de unidades:

A: NIVEL FONOLÓGICO   = Fonema + Fonema + Fonema + Fonema...

B: NIVEL MORFEMÁTICO = Morfema + Morfema + Morfema + Morfema...

C: NIVEL SINTAGMÁTICO = a) **enunciado**
                                    b) elemento + elemento + elemento...
                                    c) constituyente + constituyente + constituyente...
                                           nuclear + complementario + nuclear...

D: NIVEL DEL DISCURSO = Enunciado + Enunciado + Enunciado...

1.8.5. *La Morfosintaxis* — La Gramática tradicional dividía el campo de estudio en partes muy determinadas de las que las más importantes eran la **Morfología** y la **Sintaxis**. La Morfología se ocupaba de estudiar la forma que podían tener las palabras y la Sintaxis la manera como las palabras se relacionaban en el enunciado. Una visión más rigurosa de los hechos gramaticales ha mostrado la imposibilidad de mantener de una manera tajante una división en partes. Se han propuesto nuevas divisiones: **Morfonología, Morfosintaxis**, etc. La misma constitución de los nombres propuestos pone de relieve la interpenetración de aspectos de cada nivel en el siguiente. Parece evidente que es la Sintaxis el pivote de la descripción de una lengua. Sin embargo, es imprescindible también afirmar unos conocimientos previos que corresponden a los otros niveles. Estos conocimientos previos son en una parte privativos de cada uno de los niveles morfemático y fonemático, pero no alcanzan su plena significación si no se ponen en relación con su actualización en el enunciado.

1.8.6. *Segmentación de unidades* — Para aislar las unidades de cada nivel se acude a dos operaciones de las que de hecho, dependen todas las demás: (a) la **segmentación** y (b) la **sustitución** o **conmutación**. Se realiza una labor de tanteo por comparación y contraste hasta llegar a una solución que cumpla un determinado número de exigencias fijadas de antemano. En este parágrafo se dejará aparte el fonema —véase 2— y nos ocuparemos de los problemas que plantea la segmentación de una cadena en morfemas.

La base operativa es la conmutación, que aprovecha en sentido contrario la hipótesis de que el hablante realiza una elección en cada momento de su actualización de la lengua en el habla. Dado un enunciado se podrán aislar tantos morfemas como segmentos puedan ser sustituidos por otros que impliquen un cambio de significado. En el enunciado (a) /El^1 niñ^2-o^3 lleg^4-a^5 a^6 casa^7/ se pueden distinguir siete morfemas como mínimo por cuanto que puedo conmutarlos por otros morfemas de su misma clase que implican un cambio de significado. Cambio los morfemas 1 y 3: /La niñ-a/ o /Los niñ-os/. La primera sustitución me permite formar el enunciado (b) /La niña llega a casa/. Cambio el morfema 2: /El gat-o/; ó 1, 2 y 3: /Los gatos/, /La gata/, /Las gatas/. La primera sustitución permite formar el enunciado (c) /El gato llega a casa/. Cambio el morfema 5: /llegaba/, /llegó/, etc., que permiten construir el enunciado (d) /El niño llegaba a casa/. Y así sucesivamente.

Los morfemas aislados confirman su existencia por ser miembros de una **clase** que presenta su misma distribución. La clase de que es miembro /el/ aparece siempre ante morfemas de la misma clase a que pertenece /niñ-/ combinado con el morfema /-o/. Así lo encontramos en los segmentos /El zapato/, /El pueblo/, /El gato/, etc. Forma parte de la clase a la que pertenecen los morfemas /la/, /los/, /las/, /lo/.

1.8.6.1. *Morfemas lexemáticos y gramaticales* — Morfemas como /niñ-/ aparecen en otras realizaciones combinados con otros morfemas: *niñería, niñito, aniñado*, aportando siempre el mismo contenido. Morfemas como /el/ o el morfema /-o/ aportan un contenido de tipo relacional y funcional, fijan su relación con las restantes palabras del enunciado. El análisis del contenido nos permite pues una distinción entre los morfemas del tipo (a) /niñ-/ y los del tipo (b) /el/ y /-o/.

Para los morfemas del tipo (a) se ha propuesto el nombre de **semantema,** que se ha sustituido por el de **lexema,** ya que semantema alude al significado y los morfemas de tipo (b) también aportan un contenido, o, por último, se le ha llamado **morfema lexemático.** Para los morfemas de tipo (b) se ha propuesto el nombre simplemente de morfema (semantema/morfema) o el de **morfemas gramaticales.** Entre unos y otros hay una fundamental diferencia. Los morfemas de tipo (b) forman series cerradas. El morfema /el/ pertenece a la clase en que aparecen *el, la, lo, los, las* y ninguno más. En cambio los morfemas del tipo de /niñ-/ aparecen en series abiertas cuyo número no se puede fijar y que pueden modificarse constantemente.

1.8.6.2. *La interpretación académica* — En la reelaboración de la Gramática de la Real Academia se fija una terminología de base descriptivista que conviene conocer. Se reconoce con el nombre genérico de **forma lingüística** "todo fonema o grupo de fonemas dotado de significación" y **forma lingüística libre** "la forma lingüística que constituye un enunciado". En el enunciado /Tomaban el sol junto a la puerta/, son formas libres: /Tomaban el sol/ y /a la puerta/. Este enunciado que ha servido de ejemplo es en su conjunto una **forma compleja.** Son, en cambio, **formas simples o morfemas** las formas lingüísticas en las que "no existe semejanza parcial, fonológica o significativa, con otra forma lingüística": /sol/, /-ba-/, etc.

Por su condición de separabilidad se distinguen formas **exentas** que se pueden encontrar en la cadena entre pausas normales o virtuales o ambas, y **trabadas** que en uno de sus límites está unido a otra forma lingüística. Es forma libre el segmento /sol/; es forma trabada el morfema /-s/ en /casa-s/. Cualquier forma libre es una forma exenta: /así lo dicen todos/, /así lo dicen/, /así/.

El criterio de separabilidad comprende también el de movilidad. Mientras determinadas clases de morfemas aparecen siempre inmovilizados en relación con otros morfemas —/-ble/, /-ción/— situados siempre tras temas o raíces verbales —/notable/, /solución/—, hay otros que aparecen unas veces unidos y otras libres. Así el morfema /se/ puede aparecer en /explicarse/ y en /se explica/. La movilidad justifica el que sea considerado morfema exento.

Se mantiene, por su indudable utilidad, el término *palabra* que se define como "una forma exenta que no puede descomponerse en dos o más formas exentas". Muchas palabras son formas libres como /bueno/ /vamos/, otras, en cambio, no poseen esta capacidad y sólo aparecen como parte de formas libres complejas, como ocurre con las preposiciones, artículos y algunas otras clases de palabras. Las primeras son **palabras independientes** y las segundas **palabras dependientes.**

En castellano las palabras son de un morfema o de más de uno. En el primer caso se llaman **palabras radicales** y están constituidas por un morfema exento por definición: /no/, /ya/, /sol/, /siempre/. En el segundo caso, también por definición, todos los morfemas son trabados. Puede ocurrir que un morfema se presente como exento en un enunciado —/azul/— y como trabado en otro —/azul-ado/—. La condición de morfemas como /azul/ es muy diferente de los que se pueden segmentar en la palabra /insoluble/. Estos últimos sólo pueden funcionar como partes de palabra.

El introducir el término palabra como unidad válida para la descripción lingüística permite caracterizar a los morfemas trabados que actúan como partes de palabra. Distingue los siguientes: (a) morfemas **derivativos** o **sufijos;** (b) morfemas **flexivos** o **desinenciales.** Ambas formas corresponden a clases extensas. Los derivativos forman series o subclases de palabras numéricamente desiguales. Los flexivos forman sistemas coherentes en que participan todas las clases de palabras de la clase extensa a que afectan. Los derivativos tienen predominantemente carácter léxico y los segundos gramatical.

Todos los morfemas de una palabra son componentes de ella —últimos componentes—, pero se hallan a veces en diferentes estratos: *escritorzuelos = escritorzuelo + -s; escritorzuelo = escritor + -zuelo; escritor = escri- + -tor.* Se llama **base** el componente que tanto en la flexión como en la derivación no es ni morfema flexivo (Mf) ni morfema derivativo (Md). Se llama **tema** a la agrupación del sufijo con su base de derivación. Tanto los morfemas radicales como los derivativos y flexivos aparecen con variaciones acentuales y melódicas *(abril/abrileño)* y consonánticas y vocálicas, condicionadas fonológicamente; *digo/decimos.* Los morfemas flexivos son más generales que los derivativos y afectan a una clase extensa o a más de una clase: B + M y B son de la misma clase. En cambio, los derivativos no son gramaticales ni entran dentro de ninguna categoría gramatical.

1.8.6.3. *Alomorfos* — Las formas que tienen una distintividad semántica común y una forma fonémica idéntica constituyen en todas sus ocurrencias un sólo y único morfema. Así podremos aislar /infant/ como morfema tomando en cuenta su aparición en los segmentos /infant-e/, /infant-a/, /infant-ill/, /infant-il-ismo/.

Un morfema lexemático como /infant-/ pertenecerá a una determinada clase de morfemas autosemánticos que se pueden realizar o actualizar en la lengua seleccionando mediata o inmediatamente determinados morfemas desinenciales. Si selecciona morfemas de **género** y **número** y **artículo** (GNA) formará la clase de palabras llamada **sustantivo** *(infante, infanta, infantes, infantas),* si selecciona **número, persona, tiempo** y **modo** formará la clase de palabras llamada **verbo,** *(infantilizar, infantilizo, infantilizamos, infantilizarás,* etc.). La palabra a nivel sintagmático actualiza un morfema lexemático con uno o más morfemas desinenciales o flexivos.

La identidad fonémica no siempre es completa aun comportando una distintividad semántica común. Entonces el morfema se considera la entidad abstracta que subsume un conjunto de realizaciones que reciben el nombre de **alomorfos.** Estas diferencias plantean en la práctica vacilaciones que sólo se pueden salvar unificando el criterio de segmentación.

a) Hay **distribución libre** en los alomorfos $\{$ buen-, bon-$\}$ que aparecen en /buenísimo/ y /bonísimo/.

b) Hay **distribución complementaria** exigida por razones acentuales, fonológicas, etc.:$\{$in, im$\}$en las realizaciones /in-falible/ e /im-posible/;$\{$mov, muev$\}$en /mover/ y /mueve/.

c) Constituyen **libre variación** realizaciones como /obscuro/ y /oscuro/; /usté/ y /usted/.

d) Se identifican como realizaciones de un mismo morfema casos como *soy, era, fui* por proporcionalidad, ya que aunque tienen diferente realización fonemática, comportan el mismo aporte semántico que encontramos en *hablo, hablaba, hablé.*

Por otra parte, las formas **homófonas** constituyen diferentes morfemas cuando comportan diferencias de significado. Así /cola/ de pegar y /cola/ de un animal; /cuesta/ de un camino y /cuesta/ del vesbo *costar.*

1.8.6.4. *Morfema cero* — Los morfemas desinenciales o flexivos forman, según se ha dicho, series cerradas que se organizan en sistema de oposiciones. Por ello es un recurso descriptivo de gran utilidad utilizar la unidad vacía o **morfema cero** que permite fijar la oposición. El morfema exento /sol/ contendrá el morfema $\emptyset$ de número para oponerse a la realización /sol -es/ en el que se distingue el alomorfo /-es/ de plural.

En los sistemas morfológicos se dice que hay **sincretismo** cuando no hay diferencias fonológicas en casos en que, en otras distribuciones sí que aparecen. Así la diferenciación del 1.ª y 3.ª personas del singular en todos los tiempos no se cumple en el pretérito imperfecto de Indicativo y Subjuntivo, y Potencial simple: /cantaba/ /cantara/ cantase/ /correría/.

1.8.6.5. *Línea prosodémica* — En el estudio de la primera articulación o nivel sintagmático, paralelamente a las unidades que desde el mismo nivel o desde niveles inferiores pueden aislarse (sintagma, morfema, fonema), se observa la existencia de otros hechos que han sido calificados como *suprasegmentales* y que involucran la realización de la lengua en este último nivel y aspectos del nivel fonemático. Estos hechos —entonación y acento, principalmente— manifiestan una cierta independencia con relación a los que han sido ya reseñados y esta independencia justifica que se haya hablado de la bilinearidad del discurso: sobre una **línea morfo-sintagmática** se ordenan sucesivamente fonemas, morfemas y elementos (sintagmas), mientras sobre otra **línea prosodémica** hechos como el acento, entonación, tono, ritmo, etc.

La línea prosodémica está constituida por la variación *cuantitativa* de ciertos componentes del discurso —la voz sube más o menos, el tono desciende o sube, aumenta o disminuye la intensidad, etc.—, mientras en la morfo-sintagmática, los contrastres entre los elementos sucesivos son principalmente de orden *cualitativo*. Hay dificultades, sin embargo, para aislar unidades que permitan su descripción ya que la línea prosodémica está articulada de manera menos regular y en sus variaciones intervienen causas de órdenes extralingüísticos además de los puramente lingüísticos.

El **acento** tiene un valor contrastivo dentro de la cadena en que aparece y permite distinguir una realización de otra que ordene de la misma manera fonemas idénticos: *canto/cantó; sábana/sabana.*

La **modalidad** distingue mediante la entonación realizaciones sintagmáticas idénticas: *Iré a París/¿Iré a París?*

2. La cadena sonora

2. *LA CADENA SONORA* — El significante del signo lingüístico está constituido por una sucesión de sonidos que aísla intuitivamente todo hablante de una determinada lengua. El renacimiento de la escritura alfabética es, en definitiva, el intento de representar gráficamente, las diferencias de percepción de sonidos diferentes. El lingüista en el análisis del significante a dicho nivel —segunda articulación— fija una estricta metodología para aislar unidades mínimas. Para ello acude a los dos procedimientoa de (a) **segmentación** y (b) **conmutación.** Se podrá discernir y aislar un sonido *m* porque opone la secuencia *m-esa* a la secuencia *p-esa* y porque las secuencias *m-isa, m-alo, m-elón, m-elena,* etc., coinciden en la percepción del primero de los sonidos que la forman.

Este análisis de los sonidos puede realizarse desde puntos de vista distintos:

a) *Desde un punto de vista articulatorio,* caracterizando y describiendo los procedimientos mediante los cuales se produce cada uno de los sonidos que se puedan distinguir en una lengua. Esta clase de estudios constituye, el objeto de la llamada **Fonética articulatoria.**

b) *Desde el punto de vista acústico,* en tanto que los sonidos son fenómenos físicos constituidos por movimientos vibratorios del aire. Es el objeto de la **Fonética acústica.**

c) *Desde el punto de vista funcional,* en cuanto los sonidos de una lengua hacen posible distinguir unas palabras de otras y, ello ocurre como consecuencia de que unas unidades mínimas se oponen en el sistema a otras unidades mínimas. Es el objeto de estudio de la **Fonética funcional,** llamada también **Fonología** o **Fonemática.**

La divisibilidad de la expresión lingüística se realiza intuitivamente. No representa grandes dificultades en el aprendizaje de la lectura y escritura y, como se ha dicho, justifica la aparición del alfabeto. Intuitivamente, la distinción entre los sonidos representados gráficamente por *p* y *b/v* respectivamente, se realiza al contrastar el sonido inicial en /*p-ala*/ y /*b-ala*/ o /*v-ela*/. No hacemos distinción alguna entre el sonido *b* o *v*, aunque haya distinción gráfica y, por ello, quien no conozca las reglas ortográficas titubeará al escribir *vacilo/bacilo* o *cavar/ recabar.* Articulatoriamente, se distinguen dos sonidos distintos en las *b* de /*bobo*/, sin embargo, el hablante no advierte tal distinción. Lo que cuenta es la expresión lingüística como percepción fundada sobre el carácter funcional del mecanismo de la lengua, de ahí la importancia concedida modernamente a la Fonología. El análisis fonológico aprovecha los análisis y observaciones que le proporcionan la Fonética articulatoria y la Fonética acústica, para fijar los sistemas fonemáticos de la lengua.

2.1. *LA PRODUCCIÓN DEL SONIDO* — Sonido es la sensación que produce en el oído el movimiento vibratorio del aire. Si se clava un alfiler en una madera y se le hace vibrar, se produce un sonido, porque la vibración del alfiler se transmite al aire que le rodea. La misma experiencia en una cámara en que se haya hecho el vacío no producirá sonido: el alfiler vibrará igualmente, sin embargo, el sonido no se producirá. El movimiento del aire, base del sonido, se produce por la vibración de un cuerpo que, al moverse repetidas veces, impulsa las moléculas del aire que le rodean, éstas a las contiguas y así, sucesivamente.

Este movimiento es vibratorio, porque cada molécula de aire desplazada por la vibración del cuerpo impulsor, recorre, repetidas veces, un doble camino de ida y vuelta, en modo semejante al del péndulo que desde el punto de reposo va a derecha e izquierda para volver otra vez al punto de partida. El aire se mueve en ondas.

2.1.1. *Articulación de los sonidos* — La voz es el sonido debido a vibraciones del aire producidas en la laringe por las cuerdas vocales. El aire recogido en los pulmones asciende hasta la boca con la **espiración.** A lo largo del camino recorrido por el aire espirado que ha de transformarse en los sonidos que constituirán un significante, intervienen diversos órganos cuya distinta actuación permite diferenciar unos sonidos de otros.

La **fonación** o producción de la voz se realiza en la laringe con el concurso de los siguientes órganos y elementos:

Las **cuerdas vocales** que son dos músculos gemelos situados horizontalmente en la laringe y que están unidos por uno de sus lados de atrás adelante, mientras quedan libres por el reborde interior. El espacio que queda libre deja una abertura llamada **glotis.**

Por un complicado juego de músculos, las cuerdas vocales pueden juntarse, impidiendo la salida, o separarse, dejando paso libre al aire que sale de los pulmones. Durante la respiración las cuerdas están separadas; en cambio, durante el momento del habla se cierran. El aire, que sale de los pulmones, actúa primero como impulsor de las vibraciones de las cuerdas vocales y, después, como propagador de las ondas sonoras. Este primer movimiento de las cuerdas vocales —juntarse primero para separarse después— repetido sucesivamente, pone en vibración el aire que sale fuera y, así, el aire se convierte en transmisor de las ondas sonoras.

La palabra sonido designa tanto al efecto acústico causado por la vibración de las cuerdas vocales como al efecto acústico producido por determinada posición de los órganos de la boca, aunque no se haya producido la vibración de las cuerdas vocales. Efectivamente, se puede hablar *sin voz* **(afonía)** produciendo vibraciones sonoras no en la garganta con vibración de las cuerdas vocales, sino en la boca. Si las cuerdas vocales se aproximan y comienzan a vibrar se origina el sonido articulado **sonoro;** si solamente se acercan sin llegar a vibrar, se origina el sonido articulado **sordo.**

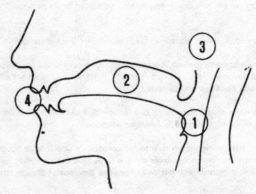

Figura 1. Los cuatro principales resonadores del aparato fonatorio: 1, la laringe; 2, la boca; 3, las fosas nasales; 4, los labios.

2.1.2. *Órganos articulatorios* — Desde la laringe, con vibración o sin vibración de las cuerdas vocales, el aire pasa por la faringe o la cavidad bucal y nasal. En la boca donde, gracias a la movilidad de la lengua, hay la posibilidad de conseguir una mayor o menor abertura de variadas formas, el aire encuentra un resonador cambiante que da lugar a la diversificación de sonidos.

Los órganos que intervienen en la modificación del resonador con sus movimientos —activos— o como apoyo de los órganos móviles —pasivos— son los siguientes: (a) **paladar,** parte superior de la cavidad bucal, en el que se distinguen dos zonas de naturaleza diferente: el *paladar duro* —parte anterior de naturaleza ósea— y el *paladar blando* o **velo del paladar** —parte posterior—; (b) la **lengua,** órgano activo que interviene en la mayor parte de las articulaciones; (c) los **labios,** que pueden abocinarse o retraerse; (d) los **dientes,** a los que se puede aproximar la lengua; (e) los **alvéolos,** emplazamiento de los dientes; (f) la **cavidad nasal,** que puede quedar abierta o cerrarse por la acción del velo del paladar.

2.1.3. *Descripción articulatoria de un sonido* — Cualquier sonido puede describirse por su articulación atendiendo (a) al **punto** de articulación, (b) al **modo** de articulación, (c) a la actuación de las cuerdas vocales, que da lugar a las sordas y sonoras como ya se ha dicho, y (d) a la actuación del velo del paladar.

(a) *Por el punto de articulación:* se llaman los sonidos según el órgano u órganos que intervengan: 1) **bilabiales,** cuando intervienen los labios [p, b, m]; 2) **labiodentales,** cuando intervienen el labio inferior y los incisivos superiores [f]; 3) **dentales,** cuando interviene la punta o ápice de la lengua y la cara interior de los incisivos superiores [t, d], 4) **interdentales,** la punta de la lengua y el borde de los incisivos superiores [Θ]; 5) **alveolares,** cuando intervienen el ápice o predorso de la lengua y los alvéolos [s, n, r, l]; 6) **palatales,** cuando intervienen el paladar y la lengua [ĉ, λ, ɲ y 7) **velares,** cuando intervienen el velo del paladar y el postdorso de la lengua [k, g, χ].

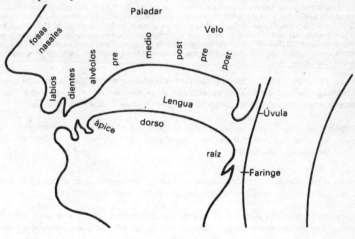

Figura 2

(b) *Por el modo de articulación.* Se entiende por modo de articulación, la posición que adoptan los órganos articulatorios en cuanto a su grado de abertura, contacto o aproximación. Puede ser: 1) **abiertos,** como las vocales [a, e, i, o, u]: 2) **fricativos,** cuando el sonido se emite a través de un estrechamiento de dos órganos articulatorios que se aproximan sin llegar a cerrarse f, s, ... ; 3) **oclusivos,** cuando se produce un cierre completo [p, t, b, m, ..]; 4) **africados,** cuando a un primer momento de oclusión sigue uno segundo de fricación sin variar el punto articulatorio: [ĉ]; 5) **líquidos,** constituidos por *laterales,* en cuya emisión el aire sale por un lado [l] y *vibrantes,* que se producen con una o más vibraciones del ápice de la lengua [r, r].

d) *Por la actuación del velo del paladar* pueden ser 1) **orales,** cuando el velo del paladar impide la salida del aire por la cavidad nasal, lo cual ocurre para la mayor parte de los sonidos castellanos y 2) **nasales,** cuando permite la salida del aire por la nariz [m, n, ɲ].

Tomando estos cuatro puntos de vista, cualquier sonido puede ser definido por medio de cuatro nombres. Así la /p/ de /piso/ será definida como oclusiva, bilabial, sorda y oral. Siendo la mayor parte de nuestros sonidos orales, se acostumbra a señalar únicamente el hecho de que sean nasales.

2.1.4. *Vocales y consonantes* — Aunque de hecho todos los sonidos forman fonéticamente un solo sistema, se acostumbra separar los sonidos abiertos a los que se llama **vocales,** *de los restantes que se conocen como* **consonantes.** En las vocales, el sonido producido en la laringe se modifica simplemente ofreciendo un resonador mayor o menor según la abertura de la boca y el movimiento de la parte anterior o posterior de la lengua que hace, en su aproximación al paladar duro o al paladar blando, menor la capacidad bucal. Así de delante hacia atrás, se producirán abriendo la boca y separando el predorso de la lengua, *i, e,* hasta llegar a la abertura máxima e inmovilidad de la lengua, posición en que se produce la *a*. Desde esta posición, aproximando gradualmente el dorso de la lengua hacia el velo del paladar se producirán la *o* y la *u.* Las vocales podrán ser clasificadas así en **anteriores o palatales, centrales** y **posteriores o velares.** En las consonantes, en cambio, el sonido que llega a la boca encuentra variados e importantes obstáculos por el modo y punto de articulación.

2.2. *LA SÍLABA* — Se definía en la gramática tradicional como el sonido o sonidos que se producían en una sola emisión de voz. Esta definición no **es** precisa porque **sólo** artificialmente interrumpimos la emisión al pronunciar las sílabas. En una sola emisión de aire, se producen unidades que coinciden o pueden coincidir con la sílaba pero que ordinariamente son superiores. El segmento */la casa/* se pronuncia en una sola emisión de voz. Por ello se ha propuesto, desde el punto de vista de la perceptibilidad, la siguiente definición: sílaba es "el núcleo fónico limitado por dos depresiones sucesivas de la perceptibilidad".

La clasificación en vocales y consonantes puede apoyarse en relación con la sílaba, por el hecho de que las vocales pueden por sí solas formar sílabas *(a, o, u, e, i)*, mientras las consonantes necesitan de una vocal por lo menos. En castellano hay una marcada preferencia por las sílabas **abiertas,** concluidas por vocal, que representan un 72 por ciento, frente a un 28 por ciento de sílabas **cerradas.** La más frecuente es la combinación de una consonante y una vocal (CV).

Observaciones — Para el silabeo en castellano hay que tener presente (a) que cuando una consonante se encuentra entre dos vocales se agrupa con la que le sigue: *be-be, so-fá;* (b) cuando dos consonantes se encuentran entre dos vocales, las consonantes forman grupo si son bilabiales, labiodentales o velares más consonane líquida *(pr, br, pl, bl, fr, fl, gr, gl, kr, kl)* o velares más vibrantes *(dr, tr),* pero en los demás casos se separan y la primera consonante se une a la vocal que le precede y la segunda a la que le sigue: *ar-tis-ta;* (c) cuando tres o más consonantes se encuentran entre dos vocales (VCCCV) puede ocurrir que la segunda y tercera vayan agrupadas: *in-flamar* que las dos primeras formen grupo porque la primera sea nasal y la segunda alveolar: *cons-truir, ins-taurar.*

2.2.1. *Diptongo, triptongo y hiato* — Se dice que forman **diptongo** dos vocales cuando se pronuncian en la misma sílaba y **triptongo** cuando son tres las vocales que se pronuncian en la misma sílaba. Frente a esto, se dice que hay **hiato** cuando dos vocales en contacto se pronuncian en dos sílabas distintas.

(a) En los diptongos castellanos una de las vocales es cerrada o alta *(i, u):* /**ia**/ *(odiar),* /**ie**/ (dien-te), /**io**/ *(la-bio),* /**iu**/ *(ciu-dad),* /**ua**/ *(gua-pa),* /**ue**/ *(fue-go),* /**uo**/ *(an-ti-guo),* /**ui**/ *(fui-mos),* /**ai**/ *(ai-re),* /**ei**/ *(pei-ne),* /**oi**/ *(voy),* /**au**/ *(au-la,* /**eu**/ *(Eu-ge-nio),* /**ou**/ *(bou).*

(b) Los triptongos castellanos están constituidos por una de las vocales */e, a, o/* precedida y seguida por las vocales */i, u/:* /**iai**/ *(despreciáis),* /**uei**/ *(buey),* /**iei**/ *(sentenciéis)* y /**uai**/ *(averiguáis).*

(c) *Los hiatos están constituidos por vocales en contacto que no son, ninguna de ellas, cerradas (héro-e, co-águlo),* sin embargo hay vacilaciones en el uso *(Bilba-o)* que tiende a cerrar la segunda vocal y a ser pronunciada como diptongo. Las vacilaciones son mayores cuando una de ellas es cerrada: *diario, estío, reúma, boina,* etcétera.

2.2.2. *Semiconsonantes y semivocales* — Articulatoriamente, en los diptongos la /i/ o /u/ iniciales de diptongo se cierran más que en sus otras realizaciones y se llaman *semiconsonantes,* transcritas [j] o [w] respectivamente. Los diptongos en que aparecen se llaman **crecientes.** Cuando las vocales /i, u/ cierran un diptongo, éste se llama **decreciente** y su articulación justifica el nombre de *semivocales* que se les da. Son transcritas fonéticamente [i], [u] respectivamente. Dentro del sistema de los sonidos castellanos las semiconsonantes fijan el punto de continuidad entre vocales y consonantes.

2.3. *ANÁLISIS ACÚSTICO DE LAS ONDAS* — El sonido consiste en ondas que se propagan en el aire a una velocidad aproximada de 340 m/s. Un período o vibración doble, también llamado **ciclo,** puede representarse según la figura 3: el movimiento del cuerpo vibrante está representado por el trayecto de A a C. La distancia D-E (punto de reposo y el más alejado que alcanza) fija la **amplitud** de la vibración. La **frecuencia** de las vibra-

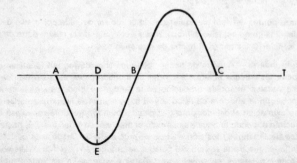

Figura 3

ciones está determinada por las cualidades específicas del cuerpo que se pone en vibración (peso, tensión, etc.). El **tono** o **altura musical** de un sonido está en relación con la frecuencia. A mayor frecuencia, más alto será el tono y, al revés. La **intensidad** está en relación con la amplitud y con la frecuencia. A mayor frecuencia la intensidad aumenta. En relación con el tono se distinguen sonidos **agudos,** debidos a un mayor número de vibraciones por segundo y **graves,** producidos por menor número. En relación con la intensidad los sonidos serán **fuertes** o **débiles.**

2.3.1. *Tono fundamental y armónicos* — Cuando un cuerpo vibra, cada parte de dicho cuerpo vibra también con una velocidad que se fija por la relación entre la parte que se toma en consideración y el cuerpo entero del que es parte. Así se produce no solamente un **tono fundamental** sino toda una serie de **armónicos** cuyas frecuencias son múltiplos enteros del tono fundamental. El **timbre** de un sonido se debe a la perceptibilidad de los armónicos.

En un sonido cabrá, pues, distinguir varias frecuencias que servirán para caracterizar el timbre de un sonido y distinguirlo de los demás. Se llaman **formantes** las frecuencias que caracterizan el timbre del sonido. Las vocales tienen, por ejemplo, dos formantes por lo menos que se atribuyen a los dos principales resonadores: la faringe y la boca. En su representación gráfica conseguida por medio de aparatos (el **espectrógrafo**), si los dos formantes principales se encuentran en el centro del espectro se habla de que los formantes son **compactos** o **densos,** mientras que si se sitúan en los extremos se llaman **difusos.** Los formantes se localizan por la cifra de ciclos por segundo. Se llaman **agudos** los situados en la zona alta de la escala y **graves** los situados en la zona baja.

Timbre es la cualidad que nos permite distinguir un sonido de otro producido en igualdad de condiciones de frecuencia y amplitud (intensidad y altura). Por el timbre se distigue a una persona de otra o un instrumento de otro.

2.4. *FONÉTICA FUNCIONAL* — Tanto la Fonética articulatoria como la Fonética acústica describen los sonidos tal como los produce el hablante al realizar la comunicación. La Fonética funcional, en cambio, no se mueve en una esfera de hechos concretos, como los sonidos. Al tratar de fijar el sistema fonemático observa que entre el conjunto de rasgos que describen un sonido, muchos de ellos no son distintivos para describir la estructura del sonido. La fonética articulatoria distingue diversos grados de /e/: una *e* cerrada que en la pronunciación esmerada o lenta aparece en sílaba abierta, otra cerrada que, en las mismas condiciones, aparece en sílaba trabada o cerrada y una tercera, relajada que aparece en posición débil entre sílabas con acento. Ninguno de estos rasgos es distintivo y habrá que considerarlos como variantes combinatorias de un solo fonema /e/. Tales rasgos son fonológicamente **irrelevantes** o **no pertinentes.** En cambio, las diferencias fónicas que permitan distinguir las significaciones serán **distintivas** o **relevantes.** Así la oposición r/r̄ es distintiva en situación intervocálica pues permite distinguir los significados *moro/morro, vara/barra.* Se entiende por **oposición fonológica** las diferencias entre elementos de un sistema que pueden aparecer en el mismo contexto. Se llama **fonema** a las unidades que no pueden dividirse en unidades sucesivas más pequeñas. Salvo las vocales, los restantes sonidos son **complejos fónicos.** Los rasgos que constituyen tal complejo pueden ser distintivos e irrelevantes según la oposición. Así, mientras la oposición b/b̄ no es relevante, ya que el rasgo oclusivo o fricativo de la /b/ no distingue significados, la distinción sorda/sonora que opone la *p* a la *b,* ya sea fricativa ya sea oclusiva, sí lo es pues distingue *vaso/paso* y *cebo/cepo.* De esta manera, la unidad básica con que opera la Fonología es el rasgo pertinente, mientras el fonema se considerará como un "concepto que no corresponde a ninguna realidad concreta, ya que sólo es el conjunto de los rasgos pertinentes realizados simultáneamente".

2.4.1. *Neutralización y archifonema* — Según esto, los fonemas sólo son definibles en relación con la estructura y ordenación del sistema a que pertenecen. Dada una oposición, puede ocurrir que se mantenga en cualquier posición de la palabra en que aparezcan, como ocurre con /s/ y /θ/ **(oposición constante y fija)** tal como vemos en *casa/caza.* En otras ocasiones, sin embargo, la oposición que aparece en una determinada oposición, deja de realizarse en otra. Entonces se dice que la oposición es **neutralizable o intermitente.** Así la oposición r/r̄ que se produce en posición intervocálica *(para/parra),* se neutraliza o suprime en otras posiciones. En estas posiciones de neutralización sólo son relevantes los rasgos que pertenecen en común a los dos miembros de la oposición. Este conjunto de rasgos comunes a los dos miembros de una oposición se llama **archifonema.**

2.4.2. *Clases de oposición* — La estructura de un sistema fonemático depende de la repartición de las oposiciones según los siguientes cuatro tipos: (a) Tomando en cuenta los rasgos comunes a los dos miembros de la oposición y que constituyen la "base de comparación", las oposiciones serán: 1) **bilaterales,** cuando el conjunto de las propiedades que poseen en común es exclusiva de los dos miembros que lo poseen y 2) **multilaterales,** cuando lo tienen otros miembros del sistema. La oposición k/ χ es bilateral ya que sus propiedades comunes no aparecen reunidas en otro fonema; la oposición e/u es multilateral porque las propiedades comunes aparecen también en /a, o, u/. (b) Tomando en cuenta los rasgos diferenciales pueden ser: 1) **proporcionales,** las que forman dos fonemas cuya relación es idéntica a la de otra u otras oposiciones: así, la oposición p/b es proporcional a la de *t/d, k/g.* 2) la oposición es **aislada** cuando la relación que les opone no se encuentra en ninguna otra oposición: así la oposición *r/l.*

Independientemente de su inclusión en el sistema, la oposición puede ser: **privativa,** cuando un miembro se caracteriza por la presencia y otro por la ausencia del mismo rango pertinente: *sonoridad/sordez* (falta de sonoridad), o **gradual,** cuando uno de los miembros se caracteriza por un determinado grado de la misma propiedad: así el grado de abertura de las vocales.

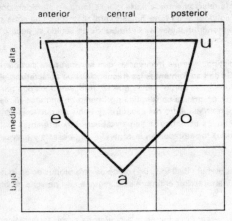

Figura 4

2.4.3. *Sistema fonológico vocálico* — Los rasgos distintivos son: (a) el rasgo vocálico que se caracteriza, articulatoriamente, por la ausencia de obstáculos y, acústicamente, por la regularidad y precisión de sus formantes; (b) por el color (timbre) o articulatoriamente por la localización (posición de lengua y labios); (c) grado de abertura o, acústicamente, grado de densidad o difusión de los formantes de frecuencia, y (d) la nasalidad. El castellano utiliza los rasgos (b) y (c) y organiza un sistema triangular: /a/, fonema vocal de abertura (densidad) máxima, timbre neutro (ni agudo ni grave); /e/ fonema vocal de abertura media, timbre agudo; /o/ fonema vocal de abertura media, timbre grave; /i/ fonema vocal de abertura mínima, de timbre agudo; y /u/, fonema vocal de abertura mínima, timbre grave: *paso/peso/piso/poso/puso.*

		GRAVES		AGUDAS			LÍQUIDAS	
		Orden labial		Orden dental				
DIFUSAS			f	θ			l	
	m	b			d	n		
			p	t			ř	r
DENSAS			k	č				
	g					ŋ		
		χ	s				ḷ	
		Orden velar		Orden palatal				

(Tomado de Emilio Alarcos Llorach, *Fonología Española,* Editorial Gredos, S. A., Madrid, 1971. 4.ª Edición.)

Las consonantes.

2.4.4. *Sistema fonológico consonántico* — Forma un sistema consonántico cuadrado en el que se dan las siguientes oposiciones:

1.º *Líquida/no-líquida:* /l ḻ r ŕ/ opuestos a todos los demás fonemas.
2.º *Oral/nasal:* b/m, d/n, y/ŋ.
3.º *Grave/aguda:* p/t, k/c, b/d, g/y; f/θ, θ /s; m/n, ņ.
4.º *Difusa/densa:* p/k, t/c, b/g, d/y, f/χ, θ/s, m, n/ŋ, l/ḻ.
5.º *Interrupta/continua:* p/f, t/θ, c/s, k/χ, ŕ-r/l-ḻ.
6.º *Sorda/sonora:* p/b, t/d, k/g, c/y, f/b,θ /d,χ /g.
7.º *Tensa/floja:* r/r.

2.5. *EL ACENTO O TONO* — El acento es un rasgo que pone de relieve un sonido o un grupo de sonidos recurriendo a: (a) la intensidad, (b) el tono o altura musical y (c) la duración. Las palabras del castellano son en su mayoría **tónicas** y llevan acento, salvo los adverbios en *-mente*, que llevan dos. Un grupo limitado de palabras de gran índice de frecuencia (preposiciones, conjunciones, artículo y algunas otras) no llevan acento y son **átonas.**

El acento puede tener valor distintivo e influir en la significación: *de* (preposición)/*dé* (del verbo dar); *peso/ pesó; sábana/sabana; término/termino/terminó.*

Igualmente, puede emplearse para subrayar estilísticamente una determinada intención y dar énfasis especial a la comunicación: */Te estoy hablando de lá lotería/; /Esto está mal intérpretado/.*

2.5.1. *Pausa, juntura y unidad melódica* — La cadena sonora está interrumpida de manera más o menos marcada por **pausas,** interrupciones o detenciones que se realizan al hablar o leer. Estas pausas tienen justificación fisiológica —para tomar aire— o lingüística, y pueden distinguirse en diversos tipos según su duración.

Tomando en cuenta el acento o tono, se llama **grupo acentual** el conjunto de sílabas que tiene por base prosódica un solo acento espiratorio. En el segmento */La casa de mi amigo estaba en el campo/* se pueden distinguir cuatro grupos acentuales: */La casa/, /de mi amigo/ /estaba/* y */en el campo/.* Es fácil aislar el grupo acentual en el discurso. Ya no resulta tan preciso el concepto de **grupo fónico** que ha sido definido como porción de discurso entre dos pausas, tiene mayor extensión y coincide con la **unidad melódica** definida como "unidad mínima de discurso con forma musical determinada, siendo al propio tiempo una parte por sí misma significativa dentro del sentido total de la oración". Definen a la unidad melódica, la secuencia de tonos y la pausa. En el ejemplo compuesto los dos grupos acentuales primeros formarán un grupo fónico y una unidad melódica con dos acentos.

Caracteriza a la unidad melódica también la **juntura** que es el fenómeno fonémico que marca los límites del grupo. La juntura, a su vez se define por el *tono* y la *pausa.* En el ejemplo comentado, mientras el límite que concluye con la palabra */amigo/* toma un tono ascendente, el límite que se fija con la palabra */campo/,* toma un tono descendente. Este será uno de los rasgos de la juntura *interna,* en el primer caso, y *terminal,* en el segundo. Esas variaciones de tono que se dan al final de un grupo fónico se llaman **tonemas** y pueden ser **ascendentes, descendentes** o de **suspensión** u **horizontal.**

El análisis entonacional de la frase propuesta nos dará el siguiente esquema:

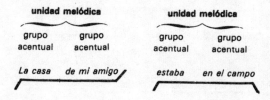

unidad melódica		unidad melódica	
grupo acentual	grupo acentual	grupo acentual	grupo acentual
La casa	*de mi amigo*	*estaba*	*en el campo*

3. Las partes de la oración

3.1. *LAS PARTES DE LA ORACIÓN* — Para la Gramática tradicional, que entiende la lengua como expresión del pensamiento y toma la palabra —"expresión de una idea"— como unidad de análisis, es fundamental una clasificación de todas las palabras del léxico de una lengua en grupos que se han de definir según el tipo de realidad que representan. El análisis que ofrecen los predicables o categorías de Aristóteles —sustancia, cualidad, género, acción, etc.— servirán para delimitar las posibilidades de significación de las palabras y, por tanto, cada una de las clases o partes de la oración o del discurso.

A lo largo de la historia de la gramática tradicional conceptos como *nombre sustantivo, nombre adjetivo, verbo* y *adverbio* han gozado de cierta fijeza. Titubeos, en cambio, y divergencias de unos a otros gramáticos son constantes al hablar de *pronombre, artículo, preposición, conjunción* e *interjección*, considerada por algunos aparte de las partes de la oración. Para el artículo, preposición y conjunción es frecuente encontrar en algunas Gramáticas el término de **palabras gramaticales** o **instrumentales,** frente a las mejor delimitadas de sustantivo, adjetivo, verbo y adverbio.

Dejando aparte los problemas que la concepción de la palabra como realidad gramatical aislable objetivamente implica, estas clasificaciones están llenas de inconsecuencias y contradicciones: (a) El adjetivo es la parte de la oración que sirve para expresar la cualidad; así, *bueno* es un adjetivo. Sin embargo, *bondad* expresa también la cualidad. A la definición originaria hubo que añadir un aspecto puramente sintáctico: "cualidad referida o dicha del sustantivo". (b) Entre los sustantivos se distinguen como abstractos los que designan acción. Dos palabras que designan acción son *saltar* y *salto*, una verbo y la otra sustantivo. Hay que añadir nuevas precisiones no siempre afortunadas, si no tomamos en cuenta los rasgos formales bien evidentes y su comportamiento sintáctico. (c) Se entiende por pronombre la parte de la oración que sustituye al nombre: los pronombres *yo* y *tú* no sustituyen nunca en la cadena sonora al nombre de la persona que habla o al de la que escucha. Por otra parte, las formas neutras como *lo* no sustituyen al nombre. Algunas palabras —los posesivos, demostrativos, cuantitativos, etc.—, eran incluidos en la clase de los adjetivos y en la de los pronombres. Había pronombres relativos y adverbios relativos que aludían claramente a sustantivos *(la casa en que/donde...)*. De hecho, en la práctica se operaba de manera intuitiva o se acudía, en contradicción con los principios que apoyaban a tal descripción de la lengua, a los rasgos formales —posibilidades de variación, combinatoria, etc.— o a la rutina puramente memorística.

3.1.1. *La teoría de los rangos* — Una gramática así era insostenible y la definición de las llamadas partes de la oración tuvo que aceptar desde muy pronto la inclusión de observaciones formales —parte variable o invariable de la oración— o funcionales —adjetivo como palabra que expresa cualidad dicha de un sustantivo, el adverbio como palabra invariable que se refiere al verbo, a un adjetivo o a otro adverbio; la preposición y la conjunción como palabras de enlace, etc.—, mientras se mantenían las definiciones de sustantivo y de verbo.

Gramáticos como Bello trataron de dar una mayor coherencia a los presupuestos tradicionales. Para Bello el sustantivo era ya "la palabra esencial y primaria del sujeto". La observación más importante realizada en este intento de perfeccionar la exposición gramatical tradicional es, sin duda, la **teoría de los rangos** del danés Otto Jespersen, utilizada en sus comienzos por Hjelmslev, posteriormente jefe de una de las escuelas estructuralistas más importantes.

La teoría de los rangos se aplica a las palabras de base lexemática y toma en cuenta (a), desde el punto de vista semántico, la forma de ser pensada por el hablante la realidad que trata de expresar y (b), desde un punto de vista más estrictamente gramatical y sintáctico, la forma en que se presenta en la comunicación. La validez de estas observaciones se debe no a su solidez en cuanto análisis del pensamiento sino en cuanto descripción de la distribución y posibilidades combinatorias de estas palabras.

Se distinguen dos tipos de enunciado: (1) la **juntura** que por sí misma no forma comunicación sino parte de una comunicación: *Un perro muy ladrador*, y (2) el **nexo**, que tiene validez por sí mismo: *El perro ladra mucho*. Las palabras con significado en estos dos enunciados reflejan tres tipos de realidad: (a) /Un perro/ y /El perro/ expresa una realidad con existencia por sí misma y que no necesita apoyarse en otra idea. Constituye el **rango primario** al que pertenecen los sustantivos; (b) /ladra/ y /ladrador/ expresan un tipo de realidad que ha de pensarse necesariamente de alguien o algo que gramaticalmente se expresa por medio de palabras del rango primario. Al **rango secundario** pertenecen los verbos y adjetivos; entre ambas clases de palabras hay una diferencia formal: el verbo expresa tiempo y el adjetivo no. (c) Por último, palabras como /muy/ y /mucho/ expresan un tipo de realidad que se da en lo expresado por palabras de rango secundario: verbos y adjetivos. Constituyen el **rango terciario** al que pertenecen los adverbios.

3.1.2. *Los accidentes gramaticales* — Otras de las categorías aristotélicas eran incorporadas en la gramática tradicional como "accidentes gramaticales": número, tiempo, etc. Con ello, imponían una contradicción de base en la concepción misma de la descripción de la lengua. Las palabras expresaban una idea, pero al mismo tiempo se admitía de manera implícita que podían expresar otra idea de índole distinta.

Por otra parte, se alargaban y eternizaban, sin llegar a ninguna conclusión definitiva, las discusiones sobre determinados problemas suscitados por la aceptación de ciertos criterios formales sin abandonar los criterios semánticos tradicionales. Así ocurría con el caso y la voz pasiva en las lenguas románicas.

3.1.3. *Morfemas flexivos y derivativos* — El análisis estructural ha representado, según hemos visto, un cambio en el punto de vista desde el que se observa la lengua y un cambio en el concepto de lo que es la unidad básica de la lengua. Antes, las unidades se justificaban por lo que expresaban; ahora, las unidades valen como medio para hacer posible un análisis más cuidado y objetivo. La palabra, entendiendo por tal la de base lexemática, es la realización en la cadena sonora de los morfemas lexemáticos trabados directamente o tras los morfemas derivativos, a los morfemas flexivos, que aseguran sus posibilidades de relación en el sintagma. Un morfema lexemático, am-, directamente o incrementado por morfemas derivativos, se puede realizar en cuatro tipos de palabras: (a) como sustantivo en *am-or/am-or-es* (con morfema de número); (b) como adjetivo en *am-or-os-o/am-or-os-a/am-or-os-os/am-or-os-as* (con morfemas de género y número); (c) *am-o/am-as/am-aban/am-é/am-ar-é*, etc., (con morfemas de persona, número, tiempo, modo, etc.); (d) como adverbio neutralizando sus morfemas gramaticales en *am-or-os-a-mente*.

De esta manera, se aspira a caracterizar la palabra no por lo que expresa sino por sus posibilidades de combinación y distribución de los elementos morfológicos que la constituyen entre sí o con otras palabras. El que las palabras expresen sustancia, cualidad, etc., es hecho que escapa a los límites que se impone el estructuralista y entra en el campo de los filósofos del lenguaje.

Por otra parte, al poner de relieve como unidad el morfema, tanto en el análisis de las palabras de base lexemática como en las restantes, (a) se subraya el carácter de sistema que la lengua tiene (en el ejemplo citado: *amor, amoroso, amo, amorosamente*; no cuatro palabras sino cuatro realizaciones de un mismo morfema de base *am-*) y (b) destaca el paso de la lengua (paradigma) al hecho de habla (sintagma) en que las unidades de la lengua se actualizan.

3.1.3.1. *Categorizadores* — Los morfemas flexivos se llaman también **categorizadores** por su capacidad de convertir en palabras los morfemas lexemáticos simples o incrementados con derivativos, o compuestos. Estos morfemas categorizadores forman las clases de género, número nominal, persona, número verbal, tiempo, modo, aspecto y, para algunos, voz. Se suele incluir con el mismo carácter la clase de los artículos, morfemas libres que se realizan como palabras mediante morfemas de género y número.

3.1.4. *Los pronombres* — Un problema no resuelto satisfactoriamente afecta a los llamados tradicionalmente pronombres. Funcionalmente pueden actuar como si fuesen sustantivos, adjetivos, verbos o adverbios y, en parte, como conjunciones o marcativos de transposición de oraciones: (1) *Ellos no lo sabían*; (2) *Visité su casa*; (3) *Quería trabajar y divertirse; lo quería todo*; (4) *¡Qué maravilloso!*; (5) *Leí la carta que me enviaste*.

Semánticamente no expresan un significado constante. Mientras los sustantivos o adjetivos expresan con leves diferencias de matiz, connotaciones, etc.; lo mismo, los llamados pronombres cambian su contenido, actuando por alusión a algo ya nombrado o implícito en el mensaje o en el contexto que les confiere su significado. Formalmente pueden admitir los categorizadores de género y número, forman series cerradas que se organizan en sistema morfológico y rara vez son base de realizaciones sustantivas, verbales, etc. (*mismidad, yoísmo, otridad, tutear,* etc.).

El mismo carácter semántico —de significación ocasional— tiene algunos adverbios *(aquí, ahí),* mientras hay, como se ha dicho, pronombres que funcionan como adverbios (adjetivo: *más pan;* adverbio: *estudia más*). Todo esto parece recomendar su estudio en una clase de características semánticas, funcionales y formales particulares para las que no siendo válidos los nombres propuestos de sustitutos y otros, se mantendrá aquí el de pronombres.

3.1.5. Preposiciones y conjunciones — El mismo carácter marcativo de los morfemas flexivos y el artículo lo tienen las preposiciones y las conjunciones que indican (a) la subordinación de lo que les sigue a otro elemento del enunciado o (b) la coordinación o equivalencia de lo que les sigue respecto a lo que les precede. Algunos gramáticos, según veremos, añaden el valor de transpositores.

3.2. CATEGORIZADORES NOMINALES — Tres clases de morfemas gramaticales —el género, el número y el artículo— son seleccionados por los morfemas lexemáticos para realizarse en la clase de palabras llamada nombre (sustantivo o adjetivo). Junto a esta función categorizadora, marcan la relación entre un término primario y un término secundario de tipo nominal, llamada **concordancia:** (1) *El niño bueno/los niños buenos.*

A esta doble función básica se añaden diversas funciones de contenido y sintácticas. El género y el número son clases de morfemas trabados; el artículo, en cambio, es un morfema exento que a su vez selecciona, como las palabras de base lexemática, género y número también.

3.2.1. El género — Clase de morfemas que identifica como nombres sustantivos o adjetivos a las palabras que lo seleccionan y que opone la **concordancia masculina** a la **concordancia femenina.** Forma una oposición compleja cuyo primer término —masculino— está marcado por uno de estos tres morfemas $\{ \emptyset, -o, -e \}$ y cuyo segundo término está marcado por el morfema *-a: señor/señora, portero/portera, monje/monja.*

La mayor parte de nombres sustantivos y algunos adjetivos no llevan marca flexiva para identificar su concordancia. Entonces recurren al artículo: *el estudiante; el escorpión; la hormiga.*

Un cierto número de sustantivos que terminan en *-a,* del que el grupo más importante es el de los derivativos *-ista* y otro muy reducido en *-o, -e* y $\emptyset$, marcan también la concordancia mediante el artículo: *idiota; corista; pelma; granuja; comparsa; reo; testigo; crío* (a veces, *cría); cónyuge; consorte; huésped* (también *huéspeda); mártir.*

3.2.1.1. Sustantivos de dos terminaciones — Entre los sustantivos que pueden emplear los morfemas masculinos o femeninos, la elección de una u otra concordancia afecta al contenido incorporando nuevas informaciones:

(a) La concordancia masculina alude al hombre o animal macho y la concordancia femenina a la mujer o animal hembra. Esto ocurre en los sustantivos de persona en casi su totalidad y en los nombres de animales que estén relacionados estrechamente con el hombre porque le sirven de alimento o han sido domesticados o le sirven de alguna manera. La gramática tradicional llamaba a éste, *género motivado: hij-o/hij-a; pav-o/pav-a; client-e/client-a; doctor-$\emptyset$/doctor-a; león-$\emptyset$/león-a.*

Observaciones — 1. La lengua tiene parejas de palabras distintas para expresar el sexo en un corto número de personas y animales: *yerno/nuera; padre/madre; hombre/mujer; toro/vaca.*

2. Un corto número de palabras oponen al masculino los morfemas femeninos reforzados /es-a/, /is-a/, /in-a/ y /tr-iz/: *abad-$\emptyset$/abad-es-a; cond-e/cond-es-a; ogr-o/ogr-es-a; guard-a/guard-es-a; poet-a/poet-is-a; sacerdot-e/sacerdot-is-a; diácon-o/diacon-is-a; histrion-$\emptyset$/histrion-is-a; jabal-í/jabal-in-a; gall-o/gall-in-a; sastre-$\emptyset$/sastre-sa;* act-or/act-riz.

3. El femenino puede tener un doble significado en los casos de nombres que designen profesiones u oficios. Tanto pueden designar a la mujer que desempeña tal profesión u oficio como a la mujer casada con el hombre que desempeña el oficio o profesión. Así en *carpintera, zapatera, sargenta, boticaria, alcaldesa,* etc.

El aumento de mujeres profesionales o trabajadoras de ocupaciones antes reservadas al varón, hace que convivan en la lengua dos realizaciones del femenino: *la médico/la médica.*

4. La lengua tiende a marcar, sobre todo con nombres de persona, el sexo. Así los nombres en *-e* distinguen *sirviente/ sirvienta; infante/infanta,* etc., aunque históricamente no se justifique.

(b) La concordancia masculina designa al hombre ocupado en una determinada profesión y la concordancia femenina convierte en abstracto el mismo significado: *el vista/la vista; el policía/la policía; el guía/la guía; el recluta/la recluta.*

(c) La concordancia masculina designa al hombre que utiliza el determinado objeto que expresa el lexema y el femenino designa el objeto: *el trompeta/la trompeta; el espada/la espada.*

Observación — Semejantes a éstos son los casos en que la concordancia masculina significa la designación del hombre por medio de una comparación implícita con un objeto o animal que es designado por el femenino: *el calavera/la calavera; el bestia/la bestia; el rata/la rata: el chinche/la chinche.*

(d) El cambio de concordancia implica una diferencia de tamaño: *barco/barca; farol/farola; cayado/cayada; garrote/garrota; jarro/jarra; saco/saca.*

(e) La concordancia femenina designa el fruto y la concordancia masculina el árbol: *almendro/almendra; naranjo/naranja; algarrobo/algarroba; manzano/manzana.*

(f) Una de las concordancias designa el hombre o mujer que desempeña un determinado trabajo y la otra un objeto en relación con la ocupación designada: *costurero/costurera; cochero/cochera; planchador/planchadora.*

Observación — En algunos casos la doble concordancia especifica sentidos diversos difíciles de tipificar. El morfema masculino o femenino toma el carácter de derivativo: *barreno/barrena; especie/especia; cuadro/cuadra; fondo/fonda; punto/punta; suelo/suela; cubierto/cubierta; madero/madera; ramo/rama; grito/grita; gorro/gorra,* etc.

En otros casos se trata de lexemas homófonos: *tallo/talla; libro/libra; caso/casa; coso/cosa; velo/vela.*

3.2.1.2. *Palabras de una sola concordancia* — La mayor parte de sustantivos son o de concordancia masculina o de concordancia femenina. Ocurre así con un corto número de nombres de persona —*gente, persona, bebé, multitud, gentío*—, la mayor parte de los nombres de animales y casi todos los nombres inanimados: *el cangrejo; la ardilla; la serpiente; el castor; el nebli; el pez; la perdiz.* La Gramática tradicional llama **epicenos** a los nombres de animales que marcan su concordancia mediante el artículo.

Observaciones — 1. Un cierto número de sustantivos se emplean indistintamente en una u otra concordancia. Se suelen llamar **ambiguos:** *mar, color.*

2. Son muchos los nombres de uso vacilante, aunque las normas académicas han fijado su concordancia: *miasma, reuma, pijama, trasluz, testuz, señal, calor, chinche, mugre,* etc.

3. El cambio de concordancia implica cambio de significado para una serie de parejas: *el crisma/la crisma; el tema/la tema; el canal/la canal; el cólera/la cólera; el corte/la corte; el dote/la dote; el lente/la lente; el orden/la orden; el capital/la capital; el cometa/la cometa; el delta/la delta; el frente/la frente; el margen/la margen; el parte/la parte; el radio/la radio; el clave/la clave; el consonante/la consonante; el doblez/la doblez; el pendiente/la pendiente.*

3.2.1.3. *Género de los nombres propios* — En los nombres propios de persona hay nombres marcados y nombres no marcados. El cambio de concordancia en uno y otro caso implica alusión al sexo de la persona designada: *Don Trinidad/D.ª Trinidad; Juan/Juan-a.* Algunos nombres tienen variaciones especiales: *José/Josefa; Carlos/Carlota.*

En los de ciudades, villas y naciones, generalmente, la terminación marca la concordancia: *España es sobria; Bilbao es industrioso.* Sin embargo, hay vacilaciones en las que deben pesar los nombres de ciudad (fem.) o pueblo (masc.) que se subentienden.

Con *un* y *medio* domina la concordancia masculina: *Destruyeron medio Berlín,* frente a *Destruyeron media Rusia.* Lo mismo ocurre con *todo* y *mismo: Todo Madrid lo sabía. Estuve en el mismo Sevilla.*

Los de montes, sierras y volcanes son masculinos salvo muy pocas excepciones como *la Alpujarra: el Teide; los Alpes; el Moncayo.*

Los nombres de ríos y lagos son masculinos. El hablante los siente como aposición de *río* y *lago.*

Los nombres de sociedades, agrupaciones, etc., toman la concordancia del sustantivo que se entiende como base nombrada: *la SEAT, la ONU, el SEPU.*

3.2.1.4. *Género de los compuestos* — En los nombres compuestos, cuando interviene un sustantivo toman la concordancia de éste, salvo en los compuestos de verbo sustantivo que toma la concordancia masculina. Sin embargo, en muchos casos domina la concordancia masculina: *el antifaz; el trasluz* y *la trasluz; el para-*

guas; *el aguzanieves*. Cuando concurren dos sustantivos, generalmente domina el género del último: *el aguamanos* (fem. en Cervantes).

3.2.1.5. *Género del adjetivo* — En los nombres adjetivos, por su manera de presentar el contenido, no tiene valor la interpretación significativa del género. Se dan las dos posibilidades: (a) adjetivos de dos terminaciones que comprende el mayor número: *buen-o/buen-a; buen-os/buen-as;* y (b) adjetivos de una terminación, no marcados: *grande/grandes*.

Los adjetivos de concordancia marcada emplean los morfemas $\{\phi, -o$ y $-e\}$ que se oponen a *-a*. Son los adjetivos que terminan en *-o (profundo, vasto, magno)*, los gentilicios *(leonés, español)* los terminados en *-dor, -tor, -ser, -ón, -in, -án*, excepto los comparativos *(mayor, menor*, etc.) y *ruin*, y los aumentativos y diminutivos en *-ote* y *-ete (grandote, pobrete)*.

3.2.2. *El número* — Clase de morfemas que, con el género, identifica como nombres adjetivos y sustantivos a los morfemas lexemáticos que lo seleccionan y que opone la concordancia **singular** a la concordancia **plural**. Cuando se trata del sustantivo, informa si se habla de una sola entidad o conjunto *(singular)* o de más de uno *(plural)*. El singular tiene siempre morfema cero (ϕ) que se opone a los alomorfos $\{$**-es, -s**$\}$ impuestos por exigencias fonológicas. Cuando la forma singular termina en *-s*, si tiene más de una sílaba se suspende la oposición: *tos/toses; lunes/lunes; tesis/tesis; caos*.

El valor informativo del plural opera de muy diversas maneras según los sustantivos:

(a) En los sustantivos de materia, sustancia, nombres verbales de acción, estado psíquico, cualidades, etc., el plural tiene valor clasificador en tipos o clases representativas de la materia, sustancia, etc., que el singular evoca: *el aceite/los aceites; el oro/los oros* de los yacimientos; *la bondad/las bondades*. Salvo este propósito, el plural no tiene sentido.

(b) El plural en los colectivos que expresan número determinado, la oposición semántica "uno"/"más de uno" debe entenderse "número determinado"/"múltiplo del singular" *(una docena/tres docenas*: 12/36). En los demás casos, el plural resulta redundante o toma carácter clasificador: *gentío, auditorio, público/públicos, gente/gentes, turba/turbas*.

(c) Los nombres de entes únicos o no emplean el plural o significan la realidad a través del tiempo: *sol/soles*. No forman plural: *caos, cenit, este, oeste, grima, salud, sed, tez, zodíaco*, etc.

(d) Para una serie de sustantivos el plural que les corresponda toma doble significado: el propio de plural y una diferenciación léxica: *corte/cortes; celo/celos; esposa/esposas; gafa/gafas; grillo/grillos; honra/honras; hora/horas; lar/lares; paria/parias; parte/partes* (buenas partes); *prez/preces*.

(e) No es informativo el plural de nombres como *baba(s), boda(s), agua(s), cimiento(s), escalera(s), fiesta(s), mantel(es), muralla(s), sopa(s)* y otros que se emplean indistintamente como singular o como plural. En todos los casos evocan realidades extensas o compuestas y el concepto vacila entre la unidad y la multiplicidad. Semejante es el caso de sustantivos, adjetivos y participios en construcciones de carácter adverbial y frases hechas, acuñadas y aceptadas por la lengua: *sus adentros, las andadas, a sus anchas, alcances, a las buenas, de buenas a primeras, en sus cabales, en cueros, con creces, a las claras, a ciegas, a escondidas, a gatas, a medias, de mentiras, de oídas, tomar a pecho(s), hacer los posibles, de puntillas, a solas, a rastras*, etc. A éstos hay que añadir las sustantivaciones de adverbios *afueras, adentros, alrededores, cercas, lejos*.

(f) Una serie vacilante pero no muy extensa de sustantivos emplean únicamente el plural aunque la lengua tiende a distinguir la oposición. Son sustantivos que significan objetos que tienen dos o varias partes: *alicates, andas, angarillas, alforjas, barba(s), bigote(s), calzón(es), calzoncillo(s), espalda(s), esposas, gafas, grillos, impertinentes, intestino(s), lentes, medias, pinza(s), pulmón(es), prismático(s), pantalón(es), tijera(s), tenaza(s), trébede(s), vinajeras, zaragüelles*. Otros tienden a una inmovilidad en el plural por cierto vago carácter de número o por razones expresivas: *albricias, andurriales, anales, aledaños, boda(s), comestible(s), enseres, exequias, funeral(es)*, etc.

Observaciones — 1. Los nombres de materia y los de objetos seriables pueden emplearse en singular con significado colectivo en cuyo caso admiten su combinación con *mucho, todo, tanto: Hay **tanto niño** en la escuela que no caben más.*

2. El singular de los nombres de objetos seriables puede igualmente evocar el género a que pertenece *(singular genérico): **El hombre** se creía el rey de la Creación.*

3.2.2.1. *Formación del plural* — Cuando el sustantivo singular termina en vocal átona o en *-é*, elige el alomorfo **-s** y cuando termina en las consonantes características del castellano, el alomorfo **-es**: *casa/casas;*

*calle/calles; caqui/caquis; caldo/caldos; tribu/tribus; minué/minués; virtud/virtudes; corazón/corazones; alcohol/
alcoholes; color/colores; cruz/cruces.*

En los demás casos en que nos encontramos con fonemas extraños al sistema castellano a final de palabra se producen vacilaciones en la elección o se prefiere la inmovilización del singular: (a) *Singulares en vocal
tónica.* La tendencia culta de la lengua trata de imponer *-es*, mientras la lengua popular se declara partidaria
claramente de *-s: bisturís* y *bisturíes, bigudís* y *bigudíes, rubís* y *rubíes, as* y *aes* (escogen *-s, papás, mamás,
sofás, chapós, dominós, chacós), os* y *oes*, etc., *tabús* y *tabúes, canesús* y *canesúes, bambús* y *bambúes, tisús* y
tisúes. (b) *Singulares en consonante simple* extraña como final en castellano. Las soluciones son variadas y
están en relación con la vía de penetración del extranjerismo y la época y el grado de asimilación. Es típico el
caso de los galicismos en *-t* que tras un primer período que distinguían una grafía extraña *-ts*, pero una pronunciación en que desaparecía la *-t*, se llega a la aceptación en el escrito de la fórmula pronunciada: *cabarets*
[kabarés] >*cabarés*. Sin embargo se mantiene *soviets*. Al asimilarse añaden una *-e* y forman el plural en *-es, restaurante* (junto a *restorán), pailebote, paquebote.* Los en *-m* toman *-es: álbumes, tárgumes. Tótem*, en cambio,
vacila o queda invariable. Nombres terminados en *-c* tienen iguales posibilidades: *frac/fraques, clac/claques.* En
cambio *coñacs, bistecs, tictacs, zigzags (zigzagues).* (c) *Nombres acabados en grupo consonántico* extraño al sistema castellano a final de palabra. Son igualmente varias las soluciones que, por otra parte, están en relación con
el grado de asimilación, vía de introducción y época. Es típica la asimilación de *lord* con *-d* muda en la pronunciación, que forma el plural *lores.* Para *zinc* o *cinc*, la Academia recomienda la formación *cines* o *zines*, pero domina
la grafía *zincs.* La palabra *film*, por influjo culto se asimila en *filme*, lo que facilita el plural *filmes*, pero domina en
el habla la solución *films.*

Observaciones — 1. El extranjerismo *exprés* se asimila en la forma *expreso* (pl. *expresos*) para designar los trenes especiales, pero se mantiene en su forma originaria en otros casos en los que la presencia de la terminación *-s* suspende la concordancia: *café exprés/los cafés exprés.*

2. La lengua vulgar desarrolla dobles plurales en *maravedises* (moneda antigua), *cafeses, gachises, sofases* y *chotises.*

3. Los nombres cultos en *-x* [ks] por influjo ilustrado han desarrollado un plural en *-es*, que no ha prosperado: *fénix/féni-
ces.*

4. El sustantivo *hipérbaton* que conoce también la forma *hipérbato* emplea el plural de este último, *hipérbatos.*

5. En algunos casos se ha producido por regresión un falso singular en los nombres en *-s.* Así *efemérides (la/las eféme-
rides).* Caso contrario es el de *taxi* y *metrópoli* que, equivocadamente, se emplea como singular en *-s: la metrópolis, el taxis.*

6. Historia semejante a la de los extranjerismos es la de los latinismos que tienden a mantenerse invariables: *déficit, superávit, exequátur*, etc. *Memorándum* y *currículum* han aceptado las formas latinas *memoranda* y *currícula.*

7. Los nombres terminados en *-x* o *-s* quedan invariables: *lunes, martes, tesis, ántrax, tórax, oasis, bilis, crisis, dosis, éxtasis,
brindis, chotis, atlas*, etc.

3.2.3. *El artículo* — Constituye una clase de morfemas gramaticales caracterizada por: (a) ser morfemas
libres (palabras); (b) seleccionar morfema de género y número, que coincide con el sistema de demostrativos
(masc.: /∅/; fem: /-a/; neutro /-o/; plur. masc. /-os/; fem. /-s/); (c) funcionar como actualizador de segmentos
de valor nominal con variadas matizaciones semánticas debidas al contexto; (d) mantener el valor deíctico
originario que en determinadas agrupaciones aflora claramente.

Constituye un sistema morfológico cerrado que ha sido considerado por algunos como una subclase de
los pronombres por las analogías formales y significativas que se ponen de relieve sobre todo en la llamada
forma neutra, por algunos incluida entre los pronombres.
El sistema estructural opone las formas concordadas (*el/la; los/las*) a una única forma no concordada.
Las formas concordadas, además de ser soporte de género y número, por su valor deíctico remiten a una realización conceptual lexicalizada en la lengua. La forma no concordada se agrupa con formas masculinas y su valor
deíctico es inconceptual: /*El lápiz grande y el pequeño*/, /*lo grande de este asunto*/. Este valor deíctico explica
su función como transpositor de la sustantivación.

La gramática tradicional incluía dentro de la parte de la oración que llamaba artículo, además de las formas
que estudiamos aquí, las del indefinido *un/una/unos/unas*, oponiendo los valores semánticos "determinado"/"no
determinado". Sin embargo, el hecho de que las formas *el/la*, etc., sean átonas y formen unidad con el segmento
que les sigue y que las formas *un/una*, etc., mantengan el acento en determinadas realizaciones, junto con la
circunstancia del puro carácter semántico de la oposición, justifican que se agrupen en clases distintas. Las
formas *un/una*, etc., tienen además un carácter pronominal que es desconocido por las formas *el/la*, etc.

3.2.3.1. *La forma "el" femenina* — En el femenino el artículo tiene dos variantes combinatorias: /el/ y /la/.
La forma /el/ es empleada exclusivamente cuando el sustantivo comienza por *á-*, ortografiada *á-* o *há-.* Históricamente tiene el mismo origen que la forma /la/. Sin embargo, se mantiene /la/ ante los nombres de las letras

(la a) y ante los nombres propios de mujer que comienzan por *á-* cuando llevan artículo: *la Ángela, la Águeda.* La concordancia del */el/* femenino se mantiene como tal femenino y toma la forma */las/* en plural. Su homofonía con el masculino singular explica vacilaciones en palabras que no se usan en plural o que tienen un plural que matiza el significado de su singular. Así en *arte* mantiene la concordancia femenina en */las artes cinematográficas/, /artes pictóricas/,* etc. En singular */arte cinematográfico/* domina sobre */arte cinematográfica/.* Se mantiene en */arte poética/.*

3.2.3.2. *Artículo amalgamado* — Cuando en la cadena sonora la forma masculina va precedida de la preposición */a/* o de la preposición */de/* se amalgaman en */al/* o */del/: /La casa **del** dueño/; /Fui **al** partido/.* Cuando la forma */el/* es constituyente de la denominación geográfica, apellido, sobrenombre, título de publicación, etc., aunque la lengua hablada amalgame los dos morfemas, la lengua escrita los separa: */Voy a **El** Escorial/; /una página de "**El** esclavo del demonio"/.* De la misma manera en la lengua poética, cuando por hipérbaton hay una de estas preposiciones en contacto con el artículo */el/* se mantiene el hiato en su pronunciación y se escribe por separado: *"...aquella nao dichosa/de el cielo esclarecer merecedora"* (Fray Luis de León).

3.2.3.3. *Valores semánticos del artículo* — Al actualizar el sustantivo, el artículo diversifica variados matices de significación de los que tradicionalmente sólo se ha destacado su valor determinativo que le opone al uso de la agrupación del sustantivo con el indefinido */un/.* La casuística es muy variada y compleja, ya que intervienen caracteres de dos órdenes distintos: (a) la función gramatical que desempeña el sustantivo y (b) la naturaleza semántica del sustantivo en cuestión. He aquí los esquemas principales:

(a) El objeto al que acompaña el artículo está en el campo sensible, a la vista de los hablantes o a su alcance material o intelectual. El artículo subraya este conocimiento previo real o presumible. Se opone en este uso al indefinido y coincide con el demostrativo. El objeto puede introducirse como indeterminado mediante el indefinido. Su segunda mención exige el artículo: *Había un rey, en un lejano país de Oriente. El/Este rey tenía...* Estos nombres con artículo sugeridos por la situación o el tema, pueden tomar *sentido posesivo* cuando los sustantivos son partes del cuerpo, actos y facultades psíquicas, determinados actos psicofísicos expresivos e intencionales (voz, gesto, mirada, risa, llanto, etc.), prendas de vestir y de adorno y utensilios habituales y comunes del hombre. Concurre con los posesivos. Predomina claramente cuando actúa como CD de verbos como *tener, llevar, traer* con predicativo: *La niña levantó **los/sus** ojos; Trae **el** traje manchado.*

(b) Con nombres de entes únicos o con nombres que por su naturaleza se imponen como presentes a la percepción de los hablantes se usa el artículo. El uso del indefinido representa una elección de tipo ponderativo: *Luce el sol/Luce un sol radiante.*

(c) Toma el artículo valor personificador cuando se usa con nombres abstractos. No admiten indefinido: *Por ahora deja **al** tiempo el cuidado de dictarte lo que has de hacer.*

(d) Los nombres propios de persona, apellidos, etc., no llevan artículo. Sin embargo, éste puede aparecer cuando van precedidos de un nombre genérico que los filia dentro de una categoría o jerarquía familiar, social, militar, etc., o con calificativos: *El rey Carlos III; El doctor Cornelius; La tía Rentera; El viejo Gaudente.* No obstante, determinados títulos como *san, santo, santa, don, doña, fray, frey, sor, monseñor, mister, madama, sir, milord, milady,* no admiten el artículo.

En la lengua clásica cuando se repetía el nombre de persona podía introducirse con artículo, por su claro valor deíctico. Actualmente sólo lo admite cuando, en este mismo caso, va acompañado de los adjuntos */otro/, /dicho/* o */tal/: El dicho Fernando.* La lengua forense y la lengua vulgar emplean el artículo con los nombres de delincuentes o encartados en un proceso. Entonces, el artículo llega a tomar un cierto sentido despectivo: *El Pernales; La María.*

De modo semejante, se emplea el artículo con nombres propios o apellidos de mujeres ilustres por las artes o las letras: *La Guerrero; La Pardo Bazán.* Nótese, sin embargo, que no se emplea con nombres de hombres. En los casos de italianismo sólo ocurre con nombres como *el Dante, el Tasso,* etc.; pero no de manera sistemática con nombres de autores modernos. En todos los casos de grandes creadores, el artículo se justifica cuando se refiere a la obra: *He recibido el Quevedo.*

Con apellidos como designación familiar se emplea el artículo en singular o plural con cierto valor demostrativo. El artículo puede preceder directamente al nombre o enlazarse a él por medio de la preposición */del/: La casa de **los** Ruiz de Bejos; **Los** de Pérez.*

(e) Con los nombres propios geográficos de continentes, países, ciudades, villas o aldeas no se emplea artículo salvo cuando éste forma parte de la denominación (*El Japón, El Brasil,* etc.), o cuando se emplean con adjetivo (*La bella Francia*).

Se emplea artículo con los nombres que corresponden a archipiélagos frente al nombre de cada isla (*Las Baleares* frente a *Menorca*), regiones o agrupaciones con nombre en plural (*Las Asturias, Los Países Bajos, Los Estados Unidos*), los nombres de regiones naturales —el artículo concuerda con la terminación del nombre propio— (*la Mancha, el Bierzo*). Sin embargo se emplean sin artículo *Cataluña, Castilla, Andalucía*, etc.

Se emplean también ordinariamente con artículo los nombres propios de mares, ríos, lagos, montes, cordilleras y otros accidentes geográficos —cabos, golfos—. El artículo marca la concordancia sobre la correspondiente al nombre genérico que se subentiende, sin atender a la terminación del nombre propio: *el Aconcagua, el Mediterráneo, el Herva, el Machichaco, el Guadarrama*. Se usan sin artículo *Guadarrama, Montserrat* y algún otro.

Los nombres de río, que se empleaban sin artículo en la época clásica (*Lazarillo de Tormes*), se igualan en su uso a los demás nombres de accidentes geográficos: *el Ebro, el Turia*.

3.2.3.4. *El neutro "lo"* — Son dos morfemas distintos, aunque homófonos neutros y átonos, el /lo/ del sistema personal que se combina con el verbo con el que forma unidad acentual como proclítico o enclítico y el /lo/ artículo que se combina dominantemente con el adjetivo o con proposiciones de función adjetiva, adverbios o secuencias prepositivas con /de/: *lo bueno; lo bastante; lo que dijiste; lo del otro día*.

Tiene un claro valor alusivo, semejante al de los personales y demostrativos. Se distingue claramente por el carácter no conceptual de lo aludido que representa un elemento no concretado de una clase a la que corresponde la cualidad expresada por el adjetivo. Tiene pues rango primario, sin embargo no puede equivaler a un sustantivo ni, como los restantes artículos, existir independiente en la cadena.

Por el significado del adjetivo y por su construcción, lo aludido por /lo/ puede tener varios valores: (a) *Delimitativo:* Parte de un todo, del que se destaca una parte en oposición al resto. Cuando se habla de */lo bueno de la fiesta/* se destaca */lo bueno/* de lo que no lo es o de lo que lo es en menor grado. (b) *Colectivo:* Con un cierto sentido colectivo, destaca diversas unidades a las que conviene la cualidad que expresa el adjetivo: *Dispúsose lo necesario.* (c) *Intensivo:* Toma un valor cuantificador cuando sustantiva un atributo o un adverbio desarrollado por una proposición de /que/ relativo: *Hay que ver lo elegante que va y lo bien que viste.* En este último caso, concurre con *cuán*.

El valor delimitativo de (a) e intensivo de (c) lo consigue igualmente con sustantivos en singular en masculino o en femenino: *Vestía a lo torero; Comprobó lo señora de su casa que era.*

Por su carácter neutro el /lo/ puede aludir a una acción o una serie de acciones, a una enumeración o a lo expresado por una oración: *Hablaron de lo de su fuga; Observó lo que hacía.*

3.2.3.5. *Sustantivación* — Por su carácter anafórico y por ser soporte, en las formas concordadas, de los morfemas de género y número, el artículo es marca de sustantivación de cualquier palabra perteneciente a otra clase.

Sustantivación es la transposición de un elemento de una clase no sustantiva a: (a) la función característica del sustantivo; (b) asumir semánticamente los valores denotativos que son propios del sustantivo, y (c) seleccionar los mismos morfemas marcativos del sustantivo. De los tres criterios que justifican la sustantivación, el criterio (a) se ha de cumplir necesariamente. La presencia de los demás permite matizar diferentes tipos de sustantivación.

Criterios →	(a) Funcional	(b) Semántico	(c) Formal	Ejemplos
1.	+	+	+	*Los andares; El bueno.*
2.	+	+	—	*Salió de bueno en el teatro.*
3.	+	—	+	*Vio que venías.*
4.	+	—	—	*Aquí y ahora son sus términos favoritos.*

En la sustantivación hay diferentes grados de permanencia en función de su lexicalización y de su frecuencia en el uso. Los tipos 1 y 2 afectan al adjetivo y el 1 emplea el artículo como marca única con infinitivos y palabras invariables: *El correr; el haiga, el pagaré, el pésame, el sí, el pero, el qué dirán, el no sé qué.* Los adjetivos, por su propia naturaleza, llevan morfemas de género y número y el artículo marca igualmente la concordancia: *el bueno, la buena*.

Hay sustantivaciones lexicalizadas por su uso o porque se han especializado con un determinado referente: *el andar/los andares, deber, haber,* etc.; *el impermeable, el dulce, el imperdible, el fuerte, el blanco, el ideal, el vivo, el físico, el desnudo, el infinito, el particular, el contrario, el medio, el impreso, el sobrante,* etc., aunque convivan como adjetivos en la lengua. En algunos casos alterna la sustantivación con /el/ con la sustantivación con /lo/: *el/lo ridículo, el/lo restante, el/lo posible.*

Algunos gramáticos consideran que la función del artículo se limita a sustantivar el adjetivo equiparando su comportamiento con el que desempeña con palabras invariables. Sin embargo, otros precisan la posibilidad de la sustantivación del adjetivo por el carácter anafórico del artículo, en que el adjetivo mantiene su rango secundario. Este carácter del artículo parece evidente en construcciones en que el sustantivo al que conviene el adjetivo aparece nombrado en el contexto: *Tráeme el lápiz rojo y llévate el azul.* Por otra parte, en los casos en que no hay un antecedente expreso, el significado del segmento sustantivado sólo vale en relación con el contexto situacional y lo hablado anteriormente. El segmento /el bueno/ no tendrá su sentido válido si el oyente no lo pone en relación con un sustantivo o realidad determinados —lápiz, libro, hombre, etc.—.

Sólo de esta manera se entenderá la sustantivación del adjetivo sin artículo, igualmente válida por el contexto, tal como la encontramos en *"Que sean Philips; mejores no hay".*

3.3. *EL NOMBRE* — El nombre es concebido como categoría gramatical en la antigüedad, desde Aristóteles, que lo opuso al verbo, en cuanto el nombre significa sin determinación de tiempo. La distinción de nombre sustantivo y nombre adjetivo como categorías distintas se inicia en la Edad Media y se abre paso en el siglo XVIII. La Gramática de la Real Academia lo incorpora en su 12.ª edición (1870) y así se mantiene hasta hoy en las gramáticas escolares.

No parece válido aplicar criterios puramente formales ni funcionales ya que hay sustantivos que admiten grado de significación *(Es muy niño)* y los adjetivos se sustantivan con gran facilidad, aspectos que algunos gramáticos han tomado en cuenta para delimitar el sustantivo por su selección de Artículo, Género y Número y el adjetivo por su selección de Género, Número y Grado. Otra posibilidad para trazar la separación entre sustantivos y adjetivos la ofrece quizá el sentido del artículo como puro actualizador con los sustantivos y manteniendo su carácter anafórico con los adjetivos, tal como se ve en la sustantivación. Se impone al criterio semántico como única posibilidad, distinguiendo el sustantivo como la palabra que no necesita ser pensada de otra sino de la realidad que trata de evocar y el adjetivo, con el mismo criterio, por su rango secundario sin indicación de tiempo.

3.3.1. *El nombre sustantivo* — Se han intentado diversas clasificaciones de los sustantivos tomando en cuenta el tipo de realidad que evocan. Es interesante y útil mantener algunos de estos grupos por su unidad de comportamiento sintáctico. (a) Sustantivos **apelativos** o **comunes** son los que convienen a todos los individuos de una clase, especie o familia significando su naturaleza o las cualidades de que gozan: *casa, perro, hombre, azúcar, olmo,* etc. De este tipo de sustantivos tienen particular interés los de entes únicos *(sol, luna, etc.)* y los de profesiones u ocupaciones del hombre *(torero, zapatero).* Son seriables y en determinadas construcciones tienen valor genérico. (b) Sustantivos **propios** son los que sirven para particularizar un miembro de una especie, clase, familia, etc., entre todos los demás. Esta subclase ocupa un lugar muy independiente en cuanto no implica cualidades particulares de lo nombrado ya que cuando se carga de significado se convierte en apelativo (otelo, guillotina). (c) Sustantivos **abstractos** son los que nombran las cualidades que pueden tener los seres o las cosas separadas del objeto u objetos a que corresponden: *bondad* en relación con *bueno, dureza* en relación con *duro.* Pueden ser por su formación relacionados con adjetivos o con verbos. La gramática tradicional los llama de cualidad y de movimiento. La coherencia de esta subclase se justifica por la presencia de determinados morfemas derivativos: *-o, -a, -e, -eo (canto, pugna, desarme, mosconeo); -cia, -icia, -za, -ez (codicia, dureza, vejez); -to, -ado, -ido, -udo, -ada, -ida, -ata, -ato, -sa (llanto, crujido, ojeada, partida, caminata, generalato, risa); -ción, -sión, -zón (canción, permisión, razón); -tura, -ura (altura, diablura); -or (amor); -ancia, -encia, -anza (vagancia, tenencia, bonanza); -tad, -dad (-edad, -idad, -iedad) y -tud (amistad, verdad, autoridad, ceguedad, ansiedad, juventud); -ía (alegría).* (d) El sustantivo **colectivo** es el que nombra en singular un conjunto de objetos. Este conjunto puede ser de unidades determinadas o no determinadas: *docena, ejército, compañía, escuadra, pelotón, robledo, alameda,* etc. Como los abstractos, determinados morfemas derivativos categorizan a los colectivos.

Observación — La gramática tradicional incluye entre los abstractos otros sustantivos con el término *concreto,* que da a otra subclase de sustantivos. Sin embargo, el criterio semántico no es seguro e incurre en notorias contradicciones.

3.3.2. *El nombre adjetivo* — La gramática tradicional incluye dentro de la clase de los adjetivos los que llama **calificativos,** que serán los únicos de que nos ocuparemos aquí, y los **determinativos** o **pronominales** que serán estudiados en el siguiente parágrafo con los deícticos y cuantitativos. El adjetivo expresa la cualidad atribuida a un sustantivo con el que concuerda en género y número. Esta cualidad puede ser inherente al sustantivo concreto que se evoca o puede ser fijada en relación con una escala de posibilidades externas al objeto descrito o con una serie de circunstancias. Este hecho permite distribuir los adjetivos en adjetivos de **calificación directa** y adjetivos de **calificación indirecta.**

(a) Los adjetivos de calificación directa expresan cualidades que ponen de relieve sus caracteres externos —tamaño, forma, color, capacidad, extensión, estado, materia— o sus caracteres íntimos y potenciales como resultado de una valoración subjetiva del hablante —conducta, moral, intensidad, etc.—: *grande, cuadrado, verde, largo, hondo, viejo, carnoso, bueno, íntegro,* etc. Algunos de estos adjetivos, especialmente los de color, se sustantivan con gran facilidad.

(b) Los adjetivos de calificación indirecta pueden subdividirse en **relacionales** y **circunstanciales.** Los relacionales pueden tomar como base de relación la nación u origen *(español, andaluz);* la profesión, oficio, empleo y ocupación *(electricista);* la situación social, cultural. religiosa, política, etc. *(docto, obrero, cristiano,* etc.); técnica, científica, deportiva *(atómico, filológico, histórico, geográfico);* la propiedad, pertenencia o filiación *(paterno).*

Los circunstanciales, por su parte, en su mayoría de origen verbal, expresan la situación o estado que se alcanza o se tiene, la capacidad de acción o la cantidad e intensidad del sustantivo: *cuantioso, innumerable, jubilado, famoso,* etc.

Observaciones — 1. Los adjetivos pueden en el mensaje expresar una cualidad implícita en el significado del sustantivo a que se refieren con lo que no hacen más que destacar y subrayar lo que el sustantivo comporta: *alto rascacielos.* Entonces se llaman adjetivos **explicativos.** Cuando destaca el adjetivo una de las varias posibilidades de caracterización que el sustantivo ofrece para individualizarlo de los demás de su misma especie y género, se llama **especificativo:** *casa alta.*

2. El contenido semántico del adjetivo puede responder a polarizaciones —*bueno/malo, blanco/negro*— o a gradaciones —*blanco-gris-negro*— o formar una serie —*español, portugués, francés,* etc.—. Destacando un elemento de la cadena semántica, automáticamente se descartan los demás componentes y, por tanto, tienen la misma validez la afirmación del elemento elegido o la negación de su contrario: *hombre alto/hombre no bajo.*

3.3.3. *La gradación* — Según se ha visto, el adjetivo al atribuir una cualidad al sustantivo implica una gradación de intensidad. Cuando la gradación se realiza sobre un mismo lexema se habla de **gradación gramatical** que expresa el punto de intensidad en la escala de posibilidades que la cualidad ofrece en su contenido semántico. Algunos adjetivos, por razón de su significado, no admiten tal gradación: *jubilado, asesinado,* etc.

La atribución de la cualidad puede hacerse de dos maneras: (a) Tomando en cuenta la capacidad semántica del adjetivo. Cada adjetivo tiene un valor de intensidad según el sustantivo al que se atribuye. El adjetivo /alto/ no tiene el mismo valor referido a un edificio, a un hombre o a un niño. Estas variaciones de valor están en relación con el léxico y escapan del estudio gramatical de la lengua. Este tipo de atribución se llama **puntual.** (b) Valorando el contenido semántico del adjetivo por comparación con otro sustantivo que tiene la misma cualidad —al que conviene el mismo adjetivo— en intensidad ya conocida o con otra cualidad del sustantivo cuya intensidad es ya conocida o se presume conocida: *Es más tonto que bueno; es más bueno que Pedro.* Este segundo tipo de atribución se llama **relativa.**

La atribución puntual opone los valores positivo y superlativo. El **superlativo** marca el más alto grado de intensidad que puede alcanzar la cualidad atribuida en un determinado sustantivo: *altísimo; muy alto.* El **positivo** expresa las posibilidades significativas que la lengua ofrece. Una gradación puede expresarse por medio de los adverbios *poco, bastante, demasiado: alto, poco alto, bastante alto, demasiado alto.*

La atribución relativa presenta gramaticalmente la **estructura comparativa simple o singularizada.** En la estructura singularizada se acude a la sustantivación: *Juan es más alto que Pedro; es tan alto como Pedro; menos alto que Pedro; el más alto de todos.*

Para el superlativo se heredan del latín unas formas léxicas ya desgastadas y desvinculadas de su positivo —*óptimo, pésimo, máximo, mínimo*—, además se usan los derivativos *-ísimo, -érrimo* o el adverbio *muy: paupérrimo; altísimo; muy alto.*

Para el comparativo, de la misma manera, se conservan las formas *mejor, peor, mayor, menor,* que se mantienen vivas en la lengua, y las formas *exterior, inferior, superior, posterior, interior, ulterior, prior,* que se han especializado con significados distintos a sus positivos perdiendo el valor comparativo en la conciencia del hablante actual.

Observación — La lengua recurre a otros procedimientos para expresar el superlativo: (a) A la anteposición de morfemas como *sobre-, super-, extra-, per-, archi-* o los morfemas *re-, rete-* y *requete-: supersensible, archifamoso, sobrexcitado, requetebonito, retonto.* (b) Repetición del adjetivo: *Es bueno, bueno.*

3.4. *EL PRONOMBRE* — Se estudian en este capítulo un conjunto de palabras que tienen las siguientes características: (a) Forman una serie de sistemas morfológicos cerrados; (b) la mayor parte de ellos reciben morfemas de género y número como los nombres; (c) en determinados usos pueden neutralizar la oposición de género en singular; (d) funcionan en el enunciado de manera semejante a los sustantivos, adjetivos sustantivados, adjetivos o adverbios, por lo que hay que agruparlos como una hiperclase; (e) semánticamente, su significado no es pleno hasta que no se les relaciona con el contexto lingüístico o extralingüístico en que son utilizados.

Para algunas de estas palabras, la gramática tradicional utilizó el término *"pronombre"* que definía como la palabra que sustituía al nombre. Las restantes palabras que no analizaba dentro de esta "parte de la oración", las incluía entre los llamados adjetivos pronominales o determinativos o entre los "adverbios pronominales". Algunos gramáticos subrayaron el carácter semántico (e) de significación ocasional de estas palabras y otros los han llamado *sustitutos*. Aquí mantendremos provisionalmente el término pronombre por el arraigo de la palabra, entendiendo que sus elementos cumplen las características arriba anotadas total o parcialmente y constituyen una hiperclase que no puede definirse por su función específica sino precisamente por su capacidad de cubrir varias funciones.

3.4.1. *Significado ocasional* — Sin duda el primer rasgo que llama la atención en este conjunto de palabras es su comportamiento semántico (e). Los nombres sustantivos o adjetivos, como el verbo o el adverbio (hombre, grande, canta, entonadamente), evocan un significado por sí mismos aun separados de todo contexto. Las palabras de que nos ocupamos aquí no adquieren su significado si no las pone el interlocutor en relación con el contexto lingüístico o extralingüístico en que aparecen. El segmento /cincuenta/, que nos da una idea de número concreto y determinado, puede significar 'premios', 'niños' o cualquier otro sustantivo en el enunciado /Salieron cincuenta por la tarde/. Este rasgo opone la hiperclase de los pronombres a las clases de los nombres sustantivos o adjetivos, de los verbos y de los adverbios cuyos elementos son sinsemánticos.

3.4.2. *Campos referenciales* — El discurso es el producto del que habla. Psicológicamente, cabe razonablemente suponer que el que habla, al producir el discurso, trasplanta la realidad dividida en objetos, mediante una labor mental de análisis común a todos los miembros de una comunidad o de una cultura, en signos. La dinámica del discurso no es única. El hablante se atiene a una organización de la realidad, esto es, presupone los objetos de la realidad aislados por análisis, situados (a) en relación a los que toman parte en la comunicación (uno que habla y otro que escucha) y (b) ocupando un campo de referencia, según se puede ver en la figura siguiente:

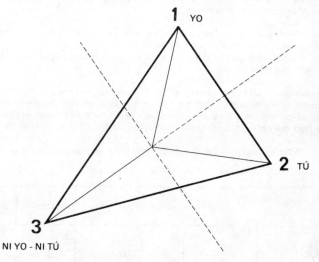

Estos tres campos de referencia serán: (1) el que habla y su campo; (2) el que escucha y el suyo. Por oposición a éstos, (3) el que ni habla ni escucha y su campo. La gramática tradicional hacía coincidir aproximadamente este concepto con el de **persona gramatical** que dividía en primera, segunda y tercera respectivamente.

En relación con todo esto, hay otro hecho igualmente importante que permite el gran dinamismo del discurso. El que el discurso sea lineal —sucesión de signos y sonidos— y el que la realidad esté organizada en tres campos impone la posibilidad de que el hablante construya la comunicación apoyándola en tres **ejes de expresión** distintos en los que ordenará los signos de la comunicación. Estos ejes coinciden con los tres campos de referencia y toman como soporte cada una de las tres personas del discurso —(1) *Yo traeré las aceitunas;* (2)

Tú traerás el queso; (3) *Los demás traerán el resto—.* El verbo, que según veremos, es el ordenador de la frase, marca la elección de campo mediante el morfema de persona. El interlocutor sitúa en su descodificación la realidad que le transmite el hablante en relación a tal organización.

Razones muy diversas permiten cambiar de eje una misma comunicación. Así, por razones de modestia, servidumbre, etc., una comunicación apoyada sobre el·eje 1 puede trasladarse al eje 3: *Yo no puedo hacerlo/Un servidor no puede hacerlo; En ocasiones me encuentro perdido/En ocasiones uno se encuentra perdido.* Por razones semejantes se puede pasar de 2 a 3: *No puedes hacer eso* ⟶ *Su Majestad no puede hacer eso; Usted no puede hacer eso.* Para involucrar en una vivencia propia del hablante se pasa de 1 a 2: *Con tantos gritos, no oigo nada* ⟶ *Con tantos gritos no oyes nada.* El que el discurso se organice de esta manera explica enunciados del tipo */Los carpinteros (3.ª) somos (1.ª) muy meticulosos en nuestro trabajo/.*

3.4.2.1: *Subclases de pronombres* — Esta organización del discurso en tres ejes, en coincidencia con los tres planos o campos de referencia, permite introducir **indicios** —signos indiciales— que orientan la descodificación hacia los objetos de la realidad que el hablante se propone transmitir. Una realidad que hay que transmitir puede ser ésta: *Alfredo entregó un obsequio a María en casa de la tía de María.* Otro que no es Alfredo puede comunicar: */Tú se lo entregaste en casa de su tía/.*

Un importante y representativo grupo de pronombres se puede caracterizar por ser indicios de la realidad organizada en los tres campos de referencia. Los pronombres indiciales aluden a unidades cuyo significado toman. Su aporte significativo, salvo en los demostrativos y posesivos, es nulo.

Frente a ellos, los restantes aportan un significado impreciso de tipo general que recubre al de una unidad significativa que aparece en el contexto. Se les suele llamar también **indefinidos.** Por el significado de tipo secundario que aportan, los podemos distinguir en: (a) **cuantitativos indefinidos,** como *todo, mucho, poco, tanto* y otros; (b) **numerales** en sus diversas formas **cardinales, ordinales,** etc., y (c) **cualitativos** puros como *tal, así,* o **identificativos,** como *mismo.* Entre los cuantitativos indefinidos forman serie bastante definida los **de existencialidad,** como *alguno, algo, alguien/ninguno, nada, nadie,* y los **de indiferencia,** como *cualquiera, quienquiera,* etc.

3.4.3. *Pronombres indiciales* — Los pronombres indiciales forman dos sistemas morfológicos bastante bien definidos que se distinguen por su valor **deíctico,** que corresponde a los tradicionalmente llamados personales, demostrativos y posesivos, o por su valor **referencial,** que corresponde a los llamados relativos —pronombres y adverbios—, interrogativos y exclamativos.

A: Los **deícticos** se distinguen por su función de señalar algo que está presente a nuestros ojos o que ha sido ya enunciado en el discurso —en este último caso se llaman también **anafóricos**— o que será enunciado más tarde —se llaman entonces **catafóricos**—: *Mira esa torre; Llegaron Pedro y Juan. Éste traía una calabaza; Eso fue lo malo: que no encontramos la casa.*

B: Los **referenciales** toman dos funciones esenciales: (a) los **relativos** son átonos e incorporan el significado de su antecedente dentro de una oración subordinada a otra. El **relativo** además de esta función general a los pronombres, marca el enlace de la oración y proposición de que forma parte: *Le entregó un libro. Había leído un libro = Le entregó el libro que había leído.* (b) Los **interrogativos,** que emplean las mismas formas de los relativos pero tónicas, aluden a un concepto desconocido, por lo que se emplean en las interrogaciones parciales: */Alberto ha llegado/; /¿Quién ha llegado?/.* En el segundo enunciado se pregunta por el sujeto mediante un **interrogativo.**

MENCIÓN	Personales				Posesivos	Demostrativos
DIRECTA	yo nos-otros tú vos-otros	me nos te os	mí ti	conmigo contigo	mi mío nuestro tu tuyo vuestro	este ese
INDIRECTA	él	se le lo la	sí	consigo	su suyo	aquel

3.4.3.1. *Mención directa y mención indirecta* — El acto de la palabra envuelve dos puntos de referencia fijos y tangibles que toman como centro al hablante y al interlocutor. Fuera de esta relación y alusiones directas se sitúan en el tercer campo todas las realidades objetivas ajenas sustancialmente al hablante e interlocutor y el discurso mismo que les da cuerpo. De esta manera el sistema de signos que actualiza estas indicaciones se distribuye en dos grupos: uno de **menciones directas**, que comprende todo cuanto hace referencia a los dos campos de primera y segunda personas, y otro de **mención indirecta**, que alude a las realidades ajenas al hablante y al oyente.

3.4.3.2. *Mención directa: formas sujeto* — Comprende las formas *yo, tú, nosotros, vosotros* y el pronombre de cortesía *usted*.

(a) Las formas *yo* y *tú* se destacan por su valor central en los campos referenciales de primera y segunda personas. Ambos se emplean únicamente como sujeto de oración en concordancia singular con el verbo *(yo corro; tú corres)*. Ninguno de ellos distingue género, lo cual quizá pueda justificarse por su presencia en el diálogo. Aparecen como término de preposición en reducido número de casos: con *entre* y *hasta* como sujeto *(Entre tú y yo lo hicimos; Hasta yo/tú lo sé/sabes)* y *según* en complementación modal: *Ha ocurrido eso, según yo creo.* Cualquier aclaración al sentido de estos pronombres va tras pausa como aposición o como complemento explicativo: *Te digo que yo, su padre, no lo comprendo.* Con el imperativo, el empleo enfático de estos pronombres sujeto en la segunda persona toma valor exclamativo: *Tú, Casimiro, ven.* Ambos pronombres sólo admiten como adjuntos a *solo, mismo* y *todo: Solo yo lo conozco; Tú mismo lo sabes: Todo/toda yo quedé mojado/a.*

(b) Las formas plurales *nosotros/nosotras, vosotros/vosotras* con distinción de género, se emplean como sujeto y además como término de preposición: *Nosotros lo vimos; Llegaron hasta nosotros; Era para nosotros; Ante nosotros ocurrió eso; Vino con nosotros,* etc.

Admiten igualmente *solo, todo, mismo: Nosotros solos, nosotros mismos, todos nosotros; Vosotros solos, vosotros mismos, todos vosotros.*

Razones diversas explican el uso del plural para significar singular **(plural ficticio)**. Ocurre esto por el deseo de difuminar la personalidad del hablante (1.ª persona) en el anonimato de la colectividad. Constituye el llamado **plural de modestia:** *A continuación expondremos* (nosotros) *el objeto de la reunión.* Afín a éste, **el plural mayestático** es empleado por altas autoridades civiles o religiosas como emperadores, reyes, papas. En este caso la moderna forma *nosotros* toma la forma primitiva *nos: Nos, el Rey, mandamos.*

Correspondiendo a las formas *tú/vosotros-as,* se ha desarrollado el llamado pronombre de cortesía *usted, -es* que objetiva, según se ha dicho, el enunciado sobre el tercer eje de expresión. Mientras el pronombre alude a segunda persona, emplea la concordancia de tercera persona. Debe ponerse su uso en relación con otras concordancias objetivadoras en las que el hablante se dirige a personas de alto rango y rehúye nombrarlas directamente, por lo que acude a los nombres de tratamiento correspondientes: Majestad, Excelencia, Ilustrísima, Alteza, Eminencia, Paternidad, etc.

Desde el siglo XV se usó en España como fórmula de respeto la palabra *merced* en competencia con *señoría* para el diálogo con personas de rango superior. Las fórmulas *vuestra merced* y *vuesa merced* pasaron sucesivamente por diversas reducciones hasta llegar a las fórmulas *uced* y *usted*.

Otro plural ficticio lo constituye el de segunda persona en su forma primitiva, *vos,* empleado cuando el interlocutor tiene un tratamiento: *Vos comprenderéis...* Es uso arcaico, empleado actualmente con intención irónica y estilística. En el castellano antiguo y clásico el *vos* y el *tú* se repartían zonas variables en la relación e intimidad de los interlocutores. En el castellano actual esta oposición la mantienen *tú* y *usted*.

Una interesante manifestación actual del *vos* la constituye el ejemplo del castellano de algunas repúblicas americanas. Salvo una tercera parte de la geografía americana que coincide con los antiguos virreinatos del Perú y Nueva España (México) y que sigue la evolución general del castellano peninsular, el resto utiliza el *vos* equiparado al *tú,* que en algunas regiones viene a ser forma intermedia.

Su uso domina de manera absoluta en las zonas rústicas y del interior; sin embargo, en la Argentina se usa en todas las clases sociales, aunque la política oficial de las escuelas trate de imponer el uso de *tú*. El **voseo** se extiende por la Argentina, Uruguay, Paraguay, Chile —con notables retrocesos—, Bolivia, zonas de Perú, Ecuador, Colombia, Venezuela e interior de Panamá, las cinco repúblicas centroamericanas, el límite de México con Guatemala y la parte oriental de Cuba.

3.4.3.3. *Mención directa: formas complementarias* — Las formas complementarias constituyen dos series muy coherentes, especialmente en singular. Hay (a) unas **formas átonas** que constituyen grupo acentual con el verbo al que acompañan para los valores de CD y CI, con sincretismo que hay que explicar por su carácter de personas presentes en el diálogo y sin distinción de género. Estas formas átonas se situan delante del verbo **(uso proclítico)** como palabra independiente o detrás del verbo **(uso enclítico)** como afijo del verbo con el que forma palabra escrita. (b) Además, las **formas tónicas** cubren todas las formas de complemento: *para ti, por ti, en ti, hasta ti, a ti, ante ti, entre mí, hacia mí, sin mí,* etc. Para el plural, como ya se ha indicado, se emplean las mismas formas sujeto: *con nosotros, por nosotros, hacia vosotros, hasta vosotros,* etc.

(a) *Formas átonas* — Al desempeñar las funciones completivas de CD o CI hay que señalar dos posibilidades significativas: aluden al mismo significado del sujeto *(Yo me lavo),* lo cual se distingue por la coincidencia de persona del verbo, el sujeto y el pronombre afijo; aluden a un significado distinto al del sujeto *(Yo te lavo),* con la consiguiente distinción de persona de verbo y pronombres. En el primer caso se les llama **reflexivos.** Este valor está conseguido por la combinatoria en la expresión.

De las formas átonas plurales, la forma *nos* sufre la influencia de la *m-* del singular y en dialectos toma la forma *mos* ya desde antiguo. La segunda persona, fue *vos* en el castellano medieval; pero ya desde la época del Emperador se generaliza la forma actual *os.*

(b) *Formas tónicas* — Aceptan preposiciones, según se ha dicho. Las excepciones las constituyen la preposición *bajo* que toma valor adverbial ante *mí* y *ti (bajo de mí; bajo de ti),* la preposición *según* que rige las formas sujeto *(según yo, según tú),* y la preposición *con* que da lugar a las amalgamas *conmigo* y *contigo.*

3.4.3.4. *Mención indirecta: formas sujeto* — Recoge formas con morfemas de género y número, emparentadas con el artículo: *él, ella, ello/ellos, ellas.* Estas formas funcionan como sujeto y como complemento del verbo con preposición: *ante él, con él, de él, en él, entre él, hacia él, hasta él, para él, por él, según él, sin él, sobre él, tras él.* Pueden ir acompañados de *mismo, solo* y *todo: él mismo, él solo, todo él.* Con *entre* y *hasta* pueden tener valor de sujeto: *Entre él y yo lo hicimos; Hasta él lo sabe.* Este uso en oposición a *entre sí* y *hasta él* como complemento verbal *(Fue hasta él).*

La forma neutra *ello* tiene el valor inconceptual del neutro y alude a toda una oración o una enumeración: *Había perdido hasta el último céntimo, y por ello estaba de muy mal talante.*

3.4.3.5. *Mención indirecta: formas complementarias* — Las formas complementarias tienen una distribución semejante a la de las de mención directa con oposición (a) de género, (b) de función sintáctica, y (c) de coincidencia y distinción con el significado del sujeto.

Las formas átonas forman unidad acentual con el verbo al que acompañan antepuestas como morfemas independientes **(uso proclítico)** o pospuestas unidas gráficamente al verbo **(uso enclítico).** Las formas de significado distinto al del sujeto distinguen la función de CD de la de CI. El sistema actual emplea la forma *lo* neutra para aludir a toda una oración: *¿Sabes si ha venido Antonio? —No lo sé.* La forma *la* alude a un complemento directo femenino de cosa o de persona indistintamente: *La cesta, no la tengo; A María no la vi.* La forma *lo* masculina alude a un nombre masculino de cosa: *El lápiz no lo tengo.* La forma *le* alude a un nombre masculino de persona en concurrencia con *lo: A Alberto, le/lo vi áyer.* En la función de CI, hay sincretismo. La forma *le* alude a cualquier nombre de cosa o persona en dicha función cualquiera que sea su género: ***A María le** entregué tu carta; **A Juan le** entregué tu carta.* Las formas tónicas están constituidas por las formas sujeto con preposición.

Una variante combinatoria de le se produce con la forma *se* cuando el pronombre átono de CI se combina con otro átono de CD: (1) *Entregué un libro a Alberto,* (2) ***Le*** (CI) *entregué un libro,* (3) ***Lo*** (CD) *entregué a Alberto,* (4) ***Se*** (CI) *lo* (CD) *entregué.*

	CD	CI
Fem.	la	
	lo	le
Masc.	le	
	se	se

Este sistema, que constituye el uso regular en todo el ámbito hispanoparlante, se organiza de diversas maneras en regiones muy limitadas. Estos subsistemas *(disistemas)* no tienen prestigio suficiente para cambiar el uso aceptado. De estas variaciones es la más importante el **laísmo** que consiste en distinguir el género femenino en la función de CI: *A María la entregaron un regalo. El fenómeno queda reducido a una exigua parte de Castilla y algunas pequeñas regiones de América.

Tienen menor importancia el **leísmo** y el **loísmo.** El uso de *le* como complemento directo de persona —uso ya de por sí leísta— se ha generalizado y aceptado en la lengua. Sigue manteniéndose fuera de lo aceptable, como vulgarismo, el uso de *le* como complemento directo para aludir a un nombre masculino de cosa: *El lápiz,* *le dejé sobre la mesa.* Menor dispersión y el mismo carácter vulgar tiene el loísmo, uso del pronombre *lo* como complemento indirecto para aludir a nombres masculinos de persona: *Lo escribí una carta.*

Las formas de significado coincidente con el sujeto, llamadas reflexivas, tienen como las de mención indirecta una forma única (sincrética) átona *se,* una forma tónica *sí,* y la amalgamada *consigo.* La forma átona se sitúa en contacto con el verbo en uso proclítico o enclítico. Puede llegar a perder su valor pronominal para convertirse en puro signo de impersonalidad (V. 4.2.4.). La forma tónica *sí* admite su asociación con todas las preposiciones, salvo con *bajo (bajo de sí), según,* que rige la forma sujeto, y con la preposición *con,* que se amalgama en *consigo.* En general, hay una marcada tendencia a sustituirlo por las formas tónicas no coincidentes. Esta pérdida de fuerza significativa explica, paradójicamente, que cuando forma unidad significativa con el verbo "volver en" que debe dar las formas *vuelvo en mí, vuelves en tí,* y *vuelve en sí,* se diga *vuelvo en sí, vuelves en sí.*

3.4.3.6. *Uso de los pronombres átonos* — Según se ha dicho, el pronombre personal átono puede situarse delante del verbo al que complementa (proclítico) o detrás (enclítico) formando unidad acentual con él en ambos casos. Su situación como enclítico o proclítico se atiene a las siguientes reglas:

(a) Los modos Indicativo y Potencial llevan de ordinario, en castellano moderno, los pronombres proclíticos. Su uso enclítico da cierta afectación al enunciado: *Se lo dijo/Díjoselo.*

(b) El modo Subjuntivo los usa siempre como proclíticos, salvo cuando toma valor de mandato: (1) *Temo que lo traiga;* (2) *Tráigaselo.*

(c) El modo Imperativo los usa siempre enclíticos: *Traedlo.*

(d) Las formas no personales los usan igualmente como enclíticos: (1) *Sabía hacerlo;* (2) *Le hizo venir asustándolo.*

Un mismo verbo puede regir hasta tres complementos pronominales formando combinaciones **binarias** —cuando son dos— y **ternarias** —cuando son tres—. La situación de estos pronombres cumple la siguiente regla general: La segunda persona va siempre delante de la primera y cualquiera de las dos —primera o segunda— delante de la tercera. La forma *se* precede a todas.

Se censuran así, como incorrectas, las combinaciones vulgares *me se* por *se me, te se* por *se te: Se me ha perdido,* en vez de la incorrecta *Me se ha perdido.*

3.4.3.7. *Los posesivos* — Están estrechamente vinculados formalmente con los personales, por lo que algún gramático los llama **personales adjetivos.** Expresan la idea de posesión o pertenencia del sustantivo aludido por cada una de las tres personas y actúan como adjetivos *(mi casa; tu casa; nuestra casa)* o sustantivados por medio del artículo *(la mia; la tuya; la nuestra).* Las formas cuya base se relaciona con los personales complementarios *me, te* y *se* aluden a un solo poseedor. El singular o plural marca el número de la cosa poseída. Las formas de 1.ª y 2.ª personas que se relacionan con la base de *nosotros, vosotros,* aluden a varios poseedores y el número marca el de la cosa poseída *(nuestra casa; nuestras casas).*

Formalmente se pueden distinguir **formas monosílabas** que se emplean antepuestas al sustantivo en función únicamente adjetiva. Son formas que resultan del apócope de las plenas: *(mi/mío; tu/tuyo; su/suyo; mis, tus, sus* por el morfema plural *-s).* Las restantes formas son **bisílabas** y pueden sustantivarse *(el mio; el nuestro).* En cuanto al acento, las formas monosílabas actualmente átonas no lo eran en castellano antiguo ni lo son actualmente en varias regiones como Asturias, Santander y en general en León y Castilla la Vieja. Las formas bisílabas son todas ellas tónicas, salvo *nuestro* y *vuestro* cuando se emplean antepuestas al sustantivo: *nuestro amigo/amigo nuestro.*

En su función adjetiva, el posesivo antepuesto no admite artículo salvo en clisés como en el padrenuestro "el tu nombre", "el tu reino", o por afectación: *En este trance de tan devoto acatamiento, reconoce en un familiar a un su antiguo camarada.* De la misma manera no admite ningún otro tipo de determinativo, salvo *todo: toda mi hacienda; todo nuestro caudal.* En cambio, admite la situación de un adjetivo entre el posesivo y el nombre: *mi querido amigo.*

Uso particular de los posesivos es asociarse a fórmulas de tratamiento (*Su Ilustrísima; Su Majestad*, etc.) o a los nombres de jerarquía castrense *(mi general)*, aunque no medie subordinación. En correspondencia con los usos de plural ficticio de los pronombres personales, también el posesivo *vuestro* sustituye como forma de cortesía al singular de segunda persona *tú: Vuestra Paternidad lo ha dicho.*

La sustantivación se realiza con las formas bisílabas. El artículo concordante es anafórico siempre y alude claramente al sustantivo al que el posesivo determina. El posesivo pospuesto exige, de ordinario, el artículo u otro determinativo delante del nombre: *el amigo mío.* Hay, sin embargo, casos en que el artículo no es necesario: *por causa tuya, por obra suya.*

El posesivo pospuesto alterna con los pronombres personales con *de* al determinar los sustantivos adverbiales con preposición: *en torno mío; en contra suya.* Esta construcción se propaga a los adverbios prepositivos algunos de los cuales son de origen nominal. Aunque los gramáticos lo censuran duramente, tal uso se generaliza en varias regiones de la Península y de América: *alrededor mío; cerca mío; encima mío; delante mío*, etc., por *alrededor de mí, cerca de mí, encima de mí*, etc.

La ambigüedad del posesivo de tercera persona *(su-sus)* antepuesto justifica que se duplique la determinación posesiva con un complemento nominal con *de: su hermano de usted.*

3.4.3.8. *Los demostrativos* — El sistema de los demostrativos castellanos está constituido por una doble serie de formas: (A) la serie *este-ese-aquel* que (a) admite morfemas de género y número, (b) funciona como sustantivo y adjetivo, y (c) sitúa al objeto que alude o al que acompaña en los tres campos de referencia; (B) la serie *aquí-(acá)-ahí-allí-allá* que tiene carácter adverbial para aludir a la situación misma.

(A) En el género oponen los morfemas *-e/-a* en las dos primeras personas y *∅/-a* con palatalización de la consonante final en la tercera. El número opone *-os/-as.* A masculino y femenino singular se opone la forma neutra con *-o.* Se agrupa con otros determinativos. Como el posesivo, se traslada detrás del sustantivo cuando éste lleva artículo *(el hombre este).* Se le posponen *mismo, solo* y *otro (este mismo; ese solo; aquel otro)* y se le antepone *todo (todos estos libros; todos éstos).* Es arcaica la agrupación con el posesivo *(esta mi desesperación).*

Los demostrativos tienen cierto parentesco significativo con el artículo. Mientras éste se emplea con el nombre cuando no necesita mayor precisión que la que él mismo aporta, el demostrativo viene a actualizar el sustantivo situándolo exactamente en relación con las personas gramaticales. La mostración situacional que realiza el demostrativo es gradativa cubriendo sucesivamente los tres campos: (a) Del hablante: *este-esta-esto;* (b) del que escucha: *ese-esa-eso;* (c) de lo que no concierne ni al hablante ni al que escucha: *aquel-aquella-aquello.* Esta ordenación básica de la lengua puede hacerla variar el hablante reduciendo los campos a dos: (a) lo que concierne al hablante y oyente: *este-esta-esto;* (b) lo que no concierne ni al hablante ni al oyente: *aquel-aquella-aquello.* Las dos formas en (b) marcan grados de alejamiento distintos y crecientes. La forma *ese* designará directamente a lo ajeno a los dos hablantes y la forma *aquel* llegará a designar a lo alejado más allá del momento actual de la palabra, tal como se puede ver en los interlocutores de este diálogo: "—Mire usted: *aquella* señora lleva un palmo de tacón en medio del pie. —¡Qué barbaridad! —De *esa* manera tiene que ir con el cuerpo inclinado hacia adelante y con *esa* alteración del centro de gravedad parece que las vísceras de *estas* damas se estropean." (Baroja.)

Cuando el campo referencial lo constituye el mismo texto lingüístico, un área próxima e inmediata está cubierta por *este* y *ese* mientras un campo mediato y distante se cubre con *aquel.* En la lengua hablada, por su parte, la heteroanáfora —referencia al discurso del interlocutor— se resuelve por los demostrativos del tipo *ese: Estoy perfectamente enterado de eso.*

B) La serie adverbial emplea para el campo referencial de primera persona *aquí* o *acá*, forma esta última especialmente usada en algunas regiones de América. En la Península queda reducido su empleo prácticamente a frases hechas *(ven acá).* El campo del oyente está cubierto por *ahí.* El tercer campo lo cubren *allí* y *allá*, que representan una gradación de la lejanía. La forma *allá* puede tener fuerza evocadora, para remitir en el tiempo y el espacio, más allá del momento del acto verbal.

Tienen valor demostrativo también *otro-otra-otros-otras* que funcionan como adjetivos y se sustantivan mediante el artículo. Se usan en serie gradativa con *uno-una-unos-unas: **Unos** hacían eso y **otros** se quedaban tan tranquilos.* Tienen carácter indefinido y su valor es siempre relativo por oposición a otra deixis, tanto en función adjetiva como sustantivada.

3.4.3.9. *Los pronombres relativos* — Una serie de palabras —/que/, /cual/-/cuales/,/quien/-/quienes/, /cuyo/ -/cuya/-/cuyos/-/cuyas/, /cuanto/-/cuanta/-/cuantos/-/cuantas/, /cuando/, /como/, /donde/— cumplen en la cadena funcional indicial aludiendo a un segmento anterior o posterior a él, que se llama **antecedente** o (y puede ocurrir al mismo tiempo) actúan como transpositores de una oración como elemento oracional y como marcativos de dicha transposición.

A la función **referente** que se acaba de señalar hay que añadir la posibilidad de una función **eferente** que se basa en el hecho de que estos pronombres comportan una noción genérica. Hay eferencia, frente a la referencia, cuando no se puede concretar un antecedente lexicalizado. Mientras en /*El lápiz que usas es excelente*/, /*que*/ reproduce el segmento /*el lápiz*/ en la proposición /*usas el lápiz*/, en el enunciado /*Ha ocurrido un accidente donde trabajaba*/, el segmento /*donde*/ no comporta más que la noción de 'lugar' que constituye el significado básico de tal pronombre.

El concepto de eferencia permite incluir en la misma clase la función de algunas de estas palabras, interpretadas por algunas gramáticas tradicionales como conjunciones, y reagrupar las realizaciones interrogativas y exclamativas de estas palabras separadas tradicionalmente de los relativos con los que formalmente están tan estrechamente ligadas. Los interrogativos serán pronombres relativos con marcas de entonación interrogativa o exclamativa que desempeñan una función eferente de mención.

ENTONACIÓN	DEIXIS
Interrogativos	Eferentes
Enunciativos	
	Referentes

Los relativos *que* y *cual* son los únicos que se asocian al artículo con el que forman relativos compuestos. Ante *que* el artículo puede tener (a) una mera función de soporte de género y número y la anáfora se realiza conjuntamente por el artículo y el relativo como ocurre con la asociación /*el cual*/, y (b) una función anafórica sustantivadora *(El que trabaja)*. Es él mismo antecedente del relativo y actúa como término primario. El antecedente al que remite puede ser inconceptual cuando recurre a la forma neutra del artículo *(lo que)* con grandes posibilidades de matización según veremos en 4.8.1.1.2.

El relativo *cual* que no admite morfema de género tiene la formación vulgar *cuala*, fuertemente censurada por los gramáticos. *Cuanto* y *cuyo* son los únicos relativos que seleccionan morfemas de género y número. El primero aporta la noción de cantidad. En su forma exclamativa toma valor cuantitativo indefinido: ¡*Cuántos han venido!*

El relativo *quien* se asocia con morfemas de número *(quien-es)* y remite a un antecedente personal. En la lengua clásica y hasta el siglo XIX su antecedente podía ser de cosa. Conoce únicamente el uso sustantivo y se puede sustantivar: "Yo soy muy quien para exigir lo que me corresponde"; "Abrazábase con el espolique a ver quién derribaba a quién".

Los relativos *donde*, *cuando* y *como* no admiten morfemas flexivos. *Como* pierde su valor relativo y funciona como mero adverbio o adjetivo con el sentido de *medio, casi*. En función sustantiva tiene valor de verdadero prefijo que influye esencialmente en el significado del sustantivo: *Como por ensalmo se desencadena la tormenta; Detúvose en la puerta como irresoluto; Una tristeza lejana y como hereditaria*. Toma carácter prepositivo en serie con *por* y *de* para introducir elementos predicativos con el significado de 'en condición de': *Ahora navega como segundo en la "Joven Pepita"*.

Los relativos *que* y *como* pueden llegar a gramaticalizarse y convertirse en marcativos oracionales cuando pierden todas sus otras funciones referenciales y semánticas. Algunos gramáticos los llaman conjunciones: *Como no tengo ganas, no iré; No iré, que no tengo ganas.*

3.4.4. *Los cuantitativos* — Otro grupo de pronombres importante por la riqueza de matices significativos que aporta y por su alto índice de frecuencia, lo constituye una serie de palabras, algunas de las cuales se organizan en sistema estructural, que (a) sólo adquieren significado concreto cuando se relacionan con el contexto y (b) pueden funcionar como sustantivos, adjetivos o adverbios la mayor parte de ellos. La noción de cantidad puede ser concreta y determinada en (A) los numerales o indeterminada e imprecisa en (B) los indefinidos.

3.4.4.1. *A: los numerales* — Se llaman ya desde la gramática tradicional numerales las palabras que designan número determinado de una entidad que presenta o suple el contexto: *Vi a doce; Llegó el primero; Tenía media mano pintada; Encontró el doble; Cada semana trabajaba más.*

(a) Los **cardinales** nombran los números enteros o cuantifican un objeto seriable por medio de la serie natural de los números. Constan de una palabra *(trece)* o de dos o más *(ciento cuarenta y ocho)* yuxtapuestas o enlazadas por la conjunción y: *El siete; siete casas; las siete; las siete de la noche.*

Salvo en el conocido título "Las mil y una noches", la conjunción /y/ se intercala únicamente entre las decenas y las unidades: *Cuarenta y ocho,* pero *ciento uno.*

Hay vacilación en la formación en una sola palabra de los numerales compuestos de 16 a 19. De 21 a 29 forman una sola palabra y en adelante se escriben en dos palabras: *Veintinueve; treinta y uno.*

En función adjetiva se apocopan los numerales *uno* y *ciento* en *un* y *cien.* Los gramáticos censuran usos como *cien por cien.*

Como sustantivos —nombres de guarismos, naipes, etc.— admiten plural según las reglas generales de los sustantivos: *Los treses de la baraja. Los ochos de esta cantidad.*

Como adjetivos, salvo *uno,* todos ellos exigen concordancia plural. Pueden sustantivarse por medio del artículo: *Siete pañuelos; Compro los siete.*

(b) Los **ordinales** designan el orden sucesivo de los números. Son adjetivos pero admiten la sustantivación y aun la adverbialización con *lo: El primer día; el primero; lo primero.*

Observaciones — 1. Sólo se emplean generalmente hasta el doce. Los demás son nombres cultos tomados del latín que la lengua hablada siente como pedantescos y trata de eludir sustituyéndolos por los cardinales. Se censura como incorrecta la sustitución por los partitivos en *-avo* impuesto por *octavo (doceavo día).* Igualmente se censura el empleo del cardinal para las series de nombres de reyes, papas, siglos, capítulos, leyes para orden inferior a décimo.

2. Sufren apócope *primero* y *tercero* con pérdida de *-o* ante masculinos singulares. Con los femeninos hay vacilación: *El primer día; la primer(a) vez.*

(c) Los **multiplicativos** o **proporcionales** expresan multiplicación. Sólo se usan *doble* y *triple* como adjetivos y *duplo* y *triplo* como sustantivos. A partir de *tres,* los proporcionales cultos sólo se usan en lenguaje técnico. En el castellano coloquial se sustituyen por los cardinales seguidos del sustantivo *veces: Cuarenta veces mayor.*

(d) Los **fraccionarios** o **partitivos** indican las partes en que se divide la unidad. La lengua coloquial no emplea más que *medio, mitad* y *tercio,* y los numerales seguidos de *parte de* hasta diez.

Observaciones — 1. Los partitivos cultos en *-avo* se emplean exclusivamente en lenguaje técnico: *La doceava parte.*

2. Algunos partitivos se especializan léxicamente en un determinado uso sustantivo: *décimas* (de grado), *décimos* (de billete de Lotería), *cuartos, ochavos, centavos,* etc.

3. *Mitad* y *medio* toman carácter adverbial modificando atributos (nombres, adjetivos o participios): *La sirena es una especie de ninfa, mitad mujer y mitad pez.*

(e) Los **distributivos** presuponen una división en partes o conjunto de unidades para aludir a una parte o un grupo determinado de ellas: *cada libro; ambos amigos.* Los distributivos son *cada, ambos* y *sendos.*

Observaciones — 1. *Cada* puede emplearse con los cardinales: *cada dos, cada tres,* etc. *Sendos* es adjetivo en trance de extinción. La pérdida de sentido justifica usos incorrectos en los que viene a tomar el significado de fuerte: *Le dio sendas bofetadas.* En su sentido distributivo significa uno a cada uno: *Repartió sendos puros a sus amigos.*

2. *Ambos-as, ambos-as a dos, entrambos-as* significan acción acordada entre dos. En cuanto se alude a cada uno de los individuos componentes del conjunto, deja de emplearse el distributivo y se emplea el cardinal *dos: Ambos lo sabían / Los dos lo sabían.*

(f) Los **colectivos** indican conjunto por su cantidad determinada: *decena, docena, quincena, semestre, lustro.* Tienen valor sustantivo. Algunos cardinales son empleados en sentido colectivo: *Un ciento, un millón.*

3.4.4.2. *B: los indefinidos* — La expresión de la cantidad de manera imprecisa se consigue por medio de una serie de palabras cuyo valor nocional gradúa la cantidad: /*más*/, /*demás*/, /*demasiado*/, /*menos*/, /*poco*/, /*mucho*/-/*muy*/, /*bastante*/, /*harto*/, o intensifica y correlaciona: /*tanto*/-/*tan*/. Los primeros pueden llamarse **gradativos** y los segundos **intensivos** o **correlativos.**

(a) *Más* y *menos* funcionan como adjetivos *(más pan/menos pan),* como adjetivos sustantivados *(los más/ los menos)* o como adverbios *(trabaja más/trabaja menos).* Su función se reconoce por el término cuya intensidad gradúan o por su asociación con el artículo. Se relacionan con *más,* /*demás*/ y /*demasiado*/. El primero admite la sustantivación con artículo *(los demás/lo demás/* y el segundo, que selecciona morfemas de género y número *(demasiado/demasiada/demasiados/demasiadas)*, funciona como adjetivo *(demasiados libros)*, o como adverbio *(demasiado bueno; trabaja demasiado)*.

(b) *Poco* y *mucho* cuantifican proporcionalmente una determinada realidad. Seleccionan morfemas de género y número: *poco-poca-pocos-pocas; mucho-mucha-muchos-muchas*. En su función adverbial, neutralizan las oposiciones desinenciales en masculino singular. *Mucho* delante de adjetivos o adverbios toma la forma */muy/*. Funcionan como adjetivos *(poco pan/mucho pan)*, como sustantivos *(vinieron pocos/vinieron muchos)* o como adverbios *(trabaja mucho/trabaja poco; vive muy bien)*.

Poco se asocia con el indefinido *un* y como sustantivo se relaciona con un complemento partitivo con *de: Un poco de pan*. En este esquema concurren sustantivos como *cantidad, parte, mayoría: una cantidad de soldados; una parte del ejército*, etc.

(c) *Harto*, que selecciona morfemas de género y número —/harto/harta/hartos/hartas/—, es de escaso uso y exclusivamente literario. En su lugar se emplea exclusivamente bastante, que selecciona morfema de número que neutraliza en singular en su función adverbial; funciona como adjetivo *(bastante suerte; bastantes personas)*, como sustantivo *(bastantes lo sabían)* y como adverbio *(estudia bastante; está bastante loco; vive bastante bien)*.

(d) *Tanto* selecciona morfemas de género y número: *tanto-tanta-tantos-tantas*. Como adverbio neutraliza la oposición desinencial en masculino singular *(¡trabaja tanto!)* y delante de adjetivos y adverbios toma la forma *tan: tan alto; tan cuidadosamente*. Funciona como adjetivo *(tantos hombres)*, como sustantivo *(¡recibió tantos!)* y como adverbio. Tiene esencialmente valor intensivo que se da exclusivamente en las fórmulas exclamativas: *es tan bueno; ¡trabaja tanto!* La intensificación puede aparecer valorada y, entonces, toma valor correlativo con las marcas *como* y *que: trabaja tanto como te habían dicho; trabaja tanto que se morirá pronto*.

3.4.5. *Cualitativos* — Los pronombres *tal* y *mismo* aportan la noción de cualificación del término con el que se relacionan, el primero de manera exclusiva —cualidad pura— y el segundo con mayor complejidad por su identificación con un valor conocido: *hace tales ademanes; hace los mismos ademanes*.

(a) *Tal* selecciona morfema de número *(tales)*. Funciona como adjetivo *(tales gritos)*, sustantivado por medio del artículo *(Llegaron los tales)*, o como adverbio *(Trabaja tal como te han dicho)*. Salvo en su uso sustantivado, la nociación de cualidad es valorada por correlación: *Era tal que nadie le tomaba en serio*.

(b) *Mismo* selecciona morfemas de género y número: *mismo-misma-mismos-mismas*. Funciona como adjetivo *(los mismos gestos)*, sustantivado por medio del artículo *(Vi al mismo)*. La sustantivación con *lo* puede tomar valor semejante al del adverbio: *Trabaja lo mismo que su hermano*.

3.4.6. *Los de existencialidad* — Un último grupo, no demasiado coherente en su totalidad, se puede formar con los restantes pronombres de significación indefinida y de gran fuerza y riqueza de matices. El nombre de pronombres de **existencialidad** se ha dado al primer grupo de los que vamos a estudiar, pero de alguna manera puede aplicarse también a los restantes.

(a) Una doble serie muy coherente la constituyen (1) *alguno-algo-alguien* y (2) *ninguno-nada-nadie*. El primero de cada serie puede seleccionar morfemas de género y número: *alguno-alguna-algunos-algunas/ ninguno-ninguna-ningunos-ningunas*. Funcionan como adjetivos *(algunos libros)* o como sustantivos *(Vinieron algunos)*. Como adjetivos se apocopan en *algún* y *ningún*. Mientras *alguno* mantiene cierto sentido cuantitativo, *ninguno* es puramente de existencialidad, opuesto semánticamente al anterior.

La pareja *algo-nada* no selecciona morfemas de género y número y funciona como sustantivo de cosa en oposición a la pareja *alguien-nadie* que, igualmente invariables, funcionan como sustantivos de persona: *Vi a alguien; No vi a nadie/Vi algo; No vi nada*. Además de su función sustantiva conocen la función adverbial con verbos *(Trabaja algo; No trabaja nada)*, con adjetivos *(algo bueno; nada bueno)* o con adverbios *(algo bien; nada bien)*.

(b) Son compuestos que expresan indiferencia *cualquiera, quienquiera* y *dondequiera*, que mantienen la función eferente de los relativos. Los dos primeros para marcar la concordancia plural flexionan el relativo: *cualesquiera, quienesquiera. Cualquiera* se apocopa en *cualquier* delante de un sustantivo: *cualquier muchacha/ muchacho*. Funciona como adjetivo que, cuando va pospuesto, toma un marcado sentido despectivo *(Cualquier muchacho; un muchacho cualquiera)*, y como sustantivo *(Cualquiera lo puede saber)*. Sustantivado con *un* se vuelve a subrayar el sentido despectivo *(Un cualquiera). Quienquiera* sólo funciona como sustantivo y *dondequiera* como adverbio: *Quienquiera que lo haya encontrado; Había gente por dondequiera*.

(c) El pronombre *uno* está unido al numeral. En su realización singular mantiene para gran parte de sus usos el sentido numeral como núcleo de su significación. Las formas plurales *unos-unas* subrayan el valor de indiferenciación del objeto segregado de un conjunto con que aparece en *alguno* y *ninguno*. Funciona como adjetivo *(unos días; unas noches; un libro; una casa)*, incluido tradicionalmente como artículo indeterminado y como sustantivo *(Unos se acercaron; Uno no sabe qué hacer)*.

(d) *Todo* selecciona morfemas de número y género: *todo-toda-todos-todas*. Funciona como adjetivo *(Todos los días)* y como sustantivo *(Todos lo sabían)*. Es el único que admite el artículo pospuesto *(Todas las calles)*.

3.5. *EL VERBO* — La gramática tradicional ha definido el verbo como la parte de la oración que expresa acción, pasión o estado, con indicación de tiempo. Esta definición tiene el inconveniente de no fijar límite entre los nombres abstractos de movimiento, que expresan igualmente acción, y el verbo, y, por otra parte, no acotar debidamente el hecho de que el infinitivo (cantar) no expresa tiempo.

Aquí consideraremos verbo la clase de palabras cuyos elementos (a) admiten su asociación con los pronombres personales afijos: *tener-lo, teniéndo-lo, lo cantó, cantad-lo, lo cantara*; y (b) están constituidos por lexemas que seleccionan: 1) algunas veces **morfemas concordantes** con los que marcan la identidad de persona y número del sustantivo al que se refiere el verbo *(Yo cant-o; Tú cant-as; Él cant-a)* y, 2) siempre **morfemas básicos** que dan información del tiempo gramatical, modo y aspecto.

3.5.1. *Formas del verbo* — Es notablemente característico en castellano el hecho de que cada elemento de la clase verbo alcance gran diversidad de formas como resultado de la agrupación de los morfemas léxicos con tal variedad de morfemas básicos o básicos y concordantes. Como es sabido el conjunto de formas de un verbo constituye su **conjugación**. Como punto de referencia ordenamos a continuación una serie de formas de tres verbos tipo:

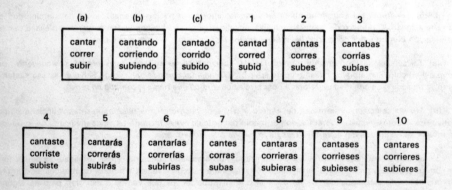

(a)	(b)	(c)	1	2	3
cantar	cantando	cantado	cantad	cantas	cantabas
correr	corriendo	corrido	corred	corres	corrías
subir	subiendo	subido	subid	subes	subías

4	5	6	7	8	9	10
cantaste	cantarás	cantarías	cantes	cantaras	cantases	cantares
corriste	correrás	correrías	corras	corrieras	corrieses	corrieres
subiste	subirás	subirías	subas	subieras	subieses	subieres

3.5.1.1. *Formas personales/Formas no personales* — Parece evidente que un grupo numeroso de las formas en que se nos puede presentar un verbo nos informa por medio de sus últimos sonidos de la persona y el número del sujeto, cuando lo tiene, mientras un pequeño número de sus formas nos da dicha información. Las formas del verbo *cantar, canta-mos, cantá-is, canta-n* nos indican con los mortemas /-mos/, /-is/ y /-n/ que dicho verbo se dice de un nombre plural y primera persona, plural y segunda persona y plural y tercera persona, respectivamente. En cambio, las formas (a) y (b) pueden decirse indistintamente de cualquiera de las personas en singular o plural: /Al cantar nosotros (vosotros, yo, tú, etc.), *comenzó a llover*/.

Esta segmentación del morfema concordante nos permite una primera dicotomía entre **formas personales**, que tienen morfema concordante, y **formas no personales** del verbo, que no tienen morfema concordante. Se entenderá por *morfema concordante* el que identifique por la persona y número el sustantivo del que se dice el contenido del lexema de la forma verbal.

3.5.1.2. *Los morfemas concordantes* — Los morfemas concordantes constituyen dos sistemas perfectamente aislables: (a) uno que afecta a la mayor parte de las formas (2-10) y distingue: Singular: (1) $\emptyset$; (2) $\left\{\text{-s, }\emptyset\right\}$ (3) $\emptyset$; Plural: (1) -mos; (2) -is; (3) -n; y (b) otro que afecta solamente a 1: Singular: (2) $\emptyset$: Plural: (2) -d. Las formas singular (2) $\left\{\text{/-s/ y /}\emptyset\text{/}\right\}$ corresponden, como se puede comprobar, la primera a todas las formas menos a la 4 que toma $\emptyset$. Sin embargo, la lengua hablada tiende a restablecer por analogía el morfema -s y se dice *cantastes, forma gravemente censurada por los gramáticos.

La elección del sistema de morfemas concordantes (b) nos permite separar la forma 1 de las restantes. Esta forma llamada **Imperativo** tradicionalmente, se emplea para las órdenes y mandatos por lo que algunos gramáticos la separan de las restantes por el hecho de ser la única que frente a la *función representativa* que realizan las demás sirve para la llamada *función apelativa* o de llamada al interlocutor. Tiene además las particularidades de no contar con forma especial para el pronombre de cortesía y de utilizar con las mismas intenciones formas de 7. De cualquier manera, esta nueva dicotomía opondrá **Formas del plano apelativo** a **Formas representativas.**

3.5.1.3. *Morfemas básicos* — Aislados los morfemas concordantes, entre éstos y los morfemas lexemáticos, queda un segmento en el que se pueden distinguir vocales (a) /a/ en toda la serie de *cantar* y (b) /i/ o /ie/ para toda la serie de *correr* y *subir*, salvo las formas (a), 5 y 7 que marcan el tema más un resto de variada y desigual información. Mediante este segmento se reconoce el tiempo, el modo y el aspecto. Aunque la segmentación de la vocal temática permitiría unificar las dos series de *correr* y *subir*, las dificultades que ofrece su aislamiento en las formas 1, 2 y 7 hacen recomendable considerarlo como un solo morfema que se definirá formalmente por su situación entre el morfema lexemático y el morfema concordante, y semánticamente por aportar la idea de tiempo, aspecto y modo.

3.5.2. *Subjuntivo/Indicativo* — Una nueva dicotomía puede practicarse tomando en cuenta, como se ha hecho, las posibilidades de distribución de las formas verbales del plano representativo. De una parte nos encontraremos con las formas 7-10 que pueden aparecer en el contexto "querer que---", frente a las formas 2-6 que no pueden realizarse en tal contexto: *quiero que cantes; quisiera que cantases; quisiera que cantaras*, etc. No admite la lengua **quiero que cantas; *quería que cantabas, *quería que cantaste*, etc. Este hecho nos permitirá distinguir las formas 7-10 como marcadas en cuanto al modo frente a las restantes, no marcadas. Coincide con la distinción entre **Subjuntivo** (7-10) e **Indicativo** (2-6).

3.5.2.1. *El modo* — Se suele definir como la categoría verbal que expresa la actitud del hablante ante la realidad que comunica. El hablante considera esa realidad *objetivamente,* como ocurre en las formas 2-6, sin hacer pesar su opinión íntima sobre los hechos, y *subjetivamente,* impregnando la expresión de sus deseos, propósito de convencer, influir, etc., sobre el hablante, tal como ocurre en las formas 7-10. Estas dos actitudes *(objetiva/ subjetiva)* coinciden con lo señalado en el parágrafo anterior, y son los modos Indicativo y Subjuntivo.

También suele considerarse modo, según este mismo criterio, la forma 1 porque expresa mandato, con lo que los modos del castellano serán tres: Indicativo, Subjuntivo e Imperativo. La gramática tradicional agrupaba las formas (a)-(c) como modo Infinitivo. Ya dentro de la misma tendencia tradicional muchos gramáticos lo apartaron por su carácter no personal utilizado aquí, ya que no se podía razonablemente defender la idea de que indican la opinión del hablante ante los hechos expresados.

La Gramática académica formó un nuevo modo con las formas 6. Se defiende su inclusión dentro del modo Indicativo por la no subjetividad de la comunicación. Como se ha señalado, la justificación de tal modo se produce al confundir la oposición de objetividad/subjetividad con la oposición realidad/hipótesis. Por eso algunos gramáticos llaman hipotética a esta forma.

3.5.2.2. *El aspecto* — Constituye un concepto muy debatido y delimitado de muy variadas maneras por los gramáticos. Para el castellano es útil y clarificador entender el aspecto como la expresión de la conclusión de la acción. Las formas serán **perfectivas** e **imperfectivas**. Las formas 3 y 4, que expresan acción de Indicativo en el pasado, se oponen en cuanto 4 *(cantaste)* expresa la acción concluida mientras 3 se desentiende de la conclusión. Los latinos observaron ya esta oposición al organizar la conjugación sobre la oposición de lo que llamaban *tempora infecta/tempora perfecta*. Así en la terminología verbal aparecen frecuentemente los términos *imperfecto* y *perfecto* como denominación de varias formas verbales.

De hecho, de todas las formas personales, únicamente la 4 marca la conclusión de la acción. La necesidad de expresar el aspecto concluido *(perfectivo)* justifica la formación por perífrasis —tiempos compuestos— con el verbo *haber* y la forma (c) correspondiente, que también expresa aspecto perfectivo. La terminología tradicional señala este hecho con los términos *perfecto* y *pluscuamperfecto* utilizados en las formas compuestas. Contrástese: *canto/he cantado; cantaba/había cantado; cantaré/habré cantado; cante/haya cantado*, etc.

Junto al concepto de aspecto los gramáticos se han ocupado del **modo de acción** (Aktionsart), no bien delimitado del anterior, que tiene una utilidad muy parcial en el estudio del verbo castellano.

3.5.2.3. *El tiempo* — Hay que distinguir entre tiempo crónico, lógico y lingüístico. Según el primero los acontecimientos se suceden uno tras otro en una sucesión continua que llega en constante mutación hasta hoy y continúa hacia un futuro desconocido. El tiempo lógico representa una parcelación en tres momentos llamados: pasado, presente y futuro. El tiempo gramatical es la expresión del tiempo lógico en la parcela del tiempo crónico en que se sitúa el hablante. Si para nosotros, ahora, el presente de la palabra es este mismo momento límite del tiempo crónico, para un texto del pasado, la parcelación pasado/presente/futuro nos llevará muy lejos de nuestro momento.

En la expresión del tiempo mediante los morfemas básicos, influyen además de nociones de aspecto y modo, según hemos visto, matices de temporalización que hay que tomar en cuenta: **tiempos absolutos** y **relativos.** Mientras unos morfemas expresan cualquiera de los momentos lógicos por sí mismos (1), otros lo hacen por relación con el de otros (2). Mientras /cantaré/ es una acción futura por sí misma, /cantaría/ puede serlo por relación con un pasado o con un presente: /Cantaría ahora/ expresa una acción futura respecto a un pasado; /Cantaría mañana/ es un futuro respecto al presente o al futuro. Se llaman absolutos a (1) y relativos a (2).

Por otra parte, si bien es evidente la distinción del tiempo en las formas de Indicativo, ya no resulta tan fácil en las de Subjuntivo en las que influye decisivamente la presencia de un verbo principal del que dependen.

3.5.2.4. *La voz* — En algunas lenguas como el latín la utilización de determinados morfemas informa de si el sujeto realiza la acción o la recibe. Este hecho ha sido estudiado como **voz verbal** que se ha llamado **activa,** cuando marcaba que el sujeto realizaba la acción, y **pasiva,** cuando marcaba que el sujeto recibía la acción. El castellano para expresar esto mismo no conoce morfemas especializados y tiene que acudir a una construcción sintáctica en la que el verbo que se conjuga toma la forma de participio concordado con el sujeto, y el tiempo, número, persona y modo lo indica por medio de la forma conjugada del verbo *ser,* que actúa como auxiliar. De esta manera se produce la posibilidad de oponer la forma activa a la pasiva: *él ama/él es amado.*

3.5.3. *Formas no personales* — Han sido llamadas también **verboides** y caracterizadas por su situación en fronteras entre el verbo y otras partes de la oración. Así se ha señalado el carácter próximo al nombre sustantivo, de nombre del verbo como se le suele llamar también al **infinitivo** —formas (a)—, semejante al adjetivo del **participio** —forma (c)— por lo que se le ha llamado así, y sus contactos con la función adverbial en el **gerundio** —forma (b)—. La gramática al subrayar estos hechos ha atendido como siempre a una interpretación más semántica que funcional y formal de los hechos de lengua.

Todas las formas se caracterizan por no admitir morfemas de número y persona. Entre ellas cabe distinguirlas por rasgos formales —de expresión y contenido— bastante bien delimitados. El *Infinitivo,* utilizado para nombrar al verbo, va marcado por los morfemas básicos /-ar/, /-er/ e /-ir/ y se caracteriza por (a) su atemporalidad; (b) su facilidad para sustantivarse como sujeto de una oración atributiva: /Hacer ejercicio es conveniente/. Puede aceptar el artículo: /El hacer ejercicio es conveniente/; (c) su capacidad para aparecer como núcleo de proposiciones subordinadas ordinariamente condicionado por la naturaleza del sujeto en relación con el de la principal: /Quiero que cantes/-/Quiero cantar/.

El *Gerundio* va marcado por los morfemas básicos /-ando/ y /-iendo/: cantando; subiendo; corriendo; diciendo. Expresa la acción como imperfecta (aspecto) en su transcurso *(valor durativo),* lo cual limita su uso a construcciones muy determinadas. Algunos gerundios toman carácter adjetivo como /agua hirviendo/. El carácter adverbial que se le atribuye es menos defendible ya que el hecho puede ser interpretado más racionalmente con otros tipos de análisis (V. 4.3.).

Tanto el infinitivo como el gerundio tienen formas perfectas mediante el infinitivo o gerundio del verbo *haber* y el participio del verbo que se conjugue: *haber corrido; habiendo corrido.*

El *Participio* va marcado por los morfemas básicos /-ado/, /-ido/ o /-to/, /-so/, /-cho/: cantado, corrido, subido; muerto, preso, hecho. Tiene aspecto perfectivo, de acción concluida y se utiliza únicamente para formar los tiempos compuestos. Se distingue del adjetivo por neutralizar la oposición de género y número en la forma masculina singular: /He cantado una canción/-/La canción cantada/. Algunos verbos distinguen léxicamente el participio del adjetivo con el mismo morfema lexemático mediante morfemas derivativos distintos: abstraído/abstracto; atendido/atento; concluido/concluso; confundido/confuso; convencido/convicto; corregido/correcto; elegido/electo; juntado/junto; soltado/suelto; suspendido/suspenso, etc. La lengua hace convivir en función secundaria atemporal participios y adjetivos del mismo lexema con especializaciones semánticas discernibles.

3.5.4. *La conjugación: formas simples* — Cada una de las diez formas personales se distinguen por tradición con el nombre genérico de **tiempos.** Cada uno de los tiempos constituye una serie morfológica cuyos elementos se oponen entre sí en razón a sus morfemas concordantes y en su conjunto, en razón a sus morfemas básicos, a los de las restantes series.

(a) Las formas 1 del Imperativo se llaman de **Presente** y no tienen más que dos miembros de 2ª persona, uno del singular y otro del plural: *canta/cantad.*

(b) Las cinco formas del Indicativo, 2-6, se llaman sucesivamente: 2: **Presente de Indicativo;** 3: **Pretérito imperfecto de Indicativo;** 4: **Pretérito perfecto absoluto,** llamado en el *Esbozo de una nueva Gramática,* de la Real Academia Española, *Pretérito perfecto simple;* 5: **Futuro imperfecto** o **absoluto;** 6: **Futuro hipotético,** llamado en el *Esbozo* de la R.A.E. *Condicional.*

(c) Las cuatro formas del Subjuntivo, 7-10, se llaman sucesivamente: 7: **Presente de Subjuntivo;** 8: **Pretérito imperfecto de Subjuntivo en** *-ra;* 9: **Pretérito imperfecto de Subjuntivo en** *-se;* 10: **Futuro imperfecto de Subjuntivo** que ha caído en desuso y sólo aparece en frases hechas y en textos legislativos oficiales.

3.5.4.1. *Morfemas básicos de Imperativo* — Para el singular se emplean los morfemas -**a** en 1.ª conjugación y -**e** en 2.ª y 3.ª; para el plural, -**a** en 1.ª conjugación, -**e** en 2.ª e -**i** en 3.ª. Un corto número de verbos —*salir, tener, detener, hacer*—, emplean morfema Ø en el singular: *sal, ten, detén, haz.* Forman imperativos anómalos *decir* (di), *ser* (sé) y *dar* (da).

3.5.4.2. *Morfemas básicos del Indicativo* — He aquí sus formas:

Presente de Indicativo: Tienen el mismo morfema en las tres conjugaciones para la 1.ª persona del singular. Las restantes del singular y las de plural toman para 1.ª conjugación -**a**, para 2.ª conjugación -**e** y para 3.ª conjugación -**e** en el singular y en la 3.ª persona del plural e -**i** en las dos primeras personas del plural.

Pretérito imperfecto: Toman -**aba**- en la primera conjugación y en la del verbo *ir,* que es *iba, ibas, iba, íbamos, ibais, iban;* -**ía** en la segunda y tercera conjugaciones en todas sus personas.

Pretérito absoluto: En la primera conjugación toman según la persona y el número los siguientes sucesivos morfemas: -**é**; -**aste**; -**o**; -**a**-; -**aste**-; -**aro**-. En la segunda y tercera: -**í**; -**iste**; -**ió**; -**i**-; -**iste**-; -**iero**-. Los verbos *hacer, poner, caber, saber, haber, tener,* los en -*ducir* (*conducir, reducir, producir,* etc.), *traer, venir* y *andar* y *estar,* para el singular toman -**e**; -**iste**; -**o**, con acento en el lexema, por lo que se les llama **pretéritos fuertes**: *anduve, estuve, hice, traje, supe, cupe,* etc.

Futuro imperfecto: Emplean los morfemas -**aré**; -**ará**-; -**ará**; -**aré**-; -**aré**-; -**ará**- en la primera conjugación; -**eré**; -**erá**-; -**erá**; -**eré**-; -**eré**-; -**erá**- en la segunda conjugación; e -**iré**; -**irá**; -**irá**; -**iré**-; -**iré**-; -**irá**- en la tercera conjugación. Claramente se observa que las diferencias vienen motivadas por la vocal temática de cada una de las conjugaciones.

Una serie de verbos atemáticos agrupan su final de lexema con la -*r* inicial del morfema básico (*caber: cabré; haber: habré; poder: podré; querer: querré; saber: sabré*) o introducen una -*d*- epentética (*valer: valdré; poner: pondré; tener: tendré; venir: vendré*). *Haré,* de *hacer,* y *diré,* de *decir,* son igualmente atemáticos.

Futuro hipotético: Emplea el morfema único -**ría**- precedido de la vocal temática -**a**- en la primera conjugación, -**e**- en la segunda e -**i**- en la tercera. Como en el caso del Futuro y para los mismos verbos se producen formas atemáticas: *cabría, habría, podría,* etc.; *valdría, pondría,* etc.; y *haría* y *diría.*

3.5.4.3. *Morfemas básicos del Subjuntivo* — Son los siguientes:

Presente de Subjuntivo: Toman -**e**- en la primera conjugación y -**a**- en la segunda y tercera.

Pretérito imperfecto: Tiene dobles formas que se distinguen por su morfema básico. El primero toma el morfema único -**ra**- precedido de -**a**- en la primera conjugación y de -**ie**- en la segunda y tercera. El segundo toma el morfema único -**se**- precedido de -**a**- en la primera conjugación y -**ie**- en la segunda y tercera.

Futuro imperfecto: De manera semejante a los anteriores toma el morfema único -**re**- precedido de -**a**- en la primera conjugación e -**ie**- en la segunda y tercera.

3.5.5. *Los verbos irregulares* — La gramática tradicional entendía como **irregulares** los verbos que se apartaban de los paradigmas fijados para las tres conjugaciones. La gramática histórica mostró que tales irregularidades eran resultado de la evolución fonética de las palabras cumpliendo estrictamente las leyes que rigen dicha historia. Así fenómenos de diptongación como los que se encuentran en *dormir/duermo* se *pueden observar igualmente en sustantivos como fogata/hoguera/fuego.* En todos estos casos tanto en el verbo como en los sustantivos el diptongo -*ue*- aparece en posición tónica.

Para el estructuralismo, que entiende la lengua como sistema de signos, las irregularidades se inscriben dentro del ámbito de los inventarios de alomorfos de un mismo morfema o bien como casos de supletivismo.

3.5.5.1. *Alomorfos de los morfemas lexemáticos* — Razones de evolución histórica explican que las alternancias de morfemas en un determinado verbo afecten a determinados tiempos o grupos de tiempos. Esto justifica que, por razones prácticas, se mantenga la clasificación que nos proporcionó la gramática histórica en (a) **Tiempos de presente** que comprendía los tres presentes de Indicativo, Subjuntivo e Imperativo; (b) **Tiempos de pretérito** que comprende el pretérito absoluto y los pretéritos imperfectos de Subjuntivo y el futuro imperfecto del mismo modo; y (c) **Tiempos de formación romance** que comprendía al futuro absoluto y al futuro hipotético de Indicativo. Cualquier alternancia morfemática que se produzca en el pretérito absoluto, la volveremos a encontrar en las restantes formas del grupo: *haber* hace **hub-e** en el pretérito absoluto. El morfema **hub-** aparecerá igualmente en **hubiera, hubiese** y **hubiere**.

La existencia de estos morfemas alternantes puede servir para anticipar tiempo, aspecto, modo, persona y número. A continuación se hace un inventario de las alternancias más impotantes.

INDICATIVO			SUBJUNTIVO			IMPERATIVO		
am	-o	-∅	am	-e	-∅			
am	-a	-s	am	-e	-s	am	-a	-∅
am	-a	-∅	am	-e	-∅			
am	-a	-mos	am	-e	-mos			
am	-á	-is	am	-é	-is	am	-a	-d
am	-a	-n	am	-e	-n			
corr	-o	-∅	corr	-a	-∅			
corr	-e	-s	corr	-a	-s	corr	-e	-∅
corr	-e	-∅	corr	-a	-∅			
corr	-e	-mos	corr	-a	-mos			
corr	-é	-is	corr	-á	-is	corr	-e	-d
corr	-e	-n	corr	-a	-n			
viv	-o	-∅	viv	-a	-∅			
viv	-e	-s	viv	-a	-s	viv	-e	-∅
viv	-e	-∅	viv	-a	-∅			
viv	-i	-mos	viv	-a	-mos			
viv	-í	-s	viv	-á	-is	viv	-i	-d
viv	-e	-n	viv	-a	-n			

(a) *Alternancias vocálicas* — Se dan diversas alternancias según se relaciona:

1) **e/ie; o/ue; u/ue; i/ie.** Se produce en todo el singular del presente de Indicativo y Subjuntivo y en las terceras personas del plural de los mismos tiempos y en la segunda del singular del presente de Imperativo. Afecta a verbos de primera y segunda conjugación y a los verbos *concernir* (defectivo), *discernir* y los en *-irir* de la tercera.

2) **e/i** que se produce en el singular y tercera persona del plural del presente de Indicativo, en todo el presente de Subjuntivo, singular del presente de Imperativo; en las terceras personas del singular y plural del pretérito absoluto y en todos los pretéritos imperfectos de Subjuntivo y futuro imperfecto de Subjuntivo. Afecta al verbo *servir* y a los terminados en *-ebir*, *-edir* (salvo *agredir* que es defectivo como *transgredir*), *-egir*, *-eguir*, *-emir*, *-enchir*, *-endir*, *-estir* y *-etir*. En *pedir* se dan los alomorfos { *ped-* y *pid-* }.

3) **e/ie/i; o/ue/u.** Aparece la diptongación como en 1) y la debilitación como en 2) en las mismas formas y tiempos indicados. El verbo *sentir* conocerá los alomorfos { *sent-, sient-* y *sint* }. El verbo *morir:* { *mor- muer-* y *mur-* }. Afecta a los verbos *hervir, rehervir* y a los terminados en *-entir, -erir* y *-ertir; dormir, morir* y sus compuestos.

(b) *Alternancia de consonante:*

∅ /y: Afecta a las personas del singular y tercera del plural del presente de Indicativo, a todo el presente del Subjuntivo y al singular del Imperativo de los verbos terminados en *-uir*. En *huir* se dan los alomorfos { *hu-, huy-.* }

∅ /zk: Afecta a la primera persona del singular del presente de Indicativo y a todo el presente de Subjuntivo: *nacer* tiene los alomorfos { *nac-, nazc-* }. Ocurre así en los verbos terminados en *-acer* (menos *placer, hacer* y compuestos), *-ecer* (salvo *mecer* y *remecer*), *-ocer* (salvo *cocer, escocer* y *recocer*) y en *-ducir.*

∅/g: Afecta a la primera persona del singular del presente de Indicativo y a todo el presente de Subjuntivo de verbos como *poner, caer, traer, oír, salir, valer, asir, tener* y *venir.* En este último se dan los alomorfos |ven-veng-.|

c/g: Afecta a los mismos casos de los verbos *yacer, hacer* y *decir* y sus compuestos. El verbo *hacer* tiene los alomorfos |hac-, hag-|

(c) *La alternativa implica supleción:*

Ocurre en *ser, haber* e *ir:* 1) /s-/er-/fu-/se-/ 2) /he/ha-/hab-/hub-/ 3) /i-/v-/vay-/fu-/.

3.5.6. *La conjugación: formas compuestas* — Los tiempos compuestos tienen valor aspectual y se forman acudiendo al morfema libre constituido por la conjugación del verbo *haber* vaciado de su significado. Los nombres de los tiempos son los siguientes:

Modo Indicativo: Formado con el presente de Indicativo del verbo *haber,* el **Pretérito perfecto actual;** con el pretérito imperfecto de Indicativo de *haber,* el **Pretérito pluscuamperfecto;** con el pretérito perfecto absoluto de *haber,* el **Antepretérito,** llamado por la gramática académica *pretérito anterior;* con el futuro imperfecto o absoluto de *haber,* el **Antefuturo,** llamado por la Real Academia *futuro perfecto;* con el futuro hipotético o potencial simple de *haber,* el **Antefuturo hipotético,** llamado por la gramática académica *condicional perfecto.*

Modo Subjuntivo: Con el presente de Subjuntivo de *haber,* el **Pretérito perfecto;** con el pretérito imperfecto en *-ra* y *-se* de *haber,* el **Pretérito pluscuamperfecto;** con el futuro imperfecto de Subjuntivo de *haber,* el **Futuro perfecto** o **antefuturo.**

El *Imperativo* no tiene forma perfecta. No hay más irregularidades que las que presente el verbo *haber* y las de los participios.

3.5.7. *Valores de uso de los tiempos* — Vamos a examinar esquemáticamente los valores que cada una de las formas de un verbo puede alcanzar en su uso de la lengua:

3.5.7.1. *Tiempos de Indicativo:* (a) **Presente de Indicativo** — Expresa que la idea indicada por el verbo ocurre en la misma época en que se realiza la acción de hablar. La coincidencia entre la idea significada por el verbo y el acto de la palabra puede ser real o figurada y por el hecho de que no marca la conclusión puede pasar fácilmente a referir acción pasada o futura recorriendo la línea del tiempo crónico. Los valores más importantes son: 1) **Presente momentáneo** en que se expresa la idea verbal coincidiendo con el mismo momento del acto verbal. Su duración está limitada por su comienzo que es inmediato: *Infinitas gracias doy al cielo, Sancho amigo.* 2) **Presente general,** que expresa la idea verbal en su transcurso sin fijar el comienzo de su realización: *Esto es lo que piensa y siente siempre.* 3) **Sentencioso,** que sirve para expresar verdades de carácter general que se presentan con validez constante: *La Tierra gira.* 4) **Habitual,** cuando expresa que la idea significada por el verbo ocurre de manera usual y acostumbrada y con regularidad: *El estudiante estudia.* 5) **Cualificador,** afín al anterior, expresa las acciones propias de un sustantivo: *El palomo se engrifa, se endereza, se pone tieso.* 6) **Histórico** o **de narración,** que expresa hechos del pasado como ocurriendo en el presente: *Colón descubre América en 1492.* 7) **De mandato,** cuando tiene significación de imperativo: *Bajas a la calle y me compras cualquier periódico.*

(b) **Pretérito perfecto actual** — Expresa la acción concluida y perfecta que tiene relación con el momento del acto verbal y, por ello, el hablante puede matizar la repercusión del acto pasado en su espíritu. En algunas regiones como Galicia y Asturias tienden a extender el uso del perfecto absoluto a expensas de éste que pierde terreno.

(c) **Pretérito imperfecto** — Expresa acción pasada sin atender a su conclusión, por lo que frente a los otros dos pretéritos simples tiene un carácter de mayor duración. Es el tiempo característico de la descripción. Por su naturaleza de imperfecto, que expresa acción no acabada, se usa en lugar del presente para suavizar en el diálogo las preguntas o demandas: *¿Qué quería Vd.?*

(d) **Pretérito pluscuamperfecto** — Expresa la anterioridad con respecto a un hecho pasado, de manera semejante a como el perfecto actual la expresa respecto al presente. Es tiempo relativo y perfecto. *Vino a contar algunas nuevas que habían venido de la Corte.*

(e) **Pretérito perfecto absoluto** o **pretérito indefinido** — Expresa acción pasada y concluida en un período de tiempo que se siente sin conexión con el presente. Es el tiempo característico de la narración de los hechos: *Mató las velas; levantóse del lecho y abrió un poco la ventana.*

(f) **Antepretérito** o **pretérito anterior** — Es un tiempo relativo que expresa acción pasada y concluida con respecto a otra también pasada y concluida. Es forma en clara decadencia en la lengua hablada: *En cuanto hubo concluido, se marchó.*

(g) **Futuro imperfecto** o **absoluto** — Se emplea para expresar la acción venidera, no concluida, independientemente de cualquier otra acción: *Volveré cuando quiera.* Tiene diversos valores por su propio carácter: 1) **Futuro de mandato,** que sirve para la prohibición permitiendo la forma negativa del Imperativo que éste no conoce *(No matarás)* y para las órdenes y mandatos: *A las doce me traerás lo que te he pedido.* 2) **Futuro de probabilidad,** que sirve para expresar la suposición o conjetura del presente: *Doña Carmen tendrá muchos años.* 3) **Futuro de cortesía,** que sirve para suavizar las peticiones dándoles el carácter de sospecha o conjetura: *¿Traerás lo que te he pedido?*

(h) **Antefuturo** o **futuro perfecto** — Expresa que la idea significada por el verbo está cumplida con anterioridad a otra acción que no se ha cumplido todavía: *Cuando llegues ya habrán salido.* Conoce el mismo valor de probabilidad que la forma simple: *Habrán salido ya.*

(i) **Futuro hipotético** o **Condicional** o **Pospretérito** — Sirve para hacer una afirmación hipotética o atenuada y puede referirse al pasado, al presente o al futuro desde el momento en que se habla. Se ha definido como el futuro del pasado. Como tiempo relativo puede depender de un tiempo pasado o presente respecto a los cuales es futuro. En conexión con el futuro expresa la probabilidad referida al pasado: *Tendría hasta veinticuatro años.* Y en conexión con el pretérito imperfecto atenúa la dureza del presente en formas de cortesía o modestia: *¿Podría traerme el periódico?* Tiene conexiones con el pretérito imperfecto de Subjuntivo en *-ra,* del que se distingue por el carácter siempre objetivo del potencial.

(j) **Antefuturo hipotético** o **Condicional perfecto** — Expresa acción futura con respecto a una pasada, pero la acción expresada por el potencial es además anterior a otra acción. Es un tiempo perfecto y relativo: *Me aseguraron que, en otras condiciones, habrían aceptado.* Como la forma simple expresa también posibilidad o suposición.

3.5.7.2. *Tiempos de Subjuntivo* — En todo el Subjuntivo, como se ha dicho, se expresan acciones concebidas como puros actos mentales de nuestro espíritu y es, por tanto, un modo subjetivo, es decir, que siempre introduce en la expresión verbal un matiz afectivo y personal de deseo, mandato, ruego, temor, etc. En consecuencia, los tiempos del Subjuntivo no precisan el momento de la realización verbal con la misma precisión del Indicativo, y, frecuentemente, es el contexto el que lo precisa.

(a) **Presente de Subjuntivo** — Se refiere al presente y al futuro, y expresa que la idea significada por el verbo en el momento del habla es deseada por el hablante o sentida como incierta o de dudosa realización: *Temo que vengas; Ojalá venga.* De las diversas clases de presentes, según la naturaleza del deseo o incertidumbre, es especialmente interesante la de **presente de mandato,** que alterna con el Imperativo y suple las formas que faltan y la negación: *Que vengan pronto; Salgamos; Cállese usted; No vengáis.*

(b) **Pretérito perfecto** — Expresa acción perfecta del pretérito y futuro. Se corresponde en el Indicativo con el perfecto actual y el antefuturo: *No creo que haya llegado.*

(c) **Pretérito imperfecto en -ra y en -se** — El primero expresa las mismas ideas del antefuturo hipotético en el pasado y el presente envueltas en una apreciación subjetiva de duda o incertidumbre: *No creo que lo hiciera.* El segundo se usa para expresar la subordinación a un verbo pasado y la condición de ordinario imposible en futuro y presente: *Le dio el dinero para lo que fuese.* Desde la época clásica se suelen emplear indistintamente ambas formas. El imperfecto en *-ra* se usa subordinado siempre a verbos en presente. Un valor arcaizante de este último, usual en lenguaje periodístico y en algunos escritores, es el valor de pluscuamperfecto de Indicativo: *Releyó la carta que le trajeran.*

(d) **Pretérito pluscuamperfecto en -ra y en -se** — Se corresponden con el pluscuamperfecto y antefuturo hipotético de Indicativo. Se usa en el período condicional según las mismas exigencias de los imperfectos: *Si hubiera/hubiese recibido la carta, me lo hubiera comunicado.*

(e) **Futuro imperfecto** — Expresa acción venidera con idea de duda o incertidumbre. Actualmente no se usa, salvo en frases hechas como "sea lo que fuere", "venga lo que viniere", "sea como fuere" o en la lengua jurídica y legislativa: *Quien tuviere alimentos no autorizados, será castigado.*

(f) **Futuro perfecto** — Expresa la misma acción venidera posible, perfecta en oposición al futuro imperfecto: *Será castigado con arreglo al daño que hubiere producido.*

3.6. *EL ADVERBIO* — Ha sido tratado de muy diversas maneras por los gramáticos. Para algunos no existe tal clase de palabras basándose en la heterogeneidad morfológica de sus componentes y la posibilidad de multiplicar las llamadas locuciones adverbiales, adjetivos o sustantivos prepositivos. Sin embargo, parece acreditar su existencia la especialización morfológica de determinadas palabras en esta función y el hecho de que cuando proceden de palabras con morfemas de género y número, neutralizan sus oposiciones morfemáticas o toman determinados morfemas en esta función: *cuidadosamente* (adjetivo femenino que no concuerda y el morfema *-mente*); *Trabaja mucho* frente a *mucho pan, muchos panes; Habla alto.*

Adverbio será, pues, la clase de palabras de variada formación que (a) funcionalmente se refieran a un verbo, a un adjetivo o a otro adverbio y (b) formalmente, caso de tenerla, neutralicen su posibilidad de concordancia.

3.6.1. *Tipos morfológicos de adverbios* — Los adverbios están constituidos por (a) pronombres en función terciaria. Tienen como ellos sentido ocasional y, a veces, son variantes de las realizaciones sustantivas o adjetivas de éstos. Algunos gramáticos los han llamado **adverbios pronominales** y los han clasificado en **demostrativos** *(aquí, ahora, hoy,* etc.), **cuantitativos** *(mucho, poco,* etc.) y **relativos** *(donde, cuando);* (b) preposiciones y otras palabras —nombres— que con prefijos o sin ellos tienen significación relativa con respecto a una realidad que, cuando se expresa, aparece como término de la preposición *de* y algunas veces *a (delante de, enfrente de, encima de, junto a,* etc.). Han sido llamados **adverbios prepositivos;** (c) un amplio grupo de palabras —sustantivos o adjetivos— que inmovilizan sus desinencias y son introducidos por preposición. Se llaman **locuciones adverbiales.** Son tales como *a gatas, a ciegas, de nuevas, a la buena de Dios,* etc.; (d) un grupo de adjetivos que inmovilizan su concordancia de diversas y características maneras: 1) en femenino con el morfema *-mente: cuidadosamente;* 2) en masculino con determinados verbos: *Vino derecho a mí;* (e) una serie de palabras significativas que se han especializado como adverbios: *bien, mañana, temprano, pronto, tarde,* etc.

3.6.2. *Clasificación semántica* — La gramática tradicional clasificaba los adverbios por el significado, en adverbios de lugar, tiempo, orden, cantidad, modo, afirmación, negación y duda. **De lugar:** *donde, aquí, acá, ahí, allí; cerca, lejos, dentro, fuera, arriba, abajo,* etc. **De tiempo:** *cuando, ahora, hoy, ayer; antes, después, luego; antiguamente, tarde, pronto, temprano, todavía,* etc. **De orden:** *después, luego, primeramente, sucesivamente* (algunos gramáticos los incluyen entre los de modo). **De modo:** *así, como, cómo; bien, mal, casi, mejor, peor, despacio,* etc., y los de tipo *quedo,* y adjetivo femenino + *-mente.* **De cantidad:** *mucho, poco, bastante, demasiado, tanto; apenas, escasamente,* etc. **De afirmación, negación** o **duda:** *sí, no, tampoco, también, acaso, quizá, quizás,* etc.

Las locuciones eran incluidas en los mismos grupos significativos: **De lugar:** *por otra parte, aparte, a una parte.* **De tiempo:** *en seguida, de antemano, en adelante, en lo futuro, a la sazón, de cuando en cuando, en el acto, por de pronto, en breve,* etc. **De modo:** *a hurtadillas, a tientas, a sus anchas, a porfía, a todo gas, a ciegas, a las claras, a pedir de boca,* etc. **De cantidad:** *a lo sumo, poco a poco, al menos, cuando más, por junto,* etc. **De afirmación, negación** o **duda:** *por cierto, sin duda, ni con mucho, ni por asomo, a buen seguro,* etc.

3.6.3. *Gradación* — Algunos adverbios admiten, como el adjetivo, diferentes variaciones que expresan grados distintos de su significación. Estos grados son los mismos ya señalados para el adjetivo y conseguidos por medio del concurso de los mismos modificativos: **Comparativos:** *más/menos cuidadosamente que, tan cuidadosamente como.* **Superlativos:** *muy trabajosamente, cuidadosísimamente.*

3.6.4. *Apócope* — Cuando van delante de un adjetivo o de otro adverbio pierden la última sílaba los adverbios *tanto, cuanto* y *cuánto: tan, cuan* y *cuán.* El adverbio *mucho* conoce la variante combinatoria *muy* y el adverbio *recientemente* la forma *recién: recién llegado.*

3.7. *LA INTERJECCIÓN* — Desde antiguo se ha señalado su carácter distinto respecto a las restantes partes de la oración, por lo que ha llegado a negársele el carácter de parte de la oración, su riqueza de contenido afectivo y condensado y la nota de improvisación y espontaneidad. La interjección funciona aparte de la estructura oracional en determinados tipos de frase y en el mismo plano apelativo en que se producen el imperativo del verbo y el vocativo. Forma una clase de palabras, resultado de convenio en la lengua, en que se cumplen (a) la ausencia de contenido semántico que alcanza ocasionalmente en su realización en el mensaje; (b) la posibilidad de acuñar secuencias fonemáticas extrañas al sistema fonológico castellano *(Pss; Chist; Plaf);* (c) la necesidad de ir acompañadas de un esquema entonacional característico que forma unidad melódica por sí mismo; (d) la posibilidad de ser traducidas y sustituidas por oraciones.

El inventario de interjecciones es abierto. Lo constituyen interjecciones **primarias** o **propias,** que reproducen sonidos que no coinciden con las agrupaciones del sistema de morfemas lexemáticos de la lengua: *Ay, eh, ea,* etc., e interjecciones **secundarias** o **impropias,** que son palabras de diversas clases que han llegado a ser usadas por transposición con la misma intención que las interjecciones primarias disminuyendo notablemente su contenido significativo: *¡Hombre! ¡Demonio! ¡Vaya!*

Entre las primeras ocupan un importante lugar las formaciones onomatopéyicas —*plaf, pum, cataplúm*, etc.—, convencionales en su formación muchas veces. Entre las secundarias tienen carácter particular las muletillas —*esto, bueno,* etc.—, con que el hablante rellena el discurso y los eufemismos con que se suaviza la dureza de juramentos y palabras obscenas —*canastos, concho, diantre,* etc.

Por su equivalencia significativa han sido clasificadas en **emocionales** cuando expresan sorpresa, alegría, dolor, asco, malestar, etc.; **imperativas,** como refuerzos del mandato, para expresar el mandato o para llamar la atención, y **expletivas,** que actúan como apoyaturas incidentales de refuerzo de la expresión.

3.8. *PALABRAS DE RELACIÓN* — Se llaman así las palabras que sirven en el mensaje para articular sus diferentes elementos. Los elementos puestos en relación pueden ser palabras u oraciones, hecho que justifica la tradicional agrupación en *preposiciones* y *conjunciones: La casa de Manuel; Alberto concluyó el trabajo y los obreros dormían.*

Se llama **preposición** la clase de palabras que marca la dependencia gramatical y subordinación de una palabra o elemento oracional a otra que constituye su núcleo: *Hablaban de toros; Hablaban de que no vendrías.* En ambos ejemplos la preposición /**de**/ marca la subordinación de un elemento sustantivo constituido por una palabra de tal clase en el primer ejemplo y por toda una oración de valor sustantivo en el segundo.

Las preposiciones simples más frecuentes son: *a, ante, bajo, (cabe), con, contra, de, desde, en, entre, hacia, hasta, para, por, según, sin, (so), sobre, tras.* A estas preposiciones se les suele añadir palabras como *durante* y *mediante* que han debilitado su acentuación y se comportan sintácticamente como preposiciones.

Se llaman **conjunciones** la clase de palabras —morfemas exentos— que relacionan entre sí elementos oracionales de la misma categoría sintáctica, sean palabras *(Antonio y Pedro)*, elementos oracionales *(dijo* **que** vendría y **que** traería la comida) u oraciones independientes *(Antonio corría y Pedro saltaba).*

Las conjunciones más importantes son: **copulativas,** *y, e, ni;* **disyuntivas,** *o, u;* **Adversativas,** *mas, pero, aunque, sino.* A éstas se les suele añadir locuciones de cierto valor conjuntivo como *sin embargo, no obstante, conforme, mientras,* etc.

Quedan dentro del dominio de las palabras relacionales dos palabras que funcionan fundamentalmente como marcativos que sirven para señalar que el segmento que sigue tiene valor unificado y ha de ser entendido a nivel de la oración como una palabra. Estas palabras son *que,* incluida frecuentemente entre las conjunciones *(Dijo que vendrías esta noche) si,* incluida entre los adverbios interrogativos *(No sé si vendrá)* y *si* condicional, incluida entre las conjunciones *(Si hace frío, abrígate).* Sobre el uso de estas palabras que a todas luces se apartan de las caracterizadas como conjunciones se hablará en los capítulos de Sintaxis.

4. Sintaxis

4.1. *SINTAXIS DEL DISCURSO: EL ENUNCIADO* — A nivel del discurso, la unidad básica es el **enunciado** que se distingue operacionalmente por ser un segmento de la comunicación, cualquiera que sea su extensión, comprendido entre dos pausas marcadas o el silencio anterior al habla y una pausa marcada. Todo enunciado concluye por un fonema característico. Para la determinación del enunciado no se toma en cuenta ni su estructura ni el contenido.

En el siguiente párrafo se distinguirán cuatro enunciados: "(1) Siguieron algunas tardes de lluvia. (2) El estudiante paseaba en el atrio de la catedral durante los escampos, pero mi hermana no salía para rezar las Cruces. (3) Yo, algunas veces, mientras estudiaba mi lección en la sala llena de aroma de las rosas marchitas, entornaba una ventana para verle. (4) Paseaba solo con una sonrisa crispada, y al anochecer su aspecto de muerto era tal, que daba miedo" (Valle-Inclán, *Jardín Umbrío.*)

Según el mismo criterio, en el siguiente fragmento se podrán aislar doce enunciados. Se trata de un diálogo: "(1) —Perdóname, Javier, (2) Este diablo de Joaquín tiene una noche inaguantable. (3) —Ya sé que lo habéis pasado bien por el pueblo. (4) —Sí. (5) —bajó el tono de la voz— (6) Me he acordado de ti. (7) —Haz lo posible para que tú y yo nos escapemos un rato. Elena— (8) traté de lograr una pequeña risa irónica. (9) —Pero vienes ahora, ¿no? (10) —Sí. (11) —Amadeo, Andrés y Santiago están en la terraza. (12) Mira, en este momento entra Claudette" (García Hortelano, *Tormenta de Verano.*)

4.1.1. *Oración y frase* — Siguiendo este criterio formal, en el discurso, según podemos comprobar en los fragmentos examinados, se pueden aislar enunciados que responden a dos estructuraciones sintagmáticas distintas: (a) unos organizan todos sus constituyentes en relación con un verbo conjugado con marca temporal. Así, tanto en *Siguieron algunas tardes de lluvia*, enunciado con un solo verbo conjugado, como en *Ya sé que lo habéis pasado bien por el pueblo*, enunciado con dos verbos conjugados. (b) Otros enunciados, que cumplen igualmente la misma función de comunicar algo, se caracterizan frente a (a) por la ausencia del verbo conjugado con marca temporal: *Sí.*

Al enunciado aislado siguiendo el primer criterio se le sigue llamando **oración;** al segundo, se le han dado diversos nombres y, tomándolo de nuestra lengua, podemos emplear el término **frase** que en la primera acepción del Diccionario de la R.A.E. aparece definida como: "Conjunto de palabras que basta para formar sentido, aunque no constituya una oración formal."

4.1.2. *Interpretación tradicional* — Desde antiguo, se ha considerado la oración como la unidad fundamental en el análisis del discurso y se la ha definido según diversos criterios. En las definiciones tradicionales se atendía al hecho de ser (a) una serie de palabras, (b) la combinación de un sujeto y un predicado, (c) expresión de lo pensado, (d) síntesis de representaciones o (e) descomposición analítica de representaciones, (f) contener un sentido cabal o completo. Un paso importante se dio al atender a rasgos formales como (g) la entonación y su limitación por pausas y (h) su relación con otras unidades del discurso tomando como base la descripción estructural.

Desde el siglo XIX se aplicaron a distinguir diferentes tipos de oración atendiendo a aspectos semánticos —sentido completo e incompleto, grado de unión con el resto de los constituyentes del discurso— que se justifican con nuevas denominaciones. Aunque no se haya llegado a una conclusión definitiva, es lo cierto que se ha hecho posible una sustancial aproximación al hecho que se trata de describir y la fijación de unos criterios operacionales que permiten el análisis del discurso dentro de ciertos límites.

Los criterios señalados desde (a) a (f) son demasiado imprecisos y lucubrativos para ser utilizados inequívocamente. Por otra parte, todos ellos, total o parcialmente, se han mostrado ineficaces y frecuentemente falsos: no toda oración expresa un juicio; hay oraciones sin sujeto, el concepto psicológico de representación no es aplicable en la práctica, y, evidentemente, bajo el título único de oración se incluyen diversos tipos de realidad gramatical.

4.2. SINTAXIS DE LA ORACIÓN: LOS ELEMENTOS — Una oración se llama **simple** cuando tiene un solo verbo conjugado. El enunciado (1) /La casa de mi amiga estaba vacía/ será una oración simple. La gramática tradicional distingue como elementos fundamentales el **sujeto** y el **predicado.** Estos elementos se imponen a la conciencia del hablante como la persona o cosa de la que se dice algo (/La casa de mi amiga/) y lo que se dice de la persona o cosa (/estaba vacía/). Al primer elemento se le llama sujeto, al segundo, predicado. Esta segmentación está basada en el contenido y no siempre es fácil de realizar. Seguramente, no podríamos realizar tan sencillamente la segmentación adecuada en el enunciado: (2) /Me basta tu justificación/.

Tomando como criterio la acentuación, en (1) se podrían distinguir cuatro elementos: /La casa-1/, /de mi amiga-2/, /está-3/, /vacía-4/. Si defendemos un criterio funcional que se manifiesta formalmente aunque no siempre, y sólo acudimos al significado cuando aquél no sea válido, podremos (a) relacionar formal y funcionalmente los segmentos 1 y 4 con el 3 —verbo conjugado que sirve para ordenar todos los elementos de la oración—: 1 concuerda con 3, así el cambio del número en 3 —/están/— exige el cambio en 1 —/Las casas/—; y 4 puede integrarse en la unidad 3 por medio de /lo/ —/lo está/—. El elemento 2, que no hemos podido relacionar formalmente con 3, unidad que nos ha servido de base, por su contenido (semánticamente), tampoco se le relaciona. No tiene sentido ni /está de mi amiga/, ni /de mi amiga está/, en cambio, tiene sentido la secuencia /La casa de mi amiga/. El segmento 2 lo consideraremos por eso formando un solo elemento con el segmento 1. Este elemento será **complejo** frente a los otros dos que serán **simples** por estar constituidos por una sola palabra.

4.2.1. *Patrones o esquemas* — Según la naturaleza de su función normal o semántica se clasificarán los elementos de la oración. Así del enunciado (1) podremos decir que está constituido por tres elementos: un sujeto (S) —/La casa de mi amiga/—, un elemento nuclear-ordenador (V) —/está/— y un atributo (Atr.) —/vacía/—. De otra manera, podremos decir que en el enunciado (1) se actualiza en el habla la fórmula S-V-Atr. Los enunciados (3) /Son hermosas esas flores/, (4) /El perro que ladra está furioso/, y (5) /Es imposible que lo oigas/ en los que es posible reconocer, según veremos, los tres mismos elementos marcados S, V$_c$ y Atr. serán realizaciones distintas, con distantas palabras y mayor o menor complicación en cada uno de sus elementos de una misma secuencia de elementos.

Mientras las oraciones que podemos aislar en todos los discursos pueden ser distintas y nuevas siempre, las ordenaciones de elementos responden a un número limitado de combinaciones de elementos. Las secuencias de elementos en los que se toma en cuenta su naturaleza constituyen los **patrones** o **esquemas básicos** de la lengua. De hecho, la clasificación de oraciones simples que la gramática tradicional nos ofrecía responde, con criterios distintos, al mismo hecho fundamental de distinguir sobre la variada realización en el habla de diversos contenidos, unos esquemas subyacentes comunes a todos ellos. Mientras con el análisis y segmentación de la oración, de cada oración, analizamos hechos de habla, al fijar los esquemas entramos en la descripción de la lengua.

4.2.2. *Sujeto e integrables* — Para dar mayor simplicidad a la exposición, desde ahora decidiremos que los esquemas básicos de la lengua son afirmativos, que los esquemas básicos primarios no tienen reflexivo y que sus elementos restantes son simples.

De todos los elementos que con un verbo pueden constituir oraciones válidas, dos de ellos sirven para caracterizar cada uno de los cuatro esquemas básicos primarios: (a) el **sujeto** y (b) los **integrables.**

(a): Frente a la definición lógico-semántica que daba la gramática tradicional, se postula la distinción del sujeto por el hecho de que es el único elemento nominal que cambia su marca de número con el verbo con el cual concuerda. En (6), (7), (8) y (9) se muestran enunciados con tres elementos.

Mientras los dos primeros enunciados son gramaticales, los dos últimos no tienen sentido. Mientras en los dos primeros casos el elemento 1 tiene el mismo número que el elemento 2, en los dos últimos el número es distinto. Por otra parte, el elemento 3 puede en todos los casos tomar la forma singular o plural indistintamente,

```
              1              2                        3

    (6)   El niño        come        una manzana/muchas manzanas
    (7)   Los niños      comen       una manzana/muchas manzanas
    (8)   *El niño       comen       una manzana/muchas manzanas
    (9)   *Los niños     come        una manzana/muchas manzanas
```

independientemente del número que tome el verbo. Al margen de su significado y su relación semántica con el verbo, el sujeto se distingue como el elemento que concuerda en número con el verbo de tal manera que el cambio de número en el verbo exige el cambio de número en el sujeto para mantener el enunciado con sentido.

El elemento sujeto puede faltar en el enunciado. En unos casos, el contexto nos permite restablecerlo acudiendo a los pronombres personales tónicos correspondientes y diremos que el sujeto es **tácito** o **elíptico**. En otros, sin embargo, no es válida la sustitución por medio de los pronombres. Diremos entonces que la oración no tiene sujeto y que el verbo es impersonal.

(10) Comen manzanas	⟶	**Ellos/ellas** comen manzanas.
(11) Cojo la maleta	⟶	**Yo** cojo la maleta.
(12) Es imposible que venga	⟶	**Ello** es imposible.
(13) Hace calor	⟶	El-Ella-Ello hace calor.

(b) Los **integrables** son elementos que pueden ser conmutados por los pronombres personales afijos y formar unidad acentual con el verbo ordenador de la oración en que aparecen. Son los tradicionales complementos directo, indirecto y el atributo.

(14) Mi amigo vio una casa	⟶	Mi amigo **la** vio.
(15) Mi amigo vio un edificio	⟶	Mi amigo **lo** vio.
(16) Mi amigo vio a Mercedes	⟶	Mi amigo **la** vio.
(17) Mi amigo vio a Juan	⟶	Mi amigo **le/lo** vio.
(18) Mi amigo entregó un libro a Mercedes	⟶	Mi amigo **le** entregó un libro.
(19) Mi amigo entregó un libro a Juan	⟶	Mi amigo **se lo** entregó.

En las oraciones (14) a (17) el elemento integrable primario coincide con el llamado CD, y se le puede seguir llamando así. En las oraciones (18) y (19) el elemento integrable secundario coincide con el llamado CI. y se le puede seguir llamando así igualmente. La gramática tradicional lo definía por el significado como el objeto de determinados verbos o la persona o cosa en cuyo daño o provecho se realiza la acción verbal. Dada la importancia que tiene el hecho de la conmutación, vivo en el sistema de la lengua, podemos reconocerlos de manera objetiva, sin acudir al significado, ya que la forma /la/ no puede aparecer como complemento indirecto.

Se debe tener presente, sin embargo, el siguiente hecho. En (16) y (18), puede decir con la misma palabra /me/, tanto /Tu amigo me vio/ (CD) como /Tu amigo me entregó un libro/ (CI). Juan, en (17) y (19), con la misma palabra /me/, podrá decir los mismos enunciados. De manera semejante, cualquiera le podrá decir tanto a Mercedes como a Juan /Mi amigo te vio/ (CD) y /Mi amigo te entregó un libro/ (CI). El sincretismo de 1.ª y 2.ª personas puede resolverse en la práctica del reconocimiento pasando la frase a 3.ª persona y precediendo a las conmutaciones pertinentes.

En áreas muy restringidas del ámbito hispano, pero muy prestigiosas, desde antiguo se ha producido el paso de /le/, originariamente CI solamente, a la función CD y el paso de /la/ a la función CI. Estos hechos se conocen con los nombres de **leísmo** y **laísmo** respectivamente. La lengua culta ha asimilado el leísmo en el caso en que se trate de nombre de personas (Vi a Juan/Le o lo vi) pero lo rechaza como mero vulgarismo, muy localizado, en el caso en que se trate de nombre masculino de cosa (Vi el lápiz sobre la mesa/Lo vi sobre la mesa/ *Le vi sobre la mesa). De la misma manera, el uso culto deja en mero vulgarismo el laísmo a pesar del prestigio de la zona castellana en que se produce. (Ver asimismo 3.4.3.5.)

Otras transgresiones como el **loísmo**, invasión del lo (CD) en el campo del CI, (*Lo di una bofetada), son vulgarismos sin gran difusión.

Al lado de la integración primaria y secundaria del CD y CI, con los verbos ser, estar y parecer, y sólo con éstos, se produce la integración atributiva por medio del pronombre personal afijo neutro /lo/, que con esta única forma alude al elemento nominal integrable independientemente de su género y número.

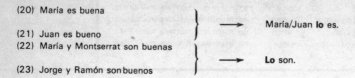

(20) María es buena

(21) Juan es bueno   María/Juan **lo** es.
(22) María y Montserrat son buenas

                                                          Lo son.
(23) Jorge y Ramón son buenos

La gramática tradicional definía el atributo, por el significado, como la palabra portadora de sentido en el predicado nominal. Esta palabra era un nombre sustantivo o adjetivo frente al verbo portador de significado en el predicado verbal. El verbo del predicado nominal se llamaba copulativo porque servía de mero enlace entre el sujeto y el atributo que expresaba la cualidad o condición del sujeto.

Una concepción semántica como ésta planteaba el problema del concepto mismo de verbo copulativo ya que aparte *ser*, verbo vacío y mero temporalizador de la cualidad muchas veces, los demás tienen un significado. Los gramáticos daban relaciones diferentes de verbos copulativos según entendiesen como atributo o como predicativo el elemento adjetivo que aparecía en compañía de un verbo. Entre /*Andrés está enfermo*/ y /*Andrés volvió enfermo*/, el significado parece suficiente criterio para distinguir el predicativo con /*volver*/ y el atributo con /*estar*/. Pero en /*Andrés seguía enfermo*/ de contenido tan semejante al de /*Andrés estaba enfermo*/, que de hecho el verbo matiza la idea de la atribución, el criterio semántico llevaba a identificarlos como atributos para unos o distinguirlos como atributo y predicativo para otros.

El criterio formal nos permite observar que la conmutación con el verbo *seguir* nos lleva a producir otro enunciado: /*Andrés lo seguía*/ que no es equivalente semánticamente al primitivo. En consecuencia, hay que concluir que el elemento /*enfermo*/ que acompaña al verbo /*seguir*/ es distinto del que acompaña al verbo /*estar*/, ya que con éste /*Andrés está enfermo*/ y /*Andrés lo está*/ son enunciados sinónimos.

En cuanto al verbo, se pueden seguir llamando copulativos los verbos que admiten atributo.

4.2.3. *Esquemas básicos primarios* — Con el criterio que nos ha permitido reconocer objetivamente el elemento-sujeto y los diversos elementos-integrables (primarios, secundarios y atributivos) se pueden fijar cuatro esquemas básicos según el siguiente cuadro:

Esquema 1: Sin sujeto Ø V   ESQUEMA IMPERSONAL
Esquema 2: S + V_t + CD   ESQUEMA TRANSITIVO
Esquema 3: S + V_c + Atr.   ESQUEMA ATRIBUTIVO
Esquema 4: S + V_i + Ø (Ni CD, ni Atr.) ESQUEMA INTRANSITIVO

Frente a la interpretación tradicional que clasificaba los verbos por su significado en transitivos, intransitivos, etc., hay que subrayar que los verbos se construyen según un esquema u otro. Un mismo verbo puede ser impersonal (/*Es de día*/), intransitivo (*Dios es*) o atributivo (*El niño es bueno*). Una descripción total de un verbo sólo se puede hacer inventariando los esquemas que puede recubrir y actualizar en la comunicación.

Observaciones — 1) El esquema impersonal está generalmente realizado por verbos que expresan fenómenos meteorológicos como *amanecer, tronar llover*, etc. y un corto número de verbos total o parcialmente desgastados como *haber, ser, hacer* y *bastar*

Algunos de los primeros admiten otras construcciones. Así /*Amanecimos en Ronda*/, /*Truenan los cañones*/. El verbo *haber* en algunas regiones puede entender el CD como sujeto y emplear la forma plural: */habían muchas personas*/ por /*había muchas personas*/; sin embargo, la forma incorrecta la hacen concurrir con la integración /*las habia*/. El verbo *bastar* en construcción impersonal concurre con la construcción intransitiva sinónima: /*me basta con tus justificaciones*/ y /*me bastan tus justificaciones*/. Los verbos *hacer* y *ser* expresan generalmente ideas de tiempo: /*hace calor*/, /*es de día*/.

La idea de impersonalidad del verbo se puede conseguir, en algunos, por impersonalización léxica del sujeto: /*Uno no lo sabía*/, o por el plural: /*Llaman a la puerta*/. Son hechos de léxico que no afectan a los esquemas de que la lengua dispone.

2) Además de los verbos de movimiento, son intransitivos, entre otros, verbos como *ocurrir, convenir, gustar, bastar, pertenecer*, etc., que llevan sujeto de cosa. Sin embargo, es siempre posible la construcción transitiva por braquilogía (*suspiró un adiós*), acusativo interno (*dormir el sueño de los justos*) o por empleos factitivos (*subir las escaleras*).

3) Con verbos de significación transitiva es posible la elipsis del CD especialmente en imperativo en la lengua coloquial

(Pide por esa boca; Escribe), por relación con el contexto *(Ya te explicaré; No recuerdo exactamente)* o por su valor significativo de generalización *(Simplificas mucho)*. No obstante, en algunos casos hay una matización semántica: */Fulano bebe mucha cerveza/; /Fulano bebe mucho/.*

    4) Verbos como *dar, echar, pegar, hacer* y *tener* emplean sustantivos verbales *(dar una corrida, tener una agarrada)*, los que expresan golpe *(dar una puñalada = apuñalar)* o abstractos como *paseata, caminata, vuelta, corazonada,* etc., con los que forman unidad de sentido que frecuentemente tiene su sinónimo en el léxico.

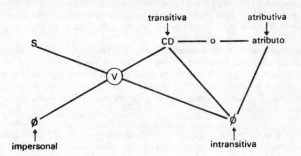

    4.2.4. *Esquemas básicos secundarios* — Sobre los cuatro esquemas básicos que conocemos se pueden desarrollar con diversas intenciones y diversas posibilidades una serie de nuevos esquemas en los que interviene el morfema 'reflexivo'. En gran parte, es un problema en la gramática tradicional la descripción y análisis de estas construcciones por defender el valor semántico reflexivo de esta partícula, que según veremos sólo se mantiene en un grupo reducido de verbos, y el propósito de distinguir la función de dicha partícula cuando es un mero marcador no coincidente con el concepto de reflexivo entendido como representación en el predicado del contenido del sujeto, con la que se significa que la acción recae sobre el mismo que la ejecuta.

    En el inventario que sigue, se intenta poner en relación las posibilidades de construcción de cada verbo y las variaciones de significado en el caso en que el hablante pueda elegir entre dos formas distintas, con reflexivo o sin reflexivo.

    A. El hablante no puede elegir. La construcción con reflexivo le viene impuesta por la naturaleza misma del contenido que trata de comunicar.

    (a) El verbo expresa una acción que el agente realiza sobre sí mismo de manera semejante a como se puede realizar sobre otro. En el plano del contenido parece evidente el carácter reflexivo del morfema. Formalmente es una variación en relación con la asociación del verbo y pronombre afijo en que éste alude al sujeto de la oración: (1) *María lava a su hija/María la lava/María se lava.* (2) *María lava las manos a su hija/María le lava las manos/María se lava las manos.*

    (b) Con otros verbos, sin embargo, en que la acción que el verbo expresa cuando se cumple en otro distinto al sujeto —persona o cosa— toma el carácter de proceso o se realiza como tal acción de manera distinta, el llamado "reflexivo" parece marca de la voz media con la que se señala la participación del sujeto en la acción.

    (3) *Juan levanta el baúl/Juan se levanta.*

    (c) El sistema de la lengua con algunos verbos no conoce la realización sin reflexivo: (4) *Alfredo se descaró con el dueño.*

    (d) Existen las dos construcciones, una con reflexivo y otra sin reflexivo. Entre ambas hay un cambio de significado: (5) *Los novios acordaron la fecha/Los novios se acordaron de la fecha.*

    B. El hablante, dentro de ciertos límites, puede elegir. El llamado reflexivo toma diversos valores:

    (a) Con verbos de movimiento el reflexivo subraya la participación del sujeto o matiza el significado de la acción: (6) *Juan va a Madrid/Juan se va a Madrid.*

    (b) La presencia del reflexivo subraya la participación del sujeto con un valor semejante al concepto de dativo ético: (7) *Juan bebió un doble de cerveza/Juan se bebió un doble de cerveza.*

(c) Ambas construcciones son prácticamente sinónimas: (8) *El alumno olvidó el cuaderno en su casa'El alumno se olvidó el cuaderno en su casa.*

C. Explícita o implícitamente la oración con *se* subsume una oración sin reflexivo. Mientras en las construcciones de que venimos hablando el sujeto se mantenía el mismo, tanto en la construcción con reflexivo como en la construcción sin reflexivo, en las que pasamos a inventariar, o */se/* elimina el sujeto de la oración construida sobre el esquema básico primario o es su CD.

(9) *La muerte espanta a los mortales/Los mortales se espantan de la muerte.* (10) *El presidente clausuró la sesión/Se clausuró la sesión.* (11) *El Juez escuchó a los testigos/Se escuchó a los testigos en el Juzgado.* (12) *Los muchachos rompieron las libretas/Se rompieron las libretas* (resultado de una acción/proceso).

En los cuatro casos es posible la construcción pasiva: (9a) *Los mortales son espantados por la muerte.* (10a) *La sesión fue clausurada por el presidente.* (11a) *Los testigos fueron escuchados por el Juez.* (12a) *Las libretas fueron rotas por los muchachos.* El agente de estas pasivas puede expresarse o dejarse de expresar. Cuando la forma con *se* se origina de una oración transitiva con CD nombre de persona (9)-(11), atenúa su matiz pasivo la construcción, y el sujeto se aproxima al valor medial señalado arriba (9) o no se permuta (11) y la construcción queda sin sujeto.

Por otra parte, cuando el CD es nombre de cosa, (10)(12), puede ocurrir: (α) que conserve, total o parcialmente, el sentido pasivo, muchas veces sustituyendo a la pasiva y concurriendo con ella, (β) que pueda anular el sentido pasivo cuando el verbo se entiende como proceso que se da en el sujeto, y (γ) que subraye la generalización e indeterminación del agente que produce la acción. Los valores (α) y (γ) se dan en (10) y en (12). El valor (β) se puede dar en (12), pero no en (10).

La gramática tradicional llama **pasivas-reflejas** a las que tienen sujeto inanimado y el verbo representa una acción sufrida por el sujeto; **impersonales-reflejas** a las que quedan sin sujeto porque el CD, marcado por la preposición */a/* no cambia de función. Por último, llama reflexivas simplemente o **reflexivas de valor medial** a las que hacen la permutación de CD a S y presentan el verbo como un proceso que se cumple en el S.

Como se ha podido ver, el valor significativo del verbo es decisivo para distinguir dos construcciones ya que formalmente no hay más que una construcción. El valor del */se/* varía entre la generalización que se da tanto en la construcción impersonal como en la construcción con sujeto (impersonales-reflejas y pasivas-reflejas) y el sentido medial que, según el verbo, se puede dar en la construcción con sujeto.

SUJETO	ORACIÓN CON REFLEXIVO	ESQUEMA
Animado	María se lava (las manos). Juan se levanta. Alfredo se arrepiente. Los alumnos se olvidaron de sus deberes. Juan se va a Madrid. Los mortales se espantan de la muerte. Juan se bebió un doble.	Reflexiva / Cuasi-reflexiva
Inanimado	Se rompieron las libretas. Se clausuró la sesión.	Pasiva-reflexiva
Ø	Se escuchó a los testigos. Se vive bien.	Impersonal-reflexiva

El esquema de */se/* de generalización se extiende a construcciones no transitivas con la misma intención: (13) *Todos viven bien en tu casa/Se vive bien en tu casa.* (14) *A veces, la gente está enferma/A veces, se está enfermo.* (15) *Las sombras espantan a los niños fácilmente/Se espanta a los niños fácilmente.*

La dinámica actual de la lengua mezcla las dobles posibilidades del CD-S, con lo que al lado de las construcciones comentadas se puede leer y oír la integración como CD del elemento nominal en oraciones con */se/* generalizador o la suspensión de la concordancia con el verbo: (16) *Se ama la libertad y se la desprecia.* (17) *Se oye a media noche ruidos extraños.*

Parece recomendable mantener la concordancia con el sujeto. Los gramáticos censuran como vulgarismos construcciones como "Se vende zapatos". Sin embargo, cuando el sujeto se aleja del verbo por la interposición de otros elementos, no disuena y cada vez es más frecuente, fortaleciendo así el sentido de indeterminación de agente del /se/. Por otra parte, hay que señalar que en los casos de integración del elemento nominal, se hace dominantemente por medio de *le/les* y en el caso de construcción atributiva no es posible la integración.

4.3. *PREDICACIONES ADYACENTES* — En la estructura de los esquemas básicos se señala como predicación el contenido del verbo ordenador sólo incrementado por los integrables. Al lado de esta predicación, cabe la presencia de otra predicación paralela a ella, de valor secundario, conseguida mediante formas morfológicas características: adjetivos, participios o gerundios. La gramática tradicional utilizó sin demasiadas precisiones el término **predicativo** para designar a estos elementos, y, más recientemente, el de **predicatoide.**

Estas predicaciones secundarias adyacentes a la central y ordenadora del enunciado pueden presentarse como **concordadas** (adjetivos), con valor perfectivo, o como **no concordadas** (gerundios), con valor durativo. En el primer caso acuden a adjetivos o participios y en el segundo, a los gerundios. Tanto en un caso como en el otro, el predicativo tiene como sujeto al sujeto del verbo nuclear o a su complemento directo, pero nunca a otro elemento de la oración. La unidad de la amplificación del esquema básico por medio de estas adyacencias se justifica: (a) por su carácter predicativo o de predicación secundaria, (b) por su necesidad de un sujeto al que referirse, y (c) por el hecho de que este sujeto está ligado al verbo nuclear como su sujeto o como su CD. Es diferente en cada forma predicativa (d) la presencia o ausencia de concordancia con el sujeto, y (e) el valor perfectivo o durativo del contenido expresado.

(1) *Antonio llegó a casa. Antonio estaba cansado* ⟶ *Antonio llegó* **cansado** *a casa.* (2) *El camarero trajo pescado. El pescado estaba frito* ⟶ *El camarero trajo* **frito** *el pescado.* (3) *El muchacho corría por la calle. El muchacho silbaba* ⟶ *El muchacho corría* **silbando** *por la calle.* (4) *El visitante vio a una mujer. La mujer pintaba* ⟶ *El visitante vio a una mujer* **pintando.**

Por su carácter explicativo, los predicativos tienen gran libertad posicional en el enunciado. Cuando se refieren al sujeto pueden ir anticipados, delante del sujeto al que se refieren; parentéticos, entre pausas que los separan del sujeto y del verbo nuclear, o pospuestos al verbo. Cuando se refieren al CD, sólo pueden construirse delante del sujeto del que van separados por pausa o pospuestos a él.

Esta libertad posicional queda limitada cuando se usan con determinados verbos estativos o de movimiento con los que formen unidad de sentido. En este caso, el predicativo, como en el caso del atributo con *ser,* aporta la significación más relevante del enunciado mientras el verbo nuclear realiza además del aporte de las informaciones de tiempo, modo, etc., la matización del contenido del predicativo. La gramática tradicional dice que el verbo nuclear realiza una función **auxiliar** mientras el predicativo es el verbo **conceptual** de la construcción y el conjunto forma una **perífrasis verbal** o **frase verbal.**

(5) *Alberto* **viene estudiando** *toda la mañana.* (6) *Alberto* **está** *(sigue, continúa) estudiando.* (7) *Alberto* **sigue** *(continúa) enfermo.* (8) *Alberto* **tiene escrita** *su novela.*

Mientras las construcciones con gerundio (5) y (6) son caracterizadas como **progresivas** o **durativas,** la (7) es unida a las construcciones atributivas y la (8) es relacionada con las formas compuestas con el verbo *haber* que consiguen el aspecto perfectivo en la conjugación de todos los verbos.

PERÍFRASIS DE GERUNDIO

Durativa	Progresiva
estar + ger.	ir + ger.
seguir + ger.	venir + ger.
	andar + ger.

De hecho, nos encontramos aquí, como en tantos casos, con la confusión de un análisis semántico de enunciados que justificaría la separación de (3) por una parte y de (5) y (6) por otra, y un análisis formal que unificaría las tres construcciones. Uno y otro análisis serán válidos siempre que se sepa qué plano de la lengua se está analizando. En definitiva, el análisis formal debe tener la prioridad para fijar el esquema y la organización de los elementos, mientras el análisis semántico se apoya en el léxico únicamente y debe ocupar un segundo lugar.

La construcción (7) que la gramática tradicional ve como realización del esquema atributivo ha sido discutida ya en 4.2.2. En todos los casos influye el grado de gramaticalización del verbo nuclear que no siempre se produce de la misma manera. En la interpretación semántica siempre se encontrará la dificultad de fijar un límite preciso.

Observación – El predicativo concordado plantea un caso especial cuando el verbo nuclear lleva reflexivo, ya que éste de alguna manera reproduce el significado del sujeto; sin embargo, el reflexivo no tiene marca de género: *se creyó perdido; se volvió tonto.*

4.3.1. *Uso del gerundio* – Para el uso del gerundio predicativo, la gramática normativa ha fijado determinadas restricciones que no siempre se cumplen: (a) el gerundio debe tener siempre valor explicativo, (b) el gerundio debe expresar acción anterior o coetánea a la que expresa el verbo nuclear, nunca posterior. Con arreglo a estas normas se han censurado enunciados como (a) **Trajo una caja conteniendo libros* y (b) **Entraron en el bar, deteniendo a poco a los sospechosos.*

De una manera creciente en la lengua se desarrolla el uso del **gerundio de posterioridad,** de acción posterior a la del verbo nuclear. Por otra parte, este uso comienza a instalarse en la lengua desde muy antiguo aunque con mucha menos difusión que hoy. El carácter atemporal del gerundio permitiría la expresión de posterioridad exactamente como permite la expresión de anterioridad. Sin embargo, el uso predicativo, de predicado secundario firmemente trabado con el verbo nuclear, limita las posibilidades de posterioridad a la coetaneidad o al resultado inmediato de la acción que expresa el verbo nuclear. Característicamente, el gerundio de posterioridad se da en la expresión escrita o literalizada con descuido y muy rara vez en el habla coloquial de las buenas gentes.

Cuando el gerundio tiene como sujeto al CD del verbo nuclear, éste debe ser de percepción o comprensión y representación *(sentir, ver, oír, observar, pintar, grabar, representar,* etc.) y expresa "la actividad que se toma, una operación que se está ejerciendo o un movimiento que se ejecuta ocasionalmente en la época del verbo principal" (Cuervo.)

Igualmente, se ha censurado la dependencia de este gerundio de cualquier elemento oracional que no sea S o CD. Sin embargo, no es raro encontrar en el escrito un gerundio dependiente de otros elementos oracionales: "El primer galán era un mancebo muy simpático, rebosando de entusiasmo y de décimas calderonianas" (Palacio Valdés); "En el portal de una ventana a la sombra del alero, dormía un hombre, con las manos colgando por los hinojos y los pies saliéndosele de las espardeñas" (G. Miró).

4.3.2. *Elementos concordados* – Afines a las estudiadas predicaciones adyacentes son otras predicaciones incidentes introducidas por las preposiciones /por/ o /de/ que pueden referirse tanto al sujeto como al complemento directo y tomar, en ocasiones, una cierta unidad de sentido. La gramática tradicional los estudia entre los llamados complementos circunstanciales.

(1) *Tiene a su tío* **por dueño** *de todo/Se tiene* **por dueño** *de todo.* (2) *Tiene a su tío* **por bueno**/*Se tiene* **por bueno.** (3) *Hizo el sacrificio* **por bueno.** (4) *Se lo hizo* **por bueno.** (5) *Colocó a su sobrino* **de aprendiz**/*Se colocó* **de aprendiz.**

La referencia al sujeto se consigue por medio del reflexivo. En el uso de *por,* que marca característicamente causa, se mantiene tal valor cuando el término introducido es un adjetivo. Sin embargo, es siempre posible entender la construcción con el mismo valor que en (1). (2b) *Tiene a su tío* **porque el tío es bueno** *(por ser bueno el tío)* o **porque el que tiene es bueno** frente a "creer que el tío es bueno".

Tanto en (1) como en (2), cuando no expresa causa, la supresión del elemento prepositivo –/por dueño/, /por bueno/– cambia el sentido de la comunicación. Como en tantas ocasiones, es cuestión de léxico la valoración significativa del esquema. En (5), la supresión del elemento prepositivo /de aprendiz/ da un valor de generalización semejante a la supresión del CD en algunos verbos transitivos.

Sin carácter predicativo y, sin embargo, frecuentemente unido a los predicativos por la gramática tradicional figuran las construcciones de verbos como *nombrar, proclamar, llamar* y pocos más que necesitan un sustantivo sin preposición para completar su sentido. Este elemento no es integrable y concuerda, de ordinario, con el CD o con el sujeto.

(1) *Nombraron* **alcalde** *a Federico/Federico fue nombrado* **alcalde**/*Se nombró* **alcalde** *a Federico.*

4.4. *OTROS ELEMENTOS DE LA ORACIÓN SIMPLE* – Para aislar los restantes elementos que pueden aparecer en la oración simple, ya no se tiene una segura guía formal en que apoyar el análisis y se tiene que recurrir a criterios semánticos más o menos inequívocos. Ante todo, nos encontramos con dos órdenes de he-

chos heterogéneos y que, sin embargo, se recubren parcialmente según variables no debidamente establecidas. Estos hechos son: (a) el significado que por sí mismos alcanzan ciertos elementos, independientemente
del entorno oracional en que aparezcan y de la oración de que formen parte, esto es, la validez significativa que
alcanzan por sí mismos sin tomar en consideración otros elementos de la oración: *cuidadosamente, con cuidado,
hoy, esta mañana, en Navidades*, etc.; de otra parte, y frente a estos casos, /*en oro*/ que puede aparecer en
/*Abunda en oro*/ y en /*Rico en oro*/, o /*de política*/ que puede aparecer en los segmentos /*Habla de política*/ y /*Un
libro de política*;/ (b) la conexión semántica del elemento estudiado con el núcleo verbal ordenador de la oración,
hecho que se da, según hemos visto, en las secuencias V-CD *(Dio un empujón = empujó)*, V-P$_1$ *(sigue enfermo)*,
V-P$_2$ *(está cantando; sigue cantando)*, y que se vuelve a encontrar en realizaciones como /*hacerse de nuevas*/,
/*darse de narices*/, /*dar con ---*/, etc., con diversos grados de cohesión y con mayor o menor riqueza de variaciones en su realización.

La gramática tradicional reunía todos estos elementos bajo el título general de **complementos circunstanciales,** término esencialmente semántico en clara contradicción con los de CD y CI. Estrictamente. el complemento circunstancial sólo podía definirse como lo que no era ni CD ni CI, ya que el concepto circunstancial re-

cubría una variada y heterogénea gama de realidades difíciles de reducir a un común denominador. A continuación se trataba de precisar su valor con determinaciones significativas —de tiempo, lugar, instrumento, etc.—
unas veces equívocas y frecuentemente contradictorias.

El criterio (a) permite, siempre hasta cierto punto, aislar: 1.º elementos adverbiales que se caracterizan
formalmente por estar constituidos por adverbios con o sin preposición —/*dentro*/, /*desde dentro*/— o por ser
conmutables por los adverbios /*así*/, /*aquí*/, /*entonces*/: /*con cuidado*/, /*en casa*/, /*en Navidades*/; 2.º elementos
nominales que pueden ser conmutados por los pronombres personales y que tienen una muy determinada significación de causa, finalidad, lugar, etc., por la preposición que los introduce o por la preposición y el significado
del término introducido: /*para médico*/, /*por su voluntad*/, etc.; 3.º elementos nominales conmutables o no por los
pronombres personales —compruébese la posibilidad distinta de conmutación en /*Hablaba de toros*/ y en /*Hablaba de los toros*/— que no se pueden eliminar en la descodificación de la comunicación sin desgarrar el contenido
que se trata de transferir.

Si nos atenemos a este criterio, es discernible una clase de elementos nominales o adverbiales que podrían
llamarse **autónomos** —los descritos en 1.º y 2.º— y otra clase, que comprendería los descritos en 3.º, que se han
llamado **suplementarios, ligados** o **regidos.** La utilización del criterio (b), sin tomar en cuenta el grado de cohesión, sino simplemente la existencia de tal cohesión, nos señalaría además de los aislados ya como ligados,
algunos de los considerados a priori como autónomos ya que la mayor parte de los elementos ligados están implicados por el contenido semántico del verbo nuclear. Así, en el enunciado /*Este verano, en París, estuve **en casa**
de mis tíos/.* Los tres elementos que acompañan al verbo son autónomos, lo cual les permite aparecer con
el mismo significado en otros mensajes —/*Este verano descansaré*/, /*Este verano saldré de viaje*/; /*En París hay
gentes de todo el mundo*/, /*En París venden de todo*/; /*En casa de mis tíos encontré a Mercedes*/, /*En casa
de mis tíos hay buenos libros*/, etc.—. Ahora bien, en el enunciado que nos ocupa, uno por lo menos de los elementos autónomos está ligado al verbo ordenador /*estuve*/ por la implicación que su significado impone. El segmento /*estuve*/ sólo puede ser un enunciado si de alguna manera se entiende el lugar, por haber sido dicho
ya, por el gesto, etc. Para la gramática tradicional los tres elementos aislados serían complementos circunstanciales de lugar. Sin embargo, no son de la misma jerarquía en la oración de que forman parte. Los dos primeros son dos elementos autónomos de tiempo y lugar, el tercero es autónomo implicado por el verbo. Entre las
dos áreas que han suscitado los dos criterios (a) y (b) hay una intersección en la que pueden figurar determinados
elementos autónomos según el verbo con el que se realicen en el habla.

4.4.1. *Elementos autónomos* — Entre los que podemos llamar adverbiales conmutables por adverbios o
por pronombres, ocupan un lugar muy destacado y organizan un verdadero sistema bastante cerrado los que
expresan situación en el tiempo o en el espacio. Podemos distinguir dos sistemas según que la situación se
encare desde dentro —**situación pura**— o desde fuera —**situación relativa**—. En la situación pura al término de
represencia es el momento del acto verbal y la situación misma del hablante, por referencia al aquí y ahora.
En la situación relativa (extrínseca) el hablante refiere y limita la situación por referencia a una realidad distinta
a él. Ambos sistemas se recubren en cuanto a sus unidades.

En cualquiera de los dos sistemas se pueden distinguir un plano horizontal que fija el lugar o el tiempo
pero que puede intercambiarse, y un plano vertical. Ambos planos generan una esfera en la que puede introducirse un subsistema complementario para fijar las relaciones exterior/interior con relación a un punto
determinado.

En el sistema intrínseco o de relación pura se dan los adverbios demostrativos, adverbios prepositivos o
relativos o nombres puros —días de la semana, mes, año— o nombres con preposición. En el sistema extrínseco
el término introducido por el adverbio o por la preposición marca la base de relación: *detrás de mi tío, tras de*

la puerta. La construcción es, por tanto, la misma para uno que para otro sistema. Otro subsistema lineal permite organizar las marcas de la traslación en secuencias cerradas de dos miembros —*desde x hasta z, de x... a z,*— o en secuencias de un solo miembro que sobrentienden al otro: *desde x, hasta x, hacia x, contra x.* En /*No la he visto desde Navidades*/, se presupone /*hasta hoy*/.

La lengua ha lexicalizado elementos bimembres en locuciones como *"de higos a brevas", "de la Ceca a la Meca", "de Herodes a Pilatos", "de la noche a la mañana", "de punta a punta", "de cabo a rabo", "de la cruz a la fecha".* De la misma manera elementos unimembres lexicalizados son *"hasta la coronilla", "hasta los pelos", "hasta las narices". "hasta el cuello", "hasta las orejas",* etc.

Los elementos autónomos modales son más ricos y variados en formación y al mismo tiempo, desde el plano del contenido, en peligroso límite con los predicativos y atributivos. Son particularmente numerosas las formaciones con /*a*/ que introducen sustantivos —*a palos, a martillazos, a empujones, a ráfagas, a gritos, a barullo, a caballo, a pie, a cuatro patas, a la luz del día*—, adjetivos —*a buenas, a ciegas, a tontas y locas, a oscuras*—, adjetivos sustantivados —*a la española, a lo torero, a lo loco*—, sustantivos con artículo —*a la pata coja*—, etc.

La preposición /*con*/, que se contrapone a /*sin*/, forma elementos modales frecuentemente intercambiables con adverbios en -*mente: con intención* → *intencionadamente, con cuidado, con miedo, con valor, con brusquedad, con regularidad, con timidez.* De la misma manera se encuentran los formados con /*de*/ en correspondencia con adverbios en -mente: *de verdad* → *verdaderamente, de muerte,* etc. Los más, sin embargo, mantienen la independencia de los conseguidos con /*a*/; con adjetivos —*de buenas, de negro, de oscuro*—, con sustantivos —*de broma, de fiesta, de trapillo, de balde*—, secuencias con verbo o sin él —*de ir por casa, de picos pardos*—, etc.

Menos lexicalizadas se muestran las formaciones con /*en*/ que pueden ser adjetivos —*en serio, en claro, en especial*—, sustantivos —*en broma, en serie, en chanclas, en pedazos*—, secuencias —*en mangas de camisa*—, etc.

Con el sustantivo sólo en secuencia con la preposición /*a*/ que introduce el segundo miembro se forman *gota a gota, mano a mano, poco a poco, paso a paso, día a día.*

Los autónomos nominales no admiten la conmutación por adverbios y, en cambio, pueden ser conmutados por pronombres personales. Semánticamente aportan relaciones de finalidad o causa, claramente expresadas por las preposiciones /*por*/ y /*para*/ o locuciones de significado semejante (/*a causa de*/, /*en beneficio de*/): (1) *Compré la casa* **por mi hermano** → *por él;* (2) *Compré la casa* **por mi conveniencia** → *por ello;* (3) *Compré la casa* **para mi tío** → *para él;* (4) *Compré la casa* **para mi descanso** → *para ello (eso).*

4.4.2. *Elementos ligados o suplementarios* — Los elementos ligados se caracterizan por su cohesión con el verbo que alcanza diversos grados. Cuando su cohesión es máxima no pueden ser conmutados ni por pronombres ni por adverbios y forman unidades semánticas: (1) *Se dio de narices con...;* (2) *Hizo añicos el jarrón;* (3) *Lo echó de menos;* (4) *Se hizo de nuevas;* (5) *Le tiene en menos.*

En otros casos, los más y más variados, es posible la conmutación pronominal, generalmente, y por los caracteres de nuestro sistema oracional permiten la reducción del elemento a cubrir las bien caracterizadas posiciones del sujeto, complemento directo o indirecto sin variación de significado o con ligera matización. Las reducciones son muy variadas. He aquí algunas de las más notables:

Reducción a la función sujeto: (1) *María se adorna la cabeza* **con flores** → *Las flores le adornan la cabeza;* (2) *Alberto atruena la sala* **con sus voces** → *Sus voces* (las voces de Alberto) *atruenan la sala;* (3) *Juan se atemoriza* **con los cohetes** → *Los cohetes atemorizan a Juan;* (4) *Juan se apasiona por* **el deporte** → *El deporte apasiona a Juan;* (5) *Juan se estimula* **con alcohol** → *El alcohol le estimula;* (6) *Alfredo se aburre* **con/de sus chistes** → *Sus chistes le aburren;* (7) *Alfredo se aconseja de Pedro* → *Pedro aconseja a Alfredo;* (8) *María congenia* **con Jorge** → *María y Jorge congenian;* (9) *Mi amigo rompió sus tratos* **con Jorge** → *Mi amigo y Jorge rompieron sus tratos;* (10) *A María le rebosa el corazón* **de bondad** → *La bondad le rebosa el corazón;* (11) *Estas tierras abundan* **en flores** → *Las flores abundan en estas tierras.*

Reducción a la función CD: (12) *El viajante sube* **por la escalera** → *El viajante sube la escalera;* (13) *El muchacho sabe* **de matemáticas** → *El muchacho sabe matemáticas;* (14) *El enfermo se curó de sus heridas* → *El enfermo se curó sus heridas;* (15) *Juan acertó* **con el regalo** → *Juan acertó el regalo;* (16) *Se encontró* **con el libro** → *Se encontró el libro;* (17) *Consintió* **en el negocio** → *Consintió el negocio;* (18) *Se confirma* **en lo dicho** → *Confirma lo dicho;* (19) *Se aprovechó* **de la ocasión** → *Aprovechó la ocasión;* (20) *Confabuló a su suegra* **con María** → *Confabuló a su suegra y a María* (las confabuló); (21) *Se unta la cabeza* **de/con aceite** → *Se unta aceite en la cabeza;* (22) *Le vaciaron el bolsillo* **de dinero** → *le vaciaron el dinero del bolsillo.*

Reducción a la función de CI: (23) *Unió una cosa con otra* —— *Le unió una cosa;* (24) *Consultó su problema con Federico* —— *Consultó su problema a Federico.*

4.4.3. *Elementos marginales* — Más allá del campo que cubren los elementos autónomos se sitúa un heterogéneo grupo de elementos de variada estructura gramatical que sólo podemos distinguir por su función semántica. Su aportación de significado al mensaje es tangencial y como sobrepuesto al contenido que arrastra el verbo nuclear con sus elementos centrales: Sujeto, Integrables y Elementos ligados. Por ello, está muy próximo a los elementos autónomos y, algunas veces, éstos invaden su función.

(a) **Contrastativos:** Forman frases de cierta autonomía que aportan muchas veces el mismo contenido de una oración y otras son simplemente una complementación o aclaración de lo que se dice en la oración.

(a1) *Frases infinitivas:* El infinitivo con preposición toma diversos valores semánticos: (1) *De tener lo que necesito, te visitaré;* (2) *A tener lo que necesito, te visitaré;* (3) *Al llover, se estropearon las cosechas;* (4) *Con tener lo que necesita,* no está contento. Se advierten los valores condicionales de (1) y (2), temporal de (3) y concesivo de (4).

(a2) *Predicativos absolutos:* Gerundio, adjetivo o participio cerrados, al darse como impersonales o referidos a un sujeto sustantivo, forman una predicación secundaria desligada de la oración: (1) *Concluido el negocio,* se estrecharon las manos; (2) *Siendo ya de día,* regresaron del monte; (3) *Abriendo yo la puerta,* se produjo el apagón.

Afines a estas construcciones son las conseguidas con participios o adjetivos en trance de gramaticalización, de tal manera que pueden interpretarse como preposiciones: (1) *Salvo los domingos...;* (2) *Excepto los domingos...;* (3) *Incluso los domingos...;* (4) *Dado por seguro* el asunto...; (5) *Supuesto su buen propósito.*

(b) **Comentarios oracionales:** Refuerzan o comentan de alguna manera, con gran libertad posicional, siempre entre pausas, lo que dice la oración: (1) *Ciertamente,* no sé eso; (2) *Sí,* ha llegado ya.

El mismo carácter tienen las frases interjectivas: (3) *Santo Dios,* ya lo encontré; (4) *Hombre,* haberlo dicho.

(c) **Amplificaciones o precisiones:** (1) *En cuanto al robo...;* (2) *Además de Federico...;* (3) *Además de tonto...;* (4) *Sobre el asunto...*

(d) **Vocativos:** Se caracterizan por la entonación y son nombres propios con los que el hablante atrae la atención de su interlocutor. El vocativo puede coincidir con el sujeto de la oración o estar completamente desligado de él: (1) *Muchacha,* tráeme la comida; (2) *Muchacha,* nadie supo nada del asunto.

(e) **Ordenadores del discurso:** Una variada y bastante extensa serie de unidades se emplea para relacionar la oración con la que la precede o sirve para situarla dentro del discurso en una jerarquía o relación lógica. La lengua acude a elementos como /por tanto/, /por ello/, /por eso/, /con todo/, /en consecuencia/, /por consiguiente/, /pues/, /luego/, /así que/, /y eso que/, /conque/, /sin embargo/, /no obstante/, y otros.

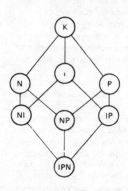

4.5. ESQUEMAS BÁSICOS TRANSFORMADOS: P.I.N. — Hemos conocido hasta ahora los esquemas básicos sobre el acuerdo de construcciones positivas. Mediante el cambio en el orden sintagmático de una dada enunciación y la introducción de determinadas modificaciones en algunos de sus elementos se pueden producir nuevas aportaciones de significado o los mismos contenidos pueden expresarse desde otro punto de vista. A nivel de los esquemas básicos son transformaciones básicas también los esquemas pasivos (P), interrogativos (I) y negativos (N).

Los psicólogos han estudiado la retención mnemónica de estos esquemas para el inglés y han comprobado la mayor facilidad en el aprendizaje partiendo de los enunciados de esquema básico. Entre las transformaciones, y siempre para el inglés, las transformaciones P. son mejor aprendidas que las transformaciones I. y N. De la misma manera se ha observado que los errores sintácticos son mayores y más frecuentes que los semánticos y tienden a aproximar el enunciado al esquema básico del que han sido transformación según el gráfico de las ocho formas.

4.5.1. *El esquema pasivo* — El esquema pasivo se obtiene por una reordenación del esquema transitivo de algunos verbos. En esta reestructuración cuyas reglas se pueden fijar, el integrable primario pasa a ser sujeto y éste puede opcionalmente pasar a ser un elemento agente marcado con las preposiciones /por/ o /de/. El verbo nuclear toma la forma pasiva: participio conjugado con el verbo *ser*: (1) *El arquitecto construye su casa* ⟶ *Su casa es construida por el arquitecto/Su casa es construida.*

El participio pasivo de estas construcciones admite la misma combinatoria con el pronombre personal neutro afijo /lo/ que el atributo: (2) *Es construida = Lo es.* Como el atributo, concuerda en género y número con el sujeto. La gramática tradicional distinguía oraciones primeras o segundas de pasiva por la presencia o eliminación del agente.

Observación — A nivel del habla, enunciados de *ser + participio* pueden resultar ambiguos cuando la transposición a adjetivo del participio convive en el léxico con el valor verbal. La adecuada fijación del esquema de fondo —esquema atributivo o esquema de transformación pasiva— y el contexto y la redundancia de la lengua impiden el equívoco. La palabra */retorcido/* se emplea como adjetivo para describir metafóricamente una determinada manera de ser de una persona. Cobra su sentido verbal cuando se refiere a determinados objetos que sufren la acción así llamada. No es pensable un enunciado como */Juan es retorcido por el deseo/*. La lengua elimina la ambigüedad por su preferencia por enunciados como */Juan se retuerce por el deseo/*. En otros casos, sin embargo, se da la coexistencia: */La vieja es atropellada/* puede querer decir (a) que es víctima de un atropello o (b) que es precipitada en sus actos y decisiones.

4.5.2. *Esquema interrogativo* — La transformación interrogativa sobre la base positiva se consigue por medio de la entonación: (1) *Alberto irá pronto a París* ⟶ *¿Alberto irá pronto a París?/¿Irá pronto a París, Alberto?/¿Irá Alberto pronto a París?*

Al lado de la interrogación total en que la respuesta que se espera es /Sí/ —confirmación— o /No/ —negación—, la lengua prevé la posibilidad de la interrogación parcial en la que se pretende identificar un determinado elemento oracional o constituyente de un elemento. Las llamadas palabras interrogativas que morfológicamente actúan como pronombres, adjetivos o adverbios ocupan en el esquema el lugar del miembro desconocido que se pretende identificar. A esto se añade un particular esquema entonacional suprasegmental. La contestación rellena, por así decir, el vacío marcado por el interrogativo: (2) *¿Quién ha venido?* ⟶ *Ha venido Pedro.*

4.5.3. *Esquema negativo* — La negación, es decir la invalidación de un enunciado, se consigue de una manera primaria sin variación en el esquema entonacional por la anteposición del morfema /no/ al verbo ordenador de la oración: (1) *El melocotón es bueno* ⟶ *El melocotón no es bueno*; (2) *Voy a casa de mis padres* ⟶ *No voy a casa de mis padres.*

Observaciones — 1. La anulación del sujeto por medio de /nadie/ hace que cuando vaya antepuesto anule la presencia de /no/ que vuelve a reaparecer en cuanto /nadie/ es pospuesto: (3) *Alfredo lo ha visto* ⟶ *Alfredo no lo ha visto/ Nadie lo ha visto/ No lo ha visto nadie.* Lo mismo ocurre con /ninguno/ y /nada/.

2. La negación puede ser reforzada por la presencia de elementos autónomos negativos: (4) *De ninguna manera lo podrás saber/No lo podrás saber de ninguna manera.*

4.6. *Sintaxis de los elementos* — A nivel de cada uno de los elementos aislados en la primera segmentación de la oración, se puede proceder a una segunda segmentación para aislar los **constituyentes** relevantes, ya que, como en la oración, el elemento responde a una determinada ordenación de unidades menores. En cualquier elemento se destaca uno de sus constituyentes como **cabeza** o **núcleo ordenador** del elemento que implica la presencia de otros constituyentes. Frente a la relación **exocéntrica** que contraen los elementos entre sí en la oración, la construcción del elemento es **endocéntrica.** Toda construcción endocéntrica exige fijar el núcleo ordenador cuya naturaleza morfológica fijará a su vez la naturaleza de los constituyentes que puede admitir. En segundo lugar, los constituyentes seleccionados por el núcleo forman con él una unidad superior y pierden su propia función para formar parte de la que impone el núcleo del elemento.

El segmento /La casa blanca/ está constituido por tres unidades menores /La/, /casa/, /blanca/. El constituyente /La/, átono y plenamente fundido a /casa/, no tiene existencia independiente sin el sustantivo al que acompaña; el constituyente /casa/ es, como sustantivo, miembro primario del elemento; el constituyente /blanca/ es un miembro secundario que se relaciona formalmente con el constituyente /casa/ por la concordancia de género y número. Este último constituyente forma con el segmento anterior —/La casa.../— un elemento que puede adoptar la función sujeto, CD, etc., según el enunciado de que forme parte: (1) *La casa blanca es espaciosa; He visto la casa blanca; Paseo hacia la casa blanca,* etc. En su descripción se señalará el núcleo o cabeza del elemento, sustantivo por su naturaleza, un modificador /la/ y un determinado /blanca/. La estructura de este elemento es la misma de otros elementos como /El perro grande/, /La cruz verde/, etc., que nos permitirá fijar un esquema constituido por Artículo + Sustantivo + Adjetivo. Estos esquemas se llamarán **esquemas elementales** de tipo sustantivo porque su núcleo ordenador es un sustantivo.

La gramática tradicional que basaba su estudio de la frase en las relaciones funcionales semánticas llamaba **complementos** a todos los segmentos que completaban el sentido de otros y, contradictoriamente, distinguía complementos del sujeto y complementos del predicado o del verbo. Con este criterio poco fijo llegaba a separar en su análisis el constituyente /*blanca*/, como complemento del sujeto, de la cabeza o núcleo del mismo, que aislaba como sujeto de la oración. Este análisis, entre otras contradicciones, muestra la de entender en el enunciado (1) que el sujeto, elemento de quien se decía que /*es espaciosa*/, era solamente /*La casa*/, cuando evidentemente el predicado se dice de /*La casa blanca*/ y no de otra.

4.6.1. *Elementos encabezados por un sustantivo* — El esquema sustantivo más simple de un elemento sustantivo consta de un solo constituyente, el sustantivo solo. Aparece en función atributiva —*Mi amigo es* **médico**— y en otros pocos casos —*He visto* **perros;** *Estudia para* **médico,** etc.—. Exige la presencia de constituyentes llamados **modificadores** de diverso carácter estrechamente vinculados a él, tales como el artículo, posesivos, demostrativos y los cuantificadores y los **complementos** de diversa naturaleza.

Al hablar de la complementación del sustantivo, la gramática tradicional distinguía una complementación **explicativa** y una complementación **especificativa,** según destacase una cualidad que formaba parte esencial del objeto que designaba el sustantivo o destacase una cualidad que permitía distinguirlo entre los diferentes ejemplares de la especie designada: /*El* **fiel** *perro*/ frente a /*El perro* **lobo**/, /*El perro* **hambriento**/, /*El perro* **de mis amigos**/.

Por la naturaleza del complemento distinguía formalmente: (a) *el adjetivo*, palabra que por su propia naturaleza morfológica es término secundario del sustantivo y semánticamente sirve para calificarlo y distinguirlo; (b) *el sustantivo en aposición,* sustantivo yuxtapuesto a otro que confiere al primero todas o alguna de las cualidades que constituyen su significado: /*La Virgen Niña*/, /*El río Tormes*/, /*Madrid, capital de España*/; (c) *el sustantivo con preposición,* sustantivo unido a otro por medio de una preposición que transponía su función primaria en secundaria; (d) *el adverbio con preposición,* adverbios demostrativos y relacionales que situaban el sustantivo: /*La casa de enfrente*/. Sin preposición y pospuesto, el adverbio sentido como preposición por algunos gramáticos forma las secuencias: *calle arriba, puertas adentro, boca abajo,* etc.

Las complementaciones prepositivas de valor posesivo con /*de*/, constituidas por un nombre, pueden ser integradas en núcleo por medio del posesivo: *La casa de Federica* ⟶ *Su casa.* De la misma manera la complementación prepositiva con /*de*/ constituida por un adverbio puede integrarse por medio de los demostrativos: *La casa de enfrente* ⟶ ***Aquella*** *casa.*

Las complementaciones del sustantivo pueden ordenarse de muy diversas maneras. Las pausas y el contenido semántico hacen posible la interpretación del significado. Un esquema muy característico encadena una serie de complementaciones cuya segmentación disminuye en extensión a medida que avanza:

> **La casa**/de la esposa del primo del amigo del tío de Federico
> **la esposa**/del primo del amigo del tío de Federico
> **el primo**/del amigo del tío de Federico
> **el amigo**/del tío de Federico
> **el tío**/de Federico

Otro esquema puede ser enumerativo y el sustantivo en plural se abre en abanico para recibir una a una cada una de las complementaciones: *Las casas* **de la esposa, del amigo, del primo, del tío, de Federico.**

La preposición /*de*/ es, con mucho, la más frecuente en la complementación prepositiva de sustantivo para expresar posesión o propiedad —*la casa de mi padre*—, agente u objeto de la acción —*el asesinato del vagabundo*—, materia —*la mesa de madera*—, finalidad —*la máquina de escribir*—, origen o procedencia —*el vino de Jerez*—, cualidad o especie —*harina de trigo*—, contenido —*la caja de cigarros*—, etc. Una clasificación semejante escapa del campo de estudio de la gramática para entrar en el del léxico ya que el esquema es el mismo y sólo el contenido de los sustantivos que recubren el esquema marca las diferencias de sentido en la relación.

De todos los usos señalados, el que ejemplifica el elemento /*El asesinato del vagabundo*/ es por sí mismo ambiguo, ya que el complemento tanto puede ser el sujeto como el objeto del sustantivo al que se refieren. El entender cabalmente el segmento comentado implica fijar una base oracional de partida que sería /*El vagabundo asesinó a alguien*/, para el complemento subjetivo, o /*Alguien asesinó al vagabundo*/, para el complemento objetivo. Se llama **nominalización** al proceso de transformación de una oración en un enunciado nominal. Esta nominalización transforma con los morfemas derivativos convenientes el lexema del verbo y mantiene las mismas preposiciones que la construcción verbal exige. La lengua moderna tiende a disminuir el uso de la preposición /de/ y hacer entrar en juego a las demás preposiciones para uniformar la construcción verbal con los esquemas de elementos nominales: *El fakir bailaba sobre los cuchillos* ⟶ *El baile* del fakir sobre los cuchillos; *Paseaba yo ante la casa de Isabel* ⟶ *Mi paseo* ante la casa de Isabel; *Corría bajo la lluvia* ⟶ *La carrera bajo la lluvia; Me encontré con Mercedes* ⟶ *Mi encuentro* con Mercedes; *Combatió contra el campeón* ⟶ *El combate* contra el campeón; *Llegó desde lo alto de la montaña* ⟶ *La llegada* desde lo alto de la montaña; *El país abunda en oro* ⟶ *La abundancia* en oro del país; *Discutieron entre ellos* ⟶ *La discusión* entre ellos; *Subieron hasta lo alto* ⟶ *La subida* hasta lo alto; *Volaron sobre Madrid* ⟶ *El vuelo* sobre Madrid, etc.

4.6.2. *Elementos encabezados por un adjetivo* — El adjetivo actúa, según acabamos de ver, como complemento de un elemento nominal. Puede actuar también como ordenador a su vez de un constituyente cuyos miembros selecciona. Además puede sustantivarse y actuar como un sustantivo en el núcleo de su elemento. El adjetivo como cabeza u ordenador puede seleccionar los siguientes tipos de complementos: 1. Un nombre con preposición: *Graduado en Cánones por Osuna*; 2. Un pronombre: *Colgado de él*; 3. Un infinitivo: *Hazañas dignas de contarse*; 4. Un adverbio: *Alejado de aquí*.

Semánticamente, la gramática tradicional fija las siguientes relaciones: 1. Complementos que expresan una determinación exigida por el adjetivo al que completan. Usan, de ordinario, las preposiciones /de/, /en/ y /con/: *lleno de vanidad; capaz de cualquier cosa*, etc. Otros adjetivos como los citados son *harto, rico, pobre, desnudo, libre, vacío, cierto, seguro*, etc. Todos ellos pueden prescindir de la complementación por razones de economía cuando el contexto lo permite. 2. Complementos que designan la parte del ser a que debe ser atribuida la cualidad que expresa el adjetivo: *sordo de un oído; enfermo del pecho; seco de carnes;* etc. Cuando el adjetivo se sustantiva se origina una muy característica construcción en la que el adjetivo parece calificar al sustantivo introducido como complemento: *el sinvergüenza de Fernández*. 3. Complementos que expresan la finalidad del adjetivo o la persona en cuyo daño o provecho se ejerce la cualidad observada en un sustantivo. Emplean las prep. /a/, /de/, etc.: *vecino a la casa; amigo de sus amigos*, etc. Son adjetivos como *cercano, contrario, agrio, útil, bueno, blando, provechoso*, etc. 4. Complementos que indican circunstancias semejantes a las de los complementos verbales por el carácter verbal de los adjetivos que forman este grupo: *amado de sus hijos; criado en casa;* etc.

4.6.3. *Elementos encabezados por adverbio* — Por su propio carácter el adverbio puede aparecer como núcleo o cabeza de un elemento marcado por preposición o absoluto, o como núcleo de un complemento complejo en un elemento adjetivo: (1) *vive aquí / se le ve desde aquí;* (2) *era demasiado bajo;* (3) *la casa de enfrente.*

Como miembro ordenador admite la complementación de otros adverbios, que sirven para su gradación, según se señaló —ver 3.6.3.—: (4) *llegó mucho antes;* (5) *trabaja muy cuidadosamente.* Otras veces se produce una cierta aposición adverbial en la que ambos precisan y matizan la información: (6) *aquí cerca vive tu amiga.* Su función es semejante a la que se consigue con nombres —*ayer mañana, ayer por la mañana*— o nombres adverbializados: *ayer de mañana.*

Pueden recibir la complementación de un nombre con preposición, construcción especialmente característica con los adverbios prepositivos en los que el adverbio influye en la significación del término que se sitúa: *enfrente de casa, cerca de tu casa*, etc.

4.7. *LA SINTAXIS COMPUESTA* — Operacionalmente, estamos ante una oración compuesta cuando hay más de un verbo conjugado con marca temporal. En los parágrafos anteriores se ha tratado de fijar los esquemas básicos de la oración simple y de los elementos de la misma. Un determinado tipo de oración compuesta mantiene el mismo esquema que las oraciones simples sin más diferencia que los elementos, que, en lugar de ser palabras o grupos de palabras, son secuencias con verbo conjugado. Este hecho ha sido interpretado dentro de ciertas tendencias estructuralistas como resultado de la *transposición* de una oración en elemento oracional, para lo que la lengua acude a diversos y caracterizados signos, y por la interpretación generativista como la transformación de un determinado elemento de una oración en otra oración o, de otra manera, la incorporación a una oración simple de una oración:

Antonio me dijo algo
⟩ *Antonio me dijo que volvería mañana.*
(Yo) volveré mañana

De cualquier manera, se evidencia que el esquema de la oración resultante es el mismo esquema de una oración simple que conste de /S + V + CD + CI/. De estos cuatro elementos, el CD lleva una marca de transposición —**que**— que anuncia que lo que viene a continuación actúa como un sustantivo en este caso.

La secuencia con verbo conjugado que actúa como elemento oracional no es aislable, con mucha frecuencia, para actuar en el mensaje como oración independiente. Este hecho justifica que algunos gramáticos reserven el nombre de oración para la totalidad de la construcción y adopten el de **proposición** para la secuencia con verbo que actúa como elemento oracional. La transposición está reforzada frecuentemente por la presencia en el verbo del modo subjuntivo o la utilización del infinitivo en determinados casos. No todos los gramáticos, por razones históricas, más que de estructura, consideran los infinitivos como oraciones equiparables a las de verbo conjugado.

4.7.1. *Transpositores preposicionales* — Los transpositores a que nos estamos refiriendo forman un muy cerrado grupo de palabras átonas que funcionan como pronombres, adjetivos o adverbios o meras conjunciones /que/, /cual/, /quien/, /cuyo/, /cuanto/, /cuando/, /como/, /donde/. Cuando tienen valor relativo se unen a un antecedente y forman parte como complementación más o menos unida a su núcleo de un elemento oracional del verbo ordenador de la oración: *El cartero que ha venido hoy[1]/ ha traído[2]/ tres cartas[3]/ para ti[4]/*. El elemento-sujeto está constituido por un núcleo complementado por una proposición de relativo que actúa como complemento de nombre: *El cartero + que ha venido hoy.*

Cuando actúa como conexivo (conjuntivo) la palabra es un mero marcativo que no incorpora ningún significado a la proposición que introduce: *Antonio[1]/ dijo[2]/ que vendría mañana[3]/*. La proposición que es elemento CD del verbo dominante, ordenador de la oración, es por sí mismo el CD de tal oración. La subordinación de estas proposiciones se marca por medio de preposiciones, según iremos viendo.

4.7.2. *La coordinación* — Otro tipo de oración compuesta, sin embargo, se puede distinguir. Dos o más oraciones de la misma categoría sintáctica son yuxtapuestas o enlazadas por medio de conjunciones. Frente a lo que hemos visto en el tipo anteriormente descrito, en este caso se trata de oraciones independientes en sus esquemas. Se trata, pues, de oraciones compuestas por la **coordinación** de dos o más oraciones que a su vez podrán ser simples o compuestas.

La coordinación, por otra parte, puede realizarse entre proposiciones como puede realizarse entre elementos. Se pueden distinguir así dos tipos de oración compuesta: (a) oración compuesta porque alguno de sus elementos es una proposición (en este tipo de oración puede darse, como en el esquema simple, la coordinación de proposiciones) y (b) oración compuesta por coordinación de oraciones independientes en su estructura.

4.7.3. *Interpretación tradicional* — La gramática tradicional clasificaba las oraciones compuestas en **coordinadas** y **subordinadas** basándose (a) en un *criterio semántico* de dependencia: oración coordinada cuando no existía tal dependencia y subordinada cuando una llamada **principal** expresaba la idea más importante de la oración y otra u otras —la subordinada propiamente dicha— una complementación. Aunque trazan una división aparentemente muy tajante entre coordinación y subordinación, de hecho diversos gramáticos no están de acuerdo en las inclusiones y exclusiones de cada grupo y en todos se catalogan construcciones que aparecen en el límite de los dos conceptos.

A este criterio semántico se funde de manera irregular un *criterio funcional* (b) que domina sobre todo en la clasificación de la subordinación. Para la gramática tradicional, las oraciones subordinadas pueden ser **sustantivas, adjetivas y adverbiales** según desempeñen las funciones sintácticas mismas de un sustantivo, un adjetivo o un adverbio: (1) *Antonio[1] dijo[2] la verdad[3]* = *Antonio[1] dijo[2] que vendría[3]*; (2) *El muchacho que nació en Barcelona sigue fuera* = *El muchacho barcelonés sigue fuera*; (3) *Mi amigo estaba donde lo dejé* = *Mi amigo estaba allí.*

Junto a esta clasificación según el criterio (b) que le sirve de base, al pormenorizar los tipos de cada una de las clases, se vuelve a emplear el criterio (a), con lo que se introducen contradicciones flagrantes que han sido puestas de relieve dentro de la misma tendencia gramatical y se abusa en la interpretación como elipsis de muchas construcciones para las que hay explicaciones más sencillas.

4.8. *PLAN DE LA EXPOSICIÓN* — La Gramática de la R.A.E. adoptaba, hasta 1973, según puede verse en el cuadro adjunto, una tajante división en oraciones compuestas coordinadas y subordinadas. En esta clasificación puede destacarse la importancia que, como orientadoras para el análisis, tienen las partículas. En general, se atienen a la clasificación de las conjunciones en subordinantes y coordinantes. En el presente resumen se expondrán en primer lugar las construcciones con partículas subordinantes y a continuación las conseguidas con partículas coordinantes.

4.8.1. *Proposiciones subordinadas* — Las construcciones subordinadas son conseguidas por marcas que no siempre pueden entenderse como conjunciones y, de hecho, muchos gramáticos las separan de la clase de las conjunciones, incluso en el caso de *que* no pronominal y *si*. Se seguirá el orden de tales palabras, independientemente de su función, como sigue: *que, cual, quien, cuyo, como, cuanto, cuando y donde.*

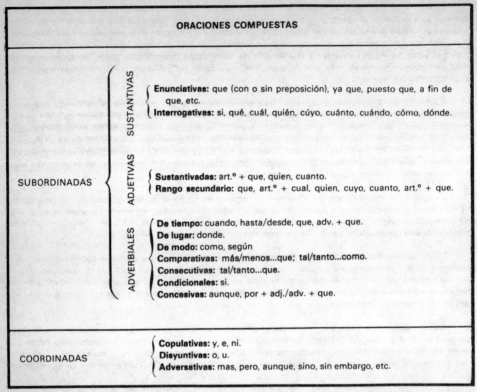

ORACIONES COMPUESTAS

SUBORDINADAS

SUSTANTIVAS
- **Enunciativas:** que (con o sin preposición), ya que, puesto que, a fin de que, etc.
- **Interrogativas:** si, qué, cuál, quién, cúyo, cuánto, cuándo, cómo, dónde.

ADJETIVAS
- **Sustantivadas:** art.° + que, quien, cuanto.
- **Rango secundario:** que, art.° + cual, quien, cuyo, cuanto, art.° + que.

ADVERBIALES
- **De tiempo:** cuando, hasta/desde, que, adv. + que.
- **De lugar:** donde.
- **De modo:** como, según
- **Comparativas:** más/menos...que; tal/tanto...como.
- **Consecutivas:** tal/tanto...que.
- **Condicionales:** si.
- **Concesivas:** aunque, por + adj./adv. + que.

COORDINADAS
- **Copulativas:** y, e, ni.
- **Disyuntivas:** o, u.
- **Adversativas:** mas, pero, aunque, sino, sin embargo, etc.

4.8.1.1. *Proposiciones con "que"* — El transpositor más importante por ser el más frecuente y por marcar el más variado tipo de enunciados subordinados, es el /que/. Pueden distinguirse tres tipos fundamentales que se acostumbra a llamar de *que anunciativo* o /**que**¹/, de *que relativo* o /**que**²/, y de *que valorativo* o /**que**³/, todos ellos subordinantes, que forman respectivamente proposiciones sustantivas, adjetivas y adverbiales: /**que**¹/ como en *Antonio dijo que vendría;* /**que**²/ como en *El libro que leías ayer, no vale nada,* y /**que**³/ como en *Era más alto que su padre.*

4.8.1.1.1. *El "que¹" anunciativo* — Marca un grupo muy característico de proposiciones que actúan como elementos de la oración en sus diversas funciones, según veremos, coincidentes casi todas con las de un sustantivo. Como en el sustantivo, la ausencia o presencia de determinadas preposiciones marca el grado y carácter de subordinación.

El verbo de estas proposiciones puede estar conjugado en Indicativo o Subjuntivo o bien en Infinitivo. Generalmente, aunque no siempre, el hablante tiene la posibilidad de elegir entre la forma conjugada y el infinitivo, que preceptivamente se exigen cuando no hay coincidencia de sujetos entre el verbo ordenador de la oración y el verbo de la proposición, en el primer caso, o cuando, por el contrario, hay coincidencia: (1) *Yo quiero cantar* (yo); (2) *Quiero que cantes tú;* (3) **Quiero que canto;* (4) **Quiero cantar tú/ *Quiero tú cantar.*

Se ordenan a continuación los diversos casos partiendo de una primera agrupación (A), en proposiciones de /que¹/ que no llevan preposición, y (B), proposiciones de /que¹/ que llevan preposición.

(A) Las más importantes son las que actúan como elemento-sujeto o elemento-CD. A estos casos hay que añadir toda una serie de usos con proposiciones independientes o en frases absolutas como elementos marginales contrastativos.

En los dos primeros tipos de proposiciones que vamos a describir en contra de la interpretación semántica utilizada tradicionalmente, lo que se dice en la proposición tiene mayor relieve que lo que dice el verbo dominante. De hecho, según se ha hecho notar, corresponden a dos planos distintos de realidad o bien responden a dos tipos distintos de representaciones: mientras lo dicho en la proposición responde a la realidad misma objetivable que trata de comunicar, la información aportada por el llamado verbo principal tiene valor descriptivo de esa realidad o representa la subjetividad del propio hablante o del agente del discurso: *Me parece que vendrá tu amigo.* El enunciado /*Vendrá tu amigo*/ corresponde a una realidad distinta al posible enunciado /*Eso me parece bien*/ en que se expresa la subjetividad del habíante que en este caso es el agente del discurso frente a /*Le parece bien ---*/ en que el agente del discurso es otro distinto al hablante. Este hecho permite diversidad de realizaciones: /*Dicen que tu amigo vendrá*/ y /*Tu amigo, según parece, vendrá*/ o /*Tu amigo vendrá, según parece*/.

(a) Las proposiciones **subjetivas** pueden aparecer:

1) Con el verbo *ser* + atributo. Concurren proposiciones de infinitivo con proposiciones siempre en subjuntivo. En este caso, el infinitivo señala un sujeto indeterminado y no admite el esquema impersonal mientras que la forma conjugada puede ser impersonal o tener sujeto, indistintamente: (1) *Es imposible que llueva*/ **Es imposible llover*; (2) *Es imposible que trabaje (yo/él)* /*Es imposible trabajar.*

El atributo puede darse sin el verbo *ser.* No hay concurrencia con infinitivo. La proposición conjugada admite indicativo o subjuntivo: *Seguro que viene; Imposible que venga; Cierto que vendrá; ¡Qué interesante que venga!,* etc.

2) El verbo ordenador puede ser un verbo marcado con el /*se*/ de generalización. Según la naturaleza del verbo ordenador son posibles las formas de indicativo, subjuntivo e infinitivo en la proposición: (1) *Se decidió traer los utensilios;* (2) *Se decidió que trajeses los utensilios;* (3) *Se ha decidido que traerás los utensilios;* (4) **Se sabe traer los utensilios;* (5) **Se sabe que traigas los utensilios/Se sabe que traes los utensilios;* (6) *No se sabe que traiga los utensilios/No se sabe que traes los utensilios.*

3) Un amplio grupo de verbos que a veces se han llamado seudo-impersonales admiten proposiciones subjetivas con /*que*[1]/. Son verbos como *gustar, disgustar, convenir, bastar, parecer, resultar, importar, interesar, encantar, molestar, ocurrir, faltar,* etc.: (1) *Me gusta que cantes;* (2) *Me gusta cantar.* Como con *ser* + atributo, el infinitivo es impersonal. Si se refiere a un sujeto, éste coincide con el significado del complemento indirecto de la oración. Si se emplea forma conjugada, que implica un sujeto propio, es obligatorio el subjuntivo. Sin embargo, se oye frecuentemente el uso del indicativo en expresiones descuidadas: *Me gusta que vienes; Me alegra que traes,* etc.

Observaciones – 1. En algunos casos, la proposición subjetiva puede ir precedida del artículo /*el*/, sin conmutación posible con las demás formas. La construcción tiene un cierto carácter enfático. Permite anteponer la proposición al verbo ordenador frente a la ordenación contraria, verbo ordenador proposición, que es la usual: *El que no lo trajeses me desalentó/ Me desalentó el que no lo trajeses /Me desalentó que no lo trajeses.*

2. Los verbos *resultar* y *parecer* cuando van acompañados de un modificativo modal llevan la proposición en subjuntivo y cuando no lo llevan, admiten indicativo: (1) *Resultó bien que vinieses/Resultó que vinieses/Resultó que vienes;* (2) *Me parece que viene/Me parece bien que venga/***Me parece que venga.*

(b) Como **objetivas,** en función de CD de la oración compuesta, aparecen con muy diversos verbos. Sin embargo, teniendo en cuenta la alternancia de las dos posibilidades verbo conjugado/verbo no conjugado se pueden entrever los siguientes grupos:

1) Los verbos *poder, deber* y *soler* que no admiten CD nominal ni proposición objetiva, se construyen con infinitivo únicamente. Forman con él unidad de sentido que es señalada por algunos gramáticos con el nombre de perífrasis verbal de tipo modal.

El segmento /*poder ser*/ en la lengua hablada y, algunas veces, en la lengua escrita y solamente en presente de indicativo, puede elidir el infinitivo: *Puede que venga= Puede ser que venga.* En el resto de las formas verbales la elisión es imposible: **Podía que viniese;* **Puedo que viniese.*

2) Verbos que expresan una actitud ante lo que se dice en la proposición como *alabar, aprobar, pedir,* etc., no admiten la construcción con infinitivo y sí admiten, en cambio, la construcción con verbo conjugado: **Alababa llegar pronto/Alababa que llegases pronto/Le alababa que llegases pronto/Te alababa que llegases pronto/.*

3) Admiten ambas posibilidades los verbos de voluntad, como *querer, desear,* y otros, como *acordar, resolver, proponer,* de odio o repulsa, como *evitar, lamentar, aborrecer,* etc.: (1) *Quiero cantar/Quiero que cantes;* (2) *Propuso salir/(Nos) propuso que saliésemos;* (3) *Lamento decírtelo/Lamento que te lo digan/Lamento que te lo dicen a cada momento;* (4) *Temo salir/Temo que salga/Temo que sale.*

4) Un subgrupo, variante de hecho del anterior en un solo aspecto, lo constituyen los verbos de mandato, prohibición y percepción. En estos verbos, el infinitivo no coincide en cuanto al sujeto con el verbo conjugado.

Este sujeto coincide con el CD o el CI del verbo ordenador: *(1) Mandó traer la jarra/Le mandó traer la jarra/ que trajese la jarra/Se la mandó traer;* (2) *Prohibió leer esta novela/que se leyese esta novela/Le prohibió leer esta novela/que leyese esta novela/Se la prohibió leer;* (3) *Vio cometer el asesinato/Vio que cometía el asesinato/Le vio cometer el asesinato/que cometía el asesinato/Se lo vio cometer.*

(c) Este mismo *que* sin preposición aparece como refuerzo expresivo ante una oración independiente. Las intenciones que pueden justificar la elección del */que/* para reforzar la frase pueden ser muy diversas y siempre difíciles de clasificar.

1) En unos casos, tiene un valor continuativo. La oración enfatizada por el *que* es o puede ser considerado como elemento de un verbo dicho anteriormente o sobrentendido: (1) *¿Qué te parece? —Que está muy bien= Me parece que está muy bien;* (2) *Lo que necesito es libertad, que me dejen hacer lo que quiero;* (3) *¿Que la vida es maravillosa? = ¿Dices que la vida es maravillosa?;* (4) *Hemos tenido una tremenda discusión. Él que yo tenía la culpa; yo, que él;* (5) *Estoy cansado de decírtelo. ¡Que no quiero ir!*

En la lengua coloquial este *que* inicial es muy frecuente y muchas veces se considera imprescindible: *Que usted lo pase bien; Que entre el siguiente.* En los mandatos y fórmulas optativas en que se traspone un imperativo, un cambio de orden de los elementos, destacando en cabeza el sujeto de la proposición, enfatiza y al mismo tiempo impide la equivalencia con la oración sin refuerzo: *El siguiente, que entre.*

Observación – A la sustantivación enfática conseguida con el *que*, se puede añadir la temporalización por medio del verbo *ser*. No es posible entender si la proposición es sujeto, como se suele decir, porque siempre existe la posibilidad de recurrir al pronombre *ello* delante de *ser: Tengo prisa/Que tengo prisa/Es que tengo prisa/Ello es que tengo prisa.*

2) Otro valor, muy frecuente en la lengua hablada y en nuestros clásicos, se produce cuando se subraya una oración independiente que sigue a la principal por medio de *que* siempre que haya una relación lógica entre los contenidos de ambas. En algunos casos hay equivalencia con proposiciones de *que* relativo: */El pobre hombre, que había caminado sin descanso durante todo el día, llegó cansado/; /El pobre hombre llegó cansado, que había caminado sin descanso durante todo el día/; /El pobre hombre llegó cansado. Había caminado sin descanso durante todo el día/.*

Parece, desde un punto de vista puramente descriptivo y formal, que el marcativo destaca una oración independiente para subrayar su vinculación lógica. La equivalencia entre la proposición relativa y la sustantiva desaparecen cuanto el sujeto de la oración con *que* no es ningún elemento de la oración principal: (1) *No me hables, que estoy desesperado/No me hables. Estoy desesperado.* (2) *No se ponga usted así, que no es para tanto/No se ponga usted así. No es para tanto.*

El valor, causal aquí, puede ser condicional, concesivo, etc., y viene dado por el contenido de las oraciones que forman el conjunto: (1) */Que le llaman, se hace el sordo/; /Le llaman. Se hace el sordo/.* (2) */Que te vean cazando y verás lo que es bueno/; /Si te ven cazando, verás lo que es bueno/.*

3) La oración enfatizada con el *que*, puede aparecer comentada por un adjetivo, según ya se ha visto, o por un adverbio, una locución o interjección: (1) *Sí que ha venido;* (2) *De verdad que no lo sabía;* (3) *Seguramente que no lo sabes;* (4) *¡Cuidado, que viene un coche!;* (5) *Cuidado que tiene suerte;* (6) *Ojalá que vuelva;* (7) *Sin duda que volverá;* (8) *Descuida, que te lo guardo;* (9) *Gracias a Dios que llegas;* (10) *Vaya que tiene gracia;* (11) *¡Mira que tiene gracia!;* (12) *Ni que fueses millonario;* (13) *Por supuesto que lo sé;* (14) *Menos mal que no viene;* (15) *¡Ay de ti que no lo hagas!*

Las frases exclamativas pueden producirse sin necesidad del comentario: (1) *¡Desgraciado, que no sabes lo que haces!* (2) *Que tú no volverás. Te lo aseguro.* (3) *¡Que del caso del sastre no sé nada!*

(d) Cumpliendo la función de elementos marginales cerrados, en frases absolutas que semánticamente contrastan su contenido con el que viene expresado por el resto de la oración, se forman construcciones, algunas de las cuales por el contenido del predicativo están en trance de gramaticalizarse o se han gramaticalizado ya con un valor próximo al de las conjunciones. Esto ocurre con agrupaciones como */dado que/, /supuesto que/, /puesto que/, /salvo que/, /excepto que/* que dejan invariable el masculino singular del adjetivo o participio en relación con su comportamiento con el sustantivo: (1) *Salvo los domingos.../Salvo que es muy hablador;* (2) *Dado su nerviosismo, no se acordará/Dado que es muy nervioso, no se acordará;* (3) *Supuesto que es poco trabajador, creo que estará durmiendo/Supuesta su holgazanería, creo que estará durmiendo;* etc.

(B) Marcado por una preposición puede desempeñar diversas funciones dentro de la oración en que aparece, funciones que van desde los elementos suplementarios regidos por el verbo, pasando por los elementos marginales, hasta los constituyentes complementarios de un elemento nominal, adjetivo o adverbial.

(a) Como elementos suplementarios, aparecen, según los verbos, con diversas preposiciones: (1) *Esperaba a que viniese Gertrudis;* (2) *Salieron con que era buena persona;* (3) *Me alegro de que sigas bien;* (4) *Convinieron en que traerías las luces,* etc.

PERÍFRASIS DE INFINITIVO						
Incoativas	Reiterativas	Terminativas	Aproximativa	Hipotética	Modal	Obligativas
Comenzar a Echar (se) a Empezar a Principiar a Romper a Ponerse a	volver a tornar a	acabar de concluir de dejar de cesar de terminar de	acertar a venir a	deber de	deber poder soler	Haber de Haber que Tener que

Sólo admiten proposición de infinitivo, y no proposición con *que,* los verbos como *acabar de, comenzar a, concluir de, dejar de, deber de, echar a, empezar a, principiar a, terminar de, haber de, acertar a, romper a, echarse a, resolverse a, decidirse a, ponerse a, tardar en, ir a, volver a, venir a, tornar a, cesar de, acertar a, llegar a.* En todos estos casos hay una más o menos evidente unidad de sentido entre el verbo conjugado ordenador de la oración y el infinitivo. Esto hace posible que algunos gramáticos entiendan estas contrucciones como perífrasis verbales entre las que distinguen diversos valores temporales y modales de obligación, incoativos, finales, etc. Otros gramáticos restringen el concepto de la perífrasis verbal solamente a aquellos casos en que, como en /echarse a/ o con los verbos de movimiento, el verbo ordenador de la oración se vacía de su significado.

Un grupo especial y aparte lo constituyen las construcciones de verbos que mientras en forma reflexiva sólo admiten infinitivo, con el mismo sujeto del verbo ordenador, sin reflexivo admiten tanto infinitivo como proposiciones de verbo conjugado cuyo sujeto viene expresado por el CD del verbo ordenador de la oración. Ocurre así con verbos como *animar, condenar, obligar, comprometer, forzar, decidir, convidar, exponer, consagrar, dedicar,* etc.: *Se animó a salir/Le animó a salir/Le animó a que saliese.*

Otro grupo, por último, lo constituyen los verbos que con cambio de sujeto, según la regla general, admiten proposiciones de infinitivo y proposiciones de verbo conjugado. Ocurre con verbos como *insistir en, consentir en,* etc.: (1) *Insistir en salir/Insistir en que salgas;* (2) *Consiento en venir/Consiento en que vengas.*

Observación — Una fórmula independiente hay que relacionar con estas construcciones. Encabezada por *A que,* claramente infiere un verbo como *apostar: ¿A que no viene?*

(b) *Elementos autónomos: proposiciones de /que¹/ con por, para, sin, con* — Forman elementos autónomos cuyo valor de subordinación se consigue por la misma preposición y expresan diversas relaciones y circunstancias de tipo temporal: (1) *Hasta que tú no lo contestes, no me iré/Hasta contestarle, no te vayas.* (2) *Para que no te enfades, te traeré los comprobantes.* (3) *No hago esto porque me obliguen.* (4) *Desde que le vi el año pasado, no ha vuelto a aparecer.* (5) *Entró sin que le oyesen/Entró sin hacer ruido.* (6) *Con que hagas eso, me daré por satisfecho/Con hacer eso, tienes bastante.*

La Gramática de la Real Academia Española pretendía distinguir unas oraciones causales con *por* coordinadas de otras subordinadas basándose en el significado y en el esquema que le brindaba la gramática latina. De la misma manera distinguía unas consecutivas de *con* coordinadas y consecutivas. No hay una razón suficiente y clara para mantener tales diferencias y así las gramáticas posteriores, aun dentro de la misma trayectoria, las incluyen entre las subordinadas. Hay divergencias, sin embargo, en cuanto unos entienden las causales como adverbiales y otros como sustantivas. Como en otros casos, el predominio del criterio semántico y la confusión entre función adverbial y complemento circunstancial llevan a homologar la expresión de la causa con adverbios, que por otra parte no tiene la lengua.

Observaciones — 1. Es importante señalar la correspondencia entre las posibilidades de *por.* Es siempre causal cuando introduce una proposición de verbo conjugado en el castellano actual; en cambio, con infinitivo, puede ser final y causal. Como causal admite la alternancia con una proposición de verbo conjugado. mientras no ocurre lo mismo en el otro caso. El infinitivo con *por* de finalidad aparece en relación con un sustantivo o con un CD o S, de manera semejante a los predicativos y modales, de tal modo que la negación exige *sin: Está la casa por barrer/sin barrer.* Algunos gramáticos subrayan y enfatizan el sentido pasivo que la misma idea de finalidad impone.

2. Al frente de enunciados interrogativos y exclamativos que se enlazan a lo que se ha expresado anteriormente o que se sobrentiende, toman valor continuativo las proposiciones introducidas por *conque:* (1) *¿Conque vas a Madrid?* (2) *¡Conque a callar!*

3. Las proposiciones con *desde* toman el valor situacional que es característico de la preposición en correlación con *hasta:* **Desde que** *comenzó sus estudios,* **hasta que** *los terminó, no faltó ni un solo día.*

(c) *Proposiciones con /que¹/ dependientes de pronombres, sustantivos, adjetivos y adverbios con preposición* — Es en estos casos constituyente de un elemento cuyo núcleo es el sustantivo o el adjetivo: (1) *Dio la señal de partir/de que partiésemos;* (2) *Estaba condenado a que no le tocase la lotería/a no salir de allí;* (3) *Estoy seguro de comprenderte/de que me comprendes;* (4) *Estuvo conforme en recibirme/en que te recibiría.*

Con adverbios como *antes, después, luego* y la preposición *de, que* puede faltar, la proposición es el término de referencia que se comporta de la misma manera que un sustantivo: (1) *Antes de su llegada/de llegar/de que llegase;* (2) *Después de su llegada/de llegar/de que llegase.* La Gramática de la Academia entendía el *que* como adverbio relativo y las incluye entre las adverbiales.

Observación — Con pronombres sólo aparece con los demostrativos cubriendo la misma construcción complementaria que el nombre con la preposición /de/: *Eso de que no vas a venir es mentira/Eso de negarte/Eso de tu negativa...*

Es distinta la estructura en que la proposición con *que* no lleva preposición y se refuerza con la copulativa *y: Te vas a convencer y eso que no estoy en mi día.*

4.8.1.1.2. *El "que²" relativo* — Mientras, según hemos visto, el *que* anunciativo sustantiva toda una oración, el /que²/ es adjetivizador y transpone la oración que introduce en proposición adjetiva. De otra parte, mientras el /que¹/ no tiene significado, el *que* relativo evoca el significado de un antecedente conocido del mismo discurso o de fuera de él y, en consecuencia, tiene una función sintáctica en relación con el verbo de la proposición que introduce:

Leía ayer *un libro* (CD)
El libro (S) era interesante } El libro **que** leía ayer, era interesante.
un libro (CD)

Las funciones que puede desempeñar el relativo con referencia al verbo que introduce pueden ser las mismas de los elementos oracionales. Su antecedente es generalmente un nombre, pero pueden ser otras palabras y elementos, según veremos.

1) La gramática tradicional, que llama a estas proposiciones **adjetivas** o de relativo simplemente, las clasifica en explicativas y especificativas según fijen una característica aclaratoria del sentido de su antecedente o una característica distintiva del mismo. La pausa en la expresión oral y la coma en el escrito distinguen las explicativas de las especificativas: (1) *Los muchachos, que llevan jersey amarillo, son muy revoltosos.* (2) *Los muchachos de la escuela que llevan jersey amarillo son muy revoltosos.* En el enunciado (1) todos los muchachos de la escuela son revoltosos. La proposición de /que²/ expresa algo que se da en su antecedente para darle relieve y subrayarlo. En cambio, en (2) la proposición dice lo que se da en el antecedente para distinguirlo de todos los demás muchachos en que se dan características distintas.

2) Junto a esta distinción, hay que señalar el especial comportamiento del *que* relativo con el artículo, como base de una diferenciación formal. Además del caso (a) en que se presenta, como en los ejemplos anteriores, el relativo sin artículo hay otros dos en que va precedido de artículo, uno (b) por cuanto como función adjetiva puede ser sustantivada por el artículo: *El* (hombre) **que vino a visitarte no te conocía,** y otro (c) en que por el carácter invariable de *que* necesita marcar la concordancia con su antecedente mediante el artículo: *El libro* **del que** *discutimos ayer, se ha agotado en pocos días.*

Tanto en (a) como en (c) el relativo puede aparecer precedido de preposición. La preposición marca la función que el relativo tiene dentro de la proposición de que forma parte, según podemos ver en los siguientes ejemplos: Como *sujeto: Discutían los asistentes* **que** (S) *cada noche aumentaban en número.* Como *CD: No pagó las deudas* **que** (CD) *tenía.* Como *Complemento de un sustantivo: El sastre concluyó las prendas* **de las que** *había tomado medida.* Como *Suplementario: Tenía una de las más delicadas cualidades* **con que** *la mujer se adorna.* Como *Autónomo: Se vislumbraba la casa* **hacia la que** *nos dirigíamos.*

En la concurrencia posible entre /que/ y /art.º + que/, se prefiere *que* (a) cuando no lleva preposición, (b) cuando la preposición va precedida de algún adverbio o complemento y (c) cuando se trata de las preposiciones *a, de* y *con.*

3) El antecedente de las proposiciones de estos dos grupos puede ser (a) un sustantivo expreso; (b) pronombres como *alguien, alguno, algo, uno, cualquiera, muchos, nada, nadie:* (1) *Alguien de los que habían llegado, me entregó esta tarjeta;* (2) *Vio algo que brillaba;* (3) *Cualquiera que sepa la verdad, está obligado a decirla.*

En las construcciones con estos pronombres como antecedente, la proposición se aproxima, en algunas ocasiones a los significados de la proposición adjetiva sustantivada. Este carácter es más evidente cuando el antecedente es cualquiera de los demostrativos. *Aquel que haya encontrado la cartera, debe entregarla.*

Cuando el pronombre antecedente es cualquiera de los personales la proposición es siempre explicativa: (1) *Yo, que no sabía ni media palabra, no los entendí;* (2) *Él, que todavía no me había encontrado, se vio perdido.*

(c) Puede servir de antecedente toda una oración. El relativo se emplea en concurrencia con /lo cual/ y la proposición encabezada por el relativo se sitúa al final de la oración: *Yo les quitaría de en medio, que* (lo cual) *es lo más seguro.*

Se emplea con las preposiciones *de, con* y *por* con la forma compuesta con el neutro *lo: de lo que, por lo que, con lo que.* Estas formas están en concurrencia con *de lo cual, por lo cual, con lo cual* y por otras fórmulas no relativas equivalentes: **De aquí que** *no vuelva por casa;* **por ello** *no se lo he dicho.*

(d) Entre los antecedentes sustantivos del relativo, algunos de ellos pueden formar por su frecuencia de uso y, por consiguiente, su desgaste significativo, fórmulas de cierta fijeza. Los sustantivos *vez, tiempo, día, hora,* etc., llegan desde muy antiguo a aproximarse con el relativo a locuciones conjuntivas de valor temporal: (1) *Cada vez que llueve, se moja;* (2) *Cada día que pasa, estás más guapa;* (3) *Al tiempo que la saludaba, le sustrajo el reloj.*

Un caso particular lo constituye el sustantivo *cosa* que degrada su capacidad de significación hasta convertirse en un verdadero pronombre en concurrencia con *lo cual.* Se emplea en oposición a toda una oración a cuyo contenido alude, o bien se une por medio del verbo *ser* identificativo: (1) *Entraron en la casa, cosa que molestó a su dueño.* (2) *Cuando llueve, cosa que rara vez ocurre, se pone muy contento.*

Observaciones — 1. No es infrecuente la ausencia de preposición en casos en que debiera llevarla: (1) *Desapareció del valle un amanecer que el aire parecía alenjo diluido* (Pérez de Ayala); *Esta primera noche de tierra, de España y de teatro es la primera noche que el viajero se aburre* (D'Ors).

2. En el uso descuidado y en la lengua coloquial se da el uso de un relativo superfluo, sin función sintáctica o, a lo menos, notablemente atenuada, cuando una oración en que se expresa un juicio u opinión lleva subordinada la proposición de que forma parte el significado del antecedente. El relativo marca simplemente que lo que viene a continuación está también relacionado con el sustantivo: *Vi a un hombre alto, que no pude distinguir si era un militar o un paisano, que llevaba un impermeable negro* (Baroja); *A la segunda o tercera estación del metro, entraron en el coche dos muchachitas, que se veía que eran hermanas y que iban, sin duda al baile* (Baroja). Ambos ejemplos pueden resolverse por la eliminación del *que* y su sustitución por pausa o punto para comenzar la oración siguiente.

3. Bello censuraba como galicismo el uso de *que* precedido de la preposición *de* para señalar posesión, cuando podía resolverse la construcción por el relativo *cuyo.* Cita como ejemplo: *Roma, sujeta a una tiranía de que nadie podía prever el término* (cuyo término nadie podía prever).

4. La repetición de preposición ante antecedente y relativo no es infrecuente: *Veréis en el engaño en que estáis* (Cervantes).

5. Se da frecuentemente la atracción de la preposición por el antecedente cuando antecedente y relativo están estrechamente trabados. *Vela el ahínco con que la mujer suspiraba/Vela con el ahínco que la mujer suspiraba.*

Se cumple siempre que el hablante lleva todo su interés sobre la totalidad y entiende el antecedente como elemento enfatizado y destacado y el *que* como anunciativo: *Vio que la mujer suspiraba con ahínco* ⟶ *Vio el ahínco con que suspiraba la mujer* ⟶ *Vio con el ahínco que suspiraba la mujer.*

Esta concurrencia cubre una amplia área de estas construcciones en las que pueden concurrir con el relativo el *que* anunciativo o los interrogativos: *Vi a un hombre que trabajaba/Vi que un hombre trabajaba; Vi en qué lugar se detuvo/Vi el lugar en que se detuvo/Vi en el lugar que se detuvo.*

Inversión enfática — Con un corto número de verbos como *ser, tener* se produce la posibilidad de destacar uno de sus elementos oracionales en primer término enlazándolo mediante un *que* de valor impreciso. Esta enfatización puede aparecer en oraciones independientes con carácter exclamativo: (1) *¡Valiente que es uno!* (2) *Vergüenza que me daba.* (3) *¡Dinero que tiene uno!* (4) *¡Bien que trabaja!*

Esta construcción exclamativa puede reforzarse con la preposición *con:* (5) *¡Con lo bien que trabaja!* (6) *Con la caminata que hemos hecho.* (7) *Con el disgusto que hemos tenido.*

Mientras el elemento en relieve es nominal, el valor de relativo del *que* parece evidente. No tanto, cuando se trata de un adverbio como en (4).

Esta construcción enfática puede aparecer introducida en una oración como aposición, paréntesis, etc.: (8) *Don Alberto, **capitán que fue** de la quinta bandera, usaba monóculo.* (9) ***Llegado que hubo** a la ciudad, se dirigió al hotel/**Llegado que fue**.* (10) *El visitante, **cualquiera que sea**, será recibido.* (11) *No me dejaría detener, **del rey que fuese**.*

Indicativo, Subjuntivo e Infinitivo — En las oraciones de relativo la alternancia del indicativo y subjuntivo se produce en relación con lo cierto y presumible frente a lo imaginado y no realizado: (1) *Quiero un perro que sea de raza/Busco un perro que es de raza.* (2) *Eso no sucede, que yo sepa, en ninguna parte/Eso ocurre, que lo sé muy bien, en cualquier parte.*

En cuanto al infinitivo, aparece con el verbo *tener* como ordenador de la oración: *No tiene nada que hacer; Tiene algo que comentar; Tiene cosas de que hablar; Tiene una casa que alquilar.*

Adjetiva sustantivada — La proposición de /que²/ simple precedida de artículo actúa como elemento oracional. Como tal elemento puede llevar las preposiciones que corresponden a la función que desempeña: (1) *Lo pensaron mucho los que se quedaron a pie.* (2) *Yo he sido el que lo ha visto primero.* (3) *Conoció la angustia que producen las estrecheces al que no está acostumbrado.* (4) *Un hombre de los que vinieron le encañonó con una pistola.* (5) *Venla con una ilusión contraria a la que me llevó.* (6) *Entretente con el que has encontrado.*

Los gramáticos han dado dos interpretaciones que no son necesariamente compatibles. De una parte, desde Bello, que fue el primero en distinguir un relativo compuesto comparable al francés *lequel* de la agrupación artículo + relativo, el artículo tiene valor primario y la proposición de relativo mantiene el valor adjetivo. Por otra, Cuervo y después Lenz, Gili y Alarcos han dado primacía al valor transpositor del artículo en relación con la transposición sustantivadora del adjetivo o frases de semejante valor funcional —*el viejo, el de la gabardina*, etc.—. Cualquiera que sea la interpretación que aceptamos se mantiene el hecho de que la preposición, cuando la lleva, en unos casos en que se emplea artículo + *que* afecta a la totalidad de la construcción en relación con el verbo ordenador, mientras en otros con *que* simple o con relativo compuesto marca la función del relativo exclusivamente respecto al verbo proposicional.

El problema toma más amplia magnitud cuando se pone en relación con las construcciones con artículo concordado —*el/la, los/las*—, las formadas por el neutro /lo/. Frente a la evidente anáfora de generalización, antecedente implícito, etc., que se observa en los artículos concordados, el /lo/ alude a conjuntos imprecisos, acciones, aspectos o partes de la realidad, etc. Puede en sus formas más simples funcionar como todo elemento de valor sustantivo: (1) *Lo que estaba sucediendo era alarmante.* (2) *Hizo lo que le mandaba su padre.* (3) *Yo sé algo de lo que es la vida.* (4) *No es ni sombra de lo que fue.* (5) *Pienso en lo que había hecho aquel hombre.* (6) *Nos tocó la peor parte, por lo que después vimos.*

Con verbos como *tardar, costar, valer* y semejantes, la construcción con *lo que* toma significado cuantitativo: (1) *Tardó lo que quiso.* (2) *Vale lo que pesa.* Se usa en concurrencia con *cuanto* y admite al determinativo *todo (todo lo que)*. Se ha fijado una mayor preponderancia en el uso de la fórmula *todo lo que* sobre la de *cuanto*.

Por otra parte, el *lo* sustantivador de un adjetivo o un adverbio que es miembro de una proposición introducida por *que*, toma un claro valor cuantitativo también. Se trata de formas de relieve por medio de inversión: (1) *¡Lo bueno que era/seguía/resultaba!* = Era muy bueno. (2) *¡Lo bien que trabajaba/lo pasaba/hablaba!* = Lo pasaba muy bien. (3) *¡Lo que estudiaba!* = Estudiaba mucho.

Incorporado como elemento de una oración aparece con carácter cuantitativo semejante: (1) *No comprendió lo bien que lo había hecho*; (2) *Se habló de lo bien que trabajaba = de que trabajaba bien;* (3) *Es inadmisible lo mal que lo hace = que lo haga **tan** mal;* (4) *No comprendo lo bueno que es = que sea **tan** bueno;* (5) *Se discutió sobre lo bueno que era = que fuese **tan** bueno;* (6) *Es incomprensible lo sinvergüenza que es = que sea **tan** sinvergüenza;* (7) *Vi lo que estudiaba = la materia que estudiaba/que estudiaba mucho;* (8) *Se habló de lo que estudiaba = de la materia que estudiaba/de que estudiaba mucho.*

El valor cuantitativo parece evidente cuando el miembro sustantivado —adjetivo o adverbio— aparece acompañado de *lo* y la proposición se da en indicativo. Resulta ambiguo en determinados casos, cuando el antecedente no está expreso.

Esta misma inversión enfática con la preposición *por* y el verbo en indicativo toma, como era de esperar, un marcado valor causal. En este caso el elemento sustantivado por *lo* —adjetivo o adverbio— vuelve a tomar el sentido cuantitativo ya señalado frente a los casos en que queda implícito, en los que según el verbo introducido en la proposición toma valor nominal, cuantitativo o de cualidad: (1) *Por lo bien que trabajaba = porque trabajaba bien*. (2) *Por lo valiente que era = porque era valiente*. (3) *Por lo que estudiaba = porque estudiaba Geografía/mucho*. (4) *Por lo que parecía = porque parecía algo*.

La misma construcción con el verbo en subjuntivo y sin el transpositor toma inmediatamente valor concesivo, de causa inoperante, que implicita una gradación enfática. Cuando el elemento en relieve es un sustantivo, éste toma claro sentido adjetivo: (1) *Por bien que trabaje... = Aunque trabaje muy bien...* (2) *Por valiente que sea... = Aunque sea muy valiente...* (3) *Por muy gobernador que sea... = Aunque sea gobernador...*

4.8.1.1.3. *El "que³" valorativo* — Aparece en dos características sobrestructuras valorizadoras que la gramática tradicional clasifica como adverbiales comparativas, que estudiaremos más adelante al hablar del /*como*/, y adverbiales consecutivas. Estas últimas son fórmulas frecuentemente enfáticas con las que se encarece y sobrevaloran contenidos de intensidad de una cualidad o intensidad de un nombre abstracto o la cantidad de un nombre seriable o cuantificable. Hay, por tanto, un sustantivo, un adjetivo o un adverbio que es la base de la valoración y sobre la cual se monta la sobrestructura. Formalmente, es característica la presencia de un adverbio intensivo —*tanto, tal y tan*— en correlación con la proposición introducida por *que*. Mientras el intensivo constituye el primer brazo de la correlación al lado de la base, la proposición consecutiva es el desarrollo de la valoración. Expresa la consecuencia de la intensidad con que se da la base.

(1) *Era   bueno ——► Era **tan** bueno **que** todos le tomaban el pelo.* (2) *Trabajaba   bien ——► Trabajaba **tan** bien **que** admiraba a todos.* (3) *Nos dio   un susto ——► Nos dio **tal** susto* (un susto tal) ***que** todos se desmayaron.* (4) *Compraron   juguetes —— Compraron **tantos** juguetes **que** agotaron la tienda.*

Observaciones – 1. El carácter relativo del *que* reaparece fácilmente cuando falta el intensivo. El contenido de la proposición es consecuencia de la intensidad del antecedente: *Le dio un susto que le puso los pelos de punta/tal susto que le puso los pelos de punta*.

2. El uso da unidad a las agrupaciones *de modo que, de manera que* con intensivo o sin él: (1) *Hizo las cosas de modo que nadie lo supiera;* (2) *Se movía de manera que nadie lo notase*. En cuanto el contenido no tiene por sí mismo valor consecutivo, la construcción cobra valor modal. La aparición del intensivo convierte en consecuencia la proposición: (1) *Hizo las cosas de (tal) modo que nadie lo supo;* (2) *Se movía de (tal) manera que nadie lo notaba*.

3. Concurre con el intensivo el uso del indeterminado *un/una* en función adjetiva: *Cogió una cogorza que estuvo dormido una semana*.

4.8.1.1.4. *"Aunque"* — El morfema /*aun*/ comporta dos significados: (a) "incluso" y (b) "todavía". El primer valor de /*aun¹*/ se asocia a elementos de valor adverbial *(aun en domingo, trabaja)*, adjetivo *(aun cansado de todo el día, conserva ánimos)* o gerundial *(aun sabiendo que no me gusta, lo ha hecho)*. El otro valor aparece como refuerzo adverbial independiente *(aún tiene mucha vida por delante)*. Amalgamado con /*que*/ forma el morfema complejo /*aunque*/ que desarrolla dos valores: (c) *concesivo*, cuando el contenido de la proposición que introduce expresa una causa o circunstancia tenida por tal capaz de impedir la realización de la oración con que se contrasta. La causa es inoperante. Tiene así un cierto valor enfático que sirve para encarecer la oración principal: ***Aunque** llueva, iré a verte;* (d) *adversativo*, cuando su contenido representa una restricción o precisión de lo que enuncia la otra oración: ***Aunque** no estoy seguro, vive cerca de tu casa*. Tradicionalmente, el valor (c) se clasifica con las oraciones adverbiales y el valor (d) con las oraciones coordinadas adversativas.

4.8.1.2. *"Cual"* — Por su origen latino encierra la acepción de modo, que ha ido perdiendo y que sólo se conserva, en claro retroceso, en las construcciones comparativas y de modo: (1) *Corría cual un galgo / cual no puedes imaginar*. (2) *Su desidia era tal cual su desorientación*. Desde muy pronto tomó los valores relativos del *que*.

En función prenominal, alude a un antecedente expreso al que aporta una complementación de valor explicativo. En este caso toma los artículos concordables *el/la, los/las*, que orientan al género del antecedente, y el neutro *lo*, siempre en concurrencia con el relativo *que* compuesto. Su uso es actualmente menor que en la época clásica, y, aunque no siempre es fácil fijar un límite estricto, se pueden observar las siguientes circunstancias notadas por Cuervo: Se usa dominantemente en frases explicativas cuando son de cierta extensión y el relativo queda muy alejado de su antecedente. Así concurre dominantemente en las oraciones de relativo situadas al final de la oración: *Un hombre había descubierto la encerrona, el cual se lo dijo en seguida a tu amigo*. Igualmente es dominante el uso de *cual* cuando necesita precisar el antecedente si éste concurre con otros sustantivos de diverso género y número: *Visitaron a su tía y a un tío abuelo, la cual tía de Pablo tenía un loro*. Por razones prosódicas se emplea *cual* tras las preposiciones *tras, por* y *sin* y preposiciones con acento o locuciones prepositivas. En estas agrupaciones puede ser algunas veces especificativo.

La preposición marca la función de *cual* en relación con el verbo de la proposición que introduce. De hecho, *cual* puede desempeñar todas las funciones de los elementos oracionales: (1) *Contrajo matrimonio con cierto marqués, el cual regresó a América.* (2) *Se aproximó al boquete, el cual los sitiados habían tapado malamente.* (3) *Era uno de esos hombres a los cuales se puede hacer daño.* (4) *Se muestra superior a sus atacantes contra los cuales no exhala la menor queja.* (5) *Saludó a dos amigos de los cuales recibía ayuda.* (6) *Vio el puerto desde el cual había partido hacia dos años.* (7) *El agua es un espejo en el cual se mira.* (8) *Hay un centenar de soldados entre los cuales figura su amigo.* (9) *Me hace un encargo para el cual necesito mucho dinero.* (10) *Le entretenía su presencia sin la cual hubiese caído en el aburrimiento.* (11) *Miró hacia la plaza sobre la cual caía el sol de la tarde.*

Toma forma absoluta en la expresión literaria, aunque cada vez es menos usada: *Le trajeron la cena, acabada la cual, llamó al posadero.*

4.8.1.2.1. *"Lo cual"* — El uso más importante entre los que son característicos del neutro *lo,* es el de aludir a toda una oración o un conjunto de acciones. Es dominante su uso en oraciones de relativo pospuestas en concurrencia no sólo del relativo *lo que,* sino de otras fórmulas que obligan a la estructuración de nueva oración: (1) *Sonreía sin parar, lo cual le molestaba.* (2) *Comenzó a llegar más gente, con lo cual a las dos ya no cabía ni un alfiler.* (3) *La casa estaba muy lejos, por lo cual decidieron no ir.* (4) *Les pidió que hiciesen las paces, para lo cual les propuso ir a cenar todos juntos.*

4.8.1.2.2. *"Cual"* comparativo — Muy poco usado actualmente, aparece en construcciones comparativas semejantes a las de *como* en correlación con *tal* y *tan(to)* para contrastar dos acciones, cualidades o nombres parangonándolas por su modo o por su intensidad. En principio, *cual* alude a cualidad, mientras *tal* significa 'de esta clase' o 'de la clase'. En la correlación, el sentido de *tal* (de esta clase) es clasificado por *cual,* que viene a decir por comparación la naturaleza de dicha clase: *Tal está el mundo cual los amadores dél.*

Los gramáticos señalan que el uso los adverbializa al emplearlos en circunstancias en que no cabe el valor adjetivo comentado y, entonces, *cual* queda invariable y puede contraponerse no sólo a *tal* sino a *así, tan* y *tanto:* (1) *Y vuestra fama así crecer se vea cual crece el año con los nuevos meses* (Valbuena). (2) *Presto nos hemos de ver cual deseamos* (Cervantes).

4.8.1.3. *"Quien"* — Pronombre relativo muy característico que ofrece cualidades muy particulares: (a) Tiene marcado valor sustantivo y no se une a ningún sustantivo salvo en determinados clisés con *diablo, demonio, diantre,* etc., de concordancia vacilante: (1) *¿Quién diablos lo ha dicho?* (2) *¿Quién narices lo trae?* (b) Alude a tercera persona; sin embargo, en frases de matiz optativo objetiva la persona del hablante: *¡Quién supiera escribir!* (c) En principio, *quien* fue invariable de acuerdo con su origen. Hacia la primera mitad del siglo XVI desarrolla un plural análogo *quienes,* que en el primer cuarto del siglo XVII todavía se considera poco elegante. Actualmente, la forma invariable se oye en algunas zonas dialectales. Todavía en el siglo XIX no era infrecuente en la lengua literaria: (1) *Ha dado de comer a los pocos o muchos naturales de quien ha tenido necesariamente que valerse* (Larra); (2) *Hay entendimientos en quien no cabe un adarme de metafísica* (Menéndez Pelayo). (d) En el uso actual, *quien* queda reservado casi únicamente para persona. En la lengua clásica, y hoy en formas dialectales, podía referirse a cosas: (1) *Pocos días se pasaba sin hacer mil cosas a quien la miel y azúcar hacen sabrosas* (Cervantes); (2) *Dicen que hubo un pueblo a quien Dios protegió* (Galdós); (3) *En un ancho paisaje de olivos a quien daba unción dramática el vuelo solemne de unas águilas...* (Ortega).

4.8.1.3.1. *Con antecedente expreso* — Concurre en el uso con la agrupación *el/la que. Quien,* sin embargo, se siente como más indeterminado y retrocede su empleo salvo en clisés y esquemas muy arraigados. Dentro de la proposición que introduce funciona como sujeto, CD, CI, etc.: (1) *El único orgullo de Martínez era su esposa, doña Cleopatra ... a quien todos llamaban familiarmente doña Cleo* (R. León); (2) *Vidal, a quien no le gustaba pincharse, puso su nombre en un brazo* (Baroja); (3) *El primero era don Miguel* [...] *con quien se confesaba todos los meses* (Valera); (4) *Ocupéme primero en escribir a la Condesa, de quien había tenido cartas dos días antes* (Galdós); (5) *Probablemente el tatuaje, visto en alguno de los bandidos con quien se juntaba, le induciría a él a hacer lo mismo* (Baroja); (6) *Un personaje en quien no habíamos fijado la atención, terció de improviso en la disputa* (Galdós).

4.8.1.3.2. *Sin antecedente expreso* — La gramática tradicional acostumbra a distinguir un caso en el que el antecedente del relativo está callado, como en /He visto a quien tú sabes/, de otro en el que consideran que el antecedente está envuelto, dicen. en la propia palabra, como en /Quien bien te quiere te hará llorar/.

Funcionalmente, tanto en un caso como en el otro, la proposición introducida por *quien* pierde el carácter adjetivo, para convertirse por sí misma en elemento pleno de la posición funcional que ocupe. En cuanto a la relación señalada por la gramática tradicional, parece más sencillo pensar que tal diferencia es debida al ámbito de generalización del relativo impuesto por el contexto en que aparezca.

El *quien* abstractivo o generalizador —*quien* de "antecedente envuelto"—, aparte de los casos en que el hablante intencionalmente lo emplea para marcar, frente a la agrupación *artículo + que*, la despersonalización, aparece impuesto en varios casos: (a) Con verbos existenciales, donde se usa casi exclusivamente. Así con el verbo *haber*, que muestra en su construcción impersonal preferencia por complemento directo indeterminado sobre todo en forma negativa, y verbos como *buscar, encontrar, hallar, tener*, etc. (b) En frases sentenciosas, refranes, etc., con referencia generalizadora impuesta por el género literario: *Quien vive en Andalucía está bañado desde niño en cantares* (Moreno Villa).

4.8.1.3.3. *Función de la proposición con "quien"* — Puede desempeñar en las frases en que se acopla las mismas funciones que el sustantivo: sujeto, CD, CI, etc.: (1) *El día que salí de la tienda, entré a servir a quien me compró*. (2) *Maldito sea el dómine y quien lo trajo*. (3) *Salgo con quien me da la gana*. (4) *Se ofrecen los premios para quien quiera ganarlos*.

4.8.1.4. *"Cuyo"* — Es un pronombre que ha disminuido notablemente en el castellano actual sus posibilidades de uso. Se emplea concordado con un sustantivo, en función adjetiva, y alude a un antecedente sustantivo determinado que contrae relación con el sustantivo concordado que acompaña a *cuyo*: (1) *La dama cuyos hijos conociste en Londres no recibe hoy*. (Conociste en Londres a los hijos de la dama.)

La proposición marcada por el relativo es adjetiva y forma un constituyente complementario del elemento cuyo núcleo es el antecedente del relativo. Cuando va precedido por preposición, ésta marca la dependencia con respecto al verbo ordenador de la proposición subordinada que introduce: (2) *El propietario por cuyo piso pagué tanto dinero está enfermo*. (Pagué tanto dinero por el piso del propietario.)

Sin embargo, en algunos casos la preposición marca relación con una unidad que expresa cantidad, como ocurre en: (3) *La obra de este arquitecto, la mayor parte de cuyas construcciones son torres señoriales, es de muy mal gusto*. (La mayor parte de las construcciones de este arquitecto son torres señoriales.)

La relación expresada por *cuyo* es fundamentalmente la relación de posesión, tal como se ha visto en (1). Esta relación equivale a la que expresa la preposición *de* y se cumple cuando expresa contenido, totalidad, filiación o jerarquía, adscripción, o la equivalente a los llamados genitivos subjetivos u objetivos: (4) *Los generales cuyos soldados...* (5) *La casa cuyos pisos...* (6) *El armario cuya madera...* (7) *César, cuyo asesinato...*

En consecuencia, se censuran construcciones en las que no es posible ninguno de los complementos con *de*: (8) "Le regaló un aderezo y un vestido, cuyo aderezo era de brillantes."

Los gramáticos distinguen un uso neutro de *cuyo*, en concurrencia con *lo cual*, cuando su antecedente es toda una oración: (9) *Había abusado mucho de su paciencia, por cuya razón se dispuso a no aguantarle más bromas*. (10) *Pueden descubrir lo que buscan, en cuyo caso estaremos perdidos*.

Observaciones — 1. Era empleo clásico, actualmente desconocido, el usar el pronombre *cuyo* separado del sustantivo, haciéndolo funcionar como atributo: (11) *El caballero, cuya era la espada...*

2. En el castellano actual concurren con ventaja con *cuyo* los relativos compuestos *el/la cual* y *el/la que*: (12) *Había un espeso bosque, en el centro del cual encontramos un calvero* (en cuyo centro = en el centro del bosque).

4.8.1.5. *"Como"* — Este morfema da lugar a un nutrido grupo de construcciones de gran complejidad y de variados matices significativos y sintácticos. Por otra parte, esta variedad de construcciones y significados no siempre parecen bien delimitados ni pueden aislarse debidamente. La gramática tradicional distingue tres tipos de construcciones marcadas por el *como*: (a) **Adverbiales circunstanciales de modo,** que se distinguen por el empleo de un *como* relativo que remite a un antecedente constituido por un adverbio de modo o nombres como *manera, modo, arte*, etc. La proposición introducida por *como* actúa como un adverbio de modo: *Lo entregó del modo como le dije; Lo entregó (así) como se lo dije*. (b) **Adverbiales comparativas de modo,** que emplean un *como* conjuntivo y que se correlaciona con los demostrativos *así, bien así,* o *tal*. Estas construcciones parangonan dos oraciones: *Entre el hierro español así se lanza, como con gran calor en agua fría* (Ercilla). (c) **Adverbiales comparativas de cantidad,** que dan el resultado de comparar dos conceptos desde el punto de vista del modo, la cualidad o la cantidad.

Una clasificación de este tipo hace aparecer el concepto de modo dentro de tres posibilidades que no siempre es fácil separar. Esto justifica que algunos gramáticos se hayan inclinado a fundir en un solo grupo los distinguidos en la gramática académica como (a) y (b), aun reconociendo que mantiene en muchas ocasiones el valor comparativo. En la exposición que sigue vamos a distinguir tres tipos fundamentales de construcción con *como* siguiendo en primer lugar un criterio formal y distribucional y en segundo lugar un criterio de contenido: (a) *como* valorativo, (b) *como* identificativo y (c) *como* relativo.

4.8.1.5.1. *"Como" valorativo* — Un primer grupo de construcciones es fácilmente delimitable por lo acusado de sus rasgos formales. En este grupo de construcciones el *como*, evidentemente conjuntivo, encabeza un constituyente al que se llama segundo término de la comparación. El *como* aparece en correlación con un intensivo *(tal, tan* o *tanto)* que aparece en el primer término de la comparación. Este tipo de construcciones está estrechamente unido a los de *que* valorativo, según veremos después.

En ese comúnmente llamado primer término se destacan como rasgos formales: (a) el **intensivo,** que actúa como adjetivo cuantitativo o como adverbio referido a un adjetivo, a un adverbio o a un verbo; (b) la **base de comparación,** que será un sustantivo, un adjetivo o un adverbio o verbo. En el segundo término de la comparación se puede encontrar marcado por el *como:* (a) un elemento que gemina o desdobla la función que desempeña la base; (b) una oración de contenido independiente a lo expresado en el primer término.

Primer término de la comparación			Segundo término
	Intensivo	Base	
(1) *Mi amigo tiene*	**tantos**	*libros*	
(2) *Mi amigo es*	**tan**	*bueno*	**como** *Pedro* / **como** *te han dicho*
(3) *Mi amigo trabaja*	**tan**	*bien*	
(4) *Mi amigo trabaja*	**tanto**		

Estas construcciones permiten valorar mediante una comparación (1) la cantidad con que se da un sustantivo *(libros),* (2) el grado de intensidad de una cualidad expresada por un adjetivo *(bueno),* (3) el grado de intensidad del modo de acción expresado por un adverbio *(bien)* y (4) el grado de intensidad de una acción *(trabaja).*

Semánticamente se acude a dar a conocer este valor comparándolo con algo que es ya conocido o suficientemente expresivo. La lengua posee otros procedimientos. Ha podido valorarlo de manera absoluta:

(1a) Mi amigo tiene muchos libros.
(2a) Mi amigo es muy bueno.
(3a) Mi amigo trabaja muy bien.
(4a) Mi amigo trabaja mucho.

O, como hemos visto en 4.8.1.1.3., ha podido acudir a expresar una consecuencia:

(1b) Mi amigo tiene tantos libros que no le caben en casa.
(2b) Mi amigo es tan bueno que me parece tonto.
(3b) Mi amigo trabaja tan bien que es la admiración de todos.
(4b) Mi amigo trabaja tanto que se agotará.

Tanto los ejemplos (1), (2), (3) y (4) como los marcados con b) son valoraciones de una base por medio de una comparación o por medio de una consecuencia. En ambas series de ejemplos se da una base estructural semejante por la correlación. La comparación que ahora estudiamos es de igualdad. De la misma manera se podrán reconocer las **comparaciones de desigualdad** en las que el intensivo será *más/menos* y la marca del segundo término el mismo *que* valorativo de las consecutivas: (1c) *Mi amigo tiene **más/menos** libros que Pedro.* (2c) *Mi amigo es **más/menos** bueno (mejor/peor) que Pedro.* (3c) *Mi amigo trabaja **más/menos** bien (mejor/peor) que Pedro.* (4c) *Mi amigo trabaja **más/menos** que Pedro.* Con un segundo término oracional, cambia la marca y el carácter de la oración de la siguiente manera: (1c') *Mi amigo tiene **más/menos** libros de lo que te imaginas.* (2 c') *Mi amigo es **más/menos** bueno (mejor/peor) de lo que te imaginas.* (3 c') *Mi amigo trabaja **más/menos** bien (mejor/peor) de lo que te imaginas.* (4c') *Mi amigo trabaja **más/menos** de lo que te imaginas.*

Todas estas construcciones forman un grupo, pues, muy coherente de oraciones que semánticamente son valorativas, aunque dicha valoración la realicen unas por la expresión de una consecuencia y otras por la comparación de igualdad o de desigualdad. Formalmente tienen todas una correlación en la que se corresponden un intensivo y un conjuntivo *(que* o *como)* y se forman como una sobrestructura sobrepuesta al núcleo de base que se trata de valorar.

Tiene **muchos** libros $\left\{\begin{array}{l}\text{Tiene \textbf{tantos} libros \textit{como} Pedro}\\\text{Tiene \textbf{más/menos} libros \textit{que} Pedro}\\\text{Tiene \textbf{tantos} libros \textit{que} no le caben en casa}\end{array}\right.$

En cuanto a la naturaleza del segundo término hemos distinguido un segundo término geminado y otro oracional. La geminación es interna cuando el segundo término desdobla la función de la base de comparación: *Tiene **tantos** libros **como** pelos en la cabeza.* En los demás casos de geminación, la función que desdobla puede corresponder a cualquier elemento de la oración: *Pedro tiene tantos libros como Juan* (Sujeto); (2) *Pedro entregó tantos libros a su tía como a su madre* (CI); (3) *Está tan contento en su casa como en el colegio* (CC), *Hablaban tanto de toros como de fútbol* (Suplemento); (4) *Conseguían tan buenas notas por estudiosos como por buenos,* etc.

El elemento geminado puede estar elíptico en la oración: *Está tan contento como entonces (Está tan contento ahora como entonces).* Por último, como lo que se gemina es la función podemos encontrar en el segundo término tras el *como* o tras el *que* una proposición de función equivalente a la del elemento geminado: (1) *Trabaja ahora tanto como cuando vino;* (2) *Pedro trabaja tanto como el que más (trabaje);* (3) *Pedro trabaja tanto como quien quieras.*

Cuando la comparación es de desigualdad, según hemos visto, se producen construcciones homologables con las que se gradúa la desigualdad por superioridad o inferioridad acudiendo a los intensivos *más* o *menos* o al correspondiente comparativo y marcando el segundo término por *que.* Admite igualmente la geminación interna *(Es más bueno que tonto)* o los mismos tipos de geminación que la comparativa de igualdad *(Es mejor que tú; Es más estudioso ahora que antes;* etc.).

Cuando se trata de un segundo término oracional dos soluciones son posibles generalmente: (a) La que coincide con la comparativa de igualdad: *Tiene más libros que los que hayas podido imaginar.* (b) Emplea la marca prepositiva *de* en las realizaciones (2) y (3) de base adjetiva o adverbial respectivamente: *Es más trabajador de lo que hayas podido imaginar.*

Observaciones — 1. A nivel de elemento nominal, el adjetivo intensificado por *más* o *menos* puede sustantivarse *(el más, lo más, la más).* El segundo término se introduce por la preposición *de:* (1) *Es el mejor del mundo;* (2) *Es el más trabajador del mundo.* Cuando aparece el *que,* éste toma valor relativo referido a un antecedente sustantivo y pierde el sentido comparativo: *Es el más trabajador que hayas visto.*

2. El adverbio permite la sustantivación con *lo* y su complementación es un adjetivo o una proposición adjetiva de relativo: (1) *Trabaja lo mejor que puede;* (2) *Trabaja lo mejor posible.* Como en el párrafo anterior se pierde el valor comparativo.

3. En las construcciones de tipo (4) se genera una de carácter enfático cuando se introduce la negación y el intensivo de superioridad: (1) *Trabaja los domingos* → *No trabaja **más** que los domingos.* De manera semejante, el intensivo de inferioridad subraya la excepcionalidad.

4. En las construcciones de tipo (2) y (3) de base adjetiva o adverbial, la sobrestructura comparativa, en todos sus grados de igualdad o desigualdad, se realiza claramente en el elemento en que aparece como constituyente o como núcleo la base: (1) *Un hombre bueno como el pan no actúa de esa manera;* (2) *He contratado a un hombre más trabajador que Pedro;* (3) *Estudia más atentamente que su amigo.*

5. En algunos casos, la correlación *tanto...como* deja invariable su primer elemento acompañando unidades nominales. Entonces equivale a la coordinación copulativa cuyo sentido enfatiza mediante la comparación: (1) *Tanto sus hijos como sus padres se lo negaron* → *Sus hijos y sus padres se lo negaron.* (2) *Se encontraba mal en verano y en invierno* → *Se encontraba mal tanto en verano como en invierno.* Compárese esta última construcción comparativa-aditiva con la simplemente comparativa: *Se encontraba tan mal en verano como en invierno.*

4.8.1.5.2. *"Como" identificativo* — Mientras en las construcciones estudiadas en el parágrafo anterior la presencia del intensivo asegura la valoración comparativa, en cuanto este elemento desaparece, la comparación toma un matiz distinto limitándose a la identificación de la sustancialidad del nombre, de la acción o del modo de la acción. Las construcciones de tipo (4) se confunden con las de tipo (4): (1)-(4) *Mi amigo tiene libros como Pedro; Mi amigo, como Pedro, tiene libros; Mi amigo trabaja como Pedro; Mi amigo, como Pedro, trabaja.* (2) *Mi amigo es bueno como Pedro; Mi amigo, como Pedro, es bueno; Mi amigo es como Pedro.* (3) *Mi amigo trabaja bien como Pedro; Mi amigo, como Pedro, trabaja bien.*

En estas construcciones *como* concurre con *lo mismo que* e *igual que.* Su contenido es reversible: *Pedro tiene libros como mi amigo; Pedro es bueno como mi amigo,* etc. Con variación de matiz, puede concurrir con la coordinación: *Mi amigo y Pedro tienen libros; Mi amigo y Pedro son buenos,* etc.

De hecho, semánticamente se da siempre la posibilidad de la intención comparativa junto con la identificación. Estas construcciones pueden darse a nivel de elemento con carácter incidental: *Un muchacho, alto como una torre, alcanzó la pelota/Un muchacho alto como una torre alcanzó la pelota.*

Observaciones – 1. Se produce valor diferente en el significado según que el segundo término vaya determinado o no. Hay identificación cuando el segundo término va determinado: *Habló como el maestro.* La identificación pasa a ser coincidencia que destaca un aspecto de la sustancialidad de la base en "Habló como maestro", esto es, "Habló en condición de maestro".

2. De la misma manera puede pasar a tomar un valor de identificación aproximativa con gerundios, participios, sustantivos o sustantivos traspuestos por preposición: (1) *Lo hizo como durmiendo;* (2) *Estaba como triste;* (3) *Era como alcalde de la ciudad;* (4) *Sintió un golpe como de un palo;* (5) *Vino como cansado.*

3. En las construcciones estudiadas en este parágrafo, el valor modal aparece cuando la base de la identificación es un adverbio o un verbo.

4.8.1.5.3. *"Como" relativo* – En coincidencia con *cuando, donde* y *cuanto, como* toma valor relativo cuando se refiere a un antecedente constituido por un adverbio de modo o por los nombres *modo, manera, arte,* etc. En el caso de antecedente nominal parece evidente el carácter adjetivo de la proposición, aunque tradicionalmente se le sigue entendiendo como relativo adverbial: (1) *Trabaja lentamente como su abuelo;* (2) *Me encanta el modo como lo haces.*

El valor modal dominante se contrarresta con la identificación en cuanto el sustantivo antecedente va acompañado por *mismo: Trabaja de la misma manera que su padre; ...de la manera misma como su padre trabajaba.* El carácter adverbial de toda la construcción se muestra por su fácil conmutación por *así: Trabaja como su padre* ⟶ *Trabaja así.*

4.8.1.5.4. *Otros valores de "como"* – El *como* conjuntivo puede tomar valores en competencia con el *que* anunciativo. Ya desde antiguo se ha señalado en la prosa clásica un *como* anunciativo introduciendo proposición en función de CD que no se emplean actualmente.

El castellano actual emplea un *como* de valor causal con carácter real o hipotético según emplee indicativo o subjuntivo. En el segundo caso concurre con las oraciones con *si:* (1) *Como tengo dinero, lo compraré;* (2) *Como tenga dinero, lo compraré / Si tengo dinero, lo compraré.*

4.8.1.5.5. *El segundo término oracional* – En las construcciones con segundo término oracional y sin intensivo domina el valor modal. Este segundo término puede estar constituido:

(a) Por una oración con el mismo verbo que el de la oración de que forma parte como complementación modal. En este caso puede elidirse cuando se emplea en el mismo tiempo: *Trabaja como toda su vida.* Pero, necesariamente ha de expresarse cuando corresponde otro tiempo verbal: *Trabaja como ha trabajado toda su vida.*

(b) El verbo de la oración modal puede ser un verbo vicario con el que se alude al contenido de la oración que le sirve de base: *Le da de comer como hacía su madre.*

(c) La oración modal puede introducir un verbo de los llamados modales que gobierna al principal en infinitivo: *Me juzgarán como quieran* (juzgarme).

(d) El verbo de la oración modal puede ser un verbo de lengua o habla cuyo CD es la oración que sirve de base a la construcción y, por tanto, se puede rehacer: *Su amigo llegó como ha dicho Pedro* ⟶ *Pedro ha dicho cómo llegó su amigo / Pedro ha dicho que su amigo llegó así.*

En este caso, concurre con *según: Llegó según ha dicho Pedro.* Redundantemente, se reúnen las dos marcas: *Mi amigo llegó según y como ha dicho Pedro.*

4.8.1.5.6. *La comparación retórica* – Por influjo latino, en la prosa clásica y hasta el siglo XIX, se fijan una serie de correlaciones retóricas que la lengua literaria actual emplea muy raras veces y la coloquial nunca, salvo intención estilística. En la oración comparativa alternan *como* y *cual.* El primer miembro de la correlación puede ir marcado por *así, bien así,* y *tal:* (1) *Como el pobre, que el día que no lo gana no come, así tú, el día que no te dan este socorro de devoción, quedas ayuno y flaco* (Fr. Luis de Granada); (2) *Como los cuerpos perecen poco a poco y presto se acaban, bien así caemos fácilmente y apenas en largo tiempo nos levantamos* (Roa); (3) *Así como la gravedad y peso de las cosas es compañera de la prudencia, así la facilidad y liviandad lo es de la locura* (Fr. Luis de Granada); (4) *Así como se conocen mejor las personas con la comunicación de muchos días, así también lo hacen los consejos* (Fr. Luis de Granada). Ejemplos tomados de la Gramática de la Real Academia Española (edición de 1931).

4.8.1.6. *"Cuanto"* – *Cuanto* junto con *cuan,* que independientemente de su origen es sentido por el hablante como apócope de *cuanto,* se presentan en franco retroceso en la lengua actual, con distintos valores:

4.8.1.6.1. *"Cuanto" pronominal* – Semánticamente se distingue por su valor cuantitativo y su facilidad para relacionarse con *todo*. Se presenta en las siguientes construcciones: (a) en función adjetiva acompañando a un sustantivo con el que concuerda: *Cuantos caballeros hayan desfilado por aquí, lo recordarán;* (b) en función pronominal, referido a un antecedente sustantivo con el que concuerda: *Todos los caballeros cuantos hayan desfilado por aquí, lo recordarán;* (c) como relativo generalizador o, como lo llamaban los gramáticos tradicionales, de antecedente envuelto: *Cuantos hayan desfilado por aquí lo recordarán;* (d) en función neutra con referencia a un conjunto de actos o hechos, en masculino y singular con un sentido colectivo: *Cuanto te he dicho es pura broma.*

El castellano actual prefiere claramente las construcciones con artículo concordado + *que* o neutro *lo* + *que:* (a) *Todos los caballeros que hayan desfilado por aquí, lo recordarán;* (b) *Todos los caballeros que hayan desfilado por aquí...;* (c) *Los que hayan desfilado por aquí...;* (d) *Lo que te he dicho es pura broma.*

En todos estos casos funciona en las mismas posiciones que un elemento sustantivo: (1) *Cuanto ha dicho y hecho es provisional;* (2) *Estaba al acecho de cuantos llegaban;* (3) *Os llamarán todo cuanto se les antoje;* (4) *Haré cuanto quieras;* (5) *Daba bombones a cuantas muchachas conocía;* (6) *Allí se jugaba a cuanto se quería;* (7) *Se sublevó contra cuanto había de injusto;* (8) *Había algo extraño en cuanto observó;* (9) *Le perdonó por cuanto había hecho en su favor.*

Observación — Gramaticalizado el *cuanto* neutro toma valor conjuntivo y sirve para introducir secuencias que expresan causa, aspecto de una determinada cuestión en locuciones como *por cuanto, en cuanto a,* que igualmente concurren con *lo que* (por lo que): *En cuanto a saber...* (2) *En cuanto a cansado...* (3) *En cuanto a fuerza...* (4) *En cuanto a que venga esta tarde, no ha dicho nada.*

4.8.1.6.2. *"Cuanto" en construcción comparativa* — En correlación con *tanto* y *tan* forma construcciones comparativas semejantes a las de *como* y como ellas gradativas en complementariedad con *más/menos --- que.* Es, sin embargo, fórmula literaria solamente en el castellano actual y muy rara vez empleada en la lengua coloquial. La estructura de la frase es la misma de todas las comparativas con intensivo. Cuando la base de la construcción es un sustantivo, *cuanto* puede mantener su carácter adjetivo y concordar con el sustantivo que le sigue. En los demás casos *cuanto* se mantiene invariable. La base puede ser un sustantivo, un adjetivo, un adverbio o el verbo: (1) *Tenía tantos disgustos cuantas alegrías;* (2) *Estaba tan cansado cuanto triste;* (3) *Trabajaba tanto cuanto le exigían;* (4) *Vino tan despacio cuanto pudo.*

Observación — Por su propia naturaleza sirve para expresar en la comparación la proporcionalidad entre las dos ideas comparadas: *Estaba en la cama tanto mejor cuanto que no se cansaba.*

4.8.1.6.3. *"Cuanto" con valor temporal* — En la lengua clásica *cuanto* precedido de la preposición *en* concurre con *mientras,* en fórmulas correlativas como las estudiadas en el parágrafo anterior: *En tanto se conserva la paz, en cuanto los inquietos no tienen quien les favorezca* (Espinel). El castellano actual utiliza las agrupaciones *en tanto* y *en cuanto,* independientemente para significar: (a) *en tanto* = mientras: *En tanto le escuchaba* (mientras le escuchaba) *contemplaba sus manos;* (b) *en cuanto* = en el mismo momento: *En cuanto lo vio, corrió hacia él.*

Acompañado de un adverbio *(cuanto antes),* puede tomar cierto valor condicional: (1) *Cuanto antes llegues, antes terminaremos;* (2) *Cuanto más despacio vayas, mejor para ti.*

4.8.1.7. *"Cuando" y "donde"* — Ambas palabras de carácter relativo forman fundamentalmente oraciones de carácter adverbial para expresar tiempo y lugar, respectivamente. Sin embargo, como veremos, hay notables particularidades que las separan.

4.8.1.7.1. *"Cuando"* — Como relativo, se puede emplear (a) con un antecedente de carácter adverbial expreso, al que sigue inmediatamente para introducir una proposición que enriquece o desarrolla su contenido. Este antecedente puede ser un sustantivo con significación de tiempo (tiempo, momento, hora, día, año, etc.), o un adverbio demostrativo de tiempo (hoy, entonces, ahora, luego). En este segundo caso concurre con el adverbio relativo *que:* (1) *En aquel momento, cuando vino su tío, lo vi todo claro/En aquel momento en que vino su tío...;* (2) *Ayer, cuando llegó su tío, no lo había comprendido/Ayer, que llegó su tío, no lo había comprendido.*

(b) Sin antecedente. Toda la oración marcada por *cuando,* actúa como un elemento adverbial de carácter marginal. La marca representa la coincidencia en el tiempo de dos acciones que pueden ser totalmente inconexas o estar relacionadas por la coincidencia en su cumplimiento y llegar a ser intercambiables: *Cuando entraba en casa, ha comenzado a llover.*

Por su carácter temporal puede llevar las preposiciones *de, desde, hasta* y *para,* que marcan la relación de todo el elemento adverbial que la oración marcada por *cuando* representa: (1) *Lo conservo todavía de cuando estuve en la guerra;* (2) *Desde cuando se fue, no le he vuelto a ver;* (3) *Hasta cuando lo encuentre, no estará contento;* (4) *Hacía cálculos para cuando viniese su hijo.*

Observaciones — 1. Cuando hay una dependencia lógica entre los contenidos de las dos oraciones, la marcada por *cuando* puede tomar valor causal, condicional e incluso concesivo reforzado por *aun: Aun cuando venga, no le pienso hablar.* (2) *Cuando tenga dinero, le ayudaré.*

2. Con el mismo carácter adverbial puede aparecer como suplemento con verbos que admitan adverbios de tiempo en tal función: *Me acuerdo de cuando lo trajeron; Hablaba de cuando estuvo en tu casa.*

3. Con valor muy semejante a una preposición, según algunos gramáticos, se emplea introduciendo un sustantivo. Otros gramáticos interpretan la construcción como una elipsis: *Cuando el desafío, estuvo esperando hasta el amanecer*

4.8.1.7.2. *"Donde" y "do"* — Como en el caso de *cuanto* y *cuan*, el hablante siente el adverbio *do* como apócope de *donde*, contra su etimología. Esto es lo que permite que todavía siga siendo entendido aunque no sea empleado en la lengua actual. El uso de *do* comenzó a disminuir ya en el siglo XVI. El mismo carácter de arcaísmo tiene el compuesto *doquiera*, frente a *dondequiera*. Lo mismo ocurre con el valor de procedencia del adverbio *donde*, actualmente desconocido: *Se cogió a las tinajas donde había sacado su agradable espuma* (Cervantes).

Como relativo, *donde* conoce las siguientes posibles construcciones: (a) Con antecedente expreso constituido por un adverbio de lugar cuyo sentido especifica o explica: *Allí donde estabas, había una sombra maravillosa.*

(b) Con antecedente expreso constituido por un sustantivo o un pronombre. En este uso concurre con los relativos *que, el/la que* y *el/la cual* precedidos de la preposición *en*. El nombre puede significar lugar o actuar de complementación de lugar: (1) *La casa donde vivo* (en que vivo) *es espaciosa;* (2) *Me dirigí a la casa donde te conocí* (en que te conocí).

Esta concurrencia plantea un problema puramente teórico no resuelto definitivamente. La Gramática de la R.A.E. (1931) es tajante en su interpretación: siempre que aparece *donde* nos encontramos ante una oración de tipo adverbial (G.R.A.E. 401). Sin embargo, parece contradictoria esta conclusión ya que el término adverbial lo justifica por la función de la proposición subordinada que, cuando complementa a un antecedente nominal, sobre todo en casos como (1), desempeña una clara función adjetiva.

(c) Sin antecedente, o envuelto en el propio significado del relativo. Se entiende que hay un antecedente genérico que significa lugar y que se puede reconstruir por cualquier adverbio demostrativo de lugar. Toda la proposición equivale a un adverbio: *Donde no hay harina, todo es mohína.*

(d) El antecedente puede ser todo un concepto enunciado por la oración anterior. En este caso la proposición marcada por *donde* va a fin de período y puede servir para introducir la conclusión de un razonamiento deductivo: (1) *Nuestros personajes se quedaron dormidos, donde los dejaremos por ahora.* (2) *Fuéronse de prisa de la taberna, de donde supuse que no querían verme.*

Las oraciones introducidas por *donde* pueden llevar las siguientes preposiciones: *a, de, desde, en, entre, hacia, hasta, para* y *por*. En el caso de la preposición *a* se une ortográficamente en una sola palabra —*adonde*— cuando el antecedente está expreso y se mantiene separada del relativo —*a donde*— cuando está callado: (1) *Llegué el primero a la casa adonde todos nos dirigíamos.* (2) *Llegó a donde quería.*

La preposición marca en principio la función de toda la proposición en relación con la oración principal a la que se subordina como elemento autónomo: (1) *Vengo de donde salieron tus padres;* (2) *Volvió desde donde estaba la hermosa doncella;* (3) *Iba hacia donde tú le habías dirigido;* (4) *Llegó hasta donde pudo;* (5) *Iba por donde acostumbrabas pasear.*

Cuando emplea el antecedente expreso, la preposición marca la subordinación de *donde* al verbo que introduce: /*Visitó la casa en donde nacieron sus padres*/ = /*Visitó la casa. Sus padres nacieron en la casa*/. Sin embargo, cuando *donde* indica procedencia puede eliminar su régimen interno con el verbo subordinado, y tomar únicamente la preposición que le relaciona con el verbo principal al callar el antecedente: (1) *No dejaré de ir a donde no espero volver* (al lugar de donde); (2) *Se dirigió hacia donde las voces salían* (hacia el lugar de donde).

El uso de la preposición *en* se ha señalado como pleonástico; sin embargo, sigue creciendo su uso aunque todavía es más frecuente el uso de *donde* sin preposición.

Observación — Como hemos visto con *cuando*, *donde* puede emplearse en función semejante a la preposición para introducir un sustantivo. Su uso, sin embargo, frente al caso de *cuando*, se siente como vulgarismo: *Vivo donde la Matilde.*

4.8.1.8. *Proposiciones interrogativas* — En 4.5.2. se ha hablado de la transformación interrogativa a nivel de esquemas simples. Se distinguía allí una interrogación total marcada por la entonación —¿*Ha venido Antonio?*— de la interrogación parcial —¿*Quién ha venido?*—. Cualquier enunciado interrogativo puede insertarse como elemento independiente —sujeto, complemento directo o suplemento— de algunos verbos formando las proposiciones interrogativas que funcionan con carácter sustantivo.

La gramática tradicional al referirse a las llamadas completivas de complemento directo distinguía lo que llamaba estilo directo y estilo indirecto según que lo enunciado o pensado por verbos de lengua y pensamiento fuese (a) reproducción exacta de lo dicho o pensado o (b) se incorporase conjuntivamente al verbo ordenador. Esta distinción es igualmente válida tanto si lo dicho o pensado es una oración enunciativa afirmativa o negativa como si se trata de una oración interrogativa.

	Estilo directo	**Estilo indirecto**
Enunciación:	X dijo: —Volveré mañana	X dijo que volvería mañana
Interrogación:	X preguntó: —¿Dónde estoy?	X preguntó dónde estaba
	X preguntó: —¿Sabes la hora?	X preguntó si sabías la hora.

Este concepto que opone estilo directo a estilo indirecto es de indudable valor para el análisis del discurso y en este sentido se ha enriquecido con el concepto de estilo indirecto libre. En cuanto a la descripción gramatical de la lengua el concepto de interrogación indirecta con que se venía designando a las proposiciones incorporadas como elementos independientes de determinados verbos puede seguirse utilizando si lo extendemos a todas las construcciones en que la proposición subordinada viene encabezada por una palabra interrogativa y lo separamos del concepto de estilo indirecto, ya que no existe la misma correspondencia señalada con los verbos de lengua y pensamiento en otros verbos que admiten la incorporación de proposiciones interrogativas: "No sabía qué había sucedido" no puede entenderse como estilo indirecto de un supuesto estilo directo "No sabía: —¿Qué había sucedido?". Metodológicamente, en cambio, no habrá inconveniente en describir dicha oración como incorporación de la interrogacion "¿Qué había ocurrido?" como CD de la oración "No sabía *una cosa.*"

4.8.1.8.1. *Naturaleza de las palabras interrogativas* — Tres aspectos interesa destacar en el estudio de estas construcciones compuestas en las que intervienen palabras interrogativas: (A) sus rasgos formales y semánticos, (B) la mecánica de su acoplamiento y (C) su alusión al referente.

(A). El conjunto de palabras *qué, cuál, quién, cúyo, cuánto, dónde, cómo,* que se oponen a los pronombres y adverbios llamados relativos, se distinguen por los siguientes rasgos: (a) Aluden a un referente en principio desconocido por el hablante. Proceden por alusión a una clase de la que es elemento el "objeto" que se trata de identificar: /*Quién ha venido*/ alude a la clase personas en la cual hay un elemento que desconoce el hablante y quiere identificar. En /*Quien bien te quiere...*/, alude igualmente a la clase personas, de la cual cualquier elemento puede servir para lo que dice el predicado. (b) Son tónicos frente a los llamados relativos según ya vimos. (c) Pueden ir precedidos de preposiciones que marcan su subordinación respecto al verbo ordenador del enunciado de que forman parte: (1) ¿*Qué ha ocurrido?; ¿en qué consiste el asunto?; ¿por qué has hecho eso?; ¿para qué lo dice?; ¿de qué hablas?; ¿a qué vienes?; ¿ante qué cine me esperas?; ¿bajo qué techo te cobijas?; ¿contra qué te enfureces?,* etc. (2) ¿*Quién ha venido?; ¿de quién hablas?; ¿para quién lo has traído?; ¿por quién preguntas?,* etc. (3) ¿*Cuál has visto?; ¿de cuál lo traes?,* etc. (4) ¿*Cúyos son los hijos?* (arcaísmo); etc. (5) ¿*Cuántos has traído?; ¿por cuántos has venido?; ¿con cuántos lo puedes hacer?; ¿de cuántos prescindirás?,* etc. (6) ¿*Cuándo vendrá?; ¿desde cuándo estás ahí?; ¿para cuándo lo quieres?,* etc. (7) ¿*Cómo lo has hecho?,* etc. (8) ¿*Dónde vives?; ¿desde dónde lo trajiste?; ¿por dónde viniste?; ¿hasta dónde llegará?* (El *cúyo* interrogativo es anticuado.)

Estas observaciones nos permiten oponer los llamados relativos a los interrogativos como elementos de una misma clase que se oponen por átonos/tónicos e identificados/no identificados. De manera provisional los entenderemos como relativos enunciativos/interrogativos.

(B). Cualquier esquema interrogativo simple puede acoplarse como sujeto, complemento directo o complemento suplementario de verbos que expresan razonamiento (*pensar, calcular,* etc.), comunicación (*confesar, anunciar,* etc.), preguntar y percibir (*ver, oír,* etc.). Su función no tiene ninguna marca especial por lo que habrá que considerarlas como sustantivas posicionales ya que su función sustantiva se define por la posición que ocupan dentro del esquema total del verbo ordenador al que se subordinan: (1) *No se sabe dónde vive;* (2) *No sé dónde vive;* (3) *Hablaban de dónde vivirían.*

Los verbos que admiten semejante acoplamiento imponen al verbo del enunciado interrogativo una de estas tres alternativas: (a) Sólo el infinitivo: *¿Tiene por qué venir?; ¿Tiene qué hacer?; ¿Hay dónde colocarse?; ¿Hay de qué vivir?* (b) Sólo formas personales: *Presencié cómo subía; Contemplé por dónde saldrías.* (c) Emplean infinitivo cuando tienen ambos verbos el mismo sujeto y las formas personales cuando el subordinado tiene sujeto distinto al verbo principal: *Desconozco por dónde salir/desconozco por dónde sales.*

(C) Al acoplarse el enunciado interrogativo como elemento de una oración mantiene su valor tónico, su distribución y selección de preposiciones, pero en su parte semántica la relación puede ser: (a) clave o signo de la clase de que es elemento no identificado con lo que se incorpora con todos sus valores; (b) clave de la clase de que es elemento identificado para el sujeto y no identificado para los interlocutores. Dado el enunciado interrogativo */¿Quién ha venido?/*, si lo acoplamos al mismo verbo *saber* en su forma negativa y afirmativa, tendremos esta matización del significado: (a) *No sé quién ha venido;* (b) *Sé quién ha venido.* La variación en el significado del interrogativo es puramente contextual.

4.8.1.8.2. *El "si" interrogativo y el "si" condicional* — La gramática tradicional distingue unas proposiciones marcadas con *si* interrogativo, que estudia con las sustantivas posicionales, de otras con *si* condicional de que se ocupa al hablar de las subordinadas adverbiales. Sin embargo, hay aspectos coincidentes que justifican su agrupación en un solo y mismo apartado.

(A) *El si interrogativo* — Cuando frente a las construcciones estudiadas en el parágrafo anterior la interrogación es total y se marca solamente por el cambio entonacional, se puede producir el mismo acoplamiento recurriendo a la marca *si.* La interrogativa con *si* se acopla como sujeto, complemento directo o complemento suplementario: (1) *No se sabe si vendrá;* (2) *No sé si vendrá;* (3) *Hablaban de si vendrías;* (4) *No sé si venir.* La función del morfema *si* se ha relacionado con la del *que* anunciativo con el que se corresponde por la oposición de enunciación a duda o problematización: (1) *No se sabe que haya venido;* (2) *No sabe que venga hoy;* (3) *Hablaban de que vendrías.* Estas proposiciones frente a las interrogativas parciales que tienen una palabra interrogativa, no inquieren por un elemento desconocido; se limitan a poner en duda, a proponer como incógnita la realidad o no realidad de un contenido determinado.

No todos los verbos señalados para las proposiciones interrogativas admiten el acoplamiento de la interrogación con *si.* Muchos verbos de comunicación y percepción no lo admiten.

(B) *El si en oraciones independientes* — Mientras el *si* anunciativo aparece como marca de problematización o duda de proposiciones dependientes de un verbo, el *si* llamado condicional marca oraciones con independencia formal respecto al verbo ordenador del enunciado pero que expresan la relación lógica en cuanto a su contenido. Una transposición anticipadora del complemento directo de una de estas construcciones acopladas nos obliga a la reproducción de su significado mediante el *lo* acusativo neutro: *Ignoro si ha venido ⟶ Si ha venido, lo ignoro.* El *lo* neutro reproduce al lado del verbo *ignorar* toda la proposición con *si.* Entre lo que dice el verbo principal y lo que dice el subordinado no hay relación de contenido. Simplemente se reconoce la relación sintáctica del CD y el verbo del que depende. En cambio, en enunciados como */Si viene, me alegraré/*, aunque se pueda incorporar como elemento neutro —*/Si viene, me alegraré de ello/*—, se mantiene la independencia morfológica de ambas oraciones; sin embargo, es patente la relación lógica **antes-después, causa-efecto** entre el venir y el alegrarse. La misma relación lógica de contenido queda expresada en la yuxtaposición: */¿Viene? Me alegraré/.* La presencia del *si* no hace más que convertir en supuesto operante la interrogación total independiente que justifique la principal.

La idea de causa que relaciona la oración con *si* en el caso anterior con la principal, al generalizarla a otros casos hay que tomarla en un sentido muy amplio para toda circunstancia que se produzca o pueda producir antes con relación a otra que viene a continuación y, de alguna manera, pueda sentirse como su efecto: circunstancias de tiempo, modo, acción concomitante, etc. No hay causa ni condición en enunciados como */Si hay que trabajar, se trabaja/* o en las construcciones siguientes: (1) *Si había que llevar la contestación, él era de los designados;* (2) *Si se pone corbata negra, le toman por un cura vestido de paisano.*

Sin embargo, no es solamente éste el valor de significado que aportan estas construcciones con *si.* A efectos retóricos y dialécticos, se acude a la oración independiente con *si* para contrastar por comparación proporcional o no, por oposición, etc., lo que se dice en la oración principal. En este caso, la oración con *si* se da como supuesto aunque es bien cierto y conocido: (1) *Si primero me pareció un embustero, después lo reconocí como un charlatán vulgar;* (2) *Si antes sus oraciones fueron pararrayos contra las injurias, después intentaban librarle de otros males;* (3) *Si en una parte vendía anís, en otra rico morapio.*

Estas construcciones toman fácilmente valor adversativo o restrictivo, introduciéndose a veces entre comas como proposición parentética: (1) *Si soy el mayor enemigo de la realidad del matrimonio, adolezco en cambio de una afición vehemente a los sueños;* (2) *El sol, si no podía ensañarse en nuestros cráneos, se filtraba por todas partes y nos envolvía en un baño abrasador;* (3) *Cuando mis ojos vean, si ven, no habrá para ellos otro espectáculo que éste;* (4) *Si ella viene de buena casa, el amo no vino desnudo.* Valor concesivo se puede encontrar en construcciones como: (1) *Si de la madre, cualquiera hubiese dicho que le faltaba un tornillo, no podía decirse lo mismo del hijo;* (2) *En cuanto al amor romántico, si bien comenzaba en la forma más pura y conceptuosa, solía degenerar en efecto clásico.*

(C) La proposición con *si* puede aparecer precedida por las preposiciones *por, para,* o tras *como.* En este último caso los gramáticos suponen un verbo elidido en potencial: *Seguiré leyendo tranquilamente, como* (leería) *si no hubiese pasado nada.*

En los otros dos casos, aunque es posible la interpretación de la elisión de un verbo, y el significado final de *por,* es también posible entender la partícula *si* equivalente al *que,* confiriéndole a la proposición el carácter conjetural e incierto que da a lo que le sigue: *Te he puesto una cantimplora con agua por si tienes sed/porque tendrás sed.*

4.8.1.8.3. *"Si" exclamativo* — Es un *si* inicial que se corresponde con el *que* del mismo tipo y sirve para reforzar la enunciación. A veces se refuerza con *pero:* (1) *Si lo estás deseando;* (2) *Si no puedo callarme;* (3) *Pero si no lo sé.* Un valor distinto tiene en: (1) *Si viera usted;* (2) *Si creerás que es por mi gusto;* (3) *Si no mirara.*

4.8.1.9. *Relieve con "ser" y los relativos* — Cualquier proposición simple puede destacar, enfatizándolo, cualquiera de sus elementos por medio de una característica superestructura en que intervienen el verbo *ser* y el relativo que corresponda. El verbo *ser* actúa junto al elemento que destaca, delante o detrás de él, temporalizándolo e identificándolo. El relativo destaca el resto de la oración al tiempo que enlaza con el elemento identificado que es su antecedente. He aquí un ejemplo:

Antonio compró un coche en la tienda de Vicente ⟶

Relieve del sujeto). (a) *FUE Antonio QUIEN compró un coche en la tienda de Vicente;* (b) *Antonio FUE QUIEN compró un coche en la tienda de Vicente;* (c) *QUIEN compró un coche en la tienda de Vicente, FUE Antonio.*

Relieve del CC). (a) *FUE en la tienda de Vicente DONDE Antonio compró un coche;* (b) *En la tienda de Vicente FUE DONDE Antonio compró un coche;* (c) *DONDE Antonio compró un coche FUE en la tienda de Vicente.*

4.8.2. *La coordinación* — La gramática tradicional ha clasificado las oraciones compuestas en coordinadas (período paratáctico) y subordinadas (período hipotáctico), defendiendo un doble criterio: para la coordinación se ha empleado un criterio puramente semántico: "cuando el juicio enunciado en cada una de ellas (de las oraciones) se expresa como independiente del indicado por las demás, y de manera que pueda enunciarse solo, sin que por ello deje de entenderse clara y distintamente" (G.R.A.E. 316); para la subordinación, en cambio, un criterio esencialmente funcional: "Las oraciones subordinadas desempeñan en la oración compuesta el mismo oficio que los complementos del nombre o del verbo en la oración simple" (G.R.A.E. 349): (1) *Pedro corre y Antonio salta = Pedro corre, Antonio salta.* (2) *No me importa que tengas prisa.*

4.8.2.1. *Relación de contenidos y relación formal* — Una unificación de criterios ha presentado serias dificultades. Por otra parte, el criterio semántico defendido para la coordinación se ha mostrado equívoco e impreciso. El criterio funcional plantea también algunas vacilaciones en los casos límite de la subordinación.

En relación con el criterio semántico, que en parte sigue desempeñando un importante papel en la clasificación de las subordinadas, se ha hecho hincapié en las analogías de relación entre oraciones yuxtapuestas y diversas clases de coordinación o subordinación. Una misma relación de contenido puede ser expresada por medio del uso de determinados nexos o sin necesidad de ellos: (1) *Esta noche me iré a Valencia; regresaré dentro de unos días.* (1a) *Esta noche me iré a Valencia; pero regresaré dentro de unos días.* (1b) *Esta noche me iré a Valencia y regresaré dentro de unos días.* (2) *Sal, entra, haz lo que quieras.* (2a) *Sal o entra; haz lo que quieras.* (3) *Entré en el cuarto; estaba jugando.* (3a) *Cuando entré en el cuarto, estaba jugando.* (3b) *Entré en el cuarto y estaba jugando.* (3c) *Entré en el cuarto, pero estaba jugando.* (4) *Esta mañana le trajeron un ramo de flores a Victoria: es su santo.* (4a) *Esta mañana le trajeron un ramo de flores a Victoria porque es su santo.* (5) *Te lo pido por todos los santos: no vengas a verme.* (5a) *Te pido por todos los santos que no vengas a verme.* (6) *Está contento, resulta muy simpático; está de malhumor, no hay quien lo aguante.* (6a) *Si está contento, resulta muy simpático; pero si está de malhumor, no hay quien lo aguante.*

Estos ejemplos y otros muchos, que tan frecuentes son en la lengua coloquial, parecen poner de relieve los peligros de defender un criterio semántico cuando se trata de describir una lengua y las diferencias entre hechos de contenido y hechos de estructuración sintagmática. Como en el estudio de la organización de los elementos en la oración simple, en la oración compuesta parecen más objetivos y menos equívocos los criterios formales que se deben emplear con preferencia a los semánticos.

4.8.2.2. *Criterios de reconocimiento* — El criterio funcional, que aparece bastante claro en la subordinación (a) no parece, en cambio, aplicable a la coordinación y (b) en las llamadas condicionales y concesivas se incumple la correspondencia entre los esquemas y organización de la oración simple y la compuesta. Por otra parte, con mucha frecuencia, la subordinada condicional y la concesiva pueden enunciarse como independientes sin que desaparezca el sentido de la relación: (1) *Aunque llueve mucho, te acompañaré;* (2) *Llueve mucho pero te acompañaré.* (3) *Llueve mucho, te acompañaré.*

De nuevo, parece más objetivo y verificable separar (1) de (2) por razón de la marca —*aunque/pero*— empleada independientemente de su relación o su función. Este criterio, sin embargo, sólo podrá ser válido si existen pruebas adecuadas para distinguir *aunque* como marca subordinante y *pero* como marca coordinante.

4.8.2.3. *Marcas de relación y recursos léxicos de ordenación* — Un criterio que dé prioridad a lo formal sobre lo funcional, que se ha mostrado ineficaz en las construcciones coordinadas, y lo semántico, que se nos ha mostrado como correspondiente a un plano distinto de análisis, exige distinguir entre marcas coordinantes y subordinantes, en primer lugar, pero además entre marcas y recursos léxicos de ordenación de enunciados en el discurso.

(A) *Marcas coordinantes y subordinantes* — Todas las unidades que hemos utilizado para la descripción de la oración compuesta por subordinación se distinguen: (a) porque admiten preposición que matiza el carácter de su función, (b) por su base morfológica pronominal plena o neutralizada, salvo en el caso del *si,* (c) porque por su misma naturaleza funcional como elementos de un esquema oracional pueden coordinarse y por tanto pueden aceptar delante una conjunción, lo cual significa a su vez que dos segmentos no pueden ser coordinados por más de un coordinador.

La Gramática académica estudia como nexos coordinantes una larga serie de palabras: **Copulativos:** *y, e, ni;* **Disyuntivos:** *o, u;* **Adversativos:** *sino, sino que, pero, empero, aunque, mas, antes, al contrario, antes bien,* y *fuera de, excepto, salvo, menos que* (que "vienen a equivaler a conjunciones adversativas con valor correctivo o restrictivo"); **Causales:** *que, pues, ca, porque, puesto que, supuesto que;* **Consecutivos:** *pues, luego, conque, por consiguiente, ahora bien.*

Tomando como rasgo distintivo el (c) estudiado arriba, se puede fijar la siguiente prueba de reconocimiento: dada una partícula que se pueda considerar como coordinante en una estructura como M_1 coord.? M_2 donde M = miembro de la coordinación y coord.? es objeto de reconocimiento como supuesta partícula coordinante, no será tal coordinante si hay una estructura como M_1 coord. coord.? M_2 y será coordinante si tal estructura no es gramatical.

(1) *Antonio dijo que vendría.* (1p) *Antonio dijo que vendría y que traería lo que le has pedido.* (2) *Tu mujer la visitó porque es muy caritativa.* (2p) *Tu mujer la visitó porque es muy caritativa y porque podía hacerlo.* (3) *Le obsequió mucho, pues estaba contentísimo.* (3p) *Le obsequió mucho, pues estaba contentísimo y pues era el día de su santo.* (4) *Nació en el siglo XVI, aunque no se sabe dónde.* (4p) *Nació en el siglo XVI, aunque no se sabe dónde y aunque se ignora la fecha exacta.*

La prueba en 1, en 2 y en 4 nos lleva a admitir como subordinantes *que, porque* y *aunque;* en cambio, la prueba 3 nos obliga a continuar considerando coordinante la partícula *pues.* Al mismo tiempo, comprobamos que la causa puede ser expresada por medio de subordinación con *porque,* dentro del subsistema de subordinación del *que* anunciativo, y por coordinación con *pues.*

(B) *Recursos léxicos de ordenación de enunciados* — El discurso está constituido por una seriación de enunciados: $D = E_1 + E_2 + E_3 ... E$. Cada uno de los enunciados que constituyen el discurso, sean oraciones simples o compuestas o sean frases, ordena adecuadamente un conjunto de elementos léxicos que cubren o llenan un determinado esquema de la lengua. La ordenación de los enunciados se justifica por el contenido que presupone relaciones de sucesión, causalidad, etc., según hemos visto antes. Las marcas subordinantes y coordinantes suelen especializarse en determinadas relaciones, pero, además, la lengua acude a diversos recursos: (a) hechos sintácticos como la comunidad de sujeto, (b) morfológicos como la utilización de deícticos, pronombres, etc., (c) léxicos como la utilización de perífrasis, sinónimos o como, ya casi fuera del esquema que cada enunciado recubre, elementos marginales que comentan y ordenan los elementos dentro del enunciado o los enunciados entre sí.

(1) *Sonaron dos estampidos, batió la bestia el aire con los brazos que aún no había tenido tiempo de bajar; abrió la boca descomunal ... y cayó redonda en mitad de la cueva con la cabeza hacia mí. Corrí yo*

entonces a rematarla... (Pereda); (2) *La casa del boticario estaba a la salida del pueblo, completamente aislada; por la parte que miraba al camino tenía un jardín rodeado de una tapia, y, por encima de ella, salían ramas de laurel de un verde oscuro que protegían algo la fachada del viento del Norte* (Baroja); (3) *Del centro ya prorrumpía el cogollo de la espiga. Imaginativamente se colocaba en medio el cestillo de la leyenda y luego se veían también enroscadas las azagayas de las hojas, hasta formar el capitel corintio* (Miró).

Estos ordenadores léxicos son adverbios o elementos oracionales que con su significado aluden a los conceptos de sucesión, causalidad, etc., que sirven para situar los enunciados en relación con la realidad que se trata de representar o el orden de los argumentos que se dan a conocer en el razonamiento. Estas palabras pueden llegar a especializarse por su frecuencia y alcanzar un cierto grado de gramaticalización como ocurre con refuerzos expresivos como *Al contrario, por el contrario, por consiguiente, en consecuencia, no obstante, sin embargo,* etc. Otras mantienen su carácter y por circunstancias especiales han sido tomadas en cuenta al describir el período distributivo, único estudiado por la Gramática. Son palabras correlativas (*éste-aquél; aquí-ahí;* etc.) o repetidas (*bien-bien; ora-ora; ya-ya;* etc.)

A éstos se añaden elementos que actúan como comentarios de lo que se dice: *prácticamente, sinceramente, realmente, en realidad, de hecho, en verdad, en otros términos, es decir, o sea, en cambio,* etc.

En la descripción del castellano parece pues interesante distinguir, (a) como hechos de lengua, la existencia de esquemas particulares en la oración compuesta conseguida por marcas coordinantes o por marcas subordinantes, independientemente del significado de la relación que se suscite entre las oraciones componentes; (b) como análisis del discurso, los recursos léxicos, y a veces gramaticales, que la lengua posee para ordenar los enunciados en la comunicación. Conjunciones y marcas subordinantes ponen de relieve esquemas, mientras los ordenadores léxicos subrayan y explicitan la sucesión o cualquier otro tipo de relación de contenidos. La yuxtaposición es la forma más primaria de sucesión de enunciados y se caracteriza negativamente por la ausencia de marcas coordinantes o subordinantes.

4.8.2.4. *Las conjunciones "y", "e", "ni"* — Forman un sólido sistema afirmativo con dos variantes combinatorias -*y, e-* y negativo con *ni*. La conjunción *e* se emplea delante de palabras que empiecen por *i-* o *hi-: España e Italia; padres e hijos*. Es la forma neutra de la coordinación y sirve para expresar la simple sucesión de elementos o de oraciones, lo cual explica el alto índice de frecuencia que alcanza.

Estas conjunciones llamadas **copulativas** pueden enlazar elementos oracionales de la misma categoría sintáctica u oraciones independientes por su esquema: (1) *Juan, Pedro y Alfonso llegaron a casa;* (2) *Dijo que vendría y que traería el libro;* (3) *El niño corría y su madre lo perseguía*.

Su carácter aditivo lo convierte en pieza esencial en toda enumeración que toma como fórmula característica la yuxtaposición de todos los miembros salvo los dos últimos que se enlazan por medio de la conjunción *y:* (1) *Había mesas, sillas, sillones y otros muebles*.

Sobre esta fórmula en la que no hay especial intención estilística son posibles otras dos: la **asíndeton**, cuando se prescinde de toda marca —*Había mesas, sillas, sillones, otros muebles*—, y la **polisíndeton** —*Había sillas, y mesas, y sillones, y otros muebles*.

4.8.2.5. *Las conjunciones "o", "u"* — Son variantes combinatorias de una misma y única conjunción que se suele llamar **disyuntiva**. Forma esquemas semejantes a los copulativos y enlaza elementos simples u oracionales u oraciones independientes: (1) *O Pedro o Juan lo harán;* (2) *Dijo que vendría o que telefonearía;* (3) *Escribe o telefonea*.

Se emplea fundamentalmente para expresar la alternativa exclusiva con la que si tiene realidad un miembro se excluyen los demás automáticamente, respondiendo a la **disyunción exclusiva** de la Lógica: (1) *Sales o te cogerán*. Pero puede responder igualmente a la **disyunción inclusiva** en la que ambos miembros tienen realidad alternativamente: (2) *Se pasa el día oyendo la radio o leyendo*.

La alternativa que expresa esta conjunción puede responder a la indiferencia en la elección: (3) *Esta tarde iremos al cine o a los toros*. Por último, puede tener valor declarativo el segundo miembro respecto al primero: (4) *El protagonista o personaje principal*.

4.8.2.6. *La conjunción "sino"* — Se presenta en esquemas muy característicos en los que domina la validez de un elemento o enunciado respecto a otro que se enmienda o corrige. Se suele llamar **adversativa exclusiva** y recurre al esquema *no... sino:* (1) *No he ido al cine sino a los toros*. (2) *No es para ti sino para tu madre*. (3) *No se avergonzaba de lo que había hecho, sino, por el contrario, alardeaba de ello*.

Cuando el miembro marcado por *sino* es una oración independiente y no lleva refuerzo léxico como en (3), es frecuente el empleo del *que* anunciativo: *No se avergonzaba de ello, sino que alardeaba.*

El originario valor condicional de esta conjunción se puede advertir cuando el primer miembro no lleva la negación en enunciados interrogativos: (1) *¿Quién, sino tú, puede hacer eso?* (2) *¿Dónde, sino en tu casa, nos podríamos reunir?*

4.8.2.7. *Las conjunciones "pero" y "mas"* — Son clasificadas tradicionalmente como la anterior entre las adversativas. De estas dos, la segunda es en la actualidad prácticamente inusitada. Sirven para expresar una puntualización, rectificación y en algunos casos oposición de la oración marcada con relación al otro miembro coordinado. Su esquema consta de dos miembros como la anterior que pueden ser elementos oracionales u oraciones: (1) *Una dama bellísima pero mal vestida llegó hasta su mesa.* (2) *Quería ir a París pero no tenía dinero.* (3) *Quería que le prestase el dinero pero que no se lo reclamase si no le pagaba.*

Este carácter se señala con el nombre de **adversativa restrictiva** por oposición a las exclusivas conseguidas con *sino*. La conjunción *pero* sirve también, a principio de frase, como refuerzo de lo que se dice: (1) *Pero, ¿quién te lo ha dicho?*

4.8.2.8. *Las conjunciones "pues" y "luego"* — Aunque la gramática tradicional las incluía como coordinantes causales y consecutivas, las gramáticas escolares de la misma tendencia se inclinan a prescindir de ellas precisamente por el valor semántico de la relación que aparece igualmente conseguida con nexos subordinantes. Los gramáticos han puesto de relieve el carácter temporal que en su origen tuvieron ambas partículas y han explicado su paso al valor que actualmente tienen confundiendo la sucesión temporal con la relación de causalidad. Gramaticalmente se distinguen de las subordinadas de su mismo nombre: (a) por la naturaleza de la marca; (b) por el carácter de la oración que introducen, que en la subordinación consecutiva es mero valorativo y en la causal miembro oracional homologable al elemento causal en el esquema simple, mientras en la coordinación hay una clara diferenciación e independencia entre las oraciones que se unen por *pues* y *luego*, y el valor consecutivo o causal viene siempre impuesto por el contenido de ambas oraciones: (1) *Anoche lo vi en el teatro; no estará tan enfermo = Anoche lo vi en el teatro, **luego** no estará tan enfermo/Estaba **tan** enfermo **que** no pudo ir al teatro.*

Su carácter próximo al de los ordenadores léxicos, les permite emplearse en cabeza de frase para enfatizar lo que se dice a continuación, que queda relacionado así con todo lo que le precede: (1) ***Luego**, ¿no lo sabías?* (2) ***Pues**, ahí debe de estar.*

4.9. *NATURALEZA DE LA FRASE* — Definida la frase en 4.1.1. por oposición a oración como enunciado sin verbo finito con las mismas características entonacionales que cualquier oración, parece oportuno preguntarse hasta qué punto la frase tiene existencia por sí misma en la lengua. De hecho, bajo el nombre común de frase se recogen enunciados (a) que sólo pueden ser entendidos conociendo el contexto en que se producen y que forman partes desligadas de los esquemas ya estudiados, (b) que se han convertido en esquemas fijos o en clisés, válidos en todo momento y que incluso pueden llegar a incorporarse como elemento parentético a la estructura de una oración, y (c) que existen como fórmulas abreviadas por necesidades especiales de la comunicación en titulares, anuncios, carteles, etc.

La gramática tradicional ha intentado sin demasiada convicción fundir el estudio de la frase con el de la oración. Para ello se ha acudido a los conceptos de elipsis, sobrentendido, braquilogía, etc., sin demasiadas precisiones. Por su estructura, se pueden distinguir dos tipos de frase: (1) **frase unimembre,** cuando constituida por uno o más elementos, no se destaca ninguno de ellos como ordenador de la frase y forma en su conjunto una sola unidad: *Casa en venta;* (2) **frase bimembre,** cuando uno de los elementos de la frase de rango secundario actúa como predicado referido a un conjunto: *¡Dichoso niño!*

4.9.1. *Frases unimembres* — Las formas más características de frases unimembres son las siguientes:

(a) *Elementos oracionales simples o compuestos desligados* — Se encuentran sobre todo en el diálogo y adoptan las más variadas formas que van desde el simple adverbio de afirmación o negación hasta un segmento más o menos extenso que completa a una oración expresada anteriormente o que se entiende reconstruida por el interlocutor con los contenidos desarrollados o implicitados por la situación: (1) *¿Quién ha venido? —Tu padre.* (2) *—Sí, sí; en Madrid... en el Museo... ¡Cuántas cosas desde entonces!* (3) *¿Quién es? —Un caballero que le busca a usted.* (4) *La niña se ha sentado. —¿Qué?— ha preguntado la niña. —Beethoven,... Beethoven, siempre Beethoven.*

(b) *Nominalizaciones y secuencias desgajadas* — Especialmente frecuentes en titulares, títulos, anuncios. Toman una forma muy recortada, de estilo telegráfico, impuesto por necesidades de espacio e interés en destacar los elementos más significativos de un enunciado más completo que, sin embargo, resultaría menos efectivo: (1) *Carrera de automóviles en el circuito del Jarama.* (2) *Ofertas en el principal.* (3) *Despacho: lunes y martes de 5 a 7.*

(c) *Vocativos* — Se caracterizan por su entonación y están constituidos por nombres con los que se llama la atención del interlocutor. Pueden incorporarse a la estructura de una oración; la entonación en la expresión hablada y el ir entre comas en el escrito, denuncian su carácter. En este caso, cuando la oración lleva el verbo en imperativo, el vocativo puede coincidir con el sujeto: *Vicente, tráeme el tintero.*

(d) *Interjecciones y clisés exclamativos* — Se distinguen por su entonación y en el escrito van entre exclamaciones. Como el vocativo pueden incorporarse a la estructura de cualquier oración entre comas, como frase parentética. Tienen independencia significativa con frecuencia: (1) *¡Fuego! ¡Auxilio!* (2) *¡Caramba!*

Observaciones — 1. La interjección *Ay* puede ir completada por un elemento complementario con *de,* constituido por un nombre, pronombre o una proposición adjetiva sustantivada: (1) *Ay de mí;* (2) *Ay de los desgraciados;* (3) *Ay del que no me escuche.*

2. Muchas de estas frases son clisés que atenúan su carácter exclamativo: (1) *¡Hasta la vista!* (2) *¡Buenos días!* (3) *Adiós.*

4.9.2. *Frases bimembres* — Tres son las formas más características en que se presentan estas frases en las que se encuentran los dos mismos elementos que se distinguen en la oración: sujeto y predicado. Se distinguen de la oración simplemente por el hecho de no llevar verbo o emplearlo en forma no finita.

(a) *Frases nominales* — Quizá el esquema más estudiado, por el hecho de que algunas lenguas que no conocen la construcción con *ser* lo utilizan regularmente. En refranes y estilo sentencioso y en estilo descriptivo y en determinados anuncios y carteles se emplean frases nominales con diversas intenciones: (1) *Juego de manos, juego de villanos.* (2) *Prohibido hablar con el conductor.* (3) *El pelo largo y descuidado; el traje raído; mal calzado; la cara fatigada por el perpetuo insomnio; los ojos con una desesperación infinita en el fondo de la pupila: tal lo vi por última vez y tal quedó grabado en mi memoria* (M. Cané).

(b) *Frase infinitiva* — Toma formas muy características en la lengua hablada y no infrecuentes en la escrita. Las más interesantes son las **exclamativas,** con las que se expresa un vehemente deseo, duda, o una aspiración a algo lejano que se ve como imposible: (1) *¿Yo, pagar yo?* (2) *¡Ser torero!;* las **de mandato,** que expresan ruego, mandato o recomendación en esquema independiente o fundido a un esquema oracional: (1) *No tocar, peligro de muerte.* (2) *Repito lo que dije a ustedes en otra mía: estarse quietas y basta lo hecho y no tentar a la fortuna muchas veces* (Moratín). Por último, hay que recordar el **infinitivo histórico** que expresa la disposición para realizar una acción y equivale al pretérito imperfecto: *Era tanto el alboroto del pueblo que no se hablaba en otra cosa y todas condenarme y ir al Provincial y a mi Monasterio* (Santa Teresa de Jesús).

(c) *Frase gerundial* — Aparece en descripciones literarias alternando con construcciones de relativo, en los titulares periodísticos o en los pies de ilustraciones y en el lenguaje coloquial: Las más características son las de **gerundio exclamativo:** (1) *¡Callando!* y las de **gerundio epigráfico:** (2) *El Gallo toreando de capa.*

Observación — Los gramáticos censuran construcciones de gerundio cuyo sujeto sea inanimado, y cuando lo que expresa el verbo se presenta como una cualidad ajena a la idea característica de transcurso: *Hojas propagando la noticia.*